CHILTON

MANUAL DE REPARACIÓN Y MANTENIMIENTO

Automóviles, Camionetas y Camiones
MODELOS GASOLINA Y DIESEL

CHILTON

MANUAL DE REPARACIÓN Y MANTENIMIENTO

Automóviles, Camionetas y Camiones
MODELOS GASOLINA Y DIESEL

Presidente	Dean F. Morgantini, S.A.E.
Vice Presidente Financiero	Barry L. Beck
Vice Presidente de Ventas	Glenn D. Potere
Director Ejecutivo	Kevin M.G. Maher, A.S.E.
Director de Producción	Ben Greisler, S.A.E.
Adjunto de Producción	Melinda Possinger
Directores del Proyecto	George B. Heinrich III, A.S.E., S.A.E., Will Kessler, A.S.E., S.A.E., James R. Marotta, A.S.E., S.T.S., Richard Schwartz, A.S.E., Todd W. Stidham
Esquemas y Dibujos	Christopher G. Ritchie
Directores de Edición	Leonard Davis, A.S.E., S.T.S. Frank Keytanjian, A.S.E., S.A.E.

OCEANO/CENTRUM

Es una publicación de
GRUPO OCEANO

EQUIPO EDITORIAL

Dirección: Carlos de Gispert
Dirección Ejecutiva de Ediciones: José Gárriz

* * *

Edición
José Gárriz, Plácido Murugarren, Jaime Rovira

Traducción y revisión de la versión española
Alfonso Díez
Ingeniero técnico

Enrique Sokolowicz
Periodista especializado en temas del motor

Pedro Rius
Traductor técnico especializado en mecánica

Santiago Español
Ingeniero técnico

Mónica Figueras
Traductora técnica especializada en temas del motor

Félix Santiago
Profesor de mecánica del automóvil

* * *

EQUIPO DE PRODUCCIÓN

Dirección
José Gay

REIMPRESIÓN 2008

Versión autorizada en español de la obra original
CHILTON'S™ AUTO REPAIR MANUAL 1995-1999
publicada por W.G. Nichols, Inc.,
West Chester, Pennsylvania, EE.UU.

© MCMXCVIII W.G. NICHOLS
© MMVIII EDITORIAL OCEANO
Milanesat, 21-23
EDIFICIO OCEANO
08017 Barcelona (España)
Teléfono: 932 802 020*
Fax: 932 041 073
www.oceano.com

Impreso en España - Printed in Spain

ISBN: 978-84-7841-066-8

Depósito legal: B-27172-XLIX

9000993141207

ESQUEMA DE CONTENIDOS

FORD/MAZDA FULL SIZE

AEROSTAR • EXPLORER • MOUNTAINEER • RANGER • PICK-UPS SERIE B
FORD MOTOR CO.
ESCORT • ESCORT ZX2 • MERCURY TRACER • CONTOUR • MERCURY MYSTIQUE • COUGAR (1999) • TAURUS • TAURUS SHO • MERCURY SABLE

CHRYLER CORP.

NEON

GENERAL MOTORS FULL SIZE

PICK-UPS C/K • DENALI • ESCALADE • EXPRESS • VAN G/P • SAVANA • SIERRA • SUBURBAN • TAHOE • YUKON
GM CARROCERÍA «A»
BUICK CENTURY • CUTLASS CIERA • CUTLASS CRUISER
GM CARROCERÍA «J»
CAVALIER • SUNFIRE
GM CARROCERÍA «W», BUICK/CHEVROLET/ OLDSMOBILE/PONTIAC
CENTURY • REGAL • LUMINA • MONTECARLO • CUTLASS SUPREME • INTRIGUE • GRAND PRIX

DODGE

DAKOTA • DURANGO • CAMIONES RAM • CAMIONETAS RAM

BMW

M3 • Z3 • SERIE 3 • SERIE 5 • SERIE 7 • SERIE 8

MERCEDES BENZ

CLASE C • CLASE CLK • CLASE E • CLASE S • CLASE SL • CLASE SLK

NISSAN

200SX • 240SX • 300ZX • ALTIMA • MAXIMA • SENTRA • QX4 • NISSAN FRON-TIER • PATHFINDER • PICK-UP • INFINITY

TOYOTA

AVALON • CAMRY • CELICA • COROLLA • MR2 • PASEO • SUPRA • TERCEL

HONDA

ACCORD • CIVIC • DEL SOL • PRELUDE

VOLKSWAGEN

BEETLE • CABRIO • GOLF • GTI • JETTA • PASSAT

CARGA Y ARRANQUE

EJES PROPULSORES, JUNTAS U Y FUELLES DE JUNTAS VC

RECONSTRUCCIÓN DE MOTORES

SENSORES DE OXÍGENO

FRENOS

PLAN GENERAL DE LA OBRA

1 FORD MOTOR/MAZDA FULL SIZE — 1

AEROSTAR-EXPLORER-MOUNTAINEER-RANGER-PICK-UPS SERIE B

Especificaciones. Reparación del motor. Sistema de combustible. Tren propulsor. Dirección y suspensión

2 FORD MOTOR CO. — 65

TRACCIÓN DELANTERA: ESCORT-ESCORT ZX2-MERCURY TRACER

Especificaciones. Reparación del motor. Sistema de combustible. Tren de transmisión. Dirección y suspensión

3 FORD MOTOR CO. — 129

TRACCIÓN TRASERA: CONTOUR-MERCURY MYSTIQUE-COUGAR (1999)

Especificaciones. Reparación del motor. Sistema de combustible. Tren de transmisión. Dirección y suspensión

4 FORD MOTOR CO. — 187

TRACCIÓN TRASERA: TAURUS-TAURUS SHO-MERCURY SABLE

Especificaciones. Reparación del motor. Sistema de combustible. Tren propulsor (de transmisión). Dirección y suspensión

5 CHRYSLER CORP. — 261

NEON

Especificaciones. Reparación del motor. Sistema de combustible. Tren de transmisión. Dirección y suspensión

6 GENERAL MOTORS FULL SIZE 295
PICK-UPS C/K-DENALI-ESCALADE-EXPRESS-VAN G/P-SAVANA-SIERRA-SUBURBAN-TAHOE-YUKON

Especificaciones. Reparación del motor de gasolina. Reparación del motor Diesel. Sistema de combustible de gasolina. Sistema de combustible Diesel. Tren propulsor. Dirección y suspensión

7 GM CARROCERÍA 'A' 353
BUICK CENTURY-CUTLASS CIERA-CUTLASS CRUISER

Especificaciones. Reparación del motor. Sistema de combustible. Tren de transmisión. Dirección y suspensión

8 GM CARROCERÍA 'J' 391
TRACCIÓN DELANTERA: CAVALIER-SUNFIRE

Especificaciones. Reparación del motor. Sistema de combustible. Tren de transmisión. Dirección y suspensión

9 GM CARROCERÍA 'W', BUICK/CHEVROLET/OLDSMOBILE/PONTIAC 425
CENTURY-REGAL-LUMINA-MONTE CARLO-CUTLASS SUPREME-INTRIGUE-GRAND PRIX

Especificaciones. Reparación del motor. Sistema de combustible. Tren de transmisión. Dirección y suspensión

10 DODGE 471
DAKOTA-DURANGO-CAMIONES RAM-CAMIONETAS RAM

Especificaciones. Reparación del motor de gasolina. Reparación del motor Diesel. Sistema de combustible: gasolina. Sistema de combustible: Diesel. Tren de transmisión (propulsor). Dirección y suspensión

11 BMW 529
M3-Z3-SERIE 3-SERIE 5-SERIE 7-SERIE 8

Especificaciones. Reparación del motor. Sistema de combustible. Tren de transmisión (propulsor). Dirección y suspensión

12 MERCEDES BENZ — 579

CLASE C-CLASE CLK-CLASE E-CLASE S-CLASE SL-CLASE SLK

Especificaciones. Reparación del motor de gasolina. Reparación del motor Diesel. Sistema de combustible: gasolina. Sistema de combustible: Diesel. Tren de transmisión. Dirección y suspensión

13 NISSAN — 639

200SX-240SX-300ZX-ALTIMA-MAXIMA-SENTRA

Especificaciones. Reparación del motor. Sistema de combustible. Tren de transmisión. Dirección y suspensión

14 NISSAN/INFINITY FULL SIZE — 709

QX4-NISSAN FRONTIER-PATHFINDER-PICK-UP-INFINITY

Especificaciones. Reparación del motor. Sistema de combustible. Tren de transmisión. Dirección y suspensión

15 TOYOTA — 773

AVALON-CAMRY-CELICA-COROLLA-MR2-PASEO-SUPRA-TERCEL

Especificaciones. Reparación del motor. Sistema de combustible. Tren de transmisión. Dirección y suspensión

16 HONDA — 885

ACCORD-CIVIC-DEL SOL-PRELUDE

Especificaciones. Reparación del motor. Sistema de combustible. Tren de transmisión. Dirección y suspensión

17 VOLKSWAGEN — 999

BEETLE-CABRIO-GOLF-GTI-JETTA-PASSAT

Especificaciones. Reparación de motores de gasolina. Reparación de motores Diesel. Sistema de combustible: gasolina. Sistema de combustible: Diesel. Tren de transmisión. Dirección y suspensión

18 CARGA Y ARRANQUE   1037

Sistema de arranque. Sistema de carga

19 EJES PROPULSORES, JUNTAS U Y FUELLES DE LAS JUNTAS VC   1057

20 RECONSTRUCCIÓN DE MOTORES   1073

Reparación de roscas dañadas. Especificaciones estándar de apriete y de marcas en las cabezas de tornillos. Reacondicionamiento de culatas. Reacondicionamiento del bloque de cilindros

21 SENSORES DE OXÍGENO   1095

Sensores de oxígeno (O_2)

22 FRENOS   1121

Especificaciones. Sistema de funcionamiento del freno. Frenos de disco. Frenos de tambor. Sistemas de freno antibloqueo (antiamarre)

TABLAS PARA EL SISTEMA MÉTRICO   1209

GLOSARIO DE TÉRMINOS   1221

Glosario de términos electrónicos

USOS DEL CASTELLANO   1225

ACRÓNIMOS   1237

FORD MOTOR/MAZDA FULL SIZE

Aerostar - Explorer - Mountaineer
Ranger - Pick-Ups Serie B

ESPECIFICACIONES
Ford Motor Full Size
   Aerostar-Explorer-Mountaineer Ranger 2

ESPECIFICACIONES
Mazda Full Size Pick-Ups Serie B 15

REPARACIÓN DEL MOTOR 20

Distribuidor 20
Sincronización de la ignición 21
Conjunto motor......................... 21
Bomba de agua 23
Culata de cilindros 25
Balancines y su eje.................... 29
Múltiple de admisión 30
Múltiple de escape.................... 35
Sello de aceite del cigüeñal delantero....... 37
Árbol de levas y levantadores de válvulas ... 37
Depósito de aceite 41
Bomba de aceite....................... 43
Sello de aceite del cojinete
   principal trasero.................... 44

SISTEMA DE COMBUSTIBLE 44

Precauciones en la revisión
   del sistema de combustible 44

Presión del sistema de combustible 45
Filtro de combustible 45
Bomba de combustible 45

TREN PROPULSOR 46

Conjunto de transmisión 46
Embrague 47
Sistema del embrague hidráulico 48
Conjunto de caja de transferencia......... 48
Cubos de cierre 50

DIRECCIÓN Y SUSPENSIÓN 51

Bolsa de aire (Air Bag) 51
Caja de dirección manual
   de cremallera y piñón 51
Caja de dirección hidráulica
   de cremallera y piñón 52
Caja de dirección manual
   por recirculación de bolas.............. 54
Caja de dirección hidráulica
   por recirculación de bolas.............. 54
Amortiguadores 55
Resortes espirales 55
Rótula superior 57
Rótula inferior 58
Cojinetes de rueda 58

ESPECIFICACIONES
FORD MOTOR FULL SIZE

Aerostar - Explorer
Mountaineer - Ranger

TABLA DE IDENTIFICACIÓN DEL VEHÍCULO

Clave del motor						Año-Modelo	
Clave	Litros	Plg3 (cc)	Cil.	Sist. combustible	Fabr. del motor	Clave	Año
2	4.2	256 (4195)	6	MFI	Ford	S	1995
5	6.8	415 (6802)	10	MFI	Ford	T	1996
6	4.6	280 (4588)	8	MFI	Ford	V	1997
A	2.3	140 (2294)	4	MFI	Ford	W	1998
C	2.5	152 (2500)	4	MFI	Ford	X	1999
E	4.0	244 (4000)	6	MFI	Ford		
F	7.3	445 (7292)	8	DI	Navistar		
G	7.5	460 (7538)	8	MFI	Ford		
H	5.8	351 (5752)	8	MFI	Ford		
L	5.4	330 (5409)	8	MFI	Ford		
N	5.0	302 (4949)	8	MFI	Ford		
P	5.0	302 (4949)	8	MFI	Ford		
R	5.8	351 (5752)	8	MFI	Ford		
U	3.0	183 (2999)	6	MFI	Ford		
W	4.6	280 (4588)	8	MFI	Ford		
X	4.0	244 (3998)	6	MFI	Ford		
Y	4.9	300 (4916)	6	MFI	Ford		

MFI - Inyección de combustible multipunto.
DSL - Diesel.
DI - Turbo Inyección Directa.

IDENTIFICACIÓN DEL MOTOR

Año	Modelo	Cilindrada del motor litros (cc)	Identificación serie del motor (VIN)	Sistema de combustible	Nº de cilindros	Tipo de motor
1995	Aerostar	3.0 (2999)	U	MFI	6	OHV
	Aerostar	4.0 (3998)	X	MFI	6	OHV
	Bronco	5.0 (4949)	N	MFI	8	OHV
	Bronco	5.8 (5752)	H	MFI	8	OHV
	E-150	4.9 (4916)	Y	MFI	6	OHV
	E-150	5.0 (4949)	N	MFI	8	OHV
	E-150	5.8 (5752)	H	MFI	8	OHV
	E-250	4.9 (4916)	Y	MFI	6	OHV
	E-250	5.0 (4949)	N	MFI	8	OHV
	E-250	5.8 (5752)	H	MFI	8	OHV
	E-350	4.9 (4916)	Y	MFI	6	OHV
	E-350	5.8 (5752)	H	MFI	8	OHV
	E-350	7.3 (7292)	F	DI	8	OHV
	E-350	7.3 (7292)	K	IDI	8	OHV
	E-350	7.3 (7292)	M	IDI	8	OHV
	E-350	7.5 (7538)	G	MFI	8	OHV
	Explorer	4.0 (3998)	X	MFI	6	OHV
	F-150	4.9 (4916)	Y	MFI	6	OHV
	F-150	5.0 (4949)	N	MFI	8	OHV
	F-150	5.8 (5752)	H	MFI	8	OHV
	F-250	4.9 (4916)	Y	MFI	6	OHV
	F-250	5.0 (4949)	N	MFI	8	OHV
	F-250	5.8 (5752)	H	MFI	8	OHV
	F-250	7.3 (7292)	M	IDI	8	OHV
	F-250	7.5 (7538)	G	MFI	8	OHV
	F-350	4.9 (4916)	Y	MFI	6	OHV
	F-350	5.8 (5752)	H	MFI	8	OHV
	F-350	7.3 (7292)	K	IDI	8	OHV
	F-350	7.3 (7292)	F	DI	8	OHV
	F-350	7.3 (7292)	M	IDI	8	OHV
	F-350	7.5 (7538)	G	MFI	8	OHV
	F-Super Duty	7.3 (7292)	F	DI	8	OHV
	F-Super Duty	7.3 (7292)	M	DDI	8	OHV
	F-Super Duty	7.3 (7292)	K	IDI	8	OHV
	F-Super Duty	7.5 (7538)	G	EFI	8	OHV
	Lightning Pick-up	5.8 (5752)	R	EFI	8	OHV
	Ranger	2.3 (2294)	A	MFI	4	SOHC
	Ranger	3.0 (2999)	U	MFI	6	OHV
	Ranger	4.0 (3998)	X	MFI	6	OHV
1996	Aerostar	3.0 (2982)	U	MFI	6	OHV
	Aerostar	4.0 (3950)	X	MFI	6	OHV
	Bronco	5.0 (4949)	N	MFI	8	OHV
	Bronco	5.8 (5752)	H	MFI	8	OHV
	E-150	4.9 (4916)	Y	MFI	6	OHV
	E-150	5.0 (4949)	N	MFI	8	OHV
	E-150	5.8 (5752)	H	MFI	8	OHV
	E-250	4.9 (4916)	Y	MFI	6	OHV
	E-250	5.0 (4949)	N	MFI	8	OHV
	E-250	5.8 (5752)	H	MFI	8	OHV
	E-350	4.9 (4916)	Y	MFI	6	OHV
	E-350	5.8 (5752)	H	MFI	8	OHV
	E-350	7.3 (7292)	F	DI	8	OHV
	E-350	7.5 (7538)	G	MFI	8	OHV

IDENTIFICACIÓN DEL MOTOR

Año	Modelo	Cilindrada del motor litros (cc)	Identificación serie del motor (VIN)	Sistema de combustible	N° de cilindros	Tipo de motor
1996 (cont.)	Explorer	4.0 (3950)	X	MFI	6	OHV
	Explorer	5.0 (4949)	P	MFI	8	OHV
	F-150	4.2 (4195)	2	MFI	6	OHV
	F-150	4.6 (4588)	W	MFI	8	SOHC
	F-150	4.6 (4588)	6	MFI	8	SOHC
	F-150	4.6 (4588)	9	NA	8	SOHC
	F-150	4.9 (4916)	Y	MFI	6	OHV
	F-150	5.0 (4949)	N	MFI	8	OHV
	F-150	5.8 (5752)	H	MFI	8	OHV
	F-250	4.9 (4916)	Y	MFI	6	OHV
	F-250	5.0 (4949)	N	MFI	8	OHV
	F-250	5.8 (5752)	H	MFI	8	OHV
	F-250	7.3 (7292)	F	DI	8	OHV
	F-250	7.5 (7538)	G	MFI	8	OHV
	F-350	4.9 (4916)	Y	MFI	6	OHV
	F-350	5.8 (5752)	H	MFI	8	OHV
	F-350	7.3 (7292)	F	DI	8	OHV
	F-350	7.5 (7538)	G	MFI	8	OHV
	F-Super Duty	7.3 (7292)	F	DI	8	OHV
	F-Super Duty	7.5 (7538)	G	MFI	8	OHV
	Mountaineer	5.0 (4949)	P	MFI	8	OHV
	Ranger	2.3 (2300)	A	MFI	4	SOHC
	Ranger	3.0 (2982)	U	MFI	6	OHV
	Ranger	4.0 (3950)	X	MFI	6	OHV
1997	Aerostar	3.0 (2982)	U	MFI	6	OHV
	Aerostar	4.0 (3950)	X	MFI	6	OHV
	E-150	4.2 (4195)	2	MFI	6	OHV
	E-150	4.6 (4588)	6/W	MFI	8	OHV
	E-150	5.4 (5409)	L	MFI	8	OHV
	E-250	4.2 (4195)	2	MFI	6	OHV
	E-250	5.4 (5409)	L	MFI	8	OHV
	E-350	5.4 (5409)	L	MFI	8	OHV
	E-350	6.8 (6802)	5	MFI	10	OHV
	E-350	7.3 (7292)	F	DI	8	OHV
	Expedition	4.6 (4588)	6	MFI	8	SOHC
	Expedition	5.4 (5409)	L	MFI	8	SOHC
	Explorer	4.0 (4000)	X	MFI	6	SOHC
	Explorer	5.0 (4949)	P	MFI	8	OHV
	F-150	4.2 (4195)	2	MFI	6	OHV
	F-150	4.6 (4588)	W	MFI	8	SOHC
	F-150	4.6 (4588)	6	MFI	8	SOHC
	F-150	5.4 (5409)	L	MFI	8	SOHC
	F-250	5.8 (5752)	H	MFI	8	OHV
	F-250	7.3 (7292)	F	DI	8	OHV
	F-250	7.5 (7538)	G	MFI	8	OHV
	F-350	5.8 (5752)	H	MFI	8	OHV
	F-350	7.3 (7292)	F	DI	8	OHV
	F-350	7.5 (7538)	G	MFI	8	OHV
	F-Super Duty	5.8 (5752)	H	MFI	8	OHV
	F-Super Duty	7.3 (7292)	F	DI	8	OHV
	F-Super Duty	7.5 (7538)	G	MFI	8	OHV
	Mountaineer	5.0 (4949)	P	MFI	8	OHV
	Ranger	2.3 (2300)	A	MFI	4	SOHC

IDENTIFICACIÓN DEL MOTOR

Año	Modelo	Cilindrada del motor litros (cc)	Identificación serie del motor (VIN)	Sistema de combustible	Nº de cilindros	Tipo de motor
1997 (cont.)	Ranger	3.0 (2982)	U	MFI	6	OHV
	Ranger	4.0 (3950)	X	MFI	6	OHV
1998-99	E-150	4.2 (4195)	2	MFI	6	OHV
	E-150	4.6 (4588)	6/W	MFI	8	OHV
	E-150	5.4 (5409)	L	MFI	8	OHV
	E-250	4.2 (4195)	2	MFI	6	OHV
	E-250	5.4 (5409)	L	MFI	8	OHV
	E-350	5.4 (5409)	L	MFI	8	OHV
	E-350	6.8 (6802)	5	MFI	10	OHV
	E-350	7.3 (7292)	F	DI	8	OHV
	Expedition	4.6 (4588)	6/W	MFI	8	SOHC
	Expedition	5.4 (5409)	L	MFI	8	SOHC
	Explorer	4.0 (4000)	X	MFI	6	SOHC
	Explorer	5.0 (4949)	P	MFI	8	OHV
	F-150	4.2 (4195)	2	MFI	6	OHV
	F-150	4.6 (4588)	6/W	MFI	8	SOHC
	F-150	5.4 (5409)	L	MFI	8	SOHC
	F-250	4.6 (4588)	6/W	MFI	8	SOHC
	F-250	5.4 (5409)	L	MFI	8	SOHC
	F-350	5.4 (5409)	L	MFI	8	SOHC
	F-350	5.8 (5752)	H	MFI	8	OHV
	F-350	6.8 (6802)	5	MFI	10	OHV
	F-350	7.3 (7292)	F	DI	8	OHV
	F-350	7.5 (7538)	G	MFI	8	OHV
	F-Super Duty	5.4 (5409)	L	MFI	8	SOHC
	F-Super Duty	5.8 (5752)	H	MFI	8	OHV
	F-Super Duty	6.8 (6802)	5	MFI	10	OHV
	F-Super Duty	7.3 (7292)	F	DI	8	OHV
	F-Super Duty	7.5 (7538)	G	MFI	8	OHV
	Mountaineer	5.0 (4949)	P	MFI	8	OHV
	Navigator	5.4 (5409)	L	MFI	8	SOHC
	Ranger	2.5 (2500)	C	MFI	4	OHV
	Ranger	3.0 (2982)	U	MFI	6	OHV
	Ranger	4.0 (3950)	X	MFI	6	OHV

MFI - Inyección de combustible multipunto.
DSL - Diesel.
DI - Turbo Inyección Directa.
OHV - Válvulas en la culata por empujadores.
SOHC - Árbol de levas sencillo en la culata.

ESPECIFICACIONES GENERALES DEL MOTOR

Año	Motor ID/VIN	Cilindrada del motor litros (cc)	Sistema de combustible	Caballaje neto @ rpm	Torsión neta @ rpm (pie-lb)	Diámetro x carrera (plg)	Relación de compresión (plg)	Presión de aceite @ rpm
1995	A	2.3 (2294)	EFI	100@4600	133@2600	3.78x3.13	9.2:1	40-60@2000
	F	7.3 (7292)	DI	210@3000	425@2000	4.11x4.18	17.5:1	40-70@3000
	G	7.5 (7538)	EFI	245@4000	400@2200	4.36x3.85	8.5:1	40-88@2000
	H	5.8 (5752)	EFI	210@3600	325@2800	4.00x3.50	8.8:1	40-65@2000
	M	7.3 (7292)	IDI	185@3000 ①	360@1400 ②	4.11x4.18	21.5:1	40-70@2000
	N	5.0 (4949)	EFI	205@4000	275@3000	4.00x3.00	9.0:1	40-60@2000
	R	5.8 (5752)	EFI	240@4200	340@3200	4.00x3.50	8.8:1	40-65@2000
	U	3.0 (2999)	MFI	135@4600	160@2800	3.50x3.14	9.3:1	40-60@2500
	X	4.0 (3998)	EFI	160@4000	225@2500	3.81x3.39	9.0:1	40-60@2000
	Y	4.9 (4916)	EFI	145@3400 ③	265@2000 ③	4.00x3.98	8.8:1	40-60@2000
1996	2	4.2 (4195)	MFI	205@4400	255@3000	3.81x3.74	9.3:1	50@2000
	6	4.6 (4588)	MFI	210@4400	290@3250	3.55x3.54	9.0:1	20-45@1500
	9	4.6 (4588)	NA	NA	NA	3.55x3.54	9.0:1	20-45@1500
	A	2.3 (2300)	MFI	112@4800	135@2400	3.78x3.13	9.4:1	40-60@2000
	F	7.3 (7292)	DI	210@3000	425@2000	4.11x4.18	17.5:1	40-70@3000
	G	7.5 (7538)	MFI	245@4000	400@2200	4.36x3.85	8.5:1	40-88@2000
	H	5.8 (5752)	MFI	210@3600	325@2800	4.00x3.50	8.8:1	40-65@2000
	N	5.0 (4949)	MFI	199@4200	270@2400	4.00x3.00	9.0:1	40-60@2000
	P	5.0 (4949)	MFI	210@4500	280@3500	4.00x3.00	9.0:1	40-60@2500
	U	3.0 (2982)	MFI	147@5000	162@3250	3.50x3.14	9.3:1	40-60@2500
	W	4.6 (4588)	MFI	210@4400	290@3250	3.55x3.54	9.0:1	20-45@1500
	X	4.0 (3950)	MFI	160@4000	225@2500	3.81x3.39	9.0:1	40-60@2000
	Y	4.9 (4916)	MFI	145@3400 ③	265@2000 ③	4.00x3.98	8.8:1	40-60@2000
1997	2	4.2 (4195)	MFI	205@4400	255@3000	3.81x3.74	9.3:1	50@2000
	5	6.8 (6802)	MFI	265@4250	410@2750	4.09X4.17	9.0:1	40-70@1500
	6	4.6 (4588)	MFI	210@4400	290@3250	3.55x3.54	9.0:1	20-45@1500
	A	2.3 (2300)	MFI	112@4800	135@2400	3.78x3.13	9.4:1	40-60@2000
	E	4.0 (3950)	MFI	205@5000	250@3000	3.95X3.31	9.7:1	40-60@2000
	F	7.3 (7292)	DI	210@3000	425@2000	4.11x4.18	17.5:1	40-70@3000
	G	7.5 (7538)	MFI	245@4000	400@2200	4.36x3.85	8.5:1	40-88@2000
	H	5.8 (5752)	MFI	210@3600	325@2800	4.00x3.50	8.8:1	40-65@2000
	L	5.4 (5409)	MFI	235@4250	330@3000	3.55X4.17	9.0:1	40-70@1500
	N	5.0 (4949)	MFI	199@4200	270@2400	4.00x3.00	9.0:1	40-60@2000
	P	5.0 (4949)	MFI	210@4500	280@3500	4.00x3.00	9.0:1	40-60@2500
	U	3.0 (2982)	MFI	147@5000	162@3250	3.50x3.14	9.3:1	40-60@2500
	W	4.6 (4588)	MFI	210@4400	290@3250	3.55x3.54	9.0:1	20-45@1500
	X	4.0 (3950)	MFI	160@4000	225@2500	3.81x3.39	9.0:1	40-60@2000
1998-99	5	6.8 (6802)	MFI	265@4250	410@2750	4.09X4.17	9.0:1	40-70@1500
	6/W	4.6 (4588)	MFI	210@4400	290@3250	3.55x3.54	9.0:1	20-45@1500
	C	2.5 (2500)	MFI	119@5000	146@3000	3.78X3.90	9.1:1	40-60@2000
	E	4.0 (3950)	MFI	205@5000	250@3000	3.95X3.31	9.7:1	40-60@2000
	G	7.5 (7538)	MFI	245@4000	400@2200	4.36x3.85	8.5:1	40-88@2000
	L	5.4 (5409)	MFI	235@4250	330@3000	3.55X4.17	9.0:1	40-70@1500
	P	5.0 (4949)	MFI	210@4500	280@3500	4.00x3.00	9.0:1	40-60@2500
	P	5.0 (4949)	MFI	210@4500	280@3500	4.00x3.00	9.0:1	40-60@2500
	R	5.8 (5752)	MFI	210@3600	325@2800	4.00x3.50	8.8:1	40-65@2000
	U	3.0 (2982)	MFI	147@5000	162@3250	3.50x3.14	9.3:1	40-60@2500
	X	4.0 (3950)	MFI	160@4000	225@2500	3.81x3.39	9.0:1	40-60@2000

NA - No disponible.
MFI - Inyección de combustible multipunto.
EFI - Inyección de combustible electrónica.
IDI - Diesel inyección indirecta.
DI - Turbo inyección directa.

① Altitud Elevada: 165 @ 3000.
② Altitud Elevada: 325 @ 1600.
③ Los valores son para las camionetas E 150-250 y Wagon regular automático (over drive) OD (E 400) con 4 vel. Usar 150 hp @ 3400 rpm y 260 pie-lb @ 2000 par.a todas las demás aplicaciones.

ESPECIFICACIONES PARA AFINACIÓN DE MOTORES DE GASOLINA

Año	Motor ID/VIN	Cilindrada del motor litros (cc)	Abertura de bujías (plg)	Sincronización ignición (grados) TM	AT	Bomba de combustible (lb/plg²)	Marcha mínima (rpm) TM	AT	Holgura válvulas Admisión	Escape
1995	A	2.3 (2294)	0.044	10B	10B	35-45	725	675	HYD	HYD
	G	7.5 (7538)	0.044	10B	10B	35-45	775	675	HYD	HYD
	H	5.8 (5752)	0.044	10B	10B	35-45	775	675	HYD	HYD
	N	5.0 (4949)	0.044	10B	10B	35-45	775	675	HYD	HYD
	R	5.8 (5752)	0.044	10B	10B	35-45	775	675	HYD	HYD
	U	3.0 (2999)	0.044	10B	10B	35-45	[1]	[1]	HYD	HYD
	X	4.0 (3998)	0.054	10B	10B	35-45	[1]	[1]	HYD	HYD
	Y	4.9 (4916)	0.044	10B	10B	50-60	700	575	HYD	HYD
1996	2	4.2 (4195)	0.052-0.056	10B [2]	10B [2]	30-45 [3]	NA	NA	HYD	HYD
	6	4.6 (4588)	0.052-0.056	8-12B [2]	8-12B [2]	30-45 [3]	NA	NA	HYD	HYD
	9	4.6 (4588)	NA	NA	NA	30-45 [3]	NA	NA	HYD	HYD
	A	2.3 (2300)	0.044	10B	10B	35-45	725	675	HYD	HYD
	G	7.5 (7538)	0.044	10B	10B	35-45	775	675	HYD	HYD
	H	5.8 (5752)	0.044	10B	10B	35-45	775	675	HYD	HYD
	N	5.0 (4949)	0.044	10B	10B	35-45	775	675	HYD	HYD
	P	5.0 (4949)	0.044	—	10B	35-45	—	[1]	HYD	HYD
	U	3.0 (2982)	0.044	10B	10B	35-45	[1]	[1]	HYD	HYD
	W	4.6 (4588)	0.052-0.056	8-12B [2]	8-12B [2]	30-45 [3]	NA	NA	HYD	HYD
	X	4.0 (3950)	0.054	10B	10B	35-45	[1]	[1]	HYD	HYD
	Y	4.9 (4916)	0.044	10B	10B	50-60	700	575	HYD	HYD
1997	2	4.2 (4195)	0.052-0.056	10B [2]	10B [2]	30-45 [3]	NA	NA	HYD	HYD
	6	4.6 (4588)	0.052-0.056	8-12B [2]	8-12B [2]	30-45 [3]	NA	NA	HYD	HYD
	A	2.3 (2300)	0.044	10B	10B	35-45	725	675	HYD	HYD
	G	7.5 (7538)	0.044	10B	10B	35-45	775	675	HYD	HYD
	H	5.8 (5752)	0.044	10B	10B	35-45	775	675	HYD	HYD
	N	5.0 (4949)	0.044	10B	10B	35-45	775	675	HYD	HYD
	P	5.0 (4949)	0.044	—	10B	35-45	—	[1]	HYD	HYD
	U	3.0 (2982)	0.044	10B	10B	35-45	[1]	[1]	HYD	HYD
	W	4.6 (4588)	0.052-0.056	8-12B [2]	8-12B [2]	30-45 [3]	NA	NA	HYD	HYD
	X	4.0 (3950)	0.054	10B	10B	35-45	[1]	[1]	HYD	HYD
1998-99	2	4.2 (4195)	0.052-0.056	10B [2]	10B [2]	30-45 [3]	NA	NA	HYD	HYD
	5	6.8 (6802)	0.052-0.055	10B [2]	10B [2]	28-45		[1]	HYD	HYD
	6/W	4.6 (4588)	0.052-0.056	8-12B [2]	8-12B [2]	30-45 [3]	NA	NA	HYD	HYD
	C	2.5 (2500)	0.044	10B [2]	10B [2]	56-72	[1]	[1]	HYD	HYD
	E	4.0 (3950)	0.052-0.056	10B [2]	10B [2]	35-45	[1]	[1]	HYD	HYD
	G	7.5 (7538)	0.044	10B	10B	35-45	775	675	HYD	HYD
	H	5.8 (5752)	0.044	10B	10B	35-45	775	675	HYD	HYD
	L	5.4 (5409)	0.052-0.056	10B [2]	10B [2]	28-45	[1]	[1]	HYD	HYD
	P	5.0 (4949)	0.044	—	10B	35-45	—	[1]	HYD	HYD
	U	3.0 (2982)	0.044	10B	10B	35-45	[1]	[1]	HYD	HYD
	X	4.0 (3950)	0.054	10B	10B	35-45	[1]	[1]	HYD	HYD

NOTA: La calcomanía con la Información sobre Control de Emisiones del Vehículo refleja a menudo cambios en las especificaciones, cambios realizados durante la fabricación. Se deben utilizar las cifras de la calcomanía si son diferentes de las de esta tabla.

B - Antes del punto muerto superior (APMS).

HYD - Hidráulico.

NA- No disponible.

[1] La marcha mínima está controlada electrónicamente y no se puede ajustar.

[2] La sincronización de la ignición está preestablecida y no se puede ajustar.

[3] Con el motor en marcha.

CAPACIDADES

Año	Modelo	Motor ID/VIN	Cilindrada del motor litros (cc)	Aceite del motor con filtro (qts)	Transmisión (pts) 4 vel.	5 vel.	Auto.	Caja de transferencia (pts)	Eje motriz Delantero (pts)	Trasero (pts)	Tanque combustible (gal)	Sistema enfriamiento (qts)
1995	Aerostar	U	3.0 (2999)	4.5	—	5.6	19.0	2.5	3.0	⑪	21.0	11.8
	Aerostar	X	4.0 (3998)	5.0	—	5.6	19.0	2.5	3.0	⑪	21.0	12.6
	Bronco	Y	4.9 (4916)	6.0	7.0	7.0	24.0	①	5.5	5.5	32.0	14.0
	Bronco	N	5.0 (4949)	6.0	7.0 ②	7.0	24.0	①	5.5	5.5	32.0	14.0
	Bronco	H	5.8 (5752)	6.0	7.0 ②	7.0	24.0	①	5.5	5.5	32.0	15.0
	E-150	Y	4.9 (4916)	6.0	7.0 ②	7.0	24.0	—	—	6.0 ③	④	14.0
	E-150	N	5.0 (4949)	6.0	7.0 ②	7.0	24.0	—	—	6.0 ③	6.0 ④	15.0
	E-150	H	5.8 (5752)	6.0	7.0 ②	7.0	24.0	—	—	6.0 ③	④	14.0
	E-250	Y	4.9 (4916)	6.0	7.0 ②	7.0	24.0	—	—	6.0 ③	④	14.0
	E-250	N	5.0 (4949)	6.0	7.0 ②	7.0	24.0	—	—	6.0 ③	④	15.0
	E-250	H	5.8 (5752)	6.0	7.0 ②	7.0	24.0	—	—	6.0 ③	④	15.0
	E-250	M	7.3 (7292)	10.0	7.0 ②	7.0	24.0	—	—	6.0 ③	④	20.0
	E-250	L	7.5 (7538)	6.0	7.0 ②	7.0	24.0	—	—	6.0 ③	④	10.9
	E-350	Y	4.9 (4916)	6.0	7.0 ②	7.0	24.0	—	—	6.0 ③	④	17.5
	E-350	H	5.8 (5752)	6.0	7.0 ②	7.0	24.0	—	—	6.0 ③	④	15.0
	E-350	M	7.3 (7292)	10.0	7.0 ②	7.0	24.0	—	—	6.0 ③	④	20.0
	E-350	L	7.5 (7538)	6.0	7.0 ②	7.0	24.0	—	—	6.0 ③	④	19.8
	Explorer	X	4.0 (3998)	5.0	—	5.6	⑭	3.0	⑪	⑪	19.3	⑱
	F-150	Y	4.9 (4916)	6.0	7.0 ②	7.0	24.0 ⑩	①	6.0	6.0 ③	④	⑤
	F-150	N	5.0 (4949)	6.0	7.0 ②	7.0	24.0 ⑩	①	6.0	6.0 ③	④	⑥
	F-150	H	5.8 (5752)	6.0	7.0 ②	7.0	24.0 ⑩	①	6.0	6.0 ③	④	⑦
	F-250	Y	4.9 (4916)	6.0	7.0 ②	7.0	24.0 ⑩	①	6.0	6.0 ③	④	⑤
	F-250	N	5.0 (4949)	6.0	7.0 ②	7.0	24.0 ⑩	①	6.0	6.0 ③	④	⑤
	F-250	H	5.8 (5752)	6.0	7.0 ②	7.0	24.0 ⑩	①	6.0	6.0 ③	④	⑦
	F-250	L	7.5 (7538)	6.0	7.0 ②	7.0	24.0 ⑩	①	6.0	6.0 ③	19.0	19.8
	F-350	Y	4.9 (4916)	6.0	7.0 ②	7.0	24.0 ⑩	①	6.0	6.0 ③	19.0	⑤
	F-350	H	5.8 (5752)	6.0	7.0 ②	7.0	24.0 ⑩	①	6.0	6.0 ③	19.0	⑦
	F-350	M	7.3 (7292)	10.0	7.0 ②	7.0	24.0 ⑩	①	6.0	6.0 ③	19.0	20.0
	F-350	L	7.5 (7538)	6.0	7.0 ②	7.0	24.0 ⑩	①	6.0	6.0 ③	19.0	19.8
	F-Super Duty	C	7.3 (7292)	10.0	7.0 ②	7.0	24.0 ⑩	①	6.0	6.0 ③	19.0	20.0
	Ranger	A	2.3 (2294)	5.0	—	⑫	⑭	3.0	⑪	5.5	⑰	⑲
	Ranger	U	3.0 (2999)	4.5	—	3.0	⑭	⑮	⑯	⑯	⑰	⑳
	Ranger	X	4.0 (3998)	5.0	—	3.0	⑭	⑮	⑯	⑯	⑰	⑱
1996	Aerostar	U	3.0 (2982)	5.0	—	5.6	19.0	2.5	3.0	⑪	21.0	11.8
	Aerostar	X	4.0 (3950)	5.0	—	5.6	19.0	2.5	3.0	⑪	21.0	12.6
	Bronco	Y	4.9 (4916)	6.0	⑨	7.6	24.0 ⑩	⑧	5.5	5.5	32.0	14.0
	Bronco	N	5.0 (4949)	6.0	⑨	7.6	24.0	⑧	5.5	5.5	32.0	14.0
	Bronco	H	5.8 (5752)	6.0	⑨	7.6	24.0 ⑨	⑧	5.5	5.5	32.0	15.0
	E-150	Y	4.9 (4916)	6.0	⑨	7.6	24.0 ⑨	—	—	6.0 ③	④	14.0
	E-150	N	5.0 (4949)	6.0	⑨	7.6	24.0 ⑨	—	—	6.0 ③	④	15.0
	E-150	H	5.8 (5752)	6.0	⑨	7.6	24.0 ⑨	—	—	6.0 ③	④	14.0
	E-250	Y	4.9 (4916)	6.0	⑨	7.6	24.0 ⑨	—	—	6.0 ③	④	14.0
	E-250	N	5.0 (4949)	6.0	⑨	7.6	24.0 ⑨	—	—	6.0 ③	④	15.0
	E-250	H	5.8 (5752)	6.0	⑨	7.6	24.0 ⑨	—	—	6.0 ③	④	15.0
	E-250	L	7.5 (7538)	6.0	⑨	7.6	24.0 ⑨	—	—	6.0 ③	④	10.9
	E-350	Y	4.9 (4916)	6.0	⑨	7.6	24.0 ⑨	—	—	6.0 ③	④	17.5
	E-350	H	5.8 (5752)	6.0	⑨	7.6	24.0 ⑨	—	—	6.0 ③	④	15.0
	E-350	F	7.3 (7292)	14.0	⑨	7.6	24.0 ⑨	—	—	6.0 ③	④	23.0
	E-350	L	7.5 (7538)	6.0	⑨	7.6	24.0 ⑨	—	—	6.0 ③	④	19.8
	Explorer	X	4.0 (3950)	5.0	—	5.6	⑭	3.0	⑪	⑪	19.3	⑱
	Explorer	P	5.0 (4949)	5.0	—	—	13.9	—	—	5.5	19.0	12.8
	F-150	2	4.2 (4195)	6.0	—	7.6	26.0	4.0	3.7	5.5	24.5 ㉑	15.7 ㉒

CAPACIDADES

Año	Modelo	Motor ID/VIN	Cilindrada del motor litros (cc)	Aceite del motor con filtro (qts)	Transmisión (pts) 4 vel.	5 vel.	Auto.	Caja de transferencia (pts)	Eje motriz Delantero (pts)	Trasero (pts)	Tanque combustible (gal)	Sistema enfriamiento (qts)
1996 (cont.)	F-150	W	4.6 (4588)	6.0	—	7.6	26.0	4.0	3.7	5.5	24.5 ㉑	17.9
	F-150	6	4.6 (4588)	6.0	—	7.6	26.0	4.0	3.7	5.5	24.5 ㉑	17.9
	F-150	9	4.6 (4588)	6.0	—	7.6	26.0	4.0	3.7	5.5	24.5 ㉑	17.9
	F-150	Y	4.9 (4916)	6.0	⑨	7.6	24.0 ⑨	⑧	6.0	6.0 ③	⑩	⑤
	F-150	N	5.0 (4949)	6.0	⑨	7.6	24.0 ⑨	⑧	6.0	6.0 ③	⑩	⑥
	F-150	H	5.8 (5752)	6.0	⑨	7.6	24.0 ⑨	⑧	6.0	6.0 ③	⑩	⑦
	F-250	Y	4.9 (4916)	6.0	⑨	7.6	24.0 ⑨	⑧	6.0	6.0 ③	⑩	⑤
	F-250	N	5.0 (4949)	6.0	⑨	7.6	24.0 ⑨	⑧	6.0	6.0 ③	⑩	⑥
	F-250	H	5.8 (5752)	6.0	⑨	7.6	24.0 ⑨	⑧	6.0	6.0 ③	⑩	⑦
	F-250	F	7.3 (7292)	14.0	⑨	7.6	24.0 ⑨	⑧	6.0	6.0 ③	⑩	23.0
	F-250	L	7.5 (7538)	6.0	⑨	7.6	24.0 ⑨	⑧	6.0	6.0 ③	⑩	19.8
	F-350	Y	4.9 (4916)	6.0	⑨	7.6	24.0 ⑨	⑧	6.0	6.0 ③	⑩	⑤
	F-350	H	5.8 (5752)	6.0	⑨	7.6	24.0 ⑨	⑧	6.0	6.0 ③	⑩	⑦
	F-350	F	7.3 (7292)	14.0	—	7.6	24.0 ⑨	⑧	6.0	6.0 ③	⑩	23.0
	F-350	L	7.5 (7538)	6.0	⑨	7.6	24.0 ⑨	⑧	6.0	6.0 ③	⑩	19.8
	F-Super Duty	C	7.3 (7292)	10.0	7.0 ②	7.0	24.0 ⑩	①	6.0	6.0 ③	19.0	20.0
	Mountaineer	P	5.0 (4949)	5.0	—	—	13.9	—	—	5.5		12.8
	Ranger	A	2.3 (2300)	5.0	—	⑫	⑭	3.0	⑪	5.5	⑰	⑲
	Ranger	U	3.0 (2982)	4.5	—	3.0	⑭	⑮	⑯	⑯	⑰	⑳
	Ranger	X	4.0 (3950)	5.0	—	3.0	⑭	⑮	⑯	⑯	⑰	⑱
1997	Aerostar	U	3.0 (2982)	5.0	—	5.6	19.0	2.5	3.0	⑪	21.0	11.8
	Aerostar	X	4.0 (3950)	5.0	—	5.6	19.0	2.5	3.0	⑪	21.0	12.6
	E-150	2	4.2 (4195)	6.0	—	—	⑨	—	—	6.0	35.0	15.7
	E-150	6/W	4.6 (4588)	6.0	—	—	⑨	—	—	6.0	35.0	17.9
	E-150	L	5.4 (5409)	7.0	—	—	⑨	—	—	6.0	35.0	19.8
	E-250	2	4.2 (4195)	6.0	—	—	⑨	—	—	6.0 ③	35.0	15.7
	E-250	L	5.4 (5409)	7.0	—	—	⑨	—	—	6.0 ③	35.0	19.8
	E-350	L	5.4 (5409)	7.0	—	—	⑨	—	—	6.0 ③	35.0	19.8
	E-350	5	6.8 (6802)	7.0	—	—	⑨	—	—	6.0 ③	35.0	23.0
	E-350	F	7.3 (7292)	7.0	—	—	⑨	—	—	6.0 ③	35.0	23.0
	Explorer	X	4.0 (3950)	5.0	—	5.6	⑭	3.0	⑪	⑪	19.3	⑱
	Explorer	P	5.0 (4949)	5.0	—	—	13.9	—	—	5.5	19.0	12.8
	Explorer	E	4.0 (4000)	7.0	—	—	⑨	—	—	6.0 ③	㉓	23.0
	F-150	2	4.2 (4195)	6.0	—	7.6	26.0	4.0	3.7	5.5	24.5 ㉑	15.7 ㉒
	F-150	W	4.6 (4588)	6.0	—	7.6	26.0	4.0	3.7	5.5	24.5 ㉑	17.9
	F-150	6	4.6 (4588)	6.0	—	7.6	26.0	4.0	3.7	5.5	24.5 ㉑	17.9
	F-150	L	5.4 (5409)	7.0	—	7.6	⑨	4.2	6.0	6.0	30.0	19.8
	F-250	H	5.8 (5752)	6.0	⑨	7.6	24.0 ⑨	⑧	6.0	6.0 ③	⑩	⑦
	F-250	F	7.3 (7292)	14.0	⑨	7.6	24.0 ⑨	⑧	6.0	6.0 ③	⑩	23.0
	F-250	L	7.5 (7538)	6.0	⑨	7.6	24.0 ⑨	⑧	6.0	6.0 ③	⑩	19.8
	F-350	H	5.8 (5752)	6.0	⑨	7.6	24.0 ⑨	⑧	6.0	6.0 ③	⑩	⑦
	F-350	F	7.3 (7292)	14.0	—	7.6	24.0 ⑨	⑧	6.0	6.0 ③	⑩	23.0
	F-350	L	7.5 (7538)	6.0	⑨	7.6	24.0 ⑨	⑧	6.0	6.0 ③	⑩	19.8
	F-Super Duty	C	7.3 (7292)	10.0	7.0 ②	7.0	24.0 ⑩	①	6.0	6.0 ③	19.0	20.0
	F-Super Duty	R	5.8 (5758)	7.0	7.0 ②	7.0	24.0	①	6.0 ③	6.0 ③	35.0	23.0
	Mountaineer	P	5.0 (4949)	5.0	—	—	13.9	—	—	5.5		12.8
	Ranger	A	2.3 (2300)	5.0	—	⑫	⑭	3.0	⑪	5.5	⑰	⑲
	Ranger	U	3.0 (2982)	4.5	—	3.0	⑭	⑮	⑯	⑯	⑰	⑳
	Ranger	X	4.0 (3950)	5.0	—	3.0	⑭	⑮	⑯	⑯	⑰	⑱
	Expedition	6/W	4.6 (4588)	6.0	—	—	⑨	4.0	3.7	5.5	24.5 ㉑	17.9
	Expedition	L	5.4 (5409)	7.0	—	—	⑨	4.0	3.7	5.5	24.5 ㉑	20.8

CAPACIDADES

Año	Modelo	Motor ID/VIN	Cilindrada del motor litros (cc)	Aceite del motor con filtro (qts)	Transmisión (pts) 4 vel.	5 vel.	Auto.	Caja de transferencia (pts)	Eje motriz Delantero (pts)	Trasero (pts)	Tanque combustible (gal)	Sistema enfriamiento (qts)
1998-99	E-150	2	4.2 (4195)	6.0	—	—	⑨	—	—	6.0	35.0	15.7
	E-150	6/W	4.6 (4588)	6.0	—	—	⑨	—	—	6.0	35.0	17.9
	E-150	L	5.4 (5409)	7.0	—	—	⑨	—	—	6.0	35.0	19.8
	E-250	2	4.2 (4195)	6.0	—	—	⑨	—	—	6.0 ③	35.0	15.7
	E-250	L	5.4 (5409)	7.0	—	—	⑨	—	—	6.0 ③	35.0	19.8
	E-350	L	5.4 (5409)	7.0	—	—	⑨	—	—	6.0 ③	35.0	19.8
	E-350	5	6.8 (6802)	7.0	—	—	⑨	—	—	6.0	35.0	23.0
	E-350	F	7.3 (7292)	7.0	—	—	⑨	—	—	6.0 ③	35.0	23.0
	Explorer	X	4.0 (3950)	5.0	—	5.6	⑭	3.0	⑪	⑪	㉓	⑱
	Explorer	P	5.0 (4949)	5.0	—	—	13.9	—	—	5.5	㉓	12.8
	Explorer	E	4.0 (4000)	7.0	—	—	⑨	—	—	6.0 ③	㉓	23.0
	F-150	2	4.2 (4195)	6.0	—	7.6	26.0	4.0	3.7	5.5	24.5 ㉑	15.7 ㉒
	F-150	6/W	4.6 (4588)	6.0	—	7.6	26.0	4.0	3.7	5.5	24.5 ㉑	17.9
	F-150	L	5.4 (5409)	7.0	—	7.6	⑨	4.2	6.0	6.0	30.0	19.8
	F-250	6/W	4.6 (4588)	6.0	—	7.6	26.0	4.0	3.7	5.5	24.5 ㉑	17.9
	F-250	L	5.4 (5409)	7.0	—	7.6	⑨	4.2	6.0	6.0	30.0	19.8
	F-350	L	5.4 (5409)	7.0	—	7.6	⑨	4.2	6.0	6.0	30.0	19.8
	F-350	R	5.8 (5758)	7.0	7.0 ②	7.0	24.0	①	6.0 ③	6.0 ③	35.0	23.0
	F-350	5	6.8 (6802)	7.0	—	7.6	⑨	4.2	6.0 ③	6.0	35.0	23.0
	F-350	F	7.3 (7292)	7.0	—	7.6	⑨	4.2	6.0 ③	6.0	35.0	23.0
	F-350	G	7.5 (7538)	7.0	—	7.6	⑨	4.2	6.0 ③	6.0	35.0	23.0
	F-Super Duty	L	5.4 (5409)	7.0	—	7.6	⑨	4.2	6.0	6.0	30.0	19.8
	F-Super Duty	5	6.8 (6802)	7.0	—	7.6	⑨	4.2	6.0 ③	6.0	35.0	23.0
	F-Super Duty	F	7.3 (7292)	7.0	—	7.6	⑨	4.2	6.0 ③	6.0	35.0	23.0
	F-Super Duty	G	7.5 (7538)	7.0	—	7.6	⑨	4.2	6.0 ③	6.0	35.0	23.0
	F-Super Duty	R	5.8 (5758)	7.0	7.0 ②	7.0	24.0	①	6.0 ③	6.0 ③	35.0	23.0
	Expedition	6/W	4.6 (4588)	6.0	—	—	⑨	4.0	3.7	5.5	24.5 ㉔	17.9
	Expedition	L	5.4 (5409)	7.0	—	—	⑨	4.0	3.7	5.5	24.5 ㉔	20.8
	Navigator	L	5.4 (5409)	7.0	—	—	⑨	4.0	3.7	5.5	24.5 ㉔	20.8
	Mountaineer	P	5.0 (4949)	5.0	—	—	13.9	—	—	5.5	㉓	12.8
	Ranger	C	2.5 (2500)	5.0	—	⑫	⑭	3.0	⑪	5.5	⑰	⑲
	Ranger	U	3.0 (2982)	4.5	—	3.0	⑭	⑮	⑯	⑯	⑰	⑳
	Ranger	X	4.0 (3950)	5.0	—	3.0	⑭	⑮	⑯	⑮	⑰	⑱

NOTA: Todas las capacidades son aproximadas. Añada el fluido gradualmente y verifique para asegurarse de que logra un nivel de fluido adecuado.

① New Process: 9 pts. Dexron II.
BW 1345: 6.5 pts. Dexron II.
BW 1356: 4 pts. Mercon.
② Con OD: 4.5 pts.
③ Trabajo pesado: 7.5 pts.
④ 124" de batalla: 18 gals.
138", 158" y 176" de batalla y el tanque montado delante: 22 gals.
138", 156" y 176" de batalla y el tanque montado detrás: 16 gals.
⑤ 4.9L sin A/A: 13.0 qts.
4.9L con A/A o superenfriamiento: 14.0 qts.
4.9L con A/A y superenfriamiento: 15.6 qts.
⑥ 5.0L con trans. manual y sistema de enfriamiento estándar: 15.7 qts.
5.0L con trans. automática y enfriamiento estándar: 16.5 qts.
5.0L con trans. manual/automática y A/A: 16.4 qts.
5.0L con trans. manual/automática y con superenfriamiento y A/A: 18.3 qts.
⑦ Trans. manual con enfriamiento estándar: 15.7 qts.
Trans. automática con enfriamiento estándar: 16.4 qts.
Trans. manual/automática con A/A: 16.4 qts.
Trans. manual/automática con superenfriamiento y A/A: 18.0 qts.

⑧ Sin PTO: 4.2 pts.
Con PTO: 12.0 pts.
⑨ Con 4R70W: 28 pts.
Con E40D: 32.0 pts.
⑩ 4WD: 27 pts.
⑪ Eje delantero Dana 28: 1.1 pts.
Eje delantero Dana 35: 3.5 pts.
Eje trasero: 5.5 pts.
⑫ Eje Mazda: 3 pts.
Eje Mitsubishi: 4.8 pts.
⑬ Chasis corto: 17 gals.
Chasis largo: 17 o 21 gals.
Supercabina Ranger: 17 o 21 gals.
⑭ 2WD: 19.4 pts.
4WD: 20.0 pts.
⑮ BW 13-50 cambio manual: 3.0 pts.
BW 13-50 cambio eléctrico: 6.5 pts.
BW 13-54 cambio mecánico: 3.0 pts.
BW 13-50 no contiene lubricante y no se debe añadir nada.

⑯ Corona dentada de 6.75": 3 pts.
Corona dentada de 7.50": 5 pts.
⑰ Chasis corto: 16.3.
Chasis largo: 19.6.
Supercabina Ranger: 19.6.
⑱ 4.0L sin A/A: 7.8 qts.
4.0L con A/A: 8.6 qts.
⑲ 2.3L sin A/C: 6.5 qts.
2.3L con A/A: 7.2 qts.
⑳ 3.0L sin A/A: 9.5 qts.
3.0L con A/A: 10.2 qts.
㉑ Disponible también con un tanque de 30 gals. con caja de 8 pies.
㉒ Incluye depósito de recuperación.
㉓ 2 puertas: 17.5.
4 puertas: 21.0.
㉔ 4.6L: 26.0.
5.4L: 30.0.

ESPECIFICACIONES DE VÁLVULAS

Año	Motor ID/VIN	Cilindrada del motor litros (cc)	Ángulo de asiento (grados)	Ángulo de cara (grados)	Presión prueba resortes (lb @ plg)	Altura resorte instalado (plg)	Holgura entre vástago y guía (plg)		Diámetro del vástago (plg)	
							Admisión	Escape	Admisión	Escape
1995	A	2.3 (2300)	45	44	126-142@ 1.12	1.53- 1.59	0.0010- 0.0027	0.0015- 0.0032	0.3416- 0.3423	0.3411- 0.3418
	U	3.0 (2999)	45	44	185@1.16	1.58- 1.61	0.0010- 0.0027	0.0015- 0.0032	0.3126- 0.3134	0.3121- 0.3129
	X	4.0 (3998)	45	44	138@1.22	1.58- 1.61	0.0008- 0.0025	0.0018- 0.0035	0.3159- 0.3167	0.3149- 0.3156
	Y	4.9 (4916)	45	44	⑧	①	0.0010- 0.0027	0.0010- 0.0027	0.3415- 0.3423	0.3415- 0.3423
	N	5.0 (4949)	45	44	200@1.20	⑥	0.0010- 0.0027	0.0015- 0.0032	0.3415- 0.3423	0.3415- 0.3423
	H	5.8 (5752)	45	44	200@1.20	③	0.0010- 0.0027	0.0010- 0.0027	0.3415- 0.3420	0.3415- 0.3420
	R	5.8 (5752)	45	44	200@1.20	③	0.0010- 0.0027	0.0010- 0.0027	0.3415- 0.3420	0.3415- 0.3420
	F	7.3 (7292)	④	④	200@1.38	⑤	0.0055	0.0055	0.3119- 0.3126	0.3119- 0.3126
	M	7.3 (7292)	④	④	200@1.40	⑤	0.0055	0.0055	0.3716- 0.3723	0.3716- 0.3723
	G	7.5 (7538)	45	44	220@1.33	1.83	0.0010- 0.0027	0.0010- 0.0027	0.3415- 0.3423	0.3415- 0.3423
1996	A	2.3 (2300)	45	44	126-142@ 1.12	1.53- 1.59	0.0010- 0.0027	0.0015- 0.0032	0.3416- 0.3423	0.3411- 0.3418
	U	3.0 (2982)	45	44	185@1.16	1.58- 1.61	0.0010- 0.0027	0.0015- 0.0032	0.3126- 0.3134	0.3121- 0.3129
	X	4.0 (3950)	45	44	138@1.22	1.58- 1.61	0.0008- 0.0025	0.0018- 0.0035	0.3159- 0.3167	0.3149- 0.3156
	2	4.2 (4195)	44.75	NA	NA	1.566- 1.637	0.0008- 0.0027	0.0018- 0.0037	0.3423- 0.3415	0.3418- 0.3410
	W	4.6 (4588)	45	45.5	132@1.100	1.570	0.0008- 0.0027	0.0018- 0.0037	0.2750- 0.2746	0.2740- 0.2736
	6	4.6 (4588)	45	45.5	132@1.100	1.570	0.0008- 0.0027	0.0018- 0.0037	0.2750- 0.2746	0.2740- 0.2736
	9	4.6 (4588)	45	45.5	132@1.100	1.570	0.0008- 0.0027	0.0018- 0.0037	0.2750- 0.2746	0.2740- 0.2736
	Y	4.9 (4916)	45	44	⑧	①	0.0010- 0.0027	0.0010- 0.0027	0.3415- 0.3423	0.3415- 0.3423
	N	5.0 (4949)	45	44	200@1.20	⑥	0.0010- 0.0027	0.0015- 0.0032	0.3415- 0.3423	0.3415- 0.3423
	P	5.0 (4949)	45	44	200@1.20	⑥	0.0010- 0.0027	0.0015- 0.0032	0.3415- 0.3423	0.3410- 0.3418
	H	5.8 (5752)	45	44	200@1.20	③	0.0010- 0.0027	0.0010- 0.0027	0.3415- 0.3420	0.3415- 0.3420
	F	7.3 (7292)	④	④	200@1.38	⑤	0.0055	0.0055	0.3119- 0.3126	0.3119- 0.3126
	G	7.5 (7538)	45	44	220@1.33	1.83	0.0010- 0.0027	0.0010- 0.0027	0.3415- 0.3423	0.3415- 0.3423
1997	A	2.3 (2300)	45	44	126-142@ 1.12	1.53- 1.59	0.0010- 0.0027	0.0015- 0.0032	0.3416- 0.3423	0.3411- 0.3418
	U	3.0 (2982)	45	44	185@1.16	1.58- 1.61	0.0010- 0.0027	0.0015- 0.0032	0.3126- 0.3134	0.3121- 0.3129
	X	4.0 (3950)	45	44	138@1.22	1.58- 1.61	0.0008- 0.0025	0.0018- 0.0035	0.3159- 0.3167	0.3149- 0.3156

ESPECIFICACIONES DE VÁLVULAS

Año	Motor ID/VIN	Cilindrada del motor litros (cc)	Ángulo de asiento (grados)	Ángulo de cara (grados)	Presión prueba resortes (lb @ plg)	Altura resorte instalado (plg)	Holgura entre vástago y guía (plg)		Diámetro del vástago (plg)	
							Admisión	Escape	Admisión	Escape
1997 (cont.)	2	4.2 (4195)	44.75	NA	NA	1.566-1.637	0.0008-0.0027	0.0018-0.0037	0.3423-0.3415	0.3418-0.3410
	W	4.6 (4588)	45	45.5	132@1.100	1.570	0.0008-0.0027	0.0018-0.0037	0.2750-0.2746	0.2740-0.2736
	6	4.6 (4588)	45	45.5	132@1.100	1.570	0.0008-0.0027	0.0018-0.0037	0.2750-0.2746	0.2740-0.2736
	N	5.0 (4949)	45	44	200@1.20	⑥	0.0010-0.0027	0.0015-0.0032	0.3415-0.3423	0.3415-0.3423
	P	5.0 (4949)	45	44	200@1.20	⑥	0.0010-0.0027	0.0015-0.0032	0.3415-0.3423	0.3410-0.3418
	H	5.8 (5752)	45	44	200@1.20	③	0.0010-0.0027	0.0010-0.0027	0.3415-0.3420	0.3415-0.3420
	F	7.3 (7292)	④	④	200@1.38	⑤	0.0055	0.0055	0.3119-0.3126	0.3119-0.3126
	G	7.5 (7538)	45	44	220@1.33	1.83	0.0010-0.0027	0.0010-0.0027	0.3415-0.3423	0.3415-0.3423
	L	5.4 (5409)	45	45.5	150@1.10	1.570	0.0008-0.0027	0.0018-0.0037	0.275-0.2746	0.274-0.2736
	5	6.8 (6802)	44.50-45.25	45.25-45.75	150@1.10	1.570	0.0008-0.0027	0.0018-0.0037	0.275-0.2746	0.274-0.2735
	E	4.0 (4000)	45	45	202-225@1.413-1.445	1.569-1.601	0.0010-0.0020	0.0010-0.0020	0.274-0.2748	0.273-0.2740
1998-99	E	4.0 (4000)	45	45	202-225@1.413-1.445	1.569-1.601	0.0010-0.0020	0.0010-0.0020	0.274-0.2748	0.273-0.2740
	X	4.0 (3950)	45	44	138@1.22	1.58-1.61	0.0008-0.0025	0.0018-0.0035	0.3159-0.3167	0.3149-0.3156
	P	5.0 (4949)	45	44	200@1.20	⑥	0.0010-0.0027	0.0015-0.0032	0.3415-0.3423	0.3410-0.3418
	6/W	4.6 (4588)	45	45.5	132@1.100	1.570	0.0008-0.0027	0.0018-0.0037	0.2750-0.2746	0.2740-0.2736
	2	4.2 (4195)	44.75	NA	NA	1.566-1.637	0.0008-0.0027	0.0018-0.0037	0.3423-0.3415	0.3418-0.3410
	L	5.4 (5409)	45	45.5	150@1.10	1.570	0.0008-0.0027	0.0018-0.0037	0.275-0.2746	0.274-0.2736
	R	5.8 (5752)	45	44	200@1.20	③	0.0010-0.0027	0.0010-0.0027	0.3415-0.3420	0.3415-0.3420
	5	6.8 (6802)	44.50-45.25	45.25-45.75	150@1.10	1.570	0.0008-0.0027	0.0018-0.0037	0.275-0.2746	0.274-0.2735
	G	7.5 (7538)	45	44	220@1.33	1.83	0.0010-0.0027	0.0010-0.0027	0.3415-0.3423	0.3415-0.3423
	F	7.3 (7292)	④	④	200@1.38	⑤	0.0055	0.0055	0.3119-0.3126	0.3119-0.3126
	U	3.0 (2982)	45	44	185@1.16	1.58-1.61	0.0010-0.0027	0.0015-0.0032	0.3126-0.3134	0.3121-0.3129
	C	2.5 (2500)	45	44	57-63@1.56	1.540-1.580	0.0008-0.0025	0.0018-0.0037	0.2746-0.2754	0.2736-0.2744

① Admisión: 1.64 plg.
　Escape: 1.47 plg.
② Admisión: 1.68 plg.
　Escape: 1.59 plg.
③ Admisión: 1.78 plg.
　Escape: 1.59 plg.
④ Admisión: 30 plg.
　Escape: 37.5 plg.
⑤ Admisión: 1.767 plg.
　Escape: 1.833 plg.
⑥ Admisión: 1.75-1.81 plg.
　Escape: 1.59 plg.
⑦ Admisión: 166 @ 1.240 rpm.
　Escape: 166 @ 1.070 rpm.
⑧ Admisión: 166-184 @ 1.240 rpm.
　Escape: 166-184 @ 1.070 rpm.

ESPECIFICACIONES DE TORSIÓN
Todas las medidas están en pie-lb

Año	Motor ID/VIN	Cilindrada del motor litros (cc)	Tornillos de culata cilindros	Tornillos cojinete principal	Tornillos cojinete biela	Tornillos polea cigüeñal	Tornillos volante	Múltiples Admisión*	Escape	Bujías	Tuercas orejas (birlos)
1995	A	2.3 (2294)	51	75-85	30-36	103-133	54-64	19-28	14-21	5-10	⑦
	U	3.0 (2999)	⑫	60	26	107	54-64	24	25	8-10	⑦
	X	4.0 (3998)	⑨	66-77	19-24	⑩	59	⑪	19	10-15	⑦
	Y	4.9 (4916)	①	60-70	40-45	130-150	75-85	22-32	22-32	10-15	②
	N	5.0 (4949)	③	60-70	19-24	70-90	75-85	23-25	18-24	10-15	②
	H	5.8 (5752)	④	95-105	40-45	70-90	75-90	23-25	20-24	10-15	②
	R	5.8 (5752)	④	95-105	40-45	70-90	75-90	23-25	20-24	10-15	②
	F	7.3 (7292)	⑤	95	70	90	89	18	45	—	—
	M	7.3 (7292)	⑤	13	14	90	47	23-25	20-24	—	②
	G	7.5 (7538)	⑥	95-105	45-40	70-90	75-85	22-32	28-33	5-10	②
1996	A	2.3 (2300)	51	75-85	30-36	103-133	54-64	19-28	14-21	5-10	100
	U	3.0 (2982)	⑫	60	26	107	54-64	24	25	8-10	100
	X	4.0 (3950)	⑬	66-77	19-24	⑩	59	⑪	19	10-15	100
	2	4.2 (4195)	⑭	81-88	⑮	103-117	54-63	⑯	15-22	8-14	83-113
	W	4.6 (4588)	⑰	⑱	29-33	⑲	54-64	⑳	15	7-14	83-113
	6	4.6 (4588)	⑱	㉑	29-33	⑲	54-64	⑳	15	7-14	83-113
	9	4.6 (4588)	⑰	NA	29-33	⑲	54-64	⑳	15	7-14	83-113
	P	5.0 (4949)	③	60-70	19-24	110-130	75-85	12-18	26-32	7-15	100
	Y	4.9 (4916)	①	60-70	40-45	130-150	75-85	22-32	22-32	10-15	②
	N	5.0 (4949)	③	60-70	19-24	70-90	75-85	23-25	18-24	10-15	②
	H	5.8 (5752)	④	95-105	40-45	70-90	75-90	23-25	20-24	10-15	②
	F	7.3 (7292)	⑤	95	70	90	89	18	45	—	—
	G	7.5 (7538)	⑥	95-105	40-45	70-90	75-85	22-32	28-33	5-10	—
1997	A	2.3 (2300)	51	75-85	30-36	103-133	54-64	19-28	14-21	5-10	100
	U	3.0 (2982)	⑫	60	26	107	54-64	24	25	8-10	100
	X	4.0 (3950)	⑬	66-77	19-24	⑩	59	⑪	19	10-15	100
	2	4.2 (4195)	⑭	81-88	⑮	103-117	54-63	⑯	15-22	8-14	83-113
	W	4.6 (4588)	⑰	⑱	29-33	⑲	54-64	⑳	15	7-14	83-113
	6	4.6 (4588)	⑰	㉑	29-33	⑲	54-64	⑳	15	7-14	83-113
	P	5.0 (4949)	③	60-70	19-24	110-130	75-85	12-18	26-32	7-15	100
	N	5.0 (4949)	③	60-70	19-24	70-90	75-85	23-25	18-24	10-15	②
	H	5.8 (5752)	④	95-105	40-45	70-90	75-90	23-25	20-24	10-15	②
	F	7.3 (7292)	⑤	95	70	90	89	18	45	—	—
	G	7.5 (7538)	⑥	95-105	40-45	70-90	75-85	22-32	28-33	5-10	—
	L	5.4 (5409)	㉔	㉕	㉖	⑲	54-64	㉓	17-19	9-20	100
	5	6.8 (6802)	㉔	㉕	㉖	⑲	54-64	㉓	17-20	7-14	140
	E	4.0 (4000)	㉒	67-74	19-24	⑧	54-64	9-10	15-18	7-14	100
1998-99	U	3.0 (2982)	⑫	60	26	107	54-64	24	25	8-10	100
	X	4.0 (3950)	⑬	66-77	19-24	⑩	59	⑪	19	10-15	100
	2	4.2 (4195)	⑭	81-88	⑮	103-117	54-63	⑯	15-22	8-14	83-113
	6/W	4.6 (4588)	⑰	㉑	29-33	⑲	54-64	⑳	15	7-14	83-113
	P	5.0 (4949)	③	60-70	19-24	110-130	75-85	12-18	26-32	7-15	100
	H	5.8 (5752)	④	95-105	40-45	70-90	75-90	23-25	20-24	10-15	②
	F	7.3 (7292)	⑤	95	70	90	89	18	45	—	—
	G	7.5 (7538)	⑥	95-105	40-45	70-90	75-85	22-32	28-33	5-10	
	L	5.4 (5409)	㉔	㉕	㉖	⑲	54-64	㉓	17-19	9-20	100

ESPECIFICACIONES DE TORSIÓN
Todas las medidas están en pie-lb

Año	Motor ID/VIN	Cilindrada del motor litros (cc)	Tornillos de culata cilindros	Tornillos cojinete principal	Tornillos cojinete biela	Tornillos polea cigüeñal	Tornillos volante	Múltiples		Bujías	Tuercas orejas (birlos)
								Admisión*	Escape		
1998-99	C	2.5 (2500)	51	75-85	30-36	103-133	54-64	19-28	14-21	5-10	100
	5	6.8 (6802)	㉔	㉕	㉖	⑲	54-64	㉓	17-20	7-14	140
	E	4.0 (4000)	㉒	67-74	19-24	⑧	54-64	9-10	15-18	7-14	100

* NOTA: Sólo se aplica al múltiple inferior.

① Etapa 1: 55 pie-lb.
  Etapa 2: 65 pie-lb.
  Etapa 3: 85 pie-lb.

② E-F100, E-F150, E-F250: 90 pie-lb.
  E-F350 con ruedas traseras sencillas: 135 pie-lb.
  F350 con ruedas traseras dobles: 210 pie-lb.

③ Tornillos con collarín:
  Etapa 1: 25-35 pie-lb.
  Etapa 2: 40-55 pie-lb.
  Etapa 3: Apretar ¼ de vuelta adicional.
  Con tornillos de cabeza hexagonal:
  Etapa 1: 55-65 pie-lb.
  Etapa 2: 65-72 pie-lb.

④ Etapa 1: 95-105 pie-lb.
  Etapa 2: 105-112 pie-lb.

⑤ Etapa 1: 65 pie-lb.
  Etapa 2: 85 pie-lb.

⑥ Etapa 1: 70-80 pie-lb.
  Etapa 2: 100-110 pie-lb.
  Etapa 3: 130-140 pie-lb.

⑦ Aerostar, Explorer y Ranger: 100 pie-lb.

⑧ Etapa 1: 20-28 pie-lb.
  Etapa 2: Aflojar un mínimo de dos vueltas.
  Etapa 3: 20-25 pie-lb.

⑨ Apretar tornillos de culata de cilindros a 44 pie-lb.
  Apretar tornillos del múltiple de admisión a 3-6 pie-lb.
  Apretar tornillos de culata de cilindros a 59 pie-lb.
  Apretar tornillos del múltiple de admisión a 6-11 pie-lb.
  Apretar tornillos de culata de cilindros 85 grados.
  Apretar tornillos del múltiple de admisión a 11-15 pie-lb.
  Apretar tornillos del múltiple de admisión a 15-18 pie-lb.

⑩ Etapa 1: 30-37 pie-lb.
  Etapa 2: Girar 90 grados.

⑪ Etapa 1: 3-6 pie-lb.
  Etapa 2: 6-11 pie-lb.
  Etapa 3: 11-15 pie-lb.
  Etapa 4: 15-18 pie-lb.

⑫ Etapa 1: 37 pie-lb.
  Etapa 2: 68 pie-lb.

⑬ Tornillos de culata de cilindros:
  Etapa 1: 44 pie-lb.
  Etapa 2: 59 pie-lb.
  Etapa 3: Más 85 grados.
  Tornillos del múltiple de admisión:
  Etapa 1: 3-6 pie-lb.
  Etapa 2: 6-11 pie-lb.
  Etapa 3: 11-15 pie-lb.
  Etapa 4: 15-18 pie-lb.

⑭ Etapa 1: 29 pie-lb.
  Etapa 2: 36 pie-lb.
  Etapa 3: Aflojar y apretar al mismo tiempo todos los tornillos de uno en uno.
  Los tornillos cortos a 32 pie-lb.
  Los tornillos largos a 36 pie-lb.
  Etapa 4: Girar todos los tornillos 135 grados más.

⑮ Etapa 1: 29 pie-lb.
  Etapa 2: 90 grados más.

⑯ Apretar los tornillos en secuencia a 71-101 pie-lb.

⑰ Etapa 1: 31 pie-lb.
  Etapa 2: 90 grados más.
  Etapa 3: 90 grados más.

⑱ Apretar los tornillos de las camisas de los cojinetes principales en secuencia, como sigue:
  Etapa 1: 45 plg-lb.
  Etapa 2: 98 plg-lb.
  Apretar los tornillos de tapas montados en cruz en secuencia, como sigue:
  Etapa 1: 89 plg-lb.
  Etapa 2: 17 pie-lb.

⑲ Etapa 1: 88 pie-lb.
  Etapa 2: Aflojar el tornillo.
  Etapa 3: 39 pie-lb.
  Etapa 4: 90 grados más.

⑳ Etapa 1: 18 plg-lb.
  Etapa 2: 8 pie-lb.

㉑ Apretar los tornillos de camisa en secuencia como sigue:
  Etapa 1: 45 plg-lb.
  Etapa 2: 98 plg-lb.
  Apretar los tornillos de tapas montados en cruz en secuencia como sigue:
  Etapa 1: 24 pie-lb.
  Etapa 2: 90 grados más.

㉒ Etapa 1: 28 pie-lb.
  Etapa 2: más 90 grados.
  Etapa 3: más otros 90 grados.

㉓ Etapa 1: 18 plg-lb.
  Etapa 2: 71-106 plg-lb.

㉔ Etapa 1: 27-32 plg-lb.
  Etapa 2: 90 grados más.
  Etapa 3: otros 90 grados más.

㉕ Etapa 1: 27-32 pie-lb.
  Etapa 2: 90 grados más.

㉖ Etapa 1: 30-33 pie-lb.
  Etapa 2: 90-120 grados.

ESPECIFICACIONES
MAZDA
Pick Ups - B2300 - B2500 - B3000 - B4000

TABLA DE IDENTIFICACIÓN DEL VEHÍCULO

Clave del motor						Año-Modelo	
Clave	Litros	Plg³ (cc)	Cil.	Sist. combust.	Fabr. motor	Clave	Año
A	2.3	140 (2298)	4	MFI	Ford	S	1995
C	2.5	152 (2500)	4	MFI	Ford	T	1996
JE	3.0	180 (2954)	6	MFI	Mazda	V	1997
U	3.0	182 (2968)	6	MFI	Ford	W	1998
X	4.0	245 (4016)	6	MFI	Ford	X	1999

MFI - Inyección de combustible multipunto.

IDENTIFICACIÓN DEL MOTOR

Año	Modelo	Cilindrada del motor litros (cc)	Serie del motor (ID/VIN)	Sistema de combustible	Nº de cilindros	Tipo de motor
1995	B2300	2.3 (2298	A	EFI	4	SOHC
	B3000	3.0 (2968)	U	EFI	6	OHV
	B4000	4.0 (4016)	X	EFI	6	OHV
	MPV	3.0 (2954)	JE	EFI	6	SOHC
1996	B2300	2.3 (2298)	A	EFI	4	SOHC
	B3000	3.0 (2968)	U	EFI	6	OHV
	B4000	4.0 (4016)	X	EFI	6	OHV
	MPV	3.0 (2954)	JE	EFI	6	SOHC
1997	B2300	2.3 (2298)	A	EFI	4	SOHC
	B3000	3.0 (2968)	U	EFI	6	OHV
	B4000	4.0 (4016)	X	EFI	6	OHV
	MPV	3.0 (2954)	JE	EFI	6	SOHC
1998-99	B2500	2.5 (2500)	C	MFI	4	SOHC
	B3000	3.0 (2968)	U	MFI	6	OHV
	B4000	4.0 (4016)	X	MFI	6	OHV
	MPV	3.0 (2954)	JE	MFI	6	SOHC

EFI - Inyección de combustible electrónica.
MFI - Inyección de combustible multipunto.
SOHC - Árbol de levas sencillo en la culata.
OHV - Válvulas en la culata.

ESPECIFICACIONES GENERALES DEL MOTOR

Año	Motor ID/VIN	Cilindrada del motor litros (cc)	Sistema de combustible tipo	Caballaje neto @ rpm	Torsión neta @ rpm (pie-lb)	Diámetro x carrera (plg)	Relación de compresión	Presión de aceite @ rpm
1995	A	2.3 (2298)	EFI	112@4800	135@2400	3.78x3.13	9.2:1	36-71@3000
	JE	3.0 (2954)	EFI	155@5000	169@4000	3.50x3.00	8.5:1	53-75@3000
	U	3.0 (2968)	EFI	145@4800	165@3000	3.50x3.14	9.3:1	36-71@3000
	X	4.0 (4016)	EFI	160@4200	220@3000	3.95x3.32	9.0:1	36-71@3000
1996	A	2.3 (2298)	EFI	112@4800	135@2400	3.78x3.13	9.2:1	40-60@2000
	JE	3.0 (2954)	EFI	155@5000	169@4000	3.54x3.05	8.5:1	53-75@3000
	U	3.0 (2968)	EFI	145@4800	165@3000	3.50x3.14	9.3:1	40-60@2500
	X	4.0 (4016)	EFI	160@4200	220@3000	3.94x3.31	9.0:1	40-60@2000
1997	A	2.3 (2298)	EFI	112@4800	135@2400	3.78x3.13	9.2:1	40-60@2000
	JE	3.0 (2954)	EFI	155@5000	169@4000	3.54x3.05	8.5:1	53-75@3000
	U	3.0 (2968)	EFI	145@4800	165@3000	3.50x3.14	9.3:1	40-60@2500
	X	4.0 (4016)	EFI	160@4200	220@3000	3.94x3.31	9.0:1	40-60@2000
1998-99	C	2.5 (2500)	MFI	119@5000	146@3000	3.78x3.40	9.4:1	40-60@2000
	JE	3.0 (2954)	MFI	155@5000	169@4000	3.54x3.05	8.5:1	53-75@3000
	U	3.0 (2968)	MFI	150@5000	185@3750	3.95x3.32	9.1:1	40-60@2500
	X	4.0 (4016)	MFI	160@4200	225@3000	3.95x3.32	9.0:1	40-60@2000

EFI - Inyección de combustible electrónica.
MFI - Inyección de combustible multipunto.

ESPECIFICACIONES PARA AFINACIÓN DE MOTORES DE GASOLINA

Año	Motor ID/VIN	Cilindrada del motor litros (cc)	Abertura de bujías (plg)	Sincronización ignición (grados) MT	Sincronización ignición (grados) AT	Bomba de combustible (lb/plg²)	Marcha mínima (rpm) MT	Marcha mínima (rpm) AT	Holgura válvulas Adm.	Holgura válvulas Esc.
1995	A	2.3 (2298)	0.042-0.046	8-12B ①	8-12B ①	35-45 ②	475-575	475-575	HYD	HYD
	JE	3.0 (2954)	0.039-0.043	—	10-12B	30-37 ②	—	780-820 ③	HYD	HYD
	U	3.0 (2968)	0.042-0.046	8-12B ④	8-12B ④	35-45 ②	⑤	⑤	HYD	HYD
	X	4.0 (4016)	0.052-0.056	8-12B ①	8-12B ①	35-45 ②	⑤	⑤	HYD	HYD
1996	A	2.3 (2298)	⑥	8-12B ⑦	8-12B ⑦	35-45 ②	475-575	475-575	HYD	HYD
	JE	3.0 (2954)	0.040-0.043	—	10-12B	30-37 ②	—	780-820	HYD	HYD
	U	3.0 (2968)	⑥	8-12B ⑦	8-12B ⑦	35-45 ②	⑤	⑤	HYD	HYD
	X	4.0 (4016)	⑥	8-12B ⑦	8-12B ⑦	35-45 ②	⑤	⑤	HYD	HYD
1997	A	2.3 (2298)	⑥	8-12B ⑦	8-12B ⑦	35-45 ②	475-575	475-575	HYD	HYD
	JE	3.0 (2954)	0.040-0.043	—	10-12B	30-37 ②	—	780-820	HYD	HYD
	U	3.0 (2968)	⑥	8-12B ⑦	8-12B ⑦	35-45 ②	⑤	⑤	HYD	HYD
	X	4.0 (4016)	⑥	8-12B ⑦	8-12B ⑦	35-45 ②	⑤	⑤	HYD	HYD
1998-99	C	2.5 (2500)	0.044	10B	10B	56-72	⑧	⑧	HYD	HYD
	JE	3.0 (2954)	0.041	—	10-12B	31-38	—	⑧	HYD	HYD
	U	3.0 (2968)	0.044	10B	10B	56-72	⑧	⑧	HYD	HYD
	X	4.0 (4016)	0.054	NA	NA	56-72	⑧	⑧	HYD	HYD

NOTA: La calcomanía de Información sobre Control de Emisiones refleja a menudo cambios de especificaciones realizados durante la fabricación. Debe usar las cifras de la calcomanía si difieren de las de esta tabla.

B - Antes del punto muerto superior (APMS).

HYD - Hidráulico.

① Con la barra de cortocircuito de "SPOUT" (bujías fuera) desconectada.
② La presión indicada lo es con el manómetro en línea, la manguera de vacío del regulador conectada y el motor en marcha mínima.
③ El terminal 10 del conector de enlace de datos puesto a masa y la transmisión en aparcamiento.
④ Con la barra de cortocircuito de "SPOUT" (bujías fuera) desconectada.
⑤ No ajustable.
⑥ Consultar la calcomanía de Información sobre Control de Emisiones.
⑦ Sincronización básica, no ajustable.
⑧ Controlado automáticamente por el Módulo de Control del Tren Propulsor (MCTP).

CAPACIDADES

Año	Modelo	Motor ID/VIN	Cilindrada del motor litros (cc)	Aceite del motor con filtro (qts)	Transmisión (pts)			Caja de transferencia (pts)	Eje motriz		Tanque combustible (gal)	Sistema enfriamiento (qts)
					4 vel.	5 vel.	Auto.		Delant. (pts)	Trasero (pts)		
1995	B2300	A	2.3 (2298)	5.0	—	5.6	19.4	2.5	3.5	5.0	16.3 ①	②
	B3000	U	3.0 (2968)	5.0	—	5.6	③	2.5	3.5	5.0	16.3 ①	④
	B4000	X	4.0 (4016)	5.0	—	5.6	③	2.5	3.5	5.0	16.3 ①	⑤
	MPV	JE	3.0 (2954)	5.0	—	—	18.2	3.2	3.6	3.2	⑥	10.3
1996	B2300	A	2.3 (2298)	5.0	—	5.6	19.0	2.5	⑦	5.0	16.3 ①	⑧
	B3000	U	3.0 (2968)	4.5	—	5.6	③	2.5	⑦	5.0	16.3 ①	⑨
	B4000	X	4.0 (4016)	5.0	—	5.6	③	2.5	⑦	5.0	16.3 ①	⑤
	MPV	JE	3.0 (2954)	5.0	—	—	18.2	3.2	3.6	3.2	⑥	10.3
1997	B2300	A	2.3 (2298)	5.0	—	5.6	19.0	2.5	⑦	5.0	16.3 ①	⑧
	B3000	U	3.0 (2968)	4.5	—	5.6	③	2.5	⑦	5.0	16.3 ①	⑨
	B4000	X	4.0 (4016)	5.0	—	5.6	③	2.5	⑦	5.0	16.3 ①	⑤
	MPV	JE	3.0 (2954)	5.0	—	—	18.2	3.2	3.6	3.2	⑥	10.3
1998-99	B2500	C	2.5 (2500)	4.5	5.6	9.5	—	—	5.0	⑩	⑪	⑪
	B3000	U	3.0 (2968)	4.5	5.6	9.5 ⑫	2.5	3.25	5.0	⑩	⑪	⑪
	B4000	X	4.0 (4016)	5.0	5.6	9.5 ⑫	2.5	3.25	5.0	⑩	⑪	⑪
	MPV	JE	3.0 (2954)	5.0	—	9.1	3.2	3.6	3.2	⑬	10.3	10.3

NOTA: Todas las capacidades son aproximadas. Añadir fluido gradualmente y asegurarse de que se alcanza el nivel adecuado.

① Chasis largo y Supercabina: 19.6 gal.
② Sin A/A: 6.5 qts.
　Con A/A:7.2 qts.
③ 2WD: 19.4 pts.
　4WD: 20.0 pts.
④ Sin A/A: 9.5 qts.
　Con A/A: 10.2 qts.
⑤ Sin A/A: 7.8 qts.
　Con A/A: 8.6 qts.
⑥ 2WD: 19.6 gal.
　4WD: 19.8 gal.
⑦ Dana 28: 3.0 pts.
　Dana 35: 3.5 pts.
⑧ Sin A/A: 6.5 qts.
　Con A/A: 7.2 qts.

⑨ Sin A/A: 9.5 qts.
　Con A/A: 10.2 qts.
⑩ Cabina regular/chasis corto: 16.3 pts.
　Cabina regular/chasis largo: 19.6 pts.
　Cabina plus: 20.0 pts.
⑪ Motor de 2.5 L con transmisión manual: 10.5 gal.
　Motor de 2.5 L con transmisión automática: 10.2 gal.
　Motor de 3.0 L con transmisión manual: 15.2 gal.
　Motor de 3.0 L con transmisión automática: 14.8 gal.
　Motor de 4.0 L con transmisión manual: 13.5 gal.
　Motor de 4.0 L con transmisión automática: 13.2 gal.
⑫ Medidas dadas para vehículos de 4x2.
　para los vehículos, 4x4 añadir 0.3 pts.
⑬ Tanque de 19.6 galones en los modelos de 2WD.
　Tanque de 19.8 galones en los modelos de 4WD.

ESPECIFICACIONES DE VÁLVULAS

Año	Motor ID/VIN	Cilindrada del motor litros (cc)	Ángulo de asiento (grados)	Ángulo de cara (grados)	Tensión prueba resorte (lb @ plg)	Altura resorte instalado (plg)	Holgura entre vástago y guía (plg)		Diámetro del vástago (plg)	
							Admisión	Escape	Admisión	Escape
1995	A	2.3 (2299)	45	44	57-63@1.56	1.540-1.580	0.0010-0.0027	0.0015-0.0032	0.2746-0.2754	0.2736-0.2744
	JE	3.0 (2954)	45	45	①	②	0.0010-0.0023	0.0012-0.0025	0.2745-0.2750	0.3160-0.3165
	U	3.0 (2968)	45	44	65@1.58	1.736-1.650	0.0010-0.0027	0.0015-0.0032	0.3134-0.3126	0.3129-0.3121
	X	4.0 (4016)	45	44	60-68@1.59	1.641-1.729	0.0008-0.0025	0.0018-0.0035	0.3159-0.3167	0.3149-0.3156
1996	A	2.3 (2299)	45	44	57-63@1.56	1.540-1.580	0.0010-0.0027	0.0015-0.0032	0.2746-0.2754	0.2736-0.2744
	JE	3.0 (2954)	45	45	③	④	0.0010-0.0023	0.0012-0.0025	0.2745-0.2750	0.3160-0.3165
	U	3.0 (2968)	45	44	⑤	1.736-1.650	0.0010-0.0017	0.0015-0.0032	0.3134-0.3126	0.3129-0.3121
	X	4.0 (4016)	45	44	60-68@1.59	1.910 ⑥	0.0008-0.0025	0.0018-0.0035	0.3159-0.3167	0.3149-0.3156
1997	A	2.3 (2299)	45	44	57-63@1.56	1.540-1.580	0.0010-0.0027	0.0015-0.0032	0.2746-0.2754	0.2736-0.2744
	JE	3.0 (2954)	45	45	③	④	0.0010-0.0023	0.0012-0.0025	0.2745-0.2750	0.3160-0.3165
	U	3.0 (2968)	45	44	⑤	1.736-1.650	0.0010-0.0017	0.0015-0.0032	0.3134-0.3126	0.3129-0.3121
	X	4.0 (4016)	45	44	60-68@1.59	1.910 ⑥	0.0008-0.0025	0.0018-0.0035	0.3159-0.3167	0.3149-0.3156
1998-99	C	2.5 (2500)	45	44	57-63@1.56	1.540-1.580	0.0008-0.0027	0.0018-0.0037	0.2746-0.2754	0.2736-0.2744
	JE	3.0 (2954)	45	45	③	④	0.0010-0.0023	0.0012-0.0025	0.2745-0.2750	0.3160-0.3165
	U	3.0 (2968)	45	44	⑤	1.736-1.650	0.0010-0.0017	0.0015-0.0032	0.3134-0.3126	0.3129-0.3121
	X	4.0 (4016)	45	44	60-68@1.59	1.910 ⑥	0.0008-0.0025	0.0018-0.0035	0.3159-0.3167	0.3149-0.3156

ND - No disponible.

① Admisión:
  Interno: 21-22 @ 1.56.
  Externo: 31-33 @ 1.73.
  Escape:
  Interno: 33-37 @ 1.59.
  Externo: 52-58 @ 1.77.
② Admisión:
  Interno: 1.555.
  Externo: 1.732.
  Escape:
  Interno: 1.594.
  Externo: 1.772.

③ Admisión:
  Interno: 21-22 @ 1.77.
  Externo: 31-33 @ 1.73.
  Escape:
  Interno: 33-37 @ 1.59.
  Externo: 21-22 @ 1.56.
④ Admisión:
  Interno: 1.840.
  Externo: 2.004.
  Escape:
  Interno: 2.092.
  Externo: 2.296.

⑤ Cargado: 180 @ 1.16.
  Descargado: 65 @ 1.58.
⑥ Sólo longitud libre.

ESPECIFICACIONES DE TORSIÓN
Todas las medidas en pie-lb

Año	Motor ID/VIN	Cilindrada del motor litros (cc)	Tornillos culata de cilindros	Tornillos cojinete principal	Tornillos cojinete biela	Tornillos polea cigüeñal	Tornillos volante	Múltiples Admis.	Múltiples Escape	Bujías	Tuerca orejas (birlo)
1995	A	2.3 (2298)	①	②	30-36	103-133	56-64	19-28	③	7-15	100
	JE	3.0 (2954)	④	⑤	⑥	116-122	76-81	14-19	16-21	10-13	65-87
	U	3.0 (2968)	⑦	55-62	23-28	92-122	54-64	⑧	15-22	7-14	100
	X	4.0 (4016)	⑨	66-77	18-24	30-37	⑩	⑪	18	7-15	100
1996	A	2.3 (2298)	⑫	②	⑬	92-121	56-64	19-28	③	7-15	100
	JE	3.0 (2954)	④	⑤	⑥	116-122	76-81	14-19	16-21	11-16	65-87
	U	3.0 (2968)	⑭	55-62	23-28	92-122	54-64	H	15-22	7-14	100
	X	4.0 (4016)	⑨	66-77	18-24	30-37	60	⑮	18	7-15	100
1997	A	2.3 (2298)	⑫	②	⑬	92-121	56-64	19-28	③	7-15	100
	JE	3.0 (2954)	④	⑤	⑥	116-122	76-81	14-19	16-21	11-16	65-87
	U	3.0 (2968)	⑭	55-62	23-28	92-122	54-64	H	15-22	7-14	100
	X	4.0 (4016)	⑨	66-77	18-24	30-37	60	⑮	18	7-15	100
1998-99	C	2.5 (2500)	⑫	②	⑬	92-121	56-64	19-28	③	7-15	100
	JE	3.0 (2954)	④	⑤	⑥	116-122	76-81	14-19	16-21	11-16	65-87
	U	3.0 (2968)	⑭	55-62	23-28	92-122	54-64	H	15-22	7-14	100
	X	4.0 (4016)	⑨	66-77	18-24	30-37	60	⑮	18	7-15	100

① Etapa 1: 51 pie-lb.
Etapa 2: 90-100 grados más.
② Etapa 1: Apretar a mano hasta que esté asentado.
Etapa 2: 50-60 pie-lb.
Etapa 3: 75-85 pie-lb.
③ Etapa 1: 15-22 pie-lb.
Etapa 2: 45-59 pie-lb.
④ Etapa 1: 12.7-16.2 pie-lb.
Etapa 2: Girar cada tornillo, por orden, 90 grados.
Etapa 3: Repetir la etapa 2.
⑤ Etapa 1: 12.7-16.2 pie-lb.
Etapa 2: Girar cada tornillo, por orden, 90 grados.
Etapa 3: Girar cada tornillo, por orden, 45 grados.
⑥ Etapa 1: 20-23.5 pie-lb.
Etapa 2: 90 grados más.
⑦ Etapa 1: 33-41 pie-lb.
Etapa 2: 63-73 pie-lb.
⑧ Etapa 1: 11 pie-lb.
Etapa 2: 19-24 pie-lb.

⑨ Etapa 1: 22-26 pie-lb.
Etapa 2: 52-56 pie-lb.
Etapa 3: 90 grados más.
⑩ Etapa 1: 9-11 pie-lb.
Etapa 2: 50-55 pie-lb.
⑪ Etapa 1: 6 pie-lb.
Etapa 2: 11 pie-lb.
Etapa 3: 16 pie-lb.
⑫ Etapa 1: 25-30 pie-lb.
Etapa 2: 30-36 pie-lb.
⑬ Etapa 1: 22 pie-lb.
Etapa 2: 52 pie-lb.
Etapa 3: 90-100 grados más.
⑭ Etapa 1: 59 pie-lb.
Etapa 2: Aflojar todos los tornillos una vuelta.
Etapa 3: 33-41 pie pie-lb.
Etapa 4: 63-73 pie-lb.
⑮ Etapa 1: 6 pie-lb.
Etapa 2: 11 pie-lb.

REPARACIÓN DEL MOTOR

DISTRIBUIDOR

DESMONTAJE

➡ Excepto la tapa, el adaptador, el rotor, el estator de efecto Hall, el módulo TFI (si lo lleva) y la junta tórica, ninguna otra de las piezas del distribuidor son sustituibles. Con el distribuidor universal no es necesario el calibrado. El conjunto del distribuidor se puede identificar por la información del número de pieza de recambio impreso en una calcomanía adherida al lado de la base del distribuidor.

1. Desconectar el cable negativo en el acumulador.

2. Poner el pistón del cilindro Nº 1 en el PMS de la carrera de compresión con las marcas de sincronización alineadas. Para poner el motor en el PMS de la carrera de compresión del cilindro Nº 1, hacer lo siguiente:

a. Desmontar la cubierta de balancines sobre las válvulas del cilindro Nº 1.

b. Girar el cigüeñal hasta que la marca de sincronización se alinee con la marca del PMS. Mientras gira el cigüeñal, observar las válvulas del cilindro Nº 1. Puesto que la marca de sincronización del cigüeñal se alinea con la marca del PMS en las dos carreras, de escape y compresión, es indispensable que ambas válvulas de admisión y escape estén cerradas cuando el cilindro Nº 1 alcance el PMS. Si éste es el caso, el cilindro Nº 1 está en el PMS de la carrera de compresión. Si la válvula de escape no está aún completamente cerrada, o si la válvula de admisión está un poco abierta, el cilindro Nº 1 está en la carrera de escape y deben girarse otros 360°.

3. Desconectar del distribuidor el enchufe de cables del primario.

4. Antes de desmontar la tapa del distribuidor, marcar en la base del mismo la posición de la torre del cable de la bujía Nº 1, como referencia posterior.

5. Usar un destornillador para desmontar la tapa del distribuidor y el adaptador. Apartar a un lado la tapa del distribuidor y los cables que lleve unidos.

6. Colocar una marca en la caja del distribuidor indicando la dirección a que apunta el rotor.

7. Inscribir una marca en el cuerpo del distribuidor y otra en el bloque de cilindros para indicar la posición del distribuidor en el motor.

8. Desmontar el rotor.

9. Desmontar el tornillo y la abrazadera de sujeción del distribuidor. Algunos motores pueden venir equipados con un tipo de tornillo de sujeción de seguridad que requiere un destornillador Torx® con la boca del tamaño adecuado.

10. Desmontar el distribuidor sacándolo verticalmente.

INSTALACIÓN

Sincronización no alterada

1. Asegurarse de que el pistón del cilindro Nº 1 está en la posición del PMS de su carrera de compresión.

2. Si la lleva, comprobar que la junta tórica está instalada y en buen estado en el cuerpo del distribuidor.

3. Girar el árbol del distribuidor de modo que el extremo del rotor quede apuntando hacia la marca hecha previamente en la base del distribuidor (torre de bujía Nº 1). Continuar girando un poco de modo que el borde delantero del aspa quede centrado en el conjunto del estator del interruptor de aspa.

4. Girar el distribuidor en el bloque de cilindros para alinear el borde delantero del aspa y el interruptor de aspa y verificar que el rotor está apuntando al terminal Nº 1 de la tapa.

➡ Si el aspa y el estator del interruptor de aspa no se pueden alinear mediante el giro del distribuidor en el bloque de cilindros, sacar el distribuidor del bloque lo suficiente para desengranar el distribuidor y luego girar el distribuidor para engranarlo en un diente diferente del engranaje del distribuidor.

5. Instalar la abrazadera y el tornillo de sujeción del distribuidor, pero no apretarlo aún.

6. Conectar el cableado primario y del TFI (módulo de ignición de película gruesa) del distribuidor.

7. Instalar el rotor del distribuidor y apretar los tornillos de sujeción a 24-36 plg-lb (3-4 Nm).

8. Instalar la tapa del distribuidor y apretar los tornillos de sujeción a 18-23 plg-lb (2-3 Nm). Comprobar que los cables de la ignición están conectados con seguridad en las torres de la tapa.

9. Instalar los cables de ignición en las bujías, asegurándose de que están conectados fuertes y en el orden de encendido correcto en las bujías.

10. Comprobar y ajustar la sincronización inicial a las especificaciones con una lámpara de sincronización. Para las especificaciones de sincronización inicial, consultar la calcomanía de control de emisiones bajo el capó. No debe intentarse alterar las especificaciones de sincronización de fábrica.

11. Una vez establecida la sincronización inicial, apretar el tornillo de sujeción del distribuidor a 17-25 pie-lb (23-34 Nm). Volver a comprobar la sincronización y desmontar la lámpara de sincronización.

Sincronización alterada

1. Si el motor se giró al desmontar el distribuidor, situar otra vez el pistón Nº 1 en el PMS de la carrera de compresión con las marcas de sincronización alineadas para tener la sincronización inicial correcta. Para situar el motor en el PMS de la carrera de compresión del cilindro Nº 1, debe efectuarse lo siguiente:

a. Desmontar de encima de las válvulas del cilindro Nº 1, la tapa de balancines.

b. Girar el cigüeñal hasta que la marca de sincronización se alinee con la marca del PMS. Mientras se gira el cigüeñal vigilar las válvulas del cilindro Nº 1. Puesto que la marca de sincronización del cigüeñal puede alinearse con la marca del PMS en ambas carreras, de compresión y de escape, es imprescindible que las dos válvulas de admisión y de escape estén cerradas cuando el pistón del cilindro Nº 1 alcance el PMS. Si éste es el caso, el cilindro Nº 1 está en el PMS de la carrera de compresión. Si la válvula de escape todavía no está completamente cerrada, o si la válvula de admisión se ha abierto un poco, el cilindro Nº 1 está en la carrera de escape y deben girarse otros 360°.

2. Girar el árbol del distribuidor de modo que el extremo del rotor quede apuntando hacia la marca hecha previamente en la base del distribuidor (torre de bujía Nº 1). Continuar girando un poco de modo que el borde delantero del aspa quede centrado en el conjunto del estator del interruptor de aspa.

3. Girar el distribuidor en el bloque de cilindros para alinear el borde delantero del aspa y el interruptor de aspa y verificar que el rotor está apuntando al terminal Nº 1 de la tapa.

➡ Si el aspa y el estator del interruptor de aspa no se pueden alinear mediante el giro del distribuidor en el bloque de cilindros, sacar el distribuidor del bloque lo suficiente para desengranar el distribuidor y luego girar el distribuidor para engranarlo en un diente diferente del engranaje del distribuidor.

4. Instalar la abrazadera y el tornillo de sujeción del distribuidor, pero no apretar aún.

5. Conectar el cableado del primario y del TFI (módulo de ignición de película gruesa) del distribuidor.

6. Instalar el rotor del distribuidor y apretar los tornillos de sujeción a 24-36 plg-lb (3-4 Nm).

7. Instalar la tapa del distribuidor y apretar los tornillos de sujeción a 18-23 plg-lb (2-3 Nm). Comprobar que los cables de la ignición están conectados con seguridad en las torres de la tapa.

8. Instalar los cables de ignición en las bujías, asegurándose de que están en conexión fuerte y en el orden de encendido correcto, en las bujías.

9. Comprobar y ajustar la sincronización inicial a las especificaciones con una lámpara de sincronización. Para las especificaciones de sincronización inicial, consultar la calcomanía de control de emisiones bajo el capó. No debe intentarse alterar las especificaciones de sincronización de fábrica.

10. Una vez establecida la sincronización inicial, apretar el tornillo de sujeción del distribuidor a 17-25 pie-lb (23-34 Nm). Volver a comprobar la sincronización y retirar la lámpara de sincronización.

SINCRONIZACIÓN DE LA IGNICIÓN

AJUSTE

La única vez en que la sincronización debe ser fijada o comprobada es en el caso de que la culata de cilindros y/o el bloque de cilindros han sido desmontados o cuando el distribuidor ha sido quitado del motor. Para hacer esto, efectuar lo siguiente:

1. Desenchufar el conector de una boca de "bujías fuera" o desmontar la barra de corto del conector de dos bocas de "bujías fuera".

➡ Ajustar la sincronización a lo especificado en la calcomanía de información de control de emisiones del vehículo (VECI) localizada en el compartimiento del motor. Si este procedimiento difiere del de la calcomanía, utilizar el de la calcomanía.

2. Conectar al motor una lámpara de sincronización siguiendo las instrucciones del fabricante de la lámpara.

3. Poner en marcha el motor y dejar que alcance su temperatura normal de funcionamiento.

4. Aflojar el tornillo que sujeta el distribuidor y girar con cuidado el distribuidor hasta que las marcas de sincronización estén según lo que especifica la VECI.

5. Apretar el tornillo de sujeción a 14-21 pie-lb (19-28 Nm).

6. Instalar la barra de corto en el conector de doble boca de "bujías fuera" o acoplar el conector de una boca de "bujías fuera".

7. Apagar el motor (interruptor en OFF) y retirar la lámpara de sincronización.

CONJUNTO MOTOR

DESMONTAJE E INSTALACIÓN

Aerostar

➡ **El conjunto motor y sub-bastidor se desmonta por debajo del vehículo. Para realizar esta operación con seguridad se precisan diversos gatos y soportes. El vehículo se debe elevar unos 3-4 pies sobre el suelo para que haya suficiente espacio para desmontar el conjunto motor.**

1. Desconectar el cable negativo del acumulador, y luego el positivo. Descargar la presión del sistema de combustible. Vaciar el sistema de enfriamiento.

2. Vaciar el aceite del motor.

▼ PRECAUCIÓN ▼

Las autoridades sanitarias advierten que el contacto prolongado con aceites de motor usados puede producir un cierto número de afecciones en la piel, e incluso cáncer. Se debe hacer el mayor esfuerzo para reducir al mínimo el tiempo de exposición al aceite de motor usado.

3. Desconectar las mangueras superior e inferior del radiador y retirar el radiador.

4. Desmontar el conjunto de manguera y filtro de aire.

5. Desacoplar todos los conectores eléctricos, líneas de combustible, varillajes del acelerador y mangueras del motor. Etiquetar las conexiones para facilitar la instalación.

6. Desmontar las bandas propulsoras de accesorios.

7. Si está equipado con A/A, desmontar el compresor sin desconectar las líneas y apartarlo a un lado sujeto con alambre.

8. Desde dentro del vehículo, desmontar la cubierta del motor.

9. Elevar y soportar con caballetes el vehículo.

10. Desmontar la transmisión.

11. Desconectar y desmontar el tubo de escape y el catalizador.

12. Desmontar las ruedas delanteras.

13. Desmontar las tiras metálicas de masa del bloque de cilindros.

14. Desconectar la barra estabilizadora de los brazos de control inferiores. Desechar las tuercas de la barra.

15. De detrás de los mangos, desconectar y taponar las líneas de frenos en el soporte del bastidor.

16. Colocar un gato bajo el brazo de control inferior y elevar el brazo hasta que se aplique la tensión al resorte. Instalar cadenas de seguridad rodeando el brazo de control y el asiento del resorte. Desmontar el tornillo y tuerca que retiene el mango de rueda en la rótula del brazo de control superior. Bajar lentamente el gato para desconectar el mango de la rótula. Instalar cadenas de seguridad rodeando el brazo de control inferior y el asiento del resorte.

17. Colocar bajo el travesaño y el conjunto motor, el elevador de desmontaje del tren propulsor 109-00002 o equivalente.

18. Bajar el vehículo lentamente hasta que el travesaño descanse sobre el elevador de desmontaje. Colocar bloques de madera bajo el travesaño delantero y detrás del bloque de cilindros para mantener nivelado el conjunto de travesaño y motor. Instalar cadenas de seguridad alrededor del travesaño y elevar.

19. Con el motor y travesaño sujetos con seguridad en el elevador, desmontar las tuercas que retienen el conjunto motor y travesaño en el bastidor sobre cada lado del vehículo.

20. Bajar con cuidado el conjunto motor fuera del vehículo, asegurándose de que no estorban los cables y mangueras del compresor del A/A. Cuando el conjunto esté fuera, alejar rodando el elevador del vehículo.

Para instalar:

21. Colocar el conjunto motor sobre el travesaño. Instalar las tuercas de retención y apretar a 71-94 pie-lb (96-127 Nm).

22. Situar, rodando, el elevador de desmontaje, bajo el vehículo. Alinear el conjunto elevador,

motor y travesaño de modo que los tornillos de montaje sobre cada lado del bastidor estén alineados con los orificios del travesaño.

23. Bajar lentamente el vehículo de modo que los tornillos estén guiados en los agujeros del travesaño. Levantar el elevador o bajar el vehículo de modo que el travesaño quede contra el bastidor. Instalar las tuercas que retienen el travesaño en el bastidor y apretarlas a 145-195 pie-lb (196-264 Nm). Levantar el vehículo y retirar el elevador.

24. Instalar el conjunto de la transmisión.

25. Retirar las cadenas de seguridad de alrededor de los brazos de control inferiores y asiento del resorte. Instalar un gato bajo los brazos de control inferiores. Elevar lentamente el brazo de control hasta que el resorte esté bajo tensión. Continuar elevando el brazo hasta que el mango esté conectado a la rótula del brazo superior. Instalar un tornillo y tuerca nuevos y apretar a 27-37 pie-lb (37-50 Nm).

26. Conectar la barra estabilizadora y nuevas tuercas de barra.

27. Conectar las líneas de freno delanteros a las mordazas y a los soportes del bastidor. Instalar los conjuntos de ruedas y llantas.

28. Instalar el eje motriz, alineando las marcas que se hicieron en el desmontaje.

29. Instalar empaques nuevos en el múltiple de escape y catalizador. Instalar el tubo de escape y el catalizador. Apretar las tuercas del convertidor al silencioso a 18-26 pie-lb (25-35 Nm). Apretar la tuercas del tubo de escape al múltiple de escape a 25-34 pie-lb (34-46 Nm).

30. Acoplar al motor todos los conectores eléctricos, líneas de combustible, varillaje del acelerador, cable del velocímetro y mangueras.

31. Si lleva A/A, instalar el compresor usando los tornillos de sujeción.

32. Instalar las bandas propulsoras. Colocar el cableado del inyector detrás del brazo de la polea intermedia tensora de la banda, y apretar el tensor.

33. Conectar el varillaje del acelerador en el espárrago de bola situado en el cuerpo del acelerador. Conectar la tolva que cubre el cuerpo del acelerador.

34. Instalar la tolva del ventilador y el ventilador.

35. Conectar los cables positivo y negativo al acumulador e instalar el conjunto de conducto y filtro de aire.

36. Purgar los frenos. Llenar y purgar el sistema de enfriamiento. Comprobar todos los niveles de fluidos.

37. Poner en marcha el motor y comprobar si hay fugas y si funciona correctamente. Comprobar la alineación del extremo delantero.

Excepto Aerostar

1. Si lleva acondicionador de aire, hacer descargar el sistema, por un técnico oficial, en una estación de recuperación autorizada, y desmontar del motor el compresor del A/A.

2. Desconectar el cable negativo del acumulador.

3. Desmontar el capó, haciendo marcas.

4. Desmontar el tubo de admisión de aire y las bandas propulsoras de accesorios.

▼ PRECAUCIÓN ▼

Nunca abrir, reparar o vaciar el sistema de enfriamiento o el radiador estando calientes; pueden producirse graves quemaduras por el vapor y el refrigerante caliente. El líquido enfriador se debe volver a usar, a menos que esté contaminado o lleve varios años de uso.

5. Vaciar el sistema de enfriamiento.

6. Desmontar el ventilador de enfriamiento, tolva, radiador y todas las mangueras del sistema de enfriamiento.

7. Etiquetar y separar todos los cables y mangueras que interfieran con el desmontaje del motor y colocar los cables apartados a un lado.

8. Desatornillar del motor la bomba de la dirección hidráulica y apartarla a un lado. No se deben desconectar las líneas de fluidos.

9. Desacoplar los cables de control del acelerador y la transmisión del cuerpo del acelerador, y los soportes de montaje de los cables de control del motor.

▼ PRECAUCIÓN ▼

Observar todas las precauciones de seguridad aplicables al trabajar con combustible cerca. Guardar el combustible siempre en un recipiente diseñado específicamente para el almacenamiento de combustible; también, cerrar siempre como es debido los recipientes de combustible para evitar un incendio o explosión.

10. Descargar la presión del sistema, y luego desconectar del motor las líneas de suministro y retorno de combustible.

11. Desmontar todos los restantes soportes de montaje y/o tensores de bandas propulsoras.

12. Levantar y soportar con caballetes el vehículo.

▼ PRECAUCIÓN ▼

Las autoridades sanitarias advierten que el contacto prolongado con aceites de motor usados puede producir un cierto número de afecciones en la piel, e incluso cáncer. Se debe hacer el mayor esfuerzo para reducir al mínimo la exposición al aceite de motor usado.

13. Vaciar el aceite del motor y desmontar el filtro del aceite.

14. Separar el sistema de escape de los múltiples de escape. Sujetar con alambre el tubo, apartado a un lado.

15. Desmontar del motor, el motor de arranque y su cableado.

16. Etiquetar y separar cualquier cableado del motor por debajo del vehículo, que pueda dificultar el desmontaje del motor.

17. En vehículos equipados con transmisión automática, trazar marcas de posición del convertidor de par en relación con el volante. Desmontar los tornillos.

18. Desmontar todos los tornillos del motor a la transmisión.

➡ **Todos los motores Ford usan un plato entre el motor y la transmisión. Algunos modelos pueden tener una cubierta más pequeña, desmontable, del plato flexible/volante.**

19. Si la lleva, desmontar los tornillos de sujeción de las líneas del enfriador de aceite de la transmisión al motor.

20. Desmontar las sujeciones que retienen el soporte aislador delantero del motor al travesaño.

21. Si lo lleva, desmontar del motor el soporte de montaje del eje de balance del motor. El soporte puede usar dos tornillos Torx ® para los puntos de montaje inferiores.

22. Bajar parcialmente el vehículo.

23. Soportar la transmisión con un gato de piso.

24. Usando una grúa o polipasto de motores, sacar el motor fuera del vehículo. Asegurarse de levantar el motor despacio y comprobar a menudo que nada (tal como alambres, mangueras, etc.) podrá dificultar la extracción del motor del vehículo.

25. En este momento, el motor se puede instalar en un soporte de motores.

Para instalar:

➡ Antes de instalar, lubricar ligeramente con aceite las roscas de todos los tornillos y espárragos, excepto aquellos a los que se les especifica un sellador especial.

26. Usando la grúa o elevador de motores, colocar despacio y con cuidado el motor en el vehículo. Asegurarse de que el múltiple de escape esté bien alineado con los tubos de escape.

27. Alinear el motor con la transmisión e instalar dos tornillos del motor a la transmisión.

➡ Asentar la clavija de centrado del soporte aislador delantero, lado izquierdo del motor, antes que la del soporte aislador delantero, lado derecho del motor.

28. Bajar el motor sobre los soportes aisladores delanteros del motor.

29. Soltar del motor la grúa o elevador de motores.

30. Retirar el gato de piso de debajo de la charola de fluido de la transmisión.

31. Apretar los dos tornillos instalados de la transmisión al motor, y luego levantar y soportar con caballetes el vehículo.

32. Instalar y apretar los restantes tornillos de la transmisión al motor.

33. El resto de la instalación es a la inversa del procedimiento de desmontaje. Asegurarse de apretar las sujeciones a:
– Transmisión a motor: 28-38 pie-lb (38-51 Nm).
– Aislador trasero a transmisión: 60-80 pie-lb (82-108 Nm).
– Aislador trasero a travesaño: 71-94 pie-lb (97-127 Nm).

▼ AVISO ▼

NO poner en marcha el motor sin antes haberlo llenado con la cantidad y tipo apropiado de aceite de motor limpio, e instalado un nuevo filtro de aceite. De lo contrario, el motor resultará seriamente dañado.

34. Llenar el depósito de aceite con la cantidad y tipo apropiado de aceite de motor. Si es necesario, ajustar el varillaje de la transmisión y/o acelerador.

35. Instalar el conjunto del conducto de admisión de aire.

36. Conectar el cable negativo del acumulador y luego llenar y purgar el sistema de enfriamiento.

37. Llevar el motor hasta la temperatura normal de funcionamiento y luego comprobar si hay fugas.

38. Parar el motor y comprobar todos los niveles de fluidos.

39. Instalar el capó, alineando las marcas hechas al desmontar.

40. Si lo lleva, tener el sistema de A/A bien comprobado de fugas, vaciado y cargado por un experto autorizado en automoción.

BOMBA DE AGUA

DESMONTAJE E INSTALACIÓN

▼ PRECAUCIÓN ▼

Nunca abrir, reparar o vaciar el sistema de enfriamiento o radiador estando calientes; pueden producirse graves quemaduras por el vapor y el líquido enfriador caliente.

Motor 2.3L

1. Desconectar el cable negativo del acumulador.

2. Vaciar el sistema de enfriamiento.

3. Desmontar los dos tornillos que retienen la tolva del ventilador y colocar la tolva apoyada sobre el ventilador.

4. Desmontar los cuatro tornillos que sujetan el ventilador de enfriamiento. Desmontar el ventilador y la tolva.

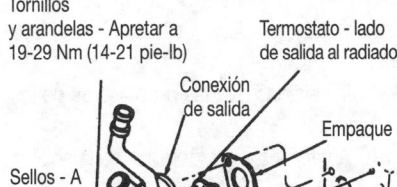
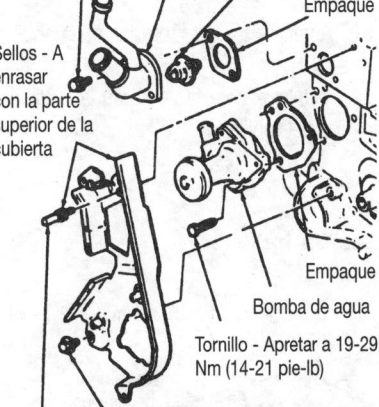

━━ Delantera del motor ➡

Tornillos y arandelas - Apretar a 19-29 Nm (14-21 pie-lb)

Termostato - lado de salida al radiador

Conexión de salida

Empaque

Sellos - A enrasar con la parte superior de la cubierta

Empaque

Bomba de agua

Tornillo - Apretar a 19-29 Nm (14-21 pie-lb)

Espárrago y arandela tipo sellado - Apretar a 19-29 Nm (14-21 pie-lb)

Aplicar sellador D8AZ-19554 a las sujeciones antes del montaje

Tornillo y arandela - Apretar a 8-12 Nm (71-106 pie-lb)

▲ **Vista desarmada de la bomba de agua y la salida del líquido enfriador – Motor 2.3L**

5. Aflojar y desmontar las bandas propulsoras de accesorios. Los modelos antiguos pueden tener dos bandas propulsoras, desmontar ambas.

6. Desmontar la polea de la bomba del agua y, si es necesario, la manguera del depósito de emisiones.

7. Desmontar la manguera del calefactor en la bomba de agua.

8. Desmontar la cubierta de la banda de sincronización. Desmontar de la bomba de agua la manguera inferior del radiador.

9. Desmontar los tornillos de montaje de la bomba de agua y la bomba de agua. Limpiar todas las superficies de montaje de empaque.

10. Instalar la bomba de agua en el orden inverso a como se desmontó. Antes de la instalación, cubrir las roscas de los tornillos de montaje con sellador.

Motor 3.0L

1. Desconectar el cable negativo del acumulador.

2. Vaciar el sistema de enfriamiento.

3. Desmontar el tubo de salida del filtro de aire del motor.

▼ AVISO ▼

Los procedimientos que siguen para el desmontaje del embrague del ventilador dados por el constructor recomiendan direcciones de apriete y afloje para la tuerca del cubo del ventilador. Sin embargo, nuestra propia experiencia es que ciertos fabricantes de piezas de recambio de posventa han cambiado éstas para posibilitar el uso de piezas de ajuste universal. Recomendamos, pues, que intenten antes aplicar el sentido del fabricante, y luego, si la tuerca parece que no se mueve, invertir el sentido de afloje. Aplicar un esfuerzo excesivo sobre el extremo del eje de la bomba lo romperá.

4. Desmontar el ventilador del motor y la protección del radiador.

5. Aflojar, pero no desmontarlos aún, los cuatro tornillos de la polea de la bomba de agua.

6. Desmontar las bandas propulsoras de los accesorios.

7. Desmontar los cuatro tornillos de sujeción de la polea de la bomba de agua, y luego desmontar la polea.

8. Desconectar del alternador, el cableado eléctrico del motor.

9. Desmontar la tuerca que sujeta el tubo de llenado del aceite en el espárrago del alternador y luego, sacar el tubo del espárrago.

10. Desmontar el brazo de ajuste del alternador y el tirante del cuerpo del acelerador.

11. Con un destornillador Torx® 50, desmontar el conjunto tensor de la banda propulsora del motor.

12. Si está equipado con un calefactor auxiliar, desmontar el tornillo que sujeta el soporte del tubo del calefactor auxiliar al soporte de la bomba de la dirección hidráulica.

13. Desmontar la manguera inferior del radiador.

14. Desconectar de la bomba de agua, la manguera del calefactor.

15. Para vehículos equipados con dirección hidráulica, desmontar los 5 tornillos que sujetan el soporte de la bomba de dirección hidráulica al motor y luego asegurar el conjunto soporte y bomba de dirección hidráulica cerca de la bandeja del acumulador. No desconectar de la bomba las mangueras de la dirección hidráulica.

16. Desmontar los tornillos de sujeción de la bomba de agua. Tomar nota de su posición para volver a instalarlos.

17. Desmontar la bomba del motor y desechar el empaque viejo.

Para instalar:

➡ Antes de instalar, lubricar ligeramente con aceite las roscas de todos los tornillos y espárragos, excepto aquellos a los que se les especifica un sellador especial.

18. Limpiar a fondo las superficies de unión de empaque de la bomba y el motor.

19. Usando un adhesivo de tipo sellador, (Adhesivo Trim D7AZ-19B508-B o equivalente), colocar un empaque nuevo en la cubierta de la sincronización.

20. Colocar la bomba de agua sobre el motor y luego instalar los tornillos de sujeción. Una vez iniciados todos los tornillos, apretarlos a 84 plg-lb (9 Nm).

21. Instalar la manguera inferior y conectar la manguera del radiador.

22. Si la lleva, instalar en el motor el soporte de la bomba de la dirección hidráulica. Apretar las sujeciones a 30-40 pie-lb (40-54 Nm).

23. Instalar la polea de la bomba de agua y apretar a mano los 4 tornillos.

24. Volver a instalar el tensor de la banda propulsora de los accesorios del motor, y apretar los tornillos a 27-33 pie-lb (35-45 Nm).

25. Instalar la manguera de retorno de agua del calefactor en el rácor de la bomba de agua y apretar la abrazadera de la manguera.

26. Si lleva un calefactor auxiliar, volver a instalar el soporte del tubo del calefactor auxiliar en el soporte de la bomba de la dirección hidráulica. Apretar los tornillos a 6-8 pie-lb (8-12 Nm).

27. Instalar el tirante y brazo de ajuste del alternador. Apretar los tornillos de sujeción a 30-40 pie-lb (40-54 Nm).

28. Conectar el cableado eléctrico del motor en el alternador.

29. Instalar el soporte del tubo de llenado de aceite sobre el espárrago del alternador y apretar las tuercas de sujeción a 32-37 pie-lb (42-50 Nm).

30. Instalar las bandas propulsoras de los accesorios.

31. Apretar los cuatro tornillos de la polea a 19 pie-lb.

32. Instalar el conjunto embrague/ventilador y la tolva del ventilador.

33. Conectar el cable negativo del acumulador.

34. Llenar y purgar el sistema de enfriamiento.

35. Poner en marcha el motor y comprobar si hay fugas.

Motor OHV 4.0L

1. Levantar y soportar con caballetes el vehículo de modo que haya acceso al motor tanto por arriba como por abajo del compartimiento del motor.

2. Vaciar el sistema de enfriamiento.

3. Desmontar la manguera inferior del radiador y la manguera de retorno del calefactor de la bomba de agua.

4. Desmontar el conjunto del ventilador y su embrague.

▼ AVISO ▼

Los procedimientos que siguen para el desmontaje del embrague del ventilador dados por el constructor recomiendan direcciones de apriete y afloje para la tuerca del cubo del ventilador. Sin embargo, nuestra propia experiencia es que ciertos fabricantes de piezas de recambio de posventa han cambiado éstas para posibilitar el uso de piezas de ajuste universal. Recomendamos, pues, que intenten antes aplicar el sentido del fabricante, y luego, si la tuerca parece que no se mueve, invertir el sentido de afloje. Aplicar un esfuerzo excesivo sobre el extremo del eje de la bomba lo romperá.

5. Aflojar los tornillos de montaje del alternador y desmontar la banda. En camionetas con aire acondicionado, desmontar el compresor y soporte sin desconectar las líneas del A/A. Soportar el compresor del riel del bastidor del vehículo con un alambre o un cordón fuerte.

6. Si lleva dirección hidráulica, desmontar la bomba de la dirección. Colocarla al lado del compresor del A/A.

7. Desmontar la polea de la bomba de agua.

8. Desmontar los tornillos de sujeción de la bomba y retirar la bomba de agua.

Para instalar:

9. Limpiar con esmero las superficies de montaje de la bomba y la cubierta delantera. Retirar toda traza de material de empaque.

10. Aplicar sellador de empaques adhesivo en ambas caras de un empaque nuevo y colocar el empaque sobre la bomba.

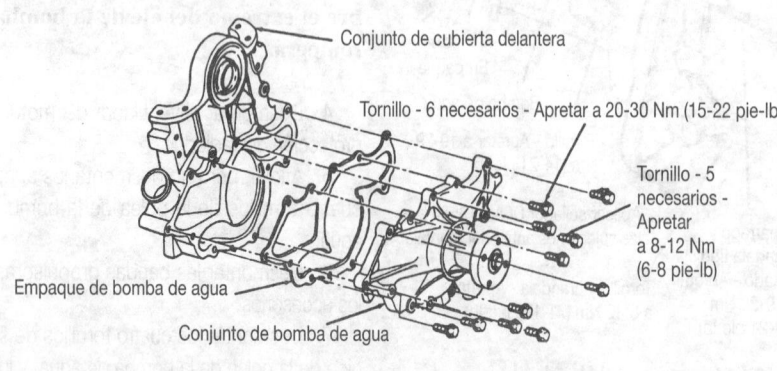

Conjunto de cubierta delantera

Tornillo - 6 necesarios - Apretar a 20-30 Nm (15-22 pie-lb)

Tornillo - 5 necesarios - Apretar a 8-12 Nm (6-8 pie-lb)

Empaque de bomba de agua

Conjunto de bomba de agua

▲ Vista desarmada de la bomba de agua y la cubierta delantera – Motor 3.0L

11. Colocar la bomba en la cubierta y poner los tornillos con la mano. Colocados todos los tornillos en su sitio, apretarlos a 6-9 pie-lb (9-12 Nm).

12. Instalar la polea de la bomba de agua.

13. En las camionetas con aire acondicionado, instalar el compresor y el alternador con el soporte.

14. Para vehículos con dirección hidráulica, instalar la bomba de la dirección hidráulica.

15. Bajar el vehículo.

16. Instalar y ajustar la banda propulsora de accesorios.

17. Conectar las mangueras del líquido enfriador en la bomba de agua y apretar las abrazaderas.

18. Instalar el conjunto del ventilador y embrague.

➡ La tuerca de sujeción del ventilador/embrague está apretada en sentido contrario al reloj.

19. Llenar y purgar el sistema de enfriamiento. Poner en marcha el motor y comprobar si hay fugas.

Motores 5.0L y SOHC 4.0L

1. Desconectar el cable negativo del acumulador.

2. Vaciar el sistema de enfriamiento.

▼ AVISO ▼

Los procedimientos que siguen para el desmontaje del embrague del ventilador dados por el constructor recomiendan direcciones de apriete y afloje para tuerca del cubo del ventilador. Sin embargo, nuestra propia experiencia es que ciertos fabricantes de piezas de recambio de posventa han cambiado éstas para posibilitar el uso de piezas de ajuste universal. Recomendamos, pues, que intenten antes aplicar el sentido del fabricante, y luego, si la tuerca parece que no se mueve, invertir el sentido de afloje. Aplicar un esfuerzo excesivo sobre el extremo del eje de la bomba lo romperá.

3. Desmontar juntos el ventilador y embrague.

4. Si es necesario ganar espacio, desmontar el radiador.

5. Aflojar los tornillos de sujeción de la polea de la bomba de agua.

6. Desmontar la banda propulsora de accesorios y la polea intermedia.

7. Correr hacia atrás la abrazadera de la manguera del tubo de desviación, lejos de la bomba.

8. Desconectar la manguera del calefactor en la bomba.

9. En el motor 4.0L, desmontar la manguera inferior del radiador.

10. Desmontar la polea de la bomba de agua.

11. En el motor 5.0L, desmontar la manguera del tubo de desviación de agua y el soporte de los cables del motor.

12. Desmontar todos los tornillos de sujeción de la bomba de agua. Poner atención en los sitios de todos los tornillos espárragos. En el motor 5.0L, desmontar la manguera inferior del radiador.

13. Desmontar la bomba de agua.

Para instalar:

14. Limpiar con esmero las superficies de montaje de la bomba y cubierta delantera. Retirar toda traza de material de empaque.

15. Aplicar sellador de empaque adhesivo a las dos caras de un empaque nuevo y colocar el empaque sobre la bomba.

16. Colocar la bomba sobre la cubierta, mientras se conecta a la bomba la manguera del tubo de desviación, e instalar los tornillos apretados a mano. En el motor SOHC 4.0L, apretar los tornillos a 72-108 plg-lb (6-9 pie-lb o 8.5-12 Nm). En el motor 5.0L, apretar los tornillos a 15-21 pie-lb (20-28 Nm).

17. Colocar el soporte de la abrazadera del tubo de desviación en su posición original.

18. Instalar la polea de la bomba de agua y sus tornillos de sujeción. Ajustar los tornillos a mano.

19. Conectar las mangueras inferiores del radiador y del calefactor a la bomba de agua.

20. Instalar la polea intermedia de la banda.

21. Levantar el tensor de la banda propulsora de accesorios e instalar la banda.

22. Apretar con seguridad los tornillos de sujeción de la polea de la bomba de agua.

23. Si se desmontó, instalar el radiador.

24. Instalar el conjunto ventilador/embrague del ventilador del motor.

25. Volver a llenar y purgar el sistema de enfriamiento.

26. Conectar el cable negativo del acumulador y poner en marcha el motor para comprobar si hay fugas.

CULATA DE CILINDROS

DESMONTAJE E INSTALACIÓN

➡ Antes de instalar la culata de cilindros, tenerla limpia y comprobada con profesionalidad. Si hay algún problema, en general, éste no se resolverá con un simple cambio de empaques. Las culatas de cilindros pueden deformarse y se deforman, lo cual es la causa principal de los fallos de empaque. Esto se debe normalmente a recalentamiento.

▼ PRECAUCIÓN ▼

Observar todas las precauciones de seguridad aplicables al trabajar con combustible cerca. Cada vez que repare el sistema de combustible, trabajar siempre en un área bien ventilada. No permitir que vapores o combustible pulverizado entren en contacto con una chispa o llama directa. Tener cerca del lugar un extintor de incendios de polvo químico (seco). Guardar siempre el combustible en un recipiente diseñado específicamente para el almacenamiento de combustible; así mismo, cerrar siempre como es debido los recipientes de combustible para evitar un incendio o explosión.

Motores 2.3L y 2.5L

1. Desconectar el cable negativo del acumulador.

2. Vaciar el sistema de enfriamiento.

3. Desmontar el múltiple de admisión.

4. Desconectar la manguera superior del radiador en sus dos extremos y desmontarla del vehículo.

5. Desmontar los tornillos de la cubierta de la banda de sincronización y retirar la cubierta. Para los vehículos equipados con dirección hidráulica, desatornillar el soporte de la bomba de la dirección hidráulica y apartarla a un lado.

6. Aflojar los tornillos que sujetan la polea intermedia de la banda de sincronización. Colocar la polea intermedia en una posición descargada y apretar los tornillos de sujeción.

7. Desmontar la banda de sincronización y el múltiple de escape.

8. Desmontar la polea intermedia de la banda de sincronización, dos tornillos de soporte y el resorte de la culata de cilindros.

9. Desconectar el alambre conductor de la unidad del indicador de servicio del aceite.

10. Desmontar los tornillos de sujeción de la culata de cilindros.

11. Desmontar la culata de cilindros.

12. Limpiar las superficies de empaque de la culata de cilindros y de los múltiples de admisión y de escape.

13. Limpiar con soplete de aire comprimido quitando el aceite de los agujeros en el bloque de los tornillos de la culata de cilindros.

14. Limpiar la superficie de empaque de la cubierta de válvulas y la parte superior del bloque de cilindros.

15. Verificar la planitud del bloque de cilindros.

Para instalar:

16. Colocar sobre el bloque un empaque nuevo.

17. Limpiar la cubierta de balancines (cubierta de levas).

18. Instalar el empaque de cubierta de válvulas en la cubierta de válvulas.

19. Colocar la culata de cilindros en el bloque de cilindros.

20. Instalar los tornillos que sujetan la culata de cilindros y apretar a lo especificado.

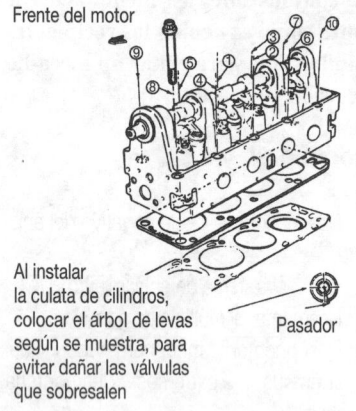

Frente del motor

Al instalar la culata de cilindros, colocar el árbol de levas según se muestra, para evitar dañar las válvulas que sobresalen

Pasador

▲ Secuencia de apriete de tornillos de la culata de cilindros – Motores 2.3L y 2.5L

21. Instalar los componentes restantes en el orden inverso al desmontaje.

22. Instalar los tornillos que sujetan la manguera del calefactor a la cubierta de válvulas.

23. Cambiar el filtro y el aceite del motor.

24. Llenar y purgar el sistema de enfriamiento.

25. Instalar el filtro de aire.

26. Conectar el cable negativo del acumulador.

27. Poner en marcha el motor y comprobar si hay fugas.

Motor 3.0L

➡ En los Aerostar, Ford sugiere que la(s) culata(s) de cilindros es (son) desmontable(s) con el motor en el vehículo aunque esto pueda resultar bastante difícil. En algunos casos, el desmontar la culata de cilindros será más fácil con el motor desmontado.

1. Tener el sistema acondicionador de aire descargado por un profesional experto mecánico autorizado que utilice una máquina de recuperación/reciclado de fluido refrigerante.

2. Vaciar el sistema de enfriamiento (con el motor frío) dentro de un recipiente limpio y guardar el fluido para volver a usarlo.

3. Desmontar el conjunto soporte y bomba de dirección hidráulica. NO desconectar las mangueras. Atar el conjunto apartado a un lado.

4. Desconectar el cable negativo del acumulador.

➡ Sin tener en cuenta qué culata de cilindros es desmontada, se deben desmontar las varillas de empuje de la válvula de admisión del cilindro Nº 3 para permitir el desmontaje del múltiple de admisión.

5. Desmontar el múltiple de admisión.

6. Desmontar el (los) múltiple(s) de escape.

7. Desmontar las cubiertas de los balancines.

8. En los Aerostar con A/A, desconectar la línea de líquido del condensador y la manguera de aspiración del acumulador. Desmontar el tornillo que asegura el conjunto de la manguera del acondicionador de aire al cuerpo del compresor, y luego desmontar el conjunto de la manguera del vehículo. Tapar o cubrir todas las aberturas del sistema acondicionador de aire para impedir que entren en el sistema la suciedad, materias extrañas o excesiva humedad.

9. Desmontar los múltiples de escape y tubos de entrada del escape.

10. Aflojar los tornillos de sujeción de los pivotes de balancines lo suficiente para que permitan que el balancín sea sacado fuera de la varilla de empuje y girado a un lado. Desmontar las varillas de empuje, conservándolas en orden, de modo que se puedan instalar en sus sitios originales.

11. Aflojar los tornillos de sujeción de la culata de cilindros en el orden inverso a la secuencia de apriete, luego retirar los tornillos y levantar la(s) culata(s) de cilindros. Desmontar y desechar los empaques de culata(s) viejos.

Para instalar:

12. Limpiar las superficies de empaque de las culatas de cilindros, múltiple de admisión, cubiertas de balancines y bloque de cilindros de toda traza de material de los empaques viejos y/o de sellador. Limpiar el carbón de las cámaras de combustión con un cepillo de alambres en copa montado en un taladro.

13. Lubricar con un poco de aceite las roscas de todos los tornillos y espárragos roscados excepto a los que se espécifique un sellador especial. Colocar el o (los) nuevo(s) empaque(s) de culata en el bloque de cilindros, usando las clavijas para la alineación. Si las clavijas están dañadas, deben ser sustituidas.

14. Situar la culata de cilindros sobre el bloque de cilindros.

15. Instalar NUEVOS tornillos de sujeción de culata de cilindros apretados a mano.

16. Apretar los tornillos de sujeción, en secuencia, a 60 pie-lb (80 Nm). Luego aflojar todos los tornillos un mínimo de una vuelta completa (360°).

17. Volver a apretar en secuencia los tornillos de culata, en dos etapas: primera etapa a 33-41 pie-lb (45-55 Nm), segunda etapa a 63-73 pie-lb (85-99 Nm).

➡ Cuando los tornillos de sujeción de la culata se aprietan siguiendo este procedimiento, no es necesario volver a apretar los tornillos después de un prolongado funcionamiento del motor. Sin embargo, si se desea, se puede hacer una comprobación sobre el apriete de los tornillos.

18. Instalar el múltiple de admisión y los restantes componentes en el orden inverso al desmontaje.

19. Si es necesario, recargar el sistema de A/A y comprobar si hay fugas.

20. Llenar el sistema de enfriamiento.

➡ Cambiar el aceite del motor y el filtro. Con frecuencia, durante el desmontaje de la culata de cilindros se produce una contaminación del aceite del motor por el líquido de enfriamiento.

21. Conectar el cable negativo del acumulador.

22. Poner en marcha el motor y comprobar si hay fugas. Ajustar el varillaje del acelerador y el control de velocidad, según sea necesario.

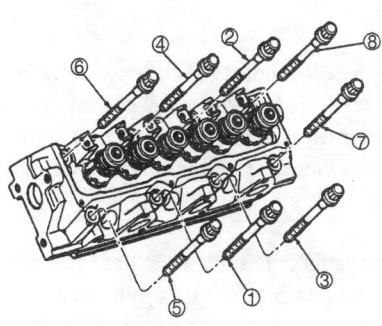

▲ **Apretar los tornillos de la culata de cilindros en el orden exacto para un sellado correcto en todos los motores 3.0L**

23. Recargar el sistema de A/A usando el procedimiento recomendado, esto es, usando una máquina de reciclar/recuperar.

Motor OHV 4.0L

➡ **Al instalar la culata en el motor 4.0L, deben usarse tornillos de culata de cilindros nuevos.**

1. Descargar la presión del sistema de combustible.

2. Desconectar el cable negativo del acumulador.

3. Vaciar el sistema de enfriamiento (motor frío) en un recipiente limpio y guardar el líquido enfriador para volver a usarlo.

4. Desmontar los múltiples de admisión superior e inferior.

5. Desmontar la banda propulsora de accesorios.

6. Si se está desmontando la culata de cilindros izquierda, hacer lo siguiente:

a. Desmontar el compresor del acondicionador de aire. Desmontar el tornillo que asegura el tubo del A/A del múltiple al múltiple de admisión superior. Colocar el compresor apartado a un lado sin desconectar las líneas del fluido refrigerante del A/A.

b. Desmontar el conjunto de soporte y bomba de la dirección hidráulica. NO desconectar las mangueras. Atar el conjunto apartado a un lado.

7. Si se está desmontando la culata derecha, ejecutar lo siguiente:

a. Desmontar el alternador y su soporte.

b. Desmontar la bobina de ignición y su soporte.

8. Desmontar las bujías, múltiple(s) de escape, cubiertas de balancines y conjuntos de balancines.

9. Desmontar las varillas de empuje, guardándolas en orden para poder instalarlas en sus sitios originales.

10. Aflojar los tornillos de sujeción de la culata de cilindros a la inversa de la secuencia de apriete, y luego desmontar los tornillos y desecharlos. Éstos no pueden volver a usarse.

11. Separar la(s) culata(s) de cilindros del bloque de cilindros. No hacer palanca entre la culata de cilindros y el bloque de cilindros.

12. Desmontar y desechar el (los) empaque(s) de culata viejos.

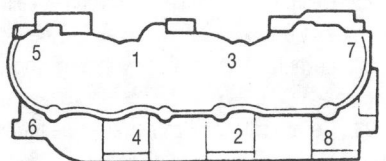

▲ **Para asegurar el sellado correcto y la instalación exacta de la culata de cilindros, apretar los tornillos de sujeción en la secuencia mostrada – Motor OHV 4.0L**

Para instalar:

13. Limpiar las superficies de empaques de culatas, múltiple de admisión, cubierta de balancines y balancines, y bloque de cilindros, de toda traza de material de empaque viejo y/o sellador. Limpiar el carbón en las cámaras de combustión con un cepillo de alambres en copa montado en una taladradora.

➡ **El motor 4.0L debe ser montado siempre con tornillos de culata de cilindros nuevos.**

14. Lubricar con un poco de aceite las roscas de todos los tornillos y espárragos roscados excepto aquellos a los que se especifique un sellador especial. Sustituir las clavijas de alineación si están dañadas. Colocar el (los) nuevo(s) empaque(s) de culata sobre el bloque de cilindros, usando las clavijas para su alineación. Las flechas de montaje de los empaques de culata deben señalar hacia la delantera del motor.

15. Colocar la(s) culata(s) de cilindros sobre el bloque.

16. Montar y apretar los tornillos de la culata de cilindros en la secuencia mostrada, en las siguientes etapas:

– Etapa 1 - 22-26 pie-lb (30-35 Nm).

– Etapa 2 - 52-56 pie-lb (70-75 Nm).

– Etapa 3 - apretar los tornillos 90° adicionales.

17. Instalar el múltiple de admisión inferior.

18. Instalar los levantadores de válvulas, si se han desmontado.

19. Sumergir cada varilla de empuje en aceite de motor pesado, y luego instalar las varillas de empuje en sus sitios originales.

20. Instalar los conjuntos de balancines.

21. Aplicar unas gotas de sellador RTV en las 4 esquinas donde se unen el múltiple de admisión y las culatas.

22. Instalar las cubiertas de balancines.

23. Instalar el múltiple de admisión superior. Apretar las tuercas del múltiple de admisión superior a 15-18 pie-lb (20-23 Nm).

24. Si lo lleva, instalar el compresor del A/A en su soporte. Instalar el tornillo de sujeción del tubo del A/A del múltiple en el múltiple de admisión superior. Apretar los tornillos del compresor a 15-21 pie-lb (20-29 Nm).

25. Instalar el (los) múltiple(s) de escape.

26. Instalar las bujías y los alambres.

27. Si se desmontó la culata izquierda, instalar la bomba de la dirección hidráulica, compresor y banda propulsora.

28. Instalar el compresor del A/A con su soporte sobre el motor.

29. Si se desmontó la culata derecha, instalar la bobina de ignición y soporte, el alternador y soporte, y la banda propulsora.

30. Instalar el filtro de aire.

31. Llenar el sistema de enfriamiento.

➡ **Cambiar el aceite del motor y el filtro. Con frecuencia, durante el desmontaje de la culata de cilindros se produce una contaminación del aceite del motor por el líquido de enfriamiento.**

32. Conectar el cable negativo del acumulador.

➡ **Cuando se ha desconectado y vuelto a conectar el acumulador, se pueden presentar algunos síntomas de conducción anormales mientras el Módulo de Control del Tren Propulsor (PCM) vuelve a aprenderse su estrategia adaptativa. El vehículo puede necesitar ser conducido unas 10 millas (16 km) o más para reprogramar la estrategia.**

33. Poner en marcha el motor y comprobar si hay fugas. Ajustar el varillaje del acelerador y el control de velocidad, según sea necesario.

Motor SOHC 4.0L

➡ **Si sólo se va a desmontar una culata de cilindros, seguir únicamente los procedi-**

mientos que se aplican. Para llevar a cabo correctamente estos procedimientos son absolutamente necesarias las herramientas siguientes, o sus equivalentes:

– Herramienta Tensora de Cadena de Levas T97T-6K254-A.

– Herramienta para Desmontar el Engrane de Levas T97T-6256-F.

– Adaptador de Torsión del Engrane de Levas T97T-6256-G.

– Herramienta de Colocación/Sujeción del Engrane del Árbol de Levas T97T-6256-B.

– Adaptador de herramienta de Colocación/Sujeción del Engrane del Árbol de Levas T97T-6256-A.

– Herramienta de Sujeción del Árbol de Levas T97T-6256-C.

– Herramienta de Sujeción del Cigüeñal T97T-6303-A.

– Adaptador de herramienta de Sujeción del Árbol de Levas T97T-6256-D.

1. Desconectar el cable negativo del acumulador.

2. Vaciar el sistema de enfriamiento.

3. Desmontar los colectores de admisión superior e inferior.

4. Desmontar del motor, el conjunto del embrague/ventilador y la tolva.

5. Desmontar la manguera superior del radiador y el tubo de conexión.

6. Desacoplar la banda propulsora de accesorios.

7. Desconectar el cableado eléctrico del alternador, luego desatornillar el soporte del alternador y desmontarlo, alternador y todo.

8. Desatornillar el soporte de montaje del compresor del acondicionador de aire/dirección hidráulica y colocarlo apartado a un lado.

9. Identificar y desconectar el cableado eléctrico del motor completo (incluidos inyectores, sensores, etc.) en el motor y colocarlo apartado a un lado.

10. Desconectar el tubo de alimentación de la válvula de recirculación de gases de escape (EGR), luego desmontar la válvula.

11. Desmontar del motor, el soporte de la manguera del calefactor y desconectar el tubo de control de nivel de la transmisión.

12. Desconectar las dos mangueras del calefactor en el motor.

13. Desmontar la manguera de desviación del cuerpo del termostato.

14. Desmontar el conjunto del cuerpo del termostato en el motor.

15. Identificar y desconectar los cables de bujías en las bujías.

16. Desmontar los tornillos del soporte superior de la línea de combustible.

17. Desmontar el múltiple de alimentación de la inyección de combustible.

18. Desmontar las dos cubiertas de válvulas.

19. Desmontar los seis inyectores de combustible.

20. Desmontar el clip resorte de acero del separador de la válvula de ventilación del cárter, luego desmontar el separador.

21. Desmontar la varilla del nivel de aceite del motor y el tubo.

22. Levantar y apoyar el vehículo sobre caballetes.

23. Desatornillar ambas entradas de tubos de escape en los múltiples de escape.

24. Bajar el vehículo.

25. Desmontar el tensor de cadena hidráulico de mano izquierda y el tornillo del engrane del árbol de levas.

26. Desmontar el tornillo que sujeta el cassette (guía de cadena) de mano izquierda.

27. Desmontar los ocho tornillos de 12 mm y dos tornillos de 8 mm, en secuencia, de la culata de cilindros.

28. Desmontar la culata de cilindros y desechar el empaque viejo.

▼ AVISO ▼

El múltiple de escape de mano derecha se debe desmontar antes que la culata de cilindros de mano derecha para evitar la rotura del cassette del árbol de levas.

29. Desmontar el múltiple de escape de mano derecha.

30. Desmontar el tensor de cadena hidráulico de mano derecha. El acceso al tensor se hace a través del hueco del guardabarros de mano derecha.

▼ AVISO ▼

El tornillo del engrane del árbol de levas de mano derecha es con rosca a la izquierda.

31. Usar la herramienta adaptadora de torsión del engrane de levas para desmontar el tornillo del engrane del árbol de levas de mano derecha.

32. Desmontar el tornillo que sujeta el cassette de mano derecha.

▼ AVISO ▼

Se debe desmontar el engrane del árbol de levas de la cadena y el cassette para ganar espacio para desmontar la culata de cilindros y evitar la rotura del cassette.

➡ Asegurar la cadena al cassette con una liga de caucho para ayudar en el desmontaje y evitar que la cadena caiga dentro del bloque de cilindros.

33. Desmontar el engrane del árbol de levas de mano derecha del cassette.

34. Desmontar los ocho tornillos de 12 mm y dos de 8 mm, en secuencia, en la culata de cilindros de mano derecha.

35. Desmontar la culata de cilindros y desechar el empaque viejo.

Para instalar:

36. Limpiar a fondo todas las superficies de unión de empaques. Eliminar toda traza de material de empaque viejo, aceite, grasa o suciedad.

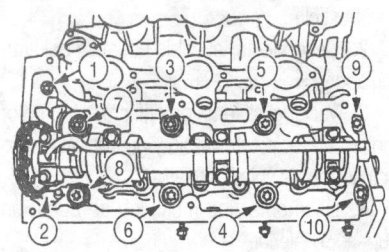

▲ Debe usarse la secuencia exacta de aflojado y apriete de la culata de cilindros para evitar la deformación y para un sellado correcto – Motor SOHC 4.0L

37. Asegurarse de que la liga de caucho está sujetando la cadena de mano derecha al cassette.

38. Instalar el empaque de culata de cilindros de mano derecha.

39. Colocar la culata de cilindros de mano derecha en el bloque de cilindros e instalar los tornillos de sujeción. Apretar los tornillos en tres etapas: primera, apretar a 26 pie-lb (35 Nm); segunda, girar 90°; tercera, girar otros 90° adicionales.

40. Instalar una liga de caucho en el cassette de mano izquierda para sujetar la cadena y el engrane en su sitio.

41. Instalar el empaque de culata de cilindros de mano izquierda.

42. Colocar la culata de cilindros de mano izquierda en el bloque de cilindros e instalar los tornillos de sujeción. Apretar los tornillos en tres etapas: primera, apretar a 26 pie-lb (35 Nm); segunda, girar 90°; tercera, girar otros 90° adicionales.

43. Instalar todos los componentes que se desmontaron en el orden inverso al desmontaje.

44. Cambiar el filtro y aceite del motor.

45. Volver a llenar y purgar el sistema de enfriamiento.

46. Conectar el cable negativo del acumulador, y poner y mantener en marcha el motor. Comprobar si hay fugas.

Motor 5.0L

➡ **De acuerdo con el constructor, debemos usar tornillos de culata de cilindros nuevos al instalar la(s) culata(s) de cilindros.**

1. Desconectar el cable negativo del acumulador.

2. Vaciar el sistema de enfriamiento.

3. Desmontar una o ambas cubiertas de válvulas.

4. Desmontar los múltiples de admisión superior e inferior.

5. Desmontar la banda propulsora de accesorios.

6. Si se desmonta la culata de cilindros de mano izquierda, proceder como sigue:

    a. Desmontar el soporte de montaje del compresor del A/A/dirección hidráulica y apartarlo a un lado.

    b. Desmontar el tubo y la varilla de control del nivel de aceite del motor.

7. Si se desmonta la culata de cilindros de mano derecha, proceder como sigue:

    a. Desconectar el cableado eléctrico del alternador.

    b. Desatornillar el soporte de montaje del alternador y desmontarlo del motor.

8. Desmontar los múltiples de escape en el motor.

9. Aflojar los tornillos de balancines de modo que los balancines se puedan girar de lado.

10. Desmontar las varillas de empuje, identificándolas para que se puedan volver a instalar en sus sitios originales.

11. Desmontar y desechar los tornillos de culata de cilindros. Levantar del motor la culata de cilindros y desechar el empaque viejo.

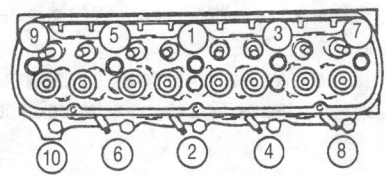

▲ Usar la secuencia de apriete adecuada para asegurar el buen sellado de la culata de cilindros – Motor 5.0L

Para instalar:

12. Limpiar a fondo todas las superficies de unión de empaques.

13. Colocar un nuevo empaque de culata de cilindros en el bloque de cilindros y luego instalar la culata de cilindros.

14. Instalar nuevos tornillos de culata y apretarlos en tres etapas:

    a. Apretar todos los tornillos en secuencia a 25-37 pie-lb (34-47 Nm).

    b. Apretar todos los tornillos en secuencia a 45-55 pie-lb (61-75 Nm).

    c. Apretar todos los tornillos unos 85-95° (¼ de vuelta) adicionales.

15. Asegurarse de que los pasos del aceite en el interior de las varillas de empuje están libres e instalarlas en el motor.

➡ **Lubricar los extremos de las varillas de empuje con aceite de motor SAE 50W.**

16. Recubrir perfectamente los balancines con aceite de motor SAE 50W y girarlos hacia atrás a sus propias posiciones. Apretar los tornillos de unión a 18-25 pie-lb (24-34 Nm).

17. Instalar los múltiples de escape.

18. Si se desmontó la culata de cilindros de la mano derecha, proceder como sigue:

    a. Unir el soporte de montaje del alternador al motor.

    b. Conectar el cableado eléctrico del alternador.

19. Si se desmontó la culata de cilindros de la mano izquierda, proceder como sigue:

    a. Instalar el tubo y la varilla de control del aceite del motor.

    b. Instalar el soporte de montaje del compresor del A/A/dirección hidráulica en el motor.

20. Instalar los múltiples de admisión superior e inferior.

21. Instalar una o las dos cubiertas de válvulas.

22. Volver a llenar y purgar el sistema de enfriamiento.

23. Conectar el cable negativo del acumulador, luego poner y mantener en marcha el motor. Comprobar si hay fugas.

BALANCINES Y SU EJE

DESMONTAJE E INSTALACIÓN

Motores SOHC 2.3L, 2.5L y 4.0L

➡ **Para comprimir el resorte de válvula se requiere una herramienta especial.**

1. Desmontar la cubierta de válvulas y piezas asociadas, según se necesite.

2. Girar el árbol de levas de modo que la base circular de la leva esté apoyada contra el seguidor de leva (balancín) que se intenta desmontar.

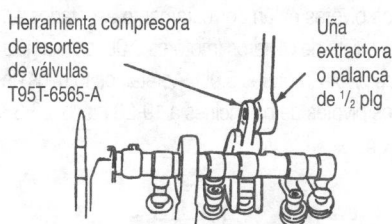

▲ Para desmontar los seguidores de levas (balancines), usar la herramienta especial para hundir los resortes de válvula, y luego desmontar los seguidores de levas – Motor SOHC 2.3L

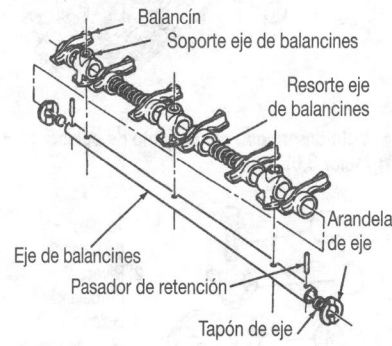

▲ Conjunto de eje y balancines – Motor SOHC 4.0L

➡ **Si se desmonta más de un seguidor de leva, identificarlos de modo que se puedan volver a colocar en sus posiciones originales.**

3. Usando la herramienta especial T88T-6565-BH (para motores 2.3L y 2.5L), T97T-6565-A (para motores 4.0L) o equivalentes, comprimir el resorte de válvula. Deslizar el seguidor de leva sobre el ajustador de holgura y fuera de la parte inferior del árbol de levas.

4. Instalar el seguidor de levas en el orden inverso al desmontaje. Antes de su instalación, lubricar los seguidores con aceite de motor SAE 50W que cumpla con la especificación Ford WSE-M2C908-A1 y API SJ o mejor.

Motores 3.0L y 5.0L

1. Desmontar las cubiertas de balancines.

2. Desmontar el único tornillo de sujeción en cada balancín.

3. Ya pueden desmontarse del motor el balancín y la varilla de empuje. Mantener en orden todos los balancines y varillas de empuje de modo que se puedan volver a instalar en sus posiciones originales.

4. La instalación es la inversa del desmontaje. Lubricar los conjuntos de balancines con aceite de motor SAE 50W. Asegurarse de que los pivotes están correctamente asentados en la culata de cilindros (motores 3.0L) o en la guía de pivote (motores 5.0L). Apretar los tornillos de los pivotes de balancines a 19-28 pie-lb (26-38 Nm).

4. Balancín
5. Varilla de empuje
6. Pivote
7. Tornillo
8. Balancín montado

▲ Vista desarmada del conjunto de balancines – Motor 3.0L

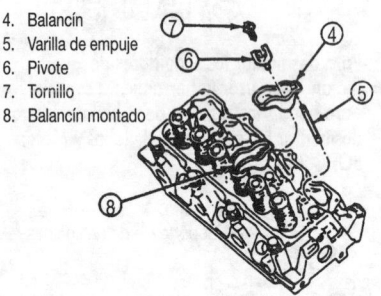

1. Tornillo de balancín
2. Pivote de balancín
3. Balancín
4. Guía de pivote
5. Pedestal roscado (parte de la culata de cilindros)

▲ Vista desarmada de un conjunto de balancín. Observar la guía del pivote entre los pedestales usada para una estabilidad adicional – Motor 5.0L

Motor OHV 4.0L

1. Desmontar las cubiertas de balancines.

2. Desmontar los tornillos que fijan los soportes del eje de balancines aflojando los tornillos dos vueltas cada vez, en secuencia

(desde el extremo del eje hacia el centro del eje).

3. Levantar el conjunto del eje y balancines. Si la lleva, desmontar la chapa de recogida de aceite.

Para instalar:

4. Si los lleva, aflojar unas pocas vueltas los tornillos de ajuste de holgura de válvulas. Aplicar al conjunto aceite de motor para proveer una lubricación inicial.

5. Si la lleva, instalar la chapa de recogida de aceite.

6. Instalar el conjunto del eje de balancines en la culata de cilindros y los tornillos que ajustan la guía sobre las varillas de empuje.

7. Instalar y apretar los tornillos que fijan los soportes de balancines a 46-52 pie-lb (62-70 Nm), dos vueltas cada vez, en secuencia (desde el centro del eje hacia el extremo del eje).

8. Ajustar la holgura de válvula al ajuste especificado en frío.

9. Instalar las cubiertas de balancines.

Tornillo E800544 (6 sitios) 62-70 Nm (46-52 plg-lb)   Varilla de empuje 6565 (12 sitios)

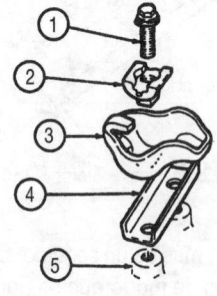

Nota. Sacar los tornillos uniformemente y apretarlos en etapas

▲ Conjuntos de ejes y balancines – Motor OHV 4.0L

MÚLTIPLE DE ADMISIÓN

➡ Aunque Ford sugiere que este componente es desmontable con el motor instalado en el vehículo, dependiendo de las opciones particulares con que esté equipado su Aerostar, el espacio disponible para trabajar puede ser extremadamente justo y realizar este procedimiento puede ser mucho más fácil con el motor desmontado. Antes de empezar, leer completamente este procedimiento y asegurarse de que hay espacio suficiente para traba-

jar con el motor en el vehículo; si no lo hay, debe desmontarse el motor.

DESMONTAJE E INSTALACIÓN

▼ PRECAUCIÓN ▼

Observar todas las precauciones de seguridad aplicables al trabajar con combustible cerca. Cada vez que repare el sistema de combustible, trabajar siempre en un área bien ventilada. No permitir que vapores o combustible pulverizado entren en contacto con una chispa o llama directa. Tener cerca del lugar un extintor de incendios de polvo químico (seco). Guardar siempre el combustible en un recipiente diseñado específicamente para el almacenamiento de combustible; también, cerrar siempre como es debido los recipientes de combustible para evitar un incendio o explosión.

Motores 2.3L y 2.5L

Los motores que cubre este manual utilizan un conjunto de múltiples de admisión superior e inferior. Si es necesario, se puede desmontar sólo el múltiple de admisión superior siguiendo el procedimiento del múltiple de admisión hasta ese punto. Evidentemente, el montaje deberá también comenzar en las etapas del múltiple de admisión superior.

▼ AVISO ▼

Cada vez que se desmontan los múltiples de admisión superior o inferior, cubrir todas las aberturas con un trapo o una hoja de plástico para evitar que caiga dentro del motor suciedad y basura.

El múltiple de admisión es un vaciado de aluminio fundido de dos piezas (superior e inferior). Los largos orificios de colada son armonizados para optimizar el par motor y la potencia de salida. El múltiple presenta bridas de montaje para el conjunto del cuerpo del ahogador del aire, múltiple de alimentación de combustible, soporte del control del acelerador y tubo de alimentación y válvula EGR (recirculación de gases de escape). Hay instalado un rácor de vacío para proveer de vacío a varios accesorios del motor. Las cavidades para los inyectores de combustible están mecanizadas para evitar fugas de combustible y aire. El procedimiento que sigue es para el desmontaje del múltiple de admisión con el conjunto de carga de combustible acoplado.

1. Asegurarse de que la ignición está desconectada (OFF), luego vaciar el líquido enfriador del radiador (motor frío).

▼ PRECAUCIÓN ▼

Nunca abrir, reparar o vaciar el sistema de enfriamiento o radiador estando calientes; pueden producirse graves quemaduras por el vapor y el refrigerante caliente.

2. Desconectar el cable negativo del acumulador y apartarlo seguro a un lado.

3. Desmontar la tapa de llenado de combustible para descargar la presión del tanque. Descargar la presión del sistema de combustible en la válvula de descarga de presión de combustible usando el indicador de presión EFI (inyección electrónica de combustible) T80L-9974-A o equivalente. La válvula de descarga de presión de combustible se localiza en la esquina superior a mano derecha del compartimiento del motor. Desmontar la tapa de válvula para ganar acceso a la válvula.

4. Identificar y desenchufar todos los conectores eléctricos relacionados con los conjuntos de los múltiples que se están desmontando.

5. Etiquetar y desconectar las líneas de vacío en el árbol de vacío del múltiple de admisión superior, en la válvula EGR y en el regulador de presión de combustible y línea de purga de la lata de emisiones, según sea necesario.

6. Desmontar la protección de la varilla del ahogador y desconectar la varilla del ahogador y el cable de control de velocidad (si lo lleva). Desatornillar el cable del acelerador del soporte y colocar el cable apartado a un lado.

7. Desconectar la manguera de admisión de aire, manguera de desviación de aire y manguera de ventilación del depósito de aceite.

8. Desconectar la manguera del sistema PCV del rácor de debajo del múltiple de admisión superior.

9. Aflojar la abrazadera de la línea de desviación del líquido enfriador en el múltiple de admisión inferior y desconectar la manguera.

10. Desconectar el tubo EGR de la válvula EGR desmontando la tuerca con collarín.

11. Desmontar las tuercas de sujeción del múltiple de admisión superior. Desmontar el conjunto del múltiple de admisión superior y cuerpo del ahogador.

➡ **Si sólo se necesita desmontar el múltiple de admisión superior, detenerse en este punto. En otro caso, continuar con el procedimiento para desmontar también el múltiple de admisión inferior.**

12. Desacoplar el rácor de conexión rápida en las líneas del múltiple de alimentación y de retorno de combustible. Desconectar la línea de retorno del múltiple de alimentación de combustible.

13. Desmontar el tornillo de sujeción del soporte de la varilla de control del nivel de aceite del motor.

14. Desenchufar los conectores eléctricos de los cuatro inyectores de combustible y desplazar a un lado el cableado.

15. Desmontar los cuatro tornillos de sujeción del fondo del múltiple inferior. Los dos tornillos delanteros aseguran también un soporte de elevación del motor. Una vez desmontados los tornillos, desmontar el múltiple de admisión inferior.

16. Limpiar e inspeccionar las caras de montaje del múltiple de admisión inferior y de la culata de cilindros. Ambas superficies deben estar limpias y planas. Si se están sustituyendo las secciones superior o inferior del múltiple de admisión, será necesario trasladar componentes de la pieza vieja a la nueva.

Para instalar:

17. Limpiar y lubricar las roscas de los tornillos del múltiple. Instalar un empaque de múltiple inferior nuevo.

18. Colocar el conjunto del múltiple inferior en la culata y montar el soporte de elevación del motor. Instalar los cuatro tornillos superiores del múltiple inferior apretados a mano. Instalar los cuatro tornillos restantes del múltiple y apretarlos a 15-22 pie-lb (20-30 Nm) siguiendo la secuencia que se ilustra.

19. Acoplar los cuatro conectores eléctricos a los inyectores.

20. Instalar la varilla de control del aceite del motor, luego conectar las líneas de suministro y retorno al múltiple de alimentación de combustible.

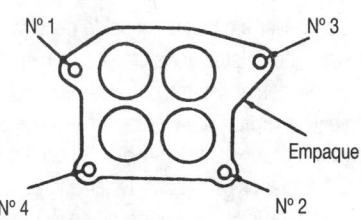

Secuencia de apriete de la culata de cilindros superior – Motor 2.3L

➡ **Los procedimientos que siguen son para instalar el múltiple de admisión superior.**

21. Asegurarse de que las superficies de empaque de los múltiples de admisión superior e inferior están limpias. Colocar un empaque sobre el múltiple de admisión inferior, luego colocar en su sitio el múltiple de admisión superior.

22. Instalar los tornillos de sujeción y apretar en secuencia a 15-22 pie-lb (20-30 Nm).

23. Conectar el tubo del EGR a la válvula EGR y apretarlo a 18 pie-lb (25 Nm).

24. Conectar la línea de desviación del líquido enfriador y apretar la abrazadera. Conectar la manguera del sistema PCV en el rácor de debajo del múltiple de admisión superior.

25. Si se desmontó, instalar el tubo en forma de T en el múltiple de admisión superior. Usar cinta de Teflon® sobre los hilos de rosca y apretar a 12-18 pie-lb (16-24 Nm). Volver a conectar las líneas de vacío en la T, la válvula EGR y el regulador de presión de combustible y línea de purga del depósito de emisiones según sea necesario.

26. Sujetar el soporte del cable del acelerador en su posición sobre el múltiple de admisión superior e instalar el tornillo de sujeción. Apretar el tornillo a 10-15 pie-lb (14-20 Nm).

27. Instalar el cable del acelerador en el soporte.

28. Colocar un empaque nuevo en la brida de montaje del cuerpo del ahogador de aire del conjunto de carga de combustible. Instalar el cuerpo del ahogador de aire en el conjunto de carga de combustible. Instalar dos tuercas y dos tornillos de sujeción y apretar a 15-25 pie-lb (20-30 Nm).

29. Conectar el cable del acelerador y el cable del control de velocidad (si lo lleva), luego instalar la protección del varillaje del ahogador.

30. Volver a conectar todos los enchufes de cables eléctricos que se desmontaron.

31. Conectar la manguera de admisión de aire, manguera de desviación de aire y manguera de ventilación del depósito de aceite.

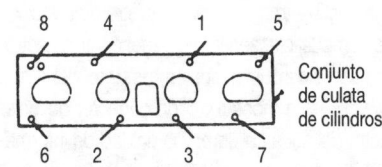

Secuencia de apriete del múltiple de admisión inferior – Motor 2.3L

32. Volver a conectar el cable negativo del acumulador. Llenar el sistema de enfriamiento y dar presión al sistema de combustible girando el interruptor de la ignición de la posición de conectado (ON) a la de desconectado (OFF) al menos seis veces. Dejar la ignición en conectado (ON) al menos cinco segundos cada vez.

33. Poner en marcha el motor y dejarlo en marcha mínima mientras controlamos si hay fugas de combustible, líquido enfriador y vacío. Corregir lo necesario. Controlar en carretera el vehículo sobre su funcionamiento correcto.

Motor 3.0L

➡ **El múltiple de admisión superior forma un todo con el cuerpo del ahogador.**

1. Vaciar el sistema de enfriamiento con el motor frío.

▼ PRECAUCIÓN ▼

Nunca abrir, reparar o vaciar el sistema de enfriamiento o radiador estando calientes; pueden producirse graves quemaduras por el vapor y el refrigerante caliente.

2. Desconectar el cable negativo del acumulador.

3. Desacoplar los conectores de los cableados de los componentes del motor.

4. Descargar la presión del sistema de combustible y desmontar el cuerpo del ahogador.

5. Desconectar las líneas de suministro y retorno de combustible.

6. Desconectar los separadores de sujeción de los cables de la inyección de combustible de los espárragos del interior de la cubierta de balancines. Desmontar con cuidado los cableados del inyector de combustible de cada lado de los inyectores de combustible.

7. Desconectar la manguera superior del radiador.

8. Desconectar la manguera de salida de agua del calefactor.

9. Si está equipado con ignición por distribuidor, desconectar la tapa con los cables de bujías acoplados. Marcar y desmontar el conjunto del distribuidor.

10. Si está equipado con ignición sin distribuidor, identificar y desmontar los cables de bujías del bloque de bobina, luego desmontar el bloque de bobina.

11. Desmontar la bujía del cilindro Nº 1, luego llevar el pistón Nº 1 al punto muerto superior de la carrera de compresión.

12. Desmontar las cubiertas de balancines.

13. Aflojar el tornillo del balancín de la válvula de admisión Nº 3 y girar el balancín apartándolo de la varilla de empuje y de encima del vástago de válvula. Desmontar la varilla de empuje del motor.

14. Desmontar los tornillos y espárragos de sujeción del múltiple de admisión usando una llave Torx® de cabeza hueca.

15. Sacar del motor el múltiple de admisión. Usar una maza de plástico para golpear ligeramente alrededor del múltiple para despegarlo, si es necesario. No hacer palanca entre el múltiple y la culata de cilindros con ningún instrumento agudo. El múltiple se puede desmontar con los raíles de combustible y los inyectores en sus emplazamientos.

Para instalar:

➡ Cuando se limpian superficies del motor, dejar un trapo limpio o trapo de taller en la hondonada de los levantadores de válvulas para coger cualquier material de empaque. Después del rascado, retirar el trapo con cuidado de la hondonada de los levantaválvulas evitando que penetre ninguna partícula en la culata de cilindros o en los orificios de drenaje del aceite.

16. Desmontar los empaques de los lados del múltiple y los sellos finales y desecharlos. Si se sustituye el múltiple, transferir los componentes de los inyectores de combustible y los raíles de combustible al nuevo múltiple sobre un banco de trabajo limpio. Limpiar todas las superficies de contacto de empaques.

17. Lubricar ligeramente los hilos de rosca de todos los tornillos y espárragos de sujeción. Las superficies de contacto del múltiple de admisión, culata de cilindros y bloque de cilindros deben estar limpias y libres de sellador viejo de caucho silicona o material de empaque viejo. Usar un disolvente adecuado para limpiar estas áreas.

18. Si se instala un nuevo múltiple de admisión, transferir al nuevo múltiple los inyectores de combustible, múltiple de suministro de inyección de combustible, sensor ETC (del control electrónico de sincronización), termostato del agua, cuerpo del termostato, codo conector del calefactor del agua caliente, y la unidad de información de temperatura del líquido de enfriamiento.

19. Aplicar sellador de caucho silicona (D6AZ-19562-A o equivalente) a la intersección del conjunto del bloque de cilindros y conjunto de culata de cilindros en las cuatro esquinas.

➡ **Cuando se usa sellador de caucho silicona, el montaje se debe realizar dentro de los 15 minutos de la aplicación del sellador. Después de este tiempo el sellador empieza a fraguar y su efectividad de sellado puede reducirse. En condiciones de temperatura/humedad elevadas, el RTV (sellador de caucho silicona) empezará a endurecerse en unos 5 minutos.**

20. Instalar el sello del múltiple de admisión delantero y el sello del múltiple de admisión trasero, luego asegurarlos con las sujeciones características.

21. Colocar los empaques del múltiple de admisión en su sitio e insertar los bloqueos de los broches sobre los broches en los empaques de la culata de cilindros.

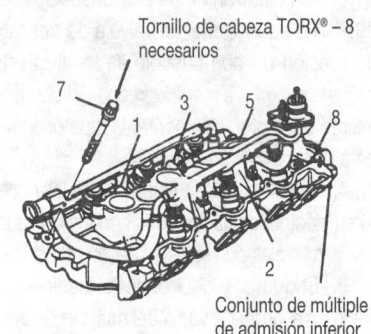

Tornillo de cabeza TORX® – 8 necesarios

Conjunto de múltiple de admisión inferior

▲ **Asegurarse de apretar los tornillos de sujeción del múltiple de admisión en el orden prescrito – Motor 3.0L**

22. Bajar con cuidado el múltiple de admisión a su posición sobre el bloque de cilindros y culatas de cilindros para evitar que se manche el sellador de silicona y cause fugas de empaque.

23. Instalar los tornillos de sujeción y apretar en dos etapas, en la secuencia ilustrada, primero a 11 pie-lb (15 Nm) y luego a 18 pie-lb (24 Nm).

24. Instalar el sensor de posición del árbol de levas.

➡ **El pivote del balancín debe estar totalmente asentado en la culata de cilindros y la varilla de empuje debe estar totalmente asentada en el balancín y en las cazoletas de los levantadores antes de apretar.**

25. Aplicar Lubricante para el Montaje de Motores D9AZ-19579-D o uno equivalente a la varilla de empuje y balancín de la válvula de admisión del cilindro Nº 3. Instalar la varilla de empuje. Desplazar el balancín a su posición con la varilla de empuje, luego apretar a mano el tornillo del balancín. Girar el cigüeñal hasta la posición del lóbulo de la leva vertical hacia abajo y lejos del levantador de válvula. Apretar el tornillo de sujeción a 8 pie-lb (11 Nm) para asentar el pivote del balancín en la culata de cilindros. Finalmente apretar el tornillo a 19-28 pie-lb (26-38 Nm) en todas las posiciones.

26. Instalar las cubiertas de balancines.

27. Volver a conectar las líneas de combustible.

28. Instalar el cuerpo del ahogador del aire de admisión.

29. Si está equipado con ignición por distribuidor, instalar el conjunto del distribuidor, usando las marcas hechas antes para asegurar la alineación correcta. Instalar la tapa del distribuidor y los cables de bujías.

30. Si está equipado con ignición sin distribuidor, instalar el bloque de bobinas y luego instalar los cables de bujías en sus sitios originales.

31. Volver a conectar los cableados en los componentes eléctricos del motor.

32. Volver a conectar el cable negativo en el acumulador y llenar el sistema de enfriamiento.

33. Poner en marcha el motor y comprobar si hay fugas de líquido enfriador, combustible, aceite y vacío.

34. Si está equipado con ignición por distribuidor, verificar la sincronización inicial básica. Comprobar y ajustar la marcha mínima del motor, según sea necesario.

Motor OHV 4.0L

El múltiple de admisión es un conjunto de 4 piezas, que se compone de múltiple de admisión superior, cuerpo del ahogador, múltiple de suministro de combustible y múltiple de admisión inferior.

1. Desconectar el cable de tierra del acumulador.

2. Desmontar la protección contra el barro.

3. Desmontar el ducto del filtro del aire de admisión.

4. Desmontar el cable y soporte del ahogador.

5. Etiquetar y desenchufar todas las líneas de vacío conectadas al múltiple.

6. Etiquetar y desconectar todos los alambres eléctricos conectados al conjunto del múltiple superior.

7. Descargar la presión del sistema de combustible.

8. Desmontar el cuerpo del ahogador.

9. Etiquetar y desmontar los cables de bujías.

10. Desmontar la bobina de ignición y el soporte.

11. Desmontar las 6 tuercas que lo sujetan y sacar el múltiple superior.

➡ **Si sólo se necesita desmontar el múltiple de admisión superior, detenerse en este punto. En otro caso, continuar con el procedimiento para desmontar también el múltiple de admisión inferior.**

12. Desconectar las líneas de suministro y retorno de combustible del raíl de combustible de los inyectores.

13. Etiquetar y desconectar todas las conexiones eléctricas del conjunto del múltiple inferior.

14. Desmontar las cubiertas de válvulas.

15. Desmontar los tornillos del múltiple de admisión inferior. Golpear el múltiple ligeramente con una maza de plástico y desmontarlo.

16. Limpiar todas las superficies de material del empaque viejo.

Para instalar:

17. Aplicar Caucho Silicona D6AZ-19562-BA, o equivalente, a las superficies de contacto del bloque de cilindros y la culata de cilindros en los sitios donde las piezas de los empaques se unen. Instalar el empaque del múltiple de admisión y aplicar otra vez sellador a las mismas cuatro esquinas.

➡ **Este material fraguará en 15 minutos, así pues ¡hay que trabajar rápido!**

18. Colocar el múltiple de admisión inferior sobre el bloque de cilindros, luego instalar las tuercas a mano. Apretar las tuercas, en 3 etapas, en la secuencia que se muestra, a 18 pie-lb (25 Nm).
   a. 6 pie-lb (8 Nm).
   b. 11 pie-lb (15 Nm).
   c. 16 pie-lb (22 Nm).

19. Instalar las cubiertas de válvulas usando empaques nuevos.

➡ **Los procedimientos que siguen son para instalar el múltiple de admisión superior.**

20. Colocar un empaque nuevo e instalar el múltiple superior. Apretar las tuercas a 18 pie-lb.

21. Instalar la bobina de ignición.

22. Conectar las líneas de suministro y retorno de combustible.

23. Instalar el cuerpo del ahogador.

24. Conectar todos los alambres.

25. Conectar todas las líneas de vacío.

26. Conectar el varillaje del ahogador.

27. Instalar la protección contra el barro.

28. Instalar el ducto y filtro de aire.

29. Llenar y purgar el sistema de enfriamiento.

30. Conectar el cable de tierra del acumulador.

31. Poner en marcha el motor y comprobar si hay fugas.

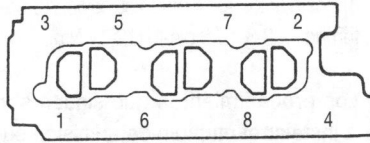

▲ **Para asegurar un buen aplastamiento del empaque, apretar los tornillos de sujeción del múltiple de admisión en el orden correcto – Motor 4.0L**

Motor SOHC 4.0L

1. Desconectar el cable negativo del acumulador.

2. Desmontar el tubo del filtro de aire a la admisión.

3. Desmontar la protección contra el barro.

4. Desconectar el acelerador y, si va equipado con control de velocidad de crucero, los cables de control de velocidad de la leva de control del ahogador.

5. Desmontar el soporte que sujeta el cable del acelerador del múltiple de admisión superior.

6. Etiquetar y desacoplar todas las conexiones eléctricas y de vacío del múltiple de admisión.

7. Desmontar los ocho tornillos de sujeción del múltiple de admisión superior.

8. Sacar el múltiple y desmontar las dos mangueras de la Válvula de Gestión del Vapor de combustible (VMV).

9. Desmontar el múltiple de admisión superior.

➡ **Si sólo se necesita desmontar el múltiple de admisión superior, detenerse en este punto. En otro caso, continuar con el procedimiento para desmontar también el múltiple de admisión inferior.**

10. Desmontar los 12 tornillos de sujeción del múltiple inferior.

11. Desmontar del motor el múltiple de admisión inferior.

Para instalar:

➡ Ford no especifica una secuencia para los múltiples de admisión superior o inferior, pero se recomienda empezar por el centro y trabajar hacia los extremos. Repetir las secuencias de apretar varias veces hasta que los tornillos no giren al par de apriete especificado.

12. Instalar el múltiple de admisión inferior en el motor.

13. Instalar los tornillos de sujeción. Apretar los tornillos a 8.8-10.3 pie-lb (12-14 Nm).

➡ Los procedimientos que siguen son para instalar el múltiple de admisión superior.

14. Colocar el múltiple superior sobre el múltiple inferior.

15. Acoplar las dos mangueras VMV al múltiple, luego instalar los tornillos de sujeción del múltiple superior. Apretar los tornillos a 53-62 plg-lb (6-7 Nm). Ver la nota al principio del procedimiento de instalación.

16. Acoplar todas las conexiones de vacío y eléctricas que fueron desmontadas.

17. Conectar el soporte del cable del acelerador al múltie de admisión y el cable (o cables, si va equipado con control de crucero) a la leva del ahogador.

18. Instalar la protección del acelerador contra el barro.

19. Instalar el tubo del múltiple de admisión al filtro de aire.

20. Conectar el cable negativo del acumulador. Poner en marcha el motor hasta alcanzar la temperatura normal de funcionamiento y comprobar si hay fugas de vacío.

Motor 5.0L

➡ Para desmontar el múltiple de admisón inferior en el motor 5.0L, se debe desmontar el sincronizador del árbol de levas que aloja el sensor de control de posición del árbol de levas (CMP). Hay herramientas especiales necesarias para este procedimiento. Si no se dispone de esas herramientas y tenemos que desmontar el CMP, los inyectores de combustible no permanecerán sincronizados con el motor y el vehículo no marchará.

1. Desconectar el cable negativo del acumulador.

2. Vaciar el sistema de enfriamiento.

▼ PRECAUCIÓN ▼

Nunca abrir, reparar o vaciar el sistema de enfriamiento o radiador estando calientes; pueden producirse graves quemaduras por el vapor y el líquido enfriador caliente.

3. Desmontar el tubo de salida del filtro de aire.

4. Desconectar la manguera de ventilación del depósito de aceite en el cuerpo del ahogador.

5. Desmontar la protección del cuerpo del ahogador, luego desacoplar los cables del eje del ahogador.

6. Etiquetar y desconectar todos los componentes eléctricos y líneas de vacío acoplados al múltiple de admisión superior.

7. Desmontar los soportes del cable del acelerador en el múltiple y apartarlos a un lado.

8. Si lo lleva, desconectar las mangueras del líquido enfriador del suplemento del EGR (o cuerpo del ahogador).

9. Identificar y desmontar los cables de bujías del bloque de bobinas.

10. Desconectar el enchufe del cableado de alambres de la bobina de ignición.

11. Desatornillar y desmontar el bloque de bobinas del motor.

12. Desmontar la placa cubierta de la admisión para ganar acceso a los dos tornillos largos que sujetan el múltiple de admisión superior.

13. Desmontar todos los alambres o mangueras portacables del múltiple superior.

14. Aflojar y desmontar los tornillos de sujeción del múltiple de admisión superior en la secuencia dada.

15. Desmontar el múltiple de admisión superior y su empaque.

➡ Si sólo se necesita desmontar el múltiple de admisión superior, detenerse en

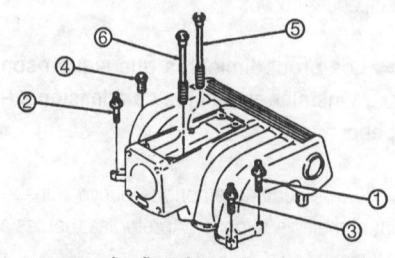

▲ **Secuencia de afloje de tornillos del múltiple de admisión superior – Motor 5.0L**

este punto. En otro caso, continuar con el procedimiento para desmontar también el múltiple de admisión inferior.

▼ PRECAUCIÓN ▼

Las líneas de combustible en vehículos con inyección de combustible permanecerán con presión después de apagar el motor (OFF). La presión del combustible se debe descargar antes de revisar el sistema de combustible.

16. Descargar correctamente la presión del sistema de combustible y luego desconectar las líneas de suministro y retorno de combustible del múltiple de combustible.

▼ PRECAUCIÓN ▼

Observar todas las precauciones de seguridad aplicables al trabajar con combustible cerca. Cada vez que se repara el sistema de combustible, trabajar siempre en un área bien ventilada. No permitir que vapores o combustible pulverizado entren en contacto con una chispa o llama directa. Tener cerca del lugar un extintor de incendios de polvo químico (seco). Guardar siempre el combustible en un recipiente diseñado específicamente para el almacenamiento de combustible; así mismo, cerrar siempre como es debido los recipientes de combustible para evitar un incendio o explosión.

17. Desconectar las mangueras del calefactor del tubo de agua caliente. Desmontar también el tubo del múltiple inferior.

18. Identificar y desconectar todos los componentes eléctricos, sensores o líneas de vacío conectadas al múltiple inferior.

19. Desconectar la manguera superior del radiador de la salida de agua.

20. Aflojar la abrazadera de la manguera de desviación de la bomba de agua en la bomba.

21. Desmontar la banda metálica de conexión de tierra de la trasera del motor.

22. Desmontar el sincronizador del árbol de levas con el sensor de Posición del Árbol de Levas (CMP) instalado.

23. Aflojar y desmontar los tornillos de sujeción del múltiple inferior en la secuencia dada.

24. Desmontar el múltiple inferior y su empaque del motor.

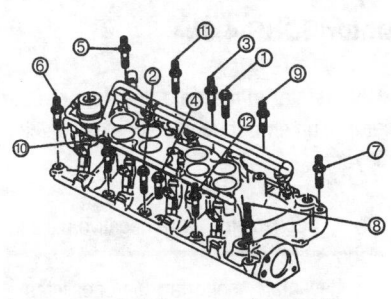

Para evitar la deformación del múltiple, aflojar el múltiple de admisión inferior usando la secuencia correcta – Motor 5.0L

Para instalar:

25. Asegurarse de que todas las superficies de empaque están limpias y libres de grasa, aceite o suciedad. Asegurarse también de que todos los pasos del EGR en los múltiples y culatas de cilindros están libres.

26. Aplicar una gota de $1/16$ plg (1.6 mm) de sellador de silicona en los puntos donde los raíles del bloque de cilindros contactan con las culatas de cilindros.

27. Colocar sellos nuevos en el bloque de cilindros y nuevos empaques en las culatas de cilindros con los empaques encajados con los broches de los sellos. Comprobar que los orificios en los empaques están alineados con los orificios de las culatas de cilindros.

28. Aplicar un cordón de $1/16$ plg (1.6 mm) de sellador en el extremo exterior de cada sello de múltiple de admisión por todo el ancho del sello. Comprobar que el sellador de silicona no caiga dentro del motor y bloquee posiblemente los pasos del aceite.

29. Usando clavijas de guía para facilitar la instalación, bajar con cuidado el múltiple de admisión sobre su posición en el bloque de cilindros y en las culatas de cilindros. Asegurarse también de que la manguera de desvío de la bomba de agua se instala al mismo tiempo.

30. Instalar los tornillos de sujeción del múltiple inferior y apretar, en la secuencia mostrada, a lo especificado en dos etapas como sigue:

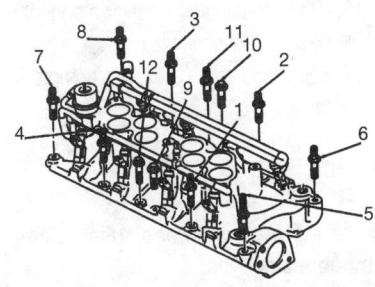

Asegurarse de apretar los tornillos del múltiple de admisión inferior en el orden correcto – Motor 5.0L

a. Apretar todos los tornillos a 5-10 pie-lb (6-14 Nm).

b. Apretar todos los tornillos a 23-25 pie-lb (31-34 Nm).

31. Instalar el sincronizador del árbol de levas.

32. Instalar la banda metálica de tierra en la trasera del motor.

33. Apretar la abrazadera de la manguera de desviación de la bomba de agua, en la bomba de agua.

34. Instalar la manguera superior del radiador en la salida del agua.

35. Conectar todos los componentes eléctricos o líneas de vacío que se desmontaron del múltiple inferior.

36. Instalar el tubo del agua caliente en el motor, y conectar la manguera de agua caliente al tubo.

37. Conectar las líneas de combustible, y luego conectar temporalmente el cable negativo del acumulador. Encender y apagar varias veces la ignición para dar presión al sistema de combustible y comprobar si hay fugas. Girar atrás y adelante la llave de la ignición de encendido a apagado (de ON a OFF) al menos 6 veces, dejando la llave en encendido (ON) durante 5 segundos cada vez. Si no se encuentran fugas, desconectar el cable del acumulador y continuar la instalación.

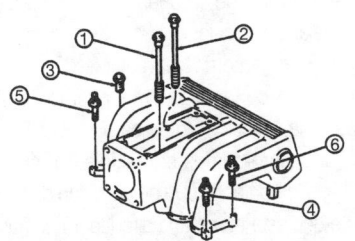

Apretar los tornillos del múltiple de admisión superior en el orden mostrado para asegurar el sellado correcto – Motor 5.0L

➡ **Los procedimientos que siguen son para instalar el múltiple de admisión superior.**

38. Instalar el múltiple de admisión superior usando un empaque nuevo. Apretar los tornillos de sujeción en la secuencia que se muestra a 12-18 plg-lb (16-25 Nm).

39. Instalar la placa de cubrir la admisión.

40. Instalar las bobinas de ignición en el motor y conectarles el enchufe del cableado y los cables de bujías.

41. Si lo lleva, instalar las mangueras espaciadoras del líquido enfriador del EGR (cuerpo del ahogador).

42. Instalar los soportes del cable del acelerador y el cable en la admisión y en el eje del ahogador.

43. Conectar todos los componentes eléctricos o líneas de vacío desmontados del múltiple superior.

44. Instalar la protección del cuerpo del ahogador.

45. Instalar el tubo de salida del filtro de aire en el cuerpo del ahogador.

46. Llenar y purgar el sistema de enfriamiento.

47. Conectar el cable negativo del acumulador y luego arrancar y hacer marchar el motor hasta alcanzar la temperatura normal de funcionamiento. Comprobar si hay fugas.

MÚLTIPLE DE ESCAPE

DESMONTAJE E INSTALACIÓN

▼ PRECAUCIÓN ▼

Dejar enfriar el motor antes de intentar desmontar los múltiples. Se pueden producir serias lesiones del contacto con los múltiples de escape calientes.

Motores 2.3L y 2.5L

1. Desconectar el cable negativo del acumulador.

2. Desmontar el tubo de salida del filtro de aire.

3. Desmontar las líneas del transductor del EGR en el tubo. Aflojar y desmontar el tubo de la válvula EGR al múltiple de escape.

4. Desmontar el tubo de escape del múltiple de escape.

5. Desmontar las dos tuercas que aseguran el soporte de elevación/montaje del transductor, y desmontar el soporte.

6. Desmontar los tornillos/tuercas de montaje del múltiple de escape y desmontar el múltiple.

7. Instalar el múltiple de escape a la inversa del desmontaje. Apretar el múltiple en secuencia, en dos etapas: primero a 5-7 pie-lb (7-10 Nm), luego a 16-23 pie-lb (22-31 Nm).

Motor 3.0L

1. Desconectar el cable negativo del acumulador.

➡ **Rociar los sujetadores de retención con un penetrante del óxido antes de aflojar con objeto de evitar que se desenrosque el espárrago al aflojar la tuerca.**

2. Levantar y soportar con caballetes el vehículo.

3. Aflojar y desmontar las tuercas de sujeción del tubo de entrada del silencioso de los múltiples de escape.

4. Bajar el vehículo.

5. Para desmontar el múltiple de la mano derecha, hacer lo siguiente:

a. Desmontar las bujías.

b. Desmontar los tornillos y espárragos de sujeción del múltiple de escape.

6. Para desmontar el múltiple de la mano izquierda, hacer lo siguiente:

a. Desmontar las dos mangueras de la válvula del EGR en el tubo del múltiple de escape.

b. Aflojar la tuerca con collarín del tubo del EGR en la válvula del EGR.

c. Desmontar el tornillo del tubo del EGR en el múltiple de escape.

d. Desmontar la tuerca de sujeción del tubo de la varilla indicadora del nivel de aceite del motor. Girar o desmontar el tubo apartado a un lado.

e. Desmontar las bujías.

f. Desmontar los tornillos y espárragos de sujeción del múltiple de escape.

7. Desmontar los múltiples de escape.

Para instalar:

8. Limpiar de depósitos de carbón las superficies de contacto de los múltiples de escape y las culatas de cilindros.

9. Colocar el múltiple de escape derecho o izquierdo en su sitio sobre la culata de cilindros, y luego, apretar a mano los tornillos y espárragos de sujeción. Apretar a 15-22 pie-lb (20-30 Nm).

10. Instalar el tubo del indicador del nivel de aceite en el espárrago de escape apropiado, e instalar la tuerca de sujeción si se desmontó el múltiple de escape. Apretar la tuerca a 12-15 pie-lb (16-20 Nm). Si el tubo fue desmontado, antes de instalarlo, aplicar al tubo sellador ESE-M4G217-A o equivalente.

11. Instalar las bujías. Apretarlas a 8 pie-lb (11 Nm).

12. Instalar la tuerca con collarín del tubo del EGR dentro de la vávula EGR apretada con la mano.

13. Instalar el tubo del múltiple de escape a la válvula del EGR, en el múltiple de escape y luego apretar a 15-22 pie-lb (20-30 Nm).

14. Apretar la tuerca con collarín a 26-48 pie-lb (35-65 Nm).

15. Conectar las dos mangueras en las lumbreras en el tubo del EGR.

16. Conectar el tubo de entrada de escape al múltiple de escape izquierdo y al múltiple de escape derecho. Apretar las tuercas de sujeción a 30 pie-lb (41 Nm). Apretar las dos tuercas en cantidades iguales para asentar correctamente la brida del tubo de entrada.

➡ Cuando el acumulador ha sido desconectado y vuelto a conectar, se pueden presentar algunos síntomas de conducción anormal mientras el Módulo de Control del Tren Propulsor (PCM) vuelve a aprenderse su estrategia adaptativa. El vehículo puede necesitar ser conducido durante unas 10 millas (16 km) o más para ese reaprendizaje.

17. Poner en marcha el motor y comprobar si hay fugas de aceite o escape.

Motor OHV 4.0L

1. Desconectar el cable negativo del acumulador. Desmontar el soporte del tubo de la varilla de medición del nivel de aceite del motor.

2. Levantar y soportar sobre caballetes el vehículo.

3. Desmontar los tornillos del tubo de escape al múltiple de escape.

4. Bajar el vehículo.

5. Si desmontamos el múltiple de mano izquierda, desconectar las mangueras de la bomba de la dirección hidráulica.

6. Si desmontamos el múltiple de mano derecha, desmontar la tolva de admisión de aire caliente que está atornillada alrededor del múltiple.

7. Desatornillar y desmontar el múltiple.

8. Limpiar y lubricar ligeramente todos los hilos de rosca de las sujeciones.

9. La instalación es la inversa del desmontaje. Sustituir todos los empaques si los lleva. Apretar los tornillos del múltiple a 19 pie-lb (26 Nm); las tuercas del tubo de escape a 20 pie-lb (27 Nm). Apretar las dos tuercas de sujeción del tubo de escape en igual cantidad para que asiente correctamente en la brida del tubo de entrada.

10. Si se instala el múltiple de mano izquierda, volver a conectar las mangueras de la bomba de la dirección hidráulica, y luego llenar y purgar el sistema.

11. Conectar el cable negativo del acumulador y poner en marcha el motor para comprobar si hay fugas.

Motor SOHC 4.0L

➡ Al instalar el múltiple de escape, usar siempre un empaque y tuercas de sujeción nuevos.

1. Desconectar el cable negativo del acumulador.

2. Levantar y soportar con caballetes el vehículo.

3. Desmontar los tornillos de sujeción del tubo de entrada de escape al múltiple.

4. Bajar el vehículo.

5. Para desmontar el múltiple de mano izquierda, proceder como sigue:

a. Desconectar las mangueras del transductor de la presión diferencial de la realimentación del EGR (DPFE), que está montado en la tapa de la válvula.

b. Desconectar el tubo del EGR del múltiple y de la válvula y desmontar el tubo.

6. Desmontar las 6 tuercas que sujetan el múltiple al motor.

7. Desmontar el múltiple y el empaque. Desechar el empaque viejo.

Para instalar:

8. Limpiar las superficies de contacto de empaque.

9. Colocar el múltiple de escape y el nuevo empaque en la culata de cilindros e instalar nuevas tuercas de sujeción. Apretar las tuercas a 15-18 pie-lb (20-25 Nm).

10. Para instalar el múltiple de mano izquierda, proceder como sigue:

a. Colocar e instalar el tubo del EGR en el múltiple y la válvula.

b. Conectar las dos mangueras al transductor DPFE.

11. Levantar y soportar sobre caballetes el vehículo.

12. Instalar los tornillos de sujeción del tubo de entrada al escape, y apretarlos a 25-32 pie-lb (34-46 Nm).

13. Bajar el vehículo y volver a conectar el cable negativo del acumulador.

14. Poner en marcha el motor y comprobar si hay fugas.

Motor 5.0L

➡ Al instalar múltiples, usar siempre empaques nuevos.

1. Desconectar el cable negativo del acumulador.

2. Desmontar la banda propulsora de accesorios.

3. Para el múltiple de mano derecha, proceder como sigue:

a. Vaciar el sistema de enfriamiento.

b. Desconectar los alambres del alternador.

c. Desmontar el tensor de la banda propulsora.

d. Desconectar el tubo del agua caliente del calefactor en la bomba de agua.

e. Desmontar los tornillos del soporte del alternador y luego desmontar el conjunto.

4. Para el múltiple de mano izquierda, proceder como sigue:

a. Desmontar los tornillos del compresor del A/A y colocarlo a un lado.

b. Desmontar la tuerca del tubo del indicador de aceite y el tubo.

5. Levantar y soportar con caballetes el vehículo.

6. Desmontar los tornillos del tubo de entrada del escape al múltiple.

7. Bajar el vehículo hasta una altura adecuada para acceder a los tornillos de sujeción del múltiple al motor.

➡ El acceso a los tornillos del múltiple al motor se practica a través de la abertura del hueco de la rueda.

8. Desmontar las clavijas de presión que aseguran el faldón del guardabarros, y desmontarlo para acceder a los tornillos de sujeción del múltiple.

9. Identificar y desconectar los cables de las bujías del lado del motor en que se ha de desmontar el múltiple.

10. Desmontar los tornillos que sujetan el múltiple de escape.

11. Bajar el vehículo y desmontar el múltiple.

12. Desechar el empaque viejo.

Para instalar:

13. Limpiar las superficies de contacto de empaque. Inspeccionar el múltiple por si hubieran grietas y superficies de contacto de empaque dañadas.

14. Colocar el múltiple de escape y el nuevo empaque en la culata de cilindros e instalar todos los tornillos apretados con los dedos.

15. Para instalar el múltiple de la mano izquierda, proceder como sigue:

a. Colocar el compresor del A/A en su soporte e instalar los tornillos de sujeción. Apretar los tornillos a 16-21 pie-lb (21-29 Nm).

b. Instalar la banda propulsora.

16. Para instalar el múltiple de la mano derecha, proceder como sigue:

a. Instalar el soporte del generador en la culata de cilindros.

b. Conectar el tubo del agua caliente del calefactor a la bomba de agua.

c. Instalar el tensor de la banda propulsora. Apretar los tornillos a 15-22 pie-lb (20-30 Nm).

d. Conectar los alambres del alternador.

e. Instalar la banda propulsora de accesorios.

f. Llenar el sistema de enfriamiento.

17. Levantar y soportar sobre caballetes el vehículo para permitir el acceso a los tornillos de sujeción del múltiple de escape al motor.

18. Apretar los tornillos del múltiple de escape a 26-35 pie-lb (35-44 Nm).

19. Conectar los cables de bujías a las bujías.

20. Instalar el faldón del guardabarros y sus clavijas de presión.

21. Instalar los tornillos del tubo de entrada al múltiple de escape y apretarlos a 26-33 pie-lb (34-46 Nm).

22. Bajar el vehículo.

23. Si se instala el múltiple de la mano izquierda, instalar el tubo indicador de nivel del aceite y su tuerca de seguridad.

24. Conectar el cable negativo del acumulador, poner en marcha el motor y comprobar si hay fugas.

SELLO DE ACEITE DEL CIGÜEÑAL DELANTERO

DESMONTAJE E INSTALACIÓN

➡ Los motores 3.0L, 4.0L y 5.0L usan cadenas de sincronización; aquí sólo se cubrirán los motores que usan bandas dentadas de sincronización.

Motores 2.3L y 2.5L

1. Desconectar el cable negativo del acumulador.

2. Desmontar las bandas propulsoras de accesorios.

3. Desmontar la cubierta de la banda de sincronización.

4. Alinear las marcas de sincronización del cigüeñal y árbol de levas y desmontar la banda de sincronización.

5. Desmontar el tornillo central de la polea del cigüeñal y deslizar la polea fuera del cigüeñal.

6. Desmontar la chaveta del cigüeñal.

▼ AVISO ▼

➡ No dañar la superficie de sellado del cigüeñal mientras se desmonta el sello de aceite.

7. Colocar la herramienta Desmontador de Sellos del Cigüeñal Delantero T74P-6700-B o equivalente sobre el cigüeñal y dentro del sello de aceite. Desmontar el sello y limpiar el muñón del sello.

Para instalar:

8. Aplicar aceite de motor limpio al labio de caucho del nuevo sello para ayudar a su instalación.

9. Usando un Tubo Adaptador de Cojinetes de Leva T72C-6250, o equivalente, y el tornillo central del cigüeñal, instalar con cuidado el nuevo sello de aceite hasta que enrase con el motor.

10. Instalar la chaveta y la polea del cigüeñal, arandela y tornillo. Apretar el tornillo a 92-121 pie-lb (125-165 Nm).

11. Instalar la banda de sincronización y la cubierta de la banda.

12. Instalar las bandas propulsoras y conectar el cable negativo del acumulador.

ÁRBOL DE LEVAS Y LEVANTADORES DE VÁLVULAS

➡ Aunque Ford sugiere que estos componentes se pueden desmontar mientras el motor está instalado en el vehículo, dependiendo de las opciones particulares con que esté equipado su Aerostar, el espacio de trabajo puede ser extremadamente estrecho y este procedimiento puede ser mucho más fácil de llevar a cabo con el motor desmontado. Antes de comenzar, se debe leer completamente este procedimiento y comprobar si hay holgura o espacio suficiente para trabajar con el motor en el vehículo; si no hay espacio suficiente, el motor debe ser desmontado.

DESMONTAJE E INSTALACIÓN

Motores 2.3L y 2.5L

➡ El procedimiento siguiente cubre el desmontaje e instalación del árbol de levas con la culata de cilindros sobre o fuera del motor. Si la culata de cilindros ha sido desmontada, seguir las Etapas 7-9, y luego pasar a la Etapa 12.

1. Vaciar el sistema de enfriamiento. Desmontar el conjunto del filtro de aire y desconectar el cable negativo del acumulador.

▼ PRECAUCIÓN ▼

Nunca abrir, reparar o vaciar el sistema de enfriamiento o radiador estando calientes; pueden producirse graves quemaduras por el vapor y el refrigerante caliente.

2. Desmontar los cables de bujías en las bujías, desconectar la retención de la cubierta de válvulas y colocar los cables apartados. Desconectar todas las líneas de vacío según sea necesario.

3. Desmontar todas las bandas propulsoras. Desmontar los tornillos del soporte de montaje del alternador al montaje de la culata de cilindros, colocar el soporte y el alternador apartados a un lado.

4. Desconectar y desmontar la manguera superior del radiador. Desmontar la tolva del radiador.

5. Desmontar las palas del ventilador, polea de la bomba de agua y tolva del ventilador. Desmontar las cubiertas de la banda de sincronización y de las válvulas.

6. Alinear las marcas de sincronización del motor en el PMS del cilindro Nº 1. Desmontar la banda de sincronización.

7. Desmontar los balancines (seguidores de levas).

8. Desmontar el engranaje propulsor del árbol de levas y guía de banda usando un extractor adecuado. Desmontar el sello de aceite de la cubierta delantera con el Reemplazador de Sello de Aceite Delantero T74P-6150-A o equivalente.

9. Desmontar la retención del árbol de levas localizada en el soporte de montaje trasero, desmontando los dos tornillos.

10. Levantar y soportar con caballetes el vehículo. Desmontar los tornillos del montaje delantero del motor. Desconectar la manguera inferior del radiador en el radiador. Si lo lleva, desconectar y taponar las líneas del enfriador de la transmisión automática.

11. Colocar un taco de madera sobre un gato de piso y elevar con cuidado el motor tanto como se pueda. Colocar bloques de madera entre los montajes del motor y los pedestales del travesaño.

12. Desmontar el árbol de levas sacándolo con cuidado hacia el frente del motor. Se ha de tener cuidado con no dañar los cojinetes, lóbulos y muñones de levas.

13. Comprobar el desgaste de los muñones y lóbulos del árbol de levas. Inspeccionar los cojinetes de levas, y si están gastados (a menos que la herramienta adecuada de instalación de cojinetes esté a mano), se debe desmontar la culata de cilindros para que les sean instalados unos nuevos cojinetes en un taller de mecanización especializado.

14. La instalación del árbol de levas es la inversa del orden del procedimiento de desmontaje para revisión. Cubrir el árbol de levas con un aceite pesado de grado SF (o mejor) antes de deslizarlo en la culata de cilindros. Instalar un nuevo sello delantero. Aplicar una capa de sellador o cinta de Teflon® en el tornillo del engranaje propulsor de levas, antes de su instalación. Después de cualquier procedimiento que requiera el desmontaje de los balancines, cada ajustador de holgura debe ser colapsado del todo después del montaje, y luego soltado usando el Compresor de Resorte de Válvula T95T-6565-A o equivalente. Esto se debe hacer antes de girar el árbol de levas.

15. Volver a llenar el sistema de enfriamiento. Poner en marcha el motor y comprobar si hay fugas. Rodar el vehículo en carretera, para ver si funciona corectamente.

Motor 3.0L

1. Tener descargado el sistema del A/A por un mecánico profesional cualificado, que utilice una máquina de recuperar/reciclar.

2. Desconectar el cable negativo del acumulador.

3. Desmontar las mangueras del filtro de aire.

4. Desmontar el ventilador y separador, y su tolva.

5. Vaciar el sistema de enfriamiento. Desmontar el radiador.

▼ PRECAUCIÓN ▼

Nunca abrir, reparar o vaciar el sistema de enfriamiento o radiador estando calientes; pueden producirse graves quemaduras por el vapor y el refrigerante caliente.

6. Girar el cigüeñal de modo que el pistón Nº 1 esté en el PMS de la carrera de compresión.

7. Desmontar el condensador del sistema del A/A.

8. Descargar la presión del sistema de combustible.

▼ PRECAUCIÓN ▼

Observar todas las precauciones de seguridad aplicables al trabajar con combustible cerca. Cada vez que se repare el sistema de combustible, trabajar siempre en un área bien ventilada. No permitir que vapores o combustible pulverizado entren en contacto con una chispa o llama directa. Tener cerca del lugar un extintor de incendios de polvo químico (seco). Guardar siempre el combustible en un recipiente diseñado específicamente para el almacenamiento de combustible; así mismo, cerrar siempre como es debido los recipientes de combustible para evitar un incendio o explosión.

9. Desmontar las líneas de combustible en el múltiple de suministro de combustible.

10. Identificar y desconectar todas las líneas de vacío que se encuentren al paso.

11. Identificar y desconectar todos los alambres que se encuentren al paso.

12. Desmontar la cubierta delantera del motor y la bomba de agua.

13. Desmontar el alternador.

14. Desmontar la bomba de la dirección hidráulica y asegurarla apartada a un lado. ¡NO desconectar las mangueras!

15. Desmontar el compresor del A/A y asegurarlo apartado a un lado. ¡NO desconectar las mangueras!

16. Desmontar el cuerpo del ahogador.

17. Desmontar el cableado de la inyección de combustible.

18. Vaciar el aceite del motor en un recipiente adecuado y deshacerse de él debidamente.

▼ PRECAUCIÓN ▼

Las autoridades sanitarias advierten que el contacto prolongado con aceites de motor usados puede producir un cierto número de afecciones en la piel, e incluso cáncer. Se debe hacer el máximo esfuerzo para reducir al mínimo la exposición al aceite de motor usado.

19. Girar el motor a mano hasta el 0° APMS (antes del punto muerto superior) de la carrera de compresión del cilindro Nº 1.

20. Desconectar los cables de bujías en las bujías.

21. Si la lleva, desmontar la tapa del distribuidor junto con los cables de bujías.

22. Si lo lleva, marcar la alineación del rotor con el cuerpo del distribuidor y motor. Desconectar el cableado de alambres del distribuidor y desmontar el distribuidor.

23. Desmontar las cubiertas de balancines.

24. Desmontar el múltiple de admisión tal como se ha descrito antes.

25. Aflojar los tornillos de balancines lo suficiente para pivotar los balancines apartándolos y desmontar las varillas de empuje. Identificarlas para su instalación. ¡Éstas deben ser instaladas en sus posiciones originales!

26. Desmontar los levantadores. Identificarlos para su instalación. ¡Éstos deben instalarse en sus posiciones originales!

27. Desmontar juntos la polea/amotiguador del cigüeñal.

28. Desmontar el motor de arranque.

29. Desmontar el depósito de aceite (charola) tal como ya se ha descrito.

30. Si no se ha hecho aún, girar el motor a mano hasta que las marcas de sincronización se alineen con el PMS de la carrera de compresión del cilindro Nº 1.

31. Comprobar la holgura axial del árbol de levas. Si es excesiva, se tendrá que sustituir la placa de empuje.

32. Desmontar el tornillo y la arandela que sujetan el engrane del árbol de levas, y luego deslizar hacia afuera el engrane del árbol de levas.

33. Desmontar la placa de empuje del árbol de levas.

34. Deslizar con cuidado el árbol de levas fuera del bloque de cilindros, procurando no dañar los cojinetes del árbol de levas.

Para instalar:

35. Lubricar los muñones y lóbulos de leva del árbol de levas con aceite de motor pesado SJ (50W). Instalar el aro espaciador con el lado biselado hacia el árbol de levas, y luego insertar la chaveta.

36. Instalar el árbol de levas en el bloque de cilindros teniendo cuidado de no dañar los cojinetes del árbol de levas.

37. Instalar la placa de empuje. Apretar los tornillos de sujeción a 84 plg-lb.

38. Girar el árbol de levas y el cigüeñal lo necesario para alinear las marcas de sincronización. Instalar el engrane del árbol de levas y la cadena. Apretar el tornillo de sujeción a 46 pie-lb (62 Nm).

39. Cubrir los levantadores con aceite de motor 50W y colocarlos en sus posiciones originales.

40. Aplicar aceite de motor 50W a ambos extremos de las varillas de empuje. Instalar las varillas de empuje en sus sitios originales.

41. Pivotar los balancines a sus posiciones. Apretar los tornillos del pivote a 8 pie-lb (11 Nm).

42. Girar el motor hasta que las dos marcas de sincronización estén en la parte superior de sus engranes y alineadas. Apretar los siguientes tornillos de pivote a 18 pie-lb (24 Nm):

– Nº 1 admisión
– Nº 2 escape
– Nº 4 admisión
– Nº 5 escape

43. Girar el motor hasta que la marca de sincronización del árbol de levas esté en la parte inferior del engrane y la marca de sincronización del cigüeñal esté en la parte superior del engrane, y ambas alineadas. Apretar los siguientes tornillos de pivote a 18 pie-lb (24 Nm):

– Nº 1 escape
– Nº 2 admisión
– Nº 3 admisión y escape
– Nº 4 escape
– Nº 5 admisión
– Nº 6 admisión y escape

44. Ahora, apretar todos los tornillos a 24 pie-lb (33 Nm).

45. Girar el motor a mano hasta 0° APMS (antes punto muerto superior) de la carrera de compresión del cilindro Nº 1.

46. Instalar la cubierta delantera del motor y el conjunto de la bomba de agua.

47. Instalar el depósito de aceite.

48. Instalar la polea/amortiguador del cigüeñal y apretar el tornillo de sujeción a 107 pie-lb (145 Nm).

49. Instalar el múltiple de admisión y apretar los tornillos a lo especificado y en la secuencia descrita para el desmontaje y montaje del múltiple de admisión.

50. Instalar todos los componentes que se desmontaron.

51. Llenar el sistema de enfriamiento.

52. Sustituir el filtro de aceite y llenar el cárter con la cantidad especificada de aceite de motor.

53. Conectar el cable de tierra del acumulador.

54. Poner en marcha el motor y comprobar la sincronización de la ignición y la marcha mínima. Ajustar si es necesario. Hacer marchar el motor a marcha mínima rápida y comprobar si hay fugas de líquido enfriador, combustible, vacío o aceite.

➡ Cuando el acumulador ha sido desconectado y vuelto a conectar, se pueden presentar algunos síntomas de conducción anormal mientras el Módulo de Control del Tren Propulsor (PCM) vuelve a aprenderse su estrategia adaptativa. El vehículo puede necesitar ser conducido durante unas 10 millas (16 km) o más para ese reaprendizaje.

Motor OHV 4.0L

➡ Es necesario sustituir el empaque del depósito de aceite cuando se desmonta y se instala la cubierta delantera del motor. También será necesario en el desmontaje de la transmisión, volver a sellar adecuadamente el depósito de aceite.

1. Si el vehículo está equipado con un sistema acondicionador de aire (A/A), hacer descargar el sistema por un mecánico autorizado con una máquina de reciclar/recuperar el fluido refrigerante o bien no desconectar las líneas de refrigerante del condensador o del compresor.

2. Desconectar el cable negativo del acumulador.

3. Vaciar el aceite del motor en un recipiente adecuado y desecharlo como es debido.

4. Vaciar el sistema de enfriamiento.

▼ PRECAUCIÓN ▼
Nunca abrir, reparar o vaciar el sistema de enfriamiento o radiador estando calientes; pueden producirse graves quemaduras por el vapor y el líquido enfriador caliente.

5. Desmontar el radiador.

6. Desmontar el condensador del A/A del motor. Si el A/A no fue descargado, desmontar el compresor de sus soportes de montaje y asegurarlo al lado con las líneas de refrigerante aún acopladas.

7. Desmontar el ventilador y espaciador, y la tolva.

8. Desmontar las mangueras del filtro de aire.

9. Identificar y desmontar los cables de bujías.

10. Desmontar la bobina de ignición y su soporte.

11. Desmontar la polea/amortiguador del cigüeñal.

12. Desmontar la abrazadera, tornillo y propulsor de la bomba de aceite de la parte trasera del bloque de cilindros.

13. Desmontar el alternador.

14. Descargar la presión del sistema de combustible.

▼ PRECAUCIÓN ▼

Observar todas las precauciones de seguridad aplicables al trabajar con combustible cerca. Cada vez que repare el sistema de combustible, trabajar siempre en un área bien ventilada. No permitir que vapores o combustible pulverizado entren en contacto con una chispa o llama directa. Tener cerca del lugar un extintor de incendios de polvo químico (seco). Guardar siempre el combustible en un recipiente diseñado específicamente para el almacenamiento de combustible; así mismo, cerrar siempre como es debido los recipientes de combustible para evitar un incendio o explosión.

15. Desmontar las líneas de combustible en el múltiple de suministro de combustible.

16. Desmontar los múltiples de admisión superior e inferior.

17. Desmontar las cubiertas de balancines.

18. Desmontar los conjuntos de ejes de balancines.

19. Desmontar las varillas de empuje. Identificarlas para su instalación. ¡Éstas deben ir instaladas en sus sitios originales!

20. Desmontar los levantaválvulas. Identificarlos para su instalación. ¡Éstos deben instalarse en sus sitios originales!

21. Desmontar el depósito de aceite, cubierta delantera del motor y bomba de agua.

22. Girar el motor a mano hasta que las marcas de sincronización se alineen con el PMS de la carrera de compresión del pistón Nº 1.

23. Colocar el tensor de la cadena de sincronización en posición retractada e instalar el clip de retención.

24. Comprobar el juego axial del árbol de levas. Si es excesivo, se tendrá que sustituir la placa de empuje.

25. Desmontar el tornillo y arandela que sujetan el engrane del árbol de levas, y luego deslizar el engrane fuera del árbol de levas.

26. Desmontar la placa de empuje del árbol de levas.

27. Deslizar con cuidado el árbol de levas fuera del bloque de cilindros, con la precaución de evitar daños a los cojinetes del árbol de levas.

Para instalar:

28. Lubricar el árbol de levas usando un buen lubricante de montajes.

29. Instalar el árbol de levas en el bloque de cilindros, con la precaución de evitar daños a los cojinetes del árbol de levas.

30. Instalar la placa de empuje. Asegurarse de que cubre la galería de aceite principal. Apretar los tornillos de sujeción a 7-10 pie-lb (9-13 Nm).

31. Girar el árbol de levas y el cigüeñal, lo necesario, para alinear las marcas de sincronización. Instalar el engrane y cadena del árbol de levas. Apretar el tornillo de sujeción a 44-50 pie-lb (60-68 Nm).

32. Desmontar el clip del tensor de cadena.

33. Instalar la cubierta delantera del motor y el conjunto de la bomba de agua.

34. Instalar la polea/amortiguador del cigüeñal y apretar el tornillo de sujeción a 107 pie-lb (146 Nm).

35. Instalar el depósito de aceite. Es importante seguir los procedimientos dados en esta sección.

36. Cubrir los levantadores con aceite de motor 50W y colocarlos en sus sitios originales.

37. Aplicar aceite de motor 50W a los dos extremos de las varillas de empuje. Instalar las varillas de empuje en sus sitios originales.

38. Instalar los componentes restantes en el orden inverso al desmontaje.

39. Reponer el filtro de aceite y llenar el cárter con la cantidad especificada de aceite de motor.

40. Volver a conectar el cable negativo del acumulador.

➡ Cuando el acumulador ha sido desconectado y vuelto a conectar, se pueden presentar algunos síntomas de conducción anormal mientras el Módulo de Control del Tren Propulsor (PCM) vuelve a aprenderse su estrategia adaptativa. El vehículo puede necesitar ser conducido durante unas 10 millas (16 km) o más para ese reaprendizaje.

41. Poner en marcha el motor y comprobar la sincronización de la ignición y la marcha mínima. Ajustar si es necesario. Hacer marchar el motor a marcha mínima rápida y comprobar si hay fugas de líquido enfriador, combustible, vacío o aceite.

Motor SOHC 4.0L

1. Por seguridad, desconectar el cable negativo del acumulador.

2. Desmontar la cubierta de válvulas.

3. Desmontar el tensor hidráulico del árbol de levas.

➡ El tornillo del engrane del árbol de levas de mano derecha usa el roscado a mano izquierda.

4. Para el árbol de levas de mano derecha usar la herramienta Adaptador de Torsión del Engrane de Leva T97T-6256-F, o su equivalente, para desmontar el tornillo del engrane del árbol de levas.

5. Para el árbol de levas de mano izquierda, desmontar el tornillo del engrane.

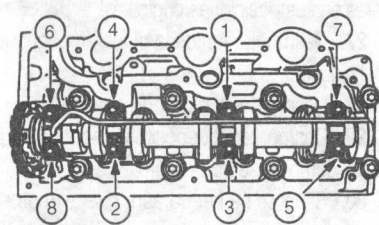

⚠ Usar la secuencia correcta para evitar daños al árbol de levas tanto al desmontar como al instalar las tapas de los cojinetes – Motor SOHC 4.0L

➡ Al desmontar los seguidores de leva, identificarlos de modo que se vuelvan a instalar en sus sitios originales.

6. Usando la herramienta Compresor de Resortes de Válvula ST1330-A, o su equivalente, desmontar los seguidores de rodillos del árbol de levas.

7. Desmontar los tornillos de las tapas de cojinetes del árbol de levas y el raíl de aceite.

8. Desmontar el árbol de levas.

Para instalar:

9. Lubricar todas las piezas móviles con aceite de motor SAE 50W.

10. Instalar el árbol de levas sobre la culata de cilindros.

11. Colocar el raíl de aceite e instalar los tornillos y tapas de cojinetes. Apretar los tornillos en dos etapas:

    a. Etapa 1 - 53.5 plg-lb (6Nm).

    b. Etapa 2 - 11-12.5 pie-lb (15-17 Nm).

12. Instalar los seguidores del árbol de levas de la misma manera que al desmontarlos.

13. Instalar el tornillo del engrane del árbol de levas. No apretar el tornillo.

14. Instalar el Tensor de Cadena de Árbol de Levas T97T- 6K254-A, o su equivalente, en el orificio en el que estaba el tensor de cadena hidráulico.

15. Girar el cigüeñal una revolución según el reloj, hasta que el pistón Nº 1 esté en el PMS.

16. Instalar la herramienta Sujeción del Cigüeñal T97T-6303-A, o su equivalente, en el cigüeñal para impedirle que gire.

17. Colocar la ranura de sincronización de la parte trasera del árbol de levas para ajustar la herramienta de Sujeción del Árbol de Levas T97T-6256-C, o su equivalente, e instalar la herramienta de sujeción en la trasera de la culata.

18. Instalar la herramienta Sujeción del Engrane del Árbol de Levas T97T-6256-B y la herramienta de Sujeción del Engrane del Árbol de Levas T97T-6256-A, o su equivalente, en la delantera de la culata de cilindros para sujetar con seguridad el engrane del árbol de levas.

19. Apretar el tornillo del engrane del árbol de levas a 63 pie-lb (85 Nm).

20. Desmontar la herramienta Tensor de Cadena del Árbol de Levas e instalar el tensor de cadena hidráulico, y apretar el tensor a 35-39 pie-lb (47-53 Nm).

21. Desmontar del motor las herramientas especiales.

22. Instalar la cubierta de válvulas.

23. Conectar el cable negativo del acumulador.

24. Poner en marcha el motor y comprobar si hay fugas.

Motor 5.0L

1. Desconectar el cable negativo del acumulador.

2. Desmontar la cubierta de la cadena de sincronización.

3. Desmontar el engrane del árbol de levas junto con la cadena.

4. Desmontar los múltiples de admisión superior e inferior.

5. Desmontar ambas cubiertas de válvulas.

6. Aflojar los tornillos de balancines y girar los balancines a un lado.

7. Desmontar las varillas de empuje en secuencia de modo que se puedan volver a instalar en sus sitios originales.

8. Desmontar todos los levantaválvulas, manteniéndolos también en orden.

9. Desmontar los tornillos de la placa de empuje del árbol de levas y la placa.

10. Sacar el árbol de levas del motor, teniendo cuidado de no dañar los cojinetes, lóbulos o muñones.

Para instalar:

11. Aplicar aceite de motor SAE 50W a los lóbulos y muñones del árbol de levas.

12. Instalar con cuidado el árbol de levas en su posición en el bloque de cilindros.

13. Aplicar aceite de motor SAE 50W a la placa de empuje del árbol de levas.

14. Colocar la placa de empuje con la ranura hacia el bloque e instalar los tornillos de sujeción. Apretar a 9-12 pie-lb (13-16 Nm).

15. Aplicar aceite de motor SAE 50W a los levantadores de válvulas e instalarlos. Si se vuelven a usar los levantadores viejos, colocarlos en sus sitios originales.

16. Instalar las varillas de empuje en sus sitios originales.

17. Volver a su posición los balancines y apretarlos según se ha descrito anteriormente en esta sección.

18. Instalar las cubiertas de válvulas y los múltiples de admisión superior e inferior.

19. Instalar el engrane del árbol de levas junto con la cadena. Asegurarse de que las marcas de sincronización de los engranes del árbol de levas y del cigüeñal están alineados.

20. Instalar la cubierta de la cadena de sincronización.

21. Conectar el cable negativo del acumulador. Poner en marcha el motor y comprobar si hay fugas.

DEPÓSITO DE ACEITE

DESMONTAJE E INSTALACIÓN

▼ PRECAUCIÓN ▼

Las autoridades sanitarias advierten que el contacto prolongado con aceites de motor usados puede producir un cierto número de afecciones en la piel, e incluso cáncer. Se debe hacer el máximo esfuerzo para reducir al mínimo la exposición al aceite de motor usado.

Motores 2.3L y 2.5L

1. Desconectar el cable negativo del acumulador.

2. Desmontar el conjunto del filtro de aire. Desmontar la varilla de medición del aceite. Desmontar las tuercas que sujetan los soportes del motor.

3. Desmontar las líneas del enfriador de aceite en el radiador, si lo lleva. Desmontar los dos tornillos de sujeción de la tolva del ventilador en el radiador y desmontar la tolva.

4. En transmisiones automáticas, desmontar los tornillos de sujeción del radiador. Colocar el radiador hacia arriba y asegurarlo en el capó.

5. Elevar y soportar sobre caballetes el vehículo.

▼ PRECAUCIÓN ▼

Las autoridades sanitarias advierten que el contacto prolongado con aceites de motor usados puede producir un cierto número de afecciones en la piel, e incluso cáncer. Se debe hacer el máximo esfuerzo para reducir al mínimo la exposición al aceite de motor usado.

6. Vaciar el aceite del cárter.

7. Desmontar los alambres del motor de arranque, y luego desmontar el motor de arranque.

8. Desconectar el tubo del múltiple de escape al soporte del tubo de entrada en la válvula antirretorno del Thermactor.

9. Desmontar las tuercas de sujeción de los soportes de la transmisión al travesaño.

10. Desmontar la cubierta campana del cuerpo del convertidor (sólo en transmisión automática).

11. Desmontar las líneas del enfriador del aceite de la sujeción en el bloque (sólo en automáticos).

12. Desmontar el travesaño delantero (sólo en automáticos).

13. Desconectar el soporte inferior del amortiguador delantero derecho (sólo manual).

14. Colocar el gato bajo el motor, elevar y bloquear con un taco de madera de aproximadamente 2 $\frac{1}{2}$ plg de alto. Desmontar el gato.

15. Colocar el gato bajo la transmisión y elevarlo un poco (sólo automáticos).

16. Desmontar los tornillos que sujetan el depósito de aceite y bajar el depósito al chasis. Desmontar el conjunto propulsor de la bomba de aceite y tubo de succión.

17. Desmontar el depósito de aceite (fuera del frente en los automáticos) (fuera de detrás en los manuales).

Para instalar:

18. Limpiar el depósito de aceite e inspeccionar sobre daños. Limpiar la superficie de empaque del depósito de aceite en el bloque de cilindros. Limpiar el exterior de la bomba de aceite y la rejilla del tubo de succión de la bomba de aceite.

19. Colocar el empaque del depósito de aceite y los sellos de los extremos en el bloque de cilindros (para sujetarlo usar cemento de contacto).

20. Colocar el depósito de aceite en el travesaño.

21. Instalar el conjunto de la bomba de aceite y tubo de succión. Instalar el depósito de aceite en el bloque de cilindros con los tornillos de sujeción.

22. Bajar el gato de debajo de la transmisión (sólo en automáticos).

23. Colocar el gato debajo del motor, elevarlo un poco, y desmontar el bloque espaciador de madera.

24. Volver a colocar el filtro de aceite.

25. Conectar el tubo del múltiple de escape al soporte del tubo de entrada en la válvula antirretorno del Thermactor.

26. Instalar el soporte de la transmisión en el travesaño.

27. Instalar las líneas del enfriador del aceite en la sujeción en el bloque (sólo automáticos).

28. Instalar la cubierta en el cuerpo del convertidor (sólo automáticos).

29. Instalar el soporte inferior del amortiguador delantero derecho (sólo manual). Instalar el travesaño delantero (sólo automáticos).

30. Instalar el motor de arranque y conectar los alambres. Bajar el vehículo.

31. Instalar los tornillos de soporte del motor.

32. Colocar el radiador en los soportes e instalar los (2) tornillos de sujeción del soporte (sólo automáticos). Instalar la tolva del ventilador en el radiador.

33. Conectar las líneas de enfriamiento del aceite en el radiador (sólo automáticos).

34. Instalar el conjunto del filtro de aire.

35. Instalar la varilla medidora de aceite.

36. Poner en marcha el motor y comprobar si hay fugas.

Motor 3.0L

1. Desconectar el cable negativo del acumulador.

2. Desmontar la varilla medidora del nivel de aceite.

3. Desmontar la tolva del ventilador. Dejar la tolva del ventilador sobre el conjunto del ventilador.

4. Desmontar las tuercas de soporte del motor del bastidor.

▼ AVISO ▼

En los modelos con ignición por distribuidor, el dejar de desmontar el distribuidor lo dañará o romperá cuando se saque el motor.

5. Si lo lleva como equipo, marcar y desmontar el conjunto del distribuidor del motor.

6. Elevar y soportar sobre caballetes el vehículo.

▼ PRECAUCIÓN ▼

Las autoridades sanitarias advierten que el contacto prolongado con aceites de motor usados puede producir un cierto número de afecciones en la piel, e incluso cáncer. Se debe hacer el mayor esfuerzo para reducir al mínimo la exposición al aceite de motor usado.

7. Desmontar el motor de arranque del motor.

8. Desmontar la cubierta de inspección de la transmisión.

9. Desmontar la viga en I del eje de mano derecha. La mordaza de freno se debe desmontar y asegurar a un lado.

10. Desmontar los tornillos de sujeción del depósito de aceite. Usando un aparato de elevación adecuado, elevar el motor unas 2 plg (5 cm).

11. Desmontar el depósito de aceite del bloque de cilindros.

➡ **El depósito de aceite ajusta herméticamente entre la placa espaciadora que separa la transmisión y el tubo de aspiración de la bomba de aceite. Tener cuidado cuando se desmonte el depósito de aceite del motor.**

12. Limpiar las superficies de empaque en el motor y depósito de aceite. Eliminar toda traza de junta vieja y/o sellado.

Para instalar:

13. Aplicar una gota de $\frac{1}{8}$ (4 mm) de sellador RTV a las uniones de la tapa del cojinete principal trasero y el bloque, y la cubierta delantera y el bloque. El sellador fragua (se endurece) en 15 minutos, ¡de modo que a trabajar rápido!

14. Aplicar adhesivo a las superficies del empaque e instalar el empaque del depósito de aceite.

15. Instalar el depósito de aceite en el bloque de cilindros.

16. Apretar los tornillos del depósito de forma REGULAR a 9 pie-lb (12 Nm) trabajando desde la posición central hacia los extremos del depósito de aceite.

17. Instalar el conector del sensor de nivel de aceite bajo. Bajar el conjunto del motor a su posición original.

18. Instalar la viga en I de mano derecha. Instalar la mordaza de freno.

19. Instalar la cubierta de inspección de la transmisión. Instalar el motor de arranque.

20. Bajar el vehículo e instalar la tolva del ventilador.

21. Instalar las tuercas de sujeción de los soportes del motor. Si se desmontó, instalar el conjunto del distribuidor.

22. Volver a colocar la varilla del nivel de aceite. Conectar la tierra del acumulador. Llenar el cárter con la cantidad correcta de aceite de motor nuevo. Poner en marcha el motor y comprobar si hay fugas.

23. Si está equipado con ignición por distribuidor, comprobar la sincronización base de la ignición.

Motor OHV 4.0L

➡ **Antes de empezar esta reparación, examinar el procedimiento completo de la revisión.**

1. Desconectar el cable negativo del acumulador. Desmontar del vehículo el conjunto del motor completo. Consultar los procedimientos de revisión necesarios en esta sección.

2. Montar el motor sobre un soporte de motores adecuado con el depósito de aceite cara arriba.

3. Desmontar los tornillos de sujeción del depósito de aceite (anotar la situación de los 2 espaciadores) y desmontar el depósito de aceite del bloque de cilindros.

4. Desmontar el empaque del depósito de aceite y el sello cuña de la cubierta del cojinete principal trasero del cigüeñal.

5. Limpiar todas las superficies de empaque en el motor y en el depósito de aceite. Retirar toda traza de empaque viejo y/o sellador.

Para instalar:

6. Instalar un nuevo sello cuña de la tapa del cojinete principal trasero del cigüeñal. El sello debe ajustar cómodamente en los lados de la tapa del cojinete principal trasero.

7. Colocar el empaque en el bloque de cilindros y situar el depósito de aceite en posición correcta sobre los 4 espárragos de localización.

8. Apretar los tornillos de sujeción del depósito de aceite de forma REGULAR a 5-7 pie-lb.

9. Los tornillos de la transmisión al motor y al depósito de aceite. Hay 2 espaciadores en la trasera del depósito de aceite para facilitar la unión correcta de la transmisión y el depósito de aceite. Si estos espaciadores se han perdido, o se ha sustituido el depósito, podemos determinar los espaciadores correctos que debemos instalar. Hacer esto:

   a. Con el depósito de aceite instalado, colocar una regla cruzando la superficie de contacto mecanizada de la trasera del bloque, y extendida sobre el depósito de aceite hasta la superficie de montaje de la transmisión.

   b. Usando una galga de láminas, medir el hueco entre el taco de montaje del depósito y la regla.

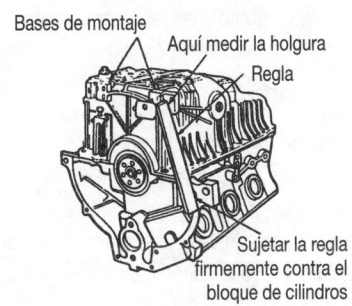

Bases de montaje — Aquí medir la holgura — Regla — Sujetar la regla firmemente contra el bloque de cilindros

▲ Debe usarse el espaciador correcto para ampliar la superficie de montaje del depósito de aceite de modo que enrase con la superficie del bloque de cilindros – Motor OHV 4.0L

   c. Repetir el procedimiento para el otro lado.

   d. Seleccionar los espaciadores como sigue:
   – Hueco = 0.011-0.020 plg - espaciador = 0.010 plg.
   – Hueco = 0.021-0.029 plg - espaciador = 0.020 plg.
   – Hueco = 0.030-0.039 plg - espaciador = 0.030 plg.

➡ Dejar de usar los espaciadores correctos producirá daños al depósito de aceite y pérdidas de aceite.

10. Instalar los espaciadores seleccionados sobre los tacos de montaje de la trasera del depósito de aceite antes de atornillar uniendo el motor y la transmisión. Instalar el conjunto del motor en el vehículo.

11. Conectar el cable negativo del acumulador. Poner en marcha el motor y comprobar si hay fugas.

Motor SOHC 4.0L

➡ El motor SOHC 4.0L no usa un depósito de aceite en el sentido convencional. Hay un panel de acceso separado que se descorre de lo que puede considerarse el depósito de aceite (que ahora se conoce como marco de escalera).

1. Desconectar el cable negativo del acumulador.
2. Elevar y soportar el vehículo sobre caballetes.

▼ PRECAUCIÓN ▼
Las autoridades sanitarias advierten que el contacto prolongado con aceites de motor usados puede producir un cierto número de afecciones en la piel, e incluso cáncer. Se debe hacer el mayor esfuerzo para reducir al mínimo la exposición al aceite de motor usado.

3. Vaciar el aceite del motor.
4. Desmontar los diez tornillos del depósito de aceite y desmontar el depósito.
5. La instalación es la inversa del desmontaje. Limpiar las superficies de unión de empaque e instalar un empaque nuevo. Apretar los tornillos del depósito a 6-7.4 pie-lb (8-10 Nm). Volver a llenar el motor con aceite limpio.

Motor 5.0L

➡ El depósito de aceite no se puede desmontar con el motor en el vehículo.

1. Desmontar el motor.

▼ PRECAUCIÓN ▼
Las autoridades sanitarias advierten que el contacto prolongado con aceites de motor usados puede producir un cierto número de afecciones en la piel, e incluso cáncer. Se debe hacer el mayor esfuerzo para reducir al mínimo la exposición al aceite de motor usado.

2. Vaciar el aceite del motor.
3. Desmontar los tornillos del depósito de aceite.

4. Desmontar el depósito de aceite y el empaque.
5. La instalación es la inversa del desmontaje. Usar sellador RTV en las esquinas del bloque y el depósito. Apretar los 4 tornillos de sujeción del extremo del depósito de aceite a 12-18 pie-lb (16-25 Nm) y los 18 tornillos del depósito de aceite a 110-144 plg-lb (13-16 Nm).

BOMBA DE ACEITE

DESMONTAJE E INSTALACIÓN

Excepto los motores 5.0L y los SOHC 4.0L

➡ Las bombas de aceite no son reparables, por lo que se deben sustituir.

1. Desmontar el conjunto del depósito de aceite.
2. Desmontar de la bomba el conjunto de succión de aceite y tubo.
3. Desmontar los tornillos de sujeción de la bomba y desmontar la bomba.

Para instalar:

4. Cebar la bomba de aceite con aceite de motor limpio llenando la lumbrera de entrada o la de salida. Girar el eje de la bomba para distribuir el aceite dentro del cuerpo de la bomba.
5. Instalar la bomba y apretar los tornillos de montaje a:
   – 14-21 pie-lb (19-29 Nm) en motores 2.3L
   – 8-12 pie-lb (11-16 Nm) en motores 2.5L
   – 30-40 pie-lb (41-54 Nm) en motores 3.0L
   – 13-15 pie-lb (18-20 Nm) en motores 4.0L

▼ AVISO ▼
No forzar la bomba de aceite si no se asienta fácilmente. El eje de propulsión de la bomba de aceite puede estar desalineado con el distribuidor o el conjunto del eje. Si la bomba se aprieta fuerte con el eje propulsor desalineado se puede dañar la bomba. Para alinearla, girar el eje propulsor intermedio a otra posición.

6. Instalar en la bomba el conjunto de succión de aceite y tubo. Si hay un empaque entre la bomba y la succión, usar un nuevo empaque al instalar.
7. Instalar el depósito de aceite.

Motores 5.0L y SOHC 4.0L

➡ La bomba de aceite no se puede desmontar con el motor en el vehículo.

1. Desmontar el motor.
2. Desmontar el depósito de aceite.
3. Desatornillar el tubo de succión de aceite.
4. En el motor 4.0L, hacer lo siguiente:
    a. Desmontar los 8 tornillos del marco de escalera que están bajo el depósito de aceite.
    b. Desmontar los 2 tornillos traseros exteriores del marco de escalera.
    c. Desmontar los 7 tornillos de mano izquierda y 8 de mano derecha del marco de escalera.
    d. Sacar el marco de escalera del motor.
5. Desmontar los 2 tornillos que sujetan la bomba y desmontar la bomba.

Para instalar:

6. En los motores 4.0L, hacer lo siguiente:
    a. Colocar el marco de escalera en el motor.
    b. Instalar los 8 tornillos de mano derecha y 7 de mano izquierda del marco de escalera.
    c. Instalar los 2 tornillos traseros exteriores y los 8 del marco bajo el depósito de aceite.
7. La instalación es la inversa del desmontaje. Sumergir la bomba en aceite limpio para cebarla. Apretar los tornillos de sujeción de la bomba a 13-15 pie-lb (17-21 Nm) para el motor 4.0L y 23-31 pie-lb (30-43 Nm) para el motor 5.0L.

SELLO DE ACEITE DEL COJINETE PRINCIPAL TRASERO

DESMONTAJE E INSTALACIÓN

Si la sustitución del sello de aceite trasero del cigüeñal es la única operación a realizar, ésta se puede llevar a cabo en el vehículo según se detalla en el procedimiento siguiente. Si el sello de aceite se ha de sustituir junto con la sustitución de un cojinete principal trasero, se deberá desmontar el motor del vehículo e instalarlo en un soporte de trabajo.

1. Desmontar el motor de arranque.
2. Desmontar la transmisión del vehículo.

3. En vehículos con transmisión manual, desmontar el plato de presión y el disco de embrague.
4. Desmontar los tornillos de sujeción del volante y desmontar y el plato de la cubierta trasera del motor.
5. Usar una lezna para pinchar dos orificios en el sello de aceite trasero del cigüeñal. Pinchar los orificios en sitios opuestos del cigüeñal y justo sobre la línea divisoria de la tapa del cojinete al bloque de cilindros. Instalar un tornillo de rosca para plancha de metal en cada agujero. Usar dos pequeñas palancas y apalancar contra los dos tornillos a la vez para desmontar el sello de aceite trasero del cigüeñal. Puede ser necesario colocar pequeños bloques de madera contra el bloque de cilindros para proveer un punto de apoyo para las palancas. Tener cuidado con este procedimiento para evitar arañazos o cualquier otro daño a las superficies del sello de aceite del cigüeñal.

Para instalar:

6. Limpiar el hueco del sello de aceite en el bloque de cilindros y en la tapa del cojinete principal.
7. Limpiar, inspeccionar y pulir la superficie de fricción en el cigüeñal. Cubrir un nuevo sello de aceite y el cigüeñal con una ligera película de aceite de motor. Iniciar el sello en el hueco con el labio del sello encarado hacia adelante e instalarlo con un introductor de sellos. Mantener la herramienta, T82L-6701-A (motores 4-cil.) o T72C-6165 (motores 6 cil.) alineada con el eje del cigüeñal e introducir el sello hasta que la herramienta contacte con la superficie del bloque de cilindros. Desmontar la herramienta e inspeccionar el sello para asegurarse de que no se ha dañado durante la instalación.
8. En motores 8 cilindros, cubrir el nuevo sello y el cigüeñal con una ligera película de aceite de motor limpio. Iniciar el sello en el hueco con el labio del sello encarado hacia adelante e instalarlo con el Colocador de Sellos Traseros del Cigüeñal o T95P-6701-BH y el Espaciador T96T-6701-B (o equivalentes).
9. Instalar el plato cubierta trasera del motor. Colocar el volante en la brida del cigüeñal. Cubrir las roscas de los tornillos de sujeción del volante con sellador resistente al aceite e instalar los tornillos. Apretar los tornillos en secuencia cruzada de uno a otro a 75-85 pie-lb (102-115 Nm).

10. En vehículos con transmisión manual, instalar el disco de embrague y plato de presión.
11. Instalar la transmisión.

SISTEMA DE COMBUSTIBLE

PRECAUCIONES EN LA REVISIÓN DEL SISTEMA DE COMBUSTIBLE

La seguridad es el factor más importante cuando se realiza no sólo el mantenimiento del sistema de combustible, sino cualquier tipo de mantenimiento. Dejar de realizar de manera segura el mantenimiento y las reparaciones puede dar como resultado graves lesiones e incluso la muerte. Trabajar en los componentes del sistema de combustible tiene que hacerse con seguridad y efectividad cumpliendo las siguientes reglas y directrices.

• Para evitar la posibilidad de incendio y lesiones personales, desconectar siempre el cable negativo del acumulador a menos que la reparación o procedimiento de comprobación requiera que se aplique el voltaje del acumulador.

• Descargar siempre la presión del sistema de combustible antes de desconectar cualquier componente del sistema (inyector, raíl de combustible, regulador de presión, etc.) rácor o conexión de línea de combustible. Practicar la máxima precaución siempre que se descargue la presión del sistema de combustible para evitar exponer la piel, rostro y ojos a pulverizaciones de combustible. Pensar, por favor, que el combustible sometido a presión puede atravesar la piel o cualquier parte del cuerpo que contacte.

• Colocar siempre una toalla de taller alrededor del rácor o conexión antes de aflojarlo para absorber cualquier exceso de combustible debido al derrame. Asegurarse de que cualquier derrame de combustible se recoge rápidamente de las superficies del motor. Asegurarse de que todos los trapos o toallas de taller empapados de combustible se depositan dentro de un contenedor de desechos a prueba de incendios con una tapadera.

• Tener siempre cerca del área de trabajo un extintor de incendios químico seco (clase B).

• No permitir que pulverizaciones de combustible o vapores de combustible entren en contacto con una bombilla, chispa o llama abierta.

- Usar siempre una segunda llave al aflojar o apretar rácores de conexión de líneas de combustible. Esto evitará esfuerzos innecesarios y la torsión de tubos de combustible. Seguir siempre las especificaciones de apriete correctas.

- Sustituir siempre los empaques tóricos de combustible gastados por otros nuevos. No sustituir por manguera de combustible donde esté instalado un tubo rígido.

PRESIÓN DEL SISTEMA DE COMBUSTIBLE

DESCARGA

Todos los motores de combustible inyectado SFI están equipados con una válvula de descarga de presión localizada en el múltiple de alimentación de combustible. Desmontar la tapa del depósito de combustible y conectar el indicador de presión de combustible T80L-9974-B, o equivalente, a la válvula para descargar la presión del combustible. Asegurarse de vaciar el combustible en un recipiente adecuado y evitar el derrame de gasolina. Si no se dispone de un indicador de presión, desconectar la manguera de vacío del regulador de presión de combustible y luego acoplar una bomba de vacío portátil. Aplicar unas 25 plg Hg (84 kPa) de vacío al regulador para descargar la presión del sistema de combustible dentro del tanque de combustible a través de la manguera de retorno. Observar que este procedimiento descargará la presión de combustible de las líneas, pero no descargará el combustible. Tomar precauciones para evitar el riesgo de incendio y usar trapos limpios para recoger cualquier derrame de combustible al desconectar las líneas.

Un método alternativo de descarga de presión del sistema de combustible implica desconectar el interruptor de inercia.

FILTRO DE COMBUSTIBLE

DESMONTAJE E INSTALACIÓN

Limpiar toda suciedad y/o grasa de los rácores del filtro de combustible. Los rácores de conexión rápida se usan en todos los modelos. Estos rácores deben desconectarse usando el procedimiento correcto pues de lo contrario se dañarán. El filtro de combustible usa un clip de retención de "horquilla". Abrir las dos patas del clip de horquilla como $^1/_8$ plg (3 mm) cada uno para desengancharlo del rácor, luego tirar del clip hacia afuera.

Usar sólo la presión de los dedos, no usar ninguna herramienta. Empujar los rácores de conexión rápida sobre los extremos del filtro. Ford recomienda reemplazar los clips de retención cada vez que se desmontan. Los tubos de combustible usados en estos sistemas de combustible se fabrican en diámetros de $^5/_{16}$ y $^3/_8$ plg. Cada tubo de combustible requiere un tamaño diferente de clip de horquilla, de modo que hay que recordarlo al comprar clips nuevos. Cuando el clip de horquilla se engatilla en su posición correcta se debe oir un clic característico. Tirar de las líneas con presión moderada para asegurarse de su conexión correcta. Poner en marcha el motor y comprobar si hay fugas. Si el interruptor de inercia (interruptor de reposición) se desconectó para descargar la presión del sistema de combustible, ciclar el interruptor de ignición de la posición de apagado (OFF) a encendido (ON) varias veces para recargar el sistema de combustible antes de intentar poner en marcha el motor.

➡ El filtro de combustible tipo depósito en línea durará la vida del vehículo bajo condiciones de conducción normales. Si el filtro requiriera cambiarse, proceder como sigue:

▼ PRECAUCIÓN ▼

Si el filtro de combustible se está revisando con la trasera del vehículo más alta que la delantera, o si el tanque está con presión, se pueden producir pérdidas de combustible o sifoneo de las líneas del tanque. Para evitar este caso, mantener el extremo delantero del vehículo al mismo nivel o superior que el extremo trasero del vehículo. También, descargar la presión del tanque aflojando la tapa de llenado de combustible. La tapa debe apretarse después de haber descargado la presión.

1. Apagar el motor (OFF). Descargar la presión del sistema de combustible como sigue:

   a. Desacoplar el conector eléctrico del interruptor de inercia.

   b. Poner en marcha el motor y dejarlo marchar hasta que se pare. Hacer girar el motor con el motor de arranque durante unos 15-30 segundos más para descargar la presión residual.

2. Elevar y soportar con caballetes el vehículo.

3. Desacoplar las líneas de combustible de ambos extremos del filtro de combustible desenganchando los dos rácores de conexión rápida. Instalar nuevos clips de retención en cada rácor de conexión rápida.

4. Anotar hacia dónde apunta la flecha de dirección de flujo en el filtro viejo.

5. Desmontar el filtro del soporte aflojando la abrazadera de retención lo suficiente para que el filtro pase a su través.

Para instalar:

➡ **La flecha de dirección de flujo debe ser puesta tal como estaba instalada en el soporte para asegurar el flujo correcto de combustible a través del filtro de repuesto.**

6. Instalar el filtro en el soporte, asegurando la dirección de flujo correcta tal como se anotó por la flecha. Apretar la abrazadera a 15-25 plg-lb (0.7-2.5 Nm).

7. Instalar los rácores de conexión rápida en ambos extremos del filtro.

8. Bajar el vehículo.

9. Poner en marcha el motor y comprobar si hay fugas.

BOMBA DE COMBUSTIBLE

DESMONTAJE E INSTALACIÓN

➡ **Para ganar acceso a la bomba de combustible, es necesario desmontar el tanque de combustible.**

1. Descargar la presión del sistema de combustible y desmontar el tanque de combustible del vehículo.

2. Quitar toda suciedad que se haya acumulado alrededor de la brida de unión de la bomba de combustible, para evitar que entre en el tanque durante la revisión.

3. Girar el aro de bloqueo de la bomba de combustible contra el reloj usando una herramienta de desmontaje de aros de bloqueo, luego desmontar el aro de bloqueo.

4. Desmontar el conjunto soporte y bomba de combustible.

5. Desmontar el empaque de sello y desecharlo.

Para instalar:

6. Poner una ligera capa de grasa consistente sobre un nuevo anillo sello para sujetarlo en su sitio durante el montaje. Instalarlo en la ranura del anillo en el tanque de combustible.

7. Insertar el conjunto de la bomba de combustible en el tanque de combustible, luego asegurarla en su sitio con el aro de bloqueo. Apretar el aro hasta asegurarlo.

8. Instalar el tanque en el vehículo.

9. Llenar un mínimo de 10 galones (37.85L) de combustible y comprobar si hay fugas.

10. Instalar un indicador de presión en la válvula del cuerpo del ahogador y girar la llave de ignición a conectado (ON) durante 3 segundos. Girar la llave a apagado (OFF), luego repetir el ciclo de la llave cinco o diez veces hasta que el indicador de presión indique al menos 30 lb/plg^2 (207 kPa).

Volver a inspeccionar sobre fugas.

11. Desmontar el indicador de presión. Poner en marcha el motor y comprobar si hay fugas de combustible.

TREN PROPULSOR

CONJUNTO DE TRANSMISIÓN

DESMONTAJE E INSTALACIÓN

Transmisión manual

1. Desconectar el cable negativo del acumulador.

2. Desmontar el conjunto de la palanca de cambio del cuerpo de control.

3. Cubrir la abertura en el cuerpo de control con un trapo para evitar que caiga suciedad dentro del equipo.

4. Elevar y soportar sobre caballetes el vehículo.

5. En vehículos de 2WD, marcar la alineación del árbol de transmisión con la brida del eje trasero. Colocar una bandeja de vertidos bajo la trasera de la transmisión. Desmontar las sujeciones de la brida del árbol de transmisión al eje trasero y estirar del árbol de transmisión hacia atrás para desacoplarlo de la transmisión.

6. Desconectar la línea hidráulica del embrague en el cuerpo del embrague. Taponar las líneas.

7. Desconectar el velocímetro de la caja de transferencia/extensión de la cubierta.

8. Desacoplar los conectores de cables del motor de arranque, del interruptor de luz de marcha atrás y, si lo lleva, del sensor de neutral.

9. Colocar un bloque de madera sobre un gato de piso y colocar el gato bajo el depósito de aceite del motor.

10. En motores de 4WD, desmontar la caja de transferencia del vehículo.

11. Desmontar el motor de arranque.

12. Colocar el gato de transmisión bajo la transmisión.

13. Desmontar los tornillos y arandelas que sujetan la transmisión al motor.

14. Desmontar las tuercas y tornillos que sujetan el soporte y aislador de la transmisión al travesaño.

15. Desmontar las tuercas y tornillos que unen el travesaño en los largueros laterales del chasis, luego quitar el travesaño.

16. Bajar un poco el gato del motor para formar un ángulo con el conjunto de la transmisión. Desprender el cuerpo del embrague de las clavijas de situación y deslizar el cuerpo del embrague y la transmisión hacia atrás hasta que el eje de entrada salga del disco de embrague.

17. Bajar el gato de transmisión y desmontar la transmisión del vehículo.

Para instalar:

18. Comprobar que las superficies de unión del cuerpo del embrague, trasera del motor y clavijas de situación están libres de rebabas, suciedad y pintura.

19. Colocar la transmisión sobre el gato de transmisión. Situar la transmisión bajo el vehículo, luego elevarla a su posición. Alinear las estrías del eje de entrada con las estrías del disco de embrague e introducir la transmisión hacia adelante sobre las clavijas de situación.

20. Instalar los tornillos y arandelas de sujeción de la transmisión al motor. Apretar los tornillos de sujeción a 30-41 pie-lb (40-55 Nm).

21. Instalar el motor de arranque. Apretar las tuercas de sujeción.

22. Elevar el motor e instalar el travesaño trasero y el soporte. Apretar según las especificaciones siguientes:

– Tornillos de soporte a transmisión - 64-81 pie-lb (87-110 Nm).

– Tornillos de travesaño a bastidor - 63-87 pie-lb (85-118 Nm).

– Tuercas de soporte de transmisión a travesaño - 73-97 pie-lb (98-132 Nm).

23. En vehículos de 4WD, instalar la caja de transferencia.

24. Instalar el (los) árbol(es) de transmisión.

25. Conectar los conectores del motor de arranque, del interruptor de la lámpara de marcha atrás y, si lo lleva, del interruptor sensor de neutral.

26. Conectar la línea del embrague hidráulico y purgar el sistema.

27. Instalar el cable del velocímetro.

28. Comprobar y ajustar el nivel de fluido.

29. Bajar el vehículo.

30. Instalar el conjunto de la palanca de cambio. Instalar la cubierta capuchón y los tornillos.

31. Volver a conectar el cable negativo del acumulador.

32. Comprobar el correcto cambio de las marchas y funcionamiento de la transmisión.

Transmisión automática

1. Desconectar el cable negativo del acumulador.

2. Elevar y soportar sobre caballetes el vehículo.

3. Colocar una bandeja de vertidos bajo el depósito de fuido de la transmisión y vaciar el fluido.

4. Desmontar la cubierta de acceso al convertidor desde el lado derecho inferior del cuerpo del convertidor en el motor 3.0L. Desmontar la cubierta desde la parte inferior del depósito de aceite del motor en los motores 2.3L y 2.5L. Desmontar los tornillos de la cubierta de acceso y el plato adaptador del lado inferior izquierdo del cuerpo del convertidor en todas las demás aplicaciones.

5. Desmontar las tuercas de sujeción del volante al convertidor. Usar una llave de tubo y una palanca sobre el tornillo que sujeta la polea del cigüeñal. Girar la polea en sentido contra reloj, según se ve de frente, para ganar acceso a cada una de las tuercas.

➡ **En motores con los árboles de levas sobre la culata mandados por bandas, no girar nunca la polea en una dirección contraria a las agujas del reloj según se ve desde la delantera.**

6. Desmontar el cable del velocímetro y/o el sensor de velocidad del vehículo de la caja de transferencia (4WD) o de la extensión de la cubierta (2WD).

7. Trazar una marca indicando la coincidencia del (de los) eje(s) de transmisión con la(s) brida(s) del (de los) eje(s). Desmontar el (los) eje(s) de transmisión.

8. En vehículos de 4WD, desmontar la caja de transferencia.

9. Desconectar la varilla o cable de cambio en la palanca de la transmisión manual y soporte de retención.

10. Desconectar el cable de reducción de marchas de la palanca de reducción de marchas. Hundir la lengüeta en la retención y desmontar el cable de cambio obligado del soporte.

11. Desconectar todos los enchufes de cableados de la transmisión.

12. Desmontar los tornillos de montaje del motor de arranque y el cable de tierra. Desmontar el motor de arranque.

13. Si está equipado, desmontar la línea de vacío del modulador de vacío de la transmisión.

14. Desmontar el tubo de llenado de la transmisión.

15. Colocar un gato de transmisión bajo la transmisión y elevarlo ligeramente.

16. Desmontar los tornillos del soporte trasero del motor al travesaño.

17. Desmontar las tuercas y tornillos que sujetan el travesaño al soporte lateral del bastidor. Desmontar el travesaño.

18. Desmontar los tornillos del cuerpo del convertidor al motor.

19. Bajar ligeramente el gato para ganar acceso a las líneas del enfriador de aceite. Desconectar las líneas del enfriador de aceite en la transmisión. Taponar todas las aberturas para que no entre suciedad y contaminación.

20. Mover la transmisión hacia atrás de modo que se desprenda de las clavijas de situación y el convertidor se desacople del volante. Bajar la transmisión del vehículo.

21. Si es necesario, desmontar el convertidor de par de la transmisión.

➡ Si se ha de desmontar la transmisión por un período de tiempo, soportar el motor con un soporte seguro y un bloque de madera.

Para instalar:

22. Instalar el convertidor en la transmisión.

▼ AVISO ▼

Antes de instalar una transmisión automática, comprobar siempre que el convertidor de par está plenamente asentado dentro de la transmisión. Normalmente, el convertidor tiene muescas o espigas en el cubo que deben encajar con la bomba de fluido de la transmisión. Si no están encajadas en la bomba, la transmisión no se acoplará correctamente con el motor, puesto que el convertidor estará impidiéndole entrar. Si los tornillos de la transmisión al motor se aprietan para forzar que la transmisión se acople con el motor, se producirán daños severos a la bomba, convertidor o al cuerpo de fundición de la transmisión.

La instalación correcta del convertidor requiere el acoplo total del cubo del convertidor en el engrane de la bomba. Para cumplir con esto, el convertidor debe empujarse y al mismo tiempo hacerlo girar hasta percibir como 2 muescas o golpes. Cuando está instalado del todo, la rotación del convertidor normalmente resultará en un ruido de chasquidos continuos, causado por la superficie del convertidor al tocar los tornillos del cuerpo a la caja.

Esto no deberá preocuparnos, puesto que es una indicación de la instalación correcta del convertidor ya que cuando el convertidor está acoplado al volante del motor, se puede sacar ligeramente hacia adelante, alejado de las cabezas de los tornillos. Además del sonido de los chasquidos, el convertidor debe girar libremente sin ningún impedimento.

Como referencia, un convertidor instalado correctamente tendrá una distancia desde la cara de la nariz piloto del convertidor hasta la cara exterior del cuerpo del convertidor de $^{13}/_{32}$ - $^{9}/_{16}$ plg (10.5-14.5 mm).

23. Con el convertidor correctamente instalado, colocar la transmisión sobre el gato.

24. Girar el convertidor de modo que los espárragos del propulsor estén alineados con los orificios en el volante.

25. Mover el conjunto de convertidor y transmisión hacia adelante en su posición, teniendo cuidado de no dañar el volante y el piloto del convertidor. El cuerpo del convertidor está pilotado dentro de su posición por las clavijas en la trasera del bloque de cilindros.

➡ Durante este desplazamiento, para evitar daños, no dejar que la transmisión entre en la nariz en una posición baja porque esto haría que el convertidor se moviera hacia adelante y se desacoplara del engrane de la bomba.

26. Instalar los tornillos que sujetan el cuerpo del convertidor en el motor y apretar a 30-41 pie-lb (40-55 Nm). Los 2 tornillos más largos están situados en los agujeros de las clavijas.

27. Desmontar el gato que soporta el motor.

28. El resto del procedimiento de instalación es la inversa del desmontaje. Antes de poner en marcha el motor, añadir tres cuartas de fluido de transmisión (seis cuartas si el convertidor fue vaciado) a través del tubo de la varilla de medición. Dejar que el motor se caliente a su temperatura normal. Aplicar los frenos de servicio y pasar el selector de marchas a través de las marchas. Comprobar el nivel de fluido con la varilla de control, aña-

diendo fluido si es necesario. No llenar en exceso la transmisión.

EMBRAGUE

DESMONTAJE E INSTALACIÓN

▼ PRECAUCIÓN ▼

El disco de embrague puede contener amianto, que ha sido determinado como un agente cancerígeno. ¡No limpiar nunca las superficies del embrague con aire comprimido! ¡Evitar la inhalación de polvo de cualquier superficie de embrague! Cuando se limpian superficies de embrague, usar un fluido de limpieza de frenos disponible en el comercio.

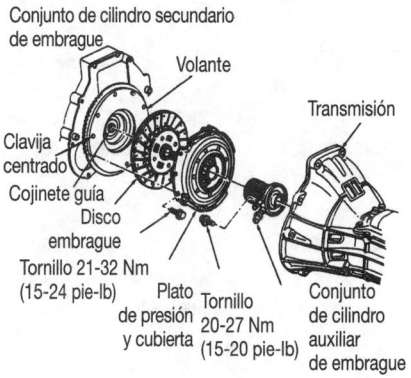

▲ Conjunto de disco de embrague, plato y cojinete de presión para los motores 2.0L, 2.5L, 3.0L y 4.0L; el motor 5.0L es similar

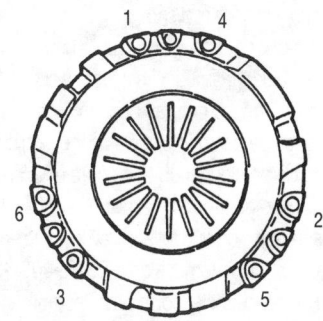

▲ Apretar los tornillos gradualmente en la secuencia correcta para evitar la deformación del plato de presión

1. Desconectar el cable negativo del acumulador.

2. Desconectar el cilindro principal del sistema hidráulico del embrague en el pedal del embrague y desmontarlo.

3. Elevar y soportar con caballetes el vehículo.

4. Desmontar el motor de arranque.

5. Desconectar el acoplamiento hidráulico en la transmisión.

➡ **Limpiar el área alrededor de la manguera y del cilindro secundario para evitar la contaminación del fluido.**

6. Desmontar la transmisión del vehículo.

7. Marcar la posición montada del plato del embrague en relación con el volante, para ayudar al volver a montar.

▼ PRECAUCIÓN ▼

La presión del plato es fuerte. Sujetar el conjunto con seguridad y desmontar el tornillo más alto el último de manera que el conjunto no quiera girarse hacia el lado.

8. Aflojar los tornillos del plato de presión y la cubierta de modo regular hasta que los resortes del plato de presión estén expandidos, y desmontar los tornillos.

9. Desmontar del volante, el conjunto del plato de presión y cubierta y el disco de embrague. Desmontar el cojinete piloto sólo si se sustituye.

Para instalar:

10. Colocar el disco de embrague en el volante de modo que la herramienta Eje de Alineación de Embrague T 74P-7137-K (o equivalente), pueda penetrar en el cojinete piloto del embrague y alinear el disco.

11. Al volver a instalar el conjunto del plato de presión y cubierta, alinear el conjunto y el volante de acuerdo con las marcas hechas durante las operaciones de desmontaje. Colocar el conjunto del plato de presión y cubierta sobre el volante, alinear el plato de presión y el disco, e instalar los tornillos de sujeción que retienen el conjunto en el volante. Apretar los tornillos a 15-25 pie-lb (21-35 Nm) en la secuencia correcta. Desmontar la herramienta piloto del disco de embrague.

12. Instalar la transmisión en el vehículo.

13. Conectar el acoplamiento empujando el acoplamiento macho dentro del cilindro secundario.

14. Conectar la varilla de empuje del cilindro principal del embrague hidráulico al pedal de embrague.

15. Purgar el sistema de embrague hidráulico.

AJUSTE

Debido a que el embrague está mandado hidráulicamente, no existe cable ni varillaje de embrague instalado y, por lo tanto, no son necesarios los ajustes.

En el caso de que el pedal del embrague empiece a producir chirridos o sensación de irregularidades al hundir el pedal, pulverizar el conjunto de cojinetes del pedal con un aceite penetrante adecuado y accionar el pedal repetidas veces.

SISTEMA DEL EMBRAGUE HIDRÁULICO

PURGADO

El procedimiento que sigue se recomienda para la purga del sistema hidráulico del embrague instalado en el vehículo. Se recomienda que el tubo del embrague original, con el rácor de conexión rápida sea sustituido al revisar el sistema hidráulico, porque puede haber quedado atrapado aire en el rácor de conexión rápida y evita el sangrado completo del sistema. La sustitución del tubo no incluye un rácor de conexión rápida.

1. Limpiar la suciedad y grasa del guardapolvo.

2. Desmontar el guardapolvo y diafragma y llenar el depósito hasta arriba con fluido de frenos aprobado C6AZ-19542-AA o BA, (ESA-M6C25-A) o equivalente.

➡ **Para evitar que el fluido de frenos entre en el cuerpo del embrague, encaminar un tubo de caucho adecuado del diámetro interior apropiado desde el tornillo de purga hasta un contenedor.**

3. Aflojar el tornillo de purga, situado en el cuerpo del cilindro secundario, cerca de la conexión de entrada. Ahora el fluido comenzará a bajar por el tubo desde el cilindro principal al cilindro secundario.

➡ **El depósito debe mantenerse lleno hasta arriba durante todo el tiempo de la operación de purgado, para segurar que no entra aire adicional en el sistema.**

4. Observar la salida del tornillo de purga. Cuando el cilindro secundario esté lleno, una corriente compacta de fluido saldrá por la lumbrera de salida. Apretar el tornillo de purga.

5. Hundir el pedal de embrague hasta el piso y mantenerlo 1-2 segundos. Soltar el pedal lo más rápido posible. El pedal debe soltarse completamente. Pausa de 1-2 segundos. Repetir 10 veces.

6. Comprobar el nivel de fluido en el depósito. El fluido debe estar a nivel con el escalón cuando se desmonta el diafragma.

7. Sujetar el pedal en el piso, abrir un poco el tornillo de purga para dejar escapar cualquier aire adicional. Cerrar el tornillo de purga, y luego soltar el pedal.

8. Comprobar el fluido en el depósito. Ahora el sistema hidráulico debe estar totalmente purgado, y debe actuar el embrague.

9. Comprobar el vehículo arrancándolo, pisando el pedal del embrague hasta el piso y seleccionando la marcha atrás. No debe haber chirridos de engranes. Si los hay, y el sistema hidráulico todavía contiene aire, repetir el procedimiento de purga.

CONJUNTO DE CAJA DE TRANSFERENCIA

DESMONTAJE E INSTALACIÓN

▼ PRECAUCIÓN ▼

El convertidor catalítico está situado detrás de la caja de transferencia. Tener cuidado cuando se trabaja alrededor del convertidor catalítico por las temperaturas extremadamente altas que genera el convertidor.

1. Desconectar el cable negativo del acumulador.

2. Elevar y soportar sobre caballetes el vehículo.

3. Si está equipado así, desmontar del bastidor la plancha de deslizamiento.

4. Desmontar el amortiguador de la caja de transferencia, si lo lleva.

5. En los modelos de cambio electrónico, desacoplar el conector de alambres de la trasera de la caja de transferencia. Asegurarse de oprimir las lengüetas de seguridad, y luego separar los conectores.

6. Desconectar el eje propulsor delantero del yugo de entrada del eje.

7. Si lo lleva como equipo, aflojar la abrazadera que sujeta el capuchón del eje propulsor delantero a la caja de transferencia, y sacar el conjunto del eje propulsor y capuchón delantero del eje de salida delantero de la caja de transferencia.

8. Desconectar el eje propulsor trasero del yugo del eje de salida de la caja de transferencia.

9. Si lo lleva como equipo, desconectar el engrane propulsor del velocímetro de la cubierta trasera de la caja de transferencia.

10. Si lo lleva como equipo, desconectar el enchufe eléctrico del Sensor de Velocidad del Vehículo (SVV).

11. Desconectar la manguera de ventilación del soporte de montaje.

12. En los modelos de cambio manual, ejecutar lo siguiente:

a. Desmontar la tuerca de sujeción de la palanca de cambio y desmontar la palanca.

b. Desmontar los tornillos que sujetan el cambio a la extensión de la cubierta. Anotar el tamaño y posición de los tornillos para ayudar en la instalación. Desmontar el conjunto de palanca y cojinete.

13. Si está equipado, desmontar el escudo contra el calor de la caja de transferencia.

14. Soportar la caja de transferencia con un gato de transmisiones.

15. Desmontar los 5 tornillos (6 sobre la caja de transferencia del AWD) que unen la caja de transferencia a la transmisión y la extensión de la cubierta.

16. Deslizar la caja de transferencia hacia atrás sacándola del eje de salida de la transmisión y bajar la caja de transferencia del vehículo. Desmontar el empaque entre la caja y la extensión de la cubierta.

Para instalar:

17. Instalar el escudo contra el calor sobre la caja de transferencia, si lo lleva, y colocar un nuevo empaque entre la caja de transferencia y el adaptador.

18. Elevar la caja de transferencia con un gato de transmisiones adecuado (o equivalente), lo suficiente de modo que el eje de salida de la transmisión se alinee con el eje de entrada estriado de la caja de transferencia.

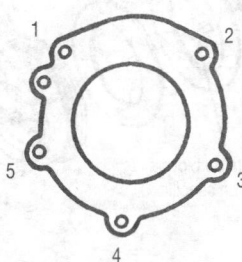

Secuencia de apriete de tornillos de la caja de transferencia a la extensión

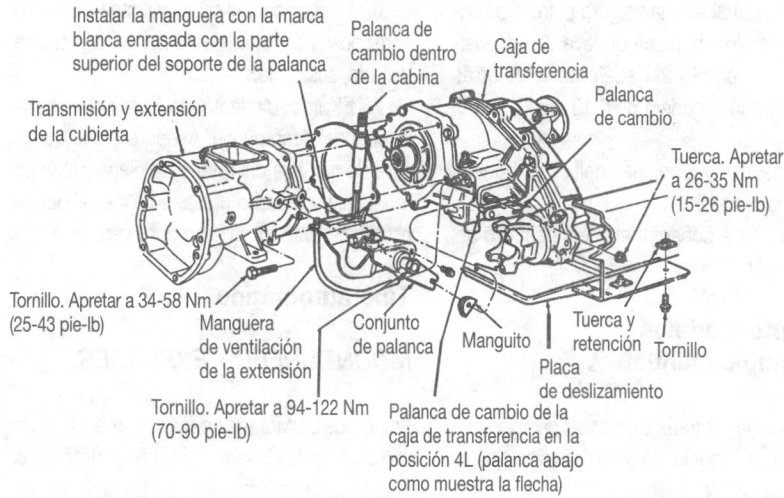

Vista desarmada del montaje de la caja de transferencia con cambio mecánico a la transmisión de los 13-54

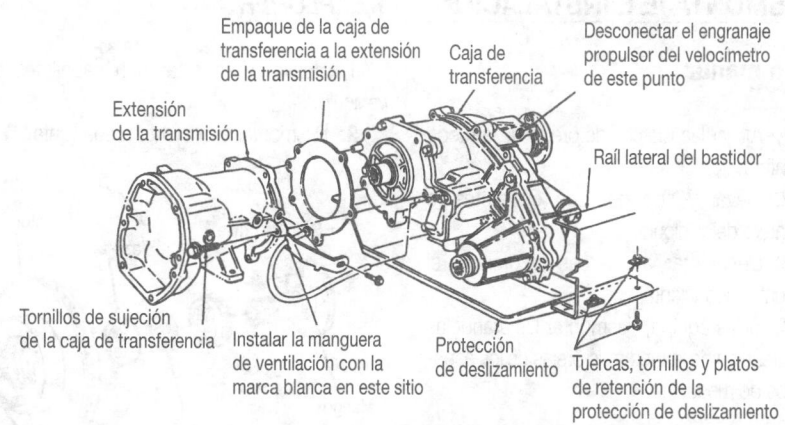

Vista desarmada del montaje de la caja de transferencia con cambio electrónico a la transmisión de los 13-54

19. Deslizar la caja de transferencia hacia adelante sobre el eje de salida de la transmisión y sobre la clavija de posicionado. Instalar los tornillos de sujeción de la caja de transferencia y apretarlos a 25-35 pie-lb (34-47 Nm).

20. El resto del procedimiento de instalación es la inversa del desmontaje. Comprobar el nivel de fluido y, si es necesario, completarlo con fluido de transmisión automática Dexron/Mercon hasta alcanzar el nivel correcto.

AJUSTES

Modelos con cambio manual

El procedimiento que sigue se deberá usar, si se experimenta un acoplamiento parcial o incompleto del trinquete de la palanca de cambio de la caja de transferencia, o si el conjunto de control necesita ser desmontado.

1. Desconectar el cable negativo del acumulador.

2. Levantar el capuchón del cambio para dejar expuesta la superficie superior de las placas de levas.

3. Aflojar el tornillo grande y el pequeño, aproximadamente una vuelta. Mover la palanca de cambio de la caja de transferencia a la posición 4L (palanca abajo).

4. Mover la placa de leva hacia atrás hasta que la esquina achaflanada del fondo del saliente neutral justo contacta con el borde anterior derecho de la palanca de cambio.

5. Sujetar la placa de leva en esta posición y apretar el tornillo mayor primero a 70-90 pie-lb (95-122 Nm) y luego apretar el tornillo menor a 31-42 pie-lb (42-57 Nm).

6. Mover la palanca de cambio de la caja de transferencia en el vehículo, comprobar el acoplamiento positivo en todas las posicio-

nes. Deberá haber una holgura entre la palanca de cambio y la placa de leva en las posiciones de cambio 2H adelante y 4H atrás (la holgura no excederá de 0.13 plg [3.3 mm]) y 4L.

7. Instalar el conjunto del capuchón de caucho del cambio.

8. Volver a conectar el cable negativo del acumulador.

Excepto modelos de cambio manual

Las dos cajas de transferencia del cambio electrónico y del modelo AWD no requieren ajustes de varillaje, ni son posibles.

CUBOS DE CIERRE

DESMONTAJE E INSTALACIÓN

Tipo manual

1. Aflojar las tuercas de orejas de la rueda delantera.

2. Elevar y soportar con caballetes la delantera del vehículo.

3. Desmontar las tuercas de orejas y el conjunto rueda/llanta.

4. Si las equipa, desmontar las arandelas de retención de la tuerca de orejas de los espárragos de rueda.

➡ Unos golpecitos suaves con un martillo de cara blanda pueden ayudar a aflojar el cubo de cierre si parece agarrotado.

5. Desmontar el conjunto de cubo de cierre manual del rotor tirando directo hacia afuera.

6. Inspeccionar el sello de junta tórica en la parte posterior del conjunto del cubo y, si está dañado, sustituirlo.

7. El procedimiento de instalación es la inversa del desmontaje. Asegurarse de que la cara de montaje del rotor está plana y libre de rebabas, suciedad o grasa, en especial donde el sello de junta tórica hace contacto.

Tipo automático

MOUNTAINEER Y EXPLORER

Los modelos Mountaineer y Explorer usan un mecanismo de cierre montado en el diferencial. Este sistema se llama cierre de eje desconectado por vacío.

EXCEPTO MOUNTAINEER Y EXPLORER

1. Elevar y soportar con caballetes el vehículo.

2. Desmontar el conjunto rueda/llanta.

3. Si las equipa, desmontar las arandelas de retención de las tuercas de orejas de los espárragos de la rueda.

➡ Unos golpecitos suaves con un martillo de cara blanda pueden ayudar a aflojar el cubo de cierre si parece agarrotado.

4. Desmontar el conjunto cubierta del cubo de cierre automático del rotor tirando directo hacia afuera.

5. Inspeccionar el sello de junta tórica en la parte posterior del conjunto del cubo y, si está dañado, sustituirlo.

6. Desmontar el arillo seguro del extremo del vástago del eje estriado.

7. Desmontar el (los) espaciador(es) del vástago del eje.

▼ AVISO ▼

No hacer palanca en la leva de cierre o en los espaciadores de empuje en el desmontaje. Hacer palanca puede dañar la leva o los espaciadores.

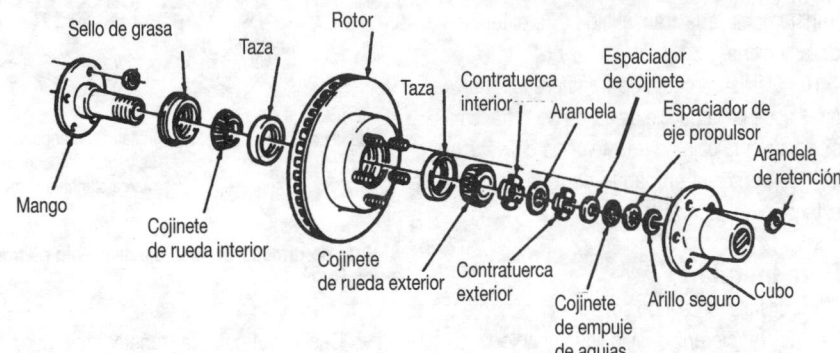

▲ Vista desarmada del conjunto del cubo de cierre manual y los componentes relacionados con él

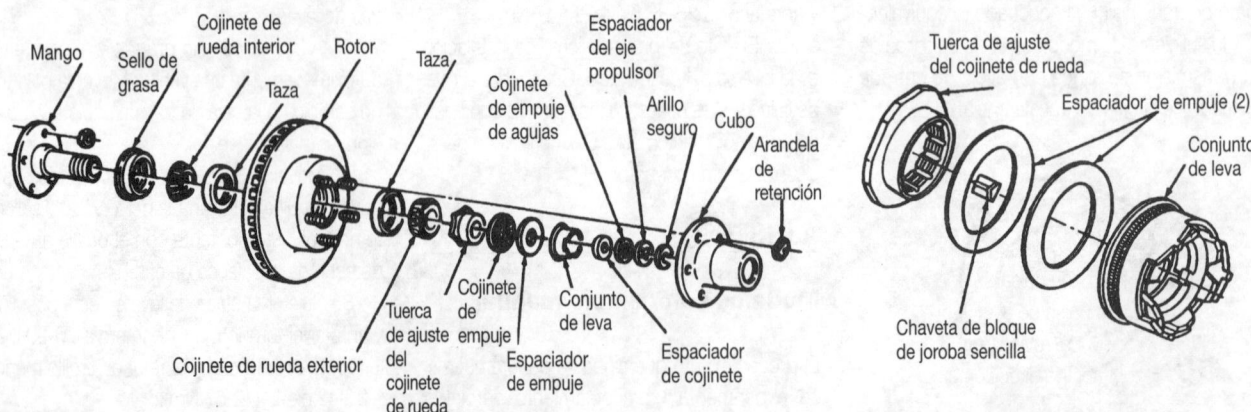

▲ Vista desarmada de los cubos de cierre automático y los componentes relacionados con él – Modelos 4WD excepto los Mountaineer y Explorer

▲ Vista desarmada del conjunto de leva de cierre – 4WD excepto los modelos Mountaineer y Explorer

8. Sacar el conjunto de leva de cierre y los dos espaciadores de empuje (detrás del conjunto de leva) de la tuerca de ajuste del cojinete de rueda.

9. La instalación es la inversa del procedimiento de desmontaje. Asegurarse de instalar primero los dos espaciadores de empuje. También, cuando se empuje o presione la leva de cierre dentro de su posición, asegurarse de que la chaveta en el conjunto de leva está alineada con el chavetero del mango delantero.

▼ AVISO ▼

Se debe tener mucho cuidado cuando se alinean la chaveta de la leva de cierre con el chavetero del mango delantero para evitar daños a la leva fija.

10. Instalar la cubierta del cubo exterior. Asegurar que la cara de montaje del rotor está plana y está libre de rebabas, suciedad o grasa, especialmente donde el sello de junta tórica hace contacto.

DIRECCIÓN Y SUSPENSIÓN

BOLSA DE AIRE (AIR BAG)

▼ PRECAUCIÓN ▼

Algunos modelos cubiertos por este manual pueden estar equipados con un Sistema Restringido Suplementario (SRS), o Sistema de Hinchado Suplementario (SIR) que usan una bolsa de aire (Air Bag). Siempre que se trabaje cerca de componentes de cualquiera de los SRS /SIR, tales como los sensores de impacto, el módulo de la bolsa de aire, la columna de dirección o el panel de instrumentos, dejar fuera de uso el SRS/SIR.

PRECAUCIONES

• Llevar siempre gafas de seguridad cuando se revise un vehículo con bolsa de aire, y cuando se manipule una bolsa de aire.

• No intentar nunca revisar el volante de dirección o la columna de dirección en un vehículo equipado con bolsa de aire sin antes haber desarmado debidamente el sistema de la bolsa de aire. El sistema de la bolsa de aire debe desarmarse correctamente siempre que CUAL-

QUIER procedimiento de revisión en este manual indique que se debe hacer.

• Cuando se transporta un módulo de bolsa de aire activo, asegurarse siempre de que la bolsa y la cubierta preparada están apuntando hacia afuera de nuestro cuerpo. En el indeseado caso de un disparo accidental, se desplegará con las mínimas posibilidades de causar lesiones.

• Cuando se coloca una bolsa de aire activa en un banco de trabajo o sobre otra superficie, encarar siempre la bolsa y la cubierta preparada hacia arriba, fuera de la superficie. Esto reduce el movimiento de la bolsa de aire si se dispara accidentalmente.

• Si se entra en contacto con una bolsa de aire desplegada, sépase que la superficie de la bolsa de aire puede contener depósitos de hidróxido sódico, que es un producto de la combustión del gas y es irritante para la piel. Llevar siempre guantes y gafas de seguridad al manipular una bolsa de aire desplegada, y lavarse las manos con un jabón suave y después agua.

DESARMAR EL SISTEMA

1. Desconectar el cable negativo del acumulador.

2. Esperar un minuto para que el suministro de energía de emergencia en el monitor de diagnosis se descargue.

➡ Si el encendido se ha de girar a conectado (ON) o se ha de poner en marcha el motor, la bolsa de aire se debe desmontar y sustituir por un simulador de bolsa de aire tal como el Rotunda 105-R0011. El suministro de emergencia hace posible que la bolsa de aire se despliegue si el acumulador o los cables del acumulador se dañan en un accidente antes de que se cierren los sensores del choque.

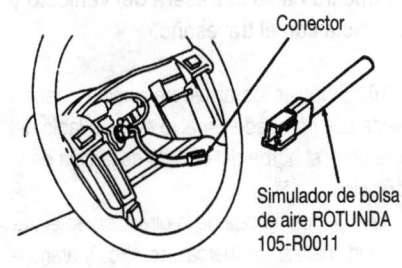

Conector

Simulador de bolsa de aire ROTUNDA 105-R0011

▲ Instalar el simulador de la bolsa de aire en lugar de la bolsa de aire si se ha de girar la llave de ignición a conectado (ON) o poner en marcha el motor

3. Desmontar los conjuntos de tuercas y arandelas que retienen el módulo de la bolsa de aire del conductor en el volante de la dirección.

4. Desacoplar el conector del módulo de la bolsa de aire del conductor y acoplar un simulador de bolsa de aire tal como el Rotunda 105-R0011.

5. Si es necesario, volver a conectar el cable negativo del acumulador.

REACTIVAR EL SISTEMA

1. Si el cable positivo no está conectado, desmontar el simulador de la bolsa de aire e instalar la bolsa de aire, y luego ir a la Etapa 6.

2. Si el cable positivo está conectado, desmontarlo del acumulador.

3. Esperar un minuto para que el suministro de energía de emergencia en el monitor de diagnosis se descargue.

4. Desmontar el simulador de la bolsa de aire del conector de la bolsa de aire.

5. Conectar e instalar el conjunto de la bolsa de aire.

6. Conectar el cable positivo del acumulador. Verificar que la lámpara de la bolsa de aire se enciende durante unos seis segundos cuando el interruptor de ignición se conecta por primera vez (ON).

CAJA DE DIRECCIÓN MANUAL DE CREMALLERA Y PIÑÓN

DESMONTAJE E INSTALACIÓN

1. Girar el volante de la dirección de tope a tope y anotar el número de vueltas del volante de dirección. Dividir ese número por dos para tener el número de vueltas necesario para situar el volante de dirección en posición centrada (directa al frente). Desde una posición de tope, girar el volante de dirección el número de vueltas requerido para centrar la cremallera de dirección.

2. Elevar el vehículo y soportarlo con caballetes, y luego desmontar el tornillo que sujeta el eje intermedio de la columna de la dirección al piñón de la dirección. Separar el eje del piñón.

3. Desmontar y desechar el pasador de retención de la tuerca a los extremos de la barra de acoplamiento. Desmontar la tuerca y luego separar los extremos de la barra de los brazos del mango usando la herramienta de desmontaje T64P-3590-F, o equivalente.

4. Soportar la caja de dirección y desmontar las dos tuercas, tornillos y arandelas de sujeción de la caja al travesaño. Desmontar la caja y, si es necesario, desmontar los aisladores delantero y trasero del cuerpo de la caja.

Para instalar:

5. Instalar los aisladores delantero y trasero en el cuerpo de la caja, si se desmontaron.

6. Colocar la caja de la dirección en el travesaño, y luego instalar las tuercas, tornillos y arandelas. Apretar las tuercas a 65-90 pie-lb (88-122 Nm).

7. Con la caja de la dirección, el volante de la dirección y las ruedas en la posición central, unir los extremos de la barra de acoplamiento a los brazos de mango. Instalar las tuercas y apretarlas a 52-73 pie-lb (70-100 Nm). Si es necesario, adelantar las tuercas almenadas hasta la almena siguiente e instalar nuevas chavetas. No aflojar las tuercas para alinear el agujero de la chaveta.

➡ **Asegurarse de que los espárragos de rótula esféricas de la barra de acoplamiento están asentados en los conos de los mangos para evitar que giren mientras se aprieta la tuerca.**

8. Conectar el eje intermedio de la columna de la dirección con el piñón del mecanismo, y luego instalar el tornillo y apretarlo a 30-42 pie-lb (41-57 Nm).

9. Hacer comprobar la convergencia de las ruedas delanteras y la lineación del extremo delantero por un taller cualificado.

CAJA DE DIRECCIÓN HIDRÁULICA DE CREMALLERA Y PIÑÓN

DESMONTAJE E INSTALACIÓN

Aerostar

MODELOS DE TRACCIÓN TRASERA

1. Girar la llave de ignición a la posición de apagado (OFF).

2. En vehículos equipados con transmisiones automáticas, poner el selector de transmisión en PARK y aplicar el freno de mano.

3. Para vehículos equipados con transmisiones manuales, poner la palanca de cambio de marcha en marcha atrás (Reversa) y aplicar el freno de mano.

4. Elevar y soportar con caballetes la delantera del vehículo.

5. Desmontar las ruedas delanteras.

6. Desmontar el tornillo de sujeción del eje intermedio de la columna de la dirección de la caja de la dirección.

7. Desconectar el eje de la caja de la dirección.

8. Desatornillar los rácores de las líneas de presión y retorno de la dirección en las lumbreras del cuerpo de la válvula de la caja de la dirección de cremallera y piñón.

➡ **No desmontar los rácores de tubos de transferencia derecho e izquierdo.**

9. Taponar los extremos de las líneas de fluido desmontadas de la caja de la dirección y de las lumbreras del cuerpo de la válvula de la caja de la dirección para evitar que entre suciedad.

10. Desmontar y desechar la chaveta que retiene el extremo de la barra de acoplamiento.

11. Desmontar la tuerca de la barra de acoplamiento.

12. Separar del mango los extremos de la barra de acoplamiento de la dirección, usando un extractor de brazos Pitman T64P-3590-F, o equivalente.

13. Soportar la caja de la dirección y desmontar los dos conjuntos de tuercas, tornillos y arandelas que sujetan la caja de la dirección al travesaño del vehículo.

14. Desmontar la caja de la dirección del vehículo. Si es necesario, desmontar los aisladores delantero y trasero del cuerpo de la caja.

Para instalar:

15. Si se desmontó, instalar los aisladores en el cuerpo de la caja de la dirección.

➡ **El extremo mayor del manguito interior se encara hacia la trasera del vehículo y contacta con el travesaño.**

16. Empujar los aisladores hacia adentro hasta que no quede espacio entre el labio del aislador y el borde del cuerpo de la caja de la dirección.

17. Colocar la caja de la dirección en el travesaño. Instalar las tuercas, tornillos y arandelas que sujetan la caja en el travesaño. Apretar las tuercas a 80-105 pie-lb (108-142 Nm).

18. Destapar las líneas de fluido de la dirección hidráulica y el cuerpo de la válvula de la caja de la dirección.

19. Si es necesario, sustituir el sello de TFE en los rácores de conexión rápida de las líneas de presión y retorno de la dirección hidráulica. Instalar un nuevo sello como sigue:

a. Desatornillar la tuerca del tubo, y luego sustituir la arandela sello de plástico.

b. Para facilitar el montaje del nuevo sello de TFE, se puede necesitar un eje cónico para ensanchar la arandela de modo que pueda deslizarse sobre los hilos de rosca de la tuerca tubo. Se recomiendan las herramientas D90P-3517-A2 y D90P-3517-A3 o sus equivalentes.

20. Conectar las líneas de presión y retorno a las lumbreras apropiadas en el cuerpo de la válvula de la caja de la dirección. Apretar los rácores a 20-25 pie-lb (27-34 Nm).

➡ **El diseño de los rácores permite que las mangueras giren cuando están correctamente apretadas. No intentar eliminar la aparente flojedad sobreapretando, puesto que se pueden dañar los rácores.**

21. Con la caja de la dirección, el volante de la dirección y las ruedas delanteras en posición recta al frente, conectar los extremos de la barra de acoplamiento a los brazos de mango. Apretar las tuercas de la barra de acoplamiento a 52-73 pie-lb (70-100 Nm).

➡ **Asegurarse de que los espárragos de rótula esférica de los extremos de la barra de acoplamiento están bien asentados en los agujeros cónicos para evitar su rotación mientras se aprieta la tuerca.**

22. Si es necesario, avanzar las tuercas de la barra de acoplamiento hasta la ranura inmediata, y luego instalar una chaveta nueva.

23. Colocar el eje intermedio inferior de la columna de la dirección sobre las estrías del eje de entrada de la caja de la dirección y el guardapolvo. Sustituir el tornillo de presión y apretarlo a 30-42 pie-lb (41-56 Nm).

➡ **Verificar que no se ha producido ningún giro de la posición recta al frente.**

24. Instalar las ruedas delanteras.

25. Bajar el vehículo.

26. Volver a llenar el depósito de la bomba de la dirección hidráulica con el fluido adecuado.

27. Purgar el aire del sistema de la dirección hidráulica. Verificar la ausencia de cualquier ruido extraño en la dirección hidráulica.

28. Hacer alinear el extremo delantero por un mecánico de automoción cualificado.

29. Asegurase de que el sistema de la dirección hidráulica funciona correctamente y no tiene fugas.

30. Comprobar y ajustar el nivel de fluido en el depósito de la bomba de la dirección hidráulica.

MODELOS DE TRACCIÓN A TODAS LAS RUEDAS

1. Poner en marcha el motor, y luego girar el volante de la dirección de tope a tope (carrera completa del mecanismo) y anotar el número de vueltas. Dividir el número de rotaciones del volante de la dirección por dos para tener el número de vueltas requerido para colocar el volante de la dirección en posición centrada (recta al frente). Desde una de las posiciones de tope, girar el volante de la dirección el número de vueltas requerido para centrar la cremallera de la dirección.

➡ **Verificar que las ruedas delanteras y el volante de la dirección están en la posición recta hacia el frente.**

2. Apagar el motor, y luego desconectar el cable negativo del acumulador.

3. En las transmisiones automáticas, poner el selector de la transmisión en la posición de aparcamiento (PARK) y aplicar el freno de mano.

4. En las transmisiones manuales, poner la palanca del cambio de marchas en la posición de marcha atrás (REVERSE) y aplicar el freno de mano.

5. Desmontar las cubiertas de los cubos delanteros.

6. Desmontar la tuerca y arandela del cubo.

7. Elevar y soportar el vehículo sobre caballetes.

8. Desmontar las ruedas delanteras.

9. Desmontar el tornillo que sujeta el eje intermedio inferior de la columna de la dirección a la caja de la dirección, y luego desconectar el eje del mecanismo.

10. Desconectar las líneas de presión y retorno del cuerpo de la válvula de la caja de la dirección. Taponar las líneas y lumbreras en el cuerpo de la válvula de la caja de la dirección para evitar que entre suciedad en el sistema.

11. Desmontar las dos articulaciones de la dirección.

12. Desmontar los dos brazos de control inferiores.

13. Desmontar las cinco tuercas del borde delantero del conjunto del plato inferior del travesaño.

14. Desmontar la tuerca del borde trasero del lado conductor del conjunto del plato inferior del travesaño.

15. Desmontar los dos tornillos del borde trasero del lado pasajero del conjunto del plato inferior del travesaño.

16. Desmontar el plato inferior.

17. Mientras se soporta la caja de la dirección, desmontar los dos tornillos y espaciadores que sujetan la caja de la dirección al travesaño.

18. Desmontar el mecanismo de piñón y cremallera de la dirección hidráulica del vehículo.

Para instalar:

19. Si se desmontó, instalar los aisladores en el cuerpo de la caja de la dirección.

➡ **El extremo mayor del manguito interior se encara hacia la trasera del vehículo y contacta con el travesaño.**

20. Introducir los aisladores hasta que no quede espacio entre el labio del aislador y el borde del cuerpo de la caja de la dirección.

21. Colocar la caja de la dirección sobre el travesaño. Instalar las tuercas, tornillos y arandelas que sujetan la caja al travesaño. Apretar las tuercas a 61-82 pie-lb (83-111 Nm).

22. Instalar el plato inferior del travesaño insertando los espárragos en el plato a través del borde delantero del travesaño.

23. Instalar los dos tornillos en el centro y lado del pasajero del conjunto del plato inferior del travesaño. Apretar las tuercas a 35-47 pie-lb (47-64 Nm).

24. Instalar la tuerca en el espárrago localizado en el borde trasero lado conductor del conjunto del plato inferior del travesaño. Apretarla a 22-30 pie-lb (30-41 Nm).

25. Instalar las cinco tuercas sobre los espárragos en el borde delantero del conjunto del plato inferior del travesaño. Apretar estas tuercas también a 22-30 pie-lb (30-41 Nm).

26. Instalar los dos brazos de control inferiores delanteros.

27. Instalar ambas articulaciones de la dirección, tal como se ha descrito antes en esta sección.

➡ **Asegurarse de que la caja de la dirección y las ruedas delanteras están en posición recta al frente antes de conectar los extremos de las barras de acoplamiento a las articulaciones de la dirección. Asegurarse de que los espárragos de las rótulas esféricas de los extremos**

de la barra de acoplamiento están bien asentados en los agujeros cónicos de los mangos para evitar que giren mientras se aprietan las tuercas.

28. Destapar las líneas de fluido de la dirección hidráulica y del cuerpo de la válvula de la caja de la dirección.

29. Si es necesario, sustituir los sellos de TFE en los rácores de Conexión Rápida de las líneas de presión y retorno de la dirección hidráulica. Instalar un sello nuevo como sigue:

a. Desatornillar la tuerca del tubo, y luego sustituir la arandela de sello de plástico.

b. Para facilitar el montaje del nuevo sello TFE, se puede necesitar un eje cónico para ensanchar las arandelas de modo que puedan deslizarse sobre las roscas de la tuerca de tubo. Se recomiendan las herramientas D90P-3517-A2 y D90P-3517-A3 o sus equivalentes.

30. Conectar las líneas de presión y retorno en las lumbreras apropiadas del cuerpo de la válvula de la caja de la dirección. Apretar los rácores a 20-25 pie-lb (27-34 Nm).

➡ **El diseño de los rácores permite que las mangueras giren cuando están correctamente apretadas. No intentar eliminar la aparente flojedad sobreapretando, puesto que se pueden dañar los rácores.**

31. Colocar el eje intermedio inferior de la columna de la dirección sobre las estrías y el guardapolvo del eje de entrada de la caja de la dirección. Sustituir el tornillo de presión y apretarlo a 30-42 pie-lb (41-56 Nm).

➡ **Verificar que las ruedas delanteras y el volante de la dirección están en la posición recta hacia el frente.**

32. Instalar las ruedas delanteras.

33. Instalar las tuercas y arandelas de los cubos.

34. Instalar los tapacubos delanteros.

35. Bajar el vehículo.

36. Volver a llenar el depósito de la bomba de la dirección con el fluido apropiado.

37. Purgar el aire del sistema de la dirección hidráulica. Verificar la ausencia de cualquier ruido extraño en la dirección hidráulica.

38. Hacer alinear el extremo delantero por un mecánico de automoción cualificado.

39. Asegurarse de que el sistema de la dirección hidráulica funciona correctamente y no tiene fugas.

40. Comprobar y ajustar el nivel de fluido en el depósito de la bomba de la dirección hidráulica.

Excepto Aerostar

▼ AVISO ▼

Si está equipado, apagar siempre el interruptor de servicio (OFF) del Control de Conducción Automática (ARC) antes de levantar el vehículo del suelo. Dejar de hacerlo dañará a los componentes del sistema ARC.

1. Elevar la delantera del vehículo y soportarla con caballetes, bloquear las ruedas traseras y aplicar el freno de mano.

2. Poner en marcha el motor, luego girar el volante de la dirección de tope a tope y anotar el número de vueltas.

3. Dividir el número de vueltas por dos. Esto dará el número de vueltas para alcanzar el centro verdadero de la dirección. Girar el volante en una dirección hasta el tope total.

4. Girar el volante en la dirección opuesta el número de vueltas igual a la dirección verdadera (número de vueltas de extremo a extremo dividido por dos).

▼ AVISO ▼

No girar el volante de la dirección cuando el eje está desconectado de la caja de la dirección porque se podrán producir daños al resorte de reloj.

5. Desmontar el tornillo que sujeta el eje de la columna inferior de la dirección al eje de entrada de la caja de la dirección y desconectar los dos.

6. Desmontar la barra estabilizadora.

7. Desatornillar los rácores de conexión rápida de las mangueras de presión y retorno de la dirección hidráulica en el cuerpo del mecanismo de la dirección hidráulica.

8. Taponar los extremos de las líneas y rácores en la cremallera para evitar que entre suciedad.

9. Desmontar las dos tuercas que sujetan el enfriador de la dirección hidráulica y desmontar el enfriador.

10. Desmontar los extremos exteriores de la barra de acoplamiento.

11. Desmontar los dos conjuntos de tuercas, tornillos y arandelas que sujetan el cuerpo de la caja de la dirección al travesaño delantero.

Para instalar:

12. Colocar la caja de la dirección en el travesaño delantero e instalar los conjuntos de tuercas, tornillos y arandelas. Apretar a 94-127 pie-lb (128-172 Nm).

13. Instalar el enfriador de la dirección hidráulica y dos tornillos de sujeción.

14. Conectar las líneas de la dirección hidráulica al cuerpo de la caja de la dirección y apretar los rácores a 20-25 pie-lb (27-34 Nm).

15. Instalar los extremos exteriores de la barra de acoplamiento.

16. Asegurarse de que el eje de la dirección o el eje de entrada del mecanismo no han sido girados, y luego conectar los dos.

17. Instalar el tornillo de presión que sujeta el eje intermedio al eje de entrada de la dirección y apretar a 30-42 pie-lb (41-56 Nm).

18. Bajar el vehículo y volver a llenar el depósito de la bomba de la dirección hidráulica.

19. Purgar el aire del sistema de la dirección hidráulica.

20. Asegurarse de que no hay fugas y el fluido se mantiene en el nivel correcto.

21. Hacer una comprobación y ajuste de alineación por un taller de reparación profesional.

CAJA DE DIRECCIÓN MANUAL POR RECIRCULACIÓN DE BOLAS

DESMONTAJE E INSTALACIÓN

1. Elevar y soportar con caballetes el vehículo. Desacoplar la coraza del cople flexible de la coraza del eje de entrada de la caja de la dirección y deslizarla hacia arriba del eje intermedio.

2. Desmontar el tornillo que sujeta el cople flexible en la caja de la dirección.

3. Desmontar la coraza del eje de entrada de la caja de la dirección.

4. Desmontar la tuerca y arandela que aseguran el brazo Pitman al eje del sector. Desmontar el brazo Pitman usando una herramienta Extractora de Brazos Pitman T64P-3590-F o equivalente. No golpear con un martillo el extremo del extractor ya que esto podría dañar la caja de la dirección.

5. Desmontar los tornillos y arandelas que unen la caja de la dirección al raíl lateral. Desmontar la caja.

Para instalar:

6. Girar el eje de entrada de la caja (eje roscado) de tope a tope, contando el número de

vueltas total. Luego volver atrás exactamente la mitad del camino, colocando la caja en el centro.

7. Deslizar la protección del eje de entrada de la caja de la dirección sobre el eje de entrada de la caja de la dirección.

8. Colocar el cople flexible sobre el eje de entrada de la caja de la dirección. Asegurarse de que el plano del eje de entrada de la caja mira hacia arriba y está alineado con el plano del cople flexible. Instalar la caja de la dirección en el raíl lateral con tornillos y arandelas. Apretar los tornillos a 66 pie-lb (89 Nm).

9. Colocar el brazo Pitman sobre el eje del sector e instalar la arandela y tuerca de unión. Alinear los 2 dientes bloqueados en el brazo Pitman con 4 dientes perdidos en el eje del sector de la caja de la dirección. Apretar la tuerca a 170-228 pie-lb (230-310 Nm).

10. Instalar el tornillo que une el cople flexible al eje de entrada de la caja de la dirección y apretar a 50-62 pie-lb (68-84 Nm).

11. Encajar la coraza del cople flexible en la coraza de la entrada de la caja de la dirección.

12. Comprobar el sistema para asegurar igual número de vueltas desde el centro a cada posición de tope.

CAJA DE DIRECCIÓN HIDRÁULICA POR RECIRCULACIÓN DE BOLAS

DESMONTAJE E INSTALACIÓN

1. Desconectar las líneas de presión y retorno de la caja de la dirección. Taponar las líneas y lumbreras en la caja para evitar que entre suciedad.

2. Desmontar del cople flexible las corazas superior e inferior de la junta en U (universal) del eje de la caja de la dirección. Desmontar los tornillos que aseguran el cople flexible a la caja de la dirección y al conjunto del eje columna de dirección.

3. Elevar el vehículo y desmontar la tuerca y arandela que sujetan el brazo Pitman.

4. Desmontar el brazo Pitman del eje del sector usando una herramienta T64P-3590-F. Desmontar la herramienta del brazo Pitman. No dañar los sellos de aceite.

5. Soportar la caja de la dirección, y desmontar los tornillos que sujetan la caja de la dirección.

6. Soltar la caja de la dirección del cople flexible. Desmontar la caja de la dirección del vehículo.

Para instalar:

7. Instalar la coraza inferior de la junta en U sobre las orejas de la caja de la dirección. Deslizar la coraza superior de la junta en U en su sitio sobre el conjunto del eje de la dirección.

8. Deslizar el cople flexible en su sitio sobre el conjunto del eje de la dirección. Girar el volante de la dirección de modo que los radios estén en posición horizontal. Centrar el eje de entrada de la caja de la dirección.

9. Deslizar el eje de entrada de la caja de la dirección dentro del cople flexible y en su sitio en el raíl lateral del bastidor. Instalar los tornillos de sujeción y apretar a 50-62 pie-lb (68-84 Nm). Apretar el tornillo del cople flexible a 30-40 pie-lb (41-54 Nm).

10. Asegurarse de que las ruedas están en posición recta hacia el frente, y luego instalar el brazo Pitman sobre el eje del sector. Instalar la tuerca y arandela de sujeción del brazo Pitman. Apretar la tuerca a 170-228 pie-lb (230-310 Nm).

11. Conectar y apretar las líneas de presión y retorno de la caja de la dirección.

12. Desconectar la bobina de ignición. Llenar el depósito. Girar el interruptor del encendido a ON y girar el volante de la dirección de izquierda a derecha para distribuir el fluido.

13. Volver a comprobar el nivel de fluido y añadir fluido, si es necesario. Conectar la bobina del encendido, poner en marcha el motor y girar el volante de la dirección de tope a tope. Inspeccionar si hay fugas.

AMORTIGUADORES

DESMONTAJE E INSTALACIÓN

➡ Los amortiguadores de gas de baja presión están cargados con el gas inerte nitrógeno. No intentar abrirlos, pincharlos o aplicarles calor. Antes de instalar un nuevo amortiguador, sujetarlo verticalmente y estirarlo del todo. Invertirlo y comprimirlo y estirarlo del todo al menos 3 veces. Esto habrá purgado el aire atrapado.

Modelos Mountaineer, Explorer, Ranger 1998-99 y Serie B

1. Elevar la delantera del vehículo y colocar caballetes bajo los brazos de control inferior. Asegurarse de que las tuercas de la sujeción inferior del amortiguador no queden obstruidas por los caballetes.

2. Desmontar el conjunto de tuerca, arandela y aislador de la sujeción superior del amortiguador al bastidor.

3. Desmontar las dos tuercas de sujeción del amortiguador al brazo de control inferior.

4. Comprimir ligeramente a mano el amortiguador y desmontarlo del vehículo.

Para instalar:

5. Colocar la arandela y el aislador inferior en la barra del amortiguador y colocar el amortiguador en el soporte de montaje superior del bastidor.

6. Colocar el aislador y la arandela superior en la barra del amortiguador e instalar floja la tuerca de sujeción.

7. Colocar los espárragos del montaje inferior del amortiguador en el brazo de control e instalar floja la tuerca de sujeción.

8. Apretar las tuercas de la sujeción inferior del amortiguador a 15-21 pie-lb (21-29 Nm), y los tornillos de la sujeción superior del amortiguador a 30-40 pie-lb (40-55 Nm).

Modelos Ranger 1995-97 y Serie B

1. Elevar el vehículo, lo necesario para proveer de acceso adicional y desmontar la tuerca que sujeta el amortiguador al espárrago de montaje inferior en el brazo radial.

2. Deslizar el extremo inferior del amortiguador fuera del espárrago.

3. Desmontar la tuerca, arandela y aislador del montaje superior del amortiguador en el soporte del bastidor y desmontar el amortiguador.

➡ Puede hacer falta una segunda llave de tuercas para sujetar el amortiguador de modo que no gire mientras se desmonta la tuerca de sujeción superior.

Para instalar:

4. Colocar la arandela y el aislador en la barra del amortiguador y colocar el amortiguador en el montaje superior del soporte del bastidor.

5. Colocar el aislador y la arandela en el espárrago en la barra del amortiguador e instalar floja la tuerca de sujeción.

6. Colocar el amortiguador en el espárrago de montaje inferior e instalar floja la tuerca de sujeción.

7. Apretar los tornillos de la sujeción inferior del amortiguador a 39-53 pie-lb (53-72 Nm), los tornillos de la sujeción superior del amortiguador a 25-34 pie-lb (34-46 Nm).

RESORTES ESPIRALES

DESMONTAJE E INSTALACIÓN

Aerostar

DELANTEROS

1. Colocar el volante de la dirección y ruedas delanteras en posición centrada (todo derecho).

➡ Siempre que se desconecte el varillaje de la dirección, el sistema de dirección debe ser centrado antes de empezar cualquier trabajo.

2. Elevar el vehículo y soportarlo con caballetes debajo del bastidor en las almohadillas de apoyo de los gatos.

3. Desmontar el conjunto de llanta y rueda.

4. Desconectar el tornillo de acoplamiento de la barra estabilizadora del brazo de control inferior.

5. Desmontar los dos tornillos que sujetan el amortiguador al conjunto del brazo inferior.

6. Desmontar la tuerca y arandela superiores que retienen el amortiguador y desmontar el amortiguador del vehículo.

7. Usando la herramienta compresora de resortes D78P-5310-A o equivalente, instalar un plato con el asiento del pivote de la rótula esférica cara abajo dentro de las espiras del resorte. Girar el plato de modo que enrase con la superficie superior del brazo inferior.

8. Instalar el otro plato con el asiento del pivote de la rótula esférica cara arriba dentro de las espiras del resorte, de modo que la tuerca descanse en el plato superior.

9. Insertar la barra de compresión dentro de la abertura en el brazo inferior, a través de los platos superior e inferior y tuerca de rótula superior. Insertar la chaveta de seguridad a través de la tuerca de la rótula superior y de la barra de compresión. Esta chaveta sólo se puede insertar en una dirección dentro de la tuerca de la rótula superior debido al diseño escalonado del agujero.

10. Con la tuerca de la rótula superior asegurada, girar el plato superior de modo que trepe hacia arriba de las espiras hasta que contacte con el asiento superior del resorte, y entonces retrocederlo $1/2$ vuelta.

11. Instalar la tuerca y arandela de empuje de la rótula inferior sobre la barra de compre-

sión, y luego enroscar la tuerca de forzamiento. Apretar la tuerca de forzamiento hasta que el resorte esté comprimido lo suficiente para que esté libre en sus asientos.

12. Aflojar los dos tornillos del pivote del brazo inferior. Desmontar la chaveta y aflojar, pero no desmontar la tuerca que sujeta la unión de la rótula inferior al mango de rueda. Usando un extractor de brazos Pitman T64P-3590-F o equivalente, aflojar la rótula inferior.

13. Desmontar el extractor.

14. Soportar el brazo de control inferior con un gato hidráulico, y luego desmontar la tuerca de la rótula. Bajar despacio el brazo de control y desmontar el resorte espiral.

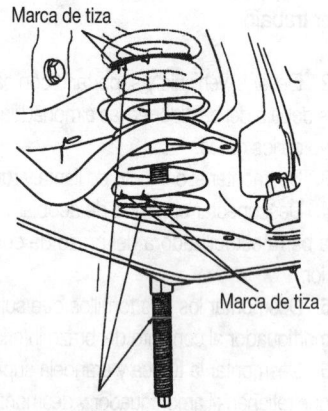

Marca de tiza

Marca de tiza

Herramienta compresora de resortes en posición mostrando sobre el resorte las marcas donde los platos están localizados

▲ **Marcar la posición del compresor de resortes sobre el resorte, de modo que el nuevo resorte se pueda montar en la misma posición – Se muestra el resorte espiral delantero del Aerostar**

▼ PRECAUCIÓN ▼

Manejar con cuidado el resorte espiral. Un resorte espiral comprimido tiene almacenada suficiente energía como para ser peligroso si se suelta repentinamente. Si se está sustituyendo el resorte, montarlo asegurado en un tornillo de banco y aflojar lentamente el compresor.

15. Si se está sustituyendo el resorte espiral, medir la longitud comprimida del resorte viejo y marcar con tiza la posición de los platos del compresor en el resorte viejo. Desmontar con cuidado el compresor de resortes del resorte viejo.

Para instalar:

16. Instalar el compresor de resortes sobre el resorte nuevo, colocando los platos del compre-

sor en la misma posición marcada en el resorte viejo. Asegurarse de que la chaveta de seguridad de la tuerca de la rótula superior está instalada correctamente, y luego comprimir el resorte nuevo a la longitud comprimida del resorte viejo.

17. Colocar el conjunto del resorte espiral en el brazo de control inferior.

18. Colocar un gato hidráulico bajo el brazo de control inferior y elevarlo lentamente dentro de su posición. Volver a conectar la rótula e instalar la tuerca. Apretar al tuerca almenada de la rótula a 80-120 pie-lb (108-163 Nm) e instalar una chaveta nueva. La tuerca puede ser apretada ligeramente para alinear el agujero de la chaveta, pero no puede ser aflojada.

19. Liberar lentamente el compresor del resorte y desmontarlo del resorte espiral.

20. Volver a conectar el acoplamiento central de la dirección al brazo Pitman.

21. Instalar el amortiguador.

22. Volver a conectar el tornillo del acoplamiento de la barra estabilizadora en el brazo de control inferior. Apretar las tuercas a 9-12 pie-lb (12-16 Nm).

23. Instalar el conjunto rueda y llanta.

➡ **Los tornillos del buje del brazo de cotrol se deben apretar mientras el vehículo está a la altura de manejo y conducción normal.**

24. Bajar el vehículo al piso y apretar los dos tornillos del brazo de control inferior al bastidor a 100-140 pie-lb (136-190 Nm).

➡ **Aunque este procedimiento no debe alterar los ajustes de la alineación, si alguna vez el extremo delantero es desarmado para revisión, se debe comprobar la alineación.**

TRASEROS

1. Elevar el vehículo y soportarlo con caballetes colocados debajo de los puntos de elevación traseros del bastidor o bajo los soportes de apoyo del parachoques trasero.

2. Desmontar el conjunto del eje trasero colocando un gato de piso hidráulico bajo el cuerpo del diferencial.

3. Desmontar la tuerca y tornillo que retienen el amortiguador en el montaje del eje sobre el brazo de control inferior. Desconectar el amortiguador del soporte del eje.

4. Bajar con cuidado el eje trasero hasta que los resortes espirales no estén comprimidos.

5. Desmontar la tuerca que asegura la retención inferior y el resorte en el brazo de control.

6. Desmontar el tornillo que asegura la retención superior y el resorte al bastidor.

7. Desmontar el resorte y las retenciones, y luego desmontar los aisladores superior e inferior.

Para instalar:

8. Antes de instalar el resorte, primero asegurarse de que el eje está en la posición más baja (resorte descargado). Colocar el aislador inferior en el brazo de control y el aislador superior encima del resorte.

9. Instalar el resorte espiral en su posición entre el brazo de control y el bastidor del vehículo. El diámetro menor y las espiras cónicas (de color blanco) deben encararse hacia arriba.

10. Instalar la retención superior y del tornillo y apretar el tornillo a 30-40 pie-lb (40-55 Nm).

11. Instalar la retención y la tuerca inferior, y apretar la tuerca a 41-65 pie-lb (55-88 Nm).

12. Elevar el eje hasta la posición normal de manejo con el gato hidráulico de piso.

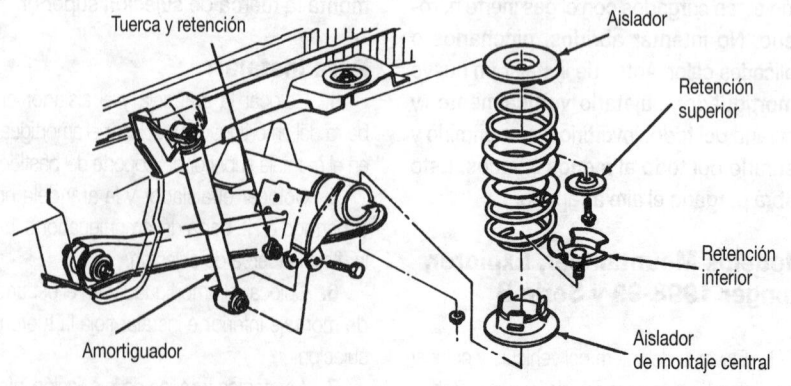

Tuerca y retención

Aislador

Retención superior

Retención inferior

Aislador de montaje central

Amortiguador

▲ **Vista desarmada del conjunto de resorte trasero – Aerostar**

13. Colocar el amortiguador en el soporte del eje, y luego instalar el tornillo de modo que la cabeza quede situada fuera del soporte. Instalar la tuerca y apretarla a 41-65 pie-lb (55-88 Nm).

14. Desmontar los caballetes y bajar el vehículo.

Modelos Ranger 1995-97 y Serie B

VEHÍCULOS CON TRANSMISIÓN SOBRE 2 RUEDAS

1. Elevar la delantera del vehículo y soportarla sobre caballetes bajo el bastidor y un gato bajo el eje.

▼ AVISO ▼

No se debe permitir que el eje cuelgue de la manguera del freno. Si la longitud de las mangueras del freno no es suficiente para facilitar el espacio adecuado para el desmontaje y la instalación del resorte, se debe desmontar del mango de rueda la mordaza del freno de disco. Puede usarse un Compresor de Resorte de Poste T81P- 5310-A o equivalente, para comprimir el resorte lo suficiente, de modo que no se tenga que desmontar la mordaza. Después del desmontaje, la mordaza debe colocarse sobre el bastidor o soportarla de otra manera para evitar que cuelgue de la manguera del freno. ¡Estas precauciones son totalmente necesarias para evitar serios daños a la porción de tubo de la manguera de freno!

2. Desconectar el amortiguador del espárrago inferior del amortiguador. Desmontar la tuerca que asegura la retención inferior en el asiento del resorte. Desmontar la retención inferior.

3. Bajar el eje tanto como se pueda, sin estirar el conjunto de la manguera del freno y el tubo. Ahora el eje debe estar no soportado, sin colgar de la manguera de freno. Si no es así, entonces, o bien desmontar la mordaza o bien usar la herramienta Compresor de Resorte de Poste, T81P-5310-A, o equivalente. Desmontar el resorte.

4. Si hay mucha holgura en el conjunto de la manguera de freno, se puede usar una palanca para levantar el resorte sobre el tornillo que pasa a través del asiento inferior del resorte.

5. Girar el resorte de modo que la retención integrada sobre el asiento superior del resorte está salvada.

6. Desmontar el resorte del vehículo.

Para instalar:

7. Si se desmontó, instalar el tornillo en el brazo del eje e instalar la tuerca roscada hasta abajo. Instalar el asiento y el aislador inferior del resorte.

8. Con el eje en la posición más baja, instalar la parte superior del resorte en el asiento superior. Girar el resorte dentro de su posición.

9. Subir el extremo inferior del resorte sobre el tornillo.

10. Elevar el eje despacio hasta que el resorte esté asentado en el asiento inferior del resorte. Instalar la retención y tuerca inferior.

11. Conectar el amortiguador al espárrago inferior del amortiguador.

12. Desmontar el gato y los caballetes y bajar el vehículo.

VEHÍCULOS CON TRANSMISIÓN SOBRE LAS 4 RUEDAS

1. Elevar el vehículo e instalar caballetes bajo el bastidor. Colocar un gato debajo del resorte bajo el eje. Elevar el gato y comprimir el resorte.

2. Desmontar la tuerca que retiene el amortiguador en el brazo radial. Deslizar el amortiguador fuera del espárrago.

3. Desmontar la tuerca que retiene el resorte en el eje y en el brazo radial. Desmontar la retención.

4. Bajar despacio el eje hasta que se libere toda la tensión del resorte y exista un espacio adecuado para desmontar el resorte de sus montajes.

5. Desmontar el resorte girando la espira superior fuera de las lengüetas en el asiento superior del resorte. Desmontar el espaciador y el asiento.

▼ AVISO ▼

El eje debe ser soportado sobre el gato desde el principio hasta el final del desmontaje e instalación del resorte, y no se debe permitir que cuelgue de la manguera del freno. Si la longitud de las mangueras del freno no es suficiente para facilitar el espacio adecuado para el desmontaje y la instalación del resorte, se debe desmontar del mango de rueda la mordaza del freno de disco. Después del desmontaje, la mordaza debe colocarse sobre el bastidor o soportada de otra manera para evi-

tar que cuelgue de la manguera del freno. ¡Estas precauciones son totalmente necesarias para evitar serios daños a la porción de tubo del conjunto de la manguera de la mordaza!**

6. Si es necesario, desmontar el espárrago del conjunto del eje.

Para instalar:

7. Si se desmontó, instalar el espárrago en el eje y apretarlo a 190-230 pie-lb (258-313 Nm). Instalar el asiento inferior y el espaciador sobre el espárrago.

8. Colocar el resorte en su posición y elevar despacio el eje delantero. Asegurarse de que los resortes están colocados correctamente en los asientos de resorte superiores.

9. Colocar la retención inferior del resorte sobre el espárrago y bajar el asiento y apretar la tuerca de unión a 70-100 pie-lb (95-136 Nm).

10. Colocar el amortiguador sobre el espárrago inferior e instalar la tuerca de unión. Apretar la tuerca a 41-63 pie-lb (56-85 Nm). Bajar el vehículo.

RÓTULA SUPERIOR

DESMONTAJE E INSTALACIÓN

Aerostar

➡ Ford Motor Company recomienda sustituir el brazo de control superior y la rótula esférica como un conjunto, en lugar de sustituir sólo la rótula. Sin embargo, hay disponibles rótulas de posventa. El procediemiento que sigue es para la sustitución de rótulas solas.

1. Elevar la camioneta y soportarla con caballetes colocados bajo las almohadillas de elevación del bastidor. Dejar que la suspensión delantera cuelgue sin soportar.

2. Desmontar las ruedas delanteras.

3. Colocar un gato de piso hidráulico bajo el brazo de control inferior y elevar el gato hasta que justo contacte con el brazo.

4. Taladrar un agujero de $1/8$ plg (3 mm) atravesando completamente cada remache de sujeción de la rótula.

5. Usar un cincel para cortar la cabeza de cada remache, y luego sacarlos del brazo de control superior con un punzón romo o botador pequeño.

6. Elevar el brazo de control inferior unas 6 pulgadas (15 cm) con el gato hidráulico.

7. Desmontar la tuerca abrazadera y el tornillo que sujetan el espárrago de rótula del mango de rueda.

8. Usando una herramienta adecuada, aflojar el espárrago de rótula del mango, y luego desmontar la rótula del brazo superior.

Para instalar:

9. Limpiar todas las rebabas de metal del brazo superior e instalar una nueva rótula, usando las tuercas y tornillos de la pieza de repuesto para unir la rótula al brazo superior. No intente remachar otra vez la rótula una vez ha sido desmontada.

10. Unir el espárrago de la rótula al mango de rueda, y luego instalar el tornillo y tuerca abrazadera y apretar a 27-37 pie-lb (36-50 Nm).

11. Instalar los conjuntos de llantas y ruedas.

12. Desmontar el gato hidráulico y bajar la camioneta. Hacer comprobar la alineación del extremo delantero.

Modelos Ranger de 1995-97 y Serie B

➡ Las rótulas están dispuestas de modo que si se ha de desmontar la rótula superior, se ha de desmontar primero la rótula inferior. Y viceversa, la rótula superior se ha de instalar primero, antes que la rótula inferior. Dejar de instalar la rótula superior antes que la inferior, será causa de una carencia de espacio para la herramienta de instalación.

1. Desmontar la articulación de la dirección.

2. Colocar la articulación en un tornillo de banco y desmontar el arillo seguro del fondo del zócalo de la rótula, si lo lleva como equipo.

3. Montar el bastidor-C, T74P-4635-C, tornillo de forzamiento, D79T-3010-AE y el desmontador de rótulas T83T-3050-A (o equivalente) sobre la rótula interior.

4. Girar el tornillo de forzamiento como el reloj, hasta que la rótula inferior, sea desmontada de la articulación de la dirección.

5. Repetir las etapas 2-4 para la rótula superior.

➡ Desmontar siempre primero la rótula inferior.

Para instalar:

6. Limpiar el agujero de la articulación de la dirección e insertar la rótula inferior en la articulación tan recta como sea posible. La rótula inferior no tiene un agujero de chaveta en el espárrago.

7. Montar el bastidor-C, T74P-4635-C, tornillo de forzamiento, D79T-3010-AE, instalador de rótulas T83T-3050-A y la copa receptora T80T-3010-A3 (o herramientas equivalentes), para instalar la rótula superior.

8. Girar el tornillo de forzamiento en sentido contrario al reloj, hasta que la rótula esté asentada con firmeza.

➡ Si la rótula no se puede instalar a la profundidad correcta, será necesaria una realineación de la copa receptora y el instalador de rótulas.

9. Repetir las etapas 6-8 para la rótula inferior. Instalar el arillo seguro sobre la rótula inferior.

10. Instalar la articulación de la dirección.

Modelos Mountaineer, Explorer, Ranger 1998-99 y Serie B

Las rótulas en el Mountaineer y el Explorer son integrales con el brazo de control. Si la rótula es defectuosa, se debe sustituir el brazo de control completo.

RÓTULA INFERIOR

DESMONTAJE E INSTALACIÓN

Aerostar

➡ El constructor recomienda que el brazo de control inferior y la rótula sean sustituidos como un conjunto.

La rótula inferior está introducida a presión dentro del brazo de control interior. Aunque Ford recomienda sustituir juntos la rótula y el brazo inferior, la rótula vieja también puede sacarse a presión e introducir la nueva a presión. Consultar los procedimientos de desmontaje del brazo de control inferior para desmontar el brazo de control inferior. Una vez desmontado el brazo de control inferior, la rótula puede sacarse a presión.

Modelos Ranger 1995-97 y Serie B

Consultar el procedimiento para la rótula superior descrito anteriormente en esta sección.

Modelos Mountaineer, Explorer, Ranger 1998-99 y Serie B

Las rótulas en el Mountaineer y el Explorer son integrales con el brazo de control. Si la rótula es defectuosa, se debe sustituir el brazo de control completo.

COJINETES DE RUEDA

AJUSTE

Explorer, Mountaineer y Aerostar AWD

Los cojinetes de rueda en el Explorer, Mountaineer y el Aerostar de tracción a todas las ruedas, no son ajustables. Si se vuelven flojos o hacen ruido, se deben sustituir.

Modelos Ranger, Serie B y Aerostar 2WD

VEHÍCULOS DE TRACCIÓN A 2 RUEDAS

1. Elevar y soportar el vehículo con caballetes. Desmontar la cubierta de la rueda. Desmontar la tapa de grasa del cubo.

2. Limpiar el exceso de grasa del extremo del mango de rueda. Desmontar la chaveta y retención. Desechar la chaveta.

3. Aflojar la tuerca de ajuste 3 vueltas.

▼ AVISO ▼

Obtener holgura de movimiento entre la superficie del rotor del freno de disco y los forros de zapatas mediante sacudidas del conjunto completo de la rueda adentro y afuera varias veces con el objeto de empujar las mordazas y balatas de freno fuera del rotor. Un método alternativo para obtener la holgura

Desmontaje de la rótula inferior

▲ Presionar la rótula fuera de la articulación de la dirección usando herramientas especiales – Se muestra el Ranger 2WD

Taza receptora

Conjunto bastidor en "C"

de movimiento correcta es golpear suavemente sobre el cuerpo de la mordaza. Asegurarse de no golpear otra área que pueda dañar el rotor del freno de disco o las superficies del forro del freno. No apalancar sobre el pistón fenólico de la mordaza. La holgura de movimiento debe mantenerse desde el principio hasta el final del procedimiento de ajuste. Si no se puede mantener la holgura de movimiento correcta, se debe desmontar la mordaza de sus montajes.

4. Mientras gira el conjunto de la rueda, apretar la tuerca de ajuste a 17-25 pie-lb (23-34 Nm) para asentar los cojinetes. Aflojar la tuerca de ajuste una media vuelta. Volver a apretar la tuerca a 18-20 pie-lb (25-29 Nm).

5. Colocar la retención sobre la tuerca de ajuste. Las almenas en la retención deben estar alineadas con los agujeros de la chaveta en el mango de rueda. Una vez conseguido esto, instalar una nueva chaveta y doblar los extremos para asegurarse de que están bloqueados en su sitio.

6. Comprobar que la rueda gira correctamente. Si va bien, instalar la tapa de grasa y la cubierta de la rueda. Si la rotación es ruidosa o áspera, volver a comprobar el trabajo hecho y corregir lo necesario.

7. Bajar el vehículo y apretar las tuercas de orejas a 100 pie-lb (136 Nm) si se desmontó la rueda. Antes de conducir el vehículo, bombear el pedal de freno varias veces para restablecer el recorrido normal del pedal de freno.

▼ PRECAUCIÓN ▼

Si se desmontó la rueda, volver a apretar las tuercas de orejas a lo especificado después de unas 500 millas (804 km) de conducción. Dejar de hacer esto puede llevarnos a que se desprenda una

rueda con el vehículo en movimiento causando la pérdida del control o la colisión del vehículo.

CUBOS MANUALES CON TRACCIÓN A LAS 4 RUEDAS

1. Elevar y soportar el vehículo con caballetes.

2. Desmontar el conjunto de rueda y llanta.

3. Desmontar las arandelas de retención de los espárragos de las tuercas de orejas y desmontar del mango, el conjunto del cubo de bloqueo manual.

4. Desmontar el arillo seguro y el espaciador del extremo del eje del mango.

5. Desmontar la contratuerca de cojinete exterior de rueda del mango usando una llave de tuercas para mango de ruedas de 4 uñas, herramienta T86T-1197-A o equivalente. Asegurarse de que las uñas de la herramienta encajan en las ranuras en la contratuerca.

6. Desmontar la arandela de la contratuerca del mango.

7. Aflojar la contratuerca de cojinete de rueda interior usando una llave de tuercas de mango de 4 uñas, herramienta T86T-1197-A o equivalente. Asegurarse de que las uñas de la herramienta encajan en las ranuras de la contratuerca y que la ranura de la herramienta está sobre la chaveta de la contratuerca.

8. Apretar la contratuerca interior a 35 pie-lb (47 Nm) para sentar los cojinetes.

9. Hacer girar el rotor y aflojar la contratuerca interior $1/4$ de vuelta. Instalar la arandela de seguridad en el mango. Volver a apretar la contratuerca interior a 16 plg-lb (1.8 Nm). Puede ser necesario girar un poco más la contratuerca interior para que la chaveta en la contratuerca se alinee con el agujero más próximo en la arandela de seguridad.

10. Instalar la contratuerca de cojinete de rueda exterior usando la llave de tuercas de mango con 4 uñas, herramienta T86T-1197-A o equivalente. Apretar la contratuerca a 150 pie-lb (203 Nm).

11. Instalar el espaciador del eje propulsor.

12. Sujetar el arillo seguro sobre el extremo del mango.

13. Instalar el conjunto del cubo manual sobre el mango. Instalar las arandelas de retención.

14. Instalar el conjunto de rueda y llanta. Instalar y apretar las tuercas de orejas a lo especificado.

15. Comprobar el juego axial del conjunto de rueda y llanta sobre el mango de rueda. el juego axial debe ser de 0.001-0.003 plg (0.025-0.076 mm) y el par de rotación máximo para girar el cubo debe ser de 25 plg-lb (2.8 Nm).

CUBOS AUTOMÁTICOS CON TRACCIÓN A LAS 4 RUEDAS

1. Elevar y soportar con caballetes el vehículo.

2. Desmontar el conjunto de rueda y llanta.

3. Desmontar las arandelas de retención de las tuercas de orejas de los espárragos y desmontar el conjunto del cubo de cierre automático del mango de rueda.

4. Desmontar el arillo seguro y el espaciador del extremo del eje del mango.

5. Sacar el conjunto de la leva de cierre automático y los dos espaciadores de plástico de la tuerca de ajuste del cojinete de rueda.

6. Usar un imán y desmontar la chaveta de bloqueo de debajo de la tuerca de ajuste. Si es necesario, girar un poco la tuerca de ajuste para descargar presión sobre la chaveta de bloqueo.

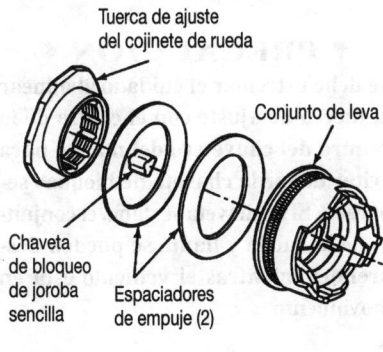

Vista desarmada de la tuerca de ajuste del cojinete de rueda y los componentes relacionados – Se muestra el cubo de cierre automático

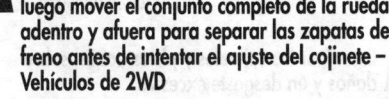

Aflojar la tuerca de ajuste tres vueltas, y luego mover el conjunto completo de la rueda adentro y afuera para separar las zapatas de freno antes de intentar el ajuste del cojinete – Vehículos de 2WD

Conseguir una llave de tubo especial para ajustar bien el cojinete de rueda – Se muestra el cubo de cierre manual

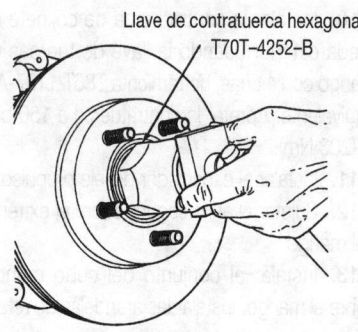

Llave de contratuerca hexagonal
T70T-4252-B

▲ Se necesita una llave de tubo de mayor tamaño para ajustar bien el cojinete de rueda – Se muestra el cubo de cierre automático

▼ AVISO ▼

Para evitar dañar los hilos de rosca de la tuerca de ajuste y del mango en vehículos equipados con cubos automáticos, mirar dentro del chavetero del mango bajo la tuerca de ajuste y desmontar la chaveta de bloqueo separada antes de desmontar la tuerca de ajuste.

7. Aflojar la contratuerca del cojinete de rueda usando una llave de tubo hexagonal de 2 ³/₈ plg (60.3 mm), tal como la Llave de Contratuercas Hexagonal T70T-4252-B (o equivalente).

8. Apretar la contratuerca interior a 35 pie-lb (47 Nm) para asentar los cojinetes.

9. Girar el rotor y aflojar la contratuerca interior ¹/₄ de vuelta (90°). Volver a apretar la contratuerca a 16 plg-lb (1.8 Nm).

10. Alinear la oreja más próxima en la tuerca de ajuste del cojinete con el centro de la ranura de chaveta del mango. Si es necesario, avanzar la tuerca hasta la próxima.

11. Instalar la chaveta de bloqueo en el chavetero del mango bajo la tuerca de ajuste.

▼ PRECAUCIÓN ▼

Se debe extremar el cuidado al alinear la tuerca de ajuste con el centro de la ranura del chavetero del mango para evitar dañar la chaveta de bloqueo separada. Si la chaveta se daña, el conjunto de la rueda y llanta se pueden desprender mientras el vehículo está en movimiento.

12. Instalar los dos espaciadores de empuje de plástico y empujar o presionar el conjunto de leva sobre la tuerca de ajuste alineando el chavetero en el conjunto de la leva con la chaveta de bloqueo separada.

▼ AVISO ▼

No dañar la chaveta de bloqueo al instalar el conjunto de leva.

13. Instalar el espaciador del eje propulsor.

14. Sujetar el arillo seguro sobre el extremo del mango.

15. Instalar el conjunto del cubo manual sobre el mango. Instalar las arandelas de retención.

16. Instalar el conjunto de rueda y llanta. Instalar y apretar las tuercas de orejas a lo especificado.

17. Comprobar el juego axial del conjunto de rueda y llanta sobre el mango. El juego axial debe ser de 0.001-0.003 plg (0.025-0.076 mm) y el par de rotación máximo para que gire debe ser de 25 plg-lb (2.8 Nm).

DESMONTAJE E INSTALACIÓN

Aerostar

VEHÍCULOS CON TRACCIÓN A 2 RUEDAS

Si el ajuste de cojinetes no ha eliminado la flojedad o la aspereza y el funcionamiento ruidoso, el cubo y los cojinetes se deben limpiar, inspeccionar y rellenar con grasa básica de litio para cojinetes de ruedas. Si las tazas del cojinete o los conjuntos de conos y rodillos están gastados o dañados, deben sustituirse como sigue:

➡ **La grasa básica de sodio no es compatible con la grasa básica de litio y no se deben mezclar las dos. No lubricar los cojinetes delanteros y/o traseros sin antes identificar el tipo de grasa que se está usando. Usar un lubricante de cojinete de rueda incompatible puede producir una descomposición prematura del lubricante y el subsiguiente daño al cojinete.**

1. Elevar y soportar con caballetes el vehículo.

2. Desmontar del mango la mordaza de freno, y luego atarla con alambre en los bajos de la carrocería. No dejar que la mordaza cuelgue de la manguera de freno.

3. Desmontar del mango la tapa de grasa del cubo. Desmontar del mango, el pasador, retención almenada, tuerca de ajuste y arandela plana. Desmontar el conjunto del cojinete exterior.

4. Sacar del mango el conjunto de cubo y rotor.

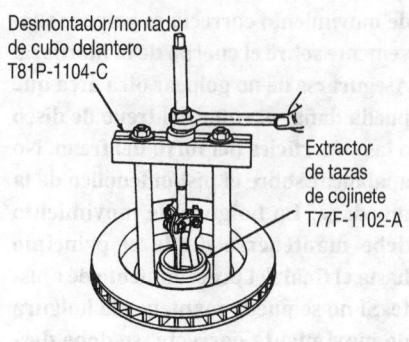

Desmontador/montador de cubo delantero
T81P-1104-C

Extractor de tazas de cojinete
T77F-1102-A

▲ Usar un extractor interno de tres mandíbulas para desmontar las pistas (tazas) del conjunto del cubo – Modelos 2WD

5. Colocar el cubo y rotor sobre un banco de trabajo limpio, con el lado de atrás cara arriba, y desmontar el sello de grasa usando un desmontador de sellos adecuado o una pequeña palanca. Desechar el sello de grasa.

6. Desmontar del cubo el conjunto de cojinete interior.

7. Limpiar con disolvente las pistas (tazas) de los cojinetes interior y exterior. Inspeccionar por si presentan arañazos, hoyitos, excesivo desgaste y otros daños. Si las tazas están gastadas o dañadas, desmontarlas con un extractor de tazas de cojinete (T77F-1102-A o equivalente) como se ilustra.

8. Quitar todo el lubricante viejo del mango y del interior del cubo con un trapo limpio. Cubrir con un trapo el mango y cepillar toda suciedad y polvo suelto del guardapolvo. Desmontar con cuidado el trapo cubridor para evitar que su suciedad externa caiga sobre el mango de rueda.

Para instalar:

9. Si se desmontaron las tazas de cojinete internas o externas, instalar las tazas de recambio usando una herramienta introductora ade-

Taza descantillada

Rodillo descantillado   Rodillos dañados

▲ Examinar los cojinetes y pistas (tazas) sobre daños y un desgaste excesivo

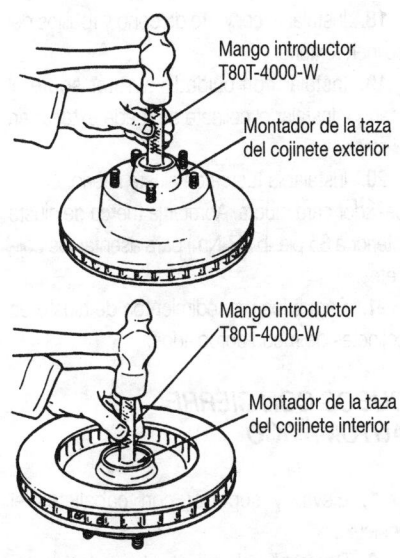

Mango introductor
T80T-4000-W

Montador de la taza
del cojinete exterior

Mango introductor
T80T-4000-W

Montador de la taza
del cojinete interior

▲ **Instalar las pistas (tazas) usando el introductor del tamaño apropiado, y luego aplicar grasa de cojinete de rueda a la superficie de la pista – Modelos de 2WD**

cuada (T80T-4000-W o equivalente) y el repositor de tazas de cojinete. Asegurarse de que las tazas están bien asentadas en el cubo y no inclinadas en el agujero.

10. Limpiar a fondo toda la grasa vieja de las superficies circundantes.

11. Llenar los conjuntos de cojinetes y conos con grasa adecuada para cojinetes de rueda usando una herramienta de llenar cojinetes. Si no se dispone de una herramienta de llenado, introducir la mayor cantidad de grasa posible entre los rodillos y las jaulas, y luego engrasar las superficies de los conos.

12. Colocar el conjunto del cono y rodillos del cojinete interior en la taza interior. Aplicar una fina película de grasa al labio de un sello de grasa nuevo e instalar el sello con una herramienta de introducción adecuada. Asegurarse de que el sello de grasa está asentado correctamente y no inclinado en el agujero.

13. Instalar el conjunto de cubo y rotor en el mango. Mantener el cubo centrado sobre el mango para evitar daños a la retención y a los hilos de rosca del mango.

14. Instalar el conjunto de cono y rodillos del cojinete exterior (después de engrasarlo completamente) y la arandela plana sobre el mango, y luego instalar la tuerca de ajuste apretada con los dedos. Ajustar los cojinetes de rueda.

15. Instalar la mordaza sobre el mango.

16. Instalar la rueda delantera, y luego bajar la camioneta y apretar las tuercas de orejas a 85-115 pie-lb (115-155 Nm). Instalar la cubierta de rueda.

17. Repetir las etapas 1-6 para la otra rueda delantera, si es necesario.

18. Antes de mover el vehículo, bombear el pedal de freno varias veces para restablecer el recorrido normal del freno.

VEHÍCULOS CON TRACCIÓN A TODAS LAS RUEDAS

➡ El conjunto de cojinete de rueda/cubo delantero no es reparable ni ajustable. El conjunto se ha de sustituir como una unidad completa.

1. Elevar el vehículo y soportarlo sobre caballetes.

2. Desmontar las ruedas delanteras.

3. Desmontar la mordaza y el rotor de freno.

4. Desmontar los tres tornillos que retienen el conjunto cubo/cojinete en el mango, y luego desmontar el conjunto cubo/cojinete del mango.

Para instalar:

5. Instalar el conjunto de cubo/cojinete en la articulación de la dirección, y luego apretar los tres tornillos de sujeción a 65 pie-lb (88 Nm).

6. Instalar el rotor y la mordaza de freno.

7. Instalar las ruedas delanteras.

8. Bajar el vehículo.

Mountaineer y Explorer

▼ AVISO ▼

Si está equipado, apague siempre el interruptor (OFF) de servicio del Control de Conducción Automática (ARC) antes de levantar el vehículo del piso. Dejar de hacer esto puede dañar los componentes del sistema ARC.

1. Aflojar las tuercas de orejas de la rueda y luego elevar y soportar con caballetes la delantera del vehículo.

2. Desmontar las ruedas.

3. Desmontar la mordaza del freno de disco delantero, soporte y rotor. Desmontar también la protección contra las salpicaduras del rotor.

4. Si está equipado, desatornille el sensor del ABS y el cableado de la articulación de la dirección.

5. Desmontar la tuerca y arandela del cubo de rueda delantera.

▼ AVISO ▼

Nunca vuelva a usar la tuerca y arandela viejas del cubo de rueda. Esta tuerca es un diseño de torsión predominante y no puede volver a usarse.

➡ El eje del cubo es de un ajuste deslizante dentro del cojinete y cubo de la rueda; normalmente no es necesaria una prensa.

6. Asegurarse de que el eje del cubo de la rueda se puede empujar hacia adentro. Si no, montar una prensa sobre los espárragos de la rueda delantera y presionar el eje del cubo ligeramente hacia adentro para soltarlo.

7. Desmontar los tres tornillos que sujetan el cubo/cojinete de rueda en la articulación de la dirección. Desmontar el conjunto de cojinete y cubo.

Para instalar:

8. Instalar el sensor del ABS en el cubo de la rueda y luego colocar el cubo en el eje propulsor delantero y la articulación de la dirección.

9. Instalar los tres tornillos de sujeción y apretarlos a 70-80 pie-lb (95-108 Nm).

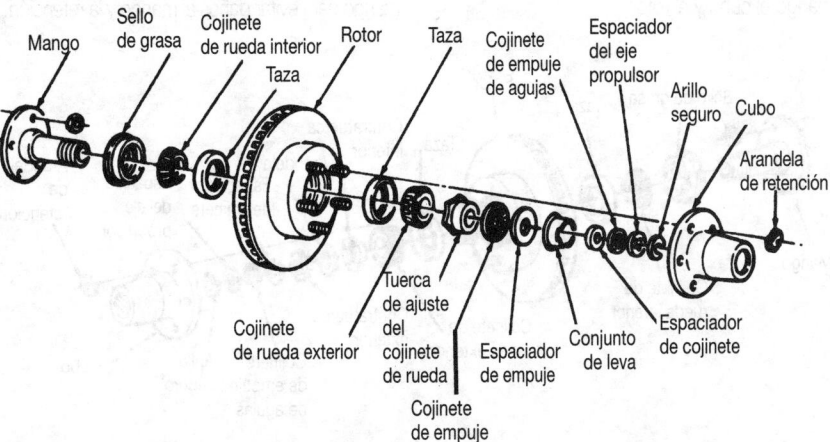

Mango

Sello de grasa

Cojinete de rueda interior

Taza

Rotor

Taza

Cojinete de empuje de agujas

Espaciador del eje propulsor

Arillo seguro

Cubo

Arandela de retención

Cojinete de rueda exterior

Tuerca de ajuste del cojinete de rueda

Espaciador de empuje

Conjunto de leva

Espaciador de cojinete

Cojinete de empuje

▲ **Vista desarmada del conjunto de cojinete de rueda y cubo de cierre automático**

10. Instalar la arandela y tuerca del cubo y apretar a 157-213 pie-lb (212-288 Nm).

11. Instalar el tornillo que sujeta el sensor del ABS.

12. Instalar la protección del rotor de freno delantero, rotor, soporte y mordaza.

13. Instalar la rueda y ajustar a mano las tuercas de orejas.

14. Bajar el vehículo y apretar las tuercas de orejas a 100 pie-lb (135 Nm).

Modelos Ranger y Serie B

CUBOS DE CIERRE MANUAL

1. Elevar y soportar con caballetes el vehículo.

2. Desmontar el conjunto de rueda y llanta.

3. Desmontar de los espárragos de las tuercas de orejas las arandelas de retención, y desmontar del mango, el conjunto del cubo de cierre manual.

4. Desmontar del extremo del eje del mango, el arillo seguro y el espaciador.

5. Desmontar del mango la contratuerca del cojinete de rueda exterior usando la llave de tuercas de mango con 4 uñas, T86T-1197-A o equivalente. Asegurarse de que las uñas de la herramienta encajan en las ranuras de la contratuerca.

6. Desmontar del mango la arandela de la contratuerca.

7. Desmontar del mango la contartuerca del cojinete de rueda interior usando la llave de tuercas de mango con 4 uñas, T86T-1197-A o equivalente. Asegurarse de que las uñas de la herramienta encajan en las ranuras de la contratuerca.

8. Desmontar del cubo el conjunto de cono y rodillos del cojinete exterior. Desmontar del mango el cubo y el rotor.

9. Usando la herramienta de desmontaje de sellos 1175-AC o equivalente, desmontar y desechar el sello de grasa. Desmontar del cubo el conjunto de cono y rodillos del cojinete interior.

10. Limpiar en disolvente los conjuntos de cojinetes interior y exterior. Inspeccionar los cojinetes y los conos sobre desgaste y daños. Si es necesario, sustituir las piezas defectuosas.

11. Si las tazas están gastadas o dañadas, desmontarlas con la herramienta desmontadora de cubos delanteros, T81P-1104-C y la herramienta T77F-1102-A o equivalentes.

12. Quitar del mango la grasa vieja. Comprobar si hay desgaste excesivo o daños en el mango. Si es necesario, sustituir las piezas defectuosas.

Para instalar:

13. Si se han de desmontar las tazas interior y exterior, usar la herramienta Mango de Introducir Cojinetes (T80-4000-W o equivalente) y sustituir las tazas. Asegurarse de asentar correctamente las tazas en el cubo.

14. Usar una herramienta de llenar cojinetes con grasa y rellenar correctamente los cojinetes de rueda con grasa del grado y tipo adecuado. Si no se dispone de un llenador de cojinetes, cargar la máxima cantidad de grasa entre los rodillos y las jaulas. Engrasar también las superficies de los conos.

15. Colocar el conjunto de cono y rodillos de cojinete interior en la taza interior. Se debe incluir una ligera película de grasa entre los labios del nuevo sello de grasa.

16. Instalar el sello de grasa introduciéndolo en su sitio con la herramienta Sustituidor de Sellos de Cubo T83T-1175-B y el Mango Introductor T80T-4000-W, o sus equivalentes.

17. Instalar sobre el mango el conjunto de cubo y rotor. Mantener el cubo centrado sobre el mango para evitar daños al mango y la retención.

18. Instalar el conjunto de cono y rodillos del cojinete exterior.

19. Instalar con cuidado el rotor sobre el mango. Instalar el cojinete de rueda exterior en el rotor.

20. Instalar la tuerca de ajuste interior con el pasador cara afuera. Apretar la tuerca de ajuste interior a 35 pie-lb (47 Nm) para asentar los cojinetes.

21. Seguir los procedimientos de ajuste de cojinetes de rueda apropiados.

CUBOS CON CIERRE AUTOMÁTICO

1. Elevar y soportar con caballetes el vehículo.

2. Desmontar el conjunto de rueda y llanta.

3. Desmontar de los espárragos de tuercas de orejas, las arandelas de retención y desmontar del mango el conjunto del cubo de cierre automático.

4. Desmontar del extremo del eje del mango, el arillo seguro y el espaciador.

5. Sacar de la tuerca de ajuste del cojinete de rueda, el conjunto de leva de cierre y los dos espaciadores de plástico.

6. Usar un imán y desmontar, de debajo de la tuerca de ajuste, la chaveta de bloqueo. Si es necesario, girar un poco la tuerca de ajuste para descargar la presión contra la chaveta de bloqueo.

▼ AVISO ▼

Para evitar daños a los hilos de rosca de la tuerca de ajuste y del mango en los vehículos equipados con cubos automáticos, mirar dentro del chavetero del mango bajo la tuerca de ajuste y desmontar la chaveta de bloqueo separada antes de desmontar la tuerca de ajuste.

7. Desmontar la contratuerca del cojinete de rueda usando la llave de tuerca hexagonal de 2 3/8 plg (60.3 mm), tal como la Llave de Contratuercas Hexagonal T70T-4252-B, o sus equivalentes.

8. Desmontar del cubo, el conjunto de cono y rodillos del cojinete exterior. Desmontar del mango, el cubo y el rotor.

9. Usando la herramienta de desmontaje de sellos 1175-AC (o su equivalente) desmontar y desechar el sello de grasa. Desmontar del cubo, el conjunto de cono y rodillos del cojinete interior.

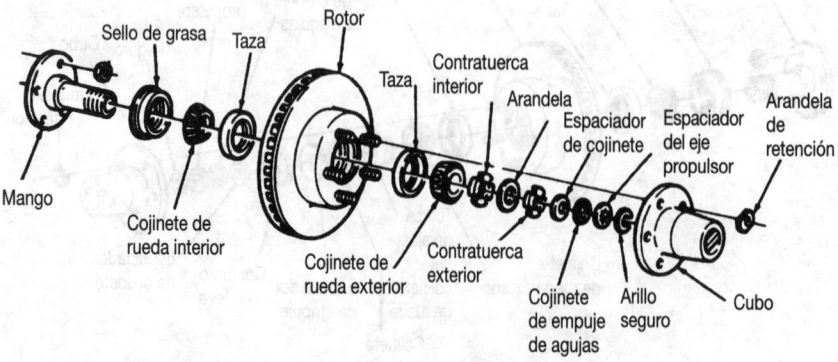

▲ **Vista desarmada del conjunto de cojinete de rueda y cubo de cierre manual**

10. Limpiar en disolvente los conjuntos de cojinetes interior y exterior. Inspeccionar el desgaste y daños de los cojinetes y conos. Si es necesario, sustituir las piezas defectuosas.

11. Si las tazas están desgastadas o dañadas, desmontarlas con la herramienta desmontadora de cubos delanteros, T81P-1104-C y la herramienta T77F-1102-A o equivalentes.

12. Quitar la grasa vieja del mango. Comprobar si el mango está dañado o muy gastado. Sustituir las piezas defectuosas.

Para instalar:

13. Si se desmontaron las tazas interior y exterior, usar la herramienta Mango Introductor de Cojinetes T80-4000-W (o equivalente) y sustituir las tazas. Asegurarse de asentar bien las tazas en el cubo.

14. Usar una herramienta de llenar de grasa los cojinetes y rellenar bien los cojinetes de rueda con el grado y tipo de grasa correcto. Si no se dispone de un rellenador de cojinetes, llenar de grasa tanto como sea posible entre los rodillos y las jaulas. Engrasar, también, las superficies de los conos.

15. Colocar en la taza interior, el conjunto de cono y rodillos del cojinete interior. Se debe incluir una ligera película de grasa entre los labios del nuevo sello de grasa.

16. Instalar el sello de grasa introduciéndolo en su sitio con la herramienta Sustituidor de Sellos de Cubo T83T-1175-B y el Mango Introductor T80T-4000-W, o sus equivalentes.

17. Instalar sobre el mango, el conjunto de cubo y rotor. Mantener el cubo centrado sobre el mango de rueda para evitar daños al mango y la retención.

18. Instalar el conjunto de cono y rodillos de cojinete exterior.

19. Instalar con cuidado el rotor sobre el mango. Instalar en el rotor, el cojinete de rueda exterior.

20. Instalar la tuerca de ajuste interior con el pasador cara hacia afuera. Apretar la tuerca de ajuste interior a 35 pie-lb (47 Nm) para asentar los cojinetes.

21. Seguir los procedimientos de ajuste de cojinetes de rueda apropiados.

FORD MOTOR CO.
TRACCIÓN DELANTERA
Escort - Escort ZX2 - Mercury Tracer

ESPECIFICACIONES	**66**
REPARACIÓN DEL MOTOR	**69**
Distribuidor	69
Sincronización del encendido	70
Conjunto motor	70
Bomba de agua	75
Culata de cilindros	77
Balancines	84
Múltiple de admisión	85
Múltiple de escape	90
Sello de aceite delantero del cigüeñal	93
Árbol(es) de leva(s) y levantaválvulas	94
Holgura de válvulas	98
Depósito de aceite	98
Bomba de aceite	101
Sello de aceite del cojinete principal trasero . . .	104
SISTEMA DE COMBUSTIBLE	**105**
Precauciones en la revisión del sistema de combustible	105
Presión del sistema de combustible	105
Filtro de combustible	106
Bomba de combustible	107
TREN DE TRANSMISIÓN	**107**
Conjunto de transmisión	107
Embrague	113
Sistema de embrague hidráulico	116
Semiejes	117
DIRECCIÓN Y SUSPENSIÓN	**121**
Air bag (bolsa de aire)	121
Mecanismo de la dirección por cremallera y piñón	121
Poste	123
Resorte	125
Rótula inferior	126
Cojinetes de rueda	126

ESPECIFICACIONES
FORD MOTOR

Ford Escort - Escort ZX2
Mercury Tracer

TABLA DE IDENTIFICACIÓN DEL VEHÍCULO

Clave del motor						Año-Modelo	
Clave	Litros	Plg³ (cc)	Cil.	Sist. combustible	Fabr. del motor	Clave	Año
3	2.0	121 (1999)	4	SFI	Ford	S	1995
8	1.8	112 (1844)	4	MFI	Mazda	T	1996
J	1.9	116 (1901)	4	SFI	Ford	V	1997
P	2.0	121 (1999)	4	SFI	Ford	W	1998
						X	1999

MFI – Inyección de combustible multipunto.

IDENTIFICACIÓN DEL MOTOR
Todas las medidas están expresadas en pulgadas

Año	Modelo	Cilindrada del motor litros (cc)	Serie del motor (ID/VIN)	Sistema de combustible	Número de cilindros	Tipo de motor
1995	Escort	1.8 (1844)	8	MFI	4	DOHC
	Escort	1.9 (1901)	J	SFI	4	SOHC
	Tracer	1.8 (1844)	8	MFI	4	DOHC
	Tracer	1.9 (1901)	J	SFI	4	SOHC
1996	Escort	1.8 (1844)	8	MFI	4	DOHC
	Escort	1.9 (1901)	J	SFI	4	SOHC
	Tracer	1.8 (1844)	8	MFI	4	DOHC
	Tracer	1.9 (1901)	J	SFI	4	SOHC
1997	Escort	2.0 (1999)	P	SFI	4	DOHC
	Tracer	2.0 (1999)	P	SFI	4	SOHC
1998-99	Escort	2.0 (1999)	P	SFI	4	SOHC
	Escort ZX2	2.0 (1999)	3	SFI	4	DOHC
	Tracer	2.0 (1999)	P	SFI	4	SOHC

MFI – Inyección de combustible multipunto.
SFI – Inyección de combustible secuencial.
DOCH – Doble árbol de levas en la culata.
SOHC – Simple árbol de levas en la culata.

ESPECIFICACIONES GENERALES DEL MOTOR

Año	Motor ID/VIN	Cilindrada del motor. litros (cc)	Sistema de combustible	Caballaje neto @ rpm	Tensión neta @ rpm (pie - lb)	Diám. x Carrera (pulg)	Relación de compresión	Presión de aceite @ rpm
1995	8	1.8 (1844)	MFI	127@6500	114@4500	3.27x3.35	9.0:1	35-65@2000
	J	1.9 (1901)	SFI	88@4400	108@4000	3.23x3.46	9.0:1	35-65@2000
1996	8	1.8 (1844)	MFI	127@6500	114@4500	3.27x3.35	9.0:1	28-43@1000
	J	1.9 (1901)	SFI	88@4400	108@3800	3.23x3.35	9.0:1	35-65@2000
1997	P	2.0 (1999)	SFI	110@5000	125@3750	3.34x3.46	9.2:1	35-65@2000
1998-99	3	2.0 (1999)	SFI	125@5500	130@4000	3.34x3.46	10.0:1	35-65@2000
	P	2.0 (1999)	SFI	110@5000	125@3750	3.34x3.46	9.2:1	35-65@2000

MFI – Inyección de combustible multipunto.
SFI – Inyección de combustible secuencial.

ESPECIFICACIONES PARA AFINACIÓN DE MOTORES DE GASOLINA

Año	Motor ID/VIN	Cilindrada del motor litros (cc)	Bujías Abertura (plg)	Sincronización Ignición (grados) TM	TA	Bomba de combustible (lb/plg²)	Marcha mínima (rpm) TM	TA	Holgura válvulas Admisión	Escape
1995	8	1.8 (1844)	0.041	10B	10B	31-38 ①	750	750	HYD	HYD
	J	1.9 (1901)	0.054	10B	10B	30-34 ①	780	780	HYD	HYD
1996	8	1.8 (1844)	0.041	10B	10B	31-38 ①	750	750	HYD	HYD
	J	1.9 (1901)	0.054	10B	10B	38-45 ①	②	②	HYD	HYD
1997	P	2.0 (1999)	0.054	10B	10B	38-45 ①	②	②	HYD	HYD
1998-99	3	2.0 (1999)	0.050	10B	10B	31-38 ①	②	②	HYD	HYD
	P	2.0 (1999)	0.054	10B	10B	38-45 ①	②	②	HYD	HYD

Nota: Frecuentemente, la etiqueta de Información del Control de Emisión del Vehículo, refleja especificaciones de los cambios hechos durante la producción. Tienen que ser utilizadas las cifras (valores) de las etiquetas si difieren de las especificaciones dadas en esta tabla.

B – Antes del Punto Muerto Superior.

HYD – Hidráulico.

① Presión de combustible con el motor en marcha, la manguera del regulador por vacío conectada.

② Consultar la etiqueta de Información del Control de Emisión del Vehículo.

CAPACIDADES

Año	Modelo	Motor ID/VIN	Cilindrada del motor litros (cc)	Aceite con el filtro (qts)	Transmisión (pts) 4 vel.	5 vel.	Auto	Eje motriz Delantero (pts)	Trasero (pts)	Tanque combustible (gal)	Sistema de refri-geración (qts)
1995	Escort	8	1.8 (1844)	4.0	—	7.2	13.4 ①	②	—	13.2	③
	Escort	J	1.9 (1901)	4.0	—	5.7	13.4 ①	②	—	11.9	③
	Tracer	8	1.8 (1844)	4.0	—	7.1	13.4 ①	②	—	13.2	③
	Tracer	J	1.9 (1901)	4.0	—	5.7	13.4 ①	②	—	11.9	③
1996	Escort	8	1.8 (1944)	4.0	—	6.7	13.4 ①	②	—	13.2	6.3
	Escort	J	1.9 (1901)	4.0	—	5.7	13.4 ①	②	—	11.9	③
	Tracer	8	1.8 (1944)	4.0	—	6.7	13.4 ①	②	—	13.2	6.3
	Tracer	J	1.9 (1901)	4.0	—	5.7	13.4 ①	②	—	11.9	③
1997	Escort	P	2.0 (1999)	4.0	—	6.7	13.4 ①	②	—	13.2	④
	Tracer	P	2.0 (1999)	4.0	—	5.7	13.4 ①	②	—	11.9	④
1998-99	Escort	P	2.0 (1999)	4.0	—	5.7	13.4 ①	②	—	11.9	④
	Escort ZX2	3	2.0 (1999)	4.0	—	6.7	13.4 ①	②	—	13.2	⑤
	Tracer	P	2.0 (1999)	4.0	—	5.7	13.4 ①	②	—	11.9	④

Nota: Todas las capacidades son aproximadas. Adicionar el fluido gradualmente y asegurarse de que se alcanza el nivel de fluido adecuado.

① Incluye el convertidor de par.

② Incluye la capacidad de la caja de cambios.

③ Caja de cambios manual: 5.3 qts.

   Caja de cambios automática: 6.3 qts.

④ Caja de cambios manual 7.9.

   Caja de cambios automática 5.8.

⑤ Caja de cambios manual 7.0.

   Caja de cambios automática 7.5.

ESPECIFICACIONES DE VÁLVULAS

Año	Motor ID/VIN	Cilindrada del motor litros (cc)	Ángulo del asiento (grados)	Ángulo de cara (grados)	Tensión de resortes (lb @ pulg)	Altura resorte instalado (plg)	Holgura entre vástago y guía (plg)		Diámetro del vástago (plg)	
							Admisión	Escape	Admisión	Escape
1995	8	1.8 (1844)	45	45	NA	①	0.0010-0.0024	0.0012-0.0026	0.2350-0.2356	0.2348-0.2354
	J	1.9 (1901)	45	45.6	200@1.09	1.440-1.480	0.0008-0.0027	0.0018-0.0037	0.3159-0.3167	0.3149-0.3156
1996	8	1.8 (1844)	45	45	NA	①	0.0010-0.0024	0.0012-0.0026	0.2350-0.2356	0.2348-0.2354
	J	1.9 (1901)	45	45.6	200@1.09	1.440-1.480	0.0008-0.0027	0.0018-0.0037	0.3159-0.3167	0.3149-0.3156
1997	P	2.0 (1999)	45	45.6	200@1.09	1.420-1.540	0.0008-0.0027	0.0018-0.0037	0.3159-0.3167	0.3149-0.3156
1998-99	3	2.0 (1999)	45	45	NA	1.346	0.0007-0.0025	0.0014-0.0032	0.2373-0.2379	0.2366-0.2372
	P	2.0 (1999)	45	45.6	200@1.09	1.420-1.540	0.0008-0.0027	0.0018-0.0037	0.3159-0.3167	0.3149-0.3156

① Altura del resorte medida sin carga.
   Longitud mínima: 1,821.
   NA - No disponible.

ESPECIFICACIONES DE TORSIÓN
Todas la medidas están en pie-lb

Año	Motor ID/VIN	Cilindrada motor litros (cc)	Pernos culata de cilindros	Pernos cojinetes principal	Pernos cojinete biela	Pernos amortiguador cigüeñal	Pernos volante	Múltiples		Bujías	Tuerca de orejetas
								Admisión	Escape		
1995	8	1.8 (1844)	56-60	40-43	35-37	80-87	71-76	14-19	28-34	11-17	85
	J	1.9 (1901)	①	67-80	26-30	81-96	54-67	12-15	15-20	8-15	95
1996	8	1.8 (1844)	50-60	40-43	35-37	80-87	71-76	14-19	28-34	11-17	76
	J	1.9 (1901)	①	67-80	26-30	81-96	54-67	12-15	15-20	8-15	76
1997	P	2.0 (1999)	①	66-79	26-30	80-87	71-76	15-22	15-17	12-15	76
1998-99	3	2.0 (1999)	②	55-65	③	80-87	71-76	11-12	10-12	10-12	76
	P	2.0 (1999)	①	66-79	26-30	80-87	71-76	15-22	15-17	12-15	76

Nota: Siempre seguir el patrón de apriete adecuado.
Nota: En todas la operaciones que requieran rotar los pernos un cierto número de grados se utilizan pernos de alargamiento controlado. Los pernos de alargamiento no pueden ser reutilizados. Utilizar pernos de alargamiento nuevos para volver a montar.
① No reutilizar los pernos de la culata de cilindros.
   Paso 1: Apretar los pernos, en orden, a 44 pie-lb.
   Paso 2: Aflojar los pernos dos vueltas aproximadamente, luego volver a apretarlos en orden a 44 pie-lb.
   Paso 3: Girar todos los pernos, en orden, +90 grados.
   Paso 4: Repetir el paso 3.
② Paso 1: 15-22 pie-lb.
   Paso 2: 30-37 pie-lb.
   Paso 3: Rotar 90-120 grados.
③ Paso 1: 22-25 pie-lb.
   Paso 2: Rotar cada perno 85-95 grados.

REPARACIÓN DEL MOTOR

➡ Desconectar el cable negativo de la batería en algunos vehículos puede interferir en las funciones de los sistemas computarizados instalados a bordo, y puede requerir un nuevo proceso de programación una vez que se conecta el cable negativo de la batería.

DISTRIBUIDOR

DESMONTAJE

1. Desconectar el cable negativo de la batería.

2. Desconectar el conector eléctrico del distribuidor y el cable de la bobina de la tapa del distribuidor.

3. Desmontar la tapa del distribuidor y el rotor.

4. Colocarlo a un lado. Si la unidad del distribuidor no se ha de sustituir, hacer una marca de referencia a través de la brida de la base del distribuidor y la culata de cilindros.

5. Desatornillar los pernos de montaje del distribuidor y desmontar el distribuidor del motor.

6. Si es necesario, desmontar el empaque de la base del distribuidor.

7. Si es necesario, desmontar el sello de anillo del distribuidor.

➡ No rotar el motor mientras está desmontado el conjunto distribuidor. No intentar desarmar y reparar la unidad del distribuidor. La unidad del distribuidor debe ser sustituida en todo su conjunto.

8. Instalar un nuevo empaque de la base del distribuidor si éste fue desmontado.

9. Instalar un nuevo sello de anillo en la unidad del distribuidor si ésta fue desmontada.

INSTALACIÓN

Motor no alterado

➡ El distribuidor se puede instalar en una sola dirección. No forzar el distribuidor en su posición y asegurarse de que las guías de mando del distribuidor engranan con las ranuras del árbol de levas.

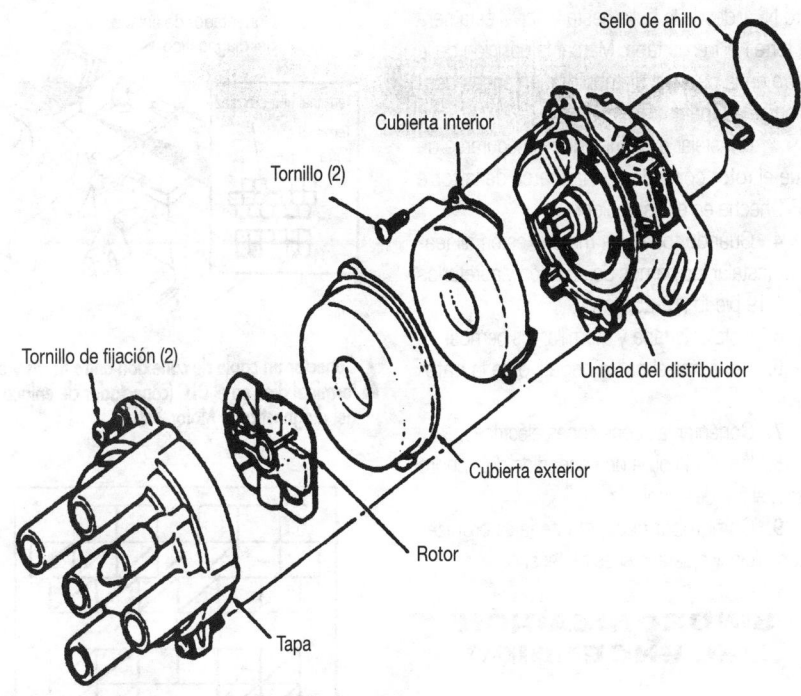

▲ Vista en despiece del conjunto distribuidor – Motor 1.8L

1. Instalar la unidad del distribuidor en el motor. Asegurarse de que las guías de mando del distribuidor engranan con las ranuras del árbol de levas.

2. Si se instala el distribuidor viejo, asegurarse de que las marcas hechas durante el desmontaje están alineadas.

3. Atornillar los pernos de montaje con la mano.

4. Instalar el rotor y la tapa del distribuidor.

5. Conectar el conector eléctrico del distribuidor y el cable de la bobina a la tapa.

6. Conectar el cable negativo de la batería y comprobar la sincronización del encendido.

7. Ajustar la sincronización del encendido, si es necesario.

8. Apretar los pernos de montaje del distribuidor a 14-19 pie-lb (19-25 Nm).

Motor alterado

➡ Cuando se instale el distribuidor asegurarse de que las guías salientes del distribuidor engranan con las ranuras del árbol de levas.

1. Asegurarse de que el pistón N° 1 del motor aún está en el Punto Muerto Superior de su carrera de compresión.

➡ Si el motor fue alterado mientras se desmontó el distribuidor, será necesario des-

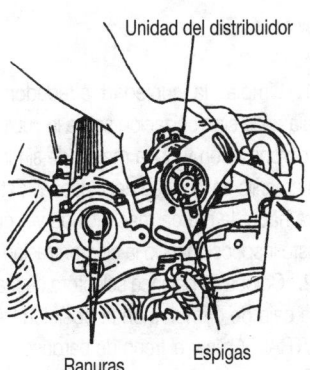

▲ Al instalar el distribuidor asegurarse de que las espigas motrices encajan en las ranuras del árbol de levas – Motor 1.8L

montar la bujía del cilindro N° 1 y rotar el motor en sentido horario hasta que el pistón N° 1 esté en su carrera de compresión. Alinear las marcas de la sincronización.

2. Si se instala el distribuidor viejo:

a. Instalar el distribuidor y alinear las marcas de la brida de la base del distribuidor y la de la culata de cilindros y apunta el rotor hacia la marca hecha previamente en la caja del distribuidor. Cerciorarse de que el rotor coincide con la marca N° 1 en la base del distribuidor.

3. Si se instala un distribuidor nuevo:

a. Instalar el rotor y la tapa (con los cables aún conectados) en el distribuidor, seguir el cable de la bujía de encendido del cilindro N° 1 desde la bujía hasta la tapa, ésta será la torre N° 1 en la tapa. Marcar la posición de la torre en la caja del distribuidor, entonces desmontar la tapa.

b. Instalar el distribuidor y asegurarse de que el rotor coincide con la marca de la torre N° 1 hecha en el distribuidor.

4. Cuando todas las marcas estén alineadas, instalar los pernos de sujeción y apretarlos a 14-19 pie-lb (19-25 Nm).

5. Instalar la tapa y atornillar los pernos.

6. Conectar el cable negativo de la batería.

7. Conectar las conexiones eléctricas.

8. Instalar la bujía de encendido del cilindro N° 1, si fue desmontada.

9. Comprobar nuevamente la sincronización inicial y ajustarla si es necesario.

SINCRONIZACIÓN DEL ENCENDIDO

AJUSTE

Motor 1.8L

1. Limpiar la suciedad alrededor de la escala de la sincronización sobre la cubierta de la sincronización y de la marca de sincronización amarilla en la polea del cigüeñal. Esto permitirá hacer la marca más fácil de ver cuando se esté inspeccionando la sincronización.

2. Colocar la palanca selectora de marchas de la caja de cambios en la posición PARK o NEUTRAL. Aplicar el freno de parqueo.

3. Poner los interruptores de todos los accesorios y cargas en OFF.

4. Poner en marcha el motor y dejarlo hasta que alcance su temperatura de funcionamiento.

5. Conectar una lámpara de sincronización inductiva, siguiendo las instrucciones del fabricante de la lámpara.

6. Conectar el terminal GROUND (tierra) al terminal DIEZ del conectador de enlace del diagnóstico (DLC).

7. Utilizando un tacómetro Rotunda 059-00010 o uno equivalente, conectar el borne positivo al terminal IG del DLC, y el borne negativo del tacómetro al borne negativo de la batería.

8. Apuntar la luz de la lámpara de sincronización hacia la escala de sincronización.

9. Comprobar la sincronización del encendido. La sincronización debe ser 10° antes del punto muerto superior a 700-800 rpm. La marca de la polea debe estar alineada con la

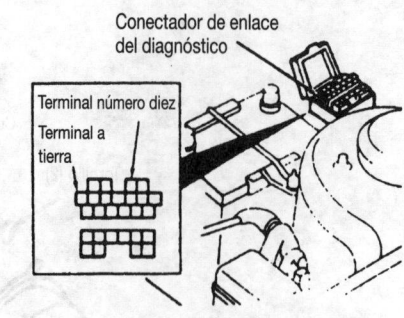

Conectador de enlace del diagnóstico

Terminal número diez

Terminal a tierra

▲ **Conectar un cable de conexión entre tierra y el terminal diez en el DLC (conectador de enlace del diagnóstico) – Motor 1.8L**

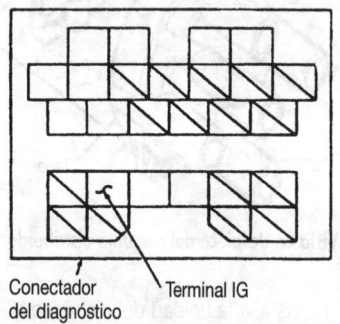

Conectador del diagnóstico

Terminal IG

▲ **Conectar el borne positivo del tacómetro al terminal IG en el DLC (conectador de enlace del diagnóstico) – Motor 1.8L**

marca correspondiente en la escala de la sincronización.

10. Si esto no ocurre, aflojar los pernos de montaje del distribuidor y girarlo hasta que las marcas queden alineadas.

11. Apretar los pernos de montaje del distribuidor a 14-19 pie-lb (19-25 Nm).

12. Comprobar la sincronización nuevamente y asegurarse de que no varíe cuando se aprieten los pernos de montaje del distribuidor.

13. Desmontar el cable de conexión, la lámpara de sincronización y el tacómetro.

Motor 1.9L

El motor 1.9L está equipado con un Sistema de Encendido Electrónico sin Distribuidor (EDIS). En el sistema EDIS no es posible el ajuste de la sincronización del encendido.

Motor 2.0L

El Módulo de Control del Tren Propulsor controla la sincronización del encendido en estos modelos. No es necesario, ni posible, ningún ajuste.

CONJUNTO MOTOR

DESMONTAJE E INSTALACIÓN

1. En todos los motores, ejecutar los siguientes pasos básicos para el desmontaje del motor:

a. Desmontar el capó del vehículo.

b. Descargar la presión del sistema de alimentación de combustible de manera apropiada.

c. Desconectar el cable negativo de la batería.

➡ Si su vehículo está equipado con aire acondicionado, remítase a la sección 1 para obtener información respecto a las implicaciones que conlleva serviciar el sistema de aire acondicionado usted mismo. Sólo personal técnico en automóviles especializado en MVAC y certificado por las autoridades sanitarias debe serviciar el sistema de aire acondicionado o sus componentes.

d. Si está equipado con aire acondicionado, dejar que el sistema sea descargado por técnicos calificados.

e. Etiquetar y desconectar todos los cables y mangueras que pudieran perturbar el desmontaje del motor.

f. Etiquetar y desconectar todos los cables así como el cable del acelerador, los del cambio obligado, etc. que pudieran perturbar el desmontaje del motor.

g. Desmontar la(s) correa(s) conductora(s).

h. Vaciar el sistema de refrigeración.

▼ PRECAUCIÓN ▼

Nunca abrir, serviciar o vaciar el radiador o el sistema de refrigeración cuando esté caliente; el vapor y el líquido refrigerante caliente pueden provocar serias quemaduras. También cuando se vacíe el líquido refrigerante, tener en cuenta que a los gatos y a los perros les atrae el etilglicol anticongelante, y pudieran beber restos dejados en recipientes destapados o encharcados en la tierra. Esto resultaría fatal en cantidades suficientes. Siempre vacíe el líquido refrigerante en recipientes sellados. El líquido refrigerante debe ser reutilizado a menos que esté contaminado o tenga ya varios años.

i. Vaciar el aceite del motor.

▼ PRECAUCIÓN ▼

La autoridad sanitaria advierte que el contacto prolongado con aceite de motor usado puede causar algunos trastornos en la piel, en incluso cáncer. Por ello se deberá intentar reducir al mínimo el contacto con el aceite de motor usado. Deberá usarse guantes protectores cuando cambie el aceite. Lavarse las manos y cualquier otra área de la piel tan pronto como sea posible después de haber estado expuesta al aceite de motor usado. Deberá usarse jabón y agua o un limpiador seco de manos.

2. En motores 1.8L con caja de cambios automática, completar los pasos genéricos para todos los motores al comenzar este procedimiento, luego ejecutar los pasos siguientes para el desmontaje:

a. Desconectar el motor de arranque.

b. Desmontar el protector contra salpicaduras y el motor de arranque.

c. Desconectar las tuberías de enfriamiento de la caja de cambios del radiador y taponar las tuberías.

d. Desmontar el soporte del cojinete axial.

e. Desmontar la placa de registro del volante del depósito de aceite.

f. Colocar una llave de tuercas en la polea del cigüeñal y rotarlo hasta acceder a las tuercas del convertidor, entonces desenroscar las tuercas.

g. Si lo tiene, desmontar el compresor del aire acondicionado y fijarlo a un lado sin desenganchar sus mangueras.

h. Desmontar la bomba de la dirección asistida, los pernos superiores de unión del motor con la caja de cambios, el radiador,

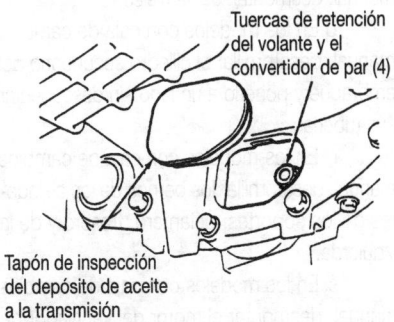

Tuercas de retención del volante y el convertidor de par (4)

Tapón de inspección del depósito de aceite a la transmisión

▲ Desmontar la chapa de inspección del volante del depósito de aceite – Motor 1.8L con caja de cambios automática

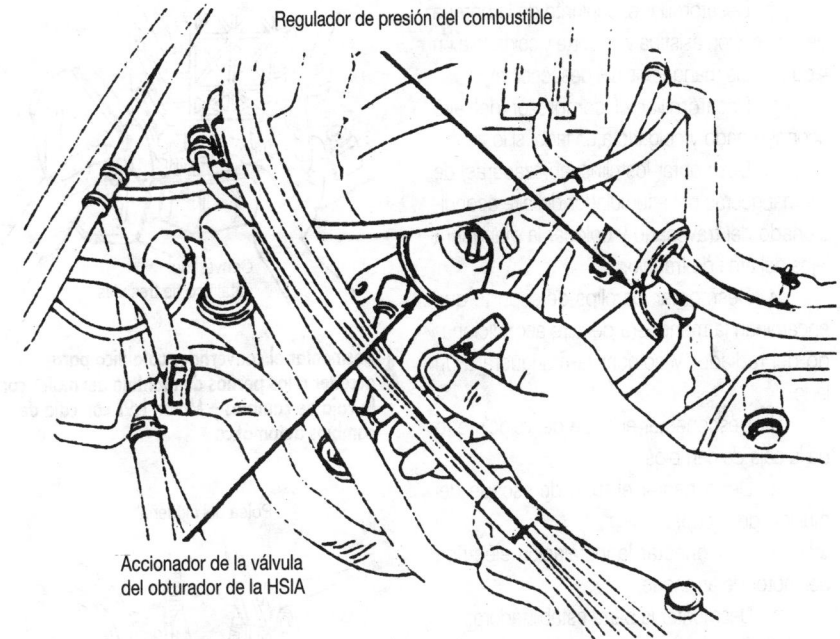

Regulador de presión del combustible

Accionador de la válvula del obturador de la HSIA

▲ Desmontar el regulador de presión del combustible y el accionador de la válvula obturadora de la entrada de aire de alta velocidad (HSIA) – Motor 1.8L con caja de cambios automática

el depósito de vacío, el regulador de la presión del combustible y el accionador del obturador de la válvula de admisión de aire de alta velocidad.

i. Desmontar el alternador.

j. Conectar una cadena de suspensión en las argollas de izaje del motor.

k. Con una grúa para motores, tensar la cadena de suspensión hasta que el motor quede soportado.

l. Desatornillar los pernos de unión del depósito de aceite con la caja de cambios y los pernos de unión de la caja de cambios con el motor del bloque de cilindros.

m. Desmontar el aislador del apoyo derecho y el amortiguador del apoyo delantero.

n. Separar el motor de la caja de cambios y desmontar el motor del vehículo.

3. En motores 1.8L con caja de cambios manual, completar los pasos genéricos para todos los motores al principio de este procedimiento, entonces ejecutar los pasos siguientes para el desmontaje:

a. Desmontar la batería y la bandeja.

b. Desmontar los soportes superiores del radiador.

c. Desmontar los protectores contra salpicaduras.

d. Desmontar el soporte de la manguera del cilindro del embrague y con la manguera aún conectada colocar el conjunto a un lado.

e. Desconectar la barra de cambios, la horquilla y la barra estabilizadora de la palanca de la caja de cambios.

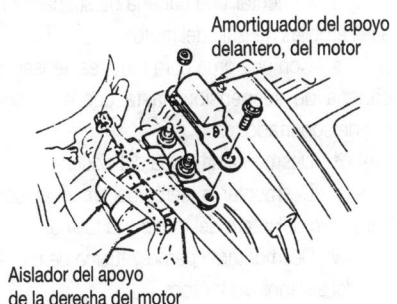

Amortiguador del apoyo delantero, del motor

Aislador del apoyo de la derecha del motor

▲ Desmontar el aislador del apoyo de la derecha y el amortiguador del apoyo delantero – Motor 1.8L con caja de cambios automática

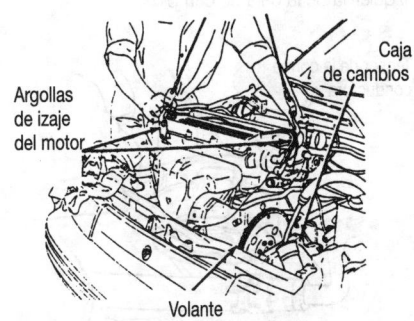

Caja de cambios

Argollas de izaje del motor

Volante

▲ Conectar una eslinga de suspensión en las argollas de izaje del motor y enganchar la eslinga de suspensión a una grúa para desmontar el motor

f. Desatornillar el conjunto de la bomba de la dirección asistida y soporte y colgarlo a un lado con las mangueras sin desconectar.

g. Desatornillar el compresor del aire acondicionado y colgarlo a un lado, si lo tiene.

h. Desmontar los clips (abrazaderas) de las mangueras del acumulador del aire acondicionado del travesaño y colocar la manguera lejos del área de trabajo.

i. Desmontar los clips de soporte que encaminan la manguera del aire acondicionado del radiador y colocar la manguera a un lado.

j. Desconectar el cable del velocímetro de la caja de cambios.

k. Desconectar el tubo de escape del múltiple de escape.

l. Desconectar la instalación eléctrica del motor de arranque.

m. Desmontar la barra estabilizadora.

n. Separar los extremos de la barra de conexión de las articulaciones de la dirección.

o. Desmontar los semiejes.

p. Desenroscar las tuercas de montaje delanteras y traseras de la caja de cambios y desmontar los apoyos del travesaño.

q. Desmontar el radiador y el ventilador.

r. Conectar una cadena de suspensión a las argollas de izaje del motor.

s. Con una grúa para motores, tensar la cadena de suspensión hasta que el motor quede soportado.

t. Desmontar la polea del cigüeñal.

u. Desmontar la tuerca del amortiguador del apoyo delantero del motor y la tuerca.

v. Desmontar el perno y tuerca de montaje del aislador del motor.

w. Desmontar las tuercas de los aisladores del apoyo de la derecha del motor con el motor.

x. Desmontar el aislador y soporte de la izquierda de la caja de cambios.

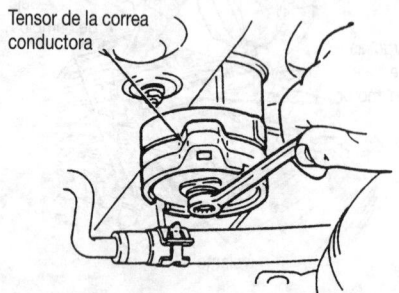

Tensor de la correa conductora

▲ Desatornillar el perno de montaje del tensor de la correa conductora y desmontar la polea – Motor 1.9L

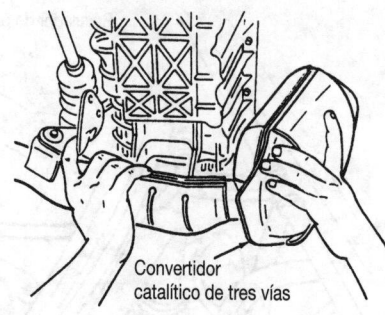

Convertidor catalítico de tres vías

▲ Desmontar el convertidor catalítico para acceder a los pernos de montaje del motor con la caja de cambios – Motor 1.9L con caja de cambios automática

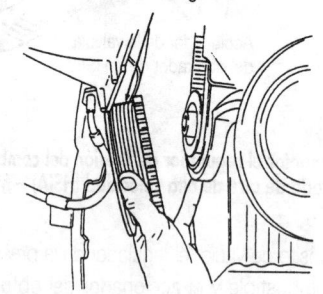

Polea del cigüeñal

▲ Desmontar la polea del cigüeñal debido a que interferirá con el forro interior del guardabarros – Motor 1.9L con caja de cambios automática

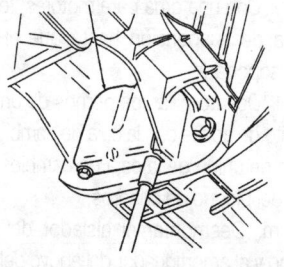

Cubierta de la transmisión/caja de cambios

▲ Desmontar la cubierta de la transmisión/caja de cambios para acceder a los pernos de montaje del convertidor de par con el plato flexible – Motor 1.9L con caja de cambios automática

y. Desmontar el motor y la caja de cambios del vehículo.

z. Separar la caja de cambios del motor y colocar el motor en una base adecuada.

4. En motores 1.9L completar los pasos genéricos para todos los motores al principio de este procedimiento, entonces ejecutar los pasos siguientes para el desmontaje:

a. Desmontar la válvula de control de aire para la marcha mínima (IAC).

b. Desmontar el protector contra salpicaduras.

c. Desconectar las tuberías de refrigeración de la caja de cambios del radiador y taponar las tuberías.

d. Desmontar el radiador del compartimiento del motor.

e. Desconectar el múltiple de succión del aire acondicionado y el tubo del acumulador/secador.

f. Si la tiene, desconectar la manguera de retorno de la dirección asistida del depósito y la tubería de presión de la bomba.

g. Desatornillar los pernos del soporte de la dirección asistida y del aire acondicionado del soporte del compresor y poner las mangueras a un lado.

h. Desmontar el tensor de la correa conductora y la polea.

i. Desmontar el compresor del aire acondicionado y colocarlo a un lado sin desconectar las tuberías.

j. En los modelos con caja de cambios automática, desmontar el convertidor catalítico.

k. En los modelos con caja de cambios automática, desmontar la cubierta de la caja de cambios, cuatro tuercas de unión del volante con el convertidor, la polea del cigüeñal y el motor de arranque.

l. En los modelos con caja de cambios automática, desatornillar los pernos inferiores de unión del motor con la caja de cambios.

m. En los modelos con caja de cambios manual, desconectar la barra de cambios, la horquilla y la barra estabilizadora de la palanca, de la caja de cambios.

n. En los modelos con caja de cambios automática, desatornillar los pernos superiores de unión del motor con la caja de cambios.

o. En los modelos con caja de cambios manual, desmontar los semiejes. Instalar tapones en los engranajes de los lados del diferencial para evitar que queden desalineados.

p. En los modelos con caja de cambios manual, desmontar los semiejes.

q. En los modelos con caja de cambios manual, desatornillar el cilindro secundario del embrague y ponerlo a un lado sin desconectar sus tuberías.

r. En los modelos con caja de cambios manual, desatornillar los pernos de los aisladores de los soportes, delantero, trasero y de la izquierda.

s. En los modelos con caja de cambios manual, desmontar el motor del ventilador de refrigeración del motor.

t. Conectar una cadena de suspensión en las argollas de izaje del motor.

u. Con una grúa para motores, tensar la cadena de suspensión hasta que el motor quede suspendido.

v. En modelos con caja de cambios manual, desmontar la tuerca del apoyo amortiguador delantero y la tuerca.

w. En modelos con caja de cambios manual, desmontar el perno del aislador de montaje del motor y tuerca.

x. En modelos con caja de cambios manual, desmontar los soportes de apoyo de la derecha del motor y el perno del aislador de apoyo.

y. En modelos con caja de cambios manual, desmontar el aislador de la derecha.

z. En modelos con caja de cambios manual, desmontar el motor y la caja de cambios del vehículo.

aa. En modelos con caja de cambios manual, separar la caja de cambios del motor y colocar el motor en una base adecuada.

bb. En modelos con caja de cambios automática, desmontar el amortiguador del apoyo delantero y el aislador del apoyo derecho, luego desmontar el motor del vehículo.

5. En motores 2.0L SOHC (árbol de levas simple en la culata), completar los pasos genéricos para todos los motores al principio de este procedimiento, luego ejecutar los siguientes pasos para el desmontaje:

a. Desmontar la batería y la bandeja.

b. Desmontar el conjunto del filtro de aire, entonces etiquetar y desconectar toda la instalación eléctrica, mangueras, cables, sensores, etc. que podrían interferir en el desmontaje del motor.

c. Desatornillar los tornillos del soporte de la manguera de presión de la dirección asistida y colocar la manguera a un lado.

d. Desmontar el protector térmico del múltiple de escape, las tuercas de unión del múltiple de escape con el convertidor catalítico y un perno superior del motor de arranque. Colocar el soporte del motor de arranque a un lado.

e. Si tiene caja de cambios automática, desconectar las tuberías del sistema de refrigeración de la caja de cambios.

f. Desconectar el cierre de resortes del acoplamiento del tubo del múltiple del aire acondicionado en el acumulador/secador y el condensador.

g. Desmontar el tensor autorregulable de la correa conductora, y si lo tiene, el tensor de la correa conductora, de accesorios.

h. Vaciar el fluido de la dirección asistida y desconectar las tuberías del depósito.

i. Desmontar el protector contra salpicaduras, el travesaño y el convertidor catalítico.

j. Desmontar el árbol propulsor y el compresor del aire acondicionado sin desmontarle las tuberías. Colocar el compresor a un lado.

k. Desmontar el radiador, el ventilador y la envoltura.

l. Fijar un soporte de izaje en el lado trasero izquierdo de la culata de cilindros.

m. Instalar un apoyo para motores de triple barra como se ilustra.

n. Desmontar el travesaño de la caja de cambios.

o. Desatornillar las tuercas del montaje de la caja de cambios y desmontar el montaje.

p. Desmontar el perno pasante del aislador del apoyo de la derecha del motor.

q. Fijar un dispositivo de izaje adecuado al motor.

r. Desmontar el conjunto motor-caja de cambios.

6. En motores 2.0L DOHC (árbol de levas doble en la culata), completar los pasos genéricos para todos los motores al principio de este procedimiento, luego ejecutar los pasos siguientes para el desmontaje:

a. Desmontar la batería y la bandeja.

b. Desmontar el conjunto del filtro de aire, luego etiquetar y desconectar toda la instalación eléctrica, mangueras, cables y sensores que podrían interferir en el desmontaje del motor.

c. Si tiene caja de cambios automática, desmontar la cubierta del convertidor de par y aflojar las tuercas del convertidor.

d. Desmontar el radiador, el ventilador y la envoltura.

e. Desconectar la manguera de retorno de la dirección asistida y la tubería de descarga del compresor al condensador del aire acondicionado.

f. Desmontar el convertidor catalítico y el limitador de balanceo delantero.

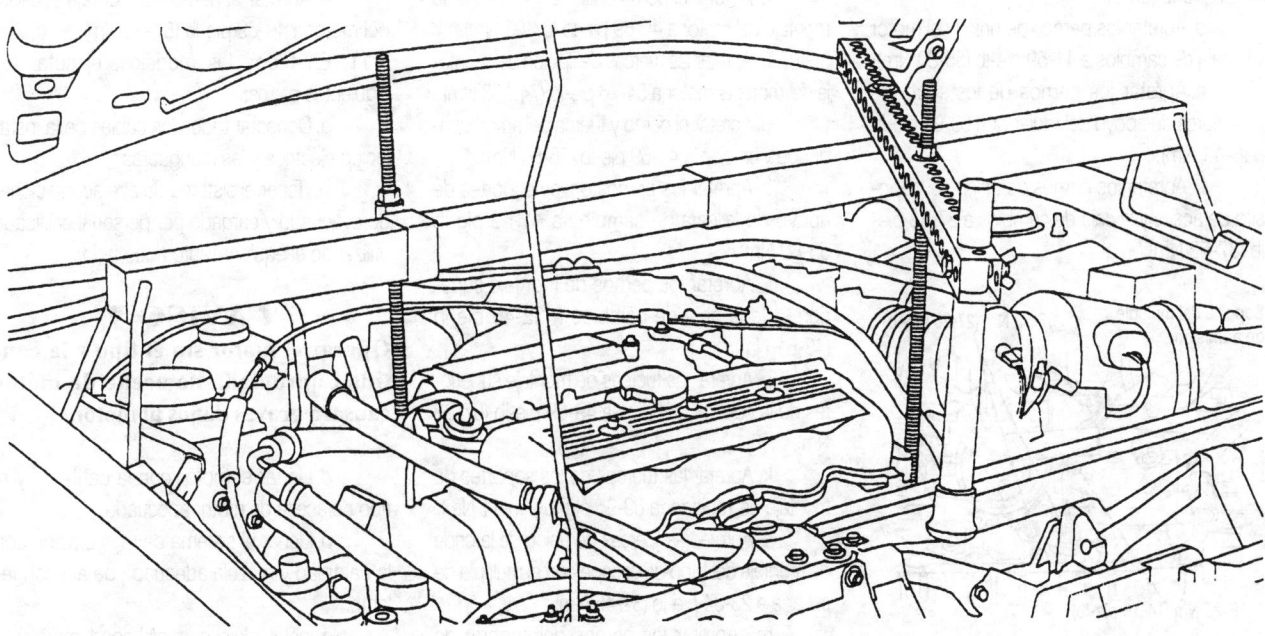

▲ **Apoyar el motor adecuadamente como se muestra – Motor 2.0L SOHC (árbol de levas simple en la culata)**

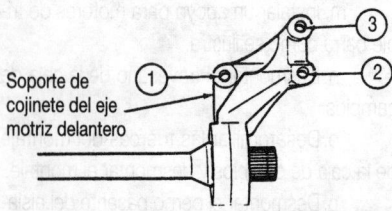

Soporte de cojinete del eje motriz delantero

▲ Apretar los pernos del soporte de cojinete del eje motriz delantero en la secuencia mostrada – Motor 1.8L con caja de cambios automática

g. Desmontar el eje propulsor y desconectar la tubería del embrague hidráulico.

h. Apoyar el motor con un gato de piso.

i. Desatornillar todos los pernos que fijan el motor a su compartimento.

j. Desmontar el conjunto motor-caja de cambios.

Para instalar:

7. La instalación es en orden inverso del desmontaje, pero por favor, observar los siguientes pasos importantes.

8. En motores 1.8L con caja de cambios automática prestar especial atención a las siguientes especificaciones de pares de apriete:

a. Apretar el perno superior de la derecha de unión del motor y la caja de cambios a 41-59 pie-lb (55-80 Nm).

b. Apretar el perno del aislador derecho a 49-69 pie-lb (67-93 Nm).

c. Apretar las tuercas y el perno del amortiguador del apoyo delantero del motor a 41-59 pie-lb (55-80 Nm).

d. Apretar los pernos de unión del motor y la caja de cambios a 41-59 pie-lb (55-80 Nm).

e. Apretar los pernos de los soportes superiores de apoyo del radiador a 69-95 pie-lb (7.8–11 Nm).

f. Apretar los pernos de unión del depósito de aceite y la caja de cambios a 27-38 pie-lb (37-52 Nm).

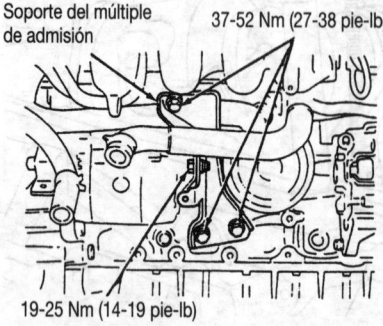

Soporte del múltiple de admisión

37-52 Nm (27-38 pie-lb)

19-25 Nm (14-19 pie-lb)

▲ Apretar los pernos de fijación del múltiple de admisión a las especificaciones mostradas

g. Apretar los pernos de la abrazadera de la bomba de la dirección asistida a 27-38 pie-lb (37-52 Nm).

h. Apretar las tuercas del clip de soporte del tubo del acumulador del aire acondicionado a 56-82 plg-lb (6-9 Nm).

i. Apretar las tuercas de unión del volante y el convertidor a 25-36 pie-lb (34-49 Nm).

j. Apretar los pernos del soporte del cojinete del eje delantero en la secuencia mostrada a 31-46 pie-lb (42-62 Nm).

k. Apretar las tuercas de unión del tubo de escape y el múltiple de escape a 23-34 pie-lb (31-46 Nm).

l. Apretar los tornillos del protector contra salpicaduras a 69-95 plg-lb (7-11 Nm).

m. Apretar los tornillos del soporte del cable del ahogador (estrangulador) a 69-95 plg-lb (7-11 Nm).

9. En motores 1.8L con caja de cambios manual, prestar especial atención a las siguientes especificaciones de pares de apriete.

a. Apretar los pernos de unión del motor y la caja de cambios a 47-66 pie-lb (64-89 Nm).

b. Apretar los pernos de unión del depósito de aceite y la caja de cambios a 27-38 pie-lb (37-52 Nm).

c. Apretar los pernos del aislador del apoyo delantero de la caja de cambios a 27-38 pie-lb (37-52 Nm).

d. Apretar los pernos del múltiple de admisión a las especificaciones mostradas. Consultar la ilustración adjunta.

e. Apretar el perno pasante y la tuerca de montaje del motor a 49-69 pie-lb (67-93 Nm).

f. Apretar las tuercas de fijación del montaje del motor al motor a 54-76 pie-lb (74-103 Nm).

g. Apretar el perno y tuerca del amortiguador de vibración a 41-59 pie-lb (55-80 Nm).

h. Apretar los pernos de los soportes de apoyo de la caja de cambios a 41-59 pie-lb 55-80 Nm).

i. Apretar los pernos de montaje superiores de la caja de cambios a 32-45 pie-lb (43-61 Nm).

j. Apretar las tuercas de montaje superiores de la caja de cambios a 49-69 pie-lb (67-93 Nm).

k. Apretar las tuercas de los soportes de montaje del radiador a 69-95 plg-lb (7.8-11 Nm).

l. Apretar las tuercas de unión de la brida de montaje del tubo de escape con el múltiple de escape a 23-34 pie-lb (31-46 Nm).

m. Apretar los pernos del soporte de montaje del tubo de escape a 27-38 pie-lb (37-52 Nm).

n. Si lo tiene, apretar los pernos de montaje del compresor del aire acondicionado a 15-22 pie-lb (20-30 Nm). Y el tornillo del soporte que encamina la manguera del aire acondicionado en el travesaño a 56-82 plg-lb (6.4-9.3 Nm).

o. Apretar los pernos de montaje de la dirección asistida a 27-38 pie-lb (37-52 Nm).

p. Apretar la tuerca de fijación de la barra de control de cambios a 12-17 pie-lb (16-23 Nm).

q. Apretar los pernos de montaje del cilindro auxiliar del embrague y el perno del soporte guía a 12-17 plg-lb (16-23 Nm).

r. Apretar los tornillos del protector contra salpicaduras a 69-95 pie-lb (7.8-11 Nm).

10. En motores 1.9L, prestar especial atención a las siguientes especificaciones de pares de apriete:

a. En modelos con caja de cambios automática, apretar el perno de la polea del cigüeñal a 81-96 pie-lb (110-130 Nm).

b. Si lo tiene, apretar los pernos de unión del compresor del aire acondicionado al soporte a 15-20 pie-lb (20-30 Nm).

c. En modelos con caja de cambios automática, apretar los dos pernos superiores de unión del motor con la caja de cambios a 40-59 pie-lb (55-80 Nm).

d. En modelos con caja de cambios automática, apretar los cinco pernos inferiores de unión del motor con la caja de cambios a 27-38 pie-lb (37-52 Nm).

e. Apretar el perno de montaje aislador del motor a 49-69 pie-lb (67-93 Nm).

11. En todos los modelos, ejecutar los siguientes pasos:

a. Conectar todos los cables de la instalación eléctrica y las mangueras.

b. Tener el sistema de aire acondicionado evacuado y cargado por personal calificado utilizando el equipamiento adecuado.

▼ AVISO ▼

Operar el motor sin el tipo y la cantidad apropiada de aceite de motor causará graves daños al motor.

c. Llenar el motor con la cantidad y el tipo de aceite de motor adecuado.

d. Llenar el sistema de refrigeración con la cantidad y mezcla adecuada de anticongelante.

e. Instalar la(s) correa(s) conductora(s).

f. Llenar la caja de cambios con la cantidad y el tipo de fluido adecuado.

12. En motores 2.0L SOHC (árbol de levas simple en la culata), prestar especial atención a las siguientes especificaciones de pares de apriete:

a. Apretar el perno pasante del aislador de la derecha a 50-69 pie-lb (67-93 Nm).

b. Apretar las tuercas de montaje del motor a 50-69 pie-lb (67-93 Nm).

c. Apretar los retenedores interiores del travesaño de soporte de la caja de cambios a 28-38 pie-lb (38-51 Nm), y los retenedores exteriores a 48-65 pie-lb (64-89 Nm).

d. Apretar los pernos de montaje del compresor del aire acondicionado a 15-22 pie-lb (20-30 Nm)

e. Apretar la unión del silenciador con el convertidor catalítico a 30-40 pie-lb (40-55 Nm).

f. Instalar el travesaño y apretar los pernos a 69-97 pie-lb (94-131 Nm).

g. Apretar la conexión de la manguera de presión de la dirección asistida a 15-18 pie-lb (20-25 Nm).

h. Apretar el perno del soporte de la tubería del aire acondicionado a 15-18 pie-lb (20-25 Nm).

i. Apretar las tuercas de unión del múltiple de escape con el convertidor catalítico a 26-34 pie-lb (34-47 Nm).

13. En motores 2.0L DOHC (árbol de levas doble en la culata), prestar especial atención a las siguientes especificaciones de pares de apriete:

a. Apretar las tuercas y pernos del aislador delantero a 50-68 pie-lb (67-93 Nm).

b. Apretar el perno pasante del aislador del apoyo delantero del motor a 50-68 pie-lb (67-93 Nm).

c. Apretar los pernos del limitador de balanceo delantero a 48-65 pie-lb (64-89 Nm) y las tuercas a 50-69 pie-lb (67-93 Nm).

d. Apretar las tuercas del limitador de balanceo trasero a 28-38 pie-lb (38-51 Nm).

e. Si está equipado con caja de cambios automática, apretar las tuercas del convertidor de par a 27 pie-lb (37 Nm).

BOMBA DE AGUA

DESMONTAJE E INSTALACIÓN

▼ PRECAUCIÓN ▼

Nunca abrir, serviciar o vaciar el radiador o el sistema de refrigeración cuando esté caliente; el vapor y el líquido refrigerante caliente pueden provocar serias quemaduras. Tam- bién cuando se vacíe el líquido refrigerante, tener en cuenta que a los gatos y a los perros les atrae el etilglicol anticongelante, y pudieran beber restos dejados en recipientes destapados o encharcados en la tierra. Esto resultaría fatal en cantidades suficientes. Siempre vacíe el líquido refrigerante en recipientes sellados. El líquido refrigerante debe ser reutilizado a menos que esté contaminado o tenga ya varios años.**

Motor 1.8L

1. Desconectar el cable negativo de la batería.

2. Vaciar el sistema de refrigeración.

3. Desmontar la correa de sincronización.

4. Elevar y apoyar el vehículo de forma segura.

5. Desmontar el (los) tornillo(s) del soporte del tubo de la varilla de medir el aceite del motor, de la bomba de agua.

6. Desmontar los dos tornillos y el empaque de la tubería de entrada de agua.

7. Desmontar todos los pernos de montaje de la bomba de agua menos el más alto.

8. Bajar el vehículo.

9. Desmontar los pernos restantes y el conjunto de la bomba de agua.

10. Si la bomba de agua se ha de volver a usar, eliminar todo el material del empaque de la bomba de agua.

11. Eliminar todo el material del empaque del bloque de cilindros.

Para instalar:

12. Instalar un nuevo empaque en la bomba de agua.

13. Colocar la bomba de agua en su posición de montaje, entonces instalar el perno superior.

14. Levantar y apoyar de forma segura el vehículo.

15. Instalar el resto de los pernos de la bomba de agua y apretar todos los pernos a 14-19 pie-lb (19-25 Nm).

16. Instalar un nuevo empaque en la tubería de entrada de agua.

17. Instalar los dos pernos de la tubería de entrada de agua la bomba de agua y apretarlos a 14-19 pie-lb (19-25 Nm).

18. Instalar el tornillo del soporte del tubo de la varilla de medir el aceite del motor.

19. Bajar el vehículo.

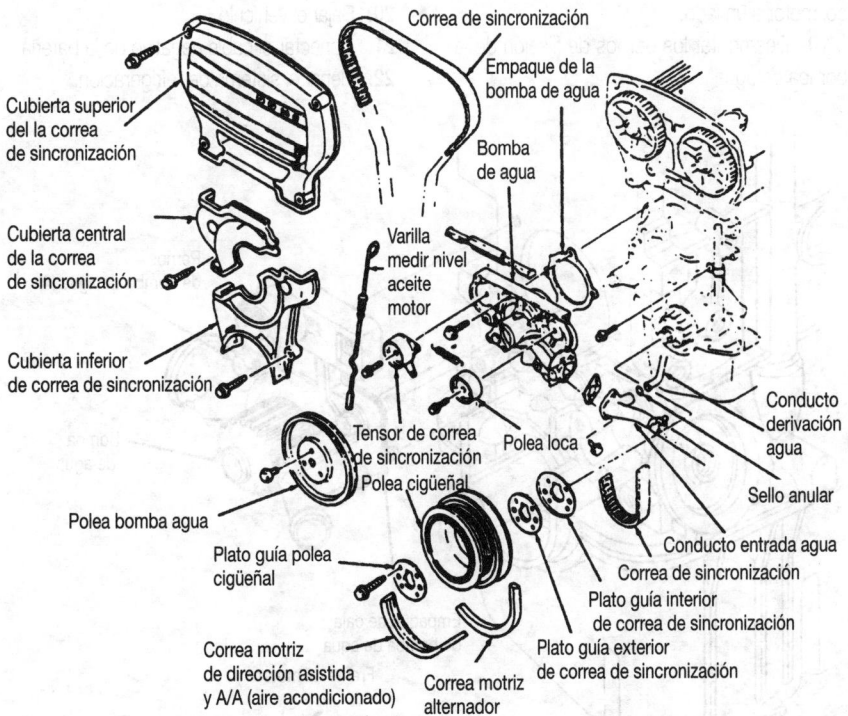

▲ Vista en despiece de la bomba de agua y sus componentes relacionados – Motor 1.8L

20. Instalar la correa de sincronización.

21. Llenar el sistema de refrigeración.

22. Conectar el cable negativo de la batería.

23. Poner en marcha el motor y dejarlo que alcance la temperatura de funcionamiento. Comprobar que no existan fugas de líquido refrigerante.

24. Comprobar el nivel del líquido refrigerante y adicionar líquido refrigerante, de ser necesario.

Motor 1.9L

1. Desconectar el cable negativo de la batería.

2. Vaciar el sistema de refrigeración.

3. Desmontar la cubierta de la correa de sincronización y la correa de sincronización.

4. Levantar y apoyar de forma segura el vehículo.

5. Desmontar la manguera inferior del radiador.

6. Desmontar la manguera del calefactor de la bomba de agua.

7. Bajar el vehículo.

8. Apoyar el motor con un gato de piso adecuado.

9. Desmontar los pernos de fijación del montaje derecho del motor y girar el montaje del motor a un lado.

10. Desmontar los pernos de fijación de la bomba de agua.

11. Utilizando un gato de piso, levantar el motor lo suficiente como para facilitar el desmontaje de la bomba de agua.

12. Desmontar del motor la bomba de agua y el empaque a través de la parte superior del compartimiento del motor.

Para instalar:

13. Asegurarse de que las superficies de unión del bloque de cilindros y de la bomba agua estén limpias y no queden ningún resto de material de empaque.

14. Si la bomba de agua va ha ser sustituida, transferir el tensor de la correa de sincronización a la bomba de agua nueva.

15. Con el motor apoyado y elevado con un gato de piso adecuado, colocar la bomba de agua y el empaque en el bloque de cilindros e instalar los cuatro pernos de fijación. Apretar los pernos a 15-22 pie-lb (20-30 Nm).

16. Instalar la correa de sincronización y la cubierta.

17. Girar el montaje del motor dentro de su posición e instalar los pernos de montaje. Desmontar el gato de piso.

18. Levantar y apoyar con seguridad el vehículo.

19. Instalar la manguera inferior del radiador y conectar la manguera del calefactor a la bomba.

20. Bajar el vehículo.

21. Conectar el cable negativo de la batería.

22. Llenar el sistema de refrigeración.

23. Poner en marcha el motor y dejarlo que alcance la temperatura normal de funcionamiento. Comprobar que no existan fugas de líquido refrigerante.

24. Comprobar el nivel del líquido refrigerante y adicionar líquido refrigerante de ser necesario.

Motor 2.0L

SOHC (ÁRBOL DE LEVAS SIMPLE EN LA CULATA) SPI (INYECCIÓN DIVIDIDA EN EL MÚLTIPLE DE ADMISIÓN)

1. Desconectar el cable negativo de la batería.

2. Levantar el vehículo y apoyarlo en bases seguras.

▼ PRECAUCIÓN ▼

Nunca abrir, serviciar o vaciar el radiador o el sistema de refrigeración cuando esté caliente; el vapor y el líquido refrigerante caliente pueden provocar serias quemaduras. También cuando se vacíe el líquido refrigerante, tener en cuenta que a los gatos y a los perros les atrae el etilglicol anticongelante, y pudieran beber los restos dejados en recipientes destapados o encharcados en la tierra. Esto resultaría fatal en cantidades suficientes. Siempre vacíe el líquido refrigerante en recipientes sellados. El líquido refrigerante debe ser reutilizado a menos que esté contaminado o tenga ya varios años.

3. Vaciar y reciclar el líquido refrigerante.

4. Desmontar la correa de sincronización.

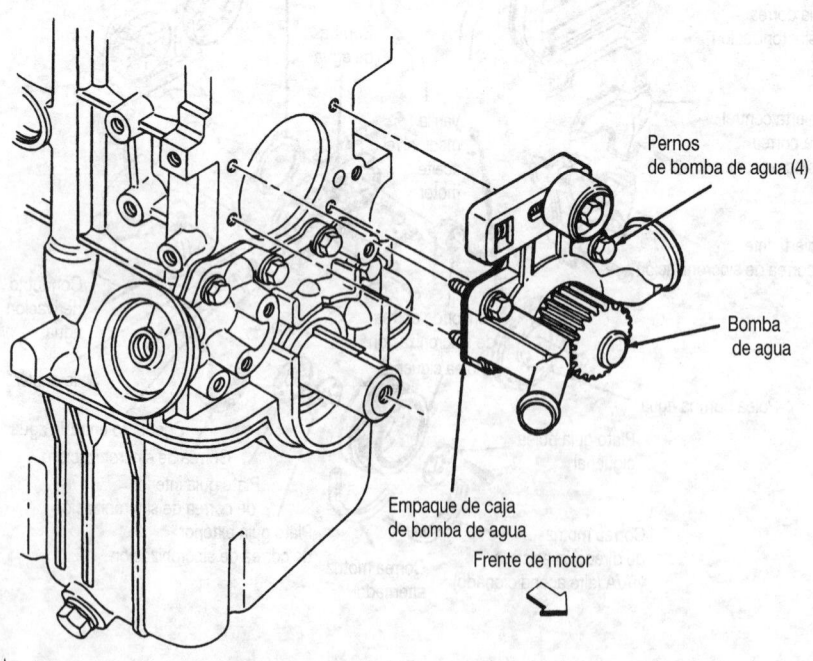

Pernos de bomba de agua (4)

Bomba de agua

Empaque de caja de bomba de agua

Frente de motor

▲ **Vista en despiece del montaje de la bomba de agua – Motor 1.9L**

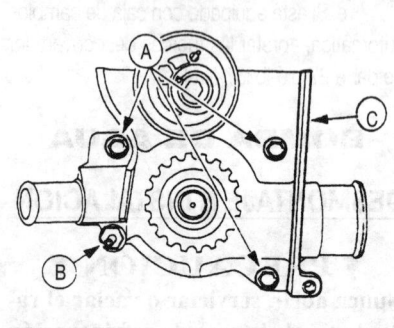

▲ **Localización de los pernos de montaje (A) de la bomba de agua (C) y el espárrago (B) – Motor 2.0L SOHC**

5. Desatornillar el perno del tensor de la correa de la sincronización y desmontar el tensor.

6. Desconectar la manguera inferior del radiador de la bomba de agua.

7. Bajar el vehículo y desconectar la manguera calefactora de la bomba de agua.

8. Desatornillar los tres pernos y el esparrago de la bomba de agua.

9. Desmontar la bomba de agua.

Para instalar:
▼ PRECAUCIÓN ▼

No usar ningún disco abrasivo para eliminar el material del empaque. Utilizar un rascador de empaque de plástico manual para eliminar los restos del empaque. Tener cuidado en no rayar o acanalar las superficies de sellado de aluminio cuando se limpien.

10. Limpiar a fondo las superficies de empaque, hasta que no queden restos del viejo empaque. Inspeccionar las superficies de contacto de empaque, ambas tienen que estar limpias y lisas.

11. Instalar un nuevo empaque y la bomba de agua.

12. Instalar los pernos y el espárrago de la bomba de agua a 15-22 pie-lb (20-30 Nm).

13. Conectar la manguera del calefactor a la bomba.

14. Levantar el vehículo y apoyarlo en bases seguras.

15. Conectar la manguera inferior del radiador a la bomba.

16. Instalar el tensor de la correa de la sincronización y apretar el perno a 15-22 pie-lb (20-30 Nm).

17. Instalar la correa de la sincronización y bajar el vehículo.

18. Llenar el sistema de refrigeración con la cantidad y mezcla adecuada de líquido refrigerante.

19. Poner en marcha el motor y comprobar que no existan fugas.

DOHC (ÁRBOL DE LEVAS DOBLE EN LA CULATA) ZETEC

1. Desconectar el cable negativo de la batería.

▼ PRECAUCIÓN ▼

Nunca abrir, serviciar o vaciar el radiador o el sistema de refrigeración cuando

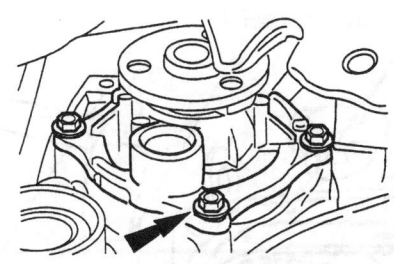

▲ Desmontar los pernos de montaje de la bomba de agua – Motor 2.0L Zetec

esté caliente; el vapor y el líquido refrigerante caliente pueden provocar serias quemaduras. También cuando se vacíe el líquido refrigerante, tener en cuenta que a los gatos y a los perros les atrae el etilglicol anticongelante, y pudieran beber los restos dejados en recipientes destapados o encharcados en la tierra. Esto resultaría fatal en cantidades suficientes. Siempre vacíe el líquido refrigerante en recipientes sellados. El líquido refrigerante debe ser reutilizado a menos que esté contaminado o tenga ya varios años.

2. Vaciar y reciclar el líquido refrigerante.

3. Levantar el vehículo y apoyarlo en bases seguras.

4. Desatornillar los tornillos del protector contra salpicaduras y desmontar el protector.

5. Aflojar los tornillos de retención de la polea de la bomba de agua, luego desmontar la correa conductora.

6. Desmontar los pernos del compresor de aire acondicionado y mover el compresor a un lado.

7. Desatornillar los pernos de la bomba de agua y desmontar la bomba de en medio de la cubierta de la correa de sincronización.

Para instalar:

8. Instalar la bomba de agua y apretar los pernos a 17 pie-lb (24 Nm).

9. Colocar el compresor del aire acondicionado en su posición y apretar los pernos de montaje.

10. Instalar la correa conductora y apretar los tornillos de la polea de la bomba de agua.

11. Instalar el protector contra salpicaduras y apretar los tornillos.

12. Llenar el sistema de refrigeración con la cantidad y mezcla adecuada de líquido refrigerante.

13. Conectar el cable negativo de la batería.

14. Poner en marcha el motor y comprobar que no existan fugas.

CULATA DE CILINDROS

DESMONTAJE E INSTALACIÓN

▼ AVISO ▼

Para reducir la posibilidad de que la culata de cilindros se alabee o distorsione, no desmontar la culata de cilindros mientras el motor esté caliente. Siempre dejar que el motor se enfríe completamente antes de proceder al desmontaje de la culata de cilindros.

Motor 1.8L

1. Descargar la presión del sistema de combustible de forma adecuada.

2. Desconectar el cable negativo de la batería.

3. Vaciar el sistema de refrigeración.

▼ PRECAUCIÓN ▼

Nunca abrir, serviciar o vaciar el radiador o el sistema de refrigeración cuando esté caliente; el vapor y el líquido refrigerante caliente pueden provocar serias quemaduras. También cuando se vacíe el líquido refrigerante, tener en cuenta que a los gatos y a los perros les atrae el etilglicol anticongelante, y pudieran beber los restos dejados en recipientes destapados o encharcados en la tierra. Esto resultaría fatal en cantidades suficientes. Siempre vacíe el líquido refrigerante en recipientes sellados. El líquido refrigerante debe ser reutilizado a menos que esté contaminado o tenga ya varios años.

4. Desatornillar los pernos de las cubiertas superior y media de correa de sincronización, luego desmontar las cubiertas y los empaques.

5. Rotar manualmente el cigüeñal en la dirección normal de rotación del motor (sentido horario) y alinear las marcas de sincronización localizadas en las poleas de los árboles de levas y en la placa de sello.

6. Aflojar el perno de seguridad del tensor de la correa de sincronización y asegurar temporalmente el resorte del tensor completamente extendido.

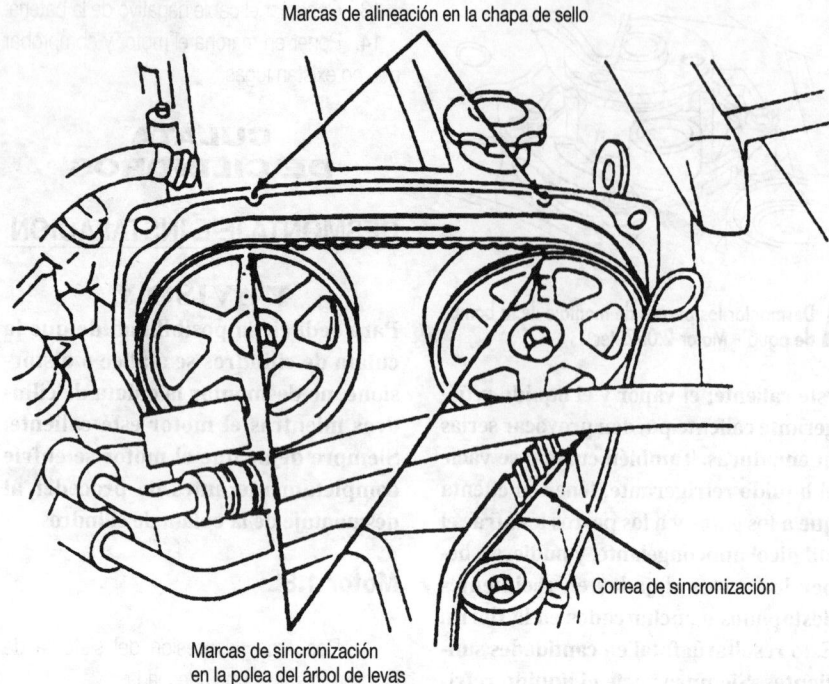

Marcas de alineación en la chapa de sello

Correa de sincronización

Marcas de sincronización
en la polea del árbol de levas

▲ **Asegurarse de que las marcas de sincronización en la polea del cigüeñal y en la chapa de sello están alineadas – Motor 1.8L**

7. Desmontar la correa de sincronización de las poleas de los árboles de levas y asegurarla a un lado para evitar daños durante el desmontaje y la instalación de la culata de cilindros.

➡ **No permitir que la correa de sincronización se ensucie de aceite o grasa.**

8. Etiquetar y desmontar las mangueras de vacío de la cubierta de válvulas de culata.

9. Etiquetar y desconectar los cables de bujías de encendido de las propias bujías y colocar los cables a un lado.

10. Desmontar la tapa de balancines (de válvulas) y el empaque.

11. Aflojar las abrazaderas del conducto de salida del filtro de aire y desconectarlo de la cámara de resonancia y del cuerpo del estrangulador.

12. Desconectar el cable del acelerador, y si tiene caja de cambios automática, desconectar el cable del cambio obligado de la leva del estrangulador. Desmontar el soporte del cable del múltiple de admisión.

13. Etiquetar y desmontar todos los conductos de vacío del múltiple de admisión.

14. Etiquetar y desconectar todos los conectores eléctricos necesarios de la culata de cilindros, múltiple de escape, múltiple de admisión y cuerpo del estrangulador.

15. Desconectar las tomas a tierra.

16. Aflojar las abrazaderas de la manguera superior del radiador y desmontar la manguera.

17. Desatornillar el perno superior derecho de unión de la caja de cambios con el bloque cilindros.

18. Si las tiene, desmontar las abrazaderas de seguridad del raíl de combustible.

19. Desconectar las tuberías de presión y retorno de combustible, luego taponar las tuberías.

20. Desconectar del distribuidor el conductor de alta tensión de la bobina de encendido.

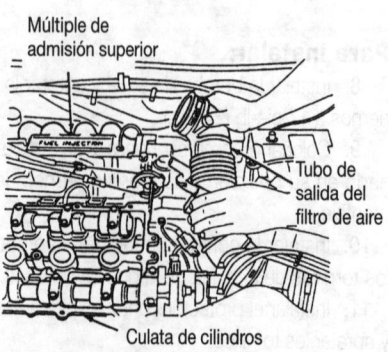

Múltiple de
admisión superior

Tubo de
salida del
filtro de aire

Culata de cilindros

▲ **Desconectar el tubo de salida del filtro de aire de la cámara de resonancia y el cuerpo del estrangulador**

21. Etiquetar y desenganchar las mangueras necesarias conectadas a la culata de cilindros y al múltiple de admisión.

22. Desmontar los dos pernos de los soportes guías del tubo respiradero de la caja de cambios.

23. Levantar y apoyar de forma segura el vehículo.

24. Desmontar el tornillo del soporte de la manguera de la bomba de agua a la culata de cilindros.

25. Desmontar la brida de montaje del escape delantero y el soporte de apoyo del tubo de escape, del múltiple de escape.

26. Desmontar el soporte de apoyo del múltiple de admisión.

27. Bajar el vehículo.

28. Desmontar los pernos de la culata de cilindros en la secuencia mostrada.

29. Desmontar el conjunto de la culata de cilindros con múltiple de admisión, múltiple de escape, y distribuidor todavía acoplado del vehículo.

30. Desmontar el múltiple de admisión y el múltiple de escape.

Para instalar:

31. Eliminar toda suciedad, aceite y restos de material del empaque viejo de todas las superficies de contacto de empaque.

32. Instalar el múltiple de admisión y el múltiple de escape.

33. Instalar un nuevo empaque de culata de cilindros en la parte superior del bloque de cilindros, utilizando los pasadores de centrado como referencia.

34. Colocar la culata de cilindros en su posición de montaje sobre el bloque de cilindros.

35. Lubricar los pernos de la culata de cilindros con aceite de motor e instalarlos apretán-

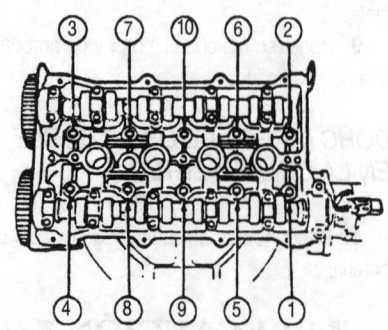

▲ **Secuencia de desmontaje de los pernos de la culata de cilindros – Motor 1.8L**

dolos con la mano. Apretar los pernos en la secuencia apropiada (consultar la ilustración adjunta) en dos o tres etapas a 56-60 pie-lb (76-81 Nm).

36. Instalar los dos pernos de los soportes de guía del tubo respiradero de la caja de cambios.

37. Conectar la manguera del calefactor a la culata de cilindros y apretar las abrazaderas.

38. Conectar el cable de alta tensión de encendido de la bobina al distribuidor.

39. Conectar las tuberías de presión y retorno de combustible al múltiple de suministro de combustible e instalar las presillas de seguridad.

40. Instalar el perno superior derecho de unión de la caja de cambios con el bloque de cilindros. Si está equipado con caja de cambios manual, apretar el perno a 47-66 pie-lb (64-89 Nm). Si está equipado con caja de cambios manual, apretar el perno a 41-59 pie-lb (55-80 Nm).

41. Instalar la manguera superior del radiador y apretar las abrazaderas.

42. Conectar las tomas a tierra.

43. Fijar las conexiones eléctricas que fueron desconectadas a la culata de cilindros, múltiple de escape, múltiple de admisión y cuerpo del ahogador.

44. Conectar las tuberías de vacío al múltiple de admisión.

45. Instalar el soporte del cable del acelerador del cambio obligado y sobre el múltiple de admisión y apretar los tornillos a 69-95 plg-lb (7.8-11 Nm). Conectar el (los) cable(s) a la leva del ahogador (estrangulador).

46. Instalar la cubierta de válvulas y el empaque, luego conectar la manguera, encaminándola desde el múltiple hasta la cubierta de válvulas. Apretar los pernos de la cubierta a 43-78 plg-lb (4.9-8.8 Nm).

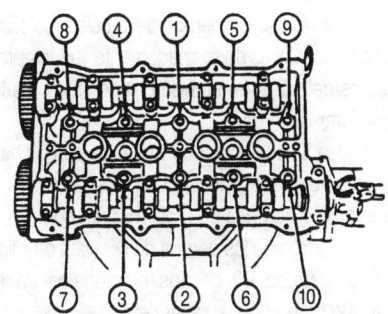

▲ Apretar los pernos de la culata de cilindros en esta secuencia y a las especificaciones correctas – Motor 1.8L

47. Instalar y conectar los cables de las bujías de encendido.

48. Conectar el tubo de salida del filtro de aire al resonador y al cuerpo del ahogador (estrangulador) y apretar las abrazaderas.

49. Conectar la manguera desde el conducto de aire a la tapa de la culata de cilindros.

50. Levantar y apoyar el vehículo de forma segura.

51. Instalar el soporte de apoyo del múltiple de admisión. Apretar los pernos a 27-38 pie-lb (37-52 Nm) y la tuerca a 14-19 pie-lb (19-25 Nm).

52. Instalar el perno del soporte de la manguera de la bomba de agua y de la culata de cilindros.

53. Instalar la brida de montaje del escape delantero, con un empaque nuevo, al múltiple de escape. Apretar las tuercas de fijación de la brida al múltiple a 23-34 pie-lb (31-46 Nm).

54. Instalar el soporte de apoyo del tubo de escape. Apretar los pernos de fijación del soporte a 27-38 pie-lb (37-52 Nm).

55. Asegurarse de que la marca amarilla de sincronización del encendido en la polea del cigüeñal está alineada con la marca del punto muerto superior (PMS) hecha en la cubierta de la correa de sincronización.

56. Bajar el vehículo.

57. Asegurarse de que las marcas de sincronización hechas en los árboles de levas y en la chapa de sello están alineadas. Instalar la correa de sincronización de manera que no existan holguras en el lado de la polea loca ni entre las dos poleas de los árboles de levas.

➡ **No rotar el cigüeñal en sentido anti-horario.**

58. Rotar el cigüeñal dos vueltas en sentido horario con la mano, y verificar que la marca amarilla de sincronización del encendido en la polea del cigüeñal está alineada con la marca de sincronización de la cubierta de la correa de sincronización. Verificar que las marcas de la sincronización hechas en la polea del cigüeñal y en la chapa de sello están alineadas.

➡ **Si las marcas de sincronización no están alineadas, desmontar la correa de sincronización y repetir el procedimiento.**

59. Rotar el cigüeñal 1 ⁵/₆ de vuelta en sentido horario con la mano y alinear el cuarto diente a la derecha de las marcas de sincronización I y E sobre las poleas de los árboles de levas

con las marcas de alineación de la chapa de sello.

60. Aflojar el perno de cierre del tensor de la correa de sincronización y aplicar tensión a la correa de sincronización. Apretar el perno de cierre del tensor a 27-38 pie-lb (37-52 Nm).

61. Rotar el cigüeñal 2 ¹/₆ de vuelta (780 grados) en sentido horario y verificar que las marcas de sincronización en la polea del cigüeñal y en la platina de sello están alineadas.

62. Instalar empaques nuevos en las cubiertas superior y central de la correa de sincronización e instalar las cubiertas. Apretar los tornillos de fijación a 69-95 plg-lb (8-11 Nm).

63. Llenar el sistema de refrigeración.

64. Conectar el cable negativo de la batería.

65. Poner en marcha el motor y comprobar que no existan fugas.

Motor 1.9L

▼ PRECAUCIÓN ▼

Observar todas las medidas de seguridad aplicables cuando se trabaje alrededor de combustibles. Cuando se servicie el sistema de alimentación de combustible, trabajar siempre en un área bien ventilada. No permitir que ninguna pulverización o vapores de combustible entren en contacto con alguna chispa o llama abierta. Mantener un extintor de incendios químico seco cerca del área de trabajo. Siempre tener el combustible en depósitos específicamente diseñados para almacenar combustibles; además, siempre sellar adecuadamente los depósitos de combustible para evitar la posibilidad de incendio o explosión.

1. Descargar la presión del sistema de combustible de forma adecuada.

2. Desconectar el cable negativo de la batería.

3. Vaciar el sistema de refrigeración.

▼ PRECAUCIÓN ▼

Nunca abrir, serviciar o vaciar el radiador o el sistema de refrigeración cuando esté caliente; el vapor y el líquido refrigerante caliente pueden provocar serias quemaduras. También cuando se vacíe el líquido refrigerante, tener en cuenta que a los gatos y a los perros les atrae el etilglicol anticongelante, y pudieran beber los restos dejados en recipientes

destapados o encharcados en la tierra. Esto resultaría fatal en cantidades suficientes. Siempre vacíe el líquido refrigerante en recipientes sellados. El líquido refrigerante debe ser reutilizado a menos que esté contaminado o tenga ya varios años.

4. Desmontar el conducto de admisión de aire.

5. Desmontar la manguera respiradora del cárter de la tapa de balancines y la manguera de vacío de la parte inferior del cuerpo del estrangulador.

6. Desmontar la manguera de suministro del reforzador de freno.

7. Etiquetar y desconectar los siguientes conectores eléctricos:

   a. El mazo de conductores de carga de combustible (torre del poste de la derecha).

   b. El mazo de conductores del alternador (detrás del alternador).

   c. Sensor de la posición angular del cigüeñal.

   d. Sensor de oxígeno en los gases de escape.

   e. Bobina de encendido.

   f. Supresor de radio (montado en el soporte de la bobina de encendido).

   g. Sensor de la temperatura del líquido refrigerante del motor (ECT), sensor del ventilador de enfriamiento y la unidad de transmisión de la temperatura.

8. Desmontar el cable a tierra del espárrago en el lado izquierdo de la culata de cilindros.

9. Desconectar el cable del acelerador y el cable de cambio obligado de la caja de cambios de la palanca del estrangulador y desmontar el soporte del cable del múltiple de admisión.

10. Desconectar la manguera del calefactor que contiene los interruptores de temperatura del enfriador en el tabique.

11. Desmontar la manguera superior del radiador.

12. Desconectar y taponar las tuberías de suministro y retorno de combustible.

13. Desmontar la tuerca de montaje del tubo indicador del nivel de aceite del espárrago de la culata de cilindros.

14. Desmontar la manguera de la dirección asistida y los tornillos del soporte de los retenedores de los conductos del aire acondicionado del soporte del alternador.

15. Desmontar la correa conductora de los accesorios, el alternador y el tensor automático de la correa conductora.

16. Levantar y apoyar de forma segura el vehículo.

17. Desmontar la tubería de entrada del convertidor catalítico.

18. Desmontar el mazo de cables del motor de arranque de las presillas retenedoras de debajo del múltiple de admisión.

19. Poner el cilindro Nº 1 del motor en PMS (punto muerto superior).

20. Bajar el vehículo.

21. Desmontar la correa de la distribución.

22. Desmontar el perno de retención del soporte de apoyo de la manguera del calefactor y el perno de montaje de unión del soporte del alternador con la culata de cilindros.

23. Desmontar la tapa de los balancines.

24. Desmontar los pernos de la culata de cilindros. Los pernos viejos pueden ser utilizados nuevamente para comprobar la distancia menor entre la cabeza del pistón (cuando esté en el PMS) y la culata de cilindros antes de desecharlos.

25. Desmontar la culata de cilindros sin desmontarle los múltiples de admisión y escape.

26. Desmontar el empaque de la culata de cilindros. Conservar el empaque para comprobar la distancia menor entre la cabeza del pistón (cuando esté en el PMS) y la culata de cilindros, luego de comprobar la distancia menor entre la cabeza del pistón (en PMS) y la culata de cilindros, desechar el empaque.

➡ No colocar la culata de cilindros apoyada por su lado plano. Pueden dañarse las bujías de encendido, las válvulas o las superficies del empaque.

Para instalar:

27. Limpiar todas las superficies de acoplamiento de la culata de cilindros y del bloque de cilindros de todos los restos de material de empaque, y limpiar los orificios de los pernos de la culata de cilindros en el bloque de cilindros.

28. Comprobar la distancia menor entre la cabeza del pistón (cuando esté en el PMS) y la culata de cilindros. Consultar el procedimiento en esta sección.

➡ No se permite ningún maquinado de la parte superior del bloque de cilindros, o la sustitución del cigüeñal, pistones o bielas tales que una vez montados provoquen que la distancia menor entre la cabeza del pistón (cuando esté en el PMS) y la culata de cilindros estén por encima o por debajo

de los límites de tolerancia especificados. Si sólo el empaque de la culata de cilindros ha sido sustituido, la distancia menor entre la cabeza del pistón (cuando esté en el PMS) y la culata de cilindros debe estar dentro de las especificaciones. Si se han sustituido otras piezas además del empaque de la culata de cilindros, comprobar la distancia menor entre la cabeza del pistón (en el PMS) y la culata de cilindros. Si la distancia menor entre la cabeza del pistón y la culata de cilindros está fuera de lo especificado, sustituir las piezas de nuevo y comprobar nuevamente la distancia menor (en el PMS) entre la cabeza del pistón y la culata de cilindros.

29. Instalar las clavijas de centrado en el bloque de cilindros, si han sido desmontadas previamente. Comprobar la altura de la clavija, debe ser 0.407-0.40 plg (10.40-11.75 mm) por encima de la superficie del bloque de cilindros. Una clavija demasiado larga no permitirá que la culata de cilindros se asiente correctamente.

30. Colocar el empaque de la culata de cilindros en el bloque de cilindros.

➡ Los pernos de fijación de la culata de cilindros no pueden apretarse al par especificado más de una vez, y tienen por consiguiente que ser sustituidos cuando se instale una culata de cilindros.

31. Instalar la culata de cilindros e instalar pernos nuevos y arandelas en el siguiente orden:

   a. Aplicar una ligera capa de aceite de motor a la rosca de los nuevos pernos de fijación de la culata de cilindros e instalar los nuevos pernos en la culata de cilindros.

   b. Apretar los pernos de la culata de cilindros en orden (consulte la ilustración) a 44 pie-lb (60 Nm).

   c. Aflojar los pernos de la culata de cilindros dos vueltas aproximadamente, luego apretarlos de nuevo en el mismo orden a 44 pie-lb (60 Nm).

   d. Después de que todos los pernos han sido apretados, girar los pernos de la culata de cilindros 90 grados en orden, y para completar la instalación de los pernos de la culata de cilindros, girarlos 90 grados adicionales en el mismo orden del par de apriete.

32. Instalar la tapa de balancines y el perno de unión del soporte del alternador a la culata de cilindros.

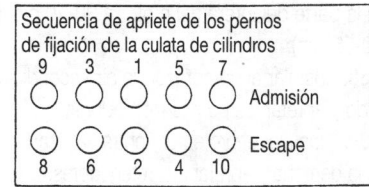

Secuencia de apriete de los pernos de fijación de la culata de cilindros

Culata de cilindros

Pernos de culata de cilindros (10)

▲ **Secuencia de apriete de los pernos de la culata de cilindros – Motor 1.9L**

33. Asegurarse de que las marcas de sincronización están alineadas estando el motor en el punto muerto superior (PMS), instalar la correa de sincronización y su cubierta.

34. Levantar y apoyar con seguridad el vehículo.

35. Instalar el mazo de cables del motor de arranque en la presilla de retención de debajo del múltiple de admisión.

36. Instalar el tubo de entrada del convertidor catalítico.

37. Bajar el vehículo.

38. Instalar el alternador y el tensor automático de la correa de accesorios. Instalar la correa de accesorios.

39. Instalar la manguera de la dirección asistida y los tornillos del soporte de retención del conducto del aire acondicionado. Instalar el tornillo de retención del tubo indicador del nivel de aceite.

40. Conectar las tuberías de suministro y retorno de combustible.

41. Instalar la manguera superior del radiador y conectar la manguera del calefactor a la mampara del compartimiento del motor.

42. Instalar el perno de retención del soporte de montaje de la manguera del calefactor.

43. Instalar el soporte del cable del acelerador en el múltiple de admisión y conectar los cables del acelerador y el del cambio obligado a la palanca del estrangulador.

44. Conectar la toma a tierra al lado izquierdo de la culata de cilindros.

45. Conectar el resto de los conectores eléctricos de acuerdo a sus posiciones marcadas durante el proceso de desmontaje.

Correa de sincronización instalada   **Localización de chaveteros**

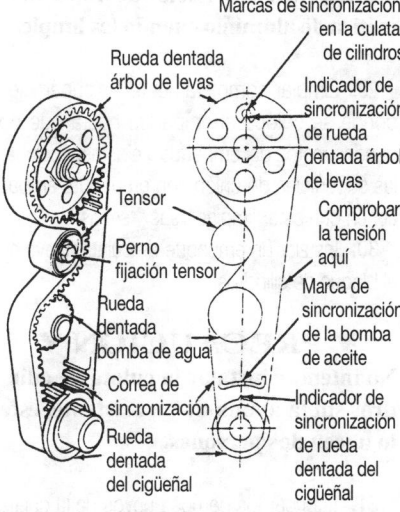

Cigüeñal en el punto muerto superior (PMS). El indicador de sincronización en la rueda dentada del cigüeñal alineado con la marca de sincronización de la bomba de aceite, y el indicador de la sincronización en la rueda dentada del árbol de levas alineado con la marca de la sincronización de la culata de cilindros

▲ **Asegurarse de que las marcas de sincronización están alineadas de manera que el motor esté en el punto muerto superior (PMS) antes de instalar la correa de sincronización – Motor 1.9L**

46. Conectar la manguera de suministro del reforzador de freno, la manguera del respiradero del cárter y las tuberías de vacío en la parte inferior del cuerpo del estrangulador.

47. Instalar el conducto de admisión de aire.

48. Conectar el cable negativo de la batería.

49. Llenar y sangrar el sistema de refrigeración.

50. Poner en marcha el motor y comprobar que no existan fugas. Detener el motor y comprobar el nivel del líquido refrigerante. Adicionar líquido si es necesario.

Motor 2.0L

SOHC (ÁRBOL DE LEVAS SIMPLE EN LA CULATA) SPI (INYECCIÓN DIVIDIDA EN EL MÚLTIPLE DE ADMISIÓN)

➡ **Nunca trabajar en las piezas de aluminio del motor cuando el motor esté caliente.**

1. Desconectar el cable negativo de la batería.

2. Descargar la presión del sistema de combustible de forma adecuada.

3. Desmontar la correa de sincronización y el tubo de admisión del filtro de aire.

4. Etiquetar y desconectar las mangueras de vacío de los siguientes componentes:

• Válvula de recirculación de gases de escape (EGR).

• Válvula PCV.

• Cuerpo del estrangulador.

• Regulador de la presión de combustible.

• Múltiple de admisión.

5. Desconectar el cable del acelerador, la palanca de control del estrangulador y si lo tiene, el cable de control de la velocidad.

6. Si lo tiene, desmontar el tornillo del soporte del cable de control de la velocidad.

7. Desconectar las dos conexiones eléctricas del cableado de la carga de combustible.

8. Desconectar las conexiones eléctricas del sensor de posición del cigüeñal (CPK) y el sensor precalentado del oxígeno del escape (HO$_2$S).

9. Desconectar la tubería de suministro de combustible del colector de combustible con una herramienta D87L-9280-A o su equivalente.

10. Desatornillar los pernos del soporte de la manguera de presión de la dirección asistida, luego colocar el soporte y la manguera a un lado.

11. Aflojar el perno más bajo del alternador, desatornillar el perno más alto del alternador y pivotar el alternador hacia delante.

12. Desatornillar el perno del soporte del tubo de la varilla de medir el aceite del motor que fija el tubo al múltiple de admisión.

13. Desconectar el tubo del ERG del múltiple, localizado debajo de la válvula de recirculación de gases de escape (EGR).

14. Desatornillar las tuercas del protector térmico del múltiple de escape y desmontar el protector térmico.

15. Desatornillar las tuercas del convertidor catalítico con el múltiple de escape y separar sus componentes.

16. Levantar el vehículo y apoyarlo con bases seguras.

▼ PRECAUCIÓN ▼

Nunca abrir, serviciar o vaciar el radiador o el sistema de refrigeración cuando esté caliente; el vapor y el líquido refrigerante caliente pueden provocar serias quemaduras. También cuando se vacíe el líquido refrigerante, tener en cuenta que a los gatos y a los perros les atrae el etilglicol anticongelante, y pudieran beber los restos dejados en recipientes destapados o encharcados en la tierra. Esto resultaría fatal en cantidades suficientes. Siempre vacíe el líquido refrigerante en recipientes sellados. El líquido

refrigerante debe ser reutilizado a menos que esté contaminado o tenga ya varios años.

17. Vaciar el líquido refrigerante a un recipiente adecuado.

18. Desatornillar los pernos del protector contra salpicaduras de la derecha y desmontar el protector.

19. Desmontar el tubo de la varilla de medir el aceite del motor del bloque de cilindros.

20. Desconectar la conexión eléctrica del compresor del aire acondicionado.

21. Desatornillar los retenedores del compresor del aire acondicionado y colocar el compresor a un lado sin desconectarle las tuberías.

22. Aflojar sin llegar a quitar, los cuatro pernos y tuercas que fijan el soporte del mando de accesorios delantero del motor, alrededor de cuatro vueltas $FR3/8 pulgadas.

23. Bajar el vehículo y desatornillar el perno más alto de unión del soporte del mando de accesorios delantero del motor con la culata de cilindros.

24. Desatornillar el perno de unión del soporte de la tubería del aire acondicionado con el soporte del mando de accesorios delantero del motor.

25. Desmontar la cubierta de válvulas, luego desconectar la manguera superior del radiador de la conexión para la manguera de agua de la caja del termostato.

26. Desmontar la manguera del calefactor de la caja del termostato.

▼ PRECAUCIÓN ▼

El desmontaje de la culata de cilindros requiere de dos personas, por favor, no desmontar la culata de cilindros sin la colaboración de un ayudante.

➡ Mantener una presión balanceada cuando se desmonten los pernos de la culata de cilindros.

27. Desatornillar los pernos de la culata de cilindros, desmontar la culata y el empaque.

28. Desechar los pernos y el empaque viejos.

Para instalar:

➡ Siempre usar pernos nuevos cuando se instale la culata de cilindros.

▼ PRECAUCIÓN ▼

No usar ningún disco abrasivo para eliminar el material del empaque. Utilizar un rascador de empaque manual de plástico para eliminar los restos del empaque. Tener cuidado en no rayar o acanalar las superficies de unión hermética de aluminio cuando las limpie.

29. Limpiar completamente las superficies donde se coloca el empaque hasta que no queden restos del empaque viejo. Inspeccionar las superficies de unión con empaque, ambas tienen que estar limpias, lisas y secas.

30. Instalar un empaque de culata nuevo en el bloque de cilindros.

▼ PRECAUCIÓN ▼

No intentar instalar la culata de cilindros sin la ayuda de un asistente, esto lo hacen dos personas.

31. Lubricar los pernos nuevos de la culata de cilindros con aceite de motor.

32. Instalar la culata de cilindros y apretar los pernos en la secuencia ilustrada en el siguiente orden:

   a. Apretar todos los pernos en secuencia a 30-44 pie-lb (40-60 Nm).

   b. Desatornillar todos los pernos media vuelta.

   c. Reapretar todos los pernos a 30-44 pie-lb (40-60 Nm).

33. Apretar todos los pernos en secuencia 180 grados adicionales, en dos etapas de 90 grados.

34. Instalar y apretar el perno más alto del soporte del mando de accesorios a 30-40 pie-lb (40-55 Nm).

35. Instalar el soporte de la tubería de aire acondicionado y apretar el perno a 15-18 pie-lb (20-25 Nm).

36. Instalar la cubierta de válvulas, luego levantar y apoyar el vehículo en bases seguras.

37. Instalar y apretar los cuatro pernos y tuercas del soporte del mando de accesorios de la parte delantera del motor a 30-40 pie-lb (40-55 Nm).

38. Instalar el compresor de aire acondicionado y apretar los pernos retenedores.

39. Instalar el protector contra salpicaduras de la derecha y apretar sus retenedores.

40. Instalar el tubo de la varilla de medir el aceite del motor y luego bajar el vehículo.

41. Conectar las mangueras del calefactor y superior del radiador.

42. Instalar la correa de sincronización y el alternador.

43. Instalar la manguera de presión de la dirección asistida.

44. Conectar el sensor de la posición angular del cigüeñal (CKP) y las dos conexiones eléctricas principales de carga del combustible.

45. Instalar y apretar el tornillo del tubo de la varilla de medir el aceite del motor.

46. Instalar y apretar la conexión del tubo del múltiple de la válvula de recirculación de gases de escape (EGR).

47. Conectar el tubo del múltiple de la válvula de recirculación de gases de escape al múltiple de escape.

48. Conectar el conducto de suministro de combustible al colector común (raíl) de combustible.

49. Conectar el convertidor catalítico al múltiple de escape utilizando un empaque nuevo, y luego apretar las tuercas.

50. Instalar el protector térmico y apretar las tuercas.

51. Si lo tiene, instalar el soporte del cable de control de la velocidad.

52. Conectar la palanca de control del estrangulador, el cable del acelerador y si lo tiene, el cable de control de la velocidad.

53. Conectar las mangueras de vacío etiquetadas y desmontadas a los siguientes componentes:

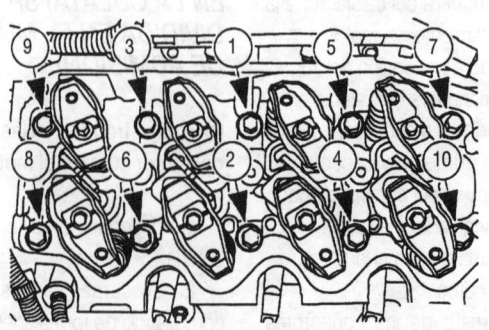

▲ Apretar los pernos de la culata de cilindros en la secuencia adecuada en el orden especificado – Motores 2.0L SOHC (árbol de levas simple en la culata)

- Válvula de recirculación de gases de escape (EGR).
  - Válvula PCV.
  - Cuerpo del estrangulador.
  - Regulador de la presión de combustible.
  - Múltiple de admisión.
54. Instalar el tubo de salida del filtro de aire.
55. Llenar el sistema de refrigeración.
56. Conectar el cable negativo de la batería.
57. Poner en marcha el motor y comprobar que no existan fugas.

DOHC (ÁRBOL DE LEVAS DOBLE EN LA CULATA) ZETEC

1. Desconectar el cable negativo de la batería.
2. Descargar la presión del sistema de alimentación de combustible de forma adecuada.
3. Desmontar el tubo de salida del conjunto filtro de aire.
4. Desmontar la correa de sincronización.
5. Etiquetar y desconectar las mangueras de vacío de los siguientes componentes:
   - Válvula PCV.
   - Cuerpo del estrangulador.
   - Sensor de la presión de combustible.
   - Múltiple de admisión.
6. Desconectar el cable del acelerador y el del control de velocidad de la palanca de control.
7. Desconectar los conectores eléctricos de la carga de combustible del conector principal del motor.
8. Desconectar las conexiones eléctricas del sensor de la posición angular del cigüeñal (CPK) y la del sensor precalentado del oxígeno en los gases de escape (HO₂S).
9. Desconectar las tuberías de combustible.
10. Desatornillar la bomba de la asistencia a la dirección y el soporte, luego ponerlos a un lado con las tuberías sin desconectar.
11. Desmontar el alternador y el tubo de la varilla de medir el aceite del motor.
12. Levantar el vehículo y apoyarlo sobre bases seguras.

▼ PRECAUCIÓN ▼

Nunca abrir, serviciar o vaciar el radiador o el sistema de refrigeración cuando esté caliente; el vapor y el líquido refrigerante caliente pueden provocar serias quemaduras. También cuando se vacíe el líquido refrigerante, tener en cuenta que a los gatos y a los perros les atrae el etilglicol anticongelante, y pudieran beber los restos dejados en recipientes

destapados o encharcados en la tierra. Esto resultaría fatal en cantidades suficientes. Siempre vacíe el líquido refrigerante en recipientes sellados. El líquido refrigerante debe ser reutilizado a menos que esté contaminado o tenga ya varios años.

13. Vaciar el líquido del sistema de refrigeración en un recipiente adecuado.
14. Desatornillar los pernos del protector contra salpicaduras y desmontar el protector.
15. Desconectar la conexión eléctrica del compresor del aire acondicionado.
16. Desatornillar los retenedores del compresor del aire acondicionado y colocar el compresor a un lado con las tuberías sin desconectar.
17. Bajar el vehículo, etiquetar y desconectar los cables de las bujías de encendido y desmontar las bujías.
18. Desmontar la cubierta de las válvulas, luego desconectar la manguera superior del radiador de la conexión de la manguera de agua de la caja del termostato.
19. Desconectar la manguera calefactora de la caja del termostato.
20. Desmontar los árboles de levas y la bobina de encendido.
21. Desmontar la caja del termostato.
22. Desatornillar los pernos de la culata de cilindros, luego desmontar la culata y el empaque.

Para instalar:

➡ Siempre utilizar pernos nuevos cuando se instale la culata de cilindros.

▼ PRECAUCIÓN ▼

No usar ningún disco abrasivo para eliminar el material del empaque. Utilizar un rascador de empaque manual de plástico para eliminar los restos del

empaque. Tener cuidado en no rayar o acanalar las superficies de unión hermética de aluminio cuando se limpien.

23. Limpiar completamente las superficies donde se coloca el empaque hasta que no queden restos del empaque viejo. Inspeccionar las superficies de unión con empaque, ambas tienen que estar limpias, lisas y secas.
24. Instalar un nuevo empaque de culata de cilindros en el bloque de cilindros.

▼ PRECAUCIÓN ▼

No intentar instalar la culata de cilindros sin la ayuda de un asistente, esto lo hacen dos personas.

25. Lubricar los pernos nuevos de la culata de cilindros con aceite de motor.
26. Instalar la culata de cilindros y apretar los pernos en la secuencia ilustrada en los siguientes pasos:
    - Paso 1: Apretar todos los pernos en secuencia a 12-18 pie-lb (15-25 Nm).
    - Paso 2: Apretar todos los pernos a 26-33 pie-lb (35-45 Nm).
    - Paso 3: En los modelos Escort/Tracer apretar todos los pernos 105 grados adicionales. En modelos Escort coupe, apretar los pernos 90 grados adicionales.
27. Instalar la caja del termostato.
28. Instalar la bobina de encendido y los árboles de levas.
29. Conectar la manguera calefactora y la manguera superior del radiador.
30. Instalar la cubierta de válvulas, las bujías y conectar los cables de las bujías.
31. Instalar el compresor del aire acondicionado y apretar los pernos retenedores.
32. Conectar la conexión eléctrica del compresor del aire acondicionado.

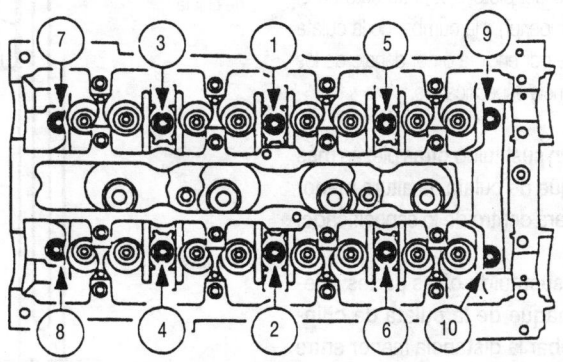

▲ Apretar los pernos de la culata de cilindros en el orden especificado – Motores Zetec 2.0L

33. Instalar el protector contra salpicaduras y apretar sus retenedores.

34. Instalar el tubo de la varilla de medir el aceite del motor.

35. Instalar el alternador y el depósito y soporte de la dirección asistida.

36. Conectar la tubería de combustible.

37. Conectar el sensor de la posición angular del cigüeñal (CPK), el sensor del oxígeno en los gases de escape (HO_2S) y las dos conexiones eléctricas de la carga de combustible principal.

38. Conectar el cable del acelerador y si lo tiene, el cable de control de la velocidad a la palanca de control.

39. Conectar las mangueras de vacío etiquetadas y desmontadas a los siguientes componentes:

- Válvula PCV.
- Cuerpo del estrangulador.
- Sensor de presión de combustible.
- Múltiple de admisión.

40. Instalar la correa de sincronización.

41. Instalar el tubo de salida del filtro de aire.

42. Llenar el sistema de refrigeración.

43. Conectar el cable negativo de la batería.

44. Poner en marcha el motor y comprobar que no existan fugas.

ALTURA MENOR DEL PISTÓN

Motor 1.9L

Antes de la instalación final de la culata de cilindros en el motor, tiene que comprobarse la altura menor del pistón, que es la holgura menor entre la cumbre del pistón y la de la culata de cilindros cuando el pistón está en el punto muerto superior (PMS). No se permite ningún maquinado de las superficies de la culata de cilindros donde se coloca el empaque, o la sustitución de piezas (cigüeñal, pistones o bielas) tales que una vez montados provoquen que la distancia menor entre la cumbre del pistón (cuando esté en el punto muerto superior) y la cumbre de la culata de cilindros esté por encima o por debajo de los límites de tolerancia especificados.

➡ Si no se han sustituido otras piezas más que el empaque de culata, la altura menor del pistón estará dentro de lo especificado.

➡ Si se han sustituido otras partes además del empaque de la culata de cilindros, comprobar la distancia menor entre la cabeza del pistón (en el PMS) y la culata de cilindros. Si la distancia menor entre la cabeza del pistón (en PMS) y la culata de cilindros está fuera del rango especificado, sustituir las piezas de nuevo y comprobar otra vez la distancia menor (en el PMS) entre la cumbre del pistón y la de la culata de cilindros.

1. Limpiar de todo resto de material de empaque las superficies de acoplamiento del bloque de cilindros y la culata de cilindros.

2. Colocar una pequeña cantidad de aleación blanda de plomo para soldar los perdigones de plomo de espesores adecuados en las áreas esféricas del pistón.

3. Rotar el cigüeñal para bajar el pistón e instalar el empaque de la culata y la culata de cilindros.

➡ El empaque de la culata comprimido (usado) es preferible para comprobar la altura menor (en el PMS) entre la cabeza del pistón y la culata de cilindros.

4. Instalar pernos de culata usados y apretarlos a 30-44 pie-lb (40-60 Nm) siguiendo la secuencia adecuada.

5. Rotar el cigüeñal para mover el pistón hacia su posición de punto muerto superior.

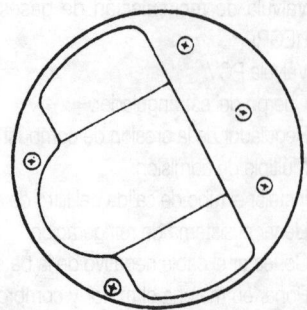

▲ Colocar los perdigones de plomo o aleación de plomo para soldar en las posiciones ilustradas para medir la distancia menor entre la cabeza del pistón (en PMS) y la culata de cilindros

6. Desmontar la culata de cilindros y medir el espesor de las aleaciones comprimidas para determinar la altura menor entre la cabeza del pistón (en PMS) y la culata de cilindros. El espesor de la pieza de plomo comprimida debe ser de 0.039-0.070 plg (1.0-1.77 mm).

BALANCINES

DESMONTAJE E INSTALACIÓN

Los motores de 1.9L y 2.0L SOHC (árbol de levas simple en la culata) e inyección dividida en

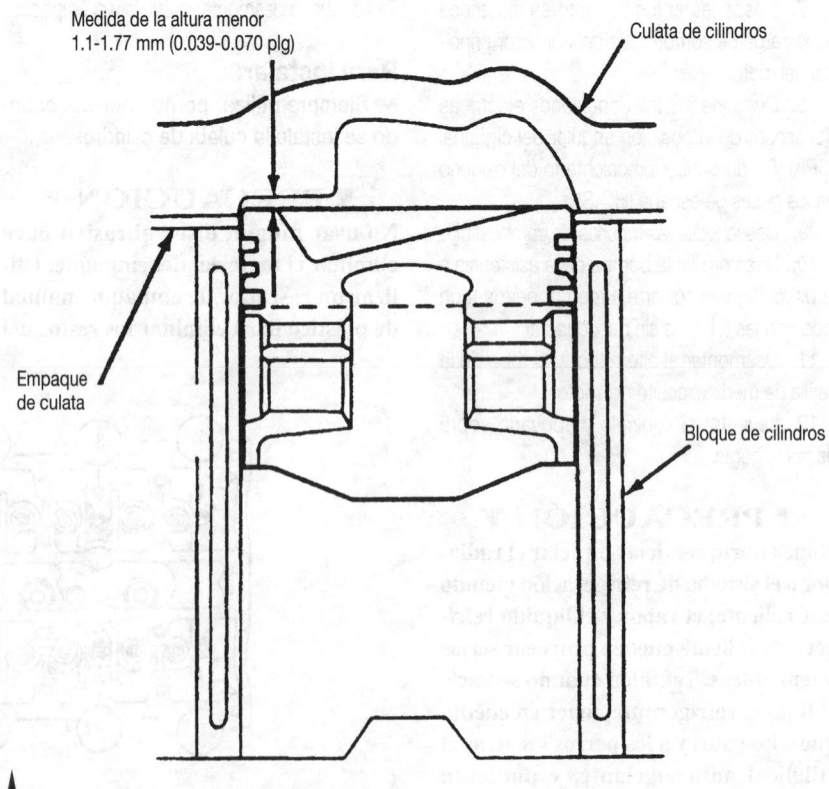

Medida de la altura menor
1.1-1.77 mm (0.039-0.070 plg)

Culata de cilindros

Empaque de culata

Bloque de cilindros

▲ Vista seccionada de las mediciones de la altura menor del pistón – Motor 1.9L

el múltiple (SPI), están equipados con balancines. En los motores 1.8L y 2.0L DOHC (árbol de levas doble en la culata) ZETEC, los árboles de levas actúan directamente sobre las válvulas, por lo que no se utilizan balancines ni ejes.

Motor 1.9L

1. Desconectar el cable negativo de la batería.

2. Colocar cubiertas de guardabarros sobre los faldones.

3. Desmontar la cubierta de balancines (cubierta de válvulas).

➡ **Mantener todas las piezas en orden, de manera que puedan ser instaladas en su posición original.**

4. Desatornillar y desmontar los pernos de los balancines.

5. Desmontar los balancines y los puntos de apoyo (pivotes).

Para instalar:

6. Antes de instalar, cubrir las áreas de contacto de los extremos de las válvulas, los balancines y los puntos de apoyo (pivotes) con Lubriplate®, o algún equivalente.

7. Rotar el motor hasta que el levantaválvulas quede en la base circular del perfil de la leva (válvula cerrada).

➡ **Asegurarse de girar el motor sólo en la dirección normal de rotación. Una rotación contraria causará que se corra o pierda un diente de la correa dentada de sincronización, alterando la sincronización de las válvulas y causando serios daños al motor.**

8. Instalar los balancines y componentes y apretar los pernos de los balancines a 17-22 pie-lb (23-30 Nm). Asegurarse de que el levantaválvulas está en la base circular del perfil de la leva para cada balancín en el momento de ser instalado.

9. Instalar la cubierta de balancines.

10. Conectar el cable negativo de la batería.

Motor 2.0L

SOHC (ÁRBOL DE LEVAS SIMPLE EN LA CULATA) SPI (INYECCIÓN DIVIDIDA EN EL MÚLTIPLE)

1. Desconectar el cable negativo de la batería.

2. Desmontar la cubierta de válvulas.

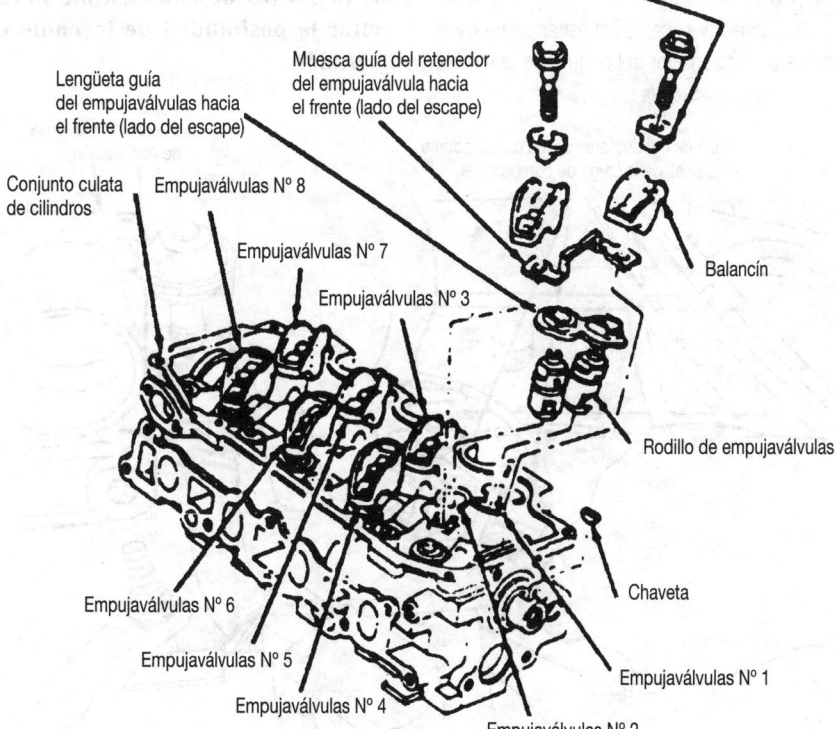

▲ **Vista superior en desarme del tren de válvulas - Motor 1.9L**

3. Marcar la localización de los balancines, luego desatornillar los pernos de los balancines.

4. Desmontar los balancines y los asientos.

Para instalar:

5. Instalar los asientos y los balancines en sus posiciones originales.

6. Instalar y apretar los pernos de los balancines a 17-22 pie-lb (23-30 Nm).

7. Instalar la cubierta de válvulas.

8. Conectar el cable negativo de la batería.

MÚLTIPLE DE ADMISIÓN

DESMONTAJE E INSTALACIÓN

Motor 1.8L

MÚLTIPLE SUPERIOR

▼ PRECAUCIÓN ▼

Observar todas las medidas de seguridad aplicables cuando se trabaje alrededor de combustibles. Cuando se servicie el sistema de alimentación de combustible, trabajar siempre en un área bien ventilada. No permitir que ninguna pulverización o vapores de combustible entren en contacto con alguna chispa o llama abierta. Mantener un extintor de incendios químico seco cerca del área de trabajo. Siempre tener el combustible en depósitos específicamente diseñados para almacenar combustibles; además, siempre sellar adecuadamente los depósitos de combustible para evitar la posibilidad de incendio o explosión.

1. Descargar de forma adecuada la presión del sistema de combustible.

2. Desconectar el cable negativo de la batería.

▼ PRECAUCIÓN ▼

Nunca abrir, serviciar o vaciar el radiador o el sistema de refrigeración cuando esté caliente; el vapor y el líquido refrigerante caliente pueden provocar serias quemaduras.

3. Vaciar parcialmente el sistema de refrigeración.

4. Desmontar el tubo de salida del filtro de aire del cuerpo del estrangulador y del resonador del aire de admisión.

5. Desconectar el cable del estrangulador y el cable accionador del control de la válvula del estrangulador, de la palanca de control del cuerpo del estrangulador.

6. Desatornillar el tornillo del soporte del cable accionador del control de la válvula del estrangulador del cable del acelerador y desmontar el soporte del múltiple.

7. Desconectar las conexiones eléctricas del cuerpo del estrangulador.

8. Etiquetar y desconectar todas las mangueras de vacío necesarias del múltiple superior.

9. Desconectar las mangueras de derivación y de control del aire de marcha en vacío (mínima), del múltiple.

10. Desmontar la manguera de control del aire de marcha en vacío.

11. Desatornillar los pernos superiores del múltiple de admisión superior.

12. Levantar y apoyar de forma segura el vehículo.

13. Desatornillar los pernos inferiores del múltiple de admisión superior y bajar el vehículo.

14. Desmontar el múltiple sin desmontarle el cuerpo del estrangulador.

Múltiple de admisión superior   Cuerpo de la mariposa de aceleración (estrangulador)

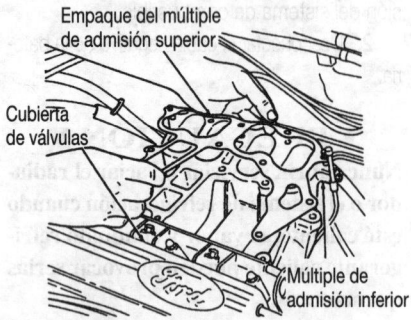

▲ **Aflojar los pernos del múltiple de admisión superior ...**

Empaque del múltiple de admisión superior

Cubierta de válvulas

Múltiple de admisión inferior

▲ **... luego desmontar el múltiple de admisión superior y el empaque – Motor 1.8L**

15. Desmontar el empaque del múltiple de admisión superior.

Para instalar:

16. Utilizar un rascador de empaques para limpiar las superficies de montaje del múltiple de admisión superior.

17. Instalar un empaque nuevo en el múltiple de admisión superior.

18. Colocar el múltiple de admisión superior en su posición.

19. Instalar los pernos y las tuercas del múltiple de admisión superior, luego apretarlos a 14-19 pie-lb (19-25 Nm).

20. Elevar el vehículo y apoyarlo sobre bases seguras.

21. Instalar los pernos y tuercas del múltiple de admisión inferior, luego apretarlos a 14-19 pie-lb (19-25 Nm) y bajar el vehículo.

22. Instalar la manguera de control del aire de la marcha en vacío.

23. Conectar las mangueras de derivación y de control del aire de marcha en vacío al múltiple.

24. Conectar todas las mangueras de vacío al múltiple de admisión superior.

25. Conectar las conexiones eléctricas del cuerpo del estrangulador.

26. Instalar el cable del acelerador, del soporte del cable del accionador del control del estrangulador y atornillar el tornillo a 69-95 lb-plg (7.8-11 Nm).

27. Conectar el cable del estrangulador y el cable del accionador del control de la válvula

del estrangulador de aceleración a la palanca de control del cuerpo del estrangulador.

28. Instalar el tubo de salida del filtro de aire.

29. Asegurarse de que todos los cables y mangueras están conectados.

30. Llenar el sistema de refrigeración.

31. Conectar el cable negativo de la batería.

32. Poner en marcha el vehículo y comprobar su correcto funcionamiento.

MÚLTIPLE INFERIOR

▼ **PRECAUCIÓN** ▼

Observar todas las medidas de seguridad aplicables cuando se trabaje alrededor de combustibles. Cuando se servicie el sistema de alimentación de combustible, trabajar siempre en un área bien ventilada. No permitir que ninguna pulverización o vapores de combustible entren en contacto con alguna chispa o llama abierta. Mantener un extintor de incendios químico seco cerca del área de trabajo. Siempre tener el combustible en depósitos específicamente diseñados para almacenar combustibles; además, siempre sellar adecuadamente los depósitos de combustible para evitar la posibilidad de incendio o explosión.

Mazo de conductores de los conectadores eléctricos de la carga de combustible

Cuerpo de mariposa de aceleración

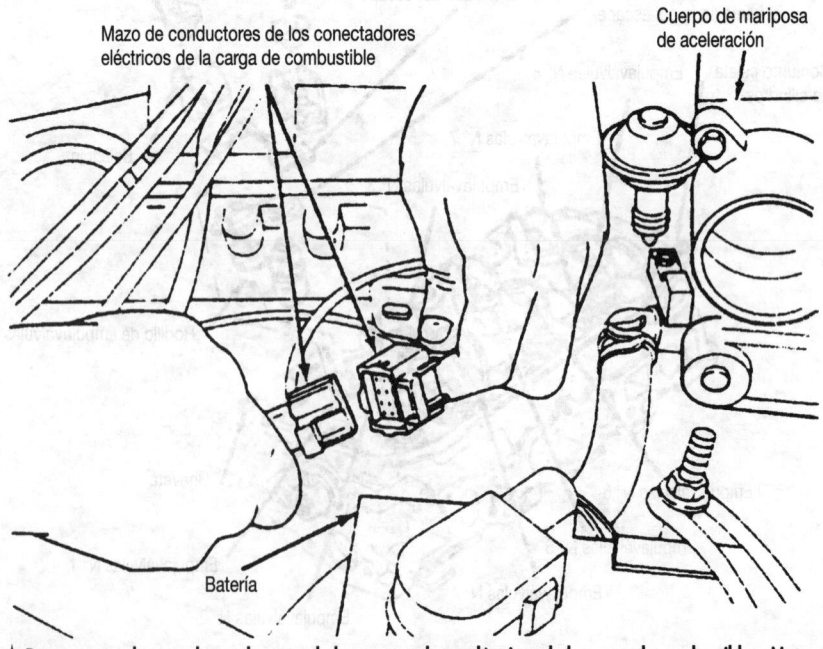

Batería

▲ **Desconectar el mazo de conductores de los conectadores eléctricos de la carga de combustible – Motor 1.8L**

1. Descargar la presión del sistema de alimentación de combustible de forma adecuada.

2. Desconectar el cable negativo de la batería.

▼ **PRECAUCIÓN** ▼

Nunca abrir, serviciar o vaciar el radiador o el sistema de refrigeración cuando esté caliente; el vapor y el líquido refrigerante caliente pueden provocar serias quemaduras. También cuando se vacíe el líquido refrigerante, tener en cuenta que a los gatos y a los perros les atrae el etilglicol anticongelante, y pudieran beber los restos dejados en recipientes destapados o encharcados en la tierra. Esto resultaría fatal en cantidades suficientes. Siempre vacíe el líquido refrigerante en recipientes sellados. El líquido refrigerante debe ser reutilizado a menos que esté contaminado o tenga ya varios años.

3. Vaciar parcialmente el sistema de refrigeración.

4. Etiquetar y desconectar todas las mangueras de vacío necesarias del múltiple superior y del cuerpo del estrangulador.

5. Desmontar el acumulador de vacío del múltiple de admisión superior.

6. Etiquetar y desconectar las mangueras de refrigerante de las válvulas.

7. Desconectar el cable del estrangulador y el cable del accionador del control del estrangulador de la palanca de control del cuerpo del estrangulador.

8. Desconectar el cable del estrangulador y el tornillo del soporte del cable del accionador del control del estrangulador y desmontar el soporte del múltiple.

9. Desconectar las conexiones eléctricas del cuerpo del estrangulador.

10. Desconectar los acoplamientos de cierre rápido de las tuberías de combustible y vapor.

11. Desconectar la manguera de la PCV del múltiple de admisión superior y la cubierta de las válvulas.

12. Desconectar la manguera de vacío del regulador de presión del combustible.

13. Desconectar los conectores eléctricos del mazo de cables de la carga de combustible e inyectores.

14. Desatornillar los pernos de fijación del colector de combustible y desmontar el colector de combustible y los inyectores.

15. Desatornillar el tubo respiradero de la caja de cambios y separar el tubo del múltiple.

16. Desatornillar las cinco tuercas más altas del múltiple de admisión a la culata de cilindros.

17. Levantar el vehículo y apoyarlo sobre bases seguras.

18. Desatornillar los pernos de fijación de los apoyos del múltiple de admisión y desmontar los apoyos.

19. Desatornillar las cuatro tuercas más bajas del múltiple de admisión a la culata de cilindros.

20. Bajar el vehículo.

21. Desmontar el múltiple de admisión inferior, el múltiple de admisión superior y el cuerpo del estrangulador, del compartimiento del motor como un conjunto.

22. Desmontar el empaque del múltiple de admisión.

23. Si es necesario, separar el múltiple superior del múltiple inferior.

Para instalar:

24. Utilizar un rascador para limpiar las superficies de acoplamiento del múltiple.

25. Instalar un empaque nuevo de múltiple de admisión.

26. Instalar el múltiple de admisión inferior, el múltiple de admisión superior y el cuerpo del estrangulador en los espárragos.

27. Instalar las tuercas del múltiple de admisión a la culata de cilindros y apretarlas en la secuencia ilustrada a 14-19 pie-lb (19-25 Nm).

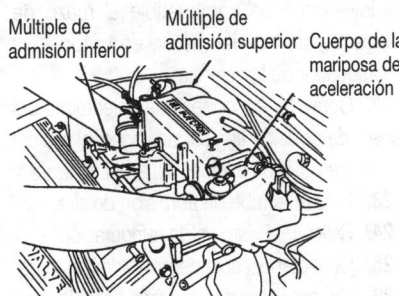

Desmontar el múltiple de admisión inferior, múltiple de admisión superior y el cuerpo de la mariposa de aceleración (estrangulador) como un conjunto – Motor 1.8L

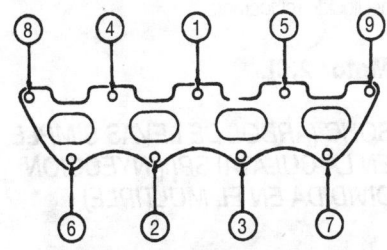

Apretar las tuercas del múltiple de admisión a la culata de cilindros como se ilustra – Motor 1.8L

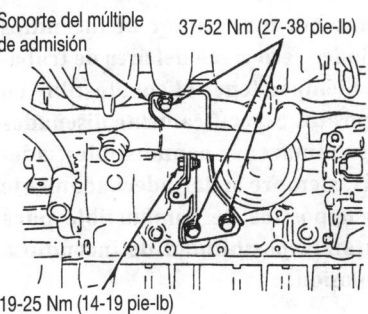

Soporte del múltiple de admisión   37-52 Nm (27-38 pie-lb)

19-25 Nm (14-19 pie-lb)

Apretar los pernos de los soportes del múltiple de admisión a las especificaciones ilustradas – Motor 1.8L

28. Levantar el vehículo y apoyarlo sobre bases seguras.

29. Instalar los apoyos del múltiple de admisión y apretar los pernos a las especificaciones ilustradas. Consultar la ilustración que se adjunta.

30. Bajar el vehículo.

31. Instalar el colector de combustible y el tubo respiradero de la caja de cambios.

32. Instalar el depósito de vacío y conectar las conexiones eléctricas del cuerpo del estrangulador.

33. Conectar todas las mangueras de vacío, refrigerante y válvulas.

34. Instalar el cable del estrangulador y apretar el tornillo del soporte del cable del accionador del control del estrangulador a 69-95 plg-lb (7.8-11 Nm).

35. Conectar el cable del estrangulador y el cable accionador del control del estrangulador, a la palanca de control del cuerpo del estrangulador.

36. Instalar el tubo de salida del filtro de aire.

37. Asegurarse de que todos los cables y mangueras estén conectados.

38. Llenar el sistema de refrigeración.

39. Conectar el cable negativo de la batería.

40. Poner en marcha el vehículo y comprobar su correcto funcionamiento.

Motor 1.9L

▼ **PRECAUCIÓN** ▼

Observar todas las medidas de seguridad aplicables cuando se trabaje alrededor de combustibles. Cuando se servicie el sistema de alimentación de combustible, trabajar siempre en un área bien ventilada. No permitir que ninguna pulverización o vapores de combustible entren en contacto con alguna chispa o llama abierta.

Mantener un extintor de incendios químico seco cerca del área de trabajo. Siempre tener el combustible en depósitos específicamente diseñados para almacenar combustibles; además, siempre sellar adecuadamente los depósitos de combustible para evitar la posibilidad de incendio o explosión.

1. Descargar la presión del sistema de combustible de forma adecuada.

2. Desconectar el cable negativo de la batería.

▼ PRECAUCIÓN ▼

Nunca abrir, serviciar o vaciar el radiador o el sistema de refrigeración cuando esté caliente; el vapor y el líquido refrigerante caliente pueden provocar serias quemaduras. También cuando se vacíe el líquido refrigerante, tener en cuenta que a los gatos y a los perros les atrae el etilglicol anticongelante, y pudieran beber los restos dejados en recipientes destapados o encharcados en la tierra. Esto resultaría fatal en cantidades suficientes. Siempre vacíe el líquido refrigerante en recipientes sellados. El líquido refrigerante debe ser reutilizado a menos que esté contaminado o tenga ya varios años.

3. Vaciar parcialmente el sistema de refrigeración.

4. Desmontar el tubo de entrada de aire de la admisión.

5. Desconectar el mazo de cables de los inyectores de combustible, del mazo de cables de control del motor, en la torre del amortiguador de la derecha.

6. Desconectar la conexión eléctrica del sensor de posición angular del cigüeñal.

7. Desconectar y taponar las tuberías de suministro y retorno de combustible.

8. Desconectar la conexión eléctrica del sensor de posición angular del árbol de levas.

9. Desmontar el cable del acelerador, y si está equipado con caja de cambios automática, el cable del cambio obligado de la palanca del estrangulador.

10. Desmontar el soporte de cables del múltiple de admisión y colocar los cables a un lado.

11. Desmontar la manguera de suministro del reforzador de freno, la tubería del PCV y la tubería de vacío, de la parte inferior del cuerpo del estrangulador.

12. Desmontar las siete tuercas de fijación de los espárragos del múltiple de admisión.

13. Deslizar el conjunto del múltiple fuera de sus espárragos y desmontarlo de la culata de cilindros.

14. Desmontar y desechar el empaque del múltiple de admisión.

Para instalar:

15. Utilizar un rascador para limpiar y examinar las superficies de montaje del múltiple de admisión y la culata de cilindros. Ambas superficies tienen que estar limpias y lisas.

16. Limpiar y lubricar los espárragos del múltiple y colocar un empaque nuevo sobre ellos.

17. Instalar el múltiple de admisión y las tuercas de fijación. Apretar las tuercas a 12-15 pie-lb (16-20 Nm).

18. Instalar las tuberías de vacío en la parte inferior del cuerpo de la mariposa del estrangulador, la manguera de suministro del reforzador de freno y las tuberías del PCV.

19. Instalar el soporte del cable del acelerador y conectar el cable del acelerador, y si lo tiene, el cable del cambio obligado en la palanca del estrangulador.

20. Conectar las tuberías de suministro y retorno de combustible. Instalar las presillas retenedoras de las tuberías de combustible.

21. Conectar los dos mazos de cables de los inyectores de combustible al mazo de cables de control del motor, en la torre del amortiguador de la derecha.

22. Conectar las conexiones eléctricas del sensor de posición angular del cigüeñal y la del sensor de posición angular del árbol de levas.

23. Instalar el tubo de admisión de aire.

24. Rellenar el sistema de refrigeración.

25. Conectar el cable negativo de la batería.

26. Arrancar el motor y llevarlo hasta la temperatura normal de funcionamiento, luego comprobar que no existan fugas de combustible o líquido refrigerante.

27. Detener el motor y comprobar el nivel del líquido refrigerante.

Motor 2.0L

SOHC (ÁRBOL DE LEVAS SIMPLE EN LA CULATA) SPI (INYECCIÓN DIVIDIDA EN EL MÚLTIPLE)

1. Desconectar el cable negativo de la batería.

▼ PRECAUCIÓN ▼

Nunca abrir, serviciar o vaciar el radiador o el sistema de refrigeración cuando esté caliente; el vapor y el líquido refrigerante caliente pueden provocar serias quemaduras. También cuando se vacíe el líquido refrigerante, tener en cuenta que a los gatos y a los perros les atrae el etilglicol anticongelante, y pudieran beber los restos dejados en recipientes destapados o encharcados en la tierra. Esto resultaría fatal en cantidades suficientes. Siempre vacíe el líquido refrigerante en recipientes sellados. El líquido refrigerante debe ser reutilizado a menos que esté contaminado o tenga ya varios años.

2. Vaciar parcialmente el sistema de refrigeración.

3. Desmontar el tubo de salida del filtro de aire.

4. Etiquetar y desconectar las mangueras de vacío de los siguientes componentes:

• Válvula de recirculación de gases de escape (EGR).

• Válvula PCV.

• Cuerpo del estrangulador.

• Regulador de la presión de combustible.

• Múltiple de admisión.

5. Desconectar el cable del acelerador, la palanca de control del estrangulador y si lo tiene, el cable de control de la velocidad.

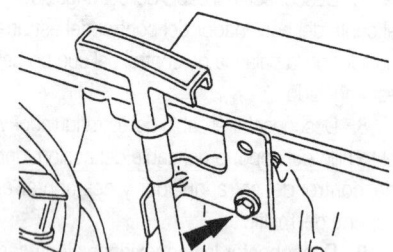

Desmontar el perno del soporte del tubo de la varilla de medir el aceite del motor que fija el tubo al múltiple de admisión – Motor 2.0L SOHC

Desconectar el tubo del múltiple de la EGR localizado debajo de la válvula de EGR – Motor 2.0L SOHC

6. Si lo tiene, desmontar el tornillo del soporte del cable de control de velocidad.

7. Desconectar las conexiones eléctricas de válvula de control de entrada de aire de la marcha en vacío (IAC) y la del sensor de posición del estrangulador (TP).

8. Desatornillar el tornillo del soporte del tubo de la varilla de medir el aceite del motor, que fija el tubo al múltiple de admisión.

9. Desconectar el tubo del múltiple de la válvula de recirculación de gases de escape (EGR), localizado debajo de la propia válvula de recirculación de gases de escape (EGR).

10. Levantar el vehículo y apoyarlo sobre bases seguras.

11. Desmontar el tubo de la varilla de medir el aceite del motor del bloque de cilindros.

12. Desatornillar las tuercas inferiores del múltiple de admisión, luego bajar el vehículo.

13. Desatornillar las tuercas superiores del múltiple de admisión y desmontar las tuercas. Desechar el empaque del múltiple.

Para instalar:
▼ PRECAUCIÓN ▼

No usar ningún disco abrasivo para eliminar el material del empaque. Utilizar un rascador de empaque manual de plástico para eliminar los restos del empaque. Tener cuidado en no rayar o acanalar las superficies de sellado de aluminio cuando las limpie.

14. Limpiar completamente las superficies de empaque hasta que no queden restos del viejo empaque. Inspeccionar las superficies de unión con empaque, ambas tienen que estar limpias, lisas y secas.

15. Limpiar y lubricar los espárragos del múltiple de admisión.

16. Instalar el múltiple de admisión y apretar las tuercas superiores con la mano.

17. Levantar el vehículo y apoyarlo sobre bases seguras.

18. Instalar las tuercas del múltiple inferior y apretarlas a 15-22 pie-lb (20-30 Nm).

19. Conectar tubo de la varilla de medir el aceite del motor al bloque de cilindros.

20. Bajar el vehículo y apretar las tuercas superiores del múltiple a 15-22 pie-lb (20-30 Nm).

21. Conectar el tubo del múltiple de la válvula de recirculación de gases de escape (EGR) y apretar a 15-20 pie-lb (20-28 Nm).

22. Instalar y apretar el tornillo del tubo de la varilla de medir el aceite del motor a 71-97 plg-lb (8-11 Nm).

23. Conectar las conexiones eléctricas de la válvula de control de entrada de aire de la marcha en vacío (IAC) y la del sensor de posición de la mariposa del estrangulador (TP).

24. Si lo tiene, instalar y apretar el tornillo del soporte del cable de control de velocidad a 71-88 plg-lb (8-10 Nm).

25. Conectar la palanca de control del estrangulador, cable del acelerador y si lo tiene, el cable de control de velocidad.

26. Conectar las mangueras de vacío etiquetadas a los siguientes componentes:

- Válvula de recirculación de gases de escape (EGR).
- Válvula PCV.
- Cuerpo del estrangulador.
- Regulador de la presión de combustible.
- Múltiple de admisión.

27. Instalar el tubo de salida del filtro de aire.

28. Llenar el sistema de refrigeración.

29. Conectar el cable negativo de la batería.

30. Poner en marcha el motor y comprobar que no existan fugas de líquido refrigerante.

DOHC (ÁRBOL DE LEVAS DOBLE EN LA CULATA) ZETEC

1. Descargar la presión del sistema de combustible de forma adecuada.

2. Desconectar el cable negativo de la batería.

3. Desmontar el tubo de salida del filtro de aire.

4. Desconectar la conexión eléctrica del sensor de posición del estrangulador (TP).

5. Levantar el vehículo y apoyarlo sobre bases seguras.

▼ PRECAUCIÓN ▼

Nunca abrir, serviciar o vaciar el radiador o el sistema de refrigeración cuando esté caliente; el vapor y el líquido refrigerante caliente pueden provocar serias quemaduras. También cuando se vacíe el líquido refrigerante, tener en cuenta que a los gatos y a los perros les atrae el etil-glicol anticongelante, y pudieran beber los restos dejados en recipientes destapados los o encharcados en la tierra. Esto resultaría fatal en cantidades suficientes. Siempre vacíe el líquido refrigerante en recipientes sellados. El líquido refrigerante debe ser reutilizado a menos que esté contaminado o tenga ya varios años.

6. Vaciar el sistema de refrigeración en un recipiente adecuado.

7. Desmontar el perno que asegura la tubería localizada cerca de la polea del cigüeñal, luego bajar el vehículo.

8. Desconectar las mangueras del calefactor del núcleo calefactor.

9. Desconectar el cableado del sensor del control principal del motor.

10. Desmontar los conectores del soporte de montaje.

11. Etiquetar y desconectar las mangueras de vacío del múltiple de admisión comprimiendo las presillas, luego torcer las mangueras y tirar de ellas hacia afuera del múltiple.

12. Desconectar la manguera de ventilación del cárter de la cubierta de válvulas.

13. Desmontar la correa propulsora.

14. Desatornillar los pernos de montaje del alternador y mover el alternador a un lado.

15. Desconectar las tuberías de combustible.

16. Desatornillar las tuercas y pernos del múltiple de admisión en el orden ilustrado.

17. Desmontar el múltiple de admisión y el empaque.

Para instalar:

18. Limpiar toda la suciedad y restos de empaque de las superficies de acoplamiento del múltiple de admisión.

19. Instalar un empaque nuevo y colocar el múltiple en su posición.

20. Instalar y apretar los pernos y tuercas en el orden mostrado a 10-12 pie-lb (14-17 Nm).

21. Conectar las tuberías de combustible e instalar el alternador.

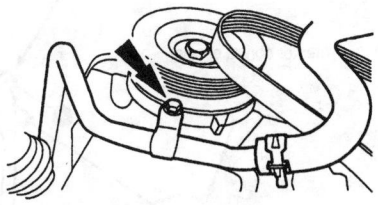

▲ Desatornillar el soporte de la tubería localizado por la polea del cigüeñal – Motor 2.0L Zetec

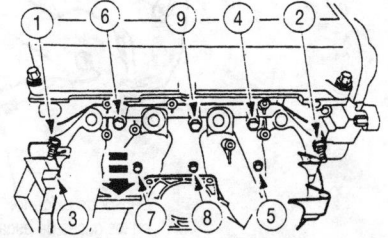

▲ Desmontar los pernos y tuercas del múltiple de admisión en este orden – Motor 2.0L Zetec

22. Instalar la correa de la sincronización y conectar la manguera de la ventilación del cárter en la cubierta de válvulas.

23. Conectar las mangueras de vacío al múltiple, asegurándose de las presillas están firmemente enganchadas.

24. Instalar los conectores en el soporte de montaje y conectar el cableado del sensor del control principal del motor.

25. Conectar las mangueras del calefactor al núcleo del calefactor.

26. Instalar el perno que asegura la tubería localizada cerca de la polea del cigüeñal. Apretar el perno a 71-97 plg-lb (8-11 Nm).

27. Conectar la conexión eléctrica del sensor del estrangulador (TP).

28. Instalar el tubo de salida del filtro de aire.

29. Llenar el sistema de refrigeración.

30. Conectar el cable negativo de la batería.

MÚLTIPLE DE ESCAPE

DESMONTAJE E INSTALACIÓN

Motor 1.8L

1. Desconectar el cable negativo de la batería.

2. Vaciar parcialmente el sistema de refrigeración y desconectar la manguera superior del radiador

3. Desmontar el resonador del aire de la admisión del motor (conducto).

4. Desconectar la manguera superior del radiador.

5. Desmontar el motor del ventilador del sistema de refrigeración.

6. Levantar y apoyar con seguridad el vehículo.

7. Si lo tiene, desmontar el protector contra salpicaduras del motor y la caja de cambios.

8. Desmontar el tubo de entrada del escape, del múltiple de escape y desmontar el empaque.

9. Desmontar los dos pernos del soporte de montaje del tubo de escape.

10. Desatornillar los pernos inferiores de montaje del ventilador del sistema de refrigeración.

11. Bajar el vehículo.

12. Desconectar el conector eléctrico del sensor de oxígeno.

13. Desatornillar los pernos de montaje del protector térmico del múltiple de escape y desmontar el protector térmico.

14. Desatornillar las tuercas de montaje del múltiple de escape y desmontar todo el conjunto.

15. Utilizando un rascador, eliminar todos los restos de material de empaque de la culata de cilindros y del múltiple de escape.

Para instalar:

16. Instalar un empaque nuevo en los espárragos de montaje del múltiple de escape.

17. Colocar el múltiple de escape en los espárragos de montaje y colocar las tuercas de montaje del múltiple de escape. Apretar las tuercas a 28-34 pie-lb (38-46 Nm).

18. Colocar el protector térmico en su posición de montaje y colocar los pernos de montaje del protector térmico. Apretar los pernos a 69-95 plg-lb (7.8-11.0 Nm).

19. Conectar el conector eléctrico del sensor de oxígeno.

20. Instalar el ventilador del sistema de refrigeración.

21. Conectar la manguera superior del radiador.

22. Conectar el conducto del aire de admisión.

23. Levantar y apoyar con seguridad el vehículo.

24. Instalar el soporte de montaje del tubo de escape.

25. Instalar un empaque nuevo y fijar el tubo de escape al múltiple de escape. Apretar las tuercas de fijación a 23-34 plg-lb (31-46 Nm).

26. Instalar el protector contra salpicaduras y apretar los pernos a 69-95 plg-lb (7.8-11.0 Nm).

27. Bajar el vehículo.

28. Rellenar el sistema de refrigeración.

29. Conectar el cable negativo de la batería.

Motor 1.9L

1. Desconectar el cable negativo de la batería.

2. Desmontar la correa propulsora de accesorios.

3. Desmontar el alternador.

4. Desmontar el motor del ventilador del sistema de refrigeración y el conjunto protector.

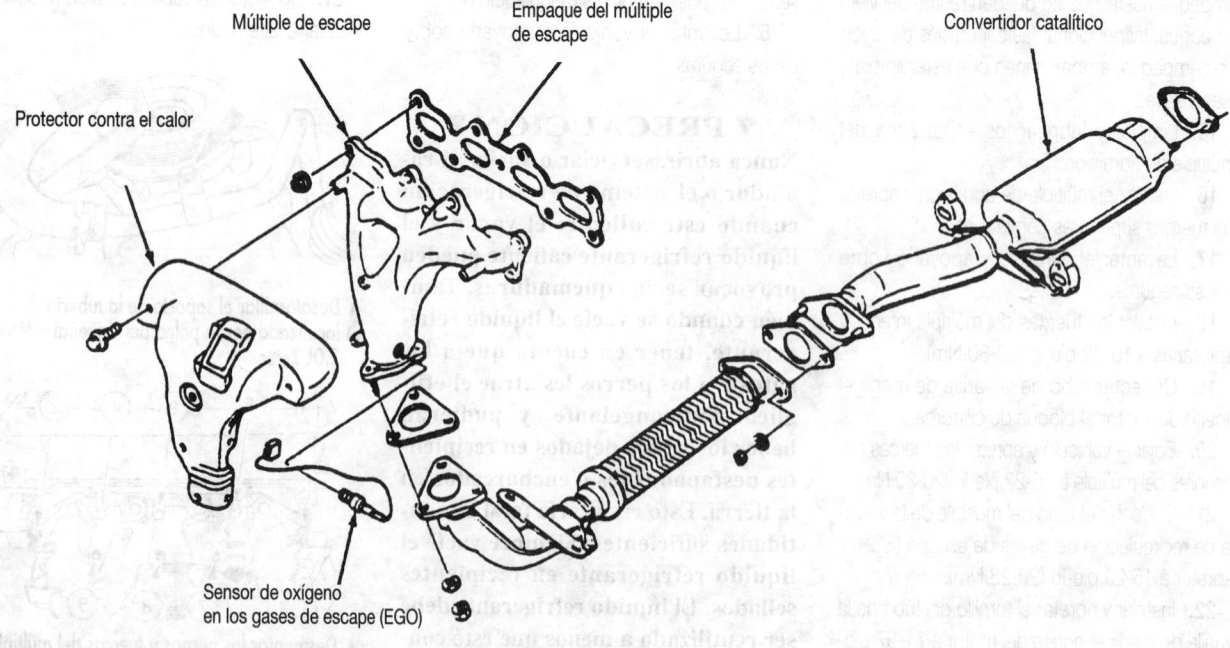

Múltiple de escape

Empaque del múltiple de escape

Convertidor catalítico

Protector contra el calor

Sensor de oxígeno en los gases de escape (EGO)

▲ **Vista en despiece del conjunto del múltiple de escape – Motores 1.8L y 2.0L Zetec**

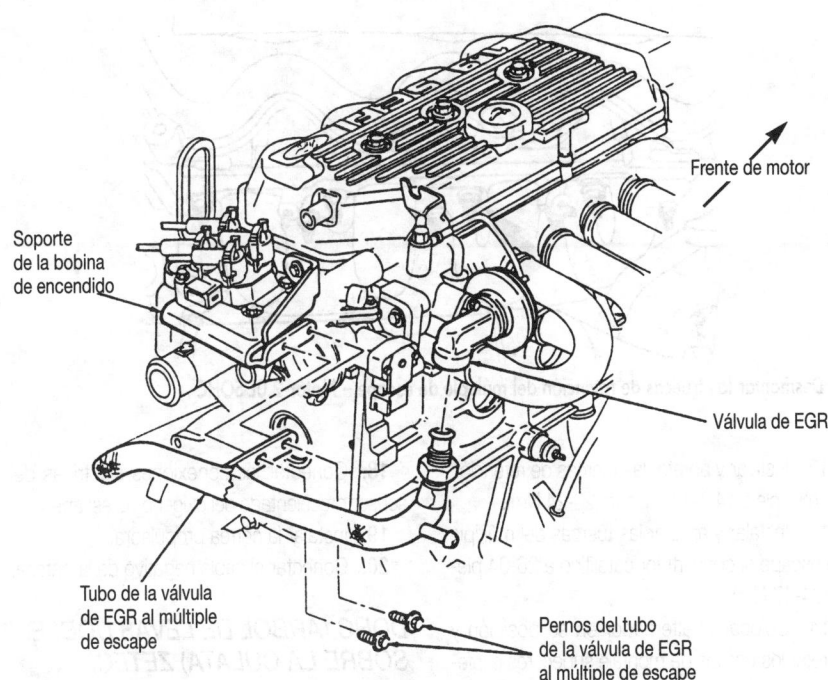

Recorrido del tubo de la válvula de EGR al múltiple de escape – Motor 1.9L 1995-96

5. En los modelos 1995-96 ejecutar los siguientes pasos para desmontar el tubo de la válvula de recirculación de gases de escape (EGR) al múltiple de escape:

a. Retener el tubo de la válvula de recirculación de gases de escape (EGR) al conector del múltiple con una llave de tuercas y aflojar la tuerca del tubo de la válvula al múltiple de escape.

b. Desatornillar los dos pernos del tubo de la válvula de recirculación de gases de escape (EGR) al múltiple de escape, del soporte de la bobina de encendido.

c. Desmontar el tubo de la válvula de recirculación de los gases de escape (EGR).

6. Desmontar el protector térmico del múltiple de escape.

7. Levantar y apoyar con seguridad el vehículo.

8. Desmontar las dos tuercas de fijación de la tubería de entrada del convertidor catalítico al múltiple de escape.

9. Bajar el vehículo.

10. Desmontar las ocho tuercas de fijación del múltiple de escape y desmontar el múltiple de escape y el empaque.

Para instalar:

11. Utilizar un rascador para limpiar las superficies de empaque de la culata de cilindros y el múltiple de escape.

12. Colocar un empaque nuevo en los espárragos de montaje del múltiple de escape.

13. Colocar el múltiple de escape en la culata de cilindros e instalar las tuercas de fijación. Apretar las tuercas a 16-19 pie-lb (21-26 Nm).

14. Levantar y apoyar firmemente el vehículo.

15. Instalar las tuercas de fijación de la tubería de entrada del convertidor catalítico con el múltiple de escape. Apretar las tuercas a 25-33 pie-lb (34-47 Nm).

16. Bajar el vehículo.

17. Instalar el protector térmico del múltiple de escape. Apretar las tuercas a 3-5 pie-lb (5-7 Nm).

18. Instalar el tubo de la válvula de recirculación de gases de escape (EGR) al múltiple de escape y apretar las tuercas a 18-25 pie-lb (25-35 Nm).

19. Instalar el ventilador de refrigeración y el conjunto protector.

20. Instalar el alternador y la correa propulsora de accesorios.

21. Conectar el cable negativo de la batería.

Motor 2.0L

SOHC (ÁRBOL DE LEVAS SIMPLE EN LA CULATA) SPI (INYECCIÓN DIVIDIDA EN EL MÚLTIPLE)

1. Desconectar el cable negativo de la batería.

2. Desmontar la correa propulsora.

3. Desconectar la conexión eléctrica del sensor caliente del oxígeno (HO$_2$S), la cual está montada en el protector del ventilador del sistema de refrigeración.

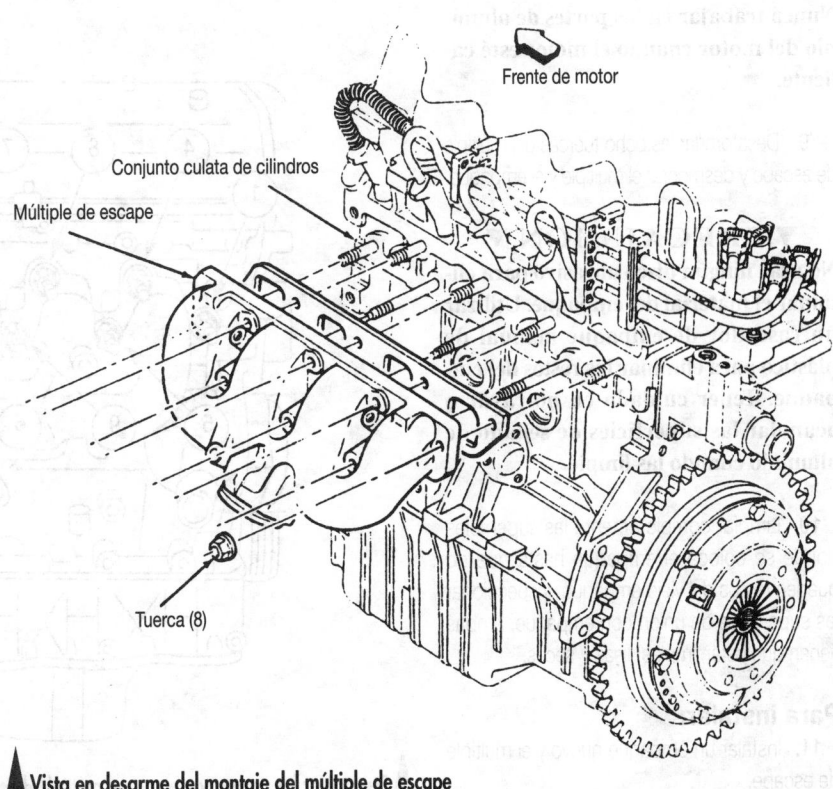

Vista en desarme del montaje del múltiple de escape

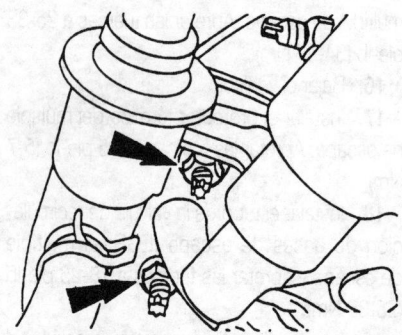

▲ Desmontar las dos tuercas de espárrago del tubo de EGR al múltiple de escape – Motor 2.0L SOHC

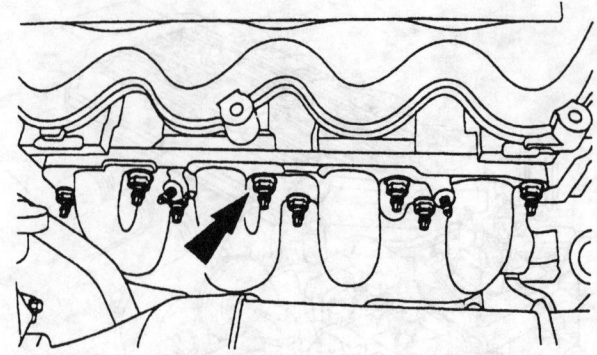

▲ Desmontar las truecas de retención del múltiple de escape – Motor 2.0L SOHC

4. Desatornillar las cinco tuercas del protector térmico del múltiple de escape y desmontar el protector térmico.

5. Desatornillar los dos espárragos tuerca del tubo de la válvula de recirculación de gases de escape (EGR) al múltiple de escape.

6. Desatornillar los tornillos del soporte de la manguera de presión de la dirección asistida, luego colocar el soporte y la manguera a un lado.

7. Aflojar el perno inferior del alternador, desatornillar el perno superior del alternador y pivotear el alternador hacia adelante.

8. Desatornillar las cuatro tuercas del múltiple de escape al convertidor catalítico.

▼ PRECAUCIÓN ▼
Nunca trabajar en las partes de aluminio del motor cuando el motor esté caliente.

9. Desatornillar las ocho tuercas del múltiple de escape y desmontar el múltiple y el empaque.

▼ PRECAUCIÓN ▼
No usar ningún disco abrasivo para eliminar el material del empaque. Utilizar un rascador de empaque manual de plástico para eliminar los restos del empaque. Tener cuidado en no rayar o acanalar las superficies de sellado de aluminio cuando las limpie.

10. Limpiar completamente las superficies donde se coloca el empaque hasta que no queden restos del viejo empaque. Inspeccionar las superficies de unión con empaque, ambas tienen que estar limpias, lisas y secas.

Para instalar:

11. Instalar un empaque nuevo y el múltiple de escape.

12. Instalar y apretar las tuercas de retención del múltiple a 14.7-17.7 pie-lb (20-24 Nm).

13. Instalar y apretar las tuercas del múltiple de escape al convertidor catalítico a 26-34 pie-lb (34-47 Nm).

14. Colocar el alternador en su posición y apretar los pernos de montaje superiores e inferiores.

15. Colocar la manguera de presión y soporte de la dirección asistida en su posición, luego apretar los tornillos de retención.

16. Apretar los dos espárragos tuerca del tubo de la válvula de recirculación de gases de escape (EGR) al múltiple de escape a 44.6-62 plg-lb (5-7 Nm).

17. Instalar el protector térmico del múltiple de escape y apretar las tuercas a 45-61 plg-lb (5-7 Nm).

18. Conectar las conexiones eléctricas del sensor precalentado del oxígeno de escape.

19. Instalar la correa propulsora.

20. Conectar el cable negativo de la batería.

DOHC (ÁRBOL DE LEVAS DOBLE SOBRE LA CULATA) ZETEC

1. Desconectar el cable negativo de la batería.

2. Desconectar la conexión eléctrica del motor del ventilador de refrigeración.

3. Desmontar el recubrimiento del ventilador.

4. Levantar el vehículo y apoyarlo sobre bases seguras.

5. Desconectar las conexiones eléctricas del sensor caliente del oxígeno de escape (HO_2S).

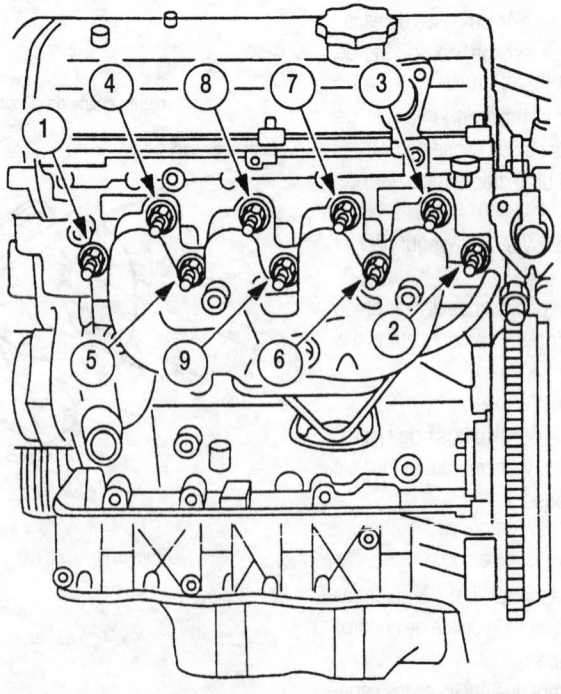

▲ Desmontar los pernos y tuercas del múltiple de escape en el orden mostrado – Motor 2.0L Zetec

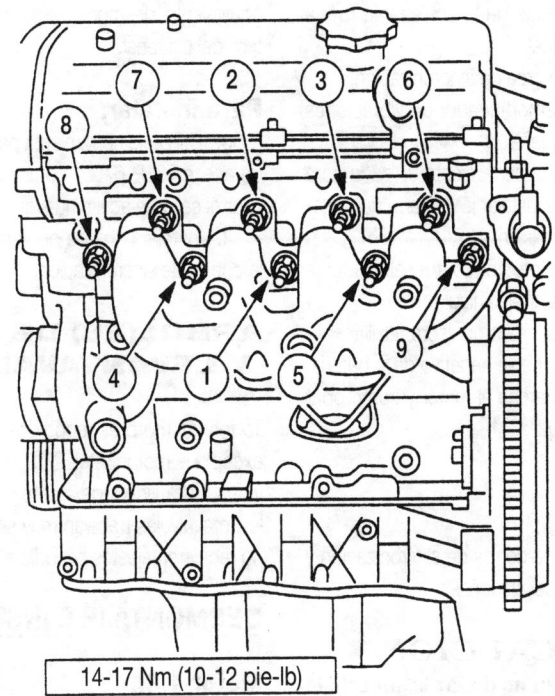

14-17 Nm (10-12 pie-lb)

▲ Apretar los pernos y las tuercas del múltiple de escape en el orden mostrado y a la especificación correcta – Motor 2.0L Zetec

6. Desatornillar los pernos y tuercas del convertidor catalítico con el múltiple de escape, luego separar el convertidor del múltiple.

7. Bajar el vehículo.

▼ PRECAUCIÓN ▼

No romper el sello de aceite roscado con cierre del tubo de la varilla de medir el aceite del motor. Si el sello está roto, bloquearlo para evitar cualquier fuga de aceite del bloque de cilindros.

8. Desatornillar el tornillo del soporte del tubo de la varilla de medir el aceite del motor.

9. Desatornillar los tornillos y tuercas del protector térmico del múltiple de escape, luego desmontar el protector.

▼ PRECAUCIÓN ▼

No trabajar en los componentes de aluminio del motor hasta que el motor esté frío.

10. En los modelos Escort coupe, desatornillar los siete pernos y dos espárragos del múltiple de escape, luego desmontar el múltiple y el empaque.

11. En los modelos Escort/Tracer, desatornillar las tuercas y pernos del múltiple de escape en la secuencia ilustrada.

▼ PRECAUCIÓN ▼

No usar ningún disco abrasivo para eliminar el material del empaque. Utilizar un rascador de empaque manual de plástico para eliminar los restos del empaque. Tener cuidado en no rayar o acanalar las superficies de sellado de aluminio cuando las limpie.

12. Limpiar completamente las superficies donde se coloca el empaque hasta que no queden restos del empaque viejo. Inspeccionar las superficies de unión con empaque, ambas tienen que estar limpias, lisas y secas.

Para instalar:

13. Instalar un empaque nuevo y el múltiple de escape.

14. En los modelos Escort coupe, instalar y apretar los pernos y tuercas de retención del múltiple a 13-16 pie-lb (14-17 Nm).

15. En los modelos Escort/Tracer, instalar y apretar los pernos y tuercas del múltiple de escape en la secuencia ilustrada a 10-12 pie-lb (14-17 Nm).

16. Instalar los retenedores del protector térmico del múltiple de escape y apretarlos a 71-101 plg-lb (8-11 Nm).

17. Apretar el tornillo del soporte del tubo de la varilla de medir el aceite del motor a 71-101 plg-lb (8-11 Nm).

18. Instalar y apretar el perno y la tuerca del múltiple de escape al convertidor catalítico.

19. Conectar las conexiones eléctricas del sensor caliente del oxígeno del escape (HO₂S).

20. Instalar el recubrimiento del ventilador y conectar el cableado eléctrico del motor del ventilador.

21. Conectar el cable negativo de la batería.

SELLO DE ACEITE DELANTERO DEL CIGÜEÑAL

DESMONTAJE E INSTALACIÓN

Motor 1.8L

1. Desconectar el cable negativo de la batería.

2. Desmontar la rueda dentada del cigüeñal.

3. Si es necesario, cortar el labio del sello de aceite delantero con una cuchilla para facilitar el desmontaje.

4. Utilizar una herramienta para desmontar sellos de aceite T92C-6700-CH o una equivalente para desmontar el sello de aceite.

Para instalar:

5. Lubricar el labio del nuevo sello de aceite con aceite para motor limpio.

6. Utilizando una herramienta para sustituir sellos de aceite delantero del cigüeñal T88C-6701-AH o una equivalente, instalar el sello uniformemente hasta que quede enrasado con el borde del cuerpo de la bomba de aceite.

7. Instalar la rueda dentada del cigüeñal.

8. Conectar el cable negativo de la batería.

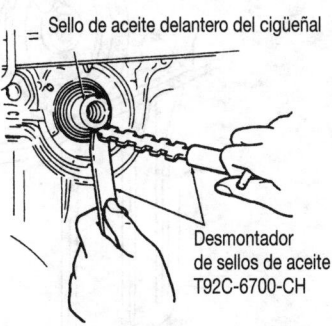

Sello de aceite delantero del cigüeñal

Desmontador de sellos de aceite T92C-6700-CH

▲ Utilizar una herramienta de desmontar sellos de aceite adecuada para desmontar el sello de aceite del cojinete delantero del cigüeñal – Motor 1.8L

Motor 1.9L

1. Desconectar el cable negativo de la batería.

2. Desmontar la correa propulsora auxiliar.

3. Levantar y soportar con seguridad el vehículo.

4. Desmontar el protector contra salpicaduras del lado derecho.

5. Desmontar la cubierta del alojamiento de la transmisión.

6. Utilizar una herramienta adecuada para sujetar el volante en su lugar.

7. Desmontar el amortiguador de vibraciones torsionales del cigüeñal.

8. Desmontar la correa de sincronización.

9. Desmontar la rueda dentada del cigüeñal y la guía de la correa.

10. Utilizando una herramienta para desmontar sellos de aceite T92C-6700-CH o una equivalente, desmontar el sello de aceite del cigüeñal del cuerpo de la bomba de aceite.

Para instalar:

11. Instalar el sello de aceite nuevo utilizando la herramienta de instalación de sellos de aceite T81P-6700-A o una equivalente.

12. Instalar la guía de la correa y la rueda dentada del cigüeñal.

13. Instalar la correa de sincronización.

14. Instalar el amortiguador de vibraciones torsionales del cigüeñal.

15. Desmontar la herramienta utilizada para sujetar el volante e instalar la cubierta del alojamiento de la transmisión.

16. Instalar el protector contra salpicaduras de la derecha y bajar el vehículo.

17. Instalar la correa propulsora auxiliar.

18. Conectar el cable negativo de la batería.

19. Poner en marcha el motor y comprobar que no existan fugas.

Motor 2.0L

1. Desmontar la correa de sincronización y la rueda dentada del cigüeñal.

▼ PRECAUCIÓN ▼

Ser cuidadoso en no dañar la superficie del cigüeñal cuando se desmonte el sello de aceite.

2. Utilizando una herramienta para desmontar sellos de aceite T92C-6700-CH o una equivalente, desmontar el sello de aceite delantero del cigüeñal.

Para instalar:

3. Utilizar la herramienta para instalar sellos de aceite T81P-6700-A o una equivalente, instalar el sello de aceite nuevo.

4. Instalar la rueda dentada del cigüeñal y la correa de sincronización.

ÁRBOL(ES) DE LEVA(S) Y LEVANTAVÁLVULAS

Todos los motores recogidos en este manual excepto el motor Zetec 2.0L, utilizan levantaválvulas hidráulicos (de aceite a presión). Estos levantaválvulas trabajan muy silenciosamente y no requieren ajustes periódicos.

DESMONTAJE E INSTALACIÓN

Motor 1.8L

1. Desmontar el cable negativo de la batería.

2. Desmontar el conjunto distribuidor.

3. Desmontar las ruedas dentadas de los árboles de levas.

4. Desatornillar los pernos de montaje de la platina de sello y desmontar la platina de sello.

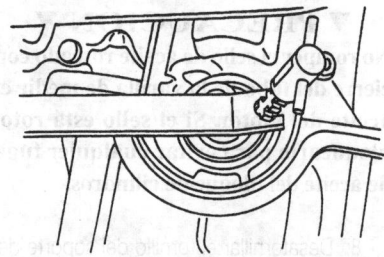

▲ Utilizar una herramienta adecuada para desmontar el sello de aceite delantero del cigüeñal – Motor 2.0L

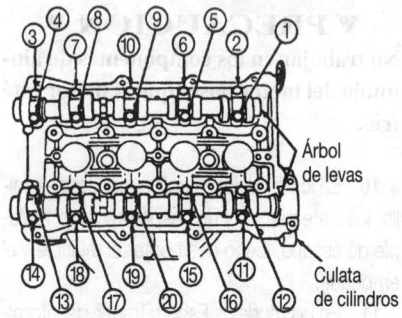

▲ Secuencia para aflojar los pernos de sombrerete del árbol de levas – Motor 1.8L

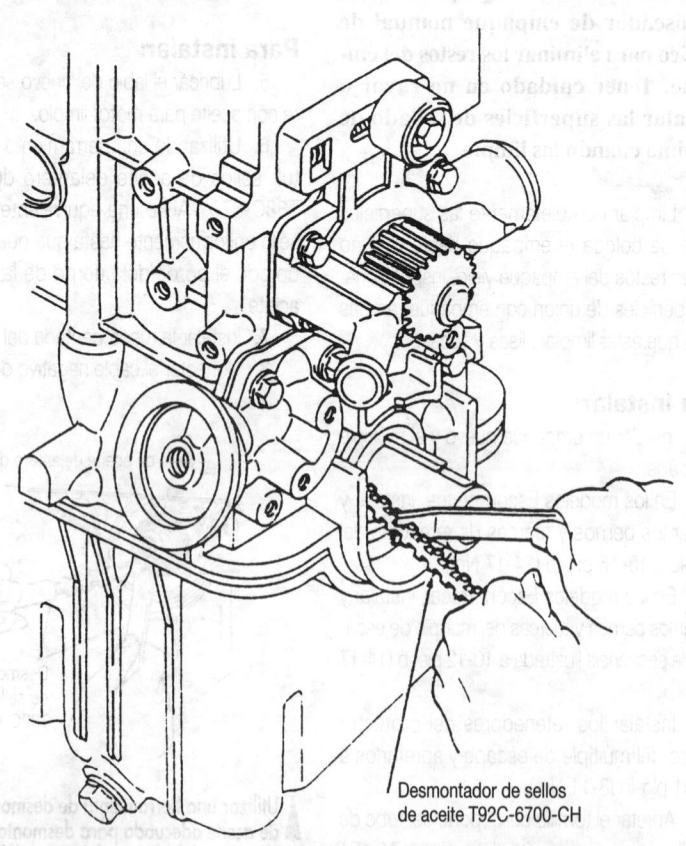

▲ Desmontaje del sello de aceite delantero del cigüeñal utilizando una herramienta T92C-6700-CH o su equivalente - Motor 1.9L

Desmontador de sellos de aceite T92C-6700-CH

5. Desatornillar los pernos de los sombreretes de árbol de levas en el orden correcto (ver la ilustración adjunta).

6. Desmontar los sombreretes del árbol de levas y anotar sus localizaciones de montaje como referencia para la instalación.

➡ **Los sombreretes están numerados y tienen una marca de flecha para la referencia de instalación y dirección.**

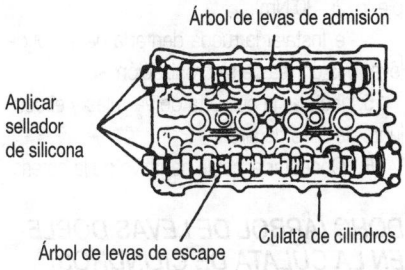

Árbol de levas de admisión

Aplicar sellador de silicona

Árbol de levas de escape

Culata de cilindros

▲ **Aplicar sellador de silicona como se muestra – Motor 1.8L**

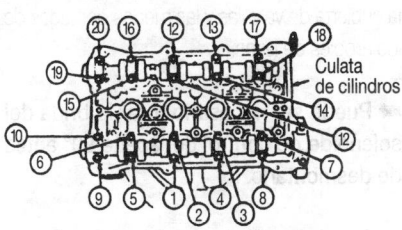

Culata de cilindros

▲ **Apretar los pernos de sombrerete en la secuencia mostrada – Motor 1.8L**

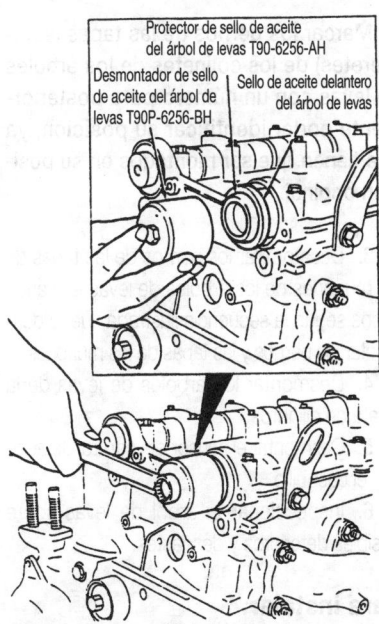

Protector de sello de aceite del árbol de levas T90-6256-AH

Desmontador de sello de aceite del árbol de levas T90P-6256-BH

Sello de aceite delantero del árbol de levas

▲ **Utilizar una herramienta adecuada de instalación para instalar el sello de aceite nuevo del árbol de levas – Motor 1.8L**

7. Desmontar el árbol de levas y el sello de aceite del árbol de levas.

Para instalar:

8. Aplicar aceite de motor limpio en los cojinetes y muñequillas del árbol de levas.

9. Colocar el árbol de levas en su posición de montaje.

➡ **El árbol de levas de escape tiene una ranura que debe estar alineada con el engranaje de accionamiento del distribuidor.**

10. Aplicar sellador de silicona a las áreas que lo requieren (ver las ilustraciones adjuntas).

11. Instalar los sombreretes de acuerdo con sus números y las marcas de flecha.

12. Instalar los pernos de los sombreretes de árbol de levas y apretarlos en la secuencia adecuada a 100-126 plg-lb (11.3-14.2 Nm).

13. Aplicar una pequeña cantidad de aceite de motor limpio al labio del nuevo sello de aceite de árbol de levas. Utilizando una herramienta adecuada de instalación, instalar el sello de aceite nuevo. Consultar la ilustración adjunta.

14. Colocar la platina de sello en su posición de montaje e instalar los pernos de montaje. Apretar los pernos a 69-95 plg-lb (7.8-11.0 Nm).

15. Instalar las ruedas dentadas de los árboles de levas y el conjunto distribuidor.

16. Conectar el cable negativo de la batería.

Motor 1.9L

1. Desconectar el cable negativo de la batería.

2. Desmontar el conducto de entrada del filtro de aire.

3. Desmontar las correas propulsoras auxiliares y la polea del cigüeñal.

4. Desmontar la cubierta de la correa de sincronización y la cubierta de balancines.

5. Colocar el cilindro N° 1 del motor en el punto muerto superior (PMS) antes de desmontar la correa de sincronización.

➡ **Asegurarse de que el cigüeñal está colocado en el punto muerto superior (PMS). No girar el cigüeñal hasta que esté instalada la correa de sincronización.**

6. Desmontar los balancines y levantaválvulas.

7. Desmontar el conjunto bobina de encendido.

8. Desmontar la correa de sincronización.

9. Desmontar el perno de la rueda dentada del árbol de levas, la rueda dentada y la chaveta.

10. Desmontar la platina de empuje del árbol de levas.

11. Desmontar el tapón de taza de la parte trasera de la culata de cilindros.

12. Desmontar el árbol de levas a través de la parte trasera de la culata de cilindros hacia la caja de cambios.

13. Desmontar y desechar el sello de aceite del árbol de levas.

Para instalar:

14. Cubrir completamente con un lubricante adecuado las muñequillas del árbol de levas, las superficies de los lóbulos de las levas y la ranura de la platina de empuje.

➡ **Antes de instalar el árbol de levas, aplicar una fina capa de lubricante al labio del sello de aceite del árbol de levas.**

15. Instalar un sello de aceite del árbol de levas nuevo e instalar el árbol de levas a través de la parte trasera de la culata de cilindros. Rotar el árbol de levas durante la instalación.

16. Instalar la platina de empuje del árbol de levas. Apretar los pernos de fijación a 6-9 pie-lb (8-13 Nm).

17. Alinear e instalar la rueda dentada del árbol de levas sobre la chaveta del árbol de levas. Instalar la arandela de fijación y el perno. Mientras se mantiene el árbol de levas estacionario, apretar el perno a 70-85 pie-lb (95-115 Nm).

18. Instalar el tapón de taza utilizando un sellador EOAZ-19554-BA. Utilizar el sellador de forma moderada, ya que un exceso del sellador puede obstruir los orificios de paso del aceite del árbol de levas.

19. Instalar la correa de sincronización.

20. Instalar la cubierta de la correa de sincronización.

21. Instalar el conjunto de la bobina de encendido.

22. Instalar un empaque nuevo en la tapa de los balancines, si es necesario.

➡ **Asegurarse de que las superficies de la culata de cilindros y de la tapa de balancines están limpias y no tienen restos de material de sellado.**

23. Instalar la cubierta de válvulas.

24. Instalar el tubo de entrada del filtro de aire.

25. Conectar el cable negativo de la batería.

Motor 2.0L

SOHC (ÁRBOL DE LEVAS SIMPLE EN LA CULATA DE CILINDROS) SPI (INYECCIÓN DIVIDIDA EN EL MÚLTIPLE)

1. Desconectar el cable negativo de la batería.

2. Desmontar el filtro de aire y la cubierta de válvulas.

3. Desmontar el sello de aceite delantero del árbol de levas de la siguiente manera:

a. Alinear las marcas de sincronización y desmontar la correa de sincronización.

b. Utilizar la herramienta de sujeción y desmontaje de ruedas dentadas de árbol de levas T47P-6256-B o una equivalente, y desmontar la rueda dentada del árbol de levas.

c. Desatornillar el perno del tensor de la correa de sincronización y desmontar el tensor.

d. Desmontar la cubierta interior delantera del motor.

e. Utilizar la herramienta para desmontar sellos de aceite T92C-6700-CH o su equivalente para desmontar el sello de aceite delantero del árbol de levas.

4. Desmontar la bobina de encendido y el soporte.

5. Desmontar los balancines y los empujaválvulas.

6. Desatornillar los pernos de la platina de empuje del árbol de levas y desmontar la platina.

7. Desmontar y desechar el tapón de taza de detrás de la culata de cilindros.

8. Desmontar con cuidado el árbol de levas por detrás de la culata de cilindros.

Para instalar:

➡ Cubrir abundantemente con aceite limpio de motor 5W30 las superficies interiores de rodamiento y apoyo del árbol de levas situadas en la culata de cilindros.

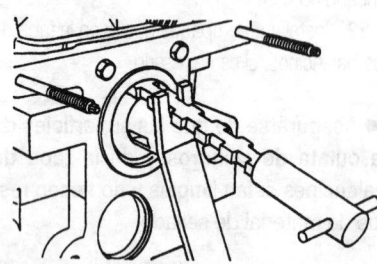

▲ Desmontaje del sello de aceite delantero del árbol de levas – Motor 2.0L SOHC

9. Instalar el árbol de levas a través de la parte trasera de la culata de cilindros.

10. Instalar la platina de empuje del árbol de levas y los pernos. Apretar los pernos a 71-115 plg-lb (8-13 Nm).

11. Instalar un tapón de taza nuevo y los empujaválvulas.

12. Instalar los balancines.

13. Instalar el soporte de la bobina de encendido y la bobina.

14. Instalar el sello de aceite delantero del árbol de levas de la siguiente manera:

a. Aplicar una fina capa de aceite para motor 5W30 al labio del sello de aceite.

➡ **La profundidad del sello de aceite debe ser 0.002-0.04 plg (0.05-1.0 mm) por**

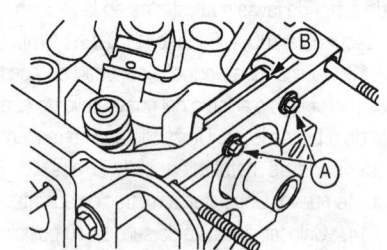

▲ Desmontar los pernos de fijación de la platina de empuje del árbol de levas (A) y la platina (B) – Motor 2.0L SOHC

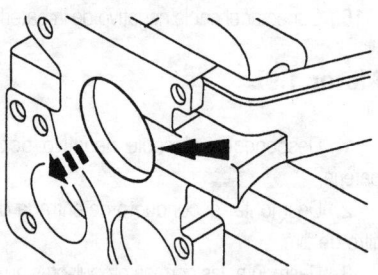

▲ Desmontar y desechar el tapón taza localizado en la parte trasera de la culata de cilindros – Motor 2.0L

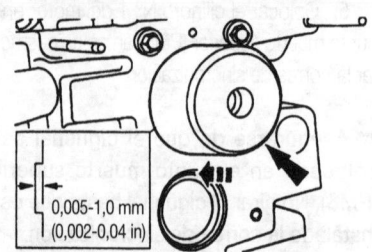

▲ Utilizar una herramienta para instalar sellos de aceite T81P-6292-A o una equivalente, para instalar el sello de aceite delantero del árbol de levas a 0.002-0.04 plg (0.05-1.0 mm) por debajo de la nivelación del frente delantero de la culata de cilindros – Motor 2.0L SOHC

debajo de la nivelación de la cara delantera de la culata de cilindros.

b. Utilizar una herramienta para sustituir sellos de aceite T81P-6292-A o su equivalente, para instalar el sello de aceite delantero del árbol de levas.

c. Instalar la cubierta interior delantera del motor.

d. Instalar el tensor de la correa de sincronización. Apretar el perno del tensor a 15-22 pie-lb (20-30 Nm).

e. Instalar la rueda dentada del árbol de levas y la correa de sincronización.

15. Instalar la cubierta de válvulas y el conjunto del filtro de aire.

16. Conectar el cable negativo de la batería.

DOHC (ÁRBOL DE LEVAS DOBLE EN LA CULATA DE CILINDROS) ZETEC

1. Desmontar la correa de sincronización, la cubierta de válvulas y las ruedas dentadas de los árboles de levas.

➡ **Puede ser necesario rotar la brida del solenoide de control del aceite 90° antes de desmontarlo.**

2. Desatornillar los tornillos de la brida del solenoide de control del aceite y desmontar la brida.

➡ **Marcar los pernos de las tapas (sombreretes) de los cojinetes de los árboles de levas con un número para posteriormente poder identificar su posición, ya que tienen que ser montados en su posición original.**

3. Desatornillar los pernos de las tapas de los muñones de los árboles de levas en varios pasos según la secuencia ilustrada, luego desmontar los pernos y las tapas de los muñones.

4. Desmontar los árboles de levas de la culata de cilindros.

5. Desmontar el sensor del control de aceite y el casquillo.

6. Inspeccionar el árbol de levas sobre posibles deterioros y desgastes.

Para instalar:

7. Asegurarse de que la holgura de válvulas es correcta. Consultar la sección Nº 1 de este manual para este procedimiento.

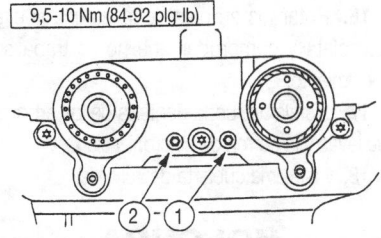

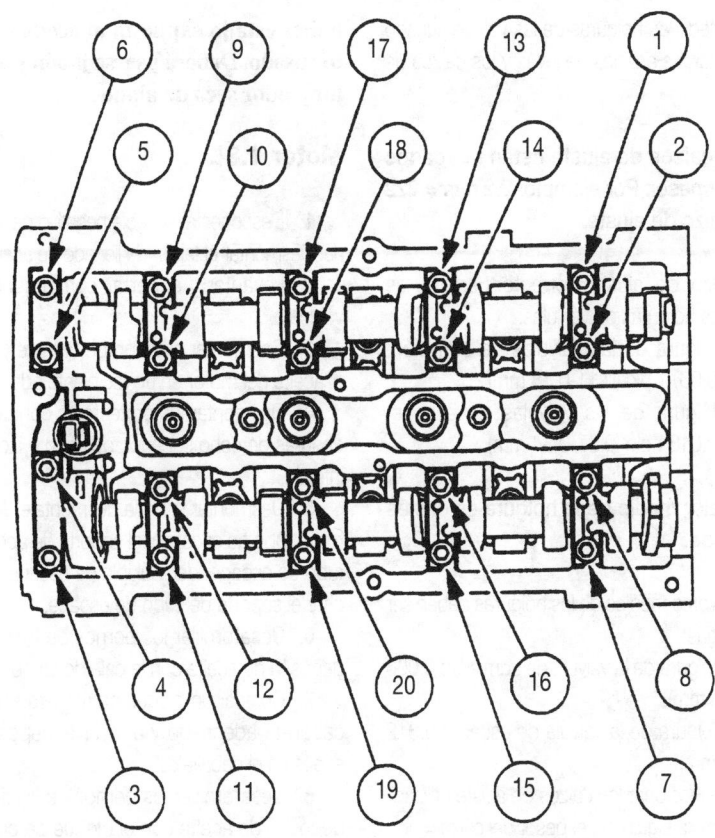

9,5-10 Nm (84-92 plg-lb)

▲ Atornillar los pernos de la brida del solenoide de control de aceite en esta secuencia – Motor 2.0L Zetec

8. Instalar el casquillo y la brida del solenoide del control de aceite en el árbol de levas de escape.

➡ **Las tapas de los muñones delanteros de los árboles de levas tienen que ser instaladas con los pernos apretados a las especificaciones dadas dentro de los cuatro minutos de aplicarse el sellador.**

9. Cubrir la superficie de la tapa del muñón delantero del árbol de levas con un hacedor de empaque E2AZ-19562-B o uno equivalente.

10. Colocar los árboles de levas en su posición y lubricar las superficies de rodamiento con lubricante del conjunto motor D9AZ-19579-D o su equivalente.

11. Instalar nuevos sellos de aceite delanteros de árbol de levas.

12. Aplicar una fina capa de empaque de silicona y sellador F6AZ-19562-AA o su equivalente a las superficies de sellado de la tapa del muñón delantero del árbol de levas.

13. Instalar las tapas y apretar los pernos en varios pases de dos vueltas en la secuencia ilustrada a 10-12 pie-lb (13-17 Nm).

▼ PRECAUCIÓN ▼

Los sellos anulares (juntas tóricas) de control del aceite no pueden caer fuera de su posición en la brida del solenoide del control del aceite, de lo contrario puede ocurrir un rendimiento pobre del motor.

14. Inspeccionar los sellos anulares de la brida del solenoide de control de aceite por posibles deterioros o desgastes y sustituirlos si es necesario.

15. Instalar la brida del solenoide de control de aceite y apretar los pernos a 84-92 plg-lb (9.5-10.5 Nm) en la secuencia mostrada.

▲ Aflojar los pernos de las tapas (sombreretes) de los cojinetes del árbol de levas en varios pasos en esta secuencia – Motor 2.0L Zetec

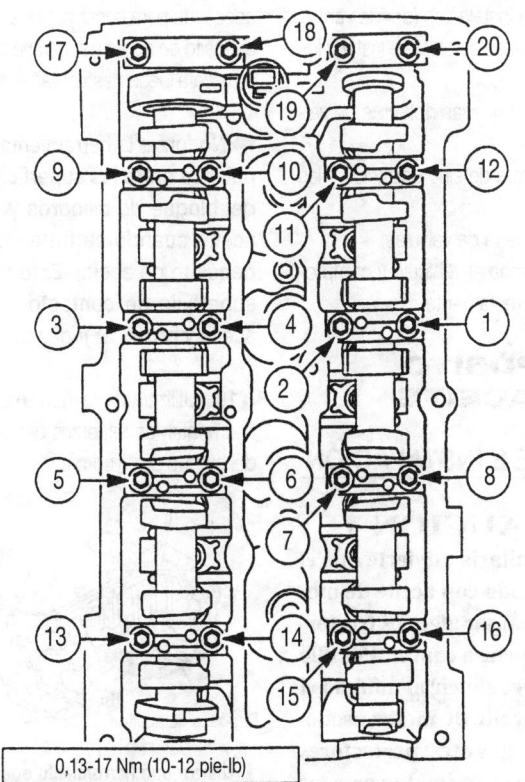

0,13-17 Nm (10-12 pie-lb)

▲ Apretar los pernos de las tapas de los muñones (cojinetes) del árbol de levas en la secuencia mostrada a las especificaciones adecuadas – Motor 2.0L Zetec

16. Rotar los árboles de levas una vuelta completa y comprobar que no se traba su movimiento.

17. Instalar la rueda dentada de los árboles de levas y la correa de sincronización.

18. Instalar la cubierta de válvulas.

HOLGURA DE VÁLVULAS

AJUSTE

Motor 2.0L Zetec DOHC (árbol de levas doble en la culata de cilindros)

1. Desmontar la cubierta de las válvulas.

2. Desmontar la correa de sincronización.

➡ Medir la holgura de cada válvula en el círculo de la base antes de desmontar el árbol de levas. Los calzos de ajuste no se pueden serviciar con los árboles de levas colocados. Dejar de medir las holguras de todas las válvulas antes de desmontar los árboles de levas, conduciría a una repetición de las operaciones de desmontaje e instalación y una considerable pérdida de tiempo.

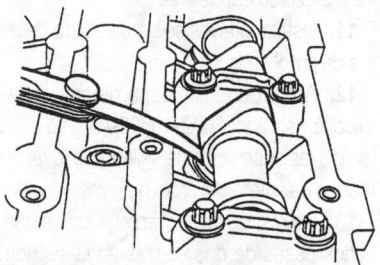

▲ Medir la holgura de cada válvula en el círculo de la base antes de desmontar los árboles de levas – Motor 2.0L Zetec DOHC

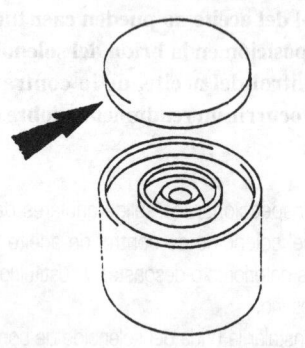

▲ Ejemplo de calzo de ajuste del levantaválvulas (flecha) – Motor 2.0L Zetec DOHC

3. Medir las holguras de las válvulas, luego desmontar los árboles de levas y los calzos de ajuste.

➡ Los calzos de ajuste están marcados por el espesor. Por ejemplo: 2.2 mm = 222 en el calzo de ajuste.

El calzo de ajuste correcto permite las siguientes holguras de válvulas:

• Holgura de las válvulas de admisión: 0.0043-0.0071 plg (0.11-0.18 mm).

• Holgura de las válvulas de escape: 0.0106-0.0134 plg (0.27-0.34 mm).

➡ El valor medio de la holgura es el más adecuado.

Los valores medios de las holguras deben ser como sigue:

• Holgura de la válvula de admisión: 0.006 plg (0.15 mm).

• Holgura de la válvula de escape: 0.012 plg (0.3 mm).

4. Seleccionar los calzos de ajuste utilizando la fórmula siguiente: espesor del calzo = holgura medida más el espesor del calzo base menos el espesor más deseado.

5. Seleccionar el calzo de ajuste correcto y marcar el lugar de su instalación (donde van).

6. Colocar los calzos de ajuste e instalar los árboles de levas.

7. Comprobar las nuevas holguras de válvulas.

8. Instalar la correa de sincronización y las cubiertas.

9. Instalar la cubierta de válvulas.

10. Poner en marcha el vehículo y comprobar que funcione correctamente.

DEPÓSITO DE ACEITE

DESMONTAJE E INSTALACIÓN

▼ PRECAUCIÓN ▼

La autoridad sanitaria advierte que el contacto prolongado con aceite de motor usado puede causar algunos trastornos en la piel, e incluso cáncer. Por ello se deberá intentar reducir al mínimo el contacto con el aceite de motor usado. Deberán usarse guantes protectores cuando se cambie el aceite. Lavarse las manos y cualquier otra área de la piel tan pronto como sea posible después de haber estado expuesta al aceite de motor usado. Deberá usarse jabón y agua o limpiador seco de manos.

Motor 1.8L

1. Desconectar el cable negativo de la batería. Desmontar el tapón de llenado de aceite.

2. Levantar y soportar con seguridad el vehículo.

3. Desmontar el tapón de drenaje y vaciar el aceite del motor en un recipiente adecuado.

4. Desmontar los protectores contra salpicaduras derecho superior, derecho e izquierdo inferior.

5. Desmontar la brida del montaje delantero del tubo de escape y el soporte de apoyo del tubo de escape, del múltiple de escape. Desechar el soporte del tubo de escape.

6. Desatornillar los pernos de fijación del depósito de aceite con la caja de cambios.

7. Colocar un bloque de madera sobre un caballete adecuado y apoyar el depósito de aceite en el caballete.

8. Desatornillar los pernos de fijación del depósito de aceite con el bloque de cilindros del motor.

9. Sólo en las zonas del depósito de aceite señaladas en la figura, utilizar una herramienta adecuada para hacer palanca con cuidado en el depósito de aceite y separarlo del bloque de cilindros para luego desmontar el depósito de aceite.

➡ No forzar la herramienta utilizada como palanca entre las superficies de contacto del bloque de cilindros y el depósito de aceite cuando se trate de desmontar el depósito de aceite. Esto puede averiar la superficie de contacto del depósito de aceite y provocar fugas de aceite.

10. Utilizar una herramienta de palanca para desmontar los refuerzos del depósito de aceite del bloque de cilindros.

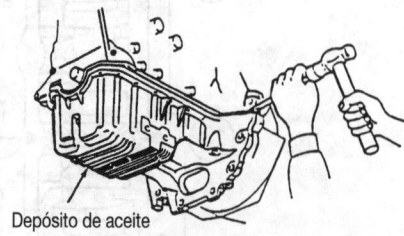

Depósito de aceite

▲ Utilizar una herramienta adecuada para hacer palanca con cuidado en el depósito de aceite y separarlo del bloque de cilindros y desmontar el depósito de aceite – Motor 1.8L

11. Desmontar los sellos de aceite delanteros y traseros del depósito de aceite. Quitar todo resto de material sellante del bloque de cilindros y del depósito de aceite.

➡ **Cuando se desmonten los refuerzos de las bridas del depósito de aceite y los restos del material sellante, tener cuidado en no averiar las superficies de contacto del bloque de cilindros y el depósito de aceite.**

Para instalar:

12. Aplicar un cordón de sellante de silicona a los refuerzos de la brida del depósito de aceite a lo largo del interior de los orificios para los pernos.

13. Instalar los refuerzos de la brida del depósito de aceite.

14. Aplicar material sellante a las zonas de los sellos extremos, como se muestra. Asegurarse de instalar los sellos extremos con las proyecciones en las muescas.

15. Instalar los sellos extremos delanteros y traseros en el depósito de aceite.

16. Aplicar un cordón continuo de material sellante de silicona en el depósito de aceite a lo largo del interior de los orificios de los pernos. Superponer los extremos de sellante.

17. Colocar el depósito de aceite en su posición de montaje e instalar los pernos de fijación del depósito de aceite con el bloque de cilindros. Apretar los pernos a 69-95 plg-lb (7.8-11.0 Nm).

➡ **Si los pernos de fijación del depósito de aceite van ha ser reutilizados, los restos del material sellante tienen que ser eliminados de la rosca de los pernos. Apretar los pernos de fijación viejos con el material sellante viejo aún sobre ellos, pueda causar grietas en el interior de los orificios de los pernos.**

18. Instalar los pernos de fijación del depósito de aceite con la caja de cambios y apretarlos a 27-38 pie-lb (37-52 Nm).

19. Instalar el tapón de drenaje y apretarlo a 22-30 pie-lb (29-41 Nm).

20. Instalar la brida del montaje delantero del escape y un empaque nuevo. Apretar las tuercas de fijación de la brida de montaje con el múltiple de escape a 23-34 pie-lb (31-46 Nm).

21. Instalar el soporte de apoyo del tubo de escape, luego apretar los pernos a 27-38 pie-lb (37-52 Nm).

22. Instalar los protectores contra salpicaduras. Apretar los tornillos a 69-95 plg-lb (7.8-11.0 Nm).

23. Bajar el vehículo.

24. Llenar el cárter del cigüeñal con la cantidad y calidad de aceite de motor adecuado. Instalar el tapón de llenado.

25. Conectar el cable negativo de la batería.

Motor 1.9L

1. Desconectar el cable negativo de la batería.

2. Levantar el vehículo y apoyarlo firmemente.

3. Desmontar el tapón de drenaje y vaciar el aceite de motor en un depósito adecuado.

4. Desmontar el convertidor catalítico del múltiple de escape y del tubo de entrada y el resonador.

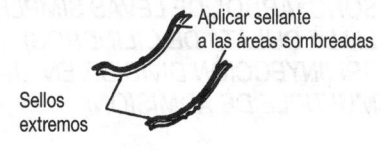
Aplicar sellante a las áreas sombreadas
Sellos extremos

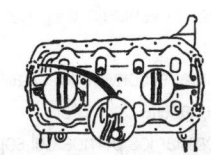
▲ **Después de limpiar completamente las superficies de unión con empaque, aplicar sellante a las áreas mostradas – Motor 1.8L**

5. Desatornillar los dos pernos de unión del depósito de aceite con la caja de cambios.

6. Desatornillar los diez pernos del depósito de aceite al motor.

7. Hacer palanca suavemente para desmontar el depósito de aceite del bloque de cilindros y desmontar el depósito de aceite.

8. Desmontar el empaque del depósito de aceite y desecharlo.

Para instalar:

9. Utilizar un rascador para limpiar la superficie de empaque del depósito de aceite y la superficie de acoplamiento del bloque de cilindros. Limpiar el raíl del depósito de aceite con un paño sin pelusas empapado en disolvente para eliminar todos los restos de aceite.

10. Desmontar los dos tornillos de la tapa colador de la bomba de aceite para limpiar el conducto de succión de aceite y el conjunto de colador. Instalar el conducto de succión y el conjunto del colada utilizando un empaque nuevo para el conjunto. Apretar los tornillos del colador y los pernos del conducto de succión a 7-9 pie-lb (10-13 Nm).

➡ **Instalar el depósito de aceite dentro de los diez minutos de haber aplicado el sellador.**

11. Aplicar un cordón de sellador de caucho de silicona adecuado de aproximada-

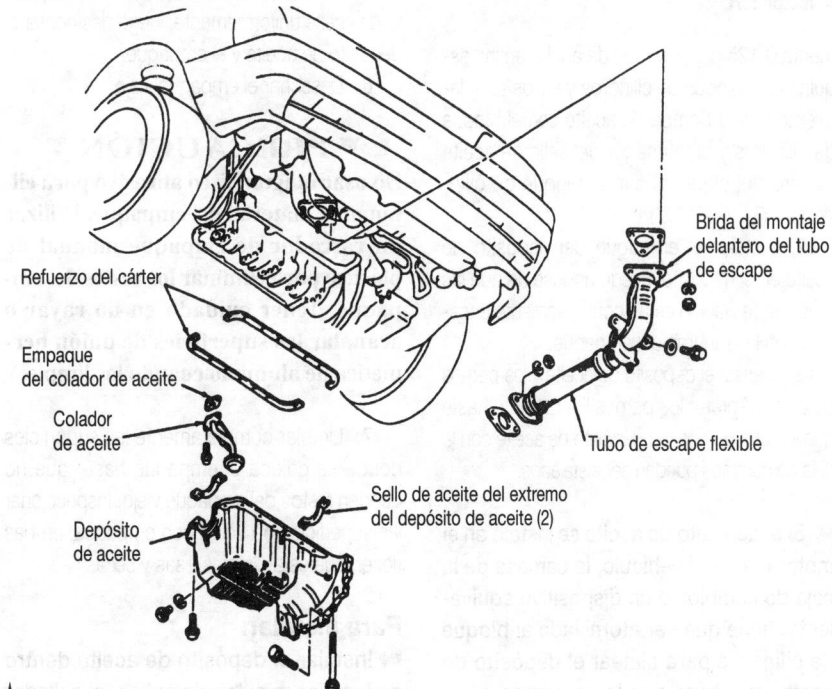

Brida del montaje delantero del tubo de escape
Refuerzo del cárter
Empaque del colador de aceite
Colador de aceite
Tubo de escape flexible
Depósito de aceite
Sello de aceite del extremo del depósito de aceite (2)

▲ **Vista en despiece del depósito de aceite y los componentes relacionados – Motor 1.8L**

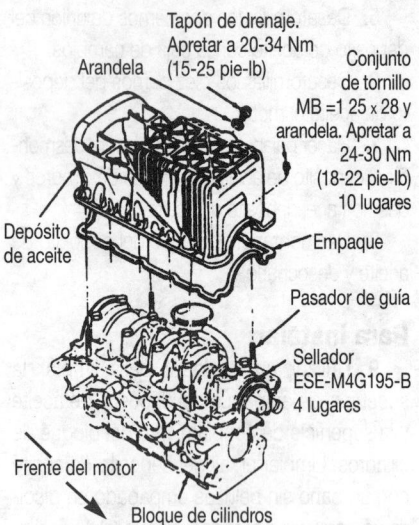

Vista en despiece del montaje del depósito de aceite – Motor 1.9L

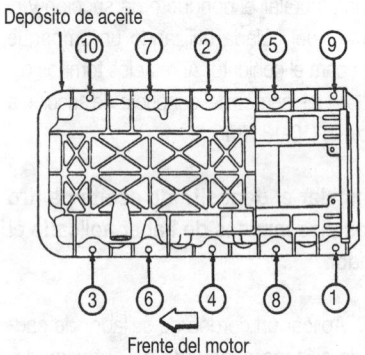

Orden de apriete del depósito de aceite – Motor 1.9L

mente 0.125 plg (3.0 mm) de ancho en las esquinas del bloque de cilindros y en los acoplamientos de la bomba de aceite con el bloque de cilindros y el retenedor del sello de aceite trasero del cigüeñal con el bloque de cilindros.

12. Instalar el empaque del depósito de aceite en el depósito, asegurándose de que las presillas de fijación están completamente encajadas en las ranuras del empaque.

13. Instalar el depósito de aceite y los pernos de unión. Apretar los pernos ligeramente hasta que los dos pernos del depósito de aceite con la caja de cambios puedan ser instalados.

➡ Si el depósito de aceite se instala en el motor fuera del vehículo, la carcasa de la caja de cambios o un dispositivo equivalente, tiene que ser atornillado al bloque de cilindros para alinear el depósito de aceite enrasado con la cara trasera del bloque.

14. Apretar los dos pernos del depósito de aceite con la caja de cambios a 30-40 pie-lb (40-54 Nm), luego desatornillarlos media vuelta.

15. Apretar los pernos de la brida del depósito de aceite con el bloque de cilindros a 15-22 pie-lb (20-30 Nm) en el orden mostrado.

16. Reapretar los dos pernos del depósito de aceite con la caja de cambios a 30-40 pie-lb (40-54 Nm).

17. Instalar el convertidor catalítico.

18. Instalar el tapón de drenaje del depósito y apretarlo a 15-22 pie-lb (20-30 Nm).

19. Bajar el vehículo y llenar el cárter del cigüeñal.

20. Conectar el cable negativo de la batería.

21. Poner en marcha el motor y comprobar que no existan fugas de aceite.

Motor 2.0L

SOHC (ÁRBOL DE LEVAS SIMPLE EN LA CULATA DE CILINDROS) SPI (INYECCIÓN DIVIDIDA EN EL MÚLTIPLE DE ADMISIÓN)

1. Levantar el vehículo y apoyarlo sobre bases seguras.

2. Desmontar el convertidor catalítico.

3. Vaciar el aceite del motor.

4. Desatornillar los pernos del soporte del depósito de aceite con el convertidor catalítico y desmontar el soporte.

5. Desatornillar los diez pernos del depósito de aceite uniformemente, luego desmontar el depósito de aceite y el empaque.

6. Desechar el empaque viejo.

▼ PRECAUCIÓN ▼

No usar ningún disco abrasivo para eliminar el material del empaque. Utilizar un rascador de empaque manual de plástico para eliminar los restos del empaque. Tener cuidado en no rayar o acanalar las superficies de unión hermética de aluminio cuando las limpie.

7. Limpiar completamente las superficies donde se coloca el empaque hasta que no queden restos del empaque viejo. Inspeccionar las superficies de unión con empaque, ambas tienen que estar limpias, lisas y secas.

Para instalar:

➡ Instalar el depósito de aceite dentro de los diez minutos de aplicar el sellador de silicona.

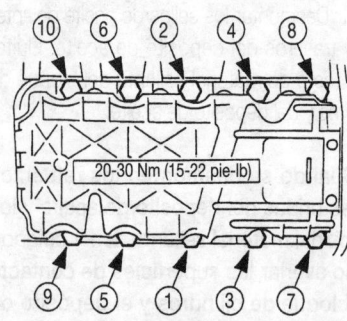

Apretar los pernos del depósito de aceite en este orden y a la especificación adecuada – Motor 2.0L SOHC

8. Aplicar un cordón de sellante de silicona F6AZ-19562-AA o su equivalente, de 0.125 plg (3.0 mm) de ancho en los acoplamientos de la bomba de aceite con el bloque de cilindros y del retenedor de sello de aceite trasero del cigüeñal con el bloque de cilindros.

➡ Asegurarse de que las presillas de fijación están completamente encajadas en las ranuras del empaque del depósito de aceite cuando se instala el depósito y el empaque.

9. Instalar el empaque.

10. Cuando se instala el depósito de aceite, asegurarse de que la parte trasera del depósito de aceite está alineada con el bloque de cilindros, utilizando para ello una regla como guía.

11. Instalar y apretar los pernos del depósito de aceite en el orden mostrado a 15-22 pie-lb (20-30 Nm).

12. Instalar el soporte del depósito de aceite con el convertidor catalítico y apretar los pernos a 30-40 pie-lb (40-55 Nm).

13. Instalar el convertidor catalítico y el tapón de drenaje del depósito de aceite. Apretar el tapón de drenaje a 15-22 pie-lb (20-30 Nm).

14. Bajar el vehículo y llenar el motor con la cantidad y calidad de aceite de motor adecuada.

15. Poner en marcha el vehículo y comprobar que no existan fugas de aceite.

DOHC (ÁRBOL DE LEVAS DOBLE EN LA CULATA DE CILINDROS) ZETEC

1. Levantar el vehículo y apoyarlo sobre bases seguras.

2. Vaciar el aceite del motor.

3. Desmontar el convertidor catalítico.

4. Desatornillar los dieciséis pernos del depósito de aceite uniformemente, luego desmontar el depósito de aceite.

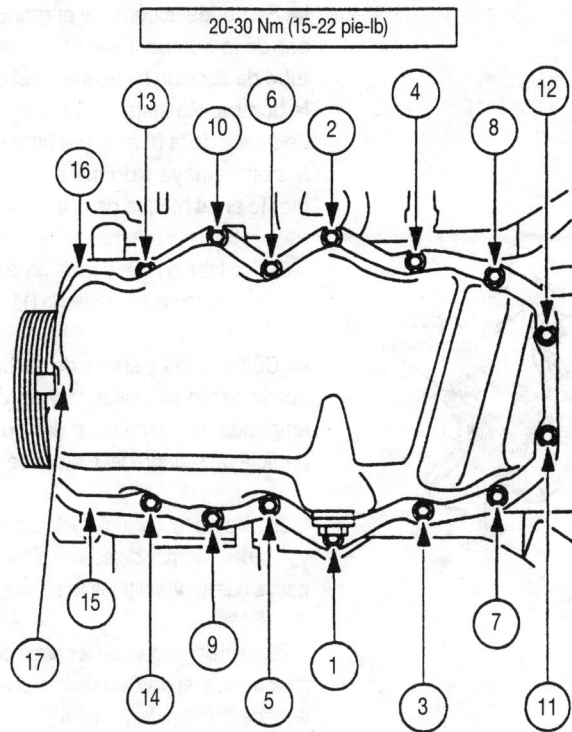

20-30 Nm (15-22 pie-lb)

Apretar los pernos del depósito de aceite en el orden adecuado y a la especificación del par de apriete correcta – Motor 2.0L Zetec

▼ PRECAUCIÓN ▼

No usar ningún disco abrasivo para eliminar el material del empaque. Utilizar un rascador de empaque manual de plástico para eliminar los restos del empaque. Tener cuidado en no rayar o acanalar las superficies de unión hermética de aluminio cuando se limpien.

5. Limpiar completamente las superficies donde se coloca el empaque hasta que no queden restos del empaque viejo. Inspeccionar las superficies de unión con empaque, ambas tienen que estar limpias, lisas y secas.

Para instalar:

➡ Instalar el depósito de aceite dentro de los cuatro minutos de haber aplicado el sellador.

6. Aplicar un cordón de sellante de silicona F6AZ-19562-AA o su equivalente, de 0.1 plg (3.0 mm) de ancho al depósito de aceite.

7. Instalar el depósito de aceite y los pernos. Apretar los pernos del depósito de aceite en el orden mostrado a 15-22 pie-lb (20-30 Nm).

8. Instalar el tapón de drenaje del depósito de aceite.

9. Bajar el vehículo y llenar el motor con el tipo y cantidad adecuados de aceite de motor.

10. Poner en marcha el vehículo y comprobar que no existan fugas de aceite.

BOMBA DE ACEITE

DESMONTAJE E INSTALACIÓN

▼ PRECAUCIÓN ▼

La autoridad sanitaria advierte que el contacto prolongado con aceite de motor usado puede causar algunos trastornos en la piel, en incluso cáncer. Por ello deberá intentar reducir al mínimo su contacto con el aceite de motor usado. Deberá usar guantes protectores cuando cambie el aceite. Lavarse las manos y cualquier otra área de la piel tan pronto como sea posible después de haber estado expuesta al aceite de motor usado. Deberá usarse jabón y agua o limpiador seco de manos.

Motor 1.8L

1. Desconectar el cable negativo de la batería.

2. Desmontar la correa de sincronización y la polea de la correa de sincronización.

3. Desmontar el depósito de aceite.

4. Desmontar la tapa filtro y el tubo de la bomba de aceite.

5. Si lo tiene, desmontar los pernos de montaje del compresor del aire acondicionado y colocar el compresor de manera que esté libre del área de trabajo.

6. Desmontar el soporte de montaje del compresor del aire acondicionado.

7. Desatornillar el perno de montaje del soporte del tubo de la varilla de medir el aceite del motor, y el perno de montaje inferior del alternador.

8. Desatornillar todos los pernos de montaje de la bomba de aceite y desmontar la bomba de aceite.

9. Utilizar un rascador para eliminar todo resto de material de empaque de la superficie de montaje de la bomba de aceite.

Para instalar:

10. Instalar un empaque nuevo en la bomba de aceite.

11. Colocar la bomba de aceite en su posición de montaje e instalar los pernos de montaje de la bomba. Apretar los pernos a 14-19 pie-lb (19-25 Nm).

12. Colocar el perno del soporte del tubo de la varilla de medir el aceite del motor en su posición de montaje e instalar el perno de montaje. Apretar el perno a 68-95 plg-lb (7.8-11 Nm).

13. Instalar el perno de montaje inferior del alternador y apretarlo a 27-38 pie-lb (37-52 Nm).

14. Instalar un empaque nuevo en el colador de aceite, colocar el colador en su posición de montaje e instalar los pernos de montaje. Apretarlo los pernos a 69-95 plg-lb (7.8-11.0 Nm).

15. Instalar el depósito de aceite.

16. Si lo tiene, colocar el soporte del compresor del aire acondicionado en su posición de montaje e instalar los pernos de montaje. Apretar los pernos a 30-40 pie-lb (40-55 Nm).

17. Si lo tiene, instalar el perno del lado del compresor del aire acondicionado. Apretar los pernos a 14-19 pie-lb (19-25 Nm).

18. Instalar la polea de la correa de la sincronización y la correa de la sincronización.

19. Conectar el cable negativo de la batería.

20. Poner en marcha el motor y comprobar que no existan fugas de aceite. Asegurarse de que la lámpara indicadora de la presión de aceite se apaga después de uno o dos segundos. Si la lámpara permanece encendida después de varios segundos, inmediatamente apagar el motor. Determinar la causa y corregir el estado.

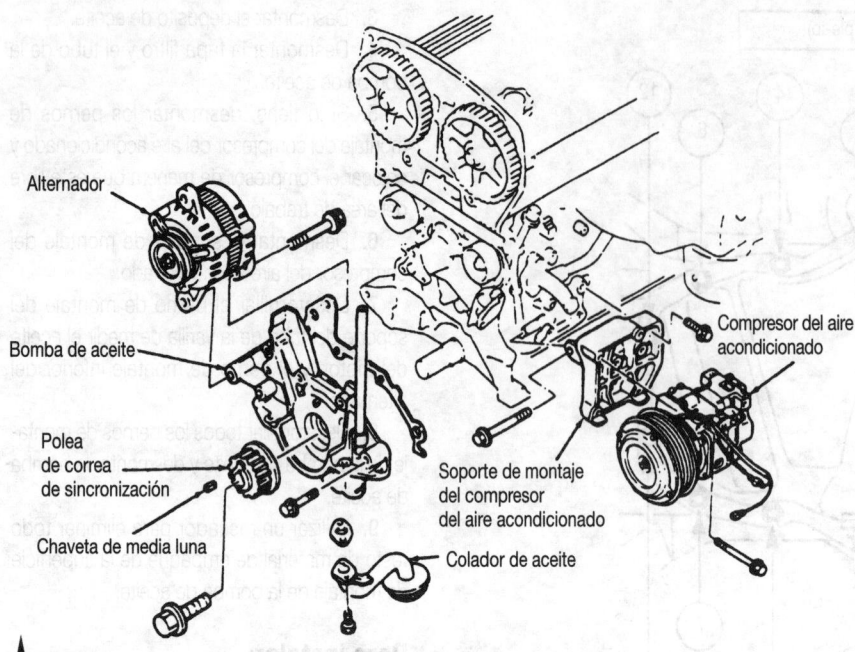

Alternador

Bomba de aceite

Polea
de correa
de sincronización

Chaveta de media luna

Compresor del aire
acondicionado

Soporte de montaje
del compresor
del aire acondicionado

Colador de aceite

▲ Vista en despiece del montaje de la bomba de aceite – Motor 1.8L

Motor 1.9L

1. Asegurarse de que el cilindro Nº 1 está en el punto muerto superior (PMS).

2. Desconectar el cable negativo de la batería.

3. Desmontar la correa propulsora auxiliar y el tensor automático.

4. Apoyar el vehículo con un gato de piso adecuado.

5. Desmontar el amortiguador del montaje derecho del motor y desmontar los pernos del montaje derecho del motor del soporte de montaje.

6. Desatornillar el perno pasante y girar el montaje al lado.

7. Desmontar la cubierta de la correa de sincronización.

8. Girar el montaje del motor ahora en sentido contrario hasta colocarlo en su lugar e instalar los dos pernos de montaje. Retirar el gato de piso.

9. Aflojar el perno de fijación del tensor de la correa y palanquear el tensor hacia la parte trasera del motor. Apretar el perno de fijación.

10. Levantar y soportar con seguridad el vehículo.

11. Desmontar el protector contra salpicaduras del lado derecho.

12. Desmontar el tubo de entrada del convertidor catalítico.

13. Vaciar y desmontar el depósito de aceite. Desmontar el filtro de aceite.

14. Desmontar el amortiguador de vibraciones del cigüeñal y la correa de sincronización.

15. Desmontar del cigüeñal la rueda dentada del cigüeñal y la guía de la correa de sincronización.

16. Desconectar el sensor de la posición angular del cigüeñal.

17. Desatornillar los seis pernos de la bomba de aceite con el motor y desmontar el conjunto bomba de aceite del motor. Desmontar y desechar el empaque.

18. Desmontar de la bomba el sello de aceite del cigüeñal y desecharlo.

Para instalar:

19. Asegurarse de que las superficies de acoplamiento del bloque de cilindros y la bomba de aceite están limpias y no tienen restos de material de empaque.

20. Desmontar el conjunto del tubo de succión de aceite y filtro de la bomba para limpiarlos.

21. Lubricar el diámetro exterior del sello de aceite del cigüeñal con aceite de motor e instalar el sello con una herramienta de instalación adecuada. Lubricar el labio del sello de aceite con aceite de motor limpio.

22. Colocar el empaque de la bomba de aceite en el bloque de cilindros.

23. Utilizando una herramienta adecuada, colocar el engranaje impulsor de la bomba permitiendo que la bomba se guíe sobre el cigüeñal y se asiente firmemente en el bloque de cilindros.

➡ Se puede acceder al engranaje impulsor de la bomba a través del orificio del tubo de succión de aceite en el cuerpo de la bomba. No instalar el tubo de succión de aceite de la bomba y el filtro hasta que la bomba haya sido instalada correctamente en el bloque de cilindros.

24. Instalar los seis pernos de la bomba de aceite y apretarlos a 8-12 pie-lb (11-16 Nm).

➡ Cuando los pernos de la bomba de aceite estén atornillados y apretados, el empaque no puede estar debajo de la superficie de sellado del bloque de cilindros.

25. Instalar el conjunto del tubo de succión y filtro de la bomba de aceite utilizando un empaque nuevo. Apretar los tornillos a 7-9 pie-lb (10-13 Nm).

26. Instalar la guía de la correa de sincronización sobre el extremo del cigüeñal e instalar la rueda dentada del cigüeñal.

27. Asegurarse de que el cilindro Nº 1 está en el punto muerto superior (PMS).

28. Colocar la correa de sincronización sobre las ruedas dentadas.

29. Conectar el sensor de posición angular del cigüeñal.

30. Instalar el depósito de aceite y el amortiguador de vibraciones del cigüeñal.

31. Instalar el tubo de entrada del convertidor catalítico.

32. Instalar el protector contra salpicaduras y bajar el vehículo.

33. Instalar la correa de sincronización. Apretar los pernos de fijación del tensor a 17-22 pie-lb (23-30 Nm).

34. Apoyar el vehículo con un gato de piso adecuado.

35. Desmontar los pernos de apoyo derechos del motor y girar los apoyos atrás.

36. Instalar la cubierta de la correa de sincronización.

37. Girar los apoyos del motor hacia su lugar e instalar los pernos de fijación. Apretar los pernos pasantes de los apoyos e instalar el amortiguador de montaje.

38. Retirar el gato de piso.

39. Instalar el tensor automático de la correa impulsora auxiliar y la correa impulsora auxiliar.

40. Llenar el cárter del cigüeñal con el tipo y la cantidad de aceite de motor adecuados.

41. Conectar el cable negativo de la batería, poner en marcha el motor y comprobar que no existan fugas.

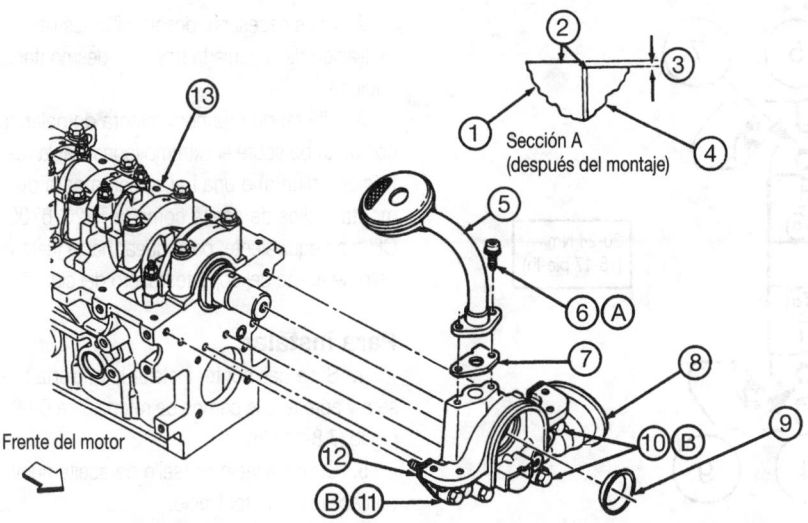

1. Bloque de cilindros
2. Superficie de sellado inferior
3. 0.00-1.08 mm
4. Bomba de aceite
5. Cubierta del colador y tubo de la bomba de aceite
6. Perno de la cubierta del colador y del tubo
   de la bomba de aceite (se requieren 2)
7. Empaque del tubo de entrada de la bomba de aceite
8. Posición de montaje del filtro de aceite
9. Sello de aceite delantero del cigüeñal
10. Perno de la bomba de aceite (se requieren 2)
11. Perno de la bomba de aceite (se requieren 4)
12. Empaque de la bomba de aceite con el bloque
    de cilindros
13. Bloque de cilindros
A. Apretar a 10-13 Nm (7-9 pie-lb)
B. Apretar a 11-16 Nm (8-12 pie-lb)

▲ Vista en despiece del montaje de la bomba de aceite, incluidos los componentes relacionados – Motor 1.9L

Motor 2.0L

SOHC (ÁRBOL DE LEVAS SIMPLE EN LA CULATA DE CILINDROS) SPI (INYECCIÓN DIVIDIDA EN EL MÚLTIPLE)

1. Desmontar la correa de sincronización.
2. Levantar el vehículo y apoyarlo sobre bases seguras.
3. Desmontar el depósito de aceite.
4. Desconectar la conexión eléctrica del sensor de posición angular del cigüeñal (CKP).
5. Desatornillar los pernos de la cubierta filtro de la bomba de aceite y del tubo y desmontar la cubierta y el tubo.
6. Desatornillar los seis pernos de retención de la bomba de aceite.
7. Desmontar la bomba de aceite y el empaque. Desechar el empaque.

Para instalar:

▼ PRECAUCIÓN ▼

No usar ningún disco abrasivo para eliminar el material del empaque. Utilizar un rascador de empaque manual de plástico para eliminar los restos del em-

paque. Tener cuidado en no rayar o acanalar las superficies de unión hermética de aluminio cuando se limpien.

8. Limpiar completamente las superficies donde se coloca el empaque hasta que no queden restos del empaque viejo. Inspeccionar las superficies de unión con empaque, ambas tienen que estar limpias, lisas y secas.
9. Lubricar el labio del sello de aceite delantero del cigüeñal con aceite de motor limpio.

➡ Cuando los pernos de la bomba de aceite estén atornillados el empaque de la bomba de aceite con el bloque de cilindros debe estar debajo de la superficie de sellado del bloque de cilindros.

10. Instalar el empaque de la bomba y la bomba.
11. Instalar y apretar los pernos de la bomba de aceite a 8-12 pie-lb (11-16 Nm).
12. Instalar la cubierta filtro de la bomba de aceite y el tubo. Apretar los pernos de retención a 71-97 plg-lb (8-11 Nm).
13. Conectar la conexión eléctrica del sensor de la posición angular del cigüeñal (CKP).
14. Instalar el depósito de aceite.

15. Bajar el vehículo e instalar la correa de sincronización.
16. Llenar el motor con el tipo y la cantidad de aceite de motor adecuados.
17. Poner en marcha el vehículo y comprobar que no existan fugas de aceite.

DOHC (ÁRBOL DE LEVAS DOBLE EN LA CULATA DE CILINDROS) ZETEC

1. Desmontar las cubiertas de la correa de sincronización y la correa.
2. Levantar el vehículo y apoyarlo sobre bases seguras.
3. Desmontar la polea del cigüeñal, la rueda dentada y la guía de la cadena de sincronización.
4. Desmontar el depósito de aceite.
5. Desatornillar los pernos de la cubierta y filtro de la bomba de aceite y desmontar la cubierta y el filtro.
6. Si es necesario, desmontar los calzos de ajuste inferior del bloque de cilindros.
7. Si es necesario, desmontar el bloque de cilindros inferior, el empaque y el sello de aceite del cojinete delantero del cigüeñal.
8. Desatornillar los pernos de retención de la bomba de aceite y desmontar la bomba y el empaque.

Para instalar:

▼ PRECAUCIÓN ▼

No usar ningún disco abrasivo para eliminar el material del empaque. Utilizar un rascador de empaque manual de plástico para eliminar los restos del empaque. Tener cuidado en no rayar o acanalar las superficies de unión hermética de aluminio cuando se limpien.

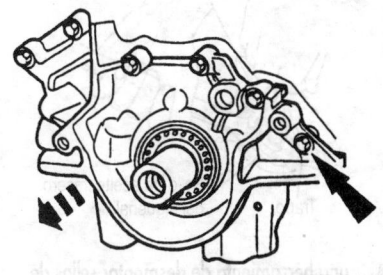

▲ Desmontar los pernos de montaje de la bomba de aceite – Motor 2.0L Zetec

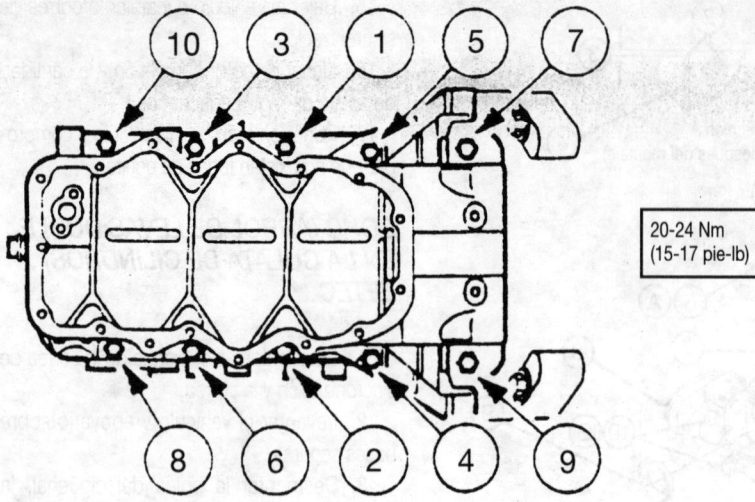

Apretar los pernos inferiores del bloque de cilindros en el orden mostrado y a la especificación adecuada del par de apriete – Motor 2.0L Zetec

20-24 Nm (15-17 pie-lb)

9. Limpiar completamente las superficies donde se coloca el empaque hasta que no queden restos del empaque viejo. Inspeccionar las superficies de unión con empaque, ambas tienen que estar limpias, lisas y secas.

➡ La holgura entre las superficies de sellado del bloque de cilindros inferior en la bom-

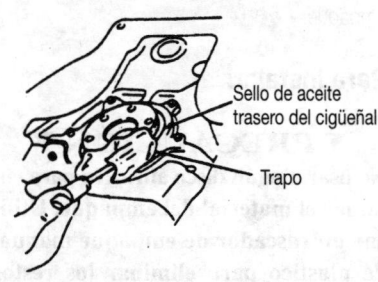

Sello de aceite trasero del cigüeñal

Trapo

▲ Utilizar una herramienta de palanca adecuada y un trapo (como se muestra) y...

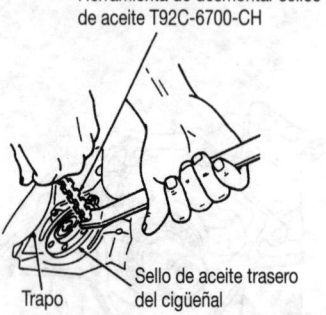

Herramienta de desmontar sellos de aceite T92C-6700-CH

Sello de aceite trasero del cigüeñal

Trapo

▲ ...una herramienta de desmontar sellos de aceite como la T92C-6700-CH para desmontar el sello de aceite trasero del cigüeñal – Motor 1.8L

ba de aceite y el bloque de cilindros no puede exceder de 0.012-0.031 plg (0.3-0.8 mm).

10. Instalar un empaque nuevo de bomba de aceite y la bomba.

11. Instalar y apretar los pernos de la bomba de aceite a 88-97 plg-lb (10-11 Nm).

12. Si se desmontó, instalar el sello de aceite delantero del cigüeñal.

13. Si se desmontó, instalar el bloque de cilindros inferior y el empaque. Apretar los pernos del bloque de cilindros inferior a 15-17 pie-lb (20-24 Nm) en el orden mostrado.

14. Instalar la cubierta filtro de la bomba de aceite y el tubo. Apretar los pernos de retención a 71-97 plg-lb (8-11 Nm).

15. Instalar el depósito de aceite, la guía de la cadena de sincronización, la rueda dentada del cigüeñal y la polea.

16. Bajar el vehículo, luego instalar la correa de sincronización y las cubiertas.

17. Llenar el motor con el tipo y la cantidad de aceite de motor adecuados.

18. Poner en marcha el motor y comprobar que no existan fugas de aceite.

SELLO DE ACEITE DEL COJINETE PRINCIPAL TRASERO

DESMONTAJE E INSTALACIÓN

Motor 1.8L

1. Desmontar el volante en transmisión manual y el plato flexible en transmisión automática.

2. Si es necesario, desatornillar los pernos de fijación de la cubierta trasera y desmontar la cubierta.

3. Utilizando una herramienta de palanca con un trapo sobre el extremo (consultar la ilustración adjunta) o una herramienta para desmontar sellos de aceite como la T92C-6700-CH o su equivalente, palanquear hacia fuera el sello de aceite del cojinete trasero del cigüeñal.

Para instalar:

4. Si se desmontó, instalar la cubierta trasera y apretar sus pernos de retención a 69-95 plg-lb (7.8-11 Nm).

5. Cubrir el labio del sello de aceite nuevo con aceite de motor limpio.

6. Utilizar la herramienta para reemplazar sellos de aceite T87C-6701-A o una equivalente, y apretar los pernos para instalar el sello de aceite. Mantener apretados los pernos hasta que el sello esté nivelado con la cubierta trasera.

7. Instalar el volante o el plato flexible.

Motor 1.9L

1. Desmontar el volante.

2. Desmontar la cubierta del motor o del alojamiento de la transmisión.

➡ **Tener cuidado para evitar averiar la superficie del cigüeñal.**

3. Utilizando una herramienta para desmontar sellos de aceite como la T92C-6700-CH o su equivalente, palanquear hacia fuera el sello de aceite del cojinete trasero del cigüeñal.

Para instalar:

4. Inspeccionar la zona del sello de aceite en busca de averías. Si se encuentra alguna avería, reparar o sustituir el cigüeñal.

5. Cubrir el labio del sello de aceite nuevo con aceite de motor limpio.

➡ **Asegurarse de que el sello de aceite del cojinete trasero está alineado adecuadamente y que los bordes no se han enrrollado.**

6. Colocar el piloto para sellos de aceite del cojinete trasero T88P-6701-B2 (o su equivalente) en la herramienta para reemplazar sellos de aceite T88P-6701-B1 (o una equivalente) y lubricar el piloto reemplazador con aceite de motor limpio.

7. Deslizar el sello de aceite del cojinete trasero sobre el piloto en el reemplazador.

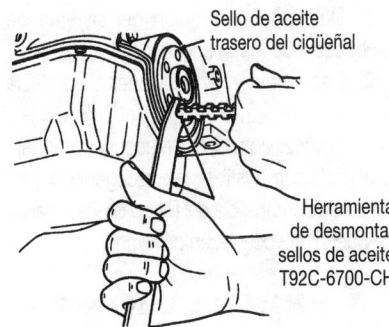

Sello de aceite trasero del cigüeñal

Herramienta de desmontar sellos de aceite T92C-6700-CH

▲ Utilizar una herramienta de desmontar sellos de aceite como la T92C-6700-CH o una equivalente, para palanquear hacia fuera el sello de aceite trasero – Motor 1.9L

Herramienta para reemplazar sellos de aceite traseros del cigüeñal T88P-6701-B1

Piloto para sellos de aceite traseros del cigüeñal T88P-6701-B2

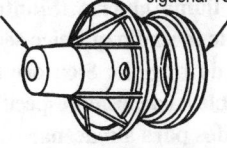

▲ Utilizar un piloto para de sellos de aceite traseros del cigüeñal T88P-6701-B2 (o uno equivalente) y una herramienta para reemplazar sellos de aceite traseros del cigüeñal T88P-6701-B1 (o uno equivalente), cuando se instale el sello – Motor 1.9L

8. Desmontar el piloto para sello de aceite del cojinete trasero T88P-6701-B2 (o su equivalente) de la herramienta para reemplazar sellos de aceite T88P-6701-B1 (o una equivalente).

9. Colocar el sello de aceite del cojinete trasero y el reemplazador sobre el cigüeñal, e instalar el sello de aceite.

10. Retirar la herramienta para instalar sellos de aceite e instalar el volante.

Motor 2.0L

1. Desmontar la caja de cambios y el volante.

➡ Ser cuidadoso en no averiar la superficie del cigüeñal cuando se desmonte el sello de aceite.

2. Utilizar una herramienta para reemplazar sellos de aceite T92C-6700-CH (o una equivalente) para desmontar el sello de aceite viejo.

Para instalar:

Cubrir el labio del sello de aceite nuevo con aceite de motor 5W30 limpio.

➡ Asegurarse de que el sello de aceite del cojinete trasero del cigüeñal está colocado adecuadamente y que los bordes no se han enrollado.

3. Instalar el sello de aceite nuevo utilizando un piloto para sello de aceite del cojinete trasero del cigüeñal T88P-6701-B2 en la herramienta para reemplazar sellos de aceite T88P-6701-B1 o sus equivalentes.

4. Instalar el volante y la caja de cambios.

SISTEMA DE COMBUSTIBLE

PRECAUCIONES EN LA REVISIÓN DEL SISTEMA DE COMBUSTIBLE

La seguridad es el factor más importante cuando se lleva a cabo no sólo el mantenimiento del sistema de combustible, sino cualquier tipo de mantenimiento. Fallos de seguridad en la ejecución de los mantenimientos y reparaciones pueden provocar serias lesiones personales e incluso la muerte. El mantenimiento y las pruebas de los componentes del sistema de combustible del vehículo pueden ejecutarse de forma segura y efectiva siguiendo las siguientes reglas y directrices.

• Para evitar la posibilidad de incendio y lesiones personales, siempre desconectar el cable negativo de la batería a menos que el procedimiento de reparación o prueba requiera la aplicación del voltaje de la batería.

• Siempre descargar la presión del sistema de combustible antes de desmontar cualquier componente del sistema de combustible (inyector, colector de combustible, regulador de presión, etc.), rácors o conexión de las tuberías de combustible. Practicar extrema precaución siempre que se descargue la presión del sistema de combustible para evitar exposiciones de la piel, la cara o los ojos a la pulverización de combustible. Por favor, debe entenderse que el combustible bajo presión puede penetrar la piel o cualquier otra parte del cuerpo con la que entre en contacto.

• Siempre colocar una envoltura de toalla o trapo alrededor del rácor o conexión antes de aflojarlo, para que absorba cualquier exceso de combustible debido al derramamiento. Asegurarse de que todo el derramamiento de combustible (cuando ocurra) se elimina rápidamente de las superficies del motor. Asegurarse de

que todas las toallas o trapos empapados en combustible se depositan en un recipiente de desechos adecuado.

• Siempre tener un extintor de incendios químico seco (clase B) cerca de la zona de trabajo.

• No permitir que ninguna pulverización o vapores de combustible entren en contacto con alguna chispa o llama abierta.

• Siempre utilizar una llave de tuercas como contratuerca cuando se atornille o desatornille alguna conexión de montaje de tuberías de combustible. Esto evitará tensiones y torsiones innecesarias en la tubería de combustible. Siempre aplicar las especificaciones de pares de apriete adecuadas.

• Siempre sustituir los sellos de anillo (juntas tóricas) de montaje usados por nuevos. No sustituir una manguera de combustible o una equivalente, donde esté instalada una tubería de combustible rígida.

PRESIÓN DEL SISTEMA DE COMBUSTIBLE

DESCARGA

▼ PRECAUCIÓN ▼

Observar todas las medidas de seguridad aplicables cuando se trabaje alrededor de combustibles. Cada vez que se servicie el sistema de alimentación de combustible, trabajar siempre en un área bien ventilada. No permitir que ninguna pulverización o vapores de combustible entre en contacto con alguna chispa o llama abierta. Mantener un extintor de incendios químico seco cerca del área de trabajo. Siempre tener el combustible en depósitos específicamente diseñados para almacenar combustibles; además, siempre sellar adecuadamente los depósitos de combustible para evitar la posibilidad de incendio o explosión.

Modelos 1995-96

1. Poner en marcha el motor.
2. Desmontar el cojín del asiento trasero.
3. Desconectar los conectores eléctricos de la bomba de combustible.
4. Esperar a que el motor se detenga por falta de combustible, luego colocar el interruptor de encendido en OFF.

5. Conectar los conectores eléctricos de la bomba de combustible.

6. Instalar el cojín del asiento trasero.

7. Desconectar el cable negativo de la batería.

Modelos 1997-99

1. Desmontar la tapa de la válvula Schrader reguladora de presión de combustible que está al final del colector de combustible y fijarle un indicador de presión de combustible.

2. Abrir la válvula de descarga manual en el indicador de presión de combustible lentamente para descargar la presión de combustible.

FILTRO DE COMBUSTIBLE

DESMONTAJE E INSTALACIÓN

Motores 1.8L y 1.9L

La tubería de entrada del filtro de combustible, está localizada en el compartimiento del motor entre el tanque de combustible y el colector de combustible.

1. Descargar la presión del sistema de combustible de forma adecuada.

2. Desconectar el cable negativo de la batería.

3. Colocar un recipiente adecuado debajo del filtro de combustible para recoger cualquier exceso de combustible del filtro o de las tuberías que pueda provocar algún derrame.

▼ PRECAUCIÓN ▼

Observar todas las medidas de seguridad aplicables cuando se trabaje alrededor de combustibles. Cada vez que

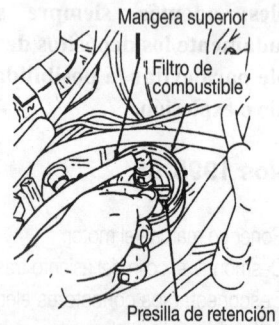

▲ Para separar la manguera de combustible superior, desmontar la presilla de retención de la manguera del filtro de combustible – Modelos 1995-96

se servicie el sistema de combustible, trabajar siempre en un área bien ventilada. No permitir que ninguna pulverización o vapores de combustible entren en contacto con alguna chispa o llama abierta. Mantener un extintor de incendios químico seco cerca del área de trabajo. Siempre tener el combustible en depósitos específicamente diseñados para almacenar combustibles; además, siempre sellar adecuadamente los depósitos de combustible para evitar la posibilidad de incendio o explosión.

4. Desmontar las presillas de retención de la manguera superior del filtro de combustible.

5. Desconectar la manguera superior del filtro de combustible y drenar cualquier exceso de combustible en el depósito. Taponar la manguera.

6. Aflojar la abrazadera de montaje del filtro de combustible.

7. Levantar y soportar con seguridad el vehículo.

8. Desmontar la presilla de retención de la manguera inferior del filtro de combustible.

9. Desconectar la manguera inferior del filtro de combustible y drenar cualquier exceso de combustible en el depósito. Taponar la manguera.

10. Bajar el vehículo.

11. Desmontar el filtro de combustible.

Para instalar:

12. Colocar el filtro de combustible y apretar la abrazadera de montaje del filtro.

13. Quitar el tapón, luego conectar la manguera superior al filtro e instalar las presillas de retención de la manguera.

14. Levantar y soportar con seguridad el vehículo.

15. Quitar el tapón, luego conectar la manguera inferior al filtro e instalar las presillas de retención de la manguera.

16. Bajar el vehículo.

17. Conectar el cable negativo de la batería.

18. Poner en marcha el vehículo y comprobar que no existan fugas.

Motor 2.0L

El filtro de combustible en línea, está localizado en el compartimiento del motor entre el tanque de combustible y el colector de combustible.

1. Descargar la presión del sistema de combustible de forma adecuada.

2. Desconectar el cable negativo de la batería.

3. Colocar un recipiente adecuado debajo del filtro de combustible para recoger cualquier exceso de combustible del filtro o de las tuberías que pueda provocar algún derrame.

▼ PRECAUCIÓN ▼

Observar todas las medidas de seguridad aplicables cuando se trabaje alrededor de combustibles. Cada vez que se servicie el sistema de alimentación de combustible, trabajar siempre en un área bien ventilada. No permitir que ninguna pulverización o vapores de combustible entren en contacto con alguna chispa o llama abierta. Mantener un extintor de incendio químico seco cerca del área de trabajo. Siempre tener el combustible en depósitos específicamente diseñados para almacenar combustibles; además, siempre sellar adecuadamente los depósitos de combustible para evitar la posibilidad de incendio o explosión.

4. Aflojar la abrazadera de montaje del filtro de combustible.

5. Desmontar el filtro del soporte de montaje.

6. Desmontar las presillas de retención de la manguera superior del filtro de combustible.

7. Desconectar la manguera superior del filtro de combustible y drenar cualquier exceso de combustible en el depósito. Taponar la manguera.

8. Desmontar la presilla de retención de la manguera inferior del filtro de combustible.

9. Desconectar la manguera inferior del filtro de combustible y drenar cualquier exceso de combustible en el depósito. Taponar la manguera.

10. Desmontar el filtro de combustible.

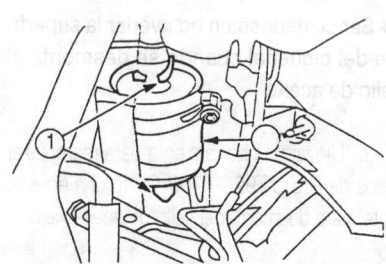

▲ Separar las presillas de las mangueras superior e inferior antes de desconectar las mangueras (1) del filtro de combustible

Para instalar:

11. Quitar el tapón de la manguera inferior y conectar la manguera al filtro, luego instalar la presilla de retención de la manguera.

12. Quitar el tapón de la manguera superior y conectar la manguera al filtro, luego instalar la presilla de retención de la manguera.

13. Colocar el filtro de combustible y apretar la abrazadera de montaje del filtro de combustible.

14. Conectar el cable negativo de la batería.

15. Poner en marcha el motor y comprobar que no existan fugas.

➡ En los modelos más recientes, cuando se desconecta la batería puede causar algunos síntomas anormales en la conducción, hasta que el Módulo de Control del Tren Propulsor (PCM) reprograme su estrategia adaptable. El vehículo pude necesitar ser conducido 10 millas (16 kilómetros) o más para que el Módulo de Control del Tren Propulsor (PCM) reprograme su estrategia.

BOMBA DE COMBUSTIBLE

La bomba de combustible está localizada dentro del tanque de combustible.

DESMONTAJE E INSTALACIÓN

Motores 1995-96

▼ AVISO ▼

¡Deben extremarse las precauciones cuando se desmonte el tanque de combustible del vehículo! ¡Asegurarse de que todos los procedimientos del desmontaje se ejecutan en un local bien ventilado! Disponer de una cantidad suficiente de material absorbente cerca del área de trabajo para poder recoger rápidamente cualquier derramamiento de combustible. ¡Nunca almacenar combustible desechado en un depósito abierto, esto representa un serio riesgo de incendio!

Este procedimiento requerirá un empaque nuevo de bomba de combustible para la instalación de la bomba, por lo que se debe asegurar disponer de uno antes de comenzar.

1. Descargar la presión del sistema de combustible.

2. Desconectar el cable negativo de la batería.

3. Desmontar el cojín del asiento trasero y desconectar los conectores eléctricos de la bomba de combustible.

4. Desatornillar y desmontar los cuatro tornillos de la cubierta de la bomba y la toma a tierra.

5. Desatornillar las presillas de los tubos de combustible y desconectar los tubos de la bomba.

6. Utilizar una herramienta para desmontar anillos de cierre de bombas de combustible o un punzón de bronce y un martillo para desatornillar el anillo de retención de cierre de la bomba.

7. Desmontar la bomba de combustible y el empaque del tanque.

Para instalar:

8. Instalar un empaque nuevo y colocar la bomba en su posición en el tanque.

9. Instalar el anillo de retención de cierre de la bomba.

10. Conectar los tubos de combustible a la bomba e instalar las presillas de retención de los tubos.

11. Instalar la toma a tierra y la cubierta de la bomba de combustible, luego apretar los retenedores.

12. Conectar los conectores eléctricos a la bomba.

13. Instalar el cojín del asiento trasero.

14. Conectar el cable negativo de la batería.

15. Poner en marcha el vehículo y comprobar que funciona correctamente.

Motores 1997-99

▼ AVISO ▼

¡Deben extremarse las precauciones cuando se desmonte el tanque de combustible del vehículo! ¡Asegurarse de que todos los procedimientos del desmontaje se ejecutan en un local bien ventilado! Disponer de una cantidad suficiente de material absorbente cerca del área de trabajo para poder recoger rápidamente cualquier derramamiento de combustible. ¡Nunca almacenar combustible desechado en un depósito abierto, esto representa un serio riesgo de incendio!

Este procedimiento requerirá un empaque nuevo de bomba de combustible para la instalación de la bomba, por lo que se debe asegurar que dispone de uno antes de comenzar.

1. Descargar la presión del sistema de combustible.

2. Desconectar el cable negativo de la batería.

3. Desmontar el cojín del asiento trasero y desconectar los conectores eléctricos de la bomba de combustible.

4. Desatornillar los cuatro tornillos de la cubierta de acceso a la bomba y desmontar la cubierta.

5. Si lo tiene, desconectar el conector eléctrico de la bomba localizado debajo de la cubierta.

6. Desatornillar la(s) presilla(s) de la tubería de combustible y desconectar el (los) tubo(s) de la bomba.

7. Utilizar una herramienta para desmontar anillos de cierre o un punzón de bronce y un martillo para desatornillar el anillo de retención de cierre de la bomba.

8. Desmontar la bomba de combustible y el empaque del tanque.

Para instalar:

9. Instalar un empaque nuevo y colocar la bomba en su posición en el tanque.

10. Instalar el anillo de retención de cierre de la bomba.

11. Conectar las tuberías de combustible a la bomba e instalar la(s) presilla(s) de retención de la tubería.

12. Si las tiene, conectar las conexiones eléctricas de la bomba de combustible.

13. Instalar la cubierta del acceso, luego apretar los retenedores.

14. Conectar los conectores eléctricos de la bomba.

15. Instalar el cojín del asiento trasero.

16. Conectar el cable negativo de la batería.

17. Poner en marcha el vehículo y comprobar que funcione correctamente.

TREN DE TRANSMISIÓN

CONJUNTO DE TRANSMISIÓN

DESMONTAJE E INSTALACIÓN

Manual

MOTORES 1.8L Y 1.9L

1. Desconectar ambos cables de la batería, el cable negativo primero.

2. Desmontar la batería y la bandeja de la batería.

3. Desmontar el tubo del filtro de aire y el resonador del aire de admisión.

4. Desconectar el cable del velocímetro de la caja de cambios.

5. Desmontar la presilla retenedora de la tubería del cilindro auxiliar con la manguera del cilindro auxiliar, luego desconectar la tubería del cilindro auxiliar de la manguera del cilindro auxiliar y taponar la manguera.

6. Desconectar la toma a tierra de la caja de cambios.

7. Desmontar la envoltura de enlace y desconectar los tres conectadores eléctricos localizados encima de la caja de cambios.

8. Desmontar el soporte de apoyo de los conectores eléctricos.

9. Instalar la barra de apoyo para motores 014-00750 o una equivalente, y engancharla a las anillas de izaje con cadenas o cables adecuados.

10. Si lo tiene, desmontar las tres tuercas del soporte de apoyo del motor del lado izquierdo.

11. Aflojar la tuerca del pivote de montaje y rotar el montaje fuera del paso.

12. Desmontar los tres pernos y el apoyo de montaje del lado izquierdo del motor.

13. Desmontar los dos pernos superiores de la caja de cambios con el motor.

14. Levantar y soportar con seguridad el vehículo.

15. Desmontar los conjuntos de rueda y neumático delanteros.

16. Desmontar los protectores contra salpicaduras de los guardabarros interiores.

17. Drenar el líquido de la caja de cambios e instalar el tapón de drenado.

18. Desmontar los semiejes.

19. Instalar tapones de caja de cambios T88C-7025-AH o equivalentes, entre los engranajes laterales del diferencial.

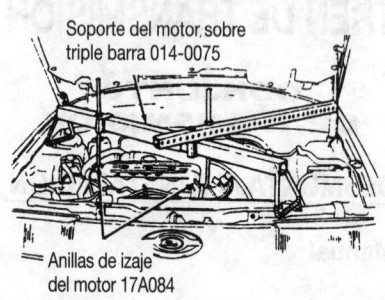

Soporte del motor, sobre triple barra 014-0075

Anillas de izaje del motor 17A084

▲ Sostener el peso del motor como se muestra, debido a que el motor estará inestable cuando se desmonte la transmisión/caja de cambios – Motores 1.8L y 1.9L

▼ AVISO ▼

Omitir la instalación de los tapones de cajas de cambios (en el diferencial) pueden provocar que los engranajes laterales del diferencial queden colocados incorrectamente. Si los engranajes quedan desalineados, será necesario desmontar el diferencial de la caja de cambios para alinearlos.

20. Si el motor es 1.8L, desmontar los pernos del soporte del múltiple de admisión y el soporte.

21. Desmontar el motor de arranque.

22. Desatornillar las tuercas y arandelas de la barra estabilizadora de la caja de cambios. Desmontar la barra estabilizadora y el soporte de la caja de cambios.

23. Desatornillar el perno y la tuerca de la barra de control de cambios con la caja de cambios y desmontar la barra de control de cambios de la caja de cambios.

24. Desmontar los dos protectores contra salpicaduras inferiores.

25. Desatornillar los pernos y las tuercas de los apoyos de la caja de cambios con el travesaño y desmontar el travesaño inferior (apoyo trasero del motor).

26. Colocar y asegurar un gato de transmisiones adecuado debajo de la caja de cambios.

27. Desmontar el montaje delantero de la caja de cambios y soporte.

28. Desmontar los pernos inferiores del motor con la caja de cambios y bajar lentamente la caja de cambios fuera del vehículo.

Para instalar:

29. Aplicar una fina capa de grasa adecuada a las estrías del eje de entrada.

30. Colocar la caja de cambios en un gato adecuado para cajas de cambios. Comprobar que la caja de cambios está segura.

31. Levantar la caja de cambios a su posición.

32. Instalar los pernos inferiores del motor con la caja de cambios y apretarlos a 27-38 pie-lb (37-52 Nm).

33. Instalar el montaje y soporte delantero de la caja de cambios. Apretar los pernos a 12-17 pie-lb (16-23 Nm).

34. Retirar el gato de transmisiones.

35. Instalar el travesaño inferior. Apretar los pernos de apoyo a 47-66 pie-lb (64-89 Nm) y las tuercas del aislante del apoyo de la caja de cambios con el soporte trasero del motor a 27-38 pie-lb (37-52 Nm).

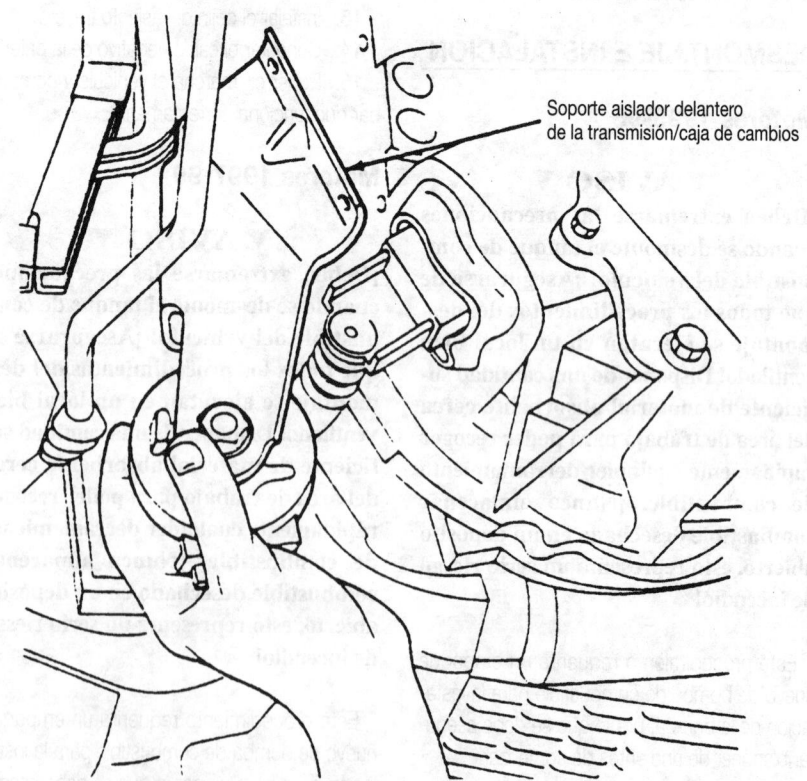

Soporte aislador delantero de la transmisión/caja de cambios

▲ Desmontaje del montaje y soporte delantero de la transmisión/caja de cambios – Motores 1.8L y 1.9L

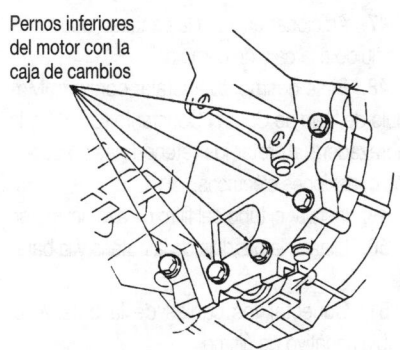

▲ **Localización de los pernos inferiores del motor con la caja de cambios – Motores 1.8L y 1.9L**

36. Instalar los dos protectores inferiores contra salpicaduras.

37. Instalar el perno y la tuerca de la barra de control de cambios y apretarlos a 12-17 pie-lb (16-23 Nm).

38. Instalar el soporte estabilizador y la barra estabilizadora con la tuerca y arandelas y apretar a 23-34 pie-lb (31-46 Nm).

39. Instalar el motor de arranque.

40. Si tiene el motor 1.8L, instalar el apoyo del múltiple de admisión y apretar los pernos de retención a 27-38 pie-lb (37-52 Nm).

41. Desmontar los tapones de cajas de cambios (instalados previamente en el diferencial) e instalar los semiejes.

42. Instalar los protectores contra salpicaduras de los guardabarros interiores.

43. Instalar los conjuntos de rueda y neumático delanteros.

44. Bajar el vehículo.

45. Instalar los pernos superiores del motor con la caja de cambios y apretarlos a 47-66 pie-lb (64-89 Nm).

46. Instalar los apoyos de montaje de la izquierda del motor y apretar tres pernos a 32-45 pie-lb (43-61 Nm) para el motor 1.8L y 41-59 pie-lb (55-80 Nm) para el motor 1.9L.

47. Rotar el soporte de apoyo de la izquierda del motor a su posición, y atornillar la tuerca del pivote.

48. Instalar y apretar las tuercas de apoyo del soporte izquierdo del motor a 47-66 pie-lb (64-89 Nm).

49. Retirar la barra de sostén del motor.

50. Instalar el soporte de apoyo del conector eléctrico. Acoplar los conectores eléctricos y asegurarlos con una envoltura de unión nueva.

51. Conectar la toma a tierra de la caja de cambios.

52. Conectar la tubería del cilindro auxiliar a la manguera del cilindro auxiliar e instalar las presillas de retención.

53. Adicionar el tipo y la cantidad adecuada de fluido a la caja de cambios.

54. Conectar el cable del velocímetro.

55. Instalar el tubo del filtro de aire y el resonador de admisión de aire.

56. Instalar la bandeja de la batería y la batería.

57. Conectar los cables de la batería, el cable negativo el último.

58. Comprobar que no existan fugas de líquido y que el embrague funcione correctamente.

59. Probar el vehículo en carretera y comprobar que la caja de cambios funcione correctamente.

MOTOR 2.0L

1. Desconectar ambos cables de la batería, el cable negativo primero.

2. Desmontar la batería y la bandeja de la batería.

3. Desmontar el tubo de salida del filtro de aire del motor.

4. Si es necesario, desconectar las conexiones eléctricas del Módulo de Relé de Control Constante (CCRM), desatornillar sus retenes y desmontar el conjunto módulo y soporte.

5. Desconectar la tubería del cilindro auxiliar de la manguera del cilindro auxiliar y taponar la manguera.

6. Desatornillar la presilla de retención de la tubería del cilindro auxiliar y desmontar la tubería del soporte.

7. Desconectar la conexión eléctrica del sensor caliente del oxígeno del escape.

8. Desconectar la conexión eléctrica de la luz de marcha atrás.

9. Desatornillar el perno del soporte del conector eléctrico y desmontar el soporte.

10. Desconectar la conexión eléctrica del sensor de la velocidad del vehículo (VSS).

11. Desmontar los semiejes.

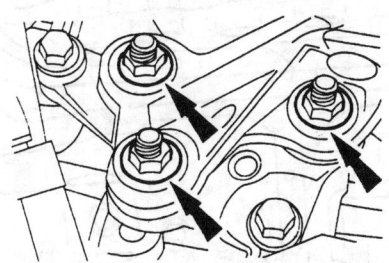

▲ **Localización de las tuercas del soporte izquierdo de apoyo del motor – Motor 2.0L**

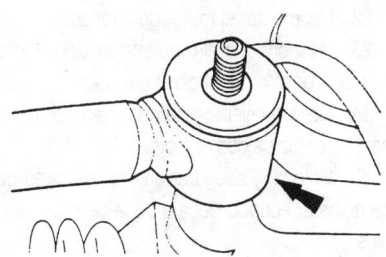

▲ **Desmontar la barra estabilizadora del cambio de marchas y el apoyo, de la transmisión/caja de cambios – Motor 2.0L**

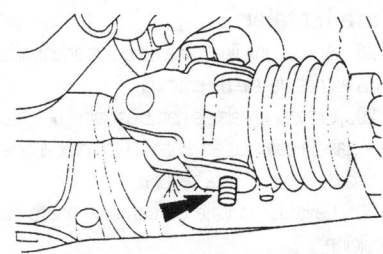

▲ **Desatornillar el perno del cambio de marchas de la transmisión/caja de cambios y desmontar la barra de cambios y el pasador de horquilla del bulón del eje del cambio de entrada – Motor 2.0L**

12. Instalar la barra para sostener motores D88-6000A o una equivalente, y acoplarla a las anillas de izaje del motor con cadenas o cables adecuados.

13. Desmontar las tuercas del aislante del soporte de apoyo de la derecha del motor.

14. Desmontar los pernos superiores delanteros y traseros de la caja de cambios con el motor.

15. Levantar y soportar con seguridad el vehículo.

16. Drenar el fluido de la caja de cambios e instalar el tapón de drenado.

17. Desconectar la tubería del aire acondicionado del retenedor localizado en el travesaño de apoyo del motor.

18. Desatornillar los pernos y las tuercas del travesaño de apoyo del motor, luego desmontar el travesaño.

19. Desatornillar la tuerca de la barra estabilizadora del cambio de velocidades con la transmisión caja de cambios, luego desmontar la barra estabilizadora y el apoyo de la transmisión caja de cambios.

20. Desatornillar la tuerca de la barra de cambios de marchas de la transmisión caja de cambios.

21. Desatornillar el perno de cambios de marchas de la caja de cambios y desmontar la barra de cambios de marchas y el pasador de horquilla del balón del eje de entrada del cambio.

22. Desmontar el motor de arranque.

23. Desconectar el tubo inferior del cilindro auxiliar y desmontar el cilindro auxiliar.

24. Desatornillar los pernos inferiores de la caja de cambios con el motor.

25. Colocar y asegurar un gato de cajas de cambios adecuado debajo de la caja de cambios.

26. Desmontar el convertidor catalítico.

27. Desatornillar los pernos intermedios de la caja de cambios con el motor y desmontar la caja de cambios del vehículo.

Para instalar:

28. Aplicar una fina capa de grasa adecuada a las estrías del eje de entrada.

29. Colocar la caja de cambios sobre un gato de cajas de cambios adecuado. Comprobar que la caja de cambios está segura.

30. Levantar la caja de cambios hasta su posición.

31. Instalar los pernos intermedios de la caja de cambios con el motor y apretarlos a 23-38 pie-lb (38-51 Nm).

32. Instalar los pernos inferiores de la caja de cambios con el motor y apretarlos a 23-38 pie-lb (38-51 Nm).

33. Instalar el cilindro auxiliar del embrague y apretar las tuercas a 12-17 pie-lb (16-23 Nm).

34. Conectar el tubo inferior del cilindro auxiliar y apretarlo a 10-16 pie-lb (13-21 Nm).

35. Instalar el motor de arranque.

36. Colocar la barra de cambios de marchas y el bulón en su posición en el eje del cambio de la entrada, luego instalar el perno del cambio de marchas y la tuerca de la barra del cambio de marchas y apretarlos a 12-17 pie-lb (16-23 Nm).

37. Instalar la barra estabilizadora de la caja de cambios y apretar la tuerca a 23-34 pie-lb (31-46 Nm).

38. Instalar los semiejes y el convertidor catalítico.

39. Instalar el travesaño de apoyo del motor. Apretar los pernos y las tuercas a 47-65 pie-lb (64-89 Nm) y las tuercas del aislante a 28-37 pie-lb (38-51 Nm).

40. Instalar los pernos superiores delanteros y traseros de la caja de cambios con el motor y apretarlos a 28-38 pie-lb (38-51 Nm).

41. Instalar las tuercas del aislante del apoyo izquierdo del motor y apretarlas a 50-68 pie-lb (67-93 Nm).

42. Retirar la barra de sostén del motor.

43. Instalar el soporte de apoyo del conector eléctrico.

44. Acoplar todos los conectores eléctricos.

45. Conectar la tubería del cilindro esclavo (auxiliar) a la manguera del cilindro esclavo e instalar las presillas de retención. Apretar el rácor a 10-16 pie-lb (13-21 Nm).

46. Sangrar el sistema hidráulico del embrague.

47. Adicionar el tipo y la cantidad adecuada de fluido a la caja de cambios.

48. Si se desmontó, instalar conjunto Módulo de Relé de Control Constante (CCRM) y la abrazadera. Apretar los retenedores y acoplar las conexiones eléctricas.

49. Instalar el tubo del filtro de aire del motor.

50. Instalar la bandeja de la batería y la batería.

51. Conectar los cables de la batería, el cable negativo de último.

52. Comprobar que no existan fugas de fluidos y que el embrague funcione correctamente.

53. Probar el vehículo en carretera y comprobar que la caja de cambios funciona correctamente.

Automático

MOTORES 1.8L Y 1.9L

1. Desconectar ambos cables de la batería, el cable negativo primero.

2. Desmontar la bandeja de la batería y la batería.

3. Desconectar la presilla de retención del mazo de conductores de la bandeja de la batería.

4. Desmontar el conjunto del filtro de aire del motor.

5. Desconectar el cable del control de cambios de la palanca de cambios manual en la caja de cambios.

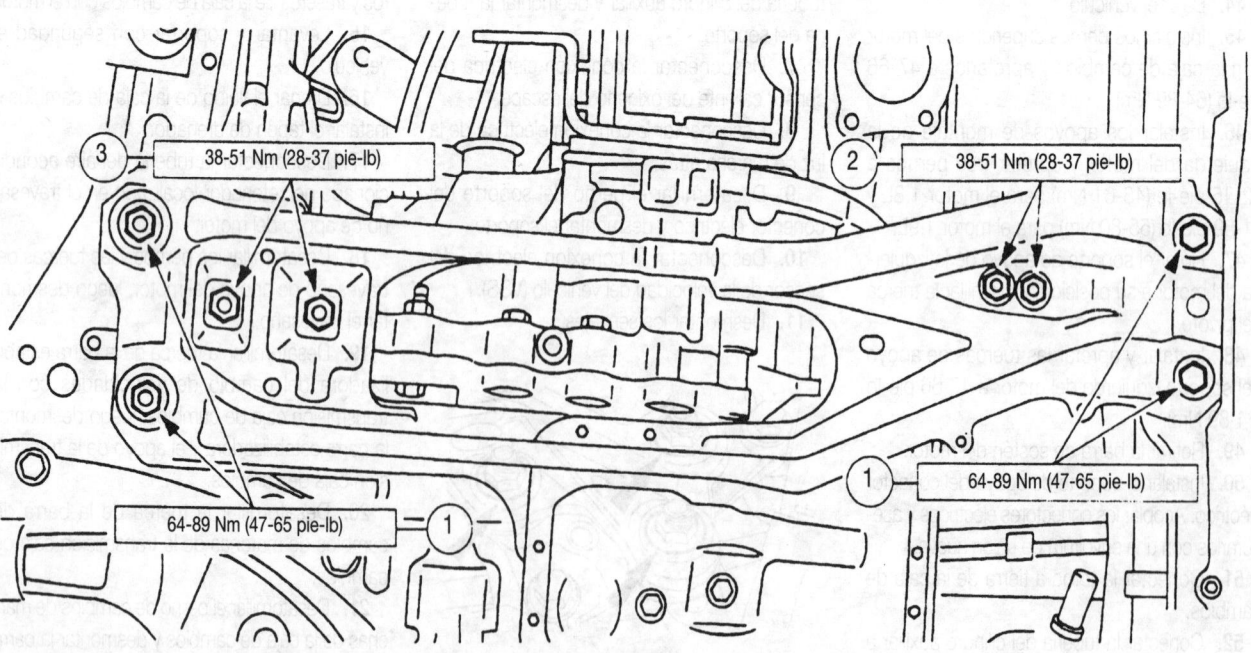

▲ Instalar el travesaño de apoyo del motor y apretar los retenedores a lo especificado – Motor 2.0L

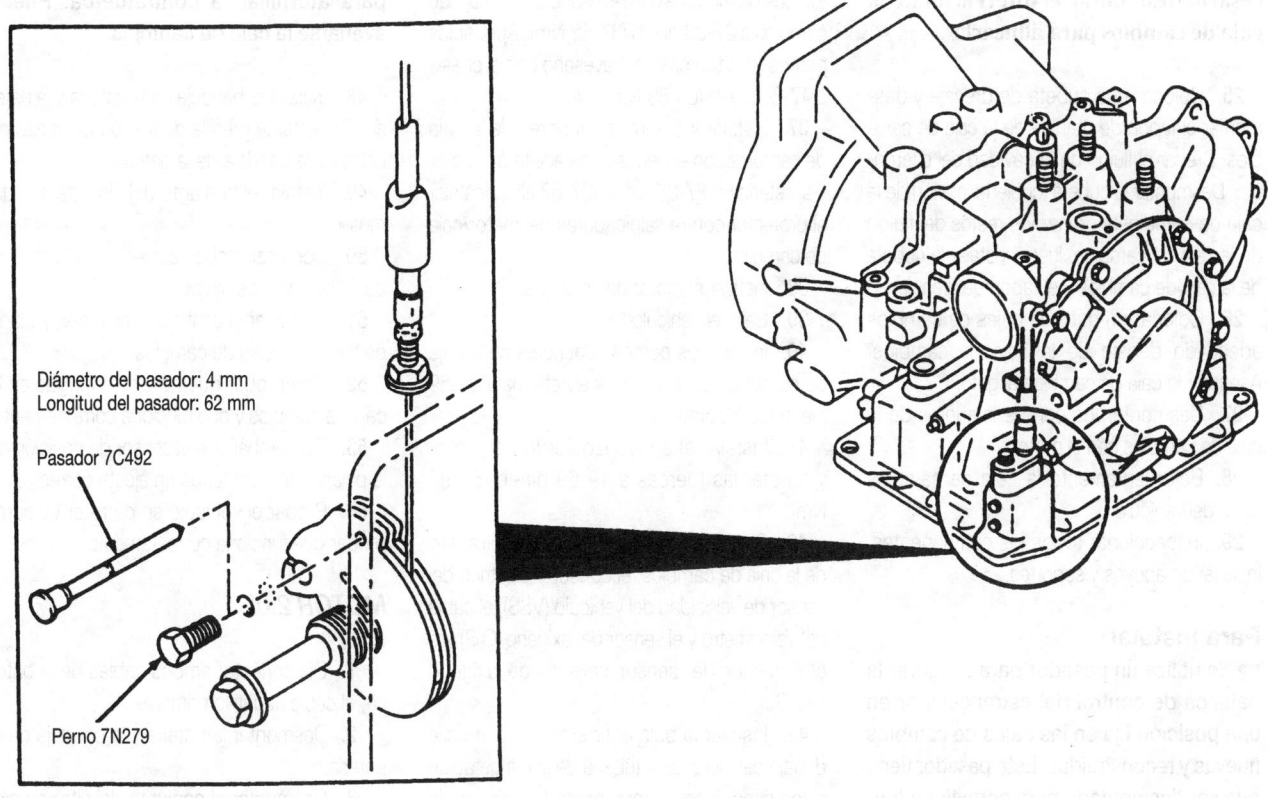

Diámetro del pasador: 4 mm
Longitud del pasador: 62 mm

Pasador 7C492

Perno 7N279

▲ El pasador utilizado para asegurar la palanca de control del acelerador en una posición fija en las cajas de cambios nuevas y reparadas, tiene que ser desmontado – Modelos 1995-96

6. Desconectar el cable del indicador de velocidad (velocímetro) de la caja de cambios desenganchando el cable del sensor de velocidad del vehículo (VSS).

7. Desconectar los conectores eléctricos del control electrónico de la caja de cambios y separar el mazo de cables de las presillas de la caja de cambios.

8. Desmontar los soportes del cableado del interruptor de posición de la palanca manual (MLP) y desconectar los cables a tierra de la parte superior de la caja de cambios.

9. Desmontar el motor de arranque.

10. Desconectar los conectores del cableado del interruptor de posición de la palanca manual (MLP).

11. Instalar la herramienta de soporte para motores D88L-6000-A o una equivalente, al motor. El motor tiene que estar apoyado adecuadamente para el desmontaje de la caja de cambios.

12. Desconectar el cable del cambio obligado (también conocido como cable de la válvula ahogadora) de la leva de la válvula ahogadora (estrangulador) en la caja de la válvula.

13. Colocar una cubeta de drenaje adecuada debajo de la caja de cambios y desconectar

las tuberías de refrigeración de la caja de cambios de la transmisión caja de cambios.

➡ En algunos modelos avanzados, la tubería superior de refrigeración de la caja de cambios tiene un resorte y una bola antirretorno (de seguridad) debajo del rácor.

14. Desmontar los pernos de montaje de la izquierda del motor y el montaje.

15. Desmontar los pernos superiores de la carcasa de la caja de cambios.

16. Desconectar las conexiones eléctricas del sensor del oxígeno del escape (O$_2$S) y/o el sensor caliente de oxígeno (HO$_2$S), la manguera del respiradero de la caja de cambios y el conector eléctrico del sensor de la velocidad del vehículo (VSS).

17. Levantar y soportar con seguridad el vehículo.

18. Separar los semiejes de las dos articulaciones de la dirección.

19. Desmontar los tres pernos del protector contra salpicaduras inferior del motor/caja de cambios y la platina de inspección del convertidor de par.

20. Desmontar las cuatro tuercas que afianzan el convertidor de par al plato flexible.

21. Desmontar los pernos que afianzan la parte inferior de la caja de cambios al depósito de aceite del motor.

22. Desatornillar el perno del apoyo trasero del motor al chasis del vehículo y desmontar el travesaño de apoyo de la caja de cambios del chasis del vehículo.

23. Desatornillar las tuercas de montaje del soporte trasero del motor con el apoyo de la caja de cambios y desmontar el travesaño de apoyo de la caja de cambios de los montajes de la caja de cambios.

24. Desmontar ambos semiejes de la caja de cambios. Instalar dos tapones guías de cajas de cambios T88C-7025-AH o equivalentes, dentro de los engranajes laterales del diferencial.

▼ AVISO ▼

Omitir la instalación de los tapones guías de cajas de cambios (en el diferecial) puede provocar que los engranajes laterales del diferencial queden colocados incorrectamente. Si los engranajes quedan desalineados, será ne-

cesario desmontar el diferencial de la caja de cambios para alinearlos.

25. Colocar una cubeta de drenaje y desmontar el tapón de drenaje de la caja de cambios. Drenar el fluido de la cavidad del diferencial. Desmontar la cubeta (cubierta inferior) de la caja de cambios y drenar los restos del fluido de la caja de cambios, luego instalar la cubeta de la caja de cambios y el tapón de drenaje.

26. Colocar un gato de cajas de cambios adecuado debajo de la caja de cambios. Asegurar la caja de cambios al gato.

27. Desmontar los pernos inferiores de la caja de cambios con el motor.

28. Bajar lentamente la caja de cambios fuera del vehículo.

29. Inspeccionar todos los componentes, incluyendo apoyos y soportes.

Para instalar:

➡ Se utiliza un pasador para asegurar la palanca de control del estrangulador en una posición fija en las cajas de cambios nuevas y reconstruidas. Este pasador tiene que ser desmontado para permitir un funcionamiento correcto de la caja de cambios. Si no se desmonta el pasador, la palanca del estrangulador permanecerá en una posición fija. Después de desmontar el pasador, aplicar un sellador al perno de la caja de cambios anterior. Instalar el perno y apretarlo a 69-95 plg-lb (8-11 Nm).

30. Si se reconstruye o sustituye la caja de cambios, asegurarse de que se llenen completamente el sistema de refrigeración de la caja de cambios y sus tuberías antes de instalar la caja de cambios.

31. Desmontar el pasador que fija la palanca de control del estrangulador, si se ha instalado.

32. Asegurar la caja de cambios en el gato de cajas de cambios.

33. Levantar con cuidado la caja de cambios hasta su posición e instalar los pernos inferiores de la caja de cambios con el motor. Apretar los pernos a 41-59 pie-lb (55-80 Nm).

34. Colocar el convertidor de par en el plato flexible e instalar las tuercas de retención. Apretar las tuercas a 25-36 pie-lb (34-49 Nm). Instalar la platina de inspección del convertidor de par.

35. Desmontar los tapones guías (instalados en el diferencial) e instalar los semiejes.

36. Conectar los travesaños a los montajes de la caja de cambios y al chasis. Apretar las

tuercas de montaje del travesaño con la caja de cambios a 27-38 pie-lb (37-52 Nm). Apretar los pernos y las tuercas del travesaño con el chasis a 47-66 pie-lb (64-89 Nm).

37. Instalar los pernos inferiores de la caja de cambios con el depósito de aceite del motor y apretarlos a 27-38 pie-lb (37-52 Nm). Instalar el protector contra salpicaduras del motor/caja de cambios.

38. Instalar el motor de arranque.

39. Bajar el vehículo.

40. Instalar los pernos superiores de la caja de cambios con el motor y apretarlos a 41-59 pie-lb (55-80 Nm).

41. Instalar el apoyo izquierdo del motor y apretar las tuercas a 49-69 pie-lb (67-93 Nm).

42. Conectar la manguera del respiradero de la caja de cambios, el conector eléctrico del sensor de velocidad del vehículo (VSS), el cable del velocímetro y el sensor del oxígeno (O$_2$S) y/o el conector del sensor caliente de oxígeno (HO$_2$S).

43. Instalar la bola antirretorno y el muelle debajo del rácor de la tubería de la refrigeración si los tiene, luego conectar las tuberías de la refrigeración de la caja de cambios.

44. Conectar el cable del cambio obligado al cuerpo del estrangulador.

45. Retirar el soporte del motor.

46. Conectar los cables de tierra a la caja de cambios y conectar el soporte del sensor de posición de la palanca manual (MLP) y los conectores del cableado.

47. Conectar el cable de control de cambios a la palanca de cambios manual en la transmisión/caja de cambios. Apretar la contratuerca del acoplamiento de la palanca selectora a 33-47 pie-lb (44-64 Nm).

➡ No utilizar ningún tipo de llave de tuercas (herramienta) de potencia neumática

para atornillar la contratuerca. Puede averiarse la caja de cambios.

48. Instalar la bandeja de la batería y la batería. Conectar la presilla de fijación del mazo de cables a la bandeja de la batería.

49. Instalar el conjunto del filtro de aire del motor.

50. Conectar ambos cables de la batería, el cable negativo de último.

51. Adicionar la cantidad y el tipo adecuado de fluido a la caja de cambios.

52. Comprobar que no existan fugas en la caja de cambios y que funcione correctamente.

53. Comprobar que el sensor de posición de la palanca manual tenga un ajuste correcto.

54. Probar el vehículo en carretera y comprobar que funciona correctamente.

MOTOR 2.0L

1. Desconectar ambos cables de la batería, el cable negativo primero.

2. Desmontar la batería y la bandeja de la batería.

3. Desmontar el conjunto del filtro de aire del motor.

4. Desconectar las conexiones eléctricas del Módulo de Relé de Control Computarizado (CCRM), desatornillar los retenedores del relé y desmontar el relé y el soporte del motor.

5. Desatornillar el cable del control de cambios y la tuerca retenedora del soporte de la palanca manual de cambios, desmontar el cable de cambios y la presilla del soporte, luego colocar el conjunto del soporte y el cable a un lado.

6. Etiquetar y desconectar todas las conexiones eléctricas de la caja de cambios.

7. Desmontar el motor de arranque.

8. Si lo tiene, desatornillar los pernos del cable accionador de la válvula del estrangulador

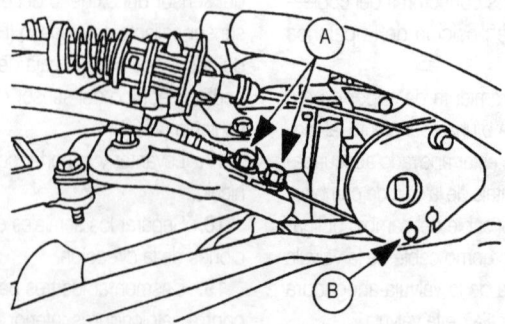

▲ Conectar el cable de la mariposa de aceleración (estrangulador) a la leva de la mariposa de aceleración (B) y apretar los pernos de retención del cable (A) – Modelos 1997-99

y desconectar el cable de la leva del estrangulador.

9. Instalar la herramienta para sostener motores D88L-6000-A o una equivalente, en el motor. El motor tiene que estar soportado correctamente para el desmontaje de la caja de cambios.

10. Colocar una cubeta de drenaje adecuada debajo de la caja de cambios y desconectar las tuberías de la refrigeración de la caja de cambios.

11. Desmontar los pernos de apoyo del lado izquierdo del motor y el apoyo.

12. Desmontar los pernos superiores de la carcasa de la caja de cambios.

13. Levantar y soportar con seguridad el vehículo.

14. Si lo tiene, desmontar el protector contra salpicaduras de la izquierda.

15. Desmontar el tapón de drenaje de la caja de cambios y drenar el fluido.

16. Desmontar los semiejes. Instalar dos tapones guía de caja de cambios T88C-7025-AH o equivalentes, en los engranajes laterales del diferencial.

▼ AVISO ▼

Omitir la instalación de los tapones guías de cajas de cambios (en el diferencial) puede provocar que los engranajes laterales del diferencial queden colocados incorrectamente. Si los engranajes quedan desalineados, será necesario desmontar el diferencial de la caja de cambios para alinearlos.

17. Desmontar el travesaño de apoyo del motor y el convertidor catalítico.

18. Desconectar la tubería del aire acondicionado del retenedor localizado en el travesaño de apoyo del motor.

19. Desatornillar los pernos y las tuercas del travesaño de apoyo de la caja de cambios, las tuercas del aislante izquierdo del motor, luego desmontar el travesaño.

20. Desatornillar los pernos de la cubierta del alojamiento de la caja de cambios y desmontar la cubierta.

21. Desmontar las cuatro tuercas del volante con el convertidor de par.

22. Colocar un gato de cajas de cambios adecuado debajo de la caja de cambios. Asegurar la caja de cambios al gato.

23. Desmontar los pernos restantes de la caja de cambios con el motor.

➡ **El perno delantero superior de la caja de cambios con el motor en los modelos**

1997, tiene un retenedor, y se queda en el bloque de cilindros.

24. En los modelos de 1997, desatornillar el perno superior delantero de la caja de cambios con el motor.

25. Bajar lentamente la caja de cambios fuera del vehículo.

26. Inspeccionar todos los componentes incluyendo los apoyos y soportes.

Para instalar:

➡ **Antes de instalar la caja de cambios, lubricar el cubo piloto del convertidor de par con grasa multipropósito.**

27. Alinear los espárragos del convertidor de par con el volante.

28. Asegurar la caja de cambios en el gato para cajas de cambios.

29. Levantar con cuidado la caja de cambios hasta su posición e instalar el perno intermedio y el inferior de la caja de cambios con el motor. Apretar los pernos a 40-58 pie-lb (55-80 Nm).

30. En los modelos 1997, instalar el perno delantero superior de la caja de cambios con el motor. Apretar el perno a 40-58 pie-lb (55-80 Nm).

31. Instalar las tuercas del volante con el convertidor de par y apretar a 26-36 pie-lb (35-49 Nm).

32. Instalar la cubierta de alojamiento de la caja de cambios y apretar los pernos a 40-58 pie-lb (55-80 Nm).

33. Instalar el travesaño de apoyo del motor. Apretar los pernos y tuercas del travesaño a 47-65 pie-lb (64-89 Nm) y las tuercas del aislante a 28-37 pie-lb (38-51 Nm).

34. Instalar los pernos delantero y trasero superior de la caja de cambios con el motor y apretarlos a 28-38 pie-lb (38-51 Nm).

35. Desmontar los tapones guía colocados en el diferencial e instalar los semiejes.

36. Conectar el travesaño a los apoyos de la caja de cambios y al chasis. Apretar las tuercas del travesaño con los apoyos de la caja de cambios a 27-38 pie-lb (37-52 Nm). Apretar los pernos y las tuercas del travesaño con el chasis a 47-66 pie-lb (64-89 Nm).

37. Instalar los pernos inferiores de la caja de cambios con el depósito de aceite del motor y apretarlos a 27-38 pie-lb (37-52 Nm).

38. Instalar los protectores contra salpicaduras del motor/caja de cambios.

39. Instalar el motor de arranque.

40. Acoplar las conexiones eléctricas.

41. Bajar el vehículo.

42. Instalar los pernos superiores de la caja de cambios con el motor y apretarlos a 40-58 pie-lb (55-80 Nm).

43. Instalar el apoyo izquierdo del motor y apretar las tuercas a 50-68 pie-lb (67-93 Nm).

44. Si lo tiene, conectar el cable del estrangulador en la leva del estrangulador. Ajustar el cable como se explicó en esta sección.

45. Retirar la herramienta de soporte del motor.

46. Acoplar el cable de cambios y el soporte a la palanca manual de cambios, instalar el cable de cambios y la presilla del soporte. Apretar la tuerca a 12-16 pie-lb (16-22 Nm).

47. Instalar el conjunto del filtro de aire del motor. Ajustar el cable como se explicó en esta sección.

48. Instalar la bandeja de la batería y la batería.

49. Conectar ambos cables de la batería, el cable negativo de último.

50. Adicionar la cantidad y tipo adecuado de fluido a la caja de cambios.

51. Comprobar que no existan fugas en la caja de cambios y que funcione correctamente.

52. Comprobar que el sensor de posición de la palanca manual tenga un ajuste correcto.

53. Probar el vehículo en carretera y comprobar que funciona correctamente.

EMBRAGUE

AJUSTE

Recorrido libre del pedal

MODELOS 1995-96

Para determinar si el recorrido libre del pedal del embrague necesita ajuste, bajar (presionando) el pedal del embrague con la mano hasta que se sienta resistencia. Utilizando una regla graduada, medir la distancia entre la altura superior del pedal del embrague y la posición del pedal donde se sintió la resistencia. El recorrido libre debe ser 0.20-0.51 plg (5-13 mm). Si no está en este rango, proceder como sigue:

1. Aflojar la contratuerca del pedal del embrague a la varilla del cilindro principal.

2. Girar la varilla del pedal del embrague al cilindro principal de embrague hasta que el recorrido libre esté dentro de la especificación.

3. Comprobar que la altura de desembrague está dentro de la especificación. La altura de desembrague mínima es 1.6 plg (41 mm).

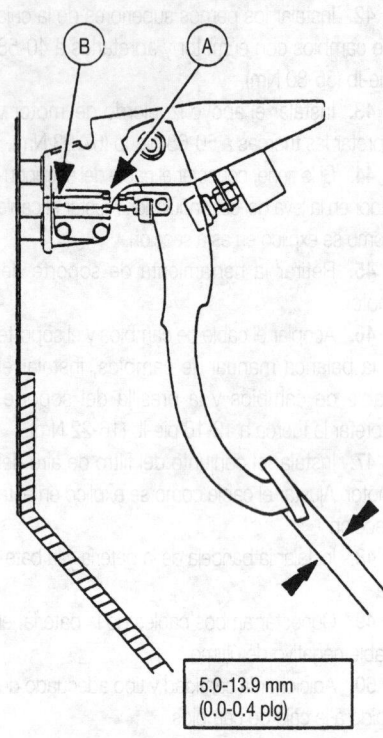

5.0-13.9 mm
(0.0-0.4 plg)

▲ Ajustar el recorrido libre del pedal girando la contratuerca (A) y la barra compensadora con la varilla de la palanca de desembrague (B) – Modelos 1997-99

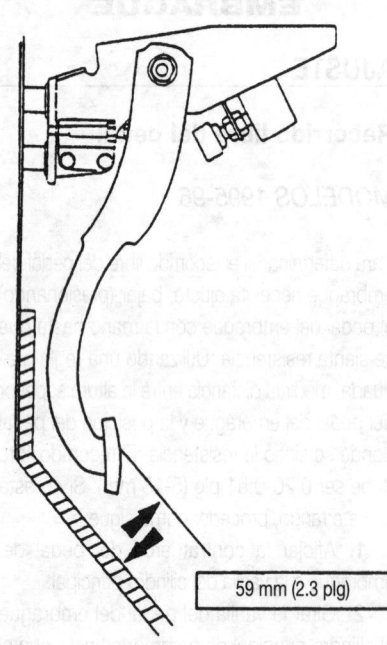

59 mm (2.3 plg)

▲ La medida de la altura de desembrague desde la superficie superior de la zapata del pedal del embrague hasta la alfombrilla debe ser 2.3 plg (59 mm) – Modelos 1997-99

4. Apretar la contratuerca del pedal del embrague a la varilla del cilindro principal a 9-12 pie-lb (12-17 Nm).

5. Comprobar el recorrido libre del pedal del embrague para verificar que tiene un ajuste correcto.

MODELOS 1997-99

1. Bajar (presionando) el pedal del embrague hasta que se sienta resistencia, y medir la distancia entre la altura superior del pedal del embrague y la posición del pedal donde se sintió la resistencia. El recorrido libre debe ser 0.0-0.40 plg (5.0-13.9 mm).

2. Si es necesario un ajuste, girar la contratuerca y la barra compensadora con la varilla de la palanca de desembrague.

3. Después del ajuste, medir la altura de desembrague desde la superficie superior de la zapata del pedal del embrague hasta la alfombrilla. La separación debe ser de 2.3 plg (59 mm).

Altura del pedal

MODELOS 1995-96

Para determinar si la altura del pedal requiere ajuste, medir la distancia desde el mamparo

hasta el centro superior de la zapata del pedal. La distancia debe ser 7.72-8.03 plg (196-204 mm). Si es necesario un ajuste, proceder como sigue:

1. Desconectar el cable negativo de la batería.

2. Desconectar el conector eléctrico del interruptor del embrague.

3. Aflojar la contratuerca del interruptor del embrague.

4. Girar el interruptor del embrague hasta que se obtenga la altura correcta.

5. Apretar la contratuerca a 10-13 pie-lb (14-18 Nm).

6. Medir el recorrido libre del pedal.

7. Acoplar el conector eléctrico.

8. Conectar el cable negativo de la batería.

MODELOS 1997-99

1. Medir la distancia desde la superficie superior de la zapata del pedal hasta la alfombrilla. La medición debe ser 8.35-8.54 plg (212-217 mm).

2. Si es necesario un ajuste, girar la contratuerca y el interruptor de posición del pedal del embrague (CPP) hasta que la altura del pedal sea la correcta.

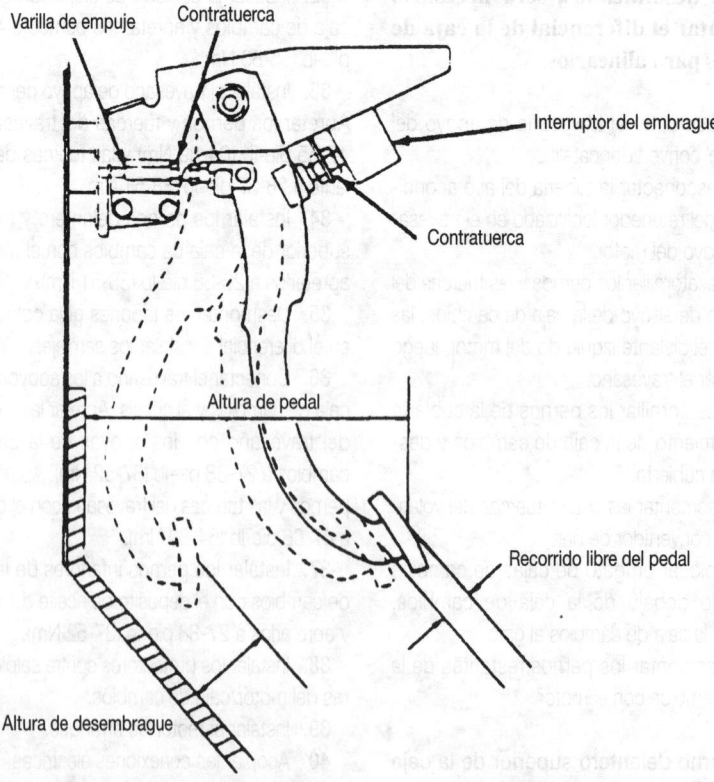

Varilla de empuje

Contratuerca

Interruptor del embrague

Contratuerca

Altura de pedal

Recorrido libre del pedal

Altura de desembrague

▲ Medición de la altura del pedal de embrague y puntos de ajuste – Modelos 1995-96

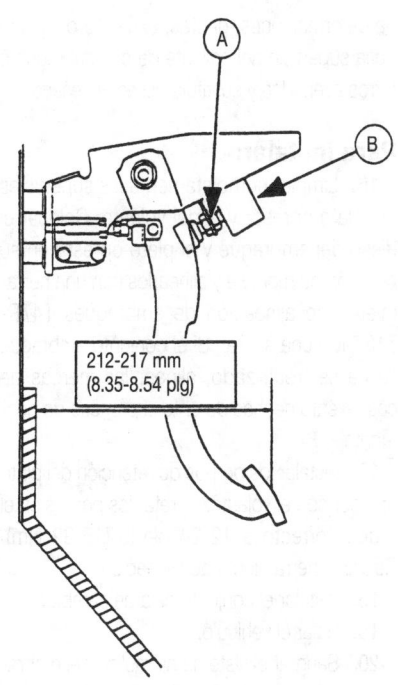

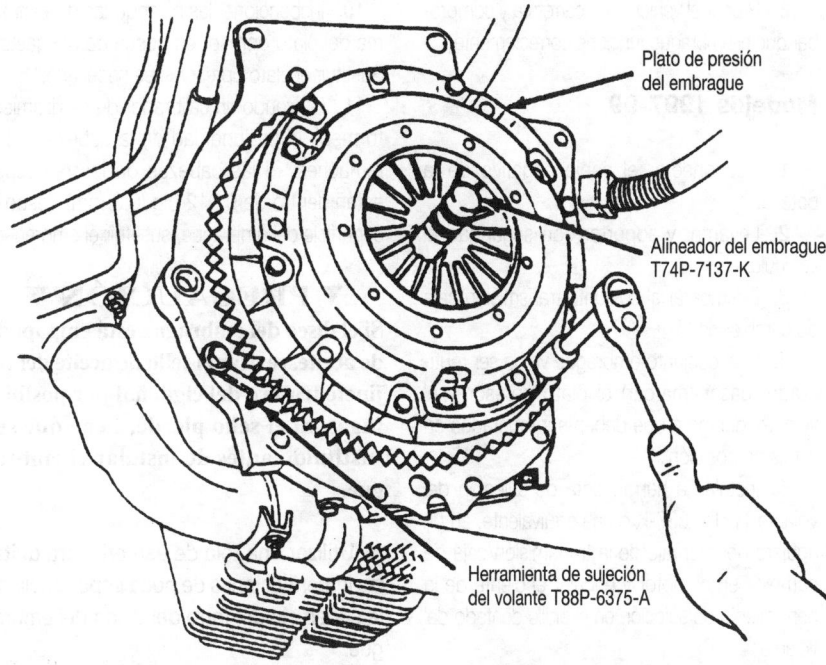

Plato de presión del embrague

Alineador del embrague T74P-7137-K

Herramienta de sujeción del volante T88P-6375-A

▲ Para ajustar la altura del pedal, girar la contratuerca (A) y el interruptor de posición del pedal del embrague (CPP) (B) – Modelos 1997-99

DESMONTAJE E INSTALACIÓN

Modelos 1995-96

1. Desconectar el cable negativo de la batería.

2. Levantar y soportar con seguridad el vehículo.

3. Desmontar el conjunto transmisión/caja de velocidad.

4. Si el conjunto embrague va ha ser reutilizado, casar (marcar) el plato opresor y el volante, de modo que sean montados en la misma posición.

5. Instalar la herramienta de sujeción del volante T84P-6375-a o una equivalente, en un agujero del montaje de la transmisión/caja de cambios en el motor y encajar el diente de la herramienta de sujeción en el anillo dentado del volante.

6. Aflojar los pernos de retención del plato opresor (de presión) con el volante una vuelta cada uno, en esquema cruzado, hasta que la tensión de los resortes sea liberada, para evitar que se deforme la carcasa del plato opresor.

7. Apoyar el plato opresor y desatornillar los pernos de retención. Desmontar el plato opresor y el disco del embrague, del volante.

▲ Para sujetar el cigüeñal y que no gire, instalar una herramienta de sujeción del volante en uno de los agujeros de montaje de la caja de cambios en el motor y encajar el diente de la herramienta en el anillo dentado del volante – Modelos 1995-96

➡ Si el volante muestra cualquier signo de sobrecalentamiento (decoloración azulada) o si está gravemente acanalado o rayado, debe ser rectificado o sustituido.

8. Inspeccionar el volante, disco de embrague, plato opresor, cojinete de desembrague (collarín), cojinete piloto y la horquilla del embrague, por si hay desgaste. Sustituir las piezas que sean necesarias.

Para instalar:

9. Si se desmontó, instalar un cojinete piloto nuevo utilizando para ello una herramienta adecuada de instalación.

10. Si se desmontó, instalar el volante. Asegurarse de que las superficies de acoplamiento del volante y la brida del cigüeñal están limpias. Apretar los pernos de retención del volante a 71-76 pie-lb (96-103 Nm) en los motores 1.8L, y 54-67 pie-lb (73-91 Nm) en el motor 1.9L.

11. Limpiar completamente las superficies del plato opresor y del volante. Colocar el disco del embrague y el plato opresor en su posición de montaje y sostenerlos con un eje ficticio o una herramienta de alinear embragues. Si el conjunto embrague va ha ser reutilizado, alinear las marcas de casamiento hechas durante el proceso de desmontaje.

12. Instalar los pernos de retención del plato opresor con el volante. Apretar los pernos en el

orden correcto a 13-20 pie-lb (18-26 Nm). Retirar la herramienta de alineación.

13. Si el cojinete de desembrague fue desmontado, lubricar donde actúa la horquilla de desembrague sobre el cojinete e instalar el cojinete en la horquilla.

14. Instalar el conjunto transmisión/caja de cambios.

15. Bajar el vehículo.

16. Sangrar el sistema hidráulico del embrague, si es necesario.

17. Conectar el cable negativo de la batería.

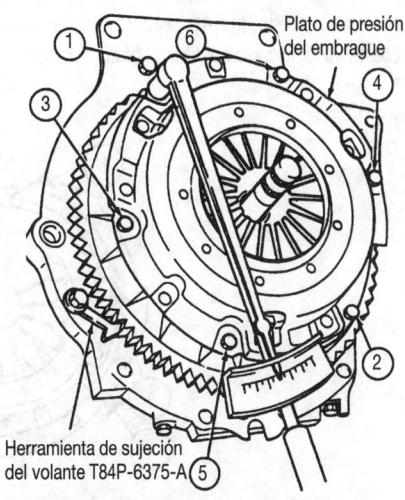

Plato de presión del embrague

Herramienta de sujeción del volante T84P-6375-A

▲ Apretar los pernos de retención del plato de presión con el volante en el orden mostrado y a la especificación dada – Modelos 1995-96

18. Probar el vehículo en carretera y comprobar que el embrague funcione correctamente.

Modelos 1997-99

1. Desconectar el cable negativo de la batería.

2. Levantar y soportar con seguridad el vehículo.

3. Desmontar el conjunto transmisión/caja de cambios.

4. Si el conjunto embrague va ha ser reutilizado, casar (marcar) el plato opresor y el volante, debido a que deben ser montados en la misma posición.

5. Instalar la herramienta de sujeción del volante T74P-7337-K o una equivalente, en un agujero del montaje de la transmisión/caja de cambios en el motor y encajar el diente de la herramienta de sujeción en el anillo dentado del volante.

6. Instalar la herramienta de alineación del embrague T74P-7137-k o una equivalente.

7. Aflojar los pernos de retención del plato opresor con el volante una vuelta cada vez, en esquema cruzado, hasta que la tensión de los muelles sea liberada, para evitar que el plato opresor se averíe.

▼ PRECAUCIÓN ▼

No utilizar ningún limpiador cuya base sea petróleo y no sumergir el plato opresor del embrague en disolvente.

8. Limpiar el plato opresor del embrague con un disolvente comercial adecuado con base de alcohol.

9. Inspeccionar la superficie del plato opresor en busca de quemaduras, rayas, llanos o crestas. Rectificar o sustituir el plato opresor.

10. Inspeccionar las palanquillas del diafragma del plato opresor en busca de desgastes. Sustituir el plato opresor si es necesario.

11. Utilizando un calibrador de deslizamiento medir la profundidad de la cabeza de los remaches. Si las cabezas de los remaches están dentro de 0.012 plg (0.3 mm) desde la superficie del embrague, sustituir el embrague.

▼ PRECAUCIÓN ▼

Si el disco del embrague está empapado de aceite, revisar el sello de aceite del cojinete trasero del cigüeñal por posibles fugas. Si el sello pierde, tiene que ser sustituido antes de instalar el embrague.

➡ Utilizar una tela de esmeril para quitar las imperfecciones de poca importancia de la superficie del forro del disco del embrague.

12. Inspeccionar el disco del embrague en busca de lo siguiente:

- Saturación (empape) de aceite o grasa.
- Desgaste o revestimiento suelto.
- Alabeamientos o remaches sueltos en el cubo.
- Resortes del amortiguador torsional sueltos o rotos.
- Desgaste u óxido en las estrías.

13. Si el disco del embrague presenta alguna de las situaciones anteriores, debe ser sustituido.

14. Utilizar un indicador de esfera montado sobre una base de metal para medir el descentrado del disco de embrague. Si el corrimiento excede 0.0276 plg (0.700 mm), sustituir el disco.

15. Inspeccionar el desembrague en busca

de deformaciones, grietas, excesivo desgaste de la superficie del cojinete de desembrague o forros averiados y sustituirlo si es necesario.

Para instalar:

16. Limpiar completamente las superficies del plato opresor y la del volante. Colocar el disco del embrague y el plato opresor en su posición de montaje y alinearlos con una herramienta de alineación de embragues T47P-7137-k o una similar. Si el conjunto embrague va ha ser reutilizado, alinear las marcas de casamiento hechas durante el proceso de desmontaje.

17. Instalar los pernos de retención del plato opresor con el volante. Apretar los pernos en el orden correcto a 12-24 pie-lb (16-32 Nm). Retirar la herramienta de alineación.

18. Instalar el conjunto caja de cambios.

19. Bajar el vehículo.

20. Sangrar el sistema hidráulico del embrague.

21. Ajustar el recorrido libre del pedal de embrague.

22. Conectar el cable negativo de la batería.

23. Probar el vehículo en carretera y comprobar que el embrague funcione correctamente.

SISTEMA DE EMBRAGUE HIDRÁULICO

SANGRADO

1. Comprobar que el cilindro principal del freno está al menos lleno $^3/_4$ durante el proceso entero de sangrado.

2. Desmontar el perno de sombrerete de sangrado del cilindro esclavo (auxiliar) del embrague y acoplar una manguera al tornillo de sangrado. Colocar el otro extremo de la manguera en un depósito para recoger el fluido.

3. Hacer que un ayudante pise lentamente el pedal del embrague varias veces, luego sujetar el pedal del embrague presionado.

4. Aflojar el tornillo de sangrado para dejar salir el fluido y el aire. Apretar el tornillo de sangrado.

5. Repetir el proceso de sangrado hasta que no se vean burbujas de aire en el fluido.

6. Apretar el tornillo de sangrado a 52-78 plg-lb (6-9 Nm).

7. Llenar al máximo el cilindro principal de freno para llenar las tuberías.

8. Comprobar que el sistema de embrague funciona correctamente.

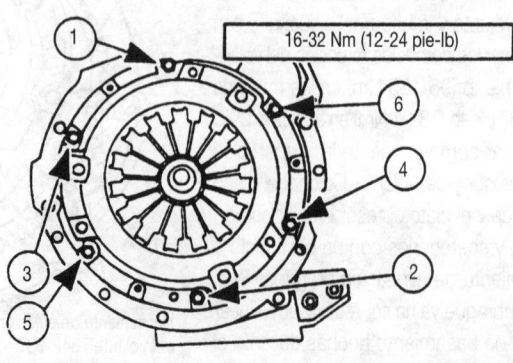

16-32 Nm (12-24 pie-lb)

▲ Apretar los pernos de retención del plato de presión con el volante en el orden mostrado y al valor especificado – Modelos 1997-99

SEMIEJES

DESMONTAJE E INSTALACIÓN

Modelos 1995-96

MOTOR 1.8L – LADO IZQUIERDO

➡ Antes de continuar con cualquier procedimiento del semieje, asegurarse de que se tienen disponibles tuercas de retención y presillas circulares (arandelas de seguridad) de semiejes nuevas. Una vez desmontadas, estas piezas pierden su capacidad de sujeción del apriete o su capacidad de retención, por lo que no pueden ser reutilizadas.

1. Desconectar el cable negativo de la batería.

2. Con el vehículo situado en el piso, levantar con cuidado la parte estacada de la tuerca de retención del semieje utilizando un cincel pequeño adecuado. Aflojar la tuerca.

3. Levanta y soportar con seguridad el vehículo.

4. Desmontar el conjunto rueda y neumático.

5. Desmontar el protector contra salpicaduras.

6. Desmontar y desechar la tuerca de retención del semieje.

7. Desmontar el pasador de retención (de chaveta) y la tuerca almenada del extremo de la barra de conexión, y separar el extremo de la barra de conexión de la articulación de la dirección utilizando una herramienta adecuada para el desmontaje. Desechar el pasador de retención.

8. Desmontar el perno de presión de la rótula inferior. Con cuidado apalancar hacia abajo sobre el brazo de control inferior para separar el espárrago de la rótula de la articulación de la dirección.

9. Tirar hacia fuera sobre el conjunto de la articulación de la dirección/freno. Con cuidado tirar del semieje sacándolo del cubo y colocarlo a un lado.

10. El desmontaje del semieje del lado izquierdo requiere desmontar el travesaño para permitir el acceso con una palanca como sigue:

　　a. Soportar la caja de cambios con un gato de transmisión/cajas de cambios adecuado.

　　b. Desmontar las cuatro tuercas de retención de los montajes de la transmisión/caja de cambios al travesaño.

　　c. Desmontar las dos tuercas de retención del travesaño en la parte trasera del travesaño.

　　d. Mientras se soporta la parte trasera del travesaño, desatornillar los dos pernos delanteros de montaje y desmontar el travesaño.

11. Colocar una cubeta de drenaje debajo de la caja de cambios.

12. Insertar una palanca entre el semieje y la carcasa de la caja de cambios. Palanquear suavemente el semieje hacia fuera para liberarlo de los engranajes laterales del diferencial. Tener cuidado en no averiar la carcasa de la caja de cambios, el sello de aceite, la junta VC o el manguito de la junta VC.

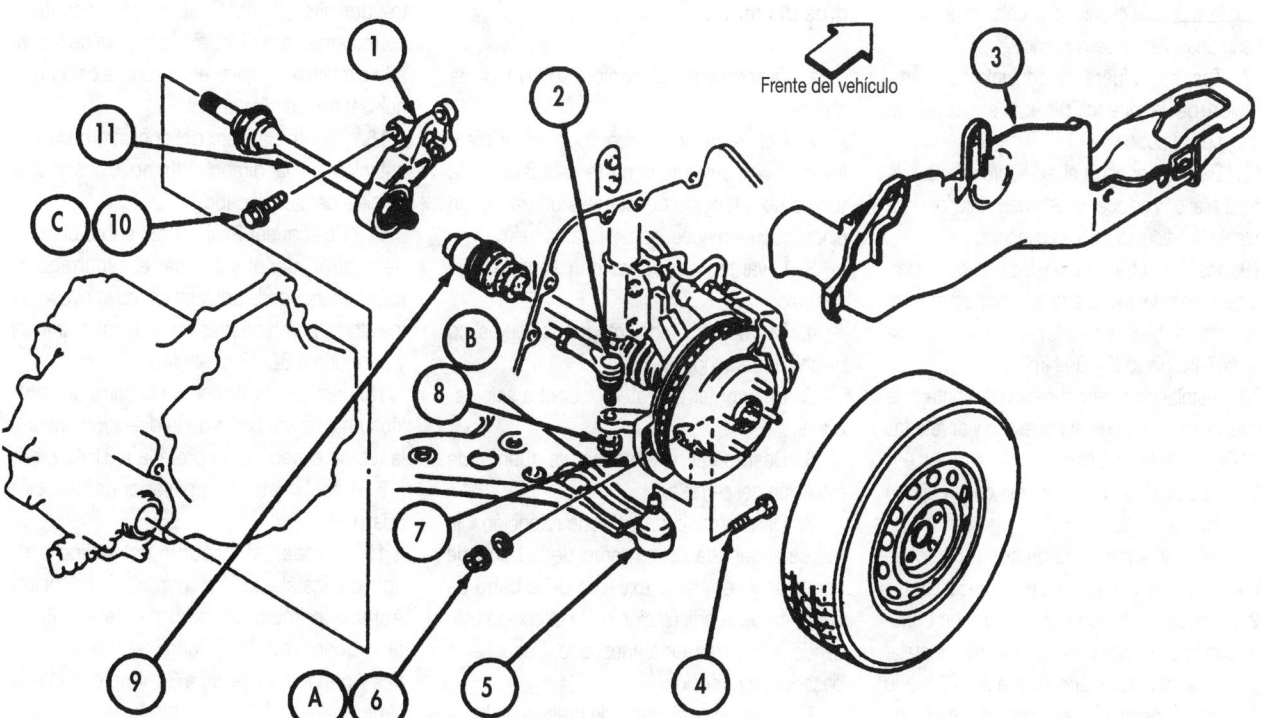

Frente del vehículo

1. Soporte del cojinete del eje motriz delantero (pieza de 3A329)
2. Extremo de la barra de conexión (acoplamiento)
3. Protector contra salpicaduras del guardabarros delantero
4. Perno de rótula
5. Rótula del brazo inferior de la suspensión delantera
6. Tuerca del perno de rótula
7. Pasador de chaveta
8. Tuerca del extremo de la barra de conexión
9. Junta del eje propulsor de la rueda delantero (motor 1.8L)
10. Pernos del soporte de cojinete del eje propulsor delantero (se requieren 3)
11. Semieje (1.8L)
12. Frente del vehículo
A. Apretar a 43-59 Nm (32-43 pie-lb)
B. Apretar a 34-46 Nm (25-33 pie-lb)
C. Apretar a 42-62 Nm (31-46 pie-lb)

▲ **Vista en desarme de la colocación típica del semieje – Motores 1.8L y 1.9L**

13. Desmontar el semieje.

➡ Instalar unos tapones guía adecuados después de desmontar los semiejes para evitar que los engranajes laterales del diferencial se muevan fuera de su lugar. Si los engranajes quedan desalineados, será necesario desmontar el diferencial de la transmisión/caja de cambios para alinear los engranajes.

Para instalar:

14. Colocar una presilla circular nueva en el interior de ranura de la junta VC de manera que la abertura de la presilla esté en la parte superior. Lubricar las estrías ligeramente con una grasa adecuada.

15. Desmontar los tapones guía que fueron instalados en los engranajes laterales del diferencial.

16. Colocar los semiejes de manera que las estrías de la junta VC queden alineadas con las estrías de los engranajes laterales del diferencial. Empujar el semieje dentro del diferencial. Cuando quede asentado correctamente, se oirá el chasquido de la presilla circular al encajar en la ranura del engranaje lateral del diferencial.

17. Tirar hacia fuera del conjunto de la articulación de la dirección/freno e insertar el semieje en el cubo.

18. Palanquear hacia abajo sobre el brazo de control inferior y colocar el espárrago inferior de la rótula en la articulación de la dirección.

19. Instalar el travesaño y los pernos y tuercas de unión del travesaño al bastidor. Apretar las tuercas a 27-38 pie-lb (37-52 Nm) y los pernos a 47-66 pie-lb (64-89 Nm).

20. Instalar las cuatro tuercas de montaje de la caja de cambios con el travesaño y apretarlas a 27-38 pie-lb (37-52 Nm).

21. Retirar el gato de transmisiones/caja de cambios.

22. Instalar el perno de presión de la rótula inferior y apretarlo a 32-43 pie-lb (43-59 Nm).

23. Acoplar el extremo de la barra de conexión con la articulación de la dirección. Instalar la tuerca almenada y apretarla a 31-42 pie-lb (42-57 Nm). Instalar un pasador de retención nuevo.

24. Instalar el protector contra salpicaduras.

25. Instalar el conjunto rueda y neumático.

26. Instalar una tuerca de retención de semiejes nueva y apretarla a 174-235 pie-lb (235-319 Nm). Estacar la tuerca de retención del semieje utilizando un cincel adecuado con un borde de corte redondeado.

➡ Si la tuerca se parte o agrieta después de estacarla, reemplazarla con una tuerca nueva.

27. Comprobar y llenar la transmisión/caja de cambios con la cantidad y tipo adecuado de fluido.

28. Conectar el cable negativo de la batería.

29. Probar el vehículo en carretera y comprobar que funcione correctamente.

MOTOR 1.8L – LADO DERECHO

➡ El conjunto semieje del lado derecho es un eje de dos piezas con un soporte de apoyo con cojinete colocado entre las dos mitades. El soporte del apoyo del cojinete está montado sobre el bloque de cilindros, y tiene que desatornillarse si se va a desmontar el conjunto completo del semieje. Si sólo serán serviciadas las juntas VC/manguitos, puede ser desmontado el conjunto exterior del eje, dejando el soporte de apoyo con cojinete montado en el bloque de cilindros del motor.

1. Desconectar el cable negativo de la batería.

2. Con el vehículo asentado en el piso, levantar con cuidado la parte estacada de la tuerca de retención del semieje utilizando un cincel pequeño adecuado. Aflojar la tuerca.

3. Levantar y soportar con seguridad el vehículo.

4. Desmontar el conjunto rueda neumático delantero derecho.

5. Desmontar el protector contra salpicaduras.

6. Desmontar y desechar la tuerca de retención del semieje.

7. Desmontar el pasador de retención y la tuerca almenada del extremo de la barra de conexión y separar el extremo de la barra de conexión de la articulación de la dirección utilizando una herramienta adecuada. Desechar el pasador de retención.

8. Desmontar el perno de presión de la rótula inferior. Palanquear hacia abajo con cuidado sobre el brazo de control inferior para separar el espárrago de rótula de la articulación de la dirección.

9. Tirar hacia fuera sobre el conjunto de la articulación de la dirección/freno. Con cuidado tirar sacando el semieje fuera del cubo y colocarlo a un lado.

10. Colocar una cubeta de drenado debajo de la caja de cambios.

11. Desmontar los tres pernos de montaje del soporte de apoyo del cojinete.

12. Insertar una palanca entre el soporte del cojinete de apoyo y el soporte del motor de arranque. Palanquear suavemente hacia fuera sobre el amortiguador de vibraciones (damper) hasta que el semieje se desenganche del engranaje lateral del diferencial.

13. Desmontar el conjunto del semieje. Instalar un tapón guía adecuado para diferenciales en el engranaje lateral del diferencial.

Para instalar:

14. Colocar una presilla circular nueva en la ranura interior de la junta VC de manera que la abertura de la presilla circular esté en la parte superior. Lubricar las estrías ligeramente con una grasa adecuada.

15. Desmontar el tapón guía del engranaje lateral del diferencial. Colocar el conjunto semieje de manera que las estrías del eje estén alineadas con las estrías del engranaje lateral del diferencial. Empujar el semieje dentro del diferencial. Cuando esté asentado correctamente, se oirá el chasquido de la presilla circular al encajar en la ranura del engranaje lateral del diferencial.

16. Tirar hacia fuera del conjunto de la articulación de la dirección/freno e insertar el semieje dentro del cubo.

17. Palanquear hacia abajo sobre el brazo de control inferior y colocar el espárrago de rótula inferior en la articulación de la dirección. Instalar el perno de presión de la rótula inferior y apretarlo a 32-43 pie-lb (43-59 Nm).

18. Instalar el extremo de la barra de conexión en la articulación de la dirección. Instalar la tuerca almenada y apretarla a 31-42 pie-lb (42-57 Nm). Instalar un pasador de retención nuevo.

19. Colocar el soporte del cojinete de apoyo e instalar los tres pernos de retención. Apretar primero el perno exterior, luego el superior interior y luego el inferior interior. Apretar los pernos a 31-46 pie-lb (42-62 Nm).

20. Instalar el protector contra salpicaduras.

21. Instalar el conjunto rueda neumático.

22. Bajar el vehículo.

23. Instalar una tuerca de retención de semieje nueva y apretarla a 174-235 pie-lb (235-319 Nm). Estacar la tuerca de retención utilizando un cincel adecuado con el borde de corte redondeado.

➡ Si la tuerca se parte o agrieta después de estacarla, tiene que ser reemplazada por una tuerca nueva.

24. Comprobar y llenar la transmisión/caja de cambios con la cantidad y tipo adecuado de fluido.

25. Conectar el cable negativo de la batería.

26. Probar el vehículo en carretera y comprobar que funciona correctamente.

MOTOR 1.9L

➡ Antes de continuar con cualquier procedimiento del semieje, asegurarse de que se tienen disponibles tuercas de retención del semieje y presillas circulares nuevas. Una vez desmontadas, estas piezas pierden su capacidad de sujeción por apriete o su capacidad de retención, por lo que no pueden ser reutilizadas.

1. Desconectar el cable negativo de la batería.

2. Con el vehículo situado en el piso, levantar con cuidado la parte estacada de las tuercas de retención del semieje utilizando un cincel pequeño adecuado. Aflojar la tuerca.

3. Levantar y soportar con seguridad el vehículo.

4. Desmontar el conjunto rueda y neumático.

5. Desmontar el protector contra salpicaduras.

6. Desmontar y desechar la tuerca de retención del semieje.

7. Desmontar el pasador de retención y la tuerca almenada del extremo de la barra de conexión y separar el extremo de la barra de conexión de la articulación de la dirección, utilizando una herramienta adecuada de desmontaje. Desechar el pasador de retención.

8. Desmontar el perno de presión de la rótula inferior. Palanquear con cuidado hacia abajo sobre el brazo de control inferior para separar el espárrago de rótula de la articulación de la dirección.

9. Tirar hacia fuera del conjunto de la articulación de la dirección/freno. Tirar con cuidado del semieje sacándolo fuera del cubo y colocarlo a un lado.

10. El desmontaje del semieje del lado izquierdo requiere desmontar el travesaño para permitir el acceso con una palanca como sigue:

a. Soportar la transmisión/caja de cambios con un gato de transmisiones/cajas de cambios adecuado.

b. Desmontar las cuatro tuercas de retención del montaje de la transmisión/caja de cambios con el travesaño.

c. Desmontar las dos tuercas de retención del travesaño en la parte trasera del travesaño.

d. Mientras se soporta la parte trasera del travesaño, desatornillar los dos pernos de montaje delanteros y desmontar el travesaño.

11. Colocar una cubeta de drenaje bajo la caja de cambios.

12. Insertar una palanca entre el semieje y la carcasa de la caja de cambios. Palanquear suavemente el semieje hacia fuera para liberarlo de los engranajes laterales del diferencial. Tener cuidado en no averiar la carcasa de la caja de cambios, el sello de aceite, la junta VC (velocidad constante) o el manguito de la junta VC.

13. Desmontar el semieje.

➡ Instalar unos tapones guía adecuados después de desmontar los semiejes para evitar que los engranajes laterales del diferencial se muevan fuera de su lugar. Si los engranajes quedan desalineados, será necesario desmontar el diferencial de la caja de cambios para alinear los engranajes.

Para instalar:

14. Colocar una presilla circular nueva en el interior de ranura de la junta VC de manera que la abertura de la presilla esté en la parte superior. Lubricar las estrías ligeramente con una grasa adecuada.

15. Desmontar los tapones guía que fueron instalados en los engranajes laterales del diferencial.

16. Colocar los semiejes de manera que las estrías de la junta VC queden alineadas con las estrías de los engranajes laterales del diferencial. Empujar el semieje dentro del diferencial. Cuando quede asentado correctamente, se oirá el chasquido de la presilla circular al encajar en la ranura del engranaje lateral del diferencial.

17. Tirar hacia fuera del conjunto de la articulación de la dirección/freno e insertar el semieje dentro del cubo.

18. Palanquear hacia abajo sobre el brazo de control inferior y colocar el espárrago de la rótula inferior en la articulación de la dirección.

19. Instalar el travesaño y los pernos y tuercas de unión del travesaño al bastidor. Apretar las tuercas a 27-38 pie-lb (37-52 Nm) y los pernos a 47-66 pie-lb (64-89 Nm).

20. Instalar las cuatro tuercas de montaje de la transmisión/caja de cambios con el travesaño y apretarlas a 27-38 pie-lb (37-52 Nm).

21. Retirar el gato de la transmisión/caja de cambios.

22. Instalar el perno de presión de la rótula inferior y apretarlo a 32-43 pie-lb (43-59 Nm).

23. Acoplar el extremo de la barra de conexión con la articulación de la dirección. Instalar la tuerca almenada y apretarla a 31-42 pie-lb (42-57 Nm). Instalar un pasador de retención nuevo.

24. Instalar el protector contra salpicaduras.

25. Instalar el conjunto rueda y neumático.

26. Instalar una tuerca de retención de semiejes nueva y apretarla a 174-235 pie-lb (235-319 Nm). Estacar la tuerca de retención del semieje utilizando un cincel adecuado con un borde de corte redondeado.

➡ Si la tuerca se parte o agrieta después de estacarla, reemplazarla con una tuerca nueva.

27. Comprobar y llenar la caja de cambios con la cantidad y tipo adecuado de fluido.

28. Conectar el cable negativo de la batería.

29. Probar el vehículo en carretera y comprobar que funcione correctamente.

Modelos 1997-99

➡ Antes de continuar con cualquier procedimiento del semieje, asegurarse de que se tienen disponibles tuercas de retención del semieje nuevas y presillas circulares. Una vez desmontadas, estas piezas pierden su capacidad de sujeción del apriete o su capacidad de retención, por lo que no pueden ser reutilizadas.

1. Desconectar el cable negativo de la batería.

2. Con el vehículo situado en el piso, levantar con cuidado la parte estacada de la tuerca de retención del semieje utilizando un cincel pequeño adecuado. Aflojar la tuerca.

3. Levantar y soportar con seguridad el vehículo.

4. Desmontar el conjunto rueda y neumático.

5. Desmontar y desechar la tuerca de retención del semieje.

6. Desmontar el pasador de retención (de chaveta) y la tuerca almenada del extremo de la barra de conexión, y separar el extremo de la barra de conexión de la articulación de la dirección utilizando una herramienta adecuada para el desmontaje. Desechar el pasador de retención.

7. En los modelos 1998-99, desmontar el tirante de la barra estabilizadora como sigue:

a. Desatornillar la tuerca (1) y el perno (2) del extremo de la barra estabilizadora.

b. Desmontar el retenedor (3) del extremo de la barra estabilizadora.

c. Desmontar el casquillo del extremo (4) de encima de la barra estabilizadora.

d. Desmontar el casquillo del extremo (5) de debajo de la barra estabilizadora.

e. Desmontar el espaciador (6) de la barra estabilizadora.

f. Desmontar los casquillos de los extremos de la barra estabilizadora de encima (7) y debajo (8) del sub-bastidor.

g. Desmontar el retenedor inferior (9) del extremos de la barra estabilizadora.

h. Desmontar la barra estabilizadora.

8. Desmontar el perno y la tuerca de la rótula. Con cuidado apalancar hacia abajo en el brazo de control inferior para separar el espárrago de la rótula de la articulación de la dirección.

9. Tirar hacia fuera sobre el conjunto de la articulación de la dirección/freno. Con cuidado tirar del semieje sacándolo del cubo y colocarlo a un lado.

➡ **El desmontaje del semieje del lado izquierdo requiere desmontar el travesaño para permitir acceder con una palanca.**

10. Soportar la caja de cambios con un gato de transmisiones/cajas de cambios adecuado.

11. Desmontar los cuatro tornillos de retención de la caja de cambios con el travesaño y desmontar el travesaño.

12. Si se está desmontando el semieje del lado derecho, desmontar el protector y el protector contra salpicaduras del lado derecho.

13. Colocar una cubeta de drenaje debajo de la caja de cambios.

14. Desmontar el semieje del lado izquierdo en los modelos 1997-99 y el semieje del lado derecho en los modelos 1997 como sigue:

a. Insertar una palanca entre el semieje y la carcasa de la transmisión/caja de cambios. Palanquear suavemente hacia fuera para liberar el semieje de los engranajes laterales del diferencial. Tener cuidado en no averiar la carcasa de la caja de cambios, el sello de aceite, la junta VC o el manguito de la junta VC.

b. Desmontar el semieje.

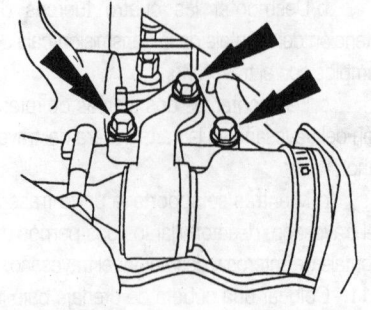

▲ **En modelos 2.0L 1998-99 con caja de cambios manual, desatornillar los pernos del cojinete de apoyo central**

15. En los modelos 1998-99, desmontar el semieje del lado derecho como sigue:

a. En modelos con caja de cambios manual, desatornillar los pernos del cojinete de apoyo central.

b. Bajar el semieje y desmontarlo de la caja de cambios.

c. Separar el semieje del cojinete de apoyo central y desmontar el semieje del vehículo.

d. Inspeccionar el cojinete de apoyo central por posibles averías y sustituirlo si es necesario.

➡ **Instalar unos tapones guía adecuados después de desmontar los semiejes para evitar que los engranajes laterales del diferencial se muevan fuera de su lugar. Si los engranajes quedan desalineados, será necesario desmontar el diferencial de la transmisión/caja de cambios para alinear los engranajes.**

Para instalar:

16. Colocar una presilla circular nueva en el interior de ranura de la junta VC de manera que la abertura de la presilla esté en la parte superior. Lubricar las estrías ligeramente con una grasa adecuada.

17. Desmontar los tapones guía que fueron instalados en los engranajes laterales del diferencial.

18. En todos los modelos, excepto los modelos 1998-99 con una transmisión/caja de cambios manual, colocar el semieje de manera que las estrías de la junta VC queden alineadas con las estrías del engranaje lateral del diferencial. Empujar el semieje dentro del diferencial.

➡ **Cuando queda asentado correctamente, se puede oír el chasquido de la presilla circular al encajar en la ranura del engranaje lateral del diferencial.**

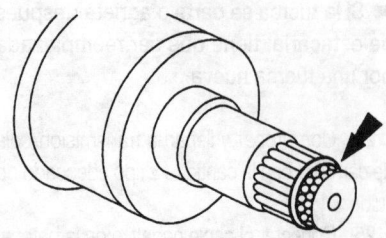

▲ **Durante el montaje, asegurarse de que se instale una presilla circular nueva en el interior de la estría de la junta VC – Motor 2.0L**

19. Instalar el semieje del lado derecho en los modelos 1998-99 con caja de cambios manual como sigue:

a. Colocar el semieje y la junta de manera que las estrías se alineen con las estrías del semieje, y empujar el semieje, junta y semieje juntos con el cojinete de apoyo central.

b. Instalar el semieje en la caja de cambios.

20. Colocar el cojinete de apoyo central en su posición, y apretar sus pernos de retención a 32-46 pie-lb (46-62 Nm).

a. Instalar el protector y el protector contra salpicaduras del lado derecho.

21. Tirar hacia fuera del conjunto de la articulación de la dirección/freno e insertar el semieje en el cubo.

22. Palanquear hacia abajo sobre el brazo de control inferior y colocar el espárrago de la rótula inferior en la articulación de la dirección.

23. Instalar el travesaño y los pernos del travesaño con el bastidor. Apretar los pernos a 69-93 pie-lb (94-126 Nm).

24. Retirar el gato de la transmisión/caja de cambios.

25. Instalar la articulación de la dirección y el perno y la tuerca de la rótula. Apretar el perno y la tuerca a 32-43 pie-lb (43-59 Nm).

26. En los modelos 1998-99, instalar el tirante de la barra estabilizadora en orden inverso al desmontaje y apretar la tuerca del extremo de la barra hasta que la longitud de la parte que sobresale del perno del extremo de la barra sea 0.67-0.75 plg (17-19 mm).

27. Instalar el extremo de la barra de conexión en la articulación de la dirección. Instalar la tuerca y apretarla a 25-33 pie-lb (34-46 Nm) en los modelos 1997 y 32-41 pie-lb (43-56 Nm) en los modelos 1998-99. Instalar un pasador de retención nuevo.

28. Instalar el conjunto rueda y neumático.

29. Instalar una tuerca de retención de semiejes nueva y apretarla a 174-235 pie-lb (235-319 Nm). Estacar la tuerca de retención utilizando un cincel adecuado con el borde de corte redondeado.

➡ Si la tuerca se parte o agrieta después de estacarla, reemplazarla con una tuerca nueva.

30. Comprobar y llenar la caja de cambios con la cantidad y tipo adecuado de fluido.

31. Conectar el cable negativo de la batería.

32. Probar el vehículo en carretera y comprobar que funcione correctamente.

DIRECCIÓN Y SUSPENSIÓN

AIR BAG (BOLSA DE AIRE)

▼ PRECAUCIÓN ▼

Algunos vehículos están equipados con un sistema air bag (bolsa de aire), también conocido como Sistema Restringido de Hinchado Suplementario (SIR) o Sistema Restringido Suplementario (SRS). El sistema tiene que estar desactivado antes de llevar a cabo cualquier servicio en o alrededor de los componentes del sistema, columna de la dirección, componentes del panel de instrumentos, cableado y sensores. Omisiones en el seguimiento del siguiente procedimiento de seguridad y desactivado, podrían resultar en un desplegado accidental del air bag, posibles lesiones personales y reparaciones innecesarias del sistema.

PRECAUCIONES

Varias precauciones tienen que ser observadas cuando se manipule el módulo de hinchado para evitar un desplegado accidental y posibles lesiones personales.

• Nunca transportar el módulo hinchado por los cables o los conectores de debajo del módulo.

• Cuando se transporte un módulo de hinchado o inflador activado, sujetarlo firmemente con las dos manos, y asegurarse de que la bolsa (bag) y la cubierta tapizada apunta hacia fuera.

• Colocar el módulo inflador en un banco (de taller) u otra superficie con la bolsa (bag) y la cubierta tapizada boca arriba.

• Con el módulo inflador en un banco, nunca colocar ninguna cosa en o cerca del módulo que pueda provocar que sea lanzada violentamente por un desplegado accidental.

DESARMADO

▼ PRECAUCIÓN ▼

El sistema de SRS, tiene que ser desarmado antes de ejecutar algún servicio alrededor de los componentes o del cableado del SRS. Dejar de hacerlo puede causar un desplegado accidental del air bag, resultando como consecuencia reparaciones innecesarias del SRS y/o lesiones personales.

1. Desconectar ambos cables de la batería, el cable negativo primero.

2. Esperar al menos un minuto. Esto dará tiempo a que el suministrador de apoyo de potencia agote su energía almacenada.

3. Desmontar el módulo del air bag, lado del conductor, luego el lado del pasajero si es necesario.

4. Tener precaución cuando al manipular air bags activados. Siempre colocar el air bag con la cubierta arriba.

▼ PRECAUCIÓN ▼

Cuando se manipule un air bag activado, asegurarse de que la bolsa y la cubierta preparada apuntan hacia fuera de la carrocería. En el caso improbable de un desplegado accidental de la bolsa, habrá mínimas probabilidades de lesiones. Cuando se coloque un air bag activado sobre un banco de taller u otra superficie, colocar siempre la bolsa y la cubierta tapizada boca arriba, lejos de la superficie. Esto reducirá el movimiento del módulo si se despliega accidentalmente.

5. Si se necesita reconectar la batería mientras uno o ambos air bag están desmontados del sistema, instalar el simulador de air bag 105-00010 o uno equivalente, al mazo de conectores del air bag del lado del conductor y/o del pasajero según se requiera. Antes de desmontar cualquiera de los dos simuladores del air bag, desconectar ambos cables de la batería y esperar al menos un minuto antes de continuar.

6. Una vez que el serviciaje ha concluido y el módulo del air bag se ha instalado en su lugar, conectar el cable negativo de la batería y probar

el sistema de air bag girando la llave de encendido a la posición RUN y monitorear visualmente la lámpara indicadora del air bag en el grupo de instrumentos. La lámpara indicadora debe iluminarse aproximadamente 6 segundos, luego apagarse. Si la lámpara indicadora no se ilumina, permanece en ON (conectada), o parpadea en algún momento, algún defecto ha sido detectado por el monitor de diagnóstico del air bag, requiriendo inmediata atención.

MECANISMO DE LA DIRECCIÓN POR CREMALLERA Y PIÑÓN

DESMONTAJE E INSTALACIÓN

Manual

MODELOS 1995-96

1. Desconectar el cable negativo de la batería.

2. Trabajando desde el interior del vehículo, desatornillar las cinco tuercas que aseguran el manguito del tubo de la columna de la dirección y desmontar el manguito.

3. Desmontar el perno de acoplamiento del eje intermedio con el eje del piñón desde el interior del vehículo.

4. Levantar y soportar con seguridad el vehículo.

5. Desmontar los conjuntos rueda y neumático delanteros.

6. Desmontar los pasadores de retención y las tuercas almenadas que fijan los extremos de las barras de conexión con las articulaciones de la dirección. Separar los extremos de las barras de conexión de las articulaciones de la dirección. Desechar los pasadores de retención.

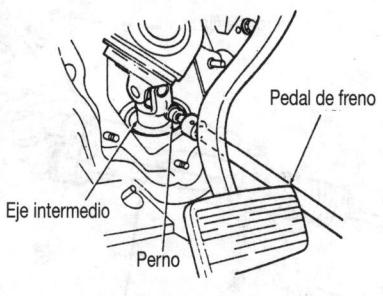

▲ Desatornillar el perno de acoplamiento del eje intermedio con el eje del piñón desde el interior del vehículo – Modelos 1995-96 con dirección manual por cremallera y piñón

7. Si tiene caja de cambios manual, desatornillar la tuerca de la barra estabilizadora de la palanca de la caja de cambios y desconectar la barra y el apoyo de la caja de cambios.

8. Desatornillar las tuercas que fijan los soportes de montaje del piñón y la cremallera (mecanismo de la dirección) al mamparo. Desmontar los soportes de montaje.

9. Desmontar el conjunto cremallera y piñón del vehículo.

Para instalar:

10. Colocar el conjunto cremallera y piñón en su posición de montaje e instalar los soportes de montaje y las tuercas de retención. Apretar las tuercas a 27-38 pie-lb (37-52 Nm).

11. Si tiene caja de cambios manual, conectar la barra estabilizadora de la palanca de cambios. Atornillar la tuerca a 23-34 pie-lb (31-46 Nm).

12. Instalar los extremos de la barra de conexión a las articulaciones de la dirección. Instalar las tuercas almenadas y apretarlas a las especificaciones. Instalar un pasador de retención nuevo.

13. Instalar los conjuntos rueda neumático delanteros.

14. Bajar el vehículo.

15. Instalar el perno del eje intermedio con el eje del piñón y apretarlos a 33 pie-lb (45 Nm).

16. Instalar el manguito del tubo de la columna de la dirección y las cinco tuercas de fijación. Apretarlos a 35 plg-lb (4 Nm).

17. Conectar el cable negativo de la batería.

18. Comprobar la alineación y ajustar la convergencia de las ruedas delanteras si es necesario.

19. Probar el vehículo en carretera y comprobar que el sistema de la dirección funciona correctamente.

Asistida (hidráulica)

MODELOS 1995-96

1. Desconectar el cable negativo de la batería.

2. Desde el interior del compartimiento del pasajero, desmontar las tuercas del manguito del tubo de la columna de la dirección de la base de la columna y desmontar los manguitos.

3. Desmontar el perno del eje intermedio con el eje del piñón.

4. Levantar y soportar con seguridad el vehículo.

5. Desmontar los conjuntos rueda y neumático delanteros.

6. Desmontar el protector contra salpicaduras de la izquierda.

7. Desmontar los pasadores de retención y las tuercas almenadas de los extremos de la barra de conexión. Utilizando una herramienta adecuada, separar los extremos de la barra de conexión de las articulaciones de la dirección. Desechar los pasadores de chaveta.

8. Desmontar la cinta que sujeta las tuberías de la dirección asistida con la carcasa de la cremallera y piñón del mecanismo de la dirección y desechar la cinta.

9. Desconectar las tuberías de presión y retorno del conjunto cremallera y piñón y taponar las tuberías.

10. Si tiene transmisión/caja de cambios manual, desconectar la barra estabilizadora de la caja de cambios y la barra de control de cambios, de la transmisión/caja de cambios.

11. Desmontar las tuercas de retención de los soportes de montaje de la cremallera y piñón.

12. Desmontar el conjunto cremallera y piñón del lado izquierdo del vehículo.

Para instalar:

13. Colocar el conjunto cremallera y piñón en su posición de montaje.

14. Instalar los soportes de montaje de la cremallera y piñón. Instalar las tuercas de retención y apretarlas a 28-38 pie-lb (37-57 Nm).

15. Si tiene caja de cambios manual, conectar la barra estabilizadora de la caja de cambios y la barra de control de cambios. Apretar la tuerca de la barra estabilizadora de la caja de cambios a 23-34 pie-lb (31-46 Nm) y la tuerca de la barra de control de cambios a 12-17 pie-lb (16-23 Nm).

16. Quitar los tapones y conectar las tuberías de presión y retorno al conjunto cremallera y piñón. Apretar las tuercas a 22-28 pie-lb (29-39 Nm).

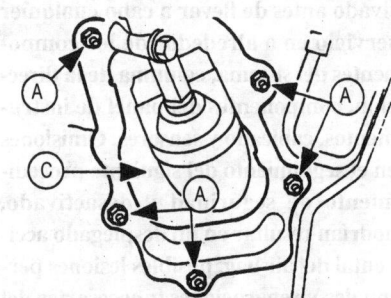

▲ Desatornillar las tuercas (A) del manguito del tubo de la columna de la dirección en la base de la columna (C) y desmontar los manguitos del tubo – Modelos 1997-99

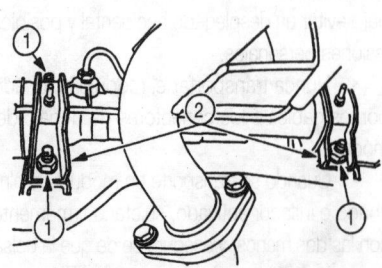

▲ Desatornillar las tuercas de retención (1) de los soportes de montaje (2) de la cremallera y piñón y desmontar los soportes – Modelos 1997-99

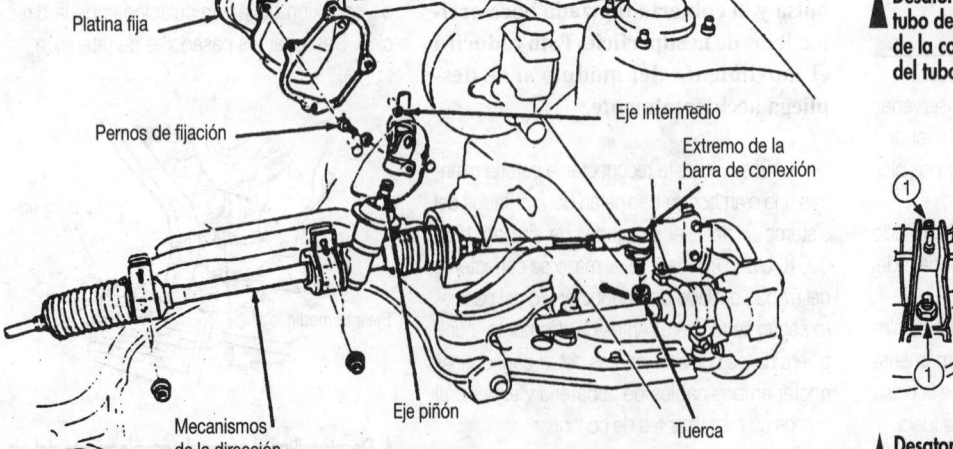

▲ Vista en desarme del montaje de la cremallera de la dirección – Modelos 1995-96

Platina fija

Pernos de fijación

Eje intermedio

Extremo de la barra de conexión

Mecanismos de la dirección

Eje piñón

Tuerca

17. Instalar una cinta nueva para sujetar las tuberías de la dirección asistida a la carcasa de la cremallera y piñón.

18. Instalar los extremos de la barra de conexión en las articulaciones de la dirección e instalar las tuercas almenadas. Apretar a la especificación. Instalar un pasador de retención nuevo.

19. Instalar el protector contra salpicaduras del lado izquierdo.

20. Instalar los conjuntos rueda y neumático.

21. Bajar el vehículo.

22. Desde el interior del vehículo, instalar el perno del eje del intermedio con el eje del piñón. Apretar el perno a 30-36 pie-lb (40-50 Nm).

23. Instalar el manguito del tubo de la columna de la dirección y las cinco tuercas de retención. Apretar las tuercas de retención a 35 plg-lb (4 Nm).

24. Conectar el cable negativo de la batería.

25. Llenar y sangrar el sistema de dirección asistida.

26. Comprobar la alineación y ajustar si es necesario.

27. Poner en marcha el motor y comprobar que no existan fugas.

28. Probar el vehículo en carretera y comprobar que el sistema de dirección funciona correctamente.

MODELOS 1997-99

1. Girar la llave a la posición ACC.

2. Desde el interior del compartimiento del pasajero, desmontar las tuercas de los manguitos del tubo de la columna de la dirección de la base de la columna, y desmontar los manguitos del tubo.

3. Desmontar el perno de presión del acoplamiento del eje de entrada de la columna de la dirección con el eje de entrada del mecanismo de la dirección.

4. Levantar y soportar con seguridad el vehículo.

5. Desmontar los conjuntos rueda y neumático delanteros.

6. Con una herramienta adecuada, separar los extremos de la barra de conexión de las articulaciones de la dirección. Desechar los pasadores de retención.

7. Desmontar el protector contra salpicaduras inferior del lado derecho.

8. Desatornillar los pernos y desmontar el travesaño.

9. Desconectar las tuberías de presión y retorno del conjunto cremallera y piñón y taponar las tuberías.

10. Desmontar y desechar la cinta que sujeta las mangueras al mecanismo de la dirección.

11. Si tiene caja de cambios manual, desconectar la barra de cambios y la horquilla de la caja de cambios.

12. Si tiene caja de cambios manual, desatornillar la tuerca de la barra de extensión y desconectar la barra estabilizadora de la palanca de cambios y el apoyo, de la caja de cambios.

13. Desatornillar las tuercas de retención de las abrazaderas de montaje del piñón y la cremallera y desmontar las abrazaderas.

14. Desmontar el pasador de empuje y colocar el manguito del lado derecho a un lado.

15. Desmontar el conjunto cremallera y piñón del lado derecho del vehículo.

Para instalar:

16. Colocar el conjunto cremallera y piñón en su posición de montaje.

17. Alinear el acoplamiento del eje de entrada de la columna de la dirección y el eje de entrada del mecanismo de la dirección.

18. Instalar los soportes de montaje de la cremallera y piñón. Instalar las tuercas de retención y apretarlas a 28-38 pie-lb (37-57 Nm).

19. Si tiene caja de cambios manual conectar la barra estabilizadora de la caja de cambios, el apoyo y la barra de cambios con la horquilla.

➡ **Instalar sellos nuevos de Teflon® en el rácor de la manguera de presión de la dirección asistida, y asegurarse de que las roscas están limpias antes de conectar la manguera.**

20. Quitar los tapones y conectar las tuberías de presión y retorno al conjunto cremallera y piñón. Apretar el rácor de la manguera de presión a 21-25 pie-lb (28-33 Nm) y el rácor de la tubería de retorno a 20-25 pie-lb (27.3-33.9 Nm).

21. Instalar una cinta nueva para sujetar las tuberías de la dirección asistida a la carcasa de la cremallera y piñón.

22. Instalar el travesaño y apretar los pernos a 69-97 pie-lb (94-131 Nm).

23. Colocar el protector del manguito del lado derecho en su lugar e instalar el pasador de empuje.

24. Instalar el protector contra salpicaduras del lado derecho.

25. Instalar los extremos de la barra de conexión en las articulaciones de la dirección e instalar las tuercas almenadas. Apretar a la especificación. Instalar pasadores de retención nuevos.

26. Instalar los conjuntos rueda y neumático.

27. Bajar el vehículo.

28. Instalar el perno de presión del acoplamiento del eje de entrada de la columna de la dirección con el eje de entrada del mecanismo de la dirección, apretar el perno a 30-36 pie-lb (40-50 Nm).

29. Instalar los manguitos del tubo de la columna de la dirección y los cinco retenedores. Apretar los retenedores a 18-52 plg-lb (2-5.9 Nm).

30. Conectar el cable negativo de la batería.

31. Llenar y sangrar el sistema de la dirección asistida.

32. Comprobar la alineación y ajustar si es necesario.

33. Poner en marcha el motor y comprobar que no existan fugas.

34. Probar el vehículo en carretera y comprobar que el sistema de dirección funciona correctamente.

POSTE

DESMONTAJE E INSTALACIÓN

Delantero

1. Desconectar el cable negativo de la batería.

2. Levantar y soportar con seguridad el vehículo.

3. Desmontar el conjunto rueda neumático delantero.

4. Desmontar la presilla que fija la manguera del freno al conjunto del poste (resorte y amortiguador). Si tiene frenos antibloqueo, desmontar el mazo de cables del freno antibloqueo y la presilla.

5. Desatornillar las dos tuercas y los dos pernos que fijan el conjunto del poste a la articulación de la dirección.

6. Desatornillar las cuatro tuercas superiores de retención del poste y desmontar el conjunto del poste del vehículo.

▼ AVISO ▼

Nunca desmontar la tuerca del vástago del pistón del poste a menos que el resorte esté comprimido. Siempre utilizar gafas de seguridad cuando utilice un compresor de resortes.

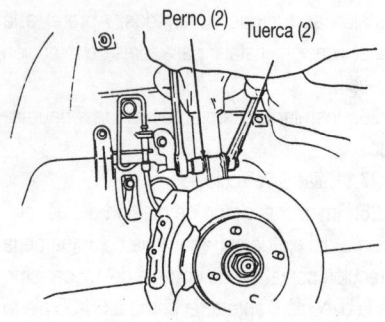

▲ **Desmontar las dos tuercas y los dos pernos que fijan el conjunto del poste a la articulación de la dirección**

Tuercas de bloqueo montaje superior

▲ **Desatornillar las tuercas de retención del soporte de montaje superior del conjunto del poste delantero**

7. Inspeccionar todos los componentes y sustituir lo que sea necesario.

Para instalar:

8. Colocar el conjunto del poste en el alojamiento de la rueda. Asegurarse de que el indicador de dirección en el soporte de montaje superior quede con la cara adentro.

9. Fijar el soporte de montaje superior a la torre del poste con las tuercas de retención. Apretar las tuercas a 22-30 pie-lb (29-40 Nm).

10. Acoplar el conjunto del poste a la articulación de la dirección e instalar los pernos y las tuercas de retención. Apretarlos a 69-93 pie-lb (93-127 Nm).

11. Colocar la manguera del freno en el conjunto del poste y fijarla con una presilla para mangueras de freno. Si tiene frenos antibloqueo, instalar el mazo de cables del antibloqueo y la presilla.

12. Instalar el conjunto de rueda y neumático delantero.

13. Bajar el vehículo.

14. Conectar el cable negativo de la batería.

15. Comprobar la alineación de las ruedas delanteras.

16. Probar el vehículo en carretera y comprobar que funcione correctamente.

Trasero

MODELOS 1995-96

1. Desconectar el cable negativo de la batería.

2. Levantar y soportar con seguridad el vehículo.

3. Desmontar el conjunto de rueda y neumático.

4. Desmontar la presilla que fija la manguera del freno al conjunto del poste trasero.

5. Si está equipado con frenos antibloqueo, desmontar el mazo de cables del freno antibloqueo (ABS) de la presilla sobre el conjunto del poste.

6. Desmontar los pernos y las tuercas que fijan el conjunto del poste trasero al mango de la rueda.

7. Bajar parcialmente el vehículo.

8. En modelos con puerta trasera y vagón, desmontar el cuarto panel de guarnición.

9. Desatornillar las dos tuercas de retención del aislante superior del poste y desmontar el conjunto del poste trasero del vehículo.

Para instalar:

10. Colocar el conjunto del poste en el alojamiento de la rueda del vehículo.

11. Instalar las dos tuercas de retención del aislante superior del poste y apretarlas a 22-27 pie-lb (29-40 Nm).

12. En modelos con puerta trasera y vagón, instalar el cuarto panel de guarnición.

13. Instalar los pernos y las tuercas que fijan el conjunto del poste al conjunto del mango de la rueda trasera. Apretar los pernos y las tuercas inferiores del poste a 69-93 pie-lb (93-127 Nm).

14. Instalar la presilla que fija la manguera flexible del freno al conjunto del poste trasero.

15. Si está equipado con frenos antibloqueo, instalar el mazo de cables del freno antibloqueo (ABS) en la presilla.

16. Instalar el conjunto de rueda y neumático.

17. Bajar el vehículo.

18. Conectar el cable negativo de la batería.

19. Comprobar la alineación de las ruedas traseras.

20. Probar el vehículo en carretera y comprobar que funcione correctamente.

MODELOS 1997-99

1. Desconectar el cable negativo de la batería.

2. En modelos sedán y cupé, desmontar el panel de guarnición de la bandeja del equipaje.

3. En modelos vagón, desmontar el cuarto panel de guarnición.

4. Desatornillar las dos tuercas de retención superiores del poste.

5. Levantar y soportar con seguridad el vehículo.

6. Desmontar el conjunto de rueda y neumático.

7. Desmontar la presilla que fija la manguera del freno al conjunto del poste trasero.

8. Si tiene frenos antibloqueo (antiamarre), desatornillar el perno del sensor del freno antibloqueo (ABS).

9. Desmontar los pernos y las tuercas que fijan el conjunto del poste trasero al mango de la rueda.

10. Desmontar el conjunto del poste del vehículo.

Para instalar:

11. Colocar el conjunto del poste dentro del alojamiento de la rueda del vehículo.

12. Instalar los pernos y las tuercas que fijan el conjunto del poste al conjunto del mango de la rueda trasera. Apretar los pernos y las tuercas inferiores del poste a 76-100 pie-lb (103-136 Nm).

13. Si tiene frenos antibloqueo, apretar el perno del sensor del freno antibloqueo (ABS).

14. Instalar la presilla que fija la manguera flexible del freno al conjunto del poste trasero.

15. Instalar el conjunto de rueda y neumático.

16. Bajar el vehículo.

17. Instalar las dos tuercas de retención superiores del poste y apretarlas a 34-46 pie-lb (47-62 Nm).

18. Instalar el panel de guarnición.

19. Conectar el cable negativo de la batería.

20. Comprobar la alineación de las ruedas traseras.

21. Probar el vehículo en carretera y comprobar que funcione correctamente.

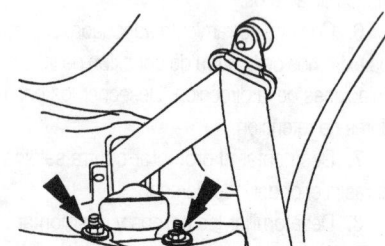

▲ **Localización de las dos tuercas superiores de retención (flechas) del poste trasero dentro del vehículo – Modelos 1997-99**

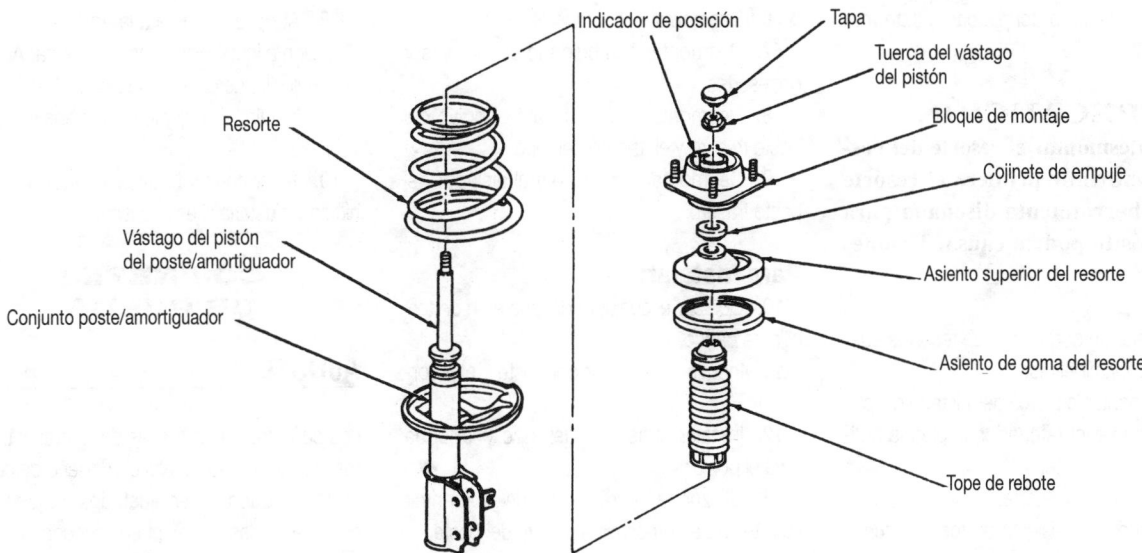

Etiquetas del diagrama:
- Indicador de posición
- Tapa
- Tuerca del vástago del pistón
- Bloque de montaje
- Cojinete de empuje
- Resorte
- Asiento superior del resorte
- Vástago del pistón del poste/amortiguador
- Asiento de goma del resorte
- Conjunto poste/amortiguador
- Tope de rebote

▲ Vista en desarme del conjunto del poste – Modelos 1995-96

RESORTE

DESMONTAJE E INSTALACIÓN

Delantero

MODELOS 1995-96

1. Desmontar el conjunto del poste.
2. Desmontar la tapa de la parte superior del poste.
3. Colocar el conjunto del poste en un tornillo de banco, sujetar el vástago del pistón en su lugar y aflojar la tuerca del vástago del pistón.

▼ AVISO ▼
Siempre utilizar gafas de seguridad cuando se utilice un compresor de resortes.

4. Instalar una herramienta adecuada de comprimir resortes sobre el resorte.
5. Comprimir el resorte utilizando la herramienta.
6. Desmontar la tuerca del vástago del pistón del poste, el bloque de montaje delantero, el cojinete de empuje, el asiento superior del resorte, el asiento de goma del resorte, el resorte y el tope de rebote.

Para instalar:

7. Colocar el tope de rebote en el poste.
8. Con el resorte comprimido, colocar el resorte en el conjunto del poste.
9. Instalar el asiento de goma del resorte, el asiento superior del resorte, el cojinete de

empuje, el bloque de montaje y la tuerca del vástago del pistón. Apretar la tuerca del vástago del pistón a 58-81 pie-lb (79-110 Nm).

10. Después de haber apretado la tuerca del vástago del pistón a la especificación dada, desmontar con cuidado la herramienta del compresión del resorte, mientras se asegura de que el resorte está correctamente asentado en sus asientos superior e inferior.

11. Instalar la tapa en la parte superior del poste.

➡ **El indicador de posición en el bloque de montaje debe estar encarado hacia dentro durante la instalación.**

12. Instalar el conjunto del poste en el vehículo.

13. Hacer comprobar la alineación del vehículo y ajustarla si es necesario.

MODELOS 1997-99

1. Desmontar el conjunto del poste.
2. Colocar el conjunto del poste en un tornillo de banco.

▼ AVISO ▼
Siempre usar gafas de seguridad cuando se utilice un compresor de resortes.

3. Instalar una herramienta adecuada de comprimir resortes en el resorte, y comprimir el resorte.

4. Desatornillar la tuerca del vástago del pistón y desmontar el soporte de montaje superior.

5. Desmontar el tope de rebote, la funda para el polvo, el asiento de goma del resorte, el resorte, el asiento superior del resorte y el cojinete de empuje.

Para instalar:

6. Instalar el cojinete de empuje, el asiento superior del resorte, el resorte, el asiento de goma del resorte, la funda para el polvo y el tope de rebote.

7. Instalar la tuerca del vástago del pistón y apretarla a 58-81 pie-lb (79-110 Nm).

8. Después de que la tuerca del vástago del pistón haya sido apretada a la especificación dada, desmontar con cuidado la herramienta de compresión del muelle mientras se asegura que el muelle queda asentado correctamente en sus asientos superior e inferior.

9. Instalar el conjunto del poste en el vehículo.

10. Tener comprobada la alineación del vehículo y ajustarla si es necesario.

Trasero

MODELOS 1995-96

1. Colocar el conjunto del poste en un tornillo de banco y fijar el conjunto por el soporte del aislador superior.

2. Desmontar la tapa y aflojar la tuerca del vástago del pistón una vuelta. No desmontar

la tuerca del vástago del pistón en este momento.

▼ PRECAUCIÓN ▼

Intentar desmontar el resorte del poste sin comprimir primero el resorte con una herramienta diseñada para ese propósito podría causar lesiones corporales.

3. Instalar un compresor de resortes adecuado y comprimir el resorte.

4. Desmontar la tuerca del vástago del pistón, la arandela, el retenedor, la platina antiresonante, y el aislante.

5. Desmontar el resorte.

6. Desmontar el asiento del tope y la funda para el polvo del pistón del poste.

Para instalar:

7. Colocar el conjunto del poste en un tornillo de banco y fijarlo.

8. Instalar la funda para el polvo y el asiento del tope en el vástago del pistón del poste.

9. Comprimir el resorte e instalarlo en el conjunto del poste.

10. Instalar el aislador superior del poste, luego alinear el espárrago superior del montaje del aislador del poste y el soporte inferior del conjunto del poste.

11. Instalar el retenedor, la arandela y la tuerca del vástago del pistón. Apretar la tuerca a 41-50 pie-lb (55-68 Nm).

12. Asegurarse de que el resorte está correctamente alineado, y con cuidado liberar el resorte dentro de sus asientos del poste.

13. Desmontar el compresor de resortes del resorte e instalar la tapa.

MODELOS 1997-99

1. Desmontar el conjunto del poste.

2. Colocar el conjunto del poste en un tornillo de banco.

▼ AVISO ▼

Siempre usar gafas de seguridad cuando se utilice un compresor de resortes.

3. Instalar una herramienta adecuada de comprimir resortes en el resorte, y comprimir el resorte.

4. Desmontar la cubierta de montaje superior del conjunto del poste trasero.

5. Desatornillar la tuerca del vástago del pistón y desmontar el retenedor.

6. Desmontar el aislador del poste.

7. Desmontar con cuidado el compresor de resortes.

8. Desmontar la funda para el polvo del poste trasero y el asiento del tope.

9. Desmontar el resorte y el aislador del poste trasero.

Para instalar:

10. Colocar el conjunto del poste en un tornillo de banco.

11. Instalar el aislador del poste y el resorte.

12. Instalar el asiento del tope y la funda para el polvo.

13. Utilizar la herramienta de comprimir resortes para comprimir el resorte del poste.

14. Desmontar el aislador del poste y el retenedor.

15. Instalar la tuerca del vástago del pistón y apretarla a 41-49 pie-lb (55-67 Nm).

16. Instalar la cubierta de montaje superior.

17. Asegurarse de que el resorte está correctamente alineado, y con cuidado liberar el resorte dentro de sus asientos del poste.

18. Desmontar el compresor de resortes del resorte.

19. Instalar el conjunto del poste.

RÓTULA INFERIOR

DESMONTAJE E INSTALACIÓN

1. Levantar la delantera del vehículo y soportarlo con seguridad sobre bases seguras.

2. Desmontar el conjunto de la rueda.

3. Desatornillar la tuerca y el perno de acoplamiento de la rótula inferior con la articulación de la dirección.

4. Separar la rótula de la articulación de la dirección.

5. Desatornillar los pernos y las tuercas del brazo de control inferior de la rótula. Desmontar la rótula.

Para instalar:

6. Colocar la rótula en su posición en el brazo de control inferior. Instalar los retenedores de la rótula con el brazo de control inferior. Apretar los pernos y las tuercas a 69-86 pie-lb (93-117 Nm).

7. Aplicar el compuesto para sellar roscas Loctite®, 290 o uno equivalente a la tuerca y las roscas de la rótula.

8. Acoplar la rótula a la articulación de la dirección e instalar el perno y la tuerca. Apretar el perno y la tuerca a 32-43 pie-lb (43-59 Nm).

9. Instalar el conjunto de la rueda y bajar el vehículo.

10. Tener comprobada la alineación del vehículo y ajustarla si es necesario.

COJINETES DE RUEDA

AJUSTE

Los cojinetes en las ruedas delanteras y traseras son de una sola pieza con diseño de cartucho y no pueden ser ajustados. El juego de cojinetes de las ruedas puede ser comprobado con indicador de esfera. Si el juego del cojinete de la rueda excede 0.002 plg (0.05 mm) comprobar que la tuerca de retención del cubo de la rueda tenga el par de apriete adecuado. Si el apriete es correcto, se requiere sustituir el cojinete de la rueda.

DESMONTAJE E INSTALACIÓN

Delanteros

1. Con el vehículo situado en el suelo, levantar con cuidado la parte empotrada de la tuerca de retención del semieje utilizando un cincel pequeño adecuado. Aflojar la tuerca.

2. Levantar la parte delantera del vehículo y soportarla con seguridad.

3. Desmontar el conjunto de rueda y neumático.

➡ **No desconectar la manguera del freno de la mordaza.**

4. Desmontar la mordaza del freno y fijarla aparte con un trozo de alambre. No dejar que la mordaza cuelgue de la manguera.

5. Desmontar el rotor del freno.

6. Desmontar la tuerca de retención del semieje y desecharla.

7. Desmontar el pasador de retención y la tuerca almenada del extremo de la barra de conexión y separar el extremo de la barra de conexión de la articulación de la dirección, utilizando para ello una herramienta de desmontaje adecuada. Desechar el pasador de retención.

8. Utilizar una herramienta adecuada para separar el extremo de la barra de conexión de la articulación de la rueda.

9. Si tiene sistema de frenos antibloqueo (antiamarre) (ABS), desatornillar el perno del sensor del freno antibloqueo y desmontar el sensor.

10. Desmontar las tuercas de montaje del poste y los espárragos que acoplan el conjunto del poste con la articulación de la dirección.

11. Separar el poste de la articulación de la dirección.

12. Desmontar el perno de presión de la rótula inferior. Palanquear hacia abajo con cuidado sobre el brazo de control inferior para separar el espárrago de la rótula de la articulación de la dirección.

13. Desmontar el conjunto del cubo de la rueda, la articulación y el cojinete del vehículo.

Para instalar:

14. Aplicar el compuesto para sellar roscas Loctite®, 290 o uno equivalente a la tuerca y roscas de la rótula.

15. Instalar el conjunto del cubo de rueda, articulación y cojinete en la rótula y apretar el perno de presión y la tuerca a 32-43 pie-lb (43-59 Nm).

16. Instalar el extremo de la barra de conexión y apretar la tuerca a 25-33 pie-lb (34-46 Nm). Instalar un pasador de retención nuevo.

17. Si tiene sistema de frenos antibloqueo (ABS), instalar el sensor del freno antibloqueo (ABS) y apretar el perno.

18. Acoplar la articulación al conjunto del poste y apretar las tuercas de montaje del poste a 69-93 pie-lb (93-127 Nm).

19. Instalar una tuerca de retención del semieje nueva y apretarla a 174-235 pie-lb (235-319 Nm). Empotrar la tuerca de retención utilizando un cincel adecuado con el borde de corte redondeado.

➡ **Si la tuerca se parte o agrieta después de empotrarla, tiene que ser reemplazada por una tuerca nueva.**

20. Instalar el rotor y la mordaza de freno.

21. Instalar el conjunto de rueda y neumático.

22. Bajar el vehículo.

23. Comprobar la alineación de las ruedas delanteras.

24. Probar el vehículo en carretera y comprobar que funcione correctamente.

Traseros

➡ **Los cojinetes de las ruedas están diseñados de tipo cartucho y no son serviciables. Si es necesario sustituirlos, el cojinete y el cubo tienen que ser sustituidos como un conjunto. No continuar con este procedimiento sin tener disponible una tuerca nueva de retención del cubo de la rueda. Una vez desmontada, la tuerca pierde su capacidad de fijación del apriete o su capacidad de retención, por lo que no puede ser reutilizada.**

1. Levantar y soportar con seguridad el vehículo.

2. Desmontar el conjunto de rueda y neumático.

3. Desmontar la tapa de la grasa del cubo.

4. Desmontar el tambor del freno o la mordaza y el rotor, del freno de disco si es necesario.

5. Desempotrar y desmontar la tuerca de retención del cubo de la rueda que fija el cubo al mango (mangueta), y desmontar el conjunto del cubo y el cojinete. Desechar la tuerca de retención del cubo.

6. Si tiene frenos de disco, desmontar los pernos de retención del protector del freno de disco y el protector.

7. Si tiene frenos de tambor, desmontar la placa de soporte.

8. Desmontar los pernos y las tuercas de retención del poste con el mango.

9. Desmontar el perno del brazo de arrastre que fija el brazo de arrastre al mango.

10. Desmontar las tuercas del tirante de la barra estabilizadora, los retenedores, los casquillos, las camisas y los pernos.

11. Desmontar el perno y la tuerca de los brazos de control que fijan ambos brazos de control al mango de la rueda y desmontar el mango del vehículo.

12. Revisar todos los componentes. Si el mango de la rueda está averiado, sustituirlo. Los cojinetes de las ruedas son sellados, y si están averiados tienen que ser sustituidos conjuntamente con el cubo de la rueda.

Para instalar:

13. Colocar el mango de la rueda en su posición con el poste e instalar los pernos y las tuercas de retención. Apretarlos a 69-93 pie-lb (93-127 Nm).

14. Instalar el brazo de arrastre en el mango. Instalar el perno de retención y apretarlo a 69-93 pie-lb (93-127 Nm).

15. Colocar ambos brazos de control en su posición con el mango e instalar el perno y la tuerca de retención. Apretar la tuerca a 63-86 pie-lb (85-117 Nm).

16. Instalar las tuercas del tirante de la barra estabilizadora, los retenedores, los casquillos, las camisas y los pernos.

17. Si tiene frenos de tambor, instalar la placa de soporte del freno.

18. Si tiene frenos de disco, instalar los pernos de retención, el protector del freno y el protector del disco de freno. Apretarlos firmemente.

19. Instalar el conjunto del cubo de la rueda y el cojinete en el mango de la rueda.

20. Instalar una tuerca nueva de retención del cubo de la rueda y apretarla a 130-174 pie-lb (177-235 Nm).

21. Empotrar la tuerca de retención del cubo de la rueda utilizando un capotillo o un cincel con el extremo redondeado. No utilizar un cincel afilado para empotrar la tuerca del cubo.

22. Instalar el tambor de freno o el rotor del freno de disco y la mordaza, si lo tiene.

23. Instalar la tapa de grasa del cubo.

24. Instalar el conjunto de rueda y neumático.

25. Bajar el vehículo.

26. Pisar varias veces el pedal del freno para acomodar la guarnición del freno antes de intentar mover el vehículo.

27. Probar el vehículo en carretera y comprobar que funciona correctamente.

FORD MOTOR CO.
TRACCIÓN TRASERA
Contour - Mercury Mystique - Cougar (1999)

ESPECIFICACIONES	**130**
REPARACIÓN DEL MOTOR	**134**
Sincronización del encendido	134
Conjunto motor	134
Bomba de agua	141
Culata de cilindros	142
Balancines	145
Múltiple de admisión	146
Múltiple de escape	149
Sello de aceite delantero del cigüeñal	151
Árbol de levas y levantaválvulas	151
Holgura de válvulas	155
Depósito de aceite	155
Bomba de aceite	157
Sello de aceite trasero del cigüeñal	159
Cadena de distribución, poleas dentadas, tapa delantera y sello de aceite	159

SISTEMA DE COMBUSTIBLE	**165**
Precauciones en el servicio del sistema de combustible	165
Presión del sistema de combustible	165
Descarga de la presión	165
Filtro de combustible	165
Bomba de combustible	166
TREN DE TRANSMISIÓN	**167**
Conjunto de transmisión	167
Embrague	173
Sistema de embrague hidráulico	174
Semieje	175
DIRECCIÓN Y SUSPENSIÓN	**177**
Air bag	177
Mecanismo de la dirección asistida de cremallera y piñón	177
Poste y resorte helicoidal	180
Rótula inferior	183
Cojinetes de rueda	183

ESPECIFICACIONES
FORD MOTOR CO.
TRACCIÓN TRASERA
Ford Contour - Mercury Mystique - Cougar (1999)

TABLA DE IDENTIFICACIÓN DEL VEHÍCULO

Clave del motor						Año-Modelo	
Clave	Litros	Plg³ (cc)	Cil.	Sist. combustible	Fab. motor	Clave	Año
3	2.0	122 (1999)	4	SFI	Ford	S	1995
L	2.5	153 (2507)	6	SFI	Ford	T	1996
						V	1997
						W	1998
						X	1999

SFI - Inyección de combustible secuencial.

IDENTIFICACIÓN DEL MOTOR
Todas las medidas expresadas en pulgadas

Año	Modelo	Cilindrada del motor litros (cc)	Serie del motor ID/VIN	Sistema de combustible	N° de cilindros	Tipo de motor
1995	Contour	2.0 (1999)	3	SFI	4	DOHC
	Contour	2.5 (2507)	L	SFI	6	DOHC
	Mystique	2.0 (1999)	3	SFI	4	DOHC
	Mystique	2.5 (2507)	L	SFI	6	DOHC
1996	Contour	2.0 (1999)	3	SFI	4	DOHC
	Contour	2.5 (2507)	L	SFI	6	DOHC
	Mystique	2.0 (1999)	3	SFI	4	DOHC
	Mystique	2.5 (2507)	L	SFI	6	DOHC
1997	Contour	2.0 (1999)	3	SFI	4	DOHC
	Contour	2.5 (2507)	L	SFI	6	DOHC
	Mystique	2.0 (1999)	3	SFI	4	DOHC
	Mystique	2.5 (2507)	L	SFI	6	DOHC
1998-99	Contour	2.0 (1999)	3	SFI	4	DOHC
	Contour	2.5 (2507)	L	SFI	6	DOHC
	Cougar	2.0 (1999)	3	SFI	4	DOHC
	Cougar	2.5 (2507)	L	SFI	6	DOHC
	Mystique	2.0 (1999)	3	SFI	4	DOHC
	Mystique	2.5 (2507)	L	SFI	6	DOHC

SFI - Inyección de combustible secuencial.
DOHC - Doble árbol de levas sobre culata.

ESPECIFICACIONES GENERALES DEL MOTOR

Año	Motor ID/VIN	Cilindrada del motor litros (cc)	Sistema de combustible	Caballaje neto @ rpm	Torsión neta. @ rpm (pie-lb)	Diámetro x carrera (plg)	Relación de compresión	Presión de aceite @ rpm
1995	3	2.0 (1999)	SFI	125@6000	130@4500	3.39x3.46	9.6:1	20-45@1500
	L	2.5 (2507)	SFI	170@6200	165@4200	3.25x3.13	9.7:1	25-45@1500
1996	3	2.0 (1999)	SFI	125@5500	130@4000	3.39x3.46	9.6:1	20-45@1500
	L	2.5 (2507)	SFI	170@6200	165@4200	3.25x3.13	9.7:1	20-45@1500
1997	3	2.0 (1999)	SFI	125@5500	130@4000	3.39x3.46	9.6:1	20-45@1500
	L	2.5 (2507)	SFI	170@6200	165@4200	3.25x3.13	9.7:1	20-45@1500
1998-99	3	2.0 (1999)	SFI	125@5500	130@4000	3.39x3.46	9.6:1	20-45@1500
	L	2.5 (2507)	SFI	170@6200	165@4200	3.25x3.13	9.7:1	20-45@1500

SFI - Inyección de combustible secuencial.

ESPECIFICACIONES PARA AFINACIONES DE MOTORES DE GASOLINA

Año	Motor ID/VIN	Cilindrada del motor litros (cc)	Bujías Abertura (plg)	Sincronización ignición (grados)		Bomba de combustible (lb/plg^2)	Marcha mínima (rpm)		Holgura válvulas	
				MT	AT		TM	TA	Admisión	Escape
1995	3	2.0 (1999)	0.050	10B	10B	30-38 ①	880	800	HYD	HYD
	L	2.5 (2507)	0.054	10B	10B	30-36 ①	②	②	HYD	HYD
1996	3	2.0 (1999)	0.050	10B	10B	37-41 ①	②	②	HYD	HYD
	L	2.5 (2507)	0.054	10B	10B	37-41 ①	②	②	HYD	HYD
1997	3	2.0 (1999)	0.050	10B	10B	37-41 ①	②	②	HYD	HYD
	L	2.5 (2507)	0.054	10B	10B	37-41 ①	②	②	HYD	HYD
1998-99	3	2.0 (1999)	0.050	10B	10B	37-41 ①	②	②	HYD	HYD
	L	2.5 (2507)	0.054	10B	10B	37-41 ①	②	②	HYD	HYD

Nota: la etiqueta de información sobre el control de emisiones del vehículo, refleja a menudo cambios en las especificaciones llevados a cabo durante la producción. Deberán utilizarse los datos de la etiqueta, en caso de que difieran de los de esta tabla.
B - Antes del punto muerto superior.
HYD - Hidráulico.
① Presión del combustible con el motor en marcha, y la manguera de vacío del regulador de presión, conectada.
② Véase la etiqueta de información sobre el control de emisiones del vehículo.

CAPACIDADES

Año	Modelo	Motor ID/VIN	Cilindrada del motor litros (cc)	Aceite del motor con filtro (qts)	Transmisión (pts)			Eje motriz		Tanque combus- tible (gal)	Sistema de refrigera- ción (qts)
					4 vel.	5 vel.	Auto.	Delantero (pts)	Trasero (pts)		
1995	Contour	3	2.0 (1999)	4.5	—	5.5	18.0 ①	②	—	14.5	③
	Contour	L	2.5 (2507)	5.5	—	5.5	20.6 ①	②	—	14.5	④
	Mystique	3	2.0 (1999)	4.5	—	5.5	18.0 ①	②	—	14.5	③
	Mystique	L	2.5 (2507)	5.5	—	5.5	20.6 ①	②	—	14.5	④
1996	Contour	3	2.0 (1999)	4.5	—	5.5	18.0 ①	②	—	14.5	③
	Contour	L	2.5 (2507)	5.8	—	5.5	20.6 ①	②	—	14.5	④
	Mystique	3	2.0 (1999)	4.5	—	5.5	18.0 ①	②	—	14.5	③
	Mystique	L	2.5 (2507)	5.8	—	5.5	20.6 ①	②	—	14.5	④
1997	Contour	3	2.0 (1999)	4.5	—	5.5	18.0 ①	②	—	14.5	③
	Contour	L	2.5 (2507)	5.8	—	5.5	20.6 ①	②	—	14.5	④
	Mystique	3	2.0 (1999)	4.5	—	5.5	18.0 ①	②	—	14.5	③
	Mystique	L	2.5 (2507)	5.8	—	5.5	20.6 ①	②	—	14.5	④
1998-99	Contour	3	2.0 (1999)	4.5	—	5.5	18.0 ①	②	—	14.5	③
	Contour	L	2.5 (2507)	5.8	—	5.5	20.6 ①	②	—	14.5	④
	Cougar	3	2.0 (1999)	4.5	—	5.5	18.0 ①	②	—	14.5	④
	Cougar	L	2.5 (2507)	5.8	—	5.5	20.6 ①	②	—	14.5	④
	Mystique	3	2.0 (1999)	4.5	—	5.5	18.0 ①	②	—	14.5	③
	Mystique	L	2.5 (2507)	5.8	—	5.5	20.6 ①	②	—	14.5	④

Nota: todas las capacidades son aproximadas. Añadir el fluido gradualmente, y asegurarse de alcanzar el nivel correcto.
① Incluye el convertidor de par.
② Incluye la capacidad de la transmisión.
③ Transmisión automática: 7.5 qts.
  Transmisión manual: 7.0 qts.
④ Transmisión automática: 9.1 qts.
  Transmisión manual: 8.9 qts.

ESPECIFICACIONES DE VÁLVULAS

Año	Motor ID/VIN	Cilindrada del motor litros (cc)	Ángulo del asiento (grados)	Ángulo de cara (grados)	Presión prueba del resorte (lb @ plg)	Altura resorte instalado (plg)	Holgura entre vástago y guía (plg)		Diámetro del vástago (plg)	
							Admisión	Escape	Admisión	Escape
1995	3	2.0 (1999)	45	45	NA	1.346	0.0007-0.0025	0.0014-0.0032	0.2373-0.2379	0.2366-0.2372
	L	2.5 (2507)	44.75	45.5	153@1.18	1.570	0.0007-0.0027	0.0017-0.0037	0.2350-0.2358	0.2343-0.2350
1996	3	2.0 (1999)	45	45	NA	1.346	0.0007-0.0025	0.0014-0.0032	0.2373-0.2379	0.2366-0.2372
	L	2.5 (2507)	44.75	45.5	153@1.18	1.570	0.0007-0.0027	0.0017-0.0037	0.2350-0.2358	0.2343-0.2350
1997	3	2.0 (1999)	45	45	NA	1.346	0.0007-0.0025	0.0014-0.0032	0.2373-0.2379	0.2366-0.2372
	L	2.5 (2507)	44.75	45.5	153@1.18	1.570	0.0007-0.0027	0.0017-0.0037	0.2350-0.2358	0.2343-0.2350
1998-99	3	2.0 (1999)	45	45	NA	1.346	0.0007-0.0025	0.0014-0.0032	0.2373-0.2379	0.2366-0.2372
	L	2.5 (2507)	44.75	45.5	153@1.18	1.570	0.0007-0.0027	0.0017-0.0037	0.2350-0.2358	0.2343-0.2350

ESPECIFICACIONES DE TORSIÓN
Todas las medidas están en pie-lb

Año	Motor ID/VIN	Cilindrada del motor litros (cc)	Tornillos culata de cilindros	Tornillos cojinete principal	Tornillos cojinete de biela	Tornillos amortiguador cigüeñal	Tornillos volante	Múltiples		Bujías	Tornillos de orejas
								Admisión	Escape		
1995	3	2.0 (1999)	①	55-66	②	81-89	80-87	12-15	13-16	9-13	63
	L	2.5 (2507)	③	④	⑤	⑥	54-64	6-9	13-16	7-15	63
1996	3	2.0 (1999)	①	55-66	②	81-89	80-87	12-15	13-16	9-13	63
	L	2.5 (2507)	③	④	⑤	⑥	54-64	6-9	13-16	7-15	63
1997	3	2.0 (1999)	①	55-66	②	81-89	80-87	12-15	13-16	9-13	63
	L	2.5 (2507)	③	④	⑤	⑥	54-64	6-9	13-16	7-15	63
1998-99	3	2.0 (1999)	①	55-66	②	81-89	80-87	12-15	13-16	9-13	63
	L	2.5 (2507)	③	④	⑤	⑥	54-64	6-9	13-16	7-15	63

Nota: seguir siempre las pautas de apriete correctas.

Nota: los tornillos de alargamiento controlado (estiramiento) se utilizan en todos los procedimiento que requieren girar el tornillo un cierto número de grados. Los tornillos quedan deformados permanentemente y no pueden utilizarse otra vez. Para volver a montar, sustituirlos por tornillos nuevos.

① Fase 1: 15-22 pie-lb.
   Fase 2: 30-37 pie-lb.
   Fase 3: girar 90-120 grados.

② Fase 1: 22-25 pies-libras.
   Fase 2: girar cada tornillo 85-95 grados.

③ Fase 1: 27-32 pies-libras.
   Fase 2: girar 85-95 grados.
   Fase 3: aflojar los tornillos y después repetir Fase 1.
   Fase 4: girar 85-95 grados.
   Fase 5: repetir Fase 4.

④ Fase 1: 2.0-3.6 pie-lb.
   Fase 2: empujar el cigüeñal hacia atrás.
   Posicionar ligeramente la arandela del cigüeñal hacia delante.
   Fase 3: tornillos tapa exterior: 16-21 pie-lb.
   Fase 4: tornillos tapa interior: 27-32 pie-lb.
   Fase 5: girar tornillos de tapa exterior e interior 85-95 grados.
   Fase 6: tornillos restantes: 15-22 pie-lb.

⑤ 26-33 pie-lb, más 90-120 grados.

⑥ Fase 1: 89 pie-lb.
   Fase 2: aflojar tornillo.
   Fase 3: 35-39 pie-lb.
   Fase 4: girar 85-95 grados.

REPARACIÓN DEL MOTOR

➡ La desconexión del cable negativo de la batería de algunos vehículos puede interferir en las funciones de los ordenadores de abordo y puede ser necesario volver a programar el ordenador, una vez el cable negativo de la batería se haya vuelto a conectar.

SINCRONIZACIÓN DEL ENCENDIDO

AJUSTE

La sincronización del encendido está puesta a punto a 10 grados antes del punto muerto superior (APMS) y no es ajustable.

CONJUNTO MOTOR

DESMONTAJE E INSTALACIÓN

Motor 2.0L

▼ PRECAUCIÓN ▼

El sistema de combustible se mantiene bajo presión, incluso una vez parado el motor. La presión del sistema de combustible tiene que descargarse antes de desconectar cualquier conducción de combustible. Dejar de hacerlo puede dar lugar a un incendio y/o daños personales.

1. Desconectar los cables de la batería, desconectando primero el cable negativo.

▼ PRECAUCIÓN ▼

Algunos modelos incluidos en este manual pueden estar equipados con un Sistema Restringido Suplementario (SRS), el cual utiliza un air bag. Siempre que estemos trabajando cerca de algunos componentes del SRS, tales como los sensores de impacto, el módulo de air bag, la columna de la dirección y el tablero de instrumentos, desactivar adecuadamente el SRS.

2. Descargar la presión del sistema de combustible utilizando el procedimiento recomendado.

▼ PRECAUCIÓN ▼

Observar todas las precauciones de seguridad posibles, cuando se trabaje cerca de combustible. Siempre que realicemos un servicio en el sistema de combustible, trabajar en una área bien ventilada. No dejar que la pulverización o los vapores de combustible se pongan en contacto con una chispa o llama. Tener un extintor cerca del área de trabajo. Mantener siempre el combustible en un contenedor específicamente diseñado para el almacenamiento de combustible; los contenedores de combustible tienen que ser siempre de cierre hermético, para evitar la posibilidad de incendio o explosión.

3. Desmontar el tornillo de presión y desconectar el eje de la columna de la dirección y la junta del cubretablero, en la parte interior del vehículo.

4. Desmontar el filtro de aire del motor y los resonadores de admisión de aire del motor.

5. Recuperar adecuadamente el refrigerante del sistema de aire acondicionado.

6. Elevar y asegurar con soportes el vehículo.

7. Desmontar la protección contra salpicaduras situada entre el bastidor auxiliar y la carrocería.

8. Desmontar el catalizador.

▼ PRECAUCIÓN ▼

La autoridad sanitaria advierte que el contacto prolongado con el aceite de motor usado puede causar algunos trastornos en la piel e incluso cáncer. Por ello se deberá intentar reducir al mínimo el contacto con el aceite de motor usado. Utilizar guantes como protección, cuando se cambie el aceite. Lavarse las manos y cualquier otra área de la piel expuesta, a ser posible inmediatamente después de haber estado en contacto con el aceite del motor. Se debe usar agua y jabón o un limpiador de manos de tipo seco.

9. Vaciar el sistema de refrigeración del motor y el aceite del motor.

▼ PRECAUCIÓN ▼

Nunca abrir, serviciar o vaciar el radiador o sistema de refrigeración, cuando está caliente; pueden producirse serias quemaduras por los vapores y el líquido refrigerante caliente.

10. Desmontar los conjuntos de rueda y neumático delanteros.

11. Separar los eslabones izquierdo y derecho de la barra estabilizadora delantera.

12. Separar los extremos exteriores de las barras de conexión izquierda y derecha, de las articulaciones de las ruedas delanteras. Desechar los pasadores partidos (de retención).

13. Desmontar los tornillos de presión y separar los brazos oscilantes (de control) inferiores de las articulaciones de las ruedas delanteras, por las rótulas.

14. Desmontar las tuercas de retención del cubo (mazo) de las ruedas izquierda y derecha de los extremos de los semiejes y desmontar los semiejes de las articulaciones de rueda delanteras.

15. Desmontar los tornillos de retención del acumulador del sistema de aire acondicionado, del bastidor auxiliar delantero.

16. Desacoplar el haz de cables del sensor de velocidad del vehículo de su conector.

17. Desconectar el cable (chicote) propulsor del velocímetro del transeje.

18. Si el motor tiene que ser separado del transeje después de su desmontaje del vehículo, y el transeje es automático, desmontar la protección contra salpicaduras derecha, de la parte delantera, del guardabarros.

19. Desmontar el tapón de acceso de la platina trasera del motor, y desmontar las cuatro tuercas de retención del convertidor de par.

20. Empujar el convertidor de par dentro del soporte y engranaje delantero de la bomba en el transeje.

21. Desconectar los cableados del sensor de detonación y del sensor de presión de aceite, localizados en la parte derecha del bloque de cilindros.

22. Bajar el vehículo.

23. Fijar el radiador y el conjunto canalizador del ventilador en el soporte del radiador, utilizando un alambre de seguridad, o equivalente.

24. Desconectar el cable del acelerador y el actuador del control de velocidad del cuerpo de la mariposa (estrangulador o ahogador).

25. Desmontar el soporte del cable acelerador.

26. Desacoplar el cableado de los inyectores de combustible, en el conector localizado al lado del regulador de presión de combustible.

27. Desmontar los tornillos de retención del cableado de control del motor en el múltiple de admisión.

28. Desmontar el depósito auxiliar de la bomba de la dirección asistida, del soporte, y dejarla encima del conjunto motor utilizando trapos para absorber el fluido.

29. Desconectar la manguera de retorno del depósito de la dirección asistida y tapar la manguera.

▼ AVISO ▼

No permitir que el fluido de la dirección asistida entre en contacto con las correas propulsoras de accesorios.

30. Desconectar la manguera de retorno de la bomba de la dirección asistida.

31. Desconectar el cableado del interruptor de presión de la dirección asistida, situado en la manguera de presión de la dirección asistida.

32. Desconectar el cableado del alternador y la cinta de masa (tierra) del soporte del alternador.

33. Desconectar la manguera de suministro de vacío del rácor en la trasera del múltiple de admisión.

34. Desconectar las mangueras de refrigerante del depósito de recuperación del radiador.

35. Desconectar las mangueras del compresor de aire acondicionado y taparlas.

36. Desconectar las mangueras de retorno y suministro de combustible, del raíl de combustible y taparlas.

37. Desconectar la manguera de alimentación de vacío de la válvula EGR, el sensor de presión EGR y la válvula EGR, del tubo del múltiple de escape.

38. Si está equipado con transmisión automática, sacar el extremo del cable de cambio, del espárrago, desmontar los dos tornillos de retención y desmontar el cable de cambio y soporte, del transeje. Desmontar el cableado del sensor de rango de la transmisión y desmontar los retenedores del cable.

39. Desconectar la cinta de masa del transeje.

40. Desconectar el cableado de la bobina de encendido y el condensador de interferencias del encendido con la radio. Apartar el cableado.

41. Desmontar el tubo de alimentación de vacío del servofreno.

42. Desconectar la manguera superior del radiador.

43. Desmontar la manguera de emisiones de evaporación, de su conector, localizado cerca del condensador de interferencias del encendido con la radio.

44. Desconectar la manguera del calefactor, de la conexión localizada cerca de la válvula del EGR.

45. Desconectar la retención de los cables positivo y negativo de la batería, de la bandeja de la batería.

46. Si está equipado con transeje manual, desmontar la retención y desconectar la línea hidráulica de embrague, del tubo accionador del embrague en la caja del transeje.

47. Si está equipado, desconectar el cableado de alimentación del bloque calefactor, del lado izquierdo del soporte del radiador.

48. Si está equipado con transeje automático, desmontar del transeje los tubos del refrigerador de aceite de la transmisión. Desmontar el tubo de retorno del aceite del refrigerador, del soporte en el lado izquierdo del transeje.

49. Si está equipado con transeje manual, desmontar el tornillo de la barra de cambio y la tuerca de la barra estabilizadora y desmontarlo del transeje.

50. Desconectar la manguera inferior del radiador, en el radiador.

51. Desmontar los cuatro tornillos de retención de los soportes inferiores del radiador en el bastidor auxiliar delantero. Girar hacia adelante los soportes del radiador.

52. Desconectar el cableado del compresor de aire acondicionado.

53. Desconectar el cableado del motor, del sensor calefactado de oxígeno, el sensor de temperatura del refrigerante del motor y el sensor de posición del cigüeñal.

54. Desmontar los dos tornillos de retención de los tirantes de la tapa parachoques del lado izquierdo y derecho del bastidor auxiliar delantero, y girar los tirantes de la tapa hacia adelante.

55. Desconectar las mangueras del refrigerador de aceite de la dirección asistida, del bastidor auxiliar delantero derecho. Vaciar el fluido de las mangueras.

56. Bajar parcialmente el vehículo.

57. Posicionar y fijar todas las líneas, mangueras y componentes que serán desmontados junto con el motor.

58. Montar el Soporte de Apoyo del Tren Propulsor y del Bastidor Auxiliar 134-00250 o equivalente, con el Elevador del Tren Propulsor (elevador hidráulico) 134-00251 o equivalente, para sostener el conjunto del tren propulsor, para el desmontaje del vehículo.

➡ **Asegurarse de que el tren propulsor y el soporte (de apoyo) del bastidor auxiliar y el elevador, estén correctamente colocados, para asegurar el desmontaje del conjunto del tren propulsor.**

59. Desmontar los cuatro tornillos de retención del bastidor auxiliar en la carrocería.

60. Desmontar las tuercas de retención del soporte de apoyo superior delantero del motor y del aislador de soporte del motor y de la transmisión.

61. Con un auxiliar, bajar cuidadosamente el conjunto del tren de transmisión (propulsor), mientras se comprueban las interferencias con la carrocería.

62. Con el conjunto del tren de transmisión bajado del vehículo, alejar con cuidado el elevador del tren de transmisión, o equivalente, del vehículo.

63. Utilizando un Elevador de Piso 014-00071, o equivalente, y una Eslinga de Fijación del motor al elevador de piso 014-00036, o equivalente, sostener el motor, utilizando las argollas de elevación del motor.

64. Desmontar los semiejes derecho e izquierdo, del transeje.

65. Desmontar los aisladores de soporte del motor delanteros izquierdo y derecho, del bastidor auxiliar y de la transmisión.

66. Utilizando el elevador de piso y la eslinga, o equivalente, elevar el motor y el conjunto de la transmisión y desmontarlos del bastidor auxiliar.

67. Colocar el conjunto de la transmisión en un Gato de Transmisiones 066-00016, o equivalente.

68. Desmontar los dos tornillos de retención del motor de arranque y desmontar el motor de arranque.

69. Desmontar el cable de masa de la batería, del motor en el tornillo espárrago de retención de la transmisión.

70. Desmontar la transmisión de los tornillos de retención del motor y separar el motor de la transmisión.

71. Si está equipado con transmisión manual, desmontar los seis tornillos de retención del plato de presión del embrague y desmontar el plato de presión y el disco de embrague.

72. Desmontar los ocho tornillos de retención del volante, y el volante del cigüeñal.

73. Desmontar el plato trasero del motor.

74. Montar el motor sobre un soporte de motores, para llevar a cabo el servicio.

Para instalar:

75. Desmontar el motor del soporte de motores utilizando el elevador y la eslinga, o equivalente, sujetando el motor por las argollas de fijación.

76. Montar de nuevo el plato trasero del motor y el volante.

77. Apretar los tornillos de retención del volante en una secuencia alterna de 79-86 pie-lb (107-117 Nm) para transmisiones automáticas y 81-89 pie-lb (110-120 Nm) para transmisiones manuales.

78. Si está equipado con transmisión manual, montar el disco de embrague y el plato de presión del embrague.

79. Apretar los tornillos de retención en una secuencia alterna a 22 pie-lb (30 Nm).

80. Montar de nuevo el motor en la transmisión. Si está equipado con transmisión automática, alinear el convertidor de par con el volante, mientras colocamos el motor en la transmisión.

81. Montar de nuevo los tornillos de retención del motor en la transmisión, y apretar a 25-34 pie-lb (34-46 Nm).

82. Si ha sido desmontado, colocar el bastidor auxiliar encima del tren de transmisión y del soporte de apoyo del bastidor auxiliar, y del elevador hidráulico.

83. Utilizando el elevador de piso y la eslinga, colocar el conjunto de motor y transmisión encima del bastidor auxiliar, manteniendo el elevador acoplado como soporte.

84. Montar el calibre de Alineación de la Transmisión T94P-6000-aH, o equivalente, en el soporte de apoyo delantero izquierdo del motor y bastidor auxiliar. Montar de nuevo el tornillo pasante. Apretar los tornillos de retención y el tornillo pasante a 20 pie-lb (27 Nm).

85. Montar de nuevo los tornillos de retención del aislador del soporte derecho del motor y el tornillo pasante en el bastidor auxiliar. Dejar los tornillos apretados con la mano.

86. Montar de nuevo el cable de masa de la batería al motor, en el tornillo espárrago de la transmisión. Apretar la tuerca de retención a 15-22 pie-lb (20-30 Nm).

87. Montar de nuevo el motor de arranque.

88. Montar de nuevo los semiejes izquierdo y derecho dentro de la transmisión.

89. Montar el Juego de Pasadores de Alineación del Bastidor Auxiliar, 94P-2100-aH, o equivalente, dentro del bastidor auxiliar.

90. Montar de nuevo los cuatro tornillos de retención del bastidor auxiliar y apretar a 92-100 pie-lb (125-135 Nm).

91. Desmontar los pasadores de alineación del bastidor auxiliar.

➡ **Asegurarse de que el motor y la transmisión están asentados firmemente contra los soportes aisladores delanteros y traseros.**

92. Usando tuercas nuevas, montar el soporte superior delantero del motor y el aislador del soporte de la transmisión. Apretar las tuercas a 74 plg-lb (10 Nm).

93. Desmontar el soporte del bastidor auxiliar y el elevador hidráulico.

94. Elevar y soportar con seguridad el vehículo.

95. Apretar el aislador del soporte delantero derecho del motor en los tornillos del bastidor auxiliar a 30-41 pie-lb (41-55 Nm).

➡ **Comprobar la posición del aislador del soporte delantero derecho del motor. Deben estar centrados en su soporte, y en perfecta alineación de delante a atrás.**

96. Bajar el vehículo.

97. Apretar las tuercas del soporte delantero del motor a 52-70 pie-lb (70-95 Nm).

98. Apretar las tuercas del aislador del soporte del motor y transmisión a 30-41 pie-lb (41-55 Nm) para las transmisiones automáticas y a 52-70 pie-lb (70-95 Nm) para las transmisiones manuales.

99. Apretar el tornillo pasante del aislador del soporte delantero derecho del motor a 75-102 pie-lb (103-137 Nm).

100. Desmontar el calibre de alineación del tren de transmisión.

101. Montar de nuevo el aislador del soporte delantero izquierdo del motor, en el bastidor auxiliar. Apretar los tornillos de retención a 84 plg-lb (10 Nm).

➡ **Inspeccionar la posición del aislador del soporte delantero izquierdo del motor, para asegurar la alineación perfecta de delante a atrás.**

102. Volver a apretar los dos tornillos de retención a 30-41 pie-lb (41-55 Nm).

103. Montar de nuevo el tornillo pasante del aislador del soporte delantero izquierdo del motor. Apretar el tornillo pasante a 75-102 pie-lb (103-137 Nm).

104. Conectar las mangueras del refrigerador de aceite de la dirección asistida, en la

parte derecha del bastidor auxiliar. Apretar con seguridad las abrazaderas de las mangueras.

105. Conectar el cableado del motor en el sensor calefactado de oxígeno, el sensor de temperatura del radiador del motor, y el sensor de posición del cigüeñal.

106. Conectar el mazo de cables en el compresor de aire acondicionado.

107. Montar de nuevo los soportes del radiador en los tornillos del bastidor auxiliar. Apretar a 71-97 plg-lb (8-11 Nm).

108. Conectar la manguera inferior del radiador en el radiador.

109. Si está equipado con transmisión manual, montar el estabilizador de la barra de cambio, en la transmisión.

110. Apretar el tornillo de la barra de cambio a 17 pie-lb (23 Nm) y la tuerca del estabilizador a 41 pie-lb (55 Nm).

111. Si está equipado con transmisión automática, instalar las conducciones del refrigerador de aceite de la transmisión y apretar las tuercas a 18-22 pie-lb (24-31 Nm).

112. Conectar las mangueras del calefactor en el tubo de agua del calefactor, localizado debajo del motor.

113. Bajar el vehículo.

114. Si está equipado, conectar el cableado de alimentación eléctrica del bloque calefactor.

115. Si está equipado con transmisión manual, conectar la conducción hidráulica del embrague en el tubo del actuador del embrague, en la caja de la transmisión, y montar la retención.

116. Conectar la retención de los cables positivo y negativo de la batería en la bandeja de la batería.

117. Montar de nuevo la manguera del calefactor en el tubo conector, localizado al lado de la válvula EGR y sujetarlos con seguridad con la abrazadera.

118. Conectar la manguera de emisiones de vapores, localizada cerca del condensador de interferencias del encendido de la radio.

119. Conectar la manguera superior del radiador, en el radiador.

120. Conectar la conducción de alimentación de vacío en el servofreno.

121. Conectar el cableado en la bobina de encendido y el condensador de interferencias del encendido de la radio.

122. Conectar la cinta de masa en la caja de la transmisión.

123. Conectar el mazo de cables en el sensor de rango de la transmisión.

124. Si está equipado con transmisión automática, montar el cable de cambio y el soporte en la transmisión. Apretar los tornillos de retención a 15-19 pie-lb (20-25 Nm).

125. Reconectar las mangueras de vacío del sensor de presión del EGR en la válvula EGR en el tubo de múltiple de escape y la manguera de alimentación de vacío en la válvula del EGR.

126. Desconectar y conectar las conducciones de llegada y alimentación de combustible en el raíl de combustible.

127. Desconectar y conectar las mangueras de refrigerante en el compresor de aire acondicionado.

128. Reconectar las mangueras del refrigerante en el depósito suplementario del radiador.

129. Reconectar el tubo de alimentación de vacío de la carrocería en el rácor de la trasera del múltiple de admisión.

130. Montar la cinta de masa sobre los soportes de montaje del alternador.

131. Reconectar el mazo de cables en el alternador.

132. Reconectar el cableado en el interruptor de presión de la dirección asistida, localizado sobre la manguera de presión de la dirección asistida.

133. Reconectar la manguera de retorno de la dirección asistida en la bomba de la dirección asistida. Sujetar con abrazadera la manguera, con seguridad.

134. Montar el depósito auxiliar de la bomba de la dirección asistida en su soporte.

135. Montar los tornillos de retención del cableado del motor en el múltiple de admisión.

136. Sujetar el cableado en el conector localizado al lado del regulador de presión de combustible, de los inyectores de combustible.

137. Reconectar el cable del acelerador y el actuador del control de velocidad en el soporte del cable del acelerador y el cuerpo del estrangulador.

138. Desmontar el alambre de seguridad que sujeta el radiador y el deflector del ventilador en el soporte del radiador.

139. Elevar y soportar con seguridad el vehículo.

140. Reconectar el mazo de cables en el sensor de detonación y en el sensor de presión de aceite, localizado en el lado derecho del bloque de cilindros.

141. Si está equipado con transmisión automática, montar el convertidor de par en las tuercas de retención del volante. Apretar las tuercas de retención en una secuencia alterna, a 54-64 pie-lb (73-87 Nm). Montar el tapón de acceso dentro de la placa trasera del motor.

142. Montar la protección contra salpicaduras derecha sobre el guardabarros delantero.

143. Reconectar el sensor de velocidad del vehículo.

144. Montar el cable del velocímetro en la transmisión.

145. Montar los tornillos de retención del acumulador del A/A en el bastidor auxiliar.

146. Montar los semiejes derecho e izquierdo.

147. Montar las articulaciones de las ruedas delanteras derecha e izquierda, en los brazos oscilantes (de control) inferiores de la suspensión delantera. Apretar los tornillos a 37-43 pie-lb (50-58 Nm).

148. Montar de nuevo los extremos de la barra de acoplamiento derecho e izquierdo, o en las articulaciones de las ruedas delanteras. Montar tuercas almenadas nuevas sobre los espárragos de los extremos de la barra de acoplamiento. Apretar las tuercas almenadas a 21 pie-lb (28 Nm). Montar nuevos pasadores de seguridad (partidos).

149. Reconectar los eslabones delanteros derecho e izquierdo de la barra estabilizadora delantera. Apretar las tuercas a 35 pie-lb (48 Nm).

150. Montar de nuevo los conjuntos de rueda y neumático, delanteros. Apretar las tuercas de orejas a 95 pie-lb (129 Nm).

151. Montar de nuevo el convertidor catalítico.

152. Montar de nuevo la protección contra salpicaduras en la delantera del bastidor auxiliar y carrocería.

153. Girar hacia atrás los tirantes de la tapa del parachoques delantero. Montar de nuevo los dos tornillos en el bastidor auxiliar y apretarlos asegurándolos.

154. Bajar el vehículo.

155. Montar de nuevo el filtro de aire del motor y el resonador de admisión del aire del motor.

156. Reconectar el eje de la columna de la dirección y la junta dentro del vehículo. Apretar el tornillo a 18 pie-lb (24 Nm).

157. Si está equipado con transmisión automática, llenar la transmisión con la cantidad y tipo adecuado de fluido.

158. Llenar el depósito de la dirección asistida con el tipo adecuado de fluido.

159. Llenar el sistema de refrigeración del motor.

160. Llenar el motor con aceite nuevo.

▼ AVISO ▼

Hacer funcionar el motor sin la cantidad y tipo adecuado de aceite de motor, puede dar lugar a averías severas del motor.

161. Reconectar los cables de la batería, el cable negativo el último.

162. Comprobar todos los niveles de los fluidos.

163. Evacuar y recargar el sistema de A/A.

➡ **Siempre que el bastidor auxiliar del vehículo se desmonte, o baje, se debe revisar la alineación de las ruedas.**

164. Poner en marcha el motor y comprobar si hay escapes y si el funcionamiento es correcto.

Motor 2.5L

▼ PRECAUCIÓN ▼
El sistema de inyección de combustible permanece bajo presión, incluso una vez PARADO el motor. La presión del sistema de combustible TIENE QUE descargarse del todo antes de desconectar cualquier tubería de combustible. Dejar de hacerlo puede dar lugar a incendios y/o daños personales.

1. Desconectar los cables de la batería, el cable negativo primero.

▼ PRECAUCIÓN ▼
Observar todas las precauciones de seguridad aplicables, cuando se trabaje con combustible. Siempre que realicemos un servicio en el sistema de combustible, trabajar en un área bien ventilada. No dejar que la pulverización o los vapores del combustible entren en contacto con una chispa o llamas. Tener un extintor cerca del área de trabajo. Mantener siempre el combustible en un contenedor específicamente diseñado para el almacenamiento de combustible; los contenedores de combustible tienen que ser siempre de cierre hermético, para evitar la posibilidad de incendio o explosión.

2. Descargar la presión del sistema de combustible, utilizando el procedimiento recomendado.

▼ PRECAUCIÓN ▼

Algunos modelos incluidos en este manual pueden estar equipados con un Sistema Restringido Suplementario (SRS), el cual utiliza un air bag. Siempre que estemos trabajando cerca de algún componente del SRS, tales como los sensores de impacto, el módulo de air bag, la columna de la dirección y el tablero de instrumentos, desactivar adecuadamente el SRS.

3. Desmontar la protección de la polea de la bomba de agua.

4. Desmontar el tornillo de presión y desconectar el eje de la columna de la dirección y la junta, en el cubretablero del vehículo.

5. Desmontar el filtro de aire del motor.

6. Recuperar adecuadamente el refrigerante del sistema de aire acondicionado.

7. Elevar y soportar con seguridad el vehículo.

8. Desmontar el entrecruzado de escape y el convertidor catalítico.

▼ PRECAUCIÓN ▼

Nunca abrir, serviciar o vaciar el radiador o el sistema de refrigeración cuando está caliente; pueden producirse serias quemaduras por los vapores o el líquido refrigerante caliente.

9. Vaciar el sistema de refrigeración del motor, y el aceite del motor.

▼ PRECAUCIÓN ▼

La autoridad sanitaria advierte que el contacto prolongado con aceite de motor usado puede causar algunas afecciones en la piel e incluso cáncer. Por ello se deberá intentar reducir al mínimo el contacto con aceite de motor usado. Utilizar guantes como protección, cuando se cambie el aceite. Lavarse las manos y cualquier otra área de la piel expuesta, a ser posible inmediatamente después de haber estado en contacto con el aceite del motor. Se debe utilizar agua y jabón o un limpiador de manos de tipo seco.

10. Desmontar los conjuntos de rueda y neumático delanteros.

11. Separar los eslabones izquierdo y derecho de la barra estabilizadora delantera.

12. Separar los extremos exteriores izquierdo y derecho de las barras de conexión de las articulaciones de las ruedas delanteras. Desechar los pasadores de retención (partidos).

13. Desmontar los tornillos de presión y separar los brazos oscilantes inferiores de la suspensión delantera de las articulaciones de las ruedas delanteras.

14. Desmontar las tuercas de retención de los cubos (mazos) de rueda izquierdo y derecho, de los extremos de los semiejes, y desmontar los semiejes de las articulaciones de las ruedas delanteras.

15. Desmontar los tornillos de retención del acumulador del A/A, del bastidor auxiliar delantero.

16. Desconectar el cable del sensor de velocidad del vehículo.

17. Desconectar el cable propulsor del velocímetro del sensor de velocidad del vehículo.

18. Si el motor tiene que ser separado de la transmisión, después de su desmontaje del vehículo, y la transmisión es automática, desmontar el tapón de acceso de la placa trasera del motor, y desmontar las cuatro tuercas de retención del convertidor de par.

19. Empujar el convertidor de par dentro del soporte delantero y del engranaje de la transmisión.

20. Bajar el vehículo.

21. Asegurar el conjunto del radiador y canalizador del ventilador, utilizando un alambre de seguridad.

22. Desconectar el cable del acelerador y el actuador del control de velocidad del cuerpo del estrangulador.

23. Desmontar el soporte del cable del acelerador del cuerpo del estrangulador.

24. Desacoplar los tres conectores del cableado de control del motor, del soporte localizado sobre el guardabarros delantero izquierdo, y desconectar los conectores.

25. Desmontar la retención del cableado de control del motor, del soporte del filtro de aire.

26. Desmontar el módulo de control del encendido, de la mampara, si está equipado.

27. Desmontar el depósito auxiliar de la bomba de la dirección asistida, del soporte, y dejarla encima del conjunto motor utilizando trapos para absorber el fluido.

28. Desconectar la manguera de retorno del depósito de la dirección asistida y tapar la manguera.

▼ AVISO ▼

No permitir que el fluido de la dirección asistida, entre en contacto con las correas propulsoras de accesorios.

29. Desconectar la manguera de alimentación de la dirección asistida, de la bomba de la dirección asistida.

30. Desconectar el soporte de la manguera de alimentación de la dirección asistida, del soporte de apoyo delantero superior del motor. Dejar la manguera encima del motor.

31. Desconectar el cableado del módulo de control del tren de transmisión y retención, localizado en la parte derecha del tablero de instrumentos.

32. Desmontar la cinta de masa del cableado de control del motor, en el guardabarros derecho.

33. Desconectar las mangueras de refrigerante del depósito de recuperación del radiador.

34. Desconectar las conducciones de alimentación y retorno de combustible, del raíl de combustible.

35. Si está equipado con transmisión automática, sacar el extremo del cable de cambio, del espárrago, desmontar los dos tornillos de retención y desmontar el cable de cambio y soporte de la transmisión. Desmontar el cableado del sensor de rango de la transmisión y desmontar las retenciones del cableado.

36. Desconectar la cinta de masa de la transmisión.

37. Desmontar la conducción de alimentación de vacío, del servofreno.

38. Desconectar la manguera superior del radiador, en el radiador.

39. Desconectar la retención de los cables positivo y negativo de la batería, de la bandeja de la batería.

40. Si está equipado con transmisión manual, desmontar la retención y desconectar la línea hidráulica del embrague, del tubo actuador del embrague en la caja de la transmisión.

41. Desconectar el cableado de alimentación eléctrica del calefactor, del lado derecho del soporte del radiador, si lo lleva como equipo.

42. Elevar y asegurar con soportes el vehículo.

43. Desconectar las mangueras del calefactor, del radiador (núcleo) del calefactor.

44. Desconectar la manguera de aspiración del aire acondicionado, del núcleo del condensador del A/A, y taponar la manguera.

45. Desconectar la manguera de descarga del aire acondicionado, del acumulador de A/A y taponar la manguera.

46. Si está equipado con una transmisión automática, desmontar en la transmisión los tubos del refrigerador de aceite de la transmisión. Desmontar la conducción de retorno del refrigerador de aceite, del soporte sobre el lado izquierdo de la transmisión.

47. Si está equipado con transmisión manual, desmontar el tornillo, de la barra de cambio, y la tuerca, de la barra estabilizadora, y desmontarlas de la transmisión.

48. Desconectar la manguera inferior del radiador, en el radiador.

49. Desmontar los cuatro tornillos de retención de los soportes inferiores del radiador, en el bastidor auxiliar delantero. Girar hacia adelante los soportes del radiador.

50. Desconectar el mazo de cables del compresor del aire acondicionado.

51. Desmontar los dos tornillos de retención de los tirantes de la cubierta del parachoques, en los lados izquierdo y derecho del bastidor auxiliar, y girar hacia adelante los tirantes de la cubierta.

52. Bajar parcialmente el vehículo.

53. Colocar y fijar todas las líneas, mangueras y componentes, que serán desmontados con el motor.

54. Montar la herramienta Soporte de Apoyo del Tren de Transmisión y Bastidor Auxiliar 134-00251, o equivalente, con el Elevador del Tren de Transmisión (elevador hidráulico)134-00251, o equivalente, para sostener el conjunto del tren de transmisión, en el desmontaje del vehículo.

➡ **Asegurarse de que el soporte del tren de transmisión y bastidor auxiliar, y el elevador están colocados correctamente, para asegurar el desmontaje del conjunto del tren de transmisión.**

55. Desmontar los cuatro tornillos de retención del bastidor auxiliar en la carrocería.

56. Desmontar las tuercas de retención del soporte delantero superior del motor y aisladores de soporte del motor y la transmisión.

57. Con un auxiliar, bajar con cuidado el conjunto del tren de transmisión, mientras se comprueba si hay interferencias con la carrocería.

58. Con el conjunto del tren de transmisión bajado del vehículo, alejar con cuidado el elevador del tren de transmisión, o equivalente, del vehículo.

59. Utilizando un Elevador de Piso 014-00071, o equivalente, y una Eslinga de motores en el elevador de Piso 014-00036, o equivalen-

te, sostener el motor utilizando las argollas de elevación del motor.

60. Desmontar los semiejes derecho e izquierdo, de la transmisión.

61. Desmontar los aisladores delanteros izquierdo y derecho, de soportes de motor del bastidor auxiliar y de la transmisión.

62. Utilizando el elevador de piso y la sujeción (eslinga), o equivalente, elevar el conjunto de motor y transmisión, y desmontar del bastidor auxiliar.

63. Colocar la parte de la transmisión del conjunto, sobre en un Gato de Transmisiones 066-00016, o equivalente.

64. Desmontar los dos tornillos de retención del motor de arranque, y desmontar el motor de arranque.

65. Desconectar las conexiones del cableado del control del motor, y las pinzas de retención en la transmisión, y dejarlas aparte.

66. Desmontar el cable de masa de la batería, del motor en el tornillo espárrago de retención de la transmisión.

67. Desmontar los tornillos de retención de la transmisión en el motor, y separar el motor de la transmisión.

68. Si está equipado con transmisión manual, desmontar los seis tornillos de retención del plato de presión del embrague, y desmontar el plato de presión y el disco de embrague.

69. Desmontar los ocho tornillos de retención del volante y el volante, del cigüeñal.

70. Desmontar el plato trasero del motor.

71. Montar el motor en un soporte de motores, para posteriores servicios.

Para instalar:

72. Desmontar el motor del soporte de motores, utilizando el elevador de piso y la eslinga de sujeción, o equivalente, sujetando el motor por las argollas de elevación.

73. Montar de nuevo el plato trasero del motor y el volante.

74. Apretar los tornillos de retención del volante en una secuencia alterna, a 79-86 pie-lb (107-117 Nm) para transmisiones automáticas, o 81-89 pie-lb (110-120 Nm) para transmisiones manuales.

75. Si está equipado con transmisión manual, montar el disco de embrague y el plato de presión del embrague. Apretar los tornillos de retención en una secuencia alterna, a 22 pie-lb (30 Nm).

76. Montar de nuevo el motor en la transmisión. Si está equipado con transmisión automá-

tica, alinear el convertidor de par con el volante, mientras colocamos el motor en la transmisión.

77. Montar de nuevo los tornillos de retención del motor en la transmisión, y apretar a 25-34 pie-lb (34-46 Nm).

78. Si ha sido desmontado, colocar el bastidor auxiliar en el tren de transmisión y el soporte de apoyo del bastidor auxiliar y elevador hidráulico.

79. Utilizando el elevador de piso y la eslinga, colocar el conjunto del motor y la transmisión encima del bastidor auxiliar, manteniendo el elevador acoplado para soportarlo.

80. Montar la herramienta Calibre de Alineación de Trenes de Transmisión T94P-6000-AH o equivalente, en el soporte delantero izquierdo del motor y bastidor auxiliar. Montar de nuevo el tornillo pasante. Apretar los tornillos de retención y el tornillo pasante a 20 pie-lb (27 Nm).

81. Montar de nuevo los tornillos de retención del aislador del soporte derecho del motor y el tornillo pasante del bastidor auxiliar. Dejar los tornillos apretados con la mano.

82. Montar de nuevo el cable de masa de la batería al motor, en el tornillo espárrago de la transmisión. Apretar la tuerca de retención a 15-22 pie-lb (20-30 Nm).

83. Colocar el cableado de control del motor a través de la transmisión y montar las pinzas de retención.

84. Montar de nuevo el cableado de control del motor, en los conectores de la transmisión.

85. Montar de nuevo el motor de arranque.

86. Montar de nuevo los semiejes izquierdo y derecho dentro de la transmisión.

87. Montar el Juego de Pasadores de Alineación de Bastidores Auxiliares, o equivalente, en el bastidor auxiliar.

88. Montar de nuevo los cuatro tornillos de retención del bastidor auxiliar, y apretar a 92-100 pie-lb (125-135 Nm).

89. Desmontar los pasadores de alineación del bastidor auxiliar.

➡ **Asegurarse de que el motor y la transmisión están firmemente asentados en los soportes aisladores delanteros y traseros.**

90. Usando tuercas nuevas, montar el soporte delantero superior del motor y el aislador del soporte de la transmisión. Apretar las tuercas a 84 plg-lb (10 Nm).

91. Desmontar el soporte del bastidor auxiliar y el elevador hidráulico.

92. Elevar y soportar con seguridad el vehículo.

93. Apretar el aislador del soporte delantero derecho del motor, en los tornillos del bastidor auxiliar, a 30-41 pie-lb (41-55 Nm).

➡ **Comprobar la posición del aislador del soporte delantero derecho del motor. Debe estar centrado en el soporte, y en perfecta alineación de delante a atrás.**

94. Bajar el vehículo.

95. Apretar las tuercas del soporte delantero del motor a 52-70 pie-lb (70-95 Nm).

96. Apretar las tuercas del aislador del soporte del motor y la transmisión a 30-41 pie-lb (41-55 Nm) para las transmisiones automáticas, y a 52-70 pie-lb (70-95 Nm) para las transmisiones manuales.

97. Apretar el tornillo pasante del aislador del soporte delantero derecho del motor a 75-102 pie-lb (103-137 Nm).

98. Desmontar el calibre de alineación del tren de transmisión.

99. Montar de nuevo el aislador del soporte delantero izquierdo del motor, en el bastidor auxiliar. Apretar los tornillos de retención a 84 plg-lb (10 Nm).

➡ **Comprobar la posición del soporte aislador delantero izquierdo del motor, para asegurar la perfecta alineación de delante a atrás.**

100. Volver a apretar los dos tornillos de retención a 30-41 pie-lb (41-55 Nm).

101. Montar de nuevo el tornillo pasante del aislador del soporte delantero izquierdo del motor. Apretar el tornillo pasante a 75-102 pie-lb (103-137 Nm).

102. Reconectar el mazo de cables en el compresor del aire acondicionado.

103. Montar de nuevo los tirantes de la tapa del parachoques delantera en las partes izquierda y derecha del bastidor auxiliar.

104. Montar de nuevo los soportes del radiador en el bastidor auxiliar. Apretar los tornillos de retención a 71-97 plg-lb (8-11 Nm).

105. Reconectar la manguera inferior del radiador, en el radiador.

106. Si está equipado con una transmisión manual, montar el estabilizador de la barra de cambio, en la transmisión. Apretar el tornillo de la barra de cambio a 17 pie-lb (23 Nm) y la tuerca del estabilizador a 41 pie-lb (55 Nm).

107. Si está equipado con transmisión automática, montar las conducciones del refrigerador de aceite de la transmisión y apretar las tuercas a 18-22 pie-lb (24-31 Nm).

108. Destapar y conectar la manguera de aspiración del sistema de aire acondicionado en el núcleo del condensador del sistema A/A.

109. Destapar y conectar la manguera de descarga del sistema A/A en el acumulador del sistema A/A.

110. Bajar el vehículo.

111. Si está equipado, conectar el cableado de alimentación eléctrica en el bloque del calefactor.

112. Si está equipado con transmisión manual, conectar la conducción hidráulica del embrague al tubo del actuador del embrague, en la caja de la transmisión, y montar la retención.

113. Reconectar la retención de los cables positivo y negativo de la batería en la bandeja de la batería.

114. Reconectar la manguera superior del radiador, en el radiador.

115. Reconectar la conducción de alimentación de vacío, en el servofreno.

116. Reconectar la cinta de masa, en la caja de la transmisión.

117. Si está equipado con transmisión automática, montar el cable del cambio y el soporte, en la transmisión. Apretar los tornillos de retención a 15-19 pie-lb (20-25 Nm).

118. Reconectar las conducciones de suministro y retorno de combustible, en el raíl de combustible.

119. Montar de nuevo la cinta de masa del cableado de control del motor, en la culata de cilindros derecha.

120. Reconectar el cableado en el módulo de control del tren de transmisión, y colocar el cableado dentro del soporte de retención.

121. Reconectar la manguera de presión de la dirección asistida, en la bomba de la dirección asistida.

122. Montar de nuevo el soporte de la manguera de presión de la dirección asistida, en soporte delantero superior del motor.

123. Montar de nuevo el depósito auxiliar de la bomba de la dirección asistida, en su soporte.

124. Montar de nuevo el módulo de control del encendido y soporte, en la mampara, en caso de estar equipado.

125. Montar de nuevo la retención del cableado de control del motor, en el soporte del filtro de aire.

126. Reacoplar los tres conectores del control del motor, y montar en el soporte, encima del guardabarros delantero izquierdo.

127. Montar de nuevo el soporte del cable del acelerador, en cuerpo del estrangulador, y apretar los tornillos de retención a 71-106 plg-lb (8-12 Nm).

128. Reconectar el cable del acelerador y el actuador del control de velocidad, en el soporte del cable del acelerador.

129. Desmontar el alambre que aseguraba el radiador y el deflector del ventilador en el soporte del radiador.

130. Elevar y soportar con seguridad el vehículo.

131. Si está equipado con transmisión automática, empujar el convertidor de par dentro de la guía del volante, y montar las cuatro tuercas de retención del convertidor de par en el volante. Apretar las tuercas de retención en una secuencia alterna a 54-64 pie-lb (73-87 Nm). Montar de nuevo el tapón de acceso dentro de la placa trasera del motor.

132. Reconectar el mazo de cables del sensor de velocidad del vehículo.

133. Montar de nuevo el cable propulsor del velocímetro en el sensor de velocidad del vehículo.

134. Montar de nuevo los tornillos de retención del acumulador del sistema de aire acondicionado, en el bastidor auxiliar.

135. Montar de nuevo los semiejes derecho e izquierdo dentro de las articulaciones de las ruedas delanteras, y montar los tornillos de retención de las ruedas de los ejes delanteros.

136. Montar de nuevo las articulaciones de las ruedas delanteras derecha e izquierda dentro de los brazos (de control) oscilantes de la suspensión delantera, en las rótulas. Apretar los tornillos a 37-43 pie-lb (50-58 Nm).

137. Montar de nuevo los extremos derecho e izquierdo de la barra de acoplamiento en las articulaciones de las ruedas delanteras. Montar nuevas tuercas entalladas (almenadas, o de torreta) en los espárragos de los extremos de la barra de acoplamiento. Apretar las tuercas almenadas a 21 pie-lb (28 Nm). Montar nuevos pasadores de seguridad.

138. Reconectar los eslabones delanteros derecho e izquierdo de la barra estabilizadora, en la barra estabilizadora delantera. Apretar las tuercas a 35 pie-lb (48 Nm).

139. Montar de nuevo los conjuntos de rueda y neumático delanteros. Apretar las tuercas de orejas a 95 pie-lb (129 Nm).

140. Montar de nuevo el paso cruzado de escape y el convertidor catalítico de tres vías.

141. Montar de nuevo la protección delantera del bastidor auxiliar y de la carrocería.

142. Girar hacia atrás los tirantes de la tapa del parachoques delantero. Montar de nuevo los dos tornillos en el bastidor auxiliar y apretar asegurándolos.

143. Bajar el vehículo.

144. Montar de nuevo el filtro de aire del motor.

145. Reconectar el eje de la columna de la dirección, y la junta, en el interior del vehículo. Apretar el tornillo a 18 pie-lb (24 Nm).

146. Montar de nuevo la protección de la polea de la bomba de agua.

147. Si está equipado con transmisión automática, llenar la transmisión con la cantidad y tipo adecuado de fluido.

148. Llenar el depósito de la dirección asistida con el tipo adecuado de fluido.

149. Llenar el sistema de refrigeración del motor.

▼ AVISO ▼

Poner en marcha el motor sin la cantidad y el tipo adecuado de aceite de motor puede dar lugar a averías severas del motor.

150. Llenar el cárter del motor con aceite limpio y nuevo.

151. Controlar los niveles de todos los fluidos.

152. Reconectar los cables de la batería, el cable negativo el último.

153. Evacuar y recargar el sistema del aire acondicionado.

➡ Siempre que se desmonte o baje el bastidor auxiliar del vehículo, debe comprobarse la alineación de las ruedas.

154. Poner en marcha el motor y comprobar si hay escapes y si el funcionamiento es correcto.

BOMBA DE AGUA

DESMONTAJE E INSTALACIÓN

▼ PRECAUCIÓN ▼

Algunos modelos incluidos en este manual pueden estar equipados con un Sistema Restringido Suplementario (SRS), el cual utiliza un air bag. Siempre que estemos trabajando cerca de algunos componentes del SRS, tales como los sensores de impacto, el módulo de air bag, la columna de la dirección y el tablero de instrumentos, desactivar adecuadamente el SRS.

Motor 2.0L

1. Desconectar el cable negativo de la batería.

▼ PRECAUCIÓN ▼

Nunca abrir, servicar o vaciar el radiador o el sistema de refrigeración, cuando está caliente; pueden producirse serias quemaduras por los vapores y el líquido refrigerante caliente.

2. Vaciar el sistema de refrigeración del motor.

3. Elevar y soportar con seguridad el vehículo.

4. Desmontar la manguera inferior del radiador de la bomba de agua.

5. Bajar el vehículo.

6. Desmontar la correa propulsora de los accesorios.

7. Desmontar las tapas de la correa de sincronización y la correa de sincronización, utilizando el procedimiento adecuado.

8. Desmontar los cuatro tornillos de retención de la bomba de agua.

9. Desmontar la bomba de agua.

Para instalar:

10. Limpiar a fondo toda la superficie de sellado.

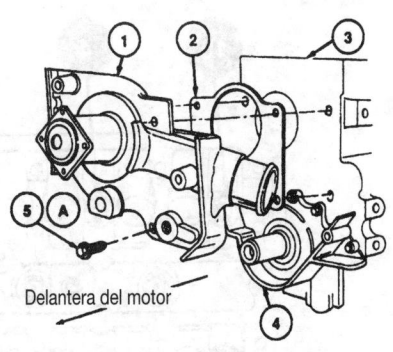

Delantera del motor

1. Bomba de agua
2. Juntas de la carcasa de la bomba de agua
3. Bloque de cilindros
4. Bomba de aceite
5. Tornillo (4)
A. 12-15 pie-lb (16-20 Nm)

▲ Montaje de la bomba de agua – Motor 2.0L

11. Instalar una junta de bomba de agua nueva y la bomba de agua, sobre el bloque de cilindros.

12. Apretar los tornillos de retención a 12-15 pie-lb (16-20 Nm).

13. Montar de nuevo la correa de sincronización y las tapas de la correa de sincronización, utilizando el procedimiento recomendado.

14. Montar de nuevo la correa propulsora de los accesorios.

15. Elevar y soportar con seguridad el vehículo.

16. Montar de nuevo la manguera inferior del radiador.

17. Bajar el vehículo.

18. Llenar el sistema de refrigeración del motor.

19. Reconectar el cable negativo de la batería.

20. Poner en marcha el motor y llenar el sistema de refrigeración, si fuera necesario. Controlar si hay pérdidas.

Motor 2.5L

➡ Antes de continuar con este procedimiento, asegurarse de que hay disponibles tres tornillos de retención (W701544) de la bomba de agua nueva. Debido a que están diseñados para un par de apriete hasta su límite de elasticidad, los tornillos están estirados (deformados) permanentemente y no pueden volver a usarse.

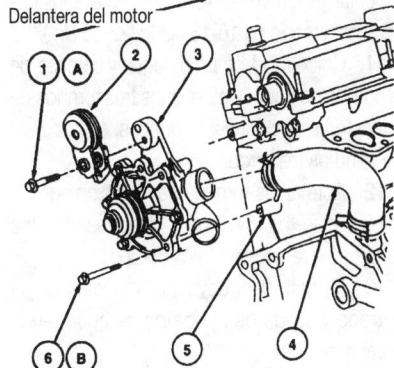

Delantera del motor

1. Tornillo
2. Tensor de la correa propulsora de la bomba de agua
3. Bomba de agua
4. Tubo de salida de la bomba de agua
5. Culata de cilindros izquierda
6. Tornillo (3)
A. 71-106 plg-lb (8-12 Nm)
B. 11-13 pie-lb (15-18 Nm), después girar 85-95°

▲ Montaje de la bomba de agua – Motor 2.5L

1. Desconectar el cable negativo de la batería.

▼ PRECAUCIÓN ▼

Nunca abrir, serviciar o vaciar el radiador o el sistema de refrigeración, cuando está caliente; pueden producirse serias quemaduras por los vapores y el líquido refrigerante caliente.

2. Vaciar el sistema de refrigeración del motor.

3. Desmontar la protección de la polea de la bomba de agua.

4. Desmontar la correa propulsora de la bomba de agua.

5. Desmontar las mangueras de entrada y salida de la bomba de agua, en la bomba de agua.

6. Desmontar los tres tornillos de retención de la bomba de agua en la culata de cilindros izquierda.

7. Desmontar la bomba de agua y carcasa de la bomba de agua del vehículo.

8. Desmontar los tornillos de retención de la bomba de agua en la carcasa de la bomba de agua y separar la bomba de agua de la carcasa de la bomba de agua.

Para instalar:

9. Limpiar a fondo toda la superficie de cierre.

10. Montar la bomba de agua en la carcasa de la bomba de agua, utilizando una junta nueva y montar los tornillos de retención. Apretar los tornillos de retención a 16-18 pie-lb (22-25 Nm).

11. Colocar la bomba de agua y carcasa de la bomba de agua, y montar los tres tornillos de retención de estiramiento nuevos, en la culata de cilindros izquierda.

12. Apretar los tornillos de retención nuevos a 11-13 pie-lb (15-18 Nm), después girar los tornillos de retención 85-95 grados.

13. Montar de nuevo las mangueras de entrada y salida de la bomba de agua, en la bomba de agua.

14. Montar de nuevo la correa propulsora de la bomba de agua.

15. Montar de nuevo la protección de la bomba de agua.

16. Llenar el sistema de refrigeración del motor.

17. Reconectar el cable negativo de la batería.

18. Poner en marcha el motor y llenar el sistema de refrigeración, si fuera necesario. Controlar si hay pérdidas.

CULATA DE CILINDROS

DESMONTAJE E INSTALACIÓN

▼ PRECAUCIÓN ▼

Algunos modelos incluidos en este manual pueden estar equipados con un Sistema Restringido Suplementario (SRS), el cual utiliza un air bag. Siempre que estemos trabajando cerca de algunos componentes del SRS, tales como los sensores de impacto, el módulo de air bag, la columna de la dirección y el tablero de instrumentos, desactivar adecuadamente el SRS.

Motor 2.0L

➡ Los tornillos de culata de cilindros están diseñados para un par de apriete hasta su límite de elasticidad y no pueden usarse otra vez. Asegurarse de disponer de los nuevos tornillos de culata de cilindros antes del inicio de este proceso. Si los tornillos de la culata de cilindros se vuelven a utilizar, pueden producirse daños en el motor.

1. Desconectar el cable negativo de la batería.

▼ PRECAUCIÓN ▼

Nunca abrir, serviciar o vaciar el radiador o el sistema de refrigeración, cuando está caliente; pueden producirse serias quemaduras por los vapores y el líquido refrigerante caliente. El refrigerante puede volver a utilizarse si no está contaminado o tiene varios años.

2. Vaciar el sistema de refrigeración por los tapones de vaciado del radiador y bloque de cilindros.

3. Desmontar el múltiple de admisión.

4. Desmontar el múltiple de escape.

5. Desmontar los árboles de levas y los levantaválvulas.

6. Soportar el motor con un bloque de madera entre la polea del cigüeñal y el bastidor auxiliar delantero.

7. Desmontar el Soporte de Motores de Tres Barras D88L-6000-A, o equivalente, previamente instalado para el desmontaje de la tapa de la correa de sincronización.

8. Desmontar el tornillo de retención de la argolla de levantamiento del lado derecho del motor y la argolla de levantamiento.

9. Desmontar el soporte de apoyo en el soporte de montaje de la bomba de la dirección asistida y de la culata de cilindros.

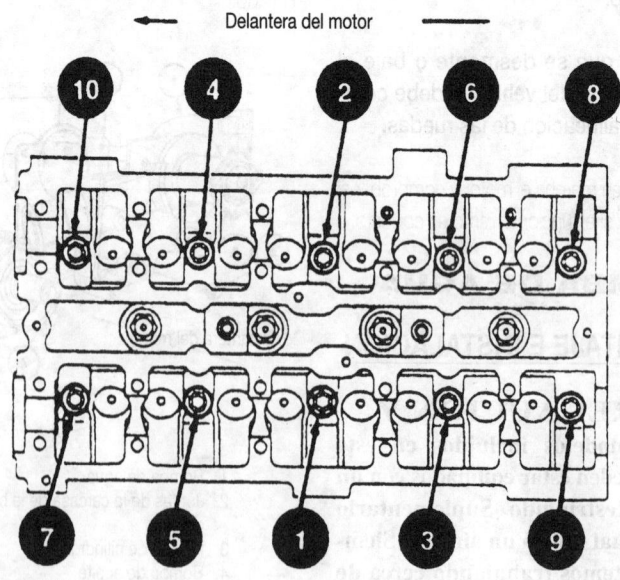

Delantera del motor

Apretar los tornillos en la secuencia mostrada

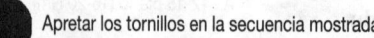

▲ **Secuencia de apriete de los tornillos de montaje de la culata de cilindros – Motor 2.0L**

10. Desmontar la polea tensora de la correa de sincronización del árbol de levas y la tapa delantera del motor, de la delantera de la culata de cilindros.

11. Desmontar el cuerpo del termostato de la trasera de la culata de cilindros.

12. Desmontar la bobina de encendido y soporte, de la culata de cilindros.

13. Desmontar las bujías, si no se han desmontado anteriormente.

14. Desmontar los tornillos de retención de la culata de cilindros, a la inversa de la secuencia de instalación.

15. Desmontar la culata de cilindros y la junta del motor.

16. Si la culata de cilindros debe ser serviciada, desmontar el anillo (argolla) de levantamiento del lado izquierdo del motor.

Para instalar:

17. Limpiar las superficies de junta de la culata de cilindros y del bloque de cilindros y controlar la planicidad.

18. Montar una junta de culata de cilindros nueva sobre el bloque de cilindros. Asegurarse de que la junta de culata está adecuadamente colocada sobre de los pasadores (clavijas) de centraje.

▼ AVISO ▼

Tener cuidado al poner la culata de cilindros, para evitar daños a la junta de culata o a los pasadores de centraje.

19. Poner una ligera capa de aceite de motor en las roscas de los tornillos de culata nuevos y montarlos.

20. Apretar los tornillos de culata de cilindros en secuencia y en los siguientes pasos:

- Apretar todos los tornillos a 15-22 pie-lb (20-30 Nm).
- Apretar todos los tornillos a 30-37 pie-lb (40-50 Nm).
- Girar todos los tornillos 90-120 grados.

21. Montar de nuevo el soporte de la bobina de encendido y la bobina de encendido.

22. Montar de nuevo el cuerpo del termostato del agua.

23. Montar de nuevo la tapa delantera del motor. Apretar los tornillos de retención a 71-97 plg-lb (8-11 Nm).

24. Montar de nuevo la polea tensora de la correa de sincronización del árbol de levas y el tornillo de retención sobre la parte delantera de la culata de cilindros.

25. Montar de nuevo el soporte de apoyo en el soporte de montaje de la bomba de la dirección asistida y la culata de cilindros.

26. Apretar el soporte de apoyo a 29-41 pie-lb (39-55 Nm).

27. Montar de nuevo el anillo de levantamiento del lado derecho del motor en la culata de cilindros y el soporte de montaje del alternador. Apretar los tornillos de retención a 30-41 pie-lb (41-55 Nm).

28. Si se ha desmontado, montar el anillo de levantamiento del lado izquierdo del motor en la culata de cilindros, y apretar a 10-13 pie-lb (14-18 Nm).

29. Montar el Soporte de Motores de Tres Barras D88L-6000-A, o equivalente, en los anillos de levantamiento del motor, y sostener el motor.

30. Desmontar el bloque de madera entre el bastidor auxiliar y la polea del cigüeñal.

31. Montar de nuevo los levantaválvulas y los árboles de levas en sus posiciones originales.

32. Montar de nuevo el múltiple de escape.

33. Montar de nuevo el múltiple de admisión.

34. Montar de nuevo las bujías.

▼ PRECAUCIÓN ▼

La autoridad sanitaria advierte que el contacto prolongado con aceite de motor usado puede causar algunos trastornos en la piel e incluso cáncer. Por ello se deberá intentar reducir al mínimo el contacto con aceite de motor usado. Utilizar guantes como protección cuando se cambie el aceite. Lavarse las manos y cualquier otra área de la piel expuesta, a ser posible inmediatamente después de haber estado en contacto con el aceite del motor. Debe utilizarse agua y jabón o un limpiador de manos seco.

35. Vaciar el aceite del motor y desmontar el filtro de aceite de motor.

▼ AVISO ▼

Operar con el motor sin las cantidades y tipo de aceite de motor adecuado dará lugar a daños graves en el motor.

36. Montar de nuevo el tapón de vaciado y apretar a 15-21 pie-lb (21-28 Nm).

37. Montar un filtro de aceite de motor nuevo y llenar el cárter con la cantidad y clase adecuada de aceite.

38. Llenar el sistema de refrigeración del motor.

39. Volver a conectar el cable negativo de la batería.

40. Poner en marcha el motor y comprobar si hay escapes de refrigerante o aceite. Comprobar el funcionamiento adecuado del motor.

Motor 2.5L

➡ **Los tornillos de culata de cilindros están diseñados para un par de apriete hasta su límite de elasticidad, y no pueden usarse otra vez. Asegurarse de disponer de los nuevos tornillos de culata de cilindros antes del inicio de este proceso.**

1. Desconectar el cable negativo de la batería.

▼ PRECAUCIÓN ▼

Nunca abrir, serviciar o vaciar el radiador o el sistema de refrigeración, cuando está caliente; pueden producirse serias quemaduras por los vapores y el líquido refrigerante caliente.

2. Vaciar el sistema de refrigeración del radiador y por los tapones de vaciado del bloque de cilindros.

3. Cerrar la llave de vaciado del radiador y montar los tapones de vaciado dentro del bloque de cilindros.

4. Desmontar los múltiples de admisión superior e inferior.

▼ PRECAUCIÓN ▼

La autoridad sanitaria advierte que el contacto prolongado con aceite de motor usado puede causar algunos trastornos en la piel e incluso cáncer. Por ello se deberá intentar reducir al mínimo el contacto con aceite de motor usado. Utilizar guantes como protección cuando se cambie el aceite. Lavarse las manos y cualquier otra área de la piel expuesta, a ser posible después de haber estado en contacto con el aceite del motor. Se debe utilizar agua y jabón o un limpiador de manos seco.

5. Vaciar el aceite del motor y desmontar el depósito de aceite.

6. Desmontar el alternador y el soporte de montaje del alternador.

7. Desmontar el sensor calefactado de oxígeno, del múltiple de escape de la culata de cilindros derecha.

8. Desmontar el múltiple de escape de la culata de cilindros izquierda.

9. Desmontar la bomba de agua.

10. Desmontar la tapa delantera del motor.

11. Instalar el montaje delantero superior del motor (soporte aislador) y el soporte del montaje delantero superior del motor en la delantera del motor, y el guardabarros delantero derecho.

12. Desmontar el Soporte de Motores de Tres Barras D88L-6000-A, o equivalente.

13. Desmontar el árbol de levas y los levantaválvulas de ambas culatas de cilindros.

14. Desconectar las mangueras del sensor de presión del EGR en la válvula del EGR, en el tubo del múltiple de escape.

15. Desacoplar el sensor de presión del EGR.

16. Desconectar la manguera de la fuente de suministro de vacío interior del enganche principal de emisión de vacío.

17. Desconectar la manguera de los vapores de combustible de la válvula PCV.

18. Desconectar el transductor del EGR.

19. Desmontar la válvula EGR en el tubo del múltiple de escape, del múltiple de escape derecho y sacarla del vehículo.

20. Desmontar el soporte de retención del cableado del soporte del transductor del EGR.

21. Desmontar el filtro de aire del motor.

22. Desmontar el tubo de ventilación del cárter del paso superior entrecruzado del agua y el separador de aceite.

23. Desmontar el tornillo de retención del paso superior entrecruzado del agua y el tornillo espárrago de la culata de cilindros derecha. Colocar el paso superior entrecruzado del agua aparte.

24. Desmontar la varilla indicadora del nivel de aceite, de la culata de cilindros izquierda.

25. Desmontar los tornillos de retención de culata de cilindros, de las culatas de cilindros a la inversa de la secuencia de la ilustración.

26. Desmontar la culata de cilindros derecha con el múltiple de escape y el soporte del transductor EGR acoplados.

27. Si se requiere, desmontar el múltiple de escape y el soporte del transductor del EGR, de la culata de cilindros derecha.

28. Desmontar la culata de cilindros izquierda.

29. Inspeccionar las culatas de cilindros y el bloque de cilindros.

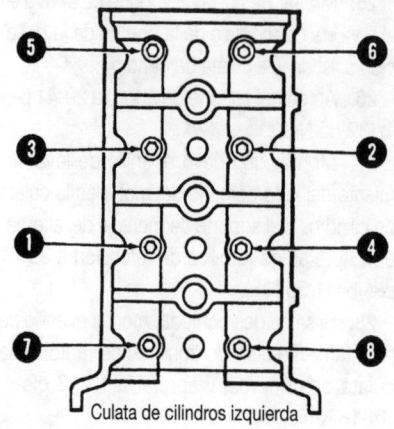

Culata de cilindros izquierda

▲ **Secuencia de apriete de los tornillos de montaje de la culata de cilindros – Motor 2.5L**

Para instalar:

30. Limpiar las culatas de cilindros, los múltiples de admisión, las tapas de válvulas y las superficies de sellado de junta de culata de cilindros, sobre el bloque de cilindros.

➡ **Si las culatas de cilindros han sido desmontadas para reemplazar las juntas de culata de cilindros, revisar la planitud de las culatas de cilindros y las superficies de junta del bloque de cilindros.**

31. Si se ha desmontado, instalar el múltiple de escape derecho y el soporte del transductor del EGR en la culata de cilindros derecha.

32. Instalar las juntas de culata de cilindros nuevas, sobre de los pasadores de centrado del bloque de cilindros.

33. Colocar las culatas de cilindros en sus posiciones originales, con cuidado de no dañar las culatas, el bloque o las juntas.

34. Asegurarse de que las culatas de cilindros están colocadas correctamente sobre los pasadores de centrado.

35. Cubrir ligeramente con aceite de motor las roscas de los tornillos de retención de culata de cilindros nuevos y montarlos en la culata de cilindros.

36. Apretar los tornillos de retención de culata de cilindros nuevos, de la siguiente manera:

• Apretar los tornillos, en secuencia, a 27-32 pie-lb (37-43 Nm).

• Girar los tornillos, en secuencia, 85-95 grados.

• Aflojar los tornillos, en secuencia, un mínimo de una vuelta entera.

• Apretar los tornillos, en secuencia, a 27-32 pie-lb (37-43 Nm).

• Girar los tornillos, en secuencia, 85-95 grados.

• Girar los tornillos, en secuencia, 85-95 grados adicionales.

37. Inspeccionar las juntas tóricas del paso superior entrecruzado del agua, y reemplazar en caso necesario.

38. Montar de nuevo el paso superior del agua en las culatas de cilindros y apretar los tornillos de retención a 71-106 plg-lb (8-12 Nm).

39. Montar de nuevo el tubo de la ventilación del cárter. Apretar el tubo a 44-62 plg-lb (5-7 Nm).

40. Montar de nuevo la varilla indicadora del nivel de aceite en la culata de cilindros izquierda.

41. Montar de nuevo el filtro de aire del motor.

42. Montar de nuevo el soporte de retención del cableado, encima del soporte del transductor del EGR.

43. Montar de nuevo el EGR en el tubo del múltiple de escape, encima del múltiple de escape derecho.

44. Reconectar el transductor del EGR y el sensor de presión del EGR.

45. Reconectar la manguera de vapores de combustible, en la válvula del PCV.

46. Reconectar las mangueras de la fuente de vacío interior en el enganche principal de emisión de vacío.

47. Reconectar las mangueras del sensor de presión del EGR y la válvula EGR en el tubo del múltiple de escape.

48. Montar de nuevo los árboles de levas y los levantaválvulas.

49. Montar el Soporte de Motores de Tres Barras D88L-6000-A o equivalente, en los anillos de levantamiento motor y sostener el motor.

50. Montar de nuevo la tapa delantera del motor.

51. Montar de nuevo el múltiple de escape izquierdo.

52. Montar de nuevo la bomba de agua.

53. Montar de nuevo el sensor calefactado de oxígeno en el múltiple de escape derecho.

54. Montar de nuevo el soporte de montaje del alternador y el alternador.

55. Montar de nuevo el depósito de aceite del motor.

56. Montar de nuevo los múltiples de admisión superior e inferior.

57. Reemplazar el filtro de aceite del motor.

58. Llenar el motor con la cantidad y clase de aceite de motor adecuadas.

▼ AVISO ▼

Hacer funcionar el motor sin la cantidad y tipo de aceite de motor adecuados, dará lugar a daños graves en el motor.

59. Llenar el sistema de refrigeración del motor.

60. Volver a conectar el cable negativo de la batería.

61. Poner en marcha el motor y revisar si hay escapes de refrigerante y aceite. Comprobar el funcionamiento correcto del motor.

BALANCINES

DESMONTAJE E INSTALACIÓN

Motor 2.5L

1. Desconectar ambos cables de la batería, empezando por el negativo.

2. Desmontar las tapas de válvulas, de la siguiente manera:

a. Desmontar los cables de encendido y las bujías.

b. Desmontar la bobina de encendido de la tapa de válvulas derecha.

c. Desmontar los tubos de ventilación del cárter de ambas tapas de válvulas.

d. Desmontar el cableado y el soporte en los inyectores de combustible y ponerlos aparte.

e. Desmontar las tuercas de retención y el cableado del motor, de ambas tapas de válvulas y ponerlos aparte.

f. Desmontar los tornillos y espárragos de retención de las tapas de válvulas.

g. Desmontar ambas tapas de válvulas, del motor.

3. Desmontar el tornillo de retención de la polea del cigüeñal.

4. Girar el cigüeñal de tal modo que el cuñero (chavetero), esté en la posición de las 11 en punto para colocar el cigüeñal en el PMS del cilindro N° 1.

5. Verificar que las flechas de alineación de los árboles de levas, están alineadas. Si no lo están, girar el cigüeñal una vuelta completa y volver a verificar.

6. Girar el cigüeñal de modo que el chavetero esté en la posición de las 3 en punto. Esto sitúa los árboles de levas de la culata de cilindros derecha en la posición neutral.

7. Desmontar las correas propulsoras de los accesorios.

8. Desmontar la batería.

9. Desmontar la polea propulsora de la bomba de agua del árbol de levas de admisión izquierdo, utilizando un Desmontador de Amortiguadores de Árbol de levas, T94P-6312-AH, o equivalente, junto con el protector del eje y tornillo, o equivalente.

10. Desmontar los tornillos de retención del sello de aceite trasero del árbol de levas y el sello de aceite trasero del árbol de levas y junta, de la culata de cilindros izquierda.

➡ Las tapas de los cojinetes de los árboles de levas y las culatas de cilindros están numeradas para asegurar que se montan en su posición correcta. Si se desmontan, mantener las tapas de los cojinetes de los árboles de levas, juntas con la culata de cilindros de la que se han desmontado.

11. Desmontar los tornillos de retención de las tapas de los cojinetes de empuje de los árboles de levas de la culata de cilindros derecha, y las tapas de los cojinetes de empuje.

12. Aflojar los restantes tornillos de las tapas de cojinetes de árboles de levas en secuencia, aflojando los tornillos varias vueltas al mismo tiempo, haciendo varios pasos para dejar que el árbol de levas se levante de la culata de cilindros uniformemente. No desmontar completamente los tornillos de retención.

➡ Si los levantaválvulas y balancines se han de volver a utilizar, marcar la posición de los levantaválvulas y balancines, para que se vuelvan a montar en sus posiciones originales.

13. Con los árboles de levas aflojados, desmontar los balancines, manteniendo el orden en el que han sido desmontados.

14. Si se requiere, desmontar los levantaválvulas de la culata de cilindros.

15. Girar dos vueltas el cigüeñal y poner el chavetero del cigüeñal en la posición de las 11 en punto. Esto deja los árboles de levas de la culata de cilindros izquierda en su posición neutral.

16. Verificar que las flechas de alineación del árbol de levas, están alineadas.

➡ Las tapas de los cojinetes de árboles de levas y las culatas de cilindros, están numeradas para asegurar que se montan en sus posiciones originales. Si se des-

montan, mantener las tapas de cojinetes de árboles de levas juntas con la culata de cilindros, para saber de dónde se han desmontado.

17. Desmontar los tornillos de retención de las tapas de los cojinetes de empuje (axiales) de los árboles de levas y las tapas de los cojinetes axiales de la culata de cilindros izquierda.

18. Aflojar los restantes tornillos de tapas de cojinetes de árbol de levas, de la siguiente manera, aflojando los tornillos varias vueltas al mismo tiempo, haciendo varios pasos, para dejar que el árbol de levas se levante de la culata de cilindros uniformemente. No desmontar completamente los tornillos de retención.

➡ Si los levantaválvulas y balancines se han de volver a utilizar, marcar la posición de los levantaválvulas y balancines para que se vuelvan a montar en sus posiciones originales.

19. Con los árboles de levas aflojados, desmontar los balancines, manteniendo el orden en el que han sido desmontados.

20. Si se requiere, desmontar los levantaválvulas de la culata de cilindros.

21. Inspeccionar los balancines y levantaválvulas sobre su desgaste y/o daños, y reemplazar en caso necesario.

Para instalar:

22. Asegurarse de que el chavetero (cuñero) del cigüeñal está en la posición de las 11 en punto.

23. Lubricar los levantaválvulas de la culata de cilindros izquierda, con un lubricante para el montaje de motores, y montarlos en sus posiciones correctas, en la culata de cilindros.

24. Si los levantaválvulas han sido reemplazados por unidades nuevas, sumergir los levantaválvulas en un contenedor de aceite de motor

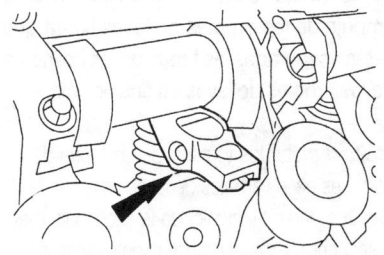

▲ Después de aflojar el árbol de levas, el balancín/seguidor de leva (flecha) puede ser desmontado – Motor 2.5L

limpio y/o, manualmente, bombear los levantaválvulas antes de su montaje en la culata de cilindros.

25. Lubricar los balancines de la culata de cilindros izquierda con un lubricante de montaje de motores, y montar los balancines de la culata de cilindros izquierda, en sus posiciones originales.

➡ No montar las tapas de los cojinetes de empuje de los árboles de levas hasta que estén aseguradas las tapas de los cojinetes de los árboles de levas en sus posiciones.

26. Apretar los tornillos de las tapas de los cojinetes de los árboles de levas de la culata de cilindros izquierda, siguiendo la secuencia (para la secuencia mirar el procedimiento del árbol de levas) haciendo algunos pasos, para encajar uniformemente el árbol de levas. Apretar los tornillos a 71-106 plg-lb (8-12 Nm).

27. Montar de nuevo las tapas de los cojinetes de empuje de la culata de cilindros izquierda y los tornillos. Apretar a 71-106 plg-lb (8-12 Nm).

28. Girar el cigüeñal dos vueltas y colocar el cuñero (chavetero) del cigüeñal en la posición de las 3 en punto. Esto colocará el árbol de levas de la culata de cilindros derecha en la posición neutral.

29. Lubricar los levantaválvulas de la culata de cilindros derecha con lubricante de montaje de motores y montarlos en sus posiciones originales, en la culata de cilindros.

30. Si los levantaválvulas han sido reemplazados por unidades nuevas, sumergir los levantaválvulas en un contenedor de aceite de motor limpio y/o, manualmente, bombear los levantaválvulas antes de su montaje en la culata de cilindros.

31. Lubricar con lubricante de montaje de motores los balancines de la culata de cilindros derecha y montar en sus posiciones originales los balancines de la culata de cilindros derecha.

➡ No montar las tapas de los cojinetes de empuje de los árboles de levas hasta que estén aseguradas las tapas de los cojinetes de los árboles de levas en sus posiciones.

32. Apretar los tornillos de las tapas de los cojinetes de los árboles de levas de la culata de cilindros derecha, siguiendo la secuencia (para la secuencia mirar el procedimiento de los árboles de levas) haciendo varios pasos, para encajar uniformemente los árboles de levas. Apretar los tornillos a 71-106 plg-lb (8-12 Nm).

33. Montar de nuevo las tapas y los tornillos de los cojinetes de empuje de la culata de cilindros derecha. Apretar a 71-106 plg-lb (8-12 Nm).

34. Montar de nuevo el sello de aceite trasero del árbol de levas de la culata de cilindros izquierda y la retención con la junta sobre la culata de cilindros. Apretar los tornillos de retención a 71-106 plg-lb (8-12 Nm).

35. Montar de nuevo la polea propulsora de la bomba de agua en el árbol de levas de admisión izquierdo, utilizando un Montador de Poleas de Bombas de Dirección Asistida T91P-3A733-A, tornillo y copa de montaje, o equivalente.

36. Montar de nuevo las correas propulsoras de los accesorios.

37. Montar de nuevo la batería.

38. Montar de nuevo el tornillo de retención de la polea del cigüeñal.

39. Apretar el tornillo de retención de la polea del cigüeñal, como sigue:

a. Apretar a 89 pie-lb (120 Nm).

b. Aflojar el tornillo al menos una vuelta entera.

c. Apretar el tornillo a 35-39 pie-lb (47-53 Nm).

d. Girar el tornillo 85-95 grados.

40. Montar de nuevo ambas tapas de válvulas, como sigue:

a. Limpiar las superficies de sellado de junta, de la tapa de válvulas.

b. Montar juntas de tapa de válvulas nuevas encima de las tapas de válvulas.

c. Para cada tapa de válvulas, colocar un cordón de sellador de silicona en dos lugares sobre las superficies de sellado de la tapa de válvulas donde la tapa delantera del motor y las culatas de cilindros, hacen contacto, y los dos lugares sobre la trasera de la culata de cilindros donde la retención del sello de aceite del árbol de levas contacta con la culata de cilindros.

d. Montar de nuevo los tornillos y espárragos de retención de la tapa de válvulas, y apretar en secuencia a 71-106 plg-lb (8-12 Nm).

➡ Las tapas de válvulas deben ser montadas y apretadas adecuadamente, dentro de los seis minutos posteriores a la aplicación del sellador de silicona.

41. Reconectar ambos cables de la batería, el cable negativo el último.

42. Poner en marcha el motor y revisar si hay escapes y si es correcto el funcionamiento.

MÚLTIPLE DE ADMISIÓN

DESMONTAJE E INSTALACIÓN

Motor 2.0L

▼ PRECAUCIÓN ▼

El sistema de combustible se mantiene bajo presión, incluso una vez parado el motor. La presión del sistema de combustible tiene que descargarse del todo antes de desconectar cualquier conducción de combustible. Dejar de hacer esto puede dar lugar a un incendio y/o daños personales.

1. Desconectar el cable negativo de la batería.

2. Desmontar los resonadores de admisión de aire, del motor.

3. Descargar la presión del sistema de combustible.

4. Desmontar el cable del acelerador y el actuador del control de la velocidad, del cuerpo del estrangulador.

5. Desmontar el soporte del cable del acelerador.

6. Desconectar el cableado de los inyectores de combustible y ponerlo aparte.

7. Desconectar la conexión de vacío en el regulador de presión de combustible.

8. Utilizando las herramientas (de $3/8$ plg y $1/2$ plg) de desconexión de los acoplamientos de bloqueo de resorte adecuadas, desmontar las mangueras de alimentación y retorno de combustible del raíl de combustible.

9. Desmontar los tubos de alimentación y retorno de combustible del soporte de retención sobre el múltiple de admisión, y ponerlos aparte.

10. Desacoplar, con cuidado, el múltiple de inyección de combustible, con los inyectores de combustible acoplados, y desmontar del motor.

11. Desconectar el cableado del sensor de temperatura del refrigerante del motor, y el sensor de control del motor.

12. Desmontar el tubo de ventilación del cárter, del rácor del múltiple de admisión.

13. Desconectar la conexión del cableado en el sensor de posición del árbol de levas, localizado encima de la culata de cilindros.

14. Desmontar el tornillo de retención del sensor de posición del árbol de levas, y desmontar el sensor.

15. Desconectar la manguera de vacío en la válvula del EGR.

16. Utilizar una llave de tuberías de pata de cuervo de 22 mm, para aflojar completamente la válvula EGR en la tuerca del tubo del múltiple de escape.

17. Desmontar los dos tornillos de retención de la válvula EGR y desmontar la válvula EGR y la junta.

18. Desmontar los tubos de alimentación de vacío de la carrocería y el servofreno, en la base del múltiple de admisión.

19. Desmontar los tornillos del soporte de retención del cableado del sensor de control del motor.

➡ **El múltiple de admisión puede ser desmontado sin desmontar el alternador y el soporte de montaje del alternador, aunque su desmontaje hará el trabajo más fácil.**

20. Desmontar los tornillos y tuercas de retención, del múltiple de admisión.

21. Desmonatr el múltiple de admisión y la junta, de la culata de cilindros.

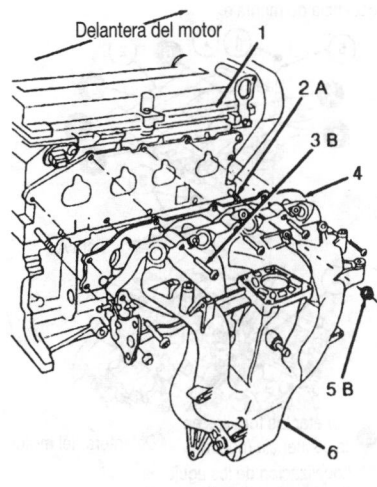

1. Culata de cilindros
2. Espárrago (cantidad 2)
3. Tornillo (cantidad 8)
4. Junta del múltiple de admisión
5. Tuerca (cantidad 2)
6. Múltiple de admisión
A. Apretar a 0-10 Nm (0.89 plg-lb)
B. Apretar a 16-20 Nm (12-15 pie-lb)

▲ **Montaje del múltiple de admisión – Motor 2.0L**

Para instalar:

22. Si el múltiple de admisión ha de ser reemplazado, desmontar el cuerpo del estrangulador y la válvula de control del aire de marcha mínima del múltiple antiguo y montarlos sobre el nuevo.

23. Limpiar las superficies de sellado de junta sobre el múltiple de admisión y la culata de cilindros.

24. Montar el múltiple de admisión en la culata de cilindros utilizando una junta nueva.

25. Montar de nuevo las tuercas y tornillos de retención del múltiple de admisión.

26. Apretar las tuercas y los tornillos de retención en varios pasos, a 12-15 pie-lb (16-20 Nm), empezando en el centro y trabajando en dirección a los extremos de la culata de cilindros.

27. Montar de nuevo el soporte de montaje del alternador y el alternador, si se han desmontado.

28. Montar de nuevo los tornillos de retención del soporte de retención del sensor del cableado de control del motor.

29. Montar de nuevo las mangueras de alimentación de vacío de la carrocería y el servofreno, en la base del múltiple de admisión.

30. Montar de nuevo la válvula EGR, utilizando una junta nueva, y apretar los dos tornillos de retención.

31. Montar de nuevo la válvula EGR en la tuerca del tubo del múltiple de escape, y apretar a 26-33 pie-lb (35-45 Nm).

32. Montar de nuevo el tubo de vacío de la válvula EGR.

33. Montar de nuevo el sensor de posición del árbol de levas y sus tornillos de retención, y apretar a 13-17 pie-lb (18-23 Nm).

34. Reconectar el sensor de posición del árbol de levas.

35. Montar de nuevo el tubo de ventilación del cárter en el rácor del múltiple de admisión.

36. Reconectar el sensor de temperatura del refrigerante del motor, y el cableado del sensor de control del motor.

37. Colocar con cuidado el múltiple de alimentación de inyección de combustible con los inyectores dentro del múltiple de admisión.

38. Montar de nuevo las mangueras de alimentación y retorno de combustible en el múltiple de alimentación de inyección de combustible.

39. Montar de nuevo el tubo de vacío en el regulador de presión de combustible.

40. Colocar el cableado de los inyectores de combustible y montar.

41. Montar de nuevo el soporte del cable del acelerador.

42. Montar de nuevo el actuador del control de velocidad y el cable del acelerador en el cuerpo del estrangulador.

43. Montar de nuevo el conjunto del filtro de aire y los resonadores de admisión de aire.

44. Reconectar el cable negativo de la batería.

45. Poner en marcha el motor y comprobar si hay escapes y si el funcionamiento es correcto.

Motor 2.5L

▼ PRECAUCIÓN ▼

El sistema de combustible se mantiene bajo presión, incluso una vez parado el motor. La presión del sistema de combustible tiene que descargarse del todo, antes de desconectar cualquier conducción de combustible. Dejar de hacerlo puede dar lugar a un incendio y/o daños personales.

MÚLTIPLES DE ADMISIÓN SUPERIOR E INFERIOR

1. Desconectar el cable negativo de la batería.

▼ PRECAUCIÓN ▼

Observar todas las precauciones de seguridad pertinentes siempre que se trabaje cerca de combustible. Cuando se realice un servicio en el sistema de combustible, trabajar en una área bien ventilada. No dejar que la pulverización o los vapores de combustible se pongan en contacto con una chispa o llama. Tener un extintor cerca del área de trabajo. Mantener siempre el combustible dentro de un contenedor específicamente diseñado para el almacenamiento de combustible; los contenedores de combustible tienen que ser siempre de cierre hermético, para evitar la posibilidad de un incendio o explosión.

2. Descargar la presión del sistema de combustible.

3. Desmontar la protección de la polea de la bomba de agua.

4. Desacoplar el retenedor negro con un destornillador sobre el múltiple de admisión superior, y desconectar el control de vacío de emisión principal, y el conector del control de vacío del servofreno, del múltiple de admisión superior.

5. Desmontar el cable del acelerador y el actuador del control de velocidad, del cuerpo del estrangulador.

6. Desmontar el soporte del cable del acelerador, del múltiple de admisión y ponerlo aparte.

7. Desmontar la manguera de alimentación de aire fresco de la válvula de control de aire de la marcha mínima, del rácor sobre el múltiple de admisión superior.

8. Desconectar el cableado del sensor de posición del estrangulador, la válvula de control de aire de la marcha mínima y el control del regulador de vacío del EGR.

9. Desmontar la manguera de alimentación de vacío, del múltiple de admisión superior de la válvula PCV, en el múltiple de admisión superior.

10. Desconectar las mangueras de alimentación de vacío en el control del regulador de vacío del EGR y la válvula EGR.

11. Aflojar y desmontar la válvula EGR en el tubo del múltiple de escape y ponerla aparte.

12. Desmontar la biela de conexión del selonoide de vacío del control de funcionamiento del múltiple de admisión (IMRC), apalancando con cuidado con un destornillador.

13. Desmontar los tornillos de retención del múltiple de admisión superior, en el sentido inverso al de la secuencia de instalación ilustrada.

➡ **En el desmontaje de componentes del motor tales como los múltiples y las culatas de cilindros, desmontar siempre los tornillos de retención, en el orden inverso a su secuencia de apriete, para evitar la deformación de los componentes.**

14. Desmontar los múltiples de admisión superior y las juntas, del motor.

➡ **Si sólo se desmonta el múltiple de admisión superior, detenerse en este punto. El resto del proceso es para el múltiple inferior.**

15. Desconectar el cableado de los inyectores de combustible y ponerlos aparte.

16. Desconectar el tubo de vacío en el regulador de presión de combustible y en la válvula IMRC, y colocarlos aparte.

17. Desmontar las pinzas de retención del acoplamiento de bloqueo de resorte, de la alimentación de combustible y los rácores de retorno.

18. Utilizar las herramientas de desconexión del acoplamiento de bloqueo de resorte (³/₈ plg y

¹/₂ plg) para desconectar las mangueras de retorno y alimentación de combustible, del múltiple de alimentación de inyección de combustible.

19. Desmontar los ocho tornillos de retención del múltiple de admisión inferior en la culata de cilindros, en el orden inverso al de la secuencia de apriete de la ilustración.

20. Desmontar el múltiple de admisión inferior y las juntas, del vehículo.

21. Si el múltiple de admisión inferior se ha de reemplazar o mecanizar, desmontar los inyectores de combustible y el solenoide de vacío del IMRC.

Para intalar:

22. Montar el solenoide de vacío del IMRC y los inyectores de combustible encima del múltiple de admisión inferior, si se ha desmontado. Utilizar en este momento una bomba de vacío manual para verificar el funcionamiento del solenoide de vacío del IMRC y el de la placa.

23. Limpiar a fondo las superficies de sellado de junta, y colocar dos admisiones nuevas en las juntas de la culata de cilindros, en posición.

24. Montar con cuidado el múltiple de admisión inferior, y montar el múltiple de admisión en los tornillos de retención de la culata de cilindros.

25. Apretar los tornillos de retención, en secuencia, a 71-106 plg-lb (8-12 Nm).

26. Montar las mangueras de alimentación y retorno de combustible en el múltiple de alimentación de combustible, y asegurarse de que los acoplamientos de bloqueo de resorte están correctamente instalados.

27. Montar las pinzas de retención sobre los acoplamientos de bloqueo de resorte.

28. Reconectar el tubo de vacío en el regulador de presión de combustible y el solenoide de vacío del IMRC.

29. Conectar temporalmente el cable negativo de la batería.

30. Conectar el indicador de presión de combustible en la válvula de descarga de la presión de combustible, localizada encima del múltiple de alimentación de la inyección de combustible.

31. Girar la llave de ignición, varias veces, a la posición de RUN (MARCHA), para presurizar el sistema de combustible.

32. Observar el indicador de la presión del combustible para ver si hay signos de pérdidas. Si el indicador mantiene la presión, desmontar el indicador y continuar con la instalación del múltiple de admisión superior. Si el indicador de presión pierde presión, desmontar el múltiple

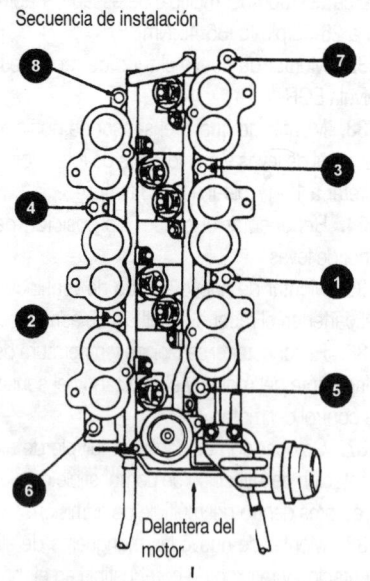

Secuencia de instalación

Delantera del motor

● Montar los tornillos en la secuencia mostrada

Múltiple de admisión inferior

▲ **Secuencia de apriete del múltiple de admisión inferior – Motor 2.5L**

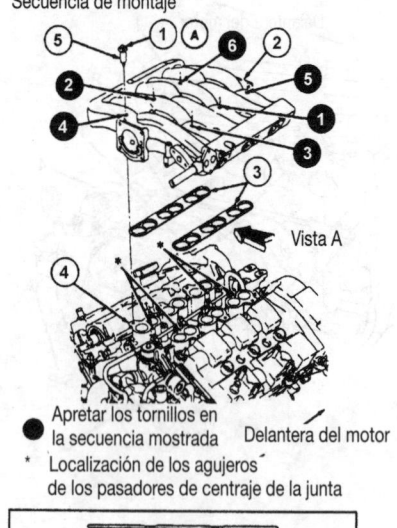

Secuencia de montaje

Vista A

● Apretar los tornillos en la secuencia mostrada   Delantera del motor

* Localización de los agujeros de los pasadores de centraje de la junta

Vista A   ③ Pasadores de centraje (2 de cada por junta)

1. Tornillo (6)
2. Múltiple de admisión superior
3. Junta del múltiple de admisión superior
4. Múltiple de admisión inferior
5. Aislador
6. 71-106 plg-lb (8-12 Nm)

▲ **Secuencia de apriete de los tornillos del múltiple de admisión superior – Motor 2.5L**

de alimentación de la inyección de combustible, y reemplazar la(s) junta(s) tórica(s) que pierdan, antes de continuar.

33. Desconectar el cable negativo de la batería.

34. Reposicionar y montar el cableado de los inyectores de combustible.

➡ **Si sólo se instala el múltiple de admisión superior, empezar en este punto.**

35. Montar el múltiple de admisión superior utilizando dos juntas nuevas sobre el múltiple de admisión inferior.

36. Montar los tornillos de retención del múltiple superior, y apretar, siguiendo la secuencia adecuada, a 71-106 plg-lb (8-12 Nm).

37. Montar los casquillos nuevos de la biela de conexión del IMRC y montar la biela.

38. Montar la válvula del EGR en el tubo del múltiple de escape, y apretar la tuerca a 26-33 pie-lb (35-45 Nm).

39. Reconectar las mangueras de alimentación de vacío en el control del regulador de vacío del EGR y en la válvula del EGR.

40. Reconectar el sensor de posición del estrangulador, la válvula de control del aire de la marcha mínima y el control del regulador de vacío del EGR.

41. Montar de nuevo la manguera de alimentación de aire fresco de la válvula de control del aire de la marcha mínima en el rácor del múltiple de admisión superior.

42. Montar de nuevo el soporte del cable del acelerador en el múltiple de admisión.

43. Montar de nuevo el actuador del control de la velocidad, y el cable del acelerador en el cuerpo del estrangulador.

44. Montar de nuevo la conexión del control de vacío de emisión principal y la conexión de vacío del servofreno en el múltiple de admisión superior.

45. Montar de nuevo la protección de la polea de la bomba de agua.

46. Reconectar el cable negativo de la batería.

47. Poner en marcha el motor y revisar si hay escapes.

MÚLTIPLE DE ESCAPE

DESMONTAJE E INSTALACIÓN

Motor 2.0L

1. Desconectar el cable negativo de la batería.

2. Desmontar los resonadores de admisión del aire del motor.

3. Desconectar el sensor calefactado de oxígeno.

4. Desmontar el tubo indicador del nivel de aceite.

5. Desmontar los retenedores de la protección contra el calor (antitérmica) del múltiple de escape y la protección del calor del múltiple de escape.

6. Desmontar el sensor calefactado de oxígeno del múltiple de escape.

7. Desmontar las cuatro tuercas de retención del convertidor catalítico.

8. Elevar y soportar con seguridad el vehículo.

9. Desmontar la válvula EGR en el tubo del múltiple de escape, el soporte de retención y la abrazadera.

10. Desmontar el convertidor catalítico.

11. Bajar el vehículo.

12. Desmontar las nueve tuercas de retención del múltiple de escape, de los espárragos de la culata de cilindros.

13. Desmontar el múltiple de escape y la junta.

14. Desmontar el múltiple de escape del vehículo.

15. Limpiar todas las superficies de contacto de junta.

Para instalar:

16. Colocar una junta de múltiple de escape nueva, y el múltiple de escape, sobre los espárragos de la culata de cilindros.

17. Montar de nuevo las tuercas de retención del múltiple de escape, y apretar a 13-16 pie-lb (14-17 Nm).

18. Elevar y soportar con seguridad el vehículo.

19. Montar de nuevo el convertidor catalítico utilizando una junta de entrada del convertidor nueva en el escape.

20. Montar de nuevo la válvula del EGR en el tubo del múltiple de escape, el soporte de retención y la abrazadera.

21. Apretar la válvula del EGR en la tuerca del tubo del múltiple de escape, a 44 pie-lb (60 Nm).

22. Bajar el vehículo.

23. Montar de nuevo el convertidor catalítico en las tuercas de retención del múltiple de escape.

24. Montar de nuevo el sensor calefactado de oxígeno en el múltiple de escape, y apretar a 44 pie-lb (60 Nm).

25. Montar de nuevo la protección antitérmica del múltiple de escape, y las retenciones de dicha protección.

26. Apretar las retenciones de la protección antitérmica a 71-106 plg-lb (8-11 Nm).

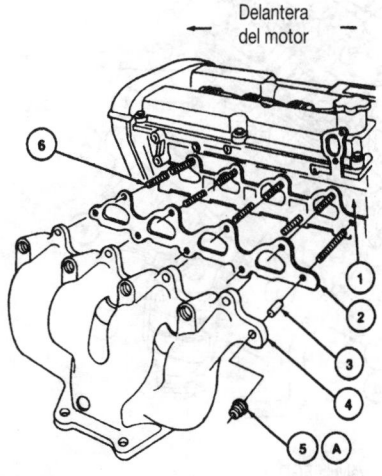

1. Culata de cilindros
2. Junta del múltiple de escape
3. Separador
4. Múltiple de escape
5. Tuerca (cantidad 9)
6. Espárrago (cantidad 9)
A. Apretar a 14-17 Nm (13-16 pie-lb)

▲ Múltiple de escape y componentes relacionados – Motor 2.0L

27. Montar de nuevo el tubo indicador del nivel de aceite.

28. Reconectar el sensor calefactado de oxígeno.

29. Montar de nuevo los resonadores de admisión de aire.

30. Reconectar el cable negativo de la batería.

31. Poner en marcha el motor y comprobar si hay escapes, y su funcionamiento correcto.

Motor 2.5L

DERECHO

1. Desconectar el cable negativo de la batería.

2. Desconectar el cableado del sensor de oxígeno.

3. Elevar y soportar con seguridad el vehículo.

4. Desmontar el alternador y el soporte de montaje del alternador.

5. Desmontar las tuercas de retención de la brida de salida encima del convertidor catalítico.

6. Desmontar el silenciador y la junta de la salida de escape del convertidor, del convertidor catalítico.

7. Desmontar las tuercas de retención del convertidor catalítico y los resortes de sujeción de la brida del tubo de escape.

8. Desmontar el convertidor catalítico.

9. Desmontar el soporte de retención del cojinete de soporte del semieje, del cojinete de soporte y del bloque de cilindros.

10. Desmontar el sensor de oxígeno del múltiple de escape.

11. Aflojar la válvula del EGR en las tuercas del tubo del múltiple de escape y desmontar el tubo.

12. Desmontar las tuercas de retención del múltiple de escape de los espárragos de la culata de cilindros.

13. Desmontar el múltiple de escape y la junta del motor.

14. Limpiar todas las superficies en contacto con la junta.

Para instalar:

15. Montar el múltiple de escape con una junta de múltiple de escape nueva.

16. Montar de nuevo los espárragos de retención del múltiple de escape, y apretar a 13-16 pie-lb (18-22 Nm), en la secuencia adecuada.

17. Montar de nuevo la válvula del EGR en el tubo del múltiple de escape, y apretar las tuercas a 26-33 pie-lb (35-45 Nm).

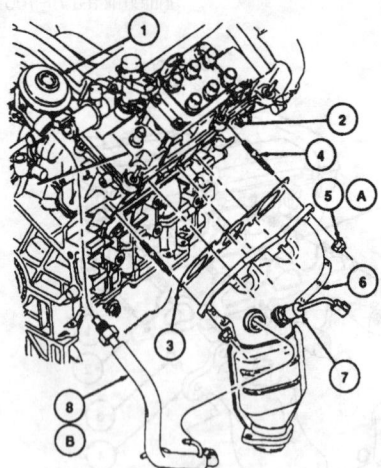

1. Válvula EGR
2. Culata de cilindros derecha
3. Junta del múltiple de escape
4. Espárrago roscado (cantidad 6)
5. Tuerca (cantidad 6)
6. Múltiple de escape derecho
7. Sensor calefactado de oxígeno
8. Válvula del EGR al tubo del múltiple de escape
A. Apretar a 18-22 Nm (13-16 pie-lb)
B. Apretar a 35-45 Nm (26-33 pie-lb)

▲ **Montaje del múltiple de escape de la parte derecha – Motor 2.5L**

18. Montar de nuevo el sensor de oxígeno en el múltiple de escape, y apretar a 26-34 pie-lb (35-46 Nm).

19. Montar de nuevo el soporte de retención del cojinete de soporte del semieje y el bloque de cilindros.

20. Montar de nuevo el convertidor catalítico, utilizando una junta de entrada del convertidor de escape nueva.

21. Colocar el silenciador y una junta de salida del convertidor de escape nueva sobre el convertidor catalítico, y montar flojamente las tuercas de retención.

22. Alinear el sistema de escape y apretar todas las tuercas y tornillos.

23. Apretar las tuercas de retención del convertidor catalítico con los resortes de retención de la brida del tubo de escape a 22-30 pie-lb (27.9-40.3 Nm).

24. Apretar las tuercas de la brida de entrada del silenciador a 26-33 pie-lb (34-46 Nm).

25. Montar de nuevo el soporte de montaje del alternador y el alternador.

26. Bajar el vehículo.

27. Reconectar el cableado en el sensor de oxígeno.

28. Reconectar el cable negativo de la batería.

29. Poner en marcha el motor y comprobar si hay escapes, y si el funcionamiento es correcto.

IZQUIERDO

1. Desconectar el cable negativo de la batería.

2. Desconectar el sensor de oxígeno.

3. Elevar y soportar con seguridad el vehículo.

4. Desmontar las fijaciones de las bridas del tubo de paso cruzado superior de escape, delanteras y traseras, de los múltiples de escape.

5. Desmontar la retención de espárrago y tuerca, del depósito de aceite del motor.

6. Desmontar las dos tuercas y tornillos restantes, de la conexión de salida de tubo de paso cruzado superior del escape.

7. Desmontar el tubo de paso cruzado superior de escape.

8. Desmontar las tuercas del soporte de retención de la manguera inferior del radiador.

9. Desmontar las seis tuercas de retención del múltiple de escape, de los espárragos de la culata de cilindros.

10. Mover la manguera inferior del radiador para ganar acceso en el desmontaje del múltiple de escape.

11. Desmontar el múltiple de escape. Si el múltiple se ha de reemplazar, desmontar el sensor de oxígeno.

12. Limpiar todas las superficies en contacto con la junta.

Para instalar:

13. Si se ha desmontado, instalar el sensor de oxígeno en el múltiple nuevo.

14. Colocar el múltiple de escape nuevo en la junta del bloque de cilindros encima de los espárragos de la culata de cilindros.

15. Mover la manguera del radiador inferior para facilitar el montaje del múltiple de escape.

16. Colocar el múltiple de escape en los espárragos de la culata de cilindros y montar las seis tuercas de retención.

17. Apretar las tuercas de retención a 13-16 pie-lb (18-22 Nm), en secuencia.

18. Montar de nuevo el soporte de retención de la manguera inferior del radiador y apretar a 71-106 plg-lb (8-12 Nm).

19. Montar de nuevo el tubo de paso cruzado superior de escape.

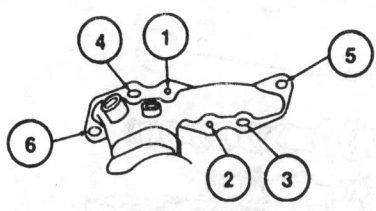

▲ **Secuencia de apriete de los tornillos de montaje del múltiple de escape – Motor 2.5L**

20. Montar de nuevo las dos tuercas y tornillos en la conexión de salida del tubo de paso cruzado superior de escape.

21. Montar de nuevo el espárrago y la tuerca de retención en el depósito de aceite del motor.

22. Montar de nuevo los sujetadores delanteros y traseros, de las bridas del tubo de paso cruzado superior de escape en los múltiples de escape.

23. Bajar el vehículo.

24. Reconectar el sensor de oxígeno.

25. Reconectar el cable negativo de la batería.

26. Poner en marcha el motor y comprobar si hay escapes, y si el funcionamiento es correcto.

SELLO DE ACEITE DELANTERO DEL CIGÜEÑAL

➡ **Los procedimientos del sello de aceite delantero del cigüeñal se aplican en los motores equipados con correas dentadas de sincronización. Para los sellos de aceite delanteros, en motores equipados con cadenas o engranajes de sincronización, consultar los procedimientos aplicables más adelante, en esta sección.**

DESMONTAJE E INSTALACIÓN

Motor 2.0L

1. Desconectar el cable negativo de la batería.

2. Desmontar la correa de sincronización del árbol de levas y la polea dentada del cigüeñal.

3. Utilizando el extractor de sellos de aceite T92C-6700-CH, o equivalente, desmontar el sello de aceite delantero del cigüeñal, de la carcasa de la bomba de aceite.

Para instalar:

4. Limpiar e inspeccionar el alojamiento del sello de aceite delantero del cigüeñal en la carcasa de la bomba de aceite.

5. Lubricar el alojamiento del sello de aceite del cigüeñal en la bomba de aceite, y el sello de aceite delantero del cigüeñal, con aceite de montaje de motores.

6. Utilizando un extractor montador de sellos de aceite de las bombas de aceite T81P-6700-A, o herramienta equivalente, y el tornillo de retención de la polea del cigüeñal, montar el nuevo sello del cigüeñal en la bomba de aceite.

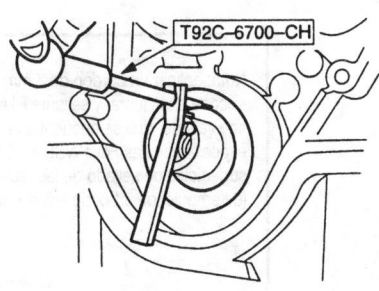

T92C–6700–CH

▲ **Ser cuidadoso de no dañar la superficie de sellado del cigüeñal durante el desmontaje del sello – Motor 2.0L**

7. Montar de nuevo la polea dentada del cigüeñal y la correa de sincronización del árbol de levas.

8. Reconectar el cable negativo de la batería.

9. Poner en marcha el motor y comprobar si hay escapes, y si el funcionamiento es correcto.

ÁRBOL DE LEVAS Y LEVANTAVÁLVULAS

DESMONTAJE E INSTALACIÓN

Motor 2.0L

1. Desconectar el cable negativo de la batería.

2. Desmontar la tapa de válvulas, del siguiente modo:

a. Desmontar los resonadores de admisión de aire del motor.

b. Desconectar el tubo de ventilación del cárter del motor, de la tapa de válvulas.

c. Desmontar los cables de encendido de la tapa de válvulas y ponerlos aparte.

d. Desmontar el tornillo y tuerca de retención del soporte de retención de la manguera de presión de la dirección asistida, y poner la manguera aparte.

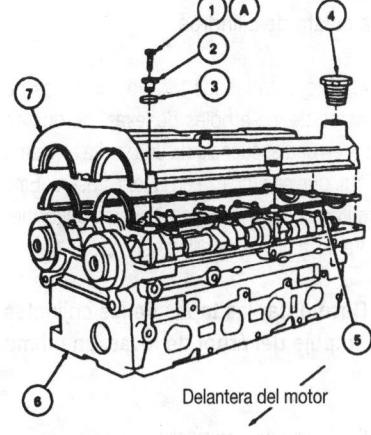

Delantera del motor

1. Tornillo (10)
2. Separador (10)
3. Junta tórica (10)
4. Tapa del filtro de aceite
5. Junta de la tapa de válvulas
6. Culata de cilindros
7. Tapa de válvulas
A. 53-71 pie-lb (6-8 Nm)

▲ **Tapa de válvulas y componentes relacionados – Motor 2.0L**

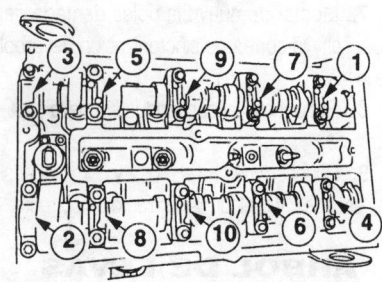

Desmontar los tornillos de las tapas de cojinetes a pares, siguiendo la secuencia mostrada – Motor 2.0L

e. Desmontar los tornillos de tapa superior de la correa de sincronización del árbol de levas y desmontar la tapa.

f. Desmontar los tornillos de retención de la tapa de válvulas, en una secuencia de desmontaje estándar, empezando desde el lado exterior de la tapa de válvulas y trabajando hacia el interior de la tapa de válvulas.

g. Desmontar del motor la tapa de válvulas y la junta.

3. Desmontar la correa de sincronización del árbol de levas y las poleas dentadas.

➡ Marcar las tapas de cojinetes de los árboles de levas en la culata de cilindros para la instalación. No mezclar las tapas entre los dos árboles de levas, o de la otra culata de cilindros.

4. Aflojar todos los tornillos de tapas de cojinetes de los árboles de levas, de dos en dos, y en una secuencia de una vuelta al mismo tiempo, que se empieza en la tapa trasera. Esto permitirá al árbol de levas elevarse uniformemente de la culata de cilindros.

➡ Desmontar las tapas de los cojinetes de empuje del árbol de levas, en último lugar.

5. Desmontar todas las tapas de los cojinetes de los árboles de levas, asegurándose de que están marcadas, y por tanto, pueden ser montadas de nuevo en sus posiciones originales.

6. Desmontar los árboles de levas de admisión y escape y los sellos de aceite delanteros de los árboles de levas, de las culatas de cilindros.

7. Inspeccionar los árboles de levas y las culatas de cilindros, por si están desgastados.

➡ Si los levantaválvulas se han de utilizar, marcar sus localizaciones para ase-

gurar que serán montados en sus posiciones correctas.

8. Si es necesario, desmontar los levantaválvulas, de la culata de cilindros.

9. Inspeccionar si están desgastados los levantaválvulas.

Para instalar:

➡ Antes del montaje de los árboles de levas, el cigüeñal debe estar en la posición del punto muerto superior del cilindro N° 1, en su tiempo de compresión.

10. Si se ha desmontado, lubricar los levantaválvulas con un aceite de montaje de motores y montarlos en los agujeros de los levantaválvulas de los cuales han sido desmontados.

11. Si los levantaválvulas son nuevos, sumergir los levantaválvulas en un contenedor de aceite de motor limpio, o bombear manualmente los levantaválvulas, antes de su montaje.

12. Lubricar los árboles de levas con aceite de montaje de motores y colocar los árboles de levas en la culata de cilindros.

➡ Los árboles de levas de admisión y escape están marcados para su identificación, también el árbol de levas de admisión tiene un lóbulo de leva más, para el sensor de Posición del Árbol de Levas (CMP).

13. Montar las tapas de cojinetes de árboles de levas y los tornillos de retención, en sus posiciones originales, dejándolos flojos.

14. Montar las tapas de los cojinetes axiales (de empuje) de los árboles de levas, y los tornillos de retención, en último lugar. Aplicar un poco de sellador de silicona en las superficies de sellado de las tapas de los cojinetes axiales de los árboles de levas.

15. Apretar todas las tapas de cojinetes de los árboles de levas, en varios pasos, empujando los árboles de levas hacia abajo, uniformemente, siguiendo la secuencia adecuada.

16. Una vez las tapas de los cojinetes de los árboles de levas están completamente asentadas, apretar los tornillos de retención a 13-15 pie-lb (17-21 Nm).

17. Montar los sellos de aceite delanteros de árboles de levas nuevos, utilizando el Reem-

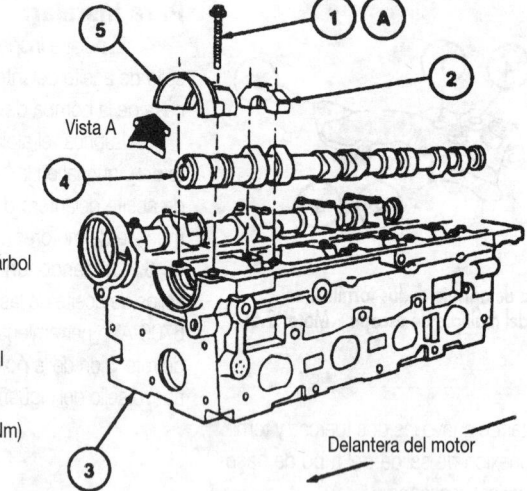

1. Tornillo (20)
2. Tapa de cojinete de árbol de levas (8)
3. Culata de cilindros
4. Árbol de levas
5. Tapa de cojinete axial (de empuje) de árbol de levas (2)
A. 13-15 pie-lb (17-21 Nm)

Delantera del motor

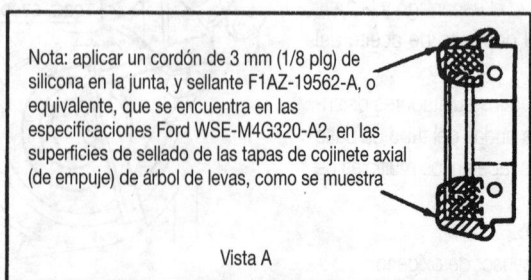

Nota: aplicar un cordón de 3 mm (1/8 plg) de silicona en la junta, y sellante F1AZ-19562-A, o equivalente, que se encuentra en las especificaciones Ford WSE-M4G320-A2, en las superficies de sellado de las tapas de cojinete axial (de empuje) de árbol de levas, como se muestra

Vista A

Durante el montaje, aplicar sellante a la tapa del cojinete axial del árbol de levas, como se muestra – Motor 2.0L

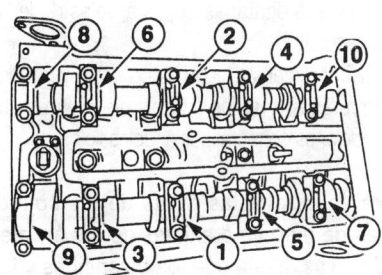

▲ Secuencia de apriete de los tornillos de retención de las tapas de cojinetes de árbol de levas – Motor 2.0L

plazador de Sellos de Aceite de Árbol de levas T92C-6700-cH, o equivalente.

18. Montar de nuevo las poleas dentadas de los árboles de levas y la correa de sincronización de los árboles de levas.

19. Montar de nuevo la tapa de válvulas del siguiente modo:

a. Limpiar las superficies de sellado de junta.

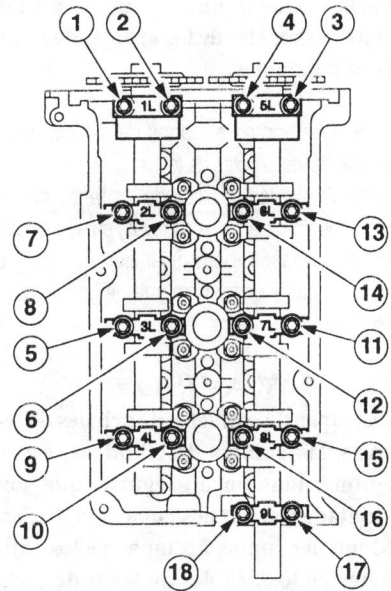

▲ Secuencia para aflojar los tornillos de retención de las tapas de las muñequillas de cojinetes de árbol de levas, de la culata de cilindros izquierda (delantera) – Motor 2.5L

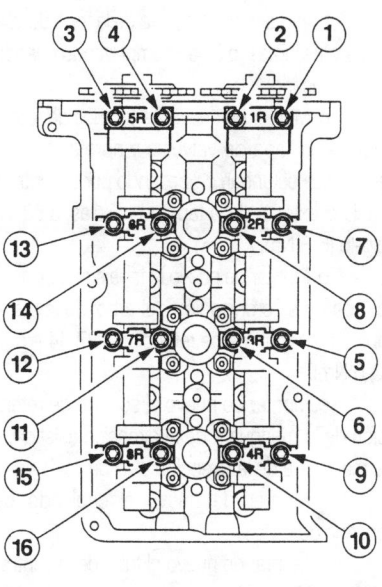

▲ Secuencia para aflojar los tornillos de retención de las tapas de cojinetes de árbol de levas, de la culata de cilindros derecha (trasera) – Motor 2.5L

Muestra de desmontaje de los árboles de levas, de la culata de cilindros, para mayor claridad

Precaución: los árboles de levas deben estar a tiempo (sincronizados) con el cigüeñal, antes del montaje de los balancines

Nota: los empujadores de válvula deben llenarse de aceite antes del montaje

Delantera del motor

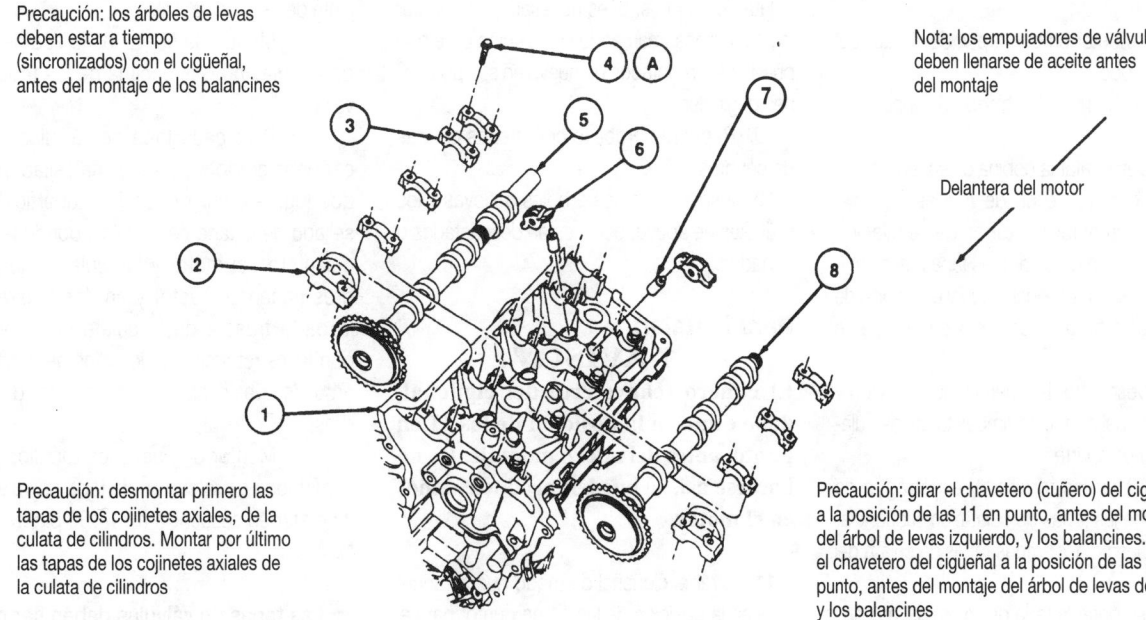

Precaución: desmontar primero las tapas de los cojinetes axiales, de la culata de cilindros. Montar por último las tapas de los cojinetes axiales de la culata de cilindros

Precaución: girar el chavetero (cuñero) del cigüeñal a la posición de las 11 en punto, antes del montaje del árbol de levas izquierdo, y los balancines. Girar el chavetero del cigüeñal a la posición de las 3 en punto, antes del montaje del árbol de levas derecho, y los balancines

1. Culata de cilindros
2. Tapa de cojinete axial de árbol de levas (2)
3. Tapa de cojinete de árbol de levas (7)
4. Tornillo (18)
5. Árbol de levas de admisión izquierdo
6. Balancín (12)
7. Empujador de válvulas (12)
8. Árbol de levas de escape izquierdo
A. 71-106 pie-lb (8-12 Nm)

▲ Montaje del árbol de levas – Motor 2.5L

b. Inspeccionar la junta de la tapa de válvulas y las juntas tóricas, reemplazando cuando sea necesario.

c. Montar de nuevo los tornillos de retención de la tapa de válvulas y apretar en una secuencia estándar, empezando por el centro y hacia el exterior de la tapa de válvulas, a 53-71 plg-lb (6-8 Nm).

d. Montar de nuevo la tapa superior de la correa de sincronización del árbol de levas, y apretar los tornillos de retención a 27-44 plg-lb (3-5 Nm).

e. Montar de nuevo el soporte de retención de la manguera de la dirección asistida, y la manguera de la dirección asistida.

f. Montar de nuevo el cableado de encendido.

g. Montar de nuevo el tubo de la ventilación del cárter del motor en la tapa de válvulas.

h. Montar de nuevo los resonadores de admisión de aire del motor.

20. Reconectar el cable negativo de la batería.

21. Poner en marcha el motor y comprobar si hay escapes, y el correcto funcionamiento.

Motor 2.5L

1. Desconectar el cable negativo de la batería.

2. Desmontar ambas tapas de culata, del siguiente modo:

a. Desmontar el cableado de encendido y las bujías.

b. Desmontar la bobina de encendido de la tapa de culata derecha (de válvulas).

c. Desmontar los tubos de ventilación del cárter del motor, de ambas tapas de culata.

d. Desmontar el cableado y el soporte de los inyectores de combustible, y ponerlos a un lado.

e. Desmontar las tuercas de retención y el cableado del motor, de ambas tapas de culata, y ponerlos aparte.

f. Aflojar los tornillos y espárragos de retención de las tapas de culata, en secuencia.

g. Desmontar ambas tapas de culata del motor.

3. Desmontar la tapa delantera del motor.

4. Desmontar las cadenas de sincronización.

▼ AVISO▼

Las tapas de los cojinetes de empuje (axiales) de los árboles de levas deben desmontarse primero, antes de aflojar los tornillos de las tapas de los cojinetes de los árboles de levas restantes, para asegurar que las tapas de los cojinetes axiales de los árboles de levas no son dañadas.

5. Desmontar las tapas de los cojinetes axiales de los árboles de levas.

6. Aflojar los tornillos de las tapas de los cojinetes de los árboles de levas, en secuencia, en varios pasos, para dejar que el árbol de levas se eleve uniformemente de la culata de cilindros.

▼ AVISO▼

Las tapas de cojinetes de árboles de levas y las culatas de cilindros, están enumeradas para asegurar que son montados en sus posiciones originales. Mantener juntas las tapas de los cojinetes de los árboles de levas de cada culata de cilindros; no mezclarlas con tapas de otra culata de cilindros. No hacerlo de esta manera, puede dar lugar a daños en el motor.

7. Desmontar las tapas de cojinetes de los árboles de levas, con los tornillos de retención montados.

8. Desmontar los árboles de levas de la culata de cilindros. Si es necesario, desmontar los balancines, marcando su posición para que puedan ser montados de nuevo en sus posiciones originales.

9. Repetir el proceso con ambas culatas de cilindros.

10. Inspeccionar los árboles de levas y los cojinetes de apoyo, por si están desgastados o dañados.

Para instalar:
▼ AVISO▼

El cuñero (chavetero) del cigüeñal, debe estar en la posición de las 11 en punto, antes del nuevo montaje. De no hacerse así, se pueden producir daños en el motor.

11. Girar el cigüeñal de modo que la ranura esté en la posición de las 11 en punto, para el montaje de los árboles de levas.

12. Montar de nuevo los balancines, si se han desmontado.

13. Lubricar los árboles de levas, con lubricante de montaje de motores.

14. Montar de nuevo los árboles de levas, en su posición correcta, en cada culata de cilindros, con las marcas de sincronización de las poleas dentadas de los árboles de levas alineadas.

15. Montar las tapas de cojinetes y tornillos de retención de los árboles de levas en sus posiciones correctas, dejándolos flojos.

➡ **No montar las tapas de los cojinetes de empuje o axiales de los árboles de levas, hasta que los balancines y las cadenas de sincronización hayan sido montadas, y las tapas de los cojinetes de los árboles de levas, estén fijadas en posición.**

16. Montar de nuevo los balancines.

17. Montar de nuevo las cadenas de sincronización.

18. Apretar los tornillos de las tapas de los cojinetes de los árboles de levas, en el orden opuesto a la secuencia de desmontaje, a 71-106 plg-lb (8-12 Nm). Montar de nuevo las tapas axiales y apretar los tornillos de retención a 71-106 plg-lb (8-12 Nm).

19. Montar de nuevo la tapa delantera del motor.

20. Montar ambas tapas de válvulas, del siguiente modo:

a. Limpiar las superficies de sellado de junta de tapa de válvulas.

b. Montar de nuevo las juntas de tapa de válvulas nuevas encima de las tapas de válvulas.

c. Para cada tapa de válvulas, colocar unos cordones de silicona selladora, en dos lugares, encima de las superficies de sellado de la tapa de válvulas, donde la tapa delantera del motor y las culatas de cilindros hacen contacto, y en dos lugares en la parte trasera de la culata de cilindros, donde las retenciones de sellos de aceite de árbol de levas contactan con la culata de cilindros.

d. Montar de nuevo los tornillos y los espárragos de retención de tapa de válvulas, y apretar en secuencia a 71-106 plg-lb (8-12 Nm).

➡ **Las tapas de válvulas deben ser montadas y apretadas adecuadamente dentro de los seis minutos después de la aplicación de la silicona selladora.**

21. Reconectar el cable negativo de la batería.

22. Poner en marcha el motor y comprobar si hay escapes, y si el funcionamiento es correcto.

HOLGURA DE VÁLVULAS

AJUSTE

Los ajustadores de juego (levantaválvulas), son hidráulicos y no son ajustables. Por esto es importante que todos los componentes de las válvulas estén en buen estado y correctamente instalados y apretados.

DEPÓSITO DE ACEITE

DESMONTAJE E INSTALACIÓN

Motor 2.0L

1. Desconectar el cable negativo de la batería.

2. Montar la herramienta Soporte de Motores de Tres Barras D88L-6000-A, o un soporte motor similar, en los anillos de levantamiento del motor, y soportar el motor.

3. Elevar y soportar con seguridad el vehículo.

4. Desmontar el sistema del convertidor catalítico.

5. Desconectar el cableado del sensor de nivel de aceite bajo, si está equipado.

6. Desmontar el tornillo del tubo de agua del calefactor, del fondo del depósito de aceite, y colocar el tubo aparte.

▼ PRECAUCIÓN ▼

La autoridad sanitaria advierte que el contacto prolongado con aceite de motor usado puede causar algunos trastornos en la piel, e incluso cáncer. Por ello se deberá intentar reducir al mínimo el contacto con aceite de motor usado. Utilizar guantes como protección, cuando se cambie el aceite. Lavarse las manos y cualquier otra área de la piel expuesta, a ser posible inmediatamente después de haber estado en contacto con el aceite de motor. Deberá utilizarse agua y jabón o un producto limpiador de manos sin agua.

7. Vaciar el aceite del motor.

8. Montar de nuevo el tapón de vaciado del depósito de aceite, y apretar a 15-21 pie-lb (21-28 Nm).

9. Desmontar los tornillos de retención del depósito de aceite, de la carcasa de la transmisión.

10. Desmontar la placa trasera inferior del motor.

11. Desmontar el tornillo pasante de los aisladores de soporte derecho e izquierdo.

12. Bajar el vehículo para trabajar en el lado superior del motor, pero mantenerlo en la grúa.

➡ **Marcar la localización del soporte delantero superior del motor, antes del desmontaje del soporte delantero del motor.**

13. Desmontar las tuercas de retención del soporte delantero superior del motor, del aislador del soporte delantero superior del motor.

14. Elevar el motor para dejar espacio suficiente en el desmontaje del depósito de aceite del motor, utilizando el Soporte de Motores de Tres Barras, o un soporte equivalente para motores.

15. Elevar y soportar con seguridad el vehículo.

16. Desmontar los tornillos de retención del depósito de aceite, del bloque de cilindros, trabajando desde los extremos del bloque de cilindros hacia el centro.

17. Aflojar y desmontar el depósito de aceite y la junta.

18. Inspeccionar la malla de filtro y el tubo de aspiración de la bomba de aceite, y limpiar o reemplazar, en caso necesario.

Para instalar:

19. Si se ha desmontado, montar la malla y el tubo de aspiración de la bomba de aceite. Apretar los tornillos de retención a 71-97 plg-lb (8-11 Nm). Montar una tuerca autobloqueante nueva de soporte del tubo de aspiración de la bomba de aceite, en el tornillo espárrago de retención de la tapa del cojinete principal del cigüeñal. Apretar a 13-15 pie-lb (17-21 Nm).

20. Limpiar las superficies de sellado de junta del depósito de aceite en el bloque de cilindros.

21. Limpiar a fondo el depósito de aceite sin dejar trazas de material de junta, grasa o disolventes.

22. Aplicar un cordón sellador de junta de silicona en las líneas de separación de la bomba de aceite y en la retención del sello de aceite principal trasero del cigüeñal, sobre el bloque de cilindros.

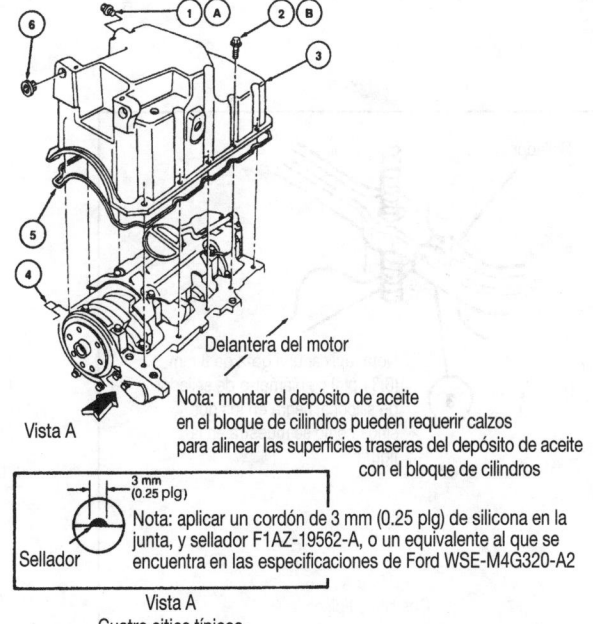

Delantera del motor

Vista A

Nota: montar el depósito de aceite en el bloque de cilindros pueden requerir calzos para alinear las superficies traseras del depósito de aceite con el bloque de cilindros

3 mm (0.25 plg)

Sellador

Nota: aplicar un cordón de 3 mm (0.25 plg) de silicona en la junta, y sellador F1AZ-19562-A, o un equivalente al que se encuentra en las especificaciones de Ford WSE-M4G320-A2

Vista A
Cuatro sitios típicos

1. Tapón de vaciado del depósito de aceite
2. Tornillo (cantidad 10)
3. Depósito de aceite
4. Bloque de cilindros
5. Junta del depósito de aceite
6. Separador del depósito de aceite (los que sean necesarios)
A. Apretar a 21-28 Nm (15-21 pie-lb)
B. Apretar a 20-24 Nm (15-18 pie-lb)

▲ **Montaje del depósito de aceite – Motor 2.0L**

23. Montar en posición, el depósito de aceite y una junta nueva, y sujetarlo con varios tornillos de retención de depósito de aceite.

24. Montar de nuevo el resto de los tornillos de retención y empujar el depósito de aceite contra la caja de la transmisión, antes de apretar los tornillos de retención.

25. Apretar los diez tornillos de retención del depósito de aceite, en varios pasos, a 15-18 pie-lb (20-24 Nm), trabajando del centro del bloque en dirección a los extremos.

26. Montar de nuevo la placa trasera inferior del motor.

27. Montar de nuevo el depósito de aceite en los tornillos de retención de la carcasa de la transmisión.

28. Apretar los tornillos de retención a 25-34 pie-lb (34-46 Nm).

29. Bajar el vehículo, pero mantenerlo en la grúa.

30. Bajar el motor dentro de su posición, ajustando el Soporte de Motores de Tres Barras, o equivalente.

31. Montar de nuevo las tuercas de retención del soporte delantero superior del motor, encima del aislador del soporte delantero superior del motor.

32. Elevar y soportar con seguridad el vehículo.

33. Montar de nuevo los tornillos pasantes de los aisladores derecho e izquierdo.

34. Reconectar el sensor del nivel bajo de aceite, si está equipado.

35. Colocar el tubo del agua del calefactor y el tornillo de retención, en el fondo del depósito de aceite.

36. Montar de nuevo el sistema del convertidor catalítico.

37. Bajar el vehículo.

38. Desmontar el Soporte de Motores de Tres Barras, o equivalente.

▼ AVISO ▼
Operar con el motor sin la cantidad y clase adecuada de aceite de motor, puede dar lugar a serios daños del motor.

39. Llenar el cárter con la cantidad adecuada de aceite de motor.

40. Reconectar el cable negativo de la batería.

41. Poner en marcha el motor y comprobar si hay escapes, y si el funcionamiento es correcto.

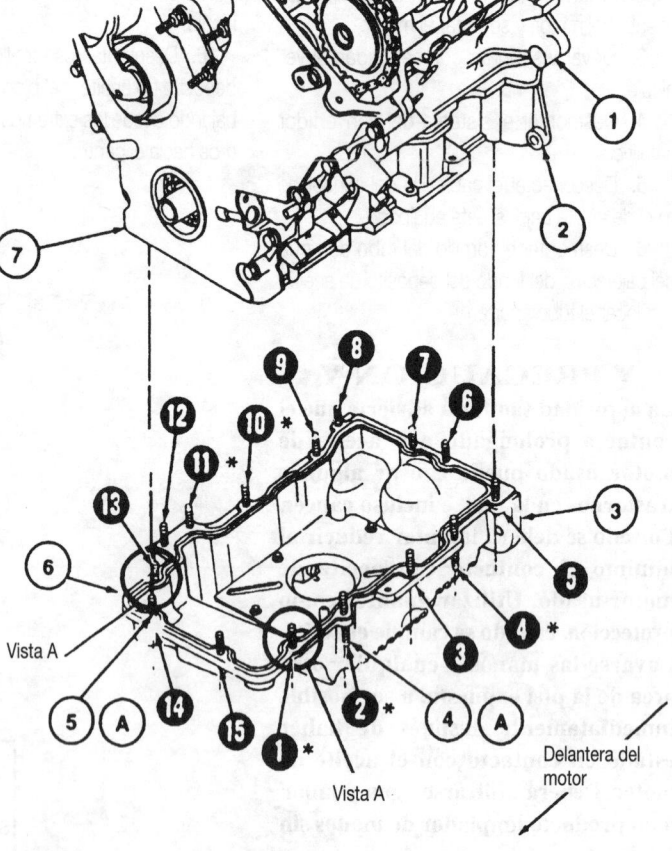
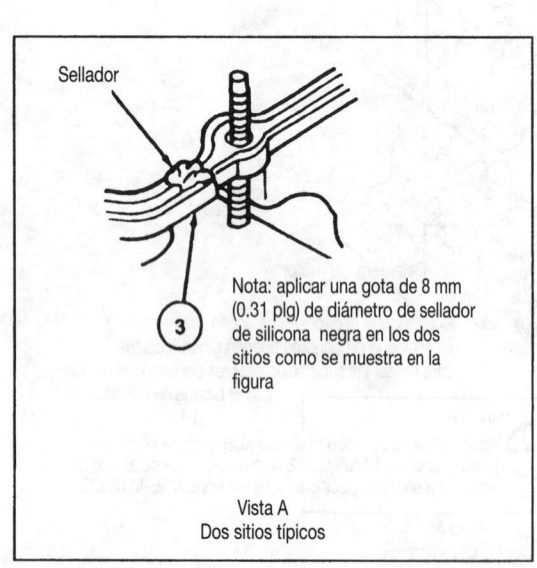

1. Parte superior del bloque de cilindros
2. Parte inferior del bloque de cilindros
3. Depósito de aceite
4. Espárrago roscado (cantidad 5)
5. Tornillo (cantidad 10)
6. Junta del depósito de aceite
7. Tapa delantera del motor
A. Apretar a 20-30 Nm (15-22 pie-lb)

* Localización de los espárragos
● Apretar los tornillos/espárragos en la secuencia mostrada

Sellador

Nota: aplicar una gota de 8 mm (0.31 plg) de diámetro de sellador de silicona negra en los dos sitios como se muestra en la figura

Vista A
Dos sitios típicos

▲ **Montaje del depósito de aceite, mostrando la secuencia de apriete de los espárragos y tornillos de montaje – Motor 2.5L**

Motor 2.5L

1. Desconectar el cable negativo de la batería.

2. Desmontar la protección de la polea de la bomba de agua.

3. Montar un Soporte de Motores de Tres Barras D88L-6000-A o equivalente, en los anillos de levantamiento del motor, y sostener el motor.

4. Elevar y soportar con seguridad el vehículo.

5. Desmontar el paso cruzado superior de escape y el soporte de retención del escape, localizado en la parte derecha del depósito de aceite.

6. Desmontar las tuercas de retención de la protección del calor del escape, y las protecciones del calor del escape, del lado izquierdo del depósito de aceite.

▼ PRECAUCIÓN ▼

La autoridad sanitaria advierte que el contacto prolongado con aceite de motor usado puede causar algunos trastornos en la piel, e incluso cáncer. Por ello se deberá intentar reducir al mínimo el contacto con aceite de motor usado. Utilizar guantes como protección, cuando se cambie el aceite. Lavarse las manos y cualquier otra área de la piel expuesta, a ser posible inmediatamente después de haber estado en contacto con el aceite del motor. Puede utilizarse agua y jabón, o bien un producto limpiador de manos sin agua.

7. Vaciar el aceite del motor.

8. Montar de nuevo el tapón de vaciado del depósito de aceite, utilizando una junta nueva, y apretar a 16-22 pie-lb (22-30 Nm).

9. Desmontar los tornillos de retención del depósito de aceite, de la carcasa de la transmisión.

10. Si está equipado con transmisión automática, desmontar el tapón de acceso de placa trasera del motor.

11. Desmontar el tornillo pasante de los aisladores de los soportes delanteros, derecho e izquierdo del motor.

12. Bajar parcialmente el vehículo, en la grúa.

➡ Marcar la localización del soporte delantero superior del motor, antes de desmontarlo.

13. Desmontar las tuercas de retención del soporte delantero superior del motor y desmontar el soporte delantero superior del motor.

14. Utilizando el soporte de motores de tres barras o equivalente, elevar el motor para dejar espacio en el desmontaje del depósito de aceite del motor.

15. Elevar y soportar con seguridad el vehículo.

16. Desmontar los tornillos y espárragos de retención del depósito de aceite del bloque de cilindros inferior, siguiendo la secuencia de desmontaje de los tornillos.

17. Desmontar el depósito de aceite y la junta del depósito de aceite, del vehículo.

Para instalar:

18. Limpiar las superficies de sellado de junta del depósito de aceite al bloque de cilindros inferior.

19. Limpiar a fondo el depósito de aceite.

20. Montar una junta nueva de depósito de aceite en la ranura del depósito de aceite.

21. Aplicar un cordón de silicona sellador en el área de la junta donde el depósito se encuentra con la línea divisoria del bloque de cilindros inferior y la tapa delantera del motor.

22. Montar con cuidado el depósito de aceite con la junta en el bloque de cilindros inferior.

23. Montar de nuevo los tornillos y los tornillos espárragos, pero no apretar.

24. Empujar el depósito de aceite contra la caja de la transmisión, y apretar los tornillos y espárragos del depósito de aceite.

25. Montar de nuevo el depósito de aceite en los tornillos de la caja de la transmisión y apretar a 25-34 pie-lb (34-46 Nm).

26. Apretar los tornillos y los espárragos del depósito de aceite, en la secuencia adecuada, a 15-22 pie-lb (20-30 Nm).

27. Si está equipado con transmisión automática, montar el tapón de acceso, en la placa trasera del motor.

28. Bajar el vehículo, pero mantenerlo en la grúa.

29. Utilizando un soporte de motores de tres barras, o equivalente, bajar el motor dentro de su posición adecuada.

30. Montar de nuevo el soporte delantero superior del motor y sus tuercas de retención encima del aislador del soporte delantero superior del motor.

31. Elevar y soportar con seguridad el vehículo.

32. Montar de nuevo los tornillos pasantes de los aisladores de los soportes delanteros, derecho e izquierdo, del motor.

33. Montar de nuevo el paso superior cruzado del escape, el soporte de retención del escape y la protección del calor.

34. Colocar de nuevo el filtro de aceite del motor.

35. Bajar el vehículo.

36. Desmontar el soporte de motores de tres barras, o equivalente.

▼ AVISO ▼

Operar con el motor sin la cantidad y clase adecuada de aceite de motor, puede dar lugar a serios daños del motor.

37. Llenar el cárter con la cantidad y grado correcto de aceite de motor.

38. Reconectar el cable negativo de la batería.

39. Poner en marcha el motor y comprobar si hay escapes, y su correcto funcionamiento.

BOMBA DE ACEITE

DESMONTAJE E INSTALACIÓN

Motor 2.0L

1. Desconectar el cable negativo de la batería.

2. Desmontar la correa o banda propulsora de los accesorios.

3. Desmontar las tapas de la correa de sincronización del árbol de levas, la correa de sincronización del árbol de levas y la polea dentada del cigüeñal.

4. Montar un Soporte de Motores de Tres Barras D88L-6000-A, o soporte de motores similar, en los anillos de levantamiento del motor, y soportar el motor.

5. Elevar y soportar con seguridad el vehículo.

6. Desmontar el sistema del convertidor catalítico.

▼ PRECAUCIÓN ▼

La autoridad sanitaria advierte que el contacto prolongado con aceite de motor usado puede causar algunos trastornos en la piel, e incluso cáncer. Por ello se deberá intentar reducir al mínimo el contacto con aceite de motor usado. Utilizar guantes como protección, cuando se cambie el aceite. Lavarse las manos y cualquier otra área de la piel expuesta, a ser posible

inmediatamente después de haber estado en contacto con el aceite del motor. Utilizar agua y jabón, o bien un producto limpiador de manos sin agua.

7. Desmontar el depósito de aceite.

8. Desmontar la tapa de malla de la bomba de aceite y la tuerca de retención del tubo, del tornillo espárrago de la tapa del cojinete principal del cigüeñal.

9. Desmontar la tapa de malla de la bomba de aceite y los tornillos de retención del tubo de la bomba de aceite y desmontarlos del motor.

10. Desmontar el filtro de aceite del motor.

11. Desmontar los tornillos de retención de la bomba de aceite.

12. Desmontar la bomba de aceite y la junta del bloque de cilindros.

Para instalar:

13. Limpiar la superficie de sellado de la junta de la bomba de aceite en el bloque de cilindros y la bomba de aceite.

14. Girar el rotor interior de la bomba de aceite para alinearlo con los planos del cigüeñal.

15. Montar de nuevo la bomba de aceite utilizando una junta nueva sobre el bloque de cilindros.

16. Montar flojamente los tornillos de retención de la bomba de aceite.

➡ El espacio libre entre la superficie de sellado del depósito de aceite del bloque de cilindros y la superficie de sellado del depósito de aceite de la bomba de aceite no debe exceder de 0.012-0.031 plg (0.3-0.8 mm)

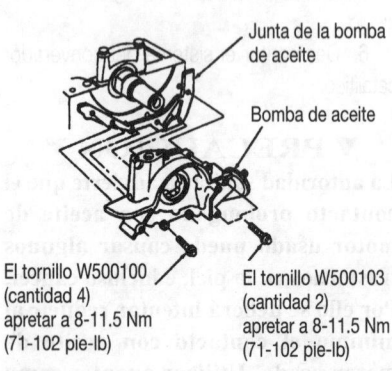

Junta de la bomba de aceite

Bomba de aceite

El tornillo W500100 (cantidad 4) apretar a 8-11.5 Nm (71-102 pie-lb)

El tornillo W500103 (cantidad 2) apretar a 8-11.5 Nm (71-102 pie-lb)

▲ Montaje de la bomba de aceite – Motor 2.0L

17. Utilizar una regla para alinear la superficie de sellado del depósito de aceite de la bomba de aceite con la superficie de sellado del depósito de aceite del bloque de cilindros.

18. Apretar los tornillos de retención de la bomba de aceite a 71-102 plg-lb (8-11.5 Nm).

19. Montar un filtro nuevo de aceite del motor.

20. Montar de nuevo la tapa de malla de la bomba de aceite y el tubo, utilizando una junta nueva en la bomba de aceite. Apretar los tornillos de retención a 71-97 plg-lb (8-11 Nm).

21. Montar una tuerca nueva autobloqueante de la tapa de malla de la bomba de aceite y el soporte del tubo, en el tornillo espárrago de la tapa del cojinete principal del cigüeñal. Apretar las tuercas de retención a 13-15 pie-lb (17-21 Nm).

22. Montar de nuevo el depósito de aceite del motor.

23. Montar de nuevo el sistema del convertidor catalítico.

24. Bajar el vehículo.

25. Desmontar el soporte de motores de tres barras o equivalente.

26. Si se requiere, reemplazar en este momento el sello de aceite delantero del cigüeñal.

27. Montar de nuevo la polea dentada del cigüeñal, la correa de sincronización del árbol de levas y las tapas de la correa de sincronización del árbol de levas.

28. Montar de nuevo la correa propulsora de los accesorios.

29. Llenar el cárter con la cantidad y grado adecuado de aceite de motor.

▼ AVISO ▼

Operar con el motor sin la cantidad y clase adecuada de aceite de motor, puede dar lugar a serios daños del motor.

30. Reconectar el cable negativo de la batería.

31. Poner en marcha el motor y comprobar si hay escapes y su funcionamiento es correcto.

Motor 2.5L

1. Desconectar el cable negativo de la batería.

▼ PRECAUCIÓN ▼

La autoridad sanitaria advierte que el contacto prolongado con aceite de motor usado puede causar algunos

trastornos en la piel, e incluso cáncer. Por ello se deberá intentar reducir al mínimo el contacto con aceite de motor usado. Utilizar guantes como protección cuando se cambie el aceite. Lavarse las manos y cualquier otra área de la piel expuesta, a ser posible inmediatamente después de haber estado en contacto con el aceite del motor. Puede utilizarse agua y jabón, o bien un producto de limpiar las manos en seco.

2. Desmontar el depósito de aceite y la tapa delantera del motor.

3. Desmontar las cadenas de sincronización y la poleas dentadas del cigüeñal.

4. Desmontar la tapa de malla de la bomba de aceite y la tuerca de retención del tubo del tornillo espárrago inferior del bloque de cilindros.

5. Desmontar la tapa de malla de la bomba de aceite y los tornillos de retención del tubo de la bomba de aceite, y desmontar el tubo del motor.

6. Desmontar los cuatro tornillos de retención de la bomba de aceite, en el orden inverso a la secuencia de desmontaje.

7. Desmontar la bomba de aceite del vehículo.

Para instalar:

8. Girar el rotor interior de la bomba de aceite para alinearlo con los planos sobre el cigüeñal.

9. Montar de nuevo la bomba de aceite a nivel con el bloque de cilindros.

10. Montar de nuevo los tornillos de retención de la bomba de aceite, y apretarlos en secuencia, a 71-106 plg-lb (8-12 Nm).

11. Inspeccionar la malla de la bomba de aceite y la junta tórica del tubo y reemplazar si es necesario.

12. Colocar la malla de la bomba de aceite, y el tubo con la junta tórica, en la bomba de aceite. Apretar los tornillos de retención a 71-106 plg-lb (8-12 Nm).

13. Montar una nueva tuerca autobloqueante del soporte del tubo en el espárrago inferior del bloque de cilindros. Apretar la tuerca a 15-22 pie-lb (20-30 Nm).

14. Montar de nuevo las poleas dentadas del cigüeñal y las cadenas de sincronización.

15. Montar de nuevo el depósito de aceite, y la tapa delantera del motor.

16. Llenar el cárter con la cantidad adecuada de aceite de motor.

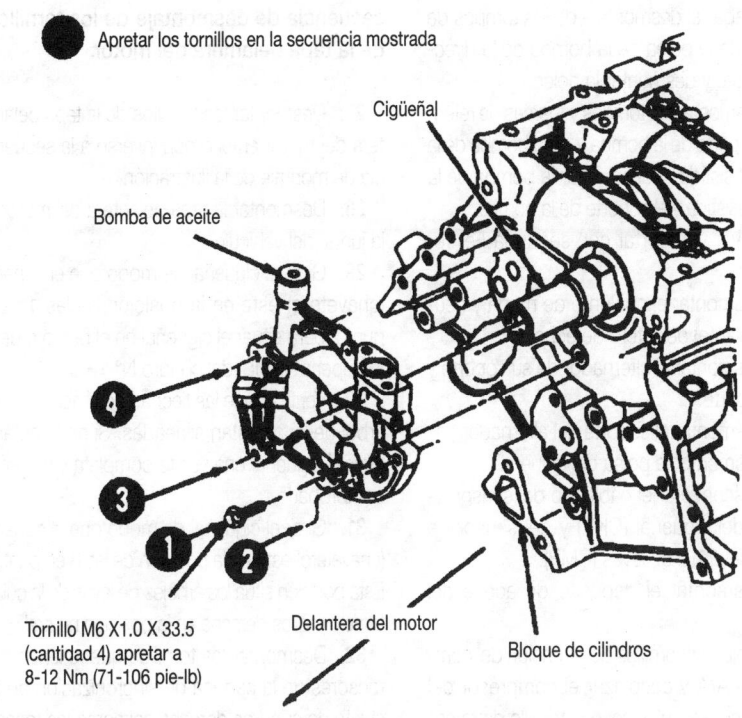

Apretar los tornillos en la secuencia mostrada

Cigüeñal

Bomba de aceite

④
③
① ②

Tornillo M6 X1.0 X 33.5
(cantidad 4) apretar a
8-12 Nm (71-106 pie-lb)

Delantera del motor

Bloque de cilindros

▲ **Montaje de la bomba de aceite, mostrando la secuencia de apriete de los tornillos de retención – Motor 2.5L**

▼ AVISO ▼

Operar con el motor sin la cantidad y clase adecuada de aceite de motor puede dar lugar a serios daños en el motor.

17. Reconectar el cable negativo de la batería.

18. Poner en marcha el motor y comprobar si hay escapes, y su correcto funcionamiento.

SELLO DE ACEITE TRASERO DEL CIGÜEÑAL

DESMONTAJE E INSTALACIÓN

Motor 2.0L

➡ El siguiente procedimiento requiere la utilización de un extractor/montador de sellos de aceite diseñado específicamente por Ford, o una versión equivalente del mercado de posventa.

1. Desconectar el cable negativo de la batería.

2. Desmontar la transmisión y el plato flexible/volante, utilizando el procedimiento recomendado.

3. Utilizando un punzón bien afilado, perforar un agujero en la superficie metálica del sello de aceite trasero entre el labio del sello de aceite y la retención del sello de aceite.

4. Atornillar el extremo roscado de un extractor de sellos en el sello de aceite, después montar un martillo de deslizamiento, y desmontar el sello, de la retención del sello de aceite del cigüeñal.

Para instalar:

5. Limpiar todas las superficies de sellado.

6. Lubricar el cigüeñal, el alojamiento del sello de aceite y el labio del sello con Lubricante

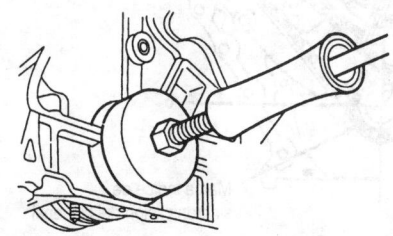

▲ **Roscar el desmontador de sellos de aceite dentro del sello, después extraer el sello utilizando un martillo de deslizamiento – Motores de 2.0L y 2.5L**

de Montaje de Motores D9AZ-19579-D, o equivalente, que reúna las especificaciones Ford ESR-M99C80-A.

7. Montar el sello de aceite utilizando un instalador de sellos apropiado. Asentar el sello nivelado en la trasera de la retención del sello de aceite del cigüeñal.

8. Montar de nuevo la transmisión y el plato flexible/volante, utilizando el procedimiento recomendado.

9. Reconectar el cable negativo de la batería.

10. Poner en marcha el motor y comprobar si hay escapes.

CADENA DE DISTRIBUCIÓN, POLEAS DENTADAS, TAPA DELANTERA Y SELLO DE ACEITE

DESMONTAJE E INSTALACIÓN

Motor 2.5L

1. Desconectar el cable negativo de la batería.

2. Desmontar el múltiple de admisión superior.

3. Desmontar las tapas de válvulas, del siguiente modo:

   a. Desmontar los cables de encendido y las bujías.

   b. Desmontar la bobina de encendido de la tapa de válvulas derecha.

   c. Desmontar los tubos de ventilación del cárter del motor, de ambas tapas de culata (de válvulas).

   d. Desmontar el cableado y el soporte de los inyectores de combustible, y ponerlos aparte.

   e. Desmontar las tuercas de retención y los cableados del motor, de ambas tapas de culata, y ponerlos aparte.

   f. Aflojar los tornillos y espárragos de retención, de las tapas de culata, siguiendo la secuencia de desmontaje adecuada.

   g. Desmontar ambas tapas de culata, del motor.

4. Montar el Soporte de Motores de Tres Barras D88L-6000-A, o equivalente, en los anillos de levantamiento del motor, y sostener el motor.

5. Desmontar el tornillo de retención del soporte de la manguera de presión de la dirección asistida, del soporte superior delantero del motor.

6. Desconectar la manguera de presión de la dirección asistida, de la bomba de la dirección asistida, y colocarla fuera de la zona de trabajo.

➡ **Marcar la posición del soporte superior delantero del motor, antes del desmontaje.**

7. Desmontar las tuercas de retención del soporte superior delantero del motor, y desmontar el soporte.

8. Desconectar el sensor de nivel bajo de refrigerante, del mazo de cables.

9. Desmontar las retenciones del depósito de recuperación de refrigerante del radiador, y poner el depósito de recuperación aparte.

10. Desmontar el aislador delantero superior del motor.

11. Colocar el depósito de recuperación de refrigerante del radiador, en su posición, pero no asegurarlo.

12. Desacoplar los tres conectores de cableado localizados en el soporte de conectores en línea, en la delantera de la culata de cilindros derecha y colocarlos aparte.

13. Aflojar los tornillos de retención de la polea de la bomba de la dirección asistida, pero no desmontar completamente los tornillos.

14. Desmontar la correa propulsora de los accesorios.

15. Acabar el desmontaje de los tornillos de retención de la polea de la bomba de la dirección asistida, y desmontar la polea.

16. Desmontar los tornillos y tuercas de retención del soporte de la bomba y de la bomba de la dirección asistida, y desmontar la bomba de la dirección asistida y el soporte de la bomba.

17. Elevar y soportar con seguridad el vehículo.

18. Desmontar el conjunto de rueda y neumático (o llanta) delantero derecho.

19. Desmontar el alternador de su soporte y ponerlo aparte.

20. Desmontar el soporte del alternador.

21. Desmontar la polea del cigüeñal.

22. Desconectar el cableado del sensor de posición del cigüeñal (CKP) y del sensor de posición del árbol de levas (CMP).

23. Desmontar el depósito de aceite del motor.

24. Aflojar los tornillos de retención del compresor del A/A y desplazar el compresor del A/A, para conseguir acceso al tornillo de retención de la tapa delantera.

25. Bajar parcialmente el vehículo.

26. Desmontar las retenciones del soporte y el soporte del cableado del motor y la manguera del A/A, en la tapa delantera del motor.

➡ **Puede ser necesario elevar o bajar el vehículo varias veces para seguir la secuencia de desmontaje de los tornillos de la tapa delantera del motor.**

27. Desmontar los tornillos de la tapa delantera del motor en el orden inverso a la secuencia de montaje de la ilustración.

28. Desmontar la tapa delantera del motor y la junta, del vehículo.

29. Girar el cigüeñal de modo que el cuñero (chavetero) esté en la posición de las 11 en punto, para situar el cigüeñal en el punto muerto superior (PMS) del cilindro N° 1.

30. Verificar que las flechas de alineación del árbol de levas están alineadas. Si no lo están, girar el cigüeñal una vuelta completa y volver a comprobarlo.

31. Girar el cigüeñal de modo que el cuñero (chavetero) esté en la posición de las 3 en punto. Esta posición sitúa los árboles de levas de la culata de cilindros derecha en la posición neutral.

32. Desmontar los tornillos que retienen los tensores de la cadena de sincronización de la culata de cilindros derecha así como los tensores de la cadena de sincronización.

➡ **Las tapas de cojinetes de árboles de levas y las culatas de cilindros, están numeradas, para asegurar que se montan en sus posiciones originales. Si se han desmontado, mantener las tapas de cojinetes de árboles de levas, juntas con las culatas de cilindros, de las cuales han sido desmontadas.**

33. Desmontar los tornillos de retención de las tapas de los cojinetes de empuje (axiales) de los árboles de levas de la culata de cilindros derecha, y las tapas de los cojinetes de empuje (axiales).

34. Aflojar los tornillos de las restantes tapas de los cojinetes de empuje de árboles de levas, en secuencia, aflojando los tornillos varias vueltas, cada vez en varios pasos para dejar que el árbol de levas se eleve de la culata de cilindros, uniformemente. No desmontar completamente los tornillos de retención.

➡ **Si los empujadores y los balancines de rodillos se vuelven a utilizar, marcar la posición de los empujadores y de los balancines, para que se vuelvan a colocar en sus posiciones originales.**

35. Con los árboles de levas flojos, desmontar los balancines, manteniéndolos en el orden en que han sido desmontados.

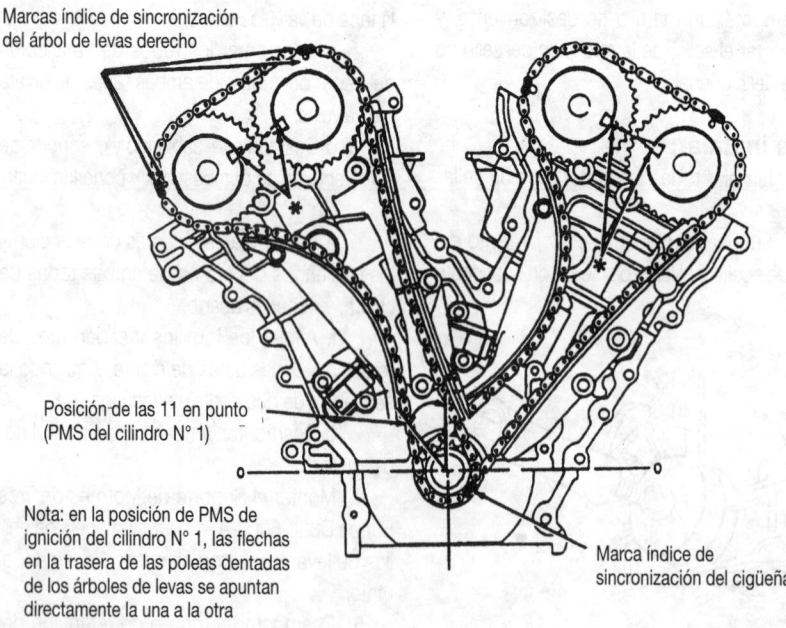

Marcas índice de sincronización del árbol de levas derecho

Posición de las 11 en punto (PMS del cilindro N° 1)

Nota: en la posición de PMS de ignición del cilindro N° 1, las flechas en la trasera de las poleas dentadas de los árboles de levas se apuntan directamente la una a la otra

Marca índice de sincronización del cigüeñal

▲ **Vista de las cadenas y engranajes de distribución, mostrando en la posición adecuada las marcas de alineación de la cadena de distribución derecha – Motor 2.5L**

➡ Si el brazo tensor de la cadena de sincronización de la culata de cilindros derecha y la guía de la cadena de sincronización se vuelven ha utilizar, marcar la posición del brazo tensor de la cadena de sincronización y de la guía de la cadena de sincronización, para que se vuelvan a montar en sus posiciones originales.

36. Desmontar el brazo tensor de la cadena de sincronización de la culata de cilindros derecha, y la cadena de sincronización.

37. Desmontar los tornillos de retención de la guía de la cadena de sincronización de la culata de cilindros derecha, y la guía de la cadena de sincronización.

38. Si está gastada, reemplazar la guía de la cadena de sincronización.

39. Desmontar la polea dentada del cigüeñal de la cadena de sincronización derecha.

40. Desmontar las poleas dentadas de la cadena de sincronización de los árboles de levas de la culata de cilindros derecha, si se han de reemplazar.

41. Girar el cigüeñal dos vueltas y colocar el chavetero (cuñero) del cigüeñal en la posición de las 11 en punto. Esto colocará los árboles de levas de la culata de cilindros izquierda en su posición neutral.

42. Verificar que las flechas de alineación de los árboles de levas, están alineadas.

43. Desmontar los tornillos de retención del tensor de la cadena de sincronización de la culata de cilindros izquierda, y el tensor de la cadena de sincronización.

➡ Las tapas de los cojinetes de los árboles de levas y las culatas de cilindros, están numeradas, para asegurar que se montan en sus posiciones originales. Si se han desmontado, mantener las tapas de los cojinetes de los árboles de levas juntas con las culatas de cilindros de las cuales han sido desmontadas.

44. Desmontar los tornillos de retención de las tapas de los cojinetes de empuje (axiales) de los árboles de levas, y las tapas de los cojinetes de empuje de la culata de cilindros izquierda.

45. Aflojar los tornillos de las restantes tapas de los cojinetes de los árboles de levas, en secuencia, aflojando los tornillos varias vueltas al mismo tiempo, en varios pasos, para dejar que el árbol de levas se eleve de la culata de cilindros de modo uniforme. No desmontar los tornillos de retención completamente.

➡ Si los empujadores y los balancines de rodillos se vuelven a utilizar, marcar la posición de los empujadores y de los balancines, para que se vuelvan a montar en sus posiciones originales.

46. Con el árbol de levas aflojado, desmontar los balancines, manteniendo los balancines en el orden en que han sido desmontados.

➡ Si el brazo tensor de la cadena de sincronización de la culata de cilindros izquierda y la guía de la cadena de sincronización, se vuelven ha utilizar, marcar la posición del brazo tensor de la cadena de sincronización y de la guía de la cadena de sincronización para que se vuelvan a colocar en sus posiciones originales.

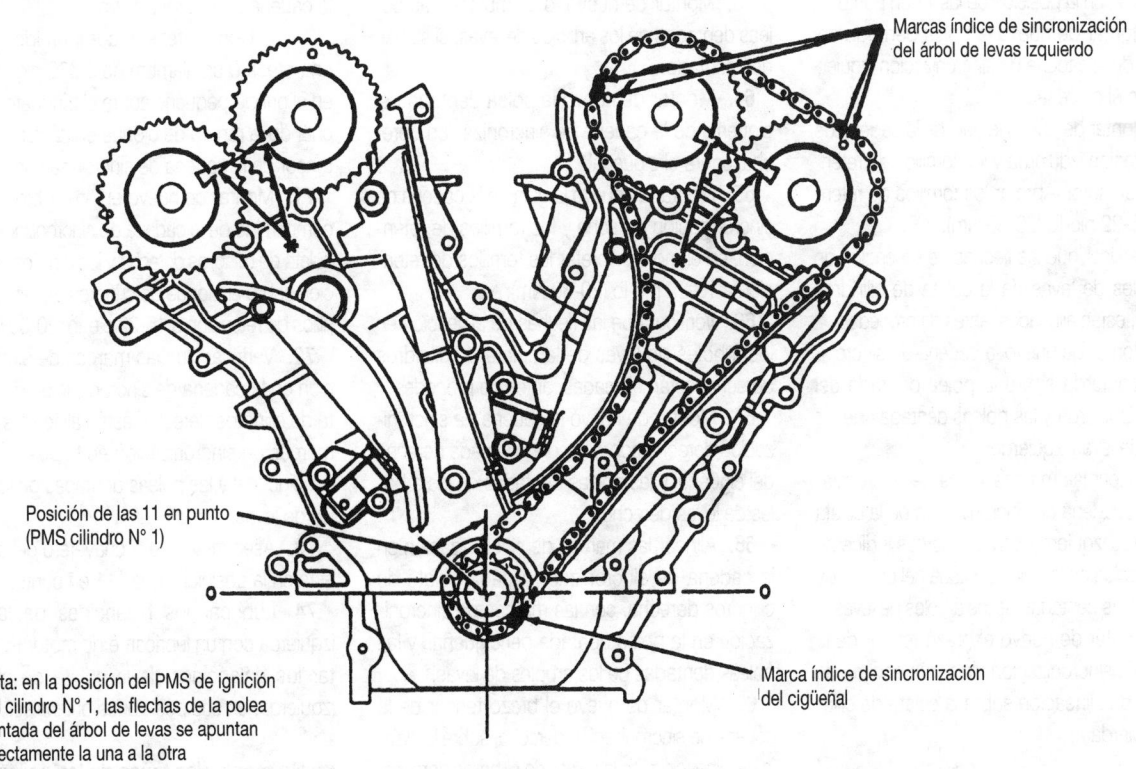

Marcas índice de sincronización del árbol de levas izquierdo

Posición de las 11 en punto (PMS cilindro N° 1)

Nota: en la posición del PMS de ignición del cilindro N° 1, las flechas de la polea dentada del árbol de levas se apuntan directamente la una a la otra

Marca índice de sincronización del cigüeñal

▲ Posicionado de la marca de alineación de la cadena de sincronización izquierda para dar servicio a la cadena – Motor 2.5L

47. Desmontar el brazo tensor de la cadena de sincronización de la culata de cilindros izquierda y la cadena de sincronización.

48. Desmontar los tornillos de retención de la guía de la cadena de sincronización de la culata de cilindros izquierda y la guía de la cadena de sincronización.

49. Si está gastada, reemplazar la guía de la cadena de sincronización.

50. Desmontar la polea dentada de la cadena de sincronización izquierda del cigüeñal.

51. Si se requiere, las poleas dentadas de los árboles de levas de la culata de cilindros izquierda, pueden desmontarse en este momento.

Para instalar:

➡ **Inspeccionar las cadenas de sincronización, los tensores, los brazos tensores, las guías y las poleas dentadas, por si están desgastados o tienen daños. Si algún componente se ha de reemplazar por desgaste prematuro o daño, también se debe reemplazar el amortiguador del árbol de levas.**

52. Montar de nuevo, o reemplazar, las poleas dentadas del árbol de levas, si se han desmontado.

53. Asegurarse de que el chavetero del cigüeñal está aún en la posición de las 11 en punto.

54. Montar de nuevo la polea dentada del cigüeñal de la cadena de sincronización izquierda, sobre el cigüeñal.

55. Montar de nuevo la guía de la cadena de sincronización izquierda y los tornillos de retención, en el motor. Apretar los tornillos de retención a 15-22 pie-lb (20-30 Nm).

56. Verificar que las flechas de alineación de los árboles de levas de la culata de cilindros izquierda, están alineadas, antes de proceder.

57. Montar de nuevo la cadena de sincronización izquierda sobre la polea dentada del cigüeñal izquierda y las poleas dentadas de los árboles de levas izquierdos.

58. Alinear las marcas índice de sincronización en la cadena de sincronización de la culata de cilindros izquierda con las marcas índice de sincronización en la polea dentada del cigüeñal y en las poleas dentadas de los árboles de levas.

59. Montar de nuevo el brazo tensor de la cadena de sincronización izquierda encima de la clavija de alineación sobre la culata de cilindros izquierda.

➡ **Antes de montar el tensor de la cadena de sincronización, éste tiene que ser adecuadamente comprimido y bloqueado.**

60. Utilizando un destornillador pequeño, soltar el mecanismo de trinquete del tensor de la cadena de sincronización, a través del orificio de acceso en el tensor de la cadena de sincronización, del siguiente modo:

a. Insertar un trozo de alambre pequeño dentro de la parte superior del pistón y, poco a poco, sacar de su asiento la bola de cierre de la válvula antirretorno del aceite.

b. Comprimir a mano el tensor de la cadena de sincronización.

c. Con el tensor comprimido, montar una broca o alambre de 0.060 plg (1.5 mm), en el orificio pequeño sobre el trinquete, enganchando la ranura de bloqueo en la cremallera del tensor de la cadena de sincronización.

61. Montar de nuevo el tensor bloqueado y comprimido de la cadena de sincronización de la culata de cilindros izquierda y los tornillos de retención, sobre el bloque de cilindros. Apretar los tornillos de retención a 15-22 pie-lb (20-30 Nm).

62. Verificar que las marcas de sincronización en la cadena de sincronización de la culata de cilindros izquierda, están alineadas con las marcas de sincronización en la polea dentada del cigüeñal y las poleas dentadas de los árboles de levas.

63. Montar de nuevo, o reemplazar, las poleas dentadas de los árboles de levas, si se han desmontado.

64. Montar de nuevo la polea dentada del cigüeñal de la cadena de sincronización derecha, sobre el cigüeñal.

65. Montar de nuevo la guía de la cadena de sincronización derecha y los tornillos de retención, en el motor. Apretar los tornillos de retención a 15-22 pie-lb (20-30 Nm).

66. Verificar que las flechas de alineación en los árboles de levas de la culata de cilindros derecha, están alineadas, antes de proceder.

67. Montar de nuevo la cadena de sincronización derecha sobre la polea dentada derecha del cigüeñal y las poleas dentadas de los árboles de levas derechos.

68. Alinear las marcas de sincronización en la cadena de sincronización de la culata de cilindros derecha, con las marcas de sincronización en la polea dentada del cigüeñal, y las poleas dentadas de los árboles de levas.

69. Montar de nuevo el brazo tensor de la cadena de sincronización derecha, sobre la clavija de alineación, en la culata de cilindros derecha.

➡ **Antes del montaje del tensor de la cadena de sincronización, éste tiene que**

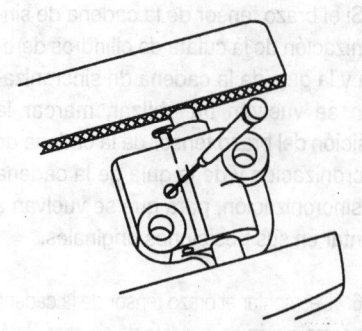

▲ Utilizando un destornillador delgado, soltar el mecanismo de uña/trinquete del tensor de la cadena de sincronización – Motor 2.5L

ser adecuadamente comprimido y bloqueado.

70. Utilizando un destornillador pequeño, aflojar el mecanismo de trinquete del tensor de la cadena de sincronización, a través del orificio de acceso, en el tensor de la cadena de sincronización, del siguiente modo:

a. Insertar un trozo de alambre pequeño dentro de la parte superior del pistón y, poco a poco, desplazar de su asiento la bola de cierre de la válvula antirretorno del aceite.

b. Comprimir manualmente el tensor de la cadena de sincronización.

c. Con el tensor comprimido, montar una broca o un alambre de 0.060 plg (1.5 mm) en el orificio pequeño sobre el trinquete, enganchando la ranura de bloque en la cremallera del tensor de la cadena de sincronización.

71. Montar de nuevo el tensor bloqueado y comprimido de la cadena de sincronización de la culata de cilindros derecha y los tornillos de retención sobre el bloque de cilindros. Apretar los tornillos de retención a 15-22 pie-lb (20-30 Nm).

72. Verificar que las marcas de sincronización en la cadena de sincronización de la culata de cilindros derecha, están alineadas con las marcas de sincronización en la polea dentada del cigüeñal y las poleas dentadas de los árboles de levas.

73. Asegurarse que el chavetero del cigüeñal está en la posición de las 11 en punto.

74. Lubricar los balancines de la parte izquierda con un lubricante de motores, y montar los balancines de la culata de cilindros izquierda, en sus posiciones originales.

➡ **No montar las tapas de los cojinetes de empuje de los árboles de levas, hasta que las tapas de los cojinetes de los árboles de levas, estén aseguradas en sus posiciones.**

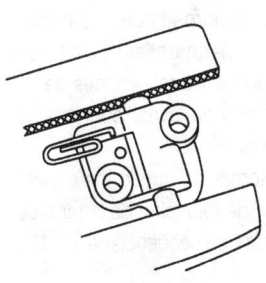

Insertar un trozo de alambre pequeño (parecido a un clip de papel) dentro de la parte superior del pistón y, suavemente, desplazar de su asiento la bola de la válvula antirretorno de aceite – Motor 2.5L

75. Apretar los tornillos de las tapas de cojinetes de los árboles de levas de la culata de cilindros izquierda, en secuencia, haciendo varios pasos, para empujar hacia abajo el árbol de levas de modo uniforme. Apretar los tornillos a 71-106 plg-lb (8-12 Nm).

76. Montar de nuevo los tornillos y las tapas de los cojinetes de empuje de la culata de cilindros izquierda. Apretar a 71-106 plg-lb (8-12 Nm).

77. Girar el cigüeñal dos vueltas y colocar el cuñero (chavetero) del cigüeñal en la posición de las 3 en punto. Esto colocará los árboles de levas de la culata de cilindros derecha, en posición neutral.

78. Lubricar los balancines del lado derecho, con un lubricante de montaje de motores, y montar los balancines de la culata de cilindros derecha en sus posiciones originales.

➡ **No montar las tapas de los cojinetes de empuje de los árboles de levas, hasta que las tapas de los cojinetes de los árboles de levas, estén aseguradas en sus posiciones.**

79. Apretar los tornillos de las tapas de los cojinetes de los árboles de levas de la culata de cilindros derecha, en secuencia, haciendo varios pasos, para empujar los árboles levas hacia abajo, de modo uniforme. Apretar los tornillos a 71-106 plg-lb (8-12 Nm).

80. Montar de nuevo las tapas y tornillos de los cojinetes de empuje de la culata de cilindros derecha. Apretar a 71-106 plg-lb (8-12 Nm).

81. Desmontar los pasadores de bloqueo de los tensores de la cadena de sincronización.

82. Verificar que las marcas de sincronización en la cadena de sincronización están alineadas con las marcas de sincronización en la polea dentada del cigüeñal y en las poleas dentadas de los árboles de levas.

83. Montar el anillo de pulsos, del sensor de posición del cigüeñal, asegurar el uso del chavetero (cuñero) del motor 2.5L, como se muestra.

84. Reemplazar el sello de aceite del cigüeñal, en la tapa delantera, por uno de nuevo. Aplicar aceite de motor limpio en el labio del sello.

85. Limpiar las superficies de sellado de junta, de la delantera del motor y de la tapa delantera del motor al bloque de cilindros.

➡ **La tapa delantera tiene que ser montada y adecuadamente apretada, dentro de los seis minutos siguientes, a la aplicación del sellador.**

86. Aplicar silicona selladora en las seis zonas críticas mostradas en la vista A, en el bloque de cilindros, para evitar filtraciones de aceite.

87. Colocar las juntas nuevas de la tapa delantera sobre los pasadores de centrado en el bloque de cilindros y las culatas.

88. Colocar la tapa delantera en posición, colocando la tapa delantera encima de los pasadores de centrado en el bloque de cilindros.

89. Montar de nuevo los seis tornillos y espárragos de retención de la tapa delantera, donde ha sido aplicada la silicona selladora.

90. Apretar los tornillos y espárragos de retención, hasta que la tapa delantera contacte con el bloque de cilindros y las culatas, después girar los tornillos y espárragos de retención ¼ de vuelta adicional.

91. Montar de nuevo los tornillos y espárragos de retención restantes, de la tapa delantera.

92. Apretar todos los tornillos y espárragos de retención de la tapa delantera, en la secuencia adecuada, a 15-22 pie-lb (20-30 Nm).

93. Montar de nuevo el soporte y las retenciones del soporte, en la tapa delantera. Montar de nuevo el cableado y la manguera del A/A, en el soporte.

Al montar el anillo de impulsos del sensor de posición del cigüeñal, tener mucho cuidado de utilizar el uñero (chavetero) correcto – Motor 2.5L

94. Elevar y soportar con seguridad el vehículo.

95. Montar de nuevo el compresor del A/A y sus tornillos de retención. Apretar los tornillos de retención a 15-22 pie-lb (20-30 Nm).

96. Si se requiere, reemplazar, en este momento, el sello de aceite delantero del cigüeñal.

97. Montar de nuevo el depósito de aceite del motor.

98. Reconectar el cableado en el sensor CKP y en el sensor CMP.

99. Montar de nuevo la polea del cigüeñal.

100. Montar de nuevo el soporte de montaje del alternador y el alternador.

101. Montar de nuevo el conjunto de rueda y neumático delantero derecho. Apretar las tuercas de orejas a 62 pie-lb (85 Nm).

102. Bajar el vehículo en la grúa.

103. Bajar el motor a su posición correcta.

104. Montar de nuevo el soporte de la bomba de la dirección asistida, y la bomba de la dirección asistida, en la parte delantera del motor.

105. Montar de nuevo la polea de la bomba de la dirección asistida. Montar los tornillos de retención, dejándolos flojos.

106. Montar de nuevo la correa propulsora de los accesorios.

107. Apretar los tornillos de retención de la dirección asistida a 15-22 pie-lb (20-30 Nm).

108. Posicionar y sujetar el cableado en los tres conectores localizados en el soporte del conector de la conducción de entrada, dispuesto en la parte delantera de la culata de cilindros derecha.

109. Montar de nuevo el aislador del soporte superior delantero, y el soporte delantero de montaje superior del motor.

110. Aflojar y desmontar el Soporte de Motores de Tres Barras, o equivalente.

111. Reconectar la manguera de presión de la dirección asistida, en la bomba de la dirección asistida.

112. Reconectar el soporte de la manguera de presión de la dirección asistida y los tornillos de retención, en el soporte delantero superior del motor.

113. Montar de nuevo las dos tapas de válvulas, del siguiente modo:

    a. Limpiar las superficies de sellado de junta de las tapas de válvulas.

    b. Montar las juntas nuevas de tapas de válvulas, encima de las tapas de válvulas.

    c. En cada tapa de válvulas, colocar una gota de silicona selladora en dos lugares de las superficies de sellado de la tapa de válvulas, donde la tapa delantera del motor y las culatas de cilindros hacen contacto, y dos lugares en la parte trasera de las culatas de cilindros, donde las retenciones de los sellos de los árboles de levas, contactan con las culatas de cilindros.

d.Montar de nuevo los espárragos y los tornillos de retención de la tapa de válvulas, y apretar, en secuencia, a 71-106 plg-lb (8-12 Nm).

➡ **Las tapas de culata tienen que ser montadas y adecuadamente apretadas, dentro de los seis minutos siguientes a la aplicación de la silicona selladora.**

114. Montar de nuevo el múltiple de admisión superior.

115. Llenar el motor con la cantidad y grado adecuado de aceite.

116. Reponer el fluido perdido en el depósito de la dirección asistida.

117. Reconectar el cable negativo de la batería.

118. Poner en marcha el motor y revisar si hay escapes, y su correcto funcionamiento.

119. Controlar de nuevo los niveles de fluido.

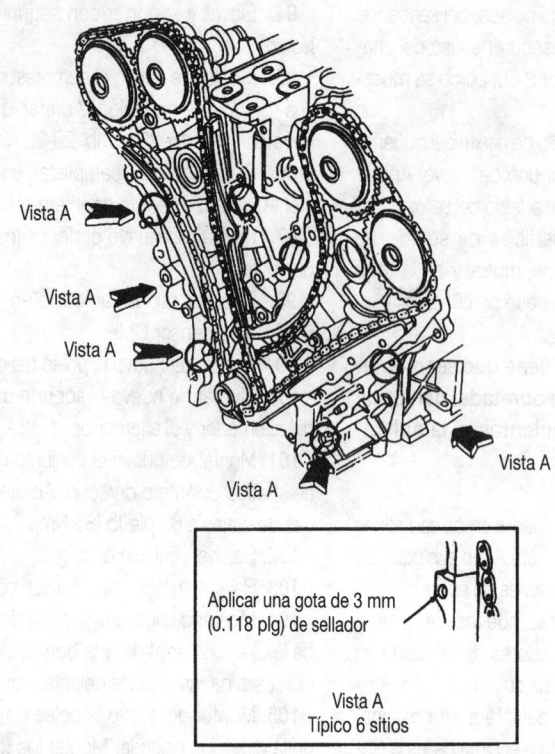

Vista A
Vista A
Vista A
Vista A
Vista A

Aplicar una gota de 3 mm (0.118 plg) de sellador

Vista A
Típico 6 sitios

▲ **Para evitar fugas de aceite, aplicar sellador en los sitios indicados – Motor 2.5L**

* Localización de los espárragos. Ocho sitios

● Apretar los tornillos/espárragos en la secuencia mostrada

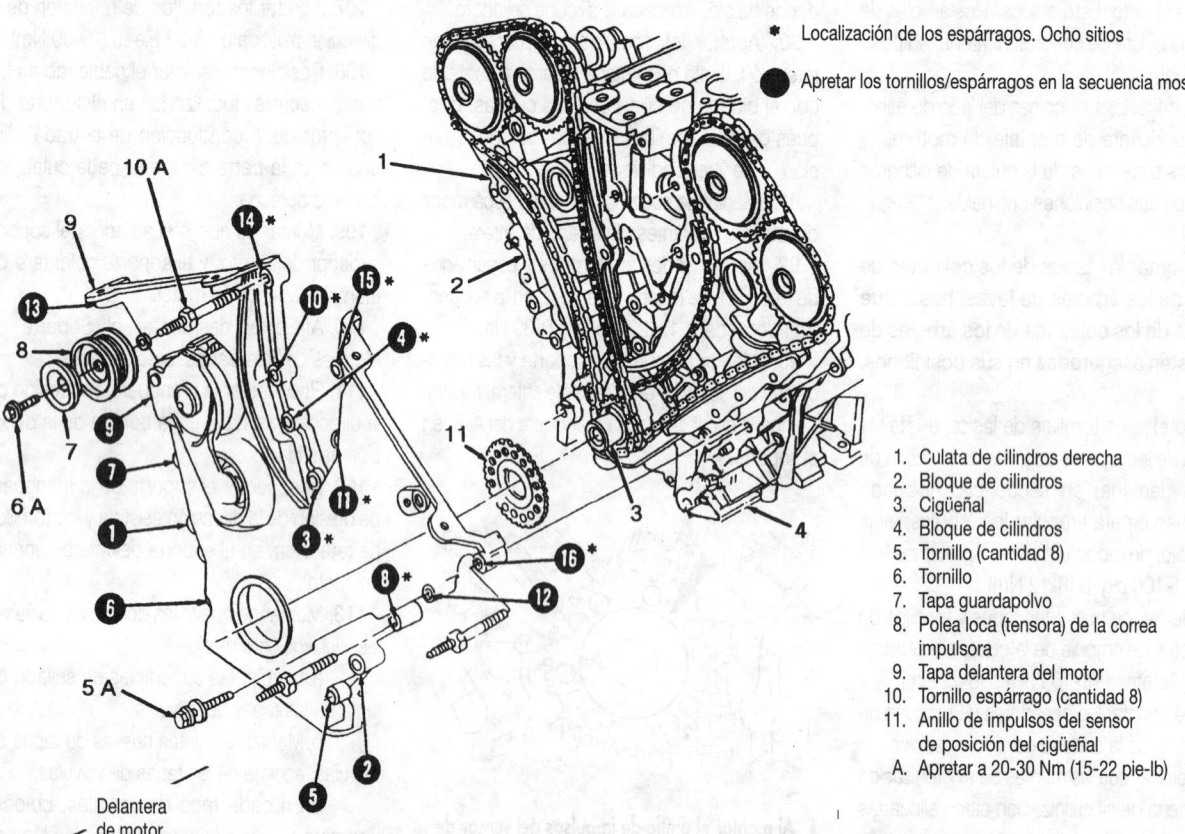

1. Culata de cilindros derecha
2. Bloque de cilindros
3. Cigüeñal
4. Bloque de cilindros
5. Tornillo (cantidad 8)
6. Tornillo
7. Tapa guardapolvo
8. Polea loca (tensora) de la correa impulsora
9. Tapa delantera del motor
10. Tornillo espárrago (cantidad 8)
11. Anillo de impulsos del sensor de posición del cigüeñal
A. Apretar a 20-30 Nm (15-22 pie-lb)

Delantera de motor

▲ **Montaje de la tapa delantera, mostrando la secuencia de apriete de los tornillos y tuercas de retención – Motor 2.5L**

SISTEMA DE COMBUSTIBLE

PRECAUCIONES EN EL SERVICIO DEL SISTEMA DE COMBUSTIBLE

La seguridad es el factor más importante cuando se lleva a cabo no solamente el mantenimiento del sistema de combustible sino cualquier tipo de mantenimiento. Dejar de llevar a cabo el mantenimiento y las reparaciones de manera segura, pueden ocasionar serios daños personales o la muerte. El mantenimiento y las pruebas de los componentes del sistema de combustible del vehículo, pueden ser realizados con seguridad y efectividad, si se observan las siguientes normas y líneas de conducta:

• Para evitar la posibilidad de incendio y lesiones personales, desconectar siempre el cable negativo de la batería, a menos que la reparación, o el procedimiento de pruebas, requiera que sea aplicado el voltaje de la batería.

• Descargar siempre la presión del sistema de combustible antes de desconectar cualquier componente del sistema de combustible (inyector, raíl de combustible, regulador de presión, etc.), accesorio o conexión de conducción de combustible. Proceder con la máxima precaución siempre que se esté descargando la presión del sistema de combustible, para evitar la exposición de la piel, cara y ojos a la pulverización del combustible. Se advierte que el combustible bajo presión puede penetrar la piel o cualquier parte del cuerpo que contacte.

• Colocar siempre una toalla de taller o un trapo, alrededor del rácor o conexión, antes de aflojarlo, para absorber cualquier exceso de combustible debido al derrame. Asegurarse de que todos los derrames de combustible (debe ocurrir) son rápidamente eliminados de las superficies del motor. Asegurarse de que todas las toallas o trapos mojados de combustible son depositados en un contenedor de residuos apropiado.

• Mantener siempre un extintor de incendios de productos químicos secos (clase B) al lado del área de trabajo.

• No permitir que la pulverización o vapores del combustible entren con contacto con una chispa o llama.

• Utilizar siempre una llave de apoyo, cuando se esté aflojando o apretando rácores de conexión de conducciones de combustible. Esto evita esfuerzos o tensiones innecesarias y la torsión de las tuberías de combustible. Seguir siempre las especificaciones del par de torsión adecuado.

• Colocar siempre juntas tóricas nuevas en los rácores de combustible. No sustituir por mangueras de combustible flexibles, o equivalentes, donde estén montados previamente tubos de combustible rígidos.

PRESIÓN DEL SISTEMA DE COMBUSTIBLE

▼ PRECAUCIÓN ▼

Observar todas las precauciones de seguridad posibles cuando se trabaje cerca de combustible. Siempre que realicemos un servicio en el sistema de combustible, trabajar en una área bien ventilada. No dejar que la pulverización o los vapores del combustible se pongan en contacto con una chispa o llamas. Tener un extintor al lado de la área de trabajo. Mantener siempre el combustible en un contenedor específicamente diseñado para el almacenamiento de combustible; los contenedores de combustible tienen que ser siempre de cierre hermético para evitar la posibilidad de incendio o explosión.

DESCARGA DE LA PRESIÓN

▼ PRECAUCIÓN ▼

El sistema de combustible se mantiene bajo presión, incluso una vez parado el motor. La presión del sistema de combustible tiene que descargarse del todo antes de desconectar cualquier conducción de combustible. Dejar de hacerlo puede dar lugar a un incendio y/o lesiones personales.

1. Desconectar el cable negativo de la batería.

2. Desmontar el conjunto del filtro de aire del motor.

3. Aflojar el tapón de llenado del depósito de combustible, para descargar la presión en el depósito de combustible.

4. Conectar el manómetro de presión de combustible T80L-9974-B, o equivalente, en la válvula de descarga de la presión de combustible, localizada en el raíl de combustible.

5. Abrir la válvula manual en el manómetro de presión de combustible, y vaciar el combustible a través del tubo de vaciado, dentro de un contenedor apropiado.

6. Desmontar el manómetro de presión de combustible.

7. Cuando se ha completado el servicio al vehículo, asegurarse de montar el conjunto del filtro de aire del motor, apretar el tapón de llenado del depósito de combustible y conectar el cable negativo de la batería.

FILTRO DE COMBUSTIBLE

DESMONTAJE E INTALACIÓN

▼ PRECAUCIÓN ▼

El sistema de combustible se mantiene bajo presión, incluso una vez parado el motor. La presión del sistema de combustible tiene que descargarse del todo antes de desconectar cualquier conducción de combustible. Dejar de hacerlo puede dar lugar a un incendio y/o lesiones personales.

1. Desconectar el cable negativo de la batería.

2. Reducir la presión del sistema de combustible, utilizando el siguiente procedimiento:

   a. Desmontar el conjunto del filtro de aire.

   b. Conectar un manómetro de presión de combustible T80L-9974-B, o equivalente, en la válvula de descarga de la presión de combustible, localizada en el raíl de combustible.

   c. Abrir la válvula manual en el manómetro de presión de combustible, y vaciar el combustible a través del tubo de vaciado, dentro de un contenedor apropiado.

   d. Desmontar el manómetro de presión de combustible y montar de nuevo el conjunto del filtro de aire.

3. Localizar el filtro de combustible al lado del depósito de combustible. Limpiar el área antes del desmontaje.

4. Desmontar los clips de retención en ambos extremos del filtro de combustible, del siguiente modo:

   a. Doblar hacia abajo las lengüetas de montaje de modo que despejarán el cuerpo del filtro.

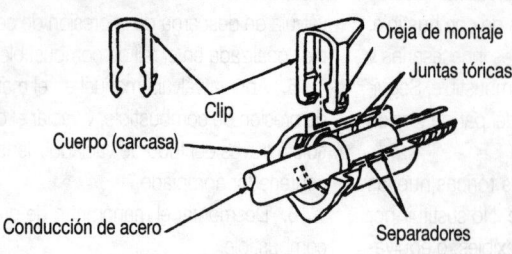

Oreja de montaje
Juntas tóricas
Clip
Cuerpo (carcasa)
Conducción de acero
Separadores

▲ Una vez desmontado del conector, el clip de retención, la conducción de combustible puede ser desmontada del filtro

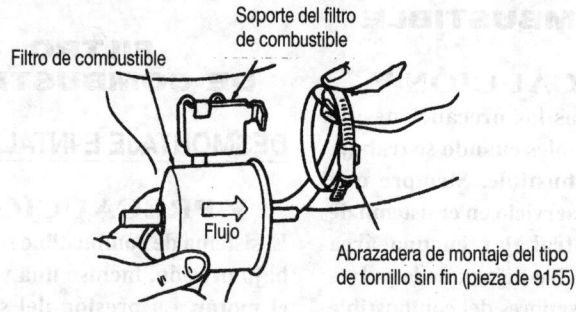

Soporte del filtro de combustible
Filtro de combustible
Flujo
Abrazadera de montaje del tipo de tornillo sin fin (pieza de 9155)

▲ Montar el filtro de combustible asegurándose de que la flecha señale en la dirección del flujo de combustible

b. Utilizando sólo las manos, desplegar las patillas de la pinza para desacoplar el cuerpo del filtro y empujar las patillas hacia arriba dentro del rácor.

c. Sacar el extremo triangular de la pinza para acabar el desmontaje.

▼ AVISO ▼

Nunca utilizar herramientas para desmontar las pinzas de retención ya que pueden causar deformaciones en los rácores que den lugar a escapes de combustible.

5. Prepararse para recoger el combustible que se derrame del filtro de combustible y las conducciones de combustible, colocando una toalla de taller alrededor del área, para absorber el combustible derramado. Girar y sacar las conducciones del filtro de combustible.

6. Revisar los rácores de las conducciones de combustible por si hay alguna parte interna que puede haberse salido y desacoplado durante el desmontaje, y corregirlo.

7. Aflojar la abrazadera de montaje, y desmontar el filtro de combustible.

8. Vaciar, después deshacerse adecuadamente del filtro de combustible (sucio).

Para instalar:

9. Colocar el filtro de combustible nuevo en su soporte, con la punta de la flecha en la dirección del flujo (corriente), y apretar la abrazadera de fijación.

10. Montar pinzas de retención nuevas en los rácores de las conducciones de combustible, antes de la colocación de las conducciones en los extremos del filtro de combustible.

11. Meter las conducciones de combustible dentro de las entradas del filtro de combustible hasta escuchar un clic audible. Tirar del rácor para verificar una buena conexión.

12. Poner en marcha el motor y revisar si hay escapes, y un correcto funcionamiento.

BOMBA DE COMBUSTIBLE

DESMONTAJE E INSTALACIÓN

▼ PRECAUCIÓN ▼

El sistema de combustible se mantiene bajo presión, incluso una vez parado el motor. La presión del sistema de combustible tiene que descargarse del todo antes de desconectar cualquier conducción de combustible. Dejar de hacerlo puede dar lugar a un incendio y/o lesiones personales.

1. Desconectar el cable negativo de la batería.

2. Descargar la presión de combustible, utilizando el siguiente procedimiento:

a. Abrir el tapón de llenado del depósito de combustible para descargar la presión en el depósito.

b. Desmontar el conjunto del filtro de aire.

c. Conectar un manómetro de presión de combustible T80L-9974-B, o equivalente, en la válvula de descarga de la presión de combustible, localizada en el raíl del combustible.

d. Abrir la válvula manual del manómetro de presión de combustible y vaciar el combustible a través del tubo de vaciado, dentro de un contenedor apropiado.

e. Desmontar el manómetro de presión de combustible.

f. Asegurar el tapón de llenado del combustible, y montar el conjunto del filtro de aire.

3. Desmontar el cojín del asiento trasero.

4. Desmontar el ojete de plástico de la plancha del suelo.

5. Desconectar el cableado eléctrico de la bomba de combustible.

6. Desconectar las conducciones de combustible de la bomba de combustible, comprimiendo las lengüetas en ambos lados de cada conector de conexión a presión de nilón, y facilitar la salida de la conducción de combustible, de la bomba de combustible.

7. Utilizando la llave de transmisiones de depósitos de combustible D84P-9275-A, o equivalente, girar en sentido contrario del reloj, el anillo de bloqueo de la bomba de combustible, para aflojarlo.

8. Desmontar el anillo de bloqueo de la bomba de combustible.

9. Desmontar la bomba de combustible, siendo cuidadoso de no dañar la unidad transmisor del indicador de combustible.

10. Colocar un trapo de taller sobre la abertura en el depósito de combustible para evitar que entre suciedad de contaminantes del combustible.

Para instalar:

11. Sacar el trapo de taller de encima de la abertura en el depósito de combustible y limpiar

la ranura del sello de la bomba de combustible. Ser cuidadoso, y no permitir que se ensucie la entrada del depósito de combustible.

12. Aplicar una ligera capa de grasa encima del sello de la junta tórica nueva, y montarla en la ranura del depósito de combustible.

13. Montar con cuidado la bomba de combustible en el depósito, teniendo en cuenta de no producir daños en el transmisor del indicador de combustible o en el filtro del tubo de aspiración de combustible.

➡ **Se recomienda que el filtro de combustible en línea sea reemplazado siempre que se sustituya la bomba de combustible.**

14. Asegurar que la brida del plato de montaje de la bomba de combustible, esté colocada correctamente en sus cuñeros (chaveteros), y que la junta tórica no se haya movido fuera de su posición.

15. Mantener una ligera presión hacia abajo sobre la bomba de combustible, mientras se monta el anillo de retención de bloqueo de la bomba de combustible.

16. Montar el anillo asegurándose de que todas las lengüetas de bloqueo están debajo de las lengüetas del anillo de bloqueo del depósito de combustible. Girar el anillo con los dedos en el sentido del reloj.

17. Montar la llave de transmisiones de indicadores de los depósitos de combustible, o equivalente, sobre el anillo de retención y acabar apretando hasta que el anillo de retención llegue al final de recorrido.

18. Reconectar las conducciones de combustible en la bomba de combustible.

19. Montar de nuevo el conector del cableado eléctrico de la bomba de combustible.

20. Montar de nuevo el ojete de plástico en la plancha del suelo.

21. Montar de nuevo el cojín del asiento trasero.

22. Reconectar el cable negativo de la batería.

23. Poner en marcha el motor y revisar si hay escapes, y su correcto funcionamiento.

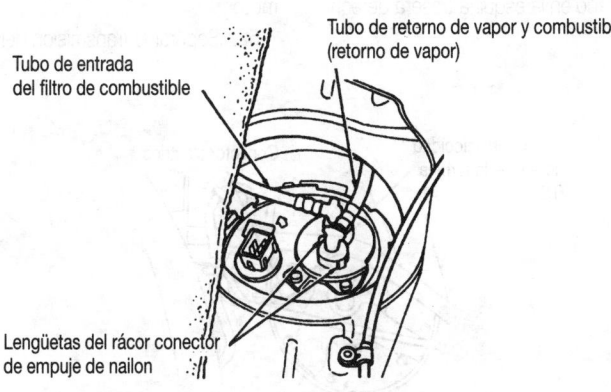

▲ Vista del conector de la bomba de combustible a través de la plancha del piso

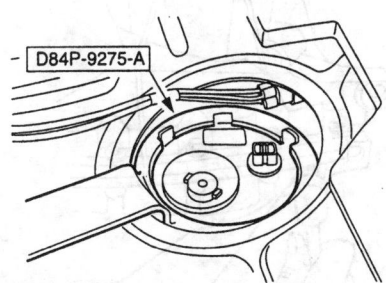

▲ Desmontar el anillo de bloqueo del transmisor de la bomba de combustible, con una llave especial tal como la llave para transmisores de los depósitos de combustible D84P-9275-A

TREN DE TRANSMISIÓN

CONJUNTO DE TRANSMISIÓN

DESMONTAJE E INSTALACIÓN

Automático

1. Desconectar el cable negativo de la batería.

2. Desconectar el cable positivo de la batería, y desmontar la batería.

3. En los vehículos equipados con motor 2.0L, desmontar la varilla indicadora del nivel de aceite y la protección del calor, del múltiple de escape.

4. En los vehículos equipados con motor 2.5L, desmontar la protección de la polea de la bomba de agua.

5. Asegurar el radiador y el deflector del ventilador, con un alambre de seguridad en el soporte del radiador.

6. Desmontar el conjunto del filtro de aire y soporte de montaje.

7. Aflojar cinco vueltas las tuercas del montaje superior de los postes derecho e izquierdo, para tener espacio para el desmontaje de los semiejes. No desmontar las tuercas completamente.

8. Desconectar el cable de cambio y desmontar los dos tornillos de retención, que aseguran el soporte del cable de cambio en la caja de la transmisión.

9. Desconectar el sensor de marcha de la Transmisión (TR).

10. Desmontar el sensor TR.

11. Desconectar el cableado de 10 contactos, de la transmisión.

12. Sostener el motor con un Soporte de Motores de Tres Barras D88L-6000-A, o equivalente.

13. Desmontar las tuercas de montaje de soporte del aislador del soporte superior de la transmisión.

14. Desmontar los tres tornillos que retienen el aislador del soporte de la transmisión en la aleta interior del pasarruedas y desmontar el aislador.

15. Desmontar los tornillos de retención superior de la campana de embrague al motor.

16. Elevar y soportar con seguridad el vehículo.

17. Desmontar los conjuntos de rueda y neumático.

18. Desconectar la columna de la dirección, de la cremallera y piñón, desmontando el tornillo de presión.

19. Desconectar los extremos de las barras de conexión de las articulaciones de la dirección. Descartar los pasadores partidos (de retención).

20. Desmontar los tornillos de presión de las rótulas a los brazos oscilantes (de control) inferiores, y separar las rótulas de los brazos oscilantes inferiores.

21. Desmontar las tuercas de los eslabones de la barra estabilizadora y separar los eslabones, de la barra estabilizadora.

22. Desmontar la protección contra salpicaduras en la delantera del bastidor auxiliar.

23. Desmontar los tornillos pasantes de retención de los aisladores de soporte del motor delanteros, derecho e izquierdo en el bastidor auxiliar.

24. Desconectar las mangueras del refrigerador de aceite de la dirección asistida, en el bastidor auxiliar delantero derecho, y vaciar el sistema de la dirección asistida.

25. Desmontar los dos tornillos de retención de los tirantes de la tapa del parachoques en el bastidor auxiliar. Girar hacia delante los tirantes de la tapa del parachoques.

26. Desmontar el deflector de aire del radiador.

27. Desmontar los cuatro tornillos de retención de los soportes de apoyo inferior derecho e izquierdo del radiador, en la delantera del bastidor auxiliar. Girar hacia adelante los soportes del radiador.

28. Desconectar y desmontar los componentes del sistema de escape que sean necesarios, para el desmontaje de la transmisión.

29. Desmontar los dos tornillos de retención del acumulador del A/A en el bastidor auxiliar, localizado en la esquina delantera, lado conductor, del vehículo.

30. Desmontar el tornillo de retención del soporte de la conducción del refrigerador de la transmisión en la delantera del bastidor auxiliar.

31. Colocar el Elevador del Trenes de Transmisión 014-00765, o equivalente, con bloques de madera de aproximadamente 40 plg (1016 mm) de largo, asegurados en el elevador, bajo el bastidor auxiliar.

32. Desmontar los cuatro tornillos de retención del bastidor auxiliar en la carrocería. Bajar un poco el bastidor auxiliar y desconectar las mangueras de presión y retorno de la dirección asistida, de la cremallera y piñón.

33. Acabar de bajar el bastidor auxiliar, y colocarlo aparte.

34. Desconectar el sensor de Velocidad del Eje de la Turbina (TSS), en la bomba de aceite de la transmisión.

35. Vaciar el aceite de la transmisión, en un contenedor apropiado, para el reciclaje.

36. Desconectar la conducción de entrada del refrigerador de la transmisión en la caja de transmisión.

37. Desmontar la conducción de entrada del refrigerador de la transmisión, del soporte en la bomba de aceite de la transmisión.

38. Desconectar la conducción de salida del refrigerador de la transmisión, en la caja de la transmisión.

39. Desconectar las conducciones de entrada y salida del refrigerador de la transmisión, en el radiador, y desmontarlas del vehículo.

40. Desmontar el semieje izquierdo y el semieje derecho y el eje intermedio del vehículo.

41. Desmontar el cable del velocímetro y desconectar el Sensor de Velocidad del Vehículo (VSS).

42. Desmontar la tapa de inspección, de la transmisión situada en el plato separador del motor, localizado en la esquina trasera derecha del motor.

43. Girar el convertidor de par para alinear cada una de las cuatro tuercas de retención del convertidor de par en el volante motor, y desmontar las tuercas.

44. Bajar el vehículo.

45. Desmontar las tuercas del soporte (montaje del motor) del aislador del soporte superior derecho del motor.

46. Bajar el conjunto de motor y transmisión utilizando un soporte de motores de tres barras, hasta que el conjunto de la transmisión esté nivelado con la viga izquierda del bastidor.

47. En vehículos equipados con A/A, bajar el motor hasta que el compresor de A/A, esté bajo la viga derecha del bastidor.

48. Elevar y soportar con seguridad el vehículo.

49. Soportar la transmisión sobre un gato de transmisiones, y asegurar con una cadena la transmisión al gato.

50. Desmontar las tuercas de retención del motor de arranque, y desmontar el motor de arranque.

51. Desmontar los tornillos de retención de la parte inferior de la transmisión en el motor.

52. Separar la transmisión del motor.

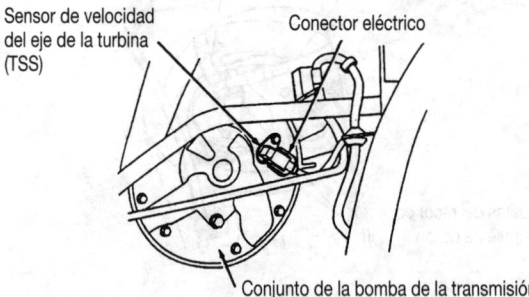

▲ **Localización del sensor de velocidad del eje de la turbina**

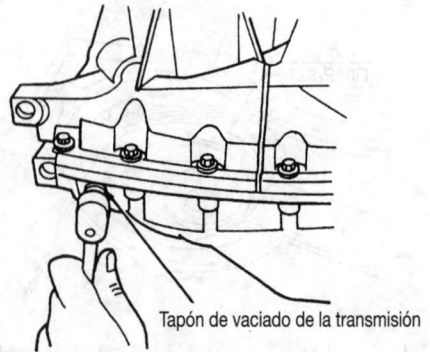

▲ **Localización del tapón de vaciado de la transmisión**

➡ **Ir con cuidado cuando se desmonte la transmisión, para evitar que se caiga el convertidor de par.**

53. Bajar con cuidado, la transmisión del vehículo.

Para instalar:

54. Asegurarse de que el convertidor de par está completamente encajado en la transmisión.

55. Debe haber una separación aproximada de $^{7}/_{16}$ plg (10 mm) entre una regla que cruce de lado a lado la brida de la campana alojamiento de embrague, y el convertidor de par.

56. Si se ha desmontado, colocar la transmisión sobre el gato de transmisiones y asegurarla.

➡ **Ir con cuidado de no dejar que el convertidor de par se caiga de la transmisión, cuando ésta se incline.**

57. Elevar la transmisión en su posición y alinearla con el motor.

58. Alinear los espárragos del convertidor de par con los agujeros de coincidencia en el volante.

59. Una vez la transmisión esté encajada en el motor, montar los tornillos de retención inferiores de la transmisión en el motor. Apretar los tornillos de retención a 41-50 pie-lb (55-68 Nm).

60. Girar el convertidor de par y montar las cuatro tuercas de retención del convertidor de par en el volante. Apretar las tuercas de retención a 23-39 pie-lb (31-53 Nm).

61. Desmontar el gato de transmisiones.

62. Montar de nuevo el plato separador entre la transmisión y el motor.

63. Montar de nuevo el conector eléctrico en el TSS.

64. Si se ha desmontado, colocar el bastidor auxiliar sobre el elevador de trenes de transmisión, o equivalente, con los bloques de madera de aproximadamente 40 plg (1016 mm) de largo, asegurados en el elevador, bajo el bastidor auxiliar.

65. Elevar el bastidor auxiliar y conectar las mangueras de retorno y presión de la dirección asistida en la cremallera y piñón.

66. Alinear el bastidor auxiliar. Encaminar las mangueras de la dirección asistida en su posición en la trasera del motor.

67. Montar de nuevo los cuatro tornillos de retención del bastidor auxiliar, dejándolos flojos.

68. Montar el Juego de Pasadores de Alineación de Bastidores Auxiliares T95P-2100-AH, o equivalente, en el bastidor auxiliar y en los agujeros de alineación de la carrocería. Después de alinear los agujeros, apretar ligeramente los cuatro tornillos de retención del bastidor auxiliar.

69. Después de completar la alineación del bastidor auxiliar, apretar los cuatro tornillos de retención del bastidor auxiliar, a 81-110 pie-lb (110-150 Nm). Desmontar las herramientas de alineación.

70. Montar de nuevo el soporte del acumulador del A/A en el bastidor auxiliar, y apretar los tornillos a 48-72 plg-lb (6-8 Nm).

71. Reconectar las mangueras del refrigerador de aceite de la dirección asistida, en el lado delantero derecho del bastidor auxiliar.

72. Montar el útil de Alineación de Trenes de Transmisión T94P-6000-AH, o equivalente, en el soporte delantero izquierdo del motor y en el bastidor auxiliar. Apretar los dos tornillos de retención a 20 pie-lb (27 Nm) y ajustar a mano el tornillo pasante.

73. Montar de nuevo el aislador del soporte derecho del motor, con los tornillos de retención en el bastidor auxiliar, y el tornillo pasante. Apretar los dos tornillos de retención del bastidor auxiliar a 30-41 pie-lb (41-55 Nm), y el tornillo pasante a 75-102 pie-lb (103-137 Nm).

74. Observar la posición del aislador del soporte derecho del motor. Tiene que estar

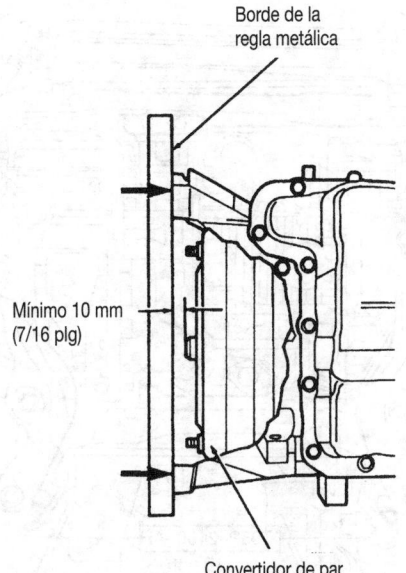

Borde de la regla metálica

Mínimo 10 mm (7/16 plg)

Convertidor de par

▲ **Asegurarse de que el convertidor de par está asentado adecuadamente en la transmisión**

centrado en el soporte, y en perfecta alineación de delante a atrás. Desmontar el calibre de alineación del tren de transmisión.

75. Montar de nuevo el aislador del soporte izquierdo del motor en el bastidor auxiliar, con dos tornillos de retención. Apretar los tornillos de retención a 84 plg-lb (10 Nm).

76. Observar la posición del aislador del soporte izquierdo del motor, para asegurar la perfecta alineación de delante a atrás. Apretar de nuevo los tornillos a 30-41 pie-lb (41-55 Nm). Montar de nuevo el tornillo pasante del aislador del soporte izquierdo del motor y apretar a 75-102 pie-lb (103-137 Nm).

77. Montar de nuevo las conducciones de entrada y salida del refrigerador de la transmisión.

78. Montar de nuevo los soportes de apoyo inferiores del radiador en el bastidor auxiliar. Apretar los tornillos a 20 pie-lb (27 Nm).

79. Reconectar el cable del velocímetro y el VSS.

80. Montar de nuevo el sistema de escape.

81. Montar de nuevo el semieje izquierdo, utilizando un anillo elástico nuevo.

82. Montar de nuevo el semieje intermedio y apretar las dos tuercas de retención a 20 pie-lb (27 Nm).

83. Montar de nuevo el semieje derecho.

84. Montar de nuevo los brazos oscilantes inferiores derecho e izquierdo, en las articulaciones de la dirección.

85. Montar los tornillos de presión y tuercas nuevos. Apretar los tornillos de presión a 61 pie-lb (83 Nm).

86. Montar de nuevo la barra estabilizadora. Montar de nuevo las tuercas de retención y apretar a 35-48 pie-lb (47-65 Nm).

87. Si está equipado, montar la retención de la manguera de cableado del ABS, en el espárrago del eslabón de la barra estabilizadora. Apretar las tuercas de retención a 35 pie-lb (47 Nm).

88. Montar de nuevo los extremos de la barra de acoplamiento derecha e izquierda en la articulación de la dirección. Apretar las tuercas almenadas a 23-35 pie-lb (31-47 Nm). Montar los nuevos pasadores de seguridad.

89. Montar de nuevo los tirantes de la tapa del parachoques delantero, y apretar los tornillos con seguridad. Montar de nuevo la protección contra salpicaduras del bastidor auxiliar.

90. Montar de nuevo los conjuntos de rueda y neumático. Apretar las tuercas de orejas a 62 pie-lb (85 Nm).

91. Bajar el vehículo.

92. Reconectar la horquilla de la columna de la dirección en el eje del mecanismo de la dirección. Apretar los tornillos de retención de la horquilla de la columna de la dirección a 15-20 pie-lb (20-27 Nm).

93. Montar de nuevo los tornillos de retención de la parte superior de la transmisión al motor. Apretar los tornillos de retención a 23-39 pie-lb (55-68 Nm).

94. Desmontar el alambre de seguridad que sostenía el radiador y el deflector del ventilador en el soporte del radiador.

95. Montar de nuevo todos los clips de retención del cableado, que han sido alterados durante el desmontaje de la transmisión.

96. Elevar el conjunto de motor y transmisión en su posición, utilizando el soporte de motores de tres barras, o herramienta similar.

97. Montar de nuevo el aislador del soporte del motor la transmisión, en el guardabarros delantero izquierdo. Apretar los tornillos a 40-55 pie-lb (54-75 Nm).

98. Montar de nuevo las contratuercas nuevas que retenienen el motor y el aislador del soporte de la transmisión en la transmisión. Apretar las contratuercas a 40-55 pie-lb (54-75 Nm).

99. Montar de nuevo el aislador del soporte del delantero motor.

100. Si está equipado con motor 2.5L, montar el soporte de retención de la conducción de la dirección asistida, en el aislador del soporte delantero del motor. Apretar las contratuercas

nuevas a 56-76 pie-lb (77-103 Nm). Montar de nuevo la protección de la polea de la bomba de agua.

101. Si está equipado con motor 2.0L, montar la protección de calor del múltiple de escape y la varilla indicadora del nivel de aceite. Apretar los tornillos de retención a 71-106 plg-lb (8-12 Nm).

102. Desmontar el soporte de motores de tres barras, o equivalente.

103. Montar de nuevo el sensor TR y ajustar.

104. Sujetar de nuevo el conector de 10 contactos del cableado, en la transmisión.

105. Montar de nuevo el conector eléctrico del sensor TR.

106. Montar de nuevo el motor de arranque y los tornillos de retención. Apretar los tornillos de retención del motor de arranque a 43-58 pie-lb (59-79 Nm) para el motor de 2.5L, o 15-20 pie-lb (20-27 Nm) para el motor de 2.0L.

107. Montar de nuevo el soporte de montaje del cable de cambio. Apretar los tornillos de retención a 15-19 pie-lb (20-25 Nm).

108. Montar de nuevo el cable de cambio en la palanca manual, metiendo a presión el extremo del cable, hacia el espárrago, hasta que se oiga un clic.

109. Montar de nuevo la bandeja de la batería, la batería y la sujeción de la batería.

110. Montar de nuevo las tuercas nuevas de la fijación superior del poste. Apretar las tuercas de fijación del poste a 34 pie-lb (46 Nm).

111. Llenar el depósito de aceite remoto de la dirección asistida.

112. Reconectar los cables de la batería, el cable negativo el último.

113. Llenar la transmisión con el tipo y la cantidad adecuada de fluido de transmisiones.

114. Poner en marcha el motor y revisar la transmisión por si tiene escapes.

115. Revisar de nuevo el nivel de fluido de la transmisión.

➡ **Siempre que el bastidor auxiliar del vehículo se haya desmontado o bajado, debe ser revisada la alineación de las ruedas delanteras.**

116. Revisar la alineación y ajustar si es necesario.

117. Hacer una prueba en carretera con el vehículo, y comprobar si la transmisión funciona correctamente.

Manual

1. Desconectar los cables de la batería, el cable negativo primero.

2. Desmontar la batería.

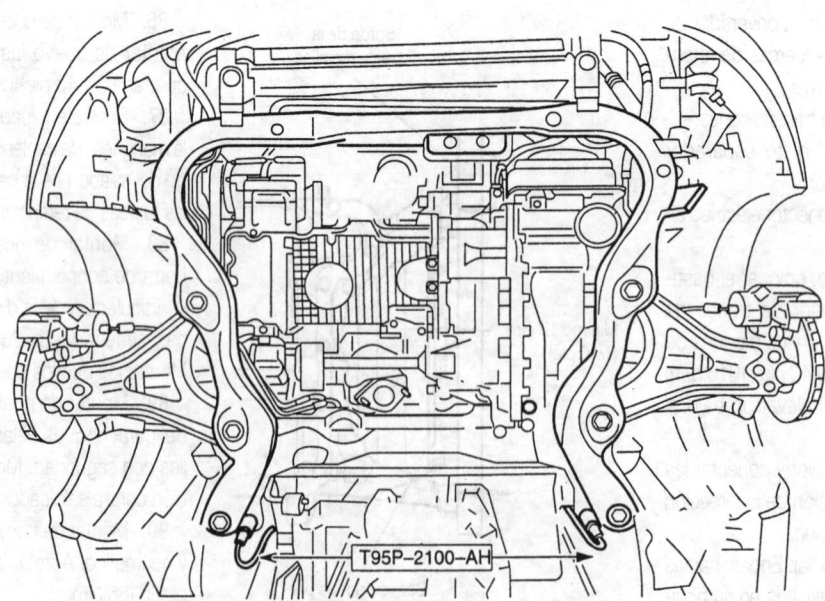

▲ Para la alineación adecuada del bastidor auxiliar, montar pasadores de alineación de bastidores auxiliares tales como los del juego de pasadores de alineación de bastidores auxiliares T95P-2100-AH – Transmisiones manuales y automáticas

3. Fijar el radiador y el deflector del ventilador en el soporte del radiador, utilizando un alambre de seguridad.

4. Aflojar un total de cinco vueltas las tuercas de retención superiores del poste de modo que quede espacio para el desmontaje de los semiejes. No desmontar las tuercas.

5. Desmontar el sensor del medidor de caudal de aire (MAF) y el conjunto del filtro de aire. Desmontar el soporte inferior del filtro de aire.

6. Montar el Soporte de Motores de Tres Barras D88L-6000-A, o equivalente, y sostener el motor.

7. Desconectar el interruptor de la lámpara de la marcha atrás.

8. Desmontar los tornillos que fijan la banda metálica de masa en la carcasa de la transmisión.

9. Desmontar el aislador (de montaje) del soporte del motor y la transmisión.

10. Desconectar la conducción hidráulica y el ojete de caucho del soporte del aislador del apoyo.

11. Desmontar la tapa de inspección de caucho de la carcasa del embrague de la transmisión.

12. Desmontar el clip de retención y desmontar el rácor de la conducción hidráulica en el cilindro auxiliar del embrague.

13. Desmontar el tornillo de fijación superior de la transmisión al motor.

14. Desmontar los dos tornillos de retención superiores del motor de arranque con la banda metálica de masa (tierra).

15. Si está equipado con motor de 2.0L, desmontar la protección del calor, del múltiple de escape, y las tuercas de retención del convertidor catalítico, en el múltiple de escape.

16. Desmontar el conjunto de rueda y neumático.

17. Desmontar la tapa de la polea de la correa propulsora de los accesorios.

18. Elevar y soportar con seguridad el vehículo.

19. Si está equipado con motor de 2.0L, desmontar la varilla indicadora del nivel de aceite. Desmontar el convertidor catalítico de la banda metálica de soporte del motor, y los tornillos de retención en el soporte del semieje.

20. Desmontar el convertidor catalítico.

21. Si está equipado con motor de 2.5L, desmontar la protección de la polea de la bomba de agua. Desmontar las tuercas delanteras del tubo en Y, y las tuercas traseras del tubo en Y en el convertidor catalítico, y desmontar el tubo en Y.

22. Desconectar el Sensor de Velocidad del Vehículo (VSS).

23. Desmontar el cable de velocímetro.

24. Desmontar los nueve tornillos que aseguran el deflector de aire inferior del radiador y desmontar el deflector.

25. Empujar la barra de cambio hacia delante y desmontar el tornillo de presión de la barra de cambio.

26. Tirar hacia atrás la barra de cambio y desmontarla de la transmisión.

27. Desmontar la tuerca de la barra estabilizadora del control de cambio en el espárrago, y desmontar la barra estabilizadora.

28. Desmontar la barra estabilizadora del control de cambio, y su soporte, del soporte del aislador de apoyo derecho del motor.

29. Desmontar la protección del calor de debajo de la carrocería y debajo del control de cambio.

30. Colocar de nuevo la barra de cambio y la barra estabilizadora para permitir el desmontaje de la transmisión.

31. Desmontar los dos tornillos que aseguran el acumulador del A/A en el bastidor auxiliar.

32. Desmontar los semiejes y el eje intermedio.

33. Desmontar los tornillos y las tuercas de montaje del aislador del soporte derecho del motor, y desmontar el soporte de la transmisión.

34. Desmontar el tornillo pasante del aislador del soporte izquierdo del motor.

35. Bajar el vehículo.

36. Ajustar el soporte de motores de tres barras, o equivalente, para descargar la tensión sobre el soporte de apoyo delantero derecho del motor.

37. Desmontar el tornillo pasante del soporte de apoyo, delantero derecho del motor.

38. Elevar y soportar con seguridad el vehículo.

39. Desconectar la columna de la dirección del mecanismo de la dirección, en el tornillo de presión.

40. Desmontar el convertidor catalítico.

41. Desconectar los extremos de la barra de acoplamiento (conexión) de la articulación de la dirección y descartar los pasadores de retención (partidos).

42. Desmontar los tornillos de presión de las rótulas de los brazos oscilantes inferiores, y separar los brazos oscilantes inferiores de las rótulas.

43. Separar los eslabones de barra estabilizadora, de la barra estabilizadora.

44. Desmontar la protección contra salpicaduras, en la delantera del bastidor auxiliar.

45. Desmontar el tornillo pasante, del aislador del soporte delantero izquierdo del motor, y desmontar el soporte montaje y el aislador del soporte delantero derecho del motor.

46. Desconectar las mangueras del refrigerador de aceite de la dirección asistida, en la parte delantera derecha del bastidor auxiliar, y vaciar el fluido de la dirección asistida.

47. Desmontar los tornillos del soporte de retención del acumulador del A/A, del bastidor auxiliar.

48. Desmontar los cuatro tornillos de retención de los soportes inferiores del radiador, en el bastidor auxiliar. Girar los soportes del radiador, hacia adelante.

49. Desmontar los dos tornillos de retención de los tirantes de la tapa del parachoques en los lados derecho e izquierdo del bastidor auxiliar. Girar hacia adelante los tirantes de la tapa del parachoques.

50. Colocar el Elevador de Trenes de Transmisión 014-00765, o equivalente, con bloques de madera de aproximadamente 40 plg (1016 mm) de largo, asegurados al elevador, bajo el bastidor auxiliar.

51. Desmontar los cuatro tornillos de retención del bastidor auxiliar en la carrocería.

52. Bajar un poco el bastidor auxiliar y desconectar las mangueras de presión y retorno de la dirección asistida de cremallera y piñón (mecanismo de la dirección).

53. Acabar de bajar el bastidor auxiliar y ponerlo aparte.

54. Bajar el vehículo.

55. Aflojar cinco vueltas las tuercas de retención del montaje delantero.

56. Colocar un gato de suelo y un bloque de madera bajo la transmisión, y elevar la transmisión lo suficiente para descargar la tensión sobre el soporte de motores de tres barras, o equivalente.

57. Aflojar el soporte de motores de tres barras, un poco más, para permitir desplazar hacia atrás la transmisión.

58. Bajar lentamente la transmisión, hasta que llegue al límite del recorrido del montaje delantero del motor.

59. Ajustar el soporte de motores de tres barras, o equivalente, para sostener la transmisión en esta posición.

60. Desmontar el gato de suelo y el bloque de madera.

61. Elevar el vehículo y soportarlo con seguridad.

62. Colocar un Soporte para Transmisiones 014-00210, o equivalente, en la transmisión, y asegurarla.

63. Desmontar el último tornillo de retención del motor de arranque y colgar el motor de arranque fuera del paso, atado con un alambre seguro.

64. Desmontar los dos tornillos de retención del depósito de aceite del motor en la transmisión.

65. Desmontar los tornillos restantes.

66. Separar la transmisión del motor y desmontarla con cuidado del vehículo.

Para instalar:

67. Si se ha desmontado, colocar la transmisión sobre el gato para transmisiones, y asegurarla atada con una cadena.

68. Aplicar una capa de grasa en las estrías del eje de entrada.

69. Si se ha desmontado, montar el soporte del aislador del apoyo derecho del motor, en la caja de la transmisión. Apretar los tornillos a 62 pie-lb (84 Nm).

70. Si se ha desmontado, montar un soporte de montaje de la barra estabilizadora de cambio, en el espárrago del soporte del aislador del apoyo derecho de la transmisión, y la caja de la transmisión. Apretar la tuerca y el tornillo a 28-38 pie-lb (38-51 Nm).

71. Elevar con cuidado la transmisión dentro de su posición con el motor.

72. Si se requiere, utilizar una llave de tubo de 18 mm, para girar el motor para alinear las estrías del disco de embrague con las del eje de entrada.

73. Montar de nuevo los dos tornillos de retención de la parte inferior de la transmisión y los dos del lado inferior. Apretar los tornillos de retención a 30 pie-lb (40 Nm).

74. Montar de nuevo el motor de arranque y el tornillo inferior. Apretar el tornillo inferior del motor de arranque a 35 pie-lb (48 Nm).

75. Bajar el vehículo.

76. Utilizando el gato de suelo y un bloque de madera colocado en el área de contacto del motor y la transmisión, elevar el conjunto dentro de su posición.

77. Ajustar el soporte de motores de tres barras, para mantener el motor en la posición correcta.

78. Desmontar el gato de suelo y el bloque de madera. Montar de nuevo los tornillos de retención superior de la transmisión.

79. Apretar los tornillos de retención a 28-38 pie-lb (38-51 Nm).

80. Montar de nuevo las tuercas de retención del soporte delantero del motor. Apretar las tuercas de retención a 61 pie-lb (83 Nm).

81. Montar de nuevo los tornillos de retención superiores del motor de arranque. Apretar los tornillos de retención a 35 pie-lb (48 Nm).

82. Montar de nuevo la banda metálica de masa en el tornillo de retención de la transmisión.

83. Reconectar el interruptor de la lámpara de la marcha atrás (reversa).

84. Montar de nuevo el aislador del soporte del motor y de la transmisión.

85. Elevar y soportar con seguridad el vehículo.

86. Montar de nuevo los semiejes derecho e izquierdo, y el eje intermedio.

87. Si se ha desmontado, colocar el bastidor auxiliar sobre el elevador del tren de transmisión, o equivalente, con bloques de madera de aproximadamente 40 plg (1016 mm), de largo, asegurándolo al elevador, bajo el bastidor auxiliar.

88. Elevar el bastidor auxiliar y conectar las mangueras de presión y retorno de la dirección asistida en la cremallera y piñón.

89. Alinear el bastidor auxiliar en la carrocería. Encaminar las mangueras de la dirección asistida en su posición, en la trasera del motor.

90. Montar de nuevo los cuatro tornillos de retención del bastidor auxiliar, dejándolos flojos.

91. Montar de nuevo el Juego de Pasadores de Alineación del Bastidor Auxiliar T95P-2100-AH, o equivalente, en el bastidor auxiliar y los agujeros de alineación de la carrocería. Después de alinear los agujeros, apretar ligeramente los cuatro tornillos de retención del bastidor auxiliar.

92. Después de completar la alineación del bastidor auxiliar, apretar los cuatro tornillos de retención del bastidor auxiliar, a 81-110 pie-lb (110-150 Nm). Desmontar las herramientas de alineación.

93. Montar de nuevo el soporte del acumulador del A/A en el bastidor auxiliar, y apretar los tornillos a 48-72 plg-lb (6-8 Nm).

94. Reconectar las mangueras del refrigerador de aceite de la dirección asistida, en el lado delantero derecho del bastidor auxiliar.

95. Montar el útil de Alineación de Trenes de Transmisión T94P-6000-AH, o equivalente, en el soporte de montaje delantero izquierdo del motor, y el bastidor auxiliar. Apretar los dos tornillos de retención a 20 pie-lb (27 Nm) y ajustar el tornillo pasante.

96. Montar de nuevo el aislador del soporte derecho del motor con los tornillos de retención en el bastidor auxiliar, y el tornillo pasante. Apretar los dos tornillos de retención en el bastidor auxiliar a 30-41 pie-lb (41-55 Nm), y el tornillo pasante a 75-102 pie-lb (103-137 Nm).

97. Observar la posición del aislador del soporte derecho del motor. Tiene que estar centrado en el soporte, y en perfecta alineación de delante a atrás. Desmontar el útil de alineación de trenes de transmisión.

98. Montar de nuevo el aislador del soporte izquierdo del motor en el bastidor auxiliar con dos tornillos de retención. Apretar los tornillos de retención a 84 plg-lb (10 Nm).

99. Observar la posición del aislador del soporte izquierdo del motor para asegurar la perfecta alineación de delante a atrás. Apretar de nuevo los tornillos a 30-41 pie-lb (41-55 Nm). Montar de nuevo el tornillo pasante del aislante del soporte izquierdo del motor y apretar a 75-102 pie-lb (103-137 Nm).

100. Montar de nuevo los brazos oscilantes inferiores derecho e izquierdo en las articulaciones de la dirección. Montar las tuercas y tornillos de presión nuevos. Apretar los tornillos de presión a 61 pie-lb (83 Nm).

101. Reconectar la horquilla de la dirección en el eje del mecanismo de la dirección. Apretar los tornillos de retención de la horquilla de la dirección a 15-20 pie-lb (20-27 Nm).

102. Montar de nuevo los eslabones de la barra oscilante (barra estabilizadora). Montar de nuevo las tuercas de retención y apretar a 35-48 pie-lb (47-65 Nm).

103. Montar de nuevo los extremos de la barra de conexión (acoplamiento) derecho e izquierdo en las articulaciones de la dirección. Apretar las tuercas almenadas a 23-35 pie-lb (31-47 Nm). Montar los pasadores de retención nuevos (partidos).

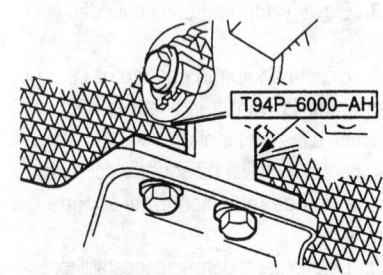

▲ **La herramienta de Alineación de Trenes Propulsores (T94P-6000-AH), debe montarse en la posición correcta para asegurar la orientación adecuada del motor/transmisión**

104. Montar de nuevo los tirantes de la tapa del parachoques delantero y apretar los tornillos con seguridad. Montar de nuevo la protección contra salpicaduras en el bastidor auxiliar.

105. Montar de nuevo los dos tornillos de retención y el acumulador de A/A en el bastidor auxiliar.

106. Montar de nuevo los soportes del radiador en el bastidor auxiliar. Apretar los tornillos a 71-97 plg-lb (8-11 Nm).

107. Montar de nuevo la protección contra salpicaduras en la parte delantera del bastidor auxiliar.

108. Montar de nuevo los conjuntos de rueda delantera y neumático. Apretar las tuercas de orejas a 62 pie-lb (85 Nm).

109. Montar de nuevo la barra de cambio en el eje de cambio de marchas de la transmisión. Montar de nuevo el tornillo de retención y apretar a 14-18 pie-lb (19-25 Nm).

110. Montar de nuevo la barra estabilizadora del control de cambio en su espárrago de montaje. Montar de nuevo la tuerca de montaje, y apretar a 28-38 pie-lb (38-51 Nm).

111. Montar de nuevo la protección de calor de debajo de la carrocería, bajo el control del cambio.

112. Reconectar el VSS.

113. Montar de nuevo el cable del velocímetro.

114. Si está equipado con motor de 2.5L, montar el tubo en Y, en los múltiples de escape y en el convertidor catalítico, utilizando nuevas juntas. Montar de nuevo la protección de la polea de la bomba de agua.

115. Si está equipado con motor de 2.0L, montar el convertidor catalítico, entre el múltiple de escape, y el tubo de escape, utilizando nuevas juntas. Montar de nuevo la protección de calor del múltiple de escape, y la varilla indicadora del nivel de aceite. Apretar los tornillos de retención a 71-106 plg-lb (8-11 Nm).

116. Montar de nuevo la banda metálica de soporte de montaje en el convertidor catalítico y el motor.

117. Montar de nuevo el soporte en el convertidor catalítico y el soporte del cojinete del eje intermedio.

118. Montar de nuevo el deflector inferior de aire del radiador.

119. Montar de nuevo la tapa de la polea de la correa deslizándola de arriba a bajo, en la protección contra salpicaduras del guardabarros delantero.

120. Revisar el nivel de fluido de la transmisión y, si se requiere, añadir fluido.

121. Bajar el vehículo.

122. Desmontar el soporte de motores de tres barras, o equivalente.

123. Montar de nuevo las retenciones de la manguera de cables desmontada durante el desmontaje de la transmisión.

124. Montar de nuevo la conducción hidráulica en el cilindro auxiliar del embrague, y montar el clip.

125. Montar de nuevo la tapa de inspección de caucho, en la carcasa del embrague, y la conducción hidráulica en el ojete de retención.

126. Desmontar las tuercas de montaje superior del poste, y reemplazarlas con contratuercas nuevas. Apretar las tuercas de retención superior del poste a 34 pie-lb (46 Nm).

127. Montar de nuevo el soporte inferior del filtro de aire.

128. Montar el sensor MAF y el conjunto del filtro de aire.

129. Desmontar el alambre de retención del radiador y el deflector del ventilador, en el soporte del radiador.

130. Montar de nuevo la batería y los cables, el cable negativo el último.

131. Ajustar el varillaje del cambio, y sangrar el sistema de embrague hidráulico, si se requiere.

132. Hacer una prueba de carretera con el vehículo, y controlar el correcto funcionamiento.

EMBRAGUE

AJUSTES

Debido a que el sistema de embrague es hidráulico, el recorrido libre del pedal del embrague es de autoajuste, y no requiere un mantenimiento adicional.

DESMONTAJE E INSTALACIÓN

1. Desconectar el cable negativo de la batería.

2. Elevar y soportar con seguridad el vehículo.

3. Desmontar el motor de arranque.

4. Desconectar la conexión hidráulica del cilindro auxiliar situado en la transmisión, deslizando el casquillo sobre el tubo, en dirección al cilindro auxiliar y aplicando una ligera fuerza de tracción en el tubo.

5. Desmontar la transmisión.

6. Marcar la posición relativa de montaje del embrague y el plato de presión en el volante motor, si tienen que montarse de nuevo.

➡ El plato de presión del embrague se mantiene sujeto en su posición de montaje sólo por los tornillos de retención. No

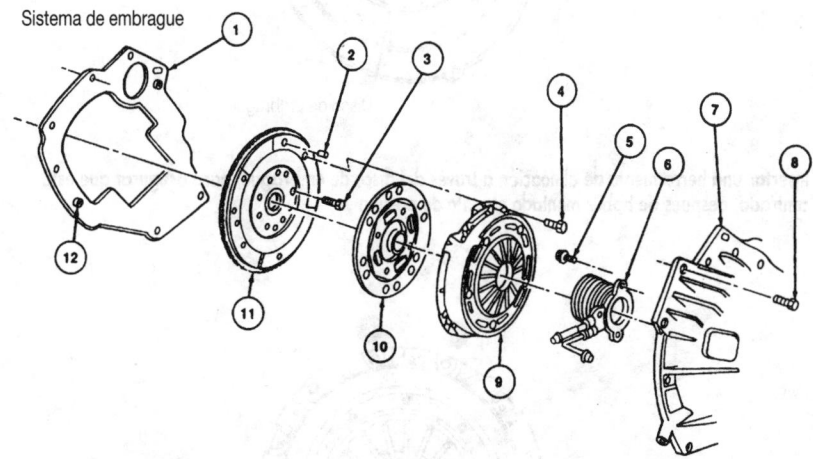

Sistema de embrague

1. Placa trasera del motor
2. Clavijas de centrado (volante)
3. Tornillo (8)
4. Tornillo (6)
5. Tornillo (3)
6. Cilindro auxiliar de embrague
7. Conjunto transmisión
8. Tornillos de montaje de la transmisión
9. Plato de presión de embrague
10. Disco de embrague
11. Volante
12. Buje tetón centraje de placa trasera de motor

▲ Montaje del disco de embrague, del plato de presión y de los componentes relacionados está centrado con pasadores de centraje, por lo que el plato de presión debe ser sostenido cuando se desmontan los tornillos de retención.

7. Aflojar de modo uniforme los tornillos del plato de presión, hasta que la presión de los resortes del plato de presión esté descargada, después acabar de desmontar los tornillos, mientras se sostiene el conjunto del embrague y el plato de presión.

8. Desmontar el embrague y el plato de presión del vehículo.

9. Inspeccionar el volante, el cilindro auxiliar y demás componentes, por si tienen desgastes o daños.

Para instalar:

10. Limpiar las superficies del volante y plato de presión.

11. Montar el disco de embrague, utilizando una herramienta de Alineación de Embragues T74P-7137-K, o equivalente.

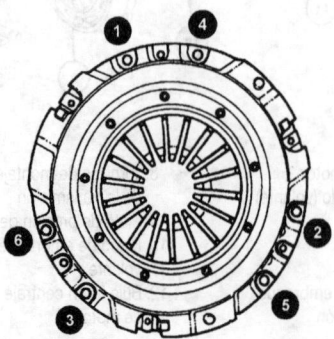

Alineador de embragues
T74P-7137-K

Disco de embrague

▲ Insertar una herramienta de alineación a través del disco de embrague, para asegurar que está centrado, después de haber montado el plato de presión

▲ Apretar gradualmente los tornillos del plato de presión y en la secuencia mostrada, para asegurar el funcionamiento correcto del embrague

➡ Si el disco de embrague y el plato de presión se utilizan de nuevo, alinear las marcas hechas durante el desmontaje.

12. Montar una herramienta de Sujeción de Volantes T74P-6375-A, o equivalente, para sujetar el volante.

13. Montar el plato de presión y apuntar los tornillos de retención.

14. Apretar los tornillos de retención de modo uniforme y, en secuencia, a 13-18 pie-lb (18-26 Nm).

15. Desmontar la herramienta de alineación del embrague.

16. Montar de nuevo la transmisión.

17. Reconectar el acoplamiento del tubo del cilindro auxiliar empujando el acoplamiento macho dentro del acoplamiento hembra del cilindro auxiliar.

18. Bajar el vehículo.

19. Reconectar el cable negativo de la batería.

20. Purgar el sistema del embrague hidráulico, si se requiere.

21. Comprobar si el sistema de embrague funciona correctamente.

SISTEMA DE EMBRAGUE HIDRÁULICO

SANGRADO

1. Desconectar el cable negativo de la batería.

2. Desmontar el tubo de salida del filtro de aire y el sensor del Medidor de Caudal de Aire (MAF).

3. Limpiar la parte superior del depósito de fluido del cilindro principal de frenos, antes de abrir el tapón.

➡ El depósito de fluido del cilindro principal de frenos, es también el depósito del cilindro principal del embrague hidráulico.

4. Asegurarse de que el depósito de fluido del cilindro principal contiene el fluido adecuado, antes de intentar sangrar el sistema. Revisar el nivel de fluido a lo largo de la operación de sangrado.

5. Desmontar la tapa de inspección de caucho, de la carcasa de la campana de embrague.

6. Conectar la manguera en el rácor de conexión de la válvula de purga, situada en el cilindro auxiliar de embrague. Sumergir el otro extremo de la manguera en un contenedor con líquido de freno limpio.

7. Hacer empujar por alguien el pedal de embrague hacia abajo, mientras se abre la válvula de purga situada en el cilindro auxiliar de embrague. Estar atentos a las burbujas de aire que se escapan del sistema hidráulico.

8. Cerrar cada vez la purga antes de dejar retroceder el pedal de embrague.

9. Repetir el procedimiento hasta que no se observen burbujas de aire.

10. Montar de nuevo la tapa de inspección de caucho en la carcasa de la campana de embrague.

11. Llenar el depósito de líquido de freno del cilindro principal y montar el diafragma y el tapón de manera segura.

12. Montar de nuevo el sensor MAF y el tubo de salida del filtro de aire.

13. Reconectar el cable negativo de la batería.

14. Comprobar que el embrague funciona correctamente.

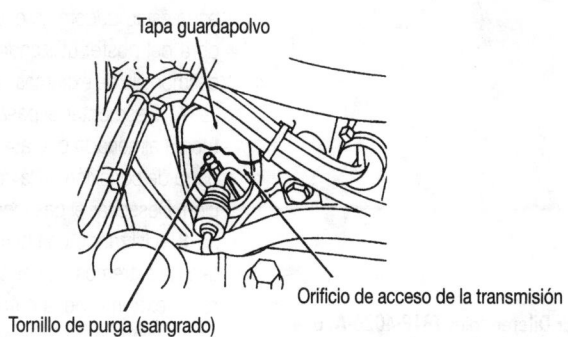

Tapa guardapolvo

Orificio de acceso de la transmisión

Tornillo de purga (sangrado)

▲ Desmontar la tapa guardapolvo para aumentar el acceso a la válvula de purga del cilindro auxiliar de embrague

SEMIEJE

DESMONTAJE E INSTALACIÓN

➡ **No empezar este procedimiento sin disponer de una(s) tuerca(s) de retención del cubo (mazo) de rueda nuevas, un tornillo de presión nuevo del brazo oscilante (de control) inferior en la articulación de la dirección, y anillos elásticos de retención nuevos para las juntas VC (homocinéticas). Una vez desmontadas, estas piezas pierden sus capacidades de sujeción, de torsión, o de retención, y no deben ser utilizadas de nuevo.**

IZQUIERDO

1. Elevar y soportar con seguridad el vehículo.

2. Desmontar el conjunto de rueda y neumático delantero izquierdo.

3. Dejar dos de las tuercas de orejas en el rotor.

4. Insertar el extremo adelgazado de una palanca o redondo de acero, en una de las ranuras de refrigeración del rotor del freno de disco, y colocar la barra contra el plato de anclaje del freno de disco, para evitar la rotación del rotor.

5. Aflojar y desmontar la tuerca de retención del cubo de rueda. Desechar la tuerca.

6. Desmontar la tuerca del eslabón de la barra estabilizadora y separar la barra estabilizadora del poste, utilizando una herramienta de desmontaje de extremos de barra de conexión (acoplamiento).

7. Desmontar el pasador de retención y la tuerca almenada que asegura el extremo de la barra de conexión en la articulación

de la dirección. Desechar el pasador de retención.

8. Utilizando una herramienta de desmontaje de extremos de barras de conexión, separar el extremo de la barra de conexión de la articulación de la dirección.

9. Desmontar el tornillo de presión y la tuerca de unión del brazo oscilante inferior en la articulación de la dirección.

10. Utilizando una palanca o herramienta similar, separar la rótula del brazo oscilante inferior de la articulación de la dirección.

▼ AVISO ▼

Nunca utilizar un martillo para separar el semieje del cubo de rueda delantera, ya que pueden resultar dañados los hilos de rosca o componentes internos.

11. Separar la junta homocinética (VC) exterior y el semieje del cubo de rueda, utilizando un Desmontador/Montador de Cubos de Rueda Delanteros T81P-1104-C, y sus componentes asociados, o equivalente.

12. Montar el extractor de juntas VC (de velocidad constante) homocinéticas T86P-

3514-A1, o equivalente, entre la junta VC interna y la caja de transmisión.

➡ **Si el semieje derecho ya ha sido desmontado, montar una herramienta para hacer Girar el Diferencial T81P-4026-A, o equivalente, en el lado derecho del diferencial, antes de desmontar el semieje izquierdo, para mantener la alineación dentro del diferencial.**

13. Fijar la extensión correspondiente y el martillo de deslizamiento, en el extractor de juntas VC (CV), y desmontar el semieje con ambas juntas, como un conjunto, de la caja de transmisión.

14. Sacar el conjunto del vehículo.

Para instalar:

15. Colocar de nuevo el anillo elástico de retención del cojinete del eje de transmisión. Introducir uno de los extremos del anillo elástico de retención en el canal (la ranura) y seguir la introducción del anillo elástico de retención por encima del extremo del alojamiento hasta introducirlo completamente en el canal (la ranura). Esto evitará la sobreexpansión del anillo elástico de retención.

16. Alinear con cuidado las estrías de la junta VC interna (montar el semieje y ambas juntas VC como un conjunto), con los estriados en la caja de transmisión, y empujarlo dentro del engranaje lateral del diferencial hasta que se oiga que el anillo elástico de retención esté asentado.

➡ **Puede ser utilizada una maza no metálica para ayudar en el asentamiento de la junta VC interna en el engranaje lateral del diferencial, de la caja de transmisión. Golpear ligeramente, sólo en el mango del eje exterior de la junta VC.**

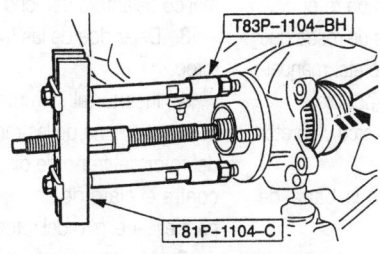

T83P-1104-BH

T81P-1104-C

▲ Utilizar un extractor como el útil de Desmontaje/Montaje de cubos delanteros T81P-1104-C, para sacar a presión el semieje, del conjunto del cubo

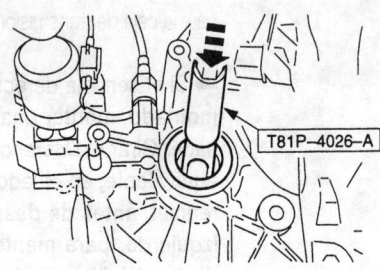

▲ Si se ha desmontado el semieje derecho, montar un útil de Girar Diferenciales T81P-4026-A, o equivalente, dentro del diferencial, antes de desmontar el semieje izquierdo

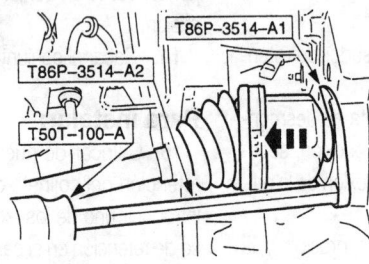

▲ Utilizar un martillo de deslizamiento con el adaptador especial, para extraer la junta VC interior, de la transmisión

17. Posicionar la junta VC exterior con el semieje y alinear con cuidado las estrías de la junta VC exterior con las estrías del cubo de rueda.

18. Empujar el eje de junta VC dentro del cubo de rueda, entrándolo lo máximo posible.

19. Montar de nuevo la rótula del brazo oscilante inferior de la suspensión delantera en la articulación de la dirección.

20. Montar de nuevo una tuerca y tornillo de presión nuevos en el brazo oscilante inferior con la articulación. Apretar la tuerca a 54-67 pie-lb (74-92 Nm).

21. Insertar el extremo adelgazado de una palanca en una de las ranuras de refrigeración del rotor del freno de disco, y bloquearlo para evitar el giro del rotor.

22. Montar una nueva tuerca de retención del cubo de rueda sobre los hilos de rosca que salgan de la junta VC exterior, y apretar manualmente la tuerca, tanto como sea posible.

23. Acabar de hacer girar la tuerca y apretar a 246 pie-lb (340 Nm).

24. Desmontar la palanca, o la barra de acero.

25. Montar de nuevo el extremo de la barra de conexión en la articulación de la dirección. Montar de nuevo la tuerca almenada y apretar a

20 pie-lb (28 Nm). Montar un nuevo pasador de retención.

26. Montar de nuevo el eslabón de la barra estabilizadora, utilizando una tuerca nueva. Apretar la tuerca a 14-23 pie-lb (20-32 Nm).

27. Montar de nuevo el conjunto de rueda y neumático. Apretar las tuercas de orejas a 62 pie-lb (85 Nm).

28. Bajar el vehículo.

29. Hacer una prueba del vehículo en carretera y controlar si funciona correctamente.

DERECHO E INTERMEDIO

1. Elevar y soportar con seguridad el vehículo.

2. Desmontar el conjunto de rueda y neumático delantero derecho.

3. Dejar dos de las tuercas de orejas en el rotor.

4. Insertar el extremo adelgazado de una palanca, en una de las ranuras de refrigeración del rotor del freno de disco, y colocar la barra contra el plato de anclaje del freno de disco, para evitar el giro del rotor.

5. Aflojar y desmontar la tuerca de retención del cubo de rueda. Desechar la tuerca de retención.

6. Desmontar la tuerca del eslabón de la barra estabilizadora, y separar la barra estabilizadora del poste, utilizando una herramienta de desmontaje de extremos de barras de conexión.

7. Desmontar el pasador de retención y la tuerca almenada que asegura el extremo de la barra de conexión en la articulación de la dirección. Desechar el pasador de retención.

8. Utilizando una herramienta de desmontaje de extremos de barras de conexión, separar el extremo de la barra de conexión, de la articulación de la dirección.

9. Desmontar el tornillo de presión y la tuerca de unión del brazo oscilante inferior en la mangueta de rueda.

10. Utilizando una palanca o herramienta similar, separar la rótula del brazo oscilante inferior, de la articulación de la dirección.

▼ AVISO ▼

Nunca utilizar un martillo para separar el semieje del cubo (mazo) de rueda, ya que pueden resultar dañados los componentes internos o los hilos de rosca.

11. Separar la junta VC exterior y el semieje, del cubo de rueda, utilizando un Desmontador/Montador de Cubos Delanteros T81P-1104-C, y sus componentes asociados, o equivalente.

12. Montar el extractor de juntas VC (homocinéticas), T86P-3514-A1, o equivalente, entre la junta VC interna y el eje intermedio.

13. Utilizando una extensión y un martillo de deslizamiento sobre el extractor de juntas VC, separar el semieje derecho, con las juntas VC, del eje intermedio.

14. Desmontar del vehículo el semieje derecho.

15. Si se requiere el desmontaje del eje intermedio, proceder del siguiente modo:

   a. Desmontar las dos tuercas que fijan el soporte de apoyo.

   b. Desmontar el eje intermedio y la protección del cojinete.

   c. En el motor de 2.0L, será necesario desmontar la abrazadera del escape y los dos tornillos para permitir el desmontaje del eje intermedio.

   d. Desmontar el eje intermedio del vehículo.

   e. Si el soporte de apoyo del eje intermedio necesita ser desmontado, localizar los tres tornillos que fijan el soporte de apoyo y desmontar los tornillos.

   f. Desmontar el soporte de apoyo.

Para instalar:

16. Si el eje intermedio ha sido desmontado, montarlo de nuevo, del siguiente modo:

a. Si el soporte de apoyo ha sido desmontado, montarlo de nuevo con los tres tornillos y apretar a 15-23 pie-lb (21-32 Nm).

b. Alinear con cuidado las estrías del eje intermedio con las estrías del engranaje lateral del diferencial, en la caja de transmisión.

c. Empujar el eje dentro de la caja hasta que esté totalmente asentado. La junta VC interior, debe ser montada con el semieje y la junta VC exterior como un conjunto.

d. Montar de nuevo las dos tuercas de fijación sobre el soporte del eje intermedio y la protección del cojinete. Apretar las tuercas a 17-22 pie-lb (24-30 Nm).

e. En el motor de 2.0L, montar los dos tornillos y la abrazadera del escape.

17. Colocar de nuevo el anillo elástico de retención del cojinete sobre el eje intermedio. Empezar colocando uno de los extremos del anillo elástico de retención dentro de la ranura y continuar introduciendo el anillo elástico de retención por encima del extremo del alojamiento dentro de la ranura. Esto evitará la expansión excesiva del anillo elástico de retención.

18. Alinear con cuidado las estrías de la junta VC interior con las estrías del eje intermedio. La junta VC interior tiene que ser montada como un conjunto con el semieje derecho y la junta VC exterior.

19. Empujar la junta VC interior sobre el eje intermedio, hasta que esté totalmente asentada.

20. Alinear con cuidado las estrías de la junta VC exterior con el cubo de rueda, y meter la junta VC en el cubo tanto como sea posible.

21. Montar de nuevo la rótula del brazo oscilante inferior, en la articulación de la dirección.

22. Montar un nuevo tornillo de presión y tuerca de unión del brazo oscilante inferior de la suspensión en la articulación de la dirección. Apretar a 54-67 pie-lb (74-92 Nm).

23. Insertar el extremo adelgazado de una palanca en una de las ranuras de refrigeración del rotor del freno de disco delantero, y bloquear la palanca para evitar el giro del rotor.

24. Montar una tuerca nueva de retención del cubo de rueda, sobre los hilos de rosca que salen de la junta VC exterior, y roscar manualmente la tuerca, tanto como sea posible.

25. Apretar la tuerca de retención del cubo de rueda a 246 pie-lb (340 Nm).

26. Desmontar la palanca.

27. Montar de nuevo el extremo de la barra de conexión en la articulación de la dirección. Montar de nuevo la tuerca almenada y apretar a 20 pie-lb (28 Nm). Montar un pasador de retención nuevo.

28. Montar de nuevo el eslabón de la barra estabilizadora y la tuerca. Apretar a 14-23 pie-lb (20-32 Nm).

29. Montar de nuevo el conjunto de rueda y neumático delantero derecho. Apretar las tuercas de orejas a 62 pie-lb (85 Nm).

30. Bajar el vehículo.

31. Hacer una prueba de carretera con el vehículo y controlar si funciona correctamente.

DIRECCIÓN Y SUSPENSIÓN

AIR BAG

▼ PRECAUCIÓN ▼

Algunos vehículos están equipados con un sistema de air bag (saco o bolsa de aire). El sistema tiene que ser desactivado antes de realizar un servicio o reparación en, o alrededor de, los componentes del sistema de air bag, columna de la dirección, componentes del tablero de instrumentos, cableado y sensores. Los fallos en el seguimiento de este procedimiento, y en no tomar medidas de seguridad, pueden dar lugar a un despliegue accidental del air bag, con posibles daños personales y reparaciones del sistema de SIR innecesarias.

PRECAUCIONES

Deben ser observadas algunas precauciones en la manipulación del módulo de inflado para evitar despliegues accidentales y posibles daños personales.

• Nunca transportar el módulo de inflado sujeto por los cables o el conector de la parte de abajo del módulo.

• Cuando se transporte un módulo de inflado activo, sostenerlo con seguridad con ambas manos, y asegurarse de que la tapa de tapicería y el saco estén mirando hacia afuera.

• Colocar el módulo de inflado sobre un banco u otra superficie, con la tapa de tapicería y el saco de cara hacia arriba.

• Con el módulo de inflado encima del banco, no colocar nunca nada sobre el módulo o cerca de él; en caso de despliegue accidental, estos objetos pueden salir despedidos volando y causar un accidente.

DESARMADO

▼ PRECAUCIÓN ▼

El sistema de air bag debe ser desarmado antes de realizar cualquier servicio o reparación alrededor del cableado o componentes del air bag. Dejar de hacerlo puede ser la causa de un despliegue accidental del air bag, dando lugar a reparaciones innecesarias y/o lesiones personales.

1. Colocar el vehículo con las ruedas delanteras en la posición de rectas hacia el frente.

2. Desconectar el cable negativo de la batería.

3. Desconectar el cable positivo de la batería.

4. Antes de continuar con las operaciones, esperar al menos un minuto para facilitar que el condensador de suministro eléctrico de reserva, pierda la tensión eléctrica completamente.

5. Proceder con la reparación.

6. Una vez acabada, conectar los cables de la batería, el cable negativo el último.

7. Revisar el funcionamiento del sistema de air bag, dando la vuelta a la llave del encendido, a la posición de RUN, y visualmente vigilar la lámpara indicadora del air bag en el cuadro de instrumentos. La lámpara indicadora debe iluminarse durante 6 segundos, aproximadamente, después volver a OFF. Si la lámpara indicadora no se ilumina, continúa iluminada o se ilumina intermitentemente todo el tiempo, significa que se ha detectado una avería, por el monitor de diagnóstico del air bag.

MECANISMO DE LA DIRECCIÓN ASISTIDA DE CREMALLERA Y PIÑÓN

DESMONTAJE E INSTALACIÓN

1. Desconectar el cable negativo de la batería.

2. Desde la parte interior del vehículo, desmontar el tornillo de retención de la placa abrazadera del eje de la columna de la dirección en el acoplamiento flexible.

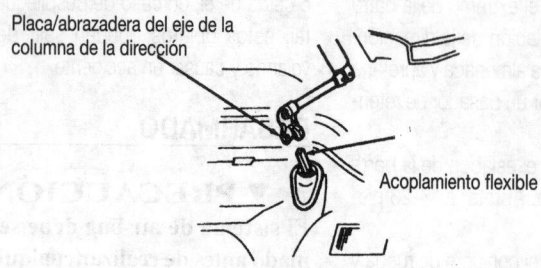

Placa/abrazadera del eje de la columna de la dirección

Acoplamiento flexible

▲ Desconectar el eje de la columna de la dirección, del acoplamiento flexible

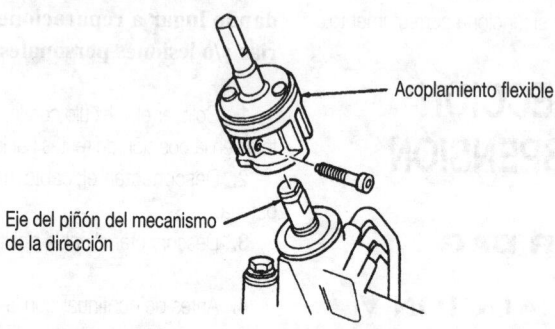

Acoplamiento flexible

Eje del piñón del mecanismo de la dirección

▲ Desencajar el acoplamiento flexible, del eje del piñón del mecanismo de la dirección

3. Girar la placa abrazadera para separarla del eje del acoplamiento flexible.

4. Desmontar el sello guardapolvo del piso, teniendo cuidado de no dañar el labio de sellado.

5. Desmontar el tornillo de presión que une el acoplamiento flexible con el eje del piñón (mecanismo de la dirección de cremallera y piñón) y desmontar el acoplamiento flexible.

6. Vaciar todo el fluido de la dirección asistida que sea posible, del depósito auxiliar de la dirección asistida, utilizando una pistola de succión, o método similar (sifón).

7. Desconectar la manguera de retorno de la dirección asistida, del depósito auxiliar de la bomba de la dirección asistida.

➡ El bastidor auxiliar delantero debe ser desmontado, para permitir el desmontaje de la cremallera y piñón (mecanismo de la dirección).

8. Si está equipado con motor de 2.0L, desmontar la varilla indicadora del nivel de aceite y la protección del múltiple de escape.

9. Si está equipado con motor de 2.5L, desmontar la protección de la polea de la bomba de agua.

10. Asegurar el conjunto del deflector del ventilador y el radiador en el soporte del radiador, utilizando un alambre seguro.

11. Acoplar un Soporte de Motores de Tres Barras D88L-6000-A o equivalente, en las argollas de izada del motor, y sostener el conjunto motor/transmisión.

12. Elevar y soportar con seguridad el vehículo.

13. Desmontar el convertidor catalítico.

14. Desmontar los conjuntos de rueda y neumático delanteros.

15. Separar los eslabones derecho e izquierdo de la barra estabilizadora delantera.

16. Separar los extremos derecho e izquierdo de las barras de conexión de la articulación de la dirección. Desechar los pasadores de retención.

17. Desmontar los tornillos de presión y separar los brazos oscilantes inferiores de la suspensión delantera, de las articulaciones de la dirección en las rótulas.

18. Desmontar la protección contra salpicaduras en la delantera del bastidor auxiliar.

19. Si está equipado con transmisión automática, desmontar los tornillos pasantes de retención de los aisladores del soporte delantero derecho e izquierdo del motor (montajes del motor) en el bastidor auxiliar.

20. Si está equipado con transmisión manual, desmontar el tornillo pasante del aislador del soporte delantero izquierdo del motor, y desmontar el aislador del soporte

delantero derecho del motor y el soporte de montaje.

21. Desconectar las mangueras del refrigerador de aceite de la dirección asistida, en la parte delantera derecha del bastidor auxiliar, y vaciar el sistema de dirección asistida.

22. Desmontar los tornillos de retención del acumulador del A/A, del bastidor auxiliar delantero.

23. Desmontar los cuatro tornillos de retención de los soportes inferiores del radiador, en el bastidor auxiliar delantero. Girar hacia adelante los soportes del radiador.

24. Desmontar los dos tornillos que retienen los tirantes de la tapa del parachoques en los lados derecho e izquierdo del bastidor auxiliar delantero, y girar hacia adelante los tirantes de la tapa.

25. Colocar un Elevador de Trenes de Transmisión (elevador hidráulico) 014-00765, o equivalente, y dos bloques de madera de aproximadamente 40 plg (1016 mm) de largo sujetos al bastidor auxiliar, para soportar el bastidor auxiliar, en su desmontaje del vehículo.

➡ Asegurarse de que el elevador del tren de transmisión y los bloques de madera están colocados correctamente para el desmontaje seguro del bastidor auxiliar.

26. Desmontar los cuatro tornillos que retienen el bastidor auxiliar en la carrocería.

27. Bajar un poco el bastidor auxiliar y desconectar las mangueras de presión y retorno de la dirección asistida, de la cremallera y piñón.

28. Acabar de bajar el bastidor auxiliar.

29. Desmontar los seis tornillos y la placa de la tapa del mecanismo de la dirección, del bastidor auxiliar.

30. Desconectar las uniones de las mangueras de presión y retorno de la dirección asistida, del mecanismo de la dirección.

31. Desmontar los dos tornillos que retienen el mecanismo de la dirección en el bastidor auxiliar, y desmontar la cremallera y piñón.

Para instalar:

32. Si se sustituyen la cremallera y piñón (mecanismo de la dirección) desmontar las fundas protectoras y las barras de conexión interiores, de la unidad vieja y montarlas en la nueva, siempre que estos componentes estén en buenas condiciones.

33. Montar sellos de aceite de plástico nuevos, en los rácores de las conducciones de pre-

sión y retorno de la dirección asistida, si es necesario.

34. Montar de nuevo la cremallera y piñón en el bastidor auxiliar, y montar los tornillos de retención.

35. Apretar los dos tornillos de retención de la cremallera y piñón a 101 pie-lb (137 Nm).

36. Reconectar las uniones de las mangueras de presión y retorno de la dirección asistida, en la cremallera y piñón.

37. Apretar las uniones a 23 pie-lb (31 Nm).

38. Montar de nuevo la placa de la tapa de la cremallera y piñón, y montar los seis tornillos de retención.

39. Apretar los tornillos de retención a 37 pie-lb (50 Nm).

40. Si se ha bajado, elevar y soportar con seguridad el vehículo.

41. Si se ha desmontado, colocar en posición el bastidor auxiliar delantero, sobre el elevador de trenes de transmisión, y levantarlo.

42. Montar de nuevo las mangueras de presión y retorno de la dirección asistida, en la cremallera y piñón.

43. Colocar el bastidor auxiliar delantero en la carrocería.

44. Encaminar las mangueras de la dirección asistida en sus sitios correctos.

45. Montar los cuatro tornillos de fijación del bastidor auxiliar en la carrocería, dejándolos flojos.

46. Montar el Juego de Pasadores de Alineación de Bastidores Auxiliares T94P-2100-AH o equivalente, dentro del bastidor auxiliar delantero, en los agujeros de alineación de la carrocería.

47. Apretar ligeramente los cuatro tornillos de retención del bastidor auxiliar en la carrocería.

48. Mover el bastidor auxiliar para completar la alineación.

49. Apretar los cuatro tornillos de retención del bastidor auxiliar en la carrocería, a 81-110 pie-lb (110-150 Nm).

50. Desmontar las herramientas de alineación.

51. Montar de nuevo el tornillo de retención del soporte del A/A en el bastidor auxiliar, y asegurarlo.

52. Reconectar las mangueras del refrigerador de aceite de la dirección asistida, en la delantera del bastidor auxiliar.

53. Montar el calibre de Alineación de Trenes de Transmisión T94P-6000-AH, o equivalente, en el soporte de apoyo delantero izquierdo del motor y el bastidor auxiliar.

54. Apretar los dos tornillos de retención a 20 pie-lb (27 Nm), y ajustar a mano el tornillo pasante.

55. Bajar el vehículo.

56. Desmontar el soporte de motores, de la parte superior del compartimiento del motor.

57. Reconectar la manguera de retorno de la dirección asistida en el depósito auxiliar de la bomba de la dirección asistida.

58. Operando desde la parte interior del vehículo, montar el acoplamiento flexible en el eje del piñón del mecanismo de la dirección, y montar el tornillo de presión.

59. Apretar el tornillo de presión a 21 pie-lb (28 Nm).

60. Montar de nuevo el sello guardapolvo del piso.

61. Alinear la placa abrazadera del eje de la columna de la dirección con el acoplamiento flexible, y montar el tornillo de la placa abrazadera. Apretar el tornillo de la placa abrazadera a 18 pie-lb (24 Nm).

62. Elevar parcialmente y soportar con seguridad el vehículo.

63. Montar el aislador del soporte delantero derecho del motor (montaje del motor). Apretar los dos tornillos de retención a 30-41 pie-lb

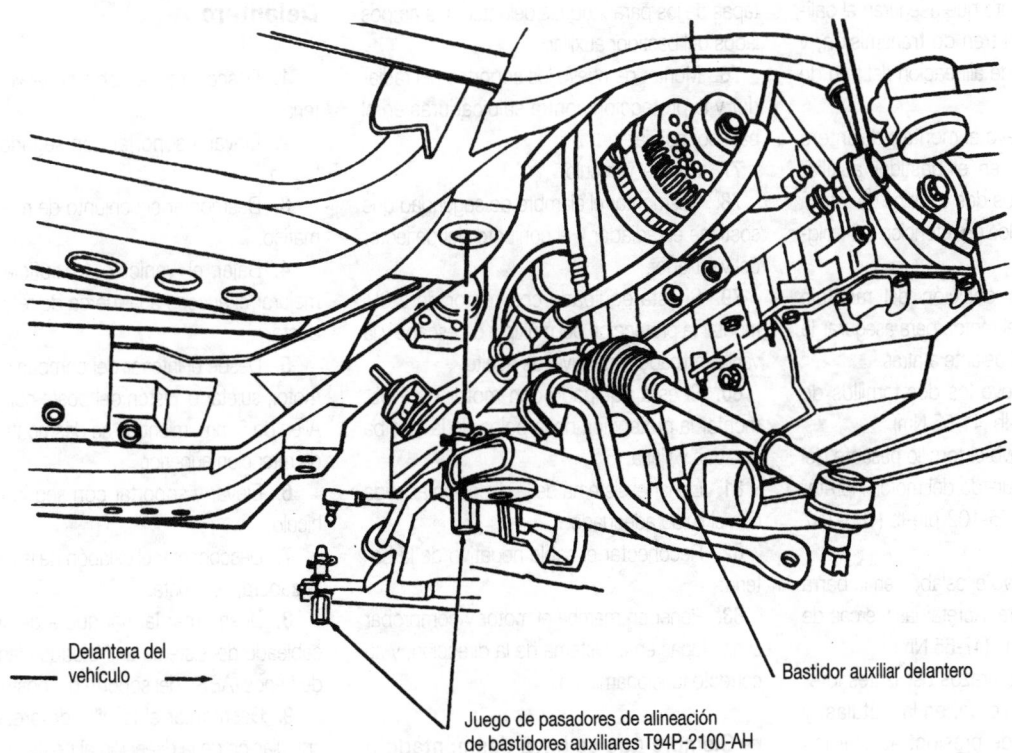

Delantera del vehículo

Juego de pasadores de alineación de bastidores auxiliares T94P-2100-AH

Bastidor auxiliar delantero

▲ **Montar pasadores de alineación tales como los del juego de pasadores de alineación de bastidores auxiliares T94P-2100-AH, en el bastidor auxiliar, para asegurar la posición correcta**

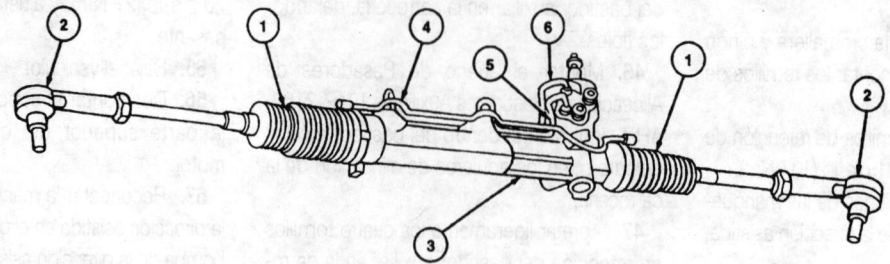

1. Sello guardapolvo de la rótula de la dirección de la suspensión delantera
2. Extremos de conexión del mango de la rueda delantera
3. Mecanismo de la dirección
4. Tubo de compensación de la cremallera del mecanismo de la dirección asistida
5. Tubo de presión de giro a la izquierda de la dirección asistida
6. Tubo de presión de giro a la derecha de la dirección asistida

▲ **Identificación de los componentes del conjunto del mecanismo de la dirección asistida con piñón y cremallera**

(41-55 Nm), y el tornillo pasante a 75-102 pie-lb (103-137 Nm).

64. Comprobar la posición del soporte delantero derecho del motor (aislador del soporte). Éste debe estar centrado en el soporte de la transmisión, y en perfecta alineación de delante a atrás.

65. Desmontar los dos tornillos de retención y el tornillo pasante que aseguran el calibre de alineación del tren de transmisión, y desmontar el calibre de alineación del tren de transmisión.

66. Montar de nuevo el montaje delantero izquierdo del motor, en el bastidor auxiliar delantero, utilizando los dos tornillos de retención. Apretar los tornillos de retención a 84 plg-lb (10 Nm).

67. Comprobar la posición del montaje delantero izquierdo del motor, para asegurar la perfecta alineación de delante a atrás.

68. Apretar de nuevo los dos tornillos de retención a 30-40 pie-lb (41-55 Nm).

69. Montar de nuevo el tornillo pasante del montaje delantero izquierdo del motor. Apretar el tornillo pasante a 75-102 pie-lb (103-137 Nm).

70. Montar de nuevo el eslabón en la barra estabilizadora delantera. Apretar las tuercas de retención a 35-48 pie-lb (47-65 Nm).

71. Reconectar los brazos oscilantes inferiores derecho e izquierdo, en las rótulas, y montar los tornillos de presión. Apretar los tornillos de presión a 37-43 pie-lb (50-58 Nm).

72. Montar de nuevo el convertidor catalítico.

73. Montar de nuevo ambos extremos de las barras de conexión (acoplamiento) en las articulaciones de la dirección. Montar los nuevos pasadores de retención (partidos).

74. Montar de nuevo los conjuntos de rueda y neumático, y apretar las tuercas de orejas a 63 pie-lb (85 Nm).

75. Montar de nuevo los tirantes de las tapas de los parachoques delanteros, a ambos lados del bastidor auxiliar.

76. Montar de nuevo los soportes del radiador y la protección contra salpicaduras en el bastidor auxiliar.

77. Bajar el vehículo.

78. Desmontar el alambre de seguridad que sostiene el radiador y el conjunto del deflector del ventilador.

79. Si está equipado con motor de 2.0L, montar la protección del múltiple de escape y la varilla indicadora del nivel de aceite.

80. Si está equipado con motor de 2.5L, montar la protección de la polea de la bomba de agua y fijarla.

81. Llenar el sistema de la dirección asistida con el fluido adecuado.

82. Reconectar el cable negativo de la batería.

83. Poner en marcha el motor y comprobar si hay fugas en el sistema de la dirección, y su correcto funcionamiento.

➡ **Siempre que se haya desmontado o bajado el bastidor auxiliar del vehículo, debe ser revisada la alineación de las ruedas delanteras.**

84. Sangrar el sistema de la dirección asistida, si es necesario.

POSTE Y RESORTE HELICOIDAL

DESMONTAJE E INSTALACIÓN

Delantero

1. Desconectar el cable negativo de la batería.

2. Elevar y soportar con seguridad el vehículo.

3. Desmontar el conjunto de rueda y neumático.

4. Bajar el vehículo lo suficiente para mejorar el acceso a la tuerca de retención del poste.

5. Desde el interior del compartimiento del motor, sujetar el pistón del poste con una llave Allen de 8 mm, mientras se desmonta la tuerca de retención superior.

6. Elevar y soportar con seguridad el vehículo.

7. Desconectar el eslabón de la barra estabilizadora, del poste.

8. Desmontar la manguera del freno y el cableado del sistema anti-bloqueo (antiamarre) de frenos (ABS), del soporte del poste.

9. Desmontar el tornillo de presión de la articulación de la dirección al poste.

10. Separar el poste de la articulación de la dirección y bajar el poste de la torre del poste en la carrocería.

11. Desmontar el conjunto del poste/resorte helicoidal del vehículo.

▼ PRECAUCIÓN ▼

No intentar desmontar el resorte helicoidal del poste sin antes comprimir el resorte helicoidal con una herramienta apropiada.

12. Montar un Compresor de Resortes 086-00029, o equivalente, en el resorte helicoidal y comprimir el resorte hasta que su tensión se haya descargado del asiento del resorte.

13. Desmontar la tuerca de retención del cojinete de empuje.

14. Desmontar el cojinete de empuje, el asiento del resorte y la protección guardapolvo.

15. Desmontar del poste, el resorte helicoidal.

16. Desmontar el parachoques de rebote del poste.

17. Sustituir el resorte helicoidal o el poste, si fuera necesario.

Para instalar:

18. Montar de nuevo el parachoques de rebote en el poste.

19. Colocar el resorte helicoidal en el poste.

20. Comprimir el resorte helicoidal, si se ha desmontado del compresor de resortes.

21. Montar de nuevo la protección guardapolvo, el asiento de resorte y el cojinete de empuje.

22. El resorte helicoidal debe colocarse en la ranura del asiento de resorte.

23. Montar de nuevo la tuerca de retención del cojinete de empuje. Apretar la tuerca a 44 pie-lb (59 Nm).

24. Colocar el conjunto del poste/resorte helicoidal en la torre del poste, y ajustar la parte inferior del poste en la articulación de la dirección.

25. Montar de nuevo el tornillo de presión de la articulación de la dirección en el poste. No apretar el tornillo en este momento.

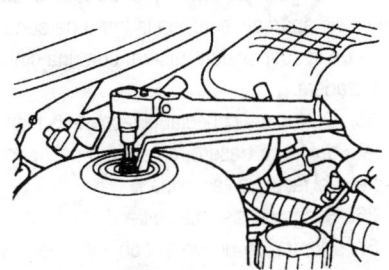

▲ Sujetar el pistón del poste con una llave Allen, mientras se desmonta la tuerca de retención

26. Bajar parcialmente y soportar con seguridad el vehículo.

27. Montar de nuevo la tuerca de montaje superior del poste.

28. Utilizar una llave Allen de 8 mm para evitar el giro del vástago del pistón del poste, mientras se aprieta la tuerca de montaje a 34 pie-lb (46 Nm).

29. Apretar el tornillo de presión de la articulación en el poste a 40 pie-lb (54 Nm).

30. Elevar y soportar con seguridad el vehículo.

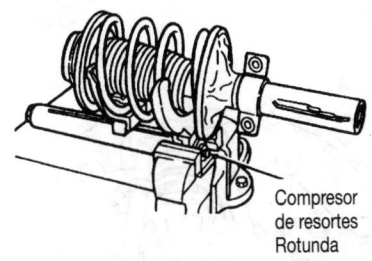

Compresor de resortes Rotunda

▲ Comprimir adecuadamente el conjunto del resorte helicoidal, antes de desmontar la tuerca de retención

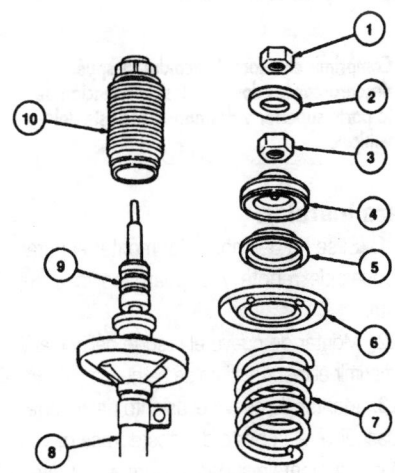

1. Tuerca
2. Retención
3. Tuerca de retención del montaje superior
4. Montaje superior
5. Cojinete
6. Soporte del resorte
7. Resorte helicoidal delantero
8. Amortiguador delantero
9. Parachoques de rebote
10. Protección guardapolvo

▲ Conjunto del poste

31. Montar de nuevo el eslabón de la barra estabilizadora. Tener cuidado de no dañar el sello de aceite de la rótula. Sustituir el eslabón de la barra estabilizadora si el sello está dañado.

32. Apretar la tuerca de retención del eslabón de la barra estabilizadora a 37 pie-lb (50 Nm).

33. Colocar la manguera de freno y el cableado del antibloqueo del freno (ABS), en el soporte del poste.

34. Montar de nuevo el conjunto rueda y neumático. Apretar las tuercas de retención a 63 pie-lb (85 Nm).

35. Bajar el vehículo.

36. Conectar el cable negativo de la batería.

37. Comprobar la alineación de las ruedas delanteras.

38. Llevar a cabo una prueba de carretera con el vehículo y controlar si funciona correctamente.

Trasero

1. Desconectar el cable negativo de la batería.

2. Elevar y soportar con seguridad el vehículo.

3. Desmontar el conjunto rueda y neumático.

4. Desmontar el cableado del sensor del antibloqueo del freno del soporte, del poste.

5. Desmontar el tornillo de montaje del sensor del antibloqueo del freno, y desmontar el sensor.

6. Desconectar el acoplamiento de la manguera del freno trasero, del tubo de freno. Tapar las conducciones de freno.

7. Desmontar la retención y la manguera del freno trasero, del poste.

8. Desmontar la banda metálica de retención del cable trasero del freno de aparcamiento, y la conducción en la barra de conexión de la suspensión trasera.

9. Desconectar el eslabón de la barra estabilizadora trasera y el casquillo del brazo oscilante trasero (brazo de suspensión).

10. Desconectar la barra de conexión de la suspensión trasera, del mango (mangueta) de la rueda.

➡ Los brazos (de control) oscilantes delantero y trasero (brazos de suspensión), deben ser soportados antes de desmontar las fijaciones inferiores o superiores del poste.

11. Colocar un caballete de seguridad bajo los brazos oscilantes delantero y trasero.

12. Desmontar el tornillo de presión del poste en el mango de la rueda.

13. Separar el mango del poste, golpeando levemente hacia abajo sobre el mango de la rueda.

14. Comprimir el resorte helicoidal, utilizando un Compresor de Resortes de Poste T81P-5310-A o equivalente.

15. Desmontar los dos tornillos de retención superiores y desmontar el conjunto del poste.

16. Colocar el conjunto del poste sobre un banco de taller apropiado.

17. Comprimir el resorte helicoidal, lo suficiente, para descargar la tensión sobre el asiento del resorte.

18. Desmontar la tuerca de montaje superior, el soporte trasero del poste, el casquillo y el asiento del resorte.

19. Desmontar el resorte helicoidal y descargar lentamente la tensión sobre el resorte si no se va a montar de nuevo.

20. Desmontar el guardapolvo y el parachoques de rebote, si se sustituye el poste.

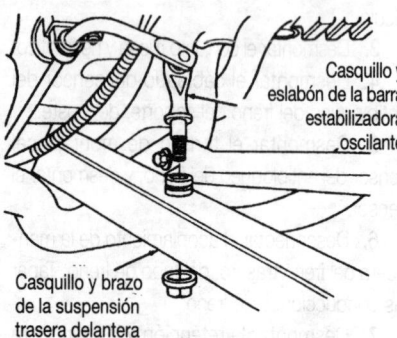

Casquillo y eslabón de la barra estabilizadora oscilante

Casquillo y brazo de la suspensión trasera delantera

▲ **Para el desmontaje del conjunto del poste trasero, desconectar el eslabón de la barra oscilante o estabilizadora del brazo de control...**

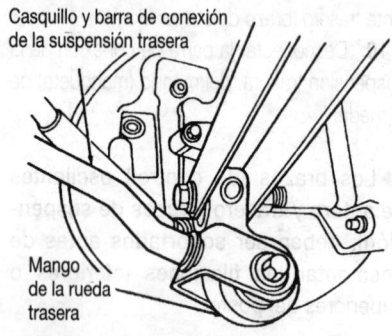

Casquillo y barra de conexión de la suspensión trasera

Mango de la rueda trasera

▲ **...y separar la barra de conexión del mango (mangueta) de la rueda trasera**

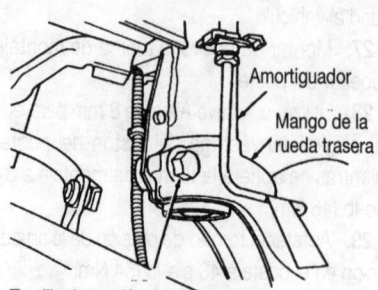

Amortiguador

Mango de la rueda trasera

Tornillo de presión del amortiguador al mango (mangueta)

▲ **Desmontar el tornillo de presión del poste trasero, para soltar el conjunto del mango del eje**

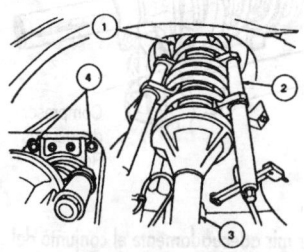

1. Resorte trasero
2. Compresor del resorte del poste
3. Amortiguador
4. Tuercas de montaje

▲ **Comprimir el resorte helicoidal, después desenroscar los dos tornillos de retención de la parte superior y desmontar el poste del vehículo**

Para instalar:

21. Si se ha desmontado, montar el parachoques de rebote y el guardapolvo en el poste.

22. Montar de nuevo el resorte helicoidal y comprimir el resorte, si no se ha hecho ya.

23. Montar de nuevo el asiento del resorte, el casquillo, el soporte del poste trasero, y la tuerca de montaje superior. Apretar la tuerca de montaje superior a 30-43 pie-lb (41-58 Nm).

24. Con el resorte helicoidal comprimido, montar el conjunto del poste en su posición.

25. Montar de nuevo los dos tornillos de montaje del soporte del poste trasero. Apretar los tornillos de montaje del soporte del poste trasero a 17-22 pie-lb (23-30 Nm).

26. Colocar el resorte en el mango de rueda.

27. Montar de nuevo el tornillo de presión del mango en el poste. Apretar el tornillo de presión a 52-72 pie-lb (70-98 Nm).

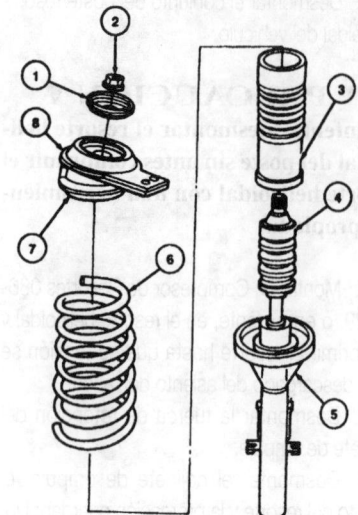

1. Soporte del amortiguador trasero
2. Tuerca de montaje del amortiguador
3. Funda guardapolvo del amortiguador trasero
4. Taco de rebote fin de carrera, de la suspensión trasera
5. Amortiguador
6. Resorte trasero
7. Asiento de resorte
8. Casquillo de amortiguador

▲ **Conjunto del poste trasero**

28. Desmontar el compresor de resortes del poste.

29. Montar de nuevo la barra de conexión de la suspensión trasera y el casquillo. Apretar el tornillo a 75-102 pie-lb (102-138 Nm).

30. Desmontar el caballete de seguridad.

31. Acoplar la manguera del freno trasero en el poste.

32. Montar de nuevo el sensor del antibloqueo del freno trasero y el tornillo de retención. Apretar el tornillo de retención a 84 plg-lb (9 Nm).

33. Montar de nuevo el cableado del antibloqueo del freno en el poste.

34. Asegurar el cable y el conducto del freno de aparcamiento, en la barra de conexión de la suspensión trasera, con una cinta abrazadera.

35. Destapar y conectar el rácor de la manguera del freno trasero, en el tubo del freno. Apretar el rácor con seguridad.

36. Sangrar el sistema de freno.

37. Montar de nuevo el conjunto rueda y neumático. Apretar las tuercas de fijación a 62 pie-lb (85 Nm).

38. Bajar el vehículo.

39. Conectar el cable negativo de la batería.

40. Comprobar la alineación de las ruedas traseras.

41. Llevar a cabo una prueba de carretera con el vehículo, y controlar si funciona correctamente.

RÓTULA INFERIOR

DESMONTAJE E INSTALACIÓN

Si la rótula inferior requiere ser sustituida, deben ser sustituidos a la vez, el conjunto de la rótula y el brazo oscilante inferior, ya que la rótula inferior no es serviciable por separado.

COJINETES DE RUEDA

AJUSTE

Delanteros

Los cojinetes de rueda delanteros, constan de un diseño de cartucho y están sellados y lubricados permanentemente sin requerir un mantenimiento posterior. Los cojinetes están preajustados y por ello, no pueden ajustarse. Si cualquier pieza de un conjunto de cojinete de rueda es defectuosa, debe ser reemplazada la unidad completa. Es importante que la retención del cubo de rueda esté apretada adecuadamente a 210 pie-lb (290 Nm), y que sea utilizada siempre una retención de cubo de rueda nueva.

Traseros

Los cojinetes de rueda traseros, no son ajustables. Si los cojinetes hacen ruido o se aflojan, deben ser reemplazados.

DESMONTAJE E INSTALACIÓN

Delanteros

➡ Antes de iniciar la reparación, asegurarse de tener disponibles tornillos de presión nuevos para la articulación de la dirección en la rótula inferior y de la articulación de la dirección en el poste, así como una tuerca de retención de cubo de rueda nueva.

1. Desconectar el cable negativo de la batería.

2. Elevar y soportar con seguridad el vehículo.

3. Desmontar el conjunto de rueda y neumático.

4. Desmontar la mordaza de freno de disco y rotor.

5. Sostener la mordaza de freno de disco, con un alambre seguro. No dejar la mordaza de freno, colgando de la manguera de freno.

6. Desmontar el tornillo de retención del sensor de freno del antibloqueo, y desmontar el sensor, de la articulación de la dirección.

7. Desmontar el pasador de retención del extremo exterior de la barra de conexión, y desmontar la tuerca almenada. Desechar el pasador de retención.

8. Separar el extremo exterior de la barra de conexión, de la articulación de la dirección utilizando un Desmontador de Extremos de Barras de Conexión 3290-D, o equivalente.

9. Desmontar la tuerca de retención del cubo de rueda. Desechar la tuerca.

10. Separar el semieje, del cubo de rueda, utilizando un Desmontador/Montador de Cubos Delanteros T81P-1104-C, o equivalente, y los adaptadores asociados.

11. Una vez desmontado, sostener el extremo del semieje.

12. Desmontar el tornillo de presión de la articulación de la dirección en la rótula inferior.

13. Desmontar el tornillo de presión de la articulación de la dirección en el poste.

14. Separar la articulación de la dirección de la rótula inferior y del tubo inferior del poste.

15. Desmontar la articulación de la dirección del vehículo.

16. Colocar el conjunto de la articulación de la dirección encima de un banco de taller apropiado.

17. Montar un Desmontador/Montador de Cubos Delanteros T81P-1104-C, o equivalente, con los adaptadores apropiados, y separar el cubo de la articulación de la dirección.

18. Desmontar los anillos de retención interior y exterior que aseguran el cojinete de rueda.

19. Desmontar el cojinete de rueda de la articulación de la dirección. Extraer o presionar hacia fuera de un modo apropiado el cojinete de rueda viejo según se requiera.

Para instalar:

20. Montar el anillo de retención exterior dentro de la articulación de la dirección.

21. Montar el cojinete de rueda, utilizando una prensa hidráulica con un montador de

tazas o pistas de cojinetes de piñón T80T-4000-E, o equivalente.

22. Montar de nuevo el anillo de retención interior en la articulación de la dirección.

23. Montar de nuevo el cubo en la articulación de la dirección utilizando una barra de tracción roscada T75T-1176-A, o equivalente.

24. Alinear con cuidado las estrías de la junta VC (homocinética) exterior, con las estrías del cubo (mazo).

25. Posicionar la articulación de la dirección en el espárrago de la rótula inferior.

26. Colocar la articulación de la dirección en el tubo inferior del poste.

27. Montar un nuevo tornillo de presión de la articulación de la dirección en la rótula inferior. Apretar el tornillo a 55-58 pie-lb (75-79 Nm).

28. Montar un tornillo nuevo de presión del poste en la articulación de la dirección. Apretar el tornillo a 40 pie-lb (54 Nm).

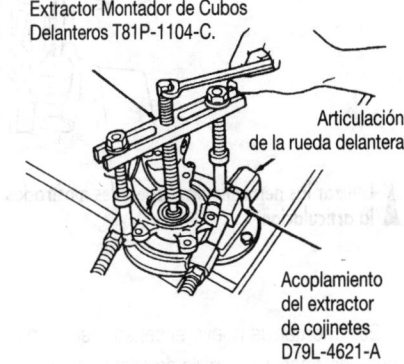

Extractor Montador de Cubos Delanteros T81P-1104-C.

Articulación de la rueda delantera

Acoplamiento del extractor de cojinetes D79L-4621-A

▲ Utilizar herramientas de extracción de cojinetes o engranajes, para desmontar el cubo de la articulación de la dirección

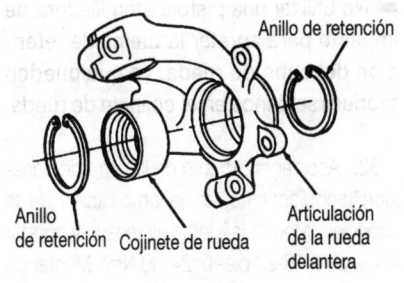

Anillo de retención

Anillo de retención

Cojinete de rueda

Articulación de la rueda delantera

▲ El cojinete de rueda está retenido en la articulación por dos anillos de retención, como se muestra

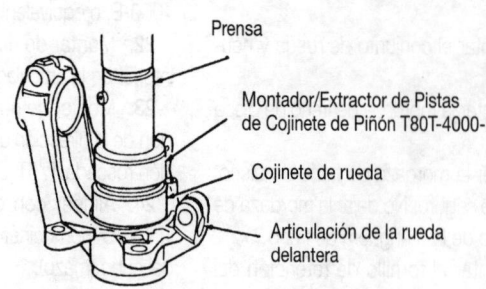

Prensa

Montador/Extractor de Pistas de Cojinete de Piñón T80T-4000-E

Cojinete de rueda

Articulación de la rueda delantera

▲ **Utilizando una prensa, montar el cojinete de rueda nuevo en la articulación**

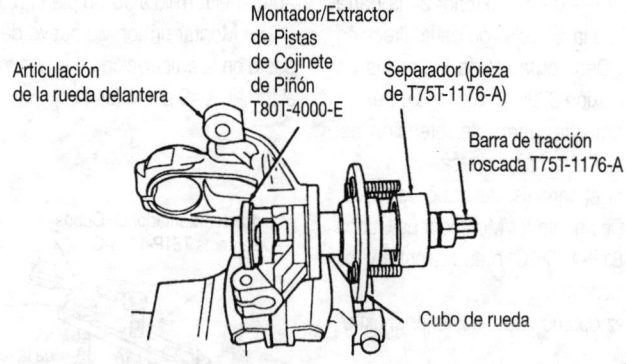

Montador/Extractor de Pistas de Cojinete de Piñón T80T-4000-E

Articulación de la rueda delantera

Separador (pieza de T75T-1176-A)

Barra de tracción roscada T75T-1176-A

Cubo de rueda

▲ **Utilizar las herramientas especiales mostradas, o una prensa, para montar el cubo en el conjunto de la articulación**

29. Montar de nuevo el sensor del antibloqueo del freno, y el tornillo de retención. Apretar el tornillo de retención a 84 plg-lb (10 Nm).

30. Montar de nuevo el conjunto del rotor de freno de disco y la mordaza de freno.

31. Montar de nuevo una tuerca nueva de retención del cubo de rueda. Apretar la tuerca de retención a 210 pie-lb (290 Nm).

➡ **No utilizar una pistola atornilladora de impacto para apretar la tuerca de retención del cubo de rueda, ya que pueden producirse daños en el cojinete de rueda.**

32. Acoplar el extremo de la barra de conexión (acoplamiento) en la articulación de la dirección. Montar la tuerca almenada y apretar la tuerca a 18-22 pie-lb (24-30 Nm). Montar un nuevo pasador de retención (partido).

33. Montar de nuevo el conjunto de rueda y neumático. Apretar las tuercas de orejas a 62 pie-lb (85 Nm).

34. Bajar el vehículo.

35. Conectar el cable negativo de la batería.

36. Bombear el pedal de freno varias veces para producir el asentamiento de las zapatas del freno de disco, antes de intentar poner en marcha el vehículo.

Traseros

➡ **Los cojinetes de rueda están contenidos dentro del cubo de rueda, y deben ser reemplazados como un conjunto.**

CON FRENOS DE DISCO TRASEROS

1. Desconectar el cable negativo de la batería.

2. Elevar y soportar con seguridad el vehículo.

3. Desmontar el conjunto de rueda y neumático.

4. Desmontar el tornillo de retención del sensor del antibloqueo del freno, y desmontar el sensor.

5. Desmontar la mordaza y rotor del freno de disco trasero.

➡ **No utilizar una pistola atornilladora de impacto para desmontar la tuerca de retención del cubo.**

6. Desmontar la tuerca de retención del cubo.

7. Deslizar el conjunto del cubo y cojinete de rueda fuera de la mangueta (mango), y desmontarlos.

8. Desmontar la protección guardapolvo del freno de disco.

9. Desconectar la barra de acoplamiento trasera y el casquillo, de la mangueta.

10. Desconectar el brazo oscilante (de control) trasero (brazo de la suspensión) del mango (mangueta). Desmontar el brazo oscilante delantero (brazo de la suspensión) del mango.

11. Desmontar el tornillo de presión del poste en el mango.

12. Separar el mango del poste y desmontarlo del vehículo.

Para instalar:

13. Montar de nuevo el mango en el poste. Apretar la tuerca de presión a 52-72 pie-lb (70-98 Nm).

14. Conectar el brazo oscilante trasero (brazo de la suspensión) en el mango. Conectar el brazo oscilante delantero (brazo de la suspensión) en el mango. Roscar el tornillo, pero no apretar en este momento.

15. Conectar la barra de acoplamiento (conexión) trasera y el casquillo, en el mango. Roscar el tornillo, pero no apretar en este momento.

16. Montar de nuevo la protección guardapolvo del freno de disco.

17. Montar de nuevo el conjunto de cojinete y cubo en el mango.

18. Montar de nuevo la tuerca de retención del cubo. Apretar la tuerca de retención del cubo a 170-192 pie-lb (230-260 Nm).

➡ **No utilizar una pistola atornilladora de impacto para apretar la tuerca de retención del cubo.**

19. Montar de nuevo el rotor y mordaza del freno de disco trasero.

20. Montar de nuevo el sensor del antibloqueo del freno. Apretar el tornillo de retención del sensor a 84-96 plg-lb (9-11 Nm).

21. Montar de nuevo el conjunto de rueda y neumático. Apretar la tuercas de rueda a 62 pie-lb (85 Nm).

22. Bajar el vehículo hasta que las ruedas soporten el peso del vehículo. Esto cargará adecuadamente la suspensión.

23. Apretar el tornillo de la mangueta (mango) al brazo oscilante a 52-79 pie-lb (70-98 Nm).

24. Apretar el tornillo de la barra de conexión al mango a 75-102 pie-lb (98 Nm).

25. Acabar de bajar el vehículo.

26. Llevar a cabo una prueba de carretera con el vehículo y controlar si funciona correctamente.

CON FRENOS DE TAMBOR TRASEROS

➡ **Los cojinetes de rueda están contenidos dentro del cubo de rueda y deben ser reemplazados como un conjunto.**

1. Desconectar el cable negativo de la batería.

2. Elevar y soportar con seguridad el vehículo.

3. Desmontar el conjunto de rueda y neumático.

4. Desmontar el tornillo de retención del sensor del antibloqueo del freno, y desmontar el sensor.

5. Desmontar la retención del tambor de freno y el tambor de freno.

➡ **No utilizar un destornillador pistola de impacto, para desmontar la tuerca de retención del cubo.**

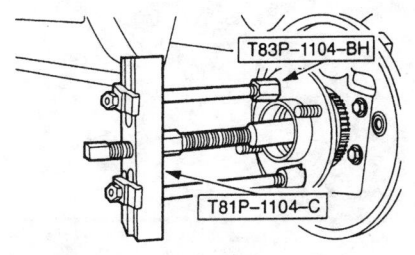

T83P–1104–BH

T81P–1104–C

▲ **Después del desmontaje de la tuerca del mango (mangueta), utilizar las herramientas especiales, o un extractor, para desmontar el conjunto cubo/cojinete trasero – Modelos equipados con frenos de tambor traseros**

6. Desmontar la tuerca de retención del cubo de rueda.

7. Deslizar el conjunto del cubo y cojinete de rueda fuera del mango.

8. Desmontar los cuatro tornillos del plato de anclaje y poner dicho plato de anclaje fuera de la zona de trabajo. Tener cuidado de no dañar la manguera del freno en el cilindro de rueda.

9. Desconectar la barra de conexión trasera y el casquillo, del mango.

10. Desconectar el brazo oscilante trasero (brazo de la suspensión) del mango. Desmontar el brazo oscilante delantero (brazo de la suspensión) del mango.

11. Desmontar el tornillo de presión del poste en la articulación de la dirección.

12. Separar el mango del poste y desmontarlo.

Para instalar:

13. Montar de nuevo el mango en el poste. Apretar la tuerca de presión a 52-72 pie-lb (70-98 Nm).

14. Conectar el brazo oscilante trasero (brazo de la suspensión) en el mango. Conectar el brazo oscilante delantero (brazo de la suspensión) en el mango.

15. Conectar la barra de conexión trasera y el casquillo, en el mango. No apretar el tornillo completamente, en este momento.

16. Colocar el plato de anclaje en posición. Montar de nuevo los tornillos del plato de anclaje y apretar a 33-40 pie-lb (45-54 Nm).

17. Montar de nuevo el conjunto de cojinete y cubo en el mango.

18. Montar de nuevo la tuerca de retención del cubo. Apretar la tuerca de retención del cubo a 170-192 pie-lb (230-260 Nm).

▼ AVISO ▼

No utilizar un atornillador pistola de impacto para apretar la tuerca de retención del cubo, de lo contrario los cojinetes pueden ser dañados.

19. Montar de nuevo el tambor de freno.

20. Comprobar que la zapatas de freno tengan un ajuste adecuado.

21. Montar de nuevo el sensor del antibloqueo del freno, y el tornillo de retención. Apretar el tornillo de retención a 7-8 pie-lb (9-11 Nm).

22. Montar de nuevo el conjunto de rueda y neumático. Apretar la tuercas de rueda a 62 pie-lb (85 Nm).

23. Bajar el vehículo hasta que las ruedas soporten el peso del vehículo. Esto cargará adecuadamente la suspensión.

24. Apretar el tornillo del mango en el brazo oscilante a 52-79 pie-lb (70-98 Nm).

25. Apretar el tornillo de la barra de conexión en el mango a 75-102 pie-lb (98 Nm).

26. Acabar de bajar el vehículo.

27. Llevar a cabo una prueba de carretera con el vehículo y comprobar que funciona correctamente.

FORD MOTOR CO.
TRACCIÓN TRASERA
Taurus - Taurus SHO - Mercury Sable

ESPECIFICACIONES	**188**
REPARACIÓN DEL MOTOR	**194**
Distribuidor	194
Sincronización	
de la ignición.	194
Conjunto motor.	195
Bomba de agua	197
Culata de cilindros	200
Balancines/ejes de balancines	205
Múltiple de admisión	208
Múltiple de escape	217
Sello de aceite delantero	
del cigüeñal	220
Árbol de levas	
y levantadores de válvulas	221
Holgura de válvulas	227
Depósito de aceite	229
Bomba de aceite.	231
Sello de aceite principal trasero	233
Cadena de sincronización, engranajes	
y tapa delantera y sello de aceite	235

SISTEMA DE COMBUSTIBLE	**243**
Precauciones en el mantenimiento	
del sistema de combustible	243
Presión del sistema de combustible	243
Filtro de combustible	244
Bomba de combustible	245
TREN PROPULSOR (DE TRANSMISIÓN) . .	**246**
Transmisión.	246
Embrague	249
Semiejes	249
DIRECCIÓN Y SUSPENSIÓN	**251**
Air bag.	251
Mecanismo de la dirección asistida	
de cremallera y piñón	251
Poste	252
Amortiguadores	255
Resorte helicoidal.	256
Rótulas inferiores	257
Cojinetes de rueda	257

ESPECIFICACIONES
FORD MOTOR CO.
TRACCIÓN TRASERA
Taurus – Taurus SHO – Mercury Sable

TABLA DE IDENTIFICACIÓN DEL VEHÍCULO

Clave del motor						Año-Modelo	
Clave	Litros	Plg³ (cc)	Cil.	Sist. comb	Fabr. motor	Clave	Año
4	3.8	232 (3802)	6	SFI	Ford	S	1995
N	3.4	207 (3393)	8	SFI	Ford	T	1996
S	3.0	183 (3049)	6	SFI	Ford	V	1997
U	3.0	181 (2971)	6	SFI	Ford	W	1998
V	4.6	281 (4593)	8	SFI	Ford	X	1999
Y	3.0	182 (2980)	6	SFI	Yamaha		

SFI - Inyección de combustible secuencial.

IDENTIFICACIÓN DEL MOTOR
Todas las medidas están dadas en pulgadas

Año	Modelo	Cilindrada del motor litros (cc)	Serie del motor (ID/VIN)	Sistema combustible	N° de cilindros	Tipo de motor
	Continental	4.6 (4593)	V	SFI	8	DOHC
	Sable	3.8 (3802)	4	SFI	6	OHV
	Sable	3.0 (2980)	U	SFI	6	OHV
	Taurus	3.8 (3802)	4	SFI	6	OHV
	Taurus	3.0 (2980)	U	SFI	6	OHV
	Taurus SHO	3.2 (3191)	P	SFI	6	DOHC
	Taurus SHO	3.0 (2980)	Y	SFI	6	DOHC
1996	Continental	4.6 (4593)	V	SFI	8	DOHC
	Sable	3.0 (2998)	S	SFI	6	DOHC
	Sable	3.0 (2982)	U	SFI	6	OHV
	Taurus	3.0 (3049)	S	SFI	6	DOHC
	Taurus	3.0 (2982)	U	SFI	6	OHV
	Taurus SHO	3.4 (3393)	N	SFI	8	DOHC
1997	Continental	4.6 (4593)	V	SFI	8	DOHC
	Sable	3.0 (2998)	S	SFI	6	DOHC
	Sable	3.0 (2982)	U	SFI	6	OHV
	Taurus	3.0 (3049)	S	SFI	6	DOHC
	Taurus	3.0 (2982)	U	SFI	6	OHV
	Taurus SHO	3.4 (3393)	N	SFI	8	DOHC
1998-99	Continental	4.6 (4593)	V	SFI	8	DOHC
	Sable	3.0 (2998)	S	SFI	6	DOHC
	Sable	3.0 (2982)	U	SFI	6	OHV
	Taurus	3.0 (3049)	S	SFI	6	DOHC
	Taurus	3.0 (2982)	U	SFI	6	OHV
	Taurus SHO	3.4 (3393)	N	SFI	8	DOHC

SFI - Inyección de combustible secuencial.
OHV - Válvulas sobre culata de cilindros.
DOHC - Doble árbol de levas sobre culata de cilindros.

ESPECIFICACIONES GENERALES DEL MOTOR

Año	Motor ID/VIN	Cilindrada del motor litros (cc)	Sistema de combustible	Caballaje neto @ rpm	Torsión neta @ rpm (pie-lb)	Diámetro x carrera (plg)	Relación de compresión	Presión de aceite @ rpm
1995	4	3.8 (3802)	SFI	140@3800	215@2400	3.81x3.39	9.0:1	40-60@2500
	P	3.2 (3191)	SFI	220@6200	215@4800	3.62x3.15	9.8:1	40-60@2000
	U	3.0 (2980)	SFI	140@4800	160@3000	3.50x3.15	9.3:1	55-70@2500
	V	4.6 (4593)	SFI	260@5750	265@4750	3.55x3.54	9.8:1	33@1500
	Y	3.0 (2980)	SFI	220@6200	200@4800	3.50x3.15	9.8:1	40-65@2000
1996	N	3.4 (3393)	SFI	235@6100	230@4800	3.25x3.13	10.0:1	20-45@1500
	S	3.0 (2998)	SFI	200@5750	200@4500	3.50x3.13	10.0:1	20-45@1515
	U	3.0 (2982)	SFI	145@5250	170@3250	3.50x3.15	9.3:1	55-70@2500
	V	4.6 (4593)	SFI	260@5750	265@4750	3.55x3.54	9.8:1	33@1500
1997	N	3.4 (3393)	SFI	235@6100	230@4800	3.25x3.13	10.0:1	20-45@1500
	S	3.0 (2998)	SFI	200@5750	200@4500	3.50x3.13	10.0:1	20-45@1515
	U	3.0 (2982)	SFI	145@5250	170@3250	3.50x3.15	9.3:1	55-70@2500
	V	4.6 (4593)	SFI	260@5750	265@4750	3.55x3.54	9.8:1	33@1500
1998-99	N	3.4 (3393)	SFI	235@6100	230@4800	3.25x3.13	10.0:1	20-45@1500
	S	3.0 (2998)	SFI	200@5750	200@4500	3.50x3.13	10.0:1	20-45@1515
	U	3.0 (2982)	SFI	145@5250	170@3250	3.50x3.15	9.3:1	55-70@2500
	V	4.6 (4593)	SFI	260@5750	265@4750	3.55x3.54	9.8:1	33@1500

SFI - Inyección de combustible secuencial.

ESPECIFICACIONES PARA AFINACIONES DE MOTORES DE GASOLINA

Año	Motor ID/VIN	Cilindrada del motor litros (cc)	Bujías Abertura (plg)	Sincronización ignición (grados) TM	Sincronización ignición (grados) TA	Bomba de combustible (lb/plg²)	Marcha mínima (rpm) TM	Marcha mínima (rpm) TA	Holgura válvulas Admisión	Holgura válvulas Escape
1995	4	3.8 (3802)	0.054	—	10B	30-45 ①	—	②	HYD	HYD
	P	3.2 (3191)	0.044	—	10B	30-45 ①	—	800	0.006-0.010	0.010-0.014
	U	3.0 (2980)	0.044	10B	10B	30-45 ①	—	②	HYD	HYD
	V	4.6 (4593)	0.054	—	10B	30-45 ①	—	②	HYD	HYD
	Y	3.0 (2980)	0.044	10B	—	28-33 ①	②	—	0.006-0.010	0.010-0.014
1996	N	3.4 (3393)	0.042-0.046	—	10B	35-45 ①	—	②	HYD	HYD
	S	3.0 (2998)	0.054	—	10B	30-45 ①	—	②	HYD	HYD
	U	3.0 (2982)	0.044	—	10B	30-45 ①	—	②	HYD	HYD
	V	4.6 (4593)	0.054	—	10B	30-45 ①	—	②	HYD	HYD
1997	N	3.4 (3393)	0.042-0.046	—	10B	35-45 ①	—	②	HYD	HYD
	S	3.0 (2998)	0.054	—	10B	30-45 ①	—	②	HYD	HYD
	U	3.0 (2982)	0.044	—	10B	30-45 ①	—	②	HYD	HYD
	V	4.6 (4593)	0.054	—	10B	30-45 ①	—	②	HYD	HYD
1998-99	N	3.4 (3393)	0.042-0.046	—	10B	35-45 ①	—	②	HYD	HYD
	S	3.0 (2998)	0.054	—	10B	30-45 ①	—	②	HYD	HYD
	U	3.0 (2982)	0.044	—	10B	30-45 ①	—	②	HYD	HYD
	V	4.6 (4593)	0.054	—	10B	30-45 ①	—	②	HYD	HYD

Nota: la etiqueta de información sobre el control de emisiones del vehículo, refleja a menudo cambios en las especificaciones llevados a cabo durante la producción. Deberán utilizarse los datos de la etiqueta en caso de que difieran de los de esta tabla.

B - antes del punto muerto superior.

HYD - Hidráulico.

① Presión de combustible con el motor en marcha, y manguera de vacío del regulador de presión conectada.

② Véase la etiqueta de información sobre el control de emisiones del vehículo.

CAPACIDADES

Año	Modelo	Motor ID/VIN	Cilindrada del motor litros (cc)	Aceite del motor con filtro (qts)	Transmisión (pts)			Eje motriz		Tanque combustible (gal)	Sistema enfriamiento (qts)
					4 vel.	5 vel.	Auto.	Delantero (pts)	Trasero (pts)		
1995	Continental	V	4.6 (4593)	6.0	—	—	26.6 ①	②	—	18.4	14.3
	Sable	4	3.8 (3802)	4.5	—	—	24.5 ①	②	—	③	12.1
	Sable	U	3.0 (2980)	4.5	—	—	24.5 ①	②	—	③	11.0
	Taurus	4	3.8 (3802)	4.5	—	—	24.5 ①	②	—	③	12.1
	Taurus	U	3.0 (2980)	4.5	—	—	24.5 ①	②	—	③	11.0
	Taurus SHO	P	3.2 (3191)	5.0	—	—	24.5 ①	②	—	18.6	11.4
	Taurus SHO	Y	3.0 (2980)	5.0	—	6.2	24.5 ①	②	—	18.6	11.6
1996	Continental	V	4.6 (4593)	6.0	—	—	27.4 ①	②	—	17.8	14.3
	Sable	S	3.0 (2998)	5.8	—	—	27.0 ①	②	—	③	16.0
	Sable	U	3.0 (2982)	4.5	—	—	24.5 ①	②	—	③	16.0
	Taurus	S	3.0 (2998)	5.8	—	—	27.0 ①	②	—	③	16.0
	Taurus	U	3.0 (2982)	4.5	—	—	24.5 ①	②	—	③	16.0
	Taurus SHO	N	3.4 (3393)	5.8	—	—	27.0 ①	②	—	③	16.0
1997	Continental	V	4.6 (4593)	6.0	—	—	27.4 ①	②	—	17.8	14.3
	Sable	S	3.0 (2998)	5.8	—	—	27.0 ①	②	—	③	16.0
	Sable	U	3.0 (2982)	4.5	—	—	24.5 ①	②	—	③	16.0
	Taurus	S	3.0 (2998)	5.8	—	—	27.0 ①	②	—	③	16.0
	Taurus	U	3.0 (2982)	4.5	—	—	24.5 ①	②	—	③	16.0
	Taurus SHO	N	3.4 (3393)	5.8	—	—	27.0 ①	②	—	③	16.0
1998-99	Continental	V	4.6 (4593)	6.0	—	—	27.4 ①	②	—	17.8	14.3
	Sable	S	3.0 (2998)	5.8	—	—	27.0 ①	②	—	③	16.0
	Sable	U	3.0 (2982)	4.5	—	—	24.5 ①	②	—	③	16.0
	Taurus	S	3.0 (2998)	5.8	—	—	27.0 ①	②	—	③	16.0
	Taurus	U	3.0 (2982)	4.5	—	—	24.5 ①	②	—	③	16.0
	Taurus SHO	N	3.4 (3393)	5.8	—	—	27.0 ①	②	—	③	16.0

Nota: todas las capacidades son aproximadas. Añadir el fluido gradualmente, y asegurarse de alcanzar el nivel correcto.

① Incluye el convertidor de par.

② Incluido en la capacidad de la transmisión.

③ Tanque estándar 16.0 gal.

Opcional, tanque con más capacidad: 18.6 gal.

ESPECIFICACIONES DE VÁLVULAS

Año	Motor ID/VIN	Cilindrada del motor litros (cc)	Ángulo de asiento (grados)	Ángulo de cara (grados)	Presión de prueba de resorte (lb @ plg)	Altura del resorte instalado (plg)	Holgura entre vástago y guía (plg)		Diámetro del vástago (plg)	
							Admisión	Escape	Admisión	Escape
1995	4	3.8 (3802)	44.5	45.8	220@1.18	1.970	0.0010-0.0027	0.0015-0.0032	0.3415-0.3423	0.3410-0.3418
	P	3.2 (3191)	45	45.5	121@1.19	1.520	0.0010-0.0023	0.0012-0.0025	0.2346-0.2352	0.2344-0.2350
	U	3.0 (2980)	45	44	180@1.06	1.580	0.0001-0.0027	0.0015-0.0032	0.3126-0.3129	0.3121-0.3134
	V	4.6 (4593)	45	45.5	160@1.103	1.425	0.0008-0.0027	0.0018-0.0037	0.2746-0.2754	0.2736-0.2744
	Y	3.0 (2980)	45	45.5	121@1.19	1.520	0.0010-0.0023	0.0012-0.0025	0.2346-0.2352	0.2344-0.2350
1996	N	3.4 (3393)	45	45.5	89@1.00	1.360	0.0010-0.0023	0.0012-0.0025	0.2346-0.2352	0.2344-0.2350
	S	3.0 (2998)	44.75	45.5	153@1.18	1.570	0.0007-0.0027	0.0017-0.0037	0.2350-0.2358	0.2343-0.2350
	U	3.0 (2982)	45	44	180@1.06	1.580	0.0001-0.0027	0.0015-0.0032	0.3126-0.3134	0.3121-0.3129
	V	4.6 (4593)	45	45.5	160@1.103	1.425	0.0008-0.0027	0.0018-0.0037	0.2746-0.2754	0.2736-0.2744
1997	N	3.4 (3393)	45	45.5	89@1.00	1.360	0.0010-0.0023	0.0012-0.0025	0.2346-0.2352	0.2344-0.2350
	S	3.0 (2998)	44.75	45.5	153@1.18	1.570	0.0007-0.0027	0.0017-0.0037	0.2350-0.2358	0.2343-0.2350
	U	3.0 (2982)	45	44	180@1.06	1.580	0.0001-0.0027	0.0015-0.0032	0.3126-0.3134	0.3121-0.3129
	V	4.6 (4593)	45	45.5	160@1.103	1.425	0.0008-0.0027	0.0018-0.0037	0.2746-0.2754	0.2736-0.2744
1998-99	N	3.4 (3393)	45	45.5	89@1.00	1.360	0.0010-0.0023	0.0012-0.0025	0.2346-0.2352	0.2344-0.2350
	S	3.0 (2998)	44.75	45.5	153@1.18	1.570	0.0007-0.0027	0.0017-0.0037	0.2350-0.2358	0.2343-0.2350
	U	3.0 (2982)	45	44	180@1.06	1.580	0.0001-0.0027	0.0015-0.0032	0.3126-0.3134	0.3121-0.3129
	V	4.6 (4593)	45	45.5	160@1.103	1.425	0.0008-0.0027	0.0018-0.0037	0.2746-0.2754	0.2736-0.2744

ESPECIFICACIONES DE TORSIÓN
Todos las medidas en pie-lb

Año	Motor ID/VIN	Cilindrada del motor litros (cc)	Tornillos culata de cilindros	Tornillos cojinete principal	Tornillos cojinete biela	Tornillos amortiguador cigüeñal	Tornillos volante	Múltiples		Bujías	Tuercas de orejas
								Admisión	Escape		
1995	4	3.8 (3802)	⑥	65-81	31-36	103-132	54-64	⑦	15-22	7-15	95
	P	3.2 (3191)	③	④	⑤	112-127	51-58	11-17	26-38	15-22	95
	U	3.0 (2980)	①	55-63	26	93-121	54-64	②	15-22	7-15	95
	V	4.6 (4593)	⑧	⑨	⑩	114-121	54-64	⑪	13-16	7-15	95
	Y	3.0 (2980)	③	④	⑤	113-126	51-58	11-17	26-38	15-22	95
1996	N	3.4 (3393)	⑫	⑬	⑭	⑮	54-64	14-20	11-19	11-15	95
	S	3.0 (2998)	⑯	⑰	⑱	⑮	54-64	⑲	13-16	7-15	95
	U	3.0 (2982)	①	55-63	23-29	93-121	54-64	②	15-18	7-15	95
	V	4.6 (4593)	⑧	⑨	⑩	114-121	54-64	⑪	13-16	7-15	95
1997	N	3.4 (3393)	⑫	⑬	⑭	⑮	54-64	14-20	11-19	11-15	95
	S	3.0 (2998)	⑯	⑰	⑱	⑮	54-64	⑲	13-16	7-15	95
	U	3.0 (2982)	①	55-63	23-29	93-121	54-64	②	15-18	7-15	95
	V	4.6 (4593)	⑧	⑨	⑩	114-121	54-64	⑪	13-16	7-15	95
1998-99	N	3.4 (3393)	⑫	⑬	⑭	⑮	54-64	14-20	11-19	11-15	95
	S	3.0 (2998)	⑯	⑰	⑱	⑮	54-64	⑲	13-16	7-15	95
	U	3.0 (2982)	①	55-63	23-29	93-121	54-64	②	15-18	7-15	95
	V	4.6 (4593)	⑧	⑨	⑩	114-121	54-64	⑪	13-16	7-15	95

① Fase 1: 33-41 pie-lb.
 Fase 2: 63-73 pie-lb.
② Fase 1: 15-22 pie-lb.
 Fase 2: 19-24 pie-lb.
③ Fase 1: 37-50 pie-lb.
 Fase 2: 58-64 pie-lb.
④ Fase 1: 22-26 pie-lb.
 Fase 2: 33-36 pie-lb.
 Fase 1: Tornillos interiores- 17-19 pie-lb en dos o tres fases.
 Fase 2: Tornillos exteriores- 13-15 pie-lb en dos o tres fases.
 Fase 3: Tornillos interiores- 1-3, 70 grados; Tornillo interior 4, 80 grados.
 Fase 4: Apretar tornillos exteriores 60 grados.
 Fase 5: Repetir fase 4.
⑤ Fase 1: 16-19 pie-lb.
 Fase 2: Girar cada tornillo 90 grados.
 Fase 3: Repetir fase 2.
⑥ No utilizar otra vez los tornillos de culata de cilindros.
 Fase 1: 15 pie-lb.
 Fase 2: 29 pie-lb.
 Fase 3: 37 pie-lb.
 Fase 4: Aflojar los tornillos uno cada vez y reapretarlos como sigue;
 Tornillos largos: 11-18 pie-lb.
 Tornillos cortos: 7-15 pie-lb.
 Fase 5: Girar 85-95 grados.
⑦ Fase 1: 13 pie-lb.
 Fase 2: 16 pie-lb.
 Nota: Seguir siempre las pautas de apriete.
⑧ Fase 1: 27-32 pie-lb.
 Fase 2: Girar 85-95 grados.
 Fase 3: Repetir la fase 2.
⑨ Fase 1: Tornillos de tapas de cojinete principal: 6-9 pie-lb.
 Fase 2: Tornillos de tapas de cojinete principal, exteriores: 16-21 pie-lb.
 Fase 3: Tornillos de tapas de cojinete principal, interiores: 27-32 pie-lb.
 Fase 4: Girar tornillos de tapas de cojinete principal 85-95 grados.
 Fase 5: Tornillos de ajuste de tapa principal 4 pie-lb, después 7.5 pie-lb.
 Fase 6: Tornillos laterales de tapa principal: 7 pie-lb, después 14-17 pie-lb.

⑩ Fase 1: 5 pie-lb.
 Fase 2: 10 pie-lb.
 Fase 3: 18-25 pie-lb.
 Fase 4: Girar 85-95 grados.
⑪ Fase 1: Los cuatro tornillos cortos del interior: 9-11 pie-lb.
 Fase 2: Todos los demás tornillos: 13-16 pie-lb.
 Fase 3: Girar 85-95 grados.
⑫ Fase 1: 20-23 pie-lb.
 Fase 2: Girar 85-95 grados.
⑬ Fase 1: Tornillos de tapas 1-10 (exteriores) 17-20 pie-lb.
 Fase 2: Tornillos de tapas 11-20 (interiores) 28-31 pie-lb.
 Fase 3: Girar tornillos 1-20, 85-95 grados.
 Fase 4: Tornillos 21 al 31, 15-22 pie-lb.
⑭ Fase 1: 30-33 pie-lb.
 Fase 2: Girar 90-120 grados.
⑮ Fase 1: 77-99 pie-lb.
 Fase 2: Aflojar 360 grados.
 Fase 3: Apretar a 35-39 pie-lb.
 Fase 4: Girar 85-95 grados.
⑯ Fase 1: 28-31 pie-lb.
 Fase 2: Girar 85-95 grados.
 Fase 3: Aflojar una vuelta.
 Fase 4: 28-31 pie-lb.
 Fase 5: Girar 85-95 grados.
 Fase 6: Repetir fase 5.
⑰ Fase 1: Tornillos tapa 1-8 (exteriores) 17-20 pie-lb.
 Fase 2: Tornillos tapa 9-16 (interiores) 28-31 pie-lb.
 Fase 3: Girar tornillos 1-16, 85-95 grados.
 Fase 4: Tornillos 17-22, 15-22 pie-lb.
⑱ Fase 1: 30-33 pie-lb.
 Fase 2: Girar 90-120 grados.
⑲ 71-106 pie-lb.

REPARACIÓN DEL MOTOR

➡ La desconexión del cable negativo de la batería, en algunos vehículos, puede producir interferencias con las funciones del ordenador de a bordo y puede ser necesario un proceso de reinicialización del ordenador, después de haber conectado otra vez el cable negativo de la batería.

DISTRIBUIDOR

DESMONTAJE E INSTALACIÓN

Motores 3.8L y 3.0L (OHV) de 1995

1. Desconectar el cable negativo de la batería.
2. Desconectar el conector del cableado del distribuidor.
3. Marcar en la base del distribuidor, la posición de la torre del cable del cilindro N° 1, en la tapa del distribuidor.
4. Desmontar la tapa del distribuidor y apartarla a un lado junto con los cables de conexión.
5. Marcar la posición del rotor en relación con el cuerpo del distribuidor, y marcar la posición del cuerpo del distribuidor sobre el motor.
6. Desmontar el tornillo de sujeción del distribuidor, y la abrazadera, y sacar el distribuidor.

➡ Antes del montaje, inspeccionar la junta tórica del distribuidor y el engranaje propulsor, por si estuvieran gastados o dañados. Girar el eje del distribuidor para asegurarse de que se mueve libremente sin agarrotarse.

Para instalar:
SINCRONIZACIÓN NO ALTERADA

1. Montar el distribuidor, alinear las marcas del cuerpo del distribuidor y del rotor, con las marcas realizadas durante el proceso de desmontaje.
2. Montar el tornillo de sujeción y la abrazadera del distribuidor. Dejarlo apretado, pero no definitivamente.
3. Conectar el distribuidor en el mazo de cables.

4. Montar la tapa del distribuidor. Asegurarse de que los cables de encendido están bien conectados en la tapa del distribuidor y en las bujías. Apretar los tornillos de la tapa del distribuidor a 18-23 plg-lb (2.0-2.6 Nm).
5. Conectar una lámpara de sincronización apropiada y ajustar la puesta a punto (sincronización) inicial.
6. Apretar el tornillo de retención del distribuidor a 14-21 pie-lb (19-28 Nm), en el motor de 3.0L, o 20-29 pie-lb (27-40 Nm) en el motor de 3.8L.
7. Comprobar otra vez la sincronización (puesta a punto) inicial, y ajustarla si fuera necesario.

SINCRONIZACIÓN ALTERADA

1. Desconectar el cable de bujías, de la bujía del cilindro N° 1, y desmontar la bujía.
2. Poner un dedo sobre el agujero de la bujía. Girar el motor en el sentido del reloj, hasta que se note compresión en el agujero de la bujía.
3. Alinear la marca de sincronización con la marca del PMS sobre la polea amortiguadora del cigüeñal.
4. Girar el eje del distribuidor de modo que el extremo del rotor apunte a la posición de la torre de la bujía N° 1, en la tapa del distribuidor.
5. Mientras se monta el distribuidor, continuar girando el rotor ligeramente, de modo que el borde delantero del aspa esté centrado con el conjunto del aspa del interruptor del estátor.
6. Girar el distribuidor en el bloque para alinear el borde delantero del aspa y el aspa del interruptor en el conjunto del estátor. Asegurarse de que el rotor está apuntando a la posición de la torre de la bujía N° 1, en la tapa del distribuidor.

➡ Si el aspa de arrastre y el aspa del interruptor del estátor no se pueden alinear con la rotación del distribuidor en el bloque, desmontar el distribuidor justo lo suficiente para desengranar el engranaje del distribuidor del engranaje del árbol de levas. Girar el rotor lo suficiente para engranar con el diente siguiente. Repetir los pasos 1 y 2, si fuera necesario.

7. Montar el tornillo y la abrazadera de retención del distribuidor. Dejarlo apretado, pero no definitivamente.
8. Conectar el distribuidor en el mazo de cables, y montar la tapa del distribuidor. Apretar

los tornillos de retención de la tapa del distribuidor, a 18-23 plg-lb (2.0-2.6 Nm).
9. Montar la bujía del cilindro N° 1 y conectar el cable de bujía.
10. Conectar una lámpara de sincronización apropiada, y ajustar la sincronización inicial.
11. Apretar el tornillo de retención del distribuidor a 14-21 pie-lb (19-28 Nm) en el motor de 3.0L, o 20-29 pie-lb (27-40 Nm) en el motor de 3.8L.
12. Comprobar otra vez la sincronización inicial, y ajustarla, si fuera necesario.

SINCRONIZACIÓN DE LA IGNICIÓN

AJUSTE

Motores 3.8L y 3.0L (OHV) de 1995

1. Poner el freno de aparcamiento. Si está equipado con transmisión manual, poner la palanca de cambio en neutral. Si está equipado con transmisión automática, poner la palanca de cambio en P.
2. Localizar las marcas de sincronización sobre la polea del cigüeñal y en la tapa de la correa de sincronización. Si es difícil ver las marcas, limpiarlas con disolvente y un cepillo metálico.
3. Conectar una lámpara inductiva de sincronización adecuada de acuerdo con las instrucciones del fabricante.
4. Desconectar el conector en línea SPOUT (Spark Out = Sin Chispa), del cable de un solo hilo, localizado cerca del distribuidor, sacando el enchufe del cuerpo del conector.
5. Poner en marcha el motor hasta que alcance la temperatura de régimen. Asegurarse de que el régimen de marcha mínima es correcto.

➡ Para ajustar la sincronización correctamente, no usar arranque del motor remoto. Usar sólo la llave de contacto para poner en marcha el vehículo. Desconectar el cable de arranque en el relé de arranque, producirá que el módulo TFI vuelva al modo de sincronización de arranque después de que el motor se haya puesto en marcha. Volver a conectar el cable del arranque después de que el motor esté en marcha no corregirá la sincronización.

6. Dirigir la lámpara de sincronización sobre las marcas de sincronización. La sincronización

debe estar a 10° APMS (antes del punto muerto superior), pero siempre se debe comprobar este dato en la etiqueta (calcomanía) de debajo del capó del motor.

7. Si la sincronización es incorrecta, aflojar el tornillo fijación del distribuidor, justo lo suficiente para poder girar el cuerpo del distribuidor. Al mismo tiempo que se dirige la lámpara de sincronización sobre las marcas de sincronización, girar el distribuidor hasta que las marcas se alineen. Apretar el tornillo de fijación del distribuidor y comprobar otra vez la sincronización.

8. Conectar otra vez el conector en línea SPOUT del cable de un solo hilo. Comprobar el avance de la sincronización para verificar que el distribuidor esté avanzado más allá de la posición de ajuste inicial.

9. Desmontar la lámpara inductiva de sincronización.

Todos los motores, excepto 3.0L (OHV) y 3.8L de 1995

La sincronización del encendido básica está ajustada a 10 grados antes del punto muerto superior (APMS), y no es ajustable.

CONJUNTO MOTOR

DESMONTAJE E INSTALACIÓN

▼ PRECAUCIÓN ▼

El sistema de inyección de combustible permanece bajo presión, incluso después de que el motor haya sido parado. La presión del sistema de combustible debe descargarse antes de desconectar cualquier conducción. Dejar de hacerlo puede ser la causa de un incendio y/o lesiones personales.

MODELOS 1995

1. Desconectar los cables de la batería, el cable negativo primero.

2. Marcar en las bisagras la posición del capó del motor, y desmontarlo.

▼ PRECAUCIÓN ▼

No abrir nunca el radiador, ni vaciar, o efectuar un servicio en el sistema de refrigeración, cuando esté caliente; el vapor o el refrigerante caliente pueden producir serias quemaduras.

3. Vaciar el sistema de refrigeración.

4. Descargar la presión del sistema de combustible.

▼ PRECAUCIÓN ▼

Observar todas las medidas de seguridad cuando se trabaje con combustible. Cualquier servicio en el sistema de combustible, realizarlo siempre en una zona bien ventilada. No permitir que pulverizaciones o vapores de combustible entren en contacto con chispas o llamas. Tener cerca de la zona de trabajo un extintor de polvo seco. Guardar siempre el combustible en contenedores específicamente diseñados para tal fin; sellarlos siempre apropiadamente para evitar la posibilidad de un incendio o explosión.

5. Recuperar adecuadamente el refrigerante del sistema acondicionador de aire.

6. Desmontar el conjunto filtro de aire. Desmontar la batería y la bandeja de la batería.

7. Desmontar el relé de control integrado, el ventilador del radiador y el radiador con el canalizador del ventilador.

8. Desmontar el soporte del amortiguador del parachoques de rebote sobre la torre del poste.

9. Desmontar la conducción de la emisión evaporativa de gasolina, el manguito superior del radiador, tirante del motor de arranque y manguito inferior del radiador.

10. Desmontar los tubos de escape, de los dos múltiples de escape. Desmontar y tapar las conducciones de la bomba de la dirección asistida. Desmontar las conducciones de refrigeración del compresor del aire acondicionado, y tapar las aberturas para evitar la entrada de suciedad y humedad.

11. Desmontar las conducciones de combustible, y desmontar y etiquetar todas las conducciones de vacío que sea necesario.

12. Desconectar la cinta metálica de masa, conducciones del calefactor, tirantería del cable del acelerador, tirantería de la válvula del estrangulador y cable del control de velocidad de crucero.

13. Etiquetar y desenchufar los siguientes conectores eléctricos: alternador, embrague del compresor del acondicionador de aire, sensor de oxígeno, bobina de encendido, supresor de radio interferencias, resistor de voltaje del ventilador del radiador, sensor de temperatura del refrigerante motor, interruptor de transmisión de la temperatura del refrigerante, módulo de

encendido, mazo de cables de los inyectores, cable de control de la velocidad de marcha mínima del motor, sensor de posición del estrangulador, interruptor de transmisión de la presión de aceite, cable de masa, calefactor bloque motor si está equipado, sensor de detonación, sensor del EGR y sensor del nivel de aceite.

14. Levantar el vehículo y asegurarlo sobre soportes.

▼ PRECAUCIÓN ▼

Las autoridades sanitarias advierten que el contacto prolongado con aceite de motor usado, puede producir daños en la piel, incluido el cáncer. Debe realizarse el máximo esfuerzo para minimizar el contacto con aceite de motor usado. Deben usarse guantes de protección, cuando se cambie el aceite. Lavarse las manos y cualquier otra parte de la piel que haya estado en contacto con aceite de motor usado, tan pronto como sea posible. Debe usarse agua y jabón o bien un limpiador seco para manos.

15. Vaciar el aceite del motor.

16. Desmontar los tornillos de montaje del motor y los montajes.

17. Desmontar los tornillos de unión entre el volante motor y convertidor de par. Desmontar los tornillos de montaje entre la transmisión y el motor y el conjunto de tirantes de anclaje.

18. Bajar el vehículo. Montar una placa apropiada para levantamiento de motores y usar un elevador de motores apropiado, para sacar el motor del vehículo. Desmontar el mazo de cables principal, del motor.

Para instalar:

19. Montar el mazo de cables principal, en el motor. Situar el motor en el vehículo y desmontar la placa de levantamiento de motores.

20. Levantar el vehículo y asegurarlo sobre soportes.

21. Montar los soportes y tornillos del motor y apretar a 40-55 pie-lb (54-75 Nm). Montar el conjunto de tirantes de anclaje de la transmisión, y apretar los tornillos a 40-55 pie-lb (54-75 Nm). Montar los tornillos de unión del volante motor al convertidor de par.

22. Enchufar todos los conectores, de acuerdo con sus etiquetas.

23. Montar los componentes restantes en el orden inverso al desmontaje.

Hacer funcionar el motor sin la cantidad y el tipo adecuados de aceite, puede producir serios daños en el motor.

24. Llenar el sistema de refrigeración con la cantidad y tipo apropiado de refrigerante. Llenar el cárter con el tipo de aceite correcto, hasta el nivel requerido.

25. Montar el capó, alineando las marcas realizadas antes del desmontaje.

26. Conectar el cable negativo de la batería. Poner en marcha el motor y comprobar las posibles fugas y su correcto funcionamiento.

27. Evacuar y cargar el sistema de aire acondicionado.

MODELOS 1996-99

1. Desconectar los cables de la batería, primero el cable negativo.

No abrir nunca el radiador ni vaciar o efectuar un servicio en el sistema de refrigeración, cuando esté caliente; el vapor o el refrigerante caliente, pueden producir serias quemaduras.

2. Vaciar el sistema de refrigeración.

3. Marcar en las bisagras la posición del capó, y desmontarlo.

4. Desconectar el acoplamiento de la dirección, desmontando el tornillo de retención de la junta cardán dentro del compartimento de pasajeros.

5. Desconectar los cables del sensor del medidor de caudal de aire (MAF) y el sensor de temperatura del aire de admisión (IAT).

➡ Etiquetar todos los conectores eléctricos y mangueras de vacío, antes de desmontarlos, para poderlos montar posteriormente en su posición correcta.

6. Desmontar el tubo de salida de aire del filtro de aire.

7. Desmontar los tornillos de retención del filtro de aire en la carcasa del filtro.

8. Desconectar el resonador del aire de admisión del motor, presionando las superficies superior e inferior del tubo, en el filtro de aire del motor, y sacando el filtro de aire hacia afuera. Levantar el filtro de aire y sacarlo fuera del compartimiento motor.

Observar todas las medidas de seguridad cuando se trabaje con combustible. Cualquier servicio en el sistema de combustible, realizarlo siempre en una zona bien ventilada. No permitir que pulverizaciones o vapores de combustible, entren en contacto con chispas o llamas. Tener cerca de la zona de trabajo un extintor de polvo seco. Guardar siempre el combustible en contenedores específicamente diseñados para tal fin; sellarlos siempre apropiadamente, para evitar la posibilidad de un incendio o explosión.

9. Descargar adecuadamente la presión del sistema de combustible.

10. Recuperar el refrigerante del sistema del A/A, utilizando el equipo adecuado.

11. Desconectar la manguera de suministro de vacío del bastidor, de su conexión en el múltiple de admisión. Situar la manguera a un lado.

12. Desconectar las cintas metálicas de masa, del panel de instrumentos.

13. Desconectar los cables del sensor de control del Módulo de Control del Tren de Transmisión (PCM) y apartarlos a un lado.

14. Desmontar los conectores del mazo de cables del sensor de control del motor, del soporte de retención en el servofreno. Desconectar los cables del sensor de control del motor en los dos conectores.

15. Desconectar el cableado del sensor de control del motor de la válvula de purga de la lata (bote) de emisiones de vapores.

16. Desconectar la manguera de emisiones de vapores en el conector y la manguera de ventilación del cárter. Apartar la manguera a un lado.

17. Desmontar la protección y desconectar el cable del acelerador y el actuador del control de velocidad, del cuerpo del estrangulador y del soporte del cable del acelerador. Poner los cables a un lado.

18. Desmontar la tuerca de retención y desconectar la palanca de control manual, del eje de la palanca de control manual, en el sensor del Rango de Velocidad de Transmisión (TR).

19. Desmontar los conectores del cableado del sensor de control del motor, del soporte de retención, en la parte superior de la transmisión. Desconectar los cables del sensor de control del motor en los dos conectores.

20. Desconectar el conector de los cables, del relé de la bomba de inyección de aire secundario, localizado sobre el soporte de retención, en la parte superior de la transmisión.

21. Desconectar el conector de control de vacío de la emisión principal, en la conexión situada cerca del canalizador del ventilador del radiador.

22. Desconectar la conducción de entrada del radiador de aceite, de la transmisión.

23. Desconectar la manguera de agua del calefactor, de la bomba de agua y la conexión de la manguera de agua.

24. Desconectar la manguera superior del radiador y el tubo de desgasificación de la conexión de la manguera.

25. Desmontar la manguera de retorno de la dirección asistida del depósito de aceite de la dirección asistida, y vaciar.

26. Desconectar el mazo de cables del alternador, en el terminal BAT y el enchufe del conector del estátor. Desmontar el clip de retención del mazo de cables del soporte de montaje del alternador.

27. Desconectar los clips de retención y las conducciones del compresor del A/A, del lado compresor. Tapar todas las aberturas para evitar la entrada de suciedad y humedad.

28. Levantar el vehículo y asegurarlo sobre soportes. Desmontar los conjuntos de rueda-neumático delanteros.

29. Desmontar los dos eslabones delanteros de la barra estabilizadora delantera.

30. Desmontar los dos semiejes siguiendo el procedimiento descrito en este manual.

31. Desmontar la protección contra salpicaduras del soporte del radiador y parachoques delantero.

La EPA advierte que el contacto prolongado con aceite de motor usado puede producir daños en la piel, incluido cáncer. Debe realizarse el máximo esfuerzo para minimizar el contacto con aceite de motor usado. Deben usarse guantes de protección cuando se cambie el aceite de motor. Lavarse las manos y cualquier otra parte de la piel que haya estado en contacto con aceite de motor usado, tan pronto como sea posible. Debe usarse agua y jabón o bien un limpiador seco para manos.

32. Vaciar el aceite de motor.

33. Desmontar el tubo en Y del convertidor.

34. Desconectar la manguera de presión de la dirección asistida, de la conexión del radiador de aceite, en la dirección asistida-transmisión. Apartar la manguera a un lado.

35. Desconectar la manguera inferior del radiador, en el radiador y en la manguera rebosadero del radiador.

36. Desconectar el cableado en el motor de arranque, y desmontar el motor de arranque.

37. Desconectar la conducción inferior del radiador de aceite de la transmisión.

38. Sustentar el bastidor auxiliar y el conjunto motor-transmisión por medio del elevador de trenes de transmisión, 014-00765, y el soporte universal de desmontaje de trenes de transmisión 014-00766, o equivalentes.

39. Desmontar los cuatro tornillos de retención del bastidor auxiliar.

40. Bajar el motor-transmisión, y el bastidor auxiliar delantero del vehículo.

41. Desconectar la manguera de presión de la dirección asistida de la bomba de la dirección asistida.

42. Montar soportes de levantamiento del motor apropiados sobre el conjunto del motor-transmisión.

43. Desmontar el soporte aislador delantero del motor, el soporte aislador trasero del motor y el soporte del motor y transmisión.

44. Levantar el motor y transmisión, separándolos del bastidor auxiliar.

45. Bajar el motor y la transmisión. Soportar la transmisión sobre una superficie nivelada, fija, adecuada para el almacenamiento de transmisiones.

46. Desmontar los tornillos de montaje de la transmisión en el bloque de cilindros y separar el motor del conjunto transmisión/convertidor de par.

47. Situar el motor sobre un soporte de trabajo apropiado y seguro.

Para instalar:

48. Montar el conjunto transmisión/convertidor de par, en el motor. Apretar los tornillos de montaje a 30-44 pie-lb (40-60 Nm). Apretar las tuercas del convertidor de par a 20-34 pie-lb (27-46 Nm).

49. Desmontar el conjunto motor-transmisión del soporte de trabajo, y posicionarlo sobre el bastidor auxiliar.

50. Montar el soporte aislador delantero del motor, soporte aislador trasero del motor, y soporte de la transmisión.

51. Conectar la manguera de presión de la dirección asistida de la bomba de la dirección asistida.

52. Levantar el motor, transmisión y bastidor auxiliar hasta su posición, utilizando la herramienta de levantamiento de trenes propulsores.

53. Alinear el bastidor auxiliar con la carrocería, y montar los tornillos de unión del bastidor auxiliar con la carrocería. Apretar los tornillos a 57-76 pie-lb (77-103 Nm).

54. Desmontar el equipo de levantamiento, y apartarlo a un lado.

55. Montar los restantes componentes en el orden inverso, y apretar lo siguiente:

• Tuercas retención cubo a 170-202 pie-lb (230-275 Nm).

• Tuercas extremos barras conexión en articulaciones de la dirección a 35-46 pie-lb (47-63 Nm).

• Tuercas brazos oscilantes inferiores suspensión delantera en las articulaciones de la dirección a 50-68 pie-lb (68-92 Nm).

• Tuercas eslabones de barras estabilizadoras delanteras en barras estabilizadoras delanteras, a 30-40 pie-lb (40-55 Nm).

• Tuerca de la palanca de control manual en la palanca de control manual a 12-16 pie-lb (16-22 Nm).

▼ AVISO ▼

Hacer funcionar el motor sin la cantidad y el tipo adecuados de aceite puede producir serios daños en el motor.

56. Llenar el sistema de refrigeración. Llenar el cárter motor con el tipo apropiado de aceite hasta el nivel requerido.

57. Conectar los cables de la batería, el cable negativo el último. Poner en marcha el motor y controlar si hay fugas.

58. Evacuar y recargar el sistema de aire acondicionado.

59. Montar y ajustar el capó.

➡ Siempre que se desmonte o baje, el bastidor auxiliar debe comprobarse la alineación de las ruedas.

60. Comprobar la alineación de las ruedas delanteras. Realizar una prueba en carretera con el vehículo, y comprobar que el motor y la transmisión funcionan correctamente.

BOMBA DE AGUA

DESMONTAJE E INSTALACIÓN

▼ PRECAUCIÓN ▼

No quitar el tapón del radiador, o abrir el sistema de refrigeración, hasta que el motor esté frío. Sacar el tapón del radiador, o abrir el sistema de refrige- ración, antes de que se haya enfriado el motor puede causar serias quemaduras producidas por el refrigerante caliente.

Motores 3.0L (DOHC) y 3.2L SHO de 1995

1. Desconectar los cables de la batería, el negativo primero, y sacar la batería y la bandeja de la batería.

2. Vaciar el sistema de refrigeración del motor, y desmontar las correas propulsoras de accesorios.

3. Desmontar la polea intermedia de la correa propulsora izquierda.

4. Desconectar el conector eléctrico del módulo de encendido y la cinta metálica de masa.

5. Soltar las abrazaderas del tubo de conexión superior de la admisión, después desmontar los tornillos de retención y el tubo de conexión.

6. Desmontar la tapa superior externa de la correa de sincronización.

7. Levantar el vehículo y asegurarlo sobre soportes. Desmontar el conjunto rueda-neumático derecho. Desmontar la protección contra salpicaduras.

8. Desmontar la polea del cigüeñal utilizando un extractor apropiado.

9. Desmontar la tapa inferior externa de la correa de sincronización. Desconectar el mazo de cables del sensor de posición del cigüeñal, y ponerlo aparte.

10. Desmontar la tapa central de la correa de sincronización. Desmontar la polea del tensor de la correa propulsora izquierda.

11. Desmontar los tornillos de fijación de la bomba de agua, y la bomba de agua.

Para instalar:

12. Untar ligeramente con aceite las roscas de todos los tornillos antes de montar. Antes de montar, limpiar las superficies de contacto con las juntas, del bloque de cilindros y la bomba.

13. Colocar una junta nueva en la bomba de agua, y fijarla en su posición por medio de sellante de juntas. Montar la bomba de agua y los tornillos de retención. Apretar a 12-17 pie-lb (16-23 Nm).

14. Para completar el montaje seguir el proceso inverso al de desmontaje.

15. Apretar el tornillo de retención de la polea del cigüeñal a 112-127 pie-lb (152-172 Nm). Apretar los tornillos de retención del tubo de conexión superior de la admisión a 11-17 pie-lb (15-23 Nm).

16. Conectar los cables de la batería.

17. Asegurarse de que la llave de vaciado está cerrada y llenar el sistema de refrigeración. Poner en marcha el motor, y comprobar si hay fugas.

Motor 3.0L (OHV)

1. Desconectar el cable negativo de la batería. Dejar que el motor se enfríe. Sacar el tapón del radiador y vaciar el sistema de refrigeración.

2. Aflojar los cuatro tornillos de retención de la polea de la bomba de agua, en el cubo (mazo) de la bomba de agua.

3. Desmontar las correas propulsoras de los accesorios. Desmontar la polea intermedia, o tensor automático, si fuera necesario.

4. Desconectar y desmontar la manguera del calefactor, de la bomba de agua.

5. Desmontar el cableado del sensor de control del motor, del espárrago de fijación, si está equipado.

6. Desmontar los tornillos de retención de la bomba de agua en el motor, y sacar del vehículo la bomba y la polea del motor.

Para instalar:

7. Limpiar las superficies de junta sobre la bomba de agua y la tapa delantera del motor. Montar una junta nueva sobre la bomba de agua con adhesivo para juntas.

8. Posicionar la bomba de agua en el motor con la polea y cuatro tornillos de retención, montados sin apretar en el cubo.

9. Aplicar sellador de tubos y montar los tornillos en el cuerpo de la bomba de agua. Apretar los tornillos indicados con la referencia N° 1 a 15-22 pie-lb (20-30 Nm) y los tornillos indicados con la referencia N° 2 a 72-96 plg-lb (8-12 Nm).

➡ **Los tornillos tienen longitudes diferentes, y deben montarse en su posición correcta.**

10. Montar los restantes componentes siguiendo el orden inverso al desmontaje. Apretar los tornillos de retención de la polea de la bomba de agua a 15-22 pie-lb (20-30 Nm).

11. Llenar el sistema de refrigeración. Conectar el cable negativo de la batería.

12. Poner en marcha el motor y dejar que alcance la temperatura de régimen. Comprobar si hay fugas y si funciona correctamente.

Motor 3.0L (DOHC) 1996-99

1. Desconectar el cable negativo de la batería. Vaciar el sistema de refrigeración del motor.

2. Desmontar la correa propulsora de la bomba de agua. Desmontar las mangueras del radiador y del calefactor, de la bomba de agua.

3. Desmontar las cuatro tuercas de retención de la bomba de agua en el motor, y desmontar la bomba de agua.

Para instalar:

4. Limpiar las superficies de sellado de junta de la bomba de agua con el motor.

5. Montar la bomba de agua con una junta nueva y montar las cuatro tuercas de retención. Apretar las tuercas de retención a 15-22 pie-lb (20-30 Nm).

6. Montar los componentes restantes en el orden inverso al desmontaje.

7. Llenar el sistema de refrigeración del motor, después conectar el cable negativo de la batería.

8. Poner en marcha el motor y dejar que alcance la temperatura de régimen, luego comprobar si hay fugas de refrigerante, y si funciona correctamente.

Motor 3.4L

1. Desconectar el cable negativo de la batería. Vaciar el sistema de refrigeración del motor.

2. Desatornillar los dos tornillos con reborde y las cuatro tuercas ciegas y desmontar la tapa de protección superior del motor.

3. Desmontar la batería y la bandeja de la batería.

4. Desmontar la correa propulsora de la bomba de agua.

5. Desconectar las mangueras de suministro y retorno del cuerpo del estrangulador, manguera de retorno del radiador (núcleo) del calefactor y la manguera de retorno del radiador de aceite, de la bomba de agua.

6. Desmontar los dos tornillos de retención de la conexión de la manguera de agua (cuerpo del termostato) y desmontar el termostato.

7. Desmontar los tornillos y el collarín de retención del cuerpo de la bomba de agua en el lado izquierdo de la culata de cilindros.

8. Desconectar las mangueras de entrada y salida de refrigerante de la bomba de agua, y desmontar la bomba de agua del motor.

9. Desmontar la tuerca de retención de la polea intermedia de la correa, y desmontar la polea intermedia de la bomba de agua.

Para instalar:

10. Limpiar las superficies de sellado de junta de la bomba de agua y motor.

11. Montar la polea intermedia y tuerca de retención, y apretar el tornillo de retención a 89-141 plg-lb (10-16 Nm).

12. Aplicar un lubricante de silicona en las mangueras de entrada y salida de la bomba de agua, montarlas en el cuerpo de la bomba de agua y fijarlas con abrazaderas.

13. Aplicar un lubricante de silicona en la junta tórica, y montarla entre el cuerpo de la bomba de agua y el lado izquierdo de la culata de cilindros.

14. Montar los tornillos de retención del cuerpo de la bomba de agua en el lado izquierdo de

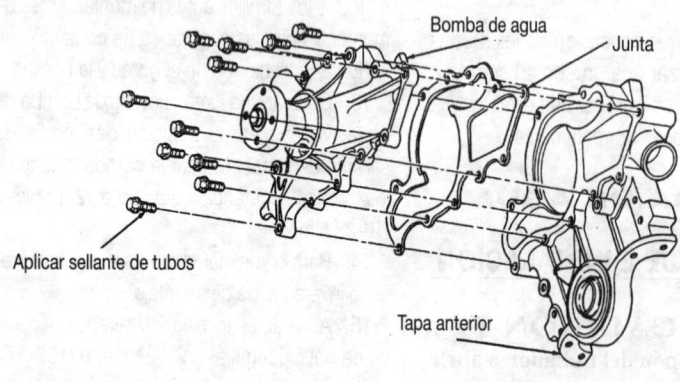

Bomba de agua — Junta

Aplicar sellante de tubos

Tapa anterior

▲ Localización de los tornillos de la bomba de agua y especificación de la torsión – Motor de 3.0L (OHV)

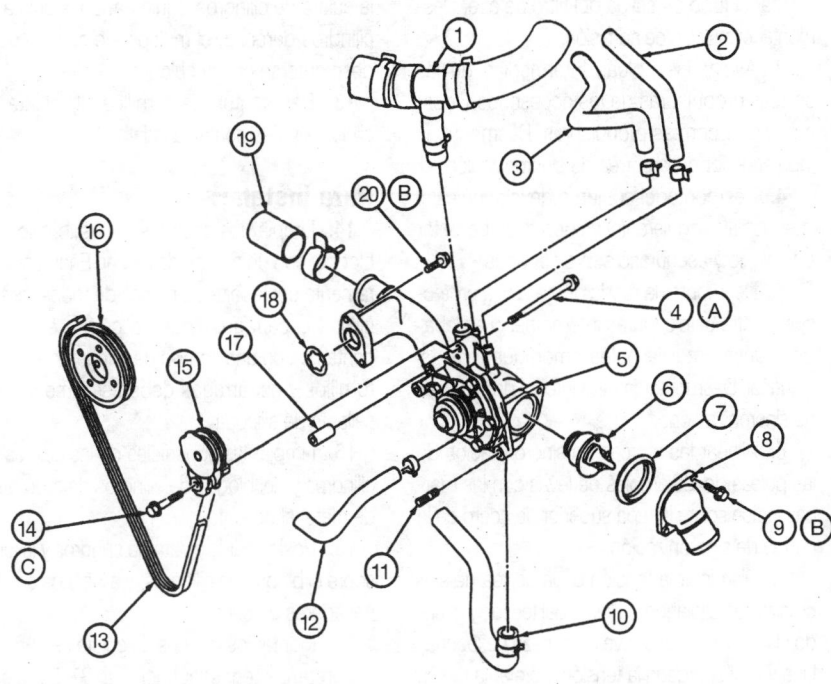

1. Manguera salida de agua
2. Manguera de retorno del cuerpo del ahogador a la bomba de agua
3. Manguera de suministro de la bomba de agua al cuerpo del ahogador
4. Tornillo. (2)
5. Bomba de agua
6. Termostato de agua
7. Junta del tubo de retorno del o refrigerador de aceite
8. Conexión de la manguera de agua
9. Tornillo (2)
10. Manguera de retorno del radiador (núcleo) del calefactor a la bomba de agua
11. Espárrago
12. Manguera de retorno del radiador de aceite a la bomba de agua
13. Correa propulsora
14. Tornillo
15. Polea intermedia
16. Polea mando bomba de agua
17. Manguito
18. Junta tórica
19. Manguera entrada de aguas
20. Tornillo
A Apretar a 18-28 Nm (14-20 pie-lb)
B Apretar a 10-16 Nm (89-141 plg-lb)
C Apretar a 8-12 Nm (71-106 plg-lb)

▲ **Vista esquemática de la bomba de agua y de los componentes correspondientes – Motor 3.4L**

la culata de cilindros. Apretar los dos tornillos de retención de la entrada de agua a 71-106 plg-lb (8-12 Nm). Apretar los dos tornillos de retención restantes a 14-20 pie-lb (18-28 Nm).

15. Montar el termostato de agua, junta del tubo de retorno del radiador de aceite y la conexión de la manguera de agua en el cuerpo de la bomba de agua, y apretar los dos tornillos de retención a 71-106 plg-lb (8-12 Nm).

16. Conectar las mangueras de suministro y retorno del cuerpo del estrangulador, manguera de retorno del radiador (núcleo) del calefactor, y manguera de retorno del radiador de aceite en la bomba de agua.

17. Montar la correa propulsora de la bomba de agua.

18. Montar la tapa de protección superior motor y apretar los dos tornillos con reborde y

las cuatro tuercas ciegas a 71-106 plg-lb (8-12 Nm).

19. Llenar el sistema de refrigeración del motor, después conectar el cable negativo de la batería.

20. Poner en marcha el motor y dejar que alcance la temperatura de régimen, comprobar si hay fugas de refrigerante y si funciona correctamente.

Motor 3.8L (OHV)

1. Desconectar el cable negativo de la batería. Dejar que el motor se enfríe antes de continuar.

2. Sacar el tapón del radiador y vaciar el sistema de refrigeración, abriendo la llave de vaciado.

3. Soportar el motor por medio de la barra soporte D88L-6000-A, o equivalente. Desmontar la tuerca inferior en los dos montajes del lado derecho del motor. Levantar el motor.

4. Aflojar la polea intermedia de la correa propulsora de accesorios. Desmontar la correa propulsora y la polea de la bomba de agua. Desmontar la bomba de la suspensión por aire, si está equipado.

5. Desmontar los tornillos de fijación del soporte de montaje de la bomba de la dirección

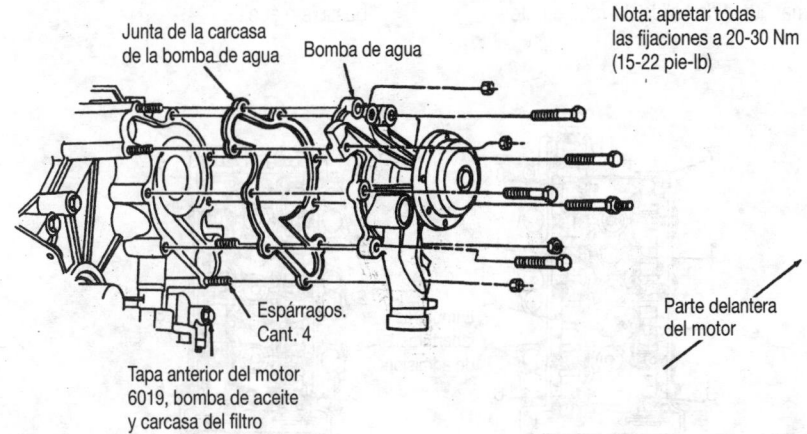

Junta de la carcasa de la bomba de agua

Bomba de agua

Nota: apretar todas las fijaciones a 20-30 Nm (15-22 pie-lb)

Espárragos. Cant. 4

Parte delantera del motor

Tapa anterior del motor 6019, bomba de aceite y carcasa del filtro

▲ **Vista esquemática del montaje de la bomba de agua – Motor 3.8L**

asistida. Dejando las mangueras conectadas, poner a un lado el conjunto soporte-bomba, en una posición en la que no se produzca pérdida de fluido.

6. Si está equipado con aire acondicionado, desmontar el soporte delantero del compresor. Dejar el compresor en su sitio.

7. Desconectar las mangueras de desvío del refrigerante y del calefactor, de la bomba de agua.

8. Desmontar los tornillos de fijación de la bomba de agua en el bloque de cilindros, y desmontar la bomba del vehículo. Desechar la junta y sustituirla por una nueva.

Para instalar:

9. Lubricar ligeramente con aceite las roscas de todos los tornillos y espárragos antes de su montaje, excepto los que requieran sellante. Limpiar cuidadosamente las superficies de contacto de junta de la tapa delantera y la bomba de agua.

10. Aplicar una capa de adhesivo de contacto en ambas caras de la junta nueva. Posicionar la junta nueva en la superficie de contacto de la bomba de agua.

11. Posicionar la bomba de agua en la tapa delantera, y montar los tornillos de fijación. Apretar a 15-22 pie-lb (20-30 Nm).

12. Montar los componentes restantes en el orden inverso al desmontaje.

13. Desmontar la barra de soporte del motor. Llenar el sistema de refrigeración del motor hasta el nivel apropiado. Poner en marcha el motor y comprobar si hay fugas.

CULATA DE CILINDROS

DESMONTAJE E INSTALACIÓN

▼ PRECAUCIÓN ▼

El sistema de inyección de combustible permanece bajo presión, incluso después de que el motor haya sido parado. La presión del sistema de combustible debe descargarse antes de desconectar cualquier conducción. Dejar de hacerlo puede ser causa de un incendio y/o daños personales.

Motores 3.0L (DOHC) y 3.2L SHO de 1995

1. Desconectar el cable negativo de la batería. Descargar la presión del sistema de combustible.

2. Vaciar el sistema de refrigeración. Desmontar el tubo de salida del filtro de aire. Desmontar el múltiple de admisión.

3. Aflojar las poleas intermedias de las correas propulsoras de los accesorios y desmontar las correas propulsoras. Desmontar la tapa superior de la correa de sincronización.

4. Desmontar el conjunto de la(s) polea(s) intermedia(s) izquierda(s) y soporte(s). Levantar el vehículo y asegurarlo sobre soportes.

5. Desmontar la rueda derecha y la protección contra salpicaduras interna del guardabarros. Desmontar la polea amortiguadora del cigüeñal. Desmontar la tapa inferior de la correa de sincronización.

6. Alinear las marcas de sincronización de las poleas de los árboles de levas con las marcas índice sobre la tapa superior de acero de la correa de sincronización.

7. Disminuir la tensión de la correa de sincronización aflojando la tuerca del tensor, y girando el tensor, con una llave de cabeza hexagonal. Una vez descargada la tensión, apretar la tuerca para mantener la posición del tensor.

8. Desconectar el conjunto del cableado del sensor del cigüeñal. Desmontar el conjunto de la tapa central.

9. Desmontar la correa de sincronización. Localizar las letras KOA sobre la correa. La correa debe montarse para que gire en la misma dirección.

10. Desmontar las tapas de culata de cilindros. Desmontar las poleas de sincronización del árbol de levas. Desmontar las tapas traseras superior y central de la correa de sincronización.

11. Si se desmonta la culata de cilindros izquierda, desmontar el soporte de la bobina DIS y el tubo de la varilla del nivel de aceite. Si se desmonta la culata derecha, desmontar la manguera de salida del refrigerante.

12. Desmontar el múltiple de escape sobre la culata de cilindros izquierda. En la culata de cilindros derecha, el múltiple de escape debe desmontarse con la culata.

13. Desmontar los tornillos de culata de cilindros y desmontar la culata.

Para instalar:

14. Limpiar los agujeros de los tornillos del bloque, con un macho de roscar. Engrasar ligeramente con aceite las roscas de todos los tornillos y espárragos, excepto los que entren en contacto con una camisa de refrigerante. Estos tornillos y espárragos deben sellarse con un sellante de silicona.

15. Limpiar las superficies de las culatas de cilindros y del bloque de cilindros de todo resto de material de junta.

16. Posicionar la culata de cilindros y la junta sobre el bloque de cilindros, y alinearlos con los pasadores de centraje.

17. Montar los tornillos de culata de cilindros y apretarlos en secuencia, a 37-50 pie-lb (49-69 Nm). Repetir la secuencia y apretarlos a 62-68 pie-lb (83-93 Nm).

18. Cuando se monte la culata de cilindros izquierda, montar el múltiple de escape, soporte de la bobina DIS y tubo de la varilla del nivel de aceite.

19. Cuando se monte la culata derecha, montar la manguera de salida de refrigerante, y conectar el catalizador en el escape.

20. Montar los componentes restantes siguiendo el orden inverso al desmontaje.

21. Conectar el cable negativo de la batería.

22. Llenar el sistema de refrigeración del motor con el tipo y cantidad de refrigerante especificados. Poner en marcha el motor y comprobar si hay fugas de refrigerante, combustible o aceite.

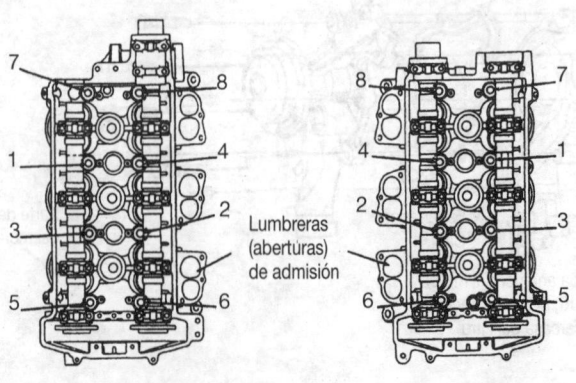

▲ Orden de apriete de los tornillos de culata de cilindros – Motores 3.0L (DOHC) de 1995 y 3.2L SHO

Motor 3.0L (OHV)

1. Girar el cigüeñal hasta que el pistón en el cilindro N° 1, esté en el PMS, en la carrera de compresión.

2. Desconectar el cable negativo de la batería. Descargar la presión del sistema de combustible. Vaciar el sistema de refrigeración en un contenedor apropiado.

3. Desmontar la manguera de salida del filtro de aire en el cuerpo del estrangulador. Etiquetar y desconectar las conducciones de vacío del cuerpo del estrangulador.

4. Desconectar las mangueras de la válvula del EGR. Aflojar la tuerca del tubo inferior de la válvula del EGR, y girar el tubo apartándolo de la válvula.

5. Etiquetar y desconectar los cables del sensor de temperatura del aire de admisión (IAT), sensor de posición de la válvula del estrangulador (TPS), válvula de control del aire en marcha mínima (IAC) y presión de retroalimentación del EGR (PFE), o sensores de la presión diferencial de retroalimentación (DPFE).

6. Desmontar los clips de seguridad de la conducción de combustible, y desconectar las conducciones de combustible, del múltiple de alimentación de combustible.

7. En el motor 3.0L (OHV) de 1995, desmontar el cuerpo del estrangulador y desechar la junta.

8. En los motores 3.0L (OHV) de 1996-99, desmontar el múltiple de admisión superior y desechar la junta.

9. Etiquetar y desconectar el mazo de cables de los inyectores de combustible, de los espárragos de la tapa de válvulas y de los inyectores de combustible.

10. Desmontar la bobina de encendido y el soporte, de la culata de cilindros izquierda (delantera), y ponerla aparte.

11. Etiquetar y desconectar los cables del encendido de las bujías, y de los espárragos de la tapa de válvulas. Desconectar las mangueras superiores del radiador y calefactor.

12. En el motor 3.0L de 1995 con combustible no flexible, desmontar la tapa del distribuidor. Desconectar el cableado y desmontar el distribuidor.

13. En el motor 3.0L de 1995, con combustible flexible, desmontar el sensor de la posición del cigüeñal (CMP).

14. Desconectar el sensor de temperatura del refrigerante del motor (ECT) y los conectores eléctricos de la unidad del transmisor de temperatura.

15. En la culata de cilindros izquierda (delantera), llevar a cabo las siguientes operaciones:

a. Desconectar los conectores eléctricos del alternador.

b. Girar el tensor en el sentido del reloj y desmontar la correa propulsora de los accesorios.

c. Desmontar el conjunto del tensor automático de la correa.

d. Desmontar el alternador.

e. Desmontar los tornillos de fijación del soporte de montaje de la bomba de la dirección asistida. Dejar las mangueras conectadas y apartar la bomba a un lado, en una posición que evite el derrame de fluido.

f. Desmontar el tubo de la varilla del nivel de aceite motor, del múltiple de escape.

16. En la culata de cilindros derecha (trasera), llevar a cabo las siguientes operaciones:

a. Desmontar el soporte del tensor de la correa del alternador.

b. Desmontar los soportes de retención del tubo de suministro del calefactor, del múltiple de escape.

c. Desmontar el tornillo de retención del cable del sensor de velocidad del vehículo (VSS).

d. Desmontar el solenoide de control de emisiones del estrangulador, y el soporte.

17. Desmontar las tapas de balancines. Aflojar los tornillos del fulcro (pivote) de los balancines y desmontar los balancines, fulcros o pivotes y tornillos. Guardar los conjuntos

ordenados de tal manera que puedan volver a montarse en sus posiciones originales.

➡ **Independientemente de que se desmonte o no la culata de cilindros, el empujador de la válvula de admisión del cilindro N° 3, debe desmontarse para permitir el desmontaje del múltiple de admisión.**

18. Desmontar los empujadores y etiquetar sus posiciones. Los empujadores tienen que volver a montarse en sus posiciones originales.

19. Desmontar el múltiple de admisión. Desmontar las bujías. Desmontar los múltiples de escape.

20. Desmontar y desechar los tornillos de culata de cilindros y desmontar las culatas de cilindros del motor. Desmontar y desechar las juntas de culata.

Para instalar:

21. Limpiar los agujeros de los tornillos de culata de cilindros en el bloque de cilindros con un macho de roscar. Limpiar las superficies de contacto de junta de culata de cilindros, múltiple de admisión, tapa de balancines y culata de cilindros.

22. Colocar nuevas juntas de culata en el bloque de cilindros y alinearlas por medio de los pasadores de centraje. Si los pasadores están dañados, deben sustituirse.

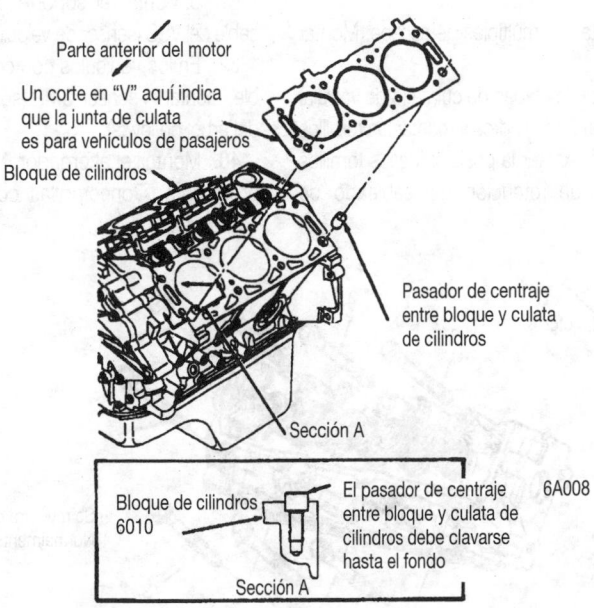

⚠ **Asegurarse de montar adecuadamente la junta de culata – Motor 3.0L (OHV)**

23. Posicionar la culata de cilindros sobre el bloque. Montar tornillos de culata de cilindros nuevos y apretarlos, en secuencia, a 59 pie-lb (80 Nm), después aflojarlos una vuelta.

24. Apretar los tornillos de culata de cilindros, en secuencia, a 37 pie-lb (50 Nm). Repetir la secuencia y apretar los tornillos a 68 pie-lb (92 Nm).

25. Montar el múltiple de admisión. Conectar el ETC (sensor de temperatura del refrigerante del motor) y el conector de la unidad del transmisor de temperatura.

26. En el motor 3.0L (OHV) de 1995, con carburante no flexible, montar el distribuidor.

27. Engrasar los extremos de los empujadores sumergiéndolos en aceite acondicionador o aceite de motor para trabajo duro. Montar los empujadores en su posición original.

28. Antes del montaje, engrasar los vástagos de válvulas, balancines y zonas de contacto del pivote con Lubriplate®, o equivalente.

29. Girar el cigüeñal hasta que el empujador esté en el círculo base de la leva (válvula cerrada).

30. Montar los conjuntos de balancines, y apretar los tornillos de pivote de balancines a 24 pie-lb (32 Nm). Asegurarse de que el empujador está sobre el círculo base de la leva, en cada balancín que se monte.

➡ **Los pivotes deben estar completamente asentados en la culata de cilindros y las varillas de los empujadores deben estar asentadas en los casquillos de los balancines, antes del apriete final.**

31. Montar los múltiples de escape. Montar las bujías.

32. Montar las tapas de culata (o de válvula) sobre la culata de cilindros y montar los tornillos de retención. Anotar la posición de los tornillos espárragos de retención del cableado de encendido.

33. Montar los cables de carga de combustible de los inyectores de combustible y los espárragos roscados interiores de la tapa de válvulas.

34. En el motor 3.0L de 1995, montar la junta del cuerpo del estrangulador y del múltiple de admisión superior.

35. En los motores 3.0L de 1996-99, montar la junta superior del múltiple de admisión superior y el múltiple de admisión superior.

36. Montar la bobina de encendido y el soporte. Conectar todos los conectores de los sensores eléctricos.

37. En la culata izquierda (delantera), efectuar las operaciones siguientes:

a. Conectar el tubo de la varilla del nivel de aceite, en el espárrago del múltiple de escape, y apretar la tuerca a 13 pie-lb (18 Nm).

b. Montar el soporte de apoyo y la bomba de la dirección asistida. Apretar los tornillos de retención a 35 pie-lb (48 Nm).

c. Montar el tensor automático de la correa y apretar los tornillos/tuercas de retención a 35 pie-lb (48 Nm).

38. En la culata de cilindros derecha (trasera), efectuar las operaciones siguientes:

a. Montar el soporte del tensor de la correa del alternador.

b. Montar el solenoide de control de emisiones y soporte del estrangulador. Apretar el tornillo de retención a 26 pie-lb (35 Nm).

c. Montar los soportes de retención del tubo de suministro del calefactor en el múltiple de escape, y apretar las tuercas a 26 pie-lb (35 Nm).

d. Montar el soporte de retención del cable del VSS (sensor de velocidad del vehículo).

39. En los vehículos con combustible flexible, montar el sensor CMP (sensor de posición del árbol de levas).

40. Montar el alternador. Montar la correa propulsora. Conectar las conducciones de combustible.

41. Conectar la manguera superior del radiador y las mangueras del calefactor. Conectar todas las conducciones de vacío en las posiciones previamente marcadas. Cambiar el aceite del motor y el filtro.

42. Montar el tubo de salida del filtro de aire en el cuerpo del estrangulador y filtro de aire del motor. Montar el tubo respiradero del cárter en la tapa de válvulas.

43. Llenar y purgar el sistema de refrigeración del motor. Conectar el cable negativo de la batería. Poner en marcha el motor y comprobar si hay fugas de refrigerante, combustible, aceite, vacío y gases de escape.

44. En el motor de 3.0L de 1995, con combustible no flexible, comprobar la sincronización del encendido.

45. Comprobar y ajustar si fuera necesario, el cable de control de crucero y el cable de la válvula del estrangulador.

Motor 3.0L (DOHC) de 1996-99

➡ **Los tornillos de culata de cilindros están diseñados para que al apretarlos al par especificado se estiren permanentemente, y no pueden usarse otra vez. Asegurarse de disponer de tornillos nuevos, antes de empezar este procedimiento.**

1. Desconectar el cable negativo de la batería. Vaciar el refrigerante de motor, del radiador y bloque de cilindros por medio de los tapones de vaciado.

2. Desmontar el motor del vehículo y situarlo sobre un soporte de trabajo apropiado.

3. Desmontar los múltiples de admisión superior e inferior. Desmontar los múltiples de escape.

4. Vaciar el aceite del motor y desmontar el depósito de aceite. Desmontar la tapa delantera del motor.

5. Desmontar las cadenas de sincronización, árboles de levas y ajustadores de holgura de válvulas de ambas culatas.

6. Desmontar los tornillos de retención de las culatas de cilindros siguiendo la secuencia de desmontaje apropiada. Inspeccionar las culatas de cilindros y el bloque de cilindros.

Para instalar:

7. Limpiar las superficies de sellado de junta de las culatas de cilindros, múltiples de admisión, tapas de válvulas y juntas de culata sobre el bloque de cilindros.

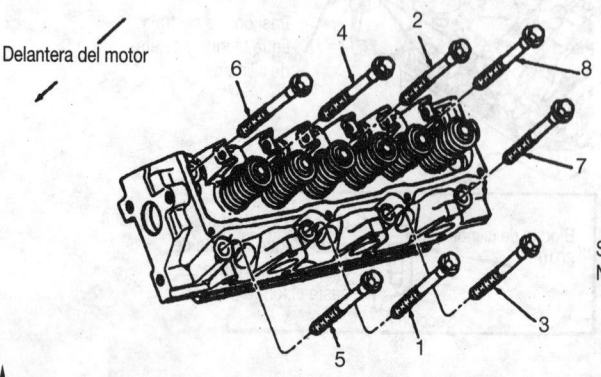

Delantera del motor

Se muestra el lado izquierdo. Normalmente el lado derecho

▲ Secuencia de apriete de los tornillos de culata de cilindros – Motor 3.0L (OHV)

➡ Si las culatas de cilindros se desmontan para cambiar las juntas de culata, controlar la planicidad de las superficies de sellado de juntas de las culatas de cilindros y del bloque de cilindros.

8. Montar juntas de culata de cilindros nuevas en los pasadores de centraje del bloque de cilindros.

➡ Las juntas de culata izquierda y derecha no son intercambiables.

9. Montar las culatas de cilindros en su posición original teniendo cuidado de no dañar las culatas, bloques o juntas.

10. Asegurarse de que las culatas de cilindros están correctamente posicionadas sobre los pasadores de centraje. Engrasar ligeramente con aceite las roscas de los tornillos de culata nuevos, y montarlos en las culatas de cilindros.

11. Apretar los tornillos de culata nuevos como sigue:
• Apretar los tornillos en secuencia, a 27-32 pie-lb (37-43 Nm).
• Girar los tornillos en secuencia, 85-95 grados.
• Aflojar los tornillos en secuencia, un mínimo de una vuelta completa.
• Apretar los tornillos en secuencia, a 27-32 pie-lb (37-43 Nm).

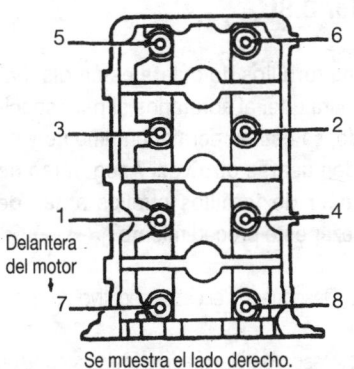

Delantera del motor

Se muestra el lado derecho. Lado izquierdo similar

▲ Secuencia de apriete de los tornillos de culata de cilindros – Motor 3.0L (DOHC) de 1996-99

• Girar los tornillos en secuencia 85-95 grados.
• Girar los tornillos en secuencia 85-95 grados adicionales.

12. Montar el transductor de la presión de retroceso del EGR, y el soporte, en la parte trasera de la culata de cilindros derecha. Apretar los tornillos de retención a 71-106 pie-lb (8-12 Nm).

13. Montar los ajustadores de holgura, árboles de levas y cadenas de sincronización. Montar la tapa delantera del motor. Montar el depósito de aceite.

14. Montar los múltiples de escape. Montar los múltiples de admisión superior e inferior. Cambiar el filtro de aceite del motor.

15. Montar el conjunto motor, dentro del vehículo. Llenar el motor con la cantidad y grado de aceite de motor apropiados. Llenar el sistema de refrigeración del motor.

16. Conectar el cable negativo de la batería. Poner en marcha el motor y comprobar si hay fugas. Hacer una prueba del vehículo en carretera y comprobar el correcto funcionamiento del motor.

Motor 3.4L (DOHC)

➡ Los tornillos de culata están diseñados para que al apretarlos al par especificado se estiren permanentemente, y no pueden usarse otra vez. Asegurarse de disponer de tornillos nuevos antes de empezar este procedimiento.

1. Desconectar el cable negativo de la batería. Vaciar el refrigerante del motor, del radiador y del bloque, por medio de los tapones de vaciado.

2. Desmontar el motor del vehículo y situarlo sobre un soporte de trabajo apropiado.

3. Desmontar los múltiples de admisión superior e inferior. Desmontar los múltiples de escape.

4. Vaciar el aceite del motor y desmontar el depósito de aceite. Desmontar la tapa delantera del motor.

5. Desmontar las cadenas de sincronización y los árboles de levas.

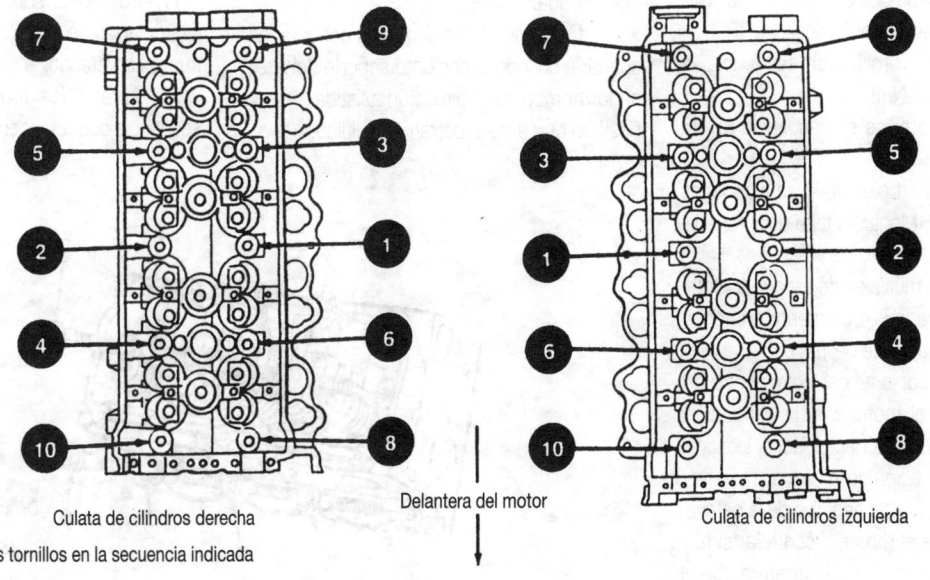

Culata de cilindros derecha

Delantera del motor

Culata de cilindros izquierda

● Apretar los tornillos en la secuencia indicada

▲ Secuencia de apriete de los tornillos de culata de cilindros – Motor 3.4L (DOHC)

6. Desmontar los tornillos de retención de culata de cilindros, de las culatas de cilindros, siguiendo la secuencia de desmontaje correcta. Inspeccionar las culatas de cilindros y el bloque de cilindros.

Para instalar:

7. Limpiar las culatas de cilindros, múltiples de admisión, tapas de válvulas y las superficies de sellado de las juntas de culata sobre los bloques de cilindros.

➡ Si las culatas de cilindros se desmontan para cambiar juntas de culata, controlar la planitud de las superficies de sellado en contacto con las juntas de las culatas de cilindros y del bloque de cilindros.

8. Montar nuevas juntas de culata en los pasadores de centraje del bloque de cilindros.

➡ Las juntas de culata de cilindros izquierda y derecha no son intercambiables.

9. Montar las culatas de cilindros en sus posiciones originales teniendo cuidado de no dañar las culatas, los bloques de cilindros o las juntas.

10. Asegurarse de que las culatas de cilindros están posicionadas correctamente sobre los pasadores de centraje. Engrasar ligeramente con aceite las roscas de los tornillos de culata nuevos, y montarlos dentro de las culatas de cilindros.

11. Apretar los tornillos de retención de culata de cilindros nuevos, como sigue:
- Apretar los tornillos en secuencia, a 20-23 pie-lb (27-32 Nm).
- Girar los tornillos en secuencia 85-95 grados.

12. Montar los árboles de levas y cadenas de sincronización. Montar la tapa delantera del motor. Montar el depósito de aceite.

13. Montar los múltiples de escape. Montar los múltiples de admisión superior e inferior. Cambiar el filtro de aceite del motor.

14. Montar el conjunto del motor dentro del vehículo. Llenar el motor con la cantidad y grado de aceite de motor apropiados. Llenar el sistema de refrigeración del motor.

15. Conectar el cable negativo de la batería. Poner en marcha el motor, y controlar si hay fugas. Hacer una prueba de carretera con el vehículo y comprobar el correcto funcionamiento del motor.

Motor 3.8L

➡ Los tornillos de culata están diseñados para que, al apretarlos al par especificado, se estiren permanentemente y no pueden usarse otra vez. Asegurarse de disponer de tornillos nuevos antes de empezar este procedimiento.

1. Desconectar el cable negativo de la batería.

2. Descargar la presión del sistema de combustible. Vaciar el sistema de refrigeración.

3. Desmontar el conjunto filtro de aire, incluido el conducto de entrada de aire y el tubo de calor.

4. Aflojar la polea intermedia de la correa propulsora de los accesorios. Desmontar la correa.

5. Para la culata de cilindros izquierda efectuar las siguientes operaciones:
   a. Desmontar el tapón de llenado de aceite.
   b. Si está equipado, desmontar los tornillos de retención del soporte de montaje del A/A. Dejar las mangueras conectadas, y apartar a un lado el compresor del A/A.
   c. Desmontar los tornillos de fijación del soporte de montaje delantero de la bomba de la dirección asistida.
   d. Desmontar el conjunto del alternador y la polea intermedia de la correa propulsora de los accesorios.
   e. Desmontar los tornillos de retención del soporte del alternador/bomba de la dirección asistida.
   f. Dejando las mangueras conectadas, apartar a un lado el conjunto soporte del alternador/bomba de la dirección asistida, en una posición que evite el derrame de fluido.

6. Para la culata de cilindros derecha, efectuar las operaciones siguientes:
   a. Desmontar la válvula PCV.

7. Desmontar el múltiple de admisión superior.

8. Desmontar los tornillos de fijación de las tapas de balancines. Desmontar el raíl de combustible y el múltiple de admisión inferior.

9. Desmontar el(los) múltiple(s) de escape.

10. Aflojar los tornillos de fijación de pivote de balancín, lo suficiente para que permita levantar el balancín y sacarlo del empujador, y girarlo hacia un lado.

11. Desmontar los empujadores. Guardarlos en el mismo orden, ya que deben volver a montarse en sus posiciones originales.

12. Desmontar los tornillos de culata y desecharlos. Desmontar la(s) culata(s).

13. Limpiar todas las superficies en contacto con la junta.

14. Controlar la planitud de la superficie de junta de la culata de cilindros con una regla y un calibre de holguras. La deformación máxima permitida es 0.003 plg por cada 6.0 plg. No mecanizar más de 0.010 plg.

Para instalar:

15. Limpiar los agujeros roscados de los tornillos de culata de cilindros con un macho de roscar. Antes de instalar, engrasar ligeramente las roscas de los tornillos y espárragos roscados, excepto los que entran en las camisas del refrigerante.

16. Posicionar sobre el bloque de cilindros la/s junta/s de culata nueva/s usando los pasadores de centraje.

17. Posicionar sobre el bloque de cilindros la/s culata/s de cilindros y montar los tornillos nuevos apretándolos con la mano.

18. Apretar los tornillos de culata en la secuencia correcta, como sigue:

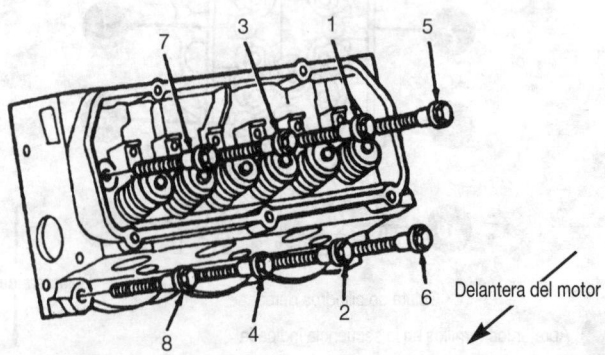

▲ Montar y apretar los tornillos de culata de cilindros en cuatro etapas, según la secuencia indicada – Motor 3.8L

a. 37 pie-lb (50 Nm).

b. 45 pie-lb (60 Nm).

c. 52 pie-lb (70 Nm).

d. 59 pie-lb (80 Nm).

e. Aflojar cada tornillo de uno en uno, en secuencia, 2-3 vueltas, después apretar a 11-18 pie-lb (15-25 Nm).

f. Girar cada tornillo en secuencia 90 grados adicionales.

g. En el motor 3.8L de 1995, apretar cada tornillo corto a 7-15 pie-lb (10-20 Nm), después girar 90 grados adicionales.

➡ **En el motor de 3.8L de 1995, no aflojar más de un tornillo a la vez.**

19. Lubricar cada empujador con aceite de motor de alta viscosidad, y montarlos en sus posiciones originales.

20. Para cada válvula, girar el árbol de levas hasta que el empujador descanse sobre el círculo base del lóbulo de leva (empujador abajo del todo). Asegurarse de que el pivote está correctamente asentado, después apretar el tornillo a 43 plg-lb (5 Nm).

21. Lubricar los conjuntos de balancines con aceite de motor de alta viscosidad y finalmente apretar los tornillos de los pivotes a 19-25 pie-lb (25-35 Nm). Los pivotes deben estar completamente asentados en la culata de cilindros y los empujadores deben estar asentados en los casquillos de los balancines, antes del apriete final. El apriete final puede efectuarse en cualquier posición del árbol de levas.

➡ **Si se montan los componentes originales del tren de válvulas, no es necesario comprobar la holgura de válvulas. Si se ha sustituido alguno de los componentes, llevar a cabo un control de la holgura de válvulas.**

22. Montar el(los) múltiple(s) de escape.

23. Montar el múltiple de admisión inferior y el raíl de combustible.

24. Posicionar la tapa de la culata con una junta nueva sobre la culata de cilindros y montar los tornillos de fijación. Anotar la posición de los espárragos roscados de fijación de los clips de recorrido de los cables de bujía. Apretar los tornillos de fijación a 80-106 plg-lb (9-12 Nm).

25. Montar el múltiple de admisión superior.

26. Montar las bujías, si se han desmontado.

27. Conectar los cables de bujías, en las bujías.

28. En la culata de cilindros izquierda, efectuar las operaciones siguientes:

a. Montar el tapón de llenado de aceite.

b. Montar el soporte de montaje del alternador/bomba de la dirección asistida.

c. Montar el conjunto del alternador.

d. Montar el conjunto tensor de la correa propulsora de los accesorios.

e. Montar el conjunto de la bomba de la dirección asistida.

f. Montar el soporte de apoyo de la bomba de la dirección asistida.

29. En la culata de cilindros derecha, efectuar las operaciones siguientes:

a. Montar la válvula PCV.

30. Montar la correa propulsora de los accesorios. Si está equipado, montar el soporte de apoyo de los tubos del thermactor en la parte trasera de la culata de cilindros. Apretar los tornillos de fijación a 30-40 pie-lb (40-55 Nm).

31. Conectar el cable negativo de la batería.

32. Llenar y purgar el sistema de refrigeración del motor.

33. Poner en marcha el motor y controlar las fugas de refrigerante, combustible y aceite.

34. Controlar y ajustar la marcha mínima reprimida.

35. Montar el conjunto del filtro de aire, incluyendo el conducto de entrada de aire, y tubo calefactor.

BALANCINES/EJES DE BALANCINES

DESMONTAJE E INSTALACIÓN

Motor 3.0L (OHV)

1. Desconectar el cable negativo de la batería. Desconectar y etiquetar los cables de las bujías.

2. Desmontar el conjunto cable de encendido/separador, de los espárragos roscados de fijación de las tapas de balancines.

3. Si se desmonta la tapa de balancines izquierda, desmontar el tapón de llenado de aceite, desconectar la manguera del sistema de cierre del filtro de aire y desmontar el cableado de los inyectores de combustible, de los espárragos de fijación interiores de la tapa de balancines.

4. En los motores de 3.0L de 1995, si se desmonta la tapa de balancines derecha, desmontar el cuerpo del estrangulador, la válvula PCV, aflojar la tuerca de retención del tubo inferior del EGR, si está equipado, y girar el tubo hacia un lado, y separar a un lado el mazo de cables de la inyección de combustible.

5. En los motores 3.0L de 1996-99, si se desmonta la tapa de balancines derecha, desmontar el múltiple de admisión superior, etiquetar y desconectar las mangueras de vacío, de la pieza en T de vacío, aflojar las tuercas del tubo EGR, en la válvula EGR y la conexión del múltiple de escape. Desmontar, o girar el tubo hacia un lado, desmontar la válvula PCV, el mazo de cables de los sensores del motor, y poner los cables a un lado, y el tirante del alternador.

6. Desmontar los tornillos de fijación de las tapas de balancines, y sacar las tapas y juntas del vehículo.

7. Desmontar los tornillos de balancines, pivotes, balancines y arandelas de pivotes. Guardar todos los componentes en orden, de manera que puedan montarse otra vez en su posición original.

8. Desmontar los empujadores, si fuera necesario. Guardarlos en orden, de manera que puedan montarse otra vez en su posición original.

9. Inspeccionar los balancines, pivotes y empujadores, por si estuvieran gastados y/o dañados. Sustituirlos, si fuera necesario.

Para instalar:

10. Montar los empujadores, si han sido desmontados, asegurándose de que se asientan en los levantaválvulas.

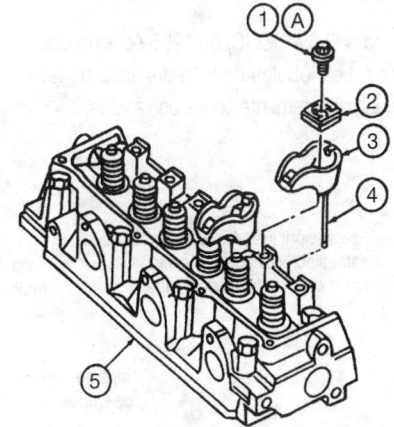

1. Tornillo (cantidad 12)
2. Asiento de balancín (cantidad 12)
3. Balancín (cantidad 12)
4. Varilla de empuje (cantidad 12)
5. Culata de cilindros (cantidad 2)
6. 2.15-4.69 mm (0.085-0.185 plg)
A. Apretar en dos etapas: 7-15 Nm (5-11 pie-lb) 26-38 Nm (19-28 pie-lb)

▲ **Vista esquemática de los balancines y componentes correspondientes – Motor 3.0L (OHV)**

11. Engrasar las válvulas y los extremos de los empujaválvulas, balancines y áreas de contacto de los pivotes con Lubriplate®, o equivalente. Lubricar ligeramente con aceite, todas las roscas de los tornillos y espárragos, antes del montaje.

12. Girar el motor hasta que el levantaválvulas esté sobre el círculo base de la leva (válvula cerrada).

13. Montar el balancín y componentes, y apretar los tornillos del pivote del balancín, en dos etapas: primera a 8 pie-lb (11 Nm), y final a 24 pie-lb (32 Nm). Asegurarse de que el levantaválvulas esté sobre el círculo base de la leva, en cada balancín que se monte.

14. Limpiar las superficies de sellado de junta, de todo resto de sellante y suciedad. Si no está equipado con juntas integrales, asegurarse de que todo resto de material de junta vieja ha sido eliminado.

15. Aplicar sellante de silicona en la culata de cilindros, en la zona de acoplamiento del raíl del múltiple de admisión. Si no está equipado con juntas integrales, montar una junta nueva de tapa de balancines.

16. Montar la tapa de balancines y los tornillos y espárragos. Apretar a 9 pie-lb (12 Nm) en la secuencia correcta.

17. Montar los restantes componentes en el orden inverso al desmontaje.

Motor 3.0L (DOHC) de 1995

El motor 3.0L (DOHC) de 1995 no tiene balancines. Los lóbulos de leva del árbol de levas actúan directamente sobre las válvulas.

Motor 3.0L (DOHC) de 1996-99

1. Desconectar el cable negativo de la batería.

2. Desmontar las dos tapas de culata de cilindros.

3. Desmontar el tornillo de retención de la polea del cigüeñal, de la parte delantera del cigüeñal, para que permita tomar el chavetero como referencia.

4. Girar el cigüeñal de modo que el chavetero esté en la posición de las 11 en punto, para colocar el cigüeñal en el PMS del cilindro N° 1.

5. Verificar que las flechas de alineación de los árboles de levas estén alineadas. En caso de que no lo estén, girar el cigüeñal una vuelta completa y verificar otra vez.

6. Girar el cigüeñal de modo que el chavetero esté en la posición de las 3 en punto. Esto posiciona los árboles de levas de la culata de cilindros derecha en la posición neutra.

7. Desmontar los tornillos de retención de las tapas cojinetes de empuje de los árboles de levas de la culata de cilindros derecha y las tapas cojinetes de empuje.

8. Aflojar los tornillos de retención de las tapas de cojinete de árboles de levas restantes, en secuencia, aflojar los tornillos varias vueltas cada vez, en varias etapas, para dejar que el árbol de levas se despegue regularmente de la culata de cilindros. No desmontar completamente los tornillos de retención.

9. Con los árboles de levas aflojados, desmontar los balancines y guardarlos en el orden en que han sido desmontados.

10. Si fuera necesario, desmontar los ajustadores de holguras (empujadores hidráulicos) de la culata de cilindros.

11. Girar el cigüeñal dos vueltas y colocar el chavetero a las 11 en punto. Esto posicionará los árboles de levas de la culata izquierda en su posición neutral.

12. Verificar que las flechas de alineación de los árboles de levas están alineadas.

➡ **Las tapas cojinete del árbol de levas y las culatas de cilindros están numeradas, para asegurar que sean montadas en su posición original. Si se desmontan, guardar las tapas de cojinete de los árboles de levas junto con la culata de cilindros de la cual fueron desmontadas.**

13. Desmontar los tornillos de retención de las tapas cojinetes de empuje de árboles de levas y las tapas de empuje, de la culata de cilindros izquierda.

14. Aflojar los tornillos de las tapas cojinete restantes, en secuencia, aflojando los tornillos varias vueltas cada vez en varias etapas, para permitir que el árbol de levas se despegue regularmente de la culata de cilindros. No desmontar completamente los tornillos de retención.

➡ **Si los ajustadores de huelgo y los balancines de rodillos tienen que usarse otra vez, marcar la posición de los ajustadores de huelgo y balancines, de manera que sean montados en su posición original.**

Precaución: los árboles de levas deben estar sincronizados con el cigüeñal, antes de montar los balancines

Tapa de cojinete (muñequilla)

Arbol de levas de admisión

Balancín

Nota: los empujaválvulas deben bombearse (llenar de aceite) antes de su montaje

Empujaválvulas

Árbol de levas de escape

Tapa de cojinete de empuje

Precaución: desmontar primero las tapas de los cojinetes de empuje de la culata de cilindros. Montar por último las tapas de los cojinetes de empuje de la culata de cilindros

Precaución: girar el cigüeñal hasta que el chavetero (cuñero), esté en la posición de las 11 en punto, antes del montaje del árbol de levas izquierdo y los balancines. Girar el cigüeñal en el sentido del reloj hasta que el chavetero esté en la posición de las 3 en punto, antes del montaje del árbol de levas derecho, los balancines y las tapas de los cojinetes de empuje

▲ Vista esquemática del montaje del árbol de levas – Motor 3.0L (DOHC) de 1996-99

15. Con los árboles de levas aflojados, desmontar los balancines, y guardarlos en el mismo orden en que han sido desmontados.

16. Si fuera necesario, desmontar los ajustadores de huelgo de la culata de cilindros.

17. Inspeccionar los balancines y los ajustadores de huelgo por si estuvieran desgastados o dañados, y cambiarlos si fuera necesario.

Para instalar:

18. Asegurarse de que el chavetero del cigüeñal está en la posición de las 11 en punto.

19. Si se han desmontado, lubricar los ajustadores de huelgo de la culata de cilindros izquierda, con lubricante de montaje de motores y montarlos en su posición correcta en la culata de cilindros.

20. Si los empujadores hidráulicos (ajustadores de huelgo) son nuevos, sumergirlos en un contenedor con aceite de motor limpio y llenarlos de aceite bombeando manualmente, antes de montarlos en la culata de cilindros.

21. Lubricar con aceite de montaje de motores los balancines de la culata de cilindros izquierda y montar los balancines en la culata de cilindros izquierda, en sus posiciones originales.

➡ **No montar las tapas de cojinetes de empuje de los árboles de levas, hasta que las tapas de cojinetes de los árboles de levas estén apretadas dentro de su posición.**

22. Apretar los tornillos de las tapas de cojinetes de los árboles de levas de la culata

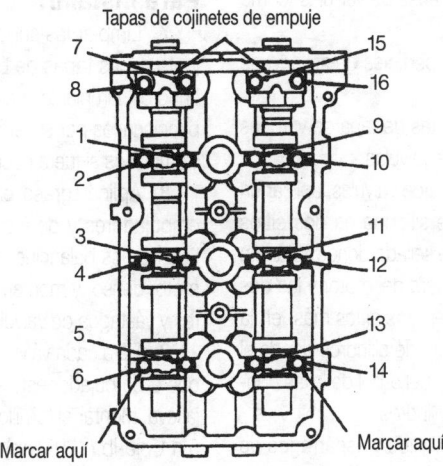

Secuencia de apriete de las tapas de cojinetes del árbol de levas – Culata de cilindros derecha del motor 3.0L (DOHC) de 1996-99

izquierda, en secuencia, en varias etapas, para permitir a los árboles de levas asentarse en la culata regularmente. Apretar los tornillos a 71-106 plg-lb (8-12 Nm).

23. Montar las tapas de cojinetes de empuje de los árboles de levas de la culata izquierda. Apretar los tornillos a 71-106 plg-lb (8-12 Nm).

24. Girar el cigüeñal dos vueltas hasta posicionar el chavetero del cigüeñal en la posición de las 3 en punto. Esto colocará los árboles de levas de la culata de cilindros derecha en posición neutral.

25. Lubricar con aceite de montaje de motores los empujadores hidráulicos de la culata de

cilindros derecha y montarlos en su posición original en la culata de cilindros.

26. Si los empujadores hidráulicos son nuevos, sumergirlos en un contenedor con aceite de motor limpio y llenarlos de aceite bombeando manualmente, antes de montarlos en la culata de cilindros.

27. Lubricar con aceite de montaje de motores, los balancines de la culata de cilindros derecha, y montar los balancines en la culata de cilindros derecha, en sus posiciones originales.

➡ **No montar las tapas de cojinetes de empuje de los árboles de levas, hasta que las tapas de cojinetes de los árboles de levas estén apretadas dentro de su posición.**

28. Apretar los tornillos de las tapas de cojinetes de los árboles de levas de la culata de cilindros derecha, en secuencia, en varias etapas, para permitir a los árboles de levas asentarse en la culata regularmente. Apretar los tornillos a 71-106 plg-lb (8-12 Nm).

29. Montar las tapas cojinetes de empuje de los árboles de levas de la culata derecha. Apretar los tornillos a 71-106 plg-lb (8-12 Nm).

30. Montar el tornillo de retención de la polea del cigüeñal.

31. Apretar el tornillo de retención de la polea del cigüeñal, como sigue:

a. Apretar a 89 pie-lb (120 Nm).

b. Aflojar el tornillo al menos una vuelta completa.

c. Apretar el tornillo a 35-39 pie-lb (47-53 Nm).

d. Girar el tornillo 85-95 grados.

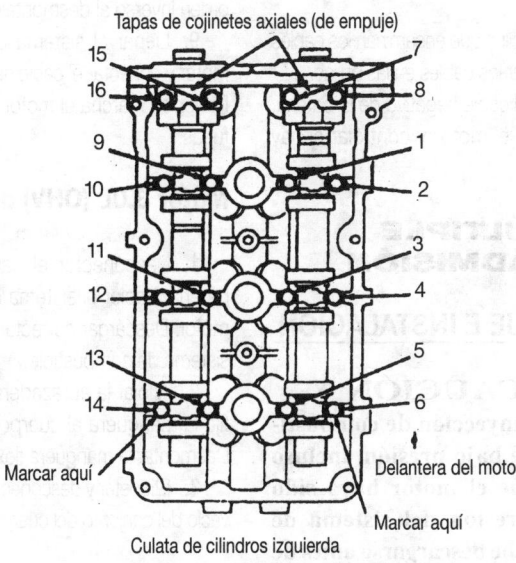

Apretar las tapas de cojinetes gradualmente en el orden indicado, para evitar posibles deformaciones del árbol de levas – Culata de cilindros izquierda del motor 3.0L (DOHC) de 1996-99

32. Montar las dos tapas de válvulas, como sigue:

    a. Limpiar las superficies de sellado de junta.

    b. Montar las juntas de tapa de válvulas nuevas, en las tapas de válvulas.

    c. Para cada tapa de válvulas, aplicar un cordón de sellante de silicona en dos sitios sobre las superficies de sellado donde están en contacto la tapa delantera del motor y las dos culatas de cilindros y en dos sitios más, en la parte trasera de la culata de cilindros donde el retén del sello de aceite del árbol de levas contacta con la culata de cilindros.

    d. Montar los tornillos y espárragos de retención de la tapa de válvulas, y apretarlos en secuencia, a 71-106 plg-lb (8-12 Nm).

➡ **Las tapas de válvulas deben estar montadas y apretadas correctamente dentro de los 6 minutos posteriores a la aplicación del sellante de silicona.**

33. Conectar el cable negativo de la batería.

34. Poner en marcha el motor, controlar si hay fugas y si funciona correctamente.

Motor 3.4L (DOHC)

El motor 3.4L (DOHC) no tiene balancines. Los lóbulos de las levas del árbol de levas actúan directamente sobre las válvulas.

Motor 3.8L

1. Desconectar el cable negativo de la batería.

2. Etiquetar para identificar, y desconectar los cables de las bujías. Desmontar los clips que encaminan los cables de bujías, de los tornillos y espárragos que fijan la tapa de balancines.

3. Para desmontar la tapa de balancines izquierda, desmontar el tapón de llenado de aceite y el tubo respiradero del cárter.

4. Para desmontar la tapa de balancines derecha, desmontar la válvula PCV, y apartar a un lado el conjunto del filtro de aire.

5. Desmontar los tornillos de fijación de las tapas de balancines, y desmontar las tapas de balancines.

6. Desmontar los conjuntos de balancines, pivotes y tornillos. Mantener reunido cada conjunto, pero separado de los demás, e identificar los conjuntos para poder montarlos en su posición original.

Para instalar:

7. Limpiar las superficies de contacto de junta de las tapas de balancines y culatas de cilindros. Limpiar los balancines y pivotes, e inspeccionarlos por si están dañados o gastados. Cambiarlos si fuera necesario.

8. Aplicar grasa en los extremos de los empujadores y de los vástagos de válvulas. Lubricar los balancines y pivotes con aceite de motor denso, y montarlos sobre los empujadores y vástagos de válvulas.

9. Para cada válvula, girar el cigüeñal hasta que el empujador esté sobre el círculo base de la leva. Montar el tornillo del pivote y apretarlo a 5-11 pie-lb (7-15 Nm). Asegurarse de que el empujador y el pivote estén asentados del todo, antes del apriete.

10. Lubricar todos los conjuntos de balancines con aceite de motor. Finalmente apretar los tornillos de pivote a 19-25 pie-lb (25-35 Nm). Cuando se lleve a cabo el apriete final, el árbol de levas puede estar en cualquier posición. Asegurarse de que el empujador y el pivote estén asentados del todo antes del apriete.

11. Colocar juntas nuevas sobre las culatas de cilindros y montar las tapas de balancines. Apretar los tornillos de fijación a 80-106 plg-lb (9-12 Nm). Anotar la posición de los espárragos de fijación de los clips que encaminan los cables de bujías, antes de su montaje.

12. Después de montar la tapa de balancines izquierda, montar el tapón de llenado de aceite y el tubo respiradero del cárter.

13. Después de montar la tapa de balancines derecha, montar la válvula PCV y el conjunto del filtro de aire.

14. Montar los clips que encaminan los cables de bujías y conectar los cables en las bujías.

15. Conectar el cable negativo de la batería, poner en marcha el motor y controlar si hay fugas de fluidos.

MÚLTIPLE DE ADMISIÓN

DESMONTAJE E INSTALACIÓN

▼ PRECAUCIÓN ▼

El sistema de inyección de combustible permanece bajo presión, incluso después de que el motor haya sido parado. La presión del sistema de combustible debe descargarse antes de desconectar cualquier conducción. Dejar de hacer esto puede ser la causa de un incendio y/o lesiones personales.

Motores 3.0L (DOHC) y 3.2L SHO de 1995

1. Desconectar el cable negativo de la batería. Descargar la presión del sistema de combustible.

2. Vaciar parcialmente el sistema de refrigeración del motor. Etiquetar y desconectar todos los conectores eléctricos y las conducciones de vacío del conjunto de admisión.

3. Desmontar el tubo del filtro de aire. Desconectar las conducciones de refrigerante y los cables del cuerpo de la válvula del estrangulador.

4. Desmontar los tornillos de los soportes del múltiple de admisión superior. Aflojar los tornillos inferiores y desmontar los soportes.

5. Desmontar los tornillos del múltiple de admisión a la culata de cilindros. Desmontar el múltiple de admisión y las juntas.

Para instalar:

6. Lubricar ligeramente las roscas de los tornillos y espárragos antes de su montaje.

➡ **La junta del múltiple de admisión se puede usar otra vez.**

7. Colocar las juntas de múltiple de admisión sobre las culatas de cilindros y montar el múltiple de admisión. Apretar los tornillos a 11-17 pie-lb (15-23 Nm). Montar los soportes de apoyo del múltiple de admisión. Apretar los tornillos a 11-17 pie-lb (15-23 Nm).

8. Montar los restantes componentes en orden inverso al desmontaje.

9. Llenar el sistema de refrigeración del motor y conectar el cable negativo de la batería. Poner en marcha el motor y comprobar si hay fugas.

Motor 3.0L (OHV) de 1995

1. Desconectar el cable negativo de la batería. Vaciar el sistema de refrigeración del motor. Descargar correctamente la presión del sistema de combustible.

2. Aflojar la abrazadera de manguera que fija la manguera al cuerpo del estrangulador. Desmontar la manguera flexible del filtro de aire.

3. Etiquetar y desconectar las mangueras de vacío del conjunto del cuerpo del estrangulador.

➡ **El cuerpo del estrangulador y el múltiple de admisión superior están construidos como un conjunto y nos referiremos** a él como el conjunto del cuerpo del estrangulador.

4. Aflojar la tuerca del tubo inferior del EGR, y girar el tubo separándolo de la válvula. Desconectar los cables del acelerador y TV del varillaje del estrangulador.

5. Desconectar los conectores eléctricos del sensor de posición del estrangulador (TP), sensor de temperatura del aire de admisión (ACT), sensor de temperatura del refrigerante del motor (ECT), y válvula de control del aire marcha mínima (IAC).

6. En los vehículos con combustible flexible, desconectar el conector eléctrico del sensor de posición del árbol de levas (CMP).

7. Desconectar la manguera del PCV y desconectar el tirante de soporte del alternador.

8. Desmontar los seis tornillos de fijación del cuerpo del estrangulador y desmontar el conjunto del cuerpo del estrangulador.

9. Desconectar las conducciones de suministro y retorno de combustible en el múltiple de suministro de combustible (raíl de combustible).

10. Etiquetar y desconectar el mazo de cables de la inyección de combustible, del motor. El conjunto del múltiple puede desmontarse con el múltiple de suministro de combustible y los inyectores montados en sus sitios.

11. Etiquetar y desconectar los cables de bujías en las bujías.

12. Desmontar las tapas de balancines.

13. En los vehículos con combustible no flexible, desmontar el distribuidor.

14. En los vehículos con combustible flexible, girar el cigüeñal hasta que el pistón del cilindro N° 1 esté en el PMS en su carrera de compresión. Anotar la posición del conector eléctrico del CMP, después desmontar el cuerpo del sensor del CMP, junto con el eje intermedio de la bomba de aceite.

15. Desmontar la bobina de encendido de la parte trasera de la culata de cilindros izquierda.

16. Desconectar la manguera superior del radiador y las mangueras del calefactor.

17. Aflojar el tornillo de retención del balancín de la válvula de admisión, del cilindro N° 3 y girar el balancín para que se separe del vástago de válvula y del empujador. Desmontar el empujador.

18. Desmontar los tornillos de retención del múltiple de admisión. Utilizar una palanca apropiada para aflojar el múltiple de admisión. Apalancar hacia arriba usando la zona entre el termostato y la transmisión, como punto de apoyo. Desmontar el múltiple, juntas y retenes.

Para instalar:

19. Limpiar las superficies de contacto de junta de los múltiples de admisión y las culatas de cilindros. Poner un trapo de taller en las concavidades de los empujadores para recoger todo resto de material de junta. Después del rascado, sacar con cuidado el trapo de las concavidades de los empujadores teniendo cuidado de no dejar entrar ninguna partícula en los agujeros de drenaje de aceite o en las culatas de cilindros. Si fuera necesario, usar un disolvente apropiado para eliminar el sellador de goma viejo.

20. Limpiar y lubricar ligeramente las roscas de todos los tornillos y espárragos de retención antes de su montaje.

21. Aplicar un sellante de caucho-silicona apropiado en la intersección de los raíles extremos del bloque de cilindros y las culatas de cilindros. Tener cuidado de que el sellante no bloquee los pasos de aceite del motor y caiga dentro del motor.

➡ **Cuando se use un sellante de silicona, el montaje debe producirse dentro de los 15 minutos posteriores a la aplicación del sellante. Después de este tiempo, el sellante puede empezar el proceso de solidificación y reducirse las propiedades de estanqueidad. En condiciones de alta temperatura/humedad, el sellante empezará el proceso de solidificación dentro de los cinco minutos aproximadamente.**

22. Montar los sellos extremos delantero y trasero de los múltiples de admisión en su sitio y asegurarlos. Montar las juntas de los múltiples de admisión, alineando las pestañas de cierre con las correspondientes de las juntas de culata de cilindros.

23. Bajar con cuidado el múltiple de admisión dentro de su posición sobre el bloque de cilindros y las culatas de cilindros para evitar los derrames del sellante de silicona que causarían vacíos en la junta.

24. Montar los tornillos de retención del múltiple de admisión y apretarlos, empezando por el centro y continuando hacia los extremos. Apretar los tornillos en dos etapas, primero a 15-22 pie-lb (20-30 Nm) y finalmente a 19-24 pie-lb (26-32 Nm).

25. Si se ha desmontado, montar el múltiple de suministro de combustible y los inyectores. Antes del montaje de los inyectores, lubricar los agujeros de alojamiento de los inyectores en el múltiple de admisión y en el múltiple de suministro de combustible. Montar los tornillos de

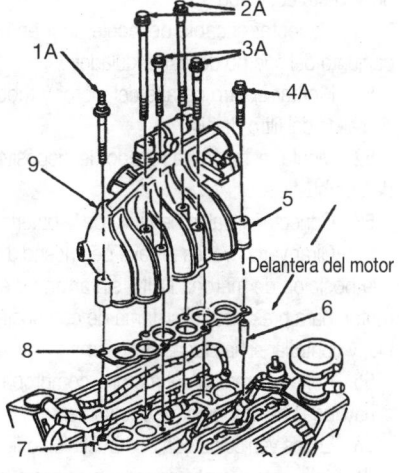

1. Espárrago roscado
2. Tornillo (cant. 2)
3. Tornillo (cantidad 2)
4. Tornillo
5. Cuerpo de la mariposa (ahogador, o estrangulador)
6. Pasador guía (cantidad 2)
7. Múltiple de admisión
8. Junta superior del múltiple de admisión
9. Rácor de conexión y tapa de la salida de vacío del múltiple de admisión
A. Apretar a 20-30 Nm (15-22 pie-lb)

▲ **Vista esquemática del montaje del múltiple de admisión superior – Motor 3.0L (OHV) de 1995**

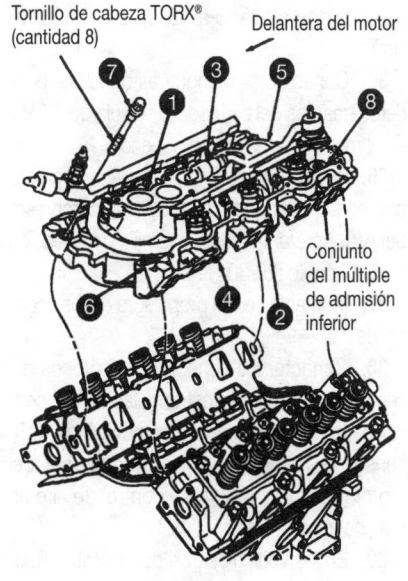

▲ **Múltiple de admisión inferior. Secuencia de apriete de los tornillos – Motor 3.0L (OHV) de 1995**

retención del múltiples de suministro de combustible y apretarlos a 7 pie-lb (10 Nm).

26. Si se ha desmontado, montar el cuerpo termostato y una junta nueva. Apretar los tornillos de retención a 9 pie-lb (12 Nm).

27. En los vehículos con combustible no flexible, montar el conjunto distribuidor, la tapa del distribuidor y los cables del encendido.

➡ En los vehículos con combustible no flexible, lubricar el engranaje propulsor del distribuidor y en los vehículos con combustible flexible, lubricar el engranaje propulsor del sensor CMP, con un aceite de montaje de motores apropiado.

▼ AVISO ▼

En los vehículos con combustible flexible, se debe disponer de una herramienta de posicionar la sincronización T93P-12200-A, o equivalente, antes del montaje del cuerpo del sensor CMP. Si no se sigue este procedimiento puede producirse una alineación incorrecta del sensor CMP. Esto puede dar lugar a que los sistemas de encendido y combustible estén fuera de tiempo con el motor y, posiblemente, a producir daños en el motor.

28. En los vehículos con combustible flexible, montar el cuerpo del sensor CMP como sigue:

a. Engranar el aspa del cuerpo del sensor CMP dentro de la ranura radial de la herramienta de posicionar la sincronización T93P-12200-A, o equivalente. Girar la herramienta sobre el cuerpo del sensor CMP, hasta que la protuberancia de la herramienta se encaje en la muesca del sensor CMP.

b. Montar el cuerpo del sensor CMP junto con el eje intermedio de la bomba de agua. Montar el cuerpo del sensor CMP de modo que el engrane del engranaje propulsor ocurra cuando la flecha sobre la herramienta localizadora esté apuntando aproximadamente 30 grados en contra del sentido del reloj de la cara trasera del bloque de cilindros. Esta medida colocará el conector eléctrico del sensor CMP en la posición previa al desmontaje.

c. Montar la abrazadera de sujeción y apretar el tornillo a 15-22 pie-lb (20-30 Nm). Desmontar la herramienta de situar la sincronización.

▼ AVISO ▼

Si el conector eléctrico del sensor CMP no está situado correctamente, no variar su posición girando el cuerpo del sensor CMP. Esto puede dar lugar a que los sistemas de encendido y combustible estén fuera de tiempo con el motor, y posiblemente producir daños al motor. Desmontar el cuerpo del sensor y repetir el proceso de montaje.

29. Montar el empujador de la válvula de admisión del cilindro N° 3. Aplicar lubricante de montaje de motores, o equivalente, en el empujador y en el vástago de válvula, antes de su montaje. Girar el cigüeñal, lo necesario, hasta que el empujador esté sobre el círculo base del árbol de levas (empujador del todo hacia abajo). Apretar el tornillo del balancín en dos tiempos, primero a 8 pie-lb (11 Nm), finalmente a 24 pie-lb (32 Nm).

30. Montar las tapas de balancines.

31. Montar el mazo de cables de los inyectores de combustible y conectarlo a los inyectores de combustible.

32. Montar la bobina de encendido en la parte trasera de la culata de cilindros izquierda. Apretar los tornillos de retención a 30-40 pie-lb (40-55 Nm).

33. Si se ha desmontado, montar la válvula del EGR sobre el múltiple de admisión. Apretar los tornillos de retención a 15-22 pie-lb (20-30 Nm).

34. Montar el conjunto cuerpo del estrangulador y tornillos de retención, con una junta nueva. Apretar los tornillos siguiendo un orden cruzado a 15-22 pie-lb (20-30 Nm).

35. Conectar las mangueras de los respiraderos traseros del cárter en la válvula del PCV y en el múltiple de admisión superior.

36. Si está equipado con aire acondicionado, montar el soporte de apoyo del compresor del A/A. Apretar la tuerca y tornillo de retención a 15-22 pie-lb (20-30 Nm).

37. Montar la correa propulsora de los accesorios.

38. Conectar los conectores eléctricos del sensor de posición del estrangulador (TP), sensor de temperatura del aire de admisión (ACT), sensor de temperatura del refrigerante del motor (ECT) y la válvula de control de aire en marcha mínima (IAC).

39. En los vehículos con combustible flexible, conectar el conector eléctrico del sensor de posición del árbol de levas (CMP).

40. Conectar las mangueras de vacío correspondientes.

41. Conectar la manguera de agua del calefactor en el codo de conexión del agua caliente del calefactor.

42. Colocar el soporte de apoyo del tubo del calefactor, y apretar la tuerca de retención a 15-22 pie-lb (20-30 Nm). Apretar con seguridad la abrazadera de la manguera en el codo de conexión del calefactor del agua caliente.

43. Conectar la manguera de agua del calefactor en la parte trasera del tubo de desvío de agua, y apretar la abrazadera de manguera.

44. Conectar la manguera de desvío de agua. Apretar la abrazadera de la manguera con seguridad.

45. Conectar la manguera superior del radiador. Apretar con seguridad la abrazadera de la manguera.

46. Conectar las conducciones de suministro y retorno de combustible en el múltiple de suministro de la inyección de combustible.

47. Conectar los clips de seguridad de las conducciones de combustible.

48. Colocar el soporte del cable del acelerador. Montar y apretar los tornillos de retención a 15-22 pie-lb (20-30 Nm).

49. Conectar el actuador de control de velocidad en el conjunto del cuerpo del estrangulador, si está equipado.

50. Conectar el cable del acelerador en el conjunto del cuerpo del estrangulador.

51. Montar el filtro de aire del motor y tubo de salida del filtro de aire.

52. Montar el tapón de llenado del depósito de combustible.

53. Conectar el cable negativo de la batería.

54. Girar varias veces la llave de encendido a la posición de marcha RUN, sin arrancar el motor, para presurizar el sistema de combustible, y controlar si hay fugas del mismo.

55. Poner en marcha el motor y comprobar si hay fugas de combustible o refrigerante.

56. En los vehículos con combustible no flexible, verificar y, si fuera necesario corregir, la sincronización del motor que debe ser 10° APMS. Apretar el tornillo de retención del distribuidor a 18 pie-lb (24 Nm).

57. Montar la protección de la válvula del IAC.

58. Hacer una prueba de carretera con el vehículo, y comprobar el funcionamiento correcto.

Motor 3.0L (OHV) de 1996-99

MÚLTIPLE DE ADMISIÓN SUPERIOR

1. Desconectar el cable negativo de la batería.

2. Desmontar el tubo de salida del filtro de aire.

3. Desmontar la protección del cable del acelerador, del soporte del cable.

4. Desmontar le resorte del cable del acelerador. Desconectar el cable del acelerador y el cable de control de velocidad del cuerpo del estrangulador.

5. Desmontar los dos tornillos de retención del soporte del cable del acelerador en el cuerpo del estrangulador, y apartar a un lado el soporte del cable.

6. Etiquetar y desconectar la manguera de vacío del regulador de presión de combustible.

7. Aflojar la tuerca del tubo del EGR en la válvula del EGR, y desconectar las mangueras del transductor de la presión de retroceso, de la válvula EGR en el tubo del múltiple de escape.

8. Desconectar la manguera PCV, manguera de suministro del vacío de aspiración, y el tubo de retorno de emisiones evaporativas, del rácor bajo el múltiple de admisión superior.

9. Desconectar los conectores eléctricos del sensor de posición del estrangulador (TPS), válvula de control de aire de marcha mínima (IAC), transductor de la presión de retroceso del EGR y el solenoide del regulador de vacío del EGR.

10. Desconectar el tubo de desgasificación del depósito de recuperación de refrigerante del radiador, y el rácor del múltiple de admisión inferior.

11. Desmontar la tuerca y tornillos de retención del tirante superior del alternador, y desmontar el tirante.

12. Desmontar el soporte del cableado del sensor, del espárrago de retención del cuerpo del estrangulador y apartar el cableado a un lado.

13. Desmontar el soporte del múltiple de admisión, del cuerpo del estrangulador y de la culata de cilindros derecha.

14. Desmontar los tornillos de retención y espárragos roscados del múltiple de admisión superior y anotar sus posiciones para el montaje. Desmontar el múltiple de admisión superior.

15. Desmontar las juntas del múltiple y desecharlas.

Para instalar:

16. Limpiar las superficies de sellado de junta y montar juntas nuevas de múltiple de admisión, usando si fuera necesario para su alineación, pasadores de centraje.

17. Lubricar ligeramente con aceite las roscas de todos los tornillos y espárragos de fijación, antes de su montaje.

18. Situar la junta y el múltiple de admisión superior sobre el múltiple de admisión inferior. Usar los pasadores de centraje, para asegurar la colocación de la junta entre los dos múltiples.

19. Montar los tornillos y espárragos de retención en sus posiciones originales. Apretar los espárragos y tornillos a 15-22 pie-lb (20-30 Nm).

20. Montar el tirante del alternador en el espárrago de montaje del múltiple de admisión superior y en el soporte de montaje del alternador. Apretar la tuerca y los tornillos a 9-15 pie-lb (12-20 Nm).

21. Montar el soporte del múltiple de admisión en el cuerpo del estrangulador y la culata de cilindros derecha. Apretar el tornillo de retención superior a 71-106 plg-lb (8-12 Nm). Apretar el tornillo inferior a 30-40 pie-lb (40-55 Nm).

22. Montar el soporte de los cables del sensor del motor en los espárragos del cuerpo del estrangulador.

23. Conectar la manguera PCV, manguera de suministro del vacío de aspiración, y el tubo de retorno de las emisiones de evaporación en el acoplamiento inferior del múltiple de admisión superior.

24. Montar la tuerca del tubo del EGR en la válvula del EGR, y apretarla a 26-48 pie-lb (35-65 Nm).

25. Conectar la manguera de vacío en el regulador de presión de combustible.

26. Conectar los conectores eléctricos en el TPS, IAC, transductor de la presión de retroceso del EGR y solenoide regulador de vacío del EGR.

27. Montar el soporte del cable del acelerador en el lado del cuerpo del estrangulador y montar los dos tornillos de retención. Apretar los tornillos a 13 pie-lb (17 Nm).

28. Conectar el cable del acelerador y el cable del control de velocidad, en el cuerpo del estrangulador. Montar el resorte de retracción del estrangulador.

29. Montar la protección del cable del acelerador y apretar los tornillos a 13 plg-lb (1.4 Nm).

30. Montar el tubo de salida del filtro de aire. Conectar el cable negativo de la batería.

31. Llenar el sistema de refrigeración del motor.

32. Poner en marcha el motor y comprobar si hay fugas, y su correcto funcionamiento.

MÚLTIPLE DE ADMISIÓN INFERIOR

1. Desconectar el cable negativo de la batería. Descargar la presión del sistema de combustible.

2. Desconectar el cableado del sensor del caudal de aire (MAF) y del sensor de temperatura del aire de admisión (IAT).

3. Desmontar el tubo de salida del filtro de aire. Desmontar los tornillos del filtro de aire en la carcasa del filtro.

4. Desconectar el resonador del aire de admisión del motor empujando en las superficies superior e inferior del tubo en el filtro de aire del motor y sacando hacia fuera el filtro de aire. Levantar y sacar el filtro de aire del compartimiento del motor.

5. Desmontar los clips de retención de la conducción de combustible. Desconectar las conducciones de suministro y retorno de combustible del raíl de combustible usando las herramientas de desconexión adecuadas.

6. Desconectar el resto de conectores de cables del motor, del sensor de posición del árbol de levas (CMP), sensor de posición del estrangulador (TP), válvula de control del aire de marcha mínima (IAC), sensor de temperatura del refrigerante del motor (ECT), bobina de encendido, sensor de temperatura del agua, transductor de la presión de retroceso del EGR, y conector del solenoide regulador de vacío del EGR.

➡ **Anotar la posición del conector eléctrico del sensor del CMP. El montaje requiere que el conector esté situado en la misma posición.**

7. Con unos alicates apropiados, correr hacía atrás la abrazadera de la manguera superior del radiador, y con un movimiento de giro, soltar la abrazadera del rácor de conexión.

8. Desmontar el múltiple de admisión superior.

9. Aflojar la tuerca del tubo del EGR y desmontar la válvula del EGR en el tubo del múltiple de escape, del tubo de la válvula del EGR en el conector del múltiple.

10. Desconectar el cableado del sensor, de los espárragos de la tapa de culata de válvulas. Desconectar con cuidado los conectores eléctricos de cada uno de los inyectores de combustible, y apartar a un lado el mazo de cables de los sensores.

11. Desconectar las mangueras de agua del calefactor.

12. Etiquetar y desconectar los cables de encendido.

➡ **Antes de desmontar el sensor del CMP, situar el cilindro N° 1 en el PMS de su carrera de compresión.**

13. Desmontar los tornillos de retención del sensor del CMP, y desmontar el sensor de su carcasa.

14. Desmontar la abrazadera de ignición y desmontar la carcasa del CMP, del bloque de cilindros.

15. Desmontar las tapas de culata de cilindros.

16. Desmontar la bobina de encendido, de la parte trasera de la culata de cilindros izquierda.

17. Aflojar el tornillo de retención del balancín de la válvula de admisión, del cilindro N° 3, y girar el balancín apartándolo del vástago de válvula y del empujador. Desmontar el empujador.

➡ **El múltiple de admisión inferior puede desmontarse con el raíl de combustible y los inyectores de combustible montados en su sitio.**

18. Desmontar los tornillos de retención del múltiple de admisión con una llave para tornillo de cabeza Torx®. Usar una palanca apropiada para aflojar el múltiple de admisión. Apalancar hacia arriba usando la zona entre el termostato y la transmisión, como punto de apoyo. Desmontar el múltiple y las juntas y sellos viejos.

Para instalar:

19. Limpiar las superficies de contacto de junta del múltiple de admisión y las culatas de cilindros. Poner un trapo de taller en las concavidades de los empujadores para recoger cualquier resto de material de junta. Después de rascar las superficies, levantar con cuidado el trapo, de la concavidad de los empujadores, teniendo cuidado de no dejar que entre ninguna partícula en los agujeros de drenaje de aceite o en las culatas de cilindros. Si fuera necesario, usar un disolvente apropiado para eliminar el sellador de goma viejo.

20. Lubricar ligeramente con aceite las roscas de todos los tornillos y espárragos de retención, antes de su montaje. Cuando se use un sellante de silicona, el montaje debe producirse dentro de los 15 minutos siguientes a la aplicación del sellante. Después de este tiempo, el sellante puede empezar el proceso de solidificación y reducirse las propiedades de sellado. En condiciones de alta temperatura/humedad, el sellante empezará el proceso de solidificación dentro de los cinco minutos aproximadamente.

21. Aplicar un sellante de caucho-silicona apropiado, en la intersección del bloque de cilindros, raíles de extremos de culatas de cilin-

dros y culatas de cilindros. Tener cuidado de no dejar que el sellante que pueda bloquear los pasos de aceite del motor caiga dentro del motor.

22. Montar los sellos extremos delantero y trasero de los múltiples de admisión en su sitio y asegurarlos. Montar las juntas de los múltiples de admisión, alineando las pestañas de cierre con las correspondientes pestañas de las juntas de culata de cilindros.

23. Situar con cuidado el múltiple de admisión en su posición sobre el bloque de cilindros y las culatas de cilindros y evitar las manchas de sellante de silicona que causarían fallos en la junta.

24. Montar los tornillos y apretarlos en secuencia, empezando por el centro y continuando hacia los extremos. Apretar los tornillos en dos etapas, primero a 15-22 pie-lb (20-30 Nm). Apretar otra vez en secuencia, a 19-24 pie-lb (26-32 Nm).

25. Si se ha desmontado, montar el raíl de suministro de combustible y los inyectores. Antes del montaje de los inyectores lubricar los agujeros de alojamiento de los inyectores en el múltiple de admisión y en el raíl de suministro de combustible. Montar los tornillos de retención del raíl de suministro de combustible y apretarlos a 7 pie-lb (10 Nm).

▼ AVISO ▼

Debe usarse una herramienta especial de posicionamiento de la sincronización T95T-12200-A, o equivalente antes del montaje del sensor del CMP. Si no se usa esta herramienta especial, el sistema de combustible estará posiblemente fuera de tiempo causando daños en el motor.

26. Montar la herramienta de posicionamiento de la sincronización T95T-12200-A, como sigue:

a. Engranar el aspa del cuerpo del sensor del CMP dentro de la ranura radial de la herramienta.

b. Girar la herramienta en el cuerpo del sensor del CMP, hasta que la protuberancia de la herramienta engrane en la muesca del cuerpo del sensor del CMP.

27. Lubricar el engranaje de mando con aceite de motor limpio y montar el cuerpo del sensor del CMP de modo que el engrane del engranaje de mando se produzca cuando la flecha de posicionamiento de la herramienta apunte aproximadamente 75 grados en el sentido contrario al reloj, de la cara trasera del bloque de cilindros. Esta medida colocará el conector eléctrico del sensor CMP en la misma posición anotada antes del desmontaje.

28. Montar la abrazadera de sujeción y apretar el tornillo a 14-22 pie-lb (19-30 Nm).

29. Montar el sensor del CMP en la carcasa, y apretar los tornillos de retención a 13-35 plg-lb (1.5-4.0 Nm).

30. Montar el empujador de la válvula de admisión del cilindro N° 3. Aplicar Lubriplate® o equivalente, en el empujador y en el vástago de válvula, antes de su montaje. Girar el cigüeñal lo necesario, hasta que el levantador se sitúe sobre el círculo base de la leva (empujador del todo abajo). Apretar el tornillo del balancín en dos etapas, primero a 8 pie-lb (11 Nm), luego a 24 pie-lb (32 Nm).

31. Montar las tapas de culatas de cilindros.

32. Montar el mazo de cables de los inyectores de combustible y acoplarlo a los inyectores.

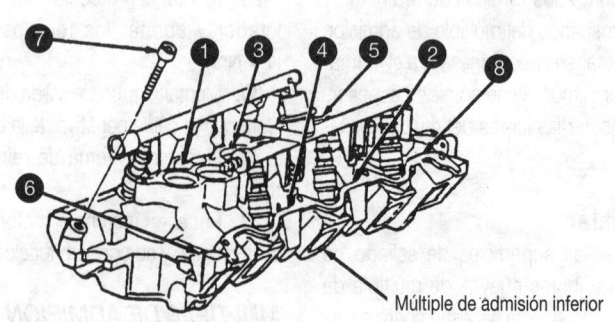

Múltiple de admisión inferior

▲ Apretar los tornillos del múltiple de admisión inferior, en dos etapas, de acuerdo con la secuencia indicada – Motor 3.0L (OHV) de 1996-99

33. Montar la bobina de encendido en la trasera de la culata de cilindros izquierda. Apretar los tornillos de retención a 30-40 pie-lb (40-55 Nm).

34. Montar el mazo de cables en los espárragos de la tapa de culata, y conectar los cables de encendido en las bujías y bobina de encendido.

35. Montar el múltiple de admisión superior.

36. Montar el tubo del múltiple de escape, en la válvula del EGR sobre el múltiple de admisión. Apretar la tuerca del tubo superior del EGR a 26-48 pie-lb (35-65 Nm). Apretar la tuerca del tubo inferior (múltiple de escape) a 26-48 pie-lb (35-65 Nm).

37. Montar las conducciones de combustible y los clips de seguridad.

38. Conectar la manguera de desvío de agua y la manguera superior del radiador, y montar adecuadamente las abrazaderas de presión.

39. Conectar las mangueras de vacío en sus posiciones previamente marcadas.

40. Conectar el cableado de los sensores del motor en el sensor del CMP, válvula IAC, sensor TP, sensor ECT, transductor de la presión de retroceso del EGR, solenoide del regulador de vacío EGR, bobina de encendido, y transmisor de temperatura del agua.

➡ **Para su correcto funcionamiento, asegurarse de que el conector del CMP está montado en la misma posición de antes del desmontaje.**

41. Montar el filtro de aire del motor y el tubo de salida del filtro.

42. Conectar el cable negativo de la batería.

43. Girar varias veces la llave de encendido a la posición de Marcha (RUN), pero sin arrancar el motor, para presurizar el sistema de combustible y comprobar si hay fugas del mismo.

44. Llenar el sistema de refrigeración del motor.

45. Poner en marcha el motor y comprobar si hay fugas, y si funciona correctamente.

Motor 3.0L (DOHC) de 1996-99

MÚLTIPLE DE ADMISIÓN SUPERIOR

1. Desconectar el cable negativo de la batería. Descargar la presión del sistema de combustible.

2. Desmontar el motor del limpiaparabrisas, después desmontar los paneles internos superiores del cubretablero.

3. Desmontar el cable del acelerador y el actuador del control de velocidad del cuerpo del estrangulador.

4. Desmontar el soporte del cable del acelerador del múltiple de admisión, y apartarlo a un lado.

5. Desmontar la manguera de suministro de aire fresco a la válvula de control del aire de la marcha mínima de su acoplamiento en el múltiple de admisión superior.

6. Desconectar el mazo de cables del sensor de posición del estrangulador y de la válvula de control del aire de la marcha mínima.

7. Desmontar la manguera de suministro de vacío del múltiple de admisión superior en la válvula del PCV, en el múltiple de admisión superior.

8. Desconectar el conector del control del vacío de emisiones principal, del múltiple de admisión superior y de la válvula de desvío la inyección de aire secundario.

9. Desmontar la válvula del EGR.

10. Desmontar el tornillo de retención del soporte de la válvula de desvío de la inyección de aire secundario y el espárrago, del múltiple de admisión superior. Apartar el soporte a un lado.

11. Desmontar los tornillos de retención del múltiple de admisión superior, siguiendo el orden adecuado.

➡ **Cuando se desmonten componentes del motor tales como culatas de cilindros o múltiples, desmontar siempre los tornillos de retención siguiendo el orden inverso al indicado para el apriete, para evitar la deformación del componente.**

12. Desmontar del motor, el múltiple de admisión superior y las juntas.

Para instalar:

13. Montar el múltiple de admisión superior, usando dos juntas nuevas sobre el múltiple de admisión inferior. Montar los tornillos de retención del múltiple de admisión superior, y apretarlos siguiendo el orden adecuado, a 71-106 plg-lb (8-12 Nm).

14. Montar los componentes restantes en el orden inverso al desmontaje.

15. Conectar el cable negativo de la batería. Poner en marcha el motor, y comprobar si hay pérdidas, y si el motor funciona correctamente.

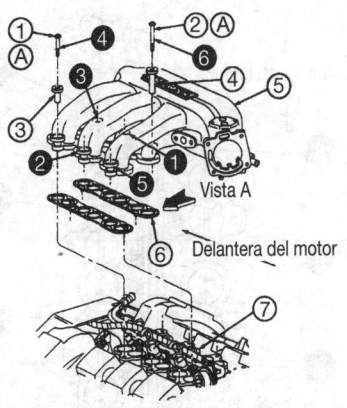

● Apretar los tornillos según la secuencia indicada

Pasador de centraje en dos sitios por cada junta

Vista A

1. Tornillo (cantidad 3)
2. Tornillo (cantidad 3)
3. Aislador (cantidad 3)
4. Aislador (cantidad 3)
5. Múltiple de admisión superior
6. Junta (cantidad 2)

▲ Secuencia de apriete de los tornillos del múltiple de admisión superior – Motor 3.0L (DOHC) de 1996-99

MÚLTIPLE DE ADMISIÓN INFERIOR

1. Desconectar el mazo de cables de los inyectores de combustible y apartarlo a un lado.

2. Desmontar las abrazaderas-resorte de sujeción de los acoplamientos de bloqueo, de los rácores de suministro y retorno de combustible.

3. Usar las herramientas de desconexión de acoplamientos de bloqueo de resorte ($^3/_8$ de plg y $^1/_2$ plg) para desconectar las mangueras de suministro y retorno de combustible del múltiple de suministro de la inyección de combustible.

4. Desconectar la conducción de vacío del regulador de presión de combustible.

5. Desconectar el cable de control del actuador de corredera del múltiple de admisión. Tener cuidado de no aflojar o doblar el soporte del cable, la alineación es crítica.

6. Desconectar los cables de encendido de la culata de cilindros izquierda, y apartarlos a un lado.

7. Desmontar los ocho tornillos de retención del múltiple de admisión inferior, en la culata, en secuencia.

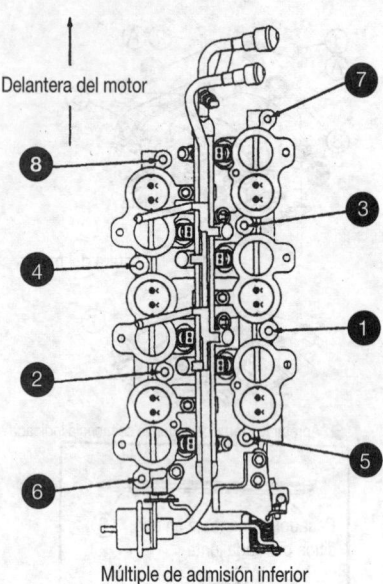

Delantera del motor

Múltiple de admisión inferior

▲ **Múltiple de admisión inferior. Secuencia de apriete de los tornillos – Motor 3.0L (DOHC) de 1996-99**

8. Desmontar del vehículo, el múltiple de admisión inferior y las juntas.

9. Si el múltiple de admisión inferior tiene que sustituirse, o mecanizarse, desmontar el raíl de combustible de los inyectores de combustible y los inyectores de combustible.

Para instalar:

10. Si han sido desmontados, montar los inyectores de combustible y el raíl de combustible en el múltiple de admisión inferior. Verificar el funcionamiento de la placa del control de corredera en el múltiple.

11. Limpiar completamente las áreas de sellado de junta, y colocar en su sitio dos juntas nuevas entre el múltiple de admisión y las culatas de cilindros.

12. Montar cuidadosamente el múltiple de admisión inferior y montar los tornillos de retención del múltiple de admisión en las culatas. Apretar los tornillos en secuencia a 71-106 plg-lb (8-12 Nm).

13. Montar las mangueras de suministro y retorno de combustible en el raíl de combustible y asegurarse de que los acoplamientos de resorte de bloqueo están montados correctamente.

14. Montar los clips de retención en los acoplamientos de resorte de bloqueo.

15. Conectar la conducción de vacío en el regulador de presión de combustible.

16. Temporalmente conectar el cable negativo de la batería.

17. Conectar un manómetro de presión de combustible en la válvula de descarga de presión de combustible, situada en el raíl de suministro de inyección de combustible.

18. Girar varias veces la llave de encendido a la posición de marcha (RUN), pero sin poner en marcha el motor, para que se presurice el sistema de combustible.

19. Observar el manómetro por si hay señales de pérdida. Si el manómetro mantiene la presión, desmontar el manómetro y continuar con el montaje del múltiple de admisión superior. Si el manómetro pierde presión, desmontar el raíl de inyección de combustible y cambiar las juntas tóricas que pierdan, antes de continuar.

20. Desconectar el cable negativo de la batería.

21. Colocar y montar el mazo de cables de los inyectores de combustible.

22. Conectar los cables de ignición (encendido) en la culata de cilindros izquierda.

23. Conectar el cable de control del actuador de corredera del múltiple de admisión. Tener cuidado de no aflojar o doblar el soporte del cable, su alineación es crítica.

Motor 3.4L

MÚLTIPLE DE ADMISIÓN SUPERIOR

1. Desconectar el cable negativo de la batería. Descargar la presión del sistema de combustible.

2. Desmontar la tapa decorativa del motor.

3. Desmontar la mitad derecha de la rejilla de respiración del cubretablero.

4. Desmontar el cuerpo del estrangulador.

5. Desconectar la manguera de suministro del vacío de emisiones principal, del rácor del depósito acumulador y de la válvula del EGR, y separarla a un lado.

6. Desconectar el tubo de vacío de la unión de vacío del múltiple de admisión.

7. Desmontar los dos tornillos de retención del soporte de montaje del transductor en el depósito acumulador, y separar el soporte a un lado.

8. Desmontar los dos soportes del múltiple de admisión, del depósito acumulador y de la culata de cilindros.

9. Desmontar la válvula del EGR.

10. Desmontar los tornillos de retención y el apoyo del depósito acumulador de la parte delantera del depósito acumulador.

11. Desmontar el tornillo, las tuercas y el apoyo del depósito acumulador, de la parte trasera del depósito acumulador.

12. Desconectar el tubo respiradero del cárter, de la tapa de culata.

13. Desconectar el tubo respiradero del cárter, del depósito acumulador.

14. Desconectar el tubo de vacío del regulador de presión.

15. Desconectar la manguera del respiradero del lado derecho del cárter, y apartarla a un lado.

16. Aflojar las abrazaderas de la manguera del conector del aire de admisión, y desmontar del motor, el depósito acumulador.

17. Desmontar el tornillo de retención del soporte del condensador de interferencias de radio del encendido, y separar a un lado dicho condensador de interferencias de radio del encendido.

18. Desmontar los tornillos de retención del múltiple de admisión superior siguiendo el orden indicado.

▼ AVISO ▼

Cuando se desmonten componentes del motor tales como culatas de cilindros o múltiples, desmontar siempre los tornillos de retención siguiendo el orden inverso al indicado para el apriete, para evitar la deformación del componente.

19. Desmontar el múltiple de admisión superior y las juntas, del múltiple de admisión inferior.

Para instalar:

20. Montar el múltiple de admisión superior usando juntas nuevas, sobre el múltiple de admisión inferior. Montar los tornillos de retención del múltiple superior, y apretarlos siguiendo la secuencia de apriete estándar a 14-20 pie-lb (18-28 Nm).

21. Montar el soporte y el tornillo de retención del condensador de interferencias de radio, y apretarlo a 71-106 plg-lb (8-12 Nm).

22. Montar el depósito acumulador y alinear y apretar las abrazaderas de la manguera de la conexión entrada del aire de admisión.

23. Conectar la manguera del respiradero, del lado derecho del cárter.

24. Conectar el tubo de vacío en el regulador de presión.

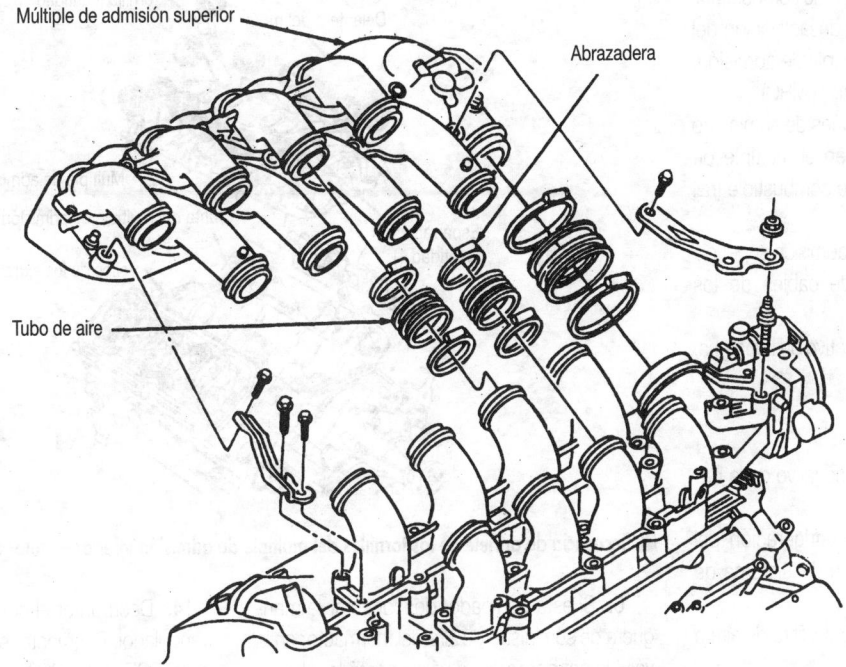

Múltiple de admisión superior

Abrazadera

Tubo de aire

▲ **Vista esquemática del montaje del múltiple de admisión superior – Motor 3.4L**

25. Conectar el tubo respiradero del cárter en el depósito acumulador.

26. Conectar el tubo respiradero del cárter en la tapa de culata.

27. Montar el apoyo trasero del depósito acumulador y apretar los tornillos y tuercas de retención a 14-20 pie-lb (18-28 Nm).

28. Montar el apoyo delantero del depósito acumulador y apretar los tornillos y tuercas de retención a 14-20 pie-lb (18-28 Nm).

29. Montar la válvula del EGR.

30. Montar los dos soportes del múltiple de admisión en el depósito acumulador y en la culata de cilindros, y apretar los tornillos de retención a 14-20 pie-lb (18-28 Nm).

31. Colocar el soporte de montaje del transductor, en el depósito acumulador, y apretar los tornillos de retención a 14-20 pie-lb (18-28 Nm).

32. Conectar el tubo de vacío en la unión del tubo de vacío del múltiple de admisión.

33. Conectar la manguera de suministro del vacío de emisiones principal en el rácor del depósito acumulador y en la válvula del EGR.

34. Montar el cuerpo del estrangulador.

35. Montar la mitad derecha de la rejilla de respiración del cubretablero.

36. Montar la tapa decorativa del motor.

37. Conectar el cable negativo de la batería. Poner en marcha el motor y comprobar si hay fugas, y que funcione correctamente.

MÚLTIPLE DE ADMISIÓN INFERIOR

1. Desconectar el cable negativo de la batería. Descargar la presión del sistema de combustible.

2. Desconectar el mazo de cables de los inyectores de combustible, y separarlo a un lado.

3. Desmontar el múltiple de admisión superior.

4. Desmontar las conducciones de suministro y retorno de combustible del raíl de suministro de la inyección de combustible.

5. Desconectar el cable de desactivación del control de corredera de múltiple de admisión, del múltiple de admisión inferior (IMRC). Desmontar el cable de su soporte, y apartarlo a un lado.

6. Desconectar el cableado del sensor de control del motor, de los inyectores de combustible y de las retenciones de cables, y apartar a un lado el cableado del sensor.

7. Desmontar los tornillos de retención del múltiple de admisión inferior en la culata de

cilindros y desmontar el múltiple y las juntas. Desechar las juntas.

Para instalar:

8. Limpiar completamente las superficies de sellado de junta y colocar en su sitio dos juntas nuevas, entre el múltiple y la culata de cilindros.

9. Montar con cuidado el múltiple de admisión inferior y montar los tornillos de retención del múltiple de admisión en la culata de cilindros. Apretar los tornillos en el orden indicado a 14-20 pie-lb (18-28 Nm).

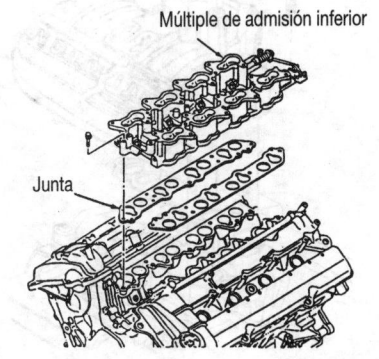

Múltiple de admisión inferior

Junta

▲ **Vista esquemática del montaje del múltiple de admisión inferior – Motor 3.4L**

10. Conectar el cableado del sensor de control del motor en los inyectores de combustible.

11. Conectar el cable de desactivación del control de corredera de múltiple de admisión, del múltiple de admisión inferior (IMRC).

12. Montar las conducciones de suministro y retorno de combustible en el múltiple de suministro de la inyección de combustible (raíl de combustible).

13. Montar el múltiple de admisión superior.

14. Conectar el mazo de cables de los inyectores de combustible.

15. Conectar el cable negativo de la batería.

Motor 3.8L

1. Desconectar el cable negativo de la batería.

2. Vaciar el sistema de refrigeración del motor y descargar la presión del sistema de combustible.

3. Desmontar el conjunto del filtro de aire o el tubo de entrada de aire.

4. Desconectar el cable del acelerador en el cuerpo del estrangulador. Desconectar el cable del control de velocidad de crucero, si está equipado.

5. Si está equipado con una transmisión automática, desconectar la tirantería de la transmisión en el múltiple de admisión superior. Desmontar los tornillos de retención del soporte de montaje del cable del acelerador, y apartar los cables a un lado.

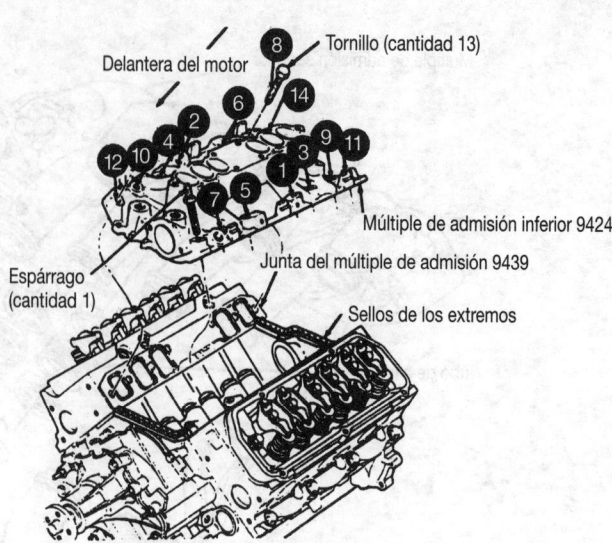

Secuencia de apriete de los tornillos del múltiple de admisión inferior – Motor 3.8L

6. Si está equipado, desconectar la manguera de suministro de aire del thermactor en la válvula antirretorno. La válvula está localizada en el conjunto del tubo en Y.

7. Desconectar y tapar las conducciones flexibles de combustible, de las conducciones de acero, situadas encima de la tapa de balancines.

8. Desconectar y tapar las conducciones de combustible en el conjunto del raíl de combustible de los inyectores.

9. Desconectar la manguera del radiador en el cuerpo del termostato, y la manguera de desvío del refrigerante del motor en el múltiple.

10. Desconectar el tubo del calefactor en el múltiple de admisión, y desmontar la tuerca de retención del soporte de apoyo del tubo. Desmontar la manguera del calefactor, de la parte trasera del tubo del calefactor. Aflojar la abrazadera de la manguera en el codo del calefactor y desmontar el tubo del calefactor con la manguera unida. Desmontar el tubo del calefactor con las conducciones acopladas y apartarlo a un lado.

11. Etiquetar y desconectar las conducciones de vacío en el conjunto raíl de combustible y en el múltiple de admisión. Etiquetar y desconectar los conectores eléctricos que sea necesario.

12. Si está equipado con aire acondicionado, desmontar el soporte de apoyo del compresor.

13. Desconectar la conducción del PCV, en el múltiple de admisión superior, y en la válvula. Desmontar la segunda conducción del PCV de la tapa de balancines izquierda.

14. Desmontar el conjunto cuerpo del estrangulador. Desmontar el conjunto de la válvula del EGR, del múltiple superior.

15. Desmontar la tuerca de retención y el soporte de retención del cableado, situado en la parte delantera izquierda del múltiple de admisión, y apartarlo a un lado con los cables de bujías.

16. Desmontar los tornillos/espárragos de retención del múltiple de admisión superior, y desmontar dicho múltiple.

17. Desmontar los inyectores y el conjunto raíl de combustible. Desmontar el tubo de salida de agua del calefactor.

18. Desmontar los tornillos/espárragos de retención del múltiple de admisión inferior, y desmontar dicho múltiple.

➡ **El múltiple está sellado en cada extremo con un sellador tipo RTV. Para romper el sello, puede ser necesario apalancar en la parte delantera del múltiple con una pequeña palanca. Si es necesario hacer palanca sobre el múltiple, tener cuidado de no dañar las superficies mecanizadas.**

Para instalar:

19. Limpiar todas las superficies de contacto de junta. Lubricar ligeramente las roscas de todos los tornillos y espárragos de retención.

20. Aplicar un poco de adhesivo para juntas en cada una de las superficies de contacto de las culatas de cilindros. Posicionar y presionar en su sitio las nuevas juntas de múltiple de admisión, usando pasadores de centrado para ayudar en el montaje, si fuera necesario.

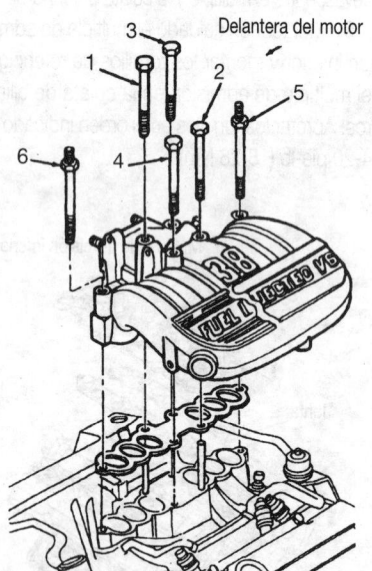

Asegurarse de apretar los tornillos del múltiple de admisión superior en la secuencia correcta, para evitar fugas – Motor 3.8L

21. Aplicar un cordón de sellante de silicona de $1/8$ de pulgada, en cada una de las esquinas donde la culata de cilindros se une con el bloque de cilindros. Montar los sellos de aceite de los extremos delantero y trasero del múltiple de admisión.

22. Bajar con cuidado el múltiple de admisión dentro de su sitio, sobre las culatas y el bloque de cilindros. Usar pasadores de centrado para guiar el múltiple, si fuera necesario.

23. Montar los tornillos y espárragos en su posición original, y apretarlos con los dedos.

➡ **El par de apriete de los tornillos depende del tipo de junta utilizado.**

24. Las juntas de grafito son las que se utilizan normalmente. Cuando el motor se calienta, las juntas de grafito permiten al múltiple y a las culatas de cilindros dilatarse diferentemente sin que dañen la junta y pierdan la estanqueidad.

• Si se usa el tipo de junta antiguo, apretar los tornillos en secuencia, en tres etapas: primero a 8 pie-lb (10 Nm), después a 15 pie-lb (20 Nm) y finalmente a 24 pie-lb (32 Nm).

• Apretar los tornillos en secuencia, en dos etapas, primero a 13 pie-lb (18 Nm), después a 16 pie-lb (22 Nm).

25. Conectar la conducción del PCV trasero en el tubo de admisión superior. Montar el tubo del PCV delantero de modo que el soporte de montaje se asiente sobre el espárrago del múltiple de admisión inferior. Apretar la tuerca en el espárrago a 15-22 pie-lb (20-30 Nm).

26. Montar los inyectores y el raíl de combustible. Montar el conjunto del múltiple de admisión superior. Montar los tornillos y espárragos en su posición original. Apretar los cuatro tornillos del centro, después el resto de tornillos, en tres etapas, primero a 8 pie-lb (10 Nm), después a 15 pie-lb (20 Nm), y finalmente a 24 pie-lb (32 Nm).

27. Montar la válvula del EGR. Montar el cuerpo del estrangulador y apretar en cruz las tuercas de retención a 15-22 pie-lb (20-30 Nm).

28. Conectar la conducción del PCV trasero en la válvula del PCV sobre el múltiple de admisión superior. Si está equipado con aire acondicionado, montar la escuadra-soporte de apoyo del compresor.

29. Conectar los conectores eléctricos y las mangueras de vacío necesarias. Conectar la manguera del calefactor en el codo del calefactor, y situar el soporte de apoyo del tubo del calefactor. Apretar la tuerca de retención a 15-22 pie-lb (20-30 Nm).

30. Conectar la manguera del calefactor en el tubo del calefactor, y conectar la manguera de desvío del refrigerante y la manguera superior del radiador.

31. Conectar las conducciones de combustible. Situar el soporte de montaje del cable del acelerador y apretar los tornillos de montaje a 15-22 pie-lb (20-30 Nm).

32. Conectar la tirantería de la transmisión en el múltiple de admisión superior. Si está equipado, conectar el cable de control de la velocidad de crucero.

33. Llenar y purgar el sistema de refrigeración del motor. Conectar el cable negativo de la batería, poner en marcha el motor y comprobar si hay fugas.

34. Comprobar, y si fuera necesario ajustar: la marcha mínima del motor, tirantería del estrangulador de la transmisión, y control de la velocidad de crucero.

MÚLTIPLE DE ESCAPE

DESMONTAJE E INSTALACIÓN

Motores 3.0L (DOHC) y 3.2L SHO de 1995

LADO IZQUIERDO

1. Desconectar el cable negativo de la batería.

2. Desmontar el soporte de apoyo del tubo de la varilla del nivel de aceite del motor.

3. Desmontar las mangueras de presión y retorno de la bomba de la dirección asistida.

4. Desmontar las tuercas de fijación del tubo de escape en el múltiple.

5. Desmontar los tornillos de retención de la protección de calor.

6. Desmontar las tuercas de retención del múltiple de escape, y el múltiple.

Para instalar:

7. Limpiar las superficies de unión del múltiple de escape, culata de cilindros y tubo en Y.

8. Lubricar ligeramente las roscas de todos los tornillos y espárragos, antes de su montaje.

9. Colocar el múltiple de escape sobre la culata de cilindros y montar las tuercas de retención del múltiple de escape. Apretarlas a 26-38 pie-lb (35-52 Nm).

10. Montar los tornillos de retención de la protección del calor. Apretar a 11-17 pie-lb (15-23 Nm).

11. Conectar el tubo en Y en el múltiple de escape. Apretar las tuercas de retención a 15-24 pie-lb (21-32 Nm).

12. Conectar las mangueras de presión y retorno de la dirección asistida.

13. Montar el soporte de apoyo del tubo de la varilla del nivel de aceite del motor.

14. Conectar el cable negativo de la batería.

15. Poner en marcha el motor y comprobar si hay fugas de refrigerante y gases de escape.

LADO DERECHO

1. Desconectar el cable negativo de la batería.

2. Desmontar la culata de cilindros derecha.

3. Desmontar los tornillos de retención de la protección del calor.

4. Desmontar las tuercas de retención del múltiple de escape, y el múltiple.

Para instalar:

5. Limpiar las superficies de unión del múltiple de escape, culata de cilindros y tubo en Y.

6. Lubricar ligeramente las roscas de todos los tornillos y espárragos, antes de su montaje.

7. Colocar el múltiple de escape sobre la culata de cilindros y montar las tuercas de retención del múltiple de escape. Apretar las tuercas a 26-38 pie-lb (35-52 Nm).

8. Montar los tornillos de retención de la protección del calor. Apretar a 11-17 pie-lb (15-23 Nm).

9. Montar la culata de cilindros del lado derecho.

10. Poner en marcha el motor y comprobar si hay fugas de refrigerante y gases de escape.

Motor 3.0L (DOHC) de 1996-98

1. Desconectar el cable negativo de la batería.

2. Para el lado derecho, llevar a cabo las siguientes operaciones:

a. Desmontar el conjunto del múltiple de admisión superior.

b. Desmontar el conjunto de la bobina de encendido.

c. Aflojar las tuercas de la válvula EGR en el tubo del múltiple de escape y desmontar el tubo.

d. Desconectar el mazo de cables del sensor de oxígeno, y desmontar el sensor.

3. Desmontar el tubo del múltiple de inyección del aire secundario del múltiple de escape.

4. Levantar el vehículo y soportarlo sobre soportes, con seguridad.

5. Desmontar las tuercas de retención del tubo Y del convertidor doble, de los múltiples de escape.

6. Desmontar los dos tornillos y tuercas de retención de la transmisión.

7. Desmontar los dos tornillos y tuercas de retención restantes de la conexión del tubo Y del convertidor doble. Desmontar el tubo Y del vehículo.

8. Desmontar las tuercas de retención del múltiple de escape inferior, de los espárragos de la culata de cilindros, y bajar el vehículo.

9. Desmontar las tuercas de retención del múltiple de escape superior, de los espárragos de la culata de cilindros.

10. Desmontar el múltiple de escape y la junta, del motor.

11. Limpiar todas las superficies de contacto con la junta.

Para instalar:

12. Montar el múltiple de escape con una junta de múltiple de escape nueva.

13. Montar los espárragos de retención del múltiple de escape y apretarlos a 13-16 pie-lb (18-22 Nm) en secuencia.

14. Levantar el vehículo y asegurarlo sobre soportes.

15. Posicionar el conjunto del tubo en Y utilizando una junta de brida nueva, y montar todos los tornillos y tuercas de retención, sin apretarlos.

16. Empezando por la parte delantera del sistema, apretar las tuercas de fijación del tubo en Y en el múltiple de escape, a 26-34 pie-lb (34-46 Nm).

17. Apretar el tornillo y la tuerca de fijación del convertidor en la transmisión, a 30 pie-lb (40.3 Nm). Apretar los tornillos de la salida del convertidor a 26-34 pie-lb (34-46 Nm).

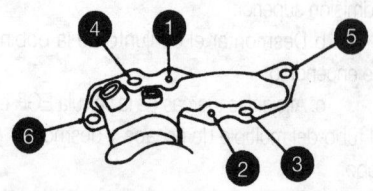

▲ Orden de apriete de los tornillos de montaje del múltiple de escape – Motor 3.0L (DOHC) de 1996-99

18. Bajar el vehículo.

19. Montar el sensor de oxígeno y apretarlo a 26-34 pie-lb (35-46 Nm). Conectar el conector eléctrico.

20. Montar el tubo de inyección del aire secundario en el múltiple de escape, y apretar la tuerca a 28-31 pie-lb (38-42 Nm).

21. Para el lado derecho, llevar a cabo las siguientes operaciones:

   a. Montar la válvula del EGR en el tubo del múltiple de escape, y apretar las tuercas a 26-33 pie-lb (35-45 Nm).

   b. Montar el conjunto de la bobina de encendido.

   c. Montar el conjunto del múltiple de admisión superior.

22. Conectar el cable negativo de la batería.

23. Poner en marcha el motor y comprobar si tiene fugas de escape, y el correcto funcionamiento.

Motor 3.0L (OHV)

LADO IZQUIERDO

1. Desconectar el cable negativo de la batería.

2. Desmontar la tuerca de retención del soporte de apoyo del tubo del indicador del nivel de aceite. Desmontar el tubo del indicador del nivel de aceite y apartar a un lado el cableado del sensor de control del motor.

3. Levantar el vehículo y asegurarlo sobre soportes.

4. Desmontar las tuercas de fijación del tubo de escape al múltiple de escape.

5. Bajar el vehículo.

6. Desmontar los cuatro tornillos de retención del múltiple de escape y dos espárragos del múltiple de escape. Desmontar el múltiple de escape del vehículo.

Para instalar:

7. Limpiar todas las superficies de contacto de las juntas y lubricar ligeramente todas las roscas de los tornillos y espárragos antes de su montaje.

8. Colocar el múltiple de escape en su posición sobre la culata de cilindros con una junta nueva. Apretar los cuatro tornillos y dos espárragos de retención del múltiple de escape a 15-18 pie-lb (20-25 Nm).

9. Montar el tubo de escape en el múltiple de escape y apretar las tuercas de fijación del tubo de escape a 25-34 pie-lb (34-47 Nm).

10. Montar el tubo del indicador de nivel de aceite. Apretar la tuerca del soporte a 12-15 pie-lb (16-20 Nm). Colocar el cableado del sensor de control del motor.

11. Conectar el cable negativo de la batería.

12. Poner en marcha el motor y comprobar si tiene fugas de escape, y su correcto funcionamiento.

LADO DERECHO

1. Desconectar el cable negativo de la batería.

2. Desconectar las mangueras de la válvula del EGR. Desmontar el tubo del EGR, del múltiple de escape. Utilizar una llave de apoyo sobre el rácor inferior.

3. Desmontar los tres tornillos de retención de la protección del calor, del múltiple de escape y desmontar la protección.

4. Levantar el vehículo y asegurarlo sobre soportes.

5. Desmontar las tuercas de retención del tubo de escape en el múltiple de escape, y separar el tubo de escape, del múltiple de escape.

6. Bajar el vehículo.

7. Desmontar los seis tornillos de retención del múltiple de escape, y sacar el múltiple de escape del vehículo.

Para instalar:

8. Limpiar todas las superficies de contacto de las juntas, y lubricar ligeramente todas las roscas de los tornillos antes de su montaje.

9. Colocar el múltiple de escape en su sitio sobre la culata de cilindros. Apretar los seis tornillos de retención del múltiple de escape a 15-18 pie-lb (20-25 Nm).

10. Levantar el vehículo y asegurarlo sobre soportes.

11. Colocar el tubo de escape y montar las tuercas de retención. Apretar las tuercas de retención a 25-34 pie-lb (34-47 Nm).

12. Montar la protección del calor del múltiple de escape y montar los tres tornillos de retención. Apretar los tornillos a 71-106 plg-lb (8-12 Nm).

13. Bajar el vehículo.

14. Montar el tubo del EGR en el múltiple de escape. Apretar la tuerca del tubo a 26-48 pie-lb (35-65 Nm). Conectar las mangueras de la válvula del EGR.

15. Conectar el cable negativo de la batería.

16. Poner en marcha el motor y comprobar si tiene fugas de escape y su correcto funcionamiento.

Motor 3.4L

LADO IZQUIERDO

1. Desconectar el cable negativo de la batería.

2. Levantar el vehículo y asegurarlo sobre soportes.

3. Desmontar el tubo en Y del convertidor doble.

4. Desmontar las dos tuercas inferiores de retención del múltiple de escape.

5. Bajar el vehículo.

6. Desmontar el tubo de inyección de aire secundario, del múltiple de escape.

7. Desmontar los tres tornillos de retención de la protección del calor y la protección del múltiple de escape.

8. Desmontar el tornillo de retención del tubo indicador del nivel de aceite.

9. Desmontar las cuatro tuercas superiores de retención del múltiple de escape.

10. Desmontar el múltiple de escape del lado izquierdo y la junta.

Para instalar:

11. Posicionar el múltiple de escape en el motor, utilizando una junta nueva.

12. Montar las cuatro tuercas superiores de retención del múltiple de escape, y apretarlas a 30-44 pie-lb (40-60 Nm).

13. Montar el tornillo de retención del tubo del indicador del nivel de aceite.

14. Montar los tres tornillos de retención y la protección del calor del múltiple de escape y apretarlos a 12-16 pie-lb (16-23 Nm).

15. Montar el tubo de inyección de aire secundario, en el múltiple de escape y apretar la tuerca a 29-33 pie-lb (40-45 Nm).

16. Levantar el vehículo y asegurarlo sobre soportes.

17. Montar las dos tuercas inferiores de retención del múltiple de escape, y apretarlas a 30-44 pie-lb (40-60 Nm).

18. Montar el tubo en Y del convertidor doble.

19. Bajar el vehículo.

20. Conectar el cable negativo de la batería.

LADO DERECHO

1. Desconectar el cable negativo de la batería.

2. Desmontar el tubo de inyección de aire secundario, del múltiple de escape.

3. Desmontar los tres tornillos de retención de la protección del calor y la protección del múltiple de escape.

4. Levantar el vehículo y asegurarlo sobre soportes.

5. Desmontar el tubo de la válvula del EGR, del múltiple de escape.

6. Desconectar la válvula del EGR en el tubo del múltiple de escape, del transductor del EGR.

7. Desmontar el tubo en Y del convertidor doble.

8. Desmontar las dos tuercas inferiores de retención del múltiple de escape.

9. Bajar el vehículo.

10. Desmontar las cuatro tuercas superiores de retención del múltiple de escape.

11. Levantar el vehículo y asegurarlo sobre soportes.

12. Desmontar el múltiple de escape del lado derecho y la junta.

Para instalar:

13. Situar el múltiple de escape en el motor, utilizando una junta nueva.

14. Montar las cuatro tuercas superiores de retención del múltiple de escape y apretarlas a 30-44 pie-lb (40-60 Nm).

15. Levantar el vehículo y asegurarlo sobre soportes.

16. Montar la dos tuercas inferiores de retención del múltiple de escape y apretarlas a 30-44 pie-lb (40-60 Nm).

17. Montar el tubo en Y del convertidor doble.

18. Conectar la válvula del EGR al tubo del múltiple de escape, en el transductor del EGR.

19. Montar la válvula del EGR al tubo de múltiple de escape en el múltiple de escape.

20. Bajar el vehículo.

21. Montar la protección del calor del múltiple de escape y los tres tornillos de retención en el múltiple de escape, y apretarlos a 12-16 pie-lb (16-23 Nm).

22. Montar el tubo de inyección de aire secundario, en el múltiple de escape.

23. Conectar el cable negativo de la batería.

Motor 3.8L

1. Desconectar el cable negativo de la batería.

2. Para el lado izquierdo, llevar a cabo las siguientes operaciones:

a. Desmontar el soporte de apoyo del tubo de la varilla del nivel de aceite.

b. Etiquetar y desconectar los cables de las bujías.

3. Para el lado derecho, llevar a cabo las siguientes operaciones:

a. Desmontar el conjunto del tubo de salida del filtro de aire. Si lo lleva como equipo, desconectar la manguera del thermactor de la válvula antirretorno (unidireccional) del tubo de aire aguas abajo.

b. Etiquetar y desconectar de la bobina, el cable secundario de la bobina y los cables de las bujías. Desmontar las bujías.

c. Desconectar el tubo del EGR.

4. Levantar el vehículo y asegurarlo sobre soportes.

5. Para el lado derecho, desmontar el tubo de la varilla del nivel de aceite, de la transmisión.

6. Desmontar las tuercas de fijación del tubo de escape en el múltiple de escape.

7. Bajar el vehículo.

8. Desmontar los tornillos de retención del múltiple de escape, y desmontar el múltiple del vehículo.

Para instalar:

9. Lubricar ligeramente todas las roscas de los tornillos y espárragos, antes de su montaje. Limpiar las superficies de contacto con las juntas sobre el múltiple de escape, culata de cilindros y tubo de escape.

10. Colocar el múltiple de escape sobre la culata.

11. Para el lado izquierdo, montar el tornillo inferior delantero sobre el cilindro N° 5, como tornillo piloto.

12. Para el lado derecho, iniciar dos tornillos de fijación para alinear el múltiple con la culata de cilindros.

13. Montar los restantes tornillos de retención del múltiple. Apretarlos a 15-22 pie-lb (20-30 Nm).

➡ **En el lado izquierdo, una ligera deformación en el múltiple de escape puede causar una desalineación en los agujeros para tornillos, en la culata de cilindros y en el múltiple. Si aparece este problema, y es necesario, alargar los agujeros del múltiple de escape para corregir la desalineación. No alargar el agujero piloto, que es el tornillo delantero inferior sobre el cilindro N° 5.**

14. Levantar el vehículo y asegurarlo sobre soportes.

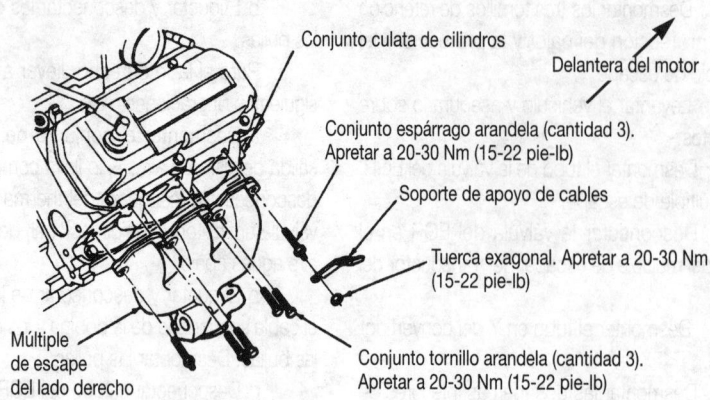

Conjunto culata de cilindros

Delantera del motor

Conjunto espárrago arandela (cantidad 3).
Apretar a 20-30 Nm (15-22 pie-lb)

Soporte de apoyo de cables

Tuerca exagonal. Apretar a 20-30 Nm
(15-22 pie-lb)

Múltiple de escape del lado derecho

Conjunto tornillo arandela (cantidad 3).
Apretar a 20-30 Nm (15-22 pie-lb)

▲ Vista esquemática del montaje del múltiple de escape del lado derecho – Motor 3.8L

15. Conectar el tubo de escape en el múltiple. Apretar las tuercas de fijación a 16-24 pie-lb (21-32 Nm).

16. Para el lado derecho, montar el tubo de la varilla del nivel de aceite de la transmisión.

17. Bajar el vehículo.

18. Para el lado izquierdo, llevar a cabo las siguientes operaciones:

a. Conectar los cables de las bujías.

b. Montar la tuerca de fijación del soporte de apoyo del tubo de la varilla de nivel de aceite, y apretarlo a 15-22 pie-lb (20-30 Nm).

19. Para el lado derecho, llevar a cabo las siguientes operaciones:

a. Montar los tornillos de retención de la protección exterior del calor a 50-70 plg-lb (5-8 Nm).

b. Montar las bujías. Conectar los cables en sus respectivas bujías, y conectar el cable secundario de la bobina, en la bobina.

c. Conectar el tubo del EGR. Si está equipado con una manguera de thermactor, conectar la manguera del thermactor en el tubo de aire aguas abajo y asegurarlo con una abrazadera. Conectar el conjunto del tubo de salida del filtro de aire.

20. Poner en marcha el motor y comprobar si hay fugas de escape.

SELLO DE ACEITE DELANTERO DEL CIGÜEÑAL

➡ Los procedimientos presentados aquí para el sello de aceite delantero del cigüeñal, son solamente para los motores equipados con correa de sincronización.

Para los motores equipados con cadena o engranajes de sincronización, consultar los procedimientos descritos más adelante, en esta sección.

DESMONTAJE E INSTALACIÓN

Motores 3.0L (DOHC) y 3.2L SHO de 1995

1. Desconectar el cable negativo de la batería, después desmontar las correas propulsoras de los accesorios.

2. Levantar el vehículo y asegurarlo sobre soportes.

3. Desmontar la rueda delantera derecha.

4. Desmontar el tornillo de fijación del amortiguador de vibraciones del cigüeñal. Utilizar un extractor adecuado y desmontar el amortiguador de vibraciones del cigüeñal.

5. Desmontar la correa de sincronización.

6. Desmontar la rueda dentada de sincronización del cigüeñal, con un extractor apropiado.

➡ Tener cuidado de no dañar el sensor o rueda fónica del cigüeñal.

7. Desmontar el retén delantero del cigüeñal, con un extractor apropiado.

Para instalar:

8. Inspeccionar la bomba de aceite y la superficie de sello del cigüeñal, por si están dañadas, melladas con rebabas u otras rugosidades, las cuales podrían producir un fallo del nuevo sello de aceite. Reparar, o sustituir si fuera necesario.

9. Usando las herramientas apropiadas, montar un nuevo sello de aceite delantero de cigüeñal.

10. Montar la rueda dentada del cigüeñal.

11. Montar la correa de sincronización.

12. Montar el amortiguador de vibraciones del cigüeñal. Apretar el tornillo de fijación del amortiguador a 113-126 pie-lb (152-172 Nm).

13. Montar las correas propulsoras de los accesorios.

14. Bajar el vehículo, poner en marcha el motor y comprobar si hay fugas de aceite.

Motor 3.4L

1. Desconectar el cable negativo de la batería.

2. Aflojar el tensor de la correa y desmontar la correa propulsora de los accesorios.

3. Desmontar el tornillo de fijación de la polea del cigüeñal. Utilizando un extractor apropiado, desmontar la polea del cigüeñal.

➡ Utilizando un extractor de pasadores de contratuercas T78P-3504-N, o equivalente, desmontar el sello de aceite delantero del cigüeñal, de la tapa delantera del motor.

Para instalar:

5. Lubricar con aceite limpio el agujero del sello de aceite en la tapa delantera del motor, y la zona de sellado del labio del sello de aceite.

6. Montar un sello de aceite nuevo utilizando la herramienta de cambiar sellos de aceite de cigüeñal y alinear tapas T88T-6701-A, o equivalente. Asegurarse de que el retén se monta recto y de modo uniforme.

7. Montar la polea del cigüeñal. Asegurarse de lubricar con aceite de motor limpio la superficie de sellado de la polea, antes de su montaje. Aplicar un sellante de silicona adecuado en el chavetero del cigüeñal, y apretar el tornillo de retención del amortiguador de vibraciones del cigüeñal, como sigue:

- Apretar el tornillo de la polea del cigüeñal a 78-99 pie-lb (105-135 Nm).
- Aflojar el tornillo de la polea del cigüeñal, un mínimo de 1 vuelta completa.
- Apretar el tornillo de la polea del cigüeñal a 35-39 pie-lb (47-53 Nm).
- Girar el tornillo de la polea del cigüeñal 85-95 grados adicionales.

8. Montar la correa propulsora de los accesorios.

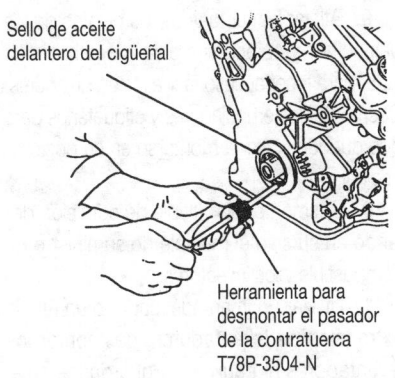

Sello de aceite delantero del cigüeñal

Herramienta para desmontar el pasador de la contratuerca T78P-3504-N

▲ Utilizar una herramienta especial, o un martillo de corredera, para desmontar el sello de aceite delantero del cigüeñal – Motor 3.4L

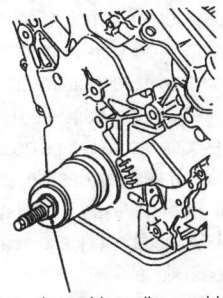

Herramienta de cambiar y alinear cubiertas de sellos de cigüeñal T88T-6701-A

▲ Montar un sello de aceite delantero de cigüeñal, utilizando un introductor de sellos, o una herramienta especial – Motor 3.4L

ÁRBOL DE LEVAS Y LEVANTADORES DE VÁLVULAS

DESMONTAJE E INSTALACIÓN

▼ PRECAUCIÓN ▼

El sistema de inyección de combustible permanece bajo presión, incluso después de que el motor haya sido parado. La presión del sistema de combustible debe descargarse antes de desconectar cualquier conducción. Dejar de hacerlo puede ser la causa de un incendio y/o daños personales.

Motores 3.0L (DOHC) y 3.2L SHO de 1995

1. Desconectar el cable negativo de la batería. Descargar la presión del sistema de combustible adecuadamente.

2. Girar el cigüeñal hasta que el pistón en el cilindro N° 1 esté en el PMS.

3. Desmontar el conjunto del múltiple de admisión. Desmontar la tapa delantera de la correa de sincronización y la correa de sincronización.

4. Si se desmonta la tapa de la culata de cilindros izquierda, desmontar el tapón de llenado de aceite del motor y la cubierta de plástico de la bobina de encendido. Si se desmonta la tapa de la culata de cilindros derecha, desconectar las conducciones de combustible. Desmontar la(s) tapa(s) de culata de cilindros.

5. Desmontar las poleas del árbol de levas, anotando la posición de las clavijas.

6. Desmontar la tapa de la correa de sincronización superior trasera. Aflojar uniformemente las tapas de cojinete del árbol de levas.

▼ AVISO ▼

Si las tapas de cojinete del árbol de levas no se aflojan uniformemente, pueden producirse daños en el árbol de levas.

7. Desmontar las tapas de cojinete del árbol de levas, y anotar su posición para el montaje posterior.

8. Desmontar los tornillos de montaje del tensor de la cadena de sincronización del árbol de levas.

9. Desmontar los árboles de levas conjuntamente con la cadena de sincronización y el tensor.

10. Sacar los empujadores de válvulas de sus agujeros. Marcarlos de manera que puedan montarse en su posición original.

11. Desmontar y desechar el sello de aceite del árbol de levas.

12. Desmontar la rueda dentada de la cadena de sincronización del árbol de levas.

13. Inspeccionar los árboles de levas por si estuvieran desgastados o dañados, y cambiarlos, si fuera necesario.

Para instalar:

14. Aplicar una fina capa de aceite de motor limpio, en las superficies de los cojinetes de árbol de levas, sobre la culata de cilindros y en las tapas de los cojinetes de árbol de levas.

15. Montar los levantadores de válvulas en sus posiciones originales.

16. Alinear las marcas de sincronización sobre las poleas dentadas del árbol de levas con las del árbol de levas y montar dichas po-

leas dentadas. Apretar los tornillos a 10-13 pie-lb (14-18 Nm).

17. Montar la cadena de sincronización sobre las poleas dentadas del árbol de levas. Alinear el eslabón pintado de blanco con la marca de sincronización sobre la polea dentada

▼ AVISO ▼

Los tensores de cadena de sincronización izquierdo y derecho no son intercambiables.

18. Girar el árbol de levas 60 grados en el sentido contrario al reloj. Ajustar el tensor de la cadena de sincronización entre las dos poleas dentadas y montar los árboles de levas sobre la culata de cilindros. Los tensores izquierdo y derecho no son intercambiables.

19. Aplicar una fina capa de aceite de motor limpio en los apoyos de cojinete del árbol de levas y montar las tapas de los cojinetes del 2 hasta el 5. Montar los tornillos de retención dejándolos flojos.

➡ Las flechas sobre las tapas de los cojinetes deben apuntar hacia la parte delantera del motor, cuando estén montadas.

20. Aplicar un sellante de silicona en el diámetro exterior del nuevo sello de aceite del árbol de levas y en la zona de sellado del sello sobre la culata de cilindros. Montar el sello de aceite del árbol de levas utilizando la herramienta expansora de sellos T89P-6256-B y la de montar sellos de levas T89P-6256-A, o equivalentes.

21. Aplicar una gota de sellante de silicona de 0.10 plg (2.5 mm) en la tapa de cojinete N° 1. Montar la tapa de cojinete mientras se mantiene en su posición el sello del árbol de levas con el montador T89P-6256-A, o equivalente.

22. Apretar las tapas de cojinete en secuencia utilizando un método de dos etapas. En la primera etapa apretar a 71-106 plg-lb (8-12 Nm). En la segunda etapa apretar a 12-16 pie-lb (16-22 Nm). Para el montaje del árbol de levas izquierdo, presionar el tensor de la cadena de sincronización para evitar dañar las tapas de los cojinetes.

▼ AVISO ▼

Las tapas de los cojinetes de árbol de levas N° 5, funcionan como cojinetes de empuje de árbol de levas. Apretar siempre primero las tapas de los cojinetes de árbol de levas N° 5.

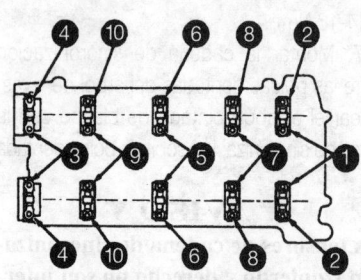

Secuencia de apriete de las tapas de cojinetes de árbol de levas de culata de cilindros derecha 6049

← Delantera del motor →

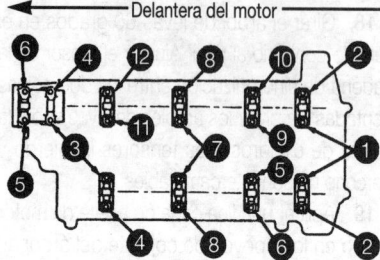

Secuencia de apriete de las tapas de cojinetes de árbol de levas de culata de cilindros izquierda 6049

⚠ **Para evitar deformaciones del árbol de levas, apretar las tapas de los cojinetes en dos etapas, de acuerdo con la secuencia indicada – Motores 3.0L (DOHC) y 3.2L SHO de 1995**

Marcas de sincronización · Superficie de contacto de la tapa de válvulas · Marcas de sincronización

⚠ **Alinear las marcas de sincronización de las poleas dentadas del árbol de levas, con las superficies de contacto de la tapa de válvulas – Motores 3.0L (DOHC) y 3.2L SHO de 1995**

Herramienta de posicionar levas T89P-6256-C

Planos en los árboles de levas que deben alinearse con los planos de la herramienta

⚠ **Asegurarse de que los árboles de levas están correctamente posicionados, montando el útil de posicionar levas T89P-6256-C o equivalente – Motor SHO**

23. Colocar la guía y el tensor de la cadena de sincronización, y montar los tornillos de retención. Apretar los tornillos a 11-14 pie-lb (15-19 Nm).

24. Girar los árboles de levas 60 grados en el sentido del reloj, y comprobar la correcta alineación de las marcas de sincronización. Las marcas sobre las poleas dentadas de los árboles de levas, deben estar alineadas con la superficie de unión de la tapa de culata de cilindros.

25. Montar la herramienta de posicionar el árbol de levas T89P-6256-C o equivalente, en los árboles de levas para controlar la posición correcta. Los planos en la herramienta deben alinearse con los planos en el árbol de levas. Si el útil no encaja y/o las marcas de puesta a punto se desalinean, repetir el montaje desde el principio.

26. Montar la tapa (trasera) de la correa de sincronización y apretar los tornillos a 78 plg-lb (8.8 Nm).

27. Montar las poleas dentadas de la correa de sincronización de los árboles de levas y apretar los tornillos a 15-18 pie-lb (21-25 Nm).

28. Montar la correa de sincronización y la tapa delantera de la correa de sincronización.

29. Montar las tapas de la culata de cilindros y apretar los tornillos a 8-11 pie-lb (10-16 Nm). Conectar las conducciones de combustible y montar la tapa de la bobina de encendido y el tapón de llenado de aceite.

30. Montar el conjunto del múltiple de admisión.

31. Conectar el cable negativo de la batería. Poner en marcha el motor y comprobar si hay fugas, y si funciona correctamente.

Motor 3.0L (OHV) de 1995

1. Desconectar el cable negativo de la batería. Vaciar el sistema de refrigeración y el cárter.

2. Descargar correctamente la presión del sistema de combustible.

3. Desmontar el motor del vehículo y colocarlo y fijarlo en un soporte de motores adecuado.

4. Desmontar los componentes propulsores de los accesorios, de la parte delantera del motor.

5. Desmontar el cuerpo del estrangulador y el mazo de cables de los inyectores de combustible.

6. Etiquetar y desconectar los cables de bujía, de las bujías.

7. Desmontar el conjunto del distribuidor.

8. Desmontar las tapas de balancines.

9. Aflojar las tuercas de los pivotes de los balancines y colocar los balancines hacia un lado, para tener acceso fácil a los empujadores. Desmontar los empujadores y etiquetarlos para que puedan volver a montarse en su posición original.

10. Desmontar el múltiple de admisión dejando en su sitio el múltiple de suministro de combustible y los inyectores.

11. Utilizar un imán adecuado, o un útil de extracción de levantadores, desmontar los levantadores hidráulicos, y guardarlos en el mismo orden, para que puedan montarse en su posición original. Si los levantadores están atascados en sus alojamientos, utilizar un extractor apropiado de levantadores, para desmontarlos.

12. Desmontar la polea del cigüeñal y el amortiguador de vibraciones utilizando una herramienta de extracción adecuada.

13. Desmontar el depósito de aceite. Desmontar el conjunto de la tapa delantera.

14. Alinear las marcas de sincronización sobre el árbol de levas, y los engranajes del cigüeñal. Comprobar el juego axial del árbol de levas, como sigue:

a. Empujar el árbol de levas hacia la parte trasera del motor y montar un comparador de esfera, de manera que el extremo del palpador quede situado en la cabeza del tornillo de fijación del engranaje al árbol de levas.

b. Poner a cero el comparador de esfera. Posicionar una pequeña palanca, o equivalente, entre el bloque de cilindros y el engranaje del árbol de levas.

c. Apalancar el árbol de levas hacia adelante y soltarlo. Comparar la lectura del comparador con el límite especificado del juego axial del árbol de levas de 0.005 plg (0.13 mm).

d. Si el juego axial del árbol de levas sobrepasa el límite especificado, cambiar la placa de empuje.

15. Desmontar la cadena de sincronización y los engranajes.

16. Desmontar la placa de empuje del árbol de levas. Cuidadosamente, desmontar el árbol de levas tirando de él hacia la delantera del motor. Desmontarlo lentamente para evitar dañar los cojinetes, muñones y lóbulos de leva.

17. Inspeccionar los muñones y lóbulos de leva, del árbol de levas, por si están dañados y/o desgastados. Cambiarlos si fuera necesario.

➡ **Si se reemplaza el árbol de levas, deben montarse también levantaválvulas nuevos.**

Para instalar:

18. Limpiar todas las superficies en contacto con las juntas. Lubricar los lóbulos y muñones del árbol de levas, con aceite de montaje de motores limpio. Cuidadosamente, introducir el árbol de levas, a través de los cojinetes, dentro del bloque de cilindros.

19. Montar la placa de empuje. Apretar los tornillos de retención a 84 plg-lb (10 Nm).

20. Montar la cadena de sincronización y los engranajes. Apretar el tornillo de retención del engranaje del árbol de levas a 46 pie-lb (63 Nm).

▼ PRECAUCIÓN ▼

El tornillo del árbol de levas tiene un taladro de paso de aceite para la lubricación de la cadena de sincronización. Asegurarse de que el paso está limpio antes del montaje del tornillo. Si el tornillo está dañado, no sustituirlo por un tornillo estándar sin taladro de aceite, ya que resultará dañado el motor.

21. Montar la tapa delantera de la sincronización y el amortiguador y la polea del cigüeñal. Apretar el tornillo del amortiguador del cigüeñal a 107 pie-lb (145 Nm).

22. Lubricar los levantaválvulas y los agujeros de alojamiento de los levantaválvulas hidráulicos con aceite de motor limpio. Montar los levantadores en sus agujeros originales.

23. Montar el conjunto del múltiple de admisión.

24. Lubricar los empujadores y balancines con aceite de motor limpio. Montar los empujadores y los balancines en sus posiciones originales. Girar el árbol de levas para situar cada empujador sobre su círculo base, entonces apretar el tornillo del balancín. Apretar los tornillos de los balancines a 24 pie-lb (32 Nm).

25. Montar el depósito de aceite y las tapas de balancines.

26. Montar el mazo de cables de los inyectores de combustible y el cuerpo del estrangulador.

27. Montar el distribuidor y conectar los cables de bujías en las bujías.

28. Montar los componentes propulsores de los accesorios.

29. Montar el conjunto motor.

30. Conectar el cable negativo de la batería. Reponer todos los niveles de fluidos.

31. Poner en marcha el motor y comprobar si hay fugas. Comprobar y ajustar la sincronización.

Motor 3.0L (OHV) de 1996-99

1. Desconectar el cable negativo de la batería. Desmontar el motor del vehículo y colocarlo y fijarlo sobre un soporte adecuado.

2. Girar el cigüeñal hasta el PMS del cilindro N° 1 en su carrera de compresión.

3. Desmontar el múltiple superior de admisión.

4. Desconectar los conectores del mazo de cables del motor, de los espárragos de la tapa de la culata de cilindros. Desconectar y desmontar con cuidado los conectores del mazo de cables de los inyectores de combustible, de cada uno de los inyectores, y ponerlos aparte.

5. Etiquetar y desconectar los cables de encendido, de las bujías. Desmontar los separadores de los cables de encendido, de los espárragos de la tapa de culata.

6. Desmontar el tornillo y la arandela de retención del cuerpo del sensor de posición del

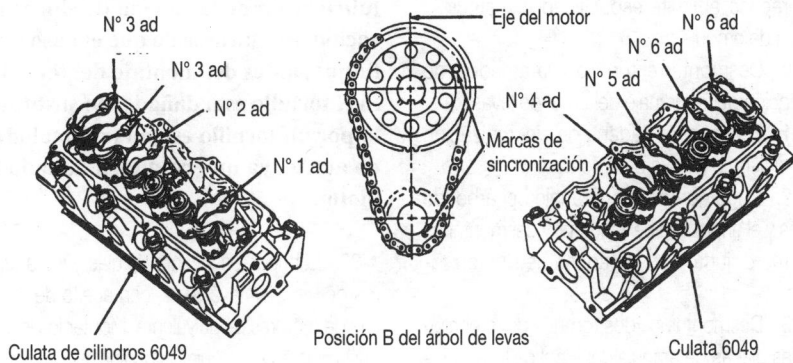

N° 3 ad
N° 3 ad
N° 2 ad
N° 1 ad
Culata de cilindros 6049
Eje del motor
Marcas de sincronización
Posición B del árbol de levas
N° 6 ad
N° 6 ad
N° 5 ad
N° 4 ad
Culata 6049

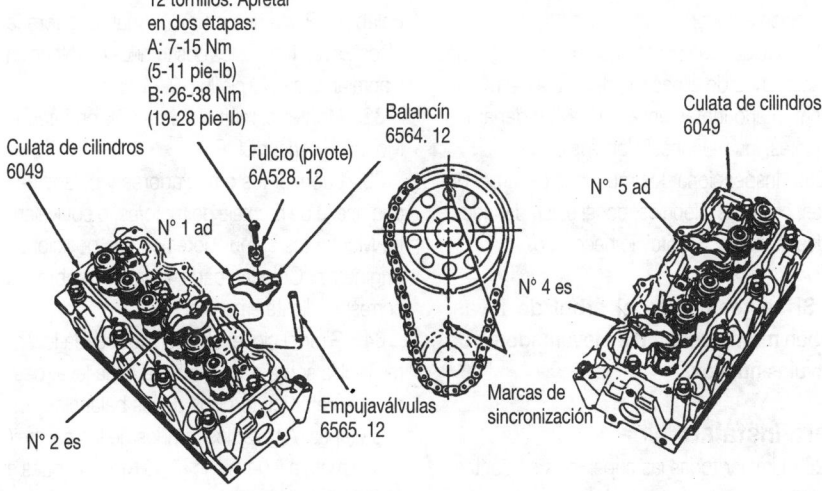

12 tornillos. Apretar en dos etapas:
A: 7-15 Nm (5-11 pie-lb)
B: 26-38 Nm (19-28 pie-lb)
Culata de cilindros 6049
Fulcro (pivote) 6A528. 12
N° 1 ad
N° 2 es
Balancín 6564. 12
Empujaválvulas 6565. 12
Marcas de sincronización
Culata de cilindros 6049
N° 5 ad
N° 4 es
Posición A del árbol de levas

Lado derecho   Tornillo y asiento del balancín deben estar completamente asentados, antes del apriete final
Lado izquierdo
2.15-4.69 mm (0.085-0.185 plg) con el empujaválvulas completamente caído sobre el círculo base del lóbulo del árbol de levas, después del montaje

▲ Apretar las tuercas de los balancines de acuerdo con la posición del árbol de levas – Motor 3.0L (OHV) de 1995

árbol de levas (CMP), y desmontar el cuerpo del sensor.

7. Desmontar la bobina de encendido de la trasera de la culata de cilindros izquierda.

8. Desmontar las tapas de culatas de cilindros.

9. Aflojar la tuerca del pivote del balancín de admisión del cilindro N° 3, y girar el balancín para apartarlo del empujador. Desmontar el empujador.

10. Desmontar la correa propulsora de los accesorios. Desmontar el tensor de esta correa, el alternador y los soportes del alternador.

11. Desmontar el múltiple de admisión inferior, dejando montados en el múltiple, el raíl de suministro de combustible y los inyectores de combustible.

12. Aflojar las tuercas de los pivotes de los restantes balancines, lo suficiente para que permitan girar los balancines, y poder desmontar los empujadores. Desmontar los empujadores restantes, identificando su posición para el montaje posterior.

13. Desmontar los tornillos de retención de la placa guía de los levantaválvulas y desmontar la placa guía de levantaválvulas.

14. Utilizando un imán adecuado, o un útil de extracción, desmontar los levantaválvulas hidráulicos y guardarlos en el mismo orden, para que puedan montarse en la posición original. Si los levantaválvulas están adheridos por un exceso de barniz polimerizado, dentro de sus alojamientos, utilizar un extractor apropiado de levantaválvulas hidráulicos, para desmontarlos.

15. Desmontar los tornillos de retención de la polea del cigüeñal y la polea del cigüeñal.

16. Desmontar el tornillo y la arandela de retención del amortiguador del cigüeñal. Desmontar el amortiguador del cigüeñal utilizando el extractor T58P-6316-D, o equivalente, y el adaptador T82L-6316-B, o equivalente.

17. Desmontar el depósito de aceite.

18. Desmontar los tornillos de retención de la tapa delantera del motor, dejando montada la bomba de agua. Desmontar la tapa delantera del motor.

19. Alinear las marcas de sincronización sobre los engranajes del árbol de levas y del cigüeñal. Controlar el juego axial del árbol de levas, como sigue:

　a.Empujar el árbol de levas hacia la parte trasera del motor y montar un comparador de esfera, de manera que el extremo del palpador quede situado sobre la cabeza del

tornillo de fijación del engranaje del árbol de levas.

　b.Poner a cero el comparador de esfera. Colocar una pequeña palanca, o equivalente, entre el bloque de cilindros y el engranaje del árbol de levas.

　c.Apalancar el árbol de levas hacia adelante y soltarlo. La lectura del comparador de esfera, compararla con el límite de servicio especificado de juego axial de árbol de levas de 0.005 plg (0.13 mm).

　d.Si el juego axial del árbol de levas sobrepasa el límite especificado, sustituir la placa de empuje.

20. Desmontar el tornillo y la arandela de retención del engranaje del árbol de levas.

21. Examinar la cadena de sincronización por si tiene excesiva deflexión.

22. Coger juntos el engranaje del árbol de levas y el engranaje del cigüeñal y desmontarlos del motor junto con la cadena de sincronización.

23. Desmontar los dos tornillos de retención de las placas de empuje del árbol de levas y las placas de empuje. Desechar las placas de empuje si se ha encontrado un excesivo juego axial, fuera de las especificaciones, en la comprobación anterior.

24. Cuidadosamente desmontar el árbol de levas, tirando de él hacia la delantera del motor. Desmontarlo lentamente para evitar dañar los cojinetes, los muñones y lóbulos de leva.

25. Inspeccionar los muñones del árbol de levas, cojinetes y lóbulos, por si están dañados, o desgastados. Sustituir lo necesario.

➡ **Si se reemplaza el árbol de levas, deben montarse también levantadores de válvulas nuevos.**

Para instalar:

26. Limpiar todas las superficies en contacto con las juntas. Lubricar los lóbulos, muñones, engranaje propulsor y superficies de cojinetes, con aceite de montaje de motores, o equivalente. Introducir con cuidado el árbol de levas a través de los cojinetes, dentro del bloque de cilindros.

27. Lubricar la placa de empuje del árbol de levas sobre ambos lados. Montar la placa de empuje y los dos tornillos de retención. Apretar los tornillos de retención a 7 pie-lb (10 Nm).

➡ **Si se monta un árbol de levas nuevo, comprobar el juego axial.**

28. Lubricar la cadena de sincronización y los engranajes con lubricante de montaje de motores, o equivalente y alinear las marcas de sincronización de los engranajes antes del montaje.

29. Montar el conjunto de la cadena de sincronización y engranaje. Montar el tornillo del engranaje del árbol de levas. Apretar el tornillo del engranaje a 37-51 pie-lb (50-70 Nm).

▼ PRECAUCIÓN ▼

El tornillo del árbol de levas tiene un taladro de paso de aceite, para la lubricación de la cadena de sincronización. Asegurarse de que el paso está limpio, antes del montaje del tornillo. Si el tornillo está dañado, no sustituirlo por un tornillo estándar sin taladro de aceite, ya que resultará dañado el motor.

30. Lubricar los levantaválvulas y los agujeros de los levantaválvulas, con aceite de montaje de motores o equivalente. Montar los levantaválvulas en sus agujeros originales.

31. Alinear las superficies planas de los levantaválvulas y montar la placa guía de los levantaválvulas. Esta placa debe ser montada con la palabra UP y/o una pequeña marca, sobre la placa visible. Montar los dos tornillos de retención y apretarlos a 8-10 pie-lb (10-14 Nm).

32. Montar el múltiple de admisión inferior. Montar el sensor CMP.

33. Lubricar los empujadores y balancines con aceite de montaje de motores, o equivalente. Montar los empujadores en sus posiciones originales. Colocar cada balancín sobre su correspondiente empujador.

34. Girar el cigüeñal para situar cada levantaválvulas sobre el círculo base de la leva, después apretar los tornillos de los balancines en dos etapas. Apretar los tornillos de los balancines primero a 5-11 pie-lb (7-15 Nm), después a 19-28 pie-lb (26-38 Nm).

35. Si se montan nuevos levantaválvulas, controlar la holgura del levantaválvulas comprimido del todo. La holgura debe ser de 0.085-0.185 plg (2.15-4.69 mm) con el levantaválvulas montado y el lóbulo de la leva del árbol de levas sobre su círculo base.

36. Montar la tapa delantera del motor y el depósito de aceite del motor.

37. Montar el amortiguador del cigüeñal y la polea. Apretar el tornillo del amortiguador del cigüeñal a 93-121 pie-lb (125-165 Nm) y los cuatro tornillos de la polea a 30-40 pie-lb (40-55 Nm).

38. Montar el alternador y los soportes.

39. Montar el tensor de la correa propulsora y la correa propulsora de los accesorios.

40. Montar las tapas de culata de cilindros.

41. Montar el mazo de cables de los inyectores de combustible en cada inyector. Fijar el mazo de cables en los espárragos de la tapa de culata de cilindros.

42. Montar la bobina de encendido en la culata de cilindros izquierda. Apretar los tornillos de retención a 29-41 pie-lb (40-55 Nm).

43. Montar el múltiple de admisión superior.

44. Montar las retenciones del mazo de cables del encendido, en los espárragos de la tapa de culata de cilindros y conectar los cables de encendido en las bujías y en la bobina de encendido.

45. Montar el conjunto motor dentro del vehículo.

46. Llenar el sistema de refrigeración del motor.

47. Llenar el cárter con el tipo de aceite apropiado, y la cantidad adecuada.

48. Conectar el cable negativo de la batería.

49. Poner en marcha el motor y controlar si hay fugas, y si funciona correctamente.

50. Controlar y ajustar si fuera necesario la sincronización del encendido del motor.

Motor 3.0L (DOHC) de 1996-99

1. Desconectar el cable negativo de la batería. Desmontar el conjunto del motor del vehículo y colocarlo y fijarlo sobre un soporte de motores adecuado.

2. Desmontar el múltiple de admisión superior. Desmontar las dos tapas de culata.

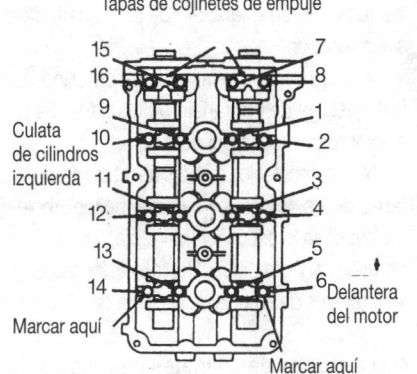

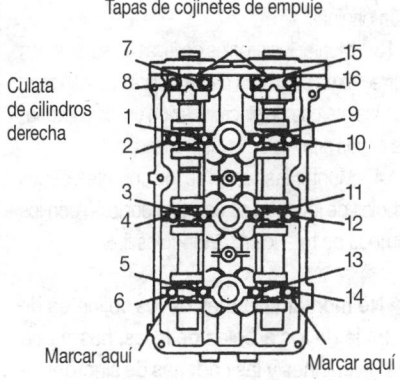

▲ Secuencia de apriete de los tornillos de cojinetes (muñequillas) de árbol de levas – Motor 3.0L (DOHC) de 1996-99

3. Desmontar la tapa delantera del motor.

4. Desmontar las cadenas de sincronización y los balancines.

▼ AVISO ▼

Las tapas de los cojinetes de empuje del árbol de levas, deben desmontarse primero, antes de aflojar los restantes tornillos de las tapas de cojinete del árbol de levas, para asegurar que las tapas de cojinetes de empuje del árbol de levas, no se dañen.

5. Aflojar los tornillos de las tapas de cojinete del árbol de levas, en secuencia, en varias etapas, para permitir que el árbol de levas se levante de la culata de cilindros gradualmente.

▼ AVISO ▼

Las tapas de los cojinetes del árbol de levas y las culatas de cilindros están numeradas, para asegurar que sean montadas en su posición original. Guardar las tapas de los cojinetes del árbol de levas junto con cada culata de cilindros. No mezclar las tapas con las de otra culata de cilindros. Dejar de hacerlo así, puede producir daños en el motor.

6. Desmontar las tapas de los cojinetes del árbol de levas con los tornillos de retención colocados.

7. Desmontar los árboles de levas de la culata de cilindros, después repetir el procedimiento para las dos culatas.

8. Sacar los levantadores de válvulas de sus alojamientos. Marcarlos de manera que puedan montarse en su posición original.

9. Inspeccionar los árboles de levas y las culatas de cilindros, por si están desgastados o dañados.

Para instalar:
▼ AVISO ▼

El chavetero del cigüeñal debe estar en la posición de las 11 en punto, antes de proceder al montaje. No tener en cuenta este punto puede producir daños en el motor.

10. Girar el cigüeñal hasta que el chavetero esté en la posición de las 11 en punto, para proceder al montaje de los árboles de levas.

11. Lubricar los lóbulos y muñones del árbol de levas con aceite de montaje de motores.

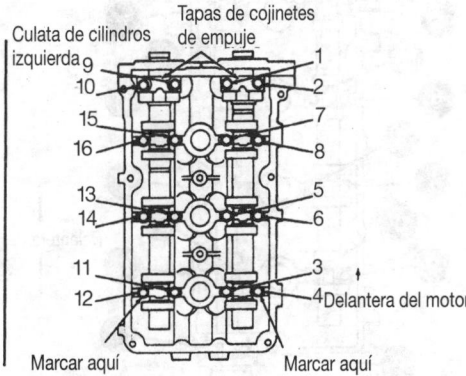

▲ Para permitir que el árbol de levas se levante uniformemente de la culata de cilindros, desmontar los tornillos de retención según la secuencia indicada – Motor 3.0L (DOHC) de 1996-99

12. Montar los levantaválvulas en su posición original.

13. Montar los árboles de levas en su posición correcta, en cada una de las culatas de cilindros, con las marcas de sincronización de los engranajes de los árboles de levas, alineadas.

14. Montar las tapas de los cojinetes de los árboles de levas en su correcta posición con los tornillos de retención, dejándolos flojos.

➡ No montar las tapas de los cojinetes de empuje de los árboles de levas, hasta que los balancines y las cadenas de sincronización hayan sido montados, y las tapas de los muñones de los árboles de levas estén apretadas, dentro de sus posiciones.

15. Montar las cadenas de sincronización.

16. Apretar los tornillos de las tapas de cojinete de árbol de levas, en secuencia, a 71-106 plg-lb (8-12 Nm). Montar las tapas de empuje y apretar los tornillos de retención a 71-106 plg-lb (8-12 Nm).

17. Montar la tapa delantera del motor.

18. Montar las dos tapas de culata de cilindros, después montar el múltiple de admisión superior.

➡ Las tapas de culata deben montarse y apretarse correctamente, dentro de los seis minutos siguientes a la aplicación del sellante de silicona.

19. Montar el conjunto del motor dentro del vehículo. Conectar el cable negativo de la batería.

20. Poner en marcha el motor y comprobar si hay pérdidas, y si funciona correctamente.

Motor 3.4L

▼ PRECAUCIÓN ▼

El sistema de inyección de combustible permanece bajo presión, incluso después que el motor haya sido parado. La presión del sistema de combustible debe descargarse antes de desconectar cualquier conducción. Dejar de hacer esto puede ser la causa de un incendio y/o daños personales.

1. Desconectar el cable negativo de la batería. Descargar la presión del sistema de combustible, adecuadamente.

2. Desmontar la cadena de sincronización, engranajes y tapa delantera, tal como se ha indicado anteriormente en esta sección.

3. Desmontar de las culatas de cilindros, los tensores de engranaje de las cadenas de sincronización.

4. Desmontar de las culatas de cilindros, los tensores de engranaje de las cadenas de sincronización del árbol de levas.

5. Desmontar los tornillos de retención de las tapas de los cojinetes de empuje de los árboles de levas, en la secuencia correcta, y anotar su posición para el montaje. Desmontar las tapas de los cojinetes de empuje de la culata de cilindros.

➡ Las tapas de cojinetes de árboles de levas de culata de cilindros tienen que montarse en su posición original.

6. Desmontar la cadena de sincronización y los árboles de levas, de la culata de cilindros.

7. Inspeccionar los árboles de levas por si estuvieran dañados y/o desgastados, y cambiarlos si fuera necesario.

Para instalar:

8. Aplicar una fina capa de aceite de motor limpio, en las superficies de los cojinetes del árbol de levas, en la culata de cilindros y en las tapas de los cojinetes de árbol de levas.

9. Girar el cigüeñal hasta la posición de PMS del pistón N° 1, alineando el chavetero del cigüeñal con la marca de la bomba de aceite.

10. Montar al cadena de sincronización sobre los árboles de levas de admisión y escape. Hacer coincidir las marcas de sincronización de la cadena y engranaje, y montar los árboles de levas en las culatas de cilindros, con las marcas de sincronización apuntando hacia arriba.

11. Aplicar un poco de junta y sellador de silicona de espesor 0.08-0.11 plg (2-3 mm), en la tapa de cojinete del árbol de levas del lado izquierdo de la culata de cilindros.

➡ Asegurarse de que las tapas de cojinete del árbol de levas están montadas en su posición original.

12. Montar las tapas de cojinete de árboles de levas de culata de cilindros y los tornillos de retención, dejándolos flojos.

13. Apretar los tornillos de retención de las tapas de cojinete de árbol de levas y culata de cilindros en secuencia y en dos etapas:

   a. Primera etapa: apretar en secuencia a 62-106 plg-lb (7-12 Nm).

   b. Segunda etapa: apretar en secuencia a 12-15 pie-lb (16-21 Nm).

14. Montar un sello de aceite de árbol de levas nuevo, con un expansor de sellos de árbol de levas T89P-6256-B, o equivalente, y un montador, de sellos de árbol de levas T89-6256-A, o equivalente.

15. Montar una herramienta de posicionar árboles de levas T96P-6256-AH, o equivalente en el lado izquierdo de la leva de admisión, y en el lado derecho de la leva de escape, utilizando los tornillos existentes del tensor de cadena de árbol de levas.

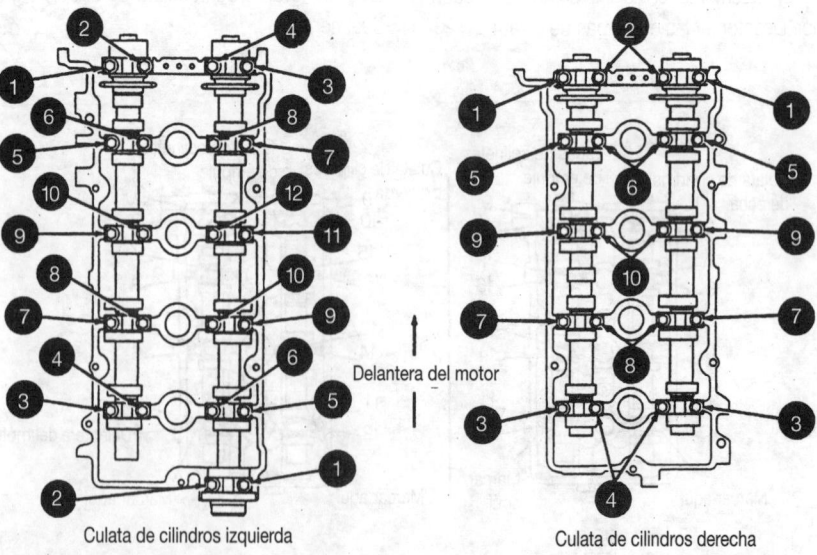

Culata de cilindros izquierda   Culata de cilindros derecha

Delantera del motor

▲ Secuencia de desmontaje de los tornillos de retención de las tapas de cojinetes de empuje y radiales del árbol de levas – Motor 3.4L

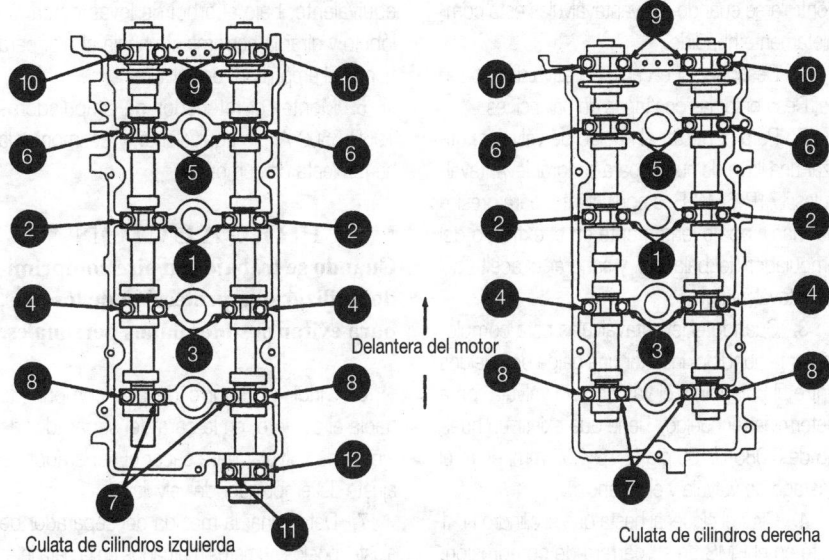

Delantera del motor

Culata de cilindros izquierda

Culata de cilindros derecha

▲ **Apretar las tapas de los cojinetes del árbol de levas en la secuencia indicada, para evitar deformaciones de los árboles de levas – Motor 3.4L**

16. Montar la cadena de sincronización, engranajes y tapa delantera, tal como se ha indicado anteriormente, en esta misma sección.

17. Conectar el cable negativo de la batería.

Motor 3.8L

1. Desconectar el cable negativo de la batería. Desmontar el motor del vehículo y colocarlo sobre un soporte adecuado para motores.

2. Desmontar la cámara de sobrepresión superior y el múltiple de admisión. Desmontar las tapas de válvulas, balancines, empujadores, placas guía y levantaválvulas.

➡ **Si los levantaválvulas hidráulicos tienen que usarse otra vez, marcar sus posiciones para el posterior montaje.**

3. Desmontar el depósito de aceite del motor.

4. Desmontar la tapa delantera de la cadena de sincronización. Desmontar la cadena de sincronización y engranajes.

5. Desmontar la placa de empuje del árbol de levas.

6. Desmontar el árbol de levas a través de la delantera del motor, teniendo mucho cuidado de no dañar las superficies de los cojinetes del árbol de levas.

Para instalar:

➡ **Inspeccionar la tapa del cojinete trasero del árbol de levas. Si está dañada o** tiene fugas, cambiar la tapa del cojinete trasero del árbol de levas. Inspeccionar el árbol de levas y los cojinetes de árbol de levas por si hay señales de desgaste, o están dañados, y cambiarlos, si fuera necesario. Si se cambia el árbol de levas, tienen que montarse también nuevos levantaválvulas.

7. Lubricar los lóbulos de leva y los muñones, con aceite de montaje de motores.

8. Montar el árbol de levas, teniendo cuidado de no dañar los lóbulos, o las superficies de los cojinetes, mientras se desliza el árbol de levas, dentro de su posición.

9. Montar la placa de empuje del árbol de levas. Montar y apretar los dos tornillos de retención a 72-120 plg-lb (8-14 Nm).

10. Controlar el juego axial del árbol de levas, como sigue:

a. Temporalmente, montar el tornillo de retención del engranaje del árbol de levas.

b. Empujar el árbol de levas hacia la trasera del motor.

c. Montar un comparador de esfera en la parte delantera del bloque de cilindros, de manera que el extremo del palpador descanse sobre la cara del tornillo de fijación del engranaje en el árbol de levas.

d. Poner a cero el comparador de esfera.

e. Tirar el árbol de levas hacia delante.

f. Anotar la lectura del comparador de esfera. El juego axial debe medir entre 0.001-0.006 plg (0.025-0.150 mm).

g. Si el juego axial del árbol de levas sobrepasa el límite especificado, cambiar la placa de empuje, y comprobar otra vez. Si el juego axial es todavía excesivo, comprobar si el árbol de levas o el bloque de cilindros están desgastados.

h. Desmontar el tornillo de retención del engranaje del árbol de levas.

11. Montar el depósito de aceite del motor.

12. Montar la cadena de sincronización y los engranajes asegurándose de que el árbol de levas y el cigüeñal están correctamente sincronizados.

13. Montar la tapa delantera del motor.

14. Montar los levantaválvulas, placas guía, empujadores, balancines y las tapas de válvulas.

15. Montar el múltiple de admisión y la cámara de sobrepresión superior.

16. Sacar el motor del soporte de motores y montar el motor en el vehículo.

17. Poner a nivel todos los fluidos.

18. Conectar el cable negativo de la batería.

19. Poner en marcha el motor y controlar si hay fugas, y si funciona correctamente.

HOLGURA DE VÁLVULAS

AJUSTE

Motores 3.0L (DOHC) y 3.2L SHO de 1995

1. Desconectar el cable negativo de la batería. Desmontar el conjunto del múltiple de admisión. Desmontar las tapas de culata de cilindros.

➡ **Los lóbulos de las levas deben estar 90 grados, o más, alejados de los ajustadores de huelgo de válvulas (empujadores de válvulas). El motor debe estar FRÍO para controlar el huelgo de válvulas.**

2. Montar una galga de huelgos bajo el lóbulo de leva, en un ángulo de 90 grados del árbol de levas. El huelgo para las válvulas de admisión debe ser de 0.006-0.010 plg (0.15-0.25 mm). El huelgo para las válvulas de escape debe ser de 0.010-0.014 plg (0.25-0.35 mm).

3. Si no son necesarios ajustes, montar las tapas de culata y el múltiple de admisión.

4. Si es necesario ajustar, montar un compresor de empujadores T89P-6500-A, o equivalente, bajo el árbol de levas cerca del lóbulo, y girar la herramienta hacia abajo para hundir el ajustador de huelgo de válvulas.

5. Montar el retenedor de emujadores T89P-6500-B, o equivalente, y desmontar la herramienta de comprimir.

6. Utilizando el útil de juntas tóricas T71P-19703-C, o equivalente, levantar el separador de ajuste y desmontar el separador de ajuste con un imán.

7. Determinar la medida del separador de ajuste, por el número marcado en la cara interior del separador, o midiéndolo con un micrómetro.

8. Montar el nuevo separador de ajuste con los números abajo. Asegurarse de que el separador esté bien asentado.

9. Aflojar el retenedor de empujador montando la herramienta de comprimir empujadores, después desmontar el compresor de empujadores.

10. Repetir el procedimiento para cada válvula que necesite ajuste, girando el árbol de levas cada vez, según sea necesario.

11. Controlar todos los separadores de ajuste para segurarse de que estén correctamente asentados.

12. Montar las tapas de culata de cilindros. Montar el múltiple de admisión.

13. Conectar el cable negativo de la batería. Poner en marcha el motor y controlar su correcto funcionamiento.

Motor 3.0L (DOHC) de 1996-99

Los ajustadores de huelgo de válvulas (empujadores de válvulas), son hidráulicos y no son ajustables. Es importante que todos los componentes de las válvulas estén en buen estado, montados y apretados correctamente.

Motor 3.0L (OHV)

En este motor se emplean levantaválvulas hidráulicos y no es necesario el ajuste del huelgo de válvulas. Es necesario un control de la holgura entre el balancín y el vástago de válvula, cuando se ha llevado a cabo un mecanizado en las culatas de cilindros, válvulas, asientos de válvulas o las superficies de junta de culata del bloque de cilindros, o bien cuando se han montado nuevos componentes del tren de válvulas. El control del huelgo es también necesario en la determinación de la flojedad, desgaste o piezas dañadas cuando hay algún problema con el tren de válvulas. El huelgo también tiene que

controlarse cuando el levantaválvulas está completamente hundido.

1. Desconectar el cable negativo de la batería. Desmontar las dos tapas de balancines.

2. Para controlar el huelgo de válvulas, utilizar una llave de hundir para sangrar levantaválvulas T71P-6513-B, o equivalente, para presionar hacia abajo lentamente en el extremo del empujador del balancín, y sangrar el aceite del levantaválvulas.

3. Cuando el levantaválvulas está completamente hundido, insertar una galga de huelgos entre el balancín y el vástago de válvula, para determinar el huelgo. Tiene que existir un huelgo de 0.085-0.185 plg (2.15-4.69 mm) entre el vástago de válvula y el balancín.

4. Girar el cigüeñal hasta que el cilindro N° 1 esté en el PMS de su carrera de compresión. Con el motor en esta posición, pueden controlarse los siguientes huelgos de válvulas:
   a. Admisión: 1, 3 y 6.
   b. Escape: 1, 2 y 4.

5. Girar el cigüeñal 360 grados y, con el mismo procedimiento, controlar las válvulas siguientes:
   a. Admisión: 2, 4 y 5.
   b. Escape: 3, 5 y 6.

6. Si el huelgo no es correcto, controlar si hay algún componente flojo, desgastado o dañado. Si no se encuentran defectos, el huelgo puede ajustarse utilizando empujadores más cortos o más largos.

Motor 3.4L

1. Desconectar el cable negativo de la batería. Desmontar las tapas de válvulas y el múltiple de escape.

➡ **Los lóbulos de leva deben estar 90 grados, o más, alejados de los ajustadores de huelgo de válvulas (empujadores de válvulas). El motor debe estar FRÍO para controlar el huelgo de válvulas.**

2. Insertar una galga de huelgos bajo el lóbulo de leva en un ángulo de 90 grados en el árbol de levas. El huelgo para las válvulas de admisión debe ser de 0.006-0.010 plg (0.15-0.25 mm). El huelgo para las válvulas de escape debe ser de 0.010-0.014 plg (0.25-0.35 mm).

3. Si no son necesarios ajustes, montar las tapas de culata de cilindros y el múltiple de admisión.

4. Si es necesario ajustar el huelgo, montar un compresor de empujadores T89P-6500-A, o

equivalente, bajo el árbol de levas cerca del lóbulo y girar la herramienta hacia abajo, para hundir el empujador de válvulas.

5. Montar el retenedor de empujadores T96P-6500-AH, o equivalente, y desmontar la herramienta de comprimir.

▼ PRECAUCIÓN ▼
Cuando se trabaje con aire comprimido, utilizar una protección de los ojos, para evitar posibles daños personales.

6. Dirigir un chorro de aire comprimido hacia el agujero, en la cara del separador de ajuste de válvula, para sacar el separador de ajuste del empujador de válvula.

7. Determinar la medida del separador de ajuste, por los números marcados en la cara inferior del separador, o midiendo con un micrómetro.

8. Montar el nuevo separador de ajuste con los números abajo. Asegurarse de que el separador esté bien asentado.

9. Soltar el retenedor de empujadores de válvula montando la herramienta de comprimir empujadores de válvula, después desmontar el compresor de empujadores de válvula.

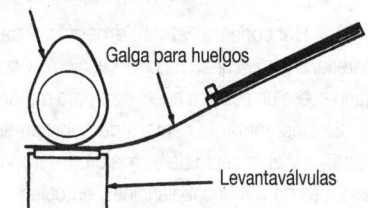

▲ **Para medir la holgura de válvulas, situar la galga para huelgos entre el círculo base de la leva y el levantaválvulas – Motor 3.4L**

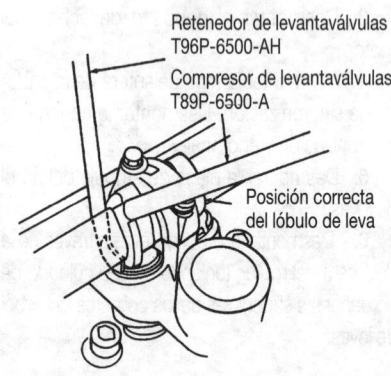

▲ **Posicionamiento correcto de las herramientas compresoras de levantaválvulas y retenedor – Motor 3.4L**

10. Repetir el procedimiento para cada válvula que necesite ajuste, girando el árbol de levas cada vez.

11. Controlar todos los separadores de ajuste para asegurarse de que estén correctamente asentados.

12. Montar los múltiples de admisión y las tapas de culata.

13. Conectar el cable negativo de la batería. Poner en marcha el motor y controlar el correcto funcionamiento.

Motor 3.8L

El huelgo entre el vástago de válvula y el balancín debe estar dentro de las especificaciones con el empujador de válvula completamente hundido. Si el huelgo no está dentro de especificaciones, controlar si alguno de los componentes está suelto, desgastado o dañado y reparar lo necesario.

1. Con el cigüeñal en la posición descrita, montar una llave de vaciar empujadores de válvulas T71P-6513-B, o equivalente en el balancín. Lentamente aplicar presión al empujador hasta que el pistón esté completamente hundido, después usar una galga de medir huelgos para determinar el huelgo entre el vástago de válvula y el balancín.

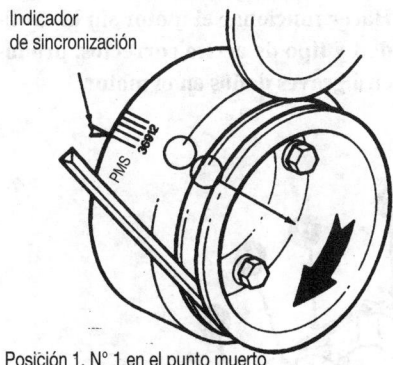

Indicador de sincronización

Posición 1. N° 1 en el punto muerto superior (PMS) de compresión

Posición 2. Girar el cigüeñal una vuelta – 360 grados

N° cilindro	Posición del cigüeñal	
	1	2
	Válvulas que se mide el juego	
1	Adm.- Esc.	No
2	Esc.	Adm.
3	Adm.	Esc.
4	Esc.	Adm.
5	No	Adm.-Esc.
6	Adm.	Esc.

▲ Medir las holguras de válvula especificadas, con el cigüeñal en la posición indicada – Motor 3.8L (OHV)

2. Girar el cigüeñal hasta que el pistón del cilindro N° 1 esté en el PMS en su carrera de compresión. Comprobar el huelgo entre el vástago de válvula y el balancín, en las siguientes válvulas:

    a. Admisión: 1, 3 y 6.
    b. Escape: 1, 2 y 4.

3. Girar el cigüeñal 360 grados y comprobar el huelgo entre el vástago de válvula y el balancín, en las siguientes válvulas:

    a. Admisión: 2, 4 y 5.
    b. Escape: 3, 5 y 6.

4. El huelgo entre el vástago de válvula y el balancín debe ser de 0.09-0.19 plg (2.25-4.79 mm), en todas las válvulas.

DEPÓSITO DE ACEITE

DESMONTAJE E INSTALACIÓN

Motores 3.0L (DOHC) y 3.2L SHO de 1995

1. Desconectar el cable negativo de la batería.

2. Desmontar la varilla indicadora del nivel de aceite.

3. Levantar el vehículo y asegurarlo sobre soportes. Vaciar el aceite del motor.

4. Si está equipado con un sensor de nivel de aceite bajo, desmontar el clip de retención y el conector eléctrico del sensor.

5. Desmontar el motor de arranque.

6. Desconectar los sensores de oxígeno.

7. Desmontar el conjunto del catalizador y tubo.

8. Desmontar la protección inferior del polvo del volante, de la campana de embrague.

9. Desmontar los tornillos de fijación del depósito de aceite y el depósito de aceite.

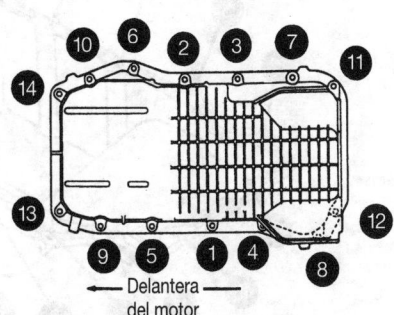

← Delantera del motor

▲ Para evitar fugas, apretar los tornillos del depósito de aceite de acuerdo con la secuencia indicada – Motores 3.0L (DOHC) y 3.2L SHO de 1995

Para instalar:

10. Limpiar las superficies de junta del bloque de cilindros y depósito de aceite.

11. Colocar la junta del depósito de aceite sobre el depósito de aceite y fijarla con sellante de silicona.

12. Colocar el depósito de aceite y apretar los tornillos de fijación en secuencia a 11-16 pie-lb (15-23 Nm).

13. Montar los componentes restantes en el orden inverso al desmontaje.

14. Conectar el cable negativo de la batería. Llenar el motor con el tipo y la cantidad de aceite adecuados, poner en marcha el motor y comprobar si hay pérdidas.

Motor 3.0L (OHV)

1. Desconectar el cable negativo de la batería. Desmontar la varilla indicadora del nivel de aceite.

2. Levantar el vehículo y asegurarlo sobre soportes. Vaciar el aceite del motor.

3. Si está equipado con un sensor de nivel de aceite bajo, desmontar el clip de retención del sensor. Desconectar el conector eléctrico del sensor.

4. Desmontar el motor de arranque y el soporte.

5. Desconectar el conector de los sensores de oxígeno (O$_2$).

6. Desmontar el conjunto del catalizador y tubo de escape en Y.

7. Desmontar la placa trasera del motor, de la carcasa del convertidor de par.

8. Desmontar los 16 tornillos de retención del depósito de aceite y sacar con cuidado el depósito de aceite del bloque de cilindros. Desmontar la junta del depósito de aceite.

Para instalar:

9. Limpiar las superficies de sellado de junta en el bloque de cilindros y en el depósito de aceite. Aplicar un cordón de 1 plg (6 mm) de sellante de silicona, en la unión del conjunto de la tapa delantera y el bloque de cilindros, y en la unión de la tapa del cojinete principal trasero y el bloque de cilindros.

➡ Cuando se utilice un sellante de silicona, el proceso de montaje tiene que realizarse dentro de los 5 minutos siguientes a la aplicación del sellante. Asegurarse de que el sellante no cae dentro del motor puesto que podría producir tapones, que obstruirían los pasos de aceite.

10. Colocar la junta del depósito de aceite sobre el depósito de aceite y fijarla con un adhesivo de contacto apropiado.

11. Colocar el depósito de aceite en posición sobre el bloque de cilindros. Montar los 16 tornillos de retención del depósito de aceite. Apretar los tornillos de retención a 8-10 pie-lb (10-14 Nm). Girar aflojando todos los tornillos, y reapretar otra vez.

12. Montar los componentes restantes en el orden inverso al desmontaje.

13. Conectar el cable negativo de la batería. Llenar el cárter con el tipo y la cantidad de aceite de motor apropiados, después poner en marcha el motor y comprobar si hay fugas, y si funciona correctamente.

Motores 3.0L (DOHC) y 3.4L de 1996-99

1. Desconectar el cable negativo de la batería.

2. Levantar el vehículo y asegurarlo sobre soportes. Vaciar el aceite del motor.

3. Desmontar las tuercas de retención del tubo en Y del catalizador doble, de los múltiples de escape.

4. Desmontar los tornillos y tuercas de retención de la transmisión.

5. Desmontar los dos tornillos y tuercas restantes, de la conexión del tubo en Y del catalizador doble. Desmontar el tubo en Y, del vehículo.

6. Montar otra vez el tapón de vaciado del depósito de aceite utilizando una junta nueva y apretar a 16-22 pie-lb (22-30 Nm).

7. Desmontar los tornillos de retención del depósito de aceite, del cuerpo de la transmisión.

8. Desmontar el tapón de acceso de la placa trasera del motor.

9. Desmontar el soporte de apoyo del depósito de aceite y la transmisión.

10. Desmontar los tornillos y espárragos de retención del depósito de aceite, del bloque de cilindros inferior, siguiendo la secuencia correcta de desmontaje de tornillos.

11. Desmontar el depósito de aceite y la junta del depósito de aceite, del vehículo.

12. Si fuera necesario, desmontar el conjunto de rejilla y tubo de bomba de aceite, de la bomba de aceite.

Para instalar:

13. Limpiar las superficies de sellado de junta del depósito de aceite en el bloque de cilindros inferior.

14. Limpiar a fondo las superficies de contacto de junta del depósito de aceite, con jabón y agua, y secarlas completamente, con aire comprimido.

15. Limpiar las superficies de contacto con limpiador de superficies metálicas F4AZ9A536-RA, o equivalente, para eliminar todos los residuos que pueden causar fugas de aceite.

16. Si se hubiera desmontado, montar el conjunto de rejilla y tubo de bomba de aceite, en la bomba de aceite, utilizando una junta tórica nueva. Apretar los tornillos de retención a 71-106 plg-lb (8-12 Nm). Montar una tuerca autobloqueante nueva, y apretarla a 71-106 plg-lb (8-12 Nm).

17. En el motor 3.0L, montar una junta de depósito de aceite nueva en la ranura del depósito de aceite. Aplicar sellante de silicona sobre la junta, en los sitios donde la tapa delantera del motor se encuentra con el bloque de cilindros.

18. En el motor 3.4L, aplicar un cordón de sellante de silicona de 0.16 plg (4 mm), sobre toda la superficie de sellado del depósito de aceite.

19. Montar con cuidado el depósito de aceite, con la junta en el bloque de cilindros inferior. Montar los tornillos y espárragos pero no apretarlos.

20. Empujar el depósito de aceite, contra la caja de la transmisión, y apretar los tornillos y espárragos del depósito de aceite, con los dedos.

21. Apretar los tornillos y espárragos de retención del depósito de aceite en la secuencia correcta, a 15-22 pie-lb (20-30 Nm).

22. Apretar los tornillos del depósito de aceite en la caja de la transmisión a 25-34 pie-lb (34-46 Nm).

23. Montar el soporte de apoyo de la transmisión en los espárragos de retención del depósito de aceite y en la transmisión. Apretar las tuercas de retención a 71-106 plg-lb (8-12 Nm). Apretar los tornillos de retención a 15-22 pie-lb (20-30 Nm).

24. Montar el tapón de acceso dentro de la placa trasera del motor.

25. Colocar el conjunto del tubo en Y, utilizando una junta nueva para la pletina, y montar todos los tornillos y tuercas de retención, dejándolos flojos.

26. Empezar por la parte delantera del sistema, y apretar las tuercas del tubo en Y en el múltiple de escape, a 26-34 pie-lb (34-46 Nm). Apretar la tuerca y el tornillo del convertidor en la transmisión a 30 pie-lb (40.3 Nm). Apretar los tornillos de la salida del convertidor a 26-34 pie-lb (34-46 Nm).

27. Cambiar el filtro de aceite del motor.

28. Bajar el vehículo.

29. Llenar el cárter con el tipo y la cantidad de aceite correctos.

▼ AVISO ▼

Hacer funcionar el motor sin la cantidad y tipo de aceite correctos, producirá graves daños en el motor.

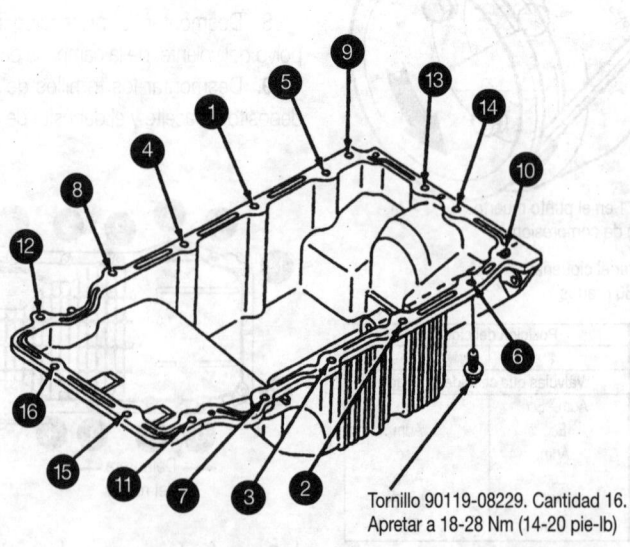

Tornillo 90119-08229. Cantidad 16. Apretar a 18-28 Nm (14-20 pie-lb)

▲ **Secuencia de apriete de los tornillos del depósito de aceite – Motores 3.0L (DOHC) y 3.4L SHO de 1996-99**

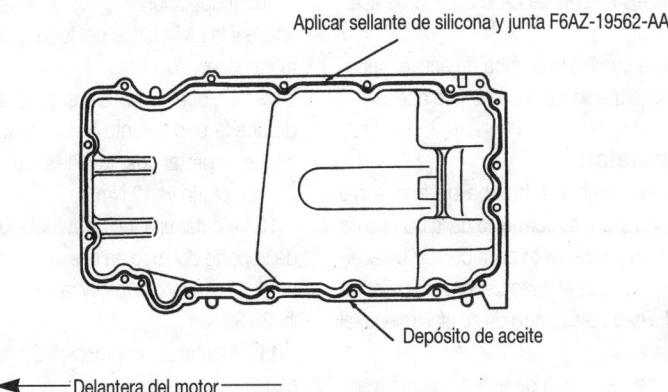

Aplicar sellante de silicona y junta F6AZ-19562-AA

Depósito de aceite

◄── Delantera del motor ──

▲ **Aplicar sellante de silicona en toda la superficie de sellado del depósito de aceite – Motores 3.0L (DOHC) y 3.4L SHO de 1996-99**

30. Conectar el cable negativo de la batería. Poner en marcha el motor, y controlar si hay fugas, y si funciona correctamente.

Motor 3.8L

1. Desconectar el cable negativo de la batería. Levantar el vehículo y asegurarlo sobre soportes.

2. Vaciar el aceite del motor en un contenedor apropiado, y desmontar el elemento del filtro de aceite. Montar el tapón de vaciado, y apretarlo a 15-25 pie-lb (20-34 Nm) y separar a un lado el contenedor.

3. Desmontar el conjunto del catalizador y el tubo en Y.

4. Desmontar el motor de arranque y la placa trasera del motor.

5. Desmontar los tornillos de retención del depósito de aceite y desmontar el depósito de aceite.

6. Para desmontar la rejilla y el tubo de la bomba de aceite, desmontar los dos tornillos de retención y la tuerca de soporte del apoyo, y desmontar la rejilla, el tubo y la junta de la bomba de aceite.

Para instalar:

7. Si se ha desmontado, limpiar las superficies de montaje de junta de la rejilla y tubo de la bomba de aceite, y montar una junta nueva de reijlla y tubo de bomba de aceite.

8. Colocar la rejilla, el tubo de la bomba de aceite en la junta de montaje y montar los dos tornillos y la tuerca del soporte de apoyo. Apretar los dos tornillos de retención a 15-22 pie-lb (20-30 Nm) y la tuerca a 30-40 pie-lb (40-55 Nm).

9. Limpiar las superficies de junta sobre el bloque de cilindros y el depósito de aceite.

10. Presentar el depósito de aceite en el bloque de cilindros. Asegurarse de que la holgura entre el depósito de aceite y el bloque de cilindros es suficiente para contener el cordón de sellante y que éste no raspe accidentalmente, al colocar el depósito de aceite bajo el motor.

11. Asegurarse de que no hay aceite de motor sobre las superficies de contacto de junta. Aplicar un cordón de sellante de silicona en la brida del depósito de aceite. También aplicar un cordón de sellante en la unión de la tapa delantera y el bloque de cilindros, y llenar las ranuras sobre ambos lados de la tapa del sello principal trasero.

➡ **Cuando se utilice un sellante de caucho silicona, el montaje debe llevarse a cabo dentro de los 15 minutos siguientes a la aplicación del sellante. Después de este tiempo, el sellante puede empezar a endurecerse, y su efectividad puede reducirse.**

12. Montar el depósito de aceite y asegurarlo al bloque de cilindros con los tornillos de retención. Apretar los 18 tornillos de retención a 84-108 plg-lb (9-12 Nm).

13. Montar un elemento de filtro de aceite nuevo.

14. Montar la tapa trasera del motor y el motor de arranque.

15. Montar el conjunto del catalizador y el tubo en Y.

16. Bajar el vehículo.

17. Llenar el cárter con la cantidad y el tipo de aceite correctos.

18. Conectar el cable negativo de la batería. Poner en marcha el motor y controlar si hay fugas, y si funciona correctamente.

BOMBA DE ACEITE

DESMONTAJE E INSTALACIÓN

Motores 3.0L (DOHC) y 3.2L SHO de 1995

1. Desconectar el cable negativo de la batería. Levantar el vehículo y asegurarlo sobre soportes.

2. Vaciar el cárter en un contenedor apropiado y desmontar el depósito de aceite. Desmontar la correa propulsora de los accesorios.

3. Desmontar la correa de sincronización del motor.

4. Desmontar la polea dentada del cigüeñal.

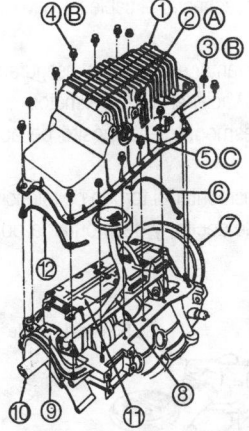

Elemento	Número de pieza	Descripción
1	6675	Depósito de aceite
2A	6730	Tapón de vaciado del depósito de aceite
3B	9S702-08500	Tuerca (cantidad 4)
4B	97522-08525	Tornillo (cantidad 10)
5C	6C624	Sensor del nivel de aceite bajo
6	6723	Junta trasera del depósito de aceite
7	6375	Volante
8	6622	Tapa del colador y tubo de la bomba de aceite
9	6600	Bomba de aceite
10	6303	Cigüeñal
11	6687	Deflector del depósito de aceite
12	6722	Junta delantera del depósito de aceite
A		Apretar a 20-33 Nm (15-24 pie-lb)
B		Apretar a 15-23 Nm (11-17 pie-lb)
C		Apretar a 21-33 Nm (15-24 pie-lb)

▲ **Vista esquemática del montaje del depósito de aceite, tubo de aspiración y colador de la bomba de aceite – Motores 3.0L (DOHC) y 3.4L SHO de 1995**

5. Desmontar los tornillos de retención de la rejilla y tubo de aspiración de la bomba de aceite. Desmontar la tapa y el tubo.

6. Desmontar los tornillos de la bomba de aceite al bloque, y desmontar la bomba.

Para instalar:

7. Alinear la bomba de aceite sobre el cigüeñal y montar los tornillos de retención de la bomba de aceite. Apretar los tornillos a 11-17 pie-lb (15-23 Nm).

8. Montar el tubo de aspiración y la rejilla de la bomba de aceite, y apretar los tornillos de retención a 72-96 plg-lb (7-11 Nm).

9. Montar los componentes restantes en el orden inverso al desmontaje.

10. Llenar el cárter con el tipo y la cantidad de aceite correctos. Conectar el cable negativo de la batería. Poner en marcha el motor y controlar si hay fugas, y si funciona correctamente.

Motor 3.0L (OHV)

1. Desconectar el cable negativo de la batería.

2. Levantar el vehículo y asegurarlo sobre soportes. Vaciar el aceite del motor.

3. Desmontar el depósito de aceite del motor.

4. Desmontar el tornillo de retención de la bomba de aceite, y desmontar la bomba de

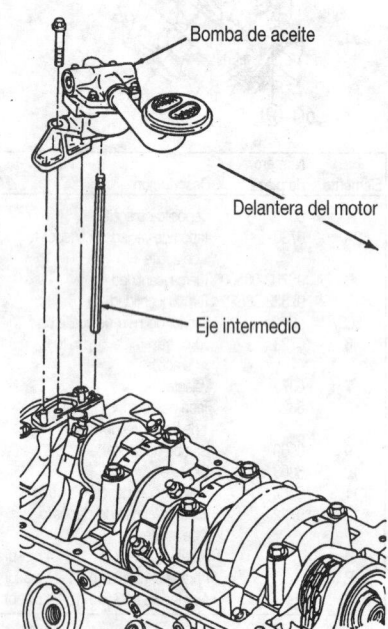

▲ Vista esquemática del montaje de la bomba de aceite – Motor 3.0L (OHV)

aceite y el eje intermedio de la bomba de aceite, del motor.

5. Si se cambia la bomba de aceite, separar el eje intermedio de la bomba de aceite.

Para instalar:

6. Si se cambia la bomba de aceite del motor, insertar el eje intermedio de la bomba de aceite dentro del conjunto de la bomba de aceite nueva hasta que el anillo de retención del eje intermedio haga clic dentro de su alojamiento al encajar en él.

7. Cebar la bomba de aceite nueva llenando a través de uno de los agujeros de entrada o de salida con aceite de motor. Girar el eje de la bomba para distribuir el aceite dentro de las cavidades del cuerpo de la bomba de aceite.

8. Insertar el conjunto del eje intermedio de la bomba de aceite a través del agujero en la tapa del cojinete principal trasero, y colocar la bomba de aceite sobre los pasadores de centraje.

9. Montar el tornillo de retención de la bomba de aceite, y apretarlo a 30-40 pie-lb (40-55 Nm).

10. Montar el depósito de aceite del motor.

11. Bajar el vehículo. Llenar el cárter con la cantidad y el tipo de aceite de motor adecuados.

12. Conectar el cable negativo de la batería. Poner en marcha el motor y controlar si hay fugas, que la presión de aceite sea la adecuada, y que funcione correctamente el motor.

Motor 3.0L (DOHC) de 1996-99

1. Desconectar el cable negativo de la batería. Desmontar el motor del vehículo.

2. Desmontar el depósito de aceite del motor y la tapa delantera del motor.

3. Desmontar las cadenas de sincronización y los engranajes del cigüeñal.

4. Desmontar la tapa rejilla de la bomba de aceite/tuerca del tubo/tornillos y el tubo, del motor.

5. Desmontar, en secuencia, los cuatro tornillos de retención de la bomba de aceite. Desmontar la bomba de aceite del vehículo.

Para instalar:

6. Girar el rotor interior de la bomba de aceite para alinearlo con los planos del cigüeñal. Montar la bomba de aceite nivelada con el bloque de cilindros.

7. Montar los tornillos de retención de la bomba de aceite y apretarlos en secuencia a 71-106 plg-lb (8-12 Nm).

8. Inspeccionar la rejilla de la bomba de aceite y la junta tórica del tubo, y cambiarlos si fuera necesario.

9. Colocar la rejilla y el tubo de la bomba de aceite con la junta tórica en la bomba de aceite. Apretar los tornillos de retención a 71-106 plg-lb (8-12 Nm).

10. Montar una tuerca autobloqueante nueva de soporte del tubo en el espárrago del bloque de cilindros inferior. Apretar la tuerca a 15-22 pie-lb (20-30 Nm).

11. Montar los engranajes del cigüeñal y las cadenas de sincronización.

12. Montar el depósito de aceite y la tapa delantera del motor.

13. Montar el motor en el vehículo. Llenar el cárter con la cantidad y tipo de aceite de motor adecuados.

14. Conectar el cable negativo de la batería. Poner en marcha el motor y controlar si hay fugas, y si funciona correctamente.

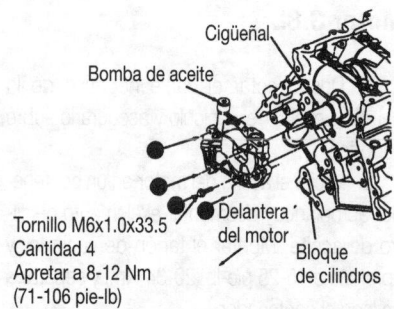

Tornillo M6x1.0x33.5
Cantidad 4
Apretar a 8-12 Nm
(71-106 pie-lb)

▲ Apretar los tornillos de retención de la bomba de aceite de acuerdo con la secuencia indicada, para asegurar la estanqueidad con el bloque de cilindros – Motor 3.0L (DOHC) de 1996-99

Motor 3.4L

1. Desconectar el cable negativo de la batería. Desmontar el motor del vehículo.

2. Desmontar el depósito de aceite del motor y la tapa delantera del motor.

3. Desmontar las cadenas de sincronización y los engranajes del cigüeñal.

4. Desmontar la tapa rejilla/tuerca del tubo/tornillos y el tubo de la bomba de aceite, del motor.

5. Desmontar en secuencia, los cuatro tornillos de retención de la bomba de aceite. Desmontar la bomba de aceite del vehículo.

Para instalar:

6. Girar el rotor interior de la bomba de aceite, para alinearlo con los planos del cigüeñal. Montar la bomba de aceite nivelada en el bloque de cilindros.

7. Montar los tornillos de retención de la bomba de aceite, y apretarlos en secuencia a 80-115 plg-lb (9-13 Nm).

8. Inspeccionar la junta tórica de la rejilla de la bomba de aceite y del tubo, y cambiarlos si fuera necesario.

9. Colocar la rejilla y el tubo de la bomba de aceite con la junta tórica, en la bomba de aceite. Apretar los tornillos de retención a 71-123 plg-lb (8-14 Nm).

10. Montar los engranajes del cigüeñal y las cadenas de sincronización.

11. Montar el depósito de aceite y la tapa delantera del motor.

12. Montar el motor en el vehículo. Llenar el cárter con la cantidad y tipo de aceite de motor adecuados.

13. Conectar el cable negativo de la batería. Poner en marcha el motor y controlar si hay fugas, y si funciona correctamente.

Motor 3.8L

1. Desconectar el cable negativo de la batería.

2. Levantar el vehículo y asegurarlo sobre soportes. Vaciar el aceite y después desmontar el filtro.

3. Desmontar los tornillos de la tapa de la bomba de aceite en la tapa delantera de la cadena de sincronización y desmontar la tapa de la bomba de aceite.

4. Desmontar los engranajes de la bomba de aceite.

5. Inspeccionar los engranajes, tapa de la bomba de aceite y la tapa delantera de la cadena de sincronización, por si estuvieran gastados y/o dañados.

Para instalar:

6. Si se usa otra vez la misma tapa de bomba de aceite, limpiar la superficie en contacto con la junta. Colocar una regla metálica cruzando la superficie de montaje de la tapa de la bomba de aceite, y controlar si hay desgaste, o deformación, con una galga de huelgos. Si la superficie está fuera de planicidad con más de 0.0016 plg (0.04 mm), cambiar la tapa.

7. Rellenar ligeramente la cavidad de los engranajes con gelatina de petróleo o bien cubrir toda las superficies de los engranajes de la bomba con aceite acondicionador.

8. Montar los engranajes en la cavidad. Asegurarse de que la gelatina de petróleo llena el espacio entre los engranajes y la cavidad.

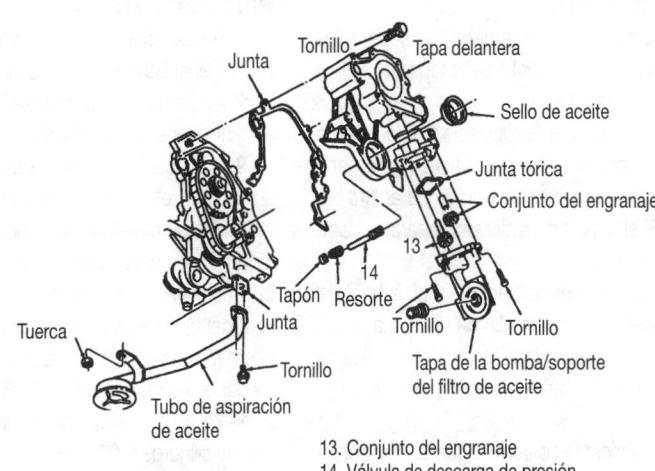

Vista esquemática del montaje de la tapa de la cadena de sincronización y bomba de aceite – Motor 3.8L

13. Conjunto del engranaje
14. Válvula de descarga de presión

▼ AVISO ▼

Un mal recubrimiento de los engranajes de la bomba de aceite puede producir un fallo en el cebado de la bomba de aceite cuando se pone en marcha el motor por primera vez.

9. Posicionar la junta de la tapa de la bomba de aceite, y montar dicha tapa. Apretar los tornillos de retención de la tapa de la bomba de aceite a 18-22 pie-lb (25-30 Nm).

10. Conectar el cable negativo de la batería. Llenar el cárter con la cantidad y tipo de aceite de motor apropiados.

11. Poner en marcha el motor y controlar si hay fugas, y si la presión del aceite del motor es correcta.

12. Controlar la sincronización del encendido y la marcha mínima reprimida, ajustar si fuera necesario.

13. Montar el conjunto del filtro de aire y el conducto de entrada de aire.

SELLO DE ACEITE PRINCIPAL TRASERO

DESMONTAJE E INSTALACIÓN

Motores 3.0L (DOHC) y 3.2L SHO de 1995

1. Desconectar el cable negativo de la batería.

2. Levantar el vehículo y asegurarlo sobre soportes.

3. Desmontar el conjunto de la transmisión.

4. Si está equipado con un cambio manual, desmontar el conjunto del embrague.

5. Desmontar el volante.

➡ Operar con precaución para evitar dañar la superficie de sellado del cigüeñal.

6. Utilizando un punzón afilado, o equivalente, practicar un agujero en la superficie metálica del sello de aceite trasero del cigüeñal, entre el labio del sello trasero del cigüeñal y la retención del sello trasero del cigüeñal.

7. Enroscar el extremo roscado de la clavija de Desmontaje con Contratuerca T78P-3504-N, o equivalente, en el sello trasero del cigüeñal, y desmontar dicho sello de la retención del sello trasero del cigüeñal.

8. Si es necesario, desmontar los tornillos de retención, de la tapa del sello trasero del cigüeñal, y desmontar la tapa y la junta.

Desmontador del pasador de la contratuerca T78P-3504-N

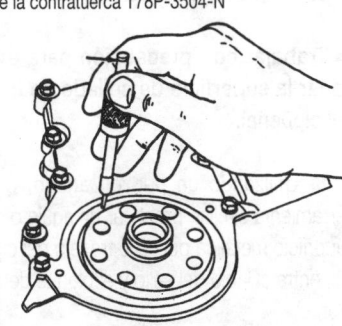

Enroscar la herramienta dentro del agujero practicado con el punzón, y desmontar el sello de aceite – Motores 3.0L (DOHC) y 3.2L SHO

Para instalar:

9. Limpiar completamente las superficies en contacto con la junta de la tapa del sello y del bloque de cilindros.

10. Inspeccionar la superficie del cigüeñal en contacto con el sello, por si tiene algún daño que pudiera producir la pérdida de aceite del sello. Si el daño es manifiesto, reparar o cambiar la pieza.

11. Si se ha desmontado, montar la tapa del sello trasero del cigüeñal, con una junta nueva en el bloque de cilindros. Montar los tornillos de retención y apretarlos a 56-83 plg-lb (6.3-9.4 Nm).

12. Lubricar la zona del cigüeñal en contacto con el sello trasero y los labios del sello con lubricante de montaje de motores.

13. Montar el sello trasero del cigüeñal utilizando los montadores de sellos T81P-6701-A y T88C-6701-BH, con el juego de tornillos T89P-6701-C, o equivalentes.

14. Montar el volante. Apretar los tornillos en secuencia a 29-43 pie-lb (39-50 Nm), después en secuencia otra vez, apretar a 51-58 pie-lb (69-78 Nm).

15. Si está equipado con una transmisión manual, montar el conjunto del embrague.

16. Montar el conjunto de la transmisión.

17. Conectar el cable negativo de la batería.

18. Poner en marcha el motor y controlar si tiene pérdidas, y si funciona correctamente.

Motor 3.0L (OHV)

1. Desconectar el cable negativo de la batería.

2. Levantar el vehículo y asegurarlo sobre soportes.

3. Desmontar el conjunto de la transmisión.

4. Si está equipado con un cambio manual, desmontar el conjunto del embrague.

5. Desmontar el volante.

➡ **Trabajar con precaución para evitar dañar la superficie de sellado de aceite del cigüeñal.**

6. Utilizando un punzón agudo, o una herramienta similar, practicar un agujero en la superficie metálica del sello trasero del cigüeñal, entre el labio del sello y el bloque de cilindros.

7. Atornillar el extremo roscado de un extractor de tapones, o una herramienta similar, en el sello trasero del cigüeñal, y desmontar el sello de aceite trasero del cigüeñal.

Para instalar:

8. Inspeccionar si la superficie de sellado del cigüeñal tiene algún daño que pudiera producir la pérdida de aceite del sello. Si el daño es evidente, reparar o cambiar el cigüeñal.

9. Lubricar la zona de sellado del cigüeñal y el labio del sello con aceite de motor limpio.

10. Situar el sello trasero del cigüeñal en el montador de sellos T88L-6701-A, o equivalente, y colocar la herramienta y el sello en la trasera del bloque de cilindros con tres tornillos. Alternativamente apretar los tornillos para asentar correctamente el sello. El sello debe quedar al mismo nivel, o dentro de la superficie del bloque de cilindros 0.020 plg (0.50 mm) no hundir el sello hasta el fondo.

11. Montar el volante. Apretar los tornillos de retención a 54-64 pie-lb (73-87 Nm).

12. Si está equipado con un cambio manual, montar el conjunto del embrague.

13. Montar el conjunto de la transmisión.

14. Bajar el vehículo.

15. Conectar el cable negativo de la batería.

16. Poner en marcha el motor y controlar si hay fugas.

17. Hacer una prueba de carretera y controlar el funcionamiento correcto del motor y la transmisión.

Motores de 3.0L (DOHC) y 3.4L SHO de 1996-99

1. Desconectar el cable negativo de la batería.

2. Levantar el vehículo y asegurarlo sobre soportes.

3. Desmontar el conjunto de la transmisión.

4. Desmontar el volante.

➡ **Tener cuidado de no rayar el cigüeñal, o las superficies de sellado de aceite de la retención del cigüeñal, al desmontar el sello trasero del cigüeñal.**

5. Utilizar el extractor de sellos T92C-6700-CH (3.0L), o T95P-6700-EH (3.4L), o equivalentes, para desmontar el sello trasero del cigüeñal.

➡ **Si la herramienta extractora tiene que actuar apoyada en la superficie posterior del cigüeñal, situar un trozo de chapa delgada de cobre u otro metal blando, de 0.010 plg (0.25 mm) de espesor, entre la herramienta y la cara trasera del cigüeñal, para proteger la superficie del cigüeñal.**

Para instalar:

6. Limpiar e inspeccionar las superficies de sellado del sello de aceite trasero del cigüeñal sobre el cigüeñal, y del bloque de cilindros.

7. Lubricar con lubricante de montaje de motores la brida del cigüeñal y el alojamiento del sello de aceite trasero del cigüeñal.

8. Montar el sello trasero de aceite del cigüeñal utilizando el montador de sellos de aceite T82L-6701-A, y el adaptador T91P-6701-A, o equivalentes.

9. Apretar alternativamente los tornillos para entrar de modo uniforme el sello de aceite trasero. Asentar el sello de aceite trasero al mismo nivel de la superficie trasera del bloque de cilindros.

10. Montar el volante. Montar los tornillos de retención del volante, y apretarlos en secuencia estándar a 54-64 pie-lb (73-87 Nm).

11. Montar el conjunto de la transmisión.

12. Conectar el cable negativo de la batería.

13. Poner en marcha el motor y comprobar si tiene fugas, y que funcione correctamente.

Motor 3.8L

1. Desconectar el cable negativo de la batería.

2. Desmontar el conjunto de la transmisión.

3. Si está equipado con transmisión manual, desmontar el conjunto del embrague.

4. Desmontar el volante.

5. Utilizando un punzón afilado, o una herramienta similar, con cuidado, hacer un agujero en el sello trasero del cigüeñal, entre el labio del sello y el bloque de cilindros. Enroscar en el agujero un tornillo de chapa de metal, y sacar el sello, o utilizar un extractor de tapones para desmontar el sello trasero del cigüeñal, del bloque de cilindros.

➡ **Tener mucha precaución de no rayar la superficie del sello trasero del cigüeñal sobre la muñequilla del cigüeñal.**

Para instalar:

6. Limpiar el hueco de alojamiento del sello trasero del cigüeñal en el bloque de cilindros y la tapa del cojinete principal.

7. Cubrir con aceite las superficies del sello nuevo y todas las superficies de montaje del sello. Situar el sello en el montador de sellos principales traseros T82L-6701-A, o equivalente, y colocar la herramienta y el sello en la trasera del bloque de cilindros.

8. Alternativamente, apretar los tornillos para asentar el sello correctamente. La cara trasera del sello debe quedar 0.005 plg (0.127 mm) dentro respecto a la cara trasera del bloque de cilindros.

9. Montar el volante.

10. Montar el conjunto del embrague, si está equipado con una transmisión manual.

11. Montar el conjunto de la transmisión.

12. Conectar el cable negativo de la batería.

13. Poner en marcha el motor y controlar si hay fugas, y si funciona correctamente.

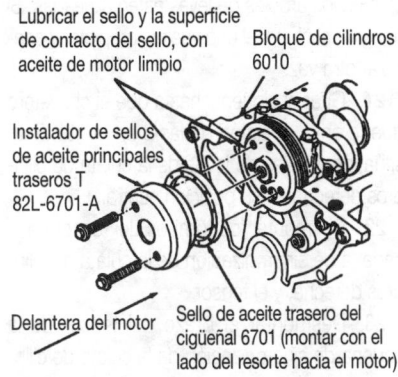

Lubricar el sello y la superficie de contacto del sello, con aceite de motor limpio

Bloque de cilindros 6010

Instalador de sellos de aceite principales traseros T 82L-6701-A

Delantera del motor

Sello de aceite trasero del cigüeñal 6701 (montar con el lado del resorte hacia el motor)

Nota: la parte trasera del sello debe estar entrada 0.508 mm (0.020 plg) respecto a la cara del bloque de cilindros

▲ **Montaje del sello trasero del cigüeñal – Motor 3.8L**

CADENA DE SINCRONIZACIÓN, ENGRANAJES Y TAPA DELANTERA Y SELLO DE ACEITE

DESMONTAJE E INSTALACIÓN

Motor 3.0L (OHV)

1. Desconectar el cable negativo de la batería, después vaciar el sistema de refrigeración del motor.

2. Aflojar los cuatro tornillos de la polea de la bomba de agua, mientras la correa propulsora de los accesorios está aún en su sitio.

3. Desmontar las correas propulsoras de los accesorios. Desmontar la polea tensora o el tensor automático, si es necesario.

4. Desmontar la manguera inferior del radiador y la manguera del calefactor, de la bomba de agua, y tapa delantera.

5. Desmontar la polea y el amortiguador, del cigüeñal.

6. En vehículos con combustible flexible, desmontar el sensor de posición del cigüeñal (CKP).

7. Vaciar el aceite del motor y desmontar el depósito de aceite.

8. Si es necesario, aflojar los tornillos de retención de la polea de la bomba de agua, después desmontar la polea.

9. Desmontar los tornillos de retención de la tapa de la sincronización en el bloque de cilindros y desmontar la tapa de la sincronización.

10. Sacar, con un extractor de sellos, el sello de la tapa.

11. Desmontar el amortiguador del cigüeñal y la tapa delantera de la cadena de sincronización.

12. Girar el cigüeñal hasta que el pistón N° 1 esté en el PMS de su carrera de compresión y las marcas de sincronización estén alineadas.

13. Desmontar el tornillo y arandela de sujeción del engranaje del árbol de levas. Deslizar hacia delante los dos engranajes y la cadena de sincronización, y desmontarlos como un conjunto.

14. Controlar si la cadena de sincronización y los engranajes están desgastados en exceso. Cambiar lo necesario.

Engranaje del árbol de levas

Las marcas de sincronización deben estar en la posición que se indica, con el pistón N° 1 en el PMS de ignición

Cadena de sincronización

Engranaje del cigüeñal

▲ **Asegurarse de que las marcas de sincronización están una frente a la otra después de que la cadena haya sido montada – Motores 3.0L (OHV)**

Para instalar:

15. Antes del montaje, limpiar e inspeccionar todas las piezas. Limpiar el material de junta y la suciedad, del depósito de aceite del motor, bloque de cilindros y tapa delantera.

16. Entrar los dos engranajes y la cadena de sincronización sobre el árbol de levas y el cigüeñal, con las marcas de sincronización alineadas. Montar el tornillo y arandela del árbol de levas, y apretar a 46 pie-lb (63 Nm). Aplicar aceite de motor limpio, en la cadena de sincronización y engranajes, antes de su montaje.

➡ **El tornillo del árbol de levas tiene un taladro de paso de aceite, para la lubricación de la cadena de sincronización. Asegurarse de que el paso está limpio antes de montar el tornillo. Si el tornillo está dañado, no sustituirlo por un tornillo estándar sin agujero de aceite ya que resultará dañado el motor.**

17. Lubricar ligeramente las roscas de todos los tornillos y espárragos, excepto los tornillos 1, 2 y 3, que requieren un sellante de tubos apropiado.

18. Montar un sello de aceite nuevo en la tapa de la sincronización.

19. Montar una junta nueva de tapa de sincronización sobre las clavijas de centraje del bloque de cilindros.

20. Montar el conjunto de tapa de sincronización/bomba de agua, sobre el bloque de cilindros, con la polea de la bomba de agua fijada en el cubo o mazo de la bomba, dejándola floja.

21. Aplicar un sellante que no endurezca en los tornillos número 1, 2 y 3, y montarlos a mano junto con el resto de tornillos de retención de la tapa. Apretar los tornillos del 1 al 10, a 19 pie-lb (25 Nm). y los tornilllos del 11 al 15, a 84 plg-lb (10 Nm).

22. Montar el depósito de aceite del motor. Apretar los tornillos de retención a 108 plg-lb (12 Nm).

23. Apretar con la mano los tornillos de retención de la polea de la bomba de agua.

24. Montar el amortiguador y la polea del cigüeñal. Apretar el tornillo de retención a 107 pie-lb (145 Nm).

25. En los vehículos con combustible flexible, montar el sensor CKP. Apretar el tornillo de retención a 44-61 plg-lb (5-7 Nm).

26. Montar el tensor automático de la correa, o la polea tensora, si fuera necesario.

27. Montar las correas propulsoras de la bomba de agua y de los accesorios. Apretar los tornillos de retención de la polea de la bomba de agua a 16 pie-lb (21 Nm).

28. Montar la manguera inferior del radiador y la manguera del calefactor, y apretar las abrazaderas.

29. Llenar el cárter con la cantidad y tipo de aceite correctos. Llenar y purgar el sistema de refrigeración del motor.

30. Conectar el cable negativo de la batería. Poner en marcha el motor y controlar si hay fugas de aceite y refrigerante. Hacer una prueba de carretera con el vehículo, y comprobar si funciona correctamente.

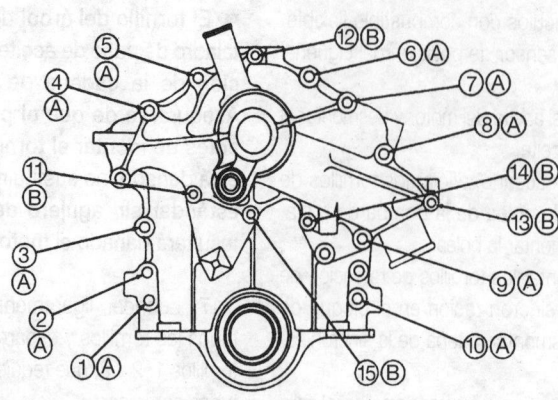

N° del tornillo y agujero	Tornillo		Especificaciones de torsión	
	Medida	Aplicación del tornillo	Nm	Pie-lb
1A	M8 x 1,25 x 43,5	F/C a Bloque	20-30	15-22
2A	M8 x 1,25 x 43,5	F/C a Bloque	20-30	15-22
3A	M8 x 1,25 x 73	W/P y F/C a Bloque	20-30	15-22
4A	M8 x 1,25 x 104,3	W/P y F/C a Bloque	20-30	15-22
5A	M8 x 1,25 x 73	W/P y F/C a Bloque	20-30	15-22
6A	M8 x 1,25 x 73	W/P y F/C a Bloque	20-30	15-22
7A	M8 x 1,25 x 73	W/P y F/C a Bloque	20-30	15-22
8A	M8 x 1,25 x 104,3	W/P y F/C a Bloque	20-30	15-22
9A	M8 x 1,25 x 104,3	W/P y F/C a Bloque	20-30	15-22
10A	M8 x 1,25 x 52	F/C a Bloque	20-30	15-22
11B	M8 x 1 x 28,5	W/P a F/C	8-12	71-106 (plg-lb)
12B	M8 x 1 x 28,5	W/P a F/C	8-12	71-106 (plg-lb)
13B	M8 x 1 x 28,5	W/P a F/C	8-12	71-106 (plg-lb)
14B	M8 x 1 x 28,5	W/P a F/C	8-12	71-106 (plg-lb)
15B	M8 x 1 x 28,5	W/P a F/C	8-12	71-106 (plg-lb)

W/P- Bomba de agua
F/C- Tapa delantera del motor

▲ Localización e identificación de los tornillos de la tapa delantera de la cadena de sincronización – Motor 3.0L (OHV)

Motor 3.0L (DOHC) de 1996-99

1. Desconectar el cable negativo de la batería.

2. Desmontar el motor del vehículo y colocarlo sobre un soporte de trabajo apropiado.

3. Desmontar los múltiples de admisión superior e inferior.

4. Desmontar las tapas de culata de cilindros, después desmontar la correa propulsora.

5. Desmontar el conector del cable del transmisor de temperatura del agua.

6. Desmontar el tubo de agua del calefactor, del tubo de desvío.

7. Desmontar los tornillos del tubo de desvío y el tubo.

8. Desmontar los tornillos de la bomba de la dirección asistida y la bomba.

9. Desmontar el soporte del compresor del A/A, del tirante de la bomba de agua, los tornillos de montaje, el compresor y el soporte.

➡ Los tornillos del soporte de montaje del A/A son tornillos de apretar hasta el estiramiento del límite elástico, y deben sustituirse cada vez que se desmontan.

10. Desmontar el alternador y la bomba de agua.

11. Montar la herramienta de sujeción del volante T74P-6375-A, o equivalente, para impedir la rotación del cigüeñal.

12. Desmontar la polea y soporte de los accesorios del cigüeñal.

➡ Girar el eje de la polea en el sentido del reloj, para desmontarla. Utilizar una llave de extremo abierto de 24 mm, sobre la tuerca interior, para desmontar la polea.

13. Desmontar el tornillo y arandela, de la polea del cigüeñal.

14. Montar un extractor de amortiguadores apropiado, y desmontar el amortiguador del cigüeñal.

15. Desmontar la herramienta de sujeción del volante.

16. Desconectar los cables de los conectores del sensor de posición del cigüeñal (CKP) y del sensor de posición del árbol de levas (CMP).

17. Desmontar el depósito de aceite del motor, desmontar los tornillos de retención en secuencia.

18. Desmontar los tornillos de la tapa delantera del motor, en secuencia, la tapa delantera y la junta.

19. Girar el cigüeñal de manera que el chavetero quede en la posición de las 11 en punto, para colocar el cigüeñal en el PMS del cilindro N° 1.

20. Verificar que las flechas de sincronización en los árboles de levas estén alineadas. Si no, girar el cigüeñal una vuelta completa, y controlar otra vez.

21. Girar el cigüeñal hasta que el chavetero quede en la posición de las 3 en punto. Esto sitúa los árboles de levas de la culata de cilindros derecha en su posición neutra.

22. Desmontar los tornillos del tensor de la cadena de sincronización de la culata de cilindros derecha, y el tensor.

23. Desmontar el brazo del tensor de la cadena de sincronización de la culata de cilindros derecha, y la cadena de sincronización.

24. Desmontar los tornillos de la guía de la cadena de sincronización de la culata de cilindros derecha, y la guía; si está gastada, sustituir la guía de la cadena de sincronización.

25. Desmontar el engranaje de la cadena de sincronización derecha del cigüeñal.

26. Desmontar los engranajes de la cadena de sincronización de los árboles de levas de la culata de cilindros derecha, si se tienen que sustituir.

27. Girar el cigüeñal dos vueltas y situar el chavetero del cigüeñal en la posición de las 11 en punto. Esto situará los árboles de levas de la culata de cilindros izquierda, en su posición neutra.

28. Verificar que las flechas de sincronización de los árboles de levas están alineadas.

29. Desmontar los tornillos de retención del tensor de la cadena de sincronización de la culata de cilindros izquierda y el tensor de la cadena de sincronización.

➡ Si el brazo del tensor y la guía de la cadena de sincronización de la culata de cilindros izquierda tienen que utilizarse otra vez, marcar la posición del brazo del tensor y la guía de la cadena de sincronización para montarlos en su posición original.

30. Desmontar el brazo del tensor de la cadena de sincronización de la culata de

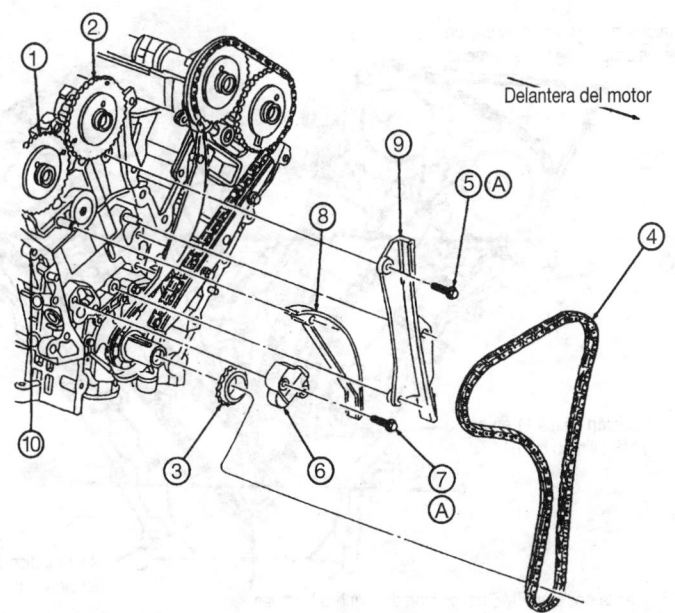

1. Árbol de levas de escape derecho
2. Árbol de levas de admisión derecho
3. Engranaje del cigüeñal de la cadena de sincronización derecha
4. Cadena de sincronización derecha
5. Tornillo (cantidad 2)
6. Tensor de la cadena de sincronización
7. Tornillo (cantidad 2)
8. Brazo tensor de la cadena de sincronización
9. Guía de la cadena de sincronización
10. Culata de cilindros derecha
A. Apretar a 20-30 Nm (15-22 pie-lb)

Delantera del motor

▲ Vista esquemática de la cadena de sincronización de la culata de cilindros derecha, y los componentes correspondientes – Motor 3.0L (DOHC) de 1996-99; el lado izquierdo es similar

cilindros izquierda y la cadena de sincronización.

31. Desmontar los tornillos de la guía de la cadena de sincronización de la culata de cilindros izquierda y la guía; si está desgastada, sustituir la guía de la cadena de sincronización.

32. Desmontar el engranaje de la cadena de sincronización izquierda del cigüeñal.

33. Si es necesario, se pueden desmontar en este momento los engranajes de los árboles de levas de la culata de cilindros izquierda.

Para instalar:

➡ Inspeccionar las cadenas de sincronización, tensores, brazos de tensores, guías y engranajes por si presentan algún desgaste o daño. Si va a sustituirse algún componente por desgaste prematuro o daño, también tiene que ser sustituido el amortiguador del árbol de levas.

34. Montar otra vez, o sustituir, los engranajes de árbol de levas, si se han desmontado.

35. Asegurarse de que el chavetero del cigüeñal está todavía en la posición de las 11 en punto.

36. Montar en el cigüeñal el engranaje de la cadena de sincronización izquierda.

37. Montar en el motor la guía de la cadena de sincronización izquierda y los tornillos de retención. Apretar los tornillos de retención a 15-22 pie-lb (20-30 Nm).

38. Verificar que las flechas de sincronización sobre los árboles de levas de la culata de cilindros izquierda estén alineadas.

39. Montar la cadena de sincronización izquierda sobre el engranaje izquierdo del cigüeñal y los engranajes de los árboles de levas de la culata de cilindros izquierda.

40. Alinear las marcas de sincronización en la cadena de sincronización de la culata de cilindros izquierda, con las marcas de sincronización del engranaje del cigüeñal y los engranajes de los árboles de levas.

41. Montar el brazo del tensor de la cadena de sincronización izquierda en la clavija de alineación en la culata de cilindros izquierda.

➡ Antes de montar el tensor de la cadena de sincronización, el tensor se debe comprimir y bloquear adecuadamente.

42. Utilizando una pequeña palanca, desbloquear el mecanismo de uña de retenida/trinquete, del tensor de la cadena de sincronización, a través del agujero de acceso en el tensor de la cadena de sincronización, como sigue:

a. Insertar un pequeño trozo de alambre dentro de la parte superior del pistón y poco a poco, sacar de su asiento la bola de la válvula antirretorno (unidireccional) del aceite.

b. Comprimir con la mano el tensor de la cadena de sincronización.

c. Con el tensor comprimido, montar una broca de 0.060 plg (1.5 mm), o alambre del mismo diámetro, dentro del pequeño agujero, encima del trinquete o uña, encajando la ranura de bloqueo de la cremallera del tensor de la cadena de sincronización.

43. Montar sobre el bloque de cilindros, el tensor comprimido y bloqueado de la cadena de sincronización de la culata de cilindros izquierda, y los tornillos de retención. Apretar los tornillos de retención a 15-22 pie-lb (20-30 Nm).

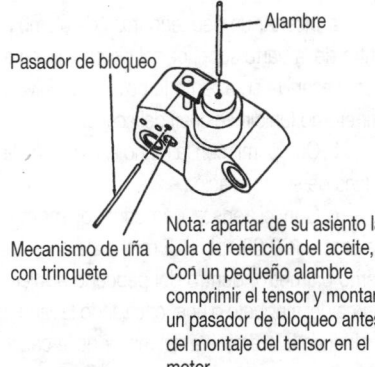

Alambre

Pasador de bloqueo

Mecanismo de uña con trinquete

Nota: apartar de su asiento la bola de retención del aceite, Con un pequeño alambre comprimir el tensor y montar un pasador de bloqueo antes del montaje del tensor en el motor

▲ Asegurarse de comprimir el tensor antes de montarlo en el motor – Motor 3.0L (DOHC) de 1996-99

44. Verificar que las marcas de sincronización sobre la cadena de sincronización izquierda, están alineadas con las marcas de sincronización del engranaje del cigüeñal y los engranajes de los árboles de levas.

45. Montar o sustituir los engranajes de los árboles de levas, si han sido desmontados.

46. Montar sobre el cigüeñal el engranaje de la cadena de sincronización derecha.

47. Montar en el motor la guía de la cadena de sincronización y los tornillos de retención. Apretar los tornillos de retención a 15-22 pie-lb (20-30 Nm).

48. Verificar que las flechas sobre los árboles de levas de la culata de cilindros derecha están alineados.

49. Montar la cadena de sincronización derecha sobre el engranaje derecho del cigüeñal y de los engranajes de los árboles de levas de la derecha.

50. Alinear las marcas de sincronización sobre la cadena de sincronización de la culata de cilindros derecha, con las marcas de sincronización sobre el engranaje del cigüeñal y los engranajes de los árboles de levas.

51. Montar el brazo del tensor de la cadena de sincronización derecha sobre la clavija de alineación en la culata de cilindros derecha.

➡ **Antes de montar el tensor de la cadena de sincronización, el tensor se debe comprimir y bloquear adecuadamente.**

52. Utilizando una pequeña palanca, desbloquear el mecanismo de uña de retenida/trinquete, del tensor de la cadena de sincronización, a través del agujero de acceso en el tensor de la cadena de sincronización, como sigue:

a. Insertar un pequeño trozo de alambre dentro de la parte superior del pistón y poco a poco, sacar de su asiento la bola de la válvula antirretorno (unidireccional) del aceite.

b. Comprimir con la mano el tensor de la cadena de sincronización.

c. Con el tensor comprimido, montar una broca de 0.060 plg (1.5 mm) o alambre del mismo diámetro, dentro del pequeño agujero encima del trinquete o uña, encajando la ranura de bloqueo la cremallera del tensor de la cadena de sincronización.

53. Montar sobre el bloque de cilindros el tensor comprimido y bloqueado de la cadena de sincronización de la culata de cilindros derecha y los tornillos de retención. Apretar los tornillos de retención a 15-22 pie-lb (20-30 Nm).

54. Verificar que las marcas de sincronización en la cadena de sincronización derecha están alineadas con las marcas de sincronización del engranaje del cigüeñal y los engranajes de los árboles de levas.

55. Asegurarse de que el chavetero del cigüeñal está en la posición de las 11 en punto.

56. Girar el cigüeñal dos vueltas y situar el chavetero en la posición de las 3 en punto. Esto situará los árboles de levas de la culata de cilindros derecha en la posición neutral.

57. Desmontar los pasadores de bloqueo de los tensores de las cadenas de sincronización.

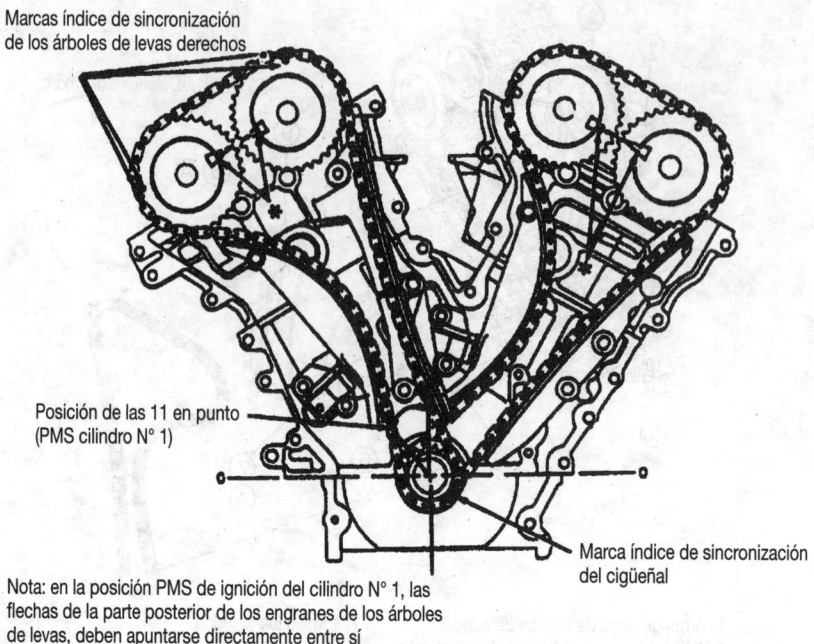

Marcas índice de sincronización de los árboles de levas derechos

Posición de las 11 en punto (PMS cilindro N° 1)

Marca índice de sincronización del cigüeñal

Nota: en la posición PMS de ignición del cilindro N° 1, las flechas de la parte posterior de los engranes de los árboles de levas, deben apuntarse directamente entre sí

▲ **Asegurarse de que las marcas de sincronización están como se muestra en la figura, después de que la cadena haya sido montada – Motor 3.0L (DOHC) de 1996-99**

58. Verificar que las marcas de sincronización en las cadenas de sincronización están alineadas con las marcas de sincronización de los engranajes del cigüeñal y engranajes de los árboles de levas.

59. Limpiar las superficies de contacto de junta de la delantera del motor y tapa delantera del bloque de cilindros.

➡ **La tapa delantera debe montarse y apretar los tornillos correctamente, dentro de los seis minutos después de la aplicación del sellante.**

60. Aplicar sellante de silicona en las seis áreas críticas del bloque de cilindros para evitar pérdidas de aceite.

61. Colocar una junta nueva de tapa delantera en las clavijas de centraje del bloque y las culatas de cilindros.

62. Colocar la tapa delantera en su sitio, por medio de las clavijas de centraje en el bloque de cilindros.

63. Montar los seis tornillos y espárragos de retención de la tapa delantera en las zonas donde se haya aplicado el sellante de silicona.

64. Apretar los tornillos y los espárragos hasta que la tapa delantera entre en contacto con el bloque y culatas de cilindros; después girar los tornillos y los espárragos ¼ de vuelta adicional.

65. Montar los restantes tornillos y espárragos de retención de la tapa delantera. Apretar todos los tornillos y espárragos de retención de la tapa delantera, en secuencia, a 15-22 pie-lb (20-30 Nm).

66. Si se ha desmontado, montar el tensor de la correa sobre el lado derecho de la tapa delantera del motor. Apretar el tornillo a 15-22 pie-lb (20-30 Nm).

67. Montar una junta nueva del depósito de aceite y aplicar un cordón delgado de sellante de silicona donde se encuentran la tapa de sincronización y el bloque de cilindros.

68. Montar el depósito de aceite y montar los tornillos de retención, dejándolos flojos.

69. Con el depósito de aceite alineado con la cara trasera del bloque de cilindros, apretar los tornillos y espárragos del depósito de aceite, en secuencia, a 15-22 pie-lb (20-30 Nm). Dentro de los seis minutos después de aplicar el sellante de silicona.

70. Conectar el cableado en los sensores del CKP y del CMP.

71. Montar la herramienta de sujeción del volante T74P-6375-A, o equivalente para evitar la rotación del cigüeñal.

72. Montar el amortiguador del cigüeñal, utilizando el montador de amortiguadores de cigüeñal T74P-6316-B, o equivalentes.

73. Aplicar una ligera capa de sellante de silicona en la delantera del cigüeñal, sobre el diámetro

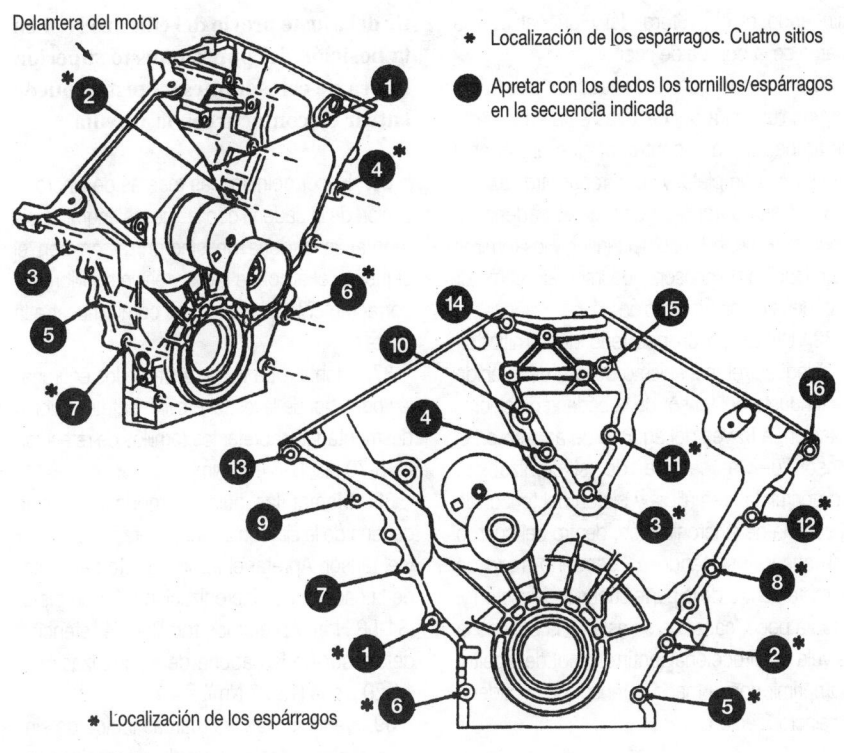

* Localización de los espárragos. Cuatro sitios

● Apretar con los dedos los tornillos/espárragos en la secuencia indicada

* Localización de los espárragos

▲ Para evitar fugas, apretar los tornillos de la tapa delantera según la secuencia indicada – Motor 3.0L (DOHC) de 1996-99

interior del amortiguador y en el chavetero, antes de montar la arandela y el tornillo de retención.

74. Montar la arandela y el tornillo de la polea y el amortiguador del cigüeñal, y apretar el tornillo, como sigue:

a. Apretar el tornillo a 89 pie-lb (120 Nm) y aflojar el tornillo.

b. Volver a apretar el tornillo a 39 pie-lb (53 Nm).

c. Girar el tornillo de retención un giro adicional de 90 grados.

75. Montar la polea del cigüeñal propulsora de los accesorios, y el soporte. Utilizar una llave de tubo de 34 mm, para apretar la polea en sentido contrario al reloj, a 70-77 pie-lb (95-105 Nm), apretar las tuercas del soporte a 15-22 pie-lb (20-30 Nm). Desmontar la herramienta de sujeción del volante.

76. Montar la bomba de agua y las tuercas de retención, y apretar a 15-22 pie-lb (20-30 Nm).

77. Montar el alternador y los tornillos de retención. Apretar los tornillos a 15-22 pie-lb (20-30 Nm). Instalar el conector del cableado.

▼ AVISO ▼

El soporte de montaje del compresor del A/A debe encajar en las clavijas de

centraje de la tapa delantera del motor, de lo contrario pueden producirse vibraciones del motor. Deben montarse tornillos nuevos diseñados para que se deformen permanentemente al aplicar el par de apriete especificado.

78. Montar el soporte de montaje del compresor del A/A. Apretar los tornillos a 18 pie-lb (25 Nm), después, apretar un giro adicional de 90 grados.

79. Montar el compresor del A/A y los tornillos de retención. Apretar los tornillos a 15-22 pie-lb (20-30 Nm).

80. Montar el soporte de montaje del compresor del A/A en el tirante de la bomba de agua y apretar las tuercas a 15-22 pie-lb (20-30 Nm).

81. Sustituir la junta tórica del tubo de desvío de agua, y lubricarla con líquido refrigerante limpio. Montar el tubo de desvío sobre la culata de cilindros derecha y montar el espárrago y el tornillo. Apretar el espárrago y el tornillo a 71-106 plg-lb (8-12 Nm).

82. Montar la manguera de agua del calefactor y colocar la abrazadera de la manguera.

Montar el conector del cable en el transmisor de temperatura del refrigerante.

83. Montar la bomba de la dirección asistida y apretar los tornillos a 71-106 plg-lb (8-12 Nm).

84. Montar las dos tapas de culata de cilindros.

➡ **Las tapas de culata de cilindros deben montarse y apretarse correctamente dentro de los seis minutos siguientes a la aplicación del sellador de silicona.**

85. Montar los múltiples de admisión inferior y superior.

86. Descargar la tensión de la correa propulsora de los accesorios, girando el tensor en el sentido del reloj, y montar la correa propulsora.

87. Montar el conjunto del motor dentro del vehículo. Reponer los niveles de todos los fluidos. Conectar el cable negativo de la batería.

88. Poner en marcha el motor y controlar si hay fugas. Hacer una prueba de carretera con el vehículo, y controlar el correcto funcionamiento.

Motor 3.4L

1. Desconectar el cable negativo de la batería.

2. Desmontar el motor del vehículo y colocarlo sobre un banco de trabajo apropiado.

3. Descargar la tensión de la correa propulsora de los accesorios, girando el tensor en el sentido contrario del reloj.

4. Desmontar los tornillos de montaje del compresor del A/A del bloque de cilindros, y desmontar el compresor del A/A.

5. Descargar la tensión de la correa propulsora de la bomba de agua, girando el tensor en el sentido del reloj, y desmontar la correa.

6. Desmontar los tres tornillos de retención de la polea propulsora de la bomba de agua, del árbol de levas izquierdo.

7. Desconectar la manguera de suministro de vacío de emisiones principal, de la conexión de vacío del depósito de acumulación, de la válvula de desvío de la inyección de aire secundario y de la válvula del EGR.

8. Desconectar el cableado del sensor del control del motor, del transductor de la presión de retroceso del EGR, el solenoide regulador de vacío del EGR, y la válvula de vacío del solenoide de control de inyección de aire secundario.

9. Desconectar las mangueras de la válvula del sensor de presión del EGR, de la válvula del EGR en el tubo del múltiple de escape, y desmontar del motor el soporte de montaje del transductor.

10. Desmontar la válvula del EGR del tubo del múltiple de escape.

11. Desmontar los dos soportes del múltiple de admisión del depósito acumulador y la culata de cilindros.

12. Desmontar los tornillos de retención del soporte del depósito acumulador y el soporte, de la delantera del depósito acumulador.

13. Desmontar el tornillo, tuercas y el soporte del depósito acumulador de la trasera del depósito acumulador.

14. Aflojar las abrazaderas de la manguera del conector del aire de admisión, y desmontar el depósito acumulador del motor.

15. Desconectar las conexiones del cableado del sensor de control del motor, de la válvula (IAC) de control del aire de la marcha mínima y el sensor de posición del estrangulador.

16. Desmontar los múltiples de admisión derecho e izquierdo, del múltiple de admisión inferior.

17. Si fuera necesario, desconectar y etiquetar las conexiones del cableado del sensor de control del motor, en los distintos componentes.

18. Desmontar el tubo de suministro de aire en el escape, de los múltiples de escape y la válvula de desvío de la inyección de aire secundario.

19. Si fuera necesario, desmontar la válvula de desvío de la inyección de aire secundario.

20. Desmontar la bomba de agua y las mangueras.

21. Desmontar las tapas de culata (válvulas) izquierda y derecha.

22. Desmontar la bomba de la dirección asistida y el soporte de la bomba.

23. Desmontar la polea del cigüeñal.

24. Si fuera necesario, desmontar el sensor de posición del árbol de levas, de la culata de cilindros izquierda, y el sensor de posición del cigüeñal, de la tapa delantera del motor.

25. Vaciar el aceite del motor y desmontar el depósito de aceite.

26. Desmontar las poleas tensoras de la correa propulsora, de la tapa delantera del motor.

27. Desmontar la tapa delantera del motor.

28. Desmontar del cigüeñal, el anillo de impulsos del sensor de posición del cigüeñal.

29. Girar el cigüeñal para situar el pistón del cilindro N° 1 en el punto muerto superior (PMS), alineando el chavetero del cigüeñal con la marca de la bomba de aceite.

30. Verificar que la alineación sobre los engranajes del árbol de levas está en la parte de arriba. En caso contrario, girar el cigüeñal una vuelta completa, y comprobar otra vez.

31. Desmontar las guías de la cadena de sincronización, el brazo del tensor, y los tornillos de retención del tensor, y desmontar del motor la cadena de sincronización.

32. Utilizando un pequeño destornillador, desbloquear el mecanismo de uña de retenida de trinquete del tensor de la cadena de sincronización, a través del agujero de acceso en el tensor de la cadena de sincronización. Comprimir la cremallera y pistón del tensor de la cadena de sincronización, dentro del cuerpo del tensor, insertando un pequeño trozo de alambre dentro de la parte superior del pistón y, poco a poco, sacar de su asiento la bola de la válvula unidireccional (antirretorno) del aceite. Comprimir con la mano el tensor de la cadena de sincronización.

▼ AVISO ▼

Si no se comprime y se bloquea el tensor de la cadena de sincronización antes de su montaje, se pueden producir daños en el motor.

33. Con el tensor comprimido, montar una broca de 0.060 plg (1.5 mm), o un alambre del mismo diámetro, dentro del pequeño agujero encima de la uña/trinquete, encajando la ranura de bloqueo en la cremallera del tensor de la cadena de sincronización.

34. Desmontar los engranajes de la cadena de sincronización del árbol de levas, si van a ser sustituidos.

Para instalar:

➡ Inspeccionar las cadenas de sincronización, tensores, brazos de los tensores, guías y engranajes por si estuvieran dañados o desgastados, y cambiarlos, si fuera necesario.

35. Girar el cigüeñal para situar el pistón del cilindro N° 1 en el punto muerto superior (PMS), alineando el chavetero del cigüeñal, con la marca de la bomba de aceite.

▼ AVISO ▼

No girar el cigüeñal más de 45 grados en sentido contrario al reloj, o más de 90 grados en el sentido del reloj, a par-tir del ajuste previo del cilindro N° 1 en la posición del punto muerto superior. Fuera de estos límites, el pistón puede entrar en contacto con la válvula.

36. Hacer coincidir las marcas de sincronización de la cadena con las de los engranajes y montar la cadena de sincronización con el cigüeñal, el árbol de levas y el eje equilibrador correctamente alineados, tal como muestra la figura.

37. Montar otra vez, o sustituir, los engranajes del árbol de levas, si previamente se habían desmontado, y apretar los tornillos de retención a 48-70 pie-lb (64-95 Nm).

38. Montar las guías comprimidas de la cadena de la sincronización, el brazo del tensor y el tensor. Apretar el tornillo pivote del tensor de la cadena de sincronización a 25-39 pie-lb (34-53 Nm). Apretar los tornillos de retención del tensor de la cadena de sincronización a 14-20 pie-lb (18-27 Nm).

39. Verificar que las marcas índice de sincronización en la cadena de sincronización, están alineadas con las marcas de índice del engranaje del cigüeñal, engranaje del árbol de levas y engranaje propulsado del eje equilibrador.

40. Montar la bomba de la dirección asistida y el soporte de la bomba, y apretar los tres tornillos de retención a 14-20 pie-lb (18-28 Nm).

41. Montar sobre el cigüeñal, el anillo de impulsos del sensor de posición del cigüeñal, alineando la chaveta del cigüeñal con el chavetero del anillo del sensor.

42. Limpiar las superficies de sellado de junta de la delantera del motor y la tapa delantera en el bloque de cilindros.

➡ La tapa delantera debe montarse y apretarse correctamente, dentro de los seis minutos siguientes a la aplicación del sellador.

43. Aplicar sellador de silicona en las 13 áreas críticas del bloque de cilindros, para evitar pérdidas de aceite.

44. Situar juntas nuevas de tapa delantera sobre las clavijas de centraje del bloque y culatas de cilindros.

45. Colocar la tapa delantera dentro de su posición, sobre las clavijas de centraje del bloque de cilindros.

46. Montar los tornillos y espárragos de retención de la tapa delantera, y apretar a 14-20 pie-lb (18-28 Nm).

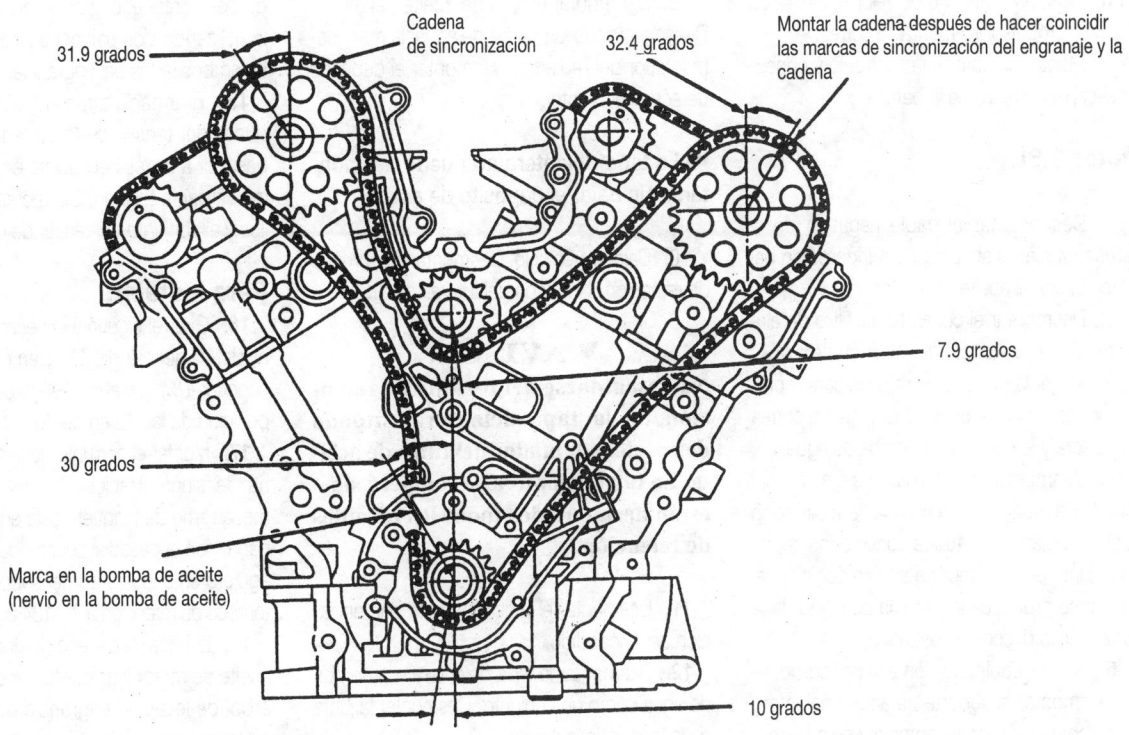

31.9 grados

Cadena
de sincronización

32.4 grados

Montar la cadena después de hacer coincidir
las marcas de sincronización del engranaje y la
cadena

7.9 grados

30 grados

Marca en la bomba de aceite
(nervio en la bomba de aceite)

10 grados

▲ **Asegurarse de que las marcas de sincronización están situadas tal como se muestra en la figura, después de que las cadenas hayan sido montadas – Motor 3.4L**

47. Montar una junta nueva de depósito de aceite y aplicar una ligera capa de sellador de silicona en la intersección de la tapa de la sincronización y el bloque de cilindros.

48. Montar el depósito de aceite y montar los tornillos de retención, dejándolos flojos.

49. Con el depósito de aceite alineado con la trasera del bloque de cilindros, apretar los tornillos y los espárragos del depósito de aceite, en secuencia, a 14-20 pie-lb (18-28 Nm) dentro de los seis minutos de la aplicación del sellador de silicona.

50. Montar el sensor de posición del árbol de levas en la culata de cilindros izquierda, y el sensor de posición del cigüeñal en la tapa delantera del motor, si fuera necesario, y apretar a 71-106 plg-lb (8-12 Nm).

51. Aplicar una capa delgada de sellador de silicona en la delantera del cigüeñal, sobre el diámetro interior del amortiguador en el chavetero, antes de montar la arandela y el tornillo de retención.

52. Montar la arandela y el tornillo de la polea y el amortiguador del cigüeñal y apretar el tornillo como sigue:

a. Apretar el tornillo a 78-99 pie-lb (105-135 Nm), y después aflojar el tornillo una vuelta completa.

b. Volver a apretar el tornillo a 35-39 pie-lb (47-53 Nm).

c. Girar el tornillo de retención un giro adicional de 85-90 grados.

53. Montar la polea de la bomba de la dirección asistida, la arandela plana, la arandela partida y la tuerca de retención y apretar a 41-50 pie-lb (55-69 Nm).

54. Montar las poleas tensoras de la correa propulsora, en la tapa delantera del motor, y apretar a 27-38 pie-lb (36-52 Nm).

55. Montar las dos tapas de culata de cilindros y apretar a 71-106 plg-lb (8-12 Nm).

➡ **Las tapas de culata de cilindros deben montarse y apretarse correctamente dentro de los seis minutos siguientes a la aplicación del sellador de silicona.**

56. Montar la bomba de agua y las mangueras.

57. Montar la válvula de derivación de la inyección de aire secundaria, si fuera necesario.

58. Montar el tubo de suministro de aire de escape, en los múltiples de escape y la válvula de derivación de inyección de aire secundaria.

59. Conectar en los respectivos componentes, las conexiones de los cables del sensor de control del motor, según sea necesario.

60. Montar los múltiples de admisión izquierdo y derecho en el múltiple de admisión inferior.

61. Conectar las conexiones de los cables del sensor de control del motor en la válvula de control de aire de marcha mínima (IAC) y en el sensor de posición de la válvula del estrangulador.

62. Montar el depósito acumulador en el motor.

63. Montar en el motor las mangueras de la válvula del sensor de presión del EGR, el tubo del múltiple y el soporte de montaje del transductor.

64. Conectar el cableado del sensor de control del motor en el transductor de la presión de retroceso del EGR, solenoide del regulador de vacío del EGR, y válvula de vacío del solenoide de control de la inyección de aire secundaria.

65. Conectar la manguera de suministro de vacío de emisiones principal en el rácor de vacío del depósito acumulador, válvula de derivación de la inyección de aire secundaria y válvula del EGR.

66. Montar en los bloques los cilindros, el compresor del A/A y los tornillos de montaje, y apretarlos a 17-27 pie-lb (23-37 Nm).

67. Girar, en el sentido del reloj, el tensor de la correa propulsora y montar la correa.

68. Montar el motor en el vehículo y conectar el cable negativo de la batería.

Motor 3.8L

1. Desconectar el cable negativo de la batería. Vaciar el sistema de refrigeración del motor. Vaciar el aceite del motor.

2. Desmontar el conjunto del filtro de aire del motor y el conducto de admisión de aire.

3. Aflojar la polea tensora de la correa propulsora de los accesorios. Desmontar la correa propulsora y la polea de la bomba de agua.

4. Desmontar los tornillos de fijación del soporte de montaje de la bomba de la dirección asistida. Dejando los tubos conectados, situar el conjunto bomba/soporte en una posición tal que no se produzca la pérdida de fluido de la bomba de la dirección asistida.

5. Si está equipado con aire acondicionado, desmontar el soporte de apoyo delantero del compresor. Dejar el compresor en su sitio.

6. Desconectar de la bomba de agua, las mangueras de desvío del refrigerante y del calefactor. Desconectar la manguera superior del radiador, en el cuerpo del termostato.

7. Desconectar el cable de la bobina de la tapa del distribuidor y separar a un lado la tapa con los cables de encendido. Desmontar la abrazadera de retención del distribuidor y sacar el distribuidor de la tapa delantera del motor.

8. Levantar el vehículo y asegurarlo sobre soportes. Desmontar la polea y el amortiguador del cigüeñal.

➡ Si la polea del cigüeñal y el amortiguador de vibraciones del cigüeñal tienen que separarse, marcar la polea y el amortiguador de manera que puedan montarse otra vez en la misma posición relativa. Esto es importante ya que la polea y el amortiguador se equilibran inicialmente como una unidad. Si el amortiguador del cigüeñal, se sustituye, comprobar si el amortiguador original tiene montados pasadores de equilibrado. Si los tuviera, deben montarse pasadores nuevos de equilibrado EOSZ-6A328-A o equivalentes, en el nuevo amortiguador, en la misma posición que en el amortiguador original. La polea del cigüeñal tiene que montarse también en la posición original.

9. Desmontar el filtro de aceite del motor. Desconectar de la bomba de agua, la manguera inferior del radiador. Desmontar el depósito de aceite del motor.

➡ La tapa delantera no puede desmontarse sin bajar el depósito de aceite.

10. Bajar el vehículo. Desmontar los tornillos de retención de la tapa delantera.

▼ AVISO ▼
No descuidarse del tornillo de retención de la tapa delantera, situado detrás del adaptador del filtro de aceite. La tapa delantera se romperá si no están desmontados todos los tornillos de retención.

11. Desmontar el indicador de la sincronización del encendido.

12. Desmontar la tapa delantera y la bomba de agua como un conjunto. Desmontar la junta de la tapa y desecharla.

➡ La tapa delantera aloja la bomba de aceite. Si se monta una tapa delantera nueva, desmontar la bomba de agua y la bomba de aceite, de la tapa vieja, y montarlas en la tapa nueva.

13. Desmontar el tornillo y la arandela de retención del árbol de levas, del extremo del árbol de levas. Desmontar el engranaje propulsor del distribuidor.

14. Desmontar el engranaje del árbol de levas, el engranaje del cigüeñal y la cadena de sincronización como un conjunto. Si es difícil

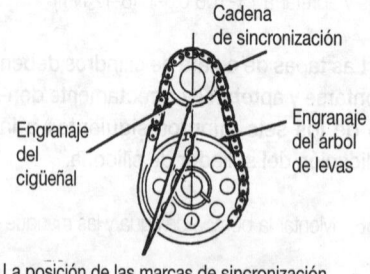

La posición de las marcas de sincronización y chaveteros en los engranajes del cigüeñal y del árbol de levas deben estar alineados, tal como se muestra en la figura, con el pistón N° 1 en el PMS de ignición

▲ Montar la cadena de sincronización de manera que las marcas de sincronización en los engranajes estén una en frente de la otra – Motor 3.8L

de desmontar el engranaje del cigüeñal, sacarlo utilizando dos palancas pequeñas situadas en ambos lados del engranaje.

15. Tirar hacia atrás el mecanismo de trinquete del tensor de la cadena y colocar un pasador a través del agujero en el soporte para descargar la tensión. Desmontar los tres tornillos y el conjunto del tensor de cadena.

Para instalar:
16. Girar el cigüeñal lo necesario para situar el pistón del cilindro N° 1 en el punto muerto superior (PMS), y el chavetero del cigüeñal en la posición de las 12 en punto.

17. Montar el conjunto del tensor de la cadena de sincronización. Asegurarse de que el mecanismo de trinquete está en posición replegada, con el pasador apuntando hacia fuera del agujero en el conjunto del soporte. Apretar los tornillos de retención a 71-124 plg-lb (8-14 Nm).

18. Lubricar la cadena de sincronización con aceite de motor limpio. Montar el engranaje del árbol de levas, el engranaje del cigüeñal y la cadena de sincronización como un conjunto.

19. Desmontar el pasador del conjunto del tensor, para cargar el brazo tensor contra la cadena. Asegurarse de que las marcas de sincronización están correctamente posicionadas entre ellas.

20. Montar el engranaje propulsor del distribuidor. Montar la arandela y el tornillo de retención en el árbol de levas, y apretar a 30-37 pie-lb (40-50 Nm).

21. Lubricar ligeramente las roscas de todos los tornillos y espárragos antes de su montaje. Limpiar todas las superficies de junta sobre la tapa delantera, bloque de cilindros y bomba de combustible, si está equipado. Si se monta otra vez la misma tapa delantera, sustituir el sello de aceite de la tapa delantera.

22. Si se va a montar una tapa delantera nueva, completar lo siguiente:

a. Llenar completamente la cavidad de los engranajes de la bomba de aceite con vaselina y montar los engranajes de la bomba. Asegurarse de que la vaselina llena completamente los espacios entre los engranajes y la cavidad. Montar la tapa de la bomba de aceite, utilizando una junta nueva y apretar los tornillos de retención a 18-22 pie-lb (25-30 Nm).

b. Limpiar las superficies de junta de la bomba de agua. Colocar una junta de bomba de agua nueva sobre la tapa delantera y montar la bomba de agua. Montar los tornillos de retención de la bomba y apretarlos a 15-22 pie-lb (20-30 Nm).

23. Montar el engranaje propulsor del distribuidor.

24. Lubricar el sello de aceite delantero del cigüeñal con aceite de motor limpio.

25. Colocar una junta nueva de tapa delantear sobre el bloque de cilindros y montar el conjunto tapa anterior/bomba de agua, utilizando clavijas de centraje para una correcta alineación. Se recomienda un adhesivo de contacto apropiado para mantener la junta en su sitio, mientras se monta la tapa delantera.

26. Situar el indicador de la sincronización del encendido.

27. Montar los tornillos de fijación de la tapa delantera. Antes de su montaje, aplicar Loctite®, o equivalente, en la rosca del tornillo instalado bajo la carcasa del filtro de aceite. Este tornillo tiene que ser montado y apretado el último. Apretar todos los tornillos a 15-22 pie-lb (20-30 Nm).

28. Levantar el vehículo y asegurarlo sobre soportes. Montar el depósito de aceite del motor.

29. Conectar la manguera inferior del radiador. Montar un filtro nuevo de aceite de motor.

30. Lubricar la superficie de sellado del amortiguador del cigüeñal con aceite de motor limpio. Aplicar una pequeña cantidad de sellador de silicona en el chavetero del cigüeñal.

31. Montar la chaveta del cigüeñal en el chavetero.

32. Montar el amortiguador, la arandela y el tornillo de retención. Apretar el tornillo a 104-132 pie-lb (140-180 Nm).

33. Montar la polea del cigüeñal y los tornillos de retención. Apretar los tornillos de retención a 19-28 pie-lb (26-28 Nm).

34. Bajar el vehículo. Conectar el tubo de desvío del refrigerante.

35. Girar el cigüeñal lo necesario, para situar el pistón del cilindro N° 1 en el PMS de su carrera de compresión. Montar el distribuidor. Montar la tapa del distribuidor y el cable de la bobina de encendido.

36. Conectar la manguera superior del radiador en el cuerpo del termostato. Conectar la manguera del calefactor.

37. Si está equipado con aire acondicionado, montar el soporte de apoyo delantero del compresor.

38. Montar la bomba de la dirección asistida y los soportes de montaje. Colocar la correa propulsora de los accesorios sobre las poleas.

39. Montar la polea de la bomba de agua. Colocar la correa propulsora de los accesorios

sobre la polea de la bomba de agua y tensar la correa.

40. Llenar el cárter y el sistema de refrigeración hasta los niveles adecuados.

41. Conectar el cable negativo de la batería. Poner en marcha el motor y controlar si hay fugas.

42. Controlar la puesta a punto del encendido y la marcha mínima reprimida, ajustar si fuera necesario.

43. Montar el conjunto del filtro de aire del motor y el conducto de admisión de aire. Hacer una prueba de carretera con el coche, y controlar si funciona correctamente.

SISTEMA DE COMBUSTIBLE

PRECAUCIONES EN EL MANTENIMIENTO DEL SISTEMA DE COMBUSTIBLE

La seguridad es el factor más importante cuando se lleva a cabo no solamente el mantenimiento del sistema de combustible sino cualquier tipo de mantenimiento. Un fallo en las normas de seguridad durante las operaciones de mantenimiento y reparación, puede producir graves lesiones personales, e incluso la muerte. El mantenimiento y la comprobación de los componentes del sistema de combustible de los vehículos, puede llevarse a cabo de una manera segura y efectiva, cumpliendo las siguientes reglas y pautas.

• Para evitar la posibilidad de un incendio y daños personales, desconectar siempre el cable negativo de la batería, a menos que el procedimiento de la reparación o prueba requiera que sea aplicado el voltaje de la batería.

• Siempre descargar la presión del sistema de combustible, antes de desconectar cualquier componente del sistema (inyectores, raíl de combustible, regulador de presión, etc.), empalme o conexión de cualquier conducción de combustible. Tener siempre la máxima precaución, cuando se descargue la presión del sistema de combustible, de evitar exponer la piel, la cara o los ojos a la pulverización del combustible. Tener siempre presente que el combustible, bajo presión, puede penetrar en la piel, o en cualquier otra parte del cuerpo que contacte.

• Siempre poner una toalla de taller alrededor de la conexión, o el empalme, antes de

aflojarlo, para que absorba todo exceso de combustible que se derrame. Asegurarse de que todo derramamiento (que se producirá) se elimine rápidamente de las superficies del motor. Asegurarse de que todos los trapos empapados de combustible, se depositen dentro de un contenedor de residuos apropiado.

• Tener siempre preparado un extintor de incendios de polvo seco (clase B) cerca de la zona de trabajo.

• No permitir que la pulverización o vapores de combustible entren en contacto con una chispa o llama.

• Utilizar siempre una llave de apoyo en la tuerca base, cuando se aflojen o se aprieten las conexiones de los empalmes de las conducciones de combustible. Esto evitará tensiones innecesarias y torsiones en las tuberías de combustible. Seguir siempre las especificaciones de par de apriete.

• Sustituir siempre las juntas tóricas de las conexiones y empalmes. No sustituir un tubo rígido de combustible por uno flexible (manguera).

PRESIÓN DEL SISTEMA DE COMBUSTIBLE

DESCARGA

▼ PRECAUCIÓN ▼

El sistema de inyección de combustible permanece bajo presión, incluso después de parar el motor. La presión del sistema de combustible debe descargarse antes de desconectar cualquier conducción de combustible. No seguir esta precaución puede producir un incendio y/o daños personales.

1. Desconectar el cable negativo de la batería.

2. Desmontar el tapón del depósito de combustible, para descargar la presión del depósito de combustible.

3. Desmontar el tapón de la válvula Schrader situada en el múltiple de suministro de combustible (raíl de combustible).

4. En los motores de gasolina, fijar un manómetro de combustible T80L-9974-A, o equivalente, en la válvula, y vaciar el combustible a través del tubo de vaciado, dentro de un contenedor apropiado.

5. En los motores de combustible flexible (octanaje variable), conectar un manómetro de combustible T80L-9974-A, o equivalente, y el kit de comprobación de la presión de combustible 134-R0035, o equivalente, en la válvula Schrader. Vaciar el combustible, a través del tubo de drenaje, en un contenedor apropiado.

6. Después de que la presión del combustible haya sido descargada, desmontar el manómetro de combustible, y montar el tapón en la válvula Schrader.

7. Montar el tapón de llenado del depósito de combustible.

8. Conectar el cable negativo de la batería solamente después de haber completado las reparaciones del sistema.

FILTRO DE COMBUSTIBLE

DESMONTAJE E INSTALACIÓN

▼ PRECAUCIÓN ▼

El sistema de inyección de combustible permanece bajo presión, incluso después de parar el motor. La presión del sistema de combustible debe descargarse antes de desconectar cualquier conducción de combustible. No seguir esta precaución puede producir un incendio y/o daños personales.

1. Desconectar el cable negativo de la batería.

2. Descargar adecuadamente la presión del sistema de combustible.

3. Levantar el vehículo y asegurarlo sobre soportes.

4. Si está equipado con rácores del tipo conector a presión, desacoplar las conducciones de combustible, como sigue:

a. Empujar la herramienta de desconexión dentro del rácor o conexión para desbloquear los dedos internos de bloqueo.

b. Separar suavemente la conducción de combustible de la conexión o rácor.

5. Si está equipado con rácores de conector a presión del tipo de clip de horquilla, desconectar las conducciones de combustible, como sigue:

a. Inspeccionar la zona interna visible del rácor por si se ha acumulado suciedad. Si se ha acumulado algo más de una ligera capa de polvo, limpiar el rácor antes del desmontaje.

b. Con el tiempo los sellos quedan adheridos en el rácor del filtro. Para la separación, girar el rácor sobre el filtro, después empujar y tirar del rácor hasta que se mueva libremente en el filtro.

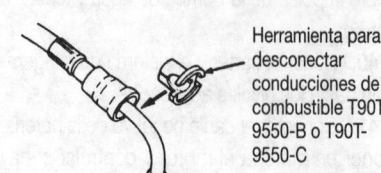

Herramienta para desconectar conducciones de combustible T90T-9550-B o T90T-9550-C

▲ Utilizar la herramienta de desconectar conducciones de combustible (T90T-9550-B), o (T90T-9550-C), o sus equivalentes, para desconectar los rácores del tipo de conexión a presión

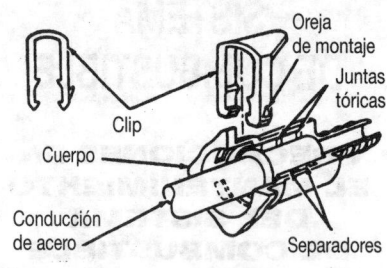

Oreja de montaje
Juntas tóricas
Clip
Cuerpo
Conducción de acero
Separadores

▲ Vista esquemática del tipo de conexión de conducción de combustible con clip de horquilla

c. Desmontar el clip de horquilla del rácor doblando y rompiendo primero la lengüeta de montaje. Después, expansionar las dos patas del clip con la mano, aproximadamente $\frac{1}{8}$ de pulgada cada una, para desconectar el cuerpo y empujar las patas dentro del rácor. Tirar ligeramente del extremo triangular del clip y separarlo del filtro y del rácor.

➡ No utilizar herramientas de mano para llevar a cabo esta operación.

d. Agarrar el rácor y sacarlo en dirección axial para desmontarlo del filtro. Tener cuidado con los codos de conexión a 90 grados, ya que una fuerza lateral excesiva puede romper el cuerpo del conector.

e. Después del desmontaje, inspeccionar la parte interior del rácor por si alguno de los componentes internos, como las juntas tóricas y los espaciadores se pudieran haber descentrado o salido de su alojamiento en el rácor. Sustituir todos los conectores dañados.

6. Aflojar la abrazadera de retención del filtro y desmontar el filtro de combustible.

Anotar la dirección de la flecha del flujo del combustible en el filtro, de manera que el filtro de recambio pueda volver a montarse en la misma posición.

Para instalar:

7. Montar el filtro de combustible de manera que la flecha del flujo esté en la posición correcta y apretar la abrazadera de retención del filtro.

8. Si está equipado, montar en el filtro nuevo los anillos de aislamiento de goma (sustituir los anillos de aislamiento si el filtro se mueve libremente, después de montada la retención). Montar el filtro dentro de la retención con la flecha de dirección del flujo apuntando hacia el extremo abierto de la retención. Montar la retención en el soporte y apretar los tornillos de montaje a 27-44 plg-lb (3-5 Nm) (1995) y 15-24 plg-lb (1.7-2.8 Nm) (1996-99).

9. Si está equipado con un rácor de conexión del tipo a presión, insertar la conducción de combustible en el rácor hasta escuchar el ruido del clic de retención, después tratar de estirar ligeramente para confirmar que se ha encajado correctamente.

10. Si está equipado con un rácor de conexión del tipo de clip de horquilla, conectar las conducciones de combustible como sigue:

a. Montar un conector nuevo, si se ha encontrado algún daño. Insertar un clip nuevo en una de las dos aberturas contiguas, con la parte triangular apuntando hacia fuera de la abertura del rácor. Montar el clip hasta que las patas del clip estén fijadas sobre la parte exterior del cuerpo. Es necesario acompañar con el dedo índice guiando el proceso de introducción.

b. Antes de montar el rácor en el filtro, limpiar el extremo del filtro con un trapo limpio. Inspeccionar el interior del rácor para asegurarse de que está libre de suciedad y/u obstrucciones.

c. Aplicar una ligera capa de aceite de motor en el extremo del filtro. Alinear el rácor y el filtro axialmente y empujar el rácor hacia el extremo del filtro. Cuando el rácor se encaja se tiene que oír un clic definido. Tirar del rácor para asegurarse de que está completamente encajado.

11. Bajar el vehículo.

12. Conectar el cable negativo de la batería.

13. Poner en marcha el motor y controlar si hay fugas de combustible, y si funciona correctamente.

BOMBA DE COMBUSTIBLE

DESMONTAJE E INSTALACIÓN

▼ PRECAUCIÓN ▼

El sistema de inyección de combustible permanece bajo presión, incluso después de parar el motor. La presión del sistema de combustible debe descargarse antes de desconectar cualquier conducción de combustible. No seguir esta precaución puede producir un incendio y/o daños personales.

Modelos 1995

1. Desconectar el cable negativo de la batería. Descargar correctamente la presión del sistema de combustible.

2. Desmontar el depósito de combustible del vehículo y colocarlo sobre un banco de trabajo.

3. Limpiar la suciedad acumulada alrededor de la brida de retención de la bomba de

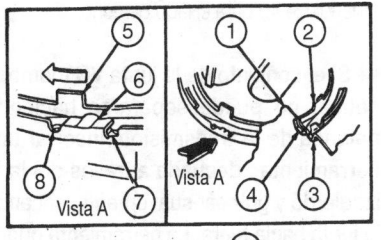

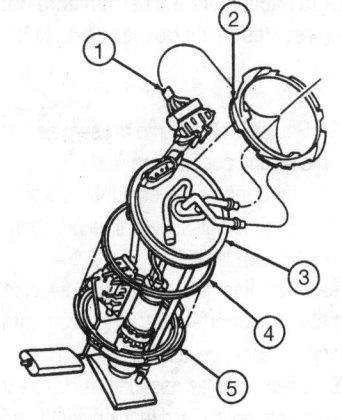

1. Bomba de combustible
2. Anillo de retención y bloqueo de la bomba de combustible
3. Anillo de retención
4. Junta tórica
5. Lengüetas de posicionamiento
6. Lengüeta
7. Tope
8. Seguro

▲ **Vista esquemática del módulo de la bomba de combustible – Modelos 1995**

combustible, para que no se introduzca en el depósito durante el desmontaje y montaje de la bomba.

4. Girar el anillo de bloqueo de la bomba de combustible, en sentido contrario al reloj, y desmontar el anillo de bloqueo.

5. Desmontar el conjunto bomba de combustible/unidad de transmisión. Desmontar y desechar el anillo de sellado.

Para instalar:

6. Limpiar la brida de montaje de la bomba de combustible, la superficie de montaje del depósito de combustible y la ranura de alojamiento del anillo de sellado.

7. Aplicar una ligera capa de grasa en el anillo de sellado nuevo, para que se mantenga en su posición durante el montaje, y montarlo en la ranura alojamiento del anillo de sellado.

8. Montar el conjunto bomba de combustible/unidad de transmisión, con cuidado, para que no se dañe el filtro. Asegurarse de que las chavetas de posicionamiento encajan en los chaveteros y que el anillo de sellado permanece en su ranura.

9. Mantener el conjunto de la bomba en su sitio y montar el anillo de bloqueo apretándolo con los dedos. Asegurarse de que todas las lengüetas de bloqueo están debajo de las lengüetas del anillo de bloqueo del depósito.

10. Girar el anillo de bloqueo en el sentido del reloj, hasta que el anillo llegue al tope. Montar el depósito de combustible en el vehículo. Llenar con un mínimo de 10 galones (38 litros) de combustible el depósito, y controlar si hay fugas.

11. Conectar el cable negativo de la batería. Girar la llave de contacto hasta la posición de marcha (RUN), varias veces, para presurizar el sistema de combustible. Controlar si hay fugas de combustible y corregir si fuera necesario.

12. Poner en marcha el motor y comprobar si hay fugas. Hacer una prueba de carretera con el vehículo, y comprobar si funciona correctamente.

Modelos 1996-99

1. Desconectar el cable negativo de la batería. Descargar la presión del sistema de combustible, adecuadamente.

2. Levantar el vehículo y asegurarlo sobre soportes. Desmontar el depósito de combustible y situarlo sobre un banco de trabajo adecuado.

3. Limpiar la suciedad acumulada alrededor de la brida de retención de la bomba de

combustible, para que no se introduzca en el depósito, durante el desmontaje y montaje de la bomba de combustible.

4. Girar el anillo de bloqueo de la bomba de combustible, en sentido contrario al reloj y desmontar el anillo de bloqueo. Usar la llave para transmisores de depósitos de combustible T74P-9275-A, o equivalente.

5. Levantar el módulo de la bomba de combustible y apartarlo del depósito de combustible hasta que las lengüetas de bloqueo del módulo de la bomba de combustible, sean accesibles. Comprimir conjuntamente las dos lengüetas de bloqueo, y desmontar el módulo de la bomba de combustible, del depósito de combustible. Desmontar y desechar la junta tórica.

Para instalar:

6. Limpiar la brida de montaje de la bomba de combustible, la superficie de montaje del depósito de combustible y la ranura de alojamiento de la junta tórica.

7. Aplicar una ligera capa de grasa en la junta tórica nueva, para que se mantenga en su posición, durante el montaje, y montarla en la ranura alojamiento.

8. Montar el módulo de la bomba de combustible, con cuidado, para asegurarse de que no se dañen el filtro, las mangueras y la varilla del flotador (boya).

9. Alinear axialmente el módulo de la bomba de combustible y la retención del depósito de combustible, y empujar el módulo de la bomba de combustible dentro de su retención en el depósito. Cuando el módulo de la bomba está correctamente encajado, se oriá un clic definido al encajar las dos lengüetas de retención sobre el exterior de la bomba de combustible.

10. Tirar del módulo de la bomba de combustible, para asegurarse de que las dos lengüetas están encajadas correctamente.

11. Asegurarse que las chavetas de posicionamiento encajan en los chaveteros, y que la junta tórica permanece en la ranura.

12. Sujetar el módulo de la bomba de combustible en su sitio y montar el anillo de bloqueo, apretándolo con los dedos. Asegurarse de que todas las lengüetas de retención estén debajo de las lengüetas del anillo de retención del depósito.

13. Utilizar una llave de transmisores, o equivalente, girar el anillo de bloqueo, en el sentido del reloj, hasta que llegue al tope.

14. Montar el depósito de combustible en el vehículo. Bajar el vehículo.

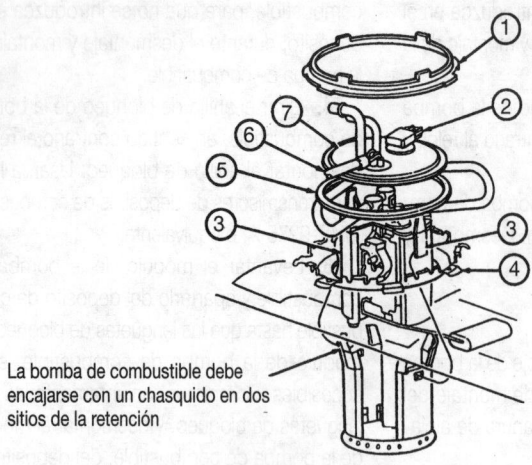

La bomba de combustible debe encajarse con un chasquido en dos sitios de la retención

1. Anillo de retención y bloqueo de la bomba de combustible
2. Transductor de presión/vacío de la bomba de combustible
3. Lengüeta de bloqueo
4. Depósito de combustible
5. Retén de junta tórica
6. Conector
7. Módulo de bomba de combustible

▲ **Vista esquemática del montaje del módulo de bomba de combustible – Modelos 1996-99**

15. Llenar el depósito de combustible con un mínimo de 10 galones (38 litros) de combustible limpio. Conectar el cable negativo de la batería.

16. Montar un manómetro de combustible en la válvula Schrader, sobre el múltiple de suministro de combustible.

17. Girar la llave de contacto de OFF a ON, durante tres segundos. Repetir la operación 5-10 veces hasta que el manómetro instalado indique una presión mínima de 30 lb/plg² (207 kPa). Controlar si hay fugas de combustible.

18. Desmontar el manómetro de combustible. Poner en marcha el motor y controlar, otra vez, si hay fugas de combustible. Hacer una prueba de carretera con el vehículo, y controlar que funcione correctamente.

TREN PROPULSOR (DE TRANSMISIÓN)

TRANSMISIÓN

DESMONTAJE E INSTALACIÓN

Manual

1. Desconectar el cable negativo de la batería. Calzar por debajo el pedal de embra-gue, con un bloque de madera de 7 plg (178 mm), para sujetar el pedal fuera de su posición normal.

2. Desmontar el tubo del filtro de aire.

3. Sujetar con firmeza el cable del embra-gue y tirar de él hacia afuera, desconectándolo del conjunto del eje desembrague.

4. Desconectar la funda del cable del embra-gue de la pestaña de reacción situada en la parte superior de la carcasa de la transmisión.

5. Montar los anillos de levantamiento del motor.

6. Atar el mazo de cables y las mangueras del radiador (enfriador) de la dirección asistida.

7. Desconectar el cable del velocímetro y el cable del sensor de velocidad.

8. Sostener el motor por medio de una ins-talación de sustentar motores apropiada.

9. Levantar el vehículo y asegurarlo sobre soportes. Desmontar los conjuntos de llanta y neumático.

10. Desmontar la tuerca y el tornillo de retención de la rótula del brazo oscilante (de control) inferior, en el conjunto de la articulación de la dirección. Desechar la tuerca y tornillo desmontados. Repetir la operación en el lado contrario.

11. Utilizando una palanca adecuada, apa-lancar sacando de la rótula, el brazo oscilante inferior.

➡ Tener cuidado de no dañar o cortar el guardapolvo de la rótula del brazo osci-lante.

12. Desmontar la tuerca superior de la barra estabilizadora, y separar la barra estabilizadora de la articulación de la dirección.

13. Desmontar la tuerca de la barra de conexión y separar el extremo de la barra de conexión de la articulación de la dirección.

14. Desconectar el sensor de oxígeno.

15. Desmontar el conjunto del catalizador de escape. Desconectar el enfriador de la direc-ción asistida, del bastidor auxiliar, y ponerlo a un lado.

16. Desconectar el soporte del cable de la batería, del bastidor auxiliar.

17. Utilizando una palanca adecuada, sepa-rar de la caja de cambio, el conjunto de la junta VC (homocinética) interior izquierda. Montar un tapón en el sello, para evitar la salida de aceite. Desmontar la junta VC (homocinética) del lado de la caja de cambio, agarrando el conjunto de la articulación de la dirección izquierda, y balan-ceando la articulación de la dirección y el semieje hacia fuera de la transmisión. Repetir el procedimiento para el lado derecho.

➡ Si el conjunto de la junta VC (homoci-nética) no puede separarse haciendo palanca de la transmisión, insertar una herramienta adecuada a través del lado izquierdo y golpear suavemente, sacando la junta hacia fuera. La herramienta puede utilizarse desde los dos lados de la trans-misión.

18. Sostener el conjunto del semieje con un alambre en una posición próxima a la horizontal para evitar daños en el conjunto, durante las operaciones restantes. Repetir el procedimien-to en el lado opuesto.

19. Desmontar los tornillos de retención del cojinete de soporte central, y desmontar el semieje derecho, de la transmisión.

20. Desmontar las dos tuercas de retención del mecanismo de la dirección, del bastidor auxiliar. Sostener el mecanismo de la dirección por medio de alambres que aten los extremos de las barras de conexión con los resortes heli-coidales de la suspensión.

21. Desmontar los tornillos de fijación de la transmisión en el motor. Desconectar de la trans-misión las dos bieletas del mando del cambio.

22. Desmontar los tornillos de montaje del motor.

23. Colocar gatos bajo los soportes de montaje de la carrocería y desmontar los cuatro tornillos, bajar el bastidor auxiliar, y apartarlo a un lado.

24. Desmontar el conjunto del motor de arranque. Desmontar el soporte inferior del amortiguador izquierdo de vibraciones del motor.

25. Desmontar el conector del interruptor de la luz de marcha atrás, del interruptor de la luz de marcha atrás, situado en la parte superior de la transmisión, y desmontar el interruptor de la luz de marcha atrás.

26. Situar un gato-soporte adecuado bajo la transmisión. Bajar la transmisión, separarla del motor y sacarla fuera del vehículo.

Para instalar:

27. Levantar la transmisión dentro de su posición. Encajar en el disco del embrague las estrías del eje de entrada, y encajar la transmisión sobre las clavijas de centraje. Asegurarse de que el conjunto de la transmisión está enrasado con la cara trasera del motor, antes de montar los tornillos de retención.

28. Montar los tornillos de retención de la transmisión en el motor. Apretar a 28-31 plg-lb (38-42 Nm).

29. Montar los componentes restantes, en el orden inverso al desmontaje. Apretar lo que sigue:

- Tornillos motor de arranque, a 30-40 pie-lb (41-54 Nm).
- Tornillos bastidor auxiliar, a 65-85 pie-lb (90-115 Nm).
- Tornillos de soportes del motor, a 40-55 pie-lb (54-75 Nm).
- Tornillos de barra estabilizadora, a 35-46 pie-lb (47-63 Nm).
- Tornillo y tuerca de abrazadera de bieleta de mando del cambio, a 80-106 pie-lb (9-12 Nm).
- Tornillos unión conjunto motor a transmisión a 28-31 pie-lb (38-42 Nm).
- Tuercas mecanismo de la dirección, a 85-100 pie-lb (115-135 Nm).
- Tornillos cojinete de soporte central, a 85-100 pie-lb (115-135 Nm).
- Tornillos retención catalizador de escape, a 25-34 pie-lb (34-47 Nm).
- Tuerca retención de bieleta, a 35-47 pie-lb (47-64 Nm).
- Tuerca y tornillo de rótula de brazo oscilante inferior a articulación de la dirección, a 37-44 pie-lb (50-60 Nm).

30. Controlar el nivel de aceite de la transmisión.

31. Bajar el vehículo.

32. Desmontar la herramienta de soporte del motor.

33. Montar el cable del velocímetro. Conectar el cable del velocímetro y el cable del sensor de velocidad.

34. Desmontar los anillos para el levantamiento del motor.

35. Conectar el cable del embrague en la transmisión. Montar la manguera del filtro de aire y desmontar el bloque de madera del pedal de embrague.

36. Conectar el cable negativo de la batería. Hacer una prueba de carretera y controlar el funcionamiento de la transmisión. Controlar si hay fugas de aceite de la transmisión.

Automático

1. Desconectar los dos cables de la batería, el negativo primero.

2. Desmontar la batería y la bandeja de la batería. Desmontar el conjunto del filtro de aire del motor.

3. Desconectar los conectores del mazo de cables de la transmisión y del sensor del rango de la transmisión (TR).

4. Desmontar la fijación del actuador del cable de mando del cambio (clip abrazadera de retención del cable) y una tuerca de retención, y desconectar el cable del cambio, del soporte para cable del cambio sobre la transmisión.

5. Desconectar las conducciones del refrigerador de la transmisión.

6. Para los motores de 3.0L OHV, desmontar los cuatro tornillos superiores de retención entre la transmisión y el motor y un espárrago de retención entre la transmisión y el motor.

7. Para los motores 3.0L y 3.4L (DOHC), desmontar los cinco tornillos de retención entre la transmisión y el motor.

8. Montar dos soportes de levantamiento de motores en el conjunto del motor.

9. Montar y asegurar el motor por medio del soporte de tres barras para motores, D88L-6000-A, o equivalente.

10. Levantar el vehículo y asegurarlo sobre soportes.

11. Aflojar los tornillos de retención del depósito de aceite de la transmisión, y vaciar el fluido de la transmisión en un contenedor adecuado.

12. Desmontar los dos conjuntos delanteros de rueda y llanta (neumático).

13. Desmontar los dos semiejes.

14. Desconectar los cuatro conectores eléctricos del sensor calefactado de oxígeno (HO₂S).

15. Desmontar tres tornillos y siete tuercas de fijación del conjunto del tubo en Y del convertidor, y desmontarlo del vehículo.

16. Desconectar los dos conectores del motor de arranque, después desmontar el arranque.

17. Desmontar un tornillo y un espárrago de fijación del motor de arranque, y desmontar el motor de arranque de la transmisión.

18. Para el motor OHV, desmontar un tornillo y la tapa de la carcasa de la transmisión.

19. Sostener el conjunto de la cremallera y piñón con un alambre atado al conjunto de resorte y poste, para sujetarlo en su sitio. Desmontar las dos tuercas de retención del conjunto de cremallera y piñón, del bastidor auxiliar.

20. Desmontar las dos tuercas de retención de los brazos oscilantes (de control) inferiores en la rótula, y separar los brazos oscilantes inferiores de las articulaciones de la dirección y de las rótulas.

21. Desmontar las tuercas de retención de los aisladores (montajes) de soporte del motor delantero en el bastidor auxiliar.

22. Desmontar las tuercas de retención de los eslabones de la barra oscilante (estabilizadora) en cada extremo de la barra y separar los dos eslabones de la barra estabilizadora.

23. Desmontar los tornillos pasantes del aislador del soporte del motor y la transmisión, del bastidor auxiliar.

24. Colocar un gato elevador de transmisiones alto 014-00210 o equivalente, utilizando un adaptador apropiado bajo el bastidor auxiliar, y soportar el bastidor auxiliar.

25. Desmontar los cuatro tornillos de fijación del bastidor auxiliar en la carrocería. Bajar con cuidado el bastidor auxiliar y ponerlo a un lado.

26. Colocar un gato elevador de transmisiones alto 014-00210, o equivalente, utilizando un adaptador 014-00461, o equivalente bajo la transmisión y soportar el conjunto de la transmisión. Asegurar la transmisión en el adaptador, utilizando una banda o una cadena.

27. Para el motor OHV, desmontar un tornillo inferior del motor a la transmisión.

28. Para el motor DOHC, desmontar los cuatro tornillos inferiores de unión de la transmisión en el motor.

29. Desmontar las cuatro tuercas de unión del volante motor en el convertidor de par.

30. Desmontar los tres tornillos y dos tuercas que fijan el soporte trasero del motor a la transmisión y desmontar el soporte trasero del motor.

31. Desmontar un tornillo del tirante de montaje derecho del motor, después bajar lentamente la transmisión del vehículo.

Para instalar:

➡ Emparejar completamente las conducciones del radiador (enfriador) de la transmisión, antes de montar el conjunto de la transmisión.

32. Si se ha desmontado, colocar el conjunto de la transmisión sobre un gato elevador de transmisiones alto 014-00210, o equivalente, y utilizar un adaptador 014-00461, o equivalente para la parte inferior de la transmisión. Asegurar la transmisión en el adaptador, utilizando una banda, o una cadena.

33. Lentamente, elevar el conjunto de la transmisión hasta dentro de su posición. Alinear los espárragos del convertidor de par con los correspondientes agujeros del volante, y encajar la carcasa de la transmisión en las clavijas de centraje del motor.

34. Montar un tornillo en el tirante de montaje del lado derecho del motor, y apretar a 39-53 pie-lb (53-72 Nm).

35. Montar el soporte trasero del motor en la transmisión, y montar los tres tornillos y dos tuercas. Apretar los tornillos y las tuercas a 39-53 pie-lb (53-72 Nm).

36. Montar las cuatro tuercas de fijación del volante motor en el convertidor de par, y apretarlas a 20-34 pie-lb (27-46 Nm).

37. Para el motor OHV, montar el tornillo de la parte inferior entre la transmisión y el motor, y apretar a 39-53 pie-lb (53-72 Nm).

38. Para el motor DOHC, montar los cuatro tornillos de la parte inferior entre la transmisión y el motor y apretarlos a 39-53 pie-lb (53-72 Nm).

39. Posicionar el bastidor auxiliar sobre un gato elevador de transmisiones alto 014-00210, o equivalente, utilizando un adaptador apropiado bajo el bastidor auxiliar, y levantar el bastidor auxiliar dentro de su posición.

40. Montar los aisladores del bastidor auxiliar, si se han desmontado, y montar los cuatro tornillos entre el bastidor auxiliar y la carrocería, dejándolos flojos.

41. Montar un tubo de $^3/_8$ de pulgada (19 mm) de diámetro exterior, o una herramienta similar, dentro de la delantera izquierda del bastidor auxiliar y de los agujeros de alineación de la carrocería, y alinear los agujeros. Apretar ligeramente el tornillo delantero izquierdo del bastidor auxiliar en la carrocería.

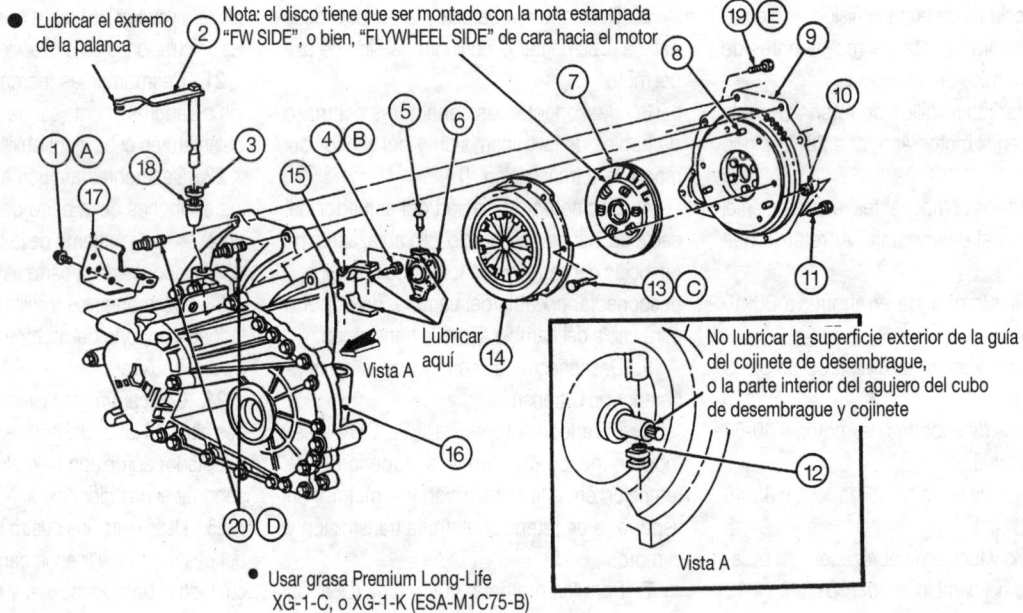

● Lubricar el extremo de la palanca

Nota: el disco tiene que ser montado con la nota estampada "FW SIDE", o bien, "FLYWHEEL SIDE" de cara hacia el motor

Lubricar aquí

Vista A

No lubricar la superficie exterior de la guía del cojinete de desembrague, o la parte interior del agujero del cubo de desembrague y cojinete

Vista A

● Usar grasa Premium Long-Life XG-1-C, o XG-1-K (ESA-M1C75-B)

1. Tornillo (cantidad 2)
2. Palanca del eje del embrague
3. Arandela guardapolvo de fieltro
4. Tornillo
5. Espárrago para palanca de desembrague
6. Buje y cojinete de desembrague
7. Disco de embrague
8. Pasador de centraje entre volante y plato de presión (cantidad 3)
9. Trasera del motor
10. Pasador de centraje entre bloque motor y carcasa de volante (cantidad 2)
11. Tornillo (cantidad 3)
12. Buje de la palanca de desembrague

13. Tornillo para plato de presión (cantidad 6)
14. Plato de presión del embrague
15. Palanca de desembrague
16. Conjunto transmisión
17. Soporte de transmisión de energía
18. Buje del eje del embrague
19. Tornillo
20. Espárrago (cantidad 2)
A. Apretar a 35-50 Nm (26-37 pie-lb)
B. Apretar a 40-55 Nm (30-40 pie-lb)
C. Apretar a 33 Nm (24 pie-lb)
D. Apretar a 46-63 Nm (34-46 pie-lb)
E. Apretar a 54-92 Nm (40-68 pie-lb)

▲ **Vista esquemática del conjunto del embrague y los correspondientes componentes**

42. Repetir el proceso de alineación del bastidor auxiliar sobre la delantera derecha del bastidor auxiliar, y los agujeros de alineación de la carrocería. Apretar ligeramente el tornillo derecho del bastidor auxiliar en la carrocería.

43. Controlar otra vez los agujeros de alineación de la izquierda y ajustar si fuera necesario.

44. Una vez terminada la alineación del bastidor auxiliar, apretar los cuatro tornillos del bastidor auxiliar en la carrocería a 57-76 pie-lb (77-103 Nm).

45. Montar los componentes restantes en el orden inverso al desmontaje. Apretarlos como sigue:

- Tornillos de los aisladores de soporte del motor-transmisión en el bastidor auxiliar a 65-87 pie-lb (88-118 Nm).
- Tuercas y bujes de los eslabones de la barra estabilizadora con los bujes de oscilación a 35-46 pie-lb (47-63 Nm).
- Tuercas de la cremallera y piñón en el bastidor auxiliar, a 84-113 pie-lb (113-133 Nm).
- Tuercas del aislador del soporte delantero del motor en el bastidor auxiliar, a 57-76 pie-lb (77-103 Nm).
- Tuercas de la rótula en el brazo oscilante inferior, a 51-67 pie-lb (68-92 Nm). Utilizar tuercas nuevas.
- Para el motor OHV: tornillo de la tapa de la carcasa de la transmisión, a 80-106 plg-lb (9-12 Nm).
- Tornillo y espárrago del motor de arranque, a 15-21 pie-lb (21-29 Nm).
- Tres tornillos y siete tuercas del tubo en Y del convertidor, a 26-34 pie-lb (34-46 Nm).
- Para el motor OHV: los cuatro tornillos superiores de la transmisión en el motor, y un espárrago superior de la transmisión en el motor, a 39-53 pie-lb (53-72 Nm).
- Para el motor DOHC: los cinco tornillos de la transmisión en el motor, a 39-53 pie-lb (53-72 Nm).
- Tuerca de la fijación del cable del actuador del mando cambio a 14-19 pie-lb (19-26 Nm).

46. Conectar los dos cables de la batería, el negativo, el último.

47. Si el conjunto de la transmisión está vacío de fluido de transmisión, llenarlo con varias cuartas de MERCON, o fluido equivalente, para transmisiones.

48. Poner en marcha el motor y continuar llenando la transmisión hasta que se alcance el nivel correcto. Controlar si hay fugas, y que funcione correctamente.

➡ **Cada vez que el bastidor auxiliar se desmonte del vehículo, debe ser controlada la alineación de ruedas.**

49. Controlar. la alineación del extremo delantero.

50. Hacer una prueba de carretera con el vehículo, y controlar el correcto funcionamiento de la transmisión.

EMBRAGUE

AJUSTE

El mecanismo del pedal de embrague se ajusta automáticamente. No es necesario ningún tipo de ajuste.

DESMONTAJE E INSTALACIÓN

1. Desconectar el cable negativo de la batería. Levantar el vehículo, y asegurarlo sobre soportes.

2. Desmontar el conjunto de la transmisión.

3. Si el plato de presión tiene que utilizarse otra vez, marcar su posición sobre el volante, de manera que pueda montarse en la misma posición.

4. Aflojar los tornillos del plato de presión, una vuelta cada vez, siguiendo una pauta en cruz, hasta que la tensión de los resortes desaparezca, para evitar deformaciones del plato de presión. Soportar el plato de presión y desmontar los tornillos. Desmontar el plato de presión y el disco del embrague, del volante.

5. Inspeccionar el volante, el disco de embrague, el plato de presión, el cojinete de empuje y la horquilla de embrague, por si están desgastados. Sustituir los componentes que sea necesario. Si el volante muestra alguna señal de sobrecalentamiento (coloración azul), o si está muy acanalado o rayado, debe ser rectificado o sustituido.

Para instalar:

6. Montar el volante, si ha sido desmontado. Apretar los tornillos de fijación, a 54-64 pie-lb (73-87 Nm), en todos los motores excepto en el 3.0L SHO y 3.2L SHO. En los motores 3.0L SHO y 3.2L SHO, apretar los tornillos a 51-58 pie-lb (69-78 Nm).

7. Limpiar con cuidado las superficies del plato de presión y del volante. Colocar el disco de embrague y el plato de presión en su posición de montaje. En caso de montar los mismos componentes, alinear las marcas hechas durante el proceso de desmontaje. Mantener en posición el disco de embrague y el plato de presión por medio de un falso eje de guía o una herramienta de alinear embragues adecuados.

8. Montar los tornillos entre el plato de presión y el volante. Apretarlos gradualmente, en una pauta entrecruzada a 12-24 pie-lb (17-32 Nm). Desmontar la herramienta de alinear.

9. Lubricar el cojinete de desembrague y montarlo en la horquilla.

10. Montar la transmisión y bajar el vehículo.

11. Conectar el cable negativo de la batería. Hacer una prueba de carretera con el vehículo, y controlar si el embrague y la transmisión funcionan correctamente.

SEMIEJES

DESMONTAJE E INSTALACIÓN

➡ **NO llevar a cabo este procedimiento sin tener disponibles las siguientes piezas:**

- Tuerca de retención nueva del cubo (mazo) de rueda.
- Tornillo y tuerca nuevos del brazo oscilante inferior al montante de mangueta (articulación de la dirección).
- Anillo elástico de retención nuevo entre del eje de la mangueta y el eslabón del semieje.

Una vez desmontadas, estas piezas no se deben volver a usar en el montaje. Su capacidad de sujeción por apriete o capacidad de retención es disminuida durante el desmontaje.

▼ AVISO ▼

Cuando se desmonten los dos semiejes en los vehículos equipados con cambio manual, montar las herramientas de tapón de transmisiones T81P-1177-B, o equivalente, para evitar la desarticulación de los engranajes laterales del diferencial. En caso de que estos engranajes quedaran desalineados, el diferencial tendría que ser desmontado de la transmisión para alinear nuevamente los engranajes laterales.

1. Desmontar el tapacubos/tapa integral del conjunto rueda neumático (llanta). Aflojar la tuerca de retención del cubo y las tuercas de orejas.

2. Levantar el vehículo y asegurarlo sobre soportes.

3. Desmontar el conjunto rueda y neumático. Desmontar la tuerca y la arandela de retención del cubo, y desechar la tuerca del cubo.

4. Desmontar la tuerca de los tornillos de fijación de la rótula en el montante de mangueta (articulación de la dirección). Sacar el tornillo del montante de mangueta, utilizando un punzón y un martillo. Desechar el tornillo y la tuerca.

5. Si está equipado con ABS, desmontar el sensor del antibloqueo de frenos, y colocarlo a un lado. Si está equipado con suspensión neumática, desmontar el tornillo de retención del soporte del sensor de altura y el soporte del cable del sensor en el guardabarros interno. Colocar a un lado la unión del sensor.

6. Separar la rótula del montante de mangueta por medio de una palanca adecuada. Colocar el extremo de la palanca en el exterior del alojamiento del buje para evitar dañar el buje. Tener cuidado de no dañar el guardapolvo de goma de la rótula. Desmontar el eslabón de la barra estabilizadora, en la barra estabilizadora.

➡ **Los procesos de desmontaje restantes, dependen del tipo de transmisión: transmisión manual o transmisión automática.**

7. Si está equipado con una transmisión automática y se desmonta el semieje izquierdo o derecho, o si está equipado con una transmisión manual y se desmonta el semieje izquierdo, proceder como sigue:

a. Montar un extractor de juntas homocinéticas T86P-3514-A1, o equivalente, entre la junta homocinética y la carcasa de la transmisión. Girar el cubo de la dirección y/o sujetar a un lado con un alambre el conjunto del poste.

b. Enroscar la extensión de la herramienta T86P-3514-A2, o equivalente, en el extractor de juntas VC (homocinéticas) y apretar con la mano. Enroscar en la extensión un martillo de impacto deslizante y desmontar la junta homocinética de la transmisión.

c. Soportar el extremo del semieje por medio de un trozo de alambre atado a algún componente adecuado de la parte inferior de la carrocería. No permitir que el semieje cuelgue libremente, sin soportar; pueden producirse daños en la junta homocinética exterior.

▼ AVISO ▼

No utilizar nunca un martillo para separar el eje de la mangueta de la junta (homocinética) exterior, del cubo. Pueden producirse daños en las roscas de la junta homocinética VC o en los componentes internos de la misma.

d. Separar la junta homocinética externa del cubo utilizando el útil desmontador de cubos delanteros T81P-1104-C, o equivalente, adaptadores de roscas métricas T83P-1104-BH, T86P-1104-AI, y el montador de cubos delanteros T81P-1104-A, o equivalente.

e. Desmontar el conjunto del semieje, del vehículo.

8. Si está equipado con una transmisión manual, y se desmonta el semieje derecho, proceder como sigue:

a. Desmontar los tornillos que fijan el apoyo del cojinete en el soporte. Deslizar fuera de la transmisión, el eslabón del semieje. Soportar el extremo del semieje, atándolo con un trozo de alambre en alguno de los componentes de la parte inferior de la carrocería. No dejar que el eje cuelgue sin soportar, pues podría dañarse la junta homocinética exterior.

b. Separar la junta VC (homocinética) exterior, del cubo, utilizando una herramienta desmontadora de cubos delanteros T81P-1104-C, o equivalente, herramientas adaptadoras métricas T83P-1104-BH, T86P-1104-AI y el montador de cubos delanteros T81P-1104-A, o equivalente.

▼ AVISO ▼

No utilizar nunca un martillo para separar el eje de mangueta de la junta homocinética exterior, del cubo de rueda. Pueden producirse daños en las roscas o en los componentes internos. El conjunto del eslabón del eje del lado derecho y del semieje se desmontan como una unidad completa.

Para instalar:

9. Montar un anillo elástico de retención nuevo, en el eje de mango de la junta homocinética interna y/o eslabón de eje. La junta homocinética externa no tiene un anillo elástico de retención. Cuando se monte un anillo elástico, introducir un extremo del anillo elástico en la ranura, y seguir introduciendo el anillo elástico sobre el extremo del eje de mango (mangueta) dentro de la ranura. Esto evitará abrir en exceso el anillo elástico de retención.

➡ **El anillo elástico de retención no debe usarse dos veces. Debe montarse un anillo nuevo cada vez que la junta homocinética interna se monte dentro del diferencial de la transmisión.**

10. Alinear con cuidado las estrías del eje de mango de la junta homocinética interna, con las estrías del diferencial. Ejerciendo algo de fuerza, empujar la junta homocinética dentro del diferencial, hasta que se oiga el clic de que el anillo elástico de retención ha encajado en el engranaje lateral del diferencial. Tener el cuidado de evitar daños en el sello de aceite del diferencial. Si está equipado, apretar los tornillos de retención del cojinete del eslabón de eje a 16-23 pie-lb (21-32 Nm).

➡ **Puede utilizarse un mazo no metálico, para ayudar a encajar el anillo elástico de retención en la ranura del engranaje lateral del diferencial. Si es necesario utilizar un mazo dar golpecitos solamente en el eje del mango de la junta homocinética exterior.**

11. Alinear cuidadosamente las estrías del eje de mangueta (o mango) de la junta homocinética exterior, con las estrías del cubo (mazo) de rueda, y empujar el eje dentro del cubo lo máximo posible.

12. Temporalmente, fijar el rotor en el cubo de rueda con arandelas y dos tuercas de orejas de rueda. Insertar una barra de acero dentro del rotor, y girar en el sentido del reloj, para que contacte con el montante de mangueta, y evitar la rotación del rotor durante el montaje de la junta VC (homocinética).

13. Montar la arandela de tuerca de cubo y una nueva tuerca de cubo. Apretar a mano la retención, sobre la junta homocinética, lo máximo posible.

14. Montar los componentes restantes en orden inverso al desmontaje. Apretar como sigue:

• Tuerca y tornillo de unión del brazo oscilante de la suspensión con el montante de mangueta: 40-55 pie-lb (54-74 Nm) para los vehículos de 1995, o bien 50-68 pie-lb (68-92 Nm) para los vehículos de 1996-99, utilizando siempre un tornillo y tuerca nuevos.

• Eslabones de la barra estabilizadora a barra estabilizadora con el poste delantero, a

35-48 pie-lb (47-65 Nm). para vehículos de 1995, o bien 57-75 pie-lb (77-103 Nm) para vehículos de 1996-99.

- Tuerca de retención del cubo a 180-200 pie-lb (245-270 Nm).

- Tuercas de orejas a 85-105 pie-lb (115-142 Nm).

15. Llenar la transmisión hasta el nivel adecuado con el fluido especificado.

DIRECCIÓN Y SUSPENSIÓN

AIR BAG

▼ PRECAUCIÓN ▼

Algunos vehículos están equipados con un sistema de air bag, también conocido como Retención Inflable Suplementaria (RIS) o Sistema de Retención Suplementaria (SRS). El sistema debe ser desactivado antes de llevar a cabo algún servicio en los componentes, o cerca de ellos, columna de la dirección, componentes del cuadro de instrumentos, cableado y sensores. No cumplir con los procedimientos de seguridad y desactivado puede producir el despliegue accidental del air bag, con posibles daños personales, y reparaciones innecesarias del sistema.

PRECAUCIONES

Deben observarse varias precauciones cuando se manipula el módulo inflable, para evitar el desplegado accidental, y posibles daños personales.

- No transportar nunca el módulo inflable por los cables o el conector, situados en la parte inferior del módulo.

- Cuando se transporte un módulo inflable activado, sostenerlo seguro con ambas manos, y asegurarse de dirigir la bolsa inflable y la tapa tapizada hacia fuera.

- Situar el módulo inflable sobre un banco u otra superficie, con la bolsa (o saco), y la tapa tapizada dirigidos hacia arriba.

- Con el módulo inflable sobre el banco, no poner nada encima ni cerca del módulo ya que puede salir proyectado violentamente en caso de un desplegado accidental.

DESARMADO

▼ PRECAUCIÓN ▼

El sistema de Retención Inflable Suplementaria (RIS), debe ser desarmado antes de llevar a cabo ningún trabajo cerca de los componentes o del cableado del sistema. Prescindir de esta operación puede producir un despliegue accidental del air bag, que tendría como resultado una reparación innecesaria del mismo y/o daños personales.

1. Desconectar los dos cables de la batería, primero el cable negativo.

2. Esperar un minuto antes de proceder con la reparación o el servicio. Éste es el tiempo requerido para que la fuente de alimentación de emergencia del monitor de diagnóstico (un condensador), descargue su energía almacenada.

3. Después de completada la reparación o servicio, conectar otra vez los cables de la batería, el último el negativo.

4. Girar la llave de contacto del encendido hacia la posición RUN (marcha). El indicador del air bag debe estar encendido continuamente, aproximadamente unos 6 segundos, después tiene que apagarse solo. Si el indicador no se enciende, se enciende intermitentemente o permanece encendido continuamente, es que hay un fallo en el sistema del air bag.

MECANISMO DE LA DIRECCIÓN ASISTIDA DE CREMALLERA Y PIÑÓN

DESMONTAJE E INSTALACIÓN

1. Desconectar el cable negativo de la batería.

2. Desde el interior del vehículo, desmontar el fuelle contra la intemperie que cubre el eje en el panel del cubretablero.

3. Desmontar los tornillos de retención del eje intermedio en el eje de la columna de la dirección. Apartar a un lado el fuelle contra la intemperie.

4. Desmontar el tornillo de presión en el eje de entrada del mecanismo de la dirección y desmontar el eje intermedio.

5. Levantar el vehículo y asegurarlo sobre soportes.

6. Desmontar las ruedas delanteras.

7. Desmontar el tubo flexible del sistema de escape, después desmontar del vehículo el tubo en Y del convertidor doble.

8. Soportar el extremo trasero del bastidor auxiliar delantero, con caballetes de seguridad altos.

9. Desconectar los extremos de las barras de conexión, de las barras de acoplamiento del montante de mangueta. Marcar las posiciones de las tuercas de bloqueo para su correcto montaje.

10. Desmontar las tuercas de fijación del mecanismo de la dirección en el bastidor auxiliar.

11. Desmontar los tornillos que fijan la parte trasera del bastidor auxiliar en la carrocería.

12. Con cuidado, levantar el elevador hasta que el bastidor auxiliar quede separado de la carrocería, aproximadamente 4 plg (102 mm).

13. Desmontar las chinchetas de retención del soporte de la manguera de la dirección asistida, después desmontar la protección.

14. Desmontar del soporte, la manguera de presión de giro a la izquierda, después desmontar el soporte.

15. Desconectar el eslabón izquierdo de la barra estabilizadora, del conjunto del poste.

16. Desconectar el actuador auxiliar de la dirección asistida.

17. Girar el mecanismo de la dirección para quitar los tornillos de montaje y mover el mecanismo de la dirección hacia la izquierda, para ganar acceso a los rácores de las mangueras.

18. Colocar un recipiente debajo del mecanismo de la dirección, y desconectar las mangueras de presión y retorno.

19. Desmontar el conjunto del mecanismo de la dirección, a través de la abertura de la rueda izquierda.

Para instalar:

20. Montar los sellos de Teflón® nuevos en los rácores de las conducciones hidráulicas, en el conjunto de la dirección asistida. Montar los tornillos de montaje en la carcasa de mecanismo de la dirección, después introducir el mecanismo de la dirección a través del faldón del guardabarros izquierdo.

21. Montar los componentes restantes en el orden inverso al desmontaje.

22. Alinear los tornillos del mecanismo de la dirección, montar las tuercas y apretar a 85-100 pie-lb (115-135 Nm). Bajar el vehículo.

4 FORD MOTOR CO.

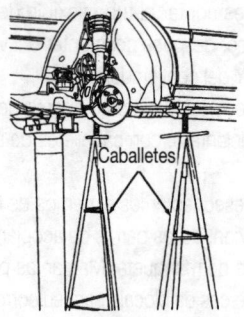

Caballetes

▲ **Soportar la parte trasera del bastidor auxiliar con dos caballetes altos, mientras se desmonta el mecanismo de la dirección**

23. Apretar las conducciones hidráulicas de presión y retorno a 15-25 pie-lb (20-35 Nm).

24. Apretar las tuercas almenadas de los extremos de las barras de conexión, a 35 pie-lb (48 Nm). Si fuera necesario, apretar las tuercas un poco más, para alinear la ranura de la tuerca, para el pasador partido. Montar el pasador partido (de retención).

25. Llenar y sangrar el sistema de la dirección asistida. Controlar si el sistema tiene fugas, y si funciona correctamente. Ajustar la convergencia de las ruedas delanteras, si fuera necesario.

POSTE

DESMONTAJE E INSTALACIÓN

Delantero

MODELOS 1995

➡ **Asegurarse de tener para cada poste una nueva tuerca de retención del cubo, tuerca almenada de extremo de bieleta barras de conexión (acoplamiento) y un nuevo pasador partido, tornillo y tuerca de unión del brazo oscilante (de control) inferior de la suspensión con el montante de mangueta (articulación de la dirección) y el tornillo de apriete entre el montante de mangueta y el poste.**

1. Colocar la llave de contacto en la posición OFF, y la columna de la dirección en la posición DESBLOQUEADA.

2. Con las cuatro ruedas sobre el suelo, desmontar la tuerca de retención del cubo. Desechar la tuerca.

3. Aflojar las tres tuercas de fijación del montaje superior en la torre del poste. No desmontar las tuercas en este momento.

4. Levantar el vehículo y asegurarlo sobre soportes. Desmontar el conjunto rueda y neumático.

➡ **Cuando se levante el vehículo, no apoyarlo por los brazos oscilantes inferiores de la suspensión.**

5. Desmontar la mordaza del freno, y colgarla con un alambre, fuera de la zona de trabajo. No desconectar la manguera de freno de la mordaza de freno.

6. Desmontar el rotor de freno.

7. Desmontar el pasador partido y la tuerca almenada del extremo de la barra de conexión. Desechar el pasador partido y la tuerca almenada.

8. Utilizar el desmontador de extremos de barras de conexión, 3290-D y el adaptador T81P-3504-W, o equivalentes, separar la barra del montante de mangueta o articulación de la dirección.

9. Desmontar del poste, la tuerca de la unión (eslabón) de la barra estabilizadora y la unión.

10. Desmontar el tornillo de apriete y la tuerca, del brazo oscilante inferior y el montante de mangueta. Puede que sea necesario utilizar un punzón para desmontar el tornillo. Desechar el tornillo de apriete y la tuerca.

11. Expandir la unión partida si fuera necesario y apalancar el brazo oscilante inferior hacia abajo, separándolo del montante de mangueta.

12. Si fuera necesario, utilizar un extractor de ruedas para presionar el semieje sacándolo fuera del cubo. Soportar el semieje con un alambre, de manera que no cuelgue de la junta homocinética interior.

➡ **No permitir que el semieje cuelgue de la junta homocinética interior, ni moverlo más allá de ciertos límites. Los componentes internos de la junta homocinética trípode podrían separarse.**

13. Desmontar el tornillo de apriete entre el poste y el montante de mangueta. Utilizar una palanca pequeña para expandir la unión parti-

da y separar el poste del montante de mangueta. Desmontar el conjunto montante de mangueta/cubo del poste. Desechar el tornillo de apriete.

14. Soportar el poste y desmontar las tres tuercas del montaje superior en la torre del poste. Bajar el conjunto del poste del vehículo.

Para instalar:

15. Levantar y colocar el poste en la torre del poste. Montar con la mano las tres tuercas del montaje superior del poste en la torre del poste.

16. Montar el conjunto montante de mangueta y cubo en el poste. Montar un tornillo de apriete y tuerca nuevos, y apretar a 73-97 pie-lb (98-132 Nm).

17. Alinear con cuidado las estrías y montar el semieje dentro del cubo. Montar una tuerca nueva de retención de cubo, dejándola floja.

18. Montar el brazo oscilante inferior en el montante de mangueta (articulación de la dirección), asegurándose de que la ranura del espárrago de la rótula está correctamente posicionada. Montar un tornillo y tuerca nuevos. Apretar la tuerca a 40-53 pie-lb (53-72 Nm).

19. Montar la unión (eslabón) de la barra estabilizadora en el poste, y montar una tuerca nueva. Apretar a 55-75 pie-lb (75-101 Nm).

20. Montar el extremo de la bieleta de la dirección (barra de conexión) en el montante de mangueta (articulación de la dirección), utilizando una tuerca almenada nueva. Apretar la tuerca a 35-46 pie-lb (47-63 Nm) en los vehículos de 1995, y montar un pasador partido nuevo.

21. Montar el rotor y la mordaza del freno de disco.

22. Montar el conjunto rueda/neumático y bajar el vehículo.

23. Apretar las tres tuercas del montaje superior en la torreta del poste, a 23-30 pie-lb (30-40 Nm). Apretar la tuerca de retención del cubo a 180-200 pie-lb (244-271 Nm).

24. Pisar el pedal de freno varias veces, antes de mover el vehículo, para asentar las pastillas (zapatas) de freno.

25. Controlar la alineación de las ruedas delanteras. Hacer una prueba de carretera con el vehículo, y comprobar si funciona correctamente.

MODELOS 1996-99

➡ **Asegurarse de tener para cada poste tuercas nuevas de retención de cubo de rueda, tuercas almenadas de extremos de bieletas de la dirección (barras de conexión) y pasadores partidos nuevos, tuercas de eslabón de barra estabilizadora y tornillo de apriete y tuercas de montante de mangueta a poste. Estas piezas pierden las capacidades del par de apriete de sujeción/retención durante el proceso de desmontaje, y no pueden usarse otra vez.**

1. Girar el interruptor del encendido a la posición OFF y dejar la columna de la dirección en la posición DESBLOQUEADA.

2. Con las cuatro ruedas en el suelo, desmontar la tuerca de retención del cubo. Desechar la tuerca.

3. En los vehículos SHO:

a. Desconectar el conector del cable del sensor de altura.

b. Desmontar el mazo de cables de su abrazadera de encaminamiento sobre el amortiguador delantero.

c. Desmontar el sensor de altura de la suspensión neumática, de los espárragos de rótula del sensor de altura.

4. Aflojar las tres tuercas de montaje superior del amortiguador en la torre, pero no desmontar las tuercas, por el momento.

5. Levantar el vehículo, y asegurarlo sobre soportes.

➡ **Cuando se levante el vehículo, no levantarlo usando los brazos oscilantes (de control) inferiores de la suspensión.**

6. Desmontar la mordaza de freno. Colgar con un alambre la mordaza fuera de la zona de trabajo, para evitar dañar la manguera de freno.

7. Desmontar el rotor del freno de disco.

8. Desmontar el clip de retención del cableado del sensor del antibloqueo del freno y el tornillo de montaje, del soporte de la manguera de freno sobre el conjunto del poste. Desplazar a un lado el sensor antibloqueo del freno.

9. Desmontar el pasador partido y la tuerca almenada del extremo de la bieleta de la dirección (barra de conexión). Desechar el pasador partido y la tuerca almenada.

10. Utilizar la herramienta de desmontaje 3290-D, o equivalente, y el adaptador T81P-3504-W, o equivalente, separar el extremo de la bieleta de la dirección del montante de mangueta (articulación de la dirección).

11. En los vehículos SHO, desmontar la tapa de vinilo del espárrago del eslabón superior.

12. Desmontar la tuerca de la barra estabilizadora y el eslabón, del poste. Desechar la tuerca del eslabón.

13. Desmontar y desechar la tuerca de retención de la rótula inferior. Utilizar el desmontador de rótulas T96P-3010-A, o equivalente, separar la rótula del brazo oscilante inferior.

14. Utilizar el compresor de resortes 164-R-3571, o equivalente, comprimir el resorte helicoidal hasta que la rótula salve el brazo oscilante inferior.

15. Desmontar el tornillo de presión y la tuerca, de la parte inferior del montante de mangueta. Puede ser necesario utilizar un punzón botador para desmontar el tornillo. Desechar el tornillo de presión y la tuerca.

16. Separar el semieje del cubo de rueda, utilizando el desmontador y montador de cubos delanteros T81P-1104-C, o equivalente, y los adaptadores necesarios.

17. Soportar el semieje con un alambre en una posición nivelada de manera que no cuelgue de la junta homocinética interior.

➡ **No permitir que el semieje cuelgue de la junta homocinética interior ni moverlo hacia fuera más allá de ciertos límites. Los componentes internos de la junta homocinética trípode podrían separarse.**

18. Desmontar las tres tuercas del montaje superior del poste en la torre al mismo tiempo que se soporta el poste. Bajar el conjunto del poste del vehículo.

Para instalar:

19. Montar el conjunto del poste con el compresor de resortes montado en el vehículo y montar las tres tuercas del montaje superior del poste en la torre, dejando las tuercas flojas.

➡ **Si es necesario, comprimir más el resorte helicoidal dejando más espacio para el montaje.**

20. Montar el conjunto de montante de mangueta y cubo de rueda en el poste. Montar un tornillo de presión y tuerca nuevos. Apretar a 73-97 pie-lb (98-132 Nm).

21. Montar el semieje dentro del cubo (mazo) teniendo cuidado de alinear las estrías de ambos.

22. Montar el eslabón del extremo de la barra estabilizadora en el poste y montar un tornillo nuevo de eslabón de barra estabilizadora. Apretar a 55-75 pie-lb (75-101 Nm).

23. En los vehículos SHO, montar la tapa de vinilo del espárrago del eslabón superior.

24. Montar el extremo de la barra de conexión (bieleta de la dirección) en el montante de mangueta (articulación de la dirección) y utilizar una tuerca almenada nueva. Apretar la tuerca a 35-46 pie-lb (47-63 Nm). Continuar apretando la tuerca hasta que una de las ranuras coincida con la abertura del espárrago del extremo de la barra de conexión (bieleta de la dirección) y montar un pasador partido nuevo.

25. Montar el clip de retención que encamina el cableado del sensor antibloqueo del freno, y el tornillo de montaje del soporte de la manguera de freno, y apretarlo a 11 pie-lb (15 Nm).

26. En los vehículos SHO:

a. Montar el sensor de altura de la suspensión neumática en los espárragos de rótula del sensor de altura.

b. Montar el mazo de cables en el clip de retención que lo encamina sobre el amortiguador delantero.

c. Conectar el conector del mazo de cables del sensor de altura.

27. Montar el rotor y la mordaza del freno de disco. Apretar los tornillos del soporte de anclaje de la mordaza a 65-87 pie-lb (88-118 Nm).

28. Montar el conjunto rueda/llanta (neumático). Apretar los tornillos de orejas a 85-105 pie-lb (115-142 Nm).

29. Apretar las tres tuercas de fijación superior de poste en la torre a 22-29 pie-lb (30-40 Nm).

30. Bajar el vehículo.

31. Montar una nueva tuerca de retención de cubo de rueda. Apretar la tuerca a 170-202 pie-lb (230-275 Nm).

32. Accionar el pedal de freno varias veces antes de mover el vehículo, para asentar las zapatas de freno.

33. Hacer una prueba de carretera con el vehículo y controlar que funcione correctamente.

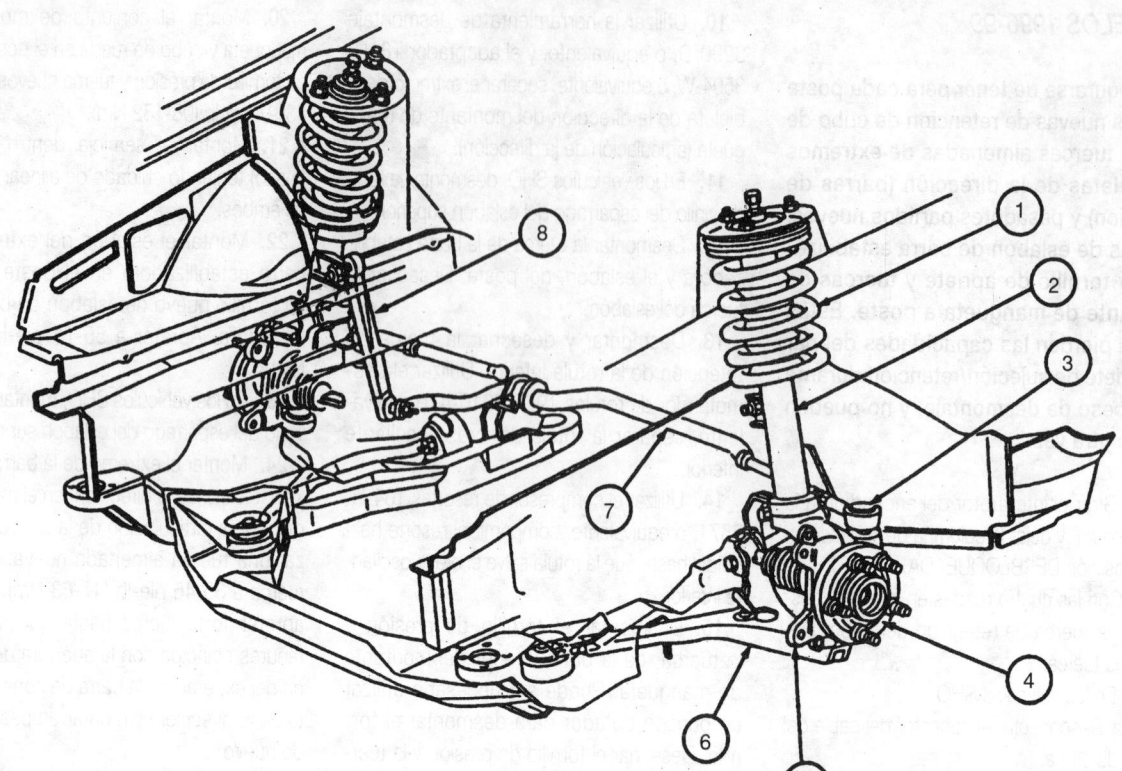

1. Resorte helicoidal suspensión delantera
2. Amortiguador delantero
3. Extremo de la barra de conexión
4. Cubo de rueda
5. Articulación de la rueda dentantera
6. Brazo inferior de la suspensión delantera
7. Barra estabilizadora delantera
8. Eslabón de la barra estabilizadora

▲ Identificación de los componentes de la suspensión delantera – Modelos 1996-99

Trasero

1. Desmontar el panel de acabado del maletero, y aflojar las tres tuercas de fijación del poste en la carrocería.

2. Levantar el vehículo y desmontar las ruedas traseras.

3. Desmontar el sensor de carga de freno del brazo de suspensión trasero.

4. Desmontar el clip de retención de la manguera del freno en el poste y colocar la manguera apartada a un lado.

5. Desmontar el soporte de la barra estabilizadora de la carrocería.

6. Separar la barra estabilizadora del eslabón.

7. Desmontar el montante de reacción de la delantera del montante de mangueta trasero. Tirar de la mangueta hacia atrás para desmontar el montante de reacción.

8. Si fuera necesario, desmontar el eslabón de la barra estabilizadora del montante.

9. Soportar el montante de mango con un gato y desmontar el tornillo de presión que fija el poste en el montante de mangueta. No permitir que el conjunto cuelgue de la manguera de freno.

10. Desmontar las tuercas que fijan el poste en la carrocería, y desmontar el poste.

Para instalar:

11. Si se ha desmontado, montar el eslabón de la barra estabilizadora sobre el poste. Apretar la tuerca a 60-81 plg-lb (7-9 Nm).

12. Colocar el poste en el vehículo y montar las tres tuercas del montaje superior. No apretar las tuercas en este momento.

13. Montar el extremo inferior del poste en el montante de mangueta. Utilizar un tornillo de presión nuevo y apretarlo a 50-67 pie-lb (68-92 Nm).

14. Tirar hacia atrás el montante de mangueta y montar el montante de reacción. Apretar la tuerca a 35-46 pie-lb (68-92 Nm).

15. Conectar el eslabón en la barra estabilizadora. Apretar la tuerca a 62-79 plg-lb (7-9 Nm).

16. Montar el soporte de la barra estabilizadora sobre la carrocería. Apretar los tornillos a 25-33 pie-lb (34-46 Nm).

17. Montar la manguera de freno sobre el poste.

18. Conectar el sensor de carga en el brazo de suspensión.

19. Apretar las tres tuercas de montaje superiores a 19-25 pie-lb (25-34 Nm).

20. Montar las ruedas traseras y bajar el vehículo.

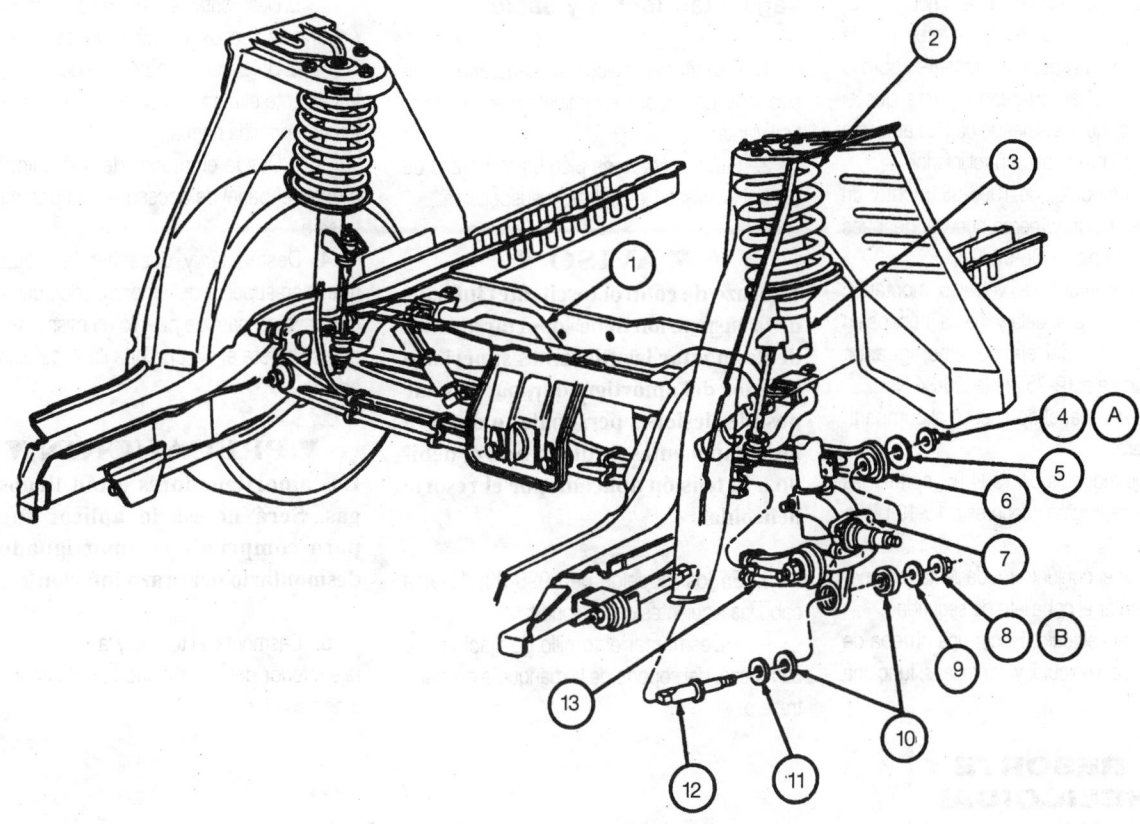

1. Barra estabilizadora trasera
2. Resorte trasero
3. Amortiguador
4. Tuerca
5. Arandela
6. Brazo de suspensión inferior (trasero)
7. Mangueta (mango) rueda trasera
8. Tuerca (cantidad 4)
9. Arandela (cantidad 2)
10. Buje de barra de conexión de la suspensión trasera (cantidad 4)
11. Arandela (cantidad 2)
12. Montante y buje de la suspensión trasera (cantidad 2)
13. Brazo de la suspensión inferior trasera (delantero)
A. Apretar a 68-92 Nm (50-67 pie-lb)
B. Apretar a 46.7-63.3 Nm (35-46 pie-lb)

▲ Identificación de los componentes de la suspensión trasera – Modelos sedán 1996-99

AMORTIGUADORES

DESMONTAJE E INSTALACIÓN

Sólo Vagonetas

➡ Antes de continuar asegurarse de disponer de tornillos y tuercas nuevos, así como casquillos aisladores (elásticos) para amortiguador.

1. Levantar el vehículo lo suficiente para permitir el desmontaje del conjunto rueda neumático. Asegurar el vehículo sobre soportes.
2. Desmontar el conjunto rueda neumático.

▼ AVISO ▼

El brazo oscilante (de control) inferior debe soportarse adecuadamente antes de desmontar las fijaciones superior o inferior del amortiguador para evitar lesiones personales o daños a los componentes.

3. En los modelos de 1994-95, desmontar las dos tuercas de retención del amortiguador en el brazo oscilante inferior de la suspensión.
4. Desde el interior del vehículo, desmontar el panel de acceso al compartimiento trasero.
5. Desmontar la tuerca de retención superior del amortiguador, utilizando una llave de pata de cuervo mientras se inmoviliza el eje del amortiguador con una llave de extremo abierto. No agarrar el eje del amortiguador, si tiene que montarse otra vez. Desechar la tuerca de retención.

6. Desmontar la arandela superior y el casquillo elástico (aislador) del amortiguador.

➡ Los amortiguadores están llenos de gas. Será necesario aplicar fuerza para comprimir el amortiguador y desmontarlo del brazo de control (oscilante) inferior.

7. En los modelos de 1996-98, desmontar el tornillo y la tuerca de montaje inferior del amortiguador.
8. Desmontar el amortiguador del vehículo. Desechar la tuerca y el tornillo.

Para instalar:

9. Montar una arandela y un casquillo aislador nuevos en el eje superior del amortiguador.

10. Poner la parte superior del amortiguador dentro del agujero de su alojamiento en la torre de la carrocería. Empujar lentamente sobre la parte inferior del amortiguador hasta que el soporte inferior quede alineado con los agujeros de montaje del brazo de control inferior.

11. En los modelos de 1996-98, montar un tornillo de retención y tuerca nuevos, después apretar a 50-68 pie-lb (68-92 Nm).

12. Desde el interior del vehículo, montar un casquillo aislador, arandela y tuerca nuevos en la parte superior del eje del amortiguador. Apretar la tuerca a 19-25 pie-lb (26-34 Nm).

13. Montar el panel de acceso al compartimiento trasero.

14. En los modelos de 1994-95, apretar las dos tuercas de fijación inferiores a 15-19 pie-lb (19-26 Nm).

15. Montar el conjunto rueda llanta (neumático). Desmontar el caballete de seguridad.

16. Bajar el vehículo. Hacer una prueba de carretera con el vehículo, y controlar si funciona correctamente.

RESORTE HELICOIDAL

DESMONTAJE E INSTALACIÓN

Delantero

▼ PRECAUCIÓN ▼
No desmontar la tuerca del eje del poste hasta que el resorte haya sido comprimido, y haya salido de su asiento.

1. Desmontar el poste del vehículo.

2. Comprimir el resorte helicoidal, utilizando un compresor de resortes, disponible en el mercado, hasta que el resorte salga de su asiento.

3. Desmontar la tuerca central grande, y lentamente aflojar el compresor de resortes.

Para instalar:

4. Comprimir el resorte y montarlo en el poste.

5. Montar la arandela y el soporte de montaje inferior.

6. Montar la arandela y una tuerca nueva superior. Apretar la tuerca a 39-53 pie-lb (53-72 Nm), mientras sujetamos el eje con una llave Torx® de T-50.

7. Montar el conjunto del poste en el vehículo.

Vagonetas Taurus y Sable

1. Levantar el vehículo y asegurarlo sobre soportes. Desmontar el conjunto rueda neumática (llanta).

2. Situar un gato de piso bajo el brazo de control (oscilante) inferior de la suspensión.

▼ AVISO ▼
El brazo de control (oscilante) inferior de la suspensión debe soportarse antes de desmontar las fijaciones superior o inferior del amortiguador, para evitar posibles lesiones personales o daños a los componentes de dicho brazo, debido a la tensión aplicada por el resorte helicoidal.

3. En los modelos de 1996-99, llevar a cabo las siguientes operaciones:

a. Desmontar el tornillo de fijación a la carrocería, del soporte de la manguera del freno trasero.

b. Desmontar la barra estabilizadora y el soporte del brazo de control inferior.

c. Utilizando el gato de suelo, levantar lentamente el brazo de control inferior, hasta la altura reprimida normal.

d. Desde el interior del vehículo, desmontar el panel de acceso al compartimiento trasero.

4. Desmontar y desechar la tuerca de retención superior del amortiguador, utilizando una llave de pata de cuervo, al mismo tiempo que se sujeta el eje con una llave de extremo abierto.

▼ PRECAUCIÓN ▼
Los amortiguadores están llenos de gas. Será necesario aplicar fuerza para comprimir el amortiguador y desmontarlo del brazo inferior.

5. Desmontar el tornillo y la tuerca de montaje inferior del amortiguador, y desmontar el amortiguador.

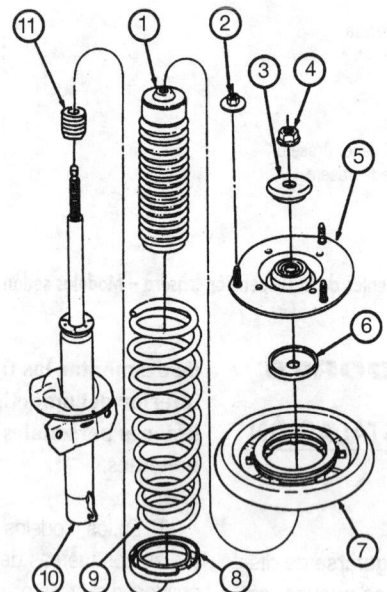

1. Capuchón guardapolvo (componente del 18124)
2. Tuerca (cantidad 2)
3. Arandela
4. Tuerca
5. Soporte de montaje del amortiguador delantero
6. Arandela
7. Sello y cojinete de la suspensión delantera
8. Aislador del resorte delantero (componente del 18124)
9. Resorte helicoidal delantero
10. Amortiguador delantero
11. Parachoques de rebote de fin de carrera (componente del 18124)

▲ Vista esquemática del conjunto de resorte helicoidal y poste delantero – Modelos 1996-99

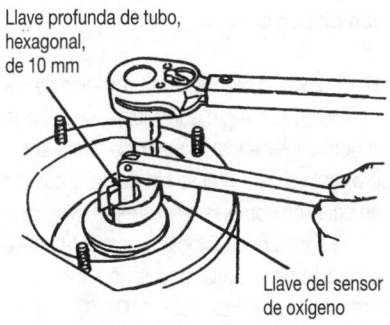

Llave profunda de tubo, hexagonal, de 10 mm

Llave del sensor de oxígeno

▲ **Sujetar el eje del poste mientras se afloja o aprieta la tuerca – Modelos 1996-99**

6. En los modelos de 1995, llevar a cabo las siguientes operaciones:

a. Desconectar y desmontar el cable del freno de aparcamiento y la abrazadera del brazo de suspensión inferior.

b. Si está equipado con frenos de disco traseros, desmontar el cable del ABS de los clips del brazo inferior de la suspensión.

c. Desmontar y desechar el tornillo y la tuerca de fijación del montante de reacción en el brazo de suspensión inferior.

d. Suspender de la carrocería el montante de mangueta y los brazos de suspensión superiores con un trozo de alambre, para evitar que se caigan.

e. Desmontar la tuerca, tornillo, arandela y leva de ajuste, que retienen en el montante de mangueta, el brazo de suspensión inferior. Desechar la tuerca, tornillo y arandela, y sustituirlos por nuevos. Poner la leva de ajuste a un lado.

7. En los modelos de 1996-99, llevar a cabo las siguientes operaciones:

a. Montar la jaula de resortes 164-R3555, o equivalente, sobre el resorte helicoidal.

b. Desmontar y desechar la tuerca de la rótula superior. Separar la rótula superior del montante del mango de rueda.

8. Por medio de un gato de suelo, bajar lentamente el brazo de control inferior hasta que esté relajada la tensión sobre el resorte helicoidal. Desmontar el resorte helicoidal y los aisladores inferior y superior del resorte.

Para instalar:

9. Colocar el aislador inferior del resorte sobre el brazo de control inferior. Entrar el aislador presionando hacia abajo, en su alojamiento, asegurándose de que quede perfectamente asentado.

10. Colocar el aislador superior en el extremo superior del resorte. Montar el resorte helicoidal sobre el brazo de control inferior. Asegurarse de que el resorte está correctamente asentado.

11. Utilizando un gato de suelo, levantar lentamente el brazo de control inferior. Guiar el aislador superior del resorte en el asiento del aislador del resorte sobre la carrocería inferior.

12. Colocar la rótula superior dentro del brazo de control superior. Montar una tuerca nueva, y apretar a 50-68 pie-lb (68-92 Nm).

13. En los modelos de 1995, llevar a cabo las siguientes operaciones:

a. Colocar el montante de mangueta en el brazo inferior de la suspensión, con un tornillo, tuerca y arandela nuevos, y la leva de ajuste existente. Montar el tornillo con la cabeza del tornillo hacia la delantera del vehículo. No apretar el tornillo en este momento.

b. Desmontar el alambre que soporta el montante de mangueta y los brazos de suspensión.

c. Montar el montante de reacción en el brazo de suspensión inferior, utilizando un tornillo y una tuerca nuevos; no apretar en este momento.

d. Montar el cable del freno de aparcamiento y el clip en el brazo de suspensión inferior.

e. Si está equipado con frenos de disco traseros, montar el cable del ABS dentro de los clips del brazo de suspensión inferior.

14. Colocar el amortiguador dentro de la abertura de la torre con una arandela y aislador instalado nuevos. Empujar sobre el extremo inferior del amortiguador hasta que el soporte inferior quede alineado con los agujeros de montaje del brazo de control inferior. Montar un tornillo de fijación inferior y una tuerca nuevos. Apretar a 50-68 pie-lb (68-92 Nm).

15. Desde el interior del vehículo, montar un aislador de amortiguador superior y una arandela nuevos. Apretar la tuerca a 19-25 pie-lb (25-34 Nm).

16. En los modelos de 1995, llevar a cabo las siguientes operaciones:

a. Fijar el soporte en U de la barra estabilizadora en el brazo de suspensión inferior, utilizando un tornillo nuevo. Apretar el tornillo a 23-30 pie-lb (30-40 Nm).

b. Fijar la manguera de freno en la carrocería, y apretar el tornillo a 8-12 pie-lb (11-16 Nm).

c. Con el gato de suelo, levantar el brazo de suspensión trasero y el casquillo hasta la posición normal cuando están en altura reprimi-

da. Apretar la tuerca de fijación del brazo de suspensión trasero y casquillo en el montante de mangueta trasero a 40-52 pie-lb (54-71 Nm). Apretar el tornillo del montante de reacción de la suspensión trasera y el casquillo en la carrocería a 40-52 pie-lb (54-71 Nm).

17. En los modelos de 1996-99, llevar a cabo las siguientes operaciones:

a. Montar el panel de acceso al compartimiento trasero.

b. Montar la barra estabilizadora y el soporte en el brazo de control inferior. Apretar a 15-19 pie-lb (19-26 Nm).

18. Montar el soporte de apoyo de la manguera de freno en la carrocería y montar el tornillo de retención. Apretar el tornillo a 10 pie-lb (12 Nm).

19. Montar el conjunto rueda neumático. Apretar las tuercas de orejas a 85-105 pie-lb (115-142 Nm).

20. Desmontar el gato de suelo.

21. Bajar el vehículo.

22. Controlar la alineación de las ruedas traseras y ajustar si fuera necesario.

23. Hacer una prueba de carretera con el vehículo, y controlar si funciona correctamente.

RÓTULAS INFERIORES

DESMONTAJE E INSTALACIÓN

Modelos 1995

La rótula inferior es un componente integrado en el brazo de control inferior. Si la rótula es defectuosa, debe sustituirse todo el brazo de control inferior.

Modelos 1996-99

La rótula inferior es una pieza integrada en la articulación de la dirección. Si se encuentra que la rótula infeior es defectuosa, debe sustituirse toda la articulación de la dirección.

COJINETES DE RUEDA

AJUSTE

No es posible ajustar los cojinetes de rueda delanteros ni traseros debido a la naturaleza de su diseño. Estos cojinetes están lubricados permanentemente y no requieren mantenimiento periódico.

DESMONTAJE E INSTALACIÓN

Delanteros

MODELOS 1995

➡ Antes de empezar este procedimiento, asegurarse de disponer de los siguientes elementos nuevos: tuerca de retención de cubo de rueda, tuerca almenada de los extremos de la barra de conexión y un tornillo de presión y tuerca del brazo de control inferior en la articulación de la dirección.

1. Poner la llave de contacto en la posición OFF. Situar el volante de la dirección en la posición de DESBLOQUEADO.

2. Con las cuatro ruedas en el suelo, aflojar y desmontar la tuerca de retención del cubo de rueda. Desechar la tuerca.

3. Levantar el vehículo y asegurarlo sobre soportes. Desmontar el conjunto rueda neumático.

4. Desmontar el pasador partido del extremo de la barra de conexión y desmontar la tuerca almenada. Desechar la tuerca y el pasador partido.

5. Utilizar una herramienta de desmontaje del extremo de la barra de conexión, y separar el extremo de la barra de conexión de la articulación de la dirección.

6. Desmontar el conjunto del eslabón de la barra estabilizadora del poste.

7. Desmontar la mordaza de freno y mantenerla apartada a un lado por medio de un alambre, para tener espacio para trabajar.

8. Aflojar pero no desmontar las tres tuercas de retención superior del poste, de la parte superior de la torre.

9. Desmontar y desechar el tornillo de presión y la tuerca del brazo de control inferior en la articulación de la dirección. Utilizando una palanca o herramienta similar, separar la unión de presión y cuidadosamente apalancar el brazo de control inferior para separarlo de la articulación de la dirección.

➡ Asegurarse de que la columna de la dirección está en la posición DESBLO-QUEADA. No utilizar un martillo para llevar a cabo esta operación. Tener mucho cuidado de no dañar el sello de la funda.

10. Desmontar el tornillo de presión del poste en la articulación de la dirección.

▼ AVISO ▼

No permitir que el semieje se salga fuera, o quede colgando de la junta homocinética interior. Un alargamiento excesivo de la junta podría producir la separación de sus elementos internos, causando la avería de la junta.

11. Presionar el semieje hacia fuera del cubo de rueda con un extractor de ruedas. Fijar el semieje en la carrocería por medio de un alambre, de modo que mantenga una posición nivelada. Si está equipado, desmontar la chapa protectora contra salpicaduras del rotor.

12. Desmontar del poste el conjunto de articulación de la dirección y cubo.

13. Montar el extractor de cubos delanteros D80L-1002-L, o equivalente, y la protección de ejes D80L-625-1, o equivalente, con las mordazas del extractor sobre las protuberancias de la articulación. Asegurarse de que la protección del eje esté centrada, deja libre el diámetro interior del cojinete y se apoya en la cara extrema del muñón del cubo. Desmontar el cubo.

14. Desmontar el anillo elástico de retención del cojinete en el conjunto de la articulación de la dirección y desechar el anillo.

15. Utilizando una prensa hidráulica apropiada, colocar el separador de cojinetes delanteros T86P-1104-A2, o equivalente, sobre el plato de la prensa, con el lado que contiene el escalón mirando hacia arriba, y colocar la articulación con el lado exterior encima del separador. Montar el extractor de cojinetes delanteros T83P-1104-AH2, o equivalente, centrado en la pista interior del cojinete, y presionar el cojinete hacia el exterior de la articulación, sacarlo y desecharlo.

Para instalar:

16. Sacar todos los restos de material existentes en el agujero del cojinete de la articulación de la dirección y en el muñón del cojinete del cubo para asegurar un correcto asentamiento del cojinete nuevo.

➡ Si el muñón del cojinete del cubo está rayado o dañado debe sustituirse. Los cojinetes de rueda delanteros están engrasados y sellados, y no requieren mantenimiento periódico. Los cojinetes están preajustados y no necesitan ajuste. Si un cojinete se desmonta por alguna razón, debe sustituirse como una unidad, ya que los componentes individuales del

cojinete como sellos, rodillos y pistas no están disponibles.

17. Colocar el separador de cojinetes delanteros T86P-1104-A2, o equivalente, con el lado que contiene el escalón mirando hacia abajo sobre el plato de la prensa hidráulica, y colocar la articulación con el lado externo hacia abajo sobre el separador. Colocar un cojinete nuevo en el lado interno de la articulación. Instalar el montador de cojinetes T86P-1104-A3, o equivalente, con el lado rebajado mirando hacia el cojinete, sobre la pista exterior del cojinete, y presionar el cojinete hacia adentro de la articulación. Asegurarse de que el cojinete se asienta completamente contra el apoyo, en el alojamiento de la articulación de la dirección.

➡ El montador de cojinetes T86P-1104-A3, o equivalente, debe ser colocado como se indica arriba, para evitar daños en el cojinete, durante el montaje.

18. Montar un anillo elástico de retención nuevo (forma parte del kit del cojinete) en la ranura de la articulación de la dirección.

19. Situar el separador de cojinetes delanteros T86P-1104-A2, o equivalente, sobre el plato de la prensa, y colocar el cubo sobre la herramienta con las orejas mirando hacia abajo. Colocar el conjunto de la articulación con el lado exterior hacia abajo sobre el tambor del cubo. Colocar el extractor de cojinetes T83P-1104-AH2, o equivalente, con la cara plana hacia abajo, centrado sobre la pista interna del cojinete, y presionar sobre la herramienta hacia abajo, hasta que el cojinete esté completamente asentado en el cubo. Asegurarse de que el cubo gira libremente en la articulación, antes del montaje.

20. Antes del montaje del cubo (mazo)/cojinete/articulación de la dirección, sustituir el sello guardapolvo del cojinete situado sobre la junta homocinética exterior, por uno nuevo que viene con el kit del cojinete. Asegurarse de que la brida del sello guardapolvo está de cara al exterior, hacia el cojinete. Utilizar el tubo introductor T83T-3132-A1 y montador de sellos guardapolvo de cojinetes delanteros T86P-1104-A4, o equivalente.

21. Si está equipado, montar el protector contra salpicaduras del rotor, utilizando remaches (roblones) nuevos.

22. Montar la articulación de la dirección sobre el poste. Montar un tornillo de presión nuevo en la articulación para retener el poste, dejándolo flojo.

23. Montar la articulación de la dirección y el cubo en el semieje. Montar una tuerca de retención del cubo nueva, dejándola floja.

24. Montar el brazo de control inferior en la articulación de la dirección. Asegurarse de que la ranura del espárrago de la rótula está situada correctamente. Montar una tuerca y tornillo nuevos. Apretar a 40-53 pie-lb (53-72 Nm).

25. Apretar el tornillo de presión del poste en la articulación de la dirección a 70-95 pie-lb (98-132 Nm).

26. Montar el rotor y la mordaza del freno de disco.

27. Colocar la barra de conexión en la articulación de la dirección, montar una tuerca almenada nueva, y apretar a 35 pie-lb (47 Nm). Si fuera necesario, girar avanzando la tuerca, de modo que quede alineada la ranura y montar un pasador partido nuevo.

28. Montar el eslabón de la barra estabilizadora en el poste. Apretar la tuerca a 57-75 pie-lb (77-103 Nm).

29. Montar el conjunto rueda neumático. Apretar las tuercas de orejas a 85-105 pie-lb (115-142 Nm).

30. Bajar el vehículo.

31. Apretar los tres tornillos de fijación de la parte superior del poste a 23-29 pie-lb (30-40 Nm).

32. Con todas las ruedas en el suelo, apretar la tuerca de retención del cubo a 180-200 pie-lb (245-275 Nm).

33. Accionar el pedal de freno varias veces, antes de mover el vehículo, para asentar las zapatas de freno.

34. Hacer una prueba de carretera del vehículo y controlar si funciona correctamente.

MODELOS 1996-99

➡ **Asegurarse de disponer de los siguientes elementos nuevos: tuercas retención buje, tuercas almenadas del extremo de la bieleta de la dirección, tornillos de retención del cubo en la articulación de la dirección, tornillos de presión y tuercas de la articulación de la dirección en el poste, y anillos elásticos de retención de semieje interior. Estas piezas pierden la capacidad de retención/mantenimiento del par, una vez desmontadas, y no pueden usarse otra vez.**

1. Poner la llave de contacto en la posición OFF. Colocar la columna de la dirección en la posición de DESBLOQUEADA.

2. Desmontar la tuerca de retención del cubo de rueda, antes de levantar el vehículo del suelo. Desechar la tuerca de retención del cubo de rueda.

3. Levantar el vehículo y asegurarlo sobre soportes. Desmontar el conjunto rueda neumático.

➡ **Cuando se levante el vehículo, no apoyar el elevador en los brazos de control inferiores.**

4. Desmontar el conjunto rueda neumático.

5. Desmontar el pasador partido y la tuerca almenada del extremo de la barra de conexión. Desechar el pasador partido y la tuerca.

6. Separar el extremo de la barra de conexión de la articulación de la dirección, utilizando un desmontador 3290-D y un adaptador T81P-3504-W, o equivalentes.

7. En los vehículos SHO, desmontar la tapa de vinilo del espárrago del eslabón superior.

8. Desmontar el eslabón de la barra estabilizadora, del poste. Desmontar la mordaza de freno y dejarla colgada a un lado.

9. Desmontar el rotor del freno de disco.

10. Desmontar el sensor del antibloqueo, y separarlo a un lado.

11. Desmontar y desechar la tuerca de retención de la rótula inferior. Utilizando un desmontador de rótulas inferiores T96P-3010-A, o equivalente, separar la rótula del brazo de control inferior.

12. Utilizando un compresor de resortes 164-R-3571, o equivalente, comprimir el resorte helicoidal hasta que la rótula deje libre el brazo de control inferior.

13. Desmontar y desechar el tornillo de presión y la tuerca de la articulación de la dirección en el poste.

14. Separar el semieje del cubo de rueda, utilizando un desmontador de cubos delanteros T81P-1104-C, o equivalente y los adaptadores.

15. Soportar el semieje con un alambre en una posición nivelada para evitar que cuelgue de la junta homocinética interior.

➡ **No permitir que el semieje cuelgue de la junta homocinética interior o que se salga demasiado afuera. Los componentes internos de la junta homocinética trípode, podrían separarse.**

16. Separar la articulación de la dirección del poste y colocarla sobre un banco de trabajo apropiado.

17. Desmontar los tres tornillos de retención del cubo y el cojinete, de la parte trasera de la articulación de la dirección al mismo tiempo que se utiliza una palanca para mantener inmovilizado el conjunto. Desechar los tres tornillos de retención del cubo y el cojinete.

▼ AVISO ▼

El cubo de rueda no está entrado a presión dentro de la articulación de rueda delantera. NO UTILIZAR un martillo deslizante para desmontar un cubo de rueda agarrotado (clavado). No golpear la parte trasera de la pista interior del cojinete.

18. Desmontar el cubo de rueda, de la articulación de la dirección, utilizando una palanca adecuada.

19. Inspeccionar todos los componentes, y sustituir los que sèa necesario. Los cojinetes de rueda no se pueden reparar o ajustar y deben sustituirse con un conjunto de cubo de rueda nuevo.

Para instalar:

20. Si se hubiera desmontado, montar la protección contra salpicaduras de rotor del freno de disco, utilizando remaches nuevos.

➡ **Si el muñón del cojinete del cubo de rueda estuviera rayado o dañado, cambiar la articulación de la dirección. Si el cubo de rueda está dañado o se detecta un juego axial, sustituir el cubo de rueda.**

21. Limpiar el alojamiento del cojinete en la articulación de la dirección y el muñón del cojinete del cubo de todo resto de material extraño, para asegurar un perfecto asentamiento del cubo (mazo) nuevo.

➡ **La articulación debe estar lo suficientemente limpia para que permita que el cubo de rueda se pueda asentar completamente con la mano. No entrar a presión o apretar en su alojamiento el cubo de rueda.**

22. Colocar el cubo de rueda en la articulación de la dirección utilizando aceite ligero. Empujar el conjunto del cubo de rueda dentro de la articulación de la dirección. Montar los tornillos y apretarlos a 61-78 pie-lb (83-107 Nm).

23. Colocar el conjunto de la articulación de la dirección en el vehículo.

24. Montar la articulación de la dirección en el poste y montar un tornillo de presión nuevo, dejándolo flojo.

25. Montar la articulación de la dirección y el conjunto del cubo en el semieje. Asegurarse de que las estrías están alineadas correctamente.

26. Lentamente, aflojar el compresor de resortes Rotunda 164-R-3571, o equivalente, mientras se guía la rótula inferior dentro de su alojamiento en el brazo de control inferior.

27. Desmontar el compresor de resortes.

28. Montar una tuerca nueva sobre el espárrago de la rótula inferior, y apretar a 50-67 pie-lb (68-92 Nm).

29. Montar una tuerca nueva en el tornillo de presión sobre la articulación de la dirección y el poste. Apretar el tornillo de presión y tuerca a 72-97 pie-lb (98-132 Nm).

30. Colocar el extremo de la barra de conexión en la articulación de la dirección. Montar una tuerca almenada nueva y apretarla a 35-46 pie-lb (47-63 Nm). Montar un pasador partido nuevo.

31. Montar el eslabón de la barra estabilizadora y apretar la tuerca a 57-75 pie-lb (77-103 Nm).

32. En los vehículos SHO, montar al tapa de vinilo en el espárrago del eslabón superior.

➡ **Tener cuidado de no dañar los sellos guardapolvo del eslabón de la barra estabilizadora. No utilizar herramientas potentes para apretar las tuercas, pues de lo contrario se dañarán los sellos guardapolvo.**

33. Montar el rotor del freno de disco y la mordaza de freno. Apretar los tornillos del soporte de anclaje de la mordaza a 65-87 pie-lb (88-118 Nm).

34. Montar el conjunto de rueda neumático.

35. Bajar el vehículo.

36. Montar una tuerca nueva de retención del cubo de rueda. Apretar la tuerca a 170-202 pie-lb (230-275 Nm).

37. Accionar el pedal de freno varias veces, antes de mover el vehículo, para asentar las zapatas de freno.

38. Hacer una prueba de carretera con el vehículo, y controlar el funcionamiento correcto.

Traseros

1. Levantar el vehículo y asegurarlo sobre soportes. Desmontar el conjunto rueda neumático.

2. Desmontar el tornillo de retención de la manguera de freno en el soporte del poste.

Desmontar el conjunto del disco/tambor de freno trasero.

3. Desmontar la tapa de grasa del conjunto de cojinete y cubo, y desechar la tapa de grasa.

4. Desmontar la tuerca de retención del conjunto del cojinete y cubo, y desechar dicha tuerca. Desmontar el conjunto cojinete y cubo de la mangueta (mango).

Para instalar:

5. Colocar el cubo de rueda y el cojinete sobre la mangueta trasera.

6. Montar una tuerca nueva de retención de cubo de rueda y apretar a 188-254 pie-lb (255-345 Nm).

7. Montar un sello de grasa tapacubo nuevo utilizando el protector de ejes T89P-19623-FH, o equivalente. Golpear suavemente sobre la herramienta hasta que esté completamente asentado.

8. Montar el conjunto disco/tambor de freno trasero.

9. Montar el conjunto rueda neumático. Bajar el vehículo.

10. Controlar la alineación del extremo delantero. Hacer una prueba de carretera con el vehículo, y controlar si funciona correctamente.

CHRYSLER CORP.
Neon

5

ESPECIFICACIONES **262**

REPARACIÓN DEL MOTOR **265**

Sincronización del encendido 265
Conjunto motor. 265
Bomba de agua 266
Culata de cilindros 266
Balancines/ejes. 268
Múltiple de admisión 269
Múltiple de escape 271
Sello de aceite
    del cojinete delantero del cigüeñal. 271
Árbol de levas y levantaválvulas 271
Holgura de válvulas 274
Depósito de aceite 274
Bomba de aceite. 275
Sello de aceite del cojinete principal trasero . . . 277

SISTEMA DE COMBUSTIBLE **277**

Precauciones de mantenimiento
    del sistema de combustible 277

Presión del sistema
    de combustible 278
Filtro de combustible 278
Bomba de combustible 279

TREN DE TRANSMISIÓN **280**

Conjunto de la caja
    de cambios 280
Embrague 283
Semiejes 284

DIRECCIÓN Y SUSPENSIÓN **285**

Air bag. 285
Dirección de cremallera
    y piñón 286
Poste. 287
Resortes 290
Rótula esférica inferior 291
Cojinetes de rueda 292

ESPECIFICACIONES
CHRYSLER CORP.

Neon
TABLA DE IDENTIFICACIÓN DEL VEHÍCULO

Clave del motor						Año del modelo	
Clave	Litros	Plg³ (cc)	Cilindros	Sist. comb.	Fabr. motor	Clave	Año
C	2.0	122 (1996)	I4	MFI	Chrysler	S	1995
Y	2.0	122 (1996)	I4	MFI	Chrysler	T	1996
						V	1997
						W	1998
						X	1999

MFI-Inyección de combustible multipunto.

IDENTIFICACIÓN DEL MOTOR
Todas las medidas están expresadas en pulgadas

Año	Modelo	Cilindrada del motor litros (cc)	Serie del motor (ID/VIN)	Sistema de combustible	Número de cilindros	Tipo de motor
1995	Neon	2.0 (1996)	C	MFI	4	SOHC
	Neon	2.0 (1996)	Y	MFI	4	DOHC
1996	Neon	2.0 (1996)	C	MFI	4	SOHC
	Neon	2.0 (1996)	Y	MFI	4	DOHC
1997	Neon	2.0 (1996)	C	MFI	4	SOHC
	Neon	2.0 (1996)	Y	MFI	4	DOHC
1998-99	Neon	2.0 (1996)	C	MFI	4	SOHC
	Neon	2.0 (1996)	Y	MFI	4	DOHC

MFI-Inyección de combustible multipunto.
SOHC-Árbol de levas sobre culata simple.
DOHC-Árbol de levas sobre culata doble.

ESPECIFICACIONES GENERALES DEL MOTOR

Año	Motor ID/VIN	Cilindrada del motor litros (cc)	Tipo de sistema de combustible	Caballaje neto @ rpm	Torsión neta @ rpm (pie-lb)	Diámetro x carrera (plg)	Relación de compresión	Presión de aceite @ rpm
1995	C	2.0 (1996)	MFI	132@6000	129@5000	3.44x3.26	9.8:1	25-80@3000
	Y	2.0 (1996)	MFI	150@4400	NA	3.44x3.26	9.6:1	25-80@3000
1996	C	2.0 (1996)	MFI	132@6000	129@5000	3.44x3.26	9.8:1	25-80@3000
	Y	2.0 (1996)	MFI	150@4400	NA	3.44x3.26	9.6:1	25-80@3000
1997	C	2.0 (1996)	MFI	132@6000	129@5000	3.44x3.26	9.8:1	25-80@3000
	Y	2.0 (1996)	MFI	150@4400	NA	3.44x3.26	9.6:1	25-80@3000
1998-99	C	2.0 (1996)	MFI	132@6000	129@5000	3.44x3.26	9.8:1	25-80@3000
	Y	2.0 (1996)	MFI	150@4400	NA	3.44x3.26	9.6:1	25-80@3000

NA- No disponible.

ESPECIFICACIONES PARA AFINACIÓN DE MOTORES DE GASOLINA

Año	Motor ID/VIN	Cilindrada del motor litros (cc)	Bujías Abertura (plg)	Sincronización del encendido (grados)		Bomba de combustible (lb/plg²)	Marcha mínima (rpm)		Holgura válvulas	
				MT	AT		MT	AT	Admisión	Escape
1995	C	2.0 (1996)	0.035	①	①	48	②	②	HYD	HYD
	Y	2.0 (1996)	0.035	①	①	48	②	②	HYD	HYD
1996	C	2.0 (1996)	0.035	①	①	48	②	②	HYD	HYD
	Y	2.0 (1996)	0.035	①	①	48	②	②	HYD	HYD
1997	C	2.0 (1996)	0.035	①	①	48	②	②	HYD	HYD
	Y	2.0 (1996)	0.035	①	①	48	②	②	HYD	HYD
1998-99	C	2.0 (1996)	0.035	①	①	48	②	②	HYD	HYD
	Y	2.0 (1996)	0.035	①	①	48	②	②	HYD	HYD

Nota: La etiqueta de Información sobre el Control de Emisiones del Vehículo a menudo refleja los cambios de especificaciones hechos durante la producción. Las cifras de la etiqueta se han de utilizar si difieren de las de esta tabla.

HYD- Hidráulico.

MFI-Inyección de combustible multipunto.

① Referido a la etiqueta de Información sobre el Control de Emisiones del Vehículo para las especificaciones de sincronización correcta con una oscilación de +/- 2 grados. La sincronización del encendido no puede ajustarse. La sincronización base del motor es ajustada en PMS durante el montaje.

② Consultar la etiqueta de Información sobre el Control de Emisiones del Vehículo, para las especificaciones adecuadas.

CAPACIDADES

Año	Modelo	Motor ID/VIN	Cilindrada del motor litros (cc)	Aceite de motor con filtro (qts)	Transmisión (pts)			Caja de transferencia (pts)	Eje de transmisión		Depósito de combustible (gal)	Sistema de refrigeración (qts)
					4-vel.	5-vel.	Auto		Delantero (pts)	Trasero (pts)		
1995	Neon	C	2.0 (1996)	4.5	—	①	8.0	—	—	—	11.0	7.4
	Neon	Y	2.0 (1996)	4.5	—	①	8.0	—	—	—	11.0	7.4
1996	Neon	C	2.0 (1996)	4.5	—	①	8.0	—	—	—	11.0	7.4
	Neon	Y	2.0 (1996)	4.5	—	①	8.0	—	—	—	11.0	7.4
1997	Neon	C	2.0 (1996)	4.5	—	①	8.0	—	—	—	11.0	7.4
	Neon	Y	2.0 (1996)	4.5	—	①	8.0	—	—	—	11.0	7.4
1998-99	Neon	C	2.0 (1996)	4.5	—	①	8.0	—	—	—	11.0	7.4
	Neon	Y	2.0 (1996)	4.5	—	①	8.0	—	—	—	11.0	7.4

Nota: Todas las capacidades son aproximadas. Añadir el fluido gradualmente y asegurar que se obtiene un nivel de fluido correcto.

① Llenar hasta la parte interior del orificio de llenado.

ESPECIFICACIONES DE VÁLVULAS

Año	Motor ID/VIN	Cilindrada del motor litros (cc)	Ángulo de asiento (grados)	Ángulo de cara (grados)	Presión de prueba del resorte (lb @ plg)	Altura del resorte instalado (plg)	Holgura entre el vástago y la guía (plg)		Diámetro del vástago (plg)	
							Admisión	Escape	Admisión	Escape
1995	C	2.0 (1996)	44.5-45	45-45.5	75@1.54	1.540	0.0018-0.0025	0.0029-0.0037	0.2340	0.2330
	Y	2.0 (1996)	44.5-45	45-45.5	55-60@1.49	1.490	0.0018-0.0025	0.0029-0.0037	0.2340	0.2330
1996	C	2.0 (1996)	44.5-45	45-45.5	75@1.54	1.540	0.0018-0.0025	0.0029-0.0037	0.2340	0.2330
	Y	2.0 (1996)	44.5-45	45-45.5	55-60@1.49	1.490	0.0018-0.0025	0.0029-0.0037	0.2340	0.2330
1997	C	2.0 (1996)	44.5-45	45-45.5	75@1.54	1.540	0.0018-0.0025	0.0029-0.0037	0.2340	0.2330
	Y	2.0 (1996)	44.5-45	45-45.5	55-60@1.49	1.490	0.0018-0.0025	0.0029-0.0037	0.2340	0.2330
1998-99	C	2.0 (1996)	44.5-45	45-45.5	75@1.54	1.540	0.0018-0.0025	0.0029-0.0037	0.2340	0.2330
	Y	2.0 (1996)	44.5-45	45-45.5	55-60@1.49	1.490	0.0018-0.0025	0.0029-0.0037	0.2340	0.2330

ESPECIFICACIONES DE TORSIÓN
Todas las lecturas están expresadas en pie-lb

Año	Motor ID/VIN	Cilindrada del motor litros (cc)	Tornillos culata de cilindros	Tornillos cojinete principal	Tornillos cojinete de biela	Tornillos polea	Tornillos volante	Múltiple		Bujías	Tuercas orejas (birlos)
								Admisión	Escape		
1995	C	2.0 (1996)	①	②	③	105	70	17	17	20	95
	Y	2.0 (1996)	④	②	③	105	70	17	17	20	95
1996	C	2.0 (1996)	①	②	③	105	70	17	17	20	95
	Y	2.0 (1996)	④	②	③	105	70	17	17	20	95
1997	C	2.0 (1996)	①	②	③	105	70	17	17	20	95
	Y	2.0 (1996)	④	②	③	105	70	17	17	20	95
1998-99	C	2.0 (1996)	①	②	③	105	70	17	17	20	95
	Y	2.0 (1996)	④	②	③	105	70	17	17	20	95

① Paso 1: 25 pie-lb.
  Paso 2: 50 pie-lb.
  Paso 3: 50 pie-lb.
  Paso 4: + 90 grados.

② Paso 1: 30 pie-lb.
  Paso 2: + 90 grados.

③ Paso 1: 20 pie-lb.
  Paso 2: + 90 grados.

④ Paso 1:
  Tornillos 1-6: 25 pie-lb.
  Tornillos 7-10: 20 pie-lb.
  Paso 2:
  Tornillos 1-6: 50 pie-lb.
  Tornillos 7-10: 20 pie-lb.
  Paso 3:
  Tornillos 1-6: 50 pie-lb.
  Tornillos 7-10: 20 pie-lb.
  Paso 4: + 90 grados.

REPARACIÓN DEL MOTOR

➡ En algunos vehículos la desconexión del cable negativo de la batería puede interferir en las funciones del ordenador de a bordo y puede hacer necesaria su reprogramación cuando el cable negativo de la batería sea conectado de nuevo.

SINCRONIZACIÓN DEL ENCENDIDO

AJUSTE

La sincronización del encendido está controlada por el Módulo de Control del Tren de Transmisión (PCM). Su ajuste no es necesario ni posible.

CONJUNTO MOTOR

DESMONTAJE E INSTALACIÓN

➡ Una vez instalados todos los componentes en el motor, para hacer funcionar el procedimiento de resincronización del árbol de levas y del cigüeñal, se necesita un analizador DRB.

1. Descargar correctamente la presión del sistema de combustible.

2. Desconectar el cable negativo de la batería y después el positivo. Sacar la batería y la bandeja de la batería. Colocar el PCM a un lado.

3. Drenar el sistema de refrigeración en un recipiente adecuado.

4. Sacar la manguera superior del radiador, el radiador y el conjunto del módulo ventilador. Sacar la manguera inferior del radiador.

5. Si está equipado con cambio automático, desconectar y tapar los conductos de refrigeración de la caja de cambios.

6. Desconectar el cable del embrague (cambios manuales) y el varillaje del cambio de transmisión.

7. Desconectar el varillaje del cuerpo del ahogador (estrangulador).

8. Separar el cableado del motor.

9. Desconectar las mangueras del calefactor.

10. Elevar el vehículo y soportarlo con seguridad, después sacar la protección contra salpicaduras interior derecha.

11. Drenar el aceite del motor.

12. Sacar las correas de transmisión auxiliares.

13. Sacar los semiejes.

14. Desconectar el tubo de escape del múltiple.

15. Aguantar el conjunto motor y caja de cambios con un gato adecuado. Después, sacar el soporte frontal del motor.

16. En los vehículos de 1996-99 equipados con cambio manual, sacar el amortiguador de saltos de potencia.

17. Bajar el vehículo con cuidado.

18. Sacar el conjunto del filtro de aire.

19. Desatornillar la bomba de la dirección asistida y el depósito y colocarlos a un lado.

20. Si está equipado, sacar el compresor del A/A.

21. Sacar las conexiones de cinta metálica de tierra al chasis.

22. Elevar suficientemente el vehículo para permitir que una plataforma rodante para motores y un caballete adecuados sean colocados debajo del motor.

23. Aflojar los postes de soporte del motor para permitir movimiento para la colocación en los agujeros y bridas de posicionamiento del motor sobre la bancada del motor. Bajar el vehículo con cuidado y colocar la cuna soporte hasta que el motor descanse en los postes de soporte. Apretar los soportes al bastidor de la cuna. Esto evitará que los postes de soporte se muevan cuando el motor y la transmisión se saquen o se instalen.

24. Instalar correas de seguridad atando el motor con el caballete; apretar las correas y fijarlas.

25. Elevar suficientemente el vehículo para ver si las correas están lo suficientemente apretadas como para sujetar el conjunto de la cuna al motor.

26. Bajar el vehículo de manera que el peso del motor y de la caja de cambios sólo recaiga en la cuna del soporte.

27. Sacar los tornillos pasantes de soporte del motor y la caja de cambios.

28. Elevar lentamente el vehículo; podría ser necesario mover el conjunto motor/caja de cambios con la cuna para permitir alejarlo de las bridas de la carrocería.

Para instalar:

29. El proceso de instalación es inverso al de desmontaje. Por favor, prestar atención a los pasos siguientes.

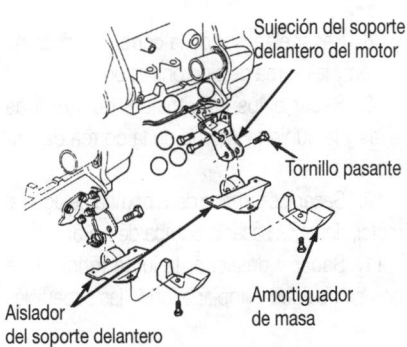

▲ **Posición del soporte delantero del motor e identificación de tornillos**

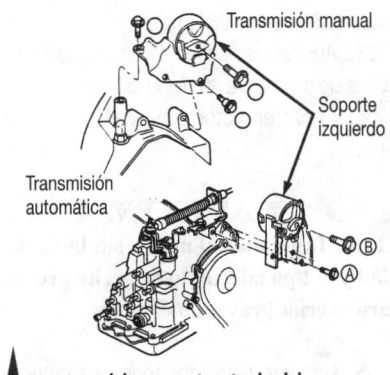

▲ **Despiece del soporte izquierdo del motor**

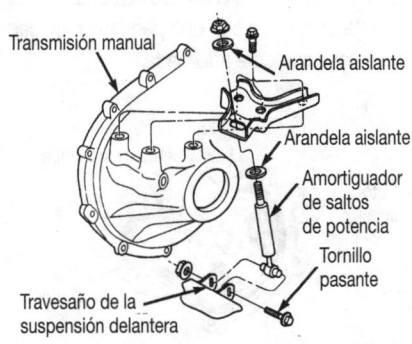

▲ **En vehículos con cambios manuales, debe sacarse el amortiguador de saltos de potencia**

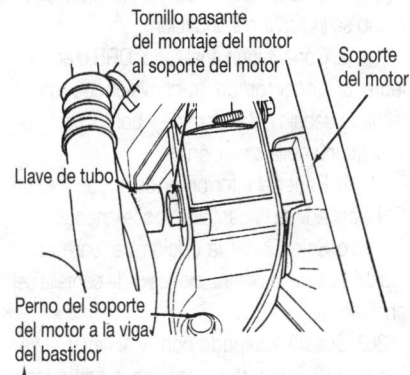

▲ **Posición del soporte derecho del motor**

30. Apretar los retenes del soporte delantero del motor tal como se indica a continuación (las especificaciones de los tornillos están en la figura adjunta):

a. Si los puntos de apoyo del soporte del motor se han sacado, apretar los tornillos 1 a 20 plg-lb (3 Nm) y los tornillos 2, 3 y 4 a 80 pie-lb (108 Nm).

b. Si los puntos de apoyo del soporte del motor se han sacado, apretar los tornillos 5 y 1 a 40 pie-lb (54 Nm).

c. Apretar los tornillos pasantes del conjunto soporte-aislante del motor a 40 pie-lb (54 Nm).

d. Apretar las tuercas del conjunto aislante al travesaño inferior del radiador a 40 pie-lb (54 Nm).

e. Apretar el tornillo del amortiguador de masa a 40 pie-lb (54 Nm).

31. Apretar el soporte izquierdo del motor tal como se indica a continuación:

a. Las sujeciones (A) a 40 pie-lb (54 Nm).

b. Las sujeciones (B) a 80 pie-lb (108 Nm).

32. Apretar el soporte derecho del motor tal como se indica a continuación:

a. El soporte del motor a las sujeciones del raíl a 40 pie-lb (54 Nm).

b. El soporte del motor al apoyo del motor a 80 pie-lb (108 Nm).

33. Apretar los retenes del amortiguador de saltos de potencia a 40 pie-lb (54 Nm).

34. Llenar el motor con aceite de motor nuevo.

▼ AVISO ▼

Hacer funcionar el motor sin la cantidad y el tipo adecuado de aceite producirá averías graves en el motor.

35. Una vez instalados todos los componentes, realizar el procedimiento de resincronización del árbol de levas y del cigüeñal tal como se indica a continuación:

a. Conectar un analizador DRB o equivalente al conector de transmisión de datos (situado debajo del tablero de a bordo, cerca de la columna de la dirección).

b. Poner el interruptor de encendido en ON y acceder a la pantalla "miscellaneous".

c. Seleccionar la opción "re-learn cam/crank" y seguir las instrucciones de la pantalla del analizador.

36. Si está equipado con A/A, llevar el vehículo a un taller de reparaciones acreditado para recargar el sistema de A/A.

➡ Una vez instalados todos los componentes en el motor, para hacer funcionar el procedimiento de resincronización del árbol de levas y del cigüeñal se necesita un analizador DRB.

BOMBA DE AGUA

DESMONTAJE E INSTALACIÓN

1. Desconectar el cable negativo de la batería.

2. Elevar el vehículo y soportarlo con seguridad. Sacar el protector contra salpicaduras interior derecho.

3. Sacar las correas de transmisión auxiliares y la bomba de la dirección asistida.

4. Drenar el sistema de refrigeración en un recipiente adecuado.

5. Sostener el motor de manera segura desde la parte inferior, después sacar el soporte derecho del motor.

6. Sacar los tornillos del soporte de la bomba de la dirección asistida, después poner a un lado el conjunto de la bomba y el soporte. No es necesario desconectar los tubos de la dirección asistida.

7. Sacar el apoyo del soporte derecho del motor.

8. Sacar el tensor de la correa de sincronización y la correa de sincronización.

9. Sacar el/los engranaje/s del árbol de levas y la cubierta interna de la correa de sincronización.

10. Sacar los tornillos de la bomba de agua al motor, después sacar la bomba de agua.

11. Sacar y desechar la junta tórica de la bomba de agua y limpiar a fondo las superficies de unión.

Para instalar:

12. Instalar una junta tórica nueva en la ranura de la junta de la bomba de agua. Sujetar la junta en su sitio con una pequeña cantidad de silicona selladora adecuada.

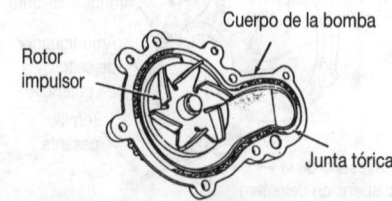

Cuerpo de la bomba
Rotor impulsor
Junta tórica

▲ **Asegurarse de que la junta tórica está asentada dentro de su ranura antes de instalar la nueva bomba**

▼ AVISO ▼

Antes de proceder, asegurarse que la junta tórica está correctamente asentada en la ranura de la bomba de agua, luego apretar los tornillos. La instalación incorrecta de la junta podría provocar una fuga de fluido refrigerante.

13. Situar la bomba de agua en el bloque e instalar los retenedores. Apretar los retenedores a 9 pie-lb (12 Nm). Usar un medidor de presión para presurizar el sistema refrigerante a 15 lb/plg² y comprobar si hay fugas en el sello y junta tórica del eje de la bomba de agua y la junta.

14. Girar la bomba con la mano para comprobar la libertad de movimientos.

15. Instalar la cubierta interna de la correa de sincronización, la correa de sincronización y el tensor.

16. Colocar el apoyo derecho del soporte del motor y el soporte del motor.

17. Llenar el sistema de refrigeración con el tipo y la cantidad adecuada de refrigerante.

18. Instalar la bomba de la dirección asistida y las correas de transmisión auxiliares.

19. Conectar el cable negativo de la batería.

20. Usar un analizador DRB o equivalente, para realizar el procedimiento de resincronización del árbol de levas y del cigüeñal, tal como se indica a continuación:

a. Conectar un analizador en conector de transmisión de datos (situado debajo del tablero de a bordo, cerca de la columna de la dirección).

b. Poner el interruptor de encendido en ON y entrar en la pantalla "miscellaneous".

c. Seleccionar la opción "re-learn cam/crank" y seguir las instrucciones de la pantalla del analizador.

CULATA DE CILINDROS

DESMONTAJE E INSTALACIÓN

➡ Una vez instalados todos los componentes en el motor, para hacer funcionar el procedimiento de resincronización del árbol de levas y del cigüeñal se necesita un analizador DRB.

1. Desconectar el cable negativo de la batería.

2. Descargar correctamente la presión del sistema de combustible.

3. Drenar el sistema de refrigeración en un recipiente adecuado.

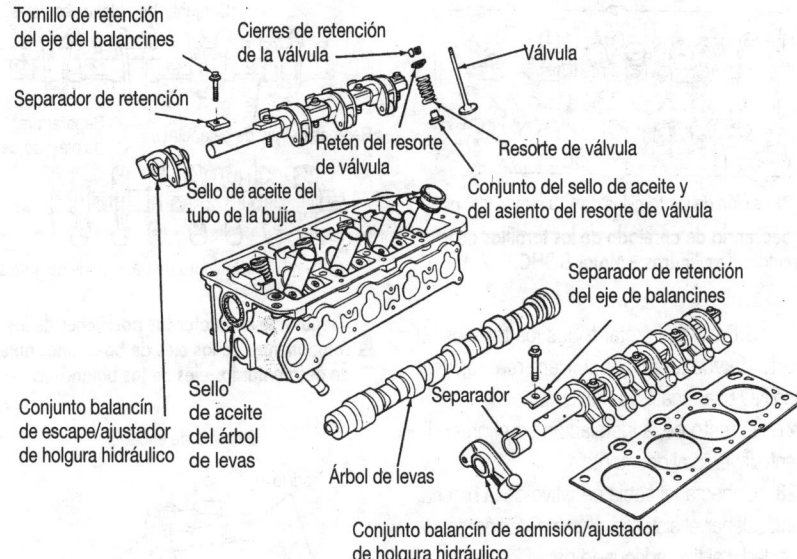

Tornillo de retención del eje del balancines

Separador de retención

Cierres de retención de la válvula

Válvula

Retén del resorte de válvula

Resorte de válvula

Conjunto del sello de aceite y del asiento del resorte de válvula

Sello de aceite del tubo de la bujía

Separador de retención del eje de balancines

Conjunto balancín de escape/ajustador de holgura hidráulico

Sello de aceite del árbol de levas

Separador

Árbol de levas

Conjunto balancín de admisión/ajustador de holgura hidráulico

▲ **Despiece de los componentes de la culata de cilindros y del tren de válvulas – Motor SOHC**

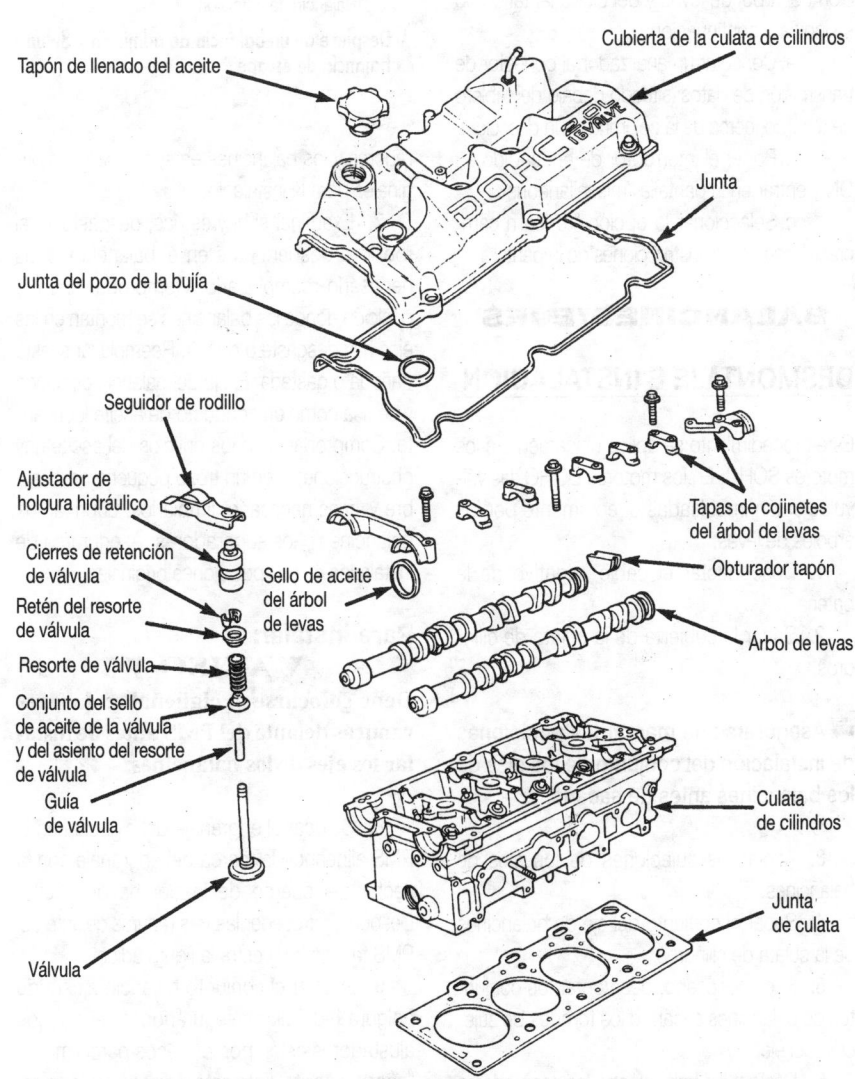

Tapón de llenado del aceite

Cubierta de la culata de cilindros

Junta

Junta del pozo de la bujía

Seguidor de rodillo

Ajustador de holgura hidráulico

Cierres de retención de válvula

Retén del resorte de válvula

Resorte de válvula

Conjunto del sello de aceite de la válvula y del asiento del resorte de válvula

Guía de válvula

Válvula

Sello de aceite del árbol de levas

Tapas de cojinetes del árbol de levas

Obturador tapón

Árbol de levas

Culata de cilindros

Junta de culata

▲ **Despiece de los componentes de la culata de cilindros y del tren de válvulas – Motor DOHC**

4. Sacar el conducto de entrada del filtro de aire y el filtro de aire. Marcar y desconectar todas las líneas de vacío, la instalación eléctrica y las líneas de combustible del cuerpo del ahogador (estrangulador).

5. Sacar el varillaje del ahogador.

6. Sacar las correas de transmisión auxiliares.

7. Desconectar la manguera de vacío del freno asistido (servofreno) del múltiple de admisión.

8. Elevar y soportar con seguridad el vehículo, después separar el tubo de escape del múltiple. Bajar el vehículo con cuidado.

9. Desatornillar la bomba de la dirección asistida y colocarla a un lado. ¡NO desconectar las líneas de fluido!

10. Separar el conector del cableado del paquete de la bobina de encendido, después sacar del motor la bobina y el soporte.

11. Separar el sensor de leva y los conectores eléctricos de los inyectores de combustible.

12. Para los vehículos de 1996-99, sacar el múltiple de admisión.

13. Para los motores SOHC, sacar la correa de sincronización y el engranaje del árbol de levas.

14. Para los motores DOHC, sacar la correa de sincronización, el tensor de la correa de sincronización y el engranaje del árbol de levas. Sacar la cubierta de la correa de sincronización interna.

15. Sacar la cubierta del balancines (válvulas).

16. Para el motor SOHC, sacar los conjuntos de ejes de balancines.

17. Para motores DOHC, sacar el árbol de levas y los conjuntos de los seguidores de leva.

18. Para motores SOHC, si es necesario, sacar los tornillos del conjunto separador de aceite y después sacar el separador de aceite.

19. Para motores SOHC, aflojar la abrazadera de la manguera, después desconectar las mangueras del calefactor. Sacar las mangueras o líneas restantes.

20. Utilizar un trinquete para aflojar los tornillos de la culata de cilindros, trabajando desde el centro hacia el exterior. Después sacar la culata de cilindros del bloque de cilindros.

21. Los tornillos de la culata de cilindros deben examinarse antes de poderse reutilizar. Si las roscas de los tornillos están estiradas, deben ser reemplazadas. Comprobar el estirado de las roscas sujetando una escala o cualquier regla contra las roscas. Si no todas las roscas tienen contacto con la escala, los tornillos deben reemplazarse.

Para limpiar las superficies de unión utilizar únicamente un rascador de plástico. ¡No usar NUNCA un rascador metálico dado que podría rayar las superficies de metal y provocar fugas!

22. Cubrir las cámaras de combustión, después usar un rascador de plástico para limpiar a fondo y con cuidado las superficies de unión del bloque de cilindros y la culata de cilindros.

Para instalar:

23. Colocar una junta de culata nueva en el bloque de cilindros, después colocar la culata de cilindros sobre la junta de culata.

24. Aplicar una capa fina de aceite de motor a las roscas de los tornillos de la culata de cilindros. Los cuatro tornillos cortos de 4.33 plg (110 mm) están instalados en las posiciones 7, 8, 9 y 10, tal como se muestra en la figura adjunta.

25. Para motores SOHC, apretar los tornillos de la culata de cilindros, según los pasos indicados, en las siguientes especificaciones:

   a. Paso 1: Apretar los tornillos a 25 pie-lb (34 Nm).

   b. Paso 2: Apretar los tornillos a 50 pie-lb (68 Nm).

   c. Paso 3: Aflojar los tornillos y después reapretarlos a 50 pie-lb (68 Nm).

   d. Paso 4: Apretar todos los tornillos un cuarto de vuelta adicional. Para realizar este paso NO usar una llave torsiométrica.

26. Para motores DOHC, apretar los tornillos de la culata de cilindros, según los pasos indicados, en las siguientes especificaciones:

   a. Paso 1: Apretar los tornillos 1-6 a 25 pie-lb (34 Nm) y los tornillos 7-10 a 20 pie-lb (28 Nm).

   b. Paso 2: Apretar los tornillos 1-6 a 50 pie-lb (68 Nm) y los tornillos 7-10 a 20 pie-lb (28 Nm).

   c. Paso 3: Aflojar los tornillos y después reapretar los tornillos 1-6 a 50 pie-lb (68 Nm) y los tornillos 7-10 a 20 pie-lb (28 Nm).

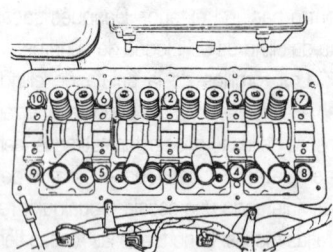

▲ Secuencia de apretado de los tornillos de la culata de cilindros – Motor SOHC

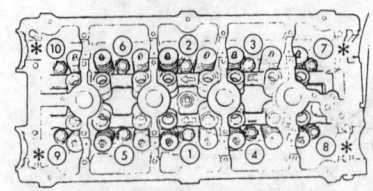

*Posición de los tornillos de 110 mm (4.330 plg)

▲ Secuencia de apretado de los tornillos de la culata de cilindros – Motor DOHC

   d. Paso 4: Apretar todos los tornillos un cuarto de vuelta adicional. Para realizar este paso NO usar una llave torsiométrica.

27. El resto de la instalación es el procedimiento inverso al desmontaje.

28. Conectar el cable negativo de la batería.

29. Llenar el sistema de refrigeración con la cantidad y el tipo adecuado de refrigerante.

30. Usar un analizador DRB o equivalente para realizar el procedimiento de resincronización del árbol de levas y del cigüeñal tal como se indica a continuación:

   a. Conectar un analizador al conector de transmisión de datos (situado debajo del tablero de a bordo, cerca de la columna de la dirección).

   b. Poner el interruptor de encendido en ON y entrar en la pantalla "miscellaneous".

   c. Seleccionar la opción "re-learn cam/crank" y seguir las instrucciones de la pantalla.

BALANCINES/EJES

DESMONTAJE E INSTALACIÓN

Este procedimiento se aplica únicamente a los motores SOHC. En los motores DOHC, las válvulas están impulsadas directamente por los árboles de levas.

1. Desconectar el cable negativo de la batería.

2. Sacar la cubierta de la culata de cilindros.

➡ Asegurarse de marcar las posiciones de instalación del conjunto de los ejes de los balancines antes de sacarlo.

3. Aflojar las sujeciones de los ejes de balancines.

4. Sacar el conjunto del eje de balancines de la culata de cilindros.

5. Si es necesario, desmontar los conjuntos de balancines sacando los tornillos de sujeción del eje.

6. Deslizar los balancines y los separadores fuera del eje. Asegurarse de mantener los sepa-

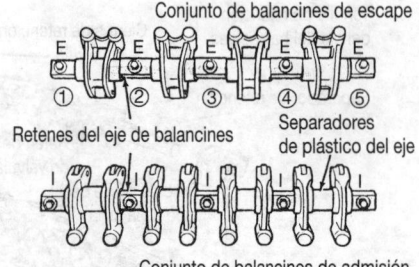

▲ Asegurarse de anotar las posiciones de los componentes de los ejes de balancines antes de desmontar los ejes de los balancines

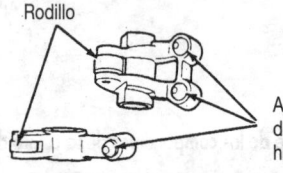

▲ Despiece de un balancín de admisión y de un balancín de escape

radores y los balancines en sus posiciones originales para la instalación.

7. Examinar si hay estrías, desgaste en el rodillo o desperfectos en el balancín y si es necesario reemplazarlo. Comprobar si en la posición donde los balancines se montan en los ejes hay desgaste o daños. Reemplazar si está dañada o gastada. El eje del balancín es hueco y se usa como un conducto de aceite lubricante. Comprobar si en los orificios del aceite hay obstrucciones, con un trozo pequeño de alambre y, si es necesario, limpiarlos. Lubricar los balancines y los separadores. Asegurarse de instalarlos en sus posiciones originales.

Para instalar:

Debe colocarse el cigüeñal en las tres ranuras delante del PMS antes de instalar los ejes de los balancines.

8. Colocar el engranaje del cigüeñal en el PMS alineando la marca del engranaje con la flecha del cuerpo de la bomba de aceite. Después, retroceder las tres ranuras delante del PMS tal como muestra la figura adjunta.

9. Instalar el conjunto balancín/ajuste de holgura hidráulico asegurándose de que los ajustadores están por lo menos parcialmente llenos de aceite. Esto está indicado por el recorrido pequeño o sin recorrido del émbolo cuan-

do el ajustador de holgura es hundido. Si el recorrido del émbolo es excesivo, colocar el conjunto balancín en aceite de motor limpio y bombear el émbolo hasta que el recorrido del ajustador de holgura esté levantado. Si el recorrido no se reduce, cambiar el conjunto. El ajustador de holgura hidráulico y el balancín son reparados como un conjunto.

10. Instalar los conjuntos de balancines y ejes con las MUESCAS de los ejes señalando hacia arriba y hacia el lado de la correa de sincronización del motor. Instalar los retenes en sus posiciones originales en los ejes de escape y de admisión.

▼ **AVISO** ▼

Al instalar el conjunto del eje del balancín de admisión, asegurarse que los separadores de plástico no interfieren con los tubos de las bujías de encendido. Si los separadores interfieren, girar hasta que estén en el ángulo adecuado. Para evitar que se dañen los tubos de las bujías, no intentar girar los separadores forzando los ejes hacia abajo.

11. Apretar los tornillos a 17 pie-lb (23 Nm) para los vehículos de 1995 o a 21 pie-lb (28 Nm) en la secuencia que se muestra en la figura adjunta.

12. Instalar la cubierta de balancines (válvulas).

13. Conectar el cable negativo de la batería.

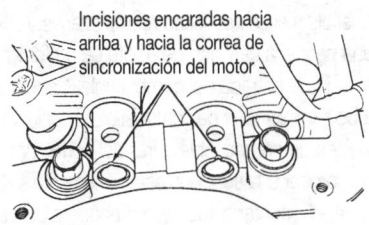

Incisiones encaradas hacia arriba y hacia la correa de sincronización del motor

▲ Asegurarse de que las incisiones de los ejes de balancines apuntan hacia arriba y hacia el lado de la correa de sincronización del motor

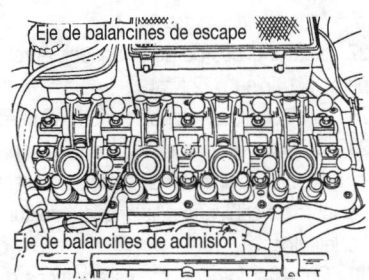

Eje de balancines de escape

Eje de balancines de admisión

▲ Secuencia de apretado de los tornillos del conjunto del eje del balancín

MÚLTIPLE DE ADMISIÓN

DESMONTAJE E INSTALACIÓN

Motor SOHC

1. Desconectar el cable negativo de la batería.

2. Sacar el conducto de entrada del aire frío del filtro de aire.

▼ **PRECAUCIÓN** ▼

Cumplir todas las precauciones de seguridad al trabajar alrededor de combustible. Siempre que se repare el sistema de combustible trabajar en una zona bien ventilada. No dejar que una pulverización de combustible o sus vapores entren en contacto con una chispa o con una llama. Tener cerca de la zona de trabajo un extintor de polvo seco. Mantener siempre el combustible en un recipiente diseñado especialmente para su almacenamiento; también, cerrar siempre adecuadamente los recipientes de combustible para evitar la posibilidad de incendios o explosiones.

3. Descargar adecuadamente la presión del sistema de combustible.

4. Sacar el cuerpo del ahogador.

5. Sacar el conducto de aire limpio y cuerpo superior del filtro de aire.

6. Envolver toallas alrededor del rácor para secar cualquier combustible vertido, después desconectar la línea de conexión rápida de suministro del conjunto de tubos del combustible.

7. Aflojar los tornillos del soporte del raíl de combustible, después sacar del raíl de combustible del motor. Asegurarse de cubrir las aberturas de los inyectores.

▼ **AVISO** ▼

NO apoyar los inyectores de combustible en sus puntas, ello podría dañarlos.

8. Separar el/los conector/es eléctrico/s de los sensores MAP e IAT. En los primeros modelos hay dos sensores y en los más recientes están combinados en un único sensor.

9. Desenchufar el conector del sensor eléctrico de detonación.

10. Desconectar las conexiones del motor de arranque, después liberar el conjunto de cableado y colocarlo fuera de sitio.

11. Sacar los tornillos del tubo EGR del múltiple de admisión, después sacar el tubo del múltiple. Sacar la junta.

12. Desconectar el tubo de vacío del servofreno.

13. Desconectar el tubo de vapor del PCV.

14. Aflojar la sujeción del soporte del múltiple de admisión al tubo de entrada de agua.

15. Sacar y desechar los retenes del múltiple de admisión. Sacar el múltiple de admisión del vehículo.

16. Sacar y desechar las juntas y las selladuras. Limpiar a fondo las superficies de unión de la junta.

Para instalar:

17. Colocar juntas y selladuras nuevas, después instalar el múltiple de admisión. Instalar retenes nuevos y apretarlos según la secuencia mostrada en la figura adjunta a 9 pie-lb (12 Nm).

18. Instalar el perno del soporte del múltiple de admisión a la entrada de agua y apretarlo a 9 pie-lb (12 Nm).

19. Sacar los protectores de los orificios de inyectores de combustible y asegurarse de que los orificios están limpios. Instalar el conjunto de la línea combustible al múltiple de admisión y apretar los tornillos a 17 pie-lb (23 Nm).

20. Conectar los tubos de vacío del PCV y del servofreno.

21. Comprobar si hay daños en los rácores de conexión rápida de la línea de combustible y si es necesario cambiarlos. Aplicar una pequeña cantidad de aceite de motor limpio al tubo de entrada de combustible. Conectar la manguera de suministro de combustible al conjunto del raíl de combustible. Comprobar que la conexión está firmemente sujeta tirando del conector.

22. Instalar el cuerpo del ahogador. Apretar el perno a 16 pie-lb (22 Nm). Instalar la sujeción del soporte de la transmisión-cuerpo del ahogador y apretar a 9 pie-lb (12 Nm), empezando por el cuerpo del ahogador. Inmediatamente después apretar el soporte en la transmisión.

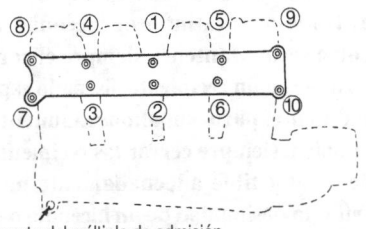

Soporte del múltiple de admisión al conducto de entrada de agua

▲ Secuencia de apretado de los retenedores del múltiple de admisión – Motores SOHC

23. Sujetar el/los conector/es eléctrico/s MAP e IAT.

24. Conectar el sensor de detonación y el cableado al motor de arranque. Sujetar el conjunto de cableado a la lengüeta del múltiple de admisión.

25. Sujetar el cableado de conexiones del motor del Control de Aire de marcha mínima (IAC) y del Sensor de Posición del Ahogador (TPS).

26. Conectar las tubos de vacío al cuerpo del ahogador.

27. Instalar los cables del acelerador, del cambio obligado y del control de velocidad a sus abrazaderas y conectarlos a la palanca del ahogador.

28. De forma manual montar holgadamente el tubo EGR al múltiple de admisión, después apretar los retenes a 95 plg-lb (11 Nm).

29. Instalar el conducto de aire limpio al cuerpo del filtro del aire, después apretar la abrazadera a 30 plg-lb (3 Nm).

30. Conectar el cable negativo de la batería.

31. Sujetar el conducto de aire limpio al filtro del aire y apretar firmemente la tuerca de mariposa.

Motor DOHC

1. Desconectar el cable negativo de la batería.

2. Aflojar la tuerca de mariposa de la admisión, después sacar el conducto de entrada del aire libre.

3. Descargar adecuadamente la presión del sistema de combustible.

▼ PRECAUCIÓN ▼

Cumplir todas las precauciones de seguridad al trabajar alrededor del combustible. Siempre que se repare el sistema de combustible trabajar en una zona bien ventilada. No dejar que una pulverización de combustible o sus vapores entren en contacto con una chispa o con una llama. Tener cerca de la zona de trabajo un extintor de incendios de polvo seco. Mantener siempre el combustible en un recipiente diseñado especialmente para su almacenamiento; también, siempre cerrar los recipientes de combustible adecuadamente para evitar la posibilidad de un incendio o de una explosión.

4. Envolver toallas alrededor de la conexión para secar cualquier combustible vertido, des-

pués desconectar la línea de conexión rápida de suministro de combustible del conjunto de tubos del combustible.

5. Sacar el conducto de entrada del aire limpio.

6. Separar el conector eléctrico del sensor de temperatura del fluido refrigerante.

7. Desconectar la manguera del calefactor del múltiple de admisión y el tubo del calefactor de la parte inferior del múltiple de admisión.

8. Desconectar las mangueras superior del radiador y de recuperación del fluido refrigerante.

▼ AVISO ▼

No dejar que los inyectores se apoyen sobre sus puntas, ello podría causar daños.

9. Aflojar los tornillos del soporte, después sacar el raíl de combustible del motor. Tapar las aberturas de los inyectores con un protector apropiado para evitar que entre suciedad.

10. Sacar los cables del acelerador, del cambio obligado y del control de velocidad (si está equipado) de la palanca del ahogador y soporte.

11. Separar el motor del Control de Aire de marcha mínima (IAC) y los conectores eléctricos del Sensor de Posición del Ahogador (TPS).

12. Marcar y desconectar los tubos de vacío del cuerpo del ahogador, después sacar el cuerpo del ahogador del vehículo.

13. Separar el conector eléctrico de los sensores de Presión Absoluta del Múltiple (MAP) y de Temperatura del Aire de Admisión (IAT). Desconectar las mangueras del vapor y del servofreno.

14. Separar el conector eléctrico del sensor de detonación y desprender el conjunto de cableado de la lengüeta situada en el tubo del calefactor.

15. Desconectar el cableado del motor de arranque.

16. Soltar los tornillos del tubo EGR en la válvula y en el múltiple de admisión. Sacar el tubo del motor.

17. Sacar los pernos del múltiple de admisión, después sacar los conjuntos superior e inferior del múltiple de admisión. Si es necesario se pueden separar los múltiples superior e inferior.

18. Sacar y desechar las juntas, después limpiar a fondo todas las superficies de unión de las juntas.

Para instalar:

19. Si se han separado, colocar una junta nueva y después montar el múltiple inferior al superior. Apretar los pernos de retención a 21

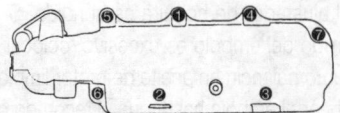

Vista inferior del múltiple de admisión

▲ **Secuencia de apretado de los tornillos del múltiple de admisión inferior-superior – Motor DOHC**

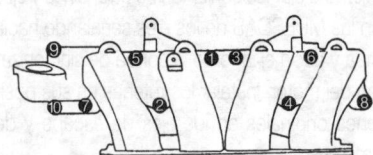

▲ **Asegurarse de seguir la secuencia correcta cuando se aprietan los retenedores del múltiple de admisión a la culata de cilindros**

pie-lb (28 Nm) según la secuencia que se muestra en la figura adjunta.

20. Colocar una nueva junta en la culata de cilindros, después instalar el múltiple de admisión en la culata. Apretar los pernos a 21 pie-lb (28 Nm).

21. Sacar los protectores de los orificios de los inyectores de combustible y asegurarse que están limpios. Instalar el conjunto del raíl de combustible al múltiple de admisión y apretar los tornillos a 17 pie-lb (23 Nm).

22. Conectar los tubos de vacío del PCV y del servofreno.

23. Comprobar si hay daños en las conexiones (rácores) de conexión rápida de línea de combustible y si es necesario reemplazarlas. Aplicar una pequeña cantidad de aceite de motor limpio al tubo de entrada del combustible. Conectar el tubo suministrador de combustible al conjunto de la línea de combustible. Tirar del conector para comprobar si la conexión está firmemente sujeta.

24. Conectar el tubo y la manguera del calefactor al múltiple de admisión.

25. Conectar la manguera superior del radiador y la del depósito de recuperación del fluido refrigerante.

26. Acoplar el cable del sensor de temperatura del fluido refrigerante.

27. Instalar el cuerpo del ahogador. Apretar el perno a 16 pie-lb (22 Nm).

28. Acoplar el conector eléctrico MAP e IAT.

29. Conectar el sensor eléctrico de detonación y el cableado al motor de arranque. Sujetar el conjunto de cableado a la lengüeta del tubo del calefactor.

30. Conectar los conectores eléctricos del motor del Control de Aire de marcha mínima (IAC) y del Sensor de Posición del Ahogador (TPS).

31. Conectar las mangueras de vacío al cuerpo del ahogador.

32. Instalar los cables del acelerador, del cambio obligado y del control de velocidad a su soporte y conectarlos a la palanca del ahogador.

33. De forma manual, montar holgadamente el tubo EGR a la válvula y al múltiple de admisión. Primero apretar los pernos del tubo a la válvula EGR a 95 plg-lb (11 Nm) y después apretar las retenciones laterales del múltiple de admisión a 95 plg-lb (11 Nm).

34. Instalar el conducto de aire limpio en el cuerpo del filtro de aire, después apretar la abrazadera a 25 plg-lb (3 Nm).

35. Conectar el cable negativo de la batería.

36. Acoplar el conducto de aire limpio al filtro del aire y apretar firmemente la tuerca de mariposa.

MÚLTIPLE DE ESCAPE

DESMONTAJE E INSTALACIÓN

1. Desconectar el cable negativo de la batería.

2. Sacar el conjunto del filtro del aire y el soporte.

3. Aflojar los retenes, después separar el tubo de escape del múltiple. Si está equipado con Vehículo de Baja Emisión (LEV), desechar la junta del múltiple a la unión flexible.

4. Desatornillar el depósito de la bomba de la dirección asistida y colocarlo a un lado. NO desconectar las líneas de fluido.

5. Aflojar los retenes, después sacar el protector térmico del múltiple de escape.

6. Para los vehículos de 1996-99, separar el conector del sensor de oxígeno calentado a contracorriente.

➡ **Puede ser necesario aflojar el tornillo del soporte del alternador para sacar el tornillo externo del múltiple de escape.**

7. Sacar los ocho pernos de sujeción del múltiple de escape, después sacar el múltiple de escape y la junta.

8. Desechar la junta, después limpiar a fondo las superficies de unión.

Para instalar:

9. Colocar una junta nueva y el múltiple de escape en sus posiciones correctas. Aplicar un espárrago tipo Mopar y un soporte de apoyo, o equivalente, a los pernos. Instalar los pernos y apretarlos a 17 pie-lb (23 Nm), empezando por

el centro y trabajando hacia fuera en ambas direcciones. Repetir este procedimiento hasta que todos los pernos estén apretados según las especificaciones.

10. Si se ha aflojado, apretar el tornillo del soporte del alternador.

11. Instalar el protector térmico del múltiple de escape.

12. Colocar el depósito de la bomba de la dirección asistida en su sitio y asegurarlo con los tornillos de sujeción.

13. Si es necesario, sujetar el sensor de oxígeno calentado a contracorriente.

14. Instalar el soporte del filtro del aire y ensamblarlo.

15. Si está equipado con Vehículo de Baja Emisión (LEV), reemplazar la junta del múltiple a la unión flexible.

16. Sujetar el tubo de escape al múltiple y apretarlo a 21 pie-lb (28 Nm).

17. Conectar el cable negativo de la batería.

SELLO DE ACEITE DEL COJINETE DELANTERO DEL CIGÜEÑAL

DESMONTAJE E INSTALACIÓN

1. Desconectar el cable negativo de la batería.

2. Girar el cigüeñal en el sentido de las agujas del reloj hasta que el motor esté con el cilindro N° 1 en el PMS en la carrera de compresión (posición de ignición). Sacar la correa de sincronización usando el procedimiento recomendado.

3. Sacar la polea y el engranaje del cigüeñal con un extractor adecuado.

4. Sacar el sello de aceite del cigüeñal con un extractor adecuado.

5. Con un extractor de sellos de aceite 6771 o equivalente, sacar el sello de aceite del cojinete delantero del cigüeñal. Tener cuidado en no dañar la superficie del sello de aceite de la cubierta.

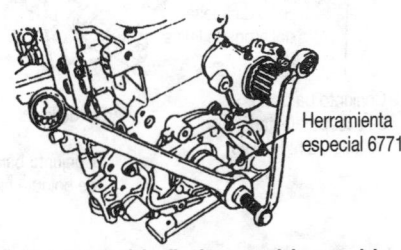

▲ Desmontaje del sello de aceite delantero del cigüeñal

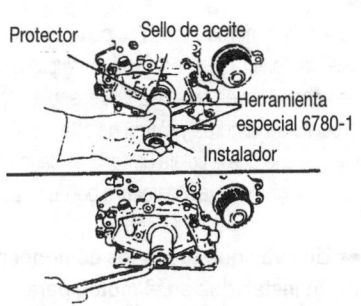

▲ Instalación del sello de aceite nuevo utilizando un instalador de sellos 6780-1; usar con cuidado si se emplean herramientas alternativas

Para instalar:

6. Con una herramienta 6780-1 o equivalente, instalar un sello de aceite del cojinete delantero del cigüeñal nuevo.

7. Reinstalar la polea y el engranaje de la correa de sincronización del cigüeñal. Instalar la correa de sincronización siguiendo el procedimiento recomendado. Tener cuidado en alinear correctamente todas las marcas de sincronización para evitar que el motor sea dañado.

8. Reconectar el cable negativo de la batería.

9. Sacar la unidad emisora de la presión de aceite del motor e instalar un indicador de presión de aceite. Arrancar y mantener en marcha el motor hasta que el termostato funcione. La presión del aceite a la marcha mínima restringida debe ser de 4 lb-plg^2 como mínimo. A 3.000 rpm, la presión del aceite debe estar entre 25-80 lb-plg^2 (172-551 kPa). Si la presión del aceite es cero en el indicador en marcha mínima, desconectar inmediatamente el motor y comprobar si la válvula de descarga de presión está bloqueada en posición abierta o hay cualquier otro problema (nivel de aceite, tipo de aceite, filtro aflojado, etc.).

▼ AVISO ▼

Si la presión del aceite es cero en la marcha mínima NO hacer marchar el motor a 3.000 rpm para conseguir un aumento de presión, de lo contrario el motor podría sufrir daños.

ÁRBOL DE LEVAS Y LEVANTAVÁLVULAS

DESMONTAJE E INSTALACIÓN

Motor SOHC

Este motor utiliza un mecanismo de Árbol de Levas sobre Culata Sencillo (SOHC) marchando en una culata de cilindros de aluminio. Los ejes de los balancines se apoyan directamente en la culata de cilindros. Debe irse con cuidado para asegurar que todas las marcas de sincronización de las válvulas están alineadas, después reparar la culata de cilindros y el tren de válvulas. Por favor, advierta que la culata de cilindros debe sacarse del vehículo para reparar el árbol de levas.

➡ **Una vez que todos los componentes están instalados en el motor, para hacer funcionar el procedimiento de resincronización del árbol de levas y del cigüeñal es necesario un analizador DRB.**

▼ PRECAUCIÓN ▼

Los sistemas de inyección de combustible están bajo presión, incluso después de haber desconectado el motor. DEBE descargarse la presión del sistema de combustible antes de desconectar cualquier línea de combustible, en caso contrario puede producirse un incendio y/o daños personales.

1. Desconectar el cable negativo de la batería.

2. Descargar la presión del sistema de combustible usando el procedimiento recomendado.

3. Sacar la cubierta de la culata de cilindros usando el procedimiento recomendado.

4. Marcar los conjuntos de los ejes de balancines para identificarlos en su posterior instalación.

5. Sacar los tornillos de los ejes de balancines y sacar el conjunto de balancines de la culata de cilindros.

6. Sacar la correa de sincronización y el engranaje del árbol de levas usando el procedimiento recomendado.

7. Sacar la culata de cilindros usando el procedimiento recomendado.

8. Sacar el sensor del árbol de levas y el árbol de levas desde la parte trasera de la culata de cilindros.

Para instalar:

➡ **Debe comprobarse si los tornillos de la culata de cilindros están estirados antes de reutilizarlos. Si la zona de la rosca del tornillo está estrangulada, los tornillos deberán reemplazarse por otros de nuevos. Se recomiendan nuevos tornillos.**

9. Limpiar bien todas las piezas. Examinar si los cojinetes del árbol de levas están rayados. Examinar si hay obstrucciones en los orificios de entrada de aceite de la culata. Examinar si los muñones de los cojinetes del árbol de levas están rayados. Si hay ligeras rayaduras, deben eliminarse con papel abrasivo de grano 400. Si hay rayaduras profundas, sustituir el árbol de levas y comprobar si hay daños en la culata de cilindros. Si la culata de cilindros está gastada o dañada, reemplazarla.

10. Si los lóbulos del árbol de levas presentan señales de desgaste, comprobar si el correspondiente rodillo de los balancines está gastado o dañado. Cambiar los balancines/ajustador hidráulico de holgura si están gastados o dañados. Si los lóbulos del árbol de levas presentan señales de corrosión u hoyitos en el morro, el lado o el círculo de base, cambiar el árbol de levas.

11. Si los balancines y sus ejes han de ser reparados, marcar los balancines de manera que todo lo que se reutilice sea instalado en sus posiciones originales. Deslizar los balancines fuera de su eje. Mantener los separadores y los balancines en la misma posición para su reinstalación.

a. Examinar si hay rayaduras en los balancines, desgaste en el rodillo o daños en los ejes. Si es necesario reemplazar las piezas.

b. Los ejes de los balancines son huecos y usados como conducto de aceite de lubricación. Comprobar que los ejes están limpios por dentro y por fuera.

c. Comprobar con un alambre delgado si hay adherencias en los orificios del aceite y limpiarlos.

d. Para el montaje, lubricar a fondo todos los componentes de los balancines y los separadores e instalar el eje de los balancines en sus posiciones originales.

12. Si el vehículo presenta un ruido de taqués, deben limpiarse y comprobarse los ajustadores de holgura de las válvulas incorporados en los balancines. Los ajustadores de holgura deben colocarse de nuevo en las posiciones originales de las que se han sacado de los balancines. Reemplazar los ajustadores de holgura gastados o defectuosos. Para instalar los ajustadores de holgura, usar el procedimiento siguiente.

a. Lubricar a fondo el ajustador de holgura con aceite de motor limpio.

b. Instalar el ajustador en el balancín, asegurándose de que el ajustador está como mínimo parcialmente lleno de aceite.

c. Colocar el balancín en aceite de motor limpio y bombear el émbolo hasta que el recorrido del ajustador de holgura se ha acortado. Si el recorrido no se ha reducido, reemplazar el ajustador.

d. Instalar el balancín por detrás de su eje.

13. Puede comprobarse el juego axial del árbol de levas. Usar el siguiente procedimiento.

a. Lubricar los muñones del árbol de levas con aceite e instalar el árbol de levas sin los conjuntos de balancines. Instalar el sensor de leva y apretar los tornillos a 85 plg-lb (9.6 Nm).

b. Instalar un indicador de esfera en contacto con la nariz del árbol de levas.

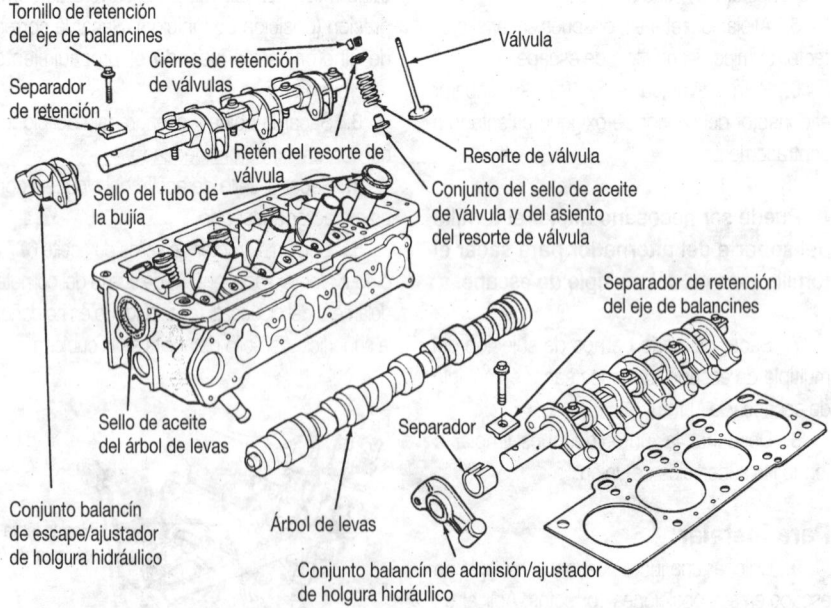

▲ **Despiece del conjunto de la culata de cilindros y válvulas – Motor SOHC**

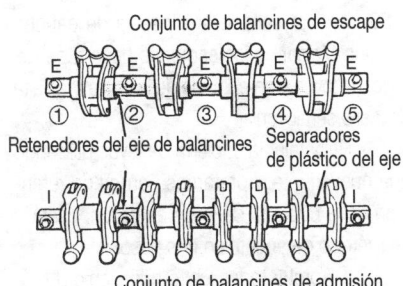

▲ **Identificación del eje de balancines – Motor SOHC**

▲ **Posición de las incisiones del eje de balancines – Motor SOHC**

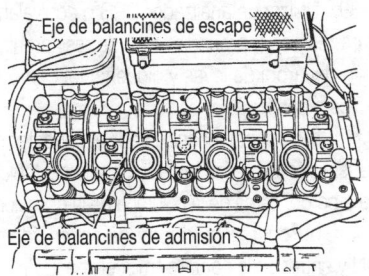

▲ **Secuencia de apretado del eje de balancines – Motor SOHC**

c. Con una herramienta adecuada, mover el árbol de levas hacia atrás, tanto como sea posible. Asegurarse que la sonda del indicador de escala está en contacto con el árbol de levas.

d. Poner a cero el indicador de esfera.

e. Adelantar el árbol de levas tanto como sea posible.

f. Medir el juego axial en el indicador de escala. La especificación es 0.005-0.013 plg (0.13-0.33 mm).

14. Para instalar el árbol de levas, lubricar a fondo los muñones de apoyo. Instalar cuidadosamente el árbol de levas en la culata de cilindros. Asegurarse de que gira libremente. Si la instalación del árbol de levas es correcta, instalar el sensor de leva y apretar los tornillos a 85 plg-lb (9.6 Nm).

15. Reinstalar el sello de aceite del árbol de levas. Antes de instalar el sello de aceite, instalar el árbol de levas. Después de la instalación, el sello de aceite debe estar igualado con la culata de cilindros.

16. Reinstalar el engranaje del árbol de levas y apretar el tornillo a 85 pie-lb (115 Nm).

17. Reinstalar la culata de cilindros usando el procedimiento recomendado.

18. Antes de instalar los conjuntos de balancines y eje, colocar el cigüeñal tres ranuras por delante del PMS en el engranaje del cigüeñal.

19. Reinstalar los conjuntos de balancines y eje con las ranuras pequeñas en los balancines apuntando hacia arriba y hacia el lado de la correa de sincronización del motor. Instalar los retenedores en sus posiciones iniciales en los ejes de escape y de admisión. Apretar los tornillos a 200 plg-lb (23 Nm).

20. Reinstalar la correa de sincronización, vigilando que todas las marcas de sincronización de las válvulas estén alineadas, usando el procedimiento recomendado.

21. Reconectar todas las conexiones eléctricas, de vacío y de fluido, como sea necesario.

22. Rellenar el sistema de refrigeración. Se recomienda cambiar el aceite y el filtro.

23. Reconectar el cable negativo de la batería.

24. Usar un analizador DRB o equivalente para realizar el procedimiento de resincronización del árbol de levas y cigüeñal, tal como se indica a continuación:

a. Conectar el analizador al conector de transmisión de datos (situado debajo del tablero de a bordo, cerca de la columna de la dirección).

b. Poner el interruptor de encendido en ON y entrar en la pantalla "miscellaneous".

c. Seleccionar la opción "re-learn cam/crank" y seguir las instrucciones de la pantalla.

25. Poner en marcha el motor y comprobar si hay fugas. Hacer funcionar el motor sin el tapón del radiador, así con el motor caliente y el termostato abierto puede añadirse el fluido refrigerante al radiador. Probar conduciendo el vehículo para comprobar el funcionamiento correcto.

Motor DOHC

Este motor se llama motor con Doble Árbol de Levas Sobre Culata puesto que usa dos árboles de levas. Debe asegurarse que todas las marcas de sincronización de válvula están alineadas después de cada reparación de cada culata de cilindros y de tren de válvulas.

➡ **Una vez todos los componentes están instalados en el motor, es necesario un analizador DRB o equivalente para llevar a cabo el procedimiento de resincronización del árbol de levas y cigüeñal.**

1. Desconectar el cable negativo de la batería.

2. Sacar la cubierta de levas.

➡ **Girar siempre el cigüeñal en la dirección de las agujas del reloj. Hacer una marca en la parte trasera de la correa de sincronización indicando la dirección de rotación, de manera que si se reutiliza se monte en la misma dirección.**

3. Girar el cigüeñal en la dirección de las agujas del reloj y alinear las marcas de sincronización de manera que el pistón N° 1 esté en el PMS de la carrera de compresión.

4. Sacar la cubierta de la correa de sincronización y la correa de sincronización.

5. Sacar los engranajes de ambos árboles de levas.

6. Aflojar las tapas de cojinetes en secuencia, un árbol de levas cada vez. Las tapas de cojinete están identificadas para su colocación. Primero sacar las tapas de cojinetes exteriores.

➡ **Si es difícil sacar las tapas de cojinetes, usar un martillo de plástico para golpear suavemente la parte trasera del árbol de levas.**

7. Sacar los árboles de levas de admisión y de escape.

8. Sacar los conjuntos seguidores de levas de la culata de cilindros. Mantener los seguidores de levas en el orden en que han sido extraídos de la culata para su montaje posterior.

9. Marcar los ajustadores de holgura para volverlos a montar en sus posiciones originales.

10. Comprobar el juego axial del árbol de levas. Lubricar los muñones del árbol de levas e instalar los árboles de levas SIN los conjuntos seguidores de levas. Instalar las tapas de leva traseras siguiendo el procedimiento recomendado.

11. Utilizando una herramienta adecuada, desplazar el árbol de levas tan hacia atrás como se pueda.

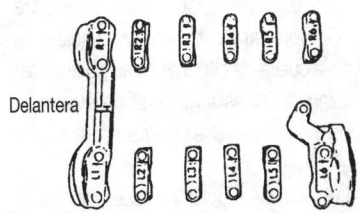

▲ **Identificación de las tapas de cojinete del árbol de levas – Motor DOHC**

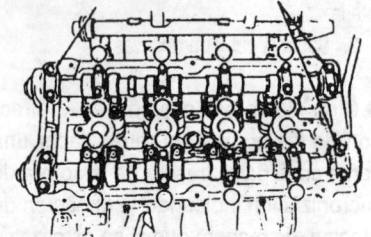

▲ **Secuencia de desmontaje de las tapas de cojinete – Motor DOHC**

12. Sujetar el indicador de esfera y poner a cero.

13. Desplazar el árbol de levas tan hacia adelante como se pueda.

14. Medir y registrar el juego axial. Especificaciones del juego axial: 0.002-0.06 plg (0.05-0.15 mm).

▼ AVISO ▼

Los árboles de levas y sus componentes NO son intercambiables. Hacer una señal identificativa en cada componente. Asegurarse de mantener todas las piezas organizadas para volverlas a montar correctamente en sus posiciones originales.

Para instalar:

15. Antes de la instalación, limpiar la culata de cilindros y cubrir las superficies de unión. Asegurarse de que las guías son planas.

16. Reinstalar el conjunto de los ajustadores de holgura asegurándose de que los ajustadores están como mínimo parcialmente llenos de aceite. Esto está indicado en las carreras de émbolo cortas o sin carrera cuando el ajustador es hundido.

17. Lubricar los seguidores de leva con aceite de motor limpio e instalar los seguidores de leva en su posición original sobre el ajustador de holgura y vástago de la válvula.

18. Comprobar si los juegos axiales del árbol de levas en la culata de cilindros y los cojinetes de las levas están gastados o dañados. Comprobar si los lóbulos de las levas y los rodillos de los balancines presentan signos de daños. Comprobar también si los orificios del aceite de la culata de cilindros están obstruidos.

19. Examinar si los seguidores de leva están gastados o dañados. Si es necesario, reemplazarlos.

20. Lubricar los árboles de levas con aceite viscoso de motor y colocar los árboles de levas en la culata de cilindros.

▼ AVISO ▼

Cuando se instalan los árboles de levas, los pistones no deben estar en el PMS, de lo contrario algunas válvulas se abrirán dependiendo de la posición del árbol de levas.

21. Asegurarse de que la clavija de centrado de los extremos del engranaje de ambos árboles de levas están situadas en la parte más alta.

22. Reinstalar las tapas de los cojinetes N° 2 a N° 5 y el N° 6 derecho y apretar las tapas en orden a 9 pie-lb (12 Nm). Comprobar las marcas en las tapas para identificar el número de la tapa y el símbolo admisión/escape. Asegurarse de que el balancín está montado correctamente sobre el ajustador de holgura y el extremo del vástago de la válvula.

23. Aplicar Mopar Gasket Maker® a las tapas de cojinete N° 1 y N° 6. Instalar las tapas de cojinete y apretar los pernos de retención, usando el mismo orden que al sacarlos, a 215 plg-lb (24 Nm).

24. Aplicar una capa de aceite de motor al sello de aceite. Usando la herramienta de introducción apropiada, encajar a presión el sello de aceite dentro de la culata de cilindros.

25. Instalar los engranajes de levas. Instalar la correa de sincronización teniendo cuidado en seguir el procedimiento recomendado, de lo contrario la sincronización de las levas será crítica o el motor puede dañarse. Instalar la cubierta de la correa de sincronización y los componentes relacionados.

Tapa de cojinete delantero (tapa N° 1)

El diámetro del cordón del sellador de Mopar Gastket Maker® es de 1.5 mm (0.60 plg)

Tapa de cojinete trasero izquierdo (tapa N° 6)

▲ **Aplicar selladora para prevenir fugas en los extremos de las tapas de los cojinetes, tal como se muestra – Motor DOHC**

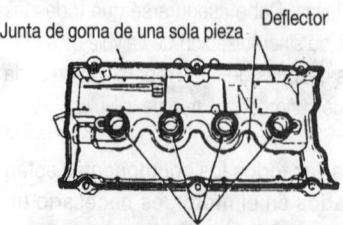

Junta de goma de una sola pieza — Deflector — Juntas de los pozos de colocación de las bujías

▲ **Secuencia de apretado de la cubierta del árbol de levas – Motor DOHC**

26. Aplicar selladora adhesiva de caucho silicona Mopar® a las esquinas de la tapa del árbol de levas y en el borde de la parte más alta del sello semicircular.

27. Reinstalar la cubierta de levas utilizando una nueva junta. Apretar los pernos de retención de la cubierta de levas en orden, usando un método de apriete en tres pasos:

a. Apretar todos los tornillos, en orden, a 3.3 pie-lb (4.5 Nm).

b. Apretar todos los tornillos, en orden, a 6.5 pie-lb (9 Nm).

c. Apretar todos los tornillos, en orden, a 9 pie-lb (12 Nm).

28. Comprobar el nivel del aceite de motor. Después de este tipo de reparación, se recomienda un cambio de aceite y de filtro. Si el árbol de levas ha fallado, es posible que se hayan dispersado partículas metálicas por todas las partes del motor, de manera que puede ser obligado un cambio de aceite y de filtro.

29. Reconectar el cable negativo de la batería.

30. Utilizar un analizador DRB o equivalente para realizar el procedimiento de resincronización del árbol de levas y cigüeñal tal como se indica a continuación:

a. Conectar el analizador al conector de transmisión de datos (situado debajo del tablero de a bordo, cerca de la columna de la dirección).

b. Poner el interruptor de encendido en ON y entrar en la pantalla "miscellaneous".

c. Seleccionar la opción "re-learn cam/crank" y seguir las instrucciones de la pantalla.

31. Arrancar el motor y comprobar si las operaciones son correctas y si hay fugas.

HOLGURA DE VÁLVULAS

AJUSTE

En estos vehículos, los motores no requieren un ajuste periódico de la holgura de las válvulas.

DEPÓSITO DE ACEITE

DESMONTAJE E INSTALACIÓN

Vehículos de 1995

1. Levantar y soportar con seguridad el vehículo.

2. Drenar el aceite de motor en un recipiente adecuado.

3. Soltar los pernos de retención del depósito, después bajar el depósito del motor.

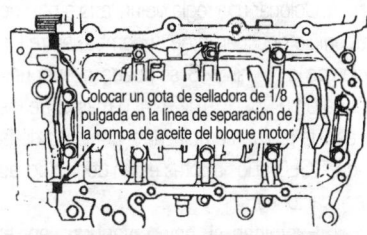

▲ Posiciones de aplicación de la selladora de silicona; reparación del depósito de aceite

4. Limpiar a fondo todas las superficies de unión de junta.

Para instalar:

5. Aplicar selladora de silicona adecuada a la línea de separación bomba de aceite-bloque de cilindros, tal como se muestra en la figura adjunta.

6. Colocar la junta del depósito de aceite en el bloque, usando selladora de silicona para sujetar la junta en su sitio.

7. Instalar el depósito de aceite y asegurarlo con los pernos de retención. Apretar los pernos a 85 plg-lb (9.5 Nm).

8. Bajar el vehículo con cuidado. Llenar el cárter con el tipo y la cantidad adecuada de aceite de motor.

9. Arrancar el motor y comprobar si hay fugas, después volver a comprobar el nivel de fluido y si es necesario añadir.

Vehículos de 1996-97

1. Levantar y soportar con seguridad el vehículo.

2. Drenar el aceite de motor en un recipiente adecuado.

3. Sacar el soporte flector de la transmisión.

4. Apoyar el conjunto motor-caja de cambios, después sacar el montaje frontal del motor y el soporte.

5. Sacar la cubierta de inspección de la transmisión.

6. Si está equipado con A/A, sacar el filtro de aceite y el adaptador.

7. Soltar los retenedores, después sacar el depósito de aceite.

8. Limpiar a fondo las superficies de unión de junta.

Para instalar:

9. Aplicar selladora de silicona adecuada a la línea de separación bomba de aceite-bloque de cilindros tal como muestra la figura adjunta.

10. Colocar una nueva junta de depósito de aceite en el depósito.

11. Instalar el depósito, después apretar los retenes a 105 pie-lb (12 Nm).

12. Si se ha sacado, instalar el filtro de aceite y el adaptador.

13. Instalar la cubierta de inspección de la transmisión.

14. Instalar el montaje frontal del motor y el soporte.

15. Instalar el soporte flector de la transmisión.

16. Bajar el vehículo con cuidado. Llenar el cárter con el tipo y la cantidad adecuada de aceite de motor.

17. Arrancar el motor y comprobar si hay fugas, después volver a comprobar el nivel de fluido y, si es necesario, añadir.

Vehículos de 1998-99

1. Levantar y apoyar con seguridad el vehículo.

2. Drenar el aceite de motor en un recipiente adecuado.

3. Apoyar correctamente el conjunto motor-caja de cambios, después sacar el soporte del montaje frontal del motor.

4. Sacar el puntal flector del tren de transmisión.

5. Sacar el collarín estructural del depósito de aceite a la caja de cambios.

6. Sacar el protector guardapolvo inferior de la caja de cambios.

7. Si está equipado con A/A, sacar el filtro de aceite y el adaptador.

8. Soltar los pernos de retención, después sacar el depósito de aceite.

9. Limpiar a fondo las superficies de unión de la junta.

Para instalar:

10. Aplicar selladora de silicona adecuada a la línea de separación bomba de aceite-bloque de cilindros, tal como se muestra en la figura adjunta.

11. Colocar una nueva junta de depósito de aceite en el depósito.

12. Instalar el depósito, después apretar los retenedores a 105 plg-lb (12 Nm).

13. Si se ha sacado, instalar el filtro de aceite y el adaptador.

14. Instalar el guardapolvo inferior de la caja de cambios.

15. Instalar el puntal flector del tren de transmisión.

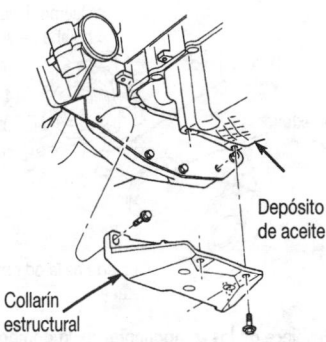

Depósito de aceite

Collarín estructural

▲ Despiece del montaje del collarín estructural – Vehículos de 1998-99

16. Instalar el montaje frontal del motor y el soporte.

▼ AVISO ▼

¡DEBE seguirse el orden de apriete correcto para el collarín estructural, en caso contrario podría dañarse el collarín o el depósito del aceite!

17. Instalar el collarín estructural, después apretar los retenes como se indica a continuación:

a. Paso 1: Instalar los tornillos del collarín al depósito de aceite y apretarlos a 30 plg-lb (3 Nm).

b. Paso 2: Instalar los tornillos del collarín a la caja de cambios y apretarlos a 80 pie-lb (108 Nm).

c. Paso 3: Finalmente, apretar los tornillos del collarín al depósito de aceite a 40 pie-lb (54 Nm).

18. Bajar el vehículo con cuidado. Llenar el cárter con el tipo y la cantidad adecuada de aceite de motor.

19. Arrancar el motor y comprobar si hay fugas, después volver a comprobar el nivel de fluido y, si es necesario, añadir.

BOMBA DE ACEITE

DESMONTAJE E INSTALACIÓN

1. Desconectar el cable negativo de la batería.

2. Sacar la correa de sincronización.

3. Levantar y apoyar con seguridad el vehículo.

4. Drenar el aceite de motor en un recipiente adecuado.

5. Sacar el depósito de aceite.

6. Sacar el engranaje del cigüeñal usando un extractor adecuado.

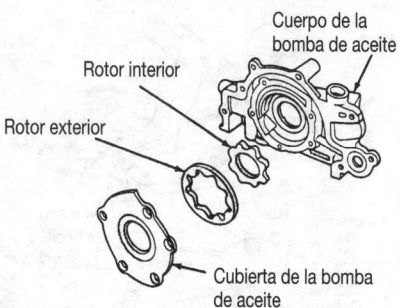

▲ **Despiece de los componentes de la bomba de aceite**

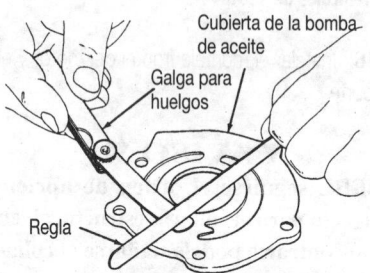

▲ **Comprobación de la planitud de la cubierta de la bomba de aceite**

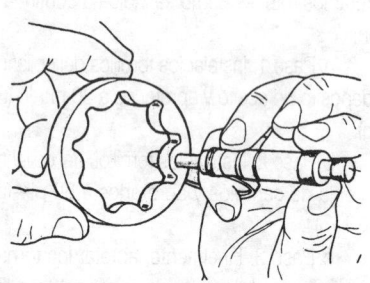

▲ **Usar calibradores para medir el grosor del rotor exterior...**

7. Sacar el tubo de succión de aceite.

8. Sacar la bomba de aceite y el sello de aceite delantero del cigüeñal.

9. Sacar los tornillos de la cubierta de la bomba de aceite, después levantar la cubierta.

10. Sacar los rotores de la bomba de aceite.

11. Lavar todas las piezas en un disolvente adecuado, después examinar si hay daños o desgaste de la manera siguiente:

a. Limpiar a fondo todas las piezas. Las superficies de unión de la bomba de aceite deben estar lisas. Reemplazar la cubierta de la bomba si está rayada o estriada.

b. Colocar una regla de un lado a otro de la superficie de la cubierta de la bomba. Si se puede insertar una galga de 0.003 plg (0.076 mm) entre la cubierta y la regla, la cubierta debe ser reemplazada.

c. Medir el grosor y el diámetro del rotor externo. Si las medidas de grosor del rotor

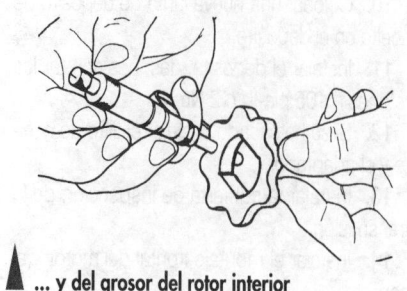

▲ **... y del grosor del rotor interior**

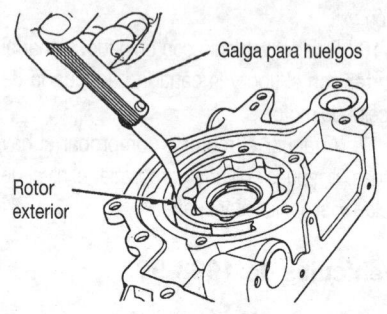

▲ **Medición de la holgura del rotor exterior en el cuerpo**

externo son de 0.301 plg (7.64 mm) o menos, o bien si el diámetro es de 3.148 plg (79.95 mm) o menos, reemplazar el rotor externo.

d. Si las medidas del rotor interno son de 0.301 plg (7.64 mm) o menos, reemplazar el rotor interno.

e. Deslizar el rotor externo dentro del cuerpo de la bomba, presionar con los dedos en un lado y medir el espacio libre entre el rotor y el cuerpo. Si la medida es de 0.015 plg (0.39 mm) o más, reemplazar el cuerpo sólo si el rotor externo está dentro de las especificaciones.

f. Instalar el rotor interno en el cuerpo de la bomba. Si el espacio libre entre los rotores interno y externo es de 0.008 plg (0.203 mm) o más, reemplazar ambos rotores.

g. Colocar una regla de un lado a otro de la superficie del cuerpo de la bomba, entre los orificios de los tornillos. Si se puede insertar una galga de 0.004 plg (0.102 mm) o más entre los rotores y la regla, reemplazar el conjunto de la bomba, SÓLO si los rotores están dentro de las especificaciones.

h. Examinar si hay rayaduras en el émbolo de la válvula de seguridad de la presión del aceite y si opera libremente en su camisa. Las rayaduras pequeñas pueden sacarse con papel abrasivo húmedo o seco de grano 400.

i. El resorte de la válvula de seguridad tiene una longitud libre de aproximadamente 2.39 plg (60.7 mm) y cuando se comprime a 1.60 plg (4.05 mm) debe ofrecer una resistencia de entre 18-19 lb (8.1-8.6 kg) Reemplazar el resorte si está fuera de especificaciones.

j. Si la presión del aceite es baja y la bomba está dentro de las especificaciones, examinar el desgaste de los cojinetes del motor u otras causas para la pérdida de presión del aceite.

Para instalar:

12. Ensamblar la bomba, usando piezas nuevas cuando sea necesario. Instalar el rotor interno con el bisel encarado hacia la cubierta de hierro fundido de la bomba de aceite.

13. Aplicar Mopar® o un hacedor de junta equivalente a la bomba de aceite, tal como se muestra en la figura adjunta. Instalar el anillo de engrase en el conducto de salida del cuerpo de la bomba de aceite.

14. Cebar la bomba de aceite antes de instalar, llenando la cavidad del rotor con aceite de motor.

15. Alinear los planos del rotor de la bomba de aceite con los planos sobre el cigüeñal durante la instalación de la bomba de aceite al bloque.

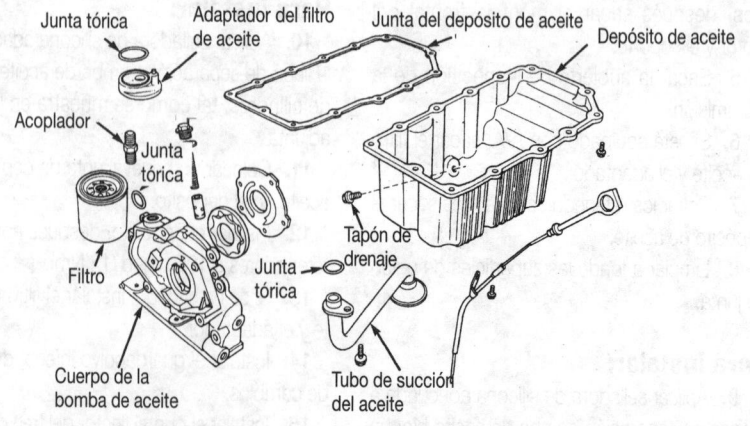

▲ **Despiece del soporte de la bomba de aceite y montaje de los componentes relacionados**

▼ AVISO ▼

Para la alineación, el sello de aceite delantero del cigüeñal DEBE estar fuera de la bomba, en caso contrario podría dañarse.

16. Apretar todos los pernos de sujeción de la bomba a 21 pie-lb (28 Nm).

17. Instalar un nuevo sello de aceite delantero del cigüeñal usando una herramienta introductora de sellos 6780 o equivalente.

18. Instalar el engranaje de cigüeñal utilizando una herramienta de instalación de amortiguador de cigüeñal adecuada.

19. Instalar el tubo de succión de la bomba de aceite y el depósito de aceite.

20. Instalar la correa de sincronización.

21. Bajar con cuidado el vehículo. Llenar el cárter con el tipo y cantidad adecuados de aceite de motor.

22. Arrancar el motor y comprobar si hay fugas, después volver a comprobar el nivel de fluido y, si es necesario, añadir.

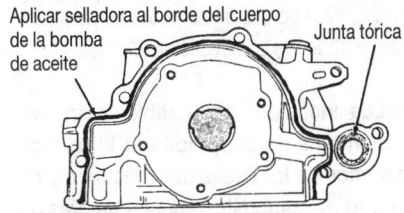

Aplicar selladora al borde del cuerpo de la bomba de aceite — Junta tórica

▲ **Aplicar una pequeña cantidad de selladora a la superficie de montaje de la cubierta del cuerpo de la bomba**

SELLO DE ACEITE DEL COJINETE PRINCIPAL TRASERO

DESMONTAJE E INSTALACIÓN

1. Introducir un destornillador plano de $^3/_{16}$ plg entre el labio protector de suciedad y la caja metálica del sello de aceite del cigüeñal. Hacer ángulo con el destornillador a través del labio protector de suciedad contra la caja metálica del sello de aceite. Sacar haciendo palanca el sello de aceite.

▼ AVISO ▼

NO dejar que la hoja del destornillador entre en contacto con la superficie de sello de aceite del cigüeñal. El contacto de la hoja del destornillador contra el borde del cigüeñal (bisel) está permitido.

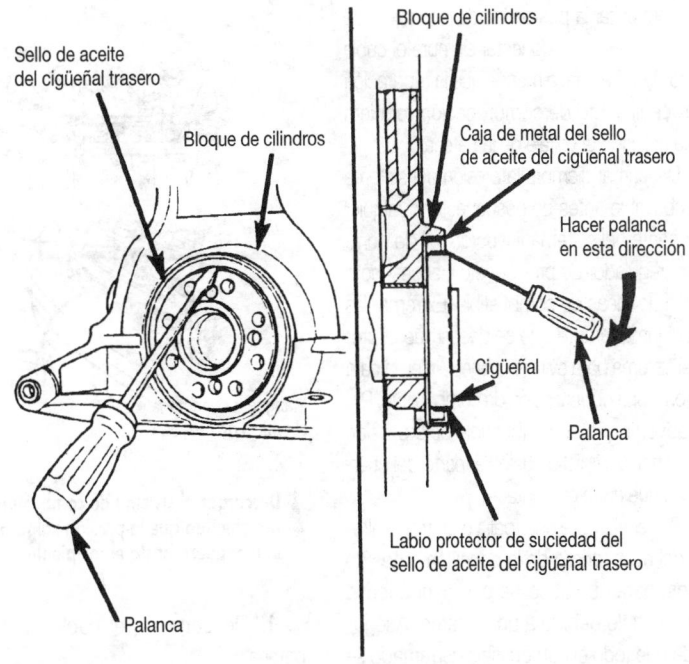

Sello de aceite del cigüeñal trasero — Bloque de cilindros — Bloque de cilindros — Caja de metal del sello de aceite del cigüeñal trasero — Hacer palanca en esta dirección — Cigüeñal — Palanca — Labio protector de suciedad del sello de aceite del cigüeñal trasero — Palanca

▲ **Cuando se hace palanca sobre el sello de aceite, asegurarse de usar la palanca en el ángulo adecuado**

Para instalar:

▼ AVISO ▼

Si el borde del cigüeñal (bisel) presenta alguna rebaba o rayaduras, puede limpiarse con papel abrasivo de grano 400 para prevenir daños en el sello de aceite durante la instalación del nuevo sello.

➡ No es necesario lubricar cuando se instala el sello de aceite.

2. Colocar la herramienta especial 6926-1 o equivalente en el cigüeñal. Ésta es una herramienta guía con base magnética.

3. Colocar el sello de aceite sobre la herramienta guía. Asegurarse de que se puede leer las palabras "ESTE LADO AFUERA" en el sello de aceite. La herramienta guía debe permanecer en

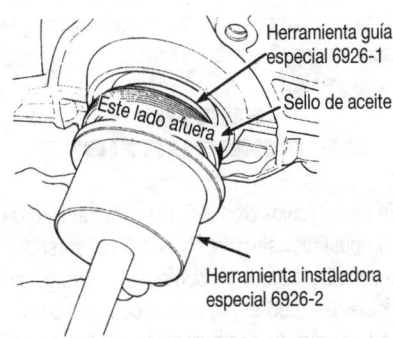

Herramienta guía especial 6926-1 — Sello de aceite — Este lado afuera — Herramienta instaladora especial 6926-2

▲ **Colocar una herramienta guía con base magnética de la medida correcta en el cigüeñal**

el cigüeñal cuando se instala el sello. Asegurarse de que el labio de sello de aceite está encarado hacia el cárter durante la instalación.

▼ AVISO ▼

Si el sello de aceite es introducido en el bloque sobrepasando el enrasado, puede provocarse una fuga de aceite.

4. Introducir el sello de aceite dentro del bloque usando las herramientas especiales de instalación de sellos 6926-2 y mangos C-4171 hasta que las herramientas toquen fondo contra el bloque.

SISTEMA DE COMBUSTIBLE

PRECAUCIONES DE MANTENIMIENTO DEL SISTEMA DE COMBUSTIBLE

La seguridad es un factor importante cuando se revisa el sistema de combustible. Si hay fallos en la manera de mantenerlo y repararlo, podrían producirse graves daños personales. El mantenimiento y la comprobación de los componentes del sistema de combustible del vehículo puede hacerse de manera segura y efectiva siguiendo las normas y las líneas directrices siguientes:

- Para evitar la posibilidad de incendio y de daños personales, desconectar siempre el cable negativo de la batería, a menos que la reparación o el procedimiento de comprobación requiera que sea aplicado el voltaje de la batería.

- Descargar siempre la presión del sistema de combustible antes de desconectar cualquier componente del sistema (inyector, raíl de combustible, regulador de presión, etc.), accesorio o conexión de líneas de combustible. Extremar las precauciones siempre que se descargue la presión del sistema para evitar exponer la piel, la cara y los ojos a una pulverización de combustible. Por favor, advertir que el combustible bajo presión puede penetrar la piel o cualquier parte del cuerpo con la que entre en contacto.

- Poner siempre una toalla o un trapo alrededor del accesorio o de la conexión antes de soltarlos, para que absorba cualquier exceso de combustible debido a un derrame. Asegurarse de que todo el combustible derramado se saca rápidamente de las superficies del motor. Asegurarse de que todos los trapos o toallas empapados en combustible se depositan en un contenedor de residuos adecuado.

- Mantener siempre un extintor de incendios de polvo seco (clase B) cerca de la zona de trabajo.

- No permitir que la pulverización o los vapores de combustible entren en contacto con una chispa o una llama.

- Usar siempre una llave de tuercas de apoyo cuando se suelten o se aprieten los accesorios de conexión de las líneas de combustible. Ello evitará tensión y torsión innecesaria al tubo de la línea de combustible. Seguir siempre las especificaciones de apriete correctas.

- Reemplazar siempre las juntas tóricas de accesorios de combustible usadas. No sustituir la manguera del combustible cuando está instalado un tubo del combustible.

PRESIÓN DEL SISTEMA DE COMBUSTIBLE

DESCARGA

▼ PRECAUCIÓN ▼

La presión del sistema de combustible DEBE descargarse antes de la reparación de cualquier componente del sistema de combustible. Reparar los vehículos en zonas bien ventiladas y evitar fuentes de ignición. ¡NUNCA fumar mientras se está reparando el vehículo!

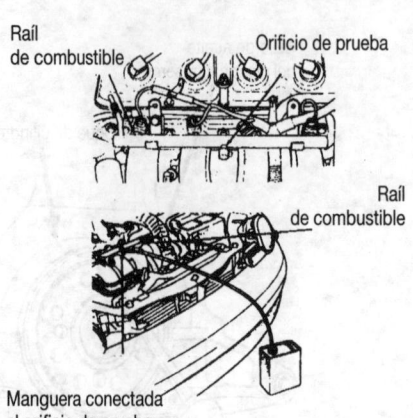

Raíl de combustible
Orificio de prueba
Raíl de combustible
Manguera conectada al orificio de prueba

▲ **Descargar el sistema de combustible, permitiendo que la presión salga a través de la manguera hasta el recipiente**

1. Desconectar el cable negativo de la batería.
2. Sacar el tapón de llenado de combustible.
3. Sacar el tapón protector del orificio de la presión de combustible en el raíl de combustible.
4. Colocar el extremo abierto de una manguera adecuada de descarga de presión del combustible (C-4799-1 o equivalente) dentro de un contenedor de gasolina aprobado. Conectar el otro extremo de la manguera en el orificio de prueba de presión de combustible. La presión del combustible se sangrará, a través de la manguera, al contenedor de gasolina.

➡ **El juego del indicador de presión de combustible C-4799-B contiene una manguera C-4799-1.**

5. Ahora el vehículo está seguro para repararlo.
6. Después de finalizar el trabajo en el sistema de combustible, no olvidar instalar el tapón de llenado del combustible.

FILTRO DE COMBUSTIBLE

En los vehículos de 1995 es usado un filtro de combustible, situado en el raíl del bastidor, delante del tanque de combustible. En los vehículos de 1996-99, se usa un conjunto combinado de filtro de combustible/regulador de presión, situado en la parte superior del módulo de la bomba de combustible.

DESMONTAJE E INSTALACIÓN

▼ PRECAUCIÓN ▼

No permitir que una pulverización de combustible o sus vapores entren en contacto con una chispa o una llama. Mantener cerca un extintor de polvo seco. No almacenar nunca combustible en un contenedor abierto a causa del riesgo de incendio o de explosión.

Vehículos de 1995

1. Descargar adecuadamente la presión del sistema de combustible.
2. Si no se ha hecho ya, desconectar el cable negativo de la batería.
3. Levantar y soportar con seguridad el vehículo.
4. Si es necesario, soltar los retenes, después sacar el protector contra salpicaduras que cubre el conjunto del filtro de combustible y la bomba.
5. Soltar los rácores de conexión rápida del módulo de la bomba de combustible y del tubo suministrador de combustible del chasis.

➡ **Las líneas de combustible están permanentemente acopladas al filtro. Los extremos de las líneas de suministro y de retorno de combustible tienen rácores de conexión rápida de diferentes tamaños. Los rácores de conexión rápida más grandes acoplan en la boquilla grande sobre el módulo de la bomba de combustible. Los rácores más pequeños acoplan la boquilla pequeña sobre el módulo de la bomba de combustible.**

6. Sacar el tornillo de montaje del filtro de combustible, después sacar el filtro de combustible del vehículo.

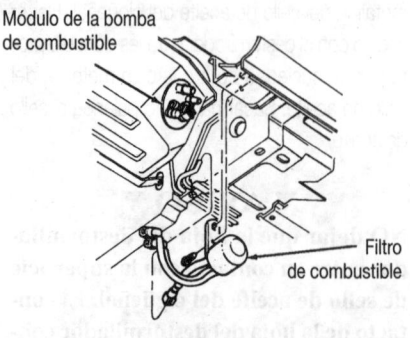

Módulo de la bomba de combustible
Filtro de combustible

▲ **Vista del soporte del filtro de combustible – Modelos 1995**

Para instalar:

7. Colocar el filtro de combustible en el raíl del bastidor y asegurarlo con el tornillo de retención. Apretar el tornillo a 85 plg-lb (9.5 Nm).

8. Aplicar una fina capa de aceite limpio de motor a las boquillas del filtro del combustible, después sujetar las líneas de combustible de conexión rápida.

9. Bajar el vehículo con cuidado, después conectar el cable negativo de la batería.

Vehículos de 1996-99

1. Descargar adecuadamente la presión del sistema de combustible.

2. Si no se ha hecho ya, desconectar el cable negativo de la batería.

3. Levantar y soportar con seguridad el vehículo.

4. Soltar la línea de conexión rápida del suministrador de combustible de la boquilla del filtro/regulador.

5. Hundir la lengüeta del resorte de bloques, situada en el lado del filtro/regulador de combustible, después girar 90° y sacarlo. Asegurarse de que las juntas tóricas superior e inferior están aún en el conjunto del filtro.

Para instalar:

6. Dar una ligera capa de aceite de motor limpio a las juntas del filtro. Insertar el filtro en la abertura del módulo de la bomba de combustible, después alinear las dos lengüetas de sujeción con la brida.

7. Mientras se aplica presión hacia abajo, girar el filtro en el sentido de las agujas del reloj hasta que la lengüeta de resorte quede retenida en la ranura de posición.

8. Acoplar la línea de combustible al conjunto filtro/regulador.

9. Bajar el vehículo con cuidado, después conectar el cable negativo de la batería.

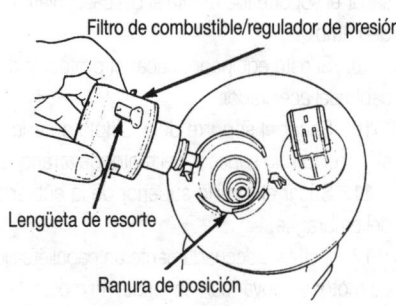

Hundir la lengüeta del resorte, después girar y sacar el conjunto del filtro de combustible

BOMBA DE COMBUSTIBLE

La bomba de combustible está integrada con el módulo de bombeo, que también contiene la reserva de combustible, el sensor de nivel, el filtro de entrada y el regulador de la presión de combustible. El filtro de entrada, el regulador de presión de combustible y el sensor de nivel son los únicos elementos reparables. Si la bomba de combustible requiere reparación, reemplazar el módulo de la bomba de combustible por completo.

DESMONTAJE E INSTALACIÓN

Vehículos de 1995

1. Desconectar el cable negativo de la batería.

2. Descargar adecuadamente la presión del sistema de combustible.

3. Levantar y soportar con seguridad el vehículo.

4. Drenar el depósito de combustible como indica el procedimiento de desmontaje e instalación del depósito de combustible.

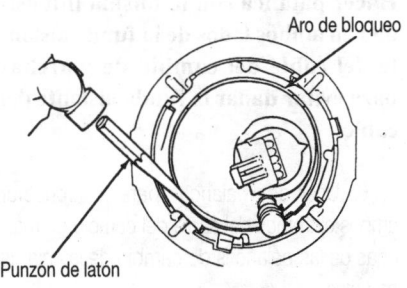

Golpear el aro de bloqueo con cuidado y en sentido contrario al de las agujas del reloj para liberar la bomba de combustible

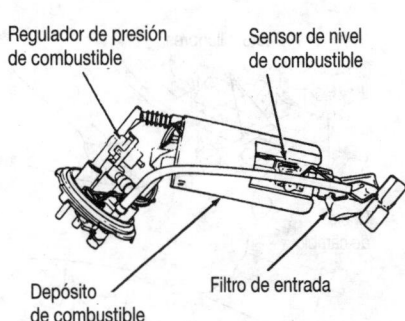

El conjunto del módulo de combustible contiene la bomba, el regulador de presión, el depósito, el filtro de entrada y el sensor de nivel

▼ AVISO ▼

El depósito de combustible del módulo de la bomba no se vacía del todo cuando se drena el depósito. El combustible en el depósito se derramará cuando se saque el módulo.

5. Desconectar las líneas de combustible del módulo de la bomba de combustible hundiendo los retenes de conexión rápida con el pulgar y el dedo índice.

6. Utilizando un martillo y un punzón de latón, golpear con cuidado el aro de bloqueo, en el sentido contrario al de las agujas del reloj, para liberar la bomba.

7. Sacar la bomba de combustible y la junta tórica del depósito. Desechar la junta usada.

Para instalar:

8. Limpiar la zona del depósito, después colocar una junta tórica nueva en la bomba en su posición correcta.

9. Colocar la bomba de combustible en el depósito con el aro de bloqueo.

10. Utilizando un martillo y un punzón de latón, colocar el aro alrededor, en el sentido de las agujas del reloj, para bloquear la bomba en su sitio.

▼ PRECAUCIÓN ▼

No sobreapretar el aro de bloqueo de la bomba, ello podría causar una fuga de combustible.

11. Bajar el vehículo con cuidado.

12. Llenar el depósito de combustible, comprobar si hay fugas.

13. Conectar el cable negativo de la batería.

Vehículos de 1996-99

1. Desconectar el cable negativo de la batería.

2. Descargar adecuadamente la presión del sistema de combustible.

3. Levantar y soportar con seguridad el vehículo.

4. Drenar el depósito de combustible como indica el procedimiento de desmontaje e instalación del depósito de combustible.

▼ AVISO ▼

El depósito de combustible del módulo de la bomba no se vacía del todo cuando se drena el depósito. El combustible del

depósito se derramará cuando se saque el módulo.

5. Desconectar las líneas de combustible del módulo de la bomba apretando los retenes de la conexión rápida con el pulgar y el dedo índice.

6. Deslizar el cierre eléctrico del módulo de la bomba de combustible para abrirlo.

7. Desconectar la conexión eléctrica del módulo de la bomba de combustible apretando el retén del conector y sacando el conector del módulo.

8. Utilizar un gato de transmisión para apoyar de manera segura el depósito de combustible, después sacar los tornillos de los tirantes del depósito de combustible.

9. Bajar con cuidado el depósito para acceder al módulo.

10. Utilizar una llave de trinquete y una de tuercas para sacar la contratuerca del módulo de la bomba de combustible.

11. Sacar la bomba de combustible y la junta tórica del depósito. Desechar la junta usada.

Para instalar:

12. Limpiar la zona del depósito, después colocar una junta tórica nueva en su sitio en la abertura del depósito.

13. Colocar la bomba de combustible en el depósito. Asegurarse de que la lengüeta de alineación de la cara inferior de la brida del módulo de la bomba de combustible está asentada dentro de la ranura del depósito de combustible.

14. Colocar la contratuerca de fijación sobre el módulo de la bomba de combustible.

15. Utilizando la llave de trinquete y la de tuercas, apretar la contratuerca a 41 pie-lb (55 Nm).

16. Bajar el vehículo con cuidado, después comprobar si hay fugas.

17. Conectar el cable negativo de la batería.

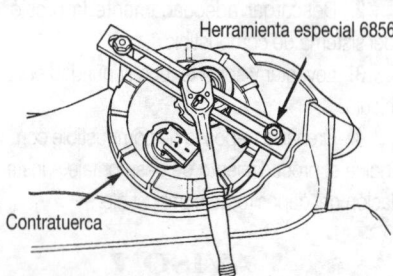

▲ **Para aflojar la contratuerca del módulo de la bomba de combustible usar una llave de tuercas y una de trinquete**

TREN DE TRANSMISIÓN

CONJUNTO DE LA CAJA DE CAMBIOS

DESMONTAJE E INSTALACIÓN

Manual

1. Desconectar el cable negativo de la batería, después desconectar el positivo.

2. Levantar el Centro de Distribución de Fuerza (PDC) y sacarlo de su soporte. Colocar el PDC a un lado para poder trabajar con amplitud.

3. Sacar la pantalla térmica de la batería, después sacar la batería del vehículo. Sacar la bandeja de la batería del compartimiento del motor. Si está equipado, desconectar el control de velocidad de crucero.

4. Sacar el cable del sensor de velocidad del vehículo.

5. Desmontar la instalación eléctrica del interruptor de la luz de marcha atrás de la caja de cambios.

▼ AVISO ▼

Hacer palanca con la misma intensidad en ambos lados de la funda aislante del cable del cambio de marchas para evitar dañar la funda aislante del cable.

6. Usar dos palancas para desconectar ambos extremos del cable del cambio de marchas de las palancas de cambio de la caja de cambios.

7. Sacar el tapón de ventilación del cuerpo del embrague, poniendo al descubierto el extremo del cable del embrague y la palanca de de-

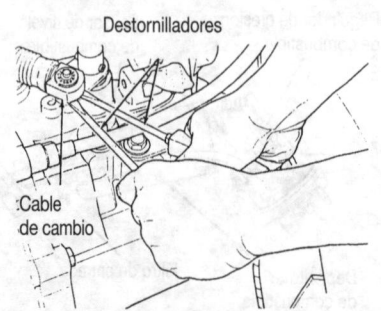

▲ **Usar dos palancas para desconectar los extremos del cable de las palancas del cambio – Caja de cambios manual**

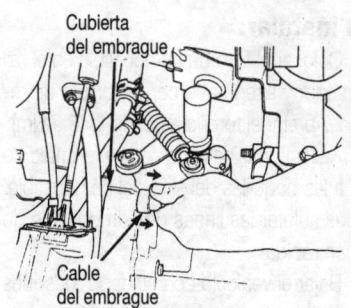

▲ **Tirar hacia atrás el cable del embrague para desconectarlo de la cubierta del embrague – Caja de cambios manual**

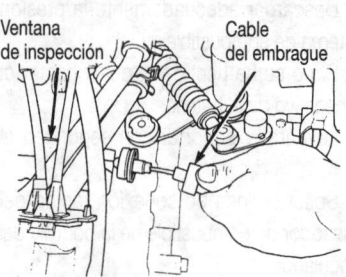

▲ **Sacar el cable del embrague de la palanca – Caja de cambios manual**

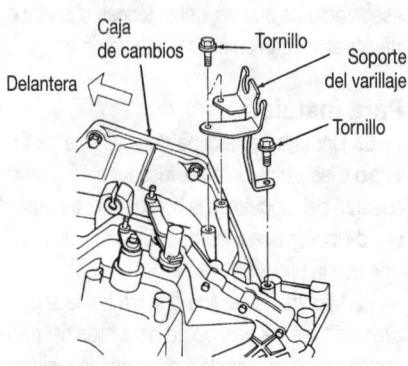

▲ **Despiece del soporte de montaje del varillaje – Caja de cambios manual**

sembrague. Después, sacar el cable del embrague de la cubierta del embrague.

8. Soltar los pernos de retención, después sacar el soporte (de montaje) del cable (varillaje) del cambio.

9. Si está equipado, sacar el protector del cable del acelerador.

10. Sacar el soporte del múltiple de admisión y el tornillo superior del motor de arranque.

11. Sacar el tornillo superior de la cubierta del embrague.

12. Instalar adecuadamente un caballete fijo de motor y apoyar con seguridad el motor.

13. Levantar y soportar con seguridad el vehículo, después sacar los conjuntos de las ruedas delanteras y llantas.

14. Colocar un recipiente de drenaje adecuado debajo del vehículo, después drenar la caja de cambios.

15. Sacar ambos semiejes delanteros.

▼ AVISO ▼

Cuando se instalen los semiejes, se DEBEN usar anillos de retención del eje de transmisión nuevos. No reutilizar NUNCA los anillos usados. Si no se usan anillos nuevos, la junta VC puede desacoplarse.

16. Sacar el amortiguador de saltos de potencia y el soporte.

17. Sacar el tornillo del soporte inferior del motor de arranque.

18. Sacar el puntal flector de la caja de cambios a la parte lateral trasera del motor y la caja de cambios.

19. Apoyar la caja de cambios con un gato adecuado.

20. Sacar el tornillo pasante del soporte frontal del motor. Sacar los tornillos del soporte frontal del motor, del motor y la caja de cambios.

21. Sacar el tornillo inferior del protector de suciedad y el protector de suciedad.

22. Girar el cigüeñal en el sentido de las agujas del reloj para acceder a los del plato propulsor al embrague modular.

➡ **Al efecto de la instalación, antes de sacar cualquier tornillo, marcar la alineación del plato propulsor y el plato de presión.**

23. Soltar los cuatro tornillos del plato propulsor al embrague modular en orden al separar el plato propulsor del embrague.

24. Empujar el conjunto del embrague modular dentro del cuerpo de la caja de cambios para poder sacar más fácilmente la caja de cambios.

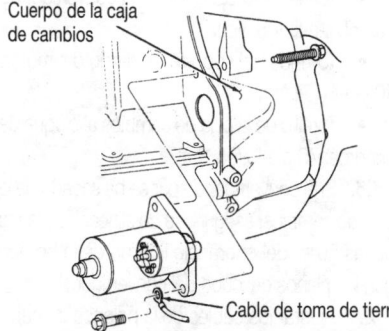

▲ Sacar los tornillos del soporte inferior del motor de arranque – Caja de cambios manual

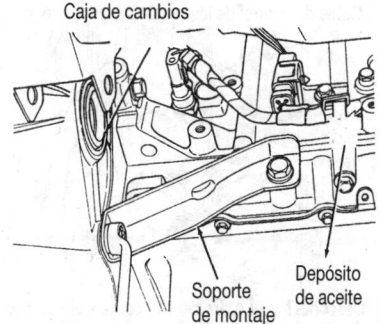

▲ Soltar los dos tornillos, después sacar el soporte (puntal) del motor y la caja de cambios – Caja de cambios manual

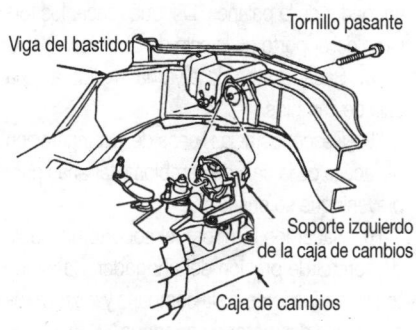

▲ Despiece del tornillo pasante del soporte izquierdo de la caja de cambios manual

25. Sacar el tornillo pasante del raíl del bastidor al soporte izquierdo de la caja de cambios.

26. Sacar el soporte izquierdo de la caja de cambios. Después, levantar el soporte para tener más espacio para poder sacar la caja de cambios.

27. Sacar la caja de cambios del vehículo.

28. Sacar el conjunto del embrague modular del eje de entrada de la caja de cambios.

Para instalar:

29. La instalación es el procedimiento inverso al desmontaje. Por favor, seguir los siguientes e importantes pasos.

30. Los elementos siguientes deben apretarse según las especificaciones señaladas.

• Protector de suciedad: 9 pie-lb (12 Nm).

• Soporte frontal del motor a la caja de cambios: 80 pie-lb (108 Nm).

• Tornillo pasante del soporte frontal: 45 pie-lb (61 Nm).

• Tornillo del soporte frontal al motor: 40 pie-lb (54 Nm).

• Tornillos del puntal flector lateral: 40 pie-lb (54 Nm).

• Tornillo pasante del soporte izquierdo: 80 pie-lb (108 Nm).

• Tornillo del soporte izquierdo a la caja de cambios: 40 pie-lb (54 Nm).

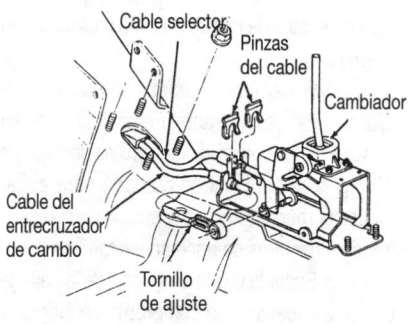

▲ Aflojar el tornillo de ajuste en el cable de entrecruzar a cambio en el cambiador – Caja de cambios manual

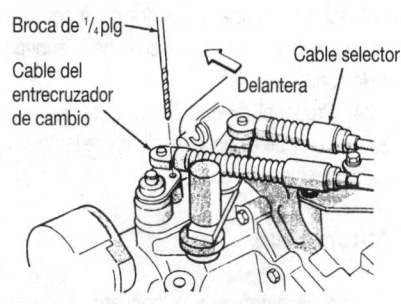

▲ Insertar una broca de 1/4 plg de diámetro para enclavijar la palanca del entrecruzador de cambio en la posición neutra 3-4 – Caja de cambios manual

• Tornillos del amortiguador de saltos de potencia: 40 pie-lb (54 Nm).

• Tornillo de la caja de cambios al motor: 70 pie-lb (95 Nm).

• Tornillos de la caja de cambios al soporte de la admisión del motor: 70 pie-lb (95 Nm).

31. Después de instalar la caja de cambios, antes de bajar el vehículo, llenar la caja de cambios, hasta la parte inferior del orificio del tapón de llenado, con Mopar® tipo M.S. 9417 o fluido de caja de cambios manual equivalente.

32. Asegurarse de que las luces de marcha atrás del vehículo y el velocímetro funcionan correctamente.

33. Después de instalar la caja de cambios en el vehículo, debe ajustarse el cable del entrecruzador para asegurar el ajuste correcto del cambio de velocidades. Ajustarlo de la manera siguiente:

a. Sacar del vehículo la consola del cambiador del suelo.

b. Aflojar el tornillo de ajuste del cable de entrecruzador en el cambiador.

c. Enclavijar el cable del entrecruzador de cambio de la caja de cambios en la posición neutral 3-4 utilizando una broca de 1/4 plg. Alinear el agujero en la palanca del entrecruzador con el agujero en el saliente de la tapa de la caja de cambios. Asegurarse de que la broca entra en la tapa de la caja de cambios como mínimo $^1/_2$ plg (12 mm).

d. El cambiador está cargado por un resorte y es autocentrante. Permitir que esté en posición neutra. Apretar los tornillos de ajuste a 70 plg-lb (8 Nm). Ir con cuidado para evitar mover el mecanismo del cambiador descentrándolo mientras se aprietan los tornillos.

e. Sacar la broca de la tapa de la caja de cambios y realizar una comprobación funcional desplazando el cambiador por todas las marchas.

f. Reinstalar la consola central del cambio. Doblar la funda alrededor de la consola. Asentar el labio de la funda en la parte superior de la consola.

34. Probar el vehículo en carretera para asegurarse de que el funcionamiento de la caja de cambios es correcto.

Automático

La caja de cambios y el convertidor de par motor deben extraerse como un conjunto; en caso contrario el plato propulsor del convertidor de par, el cojinete de la bomba o el sello de aceite podrían dañarse. El plato propulsor no soportará una carga, por lo tanto, no debe permitirse que el peso de la caja de cambios descanse sobre el plato durante la extracción.

1. Desconectar el cable negativo de la batería, después desconectar el positivo.

2. Levantar el Centro de Distribución de Fuerza (PDC) y sacarlo de su soporte. Colocar el PDC a un lado para ganar espacio.

3. Sacar la pantalla térmica de la batería, después sacar la batería del compartimiento del motor. Sacar la bandeja de la batería del compartimiento del motor. Si está equipado, desconectar el control de velocidad de crucero.

4. Sacar el cableado del sensor de velocidad del vehículo.

5. Desconectar el interruptor de seguridad de neutral y el cableado del control del convertidor de par de la caja de cambios.

▼ AVISO ▼

Hacer palanca con la misma intensidad en ambos lados de la funda aislante del cable del cambio para evitar dañar la funda aislante.

6. Desconectar el extremo del cable del cambio de velocidades de la palanca de cambio de la caja de cambios. Sacar el tornillo del soporte de la caja de cambios.

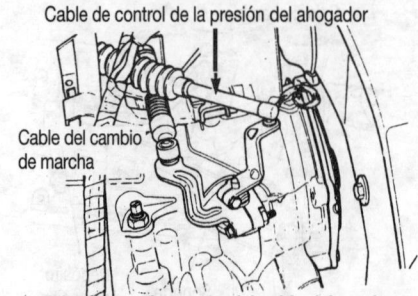

Cable de control de la presión del ahogador

Cable del cambio de marcha

▲ Desconectar el extremo del cable del cambio de marcha de la caja de cambios – Caja de cambios automática

7. Sacar el cable de control de presión del ahogador de la palanca. Después sacar los tornillos del soporte de la caja de cambios.

8. Sacar el tubo de la varilla medidora de la caja de cambios.

9. Desconectar las líneas de la refrigeración del aceite de la caja de cambios y taparlas para prevenir que se ensucien.

10. Sacar los tornillos del soporte del cable de control de presión del ahogador. Sacar los tornillos superiores de la campana y los tornillos superiores del motor de arranque.

11. Instalar un caballete fijo de motor adecuado, después apoyar el motor.

12. Levantar y soportar con seguridad el vehículo, después sacar los conjuntos de las ruedas y las llantas frontales.

▼ AVISO ▼

Cuando se instalen los semiejes, deben usarse anillos de retención nuevos. NO reutilizar los anillos usados. No usar anillos nuevos podría causar el desacoplamiento de la junta VC.

13. Sacar ambos semiejes frontales.

▼ AVISO ▼

En los vehículos de 1998-99, la unión flexible de escape debe ser desconectada del múltiple de escape cada vez que se baje el motor. Si se baja el motor mientras el tubo flexible está sujeto, se producirán daños.

14. En los vehículos de 1998-99, sacar los tornillos que aseguran la unión flexible de escape al múltiple de escape. Desconectar el tubo de escape del múltiple.

15. Soltar el puntal flector de la caja de cambios a la parte lateral trasera del motor y la caja de cambios.

16. Sacar el tornillo pasante del soporte. Sacar los tornillos del soporte frontal del motor.

17. Sacar el tornillo inferior del motor de arranque.

18. Sacar el tornillo inferior del protector de suciedad.

19. Girar el motor en el sentido de las agujas del reloj para acceder a los tornillos del convertidor. Sacar los tornillos del convertidor de par, después marcar el convertidor al plato flector para alinearlos durante la instalación.

20. Apoyar la caja de cambios con un gato de caja de cambios.

21. Sacar el tornillo pasante del soporte izquierdo. Sacar los tornillos del soporte izquierdo de la caja de cambios, después sacar el soporte izquierdo.

22. Sacar el tornillo trasero del motor de la caja de cambios.

23. Con cuidado, extraer el conjunto de la caja de cambios y convertidor de par hacia atrás, fuera de las clavijas del bloque motor. Desenganchar el cubo del convertidor del extremo del cigüeñal. Sujetar una abrazadera en C pequeña al borde de la campana del embrague. Ello mantendrá el convertidor de par en su sitio durante el desmontaje de la caja de cambios. Bajar la caja de cambios y sacar el conjunto de debajo del vehículo.

Para instalar:

24. La instalación es el procedimiento inverso al desmontaje. Por favor, seguir los siguientes e importantes pasos:

25. Los elementos siguientes deben apretarse según las especificaciones señaladas.

- Tornillos de la cubierta de la campana: 9 pie-lb (12 Nm).
- Conexión de la línea refrigerante del aceite de la caja de cambios al radiador: 9 pie-lb (12 Nm).
- Conexión de la línea refrigerante del aceite de la caja de cambios: 21 pie-lb (28 Nm).
- Tornillos del plato flector al cigüeñal: 70 pie-lb (95 Nm).
- Tornillos del plato flector al convertidor de par: 50 pie-lb (68 Nm).
- Tornillos del soporte izquierdo del motor: 40 pie-lb (54 Nm).
- Tornillo de la caja de cambios al bloque de cilindros: 70 pie-lb (95 Nm).

26. Si el convertidor de par se ha sacado de la caja de cambios, asegurarse de alinear los planos de las guías del engranaje interno de la bomba con los planos del cubo del convertidor de par.

27. Ajustar los cables de la palanca de cambio y del ahogador.

28. Rellenar la caja de cambios.

29. Asegurarse de que las luces de la marcha atrás del coche y el velocímetro funcionan correctamente.

EMBRAGUE

AJUSTE

El sistema de desembrague de la caja de cambios manual tiene un mecanismo de autoajuste único para compensar el desgaste del disco del embrague. Este mecanismo de ajuste está localizado en el conjunto del cable del embrague. El resorte de carga previa mantiene la tensión en el cable. Esta tensión mantiene el cojinete de desembrague continuamente cargado contra los dedos del conjunto de la cubierta del embrague. No se puede realizar un ajuste manual.

Cuando se repara este tipo de vehículo o si se saca e instala el cable de embrague, no tirar sobre el cuerpo del cable del embrague para sacarlo del panel de instrumentos; podría dañarse el autoajustador del cable.

Para comprobar el funcionamiento del mecanismo de ajuste, seguir el procedimiento siguiente:

1. Tirar del extremo del cable de la palanca de desembrague, con una ligera presión, para tensarlo.

2. Apretar el cuerpo del cable del embrague contra el panel. Con menos de 25 libras de esfuerzo el cuerpo del cable debe moverse 1.2-2.0 plg (30-50 mm). Ello indica el ajuste adecuado de la función del mecanismo.

3. Si el cable no ajusta, determinar si el mecanismo está correctamente asentado sobre el soporte.

DESMONTAJE E INSTALACIÓN

➡ **Los vehículos hechos en la planta de ensamblaje de Toluca, México, tienen conjuntos de embrague y volante convencionales. Los vehículos hechos en la planta de ensamblaje de Belvidere tienen conjuntos de embrague modular. Si el dígito N° 11 del código VIN es "D", el vehículo ha sido hecho en la planta de ensamblaje de Belvidere; si el código VIN es "T", el vehículo ha sido hecho en la planta de ensamblaje de Toluca.**

Vehículos ensamblados en Toluca

1. Sacar la caja de cambios del vehículo.

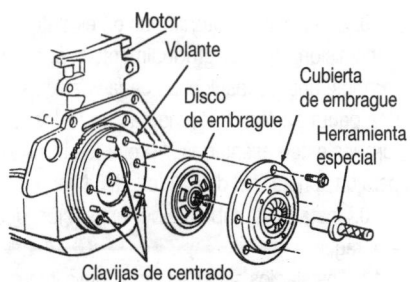

▲ **Despiece de los componentes del embrague convencional – Vehículos ensamblados en Toluca**

2. Marcar la posición de la cubierta del embrague y del volante para su correcta alineación durante la instalación.

3. Instalar, a través del cubo del disco de embrague, un alineador de embrague adecuado para prevenir que las caras del disco del embrague se caigan o se dañen.

4. Aflojar los tornillos de sujeción de la cubierta de embrague una o dos vueltas cada vez, siguiendo una pauta entrecruzada. Esto descarga la presión del muelle gradualmente, evitando dañar la cubierta.

➡ **NO tocar la cara del disco de embrague con las manos engrasadas o sucias. La grasa o la suciedad de las manos podría causar un traqueteo en el embrague.**

5. Sacar el plato de presión del embrague, el conjunto de la cubierta y el disco del volante. Manipular los componentes con cuidado para evitar ensuciar las superficies de fricción.

6. Examinar si hay fugas de aceite a través del sello de aceite del cojinete principal trasero del motor y del sello de aceite del eje de entrada de la caja de cambios. Si hay fugas, deben arreglarse ahora.

7. Las caras de fricción del volante y de la zona de presión no deben tener excesiva decoloración, zonas quemadas, grietas, surcos profundos o arrugas. Reemplazar las piezas que lo requieran.

8. Limpiar la cara del volante con papel abrasivo medio, después enjuagar la superficie con alcohol mineral. Si la superficie está severamente rayada, recalentada, agrietada o deformada, reemplazar el volante.

9. El lado pesado del volante está indicado por una marca de pintura blanca, cerca del diámetro exterior. Para minimizar los efectos del desequilibrio del volante, realizar el siguiente procedimiento de instalación:

a. Ensamblar sin apretar el volante al cigüeñal. Si dispone de ellos, usar tornillos nue-

vos de sujeción del volante que tengan selladora en las roscas. En caso contrario, aplicar selladora Loctite® a las roscas de los tornillos originales. Esta selladora es necesaria para prevenir fugas del aceite del motor.

b. Girar el volante y el cigüeñal hasta que la marca de pintura blanca (lado pesado) esté en posición de las 12 en punto.

c. Apretar los tornillos de sujeción del volante, siguiendo una pauta entrecruzada, a 70 pie-lb (95 Nm).

10. El disco del embrague debe manipularse sin tocar las caras. Reemplazar el disco si las caras presentan impregnaciones de grasa o de aceite o desgaste de las cabezas de los remaches a menos de 0.008 plg (0.20 mm). Las estrías en el cubo del disco y el eje de entrada de la caja de cambios deben tener un ajuste exacto, sin signos de desgaste excesivo. Las partes metálicas del conjunto de disco deben estar secas, limpias y no decoloradas por el excesivo calor. Cada uno de los resortes abovedados entre las caras deben estar tirantes.

11. Limpiar la superficie de fricción del plato de presión con alcohol mineral.

12. Utilizando una regla, comprobar la planitud del plato de presión. El área de fricción del plato de presión debe ser plana o ligeramente cóncava, con el diámetro interior 0.000-0.0039 plg (0.0-0.1 mm) menos que el exterior. También debe estar libre de decoloración, áreas quemadas, grietas, surcos o arrugas.

13. Utilizando una superficie plana, probar la planitud de la cubierta. Todas las secciones alrededor de los agujeros de los tornillos deben estar en contacto con la superficie 0.015 plg (0.381 mm).

14. La cubierta debe tener un ajuste exacto en las clavijas del volante. Si el conjunto del embrague no cumple estos requisitos, debe ser reemplazado.

Para instalar:

15. Montar el conjunto del embrague en el volante sobre el disco centrado sobre el alineador, cuidando de alinear correctamente las clavijas y las marcas de alineación hechas antes del desmontaje. El lado del volante del disco del embrague está marcado para una instalación correcta. Si el nuevo embrague o el volante está instalado, alinear el punto de equilibrio de la cubierta naranja tan cerca como sea posible del punto de equilibrio del volante naranja. Aplicar presión al alineador. Centrar el extremo de la herramienta en el cigüeñal y el cono de deslizamiento en los dedos del embrague. Apretar suficientemente los tornillos de sujeción del embrague para sujetar el disco en posición.

16. Para evitar distorsiones en la cubierta del embrague, apretar los tornillos gradualmente, unas pocas vueltas cada vez. Utilizar una pauta entrecruzada hasta que todos los tornillos estén asentados. Apretar los tornillos para un apriete final de 21 pie-lb (28 Nm).

17. Sacar el alineador del embrague.

18. Instalar la caja de cambios.

Vehículos ensamblados en Belvidere

1. Desconectar el cable negativo de la batería.

2. Sacar la instalación eléctrica del motor de arranque, después sacar el conjunto del motor de arranque.

3. Sacar los soportes posteriores y frontales de la caja de cambios.

4. Soltar los mecanismos del conjunto del embrague modular.

5. Sacar la caja de cambios del vehículo. La caja de cambios y el embrague modular salen del vehículo como un conjunto.

6. Sacar el conjunto del embrague modular del eje de entrada de la caja de cambios. Manipular los componentes con cuidado para evitar ensuciar las superficies de fricción.

7. Examinar si hay fugas de aceite a través del sello de aceite del cojinete principal trasero del motor y del sello de aceite del eje de entrada de la caja de cambios. Si se aprecia alguna fuga, debe arreglarse ahora.

Para instalar:

➡ Cuando se monte el conjunto del embrague modular al plato de transmisión, usar siempre tornillos nuevos.

8. Montar el conjunto del embrague modular hacia el eje de entrada. Instalar la caja de cambios.

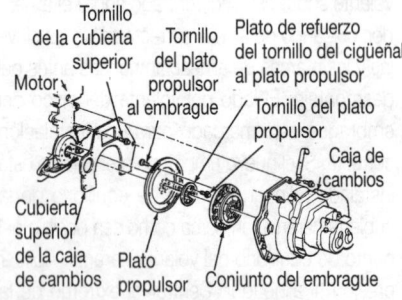

La caja de cambios y el embrague modular se extraen como un conjunto

9. Para evitar distorsiones en el plato de transmisión, apretar gradualmente todos los tornillos, una pocas vueltas cada vez. Utilizar una pauta entrecruzada hasta que todos los tornillos estén asentados. Apretar los tornillos para un apriete final de 55 pie-lb (75 Nm).

10. Instalar la cubierta de inspección del embrague.

11. Instalar los soportes de montaje inferiores de la caja de cambios.

12. Instalar el conjunto del motor de arranque, después conectar el cableado.

13. Conectar el cable negativo de la batería.

SEMIEJES

DESMONTAJE E INSTALACIÓN

1. Sacar el pasador de chaveta, la contratuerca de fijación y la arandela de muelle del extremo del tocón del eje exterior de la junta VC. Desechar el pasador de chaveta.

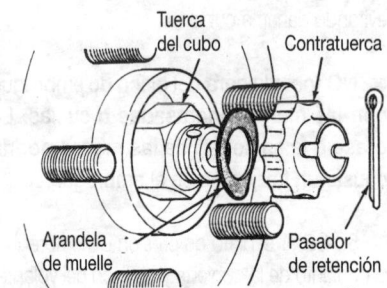

Despiece del pasador de retención, contratuerca y arandela – Reparación del semieje

2. Con el vehículo en el suelo y el freno puesto, aflojar, pero no sacar, la tuerca de retención del eje al cubo y al cojinete. El cubo delantero y el eje de transmisión están juntos y retenidos por la tuerca del cubo.

3. Levantar y soportar con seguridad el vehículo sobre caballetes.

4. Sacar el conjunto de la rueda delantera y llanta.

5. Soltar los tornillos de la mordaza frontal a la articulación de la dirección.

6. Sacar la mordaza de la articulación de la dirección sacando la parte inferior de la mordaza de la articulación de la dirección. Después, sacar la parte superior de la mordaza de debajo de la articulación de la dirección.

7. Soportar la mordaza suspendiéndola atada de la columna. No permitir que cuelgue del tubo del freno.

8. Sacar el rotor del cubo.

9. Sacar la tuerca que conecta el extremo exterior de la barra de conexión a la articulación de la dirección, tal como se indica a continuación.

a. Sujetar el espárrago del extremo de la barra de conexión con una llave de tubo de $^{11}/_{32}$ plg mientras se afloja y se saca la tuerca.

10. Con un extractor lateral separar el espárrago del extremo de la barra de conexión de la articulación de la dirección.

11. Sacar la tuerca y el tornillo que sujetan el espárrago de la rótula en la articulación de la dirección.

▼ AVISO ▼

Cuando se separe el espárrago de la rótula en la articulación de la dirección tener cuidado, de manera que el sello de aceite de la rótula no se dañe.

12. Separar el espárrago de la rótula de la articulación de la dirección haciendo palanca sobre el brazo de control inferior.

13. Para los vehículos de 1998-99, realizar los pasos siguientes:

a. Sacar la tuerca de retención del cubo y del cojinete al tocón del eje.

b. Instalar un extractor en el conjunto de cubo y cojinetes, usando las tuercas de orejetas para sujetarlo en su sitio.

c. Instalar una tuerca de orejetas para ruedas en el espárrago de la rueda para proteger la rosca del espárrago. Instalar una palanca de hoja plana para evitar que gire el cubo. Utilizando el extractor, forzar al tocón del eje exterior fuera del cubo y del cojinete.

▼ AVISO ▼

Cuando se separe la junta VC interior, ir con cuidado. No dejar el eje de transmisión colgando por la junta VC interior, el eje de transmisión debe ser apoyado.

14. Sacar el conjunto de articulación de la dirección y alejarlo de la junta VC exterior del conjunto del eje de transmisión. Apoyar el extremo exterior del conjunto del eje de transmisión.

15. Insertar una palanca entre la junta de trípode interior y el cuerpo de la caja de cambios. Hacer palanca contra la junta de trípode interior hasta que el anillo de muelle de la junta esté desacoplado del engranaje lateral de la caja de cambios.

➡ Sacar la junta de trípode interior es más sencillo si se aplica presión exterior en la junta mientras se golpea el punzón con un martillo.

16. En los vehículos de 1996-99, sacar las juntas de trípode internas de los engranajes laterales de la caja de cambios usando un punzón para desalojar el anillo de retención de la junta de trípode interna del engranaje lateral de la caja de cambios. Si se saca la junta de trípode interna del lado derecho, colocar el punzón contra la junta de trípode interna. Dar un golpe seco al punzón con un martillo para desalojar la junta interna derecha del engranaje lateral. Si se saca la junta de trípode interna del lado izquierdo, situar el punzón en la ranura de la junta de trípode. Dar un golpe seco al punzón con un martillo para desalojar la junta de trípode interna izquierda del engranaje lateral.

17. Sujetar la junta de trípode interna y el eje de interconexión del conjunto del eje de transmisión. Sacar la junta de trípode interna de la caja de cambios estirándola recta y hacia fuera del engranaje lateral de la caja de cambios y del sello de aceite de la caja de cambios. Cuando se saca la junta de trípode, no dejar que las estrías o el anillo de muelle se arrastren a través del labio sellador del sello de aceite de la caja de cambios a la junta de trípode.

▼ AVISO ▼

El eje de transmisión instalado actúa como un tornillo que asegura el conjunto cubo y cojinete delantero. Si el vehículo se ha de apoyar o mover sobre sus ruedas con el eje de transmisión extraído, instalar un tornillo y una tuerca de la medida correcta en el cubo delantero. Apretar el tornillo y la tuerca a 135 pie-lb (183 Nm). Ello asegurará que el cojinete del cubo no se afloje.

Para instalar:

18. Limpiar a fondo la superficie de las estrías de sellado del sello de aceite en la junta de trípode. Lubricar ligeramente la superficie de sellado del sello de aceite en la junta de trípode con líquido de transmisión limpio.

19. Sujetando el conjunto del eje de transmisión por la junta de trípode y el eje de interconexión, instalar con la mano la junta de trípode dentro del engranaje lateral de la caja de cambios tan adentro como se pueda.

20. Alinear cuidadosamente la junta de trípode con los engranajes laterales de la caja de cambios. Después, agarrar el eje de interconexión de la transmisión y presionar la junta de trípode dentro del engranaje lateral de la caja de cambios hasta que esté completamente asentada. Asegurarse de que el anillo de muelle está totalmen-

te encajado con el engranaje lateral intentando sacar con la mano la junta de trípode de la caja de cambios. Si el anillo de muelle está totalmente asentado con el engranaje, la junta de trípode no se podrá sacar con la mano.

21. Limpiar la suciedad y la humedad de la articulación de la dirección.

22. Asegurarse que la junta VC exterior, que encaja en la articulación de la dirección, no tiene suciedad o humedad sobre ella antes de instalarla en la articulación de la dirección.

23. Deslizar el eje de transmisión hacia atrás en el cubo frontal. Instalar la articulación de la dirección en el espárrago de la rótula.

24. Instalar un tornillo y una tuerca de la articulación de la dirección al espárrago de la rótula NUEVOS. Apretar la tuerca y el tornillo a 70 pie-lb (95 Nm).

25. Insertar el extremo de la barra de conexión en la articulación de la dirección. Empezar poniendo la tuerca del extremo de la barra de conexión a la articulación de la dirección sobre el espárrago del extremo de la barra. Mientras se sostiene el espárrago del extremo de la barra de conexión inmóvil, apretar la tuerca. Después, apretar la tuerca del extremo de la barra de conexión a 45 pie-lb (61 Nm), utilizando una llave de caltropo (pata de cuervo) y un casquillo adaptador de $^{11}/_{32}$ plg.

26. Instalar el soporte del rotor sobre el conjunto cubo y cojinete.

27. Colocar la mordaza en la articulación de la dirección. Deslizar la parte superior de la mordaza debajo de la parte superior de contrafuerte en la articulación de la dirección. Después, instalar la parte inferior de la mordaza contra el contrafuerte inferior de la articulación de la dirección.

28. Instalar los tornillos de la mordaza a la articulación y apretarlos a 23 pie-lb (31 Nm).

29. Limpiar todas las materias extrañas de las roscas del tocón del eje de la junta VC externa. Instalar la tuerca y la arandela del cubo en las roscas del tocón del eje y apretar la tuerca.

30. Con el freno del vehículo puesto para prevenir que el eje de transmisión gire, apretar la tuerca del cubo a 135 pie-lb (183 Nm).

31. Instalar la arandela elástica, la contratuerca de fijación y un pasador de retención nuevos en el tocón del eje de la junta VC externa.

32. Instalar el conjunto de la rueda delantera y la llanta. Instalar las tuercas de orejetas y apretar a 100 pie-lb (135 Nm).

33. Comprobar el nivel de fluido de la caja de cambios, bajando el vehículo lo necesario.

34. Si no se ha hecho todavía, bajar el vehículo con cuidado.

DIRECCIÓN Y SUSPENSIÓN

AIR BAG

▼ PRECAUCIÓN ▼

Algunos vehículos están equipados con un sistema de air bag, llamado también Sistema Restringido Suplementario (SRS). El sistema DEBE desactivarse antes de realizar cualquier reparación en él o en los componentes que estén cerca del sistema, columna de dirección, componentes del panel de instrumentos, conectores eléctricos y sensores. Si no se siguen estos procedimientos de seguridad y desactivación podría producirse un despliegue accidental del air bag, con posibles daños personales e innecesarias reparaciones del sistema.

PRECAUCIONES

Cuando se maneja el módulo hinchable, se han de tener en cuenta diversas precauciones, para evitar su despliegue accidental y posibles daños personales.

- No llevar nunca el módulo hinchable cogido por los cables o el conector de la parte inferior del módulo.

- Cuando se transporta un módulo hinchable activado sujetarlo firmemente con ambas manos y asegurarse de que la bolsa y la cubierta de ajuste están apuntando hacia afuera de uno.

- Colocar el módulo hinchable en una mesa de trabajo u otra superficie con la bolsa y la cubierta de ajuste de cara hacia arriba.

- Con el módulo hinchable en la mesa de trabajo, nunca colocar nada encima o cerca del módulo que pueda ser lanzado en el caso de un despliegue accidental.

DESARME

El desarme correcto del SRS se puede obtener desconectando y aislando el cable negativo de la batería. Dejar un mínimo de dos minutos para que el condensador del sistema del air bag se descargue antes de sacar los componentes del sistema del air bag.

DIRECCIÓN DE CREMALLERA Y PIÑÓN

El procedimiento de sustitución, tanto para la dirección manual como para la asistida, es el mismo. Los únicos pasos adicionales para el desmontaje y la instalación de la dirección asistida son la desconexión y conexión de la líneas de fluido de la dirección asistida del mecanismo de dirección.

Estos vehículos están diseñados y ensamblados utilizando los ajustes de alineación de la suspensión delantera de CONSTRUCCIÓN ENTRAMADA. Esto significa que los ajustes de alineación están determinados por la posición de los componentes de la suspensión delantera en relación con la carrocería cuando se diseña el vehículo. Esto se realiza cuando se construye el vehículo, mediante la colocación exacta del travesaño delantero de los orificios de indicación de la medida situados en la subcarrocería del vehículo. Con este método de diseño y construcción del vehículo no es posible ajustar los ajustes de alineación de la suspensión delantera del vehículo según las especificaciones necesarias. Como consecuencia, siempre que el travesaño se saque del vehículo DEBE ser recolocado en la carrocería del vehículo en la misma posición en que se sacó. Los ajustes de convergencia de la suspensión delantera pueden ser ajustados por los extremos de la barra de conexión externa.

DESMONTAJE E INSTALACIÓN

1. Desde el interior del vehículo, desconectar los acoplamientos de conexión del mecanismo de la dirección de los acoplamientos de conexión del eje de la columna de dirección.

2. Levantar y asegurar el vehículo con caballetes.

3. Sacar los conjuntos de las ruedas y las llantas delanteras.

4. Si está equipado, sacar el volante amortiguador de oscilaciones del motor/caja de cambios del travesaño de la suspensión delantera. El puntal del volante amortiguador de oscilaciones no debe sacarse de la caja de cambios.

5. Soltar la tuerca que conecta el extremo de la barra de conexión a la articulación de la dirección. La tuerca se saca sujetando el espárrago del extremo de la barra de conexión con una llave de tuercas de tubo de $^{11}/_{32}$ plg mientras se afloja y se saca la tuerca con una llave.

6. Separar los extremos de la barra de conexión de las articulaciones de la dirección

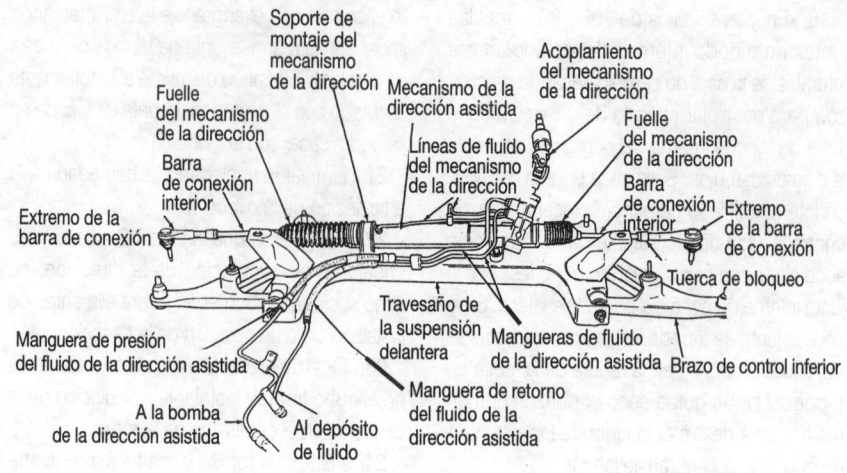

Identificación de los componentes del mecanismo de la dirección de cremallera y piñón

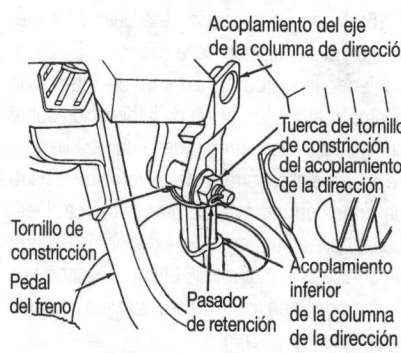

▲ Debe desconectarse el acoplamiento del mecanismo de la dirección desde el interior del vehículo

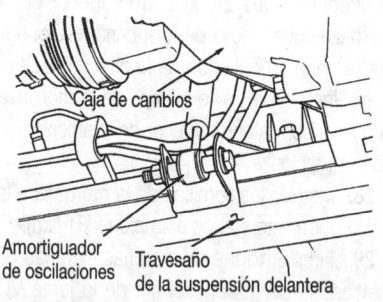

▲ Algunos vehículos están equipados con un amortiguador de oscilaciones que tiene que sacarse del travesaño durante la reparación del mecanismo de la dirección

utilizando un extractor lateral, herramienta MB-991113 o equivalente.

7. Si está equipado con dirección asistida, realizar lo siguiente:

a. Sacar el conector del cableado del vehículo del interruptor de presión de fluido de la dirección asistida.

b. Sacar el soporte de guía de las mangueras de presión y retorno de la dirección asistida del travesaño frontal. El soporte no debe

sacarse de las mangueras de presión y retorno de la dirección asistida.

c. Sacar las mangueras de presión y retorno del fluido de la dirección asistida del conjunto del mecanismo de la dirección asistida.

▼ AVISO ▼

Antes de sacar el travesaño del vehículo, DEBE escribirse o marcarse su posición en él, tal como se muestra en la

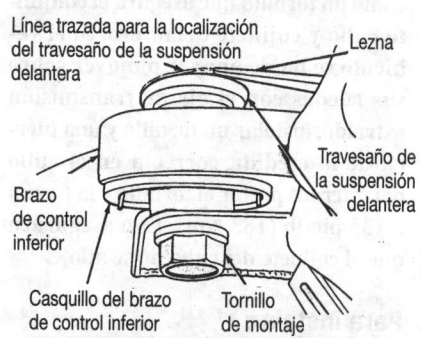

▲ Debido al método usado para alinear el vehículo, DEBE marcarse la posición del travesaño instalado antes de sacar el mecanismo de la dirección

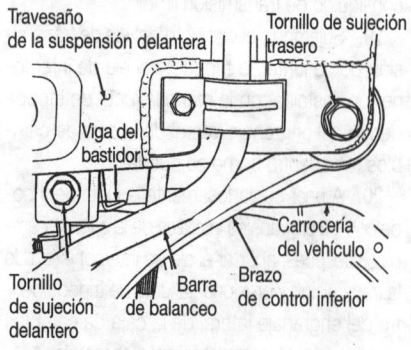

▲ Localización de los tornillos de montaje del travesaño delantero

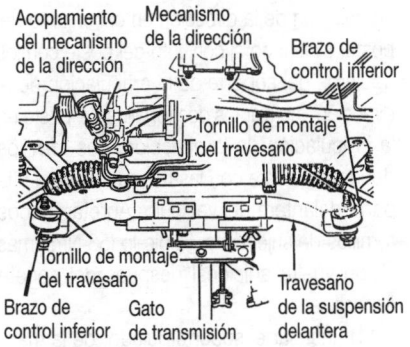

Para acceder al mecanismo de la dirección, debe bajarse el travesaño con cuidado

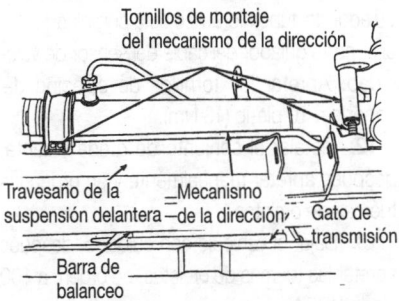

Soltar los tornillos de montaje, después sacar el mecanismo de la dirección del vehículo

figura adjunta. De esta manera, el travesaño puede instalarse en la misma posición exacta de la que se ha sacado. En caso contrario, las especificaciones de alineación de la CONSTRUCCIÓN ENTRAMADA correcta no se obtendrán y podría provocar problemas de manejo y/o desgaste de las llantas.

8. Utilizando un marcador de pintura o una lezna o equivalente, hacer una línea marcando la posición donde el travesaño se monta contra la carrocería del vehículo.

9. Colocar un gato de transmisión debajo del centro del travesaño. El gato se usará para bajar, apoyar y levantar el travesaño cuando se saque el mecanismo de la dirección.

10. Aflojar y sacar los dos tornillos delanteros que sujetan el travesaño a los raíles (vigas) del bastidor del vehículo. Después, aflojar los dos tornillos traseros que sujetan el travesaño y el brazo de control inferior a la carrocería del vehículo. Bajar el travesaño mientras se aflojan los tornillos traseros.

11. Usando un gato de transmisión, bajar con cuidado y suficientemente el travesaño para permitir extraer el mecanismo de dirección del travesaño. Cuando se baje el travesaño, no permitir que cuelgue de los brazos de control inferiores, el peso debe ser soportado por el gato.

12. Aflojar y sacar los cuatro tornillos que aseguran el mecanismo de dirección al travesaño. Después, sacar del vehículo el conjunto del mecanismo de dirección.

13. Si se ha instalado un mecanismo de dirección nuevo, sustituir las piezas necesarias del mecanismo de dirección usado al nuevo.

Para instalar:

14. Colocar el mecanismo de dirección en el travesaño. Instalar los cuatro tornillos de soporte y apretarlos a 50 pie-lb (68 Nm).

15. Usando un gato de transmisión, levantar el travesaño y el mecanismo de dirección contra la carrocería y los raíles del bastidor del vehículo. Empezar roscando los dos tornillos traseros de los platos de unión, sujetando el travesaño a la carrocería. Después, instalar los dos tornillos frontales sujetando el travesaño a las vigas de la carrocería del vehículo. Apretar los cuatro tornillos de soporte hasta que el travesaño esté en los cuatro puntos del montaje. Después, apretar los tornillos a 20 pie-lb (2 Nm) para sujetar el travesaño en posición.

➡ Cuando el travesaño es reinstalado en el vehículo, DEBE alinearse con las marcas hechas durante el desmontaje. Ello debe HACERSE para mantener los ajustes de alineación de la CONSTRUCCIÓN ENTRAMADA de la suspensión delantera.

16. Usando una maza de goma, golpear el travesaño dentro de su posición hasta que esté alineado con las dos marcas previas trazadas en la carrocería. Cuando el travesaño esté correctamente posicionado, apretar los dos tornillos traseros del travesaño/brazo de control inferior a 120 pie-lb (163 Nm). Después, apretar los dos tornillos delanteros a 120 pie-lb (163 Nm).

17. Si está equipado con dirección asistida, realizar lo siguiente:

a. Instalar las mangueras de presión y retorno de fluido de la dirección asistida en los orificios de fluido correctos del mecanismo de dirección. Apretar las tuercas de la línea al tubo del mecanismo de la dirección a 23 pie-lb (31 Nm).

b. Instalar el soporte de la guía de las mangueras de presión y retorno de la dirección asistida, y sujetar el tornillo al travesaño. Apretar el tornillo del soporte de la guía de las mangueras a 17 pie-lb (23 Nm).

c. Instalar el conector del cableado del vehículo en el interruptor de la presión del fluido de la dirección asistida sobre el conjunto del mecanismo de la dirección. Asegurarse de que la len-

güeta de fijación del conector del sistema de cableado está firmemente sujeta al interruptor de presión.

18. Instalar el extremo de la barra de conexión en la articulación de la dirección. Empezar roscando la tuerca de sujeción del extremo de la barra de conexión a la articulación de la dirección en el espárrago del extremo de la barra de conexión. Mientras todavía se sujeta el espárrago de la barra de conexión, apretar la tuerca de sujeción del extremo de la barra de conexión a la articulación de la dirección. Después, usando una llave de pata de cuervo y una llave de tubo de $^{11}/_{32}$ plg, apretar la tuerca de sujeción del extremo de la barra de conexión a 40 pie-lb (55 Nm).

19. Si está equipado, instalar el puntal del volante amortiguador de oscilaciones del motor/caja de cambios detrás, en el soporte del travesaño. Instalar y apretar firmemente el tornillo de sujeción del amortiguador al travesaño.

20. Instalar el conjunto de las ruedas y las llantas y apretar las tuercas de orejetas a 100 pie-lb (135 Nm) siguiendo una pauta entrecruzada.

21. Bajar el vehículo con cuidado.

22. Desde el interior del vehículo, reconectar los acoplamientos de conexión del mecanismo de la dirección con los acoplamientos de conexión del eje de la columna de dirección. Instalar el tornillo de constricción de los acoplamientos de conexión del mecanismo de la dirección y apretar a 21 pie-lb (28 Nm). Asegurarse de instalar el pasador de retención del tornillo de retención del acoplamiento de conexión de dirección superior al inferior.

▼ AVISO ▼

Cuando se llena y se sangra el sistema de dirección asistida, usar siempre el tipo de fluido correcto. No sustituir NUNCA fluido de la transmisión automática por el fluido especificado.

23. Si está equipado con dirección asistida, llenar el depósito de fluido de la bomba de la dirección asistida hasta el nivel Full-Cold (Lleno-Frío) con el tipo y la cantidad adecuada de fluido. Sangrar el sistema.

POSTE

DESMONTAJE E INSTALACIÓN

Delantero

1. Con el vehículo en el suelo, aflojar las tuercas de orejetas de las ruedas.

5 CHRYSLER CORP.

2. Levantar y soportar con seguridad el vehículo.

3. Sacar el conjunto de rueda y llanta.

4. Si se sacan ambos conjuntos de postes, marcar el derecho y el izquierdo.

5. Sacar el soporte guiador del tubo del freno hidráulico y el tornillo de fijación del soporte del poste de amortiguación. Si está equipado con ABS, el soporte guiador del tubo hidráulico está combinado con el soporte guiador del cable del sensor de velocidad.

➡ **Los tornillos de sujeción de la articulación de la dirección al conjunto del poste son estriados y no deben girarse durante el desmontaje. Sacar las tuercas mientras los tornillos se sujetan fijos en la articulación de la dirección.**

6. Sujetar los tornillos en su sitio, después sacar las dos tuercas que aseguran el poste a la articulación de la dirección.

7. Sacar las tres tuercas que sujetan el soporte superior del poste a la torre del poste del

vehículo. Si es necesario, bajar un poco el vehículo para acceder a las tuercas de soporte superior.

8. Sacar con cuidado el conjunto del poste del vehículo.

Para instalar:

9. Instalar el conjunto del poste en la torre del poste, alineando los tres espárragos del soporte superior del poste en los orificios de la torre de amortiguación. Instalar las tres tuercas de retención del soporte del poste y el conjunto de arandelas. Apretar las tres tuercas a 23 pie-lb (31 Nm).

➡ **Los tornillos de sujeción de la articulación de la dirección al conjunto del poste son estriados y no deben girarse durante la instalación. Instalar las tuercas mientras los tornillos se sujetan fijos en la articulación de la dirección.**

10. Alinear el conjunto del poste con la articulación de la dirección. Situar el brazo de la

articulación de la dirección en el conjunto del poste, alineando el conjunto del poste con los agujeros del soporte de la articulación de la dirección. Instalar los dos tornillos del poste en la articulación de la dirección. Los tornillos deben instalarse con las tuercas de cara a la parte delantera del vehículo. Apretar ambos tornillos de sujeción a 40 pie-lb (53 Nm), más ¼ de vuelta adicional después del apriete especificado.

11. Instalar el soporte guiador de la manguera del freno hidráulico y el tornillo de sujeción sobre el soporte del poste de amortiguación. Si el vehículo tiene ABS, el soporte guiador del tubo hidráulico está combinado con el soporte guiador del cable del sensor de velocidad. Apretar los tornillos de sujeción del soporte a 10 pie-lb (13 Nm).

12. Instalar el conjunto de rueda y llanta, después apretar manualmente y en orden las tuercas de orejetas.

13. Bajar el vehículo con cuidado, después apretar las tuercas de orejetas, en orden, a 100 pie-lb (135 Nm).

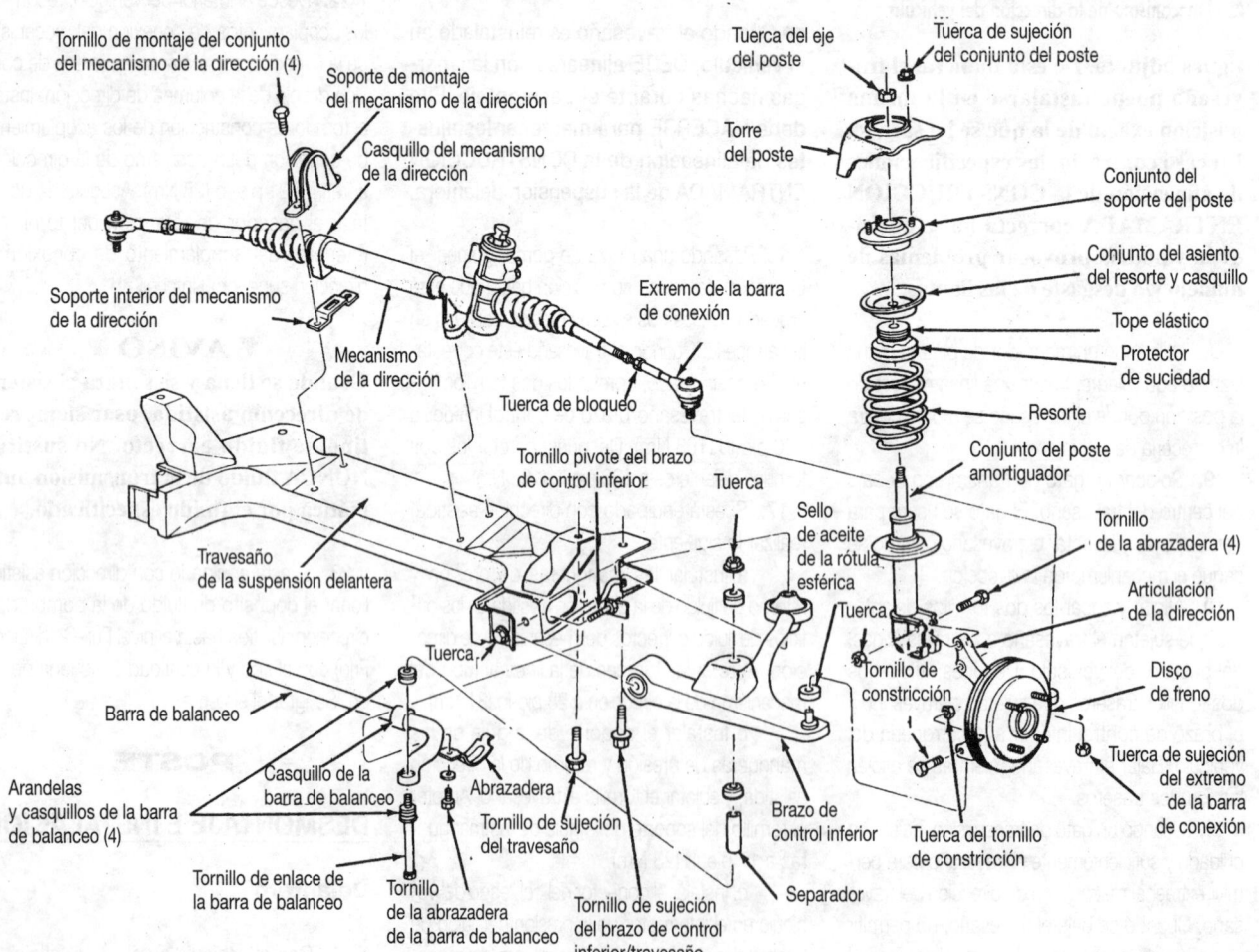

▲ Despiece de la suspensión delantera

288

Trasero

1. Levantar y soportar con seguridad el vehículo.

2. Sacar el conjunto de rueda y llanta.

3. Soltar el/los retén/es, después sacar el soporte de la manguera flexible hidráulica del soporte del poste. Si está equipado con ABS, la pinza guiadora del cable del sensor de velocidad de la rueda también está sujeta al soporte del conjunto del poste.

4. Apoyar la articulación de la dirección trasera, la suspensión y los componentes del freno antes de sacar los tornillos de sujeción del soporte de bulón de la articulación de la dirección. NO permitir que el peso de la articulación y de los componentes relacionados cuelguen sin soporte cuando se saca el poste.

▼ AVISO ▼

Los tornillos de sujeción de la articulación al poste son estriados y no deben girarse durante el desmontaje. Sacar las tuercas mientras los tornillos se sujetan fijos a la articulación.

5. Sujetar el tornillo con una llave, después soltar las dos tuercas de la abrazadera que sujeta el poste a la articulación.

6. Bajar el vehículo con cuidado, después abrir el maletero. El acceso a los tornillos de sujeción del soporte trasero superior del poste a la torre del poste es a través del maletero del vehículo.

7. Si es necesario, sacar la alfombrilla de la parte superior de la torre del poste. Después, sacar el protector de suciedad de goma de la parte superior de la torre del poste para tener un acceso más fácil a las tuercas del poste superior.

8. Aflojar, sin sacarlos, los cuatros tornillos del soporte superior del poste. Después, mientras se apoya el conjunto del poste, sacar completamente las cuatro tuercas de sujeción del soporte del poste.

9. Sacar el conjunto del poste de la articulación deslizando la articulación fuera de la abrazadera en el poste, después sacarlo del vehículo.

Para instalar:

10. Situar el poste trasero en el vehículo con los cuatro espárragos en el conjunto del soporte del poste a través de los orificios en la torre del poste del vehículo. Instalar las cuatro tuercas de sujeción del soporte del poste a la carrocería en los espárragos de soporte. Apretar las tuercas a 25 pie-lb (34 Nm).

11. Instalar el protector de suciedad en la abertura de la parte superior de la torre del poste. Reinstalar la alfombrilla en la parte superior de la torre del poste trasero.

12. Levantar y soportar con seguridad el vehículo.

13. Instalar la articulación en la abrazadera del conjunto del poste. Instalar los dos tornillos de sujeción y las tuercas de la abrazadera a la

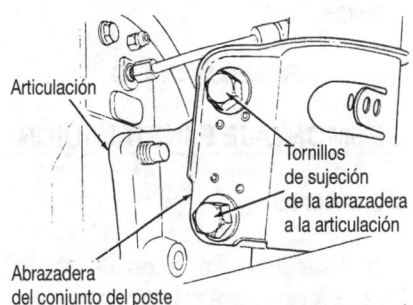

▲ **Posición de los tornillos de la articulación al soporte abrazadera**

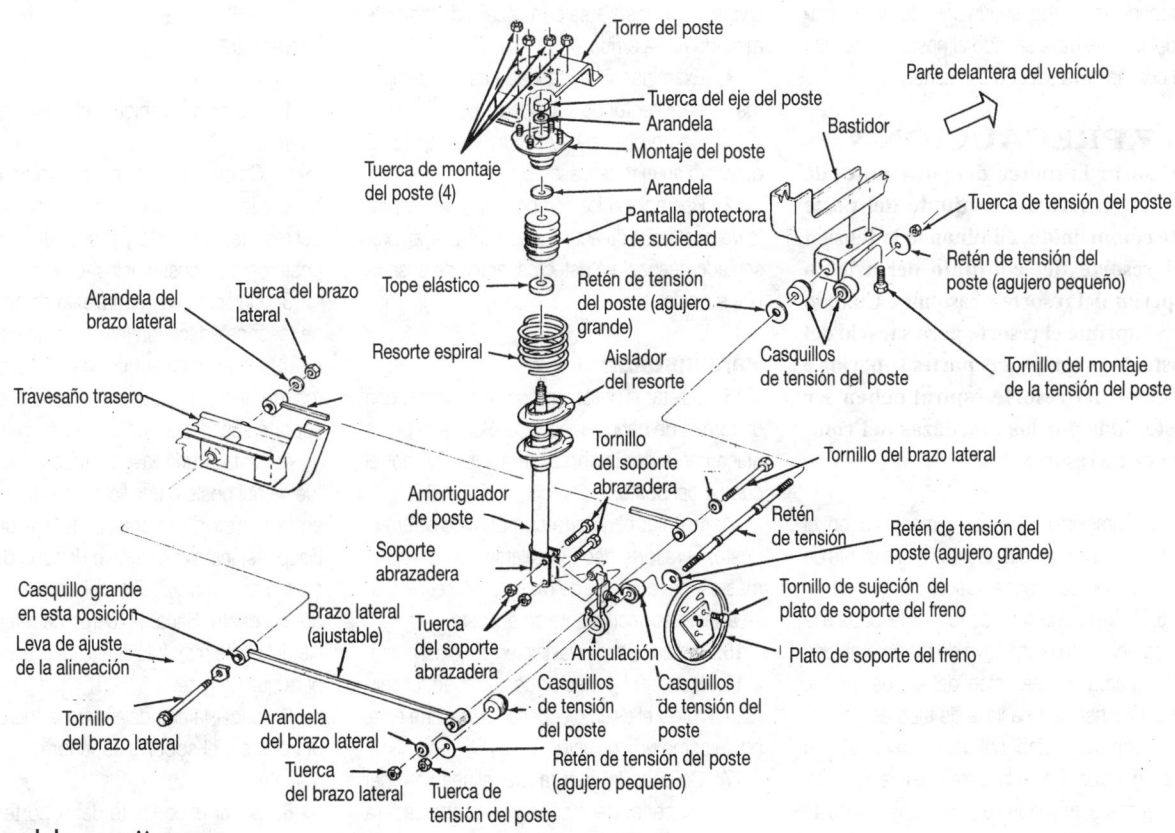

▲ **Despiece de la suspensión trasera**

articulación. Sujetar los tornillos con una llave mientras se aprietan las tuercas a 70 pie-lb (95 Nm).

14. Instalar el soporte de la manguera del freno al soporte del poste y asegurarlos con los tornillos de retención. Si está equipado con ABS, la pinza guiadora del cable del sensor de velocidad de la rueda también está sujeta al soporte del poste.

15. Instalar el conjunto de rueda y llanta en el vehículo. Apretar las tuercas de orejetas en orden a 100 pie-lb (135 Nm).

16. Bajar el vehículo con cuidado.

17. Si es necesario, comprobar y ajustar la convergencia.

RESORTES

DESMONTAJE E INSTALACIÓN

Delanteros

1. Sacar el conjunto del poste del vehículo.

2. Sujetar el poste en un tornillo de banco adecuado, en posición vertical. Cuando se sujeta el poste al tornillo de banco, no hacerlo por el cuerpo del poste, sólo por la abrazadera del poste.

3. Marcar el conjunto del resorte y poste derecho o izquierdo, según del lado del vehículo del cual se haya sacado el poste y del poste del cual se haya sacado el resorte.

▼ PRECAUCIÓN ▼

NO sacar la tuerca del poste antes de que el resorte del conjunto del poste esté comprimido, eliminando la tensión del resorte del conjunto del asiento superior del resorte y casquillo. Cuando se comprime el resorte para sacarlo del poste, lo primero, las partes superior e inferior del resorte espiral deben ser sostenidas por las mordazas del compresor de resorte.

4. Comprimir el resorte montado en el poste con cuidado, usando una herramienta de comprensión del resorte adecuada.

5. Instalar una llave de tubo adecuada a la tuerca del poste o una llave de extremo abierto en la tuerca de retención del eje del poste. Después, instalar una llave de tubo de 10 mm en el extremo hexagonal del eje del poste de amortiguación. Sacar la tuerca de retención del eje del poste, mientras se sujeta el eje del poste para que no gire.

6. Sacar del poste, el conjunto del soporte/aislador del poste.

7. Sacar el asiento superior del resorte, cojinete pivote y el protector de suciedad del poste como un conjunto.

8. Sacar el tope elástico del eje del conjunto del poste.

9. Sacar los resortes del conjunto del poste. Marcar los resortes izquierdo y derecho para su posterior reinstalación en el lado correcto del vehículo.

▼ AVISO ▼

Si se reemplaza un resorte en el poste, en ese caso, se han de sujetar primero los extremos completos de la espiral del resorte con las mordazas del compresor de resortes.

10. Examinar si en el poste hay alguna adherencia a lo largo de toda la carrera de su eje.

11. Examinar el soporte del poste y el conjunto del asiento del resorte sobre alguna de las siguientes condiciones:

• Comprobar si en el soporte hay fisuras y distorsión y si en los espárragos de retención hay algún signo de daño.

• Examinar si hay deterioros graves en el aislador de goma, adherencias del cojinete pivote del poste. Si se reemplaza el cojinete pivote, debe instalarse con la cara del cojinete mirando hacia arriba.

• Examinar si hay rasgaduras y/o deterioros en el protector de suciedad.

• Comprobar si hay fisuras y/o signos de deterioro en el tope elástico.

12. Reemplazar los componentes del conjunto del poste que durante la inspección hayan presentado desgaste o defectos, antes de ensamblar el poste.

Para instalar:

13. Sujetar el poste, en posición vertical, con un tornillo de banco adecuado. Sujetar el poste únicamente por la abrazadera, NUNCA por el cuerpo del poste.

14. Instalar el resorte comprimido sobre el poste. El resorte debe instalarse con la espiral más estrecha abajo, de manera que el resorte se asiente correctamente en el poste.

15. Instalar el tope elástico en el eje del poste.

16. Instalar el protector de suciedad, el cojinete pivote y el asiento superior del resorte en el poste como un conjunto.

17. Colocar la ranura de alineación del asiento superior del resorte con la abrazadera en el conjunto del poste.

18. Instalar el soporte del poste en el conjunto del poste y la tuerca de retención del soporte del poste en el eje del conjunto del poste.

▼ PRECAUCIÓN ▼

Los dos pasos siguientes deben hacerse por completo antes de que la herramienta de compresión de resortes pueda ser liberada del resorte.

19. Instalar la llave de tubo de la tuerca del poste o una llave de tuercas de extremo abierto en la tuerca de retención del eje del poste. Después, instalar una llave de tubo de 10 mm a través del centro de la llave de tubo en el hexágono del eje del poste. Apretar la tuerca de retención del eje del poste a 55 pie-lb (75 Nm) mientras se sujeta el eje del poste para que no gire.

20. Aflojar por igual ambas herramientas de compresión de resortes, hasta que el extremo superior de la espiral del resorte esté completamente asentado contra el asiento superior del resorte y el soporte del poste. Después, descargar todos los tensores de los compresores del resorte y sacar los compresores del resorte del poste.

21. Instalar el poste en el vehículo, tal como se ha indicado anteriormente.

Traseros

1. Sacar del vehículo el poste que deba revisarse.

2. Colocar el poste en un tornillo de banco. Marcar la unidad del poste, el aislador inferior del resorte, el resorte y el soporte superior del poste para su posterior instalación.

3. Colocar una herramienta de compresión de resortes adecuada (herramienta especial C-4838) en el resorte del poste. Comprimir el resorte hasta que se elimine toda la carga del soporte superior del poste.

4. Instalar una llave de tubo adecuada a la tuerca del poste o una llave de extremo abierto en la tuerca de retención del eje del poste. Después, instalar una llave de tubo de 10 mm en el extremo hexagonal del eje del amortiguador de poste. Sacar la tuerca de retención del eje del poste mientras se sujeta el eje del poste para que no gire.

5. Sacar la arandela entre la tuerca del eje del poste y el soporte superior del poste y el aislante.

6. Sacar el conjunto del soporte superior del poste del resorte y del eje del poste.

7. Sacar la arandela del eje del poste que está entre el conjunto del soporte superior del poste y el protector de suciedad.

8. Sacar del poste el resorte y el compresor del resorte como un conjunto.

9. Sacar el protector de suciedad del conjunto del poste.

10. Sacar el tope elástico del eje del poste.

11. Sacar el aislador inferior del resorte del asiento del resorte del conjunto del poste.

12. Examinar todos los componentes desmontados para ver si hay daños, desgaste anormal o fallos. Comprobar si en la unidad del poste hay excesivas fugas de aceite y/o pérdidas de carga de aceite, tal como se indica a continuación:

   a. Empujar el eje del poste en el cuerpo del poste y liberarlo, de manera que el eje del poste debe volver a su posición original.

   b. Si el eje no vuelve a su posición original, reemplazar la unidad del poste.

Para instalar:

13. Instalar el aislador en el asiento inferior del resorte del poste.

14. Instalar el tope elástico en el eje del poste.

15. Instalar el protector de suciedad en el conjunto del poste.

16. Bajar el resorte sobre la unidad del poste. Colocar el extremo del resorte contra el borde del aislante del resorte en el asiento inferior del resorte del conjunto del poste.

17. Instalar la arandela en el eje del poste con el borde elevado de la arandela mirando hacia arriba.

18. Colocar el soporte superior del poste en el eje del poste.

19. Instalar la arandela en el soporte superior del poste. La arandela debe instalarse con el borde mirando hacia abajo.

20. Instalar la tuerca de retención del soporte superior del poste en el eje del poste.

21. Utilizar una llave de tubo o una llave de tuercas de extremo abierto y una llave de tubo de 10 mm para prevenir que el eje del poste gire. Apretar la tuerca del eje del poste a 45 pie-lb (60 Nm).

22. Aflojar por igual los compresores del resorte hasta que el resorte esté asentado en el soporte superior del poste y toda la tensión esté descargada de los compresores del resorte.

23. Instalar el poste en el vehículo.

24. Si es necesario, comprobar y ajustar la convergencia de las ruedas delanteras.

RÓTULA ESFÉRICA INFERIOR

Las rótulas esféricas de la suspensión delantera operan sin holgura. Las rótulas esféricas SÓLO son reemplazables como un conjunto. No intentar realizar ningún tipo de reparación en el conjunto de las rótulas esféricas. La rótula esférica está colocada a presión en el brazo de control inferior con el espárrago de unión retenido en la articulación de la dirección por el tornillo abrazadera. Para comprobar la rótula esférica, con el peso del vehículo apoyándose en las ruedas, agarrar el accesorio de engrase y sin usar herramientas intentar moverlo. Si la rótula esférica está gastada, el accesorio de engrase se moverá fácilmente. Si se aprecia movimiento, se recomienda reemplazar la rótula esférica.

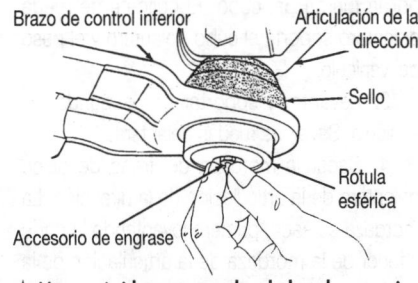

Brazo de control inferior — Articulación de la dirección — Sello — Rótula esférica — Accesorio de engrase

▌ **Mover rápidamente con los dedos el accesorio de engrase; si se mueve, la rótula esférica debe ser reemplazada**

DESMONTAJE E INSTALACIÓN

1. Levantar y soportar con seguridad el vehículo. Sacar el conjunto de la rueda y llanta.

2. Sacar la tuerca y el tornillo abrazadera del espárrago de la rótula esférica de la articulación de la dirección.

3. Sacar los dos enlaces de sujeción que conectan la barra estabilizadora a los brazos de control inferiores.

4. Aflojar los tornillos, sin sacarlos, que sujetan los retenes de la barra estabilizadora al travesaño. Después, girar la barra estabilizadora y los enlaces de sujeción lejos de los brazos de control inferiores.

▼ AVISO ▼

Sacando del vehículo la articulación de la dirección después de separar la rótula esférica puede separarse la junta VC interior.

5. Usar una palanca para separar la articulación de la dirección del espárrago de la rótula esférica. Cuando se separa el espárrago de la

rótula esférica de la articulación ir con cuidado, de manera que no se dañe el sello de aceite.

6. Sacar la tuerca y el tornillo de sujeción del protector del brazo de control inferior delantero al travesaño. Sacar el tornillo de sujeción del brazo de control inferior trasero al travesaño y a la viga del bastidor. Después, sacar el brazo de control inferior del travesaño.

7. Con cuidado hacer palanca, con una palanca adecuada, sobre la funda del sello de aceite de la rótula esférica.

8. Utilizando una prensa adecuada, sacar la rótula esférica del brazo de control inferior.

Para instalar:

9. Reinstalar la rótula esférica en el brazo de control inferior con la incisión en el espárrago de la rótula esférica mirando hacia la parte frontal del protector del brazo de control inferior.

10. Utilizando una prensa adecuada, presionar la rótula esférica en el brazo de control inferior.

11. Reinstalar el sello de aceite de la funda protectora de la rótula esférica utilizando un empujador adecuado, tal como una llave de tubo grande o un trozo de tubo de la medida adecuada. No utilizar una prensa de taller como la que fue utilizada para instalar la rótula esférica, dado que ejerce demasiada fuerza.

12. Colocar el brazo de control inferior en el travesaño frontal. Instalar el tornillo de sujeción trasero del brazo de control inferior al travesaño y a la viga del bastidor. NO apretar el tornillo trasero en este momento. Después, instalar la tuerca y el tornillo del brazo de control inferior delantero al travesaño.

13. Apretar las tuercas y los tornillos del brazo de control, primero el delantero inferior y después el trasero, a 120 pie-lb (163 Nm).

14. Colocar el espárrago de la rótula esférica en la articulación de la dirección. Instalar la tuerca y el tornillo abrazadera de la articulación de la dirección en el espárrago de la rótula esférica. Apretar el tornillo a 70 pie-lb (95 Nm).

15. Ensamblar los conjuntos de unión y los casquillos de la barra estabilizadora al brazo de control inferior.

16. Girar la barra estabilizadora en posición, instalando los enlaces de la barra estabilizadora en los brazos de control inferiores. Instalar los casquillos y las tuercas del enlace superior de la barra estabilizadora. NO apretar todavía los enlaces.

17. Instalar el conjunto de la rueda y llanta.

18. Bajar el vehículo con cuidado, de manera que la suspensión aguante el peso total del vehículo.

19. Apretar los enlaces de la barra estabilizadora al brazo de control inferior a 21 pie-lb (28 Nm).

20. Apretar los tornillos de sujeción del retén del casquillo de la barra estabilizadora al travesaño a 21 pie-lb (28 Nm).

21. Si es necesario, comprobar y ajustar la convergencia de las ruedas delanteras.

COJINETES DE RUEDA

AJUSTE

Los vehículos modelo Neon están equipados con conjuntos de cubos y cojinetes sellados. El conjunto de cubo y cojinete no es reparable. Si el conjunto está dañado, debe reemplazarse la unidad completa.

DESMONTAJE E INSTALACIÓN

Delanteros

VEHÍCULOS DE 1995

Este vehículo usa un conjunto de cubo delantero y cojinete sellado de por vida sujeto a la articulación de la dirección delantera. El conjunto de la junta VC exterior está estriado en el conjunto del cubo y cojinete delantero. Los cojinetes de rueda delanteros se llaman cojinetes en cartucho. Los cojinetes de rueda pueden repararse separadamente del conjunto de la articulación de la dirección y cubo. La instalación y la sujeción del cojinete de la rueda delantera en la articulación de la dirección es por ajuste con interferencia y está retenido por un anillo elástico. Si se ha de reemplazar el cojinete de la rueda delantera, debe sacarse el cubo del cojinete de rueda original y pasarlo al cojinete nuevo.

Para prevenir que se ensucie el cojinete de la rueda delantera, el modelo Neon no usa un sello de aceite con labio de caucho como en los coches de cojinetes delanteros pasados. En este vehículo, la cara de la junta VC exterior encaja profundamente en la articulación de la dirección usando un ajuste forzado. Este diseño impide las salpicaduras directas de agua en el sello de aceite del cojinete, permitiendo en cambio que el agua que contiene, se vaya hasta la parte inferior. Es importante limpiar a fondo la junta VC exterior y la zona del cojinete de rueda, en la articulación de la dirección, antes de que sea ensamblado, una vez serviciado.

La articulación de la dirección DEBE sacarse para reemplazar el cubo y el cojinete de la rueda delantera.

1. Sacar el pasador de retención del cubo delantero, la contratuerca y la arandela de muelle. Desechar el pasador de retención.

▼ AVISO ▼

El cojinete de rueda puede dañarse si, después de aflojar la tuerca del cubo, el vehículo se rueda en el suelo o el peso del vehículo es soportado por las llantas.

2. Aflojar la tuerca del cubo mientras el vehículo está en el suelo con el freno puesto. El cubo delantero y el semieje están estriados juntos a través de la articulación (cojinete) y sujetos por la tuerca del cubo. El cojinete de rueda delantero soporta el cubo delantero y el peso del vehículo.

3. Levantar y soportar con seguridad el vehículo. Sacar las ruedas delanteras.

4. Sacar la mordaza del freno de disco delantero de la articulación de la dirección. La mordaza se saca, primero levantando la parte inferior de la mordaza de la articulación de la dirección y después sacando la parte superior de la mordaza de debajo de la articulación de la dirección. Apoyar la mordaza utilizando un cable. No permitir que la mordaza cuelgue de la manguera del freno.

5. Sacar el rotor del freno del conjunto cubo delantero/cojinete.

6. Sacar la tuerca que sujeta el extremo de la barra de conexión exterior a la articulación de la dirección.

a. Sujetar el espárrago del extremo de la barra de conexión con una llave de tubo de $^{11}/_{32}$ plg mientras se afloja y se saca la tuerca con la llave.

b. Sacar el extremo de la barra de conexión de la articulación de la dirección utilizando un extractor. No utilizar un martillo, en caso contrario la junta del extremo de la barra de conexión de la dirección se dañará.

7. Localizar y sacar el tornillo y la tuerca abrazadera de la rótula esférica del brazo de control inferior y separar el espárrago de la rótula esférica de la articulación de la dirección haciendo palanca sobre el brazo de control inferior. Ir con cuidado de no dañar el extremo de la barra de conexión de la dirección o el sello de aceite. Además, ir con cuidado de no permitir que el semieje se sobrealargue cuando se saca la articulación de la dirección. No permitir

que el semieje cuelgue de la funda de la junta VC interior. El semieje debe apoyarse.

➡ **Los tornillos de sujeción de la articulación de la dirección al conjunto del poste son estriados y NO deben girarse durante el desmontaje. Sacar y reinstalar las tuercas mientras los tornillos se sujetan fijos en la articulación de la dirección.**

8. Con la articulación de la dirección extraída del vehículo, usar una prensa adecuada para sacar los cojinetes de rueda de la articulación de la dirección. Ir con cuidado de suplementar el nivel de la articulación en la base de la prensa y presionar lentamente el cubo y el cojinete desde la articulación. Cuando se saca el cubo, puede sacarse una pista del cojinete con el cubo. Sacar la articulación de la prensa y sacar el anillo elástico que retiene el cojinete del cubo en la articulación de la dirección. Recolocar la articulación en la prensa y presionar el cojinete del cubo desde su agujero.

Para instalar:

9. Limpiar bien todas las piezas. Ir con cuidado, otra vez, de suplementar el nivel de la articulación de la dirección en la base de la prensa. Colocar el nuevo cojinete del cubo en la superficie interior de la articulación de la dirección de manera que esté en ángulo recto

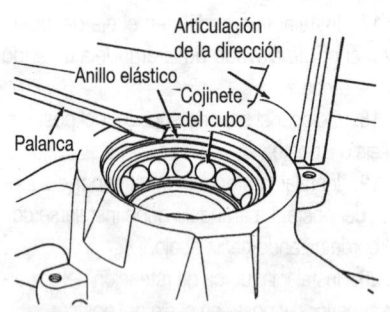

▲ Usar una palanca para sacar con cuidado el anillo elástico del cubo y del cojinete

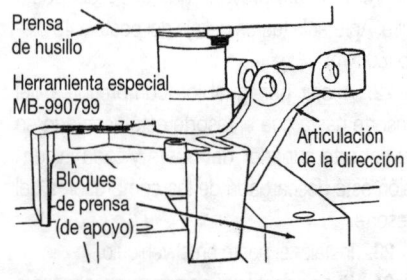

▲ Sacar el cubo y el cojinete de la articulación de la dirección

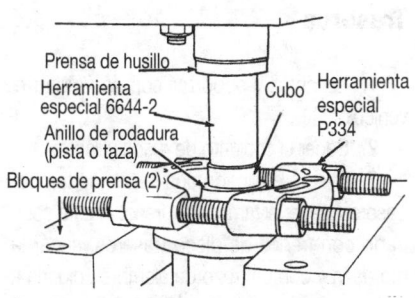

▲ Debe usarse una prensa adecuada para sacar el anillo de rodadura del cubo del cojinete

con su agujero. Colocar un empujador de cojinetes en la taza o pista, exterior del cojinete del cubo y presionar el cojinete del cubo en la articulación de la dirección hasta que esté totalmente asentado en la parte inferior de su agujero. Instalar el anillo elástico de retención del cojinete del cubo en su ranura en el agujero de la articulación. Asegurarse que está totalmente asentado en su ranura. Ir con cuidado de no dañar el recién instalado sello de aceite del cojinete cuando se instale el anillo elástico.

10. Colocar otra vez el conjunto de la articulación con el cojinete del cubo instalado en la base de la prensa poniendo atención en alinear y nivelar el conjunto. Usar introductores y mandriles adecuados para soportar el cojinete del cubo en su pista interna. Colocar el cubo de la rueda en el cojinete poniendo atención de alinearlo en ángulo recto con el cojinete. Utilizando introductores adecuados, presionar el cubo sobre el cojinete hasta que llegue al fondo.

11. Reinstalar el conjunto articulación de la dirección/cubo/cojinete de rueda en el poste delantero e instalar los tornillos pasantes. Los tornillos de la articulación de la dirección al poste son dentados y no deben girarse en la articulación de la dirección durante la instalación. Apretar las tuercas (no girar las cabezas de los tornillos) a 40 pie-lb (54 Nm), más ¼ de vuelta adicional después del apriete especificado.

12. Deslizar el semieje hacia atrás en el conjunto del cubo y el cojinete delantero. Después, instalar la articulación de la dirección en el espárrago de la rótula esférica.

13. Instalar un nuevo tornillo abrazadera y tuerca en el espárrago de la articulación de la dirección a la rótula esférica. Apretar el tornillo abrazadera a 75 pie-lb (100 Nm).

14. Reinstalar el extremo de la barra de conexión en la articulación de la dirección. Empezar con la tuerca de sujeción del extremo de la barra de conexión a la articulación de la dirección en el espárrago del extremo de la barra de conexión. Mientras se sujeta fijo el espárrago del extremo

de la barra de conexión, apretar la tuerca del extremo de la barra de conexión. Utilizando una llave de caltropo o pata de cuervo y una llave de tubo de ¹¹/₃₂ plg, apretar la tuerca del extremo de la barra de conexión a 40 pie-lb (55 Nm).

15. Reinstalar el rotor del freno y la mordaza en la articulación de la dirección.

    a. La mordaza se instala, primero deslizando la parte superior de la mordaza debajo del estribo en la articulación de la dirección, después instalando la parte inferior de la mordaza contra el estribo de la parte inferior en la articulación de la dirección.

    b. Instalar los tornillos de sujeción de la mordaza y apretar a 23 pie-lb (31 Nm).

16. Limpiar todas las materias extrañas de las roscas del tocón del eje de la junta VC exterior. Instalar la tuerca del cubo en las roscas del tocón del eje y apretar la tuerca.

17. Con el vehículo frenado para evitar que el rotor del freno gire, apretar la tuerca del cubo a 135 pie-lb (183 Nm).

18. Reinstalar las ruedas y bajar el vehículo.

19. Reinstalar la arandela de muelle, contratuerca del cubo y un nuevo pasador de retención. Doblar completamente los extremos del pasador de retención, apretando los extremos alrededor de la contratuerca del cubo.

20. Si es necesario comprobar la alineación del extremo delantero y la convergencia de las ruedas delanteras, llevar el vehículo a un taller de reparaciones acreditado.

VEHÍCULOS DE 1996-99

1. Sacar la articulación de la dirección y el conjunto del cubo y cojinete del vehículo.

2. Utilizar una mordaza C y un adaptador adecuados, herramienta 4150A o equivalente, para sacar a presión de la brida del cubo un espárrago de orejas de rueda del cubo.

3. Girar el cubo para alinear el espárrago extraído con la incisión en la placa de retención del cojinete. Sacar el espárrago de orejas del cubo.

4. Girar el cubo de manera que el agujero del cubo del cual se ha sacado el espárrago esté encarado hacia afuera de la viga inferior de la mordaza del freno en la articulación de la dirección. Instalar la mitad de un separador de cojinetes, herramienta especial 1130 o equivalente, entre el cubo y la placa de retención del cojinete. El sujetador roscado de la mitad del separador de cojinetes se ha de alinear con la viga de la mordaza en la articulación de la dirección.

5. Instalar las piezas restantes del separador de cojinetes en la articulación de la direc-

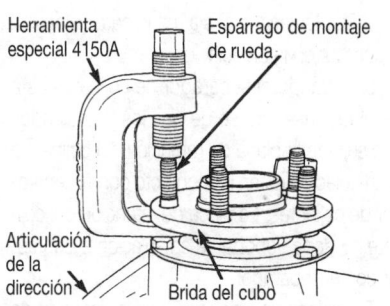

▲ Utilizar una abrazadera C adecuada y una herramienta adaptadora para presionar fuera uno de los espárragos de orejas – Modelos 1996-99

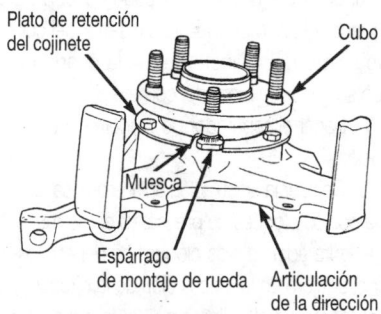

▲ Girar el cubo para sacar el espárrago de orejas – Modelos 1996-99

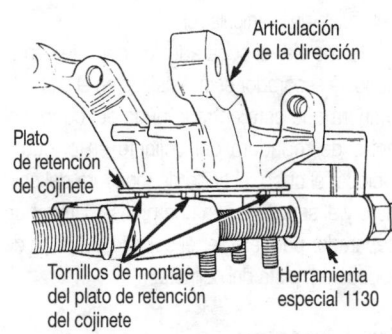

▲ Instalación correcta del separador de cojinetes – Modelos 1996-99

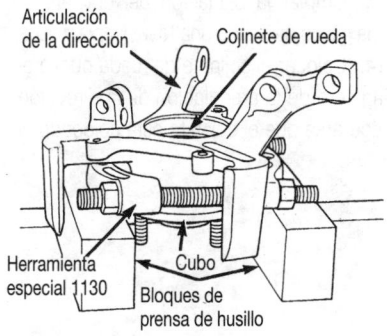

▲ La articulación de la dirección debe estar soportada correctamente para sacar el cubo y el cojinete – Modelos 1996-99

ción. Apretar las tuercas a mano para colocar el separador en la articulación.

6. Cuando el separador de cojinetes está instalado, asegurarse de que los tres tornillos que sujetan la placa de retención del cojinete a la articulación están en contacto con el separador de cojinetes. La placa de retención del cojinete no debe soportar la articulación o contactar con el separador.

7. Colocar la articulación de la dirección en una prensa adecuada, apoyada por el separador de cojinetes, como muestra la figura adjunta.

8. Colocar un empujador de la medida adecuada en el extremo pequeño del cubo. Utilizando la prensa, sacar el cubo del cojinete de rueda. El anillo de rodadura exterior del cojinete saldrá del cojinete de rueda cuando el cubo se presione fuera del cojinete.

9. Sacar el separador de cojinete de la articulación.

10. Colocar la articulación en una prensa apoyada por los bloques de prensa, tal como muestra la figura adjunta. Los bloques no deben obstruir el agujero en la articulación de la dirección, de manera que el cojinete de rueda puede ser extraído de la articulación. Colocar un empujador adecuado en el anillo de rodadura exterior o taza, del cojinete de rueda, después presionar el cojinete fuera de la articulación.

11. Instalar el separador de cojinetes en el cubo. El separador está instalado en el cubo de manera que esté entre la brida del cubo y el anillo de rodadura del cojinete en el cubo. Colocar el cubo, el anillo de rodadura del cojinete y el separador en una prensa. Utilizar un separador para extraer el cojinete del anillo de rodadura o pista del cojinete.

Para instalar:

12. Usar un trapo limpio y seco para limpiar y quitar la grasa o suciedad del agujero de la articulación de la dirección.

13. Limpiar la oxidación del cojinete de rueda nuevo utilizando una toalla limpia y seca.

14. Colocar el cojinete de rueda nuevo en el agujero de la articulación de la dirección. Asegurarse que el cojinete está colocado en

ángulo recto en el agujero. Colocar la articulación en una prensa con una herramienta C-4698-2 apoyando la articulación de la dirección. Colocar un empujador adecuado en el anillo de rodadura exterior del cojinete de rueda. Presionar el cojinete de rueda en la articulación de la dirección hasta que esté totalmente en el fondo del agujero de la articulación de la dirección.

➡ **Para montar el retén del cojinete en la articulación, sólo deben usarse los tornillos originales o los del equipo de recambio original. Si cuando se instala la placa de retención del cojinete se ha de reemplazar un tornillo, asegurarse de tener el tipo correcto.**

15. Instalar la placa de retención del cojinete en la articulación de la dirección. Instalar los tres tornillos del soporte de retención del cojinete. Apretar los tornillos a 21 pie-lb (28 Nm).

16. Instalar el espárrago de orejas de la rueda extraído en la brida del cubo.

17. Colocar el cubo, con el espárrago instalado, en una prensa adecuada apoyado por un adaptador C-4698-1 o equivalente. Presionar el espárrago de la rueda en la brida del cubo hasta que esté totalmente asentado contra la parte trasera de la brida del cubo.

18. Colocar la articulación de la dirección, con el cojinete de rueda instalado, en una prensa con una herramienta especial MB-990799 apoyando el anillo de rodadura interior del cojinete de rueda. Colocar el cubo en el cojinete de rueda, asegurándose de que está en ángulo recto con el cojinete. Presionar el cubo en el cojinete de rueda hasta que esté totalmente en el fondo del cojinete de rueda.

19. Instalar la articulación de la dirección en el vehículo.

20. Instalar el conjunto de rueda y llanta, después bajar el vehículo con cuidado.

21. Si es necesario comprobar la alineación del extremo delantero o convergencia de las ruedas delanteras, llevar el vehículo a un taller de reparaciones acreditado.

Traseros

1. Levantar y soportar con seguridad el vehículo.

2. Sacar el conjunto de rueda y llanta.

3. Si está equipado con frenos de tambor traseros, sacar el tambor del freno. Si está equipado con frenos de disco traseros, sacar la mordaza y con un trozo de alambre colgarla a un lado, después sacar el rotor. No permitir que la mordaza cuelgue de la manguera del freno.

4. Sacar la tapa del protector del cubo/cojinete trasero.

5. Sacar la tuerca de retención que asegura el conjunto cubo/cojinete a la articulación/mangueta. Desechar la tuerca del cubo y reemplazarla por una nueva durante la instalación.

6. Sacar el cubo/cojinete de la mangueta tirando manualmente del extremo de la mangueta.

Para instalar:
▼ AVISO ▼
La tuerca de cubo/cojinete debe apretarse según el valor de apriete especificado, NO más. La especificación correcta es crucial para la vida del cojinete del cubo.

7. Colocar el conjunto cubo/cojinete en la mangueta/articulación trasera. Instalar una NUEVA tuerca del cubo y apretar a 160 pie-lb (217 Nm).

8. Instalar la tapa guardapolvo y asentarla utilizando un martillo de cara blanda para colocarla con cuidado en su sitio.

9. Si está equipado con frenos de tambor, instalar el tambor del freno. Si está equipado con frenos de disco, instalar el rotor.

10. Si está equipado con frenos de disco, instalar la mordaza y dos tornillos clavija guía. Apretar los tornillos a 16 pie-lb (22 Nm).

11. Instalar el conjunto de la rueda y la llanta. Apretar las tuercas de orejetas, siguiendo una pauta entrelazada, a 100 pie-lb (135 Nm).

12. Bajar el vehículo con cuidado.

GENERAL MOTORS FULL SIZE
Pick-Ups C/K - Denali - Escalade - Express
Van G/P - Savana - Sierra - Suburban - Tahoe - Yukon

ESPECIFICACIONES 296

REPARACIÓN DEL MOTOR DE GASOLINA. 313

Distribuidor 313
Sincronización del encendido 313
Conjunto motor..................... 313
Bomba de agua 315
Culata de cilindros 316
Balancines 317
Múltiple de admisión 318
Múltiple de escape.................. 321
Árbol de levas y levantaválvulas 323
Holgura de válvulas 325
Depósito de aceite 325
Bomba de aceite.................... 326
Sello principal trasero................. 326
Cadena de sincronización (distribución),
    piñones, tapa delantera y sello 326

REPARACIÓN DEL MOTOR DIESEL..... 327

Conjunto motor..................... 327
Bomba de agua 329
Bujías de incandescencia 330
Culata de cilindros 330
Eje de balancines 331
Tubocargador 331
Múltiple de admisión 332
Múltiple de escape.................. 333
Árbol de levas y levantaválvulas 333
Holgura de válvulas 334
Depósito de aceite 334
Bomba de aceite.................... 335
Sello principal trasero................. 335
Cadena de distribución, piñones,
    tapa delantera y sello 336

SISTEMA DE COMBUSTIBLE DE GASOLINA . 337

Precauciones de mantenimiento
    del sistema de combustible 337
Presión del sistema
    de combustible 337
Filtro de combustible 337
Bomba de combustible 338

SISTEMA DE COMBUSTIBLE DIESEL 338

Precauciones de mantenimiento
    del sistema de combustible 338
Presión del sistema de combustible 339
Aire del sistema de combustible 339
Velocidad marcha mínima
    (en vacío) 339
Filtro de combustible 339
Bomba de inyección Diesel 339

TREN PROPULSOR 340

Conjunto de la transmisión 340
Embrague 342
Sistema de embrague hidráulico 342
Conjunto caja de transferencia 342
Semieje 343

DIRECCIÓN Y SUSPENSIÓN 344

Bolsa de aire 344
Dirección asistida
    de bolas recirculantes 344
Amortiguadores 345
Resortes helicoidales 346
Rótula superior 346
Rótula inferior 347
Rodamientos de rueda................ 348

ESPECIFICACIONES

GENERAL MOTORS FULL SIZE

Pick-Ups C/K, Denali, Escalade, Express, Van G/P, Savana, Sierra, Suburban, Tahoe, Yukon

TABLA DE IDENTIFICACIÓN DEL VEHÍCULO

Clave del motor						
Clave	Litros	Plg^3 (cc)	Nº Cil.	Sist. combustible	Fabr. motor
4	2.2	134 (2189)	4	MFI	CPC
A	2.5	151 (2474)	4	TFI	CPC
C	6.2	379 (6210)	8	DSL	CPC
F	6.5	395 (6473)	8	DSL	CPC
H	5.0	305 (4999)	8	TFI	CPC
J	6.2	379 (6210)	8	DSL	CPC
J	7.4	454 (7440)	8	MFI	CPC
K	5.7	350 (5735)	8	TFI	CPC
M	5.0	305 (4999)	8	MFI	CPC
N	7.4	454 (7440)	8	TFI	CPC
P	6.5	395 (6473)	8	DSL	CPC
R	2.8	173 (2835)	6	TFI	CPC
R	5.7	350 (5735)	8	MFI	CPC
S	6.5	395 (6473)	8	DSL	CPC
W	4.3	263 (4293)	6	TFI	CPC
W	4.3	263 (4293)	6	MFI	CPC
X	4.3	263 (4293)	6	MFI	CPC
Y	6.5	395 (6473)	8	DSL	CPC
Z	4.3	263 (4293)	6	TFI	CPC
Z	4.3	263 (4293)	6	MFI	CPC

Año del modelo	
Clave	Año
S	1995
T	1996
V	1997
W	1998
X	1999

CPC - Chevrolet/Pontiac/Canadá.
DSL - Diesel.
MFI - Inyección de combustible Multipunto.
TFI - Inyección de combustible en el cuerpo del ahogador.

IDENTIFICACIÓN DEL MOTOR
Todas las medidas se dan en pulgadas

Año	Modelo	Cilindrada del motor litros (cc)	Serie del motor (ID/VIN)	Sistema de combustible	N° de cilindros	Tipo de motor
1995	Astro	4.3 (4293)	W	TFI	6	OHV
	Bravada	4.3 (4293)	W	MFI	6	OHV
	C1500	4.3 (4293)	Z	TFI	6	OHV
	C1500	5.0 (4999)	H	TFI	8	OHV
	C1500	5.7 (5735)	K	TFI	8	OHV
	C1500	6.5 (6505)	P	DSL	8	OHV
	C1500	6.5 (6505)	S	DSL	8	OHV
	C2500	4.3 (4293)	Z	TFI	6	OHV
	C2500	5.0 (4999)	H	TFI	8	OHV
	C2500	5.7 (5735)	K	TFI	8	OHV
	C2500	6.5 (6505)	F	DSL	8	OHV
	C2500	6.5 (6505)	P	DSL	8	OHV
	C2500	6.5 (6505)	S	DSL	8	OHV
	C2500	7.4 (7440)	N	TFI	8	OHV
	C3500	5.7 (5735)	K	TFI	8	OHV
	C3500	6.5 (6505)	F	DSL	8	OHV
	C3500	6.5 (6505)	S	DSL	8	OHV
	G/P20	4.3 (4293)	Z	TFI	6	OHV
	G/P20	5.0 (4999)	H	TFI	8	OHV
	G/P20	5.7 (5735)	K	TFI	8	OHV
	G/P20	6.5 (6505)	P	DSL	8	OHV
	G/P30	4.3 (4293)	Z	TFI	6	OHV
	G/P30	5.7 (5735)	K	TFI	8	OHV
	G/P30	6.5 (6505)	Y	DSL	8	OHV
	G/P30	7.4 (7440)	N	TFI	8	OHV
	Jimmy	4.3 (4293)	W	MFI	6	OHV
	K1500	4.3 (4293)	Z	TFI	6	OHV
	K1500	5.0 (4999)	H	TFI	8	OHV
	K1500	5.7 (5735)	K	TFI	8	OHV
	K1500	6.5 (6505)	P	DSL	8	OHV
	K1500	6.5 (6505)	S	DSL	8	OHV
	K1500	7.4 (7440)	N	TFI	8	OHV
	K2500	4.3 (4293)	Z	TFI	6	OHV
	K2500	5.0 (4999)	H	TFI	8	OHV
	K2500	5.7 (5735)	K	TFI	8	OHV
	K2500	6.5 (6505)	F	DSL	8	OHV
	K2500	6.5 (6505)	P	DSL	8	OHV
	K2500	6.5 (6505)	S	DSL	8	OHV
	K2500	7.4 (7440)	N	TFI	8	OHV
	K3500	5.7 (5735)	K	TFI	8	OHV
	K3500	6.5 (6505)	F	DSL	8	OHV
	K3500	7.4 (7440)	N	TFI	8	OHV
	S10 Blazer	4.3 (4293)	W	MFI	6	OHV
	S10 Pick-up	2.2 (2189)	4	MFI	4	OHV
	S10 Pick-up	4.3 (4293)	W	MFI	6	OHV
	S10 Pick-up	4.3 (4293)	Z	MFI	6	OHV

IDENTIFICACIÓN DEL MOTOR
Todas las medidas se dan en pulgadas

Año	Modelo	Cilindrada del motor litros (cc)	Serie del motor (ID/VIN)	Sistema de combustible	N° de cilindros	Tipo de motor
1995 (cont.)	S15 Pick-up	2.2 (2189)	4	MFI	4	OHV
	S15 Pick-up	4.3 (4293)	W	MFI	6	OHV
	S15 Pick-up	4.3 (4293)	Z	MFI	6	OHV
	Safari	4.3 (4293)	W	TFI	6	OHV
	Sonoma	2.2 (2189)	4	MFI	4	OHV
	Sonoma	4.3 (4293)	W	MFI	6	OHV
	Sonoma	4.3 (4293)	Z	MFI	6	OHV
	Suburban	5.7 (5735)	K	TFI	8	OHV
	Suburban	6.5 (6505)	F	DSL	8	OHV
	Suburban	7.4 (7440)	N	TFI	8	OHV
	Tahoe	5.7 (5735)	K	MFI	8	OHV
	Tahoe	6.5 (6505)	S	DSL	8	OHV
	Yukon	5.7 (5735)	K	MFI	8	OHV
	Yukon	6.5 (6505)	S	DSL	8	OHV
1996	Astro	4.3 (4293)	W	MFI	6	OHV
	Bravada	4.3 (4293)	W	MFI	6	OHV
	Bravada	4.3 (4293)	X	MFI	6	OHV
	C1500	4.3 (4293)	W	MFI	6	OHV
	C1500	5.0 (4999)	M	MFI	8	OHV
	C1500	5.7 (5735)	R	MFI	8	OHV
	C2500	4.3 (4293)	W	MFI	6	OHV
	C2500	5.0 (4999)	M	MFI	8	OHV
	C2500	5.7 (5735)	R	MFI	8	OHV
	C2500	6.5 (6374)	F	DSL	8	OHV
	C3500	6.5 (6374)	F	DSL	8	OHV
	C3500	7.4 (7440)	J	MFI	8	OHV
	G/P1500	4.3 (4293)	W	MFI	6	OHV
	G/P1500	5.0 (4999)	M	MFI	8	OHV
	G/P1500	5.7 (5735)	R	MFI	8	OHV
	G/P2500	5.0 (4999)	M	MFI	8	OHV
	G/P2500	5.7 (5735)	R	MFI	8	OHV
	G/P3500	6.5 (6374)	F	DSL	8	OHV
	G/P3500	7.4 (7440)	J	MFI	8	OHV
	Jimmy	4.3 (4293)	W	MFI	6	OHV
	Jimmy	4.3 (4293)	X	MFI	6	OHV
	K1500	4.3 (4293)	W	MFI	6	OHV
	K1500	5.0 (4999)	M	MFI	8	OHV
	K1500	5.7 (5735)	R	MFI	8	OHV
	K1500	6.5 (6374)	F	DSL	8	OHV
	K2500	5.0 (4999)	M	MFI	8	OHV
	K2500	5.7 (5735)	R	MFI	8	OHV
	K2500	6.5 (6374)	F	DSL	8	OHV
	K3500	5.7 (5735)	R	MFI	8	OHV
	K3500	6.5 (6374)	F	DSL	8	OHV
	K3500	7.4 (7440)	J	MFI	8	OHV

IDENTIFICACIÓN DEL MOTOR
Todas las medidas se dan en pulgadas

Año	Modelo	Cilindrada del motor litros (cc)	Serie del motor (ID/VIN)	Sistema de combustible	Nº de cilindros	Tipo de motor
1996 (cont.)	S10 Blazer	4.3 (4293)	W	MFI	6	OHV
	S10 Blazer	4.3 (4293)	X	MFI	6	OHV
	S10 Pick-up	2.2 (2189)	4	MFI	4	OHV
	S10 Pick-up	4.3 (4293)	W	MFI	6	OHV
	S10 Pick-up	4.3 (4293)	X	MFI	6	OHV
	S15 Pick-up	2.2 (2189)	4	MFI	4	OHV
	S15 Pick-up	4.3 (4293)	W	MFI	6	OHV
	S15 Pick-up	4.3 (4293)	X	MFI	6	OHV
	Safari	4.3 (4293)	W	MFI	6	OHV
	Sonoma	2.2 (2189)	4	MFI	4	OHV
	Sonoma	4.3 (4293)	W	MFI	6	OHV
	Sonoma	4.3 (4293)	X	MFI	6	OHV
	Suburban	5.7 (5735)	R	MFI	8	OHV
	Suburban	7.4 (7440)	J	MFI	8	OHV
	Tahoe	5.7 (5735)	R	MFI	8	OHV
	Tahoe	6.5 (6374)	S	DSL	8	OHV
	Yukon	5.7 (5735)	R	MFI	8	OHV
	Yukon	6.5 (6374)	S	DSL	8	OHV
1997	Astro	4.3 (4293)	W	MFI	6	OHV
	Bravada	4.3 (4293)	W	MFI	6	OHV
	Bravada	4.3 (4293)	X	MFI	6	OHV
	C1500	4.3 (4293)	W	MFI	6	OHV
	C1500	5.0 (4999)	M	MFI	8	OHV
	C1500	5.7 (5735)	R	MFI	8	OHV
	C2500	4.3 (4293)	W	MFI	6	OHV
	C2500	5.0 (4999)	M	MFI	8	OHV
	C2500	5.7 (5735)	R	MFI	8	OHV
	C2500	6.5 (6374)	F	DSL	8	OHV
	C3500	6.5 (6374)	F	DSL	8	OHV
	C3500	7.4 (7440)	J	MFI	8	OHV
	G/P1500	4.3 (4293)	W	MFI	6	OHV
	G/P1500	5.0 (4999)	M	MFI	8	OHV
	G/P1500	5.7 (5735)	R	MFI	8	OHV
	G/P2500	5.0 (4999)	M	MFI	8	OHV
	G/P2500	5.7 (5735)	R	MFI	8	OHV
	G/P3500	6.5 (6374)	F	DSL	8	OHV
	G/P3500	7.4 (7440)	J	MFI	8	OHV
	Jimmy	4.3 (4293)	W	MFI	6	OHV
	Jimmy	4.3 (4293)	X	MFI	6	OHV
	K1500	4.3 (4293)	W	MFI	6	OHV
	K1500	5.0 (4999)	M	MFI	8	OHV
	K1500	5.7 (5735)	R	MFI	8	OHV
	K1500	6.5 (6374)	F	DSL	8	OHV
	K2500	5.0 (4999)	M	MFI	8	OHV
	K2500	5.7 (5735)	R	MFI	8	OHV
	K2500	6.5 (6374)	F	DSL	8	OHV

IDENTIFICACIÓN DEL MOTOR
Todas las medidas se dan en pulgadas

Año	Modelo	Cilindrada del motor litros (cc)	Serie del motor (ID/VIN)	Sistema de combustible	N° de cilindros	Tipo de motor
1997 (cont.)	K3500	5.7 (5735)	R	MFI	8	OHV
	K3500	6.5 (6374)	F	DSL	8	OHV
	K3500	7.4 (7440)	J	MFI	8	OHV
	S10 Blazer	4.3 (4293)	W	MFI	6	OHV
	S10 Blazer	4.3 (4293)	X	MFI	6	OHV
	S10 Pick-up	2.2 (2189)	4	MFI	4	OHV
	S10 Pick-up	4.3 (4293)	W	MFI	6	OHV
	S10 Pick-up	4.3 (4293)	X	MFI	6	OHV
	S15 Pick-up	2.2 (2189)	4	MFI	4	OHV
	S15 Pick-up	4.3 (4293)	W	MFI	6	OHV
	S15 Pick-up	4.3 (4293)	X	MFI	6	OHV
	Safari	4.3 (4293)	W	MFI	6	OHV
	Sonoma	2.2 (2189)	4	MFI	4	OHV
	Sonoma	4.3 (4293)	W	MFI	6	OHV
	Sonoma	4.3 (4293)	X	MFI	6	OHV
	Suburban	5.7 (5735)	R	MFI	8	OHV
	Suburban	7.4 (7440)	J	MFI	8	OHV
	Tahoe	5.7 (5735)	R	MFI	8	OHV
	Tahoe	6.5 (6374)	S	DSL	8	OHV
	Yukon	5.7 (5735)	R	MFI	8	OHV
	Yukon	6.5 (6374)	S	DSL	8	OHV
1998-99	Astro	4.3 (4293)	W	MFI	6	OHV
	Bravada	4.3 (4293)	W	MFI	6	OHV
	Bravada	4.3 (4293)	X	MFI	6	OHV
	C1500	4.3 (4293)	W	MFI	6	OHV
	C1500	5.0 (4999)	M	MFI	8	OHV
	C1500	5.7 (5735)	R	MFI	8	OHV
	C2500	4.3 (4293)	W	MFI	6	OHV
	C2500	5.0 (4999)	M	MFI	8	OHV
	C2500	5.7 (5735)	R	MFI	8	OHV
	C2500	6.5 (6374)	F	DSL	8	OHV
	C3500	6.5 (6374)	F	DSL	8	OHV
	C3500	7.4 (7440)	J	MFI	8	OHV
	Denali	5.7 (5735)	R	MFI	8	OHV
	Denali	6.5 (6374)	S	DSL	8	OHV
	Envoy	4.3 (4293)	W	MFI	6	OHV
	Envoy	4.3 (4293)	X	MFI	6	OHV
	Escalade	5.7 (5735)	R	MFI	8	OHV
	Escalade	6.5 (6374)	S	DSL	8	OHV
	G/P1500	4.3 (4293)	W	MFI	6	OHV
	G/P1500	5.0 (4999)	M	MFI	8	OHV
	G/P1500	5.7 (5735)	R	MFI	8	OHV
	G/P2500	5.0 (4999)	M	MFI	8	OHV
	G/P2500	5.7 (5735)	R	MFI	8	OHV
	G/P3500	6.5 (6374)	F	DSL	8	OHV
	G/P3500	7.4 (7440)	J	MFI	8	OHV

IDENTIFICACIÓN DEL MOTOR
Todas las medidas se dan en pulgadas

Año	Modelo	Cilindrada del motor litros (cc)	Serie del motor (ID/VIN)	Sistema de combustible	Nº de cilindros	Tipo de motor
1998-99 (cont.)	Jimmy	4.3 (4293)	W	MFI	6	OHV
	Jimmy	4.3 (4293)	X	MFI	6	OHV
	K1500	4.3 (4293)	W	MFI	6	OHV
	K1500	5.0 (4999)	M	MFI	8	OHV
	K1500	5.7 (5735)	R	MFI	8	OHV
	K1500	6.5 (6374)	F	DSL	8	OHV
	K2500	5.0 (4999)	M	MFI	8	OHV
	K2500	5.7 (5735)	R	MFI	8	OHV
	K2500	6.5 (6374)	F	DSL	8	OHV
	K3500	5.7 (5735)	R	MFI	8	OHV
	K3500	6.5 (6374)	F	DSL	8	OHV
	K3500	7.4 (7440)	J	MFI	8	OHV
	S10 Blazer	4.3 (4293)	W	MFI	6	OHV
	S10 Blazer	4.3 (4293)	X	MFI	6	OHV
	S10 Pick-up	2.2 (2189)	4	MFI	4	OHV
	S10 Pick-up	4.3 (4293)	W	MFI	6	OHV
	S10 Pick-up	4.3 (4293)	X	MFI	6	OHV
	S15 Pick-up	2.2 (2189)	4	MFI	4	OHV
	S15 Pick-up	4.3 (4293)	W	MFI	6	OHV
	S15 Pick-up	4.3 (4293)	X	MFI	6	OHV
	Safari	4.3 (4293)	W	MFI	6	OHV
	Sonoma	2.2 (2189)	4	MFI	4	OHV
	Sonoma	4.3 (4293)	W	MFI	6	OHV
	Sonoma	4.3 (4293)	X	MFI	6	OHV
	Suburban	5.7 (5735)	R	MFI	8	OHV
	Suburban	6.5 (6374)	S	DSL	8	OHV
	Suburban	7.4 (7440)	J	MFI	8	OHV
	Tahoe	5.7 (5735)	R	MFI	8	OHV
	Yukon	5.7 (5735)	R	MFI	8	OHV

DSL - Diesel.
MFI - Inyección de combustible Multipunto.
OHV - Válvulas en cabeza.
TFI - Inyección de combustible en el cuerpo del ahogador.

ESPECIFICACIONES GENERALES DEL MOTOR

Año	Motor ID/VIN	Cilindrada del motor litros (cc)	Sistema de combustible	Caballaje neto @ rpm	Torsión neta (en pie-lb) @ rpm	Diámetro x carrera (plg)	Relación de compresión	Presión del aceite @ rpm
1995	4	2.2 (2189)	MFI	118@5200	130@2800	3.50x3.46	9.0:1	56@3000
	F	6.5 (6473)	DSL	190@3400	⑤	4.06x3.82	21.5:1	40-45@2000
	H	5.0 (4999)	TFI	175@4200	265@2800	3.74x3.48	9.1:1	18@2000
	K	5.7 (5735)	MFI	③	④	4.00x3.48	9.1:1	18@2000
	K	5.7 (5735)	TFI	③	④	4.00x3.48	9.1:1	18@2000
	N	7.4 (7440)	TFI	230@3600	385@1600	4.25x4.00	7.9:1	25@2000
	P	6.5 (6473)	DSL	155@3600	275@1700	4.06x3.82	21.5:1	40-45@2000
	S	6.5 (6473)	DSL	155@3600	275@1700	4.06x3.82	21.5:1	40-45@2000
	W	4.3 (4293)	TFI	191@4500	260@3600	4.00x3.48	9.1:1	18@2000
	Y	6.5 (6473)	DSL	⑥	⑦	4.06x3.82	21.5:1	40-45@2000
	Z	4.3 (4293)	MFI	①	②	4.00x3.48	9.1:1	18@2000
	Z	4.3 (4293)	TFI	①	②	4.00x3.48	9.1:1	18@2000
1996	4	2.2 (2189)	MFI	118@5200	130@2800	3.50x3.46	9.0:1	56@3000
	F	6.5 (6473)	DSL	⑫	⑤	4.05x3.80	21.5:1	40-45@2000
	J	7.4 (7440)	MFI	290@4200	410@3200	4.25x4.00	9.0:1	40@2000
	M	5.0 (4999)	MFI	220@4600	285@2800	3.74x3.48	9.4:1	18@2000
	R	5.7 (5735)	MFI	250@4600	335@2800	4.00x3.48	9.4:1	18@2000
	S	6.5 (6473)	DSL	180@3400	360@1700	4.06x3.82	21.5:1	40-45@2000
	W	4.3 (4293)	MFI	⑧	⑨	4.00x3.48	9.2:1	18@2000
	X	4.3 (4293)	MFI	⑩	⑪	4.00x3.48	9.2:1	18@2000
1997	4	2.2 (2189)	MFI	118@5200	130@2800	3.50x3.46	9.0:1	56@3000
	F	6.5 (6473)	DSL	⑫	⑤	4.05x3.80	21.5:1	40-45@2000
	J	7.4 (7440)	MFI	290@4200	410@3200	4.25x4.00	9.0:1	40@2000
	M	5.0 (4999)	MFI	220@4600	285@2800	3.74x3.48	9.4:1	18@2000
	R	5.7 (5735)	MFI	250@4600	335@2800	4.00x3.48	9.4:1	18@2000
	S	6.5 (6473)	DSL	180@3400	360@1700	4.06x3.82	21.5:1	40-45@2000
	W	4.3 (4293)	MFI	⑧	⑨	4.00x3.48	9.2:1	18@2000
	X	4.3 (4293)	MFI	⑩	⑪	4.00x3.48	9.2:1	18@2000
1998-99	4	2.2 (2189)	MFI	120@5000	140@3600	3.50x3.46	9.0:1	56@3000
	F	6.5 (6473)	DSL	195@3400	430@1800	4.05x3.80	21.5:1	30-43@2000
	J	7.4 (7440)	MFI	290@4200	410@3200	4.25x4.00	9.0:1	40@2000
	M	5.0 (4999)	MFI	230@4600	285@2800	3.74x3.48	9.4:1	18@2000
	R	5.7 (5735)	MFI	255@4600	335@2800	4.00x3.48	9.4:1	18@2000
	S	6.5 (6473)	DSL	180@3400	360@1700	4.06x3.82	21.5:1	30-43@2000
	W	4.3 (4293)	MFI	⑬	240@2800	4.00x3.48	9.2:1	18@2000
	X	4.3 (4293)	MFI	⑭	⑮	4.00x3.48	9.2:1	18@2000

TFI - Inyección de combustible en el cuerpo del ahogador.
MFI - Inyección de combustible Multipunto.
DSL - Diesel.

① Por debajo 15,000 GVWR: 385@1700
   Por encima 15,000 GVWR: 385@1700
② Por debajo 8500 GVWR: 210@4000
   Por encima 8500 GVWR: 190@4000
③ Por debajo 8500 GVWR: 385@1700
   Por encima 8500 GVWR: 300@2400
④ Por debajo 8500 GVWR: 155@3600
   Por encima 8500 GVWR: 160@3600
⑤ Por debajo 8500 GVWR: 275@1700
   Por encima 8500 GVWR: 290@1700

⑥ S10: 155@4000
   C/K: 160@4000
   C/K HD: 155@4000
   G Van: 165@2800
⑦ S10: 230@2800
   C/K Pick-up: 235@2400
   C/K HD Pick-up y
   G Van: 230@2400
⑧ Por debajo de 15,000 GVWR: 180@3400
   Por encima de 15,000 GVWR: 190@3400
⑨ 2WD: 180@4400
   4WD: 190@4400

⑩ 2WD: 245@2800
   4WD: 250@2800
⑪ 2WD: 170@4400
   4WD: 180@4400
⑫ 2WD: 235@2800
   4WD: 240@2800
⑬ 2WD: 175@4400
   4WD: 180@4400
⑭ 2WD: 180@4400
   4WD: 190@4400
⑮ 2WD: 245@2800
   4WD: 250@2800

ESPECIFICACIONES PARA AFINACIÓN DE MOTORES DE GASOLINA

Año	Motor ID/VIN	Cilindrada del motor litros (cc)	Bujías/ Abertura (plg)	Sincronización ignición (grados) MT	AT	Bomba de combustible (lb/plg^2)	Marcha mínima (rpm) MT	AT	Holgura de válvulas Admisión	Escape
1995	4	2.2 (2189)	0.060	①	①	41-47 ②	950	890	HYD	HYD
	H	5.0 (4999)	0.035	③	③	9-13	③	③	HYD	HYD
	K	5.7 (5735)	0.035	③	③	9-13	③	③	HYD	HYD
	N	7.4 (7440)	0.035	③	③	26-32	③	③	HYD	HYD
	W	4.3 (4293)	0.035	④	④	55-61 ②		625	HYD	HYD
	Z	4.3 (4293)	0.035	⑤	⑤	9-13	650	725	HYD	HYD
1996	4	2.2 (2189)	0.060	①	①	41-47	⑥	⑥	HYD	HYD
	J	7.4 (7440)	0.060	④	④	60-66 ②	750 ⑦	675 ⑦	HYD	HYD
	M	5.0 (4999)	0.060	④	④	60-66 ②	650 ⑧	550	HYD	HYD
	R	5.7 (5735)	0.060	④	④	60-66 ②	660 ⑨	525	HYD	HYD
	W	4.3 (4293)	0.060	④	④	58-64 ②	600	625	HYD	HYD
	X	4.3 (4293)	0.045	①	①	41-47	⑥	⑥	HYD	HYD
1997	4	2.2 (2189)	0.060	①	①	41-47	⑥	⑥	HYD	HYD
	J	7.4 (7440)	0.060	④	④	60-66 ②	750 ⑦	675 ⑦	HYD	HYD
	M	5.0 (4999)	0.060	④	④	60-66 ②	650 ⑧	550	HYD	HYD
	R	5.7 (5735)	0.060	④	④	60-66 ②	660 ⑨	525	HYD	HYD
	W	4.3 (4293)	0.060	④	④	58-64 ②	600	625	HYD	HYD
	X	4.3 (4293)	0.045	①	①	41-47	⑥	⑥	HYD	HYD
1998-99	4	2.2 (2189)	0.060	①	①	41-47	⑥	⑥	HYD	HYD
	J	7.4 (7440)	0.060	④	④	60-66 ②	750 ⑦	675 ⑦	HYD	HYD
	M	5.0 (4999)	0.060	④	④	60-66 ②	650 ⑧	550	HYD	HYD
	R	5.7 (5735)	0.060	④	④	60-66 ②	660 ⑨	525	HYD	HYD
	W	4.3 (4293)	0.060	④	④	58-64 ②	600	625	HYD	HYD
	X	4.3 (4293)	0.045	①	①	41-47	⑥	⑥	HYD	HYD

NOTA: la placa de Control de Información de Emisiones del Vehículo a menudo detalla los cambios en las especificaciones que se hayan podido producir durante la fabricación del vehículo. Se deben tomar los valores de esta placa si éstos difieren de los presentados en esta tabla.

HYD: hidráulico.

① Ignición sin distribuidor.

② Con el contacto en ON y el motor en OFF.

③ Ver la placa bajo el capó para un ajuste exacto.

④ La sincronización de la ignición está prefijada y no puede ser ajustada.

⑤ 0°, desconectar el conector de ajuste de la sincronización (alambre marrón con bandas negras atado con cinta al haz de conductores del motor cerca del distribuidor).

⑥ El PCM mantiene la marcha mínima.

⑦ Por encima de 8500 GVW.

⑧ Por debajo de 8500 GVW.

⑨ Por encima de 8500.

  Manual: 565-615.

  Automático: 525-575.

ESPECIFICACIONES PARA AFINACIÓN DE MOTORES DIESEL

Año	Motor ID/VIN	Cilindrada del motor litros (cc)	Holgura de válvulas Admisión (plg)	Escape (plg)	Abertura válvulas admisión (grados)	Ajuste bomba inyección (grados)	Presión inyección en la boquilla (lb/plg²) Nuevas	Usadas	Marcha mínima (rpm)	Presión de compresión al arranque
1995	F	6.5 (6473)	HYD	HYD	①	①	1600	1500	①	NA
	P	6.5 (6473)	HYD	HYD	①	①	1800	1700	①	NA
	S	6.5 (6473)	HYD	HYD	①	①	1800	1700	①	NA
	Y	6.5 (6473)	HYD	HYD	①	①	1600	1500	①	NA
1996	F	6.5 (6473)	HYD	HYD	①	①	1800	1700	①	NA
	S	6.5 (6473)	HYD	HYD	①	①	1800	1700	①	NA
1997	F	6.5 (6473)	HYD	HYD	①	①	1800	1700	①	NA
	S	6.5 (6473)	HYD	HYD	①	①	1800	1700	①	NA
1998-99	F	6.5 (6473)	HYD	HYD	①	①	1800	1700	①	380-400
	S	6.5 (6473)	HYD	HYD	①	①	1800	1700	①	380-400

NOTA: la placa de Información del Control de Emisiones del Vehículo a menudo detalla los cambios en las especificaciones que se hayan podido producir durante la fabricación del vehículo. Se deben tomar los valores de esta placa si éstos difieren de los presentados en esta tabla.

HYD: hidráulico.

NA: no disponible.

① Ver la placa de Información del Control de Emisiones del Vehículo.

CAPACIDADES

Año	Modelo	Motor ID/VIN	Cilindrada del motor litros (cc)	Aceite de motor con filtro (qts)	Transmisión 5-Vel.	Auto.	Caja de trans- ferencia (qts)	Vástago del eje Delantero (pts)	Trasero (pts)	Tanque de com- bustible (gal)	Sistema de enfria- miento
1995	Astro	W	4.3 (4293)	5.0	4.4	10.0	3.0	2.6	3.8	27.0	12.8 ①
	Astro	Z	4.3 (4293)	5.0	4.4	10.0	—	—	3.8	27.0	12.8 ①
	Safari	W	4.3 (4293)	5.0	4.4	10.0	3.0	2.6	3.8	27.0	12.8 ①
	Safari	Z	4.3 (4293)	5.0	4.4	10.0	—	—	3.8	27.0	12.8 ①
	C1500	Z	4.3 (4293)	5.0	②	③	—	—	④	⑤	11.0
	C1500	H	5.0 (4999)	5.0	②	③	—	—	④	⑤	18.0
	C1500	K	5.7 (5735)	5.0	②	③	—	—	④	⑤	18.0
	C1500	F	6.5 (6473)	7.0	②	③	—	—	④	⑤	26.5
	C1500	N	7.4 (7440)	7.0	②	③	—	—	④	⑤	25.0
	C2500	Z	4.3 (4293)	5.0	②	③	—	—	④	⑤	11.0
	C2500	H	5.0 (4999)	5.0	②	③	—	—	④	⑤	18.0
	C2500	K	5.7 (5735)	5.0	②	③	—	—	④	⑤	18.0
	C2500	P	6.5 (6473)	7.0	②	③	—	—	④	⑤	26.5
	C2500	S	6.5 (6473)	7.0	②	③	—	—	④	⑤	26.5
	C3500	H	5.0 (4999)	5.0	②	③	—	—	④	⑤	18.0
	C3500	K	5.7 (5735)	5.0	②	③	—	—	④	⑤	18.0 ⑥
	C3500	F	6.5 (6473)	7.0	②	③	—	—	④	⑤	26.5
	C3500	P	6.5 (6473)	7.0	②	③	—	—	④	⑤	26.5
	C3500	S	6.5 (6473)	7.0	②	③	—	—	④	⑤	26.5
	C3500	N	7.4 (7440)	6.0	②	③	—	—	④	⑤	25.0 ⑦
	G/P10	Z	4.3 (4293)	5.0	②	③	—	—	④	22.0 ⑧	11.0 ⑨
	G/P10	H	5.0 (4999)	5.0	②	③	—	—	④	22.0 ⑧	17.0 ⑨
	G/P10	K	5.7 (5735)	5.0	②	③	—	—	④	⑩	18.0 ⑨
	G/P10	P	6.5 (6505)	7.0	②	③	—	—	④	22.0 ⑧	24.0 ⑨
	G/P20	Z	4.3 (4293)	5.0	②	③	—	—	④	22.0 ⑧	11.0 ⑨
	G/P20	H	5.0 (4999)	5.0	②	③	—	—	④	22.0 ⑧	17.0 ⑨
	G/P20	K	5.7 (5735)	5.0	②	③	—	—	④	⑩	18.0 ⑨
	G/P20	P	6.5 (6505)	7.0	②	③	—	—	④	22.0 ⑧	24.0 ⑨
	G/P20	Y	6.5 (6505)	7.0	②	③	—	—	④	22.0 ⑧	24.0 ⑨
	G/P30	Z	4.3 (4293)	5.0	②	③	—	—	④	22.0 ⑧	11.0 ⑨
	G/P30	K	5.7 (5735)	5.0	②	③	—	—	④	⑩	18.0 ⑨
	G/P30	P	6.5 (6505)	7.0	②	③	—	—	④	22.0 ⑧	24.0 ⑨
	G/P30	Y	6.5 (6505)	7.0	②	③	—	—	④	22.0 ⑧	24.0 ⑨
	G/P30	N	7.4 (7440)	6.0	②	③	—	—	④	⑪	24.5 ⑨
	K1500	Z	4.3 (4293)	5.0	②	③	⑫	⑬	④	⑤	11.0
	K1500	H	5.0 (4999)	5.0	②	③	⑫	⑬	④	⑤	18.0
	K1500	K	5.7 (5735)	5.0	②	③	⑫	⑬	④	⑤	18.0
	K1500	F	6.5 (6505)	7.0	②	③	⑫	⑬	④	⑤	25.0
	K1500	N	7.4 (7440)	7.0	②	③	⑫	⑬	④	⑤	25.0 ⑦
	K2500	Z	4.3 (4293)	5.0	②	③	⑫	⑬	④	⑤	11.0
	K2500	H	5.0 (4999)	5.0	②	③	⑫	⑬	④	⑤	18.0
	K2500	K	5.7 (5735)	5.0	②	③	⑫	⑬	④	⑤	18.0
	K2500	P	6.5 (6505)	7.0	②	③	⑫	⑬	④	⑤	25.0
	K2500	S	6.5 (6505)	7.0	②	③	⑫	⑬	④	⑤	25.0
	K2500	F	6.5 (6473)	7.0	②	③	⑫	⑬	④	⑤	26.5
	K2500	N	7.4 (7440)	7.0	②	③	⑫	⑬	④	⑤	25.0 ⑦
	K3500	H	5.0 (4999)	5.0	②	③	⑫	⑬	④	⑤	18.0
	K3500	K	5.7 (5735)	5.0	②	③	⑫	⑬	④	⑤	18.0

CAPACIDADES

Año	Modelo	Motor ID/VIN	Cilindrada del motor litros (cc)	Aceite de motor con filtro (qts)	Transmisión 5-Vel.	Transmisión Auto.	Caja de transferencia (qts)	Vástago del eje Delantero (pts)	Vástago del eje Trasero (pts)	Tanque de combustible (gal)	Sistema de enfriamiento
1995 (cont.)	K3500	P	6.5 (6505)	7.0	②	③	⑫	⑬	④	⑤	25.0
	K3500	S	6.5 (6505)	7.0	②	③	⑫	⑬	④	⑤	25.0
	K3500	F	6.5 (6473)	7.0	②	③	⑫	⑬	④	⑤	26.5
	K3500	N	7.4 (7440)	7.0	②	③	⑫	⑬	④	⑤	25.0
	Bravada	W	4.3 (4293)	4.5	4.4	10.0	—	3.5	3.5	20.0	12.1
	Jimmy	W	4.3 (4293)	4.5	4.4	10.0	—	3.5	3.5	20.0	12.1
	S10 Blazer	W	4.3 (4293)	4.5	4.4	10.0	—	3.5	3.5	20.0	12.1
	S10 Pick-up	4	2.2 (2189)	4.0	4.4	10.0	4.6	2.6	4.0	13.0 ⑭	11.5
	S10 Pick-up	W	4.3 (4293)	4.5	4.4	10.0	4.6	2.6	4.0	20.0	12.0
	S10 Pick-up	Z	4.3 (4293)	5.0	4.4	10.0	4.6	2.6	4.0	20.0	12.0
	S15 Pick-up	4	2.2 (2189)	4.0	4.4	10.0	4.6	2.6	4.0	13.0 ⑭	11.5
	S15 Pick-up	W	4.3 (4293)	4.5	4.4	10.0	4.6	2.6	4.0	20.0	12.0
	S15 Pick-up	Z	4.3 (4293)	5.0	4.4	10.0	4.6	2.6	4.0	20.0	12.0
	Sonoma	4	2.2 (2189)	4.0	4.4	10.0	4.6	2.6	4.0	13.0 ⑭	11.5
	Sonoma	W	4.3 (4293)	4.5	4.4	10.0	4.6	2.6	4.0	20.0	12.0
	Sonoma	Z	4.3 (4293)	5.0	4.4	10.0	4.6	2.6	4.0	20.0	12.0
	Suburban	K	5.7 (5735)	5.0	—	③	—	—	④	⑤	18.0
	Suburban	P	6.5 (6505)	7.0	②	③	—	—	④	⑤	25.0
	Suburban	S	6.5 (6505)	7.0	②	③	—	—	④	⑤	25.0
	Suburban	N	7.4 (7440)	6.0	—	③	10.0	4.0	④	25.0 ⑤	24.5
	Tahoe	K	5.7 (5735)	5.0	—	③	10.0	4.0	④	25.0 ⑯	18.0
	Tahoe	F	6.5 (6473)	7.0	②	③	—	—	④	⑤	26.5
	Yukon	K	5.7 (5735)	5.0	—	③	10.0	4.0	④	25.0 ⑯	18.0
	Yukon	F	6.5 (6473)	7.0	②	③	—	—	④	⑤	26.5
1996	Astro	W	4.3 (4293)	5.0	—	10.0	3.0	2.6	3.8	27.0	⑰
	Safari	W	4.3 (4293)	5.0	—	10.0	3.0	2.6	3.8	27.0	⑰
	C1500	W	4.3 (4293)	5.0	②	⑱	—	—	④	⑤	13.0
	C1500	M	5.0 (4999)	5.0	②	⑱	—	—	④	⑤	18.0
	C1500	R	5.7 (5735)	5.0	②	⑱	—	—	④	⑤	18.0
	C2500	W	4.3 (4293)	5.0	②	⑱	—	—	④	⑤	13.0
	C2500	M	5.0 (4999)	5.0	②	⑱	—	—	④	⑤	18.0
	C2500	R	5.7 (5735)	5.0	②	⑱	—	—	④	⑤	18.0
	C2500	F	6.5 (6473)	7.0	②	⑱	—	—	④	⑤	27.5
	C2500	S	6.5 (6473)	7.0	②	⑱	—	—	④	⑤	27.5
	C3500	F	6.5 (6473)	7.0	②	⑱	—	—	④	⑤	27.5
	C3500	J	7.4 (7440)	6.0	②	⑱	—	—	④	⑤	25.0 ⑦
	G/P1500	W	4.3 (4293)	5.0	②	⑱	—	—	④	22.0 ⑮	13.0 ⑨
	G/P1500	M	5.0 (4999)	5.0	②	⑱	—	—	④	22.0 ⑮	17.0 ⑨
	G/P1500	R	5.7 (5735)	5.0	②	⑱	—	—	④	⑤	18.0 ⑨
	G/P2500	M	5.0 (4999)	5.0	②	⑱	—	—	④	22.0 ⑮	17.0 ⑨
	G/P2500	R	5.7 (5735)	5.0	②	⑱	—	—	④	⑤	18.0 ⑨
	G/P3500	F	6.5 (6473)	7.0	②	⑱	—	—	④	22.0 ⑮	27.5 ⑨
	G/P3500	J	7.4 (7440)	6.0	②	⑱	—	—	④	⑪	24.5 ⑨
	K1500	W	4.3 (4293)	5.0	②	⑱	⑲	⑬	④	⑤	11.0
	K1500	M	5.0 (4999)	5.0	②	⑱	⑲	⑬	④	⑤	18.0
	K1500	R	5.7 (5735)	5.0	②	⑱	⑲	⑬	④	⑤	18.0
	K1500	F	6.5 (6473)	7.0	②	⑱	⑲	⑬	④	⑤	27.5
	K2500	M	5.0 (4999)	5.0	②	⑱	⑲	⑬	④	⑤	18.0

CAPACIDADES

Año	Modelo	Motor ID/VIN	Cilindrada del motor litros (cc)	Aceite de motor con filtro (qts)	Transmisión 5-Vel.	Transmisión Auto.	Caja de transferencia (qts)	Vástago del eje Delantero (pts)	Vástago del eje Trasero (pts)	Tanque de combustible (gal)	Sistema de enfriamiento
1996 (cont.)	K2500	R	5.7 (5735)	5.0	②	⑱	⑲	⑬	④	⑤	18.0
	K2500	F	6.5 (6473)	7.0	②	⑱	⑲	⑬	④	⑤	27.5
	K3500	F	6.5 (6473)	7.0	②	⑱	⑲	⑬	④	⑤	27.5
	K3500	J	7.4 (7440)	6.0	②	⑱	⑲	⑬	④	⑤	25.0
	S10 Blazer	W	4.3 (4293)	5.0	4.4	10.0	2.6	2.6	3.9	20.0	11.9
	S10 Blazer	X	4.3 (4293)	5.0	4.4	10.0	2.6	2.6	3.9	20.0	11.9
	Jimmy	W	4.3 (4293)	5.0	4.4	10.0	2.6	2.6	3.9	20.0	11.9
	Jimmy	X	4.3 (4293)	5.0	4.4	10.0	2.6	2.6	3.9	20.0	11.9
	Bravada	W	4.3 (4293)	5.0	4.4	10.0	2.6	2.6	3.9	20.0	11.9
	Bravada	X	4.3 (4293)	5.0	4.4	10.0	2.6	2.6	3.9	20.0	11.9
	Sonoma	4	2.2 (2189)	4.0	4.4	10.0	2.6	2.6	3.9	13.0 ⑭	11.5
	Sonoma	W	4.3 (4293)	5.0	4.4	10.0	2.6	2.6	3.9	20.0	11.9
	Sonoma	X	4.3 (4293)	5.0	4.4	10.0	2.6	2.6	3.9	20.0	11.9
	S15 Pick-up	4	2.2 (2189)	4.0	4.4	10.0	2.6	2.6	3.9	13.0 ⑭	11.5
	S15 Pick-up	W	4.3 (4293)	5.0	4.4	10.0	2.6	2.6	3.9	20.0	11.9
	S15 Pick-up	X	4.3 (4293)	5.0	4.4	10.0	2.6	2.6	3.9	20.0	11.9
	S10 Pick-up	4	2.2 (2189)	4.0	4.4	10.0	2.6	2.6	3.9	13.0 ⑭	11.5
	S10 Pick-up	W	4.3 (4293)	5.0	4.4	10.0	2.6	2.6	3.9	20.0	11.9
	S10 Pick-up	X	4.3 (4293)	5.0	4.4	10.0	2.6	2.6	3.9	20.0	11.9
	Suburban	R	5.7 (5735)	5.0	—	⑱	—	—	④	⑤	18.0
	Suburban	F	7.4 (7440)	6.0	—	⑱	⑲	⑬	④	25.0 ⑤	24.5
	Tahoe	R	5.7 (5735)	5.0	—	⑱	⑲	⑬	④	⑩	18.0
	Tahoe	S	6.5 (6473)	7.0	—	⑱	—	—	④	⑩	23.8
	Yukon	R	5.7 (5735)	5.0	—	⑱	⑲	⑬	④	⑩	18.0
	Yukon	S	6.5 (6473)	7.0	—	⑱	—	—	④	⑩	23.8
1997	Astro	W	4.3 (4293)	5.0	—	10.0	3.0	2.6	3.8	27.0	⑰
	Safari	W	4.3 (4293)	5.0	—	10.0	3.0	2.6	3.8	27.0	⑰
	C1500	W	4.3 (4293)	5.0	②	⑱	—	—	④	⑤	13.0
	C1500	M	5.0 (4999)	5.0	②	⑱	—	—	④	⑤	18.0
	C1500	R	5.7 (5735)	5.0	②	⑱	—	—	④	⑤	18.0
	C2500	W	4.3 (4293)	5.0	②	⑱	—	—	④	⑤	13.0
	C2500	M	5.0 (4999)	5.0	②	⑱	—	—	④	⑤	18.0
	C2500	R	5.7 (5735)	5.0	②	⑱	—	—	④	⑤	18.0
	C2500	F	6.5 (6473)	7.0	②	⑱	—	—	④	⑤	27.5
	C2500	S	6.5 (6473)	7.0	②	⑱	—	—	④	⑤	27.5
	C3500	F	6.5 (6473)	7.0	②	⑱	—	—	④	⑤	27.5
	C3500	J	7.4 (7440)	6.0	②	⑱	—	—	④	⑤	25.0 ⑦
	G/P1500	W	4.3 (4293)	5.0	②	⑱	—	—	④	22.0 ⑤	13.0 ⑨
	G/P1500	M	5.0 (4999)	5.0	②	⑱	—	—	④	22.0 ⑤	17.0 ⑨
	G/P1500	R	5.7 (5735)	5.0	②	⑱	—	—	④	⑥	18.0 ⑨
	G/P2500	M	5.0 (4999)	5.0	②	⑱	—	—	④	22.0 ⑤	17.0 ⑨
	G/P2500	R	5.7 (5735)	5.0	②	⑱	—	—	④	⑤	18.0 ⑨
	G/P3500	F	6.5 (6473)	7.0	②	⑱	—	—	④	22.0 ⑤	27.5 ⑨
	G/P3500	J	7.4 (7440)	6.0	②	⑱	—	—	④	⑪	24.5 ⑨
	K1500	W	4.3 (4293)	5.0	②	⑱	⑲	⑬	④	⑤	11.0
	K1500	M	5.0 (4999)	5.0	②	⑱	⑲	⑬	④	⑤	18.0
	K1500	R	5.7 (5735)	5.0	②	⑱	⑲	⑬	④	⑤	18.0
	K1500	F	6.5 (6473)	7.0	②	⑱	⑲	⑬	④	⑤	27.5

CAPACIDADES

Año	Modelo	Motor ID/VIN	Cilindrada del motor litros (cc)	Aceite de motor con filtro (qts)	Transmisión 5-Vel.	Transmisión Auto.	Caja de transferencia (qts)	Vástago del eje Delantero (pts)	Vástago del eje Trasero (pts)	Tanque de combustible (gal)	Sistema de enfriamiento
1997 (cont.)	K2500	M	5.0 (4999)	5.0	②	⑱	⑲	⑬	④	⑤	18.0
	K2500	R	5.7 (5735)	5.0	②	⑱	⑲	⑬	④	⑤	18.0
	K2500	F	6.5 (6473)	7.0	②	⑱	⑲	⑬	④	⑤	27.5
	K3500	F	6.5 (6473)	7.0	②	⑱	⑲	⑬	④	⑤	27.5
	K3500	J	7.4 (7440)	6.0	②	⑱	⑲	⑬	④	⑤	25.0
	S10 Blazer	W	4.3 (4293)	5.0	4.4	10.0	2.6	2.6	3.9	20.0	11.9
	S10 Blazer	X	4.3 (4293)	5.0	4.4	10.0	2.6	2.6	3.9	20.0	11.9
	Jimmy	W	4.3 (4293)	5.0	4.4	10.0	2.6	2.6	3.9	20.0	11.9
	Jimmy	X	4.3 (4293)	5.0	4.4	10.0	2.6	2.6	3.9	20.0	11.9
	Bravada	W	4.3 (4293)	5.0	4.4	10.0	2.6	2.6	3.9	20.0	11.9
	Bravada	X	4.3 (4293)	5.0	4.4	10.0	2.6	2.6	3.9	20.0	11.9
	Sonoma	4	2.2 (2189)	4.0	4.4	10.0	2.6	2.6	3.9	13.0 ⑭	11.5
	Sonoma	W	4.3 (4293)	5.0	4.4	10.0	2.6	2.6	3.9	20.0	11.9
	Sonoma	X	4.3 (4293)	5.0	4.4	10.0	2.6	2.6	3.9	20.0	11.9
	S15 Pick-up	4	2.2 (2189)	4.0	4.4	10.0	2.6	2.6	3.9	13.0 ⑭	11.5
	S15 Pick-up	W	4.3 (4293)	5.0	4.4	10.0	2.6	2.6	3.9	20.0	11.9
	S15 Pick-up	X	4.3 (4293)	5.0	4.4	10.0	2.6	2.6	3.9	20.0	11.9
	S10 Pick-up	4	2.2 (2189)	4.0	4.4	10.0	2.6	2.6	3.9	13.0 ⑭	11.5
	S10 Pick-up	W	4.3 (4293)	5.0	4.4	10.0	2.6	2.6	3.9	20.0	11.9
	S10 Pick-up	X	4.3 (4293)	5.0	4.4	10.0	2.6	2.6	3.9	20.0	11.9
	Suburban	R	5.7 (5735)	5.0	—	⑱	—	—	④	⑤	18.0
	Suburban	F	7.4 (7440)	6.0	—	⑱	⑲	⑬	④	25.0 ⑤	24.5
	Tahoe	R	5.7 (5735)	5.0	—	⑱	⑲	⑬	④	⑩	18.0
	Tahoe	S	6.5 (6473)	7.0	—	⑱	—	—	④	⑩	23.8
	Yukon	R	5.7 (5735)	5.0	—	⑱	⑲	⑬	④	⑩	18.0
	Yukon	S	6.5 (6473)	7.0	—	⑱	—	—	④	⑩	23.8
1998-99	Astro	W	4.3 (4293)	5.0	—	10.0	3.0	2.6	3.8	27.0	⑰
	Bravada	W	4.3 (4293)	5.0	⑳	11.0	2.6	2.6	3.9	20.0	11.9
	Bravada	X	4.3 (4293)	5.0	⑳	11.0	2.6	2.6	3.9	20.0	11.9
	C1500	M	5.0 (4999)	5.0	②	⑱	—	—	④	⑤	18.0
	C1500	R	5.7 (5735)	5.0	②	⑱	—	—	④	⑤	18.0
	C1500	W	4.3 (4293)	5.0	②	⑱	—	—	④	⑤	13.0
	C2500	F	6.5 (6473)	7.0	②	⑱	—	—	④	⑤	27.5
	C2500	M	5.0 (4999)	5.0	②	⑱	—	—	④	⑤	18.0
	C2500	R	5.7 (5735)	5.0	②	⑱	—	—	④	⑤	18.0
	C2500	S	6.5 (6473)	7.0	②	⑱	—	—	④	⑤	27.5
	C2500	W	4.3 (4293)	5.0	②	⑱	—	—	④	⑤	13.0
	C3500	F	6.5 (6473)	7.0	②	⑱	—	—	④	⑤	27.5
	C3500	J	7.4 (7440)	6.0	②	⑱	—	—	④	⑤	25.0 ⑦
	Denali	R	5.7 (5735)	5.0	—	⑱	⑲	⑬	④	⑩	18.0
	Denali	S	6.5 (6473)	7.0	—	⑱	-	—	④	⑩	23.8
	Envoy	W	4.3 (4293)	5.0	⑳	11.0	2.6	2.6	3.9	20.0	11.9
	Envoy	X	4.3 (4293)	5.0	⑳	11.0	2.6	2.6	3.9	20.0	11.9
	Escalade	R	5.7 (5735)	5.0	—	⑱	⑲	⑬	④	⑩	18.0
	Escalade	S	6.5 (6473)	7.0	—	⑱	-	—	④	⑩	23.8
	G/P1500	M	5.0 (4999)	5.0	②	⑱	—	—	④	22.0 ⑤	17.0 ⑨
	G/P1500	R	5.7 (5735)	5.0	②	⑱	—	—	④	⑤	18.0 ⑨
	G/P1500	W	4.3 (4293)	5.0	②	⑱	—	—	④	22.0 ⑤	13.0 ⑨

CAPACIDADES

Año	Modelo	Motor ID/VIN	Cilindrada del motor litros (cc)	Aceite de motor con filtro (qts)	Transmisión 5-vel.	Transmisión Auto.	Caja de transferencia (qts)	Vástago del eje Delantero (pts)	Vástago del eje Trasero (pts)	Tanque de combustible (gal)	Sistema de enfriamiento
1998-99 (cont.)	G/P2500	M	5.0 (4999)	5.0	②	⑱	—	—	④	22.0 ⑮	17.0 ⑨
	G/P2500	R	5.7 (5735)	5.0	②	⑱	—	—	④	⑮	18.0 ⑨
	G/P3500	F	6.5 (6473)	7.0	②	⑱	—	—	④	22.0 ⑮	27.5 ⑨
	G/P3500	J	7.4 (7440)	6.0	②	⑱	—	—	④	⑪	24.5 ⑨
	Jimmy	W	4.3 (4293)	5.0	⑳	11.0	2.6	2.6	3.9	20.0	11.9
	Jimmy	X	4.3 (4293)	5.0	⑳	11.0	2.6	2.6	3.9	20.0	11.9
	K1500	F	6.5 (6473)	7.0	②	⑱	⑲	⑬	④	⑤	27.5
	K1500	M	5.0 (4999)	5.0	②	⑱	⑲	⑬	④	⑤	18.0
	K1500	R	5.7 (5735)	5.0	②	⑱	⑲	⑬	④	⑤	18.0
	K1500	W	4.3 (4293)	5.0	②	⑱	⑲	⑬	④	⑤	11.0
	K2500	F	6.5 (6473)	7.0	②	⑱	⑲	⑬	④	⑤	27.5
	K2500	M	5.0 (4999)	5.0	②	⑱	⑲	⑬	④	⑤	18.0
	K2500	R	5.7 (5735)	5.0	②	⑱	⑲	⑬	④	⑤	18.0
	K3500	F	6.5 (6473)	7.0	②	⑱	⑲	⑬	④	⑤	27.5
	K3500	J	7.4 (7440)	6.0	②	⑱	⑲	⑬	④	⑤	25.0
	S10 Blazer	W	4.3 (4293)	5.0	⑳	11.0	2.6	2.6	3.9	20.0	11.9
	S10 Blazer	X	4.3 (4293)	5.0	⑳	11.0	2.6	2.6	3.9	20.0	11.9
	S10 Pick-up	4	2.2 (2189)	4.0	⑳	11.0	2.6	2.6	3.9	13.0 ⑭	11.5
	S10 Pick-up	W	4.3 (4293)	5.0	⑳	11.0	2.6	2.6	3.9	20.0	11.9
	S10 Pick-up	X	4.3 (4293)	5.0	⑳	11.0	2.6	2.6	3.9	13.0 ⑭	11.5
	S15 Pick-up	4	2.2 (2189)	4.0	⑳	11.0	2.6	2.6	3.9	13.0 ⑭	11.5
	S15 Pick-up	W	4.3 (4293)	5.0	⑳	11.0	2.6	2.6	3.9	20.0	11.9
	S15 Pick-up	X	4.3 (4293)	5.0	⑳	11.0	2.6	2.6	3.9	20.0	11.9
	Safari	W	4.3 (4293)	5.0	—	10.0	3.0	2.6	3.8	27.0	⑰
	Sonoma	4	2.2 (2189)	4.0	⑳	11.0	2.6	2.6	3.9	13.0 ⑭	11.5
	Sonoma	W	4.3 (4293)	5.0	⑳	11.0	2.6	2.6	3.9	20.0	11.9
	Sonoma	X	4.3 (4293)	5.0	⑳	11.0	2.6	2.6	3.9	20.0	11.9
	Suburban	F	7.4 (7440)	6.0	—	⑱	⑲	⑬	④	25.0 ⑮	24.5
	Suburban	R	5.7 (5735)	5.0	—	⑱	—	—	④	⑤	18.0
	Tahoe	R	5.7 (5735)	5.0	—	⑱	⑲	⑬	④	⑩	18.0
	Tahoe	S	6.5 (6473)	7.0	—	⑱	-	—	④	⑩	23.8
	Yukon	R	5.7 (5735)	5.0	—	⑱	⑲	⑬	④	⑩	18.0
	Yukon	S	6.5 (6473)	7.0	—	⑱	-	—	④	⑩	23.8

NOTA: todas estas capacidades son aproximadas. Añadir el fluido de forma gradual y comprobar que se llega a un nivel de fluido adecuado.

① 16.5 qts con calefactor trasero.
② Catarina New Venture 4500: 8.0 pts.
   Catarina New Venture 5LM60: 4.4 pts.
③ Trans. 350 C: 6.3 pts.
   Trans. THM400 y 4L80: 9.0 pts.
   Trans. THM700R4 y 4L60: 10.0 pts.
   Trans. THM700R4 y 4L80-E: 14.3 pts.
④ Corona dentada de 8.5 pulgadas: 4.2 pts.
   Corona dentada de 9.5 pulgadas: 6.5 pts.
   Corona dentada de 9.75 pulgadas: 6.0 pts.
   Corona dentada de 10.5 pulgadas: 6.5 pts.

⑤ Std. Disponible con tanques de 25 y 34 galones. Chasis tipo cabina disponible con tanques de 22, 30 y 34 galones.
⑥ HD: 27.0 qts.
⑦ 3500HD: 28.5 qts de capacidad.
⑧ Disponible con tanques de 32 y 41 galones.
⑨ Añadir 3 qts. Con calefactor trasero.
⑩ Chasis corto: 26 galones.
   Chasis largo: 34 galones.
⑪ Disponible con varios tanques.
⑫ Llenar hasta el extremo inferior del orificio del tapón de llenado.
⑬ Modelos K2: 1.75 qts .
   Modelos K3: 2.25 qts.

⑭ Disponible con tanque de 20 galones.
⑮ Disponible con tanques de 31 o de 40 galones.
⑯ Disponible con tanque opcional de 31 galones.
⑰ Con calefactor posterior: 16.5 qts.
   Sin calefactor posterior: 14.3 qts.
⑱ Transmisión del 4L 60 E: 10.0 pts.
   Transmisión del 4L 80 E: 14.5 pts.
⑲ NV241 y NV243: 4.5 pts.
   4401 y 4470: 6.6 pts.
⑳ NV1500: 6 pts.
   NV3500: 4.5 pts.

6 GENERAL MOTORS FULL SIZE

ESPECIFICACIONES DE VÁLVULAS

Año	Motor ID/VIN	Cilindrada del motor litros (cc)	Ángulo de asiento (grados)	Ángulo de cara (grados)	Tensión prueba de resortes (lb @ plg)	Altura resorte instalado (plg)	Holgura entre vástago y guía (plg)		Diámetro del vástago (plg)	
							Admisión	Escape	Admisión	Escape
1995	4	2.2 (2189)	46	45	228@1.27	1.71	0.0010-0.0020	0.0010-0.0030	NA	NA
	W	4.3 (4293)	46	45	194-206@1.25	1.69-1.71	0.0011-0.0027	0.0011-0.0027	NA	NA
	Z	4.3 (4293)	46	45	194-206@1.25	1.69-1.71	0.0010-0.0027	0.0010-0.0027	NA	NA
	H	5.0 (4999)	46	45	76-84@1.70	1.72	0.0010-0.0027	0.0010-0.0027	NA	NA
	K	5.7 (5735)	46	45	76-84@1.70	1.72	0.0010-0.0027	0.0010-0.0027	NA	NA
	F	6.5 (6473)	46	45	230@1.39	1.81	0.0010-0.0027	0.0010-0.0027	NA	NA
	P	6.5 (6473)	46	45	230@1.39	1.81	0.0010-0.0027	0.0010-0.0027	NA	NA
	S	6.5 (6473)	46	45	230@1.39	1.81	0.0010-0.0027	0.0010-0.0027	NA	NA
	Y	6.5 (6473)	46	45	230@1.39	1.81	0.0010-0.0027	0.0010-0.0027	NA	NA
	N	7.4 (7440)	46	45	205-225@1.40	1.80	0.0010-0.0027	0.0012-0.0029	NA	NA
1996	4	2.2 (2189)	46	45	228@1.28	1.71	0.0010-0.0020	0.0010-0.0030	NA	NA
	W	4.3 (4293)	46	45	187-203@1.27	1.69-1.71	0.0010	0.0020	NA	NA
	X	4.3 (4293)	46	45	187-203@1.27	1.69-1.71	0.0010	0.0020	NA	NA
	M	5.0 (4999)	46	45	187-203@1.27	1.69-1.71	0.0010-0.0027	0.0010-0.0027	NA	NA
	R	5.7 (5735)	46	45	187-203@1.27	1.69-1.71	0.0010-0.0027	0.0010-0.0027	NA	NA
	F	6.5 (6473)	46	45	230@1.40	1.80	0.0010-0.0027	0.0010-0.0027	NA	NA
	S	6.5 (6473)	46	45	230@1.40	1.80	0.0010-0.0027	0.0010-0.0027	NA	NA
	J	7.4 (7440)	46	45	238-262@1.34	1.83	0.0010-0.0029 ①	0.0012-0.0031 ①	NA	NA
1997	4	2.2 (2189)	46	45	228@1.28	1.71	0.0010-0.0020	0.0010-0.0030	NA	NA
	W	4.3 (4293)	46	45	187-203@1.27	1.69-1.71	0.0010	0.0020	NA	NA
	X	4.3 (4293)	46	45	187-203@1.27	1.69-1.71	0.0010	0.0020	NA	NA
	M	5.0 (4999)	46	45	187-203@1.27	1.69-1.71	0.0010-0.0027	0.0010-0.0027	NA	NA
	R	5.7 (5735)	46	45	187-203@1.27	1.69-1.71	0.0010-0.0027	0.0010-0.0027	NA	NA
	F	6.5 (6473)	46	45	230@1.40	1.80	0.0010-0.0027	0.0010-0.0027	NA	NA

ESPECIFICACIONES DE VÁLVULAS

Año	Motor ID/VIN	Cilindrada del motor litros (cc)	Ángulo de asiento (grados)	Ángulo de cara (grados)	Tensión prueba de resortes (lb @ plg)	Altura resorte instalado (plg)	Holgura entre vástago y guía (plg)		Diámetro del vástago (plg)	
							Admisión	Escape	Admisión	Escape
1997 (cont.)	S	6.5 (6473)	46	45	230@1.40	1.80	0.0010-0.0027	0.0010-0.0027	NA	NA
	J	7.4 (7440)	46	45	238-262@1.34	1.83	0.0010-0.0029 ①	0.0012-0.0031 ①	NA	NA
1998-99	4	2.2 (2189)	46	45	228@1.28	1.71	0.0010-0.0020	0.0010-0.0030	NA	NA
	W	4.3 (4293)	46	45	187-203@1.27	1.69-1.71	0.0010	0.0020	NA	NA
	X	4.3 (4293)	46	45	187-203@1.27	1.69-1.71	0.0010	0.0020	NA	NA
	M	5.0 (4999)	46	45	187-203@1.27	1.69-1.71	0.0010-0.0027	0.0010-0.0027	NA	NA
	R	5.7 (5735)	46	45	187-203@1.27	1.69-1.71	0.0010-0.0027	0.0010-0.0027	NA	NA
	F	6.5 (6473)	46	45	230@1.40	1.80	0.0010-0.0027	0.0010-0.0027	NA	NA
	S	6.5 (6473)	46	45	230@1.40	1.80	0.0010-0.0027	0.0010-0.0027	NA	NA
	J	7.4 (7440)	46	45	238-262@1.34	1.83	0.0010-0.0029 ①	0.0012-0.0031 ①	NA	NA

NA: No disponible.
① Límite de servicio:
   Admisión: 0.0037 MAX.
   Escape: 0.0049 MAX.

ESPECIFICACIONES DE TORSIÓN
Todas las medidas están en pie-lb

Año	Modelo ID/VIN	Cilindrada del motor litros (cc)	Tornillos culata de cilindros	Tornillos cojinete principal	Tornillos cojinete de biela	Tornillos polea amortiguador cigüeñal	Tornillos volante	Múltiple Admisión	Escape	Bujías	Tuerca de orejetas
1995	4	2.2 (2189)	①	70	38	77	55	②	10	③	100
	W	4.3 (4293)	65	81	④	70	74	35	⑤	11	90
	Z	4.3 (4293)	65	81	④	70	74	35	⑤	11	90
	H	5.0 (4999)	65	⑥	45	70	75	35	⑤	15	⑦
	K	5.7 (5735)	65	⑥	45	70	75	35	⑤	15	⑦
	F	6.5 (6473)	⑧	⑨	48	200	66	31	26	—	⑦
	P	6.5 (6473)	⑧	⑨	48	200	66	31	26	—	⑦
	S	6.5 (6473)	⑧	⑨	48	200	66	31	26	—	⑦
	Y	6.5 (6473)	⑧	⑨	48	200	66	31	26	—	⑦
	N	7.4 (7440)	80	100	48	85	65	35	40	22	⑦
1996	4	2.2 (2189)	①	70	38	77	55	②	10	11	100
	W	4.3 (4293)	⑩	77	④	74	74	⑪	⑫	11	90
	X	4.3 (4293)	⑩	77	④	74	74	⑪	⑫	11	90
	M	5.0 (4999)	⑬	⑭	⑮	74	74	⑪	⑫	15	⑦
	R	5.7 (5735)	⑬	⑭	⑮	74	74	⑪	⑫	15	⑦
	F	6.5 (6473)	⑧	⑨	48	200	65	31	26	—	⑦
	S	6.5 (6473)	⑧	⑨	48	200	65	31	26	—	⑦
	J	7.4 (7440)	85	100	45	110	67	30	22	15	⑦
1997	4	2.2 (2189)	①	70	38	77	55	②	10	11	100
	W	4.3 (4293)	⑩	77	④	74	74	⑪	⑫	11	90
	X	4.3 (4293)	⑩	77	④	74	74	⑪	⑫	11	90
	M	5.0 (4999)	⑬	⑭	⑮	74	74	⑪	⑫	15	⑦
	R	5.7 (5735)	⑬	⑭	⑮	74	74	⑪	⑫	15	⑦
	F	6.5 (6473)	⑧	⑨	48	200	65	31	26	—	⑦
	S	6.5 (6473)	⑧	⑨	48	200	65	31	26	—	⑦
	J	7.4 (7440)	85	100	45	110	67	30	22	15	⑦
1998-99	4	2.2 (2189)	①	70	38	77	55	②	10	11	100
	W	4.3 (4293)	⑩	77	④	74	74	⑪	⑫	11	90
	X	4.3 (4293)	⑩	77	④	74	74	⑪	⑫	11	90
	M	5.0 (4999)	⑧	⑭	⑮	74	74	⑪	⑫	15	⑦
	R	5.7 (5735)	⑧	⑭	⑮	74	74	⑪	⑫	15	⑦
	F	6.5 (6473)	⑧	⑨	48	200	65	31	26	—	⑦
	S	6.5 (6473)	⑧	⑨	48	200	65	31	26	—	⑦
	J	7.4 (7440)	85	100	45	110	67	30	22	15	⑦

NOTA: Aplicable sólo al Múltiple Inferior.

① Tornillos cortos: 43 pie-lb más 90 grados.
Tornillos largos: 46 pie-lb más 90 grados.

② Tuercas del múltiple inferior de admisión: 24 pie-lb.
Espárragos del múltiple de admisión inferior: 22 pie-lb.
Tornillos del múltiple de admisión superior: 22 pie-lb.

③ Primera instalación (culata nueva): 22 pie-lb.
Resto de instalaciones: 12 pie-lb.

④ 20 pie-lb más 70 grados.

⑤ 2 Tornillos centrales: 26 pie-lb.
Resto de tornillos: 20 pie-lb.

⑥ Tornillos exteriores en tapas 2-4: 70 pie-lb.
Resto de tornillos: 80 pie-lb.

⑦ En todos los 5 y 6 espárragos de ruedas traseras simples: 110 pie-lb.
En todos los 8 espárragos de ruedas traseras simples: 120 pie-lb.
En todos los 8 espárragos de ruedas traseras dobles: 140 pie-lb.
En todos los 10 espárragos de ruedas dobles: 175 pie-lb.

⑧ Aplicar sellador.
Etapa 1: 20 pie-lb.
Etapa 2: 50 pie-lb.
Etapa 3: 50 pie-lb.
Etapa 4: más 90-100 grados.

⑨ Tornillos exteriores: 100 pie-lb.
Tornillos interiores: 111 pie-lb.

⑩ Primer paso: 22 pie-lb.
Segundo paso:
Tornillo corto: más 55 grados.
Tornillo medio: más 65 grados.
Tornillo largo: más 75 grados.

⑪ Múltiple de admisión inferior:
Primer paso: 27 plg-lb.
Segundo paso: 106 plg-lb.
Paso final: 11 plg-lb.
Tornillos del múltiple superior:
Primer paso: 44 plg-lb.
Segundo paso: 88 plg-lb.

⑫ Apretar los tornillos a 12 plg-lb.
Reapretar a 22 plg-lb.

⑬ Paso 1: 22 plg-lb.
Paso 2:
Tornillo corto: más 55 grados.
Tornillo medio: más 65 grados.
Tornillo largo: más 75 grados.

⑭ Tornillos exteriores en tapas 2-4: 67 pie-lb.
Resto de tornillos: 74 pie-lb.

⑮ Cubrir el fileteado con sellante.
Apretar todos los tornillos a 20 pie-lb.
Reapretar a 50 pie-lb.

REPARACIÓN DEL MOTOR DE GASOLINA

➡ **La desconexión del alambre negativo del acumulador puede, en algunos vehículos, interferir con las funciones del computador de a bordo y puede provocar que el computador requiera un proceso de readquisición de parámetros, al reconectar el negativo del acumulador.**

DISTRIBUIDOR

DESMONTAJE

1. Desconectar el alambre negativo del acumulador.
2. Sacar y etiquetar los alambres de las bujías y los de las bobinas, del distribuidor.
3. Desacoplar el conector eléctrico de la base del distribuidor.
4. Aflojar los broches de sujeción de la tapa y sacar la tapa.
5. Marcar con una tiza o pintura la posición del rotor con respecto al cuerpo del distribuidor y la de éste respecto al bloque de cilindros, de forma que puedan coincidir al montarlos.
6. Aflojar y sacar el tornillo de apriete.
7. Sacar del motor el distribuidor.

INSTALACIÓN

Sincronización no alterada

1. Instalar el distribuidor en el motor asegurándose de que las marcas quedan correctamente alineadas.
2. Poner y apretar el tornillo de apriete.
3. Poner la tapa del distribuidor y acoplar el conector eléctrico a la base del distribuidor.
4. Conectar los alambres de las bujías y de las bobinas.
5. Conectar el alambre negativo del acumulador.

Sincronización alterada

1. Sacar la bujía del cilindro N° 1. Girar el motor usando una llave de tuercas en el tornillo delantero de la polea del cigüeñal. Poner el dedo cerca del agujero de la bujía N° 1 y girar el cigüeñal hasta que el pistón alcanza el

Punto Muerto Superior (PMS). A medida que el motor se acerca al PMS, se notará el aire que sale por el agujero de la bujía del cilindro N°1. La marca de sincronización de la polea del cigüeñal debe quedar alineada con la marca 0 de la escala de sincronización. Si no se consigue alinear estas marcas, girar el motor otra vuelta completa (360 grados). Una vez que la posición del motor es la correcta, instalar la bujía.

➡ **Antes de su instalación, posicionar el rotor de forma que apunte al terminal N° 2 de la tapa. Al meter el distribuidor en el motor, el rotor girará en el sentido de las agujas del reloj y quedará posicionado en el terminal N° 1, que es la posición deseada.**

2. Girar el rotor de manera que cuando se haya asentado bien en el motor, apunte al terminal N° 1 de la tapa del distribuidor.
3. Instalar el distribuidor en el motor. Puede ser necesario girar un poco el rotor en cualquiera de los dos sentidos, para acoplar correctamente las catarinas (engranes).

➡ **Si el distribuidor no queda totalmente asentado en el motor, sacar el distribuidor y alinear con un desarmador largo la ranura de la parte superior del eje motriz de la bomba de aceite, con la lengüeta situada en la parte inferior del eje del distribuidor. Reinstalar el distribuidor.**

4. Golpear ligeramente el motor de arranque unas cuantas veces para asegurarse de que el eje de la bomba de aceite está acoplado al eje del distribuidor.
5. Llevar de nuevo al motor al PMS y comprobar que el rotor apunta hacia el terminal N° 1 en la tapa. Si todas las marcas están correctamente alineadas, colocar y apretar los tornillos de apriete.
6. Instalar la tapa y apretar los tornillos de sujeción.
7. Acoplar las conexiones eléctricas y los alambres de las bujías.

SINCRONIZACIÓN DEL ENCENDIDO

AJUSTE

Consultar siempre la placa de Información del Control de Emisiones del Vehículo, situada en el

compartimiento del motor, para conocer las especificaciones y procedimientos de ajuste de la sincronización del encendido básico.

CONJUNTO MOTOR

DESMONTAJE E INSTALACIÓN

Es virtualmente imposible listar todos y cada uno de los alambres y mangueras que deben ser desconectados, simplemente porque existen múltiples variantes puesto que se han fabricado muchas combinaciones de modelos y de motores. El mejor criterio para llevar a cabo cualquier reparación es observar cuidadosamente la disposición inicial de todos los elementos y aplicar el sentido común.

El desmontaje e instalación son más sencillos si se observan las pautas básicas siguientes:

- Si se tiene que purgar algún fluido, usar un recipiente adecuado a este fin.
- Etiquetar o marcar siempre todos los alambres o mangueras, cuando sea posible, así como los elementos a los que habían estado conectados.
- Puesto que el motor tiene un gran número de tornillos y enganches, es conveniente guardar y etiquetar todos estos elementos separadamente de los componentes del motor, en botes u otros recipientes adecuados. Esto evitará muchas confusiones durante la instalación.
- Después de desatornillar la transmisión, asegurarse de que está correctamente apoyada.
- Si es necesario desconectar el sistema Acondicionador de Aire, un técnico cualificado deberá realizar esta operación con la ayuda de un equipo de recuperación/reciclado. Si no hace falta desconectarlo, desatornillar el compresor y apartarlo.
- Cuando se desatornillan los soportes del motor, hay que asegurarse siempre de que el motor esté bien apoyado. Al sacar el motor, asegurarse de que el dispositivo de elevación usado está bien amarrado al motor. Se recomienda que en caso de que el motor disponga de ganchos de elevación, se amarre a éstos el dispositivo de elevación.
- Elevar lentamente el motor fuera de su compartimiento, comprobando que no queda ningún alambre, tubo u otros componentes conectados al motor.
- Una vez el motor está fuera de su compartimiento, colocarlo sobre un banco de trabajo o sobre un caballete para motores.

1. En el acumulador, desconectar primero el alambre negativo y posteriormente el positivo.

2. Marcar y sacar el capó.

3. Purgar el circuito de enfriamiento y sacar el radiador.

4. Sacar el conjunto del filtro de aire.

5. Sacar el tanque de enfriante del radiador.

6. En el caso de la furgoneta, realizar lo siguiente:

a. Sacar el soporte superior del radiador.

b. Sacar la rejilla y el faldón inferior de la rejilla.

c. Desmontar el parachoques delantero, si es necesario.

7. Hacer que un técnico homologado por la autoridad sanitaria descargue el circuito del aire acondicionado.

8. Sacar el condensador del aire acondicionado de delante del radiador.

9. Si dispone de transmisión automática, sacar del radiador los tubos de enfriamiento del fluido.

10. Desconectar el varillaje del acelerador y del control de velocidad de crucero.

11. Liberar la presión del circuito del combustible, y luego desconectar los tubos del combustible del motor.

12. En motores turboalimentados, sacar el conjunto turboalimentador.

13. Desconectar el haz de alambres del motor del conector del tabique cortafuegos.

14. Etiquetar y desconectar todos los tubos de vacío.

15. Sacar la bomba de la dirección asistida. Colocar la bomba a un lado, sin desconectar los alambres ni mangueras.

16. Desconectar del motor las mangueras del calefactor.

17. En algunos modelos es necesario sacar la caja del termostato.

18. Sacar los tubos de llenado del aceite y de la transmisión automática.

19. Levantar el vehículo y apoyarlo de forma segura.

20. Sacar el servo de control de crucero, la abrazadera del servo y el transductor.

21. Drenar el aceite del motor.

22. Desconectar de los múltiples de escape los tubos de escape.

23. Sacar el árbol de transmisión y taponar el extremo de la transmisión.

24. Desconectar el varillaje del cambio y el cable del velocímetro.

25. Sacar el tubo de combustible del tanque del combustible y de la bomba de combustible.

26. Sacar los tornillos de soporte de la transmisión.

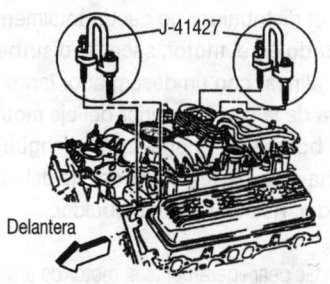

▲ Para sacar el motor, se deberán instalar soportes de elevación universales en el sitio de los tornillos propios del múltiple de admisión, para evitar dañar el motor

27. Bajar el vehículo y apoyar la transmisión y el motor.

28. Instalar los ganchos de elevación J-41427 tal como se explica aquí:

• Desconectar los alambres de las bujías y sacar la tapa del distribuidor.

• Sacar los dos retenedores derechos inferiores posteriores del múltiple de admisión e instalar el gancho de elevación J-41427 (el que está marcado con la palabra "right"). Apretar los tornillos a 11 pie-lb (15 Nm).

• Sacar el compresor del aire acondicionado y el soporte de la propulsión de accesorios.

• Desconectar el tubo EGR (Recirculación de Gases de Escape) y los dos tornillos inferiores izquierdos del múltiple de admisión.

• Instalar el gancho de elevación J-41427 (el que está marcado con la palabra "left") y apretar los tornillos a 11 pie-lb (15 Nm).

29. Sacar los tornillos de sujeción del motor que unen al bastidor los soportes de montaje del motor.

30. Sacar los tornillos pasantes de sujeción del motor.

31. Elevar ligeramente el motor y sacar los soportes del motor. Apoyar el motor con maderas entre el depósito de aceite y el travesaño.

32. Sacar la transmisión manual y el embrague tal como se explica aquí:

a. Sacar los tornillos posteriores de la caja del embrague.

b. Sacar los tornillos que sujetan la caja del embrague al motor y sacar la transmisión y el embrague como una unidad.

➡ **Apoyar la transmisión mientras se desatornilla el último tornillo para evitar dañar el embrague.**

c. Sacar la cubierta posterior de la caja del embrague y el motor de arranque.

d. Aflojar un poco los tornillos de sujeción del embrague a la vez para evitar distorsionar el disco hasta que la tensión del resorte es liberada. Sacar todos los tornillos, el disco del embrague y el plato de presión.

33. Sacar la transmisión automática tal como se explica aquí:

a. Bajar el motor y apoyarlo sobre unos bloques.

b. Sacar la cubierta de la caja del motor de arranque y del convertidor.

c. Sacar los tornillos de sujeción del convertidor al conjunto volante/plato flexible.

d. Apoyar la transmisión sobre unos bloques.

e. Desconectar el cable de retenida en el Turbo Hydra-Matic.

f. Sacar los tornillos de sujeción de la transmisión al motor.

34. Amarrar una grúa al motor.

35. Elevar cuidadosamente el motor fuera del vehículo. Asegurarse de que todos los chicotes, alambres y mangueras han sido desconectados.

Para instalar:

36. Bajar cuidadosamente el motor en el vehículo e instalar los soportes del motor. Apretar los tornillos según especificaciones.

37. Instalar la transmisión manual y el embrague tal como sigue:

a. Instalar el disco del embrague y el plato de presión. Apretar un poco los tornillos de sujeción, cada vez, para evitar la distorsión del disco.

b. Instalar la tapa posterior de la caja del embrague y el motor de arranque.

c. Colocar los tornillos de unión de la caja del embrague al motor e instalar la transmisión y el embrague como una unidad. Apretar los tornillos según especificaciones.

d. Instalar los tornillos posteriores de la caja del embrague.

38. Instalar la transmisión automática tal como se explica a continuación:

a. Posicionar la transmisión.

b. Instalar los tornillos de sujeción de la transmisión al motor.

c. Conectar el varillaje del estrangulador y el chicote (cable) de amarre.

d. Instalar los tornillos de sujeción del convertidor al conjunto volante/plato flexible. Apretar los tornillos según especificaciones.

e. Instalar el motor de arranque y la tapa de la caja del convertidor.

39. Instalar los tornillos de los soportes de sujeción del motor al bastidor. Apretar los tornillos según especificaciones.

40. Instalar los tornillos de sujeción de los soportes del motor al bastidor. Apretar los tornillos según especificaciones.

41. Instalar el eje transversal del embrague.

42. Instalar los tornillos de sujeción de la transmisión. Apretar los tornillos según especificaciones.

43. Conectar el varillaje del cambio de la transmisión y el cable del velocímetro.

44. Instalar el árbol de transmisión.

45. Sacar los ganchos de elevación e instalar el compresor, el tubo de la válvula EGR y los tornillos de sujeción del múltiple de admisión.

46. Instalar el condensador.

47. Si se había sacado, instalar el soporte del cierre del capó.

48. Instalar la cubierta inferior del ventilador y el panel de relleno.

49. Instalar el tubo de la varilla de la transmisión y el cable del acelerador en el tubo.

50. Instalar la manguera del enfriante en el múltiple de admisión y la válvula PCV.

51. Instalar la tapa del distribuidor.

52. Instalar el servo de control de marcha, el soporte del servo y el transductor.

53. Instalar el tubo de llenado del aceite y el tubo de llenado de la transmisión automática.

54. Instalar el tubo de la varilla del motor.

55. Si se había sacado, instalar la caja del termostato.

56. Conectar las mangueras del calefactor al motor.

57. Conectar el haz de alambres del motor al conector del tabique cortafuegos.

58. Instalar el radiador, la cubierta y el soporte de apoyo del radiador.

59. Conectar los tubos de combustible.

60. Conectar las varillas del acelerador y del control de marcha.

61. Instalar el depósito y la abrazadera del limpiaparabrisas.

62. Instalar el condensador del aire acondicionado.

63. Instalar el tanque de vacío del aire acondicionado.

64. Tener el circuito del aire acondicionado cargado por un técnico cualificado con la ayuda de un equipo de recuperación/reciclado.

65. Si el vehículo está equipado con transmisión automática, instalar los tubos de enfriamiento del fluido en el radiador.

66. Instalar el depósito del enfriante del radiador.

67. Si se había sacado, instalar la rejilla y el faldón inferior de la rejilla.

68. Instalar el conjunto filtro de aire.

69. Si dispone de ella, colocar la tapa del motor.

70. Colocar el capó.

71. Rellenar el circuito de enfriamiento del motor y, en caso de que disponga de ella, la transmisión automática, con el tipo y cantidad de fluido correctos.

72. Conectar los alambres del acumulador.

BOMBA DE AGUA

DESMONTAJE E INSTALACIÓN

Motores 4.3L, 5.0L, 5.7L y 7.4L

1. Desconectar el alambre negativo del acumulador.

2. Drenar el radiador. Sacar la cubierta del ventilador.

3. Sacar la(s) banda(s) de transmisión.

4. Sacar el alternador y otros accesorios, si hace falta.

5. Sacar el ventilador, embrague del ventilador y la polea.

6. Sacar cualquier abrazadera auxiliar que pudiera interferir en la operación de extraer la bomba de agua.

7. Desconectar de la admisión de la bomba la manguera inferior del radiador y la manguera del calefactor de la boquilla de la bomba. En el motor 7.4L, sacar el tubo de desviación.

8. Sacar los tornillos y estirar el conjunto de la bomba de agua hacia fuera de la tapa de la sincronización.

Para instalar:

9. Limpiar todos los restos de material de la junta que hayan quedado adheridos a la cubierta de la cadena de sincronización.

10. Instalar el conjunto de la bomba usando una junta nueva. Apretar los tornillos a 30 pie-lb (41 Nm).

11. Conectar el tubo entre la admisión de la bomba de agua y la boquilla de la bomba. Conectar la manguera del calefactor y el tubo del desvío (sólo 7.4L).

12. Instalar el ventilador, el embrague del ventilador y la polea.

13. Instalar y ajustar el alternador y otros accesorios, si fuera necesario.

14. Instalar la(s) banda(s) de transmisión. Instalar la cubierta superior del radiador.

15. Llenar el circuito de enfriamiento. Conectar el acumulador.

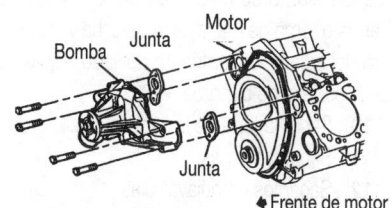

▲ Vista esquemática del montaje de la bomba de agua – Motor 4.3L

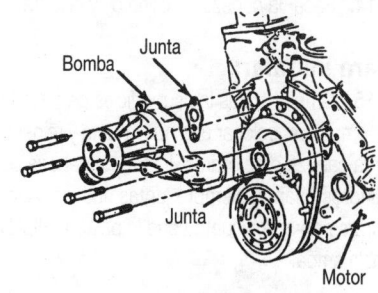

▲ Vista esquemática del montaje de la bomba de agua – Motores 5.0L y 5.7L

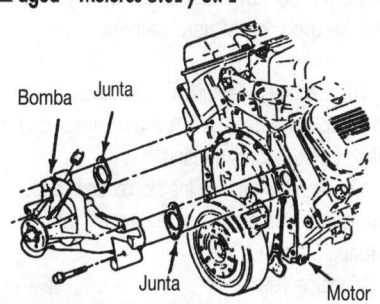

▲ Vista esquemática del montaje de la bomba de agua – Motor 7.4L

CULATA DE CILINDROS

DESMONTAJE E INSTALACIÓN

Motor 4.3L

1. Desconectar el alambre negativo del acumulador.
2. Sacar la cubierta protectora del motor.
3. Drenar el líquido enfriante.
4. Sacar el múltiple de admisión.
5. Sacar el múltiple de escape.
6. En su caso, sacar el tubo de aire posterior derecho de la cabeza o culata de cilindros.
7. Sacar el tornillo de sujeción del alternador a la cabeza de cilindros (lado derecho) y, si es necesario, también el alternador.
8. Sacar la bomba de la dirección asistida y las abrazaderas del lado izquierdo de la cabeza de cilindros y ponerlas aparte.
9. Sacar el compresor del aire acondicionado y ponerlo aparte. Sacar de sus abrazaderas los alambres eléctricos de las bujías, la banda o toma de masa de la derecha y el alambre del sensor del enfriante del lado izquierdo de la cabeza de cilindros.
10. Sacar la tapa de la cabeza de cilindros.
11. Sacar las bujías.
12. Sacar los empujaválvulas.
13. Sacar los tornillos de sujeción de la cabeza de cilindros en el orden inverso al orden en que se habían apretado.
14. Sacar la cabeza de cilindros y la junta.

Para instalar:

15. Limpiar todas las superficies de sellado de empaque, colocar una nueva junta y reinstalar la cabeza de cilindros. Instalar la cabeza de cilindros usando siempre juntas nuevas. Asegurarse de que la junta tiene la palabra HEAD hacia arriba.

➡ **Recubrir la junta de culata con un sellante por ambas caras. Si la junta es de composite, no usar sellante.**

16. Limpiar los tornillos de la cabeza de cilindros, aplicar sellante a la rosca e instalar los tornillos apretándolos a mano.
17. Apretar los tornillos siguiendo la secuencia que se detalla a continuación, que comprende 3 etapas:

Modelos 1995
- Primera etapa: 25 pie-lb (34 Nm).
- Segunda etapa: 45 pie-lb (61 Nm).

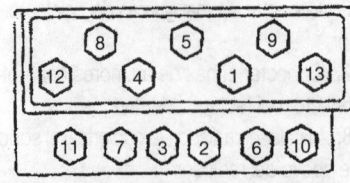

▲ **Apretar los tornillos de la culata de cilindros en el orden correcto para que la junta quede bien aplastada y así asegurar un sellado correcto de los cilindros – Motor 4.3L**

- Etapa final: 65 pie-lb (90 Nm).

En modelos de 1996-99, colocar los tornillos en secuencia a 22 pie-lb (30 Nm). Apretar los tornillos otra vez según el orden siguiente:
- Tornillos cortos: (11, 7, 3, 2, 6, 10) 55 grados.
- Tornillos medios: (12, 13) 65 grados.
- Tornillos largos: (1, 4, 8, 5, 9) 75 grados.

18. Instalar los empujaválvulas.
19. Si es necesario, ajustar los balancines.
20. Instalar las bujías.
21. Instalar la tapa de los balancines.
22. Instalar el compresor del aire acondicionado.
23. Instalar la bomba de la dirección asistida y los soportes.
24. Instalar el alternador o el tornillo de sujeción del alternador a la cabeza de cilindros.
25. Si se había sacado, instalar el ducto de aire en la trasera de la culata.
26. Instalar el múltiple de escape.
27. Instalar el múltiple de admisión.
28. Llenar el motor con líquido enfriante.
29. Conectar el alambre negativo del acumulador.
30. Colocar la cubierta protectora del motor.

Motores 5.0L y 5.7L

1. Desconectar el alambre negativo del acumulador y drenar el líquido enfriante.
2. Sacar la cubierta protectora del motor.
3. En su caso, sacar el recipiente de recuperación de líquido enfriante.
4. Sacar el múltiple de admisión.
5. Sacar los múltiples de escape y dejarlos aparte.
6. Sacar la conexión a masa en la parte posterior del ducto de AIR derecho, en caso que lo tenga.
7. Si la furgoneta equipa aire acondicionado, sacar el compresor del aire acondicionado y el soporte de montaje anterior y dejar el compresor aparte. No desconectar ninguno de los tubos del circuito de enfriamiento.
8. Sacar el tubo de entrada del EGR.

9. Sobre el lado derecho de la cabeza de cilindros, desconectar el conducto del combustible y separarlo. Sacar los alambres de las bujías y desconectar la abrazadera del haz de alambres.
10. Sacar la tuerca y el espárrago que sujetan el soporte de accesorios principal a la culata de cilindros. Puede ser que haya que aflojar el resto de tornillos y espárragos para sacar la cabeza de cilindros.
11. Etiquetar y desconectar el alambre del sensor del enfriante. Sacar la abrazadera del alambre de la bujía.
12. Sacar las tapas de la cabeza de cilindros. Sacar las bujías.
13. Retirar las tuercas de los balancines y hacer pivotar los balancines hasta quitarlos del espacio de trabajo de forma que se puedan sacar los empujadores. Identificar los empujadores de modo que puedan instalarse de nuevo en su posición original.
14. Sacar los tornillos de sujeción de las cabezas de cilindros, en el orden inverso a como habían sido apretados, y sacar las cabezas o culatas.

Para instalar:

15. Inspeccionar las superficies de contacto entre el bloque de cilindros y las culatas de cilindros. Limpiar todo el material de la junta que pudiera haber quedado adherido.
16. Instalar las culatas de cilindros usando una junta nueva. Colocar la junta con la palabra HEAD mirando hacia arriba.

➡ **Recubrir la junta de culata con un sellante por ambas caras. Si la junta es de composite, no usar sellante.**

17. Limpiar los tornillos de culata de cilindros, aplicar sellante a la rosca e instalar los tornillos apretándolos a mano.
18. Apretar los tornillos poco a poco, siguiendo la secuencia que se detalla a continuación, que comprende 3 etapas:
19. Apretar los tornillos de culata en secuencia a 22 pie-lb (30 Nm). Apretar los tornillos otra vez según el orden siguiente:
- Tornillos cortos: (3, 4, 7, 8, 11, 12, 15, 16) 55 grados.
- Tornillos medios: (14, 17) 65 grados.
- Tornillos largos: (1, 2, 5, 6, 9, 10, 13) 75 grados.
20. Instalar los empujaválvulas de forma que queden en su posición original. Rotar los balancines de nuevo a su posición y apretar los tornillos.
21. Instalar las tapas protectoras de la culata de cilindros. Instalar las bujías.

22. Conectar el alambre del sensor del líquido enfriante. Colocar la abrazadera de los alambres de las bujías.

23. Instalar la abrazadera de accesorios principal sobre la culata de cilindros.

24. Instalar el tubo de venteo del EGR.

25. Conectar el tubo del combustible. Instalar los alambres de las bujías y conectar la abrazadera del haz de alambres.

26. Instalar el compresor del aire acondicionado y el soporte de montaje delantero.

27. Conectar la banda de masa en la parte posterior del ducto derecho del AIR.

28. Instalar los múltiples de escape.

29. Instalar el múltiple de admisión.

30. En caso de haberse sacado, instalar el recipiente de recuperación de líquido enfriante.

31. Conectar el alambre negativo del acumulador y llenar el motor con líquido enfriante.

32. Instalar la tapa del motor.

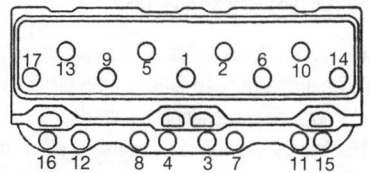

▲ Orden de apretado de los tornillos de la culata de cilindros – Motores 5.0L y 5.7L

Motor 7.4L

1. Desconectar el alambre negativo del acumulador y drenar el circuito de enfriamiento.

2. Sacar la tapa protectora del motor.

3. Sacar el múltiple de admisión.

4. Sacar los múltiples de escape.

5. Sacar el alternador y los soportes.

6. Sacar la bomba del AIR, si dispone de ella.

7. Si el vehículo está equipado con aire acondicionado, sacar el compresor del aire acondicionado y el soporte de montaje delantero y dejar el compresor a un lado. No desconectar ningún tubo del circuito de enfriamiento.

8. Sacar la tapa de los balancines.

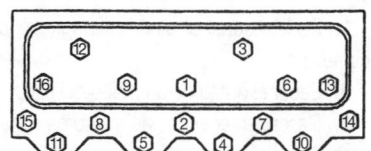

▲ Orden de apretado de los tornillos de la culata de cilindros – Motor 7.4L

9. Sacar las bujías.

10. Sacar los ductos del AIR de la parte posterior de la culata, si va equipado con éstos.

11. Desconectar la banda a masa de la parte posterior de la culata.

12. Desconectar el alambre del sensor de temperatura.

13. Aflojar las tuercas de los balancines y hacer pivotar los balancines hasta quitarlos del espacio de trabajo de forma que se puedan sacar los empujaválvulas. Identificar los empujaválvulas de modo que puedan instalarse de nuevo en su posición original.

14. Sacar los tornillos de la culata de cilindros y sacar las culatas.

Para instalar:

➡ La culata de cilindros debe ser limpiada e inspeccionada antes de su instalación, para identificar posibles deformaciones o daños.

15. Limpiar a fondo las superficies de contacto entre el bloque de cilindros y la culata. Limpiar a fondo los agujeros de los tornillos.

16. Instalar la culata de cilindros usando juntas nuevas. Instalar las juntas con la palabra HEAD mirando hacia arriba.

➡ Recubrir la junta de culata con un sellante por ambas caras. Si la junta es de composite, no usar sellante.

17. Limpiar los tornillos de la culata de cilindros, aplicar sellante a la rosca e instalar los tornillos apretándolos a mano.

18. Apretar los tornillos de culata de poco en poco, según una secuencia de 3 etapas, primero a 30 pie-lb (40 Nm), después a 60 pie-lb (80 Nm) y finalmente a 85 pie-lb (115 Nm).

19. Instalar los múltiples de admisión y de escape.

20. Instalar los empujadores.

21. Instalar los balancines.

22. Conectar el alambre del sensor de temperatura.

23. Conectar la banda de masa en la parte posterior de la culata.

24. Instalar los ductos del AIR en la parte posterior de la culata.

25. Instalar las bujías.

26. Instalar la tapa de balancines.

27. Instalar el compresor del aire acondicionado y el soporte de montaje delantero.

28. Instalar la bomba del AIR.

29. Instalar el alternador.

30. Conectar el alambre del acumulador y rellenar el circuito de enfriamiento.

31. Instalar la tapa del motor.

BALANCINES

DESMONTAJE E INSTALACIÓN

Motores 4.3L, 5.0L y 5.7L

1. Sacar la tapa del motor.

2. Sacar la tapa de la culata de cilindros.

3. Sacar la tuerca del balancín. Si se está cambiando sólo el empujador, aflojar la tuerca hasta que se pueda rotar el balancín de forma que quede a un lado.

4. Sacar el balancín y la junta esférica como una unidad.

➡ Siempre sacar cada conjunto de balancines (un conjunto por cilindro) como una unidad.

5. Sacar hacia arriba los empujadores y las guías de los empujadores.

Para instalar:

6. Instalar los empujadores y sus guías. Asegurarse de que se asientan correctamente sobre cada uno de los levantaválvulas.

7. Colocar los conjuntos de balancines (uno por cada cilindro) en su posición correcta.

➡ Colocar los balancines en cada cilindro sólo cuando el levantaválvulas no está sobre el lóbulo de la leva y ambas válvulas están cerradas.

▲ Vista esquemática de un balancín y componentes auxiliares - Motores 4.3L, 5.0L y 5.7L

8. Recubrir el balancín de recambio con Molykote® o un equivalente, y el balancín y el pivote con aceite de catarinas SAE 90, e instalar los pivotes.

9. Colocar las tuercas y apretar alternativamente como se detalla en el procedimiento de ajuste de la holgura de válvulas más adelante en este capítulo.

10. Colocar la tapa del motor.

Motor 7.4L

1. Sacar la tapa del motor.

2. Sacar la tapa de la culata de cilindros.

3. Sacar el tornillo del balancín. Si se está cambiando sólo el empujador o varilla de empuje, aflojar la tuerca hasta que se pueda rotar el balancín de forma que quede a un lado.

4. Sacar el balancín y la junta esférica como una unidad.

➡ Siempre sacar cada conjunto de balancines (un conjunto por cilindro) como una unidad.

5. Sacar hacia arriba los empujadores y las guías de los empujadores.

Para instalar:

6. Instalar los empujadores y sus guías. Asegurarse de que se asientan correctamente sobre cada uno de los levantadores de válvulas.

7. Colocar los conjuntos de balancines (uno por cada cilindro) en su posición correcta.

➡ Colocar los balancines en cada cilindro sólo cuando el levantador de válvulas no está sobre el lóbulo de la leva y ambas válvulas están cerradas.

8. Recubrir el balancín de recambio con Molykote® o un equivalente, y el balancín y el pivote con aceite de catarinas SAE 90, e instalar los pivotes.

9. Colocar los tornillos y apretarlos a 40 pie-lb (54 Nm) en modelos de 1995 y a 45 pie-lb (61 Nm) en modelos de 1996-97.

10. Colocar la tapa del motor.

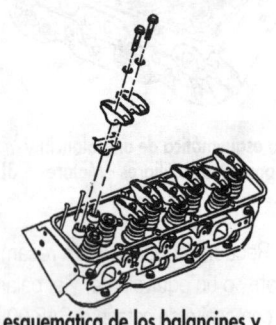

▲ **Vista esquemática de los balancines y componentes auxiliares – Motor 7.4L**

MÚLTIPLE DE ADMISIÓN

DESMONTAJE E INSTALACIÓN

Motor 4.3L

MODELOS 1995

1. Desconectar el alambre negativo del acumulador.

2. Sacar el conjunto del filtro de aire.

3. Sacar el distribuidor.

▼ PRECAUCIÓN ▼

Nunca abrir, realizar el mantenimiento o purgar el radiador o el circuito de enfriamiento en caliente, ya que el vapor de agua o el enfriante caliente podrían producir graves lesiones.

4. Desconectar el acelerador y en caso de que disponga de él, el cable de control de marcha del cuerpo del ahogador.

5. Sacar del múltiple el soporte posterior del compresor del acondicionador de aire.

6. Sacar el soporte del alternador del múltiple.

7. Sacar la polea loca.

▼ PRECAUCIÓN ▼

Tener en cuenta todas las precauciones de seguridad aplicables al trabajar con combustible. Al revisar y hacer el mantenimiento del sistema de combustible, trabajar siempre en un espacio bien ventilado. No permitir que los vapores o pulverizaciones de combustible alcancen a una chispa o una llama. Tener un extintor de polvo seco cerca del lugar de trabajo. Almacenar siempre el combustible en un recipiente especialmente diseñado a este efecto. Asimismo, sellar siempre de forma adecuada los recipientes de combustible, para evitar la posibilidad de incendio o de explosión.

8. Liberar la presión del circuito de combustible, después desconectar los tubos de combustible, las conexiones eléctricas y las líneas de vacío del cuerpo del ahogador y del múltiple.

9. Sacar el conducto del calefactor.

10. Sacar el soporte con los sensores y el haz de alambres del lado derecho y dejarlos a un costado.

11. Sacar los tornillos de montaje del múltiple de admisión y sacar el múltiple de admisión.

Para instalar:

12. Limpiar todas las superficies de contacto donde apoyaban las juntas.

13. Colocar las nuevas juntas en la culata de cilindros, y aplicar un cordón de $3/16$ plg (5 mm) de RTV en las superficies de sellado anterior y posterior del bloque de cilindros del motor. Extender el cordón $1/2$ plg (13 mm) hasta cada cabeza de cilindros para retener la junta.

14. Colocar con cuidado el múltiple de admisión sobre el motor.

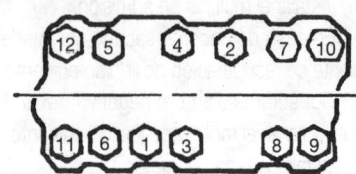

▲ **Orden de apretado de los tornillos del múltiple de admisión – Motor 4.3L 1995**

15. Instalar los tornillos de sujeción del múltiple de admisión y apretarlos a 35 pie-lb (47 Nm) siguiendo la secuencia mostrada.

16. Instalar el soporte del sensor y el haz de alambres.

17. Instalar el conducto del calefactor.

18. Conectar los tubos del combustible, tubos de vacío y conectores eléctricos al cuerpo del ahogador.

19. Instalar la polea loca, alternador y soportes del compresor del aire acondicionado.

20. Conectar al cuerpo del ahogador el cable del acelerador y en caso que disponga de él, el cable de control de marcha.

21. Instalar el distribuidor y el conjunto del filtro de aire.

22. Conectar el alambre negativo del acumulador.

MODELOS 1996-99

➡ Los motores 4.3L de 1996-99 usan un múltiple de admisión de dos piezas. El procedimiento siguiente describe el desmontaje e instalación de ambos múltiples.

1. Desconectar el alambre negativo del acumulador.

2. Sacar el ducto de admisión del aire.

3. Desconectar el haz de alambres conectados al múltiple.

4. Sacar las abrazaderas del haz de alambres y dejarlas a un lado.

5. Sacar del múltiple superior, el varillaje del ahogador y el soporte, y dejarlos a un lado.

6. Si dispone de control de marcha, desconectar el cable de control de marcha.

▼ PRECAUCIÓN ▼

Tener en cuenta todas las precauciones de seguridad aplicables al trabajar con combustible. Al revisar y hacer el mantenimiento del sistema de combustible, trabajar siempre en un espacio bien ventilado. No permitir que los vapores o pulverizaciones de combustible alcancen a una chispa o una llama. Tener un extintor de polvo seco cerca del lugar de trabajo. Almacenar siempre el combustible en un recipiente especialmente diseñado a este efecto. Asimismo, sellar siempre de forma adecuada los recipientes de combustible, para evitar la posibilidad de incendio o de explosión.

7. Liberar la presión del circuito de combustible, desconectar los tubos de combustible en la parte posterior del múltiple de admisión inferior.

8. Sacar del múltiple de admisión superior la manguera de vacío que va al reforzador de frenos (servofreno).

9. Sacar la bobina de encendido y el soporte.

10. Sacar el solenoide de purga y el soporte.

11. Marcar la posición de todos los espárragos del múltiple de admisión superior para su correcta instalación posterior, y luego sacar los espárragos y los tornillos de sujeción del múltiple de admisión.

12. Sacar el múltiple de admisión superior.

13. Marcar las posiciones de la caja del distribuidor y del rotor para su correcta instalación posterior, y luego sacar el distribuidor.

14. Desconectar de la caja del termostato la manguera superior del radiador.

15. Desconectar del múltiple de admisión inferior las mangueras del calefactor y del *bypass*.

16. Sacar la válvula de Recirculación de Gases de Escape (EGR).

17. Si dispone de él, sacar el tubo de la varilla de la transmisión.

18. Sacar la válvula de Ventilación Positiva del Cárter (PCV) y las mangueras.

19. Sin desconectar los tubos, sacar el compresor del acondicionador de aire y el soporte. Apartar el compresor a un lado.

20. Si es necesario, sacar el soporte y el tornillo del alternador situados junto a la caja del termostato.

21. Sacar los tornillos de montaje del múltiple de admisión inferior y sacar el múltiple inferior.

Para instalar:

22. Limpiar a fondo todas las superficies de sellado de empaque.

23. Colocar las nuevas juntas sobre la cabeza de cilindros con las placas de bloqueo de puertos en la parte posterior y con las palabras THIS SIDE UP mirando hacia arriba.

24. Aplicar un cordón de $^3/_{16}$ plg (5 mm) de RTV en las superficies de sellado anterior y posterior del bloque de cilindros. Extender el cordón $^1/_2$ plg (13 mm) encima de cada culata de cilindros para retener la junta.

25. Colocar el múltiple de admisión inferior cuidadosamente sobre el motor.

26. Aplicar un sellante GM 1052080 o equivalente a los tornillos del múltiple de admisión inferior.

27. Instalar y apretar los tornillos según una secuencia de 3 etapas, tal como sigue: primero apretar a 2 pie-lb (3 Nm), luego a 9 pie-lb (12 Nm) y finalmente a 11 pie-lb (15 Nm).

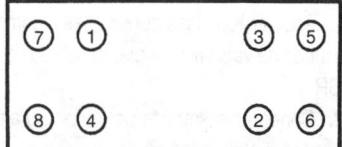

◀ Frente de motor

Orden de apretado de admisión

▲ **Apretar los tornillos del múltiple inferior de admisión en el orden mostrado para asegurar un correcto sellado – Motores 4.3L 1996-99**

28. Si se había sacado, instalar el soporte y los tornillos del alternador junto a la caja del termostato.

29. Instalar el compresor del acondicionador de aire.

30. Instalar la válvula y la manguera del PVC.

31. Si dispone de él, instalar el tubo de la varilla de la transmisión.

32. Instalar la válvula EGR.

33. Conectar las mangueras superior del radiador y del *bypass* a la caja del termostato.

34. Instalar el distribuidor.

35. Colocar la junta del múltiple de admisión superior sobre el múltiple inferior.

▼ AVISO ▼

Tener cuidado de no pellizcar los tubos de los inyectores entre los múltiples inferior y superior.

36. Instalar el múltiple de admisión superior, asegurándose de que los espárragos ocupan sus posiciones originales. Colocar primero los dos espárragos de las esquinas para facilitar que las dos mitades queden alineadas. Apretar los tornillos y los espárragos a 88 plg-lb (10 Nm).

37. Instalar el soporte y la válvula de control de purga.

38. Instalar la bobina de ignición.

39. Conectar el reforzador de vacío del freno.

40. Instalar las líneas de combustible.

41. Conectar el cable del acelerador y en caso que disponga de él, el cable de control de marcha.

42. Instalar las abrazaderas de los haces de alambres y realizar todas las conexiones.

43. Instalar el ducto de admisión del aire.

44. Conectar el alambre negativo del acumulador.

45. Rellenar y sangrar el circuito de enfriamiento.

46. Presurizar el circuito del combustible y comprobar si existen fugas.

Motores 5.0L, 5.7L y 7.4L

MODELOS 1995

1. Desconectar el alambre negativo del acumulador. Drenar el circuito de enfriamiento.

2. Sacar la tapa del motor.

3. Sacar el conjunto del filtro de aire.

4. Si es necesario, sacar el recipiente de recuperación de líquido enfriante.

5. Sacar de la caja del termostato la manguera superior del radiador.

6. Sacar el tubo del calefactor de la parte posterior del múltiple.

7. Desconectar del múltiple el tensor posterior del alternador.

8. Desacoplar todas las conexiones eléctricas y líneas de vacío del múltiple. Sacar la válvula EGR si fuera necesario.

➡ **Marcar la relación entre el distribuidor y el rotor para su correcta instalación posterior.**

9. Sacar el distribuidor.

10. Desconectar los tubos de combustible del múltiple de admisión.

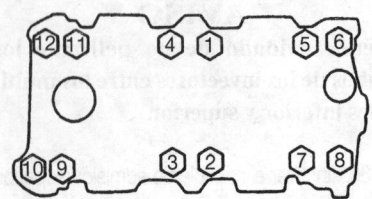

▲ **Apretar los tornillos del múltiple de admisión según el orden mostrado – Motores 5.0L 1995 y 5.7L**

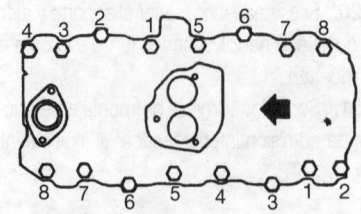

▲ **Apretar los tornillos del múltiple de admisión según el orden mostrado – Motor 7.4L 1995**

11. Sacar el varillaje del acelerador y del control de marcha.

12. Sacar el soporte posterior del compresor del aire acondicionado.

13. Sacar la línea de vacío al reforzador de freno, y luego desconectar los alambres de la bobina.

14. Sacar los sensores del control de emisiones y su soporte del lado derecho.

15. Sacar el soporte del tubo de combustible en la parte posterior del múltiple y colocar los tubos de combustible a un lado.

16. Sacar el soporte de detrás de la polea loca.

17. Sacar la unidad TBI si fuera necesario.

➡ **Marcar la posición de los espárragos en el múltiple de admisión para su correcta instalación posterior.**

18. Sacar los tornillos del múltiple de admisión. Sacar el múltiple y las juntas. No olvidar instalar la junta tórica entre el múltiple de admisión y la caja de la cadena de sincronización durante el montaje, en caso de que la lleve.

Para instalar:

➡ **Antes de instalar el múltiple de admisión, asegurarse de que las superficies de las juntas están totalmente limpias.**

19. Usar fijadores de junta de plástico para evitar que la junta del múltiple resbale y se descoloque, en caso de disponer de ellos. Usar un cordón de sellante de silicona tipo RTV de $3/16$ plg (5 mm) en los bordes delantero y trasero de las superficies de contacto entre el bloque de cilindros y el múltiple. Extender el cordón $1/2$ plg (13 mm) sobre cada culata de cilindros para sellar y retener las juntas laterales del múltiple.

20. Instalar el múltiple y las juntas. No olvidar reinstalar la junta tórica entre el múltiple de admisión y la tapa de la cadena de sincronización, si dispone de ella.

21. Instalar los tornillos del múltiple de admisión y apretarlos según la secuencia correcta.

Apretar los tornillos a 35 pie-lb (48 Nm) en los motores 5.0L y 5.7L o 30 pie-lb (40 Nm) en los motores 7.4L.

22. Instalar la unidad TBI en el caso de que se hubiera sacado.

23. Instalar el soporte detrás de la polea loca.

24. Instalar el soporte del tubo de combustible en la parte posterior del múltiple.

25. Instalar los sensores del control de emisiones y su soporte sobre el lado derecho.

26. Instalar la línea de vacío del reforzador de freno, después conectar los alambres de la bobina.

27. Instalar el soporte posterior del compresor del aire acondicionado.

28. Instalar el varillaje del acelerador y del control de marcha.

29. Instalar el tubo del combustible y el soporte.

30. Instalar el distribuidor.

31. Acoplar todas las conexiones eléctricas y los tubos de vacío al múltiple. Instalar la válvula EGR.

32. Conectar el soporte posterior del alternador al múltiple.

33. Conectar el tubo del calefactor a la parte posterior del múltiple.

34. Instalar la manguera superior del radiador.

35. En caso de haberse sacado, instalar el depósito de recuperación de enfriante.

36. Instalar el conjunto del filtro de aire.

37. Conectar el alambre negativo del acumulador. Llenar el circuito de enfriamiento.

MODELOS 1996-99

1. Desconectar el alambre negativo del acumulador.

2. Sacar la tapa del motor.

3. Sacar el ducto de admisión del filtro de aire.

4. Sacar el depósito de recuperación de enfriante.

5. Sacar los conectores y las abrazaderas del haz de alambres y ponerlos aparte.

6. Desconectar el varillaje del ahogador y el soporte del múltiple de admisión superior.

7. Sacar el cable de control de marcha (si dispone de él).

8. Sacar los tubos de combustible y el soporte de la parte posterior del múltiple de admisión.

9. Sacar la válvula y la manguera del PCV.

10. Sacar el soporte y la bobina de encendido.

11. Sacar el solenoide de purga y el soporte.

➡ **Anotar la posición de los tornillos y espárragos del múltiple antes de sacarlos, para posteriormente instalarlos en la misma posición original.**

12. Sacar los tornillos y espárragos del múltiple de admisión.

➡ **No desmontar la unidad CSFI.**

13. Sacar el múltiple de admisión superior.

14. Limpiar los residuos de la junta vieja adheridos sobre ambas superficies de contacto.

15. Sacar el distribuidor.

16. Desconectar el tubo superior de la caja del termostato.

17. Desconectar la manguera del calefactor del múltiple de admisión inferior.

18. Sacar la manguera *bypass* del enfriante.

19. Sacar la válvula EGR.

20. Desconectar del múltiple de admisión inferior los tubos de presión y retorno de combustible, liberando la presión del combustible.

21. Desconectar los haces de alambres y las abrazaderas del múltiple inferior.

22. Sacar la cubierta de válvulas izquierda.

23. Sacar el indicador de nivel de aceite de la transmisión y el tubo, si dispone de él.

24. Sacar el tubo EGR, la abrazadera y el tornillo.

25. Sacar la válvula PCV y la manguera.

26. Sacar el compresor del acondicionador de aire y el soporte, pero NO desconectar los tubos. Apartar a un lado el compresor. Tener cuidado en no doblar los tubos del acondicionador de aire.

27. Aflojar el soporte de montaje del compresor y correrlo hacia delante, pero NO sacarlo.

28. Sacar la línea de vacío del freno de potencia.

29. Sacar los tornillos del múltiple de admisión inferior.

30. Sacar el múltiple de admisión inferior.

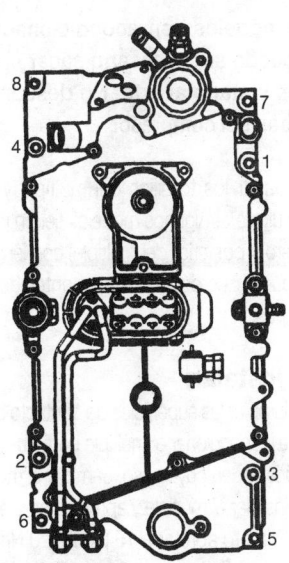

Apretar los tornillos del múltiple inferior de admisión según el orden mostrado – Motores 5.0L 1996-99 y 5.7L

Para instalar:

31. Limpiar completamente todas las superficies de juntas.

32. Instalar las juntas del múltiple de admisión con las placas de bloqueo mirando hacia la trasera. Las juntas de fábrica deben tener las palabras "This Side Up" ("Este lado arriba") visibles.

33. Aplicar sellante de juntas a las superficies delanteras y traseras del bloque de cilin-

dros. Extender el sellante aproximadamente $1/2$ plg (13 mm) sobre las culatas.

34. Instalar el múltiple de admisión inferior.

35. Aplicar sellante a los tornillos del múltiple de admisión inferior antes de su instalación.

36. En los motores 5.0L y 5.7L, colocar los tornillos y apretarlos según la siguiente secuencia de 3 etapas:

    a. Primera etapa a 71 plg-lb (8 Nm).

    b. Segunda etapa a 106 plg-lb (12 Nm).

    c. Etapa final a 11 pie-lb (15 Nm).

37. En el motor 7.4L, apretar los tornillos a 30 pie-lb (40 Nm) según la secuencia mostrada.

38. Instalar la línea de vacío del freno de potencia.

39. Instalar la válvula PCV y la manguera.

40. Instalar el tubo EGR, la abrazadera y el tornillo.

41. Instalar el indicador del nivel de aceite de la transmisión y el tubo, si dispone de él.

42. Instalar la cubierta de válvulas izquierda.

43. Conectar los haces de alambres y las abrazaderas al múltiple inferior.

44. Conectar los tubos de presión y retorno de combustible al múltiple inferior.

45. Instalar la válvula EGR.

46. Instalar la manguera *bypass* del enfriante.

47. Conectar la manguera del calefactor al múltiple de admisión inferior.

48. Conectar la manguera superior del radiador a la caja del termostato.

49. Instalar el compresor del acondicionador de aire y el soporte.

50. Instalar el distribuidor.

51. Instalar la junta del múltiple de admisión superior.

52. Instalar el múltiple de admisión superior.

▼ AVISO ▼

Cuando se instale el múltiple de admisión superior, tener cuidado de no pellizcar los alambres del inyector entre el múltiple de admisión superior y el inferior.

53. Instalar los tornillos y espárragos de sujeción del múltiple de admisión superior en la misma posición que tenían antes de su desmontaje.

54. Apretar los tornillos y espárragos según una secuencia en cruz en dos etapas, primero a 44 plg-lb (5 Nm), después a 83 plg-lb (10 Nm).

55. Instalar el solenoide de purga y soporte.

56. Instalar la manguera del PCV.

57. Instalar los tubos de combustible y el soporte en la parte posterior del múltiple de admisión.

58. Instalar la bobina de encendido y el soporte.

59. Instalar el varillaje del ahogador y el soporte sobre el múltiple de admisión superior.

60. Instalar el cable del varillaje del ahogador.

61. Instalar el cable del control de marcha (si dispone de él).

62. Instalar los conectores del haz de alambres y los soportes.

63. Instalar el ducto de admisión del filtro de aire.

64. Instalar el depósito de recuperación de enfriante y la tapa del motor.

65. Conectar el alambre negativo del acumulador.

66. Arrancar el vehículo y verificar que no existen fugas.

MÚLTIPLE DE ESCAPE

DESMONTAJE E INSTALACIÓN

Motor 4.3L

1. Desconectar el alambre negativo del acumulador.

2. Si dispone de ella, sacar la tapa del motor.

3. Levantar y apoyar de forma segura el vehículo.

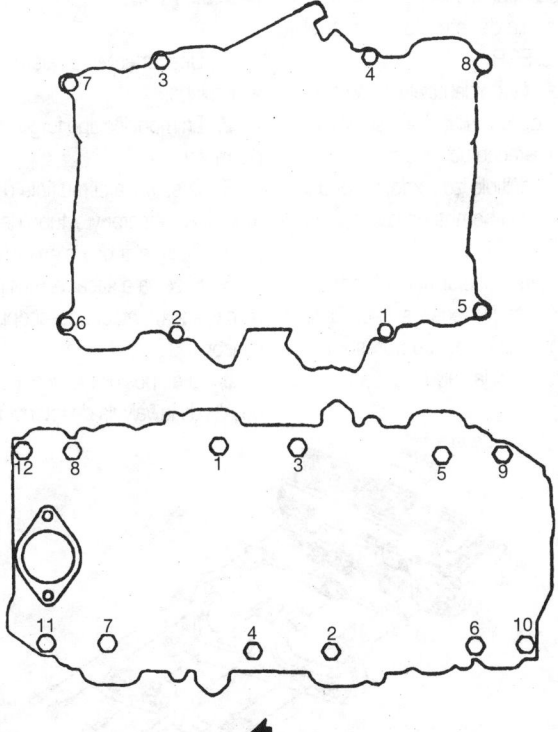

Apretar los tornillos del múltiple de admisión inferior y el superior según el orden mostrado – Motor 7.4L 1996-99

4. Si es necesario, sacar el tubo de entrada del EGR (lado izquierdo del múltiple).

5. Desconectar el tubo de escape del múltiple de escape.

6. Bajar el vehículo para poder acceder por debajo del capó.

7. Etiquetar y desconectar de las bujías y de los clips de retención, los alambres de las bujías.

8. Sacar los protectores contra el calor.

9. Si se está sacando el múltiple izquierdo:

a. Si es necesario, sacar el soporte posterior de la servodirección/alternador.

b. Comprobar que hay suficiente espacio entre el múltiple y el eje intermedio de la dirección. En algunos modelos será preciso desconectar el eje intermedio de la dirección para poder reposicionar el eje con una cierta holgura.

10. Si es necesario, al sacar el múltiple del lado derecho, desatornillar el compresor del acondicionador de aire y soporte, y colocar el conjunto a un lado. No desconectar los tubos y evitar que se doblen o sufran cualquier otro daño.

11. Si es necesario, al sacar el múltiple del lado derecho, sacar las bujías, el tubo de la varilla y el cableado.

12. Desplegar los cierres de cola, después sacar los tornillos, arandelas, y arandelas de lengüeta de sujeción del múltiple de escape. Sacar el múltiple de escape y después sacar y desechar las juntas viejas.

Para instalar:

13. Usando un rascador de juntas, limpiar las superficies de montaje de juntas. Inspeccionar el múltiple de escape para ver si se ha deformado, rajado o tiene algún tipo de daño. Cambiarlo en caso de que sea necesario.

14. Instalar el múltiple de escape sobre la culata usando una nueva junta, después apretar los tornillos de unión entre la culata y el múltiple de escape a 26 pie-lb (36 Nm) en el tubo de escape central y a 20 pie-lb (28 Nm) en los tubos de escape delanteros y traseros.

15. Una vez se han apretado los tornillos, doblar las lengüetas de las arandelas sobre las cabezas de todos los tornillos de forma que queden bloqueados.

16. Si se había sacado el múltiple derecho, instalar las bujías, el tubo de la varilla y el cableado.

17. Si se había desatornillado el compresor del A/A, recolocar y atornillar el conjunto soporte-compresor.

18. Si se había sacado el múltiple izquierdo:

a. Si se había desatornillado, reconectar el eje intermedio a la caja de la dirección.

b. Instalar el soporte trasero de la dirección asistida/alternador.

c. Instalar el filtro de aire junto con el tubo del calefactor y el tubo de admisión de aire frío.

19. Conectar los alambres de las bujías a los clips de enganche y a las bujías, en el mismo sitio de donde se habían sacado.

20. Levantar y apoyar de forma segura el vehículo.

21. Conectar el tubo de escape al múltiple.

22. Bajar el vehículo.

23. En modelos tipo furgoneta, colocar la tapa del motor.

24. Conectar el alambre negativo del acumulador.

Motores 5.0L y 5.7L

1. Desconectar el alambre negativo del acumulador.

2. Si dispone de ella, sacar la tapa del motor.

3. Si es necesario, sacar el filtro de aire.

4. Levantar y apoyar de forma segura el vehículo.

5. Desconectar el tubo de escape del múltiple, y después bajar el vehículo para poder acceder debajo del capó.

6. Si se va a sacar el múltiple con la sonda de oxígeno montada en él, desacoplar el alambre del sensor.

7. Si es necesario, desconectar la manguera del AIR en la válvula de retención y sacar el tubo de entrada del EGR.

8. Desconectar el tubo del calefactor y sacar el soporte del tubo de la varilla, si se está trabajando sobre el lado derecho del motor.

9. Si se saca el múltiple izquierdo, sacar del múltiple el soporte de la bomba de la dirección asistida.

10. Si es necesario, aflojar el alternador y sacar el soporte inferior. Después, si hace falta, sacar el soporte posterior del compresor del acondicionador de aire y la válvula deflectora y soporte.

➡ En modelos con acondicionador de aire, puede ser necesario sacar el compresor, y atarlo aparte. No desconectar los tubos del compresor.

11. Sacar los tornillos del múltiple y sacar el/los múltiple/s. Algunos modelos tienen tornillos (delantero y posterior del múltiple) con lengüetas de bloqueo, que deben sacarse antes de sacar los tornillos.

Para instalar:

12. Limpiar las superficies de contacto con las juntas, e inspeccionar el múltiple para buscar posibles grietas, en cuyo caso, cambiar el múltiple.

13. Instalar el múltiple y apretarlo en 2 etapas.
* Primero apretar a 15 pie-lb (20 Nm).
* Después apretar a 22 pie-lb (30 Nm).

14. Si se habían sacado, instalar el alternador, el compresor del acondicionador de aire, deflector y dirección asistida, y los soportes.

15. Instalar el tubo de la varilla en el lado izquierdo.

16. Instalar el tubo de entrada a EGR.

17. Instalar el conector de la sonda de oxígeno.

18. Conectar los tubos de escape.

19. Conectar el alambre negativo del acumulador.

Motor 7.4L

1. Desconectar el alambre negativo del acumulador.

2. En modelos tipo furgoneta, sacar la tapa del motor.

3. Si se saca el múltiple derecho, sacar el tubo del calefactor y el tubo de la varilla.

4. Sacar el tubo de entrada a la EGR.

5. Si se va a sacar el múltiple con la sonda de oxígeno montada, desacoplar el alambre del sensor.

6. Si es posible, desconectar la manguera de AIR de la válvula de retención.

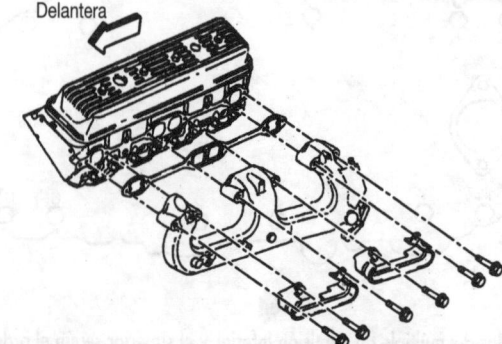

▲ Vista esquemática del múltiple izquierdo de escape, el derecho es similar – Motores 5.0L y 5.7L

7. Sacar las bujías y los alambres.

8. Sacar los tornillos del múltiple de escape y los protectores térmicos de las bujías. Dejar montada la tuerca delantera (múltiple izquierdo) o tuerca trasera (múltiple derecho) para que se sostenga.

9. Levantar y apoyar de forma segura el vehículo para que se pueda acceder a él.

10. Si dispone de él, sacar del soporte del motor los tornillos del protector térmico y la cubierta del embrague, y sacar el protector.

11. Desconectar el tubo de escape del múltiple.

➡ Puede ser necesario levantar un poco el motor para tener espacio suficiente para poder sacar el múltiple, en el caso de algunos modelos de furgoneta.

12. Sacar el múltiple de escape.

Para instalar:

13. Limpiar las superficies de contacto y los agujeros fileteados.

14. Instalar el múltiple, los protectores térmicos de las bujías y las tuercas. Apretar las tuercas a 22 pie-lb (30 Nm) empezando con los tornillos centrales y avanzando hacia los exteriores.

15. Instalar el tubo de escape.

16. Instalar las bujías y los alambres.

17. Si se había sacado, instalar la manguera del AIR en la válvula de retención.

18. Instalar el conector de la sonda de oxígeno.

19. Instalar el tubo del EGR y el tubo de la varilla.

20. Conectar el alambre negativo del acumulador.

21. Arrancar el motor y comprobar si hay fugas.

ÁRBOL DE LEVAS Y LEVANTAVÁLVULAS

DESMONTAJE E INSTALACIÓN

Motor 4.3L

▼ PRECAUCIÓN ▼
Tener en cuenta todas las precauciones de seguridad aplicables al trabajar con combustible. Al revisar y hacer el mantenimiento del sistema de combustible, trabajar siempre en un espacio bien ventilado. No permitir que los vapores o pulverizaciones de combus-

tible alcancen a una chispa o una llama. Tener un extintor de polvo seco cerca del lugar de trabajo. Almacenar siempre el combustible en un recipiente especialmente diseñado a este efecto. Asimismo, sellar siempre de forma adecuada los recipientes de combustible, para evitar la posibilidad de incendio o de explosión.

1. Liberar adecuadamente la presión del sistema de combustible y desconectar el alambre negativo del acumulador.

▼ PRECAUCIÓN ▼
Nunca abrir, realizar el mantenimiento o purgar el radiador o el circuito de enfriamiento en caliente, ya que el vapor de agua o el enfriante caliente podrían producir graves lesiones.

2. Drenar el circuito de enfriamiento.

3. Sacar el radiador.

4. Sacar el ventilador de enfriamiento.

5. Sacar la bomba de agua.

6. Sacar la tapa de balancines del motor.

7. Sacar el conjunto múltiple de admisión.

8. Sacar los balancines, empujadores y levantaválvulas.

9. Sacar la polea y el cubo del cigüeñal.

10. Sacar la tapa delantera del motor (de sincronización).

11. Alinear las marcas de sincronización en los piñones del cigüeñal y del árbol de levas.

12. Sacar el piñón del árbol de levas y la cadena de distribución/(sincronización).

13. Si dispone de él, sacar la catarina de mando del eje de equilibrado.

14. Sacar el plato de empuje del árbol de levas.

15. Colocar los tornillos del piñón o los de mayor longitud de la misma rosca al final del árbol de levas a modo de asa, y sacar el árbol de levas de la parte delantera del motor, girando, si es necesario, el árbol ligeramente de lado a lado. Tener cuidado en no dañar los cojinetes del árbol de levas, al sacar el árbol.

Para instalar:
16. Lubricar las muñequillas del árbol de levas con aceite de motor limpio o un prelubricante adecuado, después instalar el árbol de levas en el bloque de cilindros teniendo un cuidado extremo en que los cojinetes no toquen los lóbulos del árbol de levas.

17. Instalar el plato de empuje del árbol de levas.

18. Si dispone de él, instalar la catarina motriz del eje equilibrador.

19. Instalar la cadena de sincronización y el piñón del árbol de levas.

20. Instalar la tapa delantera del motor (de sincronización).

21. Instalar la polea y el cubo del cigüeñal.

22. Instalar los levantaválvulas, luego los empujadores y los balancines. Ajustar adecuadamente la holgura de las válvulas.

23. Instalar el conjunto del múltiple de admisión.

24. Instalar la tapa de balancines en el motor.

25. Instalar el radiador en el vehículo.

26. Conectar el alambre negativo del acumulador y rellenar adecuadamente el sistema de enfriamiento del motor.

Motores 5.0L y 5.7L

▼ PRECAUCIÓN ▼
Tener en cuenta todas las precauciones de seguridad aplicables al trabajar con combustible. Al revisar y hacer el mantenimiento del sistema de combustible, trabajar siempre en un espacio bien ventilado. No permitir que los vapores o pulverizaciones de combustible alcancen a una chispa o una llama. Tener un extintor de polvo seco cerca del lugar de trabajo. Almacenar siempre el combustible en un recipiente especialmente diseñado a este efecto. Asimismo, sellar siempre de forma adecuada los recipientes de combustible, para evitar la posibilidad de incendio o de explosión.

1. Desconectar el alambre negativo del acumulador, drenar el sistema de enfriamiento y liberar de forma adecuada la presión del sistema de combustible.

2. En modelos tipo furgoneta, sacar la tapa del motor.

3. Sacar el filtro de aire.

4. En modelos tipo furgoneta, sacar la rejilla y el soporte central.

5. Sacar, en caso que disponga de él, el condensador del acondicionador de aire y desplazar girando el condensador hacia adelante sobre su soporte.

6. Sacar el ventilador, la cubierta y el radiador.

7. Sacar las tapas de las válvulas.

8. Sacar el conjunto de la bomba de agua.

9. Alinear las marcas de sincronización y sacar el antivibrador de torsión.

10. Sacar la tapa de la cadena de sincronización.

11. Desconectar las conexiones eléctricas y de vacío del múltiple de admisión.

12. Marcar la posición entre el rotor y la caja del distribuidor. Sacar el conjunto del distribuidor.

13. Sacar el múltiple de admisión, los empujadores y los levantaválvulas hidráulicos.

14. Sacar los tornillos del piñón del árbol de levas, el piñón del árbol de levas y la cadena de sincronización. Golpear suavemente el piñón por su borde inferior para aflojarlo.

15. Sacar el piñón del cigüeñal, si es necesario.

16. Sacar, de la forma que sea necesaria, los tornillos pasantes delanteros de montaje del motor y levantar el motor lo suficiente para poder sacar el árbol de levas.

17. Instalar 2 o 3 tornillos de $5/16$ o $1/8$ y 4-5 plg de largo en los agujeros fileteados del árbol de levas; estirar con cuidado el árbol de levas fuera del bloque de cilindros.

18. Inspeccionar el árbol para buscar signos de desgaste excesivo o posibles daños.

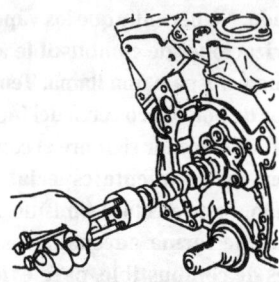

▲ Instalar dos o tres tornillos largos en el árbol de levas para usarlos como asa para poder sacar o instalar el árbol con facilidad – Se muestra el motor 7.4L, en otros motores es similar

Para instalar:

19. Recubrir el árbol de levas y el cojinete con abundante aceite pesado de motor o lubricante de montaje de motores e insertar el árbol en el motor.

20. Bajar el motor e instalar los tornillos pasantes de montaje del motor.

21. Alinear las marcas de sincronización en las catarinas del árbol de levas y del cigüeñal.

22. Instalar el piñón del árbol de levas y la cadena y apretar los tornillos según especificaciones.

23. Instalar los levantaválvulas hidráulicos y los empujadores, y ajustar las válvulas.

24. Instalar el conjunto del distribuidor.

25. Instalar la tapa de la cadena de sincronización.

26. Instalar el antivibrador torsional.

27. Instalar la bomba de agua.

28. Instalar las tapas de las válvulas.

29. Instalar el ventilador, la cubierta y el radiador.

30. Instalar el condensador del acondicionador de aire, en caso que disponga de él.

31. En modelos tipo furgoneta, instalar la rejilla y el soporte central.

32. Instalar el filtro de aire.

33. En modelos tipo furgoneta, instalar la tapa del motor.

34. Conectar el alambre negativo del acumulador y llenar el sistema de enfriamiento.

Motor 7.4L

▼ PRECAUCIÓN ▼

Tener en cuenta todas las precauciones de seguridad aplicables al trabajar con combustible. Al revisar y hacer el mantenimiento del sistema de combustible, trabajar siempre en un espacio bien ventilado. No permitir que los vapores o vaporizaciones de combustible alcancen a una chispa o una llama. Tener un extintor de polvo seco cerca del lugar de trabajo. Almacenar siempre el combustible en un recipiente especialmente diseñado a este efecto. Asimismo, sellar siempre de forma adecuada los recipientes de combustible, para evitar la posibilidad de incendio o de explosión.

1. Desconectar el alambre negativo del acumulador. Liberar de forma adecuada la presión del circuito de combustible.

2. En modelos tipo furgoneta, sacar la tapa del motor. Sacar el conjunto del filtro de aire.

3. Sacar la rejilla y la sección central de soporte, como sea preciso.

4. Descargar adecuadamente el circuito del acondicionador de aire. Sacar el compresor del acondicionador de aire, el condensador y el ventilador auxiliar, si lo lleva.

5. Drenar el sistema de enfriamiento.

6. Sacar el ventilador, la cubierta y el radiador.

7. Sacar la banda del alternador, y sacar el conjunto del alternador, como sea preciso.

8. Sacar las tapas de válvulas.

9. Sacar las mangueras de la bomba de agua.

10. Sacar la bomba de agua.

11. Alinear las marcas de sincronización en el PMS. Sacar el equilibrador de armónicos y la polea.

12. Sacar la tapa delantera del motor.

13. Marcar la posición del rotor en la caja del distribuidor. Sacar el conjunto del distribuidor.

14. Sacar el conjunto del múltiple de admisión.

15. Sacar los levantaválvulas, empujadores y balancines.

16. Girar el árbol de levas hasta que las marcas de sincronización queden alineadas.

17. Sacar los tornillos del piñón del árbol de levas.

18. Sacar los tornillos pasantes de sujeción del motor. Levantar y apoyar el motor tal como sea preciso, para facilitar la extracción del árbol de levas.

19. Instalar 2 o 3 tornillos de $5/16$ o $1/8$ en los agujeros fileteados delanteros del árbol de levas; estirar con cuidado el árbol de levas fuera del bloque de cilindros.

Para instalar:

20. Recubrir el árbol de levas y el cojinete con abundante aceite pesado de motor o lubricante de montaje de motores e insertar el árbol en el motor.

21. Alinear las marcas de sincronización en las catarinas del árbol de levas y del cigüeñal.

22. Instalar el piñón del árbol de levas y la cadena y apretar los tornillos según especificaciones. Bajar el motor e instalar los tornillos de sujeción del motor.

23. Instalar los levantaválvulas hidráulicos y los empujadores, y ajustar las válvulas.

24. Instalar el múltiple de admisión.

25. Instalar el distribuidor usando las marcas de posición hechas durante el desmontaje.

26. Instalar la tapa delantera del motor.

27. Instalar el equilibrador de armónicos y la polea.

28. Instalar la bomba de agua.

29. Conectar las mangueras a la bomba de agua.

30. Instalar las tapas de las válvulas.

31. Instalar el alternador.

32. Instalar el ventilador, la cubierta y el radiador.

33. Llenar el circuito de enfriamiento con el tipo y cantidad correctas de anticongelante.

34. Instalar el condensador y el compresor del acondicionador de aire.

35. Instalar la rejilla y el soporte central.

36. Instalar el filtro de aire.

37. Conectar el alambre negativo del acumulador.

HOLGURA DE VÁLVULAS

REGLAJE

Todos los motores usan levantaválvulas hidráulicos, que no requieren ningún tipo de ajuste periódico.

DEPÓSITO DE ACEITE

DESMONTAJE E INSTALACIÓN

Motor 4.3L

1. Desconectar el alambre negativo del acumulador. Levantar el vehículo y apoyarlo de forma segura. Drenar el aceite del motor en un recipiente adecuado.

2. Sacar el tubo de cruce del escape.

3. Sacar la cubierta del convertidor de torque (par), si dispone de transmisión automática.

4. Sacar los tubos de enfriamiento de las guías y el adaptador del filtro de aceite.

5. Sacar las barras tirantes de la tapa del volante/plato flexible, si dispone de ellas.

6. Sacar la barra tirante de los montajes delanteros del motor, si dispone de ella.

7. Sacar el conjunto del motor de arranque.

8. Sacar las tuercas de los tubos de los ejes motrices y los tornillos del buje inferior del eje.

9. Sacar todos los tornillos, tuercas y refuerzos del depósito de aceite.

10. Sacar el depósito de aceite y las juntas.

Para instalar:

11. Limpiar a fondo todas las superficies de sellado de empaque e instalar una junta nueva, usando poca cantidad de sellante, sólo sobre las esquinas delantera y trasera del depósito de aceite.

12. Instalar el depósito de aceite y las juntas nuevas.

13. Instalar los tornillos, tuercas y refuerzos del depósito de aceite. Apretar los tornillos a 18 pie-lb (25 Nm).

14. Instalar las tuercas de los tubos de los ejes motrices delanteros y los tornillos del buje inferior del eje.

15. Instalar el conjunto del motor de arranque.

16. Instalar los soportes de las barras tirantes en los soportes delanteros del motor.

17. Instalar las barras tirantes en la tapa del volante/plato flexible.

18. Instalar los tubos de enfriante en las guías y el adaptador del filtro de aceite con un filtro nuevo.

19. Instalar la cubierta del convertidor de torque (par), si el vehículo dispone de cambio automático.

20. Instalar el tubo cruzado de escape. Bajar el vehículo.

21. Conectar el alambre negativo del acumulador.

22. Llenar el motor con el tipo y cantidad correctos de aceite.

Motores 5.0L y 5.7L

1. Desconectar el alambre negativo del acumulador. Levantar el vehículo y apoyarlo de forma segura, y drenar el aceite del motor.

2. Sacar las cubiertas protectoras de los bajos de la carrocería.

3. Sacar de sus guías los tubos de aceite de la transmisión y del motor.

4. Si es necesario, sacar la flecha de transmisión delantera.

5. Si es necesario, sacar los ejes motrices delanteros.

6. Sacar el tubo cruzado de escape.

7. Sacar la cubierta del volante/plato flexible o convertidor de torque (par).

8. Sacar el filtro de aceite y el adaptador.

9. Sacar las barras tirantes del soporte delantero del motor, si se usan.

10. Sacar los tornillos, las tuercas y los refuerzos del depósito de aceite.

11. Sacar el depósito de aceite y las juntas.

Para instalar:

12. Limpiar a fondo todas las superficies de sellado de empaque e instalar una junta nueva, usando poca cantidad de sellante, sólo sobre las esquinas delantera y trasera del depósito de aceite.

13. Instalar el depósito de aceite y las juntas nuevas.

14. Instalar los tornillos, las tuercas y refuerzos del depósito de aceite. Apretar los tornillos a 18 pie-lb (25 Nm).

15. Instalar las barras tirantes en el soporte delantero del motor.

16. Instalar el filtro de aceite y el adaptador.

17. Instalar la cubierta del volante/plato flexible o convertidor de torque.

18. Instalar el tubo cruzado de escape.

19. Instalar la flecha de transmisión delantera y los ejes motrices delanteros, si los tiene.

20. Instalar los tubos de aceite del motor y de la transmisión en sus guías.

21. Instalar los protectores de los bajos de la carrocería.

22. Conectar el alambre negativo del acumulador.

23. Llenar el cárter del cigüeñal con el tipo y cantidad adecuados de aceite.

Motor 7.4L

➡ **En vehículos tipo furgoneta puede ser necesario desmontar la transmisión.**

1. Desconectar el alambre negativo del acumulador.

2. Sacar la cubierta del ventilador.

3. Sacar el filtro de aire.

4. Sacar la tapa del distribuidor.

5. Levantar el vehículo y apoyarlo de forma segura.

6. Si es necesario, sacar la protección de los bajos de la carrocería.

7. Si es necesario sacar la flecha de transmisión delantera y los ejes motrices delanteros. Seguir el procedimiento descrito en la sección de línea (tren) de propulsión.

8. Drenar el aceite del motor. Sacar el conjunto del motor de arranque, en caso que vaya equipado con transmisión manual.

9. Sacar la cubierta del convertidor de torque (par) o del cuerpo del embrague.

10. Sacar el filtro de aceite y el adaptador.

11. Sacar el tubo de aceite del lateral del bloque de cilindros del motor.

12. Apoyar el motor.

13. Sacar los tornillos pasantes de montaje del motor.

14. Levantar el motor lo suficiente para sacar el depósito de aceite.

15. Sacar los tornillos del depósito, el depósito y las juntas. Descartar las juntas.

Para instalar:

16. Limpiar todas las superficies de sellado de empaque.

17. Aplicar el material de junta RTV a las esquinas delanteras y traseras de las juntas.

18. Recubrir las juntas con sellante adhesivo y colocarlas sobre el bloque de cilindros del motor.

19. Instalar el sellado trasero del depósito con sus extremos coincidiendo con las juntas.

20. Instalar el sellado delantero en el fondo de la tapa delantera, apretando las lengüetas de fijación dentro de los orificios de la tapa.

21. Instalar el depósito de aceite.

22. Instalar los tornillos, los clips y los refuerzos del depósito. Apretar los tornillos del depósito a 18 pie-lb (25 Nm).

23. Bajar el motor sobre los soportes.

24. Instalar los tornillos pasantes de sujeción del motor.

25. Instalar el tubo de presión de aceite.

26. Instalar el filtro de aceite. Instalar el conjunto del motor de arranque, en el caso de que se hubiese sacado.

27. Instalar la tapa del convertidor de torque (par) o de la caja del embrague.

28. Si se habían sacado, instalar los ejes motrices delanteros y la flecha de transmisión.

29. Si se habían sacado, instalar los protectores de los bajos de la carrocería.

30. Instalar la tapa del distribuidor.

31. Instalar el filtro de aire.

32. Instalar la cubierta del ventilador.

33. Conectar el acumulador.

34. Llenar el cárter del cigüeñal con el tipo y cantidad adecuados de aceite.

BOMBA DE ACEITE

DESMONTAJE E INSTALACIÓN

1. Sacar el depósito de aceite.

2. Sacar el tornillo de sujeción de la bomba de aceite, si dispone de él, el tornillo/tuerca del tubo de succión, después sacar la bomba junto con el tubo de succión y eje, tal como sea preciso.

3. Limpiar todas las superficies de sellado.

Para instalar:

4. Asegurarse de que el tubo de succión de la bomba está bien sujeto a la bomba. Si el tubo se aflojara, se perdería presión de aceite y habría déficit de aceite en el circuito de engrase. En caso que el tubo de aspiración esté flojo, deberá ser reemplazado.

5. Si la bomba se ha desmontado y va a ser reemplazada o por cualquier razón se ha sacado el aceite, habrá que cebarla. Puede bien llenarse con aceite antes de colocar la tapa del aceite y guardarse llena de aceite durante su manejo o bien se puede llenar toda la cavidad interior de la bomba con petrolato (vaselina).

➡ Si no se ceba la bomba, el motor podría quedar dañado antes de recibir la lubricación adecuada, al arrancar el motor.

6. Instalar la bomba alineando el eje de la bomba con el engrane motriz tal como sea preciso. Apretar el/los tornillo/s de retención de la bomba al tubo de succión a 65 pie-lb (90 Nm) en todos los motores 4.3L y V8.

7. Instalar el depósito de aceite y rellenar el cárter del cigüeñal. Deshabilitar el sistema de encendido; hacer girar el motor del cigüeñal durante aproximadamente 10 segundos para facilitar el cebado de la bomba de aceite y minimizar así el riesgo de dañar el motor.

➡ Si la bomba de aceite no consigue aumentar casi de inmediato la presión del circuito, sacar el depósito y comprobar si la unión entre el tubo de succión de la bomba y la bomba está floja. Si es necesario, desmontar la bomba y rellenar la cavidad de la bomba con petrolato. Hacer funcionar el motor sin presión de aceite causaría daños muy importantes.

SELLO PRINCIPAL TRASERO

DESMONTAJE E INSTALACIÓN

Tener en cuenta que el conjunto entero de la transmisión, así como el volante/plato flexible deben sacarse para proceder con esta operación

1. Desconectar el alambre negativo del acumulador.

2. Levantar el vehículo y apoyarlo de forma segura.

3. Sacar la caja de transferencia, si dispone de ella.

4. Sacar el conjunto de la transmisión, siguiendo el procedimiento recomendado.

5. Sacar el conjunto del embrague y el volante, en caso de llevar transmisión manual.

6. Sacar el plato flexible, en caso de llevar transmisión automática.

7. Sacar el sello de aceite principal trasero del cigüeñal insertando una palanca adecuada y haciendo palanca hacia fuera. Tener cuidado de no dañar la superficie de sellado del cigüeñal.

Para instalar:

8. Limpiar a fondo el orificio del sello de aceite en el bloque de cilindros antes de instalar el nuevo sello.

9. Inspeccionar si el cigüeñal tiene arena, óxido o rebabas, en cuyo caso habrá que corregir lo necesario. También inspeccionar la parte del cigüeñal que está en contacto con el sello de aceite, para observar el desgaste producido por la acción erosionadora del sello.

10. Limpiar con un agente no abrasivo la superficie del cigüeñal en contacto con el sello.

11. Lubricar el diámetro interior del sello nuevo y el diámetro exterior del cigüeñal con aceite de motor. Usando una herramienta de instalación tipo J-38841, instalar el sello trasero del cigüeñal hasta que la herramienta haga tope contra el bloque y el sombrerete del cojinete trasero principal.

12. Si dispone de transmisión manual, inspeccionar el conjunto del embrague. Si el sello trasero del cigüeñal había estado perdiendo aceite, el plato del embrague podría estar contaminado con aceite y hará falta reemplazarlo. Revisar e instalar el volante y el embrague como sea preciso.

13. Si dispone de transmisión automática, inspeccionar si el plato flexible tiene grietas. Comprobar el estado de los dientes del motor de arranque con el plato flexible y si es preciso reemplazarlo.

14. Instalar el conjunto de la transmisión siguiendo el procedimiento recomendado.

15. Instalar la caja de transferencia, en caso que disponga de ella.

16. Bajar el vehículo.

17. Conectar el alambre negativo del acumulador.

18. Arrancar el motor y verificar que no hay fugas de aceite.

CADENA DE SINCRONIZACIÓN (DISTRIBUCIÓN), PIÑONES, TAPA DELANTERA Y SELLO

El fabricante recomienda que el sello de aceite de la tapa delantera sea reemplazado cada vez que se saca la tapa.

DESMONTAJE E INSTALACIÓN

1. Desconectar el alambre negativo del acumulador.

2. Drenar el circuito de enfriamiento. Sacar el conjunto de la cubierta del ventilador.

3. Sacar las bandas, poleas y el conjunto de la bomba de agua.

4. Sacar la polea del cigüeñal y el amortiguador de vibraciones.

5. Sacar los tornillos de unión entre la tapa delantera y el depósito de aceite.

6. Sacar la bomba de agua.

➡ Cada vez que se saca la tapa delantera de composite, esta tapa debe ser reemplazada por una nueva. Su reutilización puede derivar en fugas de aceite.

7. Sacar los tornillos de sujeción de la tapa de la cadena de sincronización al bloque de cilindros.

8. Sacar la tapa y las juntas.

9. Usar una herramienta adecuada para hacer palanca sobre el sello viejo y sacarlo apalancado de la cara delantera de la tapa.

10. Girar el cigüeñal hasta que las marcas de sincronización sobre los piñones del cigüeñal y del árbol de levas estén correctamente alineadas.

11. Sacar los tornillos y/o tuercas de unión del piñón y el árbol de levas, después sacar el piñón (junto con la cadena de sincronización). Si es difícil sacar el piñón, usar un mazo de plástico para golpear el piñón fuera del árbol.

➡ El piñón del árbol de levas (posicionado con una clavija) está ligeramente presionado sobre el árbol de levas y por tanto debe extraerse con facilidad. La cadena sale con el piñón del árbol de levas.

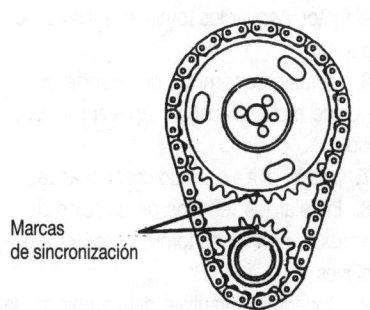

Marcas de sincronización

▲ Alineación de las marcas de sincronización para el desmontaje e instalación de la cadena de sincronización – Motores 4.3L, 5.0L, 5.7L y 7.4L

12. Si es necesario, usar una herramienta de extracción de piñones de cigüeñal tipo J-5825-A o equivalente para liberar el piñón de la sincronización del cigüeñal.

Para instalar:

13. Inspeccionar el desgaste o posibles daños en la cadena y los piñones de sincronización, y reemplazar las partes dañadas.

14. Usando un rascador de juntas, limpiar todas las superficies de montaje de empaque de cualquier traza de junta que pudiera quedar. Usando un solvente, limpiar de aceite y grasa todas las superficies de montaje de empaque.

15. Si se había sacado, usar una herramienta de montaje de piñones de cigüeñal tipo J-5590 o equivalente y un martillo para introducir el piñón sobre el cigüeñal, sin modificar la posición del motor.

➡ Durante la instalación, recubrir ligeramente las superficies de empuje con Molykote® o prelubricante equivalente.

16. Colocar la cadena de sincronización sobre el piñón del árbol de levas. Situar el piñón del árbol de levas de tal manera que las marcas de sincronización se alinearán entre los centros de los ejes y la clavija de posicionamiento del árbol entrará en el agujero del piñón del árbol.

17. Colocar la cadena debajo del piñón del cigüeñal, después colocar el piñón del árbol de levas, con la cadena todavía montada sobre él, en la parte delantera del árbol. Instalar y apretar los tornillos de retención del piñón al árbol de levas.

18. Con la cadena ya instalada, girar el cigüeñal dos vueltas completas, luego comprobar que las marcas de sincronización efectivamente están correctamente alineadas entre los centros de los ejes.

19. Usando una herramienta montadora de sellos tipo J-22102 o equivalente, instalar el sello nuevo de modo que el extremo abierto está hacia el interior de la tapa.

➡ Recubrir el labio del sello nuevo con aceite antes de su instalación.

20. Colocar el sello nuevo del depósito delantero, cortando a paño las lengüetas.

21. Recubrir la junta nueva de la tapa con sellante adhesivo y colocarla sobre el bloque de cilindros.

22. Aplicar un cordón de $\frac{1}{8}$ plg (3 mm) de material RTV para juntas a la tapa delantera. Colocar la tapa con cuidado sobre las clavijas de posicionamiento.

23. Apretar los tornillos de sujeción.

24. Si se había sacado, instalar el depósito de aceite.

25. Apretar los tornillos entre la tapa y el depósito.

26. Instalar el amortiguador torsional de vibraciones.

27. Instalar el conjunto de la bomba de agua.

28. Conectar el alambre negativo del acumulador.

29. Llenar el sistema de enfriamiento con el tipo y la cantidad de anticongelante adecuados.

REPARACIÓN DEL MOTOR DIESEL

CONJUNTO MOTOR

DESMONTAJE E INSTALACIÓN

1. Desconectar el alambre negativo del acumulador, después el alambre positivo del acumulador, en el acumulador.

2. Si dispone de ella, sacar la tapa del motor.

▼ PRECAUCIÓN ▼

Nunca abrir, realizar el mantenimiento o purgar el radiador o el circuito de enfriamiento en caliente, ya que el vapor de agua o el enfriante caliente podrían producir graves lesiones.

3. Drenar el circuito de enfriamiento.

4. Sacar el filtro de aire.

5. Sacar el depósito de líquido enfriante del radiador.

6. Sacar el soporte superior del radiador.

7. Sacar la rejilla y el faldón inferior de la rejilla.

8. Si es necesario, sacar el parachoques delantero.

➡ El sistema del acondicionador de aire y sus componentes debe ser revisado y mantenido exclusivamente por un técnico en automoción con certificado de la autoridad sanitaria y cualificado por MVAC.

9. Descargar el sistema del acondicionador de aire y sacar el tanque de vacío del aire acondicionado.

10. Sacar el condensador del acondicionador de aire de delante del radiador.

11. Si la furgoneta dispone de transmisión automática, sacar del radiador los tubos de líquido enfriante.

12. Desconectar las mangueras del radiador.

13. Aflojar el soporte de montaje del radiador y sacar el radiador y la cubierta.

14. Desconectar el varillaje del acelerador y del control de marcha.

15. Desconectar todas las mangueras y alambres de la unidad de suministro de combustible.

16. Sacar la unidad de suministro de combustible y poner tapones a los tubos.

17. En modelos 1996-99, sacar el múltiple de admisión.

18. En motores turbocargados, sacar el conjunto turbocargador.

19. Sacar el múltiple de admisión inferior, si lo lleva.

20. Sacar, si es necesario, los múltiples de escape.

21. Desconectar de la conexión del tabique cortafuegos el haz de alambres del motor.

22. Sacar la bomba de la dirección asistida. No es necesario desconectar los tubos; simplemente poner la bomba a un lado.

23. Desconectar las mangueras del calefactor en el motor.

24. En algunos modelos puede ser preciso sacar la caja del termostato.

25. Sacar los tubos de llenado del aceite y de la transmisión automática.

26. Levantar el vehículo y apoyarlo de forma segura.

27. Si dispone de él, sacar el servo de control de marcha, soporte del servo y transductor.

28. Drenar el aceite del motor.

29. Desconectar los tubos de escape de los múltiples.

30. Sacar el eje motriz y taponar el extremo de la transmisión.

31. Desconectar el varillaje del cambio y el cable del velocímetro de la transmisión.

32. Sacar el tubo de combustible del depósito de combustible y de la bomba de combustible.

33. Sacar los tornillos de soporte de la transmisión.

34. Bajar el vehículo, apoyar la transmisión y el motor.

35. En los modelos de 1996-99, instalar ganchos de elevación tipo J-41427, tal como se describe a continuación:

• Sacar los dos tornillos de retención del múltiple de admisión derecho inferior trasero e instalar el gancho J-41427 (el que está marcado con la palabra "right"). Apretar los tornillos a 11 pie-lb (15 Nm).

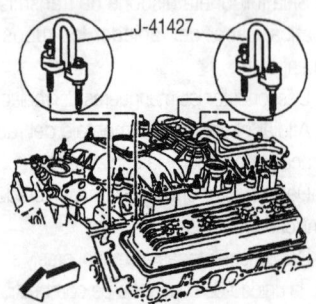

▲ Para sacar e instalar el motor, se deberán instalar soportes de elevación universales, en el sitio de los tornillos propios del múltiple de admisión

328

• Sacar el compresor del acondicionador de aire y el soporte de la propulsión de accesorios.

• Si dispone de él, desconectar el tubo del EGR y los 2 tornillos inferiores izquierdos, del múltiple de admisión.

• Instalar el gancho de elevación J-41427 (el que está marcado con la palabra "left") y apretar los tornillos a 11 pie-lb (15 Nm).

36. Sacar los tornillos del soporte de montaje del motor al bastidor.

37. Sacar los tornillos pasantes de montaje del motor.

38. Levantar ligeramente el motor y sacar los soportes del motor. Apoyar el motor con maderas entre el depósito de aceite y el travesaño.

39. Sacar la transmisión manual y el embrague tal como se describe a continuación:

a. Sacar los tornillos traseros de la caja del embrague.

b. Sacar los tornillos de sujeción de la caja del embrague al motor y sacar la transmisión y el embrague como una unidad.

➡ **Apoyar la transmisión mientras se saca el último tornillo para evitar causar daños al embrague.**

c. Sacar la tapa posterior de la caja del embrague y del motor de arranque.

d. Aflojar los tornillos de sujeción del embrague un poco cada vez para evitar deformar el disco hasta que desaparezca la presión del resorte. Sacar todos los tornillos, el disco de embrague y el plato de presión.

40. Sacar la transmisión automática tal como se describe a continuación:

a. Bajar el motor y apoyarlo sobre unos bloques.

b. Sacar la tapa de la caja del convertidor y del motor de arranque.

c. Sacar los tornillos de sujeción del convertidor al plato flexible.

d. Apoyar la transmisión sobre unos bloques.

e. Desconectar el cable del trinquete del Turbo Hydra-Matic.

f. Sacar los tornillos de sujeción de la transmisión al motor.

41. Acoplar una grúa al motor.

a. Sacar sólo los bloques del motor y deslizar con cuidado el motor fuera de la transmisión.

Para instalar:

42. Levantar ligeramente el motor y colocar los soportes del motor. Apretar los tornillos según especificaciones.

43. Instalar la transmisión manual y el embrague tal como se describe a continuación:

a. Instalar el disco de embrague y el plato de presión. Apretar los tornillos de montaje del embrague un poco cada vez para evitar deformar el disco.

b. Instalar la tapa de la caja de embrague y del motor de arranque.

c. Instalar los tornillos de sujeción del embrague al motor e instalar la transmisión y el embrague como una unidad. Apretar los tornillos a lo especificado.

d. Instalar los tornillos traseros de la caja del embrague.

44. Instalar la transmisión automática tal como se describe a continuación:

a. Colocar la transmisión.

b. Instalar los tornillos de montaje de la transmisión al motor.

c. Conectar el varillaje del ahogador y el cable del trinquete.

d. Instalar los tornillos de sujeción del convertidor al plato flexible. Apretar los tornillos según especificaciones.

e. Instalar la tapa de la caja del convertidor, y del motor de arranque.

45. Instalar los tornillos pasantes de montaje del motor. Apretar los tornillos según especificaciones.

46. Instalar los tornillos de soporte de los apoyos del motor al bastidor. Apretar a lo especificado.

47. Instalar el eje cruzado del embrague.

48. Instalar los tornillos de sujeción de la transmisión. Apretar los tornillos según especificaciones.

49. Conectar el varillaje del cambio de la transmisión y el cable del velocímetro.

50. Instalar la flecha de transmisión.

51. Sacar los ganchos de elevación e instalar el compresor, el tubo de la válvula EGR y los tornillos de sujeción del múltiple de admisión.

52. Instalar el condensador.

53. Instalar el soporte del cierre del capó.

54. Instalar la cubierta inferior del ventilador y el panel de llenado.

55. Instalar el tubo para la varilla de la transmisión y el cable del acelerador en el tubo.

56. Instalar el tubo del enfriante en el múltiple de admisión y la válvula PCV.

57. Instalar la tapa del distribuidor.

58. Instalar el servo de control de marcha, el soporte del servo y el transductor.

59. Instalar el tubo de llenado de aceite y el tubo de llenado de la transmisión automática.

60. Instalar el tubo de la varilla del motor.

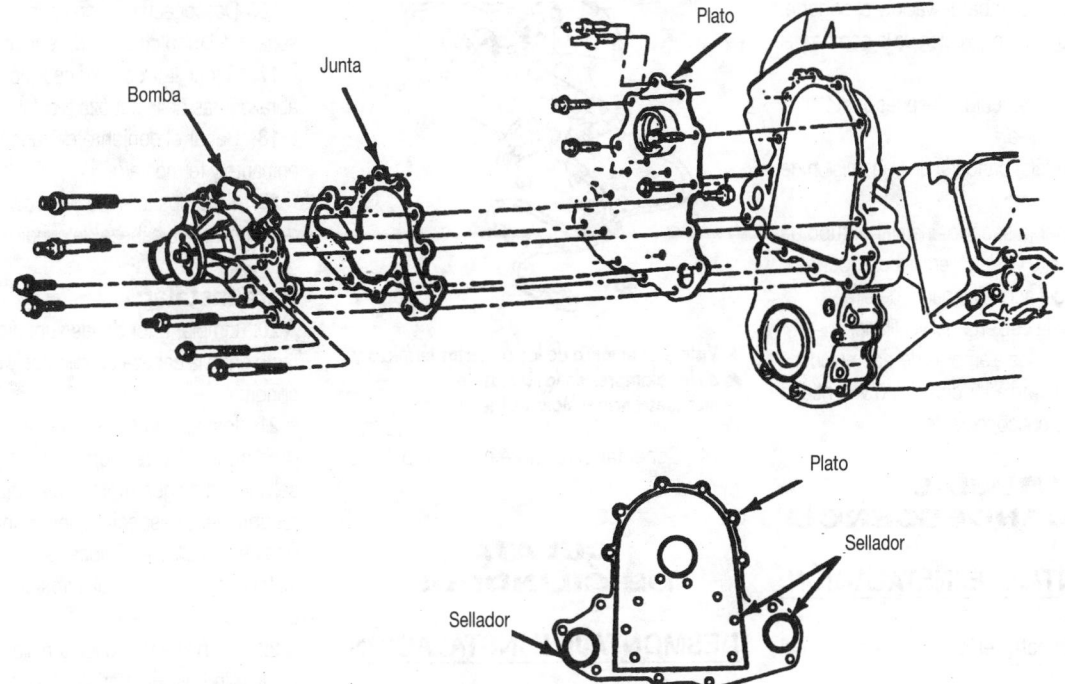

Bomba   Junta   Plato

Plato

Sellador

Sellador

⚠ Vista esquemática del conjunto de la bomba de agua y componentes relacionados – Motores Diesel 6.5L

61. Si se había sacado, instalar la caja del termostato.

62. Conectar las mangueras de la calefacción al motor.

63. Conectar el haz de alambres del motor al conector del tabique cortafuegos.

64. Instalar el radiador y la cubierta.

65. Instalar el soporte de montaje del radiador.

66. Instalar los múltiples de escape, si se desmontaron.

67. Instalar el múltiple de admisión inferior, si se había sacado.

68. En los modelos de 1996-99, instalar el múltiple de admisión.

69. Instalar la unidad de alimentación de combustible.

70. Conectar los tubos a la unidad de alimentación de combustible.

71. Conectar los varillajes del acelerador y del control de marcha.

72. Instalar el tanque y soporte del limpiaparabrisas.

73. Instalar el condensador del acondicionador de aire.

74. Si dispone de él, instalar el depósito de vacío del acondicionador de aire.

75. Hacer que un técnico cualificado cargue el sistema del acondicionador de aire, con la ayuda de un equipo de recuperación/reciclado.

76. Si el vehículo está equipado con transmisión automática, instalar los tubos de enfriante al radiador.

77. Instalar el tanque del líquido enfriante.

78. Conectar las mangueras del radiador al radiador.

79. Instalar el soporte superior del radiador, la rejilla y el faldón inferior de la rejilla.

80. Instalar el filtro de aire.

81. Instalar el tubo de la estufa de aire.

82. Instalar la tapa del motor.

83. Llenar el circuito de enfriamiento.

84. Conectar los alambres del acumulador.

BOMBA DE AGUA

DESMONTAJE E INSTALACIÓN

1. Desconectar el alambre negativo del acumulador.

2. Desconectar el ventilador y la cubierta del ventilador.

3. Drenar el líquido enfriante en un recipiente adecuado.

4. Si es necesario, sacar el soporte de la manguera del acondicionador de aire y/o el tubo de llenado del aceite, según sea preciso.

5. Sacar la(s) banda(s) de transmisión de accesorios del motor.

6. Levantar el vehículo y apoyarlo de forma segura.

7. Sacar las tuercas del soporte de montaje de la bomba de vacío, y después sacar el tornillo de sujeción de la bomba y el alternador. Sacar la bomba de vacío y el soporte.

8. Sacar la bomba y el soporte de la dirección asistida, y después sujetar el conjunto a un lado.

9. Bajar el vehículo, y después desconectar de la bomba las mangueras del líquido enfriante.

10. Sacar los tornillos de sujeción del plato de la bomba de agua, después sacar el conjunto plato y bomba del motor.

11. Sacar el tornillo de la parte trasera del plato de la bomba de agua, luego separar del plato la bomba y la junta.

Para instalar:

12. Instalar la bomba de agua y una junta nueva sobre el plato. Apretar el tornillo de sujeción (en la parte trasera del plato) a 17 pie-lb (23 Nm).

13. Asegurarse de que la superficie de contacto entre el bloque y las bridas del plato no tienen aceite. Aplicar un sellante anaeróbico tipo GM repuesto 1052357 o equivalente.

➡ **El sellante debe estar húmedo al tacto cuando se aprietan los tornillos.**

14. Unir el conjunto plato-bomba de agua y apretar las sujeciones.

15. Conectar las mangueras de enfriante al conjunto de la bomba.

16. Levantar el vehículo y apoyarlo de forma segura, después reposicionar y asegurar la bomba y el soporte de la dirección asistida.

17. Instalar la bomba de vacío y el soporte, junto con el tornillo de sujeción de la bomba y el alternador.

18. Bajar el vehículo, después instalar el ventilador y la polea.

19. Instalar la(s) banda(s) de transmisión de accesorios del motor.

20. Si se había sacado, instalar el tubo de llenado del aceite y/o las tuercas del soporte de la manguera del acondicionador de aire.

21. Instalar la cubierta del ventilador.

22. Conectar los alambres del acumulador.

23. Llenar el radiador con el tipo y cantidad adecuados de anticongelante.

BUJÍAS
DE INCANDESCENCIA

DESMONTAJE E INSTALACIÓN

1. Desconectar el alambre negativo del acumulador.

2. Desconectar los alambres de las bujías de incandescencia y después sacar las bujías. Se necesita una llave de tuercas de tubo profunda de 3/8 plg.

3. Levantar el vehículo y apoyarlo sobre caballetes seguros. Sacar la rueda delantera derecha.

4. Sacar la protección contra salpicaduras interior del faldón del guardabarros.

5. Sacar el alambre de la bujía del cilindro N° 2. Sacar los alambres de las bujías de los cilindros N° 4 y N° 6, en los conectores del haz.

6. Sacar el protector térmico de la bujía del cilindro N° 4. Sacar el protector térmico de la bujía del cilindro N° 6. Retirar los protectores lo suficiente para poder desconectar los alambres.

7. Sacar las bujías de incandescencia de los cilindros N° 2, 4 y 6.

8. Acceder por debajo del vehículo y desconectar el alambre del cilindro N° 8. Sacar la bujía de incandescencia. Puede suceder que la extracción del tubo de escape inferior facilite el trabajo sobre los cilindros N° 6 y 8.

Para instalar:

9. Instalar las bujías de incandescencia y apretarlas a 16 pie-lb (22 Nm).

10. Instalar los protectores térmicos y las conexiones eléctricas.

11. Si se había sacado, instalar el tubo de escape.

12. Si se habían sacado, instalar las protecciones contra salpicaduras.

13. Bajar el vehículo.

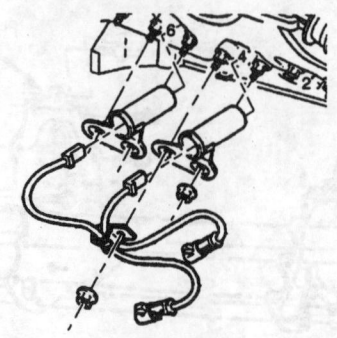

▲ **Vista esquemática de las cubiertas térmicas y de los alambres de las bujías de incandescencia – Motores Diesel**

14. Conectar el alambre negativo del acumulador.

CULATA
DE CILINDROS

DESMONTAJE E INSTALACIÓN

1. Desconectar el alambre negativo del acumulador, liberar la presión del sistema de combustible y drenar el sistema de enfriamiento.

2. Si dispone de él, hacer que un técnico certificado por la autoridad sanitaria descargue el sistema del acondicionador de aire.

3. Sacar el múltiple de admisión. Sacar la cubierta superior del ventilador. Sacar el conjunto del compresor, si dispone de él.

4. Si dispone de él, sacar el turbocargador.

5. Levantar el vehículo y apoyarlo de forma segura.

6. Sacar el múltiple de escape. Bajar el vehículo.

7. Sacar la tapa de válvulas, conjunto de los balancines y empujadores. Marcar todos estos componentes de forma que vuelvan a su posición original al montarlos.

8. Sacar el resonador y soporte del filtro de aire.

9. Sacar el tubo de la varilla de la transmisión y del aceite; sacar el tubo de llenado del aceite del tubo cruzado del enfriante.

10. Sacar las mangueras de la calefacción, radiador y *bypass* (derivación).

11. Sacar el soporte superior del alternador y el alternador.

12. Sacar la bomba de la dirección asistida.

13. Sacar la bomba de vacío.

14. Sacar la válvula de sangrado de combustible en el tubo cruzado del enfriante.

15. Sacar de ambas cabezas o culatas de cilindros los tornillos de las abrazaderas del tubo cruzado de retorno de combustible.

16. Desconectar el conector del alambre del sensor del tubo cruzado del enfriante.

17. Sacar las conexiones eléctricas y las abrazaderas de la cabeza o culata de cilindros.

18. Sacar el conjunto de tubo cruzado del enfriante y termostato.

19. Sacar los tornillos de la culata o cabeza de cilindros y la cabeza de cilindros.

Para instalar:

20. Limpiar a fondo las superficies de contacto entre la cabeza de cilindros y el bloque de cilindros.

21. Instalar una junta de cabeza de cilindros nueva. No recubrir la junta con ningún sellante en ningún motor. Las juntas tienen un recubrimiento especial que elimina la necesidad de un sellante. Colocar el tornillo trasero e instalar la cabeza de cilindros sobre el bloque de cilindros.

22. Limpiar a fondo los tornillos de la cabeza de cilindros. Recubrir los filetes de los tornillos con el compuesto sellante GM repuesto 1052080 o equivalente, antes de su instalación. Apretar los tornillos a 20 pie-lb (25 Nm), según la secuencia correcta, a continuación apretar todos los tornillos a 50 pie-lb (65 Nm) según la secuencia correcta y finalmente apretar todos los tornillos 90 grados (un cuarto de vuelta adicional).

23. Instalar el tubo cruzado del enfriante y el termostato.

24. Instalar la válvula de combustible y el conjunto del alternador.

25. Conectar la manguera del *bypass* (derivación).

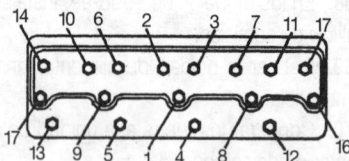

▲ **Apretar los tornillos de la culata de cilindros en el orden mostrado para asegurar un correcto sellado – Motores Diesel 6.5L**

26. Conectar la manguera superior del radiador.

27. Conectar las mangueras de la calefacción a la cabeza de cilindros.

28. Instalar el tubo de la varilla del aceite y de la transmisión.

29. Instalar el resonador y el soporte del filtro de aire.

30. Instalar los empujadores, con los extremos endurecidos hacia arriba.

31. Instalar los conjuntos de balancines.

32. Ajustar las válvulas.

33. Instalar la cubierta de válvulas. Instalar el conjunto del alternador.

34. Levantar el vehículo y apoyarlo de forma segura.

35. Instalar los múltiples de escape y apretarlos a 22 pie-lb (30 Nm). Bajar el vehículo.

36. Instalar la cubierta superior del ventilador.

37. Instalar el múltiple de admisión.

38. Si dispone de él, instalar el turbocargador, la bomba de vacío y el compresor del acondicionador de aire.

39. Instalar las conexiones eléctricas del motor.

40. Llenar el sistema de enfriamiento con el tipo y cantidad correctas de anticongelante. Evacuar y recargar el circuito del acondicionador de aire.

41. Conectar el alambre negativo del acumulador.

EJE DE BALANCINES

DESMONTAJE E INSTALACIÓN

1. Sacar la tapa del motor.

➡ Girar el cigüeñal hasta que la marca sobre el contrapeso equilibrador está a las 2 del reloj. Girar el cigüeñal en contra de las agujas del reloj 3.5 plg (88 mm) alineando la marca sobre el contrapeso con el primer tornillo inferior de la bomba de agua, sobre las 12:30. Esto asegurará que ninguna válvula quedará cerca de la cabeza del pistón.

2. Sacar la tapa de la culata de cilindros.

3. El conjunto de balancines está montado con 2 ejes de balancines cortos por cada cabeza de cilindros, de forma que cada eje de balancines mueve 4 balancines. Sacar los 2 tornillos que aseguran cada conjunto de eje de balancines, y

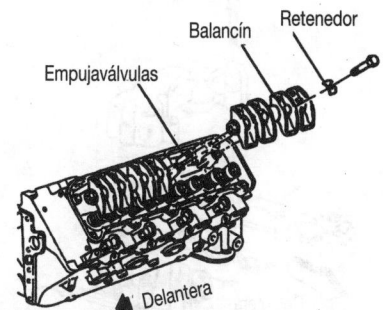

Conjunto del eje de balancines y componentes relacionados – Motores Diesel

sacar el eje. Identificar los ejes de forma que puedan instalarse en sus posiciones originales.

4. Sacar los empujadores. ¡Los empujadores DEBEN ser montados en su dirección original! Una banda de pintura identifica normalmente el extremo superior de cada varilla empujadora, pero si no se puede apreciar esta banda, asegurarse de hacer una marca sobre el empujador (varilla empujadora).

5. Insertar una pequeña palanca en el barreno (orificio) del extremo del eje de balancines y sacar, rompiéndolos, los retenedores de nylon. Estirar los retenedores con unos alicates, después sacar deslizando los balancines.

Para instalar:

6. Asegurarse de que los balancines y resortes se colocan sobre los ejes de balancines exactamente en la misma posición que ocupaban antes de ser desmontados. Una buena idea es recubrirlos con aceite de motor.

7. Centrar los balancines sobre sus orificios correspondientes en el eje e instalar piezas nuevas de retención de plástico usando un punzón (mandril) de $1/2$ plg (13 mm).

8. Instalar los empujadores con sus extremos marcados hacia arriba.

9. Instalar los conjuntos de ejes de balancines y asegurarse que las bolas de los extremos de los empujadores se asientan correctamente en los balancines.

10. Girar el motor en el sentido de las agujas del reloj hasta que la marca en el amortiguador de vibraciones torsional se alinea con el 0 en el cartel de sincronización. Girar el motor en contra de las agujas del reloj 3.5 plg (88 mm) medidos sobre el amortiguador de vibraciones. Esto mismo se puede estimar comprobando que la marca sobre el amortiguador está alineada con el PRIMER tornillo inferior de la bomba de agua. ¡CUIDADO! Esto asegura que la cabeza del pistón queda separada de las válvulas.

11. Instalar los tornillos de los ejes de balancines y apretarlos a 40 pie-lb (55 Nm).

12. Instalar la tapa de la culata de cilindros.

13. Instalar la tapa del motor.

TURBOCARGADOR

DESMONTAJE E INSTALACIÓN

1. Desconectar el alambre negativo del acumulador.

2. Sacar el ducto de admisión del aire.

3. Desconectar la línea de alimentación de aceite de la parte superior del turbocargador.

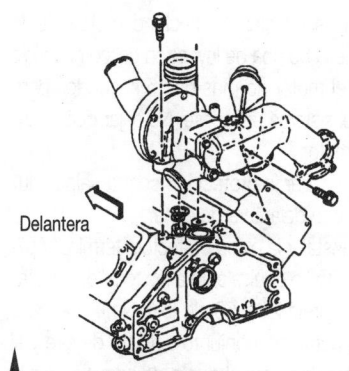

Delantera

▲ Montaje del turbocargador – Motores Diesel

4. Sacar el tornillo de sujeción del soporte de la válvula de ventilación del Regulador de Depresión en el cárter del Cigüeñal (CDR).

5. Sacar la válvula CDR y el tubo de ventilación.

6. Aflojar los broches de sujeción del conjunto de filtro de aire en el guardabarros y sacar el filtro.

7. Aflojar los retenedores de la placa de protección térmica, y sacar la placa.

8. Sacar el conjunto de la rueda delantera derecha y el protector contra salpicaduras.

9. Aflojar la abrazadera en V del codo de salida del escape del turbocargador.

10. Sacar los tornillos de unión del tubo drenaje de aceite al cojinete central del turbocargador.

11. Sacar las tuercas de unión del múltiple de escape al turbocargador.

12. Sacar el turbocargador.

Para instalar:

➡ Usar un compuesto antiagarrotamiento en todas las uniones fileteadas conectadas al turbocargador.

13. Acoplar el turbocargador al múltiple de escape y apretar las tuercas a 37 pie-lb (50 Nm).

14. Instalar una nueva junta de brida de tubo de drenado del aceite y el tubo de drenado. Apretar los tornillos a 19 pie-lb (26 Nm).

➡ Usar 0.03-0.07 oz fl (1-2 ml) de aceite de motor para alimentar el orificio en la parte superior del turbocargador y girar a mano el eje/rueda del compresor. De este modo se consigue prelubricar los cojinetes del eje.

15. Conectar la línea de alimentación del aceite y apretar la unión a 13 pie-lb (17 Nm).

16. Acoplar el tubo de escape a la abrazadera en V en el codo de escape del turbocargador y apretar la abrazadera a 71 plg-lb (8 Nm).

17. Desconectar el conector del solenoide de cierre de la bomba de inyección del combustible y girar el motor no más de 15 segundos para cebar el sistema del aceite. No dejar que arranque el motor.

18. Instalar la protección contra salpicaduras y rueda delantera derecha.

19. Instalar la placa protectora térmica. Aplicar Loctite® o equivalente a los tornillos e instalarlos y apretarlos a 56 plg-lb (6 Nm).

20. Instalar el conjunto del filtro de aire y el conector de goma al ducto de admisión y a la salida del compresor del turbocargador.

21. Instalar la válvula CDR, tubo y soporte y apretar el tornillo.

22. Instalar el ducto de admisión de aire.

23. Instalar los tubos de ventilación del CDR en el ducto de admisión de aire.

➡ Operar el motor en marcha mínima (ralentí), durante al menos tres minutos después de haber instalado el turbocargador.

MÚLTIPLE DE ADMISIÓN

DESMONTAJE E INSTALACIÓN

Modelos 1995-97

1. Desconectar ambos alambres negativos de los acumuladores.

2. Drenar el circuito de enfriamiento y liberar de forma adecuada la presión del circuito de combustible.

3. En modelos tipo furgoneta, sacar la tapa del motor.

4. Sacar el conjunto del filtro de aire.

5. Sacar el soporte de la válvula EPR/EGR del múltiple de admisión.

6. Sacar la válvula CDR.

7. Sacar la manguera de ventilación del cárter y el EGR.

8. Sacar el soporte posterior del acondicionador de aire, en caso que disponga de él.

9. Sacar la abrazadera del tubo del combustible y la banda de conexión a tierra.

10. Sacar el soporte del filtro de combustible en el múltiple de admisión.

11. Sacar los tornillos del múltiple de admisión. Los clips del tubo de inyección están sujetos por estos tornillos.

12. Sacar el múltiple de admisión.

➡ Si se va a continuar revisando el motor con el múltiple desmontado, instalar tapas protectoras sobre las lumbreras de admisión del múltiple.

Para instalar:

13. Limpiar las superficies de sellado de empaque entre el múltiple y la cabeza de cilindros e instalar juntas nuevas antes de instalar el múltiple.

➡ Las juntas tienen una abertura para la válvula EGR en vehículos de servicio ligero. Un inserto cubre esta abertura en el caso de vehículos de servicio pesado.

14. Instalar el múltiple de admisión.

15. Instalar los tornillos del múltiple de admisión y los clips del tubo de inyección de combustible.

16. Instalar el soporte del filtro de combustible en el múltiple de admisión.

17. Instalar el soporte del tubo del combustible y la banda de tierra.

18. Instalar el soporte posterior del acondicionador de aire, en caso de que disponga de él.

19. Instalar la manguera del ventilador del cárter y el EGR.

20. Instalar la válvula CDR.

21. Instalar el soporte de la válvula EPR/EGR del múltiple de admisión.

22. Instalar el conjunto de filtro de aire.

23. En modelos tipo furgoneta, instalar la tapa del motor.

24. Llenar el circuito de enfriamiento con el tipo y cantidad adecuados de anticongelante.

25. Conectar ambos alambres negativos a los acumuladores. Inspeccionar posibles fugas.

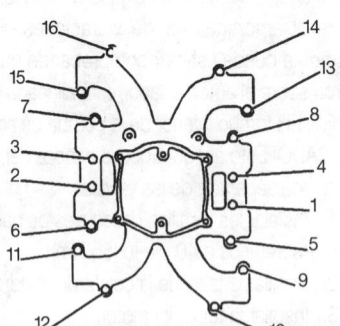

▲ Instalación del múltiple de admisión y orden de apretado de los tornillos – Modelos 1995-97

Modelos 1998-99

1. Desconectar el alambre negativo del acumulador.

2. Sacar el conjunto de filtro de aire.

3. Sacar los conductos del combustible y conexiones eléctricas.

4. Sacar los tubos de nivel de aceite del motor y de la transmisión.

5. Sacar el circuito del acondicionador de aire y recolocar los tubos del acondicionador de aire.

▼ AVISO ▼

No sacar la admisión central conjuntamente con las admisiones laterales. Esto podría dañar al turbocargador y a la admisión central.

6. Sacar el conjunto del múltiple central, y el relevador de las bujías de incandescencia.

7. Sacar los tornillos de las admisiones laterales y los clips de sujeción de los conductos de combustible.

8. Sacar las admisiones laterales.

9. Limpiar todas las superficies de sellado de empaque.

Para instalar:

10. Instalar las admisiones laterales y las nuevas juntas. Apretar los tornillos a 31 pie-lb (42 Nm).

11. Instalar los clips de sujeción de los conductos de combustible y las conexiones eléctricas.

12. Instalar la admisión central con nuevas juntas. Apretar los tornillos a 17 pie-lb (23 Nm).

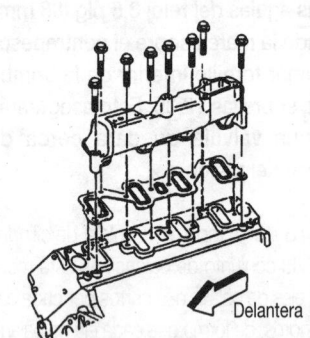

▲ Vista esquemática del montaje del múltiple de admisión lateral – Modelos 1998-99

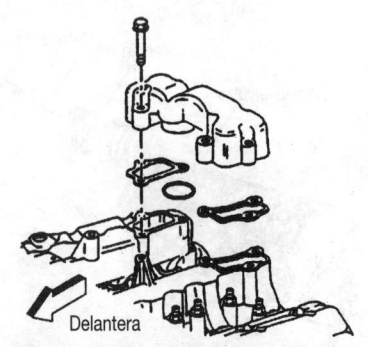

▲ Montaje del múltiple de admisión central – Modelos 1998-99

13. Instalar los tubos de nivel de aceite del motor y de la transmisión.

14. Instalar el relevador de las bujías de incandescencia.

15. Instalar el sistema del acondicionador de aire y recargarlo.

16. Instalar el conjunto del filtro de aire.

17. Conectar el alambre negativo del acumulador.

MÚLTIPLE DE ESCAPE

DESMONTAJE E INSTALACIÓN

1. Desconectar los acumuladores.

2. Levantar el vehículo y apoyarlo de forma segura.

3. Desconectar el tubo de escape de la brida del múltiple y bajar el vehículo.

4. Sacar los tubos de llenado de aceite de la transmisión y del motor.

5. Sacar la tapa del motor y desconectar los alambres de las bujías de incandescencia.

6. Sacar las bujías de incandescencia. Sacar el conjunto turbocargador, tal como sea preciso.

7. Sacar el soporte posterior del compresor del acondicionador de aire, tal como sea preciso.

8. Sacar los tornillos del múltiple y sacar el múltiple.

Para instalar:

9. Instalar el múltiple de escape y apretar los tornillos a 26 pie-lb (35 Nm).

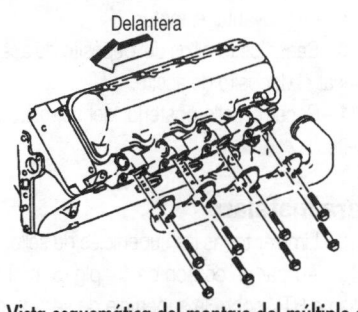

▲ Vista esquemática del montaje del múltiple de escape izquierdo – Motores Diesel

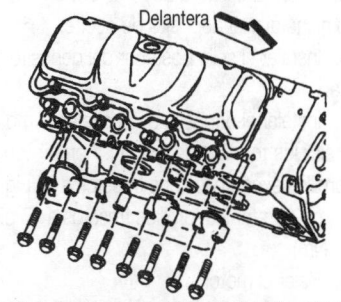

▲ Vista esquemática del montaje del múltiple de escape derecho – Motores Diesel

---

10. Instalar el tubo de escape.

11. Instalar las bujías de incandescencia y las conexiones eléctricas.

12. Instalar los tubos de llenado de aceite del motor y la transmisión.

13. Instalar el soporte del compresor del acondicionador de aire.

14. Conectar los alambres negativos de los acumuladores.

ÁRBOL DE LEVAS Y LEVANTAVÁLVULAS

DESMONTAJE E INSTALACIÓN

Excepto modelos tipo furgoneta

1. Desconectar los alambres negativos de los acumuladores y aliviar la presión del circuito de combustible.

2. Drenar el circuito de enfriamiento.

3. Hacer que un técnico certificado por la autoridad sanitaria descargue el circuito del acondicionador de aire.

4. Sacar el radiador, condensador, cubierta y conjunto del ventilador.

5. Sacar la rejilla y el conjunto de las luces de estacionamiento.

6. Sacar el cierre del capó y el tirante.

7. Sacar la propulsión de la bomba de aceite.

8. Sacar la bomba de la dirección asistida, el alternador y el compresor del acondicionador de aire, y dejarlos a un lado.

9. Sacar las cubiertas de balancines.

10. Sacar los conjuntos de balancines y empujadores. Marcarlos de forma que al montarlos ocupen sus posiciones originales.

11. Sacar las cabezas de cilindros.

12. Sacar los levantaválvulas hidráulicos y guardarlos ordenados de forma que al montarlos ocupen el barreno (orificio) que ocupaban antes de sacarlos.

13. Sacar la tapa delantera.

14. Sacar la cadena de distribución (sincronización) y el piñón del árbol de levas.

15. Sacar la bomba de inyección.

16. Levantar el motor y apoyarlo de forma segura.

17. Sacar los tornillos pasantes de sujeción delantera del motor.

18. Sacar los tornillos de sujeción del condensador del aire acondicionado y sacar el condensador hacia arriba.

19. Sacar los tornillos de la placa de empuje y sacar la placa de empuje.

---

20. Sacar con cuidado el árbol de levas del bloque de cilindros.

21. Sacar el separador de la placa de empuje, si es necesario.

Para instalar:

22. Instalar el separador con el bisel ID hacia el árbol de levas.

➡ Se recomienda cambiar el aceite del motor, el filtro de aceite y los levantaválvulas hidráulicos cuando se instala un árbol de levas nuevo.

23. Recubrir los lóbulos del árbol de levas con Molykote® o equivalente.

24. Lubricar las muñequillas del árbol de levas con aceite de motor.

25. Insertar el árbol de levas cuidadosamente dentro del bloque de cilindros, instalar la placa de empuje y los tornillos. Apretar a 17 pie-lb (23 Nm).

26. Bajar el motor e instalar los tornillos pasantes de sujeción del motor.

27. Alinear las marcas de sincronización e instalar la cadena de distribución (sincronización) y piñones.

28. Instalar el condensador del acondicionador de aire, si dispone de él.

29. Instalar la bomba de inyección.

30. Instalar la tapa delantera.

31. Instalar la culata de cilindros.

32. Instalar los levantaválvulas hidráulicos en el mismo barreno (orificio) que ocupaban antes de sacarlos.

33. Instalar los conjuntos de balancines y empujadores en sus posiciones originales.

34. Instalar la cubierta de balancines.

35. Instalar la bomba de la dirección asistida, el alternador y el compresor del acondicionador de aire.

36. Instalar la propulsión de la bomba de aceite.

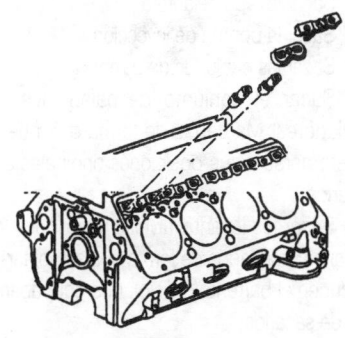

▲ Vista esquemática de los levantaválvulas, plato-guía y abrazadera – Motores Diesel

37. Instalar el cierre del capó y el tirante.

38. Instalar la rejilla y el conjunto de luces de estacionamiento.

39. Instalar el radiador, la cubierta y el conjunto del ventilador.

40. Llenar el circuito de enfriamiento con el tipo y cantidad adecuados de anticongelante.

41. Conectar los alambres negativos de los acumuladores.

Modelos tipo furgoneta

1. Desconectar los alambres negativos de los acumuladores y aliviar la presión del circuito de combustible.

2. Sacar los marcos de los fanales.

3. Sacar la rejilla, el parachoques y el panel del faldón inferior.

4. Sacar el cierre del capó.

5. Sacar el depósito de recuperación de líquido enfriante.

6. Sacar la barra de conexión superior.

7. Sacar el compresor del acondicionador de aire.

▼ AVISO ▼

No abrir, drenar o realizar el mantenimiento del radiador o del circuito de enfriamiento en caliente; el enfriante caliente y los vapores de éste pueden provocar graves quemaduras.

8. Drenar el circuito de refrigeración y sacar el radiador y el ventilador.

9. Sacar la transmisión de la bomba de aceite.

10. Sacar la culata de cilindros para poder acceder a sacar los levantaválvulas.

11. Sacar el soporte inferior del alternador.

12. Sacar la bomba del agua.

13. Sacar el amortiguador de vibraciones torsional.

14. Sacar la tapa delantera.

15. Sacar la bomba de inyección.

16. Sacar las cubiertas de balancines.

17. Sacar el conjunto de balancines y empujadores. Marcarlos de forma que puedan retornarse a sus posiciones originales al montarlos.

18. Sacar los levantaválvulas hidráulicos y guardarlos ordenados de forma que al montarlos ocupen el barreno (orificio), que ocupaban antes de sacarlos.

19. Sacar la cadena de distribución (sincronización) y el piñón del árbol de levas.

20. Sacar los tornillos de la placa de empuje y sacar la placa de empuje.

21. Sacar cuidadosamente el árbol de levas del bloque de cilindros.

22. Sacar el separador de la placa de empuje, si es necesario.

Para instalar:

23. Instalar el separador con el bisel ID hacia el árbol de levas.

➡ **Se recomienda cambiar el aceite del motor, el filtro del aceite y los levantaválvulas hidráulicos cuando se instala un árbol de levas nuevo.**

24. Recubrir las levas del árbol de levas con Molykote® o equivalente.

25. Lubricar las muñequillas del árbol de levas con aceite de motor.

26. Insertar el árbol de levas cuidadosamente dentro del bloque de cilindros, instalar la placa de empuje y los tornillos. Apretar a 17 pie-lb (23 Nm).

27. Alinear las marcas de sincronización e instalar la cadena de sincronización y los piñones.

28. Instalar los levantaválvulas hidráulicos en los mismos barrenos de donde se sacaron.

29. Instalar los conjuntos de balancines y empujadores en las mismas posiciones de donde fueron sacados.

30. Instalar las cubiertas de balancines.

31. Instalar la bomba de combustible.

32. Instalar la tapa delantera.

33. Instalar el amortiguador torsional de vibraciones y la bomba del agua.

34. Instalar el soporte inferior del alternador.

35. Instalar las culatas de cilindros.

36. Instalar la transmisión de la bomba del aceite.

37. Instalar el radiador y el ventilador.

38. Instalar el compresor del acondicionador de aire.

39. Instalar el tirante (barra de conexión) superior.

40. Instalar el depósito de recuperación de líquido enfriante.

41. Instalar el cierre del capó.

42. Instalar la rejilla, el parachoques y el panel del faldón inferior.

43. Instalar los marcos de los fanales.

44. Instalar los alambres de los acumuladores.

45. Llenar el circuito de enfriamiento.

46. Evacuar y recargar el circuito del acondicionador de aire.

HOLGURA DE VÁLVULAS

REGLAJE

Todos los motores usan levantaválvulas hidráulicos, que no precisan un ajuste periódico.

DEPÓSITO DE ACEITE

DESMONTAJE E INSTALACIÓN

Excepto modelos tipo furgoneta

1. Desconectar los alambres de los acumuladores.

2. Levantar el vehículo y apoyarlo de forma segura.

3. Drenar el aceite del motor. Sacar la varilla de nivel del aceite.

4. Sacar la tapa del volante/plato flexible.

5. Sacar las líneas de enfriamiento del aceite.

6. Si es necesario, sacar la flecha de transmisión delantera. Seguir el procedimiento descrito en el capítulo "Tren de Propulsión".

7. Si es necesario, sacar los palieres. Seguir el procedimiento descrito en el capítulo "Tren de Propulsión".

8. Desconectar los tubos de escape de los múltiples.

9. Sacar los tornillos pasantes de sujeción del motor y levantar el motor.

10. Sacar los tornillos del depósito de aceite y sacar el depósito de aceite.

11. Sacar el sello posterior del depósito de aceite.

Para instalar:

12. Limpiar todas las superficies de sello.

13. Aplicar un cordón de $3/16$ plg (5 mm) de sellante RTV sobre la superficie de sellado del depósito de aceite, dentro de los orificios de los tornillos. El sellante debe estar húmedo al tacto al instalar el depósito de aceite.

14. Instalar el sello posterior del depósito de aceite.

15. Instalar el depósito de aceite en el motor e instalar los tornillos de fijación. Apretar todos los tornillos excepto los dos traseros a 84 plg-lb (9.4 Nm). Apretar los tornillos traseros a 17 pie-lb (23 Nm).

16. Bajar el motor.

17. Instalar el tornillo pasante y la tuerca de sujeción del motor.

18. Si se habían sacado, instalar la flecha de transmisión delantera y los ejes motrices delanteros.

19. Instalar las líneas de enfriamiento del aceite en sus guías.

20. Instalar la varilla del nivel del aceite. Instalar los tubos de escape en los múltiples.

21. Instalar la tapa del volante/plato flexible y bajar el vehículo.

22. Rellenar con la cantidad y grado correctos de aceite.

23. Conectar los alambres negativos de los acumuladores.

Modelos tipo furgoneta

1. Desconectar los alambres de los acumuladores.

2. Sacar la tapa del motor.

3. Sacar la varilla del nivel del aceite del motor.

4. Sacar el tubo de la varilla del nivel del aceite del motor de la cubierta de balancines.

5. Levantar el vehículo y apoyarlo de forma segura.

6. Sacar la tapa del volante/plato flexible de la transmisión.

7. Drenar el aceite del motor.

8. Desconectar las líneas de enfriamiento del aceite, del bloque de cilindros.

9. Sacar el motor de arranque. Sacar del depósito de aceite, los alambres del acumulador, las líneas de enfriamiento de la transmisión y las abrazaderas de sujeción.

10. Sacar los tornillos del depósito de aceite, sacar el depósito de aceite y el sello trasero del depósito de aceite.

Para instalar:

11. Limpiar todas las superficies de sellado.

12. Aplicar un cordón de $3/16$ plg (5 mm) de sellante RTV sobre la superficie de sellado del depósito de aceite, dentro de los orificios de los tornillos. El sellante debe estar húmedo al tacto al instalar el depósito de aceite.

13. Instalar el sello posterior del depósito de aceite.

14. Instalar el depósito de aceite en el motor e instalar los tornillos de fijación.

15. Instalar el motor de arranque. Instalar la transmisión, los alambres del acumulador y abrazaderas de sujeción al depósito de aceite.

16. Instalar las líneas de enfriamiento del aceite del motor.

17. Instalar la tapa del volante/plato flexible.

18. Bajar el vehículo.

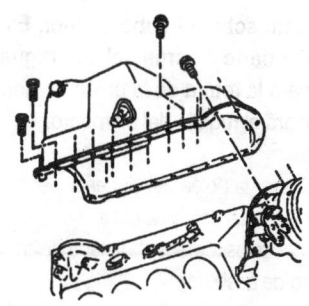

▲ Vista esquemática del montaje del depósito de aceite – Motores Diesel

19. Instalar el tubo de la varilla de nivel de aceite, en la cubierta de balancines.

20. Instalar la varilla de nivel de aceite del motor.

21. Instalar la tapa del motor.

22. Rellenar con el grado y cantidad adecuada de aceite.

23. Conectar los alambres de los acumuladores.

BOMBA DE ACEITE

DESMONTAJE E INSTALACIÓN

1. Levantar el vehículo y apoyarlo de forma segura.

2. Drenar el aceite y sacar el depósito de aceite.

3. Sacar la bomba de aceite del tornillo de sujeción del cojinete principal trasero del cigüeñal.

4. Sacar la bomba de aceite y el eje propulsor hexagonal.

Para instalar:

5. Inspeccionar el tubo y el colador de aspiración (succión) del aceite para ver si pueden estar dañados y el eje propulsor hexagonal para ver si puede tener grietas o roturas.

6. Instalar la bomba del aceite y el eje de extensión al motor. Alinear el eje de extensión hexagonal con el eje de mando hexagonal. La bomba de aceite debe entrar fácilmente dentro de su posición.

▲ Vista esquemática del montaje de la bomba de aceite – Motores Diesel

7. Instalar el tornillo de la bomba de aceite y apretar a 65 pie-lb (90 Nm).

8. Instalar el depósito de aceite y bajar el vehículo.

9. Llenar el cárter con el tipo y grado adecuados de aceite.

SELLO PRINCIPAL TRASERO

DESMONTAJE E INSTALACIÓN

Tener en cuenta que antes de llevar a cabo este procedimiento debe ser sacado el conjunto completo de la transmisión. Antes de que se instale un sello nuevo el Regulador de Depresión de la Caja del cigüeñal (CDR) y el sistema de ventilación de la caja del cigüeñal deben ser limpiados y revisados. Además, tener cuidado al sacar el volante. Algunos modelos usan volantes de masa doble, bastante pesados, que deben ser manipulados cuidadosamente.

1. Desconectar los alambres negativos de los acumuladores.

2. Levantar el vehículo y apoyarlo de forma segura.

3. Sacar la caja de transferencia, si dispone de ella.

4. Sacar el conjunto de la transmisión, siguiendo el procedimiento recomendado.

5. Sacar el conjunto del embrague y el volante si equipa transmisión manual. Tener especial cuidado al sacar el volante. Algunos modelos usan volantes de masa doble, bastante pesados, que deben ser manipulados cuidadosamente.

6. Sacar el plato flexible, si equipa transmisión automática.

7. Sacar el sello de aceite principal trasero del cigüeñal insertando una herramienta de palanca adecuada y haciendo palanca hacia fuera. Tener cuidado en no dañar la superficie de sellado del cigüeñal.

Para instalar:

8. Limpiar a fondo el barreno del sello de aceite sobre el bloque de cilindros, antes de instalar el sello nuevo.

9. Inspeccionar el cigüeñal para ver si tiene arena, óxido o rebabas y corregirlo en caso necesario. También inspeccionar la parte del cigüeñal donde el sello de aceite contacta, para observar posible desgaste debido a la acción de fricción del sello de aceite.

➡ Debido al desgaste o marcado de la trasera del cigüeñal, el nuevo sello de aceite debe asentarse en otro lugar. La herramienta de instalación J-39084 controla el posicionamiento del sello. Esto habilitará una nueva superficie en el cigüeñal para la colocación del sello.

10. Limpiar la superficie de trabajo del cigüeñal con un producto limpiador no abrasivo.

11. Lubricar el diámetro interior del sello nuevo y el diámetro exterior del cigüeñal con aceite de motor. Usando una herramienta de instalación J-39084, instalar el sello de aceite principal trasero hasta que la herramienta haga tope con el fondo del bloque de cilindros y con el sombrerete del cojinete principal trasero del cigüeñal.

12. Si está equipado con transmisión manual y el sello de aceite principal trasero tuviera fugas, el plato del embrague podría estar contaminado con aceite y será preciso reemplazarlo. Revisar el embrague tal como sea preciso. Instalar el volante. Usar un compuesto bloqueador de roscas sobre los tornillos de fijación del volante y apretar a 45 pie-lb (60 Nm). Se recomienda usar tornillos nuevos para el volante.

13. Instalar el conjunto de la transmisión siguiendo el procedimiento recomendado.

14. Instalar la caja de transferencia, si dispone de ella.

15. Bajar el vehículo.

16. Conectar los alambres de los acumuladores.

17. Arrancar el motor y verificar que no haya fugas de aceite.

CADENA DE DISTRIBUCIÓN, PIÑONES, TAPA DELANTERA Y SELLO

DESMONTAJE E INSTALACIÓN

1. Desconectar ambos alambres de los acumuladores. Drenar el circuito de enfriamiento.

2. Sacar la bomba de agua y las poleas.

3. Girar el cigüeñal para alinear las marcas del amortiguador torsional de vibraciones con la marca 0 sobre la lengüeta de sincronización.

4. Hacer una marca alineando la brida de la bomba de inyección y la tapa delantera, en caso que no existiera dicha marca.

➡ El anillo externo (peso) del amortiguador torsional de vibraciones está unido al cubo con goma. El amortiguador debe sacarse con un extractor que actúa exclu-

sivamente sobre el cubo interior. Estirar desde la parte externa del amortiguador provocará la rotura de la unión de goma y destrozará el reglaje del elemento.

5. Sacar la polea del cigüeñal y el amortiguador torsional de vibraciones.

6. Sacar los tornillos de la tapa delantera al depósito de aceite (4).

7. Sacar los dos clips de sujeción de los tubos de retorno de combustible.

8. Sacar la catarina de la bomba de inyección.

9. Sacar de la tapa delantera las tuercas de fijación de la bomba de inyección.

10. Sacar el sensor del cigüeñal.

11. Sacar el deflector. Sacar los tornillos restantes de la tapa y sacar la tapa delantera.

12. Sacar la catarina de la bomba de inyección.

13. Alinear las marcas de sincronización del árbol de levas sobre la catarina y sacar el tornillo y arandela de sujeción de la catarina del árbol de levas.

14. Sacar el piñón del árbol de levas con la cadena de sincronización. Sacar el piñón del cigüeñal.

Para instalar:

15. Instalar el piñón del árbol de levas, la cadena de sincronización y el piñón del cigüeñal como una unidad, alineando las marcas de sincronización sobre los piñones.

16. Girar el cigüeñal para alinear las catarinas de la bomba de inyección y del árbol de levas. Instalar la catarina de la bomba de inyección.

17. Si hay que reemplazar el sello de aceite de la tapa delantera, ahora se puede extraer el sello haciendo palanca sobre la tapa con una

herramienta de palanca adecuada. Presionar uniformemente el sello nuevo dentro de la tapa.

18. Limpiar ambas superficies de sellado hasta que no quede ninguna traza del sellador viejo. Aplicar un cordón de $^3/_{32}$ plg (2 mm) de sellador GM 1052357 o equivalente a la superficie de sellado. Aplicar un cordón de $^3/_{16}$ plg (5 mm) de sellador tipo RTV a la parte del fondo de la tapa delantera, que sujeta el depósito de aceite. Instalar la tapa delantera.

19. Instalar el deflector.

20. Instalar la bomba de inyección, asegurándose de que las marcas de la bomba y de la tapa delantera están alineadas. Apretar las tuercas a 31 pie-lb (42 Nm).

21. Instalar la catarina esclava de la bomba de inyección, asegurándose de que las marcas en el árbol de levas y en la bomba están alineadas. Apretar los tornillos de la catarina de la bomba de inyección a 17 pie-lb (23 Nm).

➡ Verificar que existe una separación mínima de 0.040 plg (1.0 mm) entre la catarina de la bomba de inyección y el deflector, en caso contrario el funcionamiento resultaría muy ruidoso.

22. Instalar los clips de los tubos de combustible, los tornillos de la tapa delantera y el amortiguador torsional de vibraciones y la polea del cigüeñal. Apretar el tornillo del depósito y del amortiguador torsional de vibraciones según especificaciones.

23. Instalar el conjunto de bomba de agua y polea.

24. Llenar el sistema de enfriamiento con el tipo y cantidad adecuados de anticongelante.

25. Conectar los alambres negativos de los acumuladores. Inspeccionar si hay fugas en el motor.

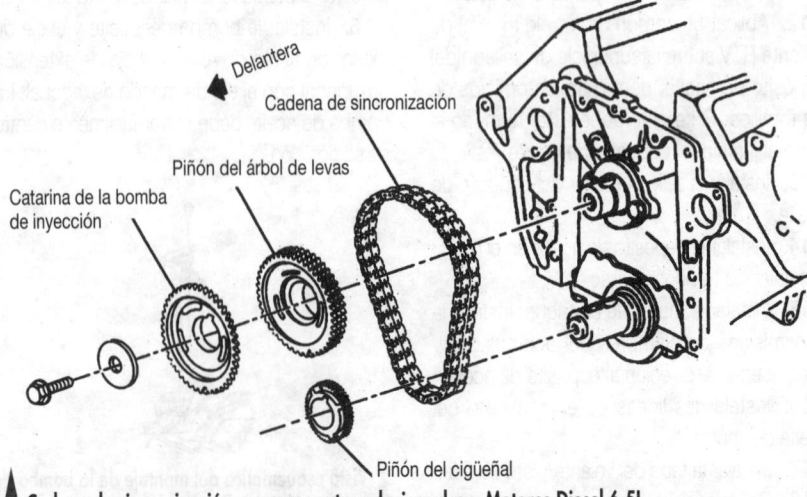

Delantera
Cadena de sincronización
Piñón del árbol de levas
Catarina de la bomba de inyección
Piñón del cigüeñal

▲ Cadena de sincronización y componentes relacionados – Motores Diesel 6.5L

SISTEMA DE COMBUSTIBLE DE GASOLINA

PRECAUCIONES DE MANTENIMIENTO DEL SISTEMA DE COMBUSTIBLE

La seguridad es el factor más importante no sólo cuando se realiza el mantenimiento del sistema de combustible sino de cualquier otro tipo de mantenimiento. No seguir las conductas de seguridad durante el mantenimiento y la reparación puede resultar en graves lesiones personales o incluso la muerte. El mantenimiento y prueba de los componentes del sistema de combustible del vehículo se podrá realizar de forma segura y eficaz si se siguen las siguientes reglas y consejos:

• Para evitar la posibilidad de incendio o lesiones personales, desconectar siempre el alambre negativo del acumulador a menos que el procedimiento de reparación o de prueba requiera la aplicación del voltaje del acumulador.

• Aliviar siempre la presión del sistema de combustible antes de desconectar ningún elemento del sistema de combustible (inyector, raíl de combustible, regulador de presión, etc.), rácor o conector del tubo de combustible. Tener siempre una precaución extrema al aliviar la presión del sistema de combustible para evitar en todo momento la exposición de la piel, la cara o los ojos a la pulverización de combustible. Tener en cuenta que el combustible a presión puede penetrar la piel o cualquier otra parte del cuerpo con la que tenga contacto.

• Colocar siempre una toalla o trapo alrededor del rácor o conexión antes de aflojarlo para absorber cualquier vertido o derrame de combustible. En caso de producirse un derrame de combustible (debe ocurrir) asegurarse de que este combustible no queda sobre las superficies del motor. Asegurarse de que todos los trapos o toallas mojadas con combustible se depositan en un contenedor adecuado.

• Disponer siempre de un extintor de polvo seco (clase B) cerca del área de trabajo.

• Evitar que la pulverización del combustible o los vapores del mismo puedan entrar en contacto con una chispa o con una llama.

• Usar siempre una llave de tuercas de contra para aflojar y apretar con otra llave los rácores de conexión. Esto evitará que se apliquen tensiones y torsiones innecesarias a los tubos del circuito de combustible. Siempre adherirse a las especificaciones de apriete.

• Reemplazar siempre las juntas tóricas desgastadas con juntas nuevas. Donde estén instalados no sustituir los tubos de combustible (metálicos) por mangueras o tubos flexibles.

PRESIÓN DEL SISTEMA DE COMBUSTIBLE

DESCARGA

Antes de aflojar o desconectar ninguna conexión o componente del sistema de combustible, descargar siempre la presión del sistema para evitar el riesgo de incendio y de lesiones.

Sistemas de inyección de combustible en el cuerpo del ahogador

Los vehículos GM con motores TBI utilizan un dispositivo de descarga (sangrado) automática de la presión. No obstante deben observarse los siguientes pasos al trabajar con combustible a presión, para garantizar unas condiciones de trabajo más seguras.

1. Desconectar el alambre negativo del acumulador para evitar el derrame de combustible en el caso de que la llave de encendido se accionara a ON de forma accidental con una conexión del circuito de combustible abierta.

2. Aflojar el tapón de llenado de combustible para aliviar la presión del tanque de combustible.

3. En el modelo 220 TBI la unidad de descarga de presión alivia la presión del circuito de combustible cuando el motor se para (OFF). Por lo tanto, no se requiere ninguna otra operación.

➡ **Dejar que el motor repose durante 5 a 10 minutos; esto permitirá que el orificio (del sistema de combustible) sangre del todo la presión.**

4. Una vez terminado el mantenimiento del sistema de combustible, apretar el tapón de llenado de combustible y conectar el alambre negativo del acumulador.

Sistemas de inyección de combustible multipunto

Los sistemas de combustible MFI y CMFI usados en vehículos GM operan todos a altas presiones. Es muy importante aliviar adecuadamente la presión del sistema antes de reparar el sistema o cualquiera de sus componentes.

Estos sistemas de combustible disponen de una válvula Schrader para controlar o aliviar de forma adecuada la presión del sistema. Se necesitará un manómetro y un adaptador para conectar el manómetro al rácor. La mayoría de sistemas MFI usan una válvula de servicio en un extremo del raíl de combustible. El sistema CMFI descrito aquí usa una válvula colocada en el rácor del tubo de entrada, inmediatamente antes de entrar al conjunto CMFI (hacia la parte trasera del motor).

1. Desconectar el alambre negativo del acumulador para asegurar que se evita el derrame de combustible en el caso de que la llave de encendido se accionara a ON de forma accidental con alguna conexión aún abierta en el sistema de combustible.

2. Aflojar el tapón de llenado del depósito de combustible para aliviar la presión del tanque de combustible.

3. Asegurarse de que la válvula de descarga del manómetro de combustible está cerrada, luego conectar el manómetro al rácor de presión situado en el rácor del tubo de entrada de combustible.

➡ **Al conectar el manómetro al rácor, asegurarse de arrollar un trapo alrededor del rácor para evitar derrames. Tras la reparación, desechar el trapo en un contenedor adecuado.**

4. Instalar la manguera de sangrado del conjunto del manómetro dentro de un contenedor adecuado, después abrir la válvula de sangrado del manómetro y sangrar la presión del combustible del sistema.

5. Al sacar el manómetro, asegurarse de abrir la válvula de descarga y de drenar todo el combustible del conjunto del manómetro.

6. Al terminar el mantenimiento del sistema de combustible, apretar el tapón de llenado del tanque de combustible y conectar el alambre negativo del acumulador.

FILTRO DE COMBUSTIBLE

DESMONTAJE E INSTALACIÓN

El filtro de combustible normalmente está situado a lo largo de la viga del bastidor del vehículo. En algunos vehículos, sin embargo, puede haberse

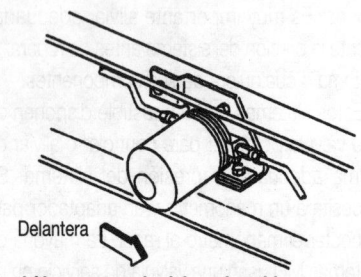

▲ El filtro enroscado del combustible se revisa del mismo modo que el filtro enroscado de aceite – Motores 5.0L, 5.7L y 7.4L

colocado en el compartimiento del motor. Si se duda, seguir una línea de combustible bien desde el motor y hacia atrás o bien desde el tanque de combustible y hacia delante, para localizar el filtro.

Algunos vehículos usan un filtro de tipo enroscado situado sobre la viga del bastidor. Este filtro puede ser girado en contra de las agujas del reloj después de haber aliviado la presión del sistema.

1. Aliviar de forma adecuada la presión del sistema.

2. Desconectar el alambre negativo del acumulador.

3. Levantar el vehículo y apoyarlo de forma segura.

4. Desacoplar las conexiones de los tubos de combustible del filtro o desatornillar el filtro en el caso de que sea del tipo enroscado.

5. En filtros de tipo en línea, sacar el tornillo de la abrazadera de sujeción del filtro y después sacar el conjunto de la abrazadera-filtro. Separar el filtro de la abrazadera.

Para instalar:

➡ El filtro en línea tiene una flecha (dirección del flujo de combustible) en un lateral de la caja, asegurarse de instalar el filtro correctamente en el circuito, con la flecha de espaldas al tanque de combustible.

6. Para instalar, invertir el procedimiento de desmontaje. En los filtros de tipo enroscado, lubricar la junta antes de su instalación. Después apretar el filtro ³/₄ de vuelta adicionales desde el punto en que la junta toca al adaptador del filtro. Siempre comprobar si existen fugas después de haber instalado un filtro nuevo.

BOMBA DE COMBUSTIBLE

DESMONTAJE E INSTALACIÓN

1. Aliviar adecuadamente la presión del sistema de combustible.

2. Desconectar el alambre negativo del acumulador.

3. Drenar y sacar el tanque de combustible del vehículo.

4. Usando una llave de tuercas adecuada, girar en contra de la agujas del reloj el anillo de bloqueo (situado sobre el tanque de combustible) del conjunto de la bomba de suministro del combustible, después elevar con cuidado el conjunto y sacar la bomba del dispositivo de la palanca de alimentación de combustible.

Para instalar:

5. Instalar la bomba de combustible y fijarla con el anillo de bloqueo.

6. Fijar el tanque de combustible en el vehículo y llenarlo.

7. Conectar el cable negativo del acumulador.

8. Arrancar el motor y comprobar que no haya fugas de combustible.

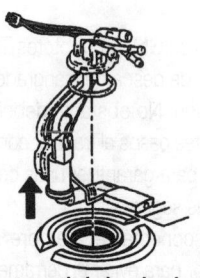

▲ Elevar el conjunto de la bomba de combustible fuera del depósito después de haber sacado el anillo de bloqueo – Motores 4.3L, 5.0L, 5.7L y 7.4L

SISTEMA DE COMBUSTIBLE DIESEL

En todos los vehículos (a excepción del motor no turbocargado VIN Y de altas emisiones) se usó una bomba de inyección de combustible Diesel controlada electrónicamente. La mayor diferencia en el nuevo sistema electrónico es el uso del Módulo de Control del Tren propulsor (PCM) para controlar las emisiones regulando los sistemas de emisión, monitoreando el funcionamiento del motor y controlando electrónicamente la bomba de inyección Diesel. La mayoría de procedimientos de desmontaje e instalación son muy similares o son los mismos que en el caso del sistema mecánico, con diferencias sutiles debido a componentes nuevos o modificados.

PRECAUCIONES DE MANTENIMIENTO DEL SISTEMA DE COMBUSTIBLE

La seguridad es el factor más importante no sólo cuando se realiza el mantenimiento del sistema de combustible sino en cualquier otro tipo de mantenimiento. No seguir las conductas de seguridad durante el mantenimiento y la reparación puede resultar en graves lesiones personales o incluso la muerte. El mantenimiento y prueba de los componentes del sistema de combustible del vehículo se podrá realizar de forma segura y eficaz si se siguen las siguientes reglas y consejos:

• Para evitar la posibilidad de incendio o lesiones personales, desconectar siempre el alambre negativo del acumulador a menos que el procedimiento de reparación o de prueba requiera la aplicación del voltaje del acumulador.

• Aliviar siempre la presión del circuito de combustible antes de desconectar ningún elemento del sistema de combustible (inyector, raíl de combustible, regulador de presión, etc.), rácor o conector del circuito de combustible. Tener siempre una precaución extrema al aliviar la presión del circuito de combustible para evitar en todo momento la exposición de la piel, la cara o los ojos la pulverización de combustible. Tener en cuenta que el combustible a presión puede penetrar la piel o cualquier otra parte del cuerpo con la que tenga contacto.

• Colocar siempre una toalla o trapo alrededor del rácor o conexión antes de aflojarlo para absorber cualquier vertido o derrame de combustible. En caso de producirse un derrame de combustible asegurarse de que este combustible no queda sobre las superficies del motor. Asegurarse de que todos los trapos o toallas mojadas con combustible se depositan en un contenedor adecuado.

• Siempre disponer de un extintor de polvo seco (clase B) cerca del área de trabajo.

• Evitar que la pulverización del combustible o los vapores del mismo puedan entrar en contacto con una chispa o con una llama.

• Usar siempre una llave de tuercas de contra para aflojar y apretar con otra llave los rácores de conexión. Esto evitará que se apliquen tensiones y torsiones innecesarias a los tubos del circuito de combustible. Siempre seguir a las especificaciones de apriete.

• Reemplazar siempre las juntas tóricas desgastadas con juntas nuevas. Donde estén instalados, no sustituir tubos de combustible (metálicos) por mangueras o tubos flexibles.

PRESIÓN DEL SISTEMA DE COMBUSTIBLE

DESCARGA

La presión del sistema de combustible puede ser descargada enrollando una toalla de taller fuerte sobre el rácor del combustible y aflojando el rácor. ¡NUNCA realizar esta operación con alguna fuente de ignición cerca!

AIRE DEL SISTEMA DE COMBUSTIBLE

PURGADO

1. Abrir la válvula de purga en el filtro/gestionador de combustible.

2. Conectar una manguera a la válvula de purga de aire y colocar el otro extremo de la manguera dentro de un contenedor adecuado.

▼ PRECAUCIÓN ▼

La mezcla diesel/agua es inflamable y puede estar caliente. Para evitar lesiones personales o daños en las instalaciones, evitar cualquier contacto de la mezcla diesel/agua con la piel, llamas o un motor caliente. No llenar en exceso el contenedor de almacenaje de la mezcla combustible ya que el calor procedente de un motor caliente o de cualquier otra fuente de calor podría provocar la dilatación del combustible, con el consiguiente derrame del contenedor del mismo, lo que podría conducir a un incendio.

3. Sacar el fusible F/SOL del panel de fusibles.

4. Hacer girar el motor en intervalos cortos de 10 a 15 segundos hasta que salga combustible limpio por la manguera de purga de aire (esperar un minuto entre giro y giro del motor).

5. Sacar la manguera y cerrar la válvula de purga de aire.

6. Instalar el fusible F/SOL y arrancar el vehículo. Dejar el vehículo en marcha mínima (en vacío) durante 5 minutos.

7. Comprobar si hay fugas de combustible y hacer un borrado de los Códigos de Diagnóstico de Problemas (DTC).

VELOCIDAD MARCHA MÍNIMA (EN VACÍO)

AJUSTE

La velocidad de marcha mínima (en vacío) y la sincronización de inyección está controlada por el Módulo de Control del Tren Propulsor (PCM), y no está previsto que se realice ningún ajuste sobre él.

FILTRO DE COMBUSTIBLE

DESMONTAJE E INSTALACIÓN

1. Apagar la ignición (OFF). Sacar el tapón del tanque de combustible para aliviar cualquier presión o vacío en el tanque.

➡ No es necesario drenar todo el combustible del cabezal para realizar el cambio del elemento de filtro puesto que el combustible permanecerá en la cavidad del cabezal.

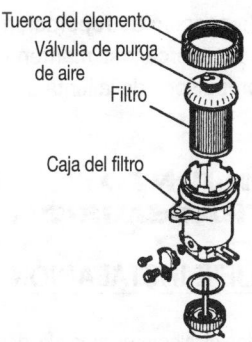

Tuerca del elemento
Válvula de purga de aire
Filtro
Caja del filtro

▲ **Vista esquemática del conjunto del filtro de combustible – Motor Diesel 6.5L**

2. Abrir la válvula de purga de aire para liberar la presión residual.

3. Sacar la tuerca del elemento, girándola a mano hacia la izquierda. Si es necesario se puede usar una llave de cinta (para cuerpos cilíndricos).

4. Sacar el elemento elevándolo hacia arriba y fuera del conjunto del cabezal.

Para instalar:

5. Asegurarse de que la superficie de sellado entre el conjunto del filtro y el cabezal está limpia.

6. Instalar el nuevo filtro alineando la ranura chaveta (cuñero) más ancha situada bajo la tapa del filtro con la ranura chaveta más ancha del cabezal.

7. Empujar con cuidado el filtro hacia abajo hasta que las superficies de sellado contacten.

8. Instalar la tuerca del elemento y apretar fuertemente a mano.

9. Si no se ha hecho todavía, abrir la válvula de purga de aire en la parte superior del conjunto gestionador/filtro de combustible, después conectar sobre ella un tramo de manguera, con su otro extremo embocado a un recipiente adecuado.

➡ Ser extremadamente prudente al manejar combustible Diesel. No exponer el combustible a chispas o llama. También tener en cuenta que el combustible que sale de la manguera de purga puede estar caliente.

10. Desconectar el alambre del solenoide de cierre de la bomba de inyección.

11. Hacer girar el motor durante 10-15 segundos y después esperar un minuto para que se enfríe el motor de arranque. Repetir esta operación hasta que se observe la salida de combustible limpio por la válvula de purga de aire.

12. Cerrar la válvula de purga de aire, reconectar el alambre del solenoide de la bomba de inyección y recolocar el tapón del tanque de combustible.

13. Arrancar el motor, dejarlo que marche en vacío y comprobar que no haya fugas en el filtro/gestionador de combustible.

BOMBA DE INYECCIÓN DIESEL

Todos los vehículos disponen de una bomba de inyección controlada electrónicamente. La bomba electrónica está gobernada por catarinas y gira a la misma velocidad que el árbol de levas. Se usa un motor electrónico paso a paso para controlar la sincronización de la inyección y un mando de la válvula solenoide del combustible para controlar el solenoide de inyección de combustible en el módulo electrónico.

DESMONTAJE E INSTALACIÓN

1. Desconectar ambos alambres de los acumuladores.

2. Sacar el múltiple de admisión.

3. Aliviar la presión del sistema de combustible.

4. Sacar los tubos de entrada e inyección de combustible.

5. Etiquetar y desconectar los cables, alambres y mangueras en la bomba de inyección que sea necesario desconectar.

6. Desconectar la línea de retorno de combustible de la parte superior de la bomba de inyección.

7. Si es necesario, desconectar la línea de alimentación de combustible en la bomba de inyección.

8. Sacar el anillo de goma del tubo de llenado de aceite.

➡ **No acoplar el motor de arranque para hacer girar el motor cuando la bomba de inyección está desmontada. La catarina esclava de la bomba podría encallarse en la caja delantera y crear una cizalla sobre la chaveta de la catarina del árbol de levas o del cigüeñal y un posible daño al tren de válvulas.**

9. Marcar o pintar una marca en la tapa delantera y en la brida de la bomba de inyección.

10. Girar el cigüeñal a mano y sacar los tornillos de la catarina esclava de la bomba de inyección, accediendo a los pernos a través del orificio del cuello de llenado de aceite.

11. Sacar las tuercas de fijación de la bomba de inyección a la tapa delantera. Sacar la bomba. Asegurarse de taponar todos los tubos y boquillas abiertos para evitar la contaminación y daños del sistema.

Para instalar:

12. Alinear el pasador de posicionado de la maza (cubo) de la bomba con la ranura sobre la catarina esclava de la bomba de inyección (la RANURA, no el orificio en la catarina). Al mismo tiempo, alinear las marcas de sincronización.

13. Fijar la bomba de inyección a la tapa delantera, comprobando las marcas de sincronización antes de apretar las tuercas a 30 pie-lb (40 Nm).

14. Instalar los tornillos de unión de la catarina esclava a la bomba de inyección, apretando los tornillos a 20 pie-lb (25 Nm).

15. Instalar el anillo de goma y el tubo de llenado del aceite.

16. Si dispone de él, instalar el soporte del acondicionador de aire.

17. Conectar la línea de alimentación de combustible y apretar a 20 pie-lb (25 Nm).

18. Si se había sacado, conectar la línea de retorno de combustible a la bomba.

19. Conectar todos los alambres, cables y tubos que previamente se habían sacado.

20. Conectar los tubos de los inyectores e instalar el múltiple de admisión.

21. Conectar los alambres de los acumuladores. Arrancar el motor y comprobar que no haya fugas.

TREN PROPULSOR

➡ **Referirse a la sección de reparación para información acerca del mantenimiento del eje propulsor y de la junta universal.**

CONJUNTO DE LA TRANSMISIÓN

DESMONTAJE E INSTALACIÓN

1. Desconectar el alambre negativo del acumulador.

2. En transmisiones manuales, sacar la funda y palanca de cambio de la transmisión.

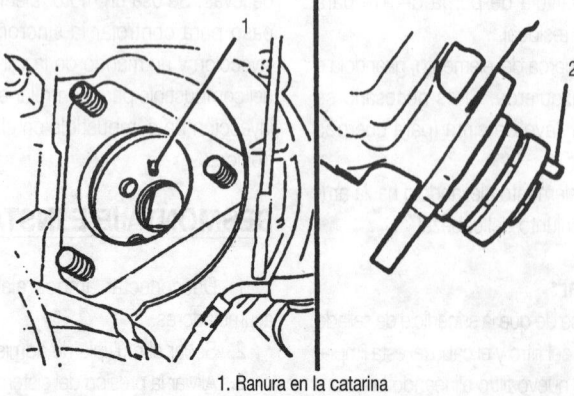

1. Ranura en la catarina
2. Cubo de la bomba

▲ **Alinear el pasador sobre el cubo de la bomba con la ranura en la catarina propulsora, NO con el orificio de la catarina – Motores Diesel**

3. Levantar el vehículo y apoyarlo de forma segura, después drenar la transmisión.

4. En transmisiones automáticas, desconectar el cable del cambio, la palanca de control y sacar el soporte.

5. Sacar los tubos de escape y los cables del freno de estacionar.

6. Marcar y sacar la flecha de transmisión, o eje propulsor.

7. Si dispone de ella, sacar la caja de transferencia.

8. Sacar los tirantes de la transmisión al motor (los vehículos con motor Diesel tienen un solo tirante).

9. Desconectar el haz de alambres de la transmisión.

10. Apoyar la transmisión con un gato de transmisiones.

11. Sacar la tuerca de fijación del soporte de la transmisión al travesaño.

12. Colocar un gato de transmisiones o equivalente debajo de la transmisión para su apoyo.

13. Sacar el travesaño. Realizar una inspección visual para ver si otros elementos, como soportes o tubos, deben extraerse para poder sacar la transmisión.

➡ **Marcar la posición del travesaño al sacarlo, para evitar su colocación incorrecta. La superficie cónica debe mirar hacia atrás.**

14. En transmisiones automáticas realizar lo siguiente:

a. Sacar la tapa de inspección del convertidor de torque (par).

b. Marcar la alineación del convertidor de torque con el plato flexible.

c. Sacar los tornillos de unión entre el convertidor de torque y el plato flexible. Sacar de la transmisión, el tubo de la varilla de nivel y el sello. Taponar la abertura para evitar su contaminación.

d. Desconectar de la transmisión ambos tubos de transmisión y taponarlos para evitar la contaminación y el goteo.

e. Colocar una correa de sujeción del convertidor tipo J-21366 sobre la transmisión/convertidor de torque para evitar que el convertidor de torque resbale fuera del eje de la turbina de transmisión.

15. En transmisiones manuales, excepto en el caso de la transmisión New Venture Gear 3500 (NV 3500), sacar los dos tornillos superiores de fijación de la transmisión a la caja e insertar dos pasadores-guía.

➡ La caja del embarque en el New Venture Gear 3500 está integrada a la transmisión, como lo es la caja del convertidor en las transmisiones automáticas.

16. En el New Venture Gear 3500, sacar los tornillos de fijación de la caja del embrague al motor.

➡ El uso de pasadores-guía no sólo sirve para soportar la transmisión sino también para evitar daños sobre el disco de embrague. Los pasadores-guía se pueden fabricar a partir de dos tornillos, iguales que los que se han sacado pero un poco más largos, y cortándoles las cabezas. Hacer una ranura de ajuste. Asegurarse de apoyar el cojinete de desembrague del embrague y conjunto de apoyo durante el desmontaje de la transmisión.

17. Sacar el resto de tornillos y deslizar la transmisión recta hacia atrás fuera del motor. Tener cuidado en mantener la catarina propulsora en línea con la maza del disco de embrague.

18. Sacar/desconectar del vehículo todos los alambres, clips, tubos y soportes que puedan interferir con el desmontaje de la transmisión.

➡ Asegurarse de que el motor está apoyado sobre un caballete de seguridad, antes de desacoplar la transmisión del motor.

19. Sacar los espárragos y/o tornillos de fijación de la transmisión al motor.

20. Sacar la transmisión directa hacia atrás fuera del motor.

21. Bajar con cuidado la transmisión usando el gato para transmisiones.

Para instalar:

. **22.** Comprobar que no ha habido fugas en el área de detrás del convertidor de par. Reemplazar si es necesario el sello delantero.

23. Es conveniente examinar el área alrededor del sello trasero del cigüeñal y comprobar si hay fugas. Si es necesario, sacar el volante/plato flexible y reemplazar el sello.

24. Inspeccionar los dientes de la corona dentada del volante/plato flexible. Si están dañados, reemplazar el volante/plato flexible.

25. Puesto que se ha sacado la flecha de transmisión, inspeccionar las juntas universales para ver si están desgastadas, y realizar el mantenimiento que sea preciso.

26. En transmisiones manuales, realizar lo siguiente:

a. Poner la transmisón en la marcha alta. Recubrir ligeramente las estrías del eje de entrada con grasa para altas temperaturas.

b. Levantar la transmisión en posición.

c. En transmisiones con la caja del embrague separada, instalar los pasadores-guía en los dos orificios de los tornillos superiores si éstos han sido sacados.

d. Girar la transmisión hacia adelante y acoplar las estrías del embrague. Seguir empujando la transmisión hacia adelante hasta que se acople con el motor.

e. En transmisiones con la caja del embrague separada, sacar los pasadores-guía e instalar los tornillos, y apretar los tornillos a 23 pie-lb (31 Nm).

f. En el NV3500, instalar los tornillos de la transmisión al motor. Apretar los tornillos a 35 pie-lb (47 Nm).

27. En transmisiones automáticas, realizar lo siguiente:

a. Con la correa de sujeción del convertidor de par tipo J-21366, o equivalente en su sitio, levantar la transmisión dentro de su posición con el gato de transmisiones.

b. Sacar la correa de sujeción del convertidor de torque y deslizar la transmisión dentro de su posición. Deslizar la transmisión recto sobre los pasadores de posicionamiento mientras se alinean las marcas en el volante/plato flexible y el convertidor de torque. Asegurarse de que la transmisión asienta plenamente contra la parte trasera del bloque de cilindros y que los pasadores de posicionado están completamente acoplados.

▼ AVISO ▼

NO probar de introducir la transmisión del bloque de cilindros con los tornillos de montaje. Si la transmisión no está correctamente asentada, los tornillos romperán la caja de transmisión.

➡ El convertidor de torque debe estar nivelado con el plato flexible y girar libremente a mano.

c. Cuando se considere que la transmisión está correctamente asentada, instalar y apretar los tornillos o espárragos de la transmisión al motor a 34 pie-lb (47 Nm).

28. En transmisiones automáticas realizar lo siguiente:

a. Instalar el tubo de la varilla de nivel y el sello.

b. Comprobar las marcas de alineación en el convertidor de torque y el plato flexible para asegurarse de que están correctamente alineadas. Instalar los tornillos del convertidor de torque. Apretar los tornillos a mano para asegurar que el convertidor se asiente correctamente. Cuando el convertidor está correctamente asentado apretar los tornillos a 46 pie-lb (63 Nm).

c. Instalar la tapa del convertidor de torque. Apretar los tornillos de sujeción a 24 pie-lb (33 Nm) en motores 4.3L o 89 plg-lb (10 Nm) en motores V8.

29. Instalar todos los alambres, clips, tubos y soportes del vehículo que se sacaron durante el desmontaje de la transmisión. Todos los componentes deben colocarse en la misma posición que ocupaban antes del desmontaje. Tener cuidado de que los tubos de enfriamiento de la transmisión no rocen con el bastidor o alguno de sus componentes, lo que podría provocar posteriores fugas. Conectar ambos tubos de la transmisión a la transmisión.

a. Conectar el cable del cambio.

30. Instalar el motor de arranque.

31. Instalar los componentes del escape que se hubieran sacado previamente.

32. Instalar el travesaño de la transmisión. Apretar los tornillos de sujeción del travesaño al bastidor a 56 pie-lb (77 Nm).

33. Instalar el soporte de la transmisión en la transmisión y apretar los tornillos a 35 pie-lb (47 Nm).

34. Instalar la tuerca y la arandela de fijación del soporte de la transmisión al travesaño y apretar la tuerca a 38 pie-lb (52 Nm).

35. Instalar el/los tirante/s de la transmisión al motor. Apretar los tornillos a 41 pie-lb (55 Nm) en motores de gasolina y a 51 pie-lb (70 Nm) en motores Diesel.

36. Si dispone de ella, instalar la caja de transferencia.

37. Sacar el gato de la transmisión y los caballetes de soporte del motor.

38. Instalar la flecha de transmisión.

39. Bajar el vehículo y llenar la transmisión con el grado y cantidad adecuadas de fluido.

40. En transmisiones manuales, instalar la palanca del cambio y la funda.

41. Conectar el alambre negativo del acumulador.

42. Probar el vehículo en carretera y hacer pruebas para comprobar si funciona correctamente. Comprobar si hay fugas.

EMBRAGUE

AJUSTES

El sistema de embrague hidráulico no requiere ningún mantenimiento periódico.

DESMONTAJE E INSTALACIÓN

1. Desconectar el alambre negativo del acumulador.

2. Desconectar el cilindro hidráulico secundario.

3. Sacar el conjunto de la transmisión.

4. Colocar la herramienta de desmontaje del embrague y apoyar el conjunto del embrague.

➡ **Antes de sacar el embrague del volante, hacer una marca sobre el volante, la cubierta del embrague y sobre una orejeta del plato de presión, de forma que estos componentes puedan montarse en sus posiciones relativas originales y conserven el equilibrado de fábrica.**

5. Aflojar de uno en uno los tornillos de sujeción del plato de embrague lenta y uniformemente hasta que la presión del plato de presión desaparece.

6. Sacar el embrague, el plato opresor y la herramienta de desmontaje. Comprobar si el volante está dañado, y en su caso, repararlo o sustituirlo.

7. Examinar si el conjunto del embrague y el volante tiene signos de desgaste, deterioro, muescas o cortes, signos de sobrecalentamiento, etc. Si el plato del embrague, el volante o el plato de presión está empapado de aceite, examinar el sello principal trasero del motor y el sello del árbol de entrada a la transmisión y corregir las fugas según sea preciso. Sustituir las partes dañadas.

Para instalar:

8. Acoplar el conjunto de plato de presión y disco, tal como sea preciso.

➡ **El fabricante recomienda usar nuevos tornillos y arandelas en el plato de presión.**

9. Girar el volante hasta que la marca previamente realizada se encuentre abajo.

10. Instalar el disco de embrague, plato de presión y tapa, usando una herramienta de alineación del embrague adecuada.

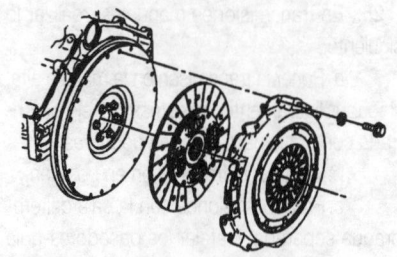

▲ **Vista esquemática de la disposición típica del conjunto de embrague**

11. Girar el embrague hasta que la marca sobre la tapa del embrague quede alineada con la marca sobre el volante.

12. Instalar los tornillos de sujeción y apretarlos siguiendo un orden de cruz hasta que se ha alcanzado la tensión del muelle. Apretarlos a 29 pie-lb (34 Nm).

13. Sacar la herramienta de alineación.

14. Aplicar grasa para altas temperaturas al árbol de entrada a la transmisión.

15. Instalar la transmisión y apretar los tornillos de la cubierta del convertidor a 35 pie-lb (47 Nm).

16. Conectar el alambre negativo del acumulador.

17. Purgar el sistema hidráulico.

SISTEMA DE EMBRAGUE HIDRÁULICO

PURGA

Purgar el aire del sistema hidráulico del embrague es necesario siempre que se ha conectado una parte del sistema o el nivel del fluido (en el tanque) ha descendido tan bajo que ha entrado aire en el cilindro principal.

1. Llenar el tanque del cilindro principal con nuevo fluido de frenos conforme con las especificaciones DOT 3.

▼ AVISO ▼

Nunca, bajo ninguna circunstancia, usar fluido que se ha purgado del circuito para llenar el tanque puesto que este fluido puede estar aireado, tiene un elevado contenido de humedad y posiblemente está contaminado.

2. Levantar el vehículo y apoyarlo de forma segura.

3. Hacer que un ayudante pise a fondo y mantenga pisado el pedal del embrague, y después abrir el tornillo de purga.

4. Cerrar el tornillo de purga y hacer que el ayudante suelte el pedal del embrague.

5. Repetir esta operación hasta que todo el aire del sistema ha sido evacuado. Comprobar y rellenar a nivel el tanque del cilindro principal de modo que no entre aire a través del cilindro principal.

➡ **Nunca liberar el pedal del embrague cuando el tornillo de purga esté abierto ya que entraría aire en el circuito.**

6. Comprobar que el embrague funciona correctamente.

CONJUNTO CAJA DE TRANSFERENCIA

DESMONTAJE E INSTALACIÓN

1. Desconectar el alambre negativo del acumulador.

2. Levantar el vehículo y apoyarlo de forma segura.

3. Sacar la plancha de deslizamiento, si la lleva.

4. Sacar el tapón de drenaje y permitir el drenado de la caja de transferencia antes de proceder.

5. Aflojar la abrazadera del tubo respiradero de la caja de transferencia y sacar el tubo.

6. Desconectar la flecha de transmisión delantera de la caja de transferencia y apoyarla a un lado.

7. Desconectar la flecha de transmisión trasera de la caja de transferencia y apoyarla a un lado.

8. Desconectar las conexiones eléctricas de la caja de transferencia.

9. Desconectar el varillaje del cambio de la caja de transferencia.

10. Apoyar la caja de transferencia con un gato de transmisión. Sacar los tornillos y arandelas elásticas de la transmisión a la caja de transferencia.

11. Sacar el conjunto de caja de transferencia y junta.

12. Bajar cuidadosamente la caja de transferencia.

Para instalar:

13. Elevar cuidadosamente la caja de transferencia a su posición.

14. Instalar una nueva junta en la transmisión usando sellante de junta para mantenerla en su lugar.

15. Instalar la caja de transferencia sobre la transmisión o el adaptador de la transmisión. Apretar los tornillos a 33 pie-lb (45 Nm).

16. Conectar los haces de conectores eléctricos a las conexiones de la caja de transferencia.

17. Acoplar el varillaje del cambio de la caja de transferencia y realizar los ajustes necesarios.

18. Reconectar las flechas de transmisión delantera y trasera.

19. Rellenar la caja de transferencia con fluido DEXRON® IIE para transmisión automática.

20. Instalar la plancha de deslizamiento, si la lleva.

21. Bajar el vehículo y conectar el alambre negativo del acumulador.

22. Conducir el vehículo para comprobar su correcto funcionamiento.

SEMIEJE

DESMONTAJE E INSTALACIÓN

1. Levantar el vehículo y apoyarlo de forma segura.

2. Sacar el conjunto de la rueda delantera.

3. Si la lleva, sacar la plancha de deslizamiento, como sea preciso.

4. Sacar la tuerca y la arandela de la maza (cubo) del eje motriz.

5. Sacar del brazo de control superior, el tubo del freno y el soporte de sujeción del sensor de velocidad de la rueda, para permitir un mayor movimiento del brazo de control.

6. Sacar la tuerca de fijación de la barra de conexión exterior izquierda y el pasador de seguridad. Separar la barra de conexión de la articulación de la dirección.

7. Dejar la barra de conexión a un lado y empujar el varillaje de la dirección hacia el lado opuesto del vehículo.

8. Sacar la tuerca y tornillo de sujeción inferior del amortiguador; dejar el amortiguador a un lado.

9. Sacar el soporte y buje de la barra estabilizadora izquierda al bastidor. Sacar el tornillo de la barra estabilizadora, el espaciador y los bujes del brazo de control inferior.

10. Bajar el vehículo, eliminando la presión del brazo de control superior poniendo un soporte debajo del brazo de control inferior, entre el asiento del resorte y la rótula.

11. Sacar el pasador de seguridad de la rótula superior y aflojar (no sacar) la tuerca de sujeción de la rótula superior. Separar el espárrago de la rótula superior de la articulación de la dirección. Desmontar la tuerca de unión.

➡ **Cubrir el soporte de montaje del amortiguador y el espárrago de la rótula inferior con una toalla para evitar que la funda del eje se rasgue durante el desmontaje e instalación.**

12. Separar el eje de la maza (cubo) y el rotor usando una herramienta J-28733 o equivalente.

13. Sacar los tornillos de la brida interior del eje. Sacar el eje.

Para instalar:

14. Lubricar las estrías de la maza y del eje con una grasa de cojinete de rueda aprobada para altas temperaturas. Colocar el eje en la maza e instalar los tornillos interiores entre la junta VC y la brida.

15. Instalar la rótula superior en la articulación de la dirección y apretar la tuerca del espárrago a 61 pie-lb (83 Nm). Instalar un pasador de seguridad a través del espárrago y tuerca de la rótula superior. Lubricar las rótulas como sea preciso.

16. Instalar el soporte y buje de la barra estabilizadora izquierda en el bastidor. Instalar el tornillo espaciador y bujes de la barra estabilizadora, en el brazo de control inferior.

17. Colocar el amortiguador inferior en el soporte de montaje e instalar la tuerca y tornillo de fijación.

18. Conectar el extremo de la barra de conexión izquierda en la articulación de la dirección. Apretar la tuerca a 35 pie-lb (47 Nm). Instalar un pasador de seguridad a través del espárrago y la tuerca.

19. Conectar el soporte del tubo del freno en el brazo de control, asegurándose de que el tubo no se dobla ni se retuerce.

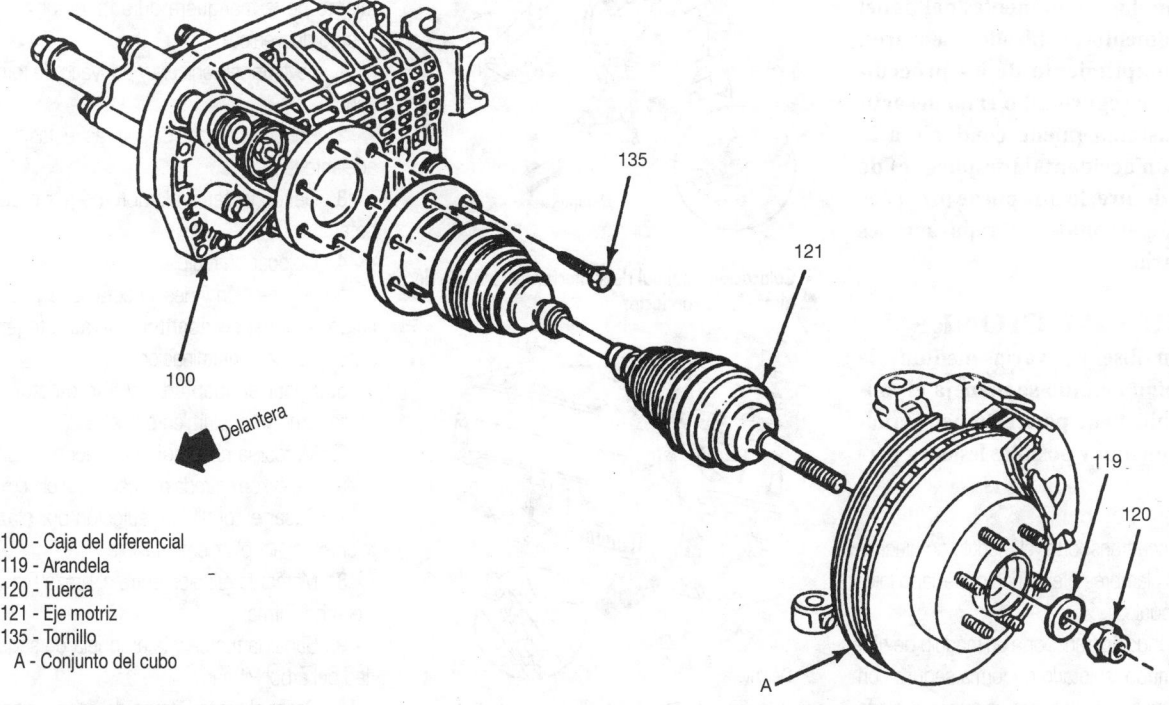

135

121

100

Delantera

100 - Caja del diferencial
119 - Arandela
120 - Tuerca
121 - Eje motriz
135 - Tornillo
  A - Conjunto del cubo

119

120

A

▲ **El semieje se monta sobre la brida del diferencial (100) y a través del conjunto del cubo (A) – Modelos con 4 ruedas motrices**

20. Instalar la plancha de deslizamiento, tal como sea preciso.

21. Instalar la arandela y la tuerca de la maza (cubo) del eje. Insertar un punzón entre las aspas del rotor para impedir que el eje gire y apretar la tuerca de la maza a 180 pie-lb (245 Nm) y los tornillos interiores de la junta VC a la brida a 60 pie-lb (80 Nm).

22. Sacar el punzón, instalar el conjunto de la rueda.

23. Bajar el vehículo de forma segura hasta el suelo.

DIRECCIÓN Y SUSPENSIÓN

BOLSA DE AIRE

▼ AVISO ▼

Algunos vehículos van equipados con un sistema de bolsa de aire (air bag), también conocido como Sistema Restringido de Hinchado Suplementario (Supplemental Inflatable Restraint, SIR) o Sistema Restringido Suplementario (Supplemental Restraint System, SRS). Este sistema tiene que desactivarse antes de realizar el mantenimiento de sus componentes o en sus proximidades, la columna de la dirección, los componentes del panel de instrumentos, cableado y sensores. El no cumplimiento de los procedimientos de seguridad o el no desactivar el sistema puede conducir a la activación accidental (despliegue) de la bolsa de aire, lo que puede provocar lesiones personales y reparaciones innecesarias.

▼ PRECAUCIONES ▼

Se deben observar varias medidas de precaución cuando se maneja el módulo de hinchado para evitar su actuación accidental y posibles lesiones personales.

• Nunca transportar el módulo de hinchado por los alambres o el conector del lado inferior del módulo.

• Cuando se transporta un módulo de hinchado armado, sujetarlo de forma segura con ambas manos, y asegurarse de que la cubierta tapizada de la bolsa mira hacia afuera.

• Colocar el módulo de hinchado sobre un banco u otra superficie con la cubierta tapizada de la bolsa mirando hacia arriba.

• Con el módulo de hinchado sobre el banco, nunca colocar nada sobre o cerca del módulo que pudiera salir despedido en caso de un despliegue accidental del módulo.

DESARMADO

1. Girar las ruedas delanteras hasta la posición de marcha en línea recta.

2. Girar el contacto del encendido a la posición de cerrado (LOCK) y sacar la llave.

➡ Si la llave se encuentra en la posición de marcha (RUN) cuando se saca el fusible de la bolsa de aire o cuando está abierto (fusible fundido) el piloto de aviso en el salpicadero se encenderá. Esto es el funcionamiento normal, no es un signo de mal funcionamiento.

3. Sacar el fusible de la bolsa de aire del panel de fusibles.

4. Sacar el faldón izquierdo del salpicadero del lado del conductor y desconectar el conector amarillo de 2 clavijas en la base de la columna de la dirección para desarmar la bolsa de

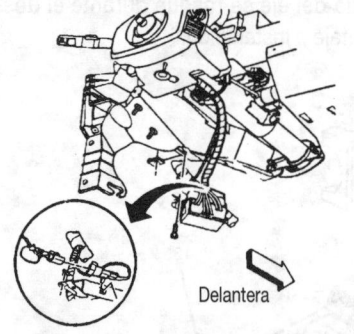

▲ Colocación habitual del conector de la bolsa de aire – Lado conductor

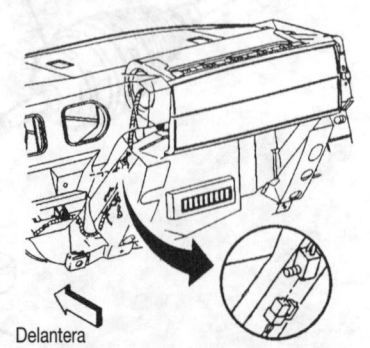

▲ Colocación habitual del conector de la bolsa de aire – Lado acompañante

aire del lado del conductor. Sacar el faldón del salpicadero del lado del acompañante y desconectar el conector amarillo de 2 clavijas en la base de la columna de la dirección para desarmar el air bag del lado del conductor.

5. Invertir el procedimiento para armar el sistema de control del air bag.

DIRECCIÓN ASISTIDA DE BOLAS RECIRCULANTES

DESMONTAJE E INSTALACIÓN

Estos vehículos usan una dirección asistida convencional, con un sistema de recirculación de bolas. Todos los tubos, mangueras y rácores deben ser revisados periódicamente por si tienen fugas. Los rácores deben estar prietos. Asegurarse de que los clips, abrazaderas y soportes de tubos y mangueras están en su posición y fijamente sujetos. Examinar los tubos con las ruedas rectas hacia adelante. Después, girar las ruedas del todo a izquierda y a derecha mientras se observa el movimiento de las mangueras. Corregir cualquier contacto de las mangueras con otras partes del vehículo que podría provocar roces o desgaste. Los tubos y mangueras de la dirección asistida no deben ser doblados ni retorcidos. Las mangueras deben tener suficiente curvatura natural en su recorrido para absorber los movimientos y el acortamiento de la manguera durante el funcionamiento del vehículo.

1. Levantar el vehículo y apoyarlo de forma segura.

2. Poner las ruedas delanteras rectas hacia adelante.

3. Desconectar el alambre negativo de la batería.

4. Colocar un recipiente debajo del mecanismo de dirección y desconectar las líneas de fluido. Taponar las aberturas para proteger el sistema de la contaminación.

5. Sacar el adaptador y el protector del mecanismo y acoplamiento flexible.

6. Marcar la abrazadera del acoplamiento flexible y el eje de entrada a la caja de la dirección.

7. Sacar el tornillo de sujeción por pinzamiento del acoplamiento flexible.

8. Marcar la relación entre el brazo Pitman y el árbol Pitman.

9. Sacar la tuerca y la arandela de seguridad del árbol Pitman.

10. Sacar el brazo Pitman del árbol, usando un extractor adecuado.

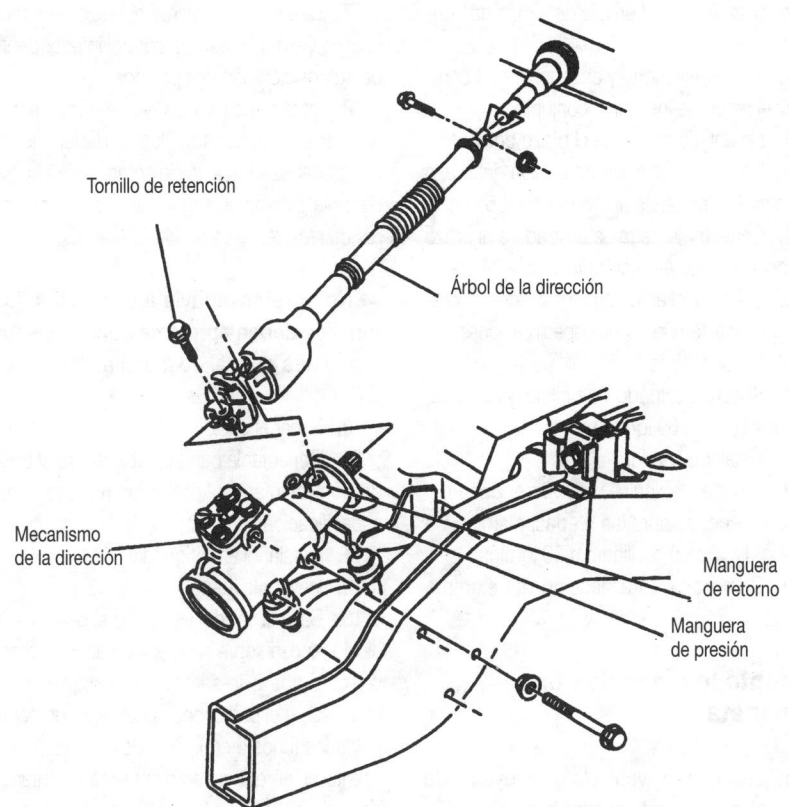

Tornillo de retención

Árbol de la dirección

Mecanismo
de la dirección

Manguera
de retorno

Manguera
de presión

▲ **Tres tornillos largos sujetan el mecanismo de la dirección asistida a la viga del bastidor del lado del conductor**

11. Sacar los tornillos del mecanismo de la dirección a la carrocería y sacar el conjunto del mecanismo de la dirección.

Para instalar:

12. Colocar en su posición el mecanismo de la dirección, guiando el árbol de entrada dentro del acoplamiento flexible. Alinear el plano del acoplamiento con el plano en el árbol de entrada.

13. Instalar los tornillos del mecanismo de la dirección a la carrocería y apretarlos a 100 pie-lb (135 Nm).

14. Instalar el tornillo de pinzado del acoplamiento flexible. Apretar el tornillo de pinzado a 22 pie-lb (30 Nm). Comprobar que la relación entre el acoplamiento flexible y la brida está entre $1/4$ y $3/4$ plg (6-19 mm) del plano.

15. Instalar el brazo Pitman sobre el árbol Pitman, alineando las marcas que se hicieron al sacarlo. Apretar la tuerca a 215 pie-lb (285 Nm).

16. Instalar el adaptador y el protector.

17. Conectar las líneas de fluido y rellenar el tanque con el fluido de dirección asistida adecuado. Purgar adecuadamente el sistema y verificar que no haya pérdidas.

18. Probar el vehículo en carretera para comprobar el funcionamiento correcto de la dirección.

AMORTIGUADORES

DESMONTAJE E INSTALACIÓN

Delanteros

▼ AVISO ▼

Los amortiguadores delanteros en este vehículo son multifuncionales. No sólo contribuyen a una conducción suave sino que también sirven como tope de la suspensión cuando ésta llega a su máxima extensión. Al sustituir los amortiguadores delanteros, se deben colocar amortiguadores de la misma longitud y fuerza. El uso de amortiguadores que no cumplen estas condiciones puede suponer un sobrealargamiento de la suspensión y la eventual rotura del elemento.

1. Levantar la parte delantera del vehículo y apoyarla de forma segura por debajo de los brazos de control inferiores.

2. Sacar el conjunto de la rueda y llanta.

3. Sacar el/los fijador/es superior e inferior del amortiguador.

➡ Los vehículos equipados con amortiguadores de sección cuadrada tienen un separador entre ellos.

4. Sacar el amortiguador.

Para instalar:

5. Instalar el amortiguador.

6. En vehículos de 2 ruedas motrices, apretar el tornillo superior a 12 pie-lb (16 Nm) y los tornillos inferiores a 24 pie-lb (33 Nm).

7. En vehículos con tracción integral a las 4 ruedas, apretar las tuercas a 66 pie-lb (90 Nm). Asegurarse de que los tornillos se han insertado en la dirección correcta. La cabeza del tornillo superior debe mirar hacia adelante, mientras que la cabeza del tornillo inferior debe mirar hacia atrás.

8. Bajar el vehículo de forma segura.

Traseros

▼ AVISO ▼

Los amortiguadores montados en fábrica adicionalmente sirven como cortes de caída de las suspensiones. Los amortiguadores de recambio deben disponer de la característica de corte de caída de la suspensión y no deben ser más largos, en su posición extendida, que el amortiguador de fábrica, ya que en caso contrario podrían producirse serios daños a los componentes y al vehículo.

1. Levantar la parte trasera del vehículo y apoyarla de forma segura. El peso del vehículo debe descansar sobre caballetes de seguridad u otros apoyos colocados debajo del bastidor. Calzar las ruedas delanteras para impedir el movimiento del vehículo.

2. Apoyar el eje trasero con un gato de suelo.

3. Si el vehículo está equipado con amortiguadores de elevación por aire, purgar el aire de los tubos y desconectar los tubos del amortiguador.

4. Desconectar el amortiguador de la parte superior sacando los dos tornillos y tuercas del soporte del bastidor.

5. Sacar la tuerca, arandelas y tornillo del soporte inferior.

6. Sacar el amortiguador del vehículo.

Para instalar:

7. Instalar el amortiguador en el vehículo.

8. Apretar las tuercas del soporte superior.

9. Devolver el vehículo al suelo de forma segura. Comprobar que ningún elemento como los componentes del escape haya quedado unido a los amortiguadores.

RESORTES HELICOIDALES

DESMONTAJE E INSTALACIÓN

Modelos tipo furgoneta

1. Levantar el vehículo y apoyarlo de forma segura por los largueros del bastidor. Los brazos de control deben colgar libremente.
2. Sacar la rueda.
3. Desacoplar el amortiguador de su extremo inferior y moverlo a un lado.
4. Desconectar la barra estabilizadora del brazo de control inferior.
5. Apoyar el brazo de control inferior e instalar un compresor de resortes o atar con una cadena el resorte al brazo de control como medida de seguridad.

➡ Si está equipado con un cilindro de aire dentro del resorte, sacar el núcleo de la válvula del cilindro y expulsar el aire comprimiendo el cilindro con una palanca. Con el cilindro comprimido, volver a colocar el núcleo de la válvula de forma que el cilindro permanezca comprimido. Apretar el cilindro todo lo que se pueda hacia arriba del resorte.

6. Levantar para sacar la tensión del brazo de control inferior de los tornillos de sujeción del mismo.

➡ El árbol transversal y el brazo de mando inferior mantienen el resorte comprimido. Tener cuidado al bajar el conjunto.

7. Bajar el brazo de control inferior lentamente hasta que se pueda sacar el resorte. Asegurarse de que toda la compresión del muelle ha desaparecido.
8. Si se había encadenado el resorte, sacar la atadura y el resorte. Si se usó un compresor, sacar el resorte y liberar lentamente el compresor.
9. Sacar el cilindro de aire, si dispone de él.

Para instalar:

10. Instalar el cilindro de aire de forma que el plato de protección esté colocado hacia el brazo de control superior. La válvula Schrader

debe sobresalir por el orificio del brazo de control inferior.
11. Instalar el resorte y encadenarlo, o comprimir el resorte e instalar el conjunto.
12. Levantar lentamente el brazo de control.
13. Instalar los tornillos de fijación del brazo de control y apretarlos a 115 pie-lb (155 Nm).
14. Conectar la barra estabilizadora al brazo de control inferior. Apretar las tuercas a 24 pie-lb.
15. Conectar el amortiguador al extremo inferior. Apretar el tornillo según especificaciones.
16. Sacar el soporte.
17. Si está equipado con cilindros de aire, inflar el cilindro a 60 lb/plg².
18. Instalar la rueda.
19. Bajar el vehículo. Una vez el peso del vehículo reposa sobre las ruedas, disminuir la presión del aire en el cilindro a 50 lb/plg².
20. Comprobar la alineación del extremo delantero.

Excepto los modelos tipo furgoneta

1. Levantar el vehículo y apoyarlo de forma segura. Permitir que los brazos de control cuelguen libremente. Sacar el conjunto neumático-rueda. Sacar el conjunto del amortiguador.
2. Instalar la herramienta J-23028 debajo del brazo de control inferior y un gato. Instalar una cadena de seguridad alrededor del resorte y a través del brazo inferior de control.
3. Sacar la barra estabilizadora del brazo de control inferior. Levantar y liberar la tensión de los tornillos del brazo de control inferior.
4. Sacar el tornillo posterior del brazo de control inferior, luego sacar el otro tornillo de fijación.
5. Permitir que el brazo de control inferior cuelgue libremente. Sacar el conjunto del resorte.

Para instalar:

6. Instalar la cadena y el resorte. Si se usaron compresores del resorte, instalar el resorte y los compresores.
   a. Asegurarse de que el aislante está bien colocado y la banda está hacia la parte inferior del resorte.
   b. Posicionar la muesca de agarre de la parte superior del resorte en el soporte del bastidor.
   c. Asegurarse de que un orificio de drenaje del brazo de control inferior está cubierto por la parte inferior del resorte, y que el otro está libre.

7. Levantar lentamente el brazo de control inferior. Guiar el brazo de control inferior dentro de su posición con una palanca.
8. Instalar los tornillos eje de pivote, primero el delantero. Los tornillos se deben instalar con la cabeza hacia la delantera del vehículo. Sacar la cadena de seguridad o los compresores de resorte.

➡ No apretar todavía los tornillos. Los tornillos deben apretarse con el vehículo a su altura normal de marcha.

9. Sacar el gato.
10. Conectar la barra estabilizadora al brazo de control inferior. Apretar las tuercas según especificaciones.
11. Instalar el amortiguador.
12. Instalar la rueda.
13. Bajar el vehículo. Una vez el peso del vehículo reposa sobre las ruedas, hacer rebotar al vehículo dos o tres veces presionando hacia abajo sobre el parachoques delantero un par de pulgadas (unos 5 cm). Cuando el vehículo esté asentado, apretar primero la tuerca delantera, y después la tuerca trasera a 101 pie-lb (137 Nm).

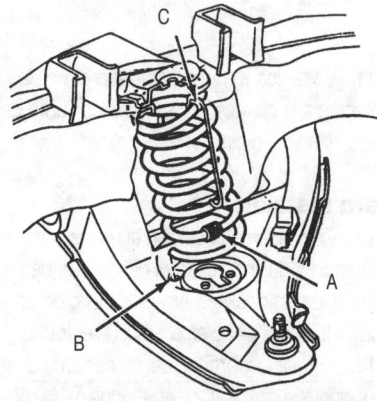

▲ Colocar el resorte de modo que el extremo inferior del resorte cubra sólo un orificio de drenaje – El otro orificio debe quedar destapado

RÓTULA SUPERIOR

DESMONTAJE E INSTALACIÓN

1. Levantar el vehículo y apoyarlo de forma segura.
2. Sacar la rueda.
3. Desatornillar el soporte de la manguera de frenos del brazo de control.
4. Usando una broca de taladrar de ⅛ plg, taladrar un orificio piloto en cada remache de la rótula.

5. Taladrar los remaches con un taladro de ¹/₂ plg. Eliminar con un punzón cualquier resto de material del remache que pueda quedar.

6. Sacar el pasador de seguridad y la tuerca del espárrago de la rótula.

7. Apoyar el brazo de control inferior.

8. Usando un separador de rótulas, separar el espárrago de la articulación.

Para instalar:

9. Colocar la nueva rótula en el brazo de control.

➡ **Las rótulas de recambio vienen con tornillos y tuercas en lugar de remaches.**

10. Instalar los tornillos y tuercas. Apretar las tuercas a 17 pie-lb (23 Nm) para las Series 15 y 25, y a 52 pie-lb (70 Nm) para la Serie 35.

➡ **Los tornillos se insertan por la parte inferior.**

11. Iniciar el roscado del espárrago de rótula dentro de la articulación. Asegurarse de que está asentado a escuadra. Colocar la tuerca del espárrago de rótula, y con la tuerca estirar el espárrago de rótula dentro de la articulación. Apretar la tuerca cuando las ruedas del vehículo están sobre el suelo y la suspensión cargada.

12. Instalar la rueda.

13. Bajar el vehículo. Una vez el peso del vehículo descansa sobre las ruedas, apretar la tuerca a 84 pie-lb (115 Nm).

RÓTULA INFERIOR

DESMONTAJE E INSTALACIÓN

Modelos de 2 ruedas motrices

1. Levantar el vehículo y apoyarlo de forma segura. Colocar otro gato debajo del brazo de control inferior, luego elevar ligeramente el gato.

2. Sacar el conjunto neumático-rueda. Sacar la mordaza del freno y dejarla a un lado.

3. Sacar el pasador de seguridad y la tuerca de retención de la rótula inferior. Usando la herramienta adecuada separar la rótula de su montaje. Apoyar la articulación de modo que su peso no dañe la manguera del freno.

4. Presionar la rótula fuera del brazo de control inferior, usando una herramienta J-9519-30-D o equivalente.

Para instalar:

5. Colocar la nueva rótula en el brazo de control. Colocar el orificio de ventilación en la funda de goma mirando hacia dentro.

6. Presionar la rótula dentro del brazo de control hasta que esté totalmente asentado.

7. Bajar el brazo superior e insertar el espárrago de la rótula inferior en la articulación de la dirección.

8. Instalar la mordaza del freno, si se había sacado.

9. Instalar la tuerca del espárrago de rótula y apretar a 90 pie-lb (122 Nm) más el apriete adicional necesario para alinear el orificio del pasador de seguridad. No exceder los 130 pie-lb (175 Nm), en caso contrario desapretar la tuerca hasta que los orificios queden alineados con el pasador.

10. Instalar un nuevo rácor de lubricación y lubricar la nueva junta.

11. Instalar el neumático y la rueda.

12. Bajar el vehículo.

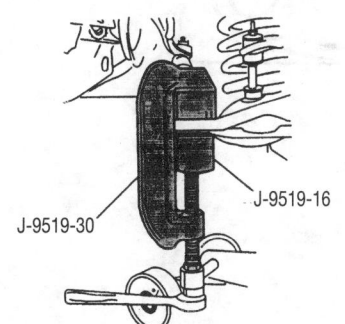

▲ Instalación de la rótula inferior en el brazo de control inferior – 2 ruedas motrices

Modelos de 4 ruedas motrices

1. Levantar el vehículo y apoyarlo de forma segura.

2. Sacar la rueda.

3. Sacar la protección contra el barro de la articulación de la dirección.

4. Desconectar el extremo interior de la barra de conexión de la barra relevadora usando un separador de rótulas.

5. Sacar la tuerca y la arandela de la maza (cubo). Insertar una clavija o un punzón largo a través de las palas del rotor del freno para sujetar la posición del rotor.

6. Sacar los tornillos de la brida interior del eje propulsor.

7. Usando un extractor, forzar el extremo exterior del eje propulsor fuera de la maza. Sacar el eje.

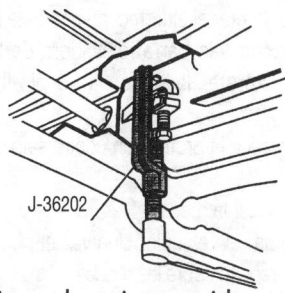

J-36202

▲ Existe una herramienta especial para sacar e instalar el tornillo de ajuste de la barra de torsión – 4 ruedas motrices

8. Sacar el pasador de seguridad y la tuerca del espárrago de rótula.

9. Apoyar el brazo de control inferior.

10. Marcar las posiciones de los dos tornillos de ajuste de la barra de torsión.

11. Usando una herramienta J-36202 o equivalente, aumentar la tensión del brazo de ajuste.

12. Sacar el tornillo de ajuste y la placa de retención.

13. Mover la herramienta a un lado.

14. Desplazar las barras de torsión hacia delante.

15. Usando una herramienta para forzar tipo destornillador, separar la rótula de la articulación de la dirección.

16. Sacar el brazo de control inferior.

17. Presionar la rótula inferior fuera del brazo de control con una herramienta tipo J-9519-E o una prensa de rótulas equivalente.

Para instalar:

18. Colocar la nueva rótula en el brazo de control.

19. Presionar la rótula inferior con una herramienta tipo J-9519-E o equivalente.

20. Instalar el brazo de control inferior.

21. Usando una herramienta J-36202 o equivalente, aumentar la tensión en ambas barras de torsión.

22. Instalar la placa de retención y el tornillo de ajuste en ambas barras de torsión.

23. Fijar el tornillo de ajuste en la posición marcada.

24. Liberar la tensión de la barra de torsión hasta que la carga recaiga sobre el tornillo de ajuste.

25. Sacar la herramienta.

26. Colocar el eje en la maza e instalar la tuerca y la arandela de la maza. Dejar el punzón en las palas del rotor y apretar la tuerca de la maza a 175 pie-lb (238 Nm).

27. Instalar los tornillos de la brida. Apretarlos a 59 pie-lb (80 Nm). Sacar el punzón.

28. Conectar el extremo interior de la barra de conexión a la barra relevadora de la dirección. Apretar la tuerca a 35 pie-lb (48 Nm).

29. Instalar la protección contra salpicaduras.

30. Instalar la rueda.

31. Bajar el vehículo. Una vez el peso del vehículo reposa sobre las ruedas:

a. Levantar el parachoques delantero alrededor de 1 ½ plg (38 mm) y dejarlo caer.

b. Repetir este procedimiento 2 o 3 veces más.

c. Pintar una línea en el lateral del brazo de control inferior desde la línea central del eje pivote del brazo de control, al mismo nivel hasta el extremo exterior del brazo de control.

d. Medir la distancia entre la esquina más baja de la articulación de la dirección y la línea sobre el brazo de control. Anotar el valor.

e. Empujar hacia abajo 1 ½ plg (38 mm) el parachoques delantero y dejarlo subir. Repetir esta operación 2-3 veces más.

f. Volver a medir la distancia al brazo de control.

g. Calcular la media de las 2 medidas. Éste es el valor de la altura "Z" medida. La altura "Z" debe valer lo que se especifica en la tabla.

h. Si el valor es correcto, apretar las tuercas del pivote del brazo de control a 94 pie-lb (128 Nm).

i. Si el valor no es correcto, apretar las tuercas del pivote del brazo de control a 94 pie-

lb (128 Nm) y corregir la alineación del extremo delantero.

RODAMIENTOS DE RUEDA

AJUSTE

➡ **En los vehículos con 2 ruedas motrices sólo los rodamientos de las ruedas delanteras son ajustables.**

1. Levantar el vehículo y apoyarlo de forma segura.

2. Sacar la tapa guardapolvo y el pasador de seguridad.

3. Aflojar la tuerca del mango (mangueta).

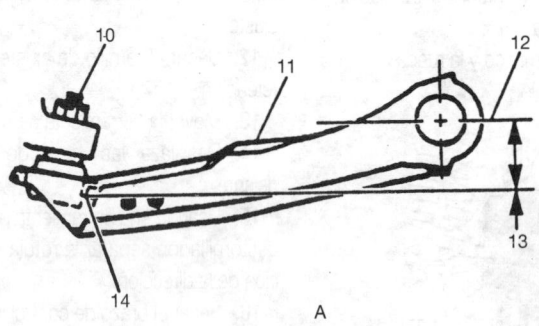

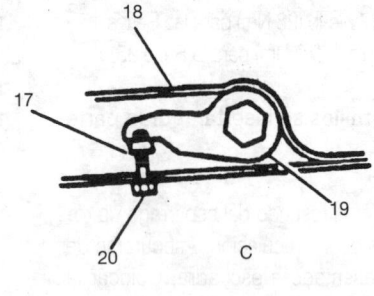

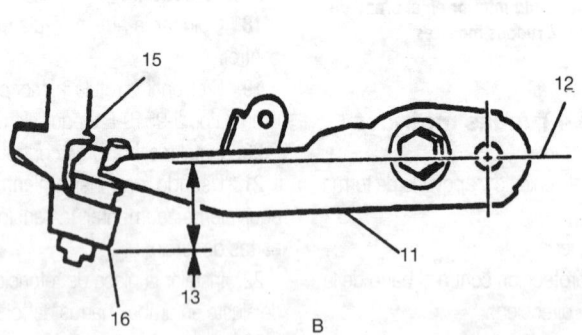

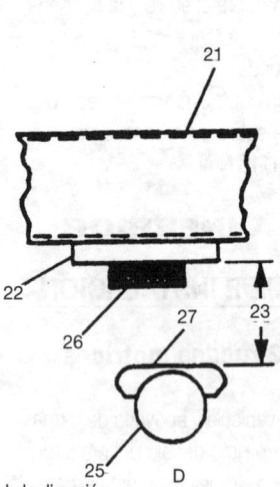

A. Modelo "C"
B. Modelo "K"
C. Ajustador de la barra de torsión del modelo "K"
D. Suspensión trasera del modelo "CK"
10. Rótula inferior
11. Brazo de control inferior
12. Eje del tornillo pivote
13. Altura "Z"
　　C 1, 2, 3　95.0 ± 6.0 mm
　　K 1, 2　　157.0 ± 6.0 mm
　　K3　　　145.0 ± 6.0 mm
14. Extrusión rótula inferior

15. Articulación de la dirección
16. Esquina inferior de la articulación de la dirección
17. Tuerca
18. Conjunto soporte de la barra de torsión
19. Brazo de ajuste de la barra de torsión
20. Tornillo: una vuelta equivale a un cambio en altura de 6.0 mm
21. Bastidor
22. Superficie inferior del soporte del paragolpes
23. Altura "D"
25. Eje propulsor trasero
26. Tope de la suspensión
27. Zapata paragolpes del eje propulsor

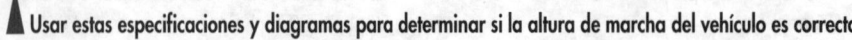

▲ Usar estas especificaciones y diagramas para determinar si la altura de marcha del vehículo es correcta

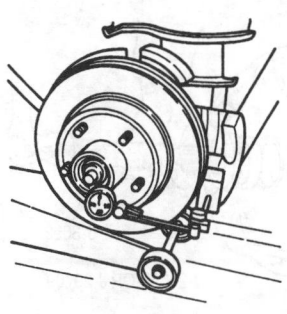

▲ Usar un indicador de esfera para medir el juego axial del rodamiento – Vehículos de 2 ruedas motrices

4. Girar el cubo de la rueda a mano y apretar la tuerca hasta que esté sólo sujeta a 12 pie-lb (16 Nm). Aflojar la tuerca hasta que esté suelta, y volverla a apretar a mano. Aflojar la tuerca hasta que cualquiera de los dos orificios del mango quede alineado con una ranura en la tuerca e insertar un nuevo pasador de seguridad. Debe haber un huelgo de 0.001-0.008 plg (0.025-0.200 mm). Esto puede ser medido con un indicador de esfera, si se desea.

5. Volver a colocar la tapa guardapolvos, la rueda y el neumático.

DESMONTAJE E INSTALACIÓN

Modelos de 2 ruedas motrices

DELANTEROS

1. Levantar el vehículo y apoyarlo de forma segura.
2. Sacar la rueda.
3. Desmontar la mordaza y apartarla atada a un lado.

4. Sacar la tapa de engrase haciendo palanca, sacar el pasador de seguridad, la tuerca del mango y la arandela, y después sacar el cubo (maza). No dejar caer los rodamientos de la rueda.

5. Sacar el conjunto del rodamiento de rodillos exterior del cubo. La parte interior del rodamiento permanecerá en el cubo y puede sacarse haciendo palanca sobre el sello interior. Desechar el sello.

6. Limpiar todos los elementos con un solvente no inflamable y dejarlos secar al aire. ¡No secar nunca un rodamiento (haciéndolo girar) con aire comprimido! Comprobar si está excesivamente desgastado o dañado.

7. Si es necesario, sacar las pistas (tazas) del cubo usando un martillo y un punzón. Se sacan de dentro hacia fuera.

Para instalar:

8. Instalar unas nuevas tazas, si es necesario. Al instalar las nuevas tazas, asegurarse de que no quedan ladeadas y que asientan totalmente en el reborde del cubo.

9. Llenar ambos rodamientos de rueda usando grasa de rodamiento de rueda de alto punto de fusión para frenos de disco. La grasa normal se fundiría y rezumaría estropeando las zapatas. Los rodamientos deben rellenarse usando una grasera cónica para rodamientos de ruedas. Si no se dispone de dicha herramienta también pueden llenarse a mano. Poner una gota grande de grasa sobre la mano y forzar el borde del rodamiento sobre la gota de modo que la grasa llene el rodamiento. Repetir esto hasta que todo el rodamiento esté lleno.

10. Colocar el rodamiento interior en el cubo e instalar un nuevo sello interior, asegurándose

de que el reborde del sello mira hacia la taza del rodamiento.

11. Instalar cuidadosamente el cubo de la rueda sobre el eje.

12. Con las manos, presionar firmemente el rodamiento exterior en el cubo. Instalar la tuerca y la arandela del eje.

13. Girar el cubo de la rueda con la mano y apretar la tuerca hasta que quede sujeta a 12 pie-lb (16 Nm). Desapretar la tuerca hasta que esté suelta, y volverla a apretar a mano. Aflojar la tuerca hasta que algún orificio del mango quede alineado con una ranura en la tuerca e insertar un nuevo pasador de seguridad. Debe haber un juego axial de 0.001-0.008 plg (0.025-0.200 mm). Esto puede ser medido con un indicador de esfera, si se desea.

14. Volver a colocar la tapa guardapolvos, la rueda y el neumático.

TRASEROS

Se debe instalar un nuevo tornillo de bloqueo del eje del piñón siempre que alguno de los vástagos del eje se desmonte. Probablemente habrá que comprarlo, así como 2 sellos nuevos si se planea sacar o reemplazar alguno de los componentes cubiertos por este procedimiento.

➡ El desmontaje e instalación del sello del vástago del eje requiere usar las siguientes herramientas especiales: la herramienta de instalación de sellos de vástagos del eje GM N° J-33782 (introductor de sellos) o equivalente y la herramienta de instalación del rodamiento de vástagos dej eje N° J-34974 o equivalente.

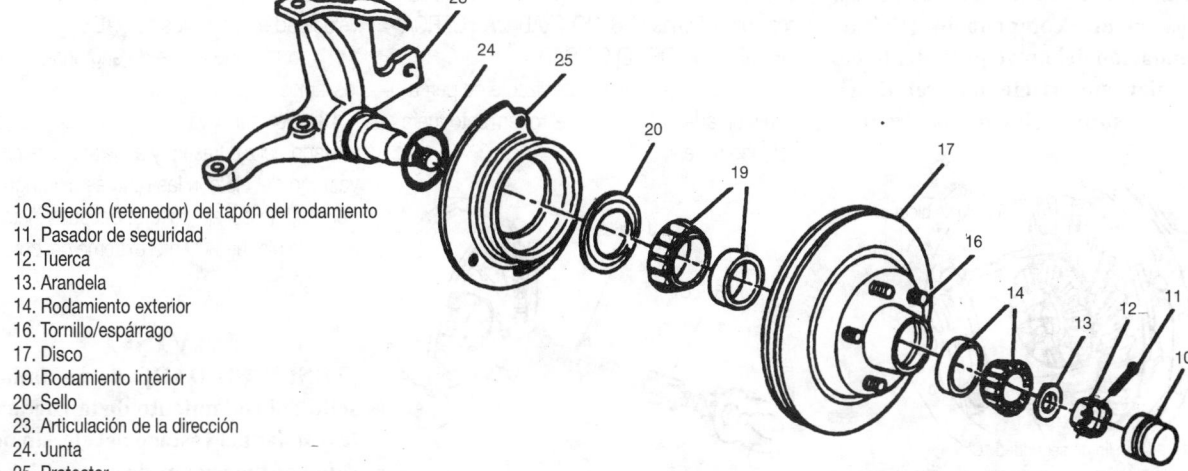

10. Sujeción (retenedor) del tapón del rodamiento
11. Pasador de seguridad
12. Tuerca
13. Arandela
14. Rodamiento exterior
16. Tornillo/espárrago
17. Disco
19. Rodamiento interior
20. Sello
23. Articulación de la dirección
24. Junta
25. Protector

▲ Vista esquemática del rodamiento de rueda delantera y componentes relacionados – Modelos de 2 ruedas motrices

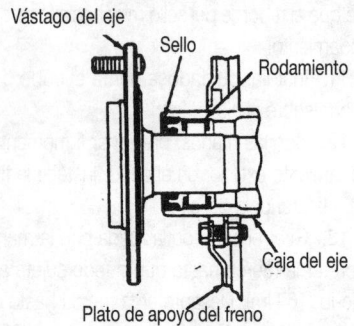

▲ Sección del conjunto vástago del eje posterior y rodamiento

Se pueden sacar y volver a colocar el vástago del eje y el sello sin descolocar el rodamiento o el sello, PERO es muy recomendable que se cambien los sellos mientras se ha llevado a cabo el proceso trabajoso de sacar el vástago del eje. El cambio del sello es simple y es un seguro barato contra posibles fugas de aceite que podrían arruinar las balatas (zapatas) del freno.

➡ Si hace falta cambiar el rodamiento, se necesitará también un martillo deslizante percutor con adaptadores para alcanzar detrás del rodamiento en el tubo del vástago del eje y estirarlo hacia fuera.

1. Levantar la parte trasera del vehículo y apoyarlo de forma segura usando caballetes.

2. Sacar los conjuntos de las ruedas traseras, luego sacar los tambores de los frenos.

▼ PRECAUCIÓN ▼

Las balatas (zapatas) de freno pueden contener amianto, que se ha calificado como agente cancerígeno. ¡No limpiar nunca las superficies de los frenos con aire comprimido! ¡Evitar la inhalación del polvo procedente de cualquier superficie de freno! Al lavar las superficies de los frenos,

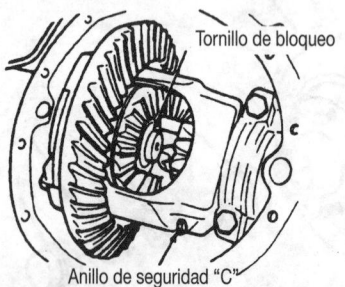

▲ Sacar el tornillo de bloqueo y el eje del piñón, después empujar el vástago del eje y sacar el anillo de seguridad C

usar un fluido de lavado de frenos disponible comercialmente.

3. Usando un cepillo metálico, limpiar la suciedad/óxido alrededor de la cubierta del vástago del eje trasero.

4. Colocar un recipiente de recogida bajo el diferencial, después sacar el tapón de drenaje (si lo tiene) o sacar la tapa del vástago del eje trasero y drenar el fluido (desechar el fluido usado).

5. En el diferencial, sacar el tornillo de bloqueo del eje del piñón trasero y el eje del piñón.

6. Empujar el vástago del eje hacia adentro y sacar la arandela de seguridad en C del extremo del botón del vástago del eje.

7. Sacar el vástago del eje de la caja del eje. Tener cuidado de no dañar el sello de aceite.

▼ AVISO ▼

En vehículos equipados con Sistema Anti-Bloqueo de Frenos (ABS) tener cuidado de no dañar el anillo de repulsión en el vástago del eje o el sensor de velocidad atornillado al plato de soporte, inmediatamente adyacente al vástago.

8. Usando una espátula, limpiar las superficies de montaje de junta.

➡ Es recomendable, al sacar el vástago del eje, cambiar el sello de aceite.

9. Para cambiar el sello de aceite usar una palanca de tamaño medio, o mejor aún, una herramienta de extracción de sellos barata, para sacar haciendo palanca el sello de aceite del extremo de la caja del vástago del eje trasero. NO DAÑAR la superficie de sellado de la caja. De nuevo, en los últimos modelos equipados con sistemas ABS, NO TRABAJAR CERCA DEL SENSOR DE VELOCIDAD.

10. Usando un martillo deslizante de percusión y un adaptador, sacar el rodamiento fuera del tubo del eje.

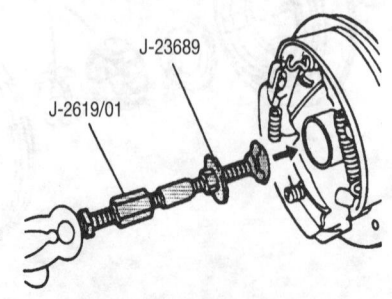

▲ Usando un martillo deslizante de percusión y adaptadores, sacar el rodamiento sello del eje

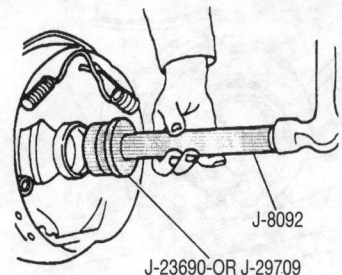

▲ Instalación del eje y sello usando una herramienta para introducción de rodamientos

Para instalar:

11. Si se sacó el rodamiento de la rueda:

a. Usando solvente, limpiar a fondo el rodamiento de rueda, luego secar con aire comprimido (sin hacerlo rodar). Examinar si el rodamiento de rueda está desgastado o dañado, y si es necesario cambiarlo.

b. Con un rodamiento nuevo o vuelto a usar, cubrirlo a fondo con lubricante de engranajes.

c. Usando la herramienta de instalación de vástagos de eje N° J-34974 o equivalente, introducir el rodamiento en la caja del eje hasta que toque contra su asiento. Asegurarse de que la herramienta de instalación del rodamiento no toca y daña el sensor de velocidad en vehículos con ABS.

12. Si se sacó el sello del vástago del eje:

a. Limpiar e inspeccionar la caja del tubo del eje.

b. Usando la herramienta de instalación de sellos de vástagos de eje GM N° J-33782 o equivalente, introducir el sello nuevo en la caja hasta que esté nivelado con el tubo del eje. Tener cuidado que la herramienta de instalación de sellos no toca y daña el sensor de velocidad en vehículos con ABS.

c. Usando aceite de engranaje, lubricar los labios del sello nuevo.

13. Deslizar el vástago del eje en la caja del vástago del eje trasero y acoplar las estrías del vástago del eje con las ranuras del engranaje del vástago del eje trasero, después instalar el anillo de bloqueo-C en el extremo del botón del vástago del eje.

▼ AVISO ▼

¡TENER CUIDADO de no dañar el sello del rodamiento de la rueda con las estrías del vástago del eje, sin necesidad de mencionar de nuevo EL SENSOR DE VELOCIDAD de los vehículos equipados con ABS!

14. Después que el anillo de bloqueo-C está instalado, estirar el vástago del eje hacia fuera para asentar el anillo de bloqueo-C dentro del rebaje de los engranajes laterales.

15. Instalar el piñón del eje a través de la caja y los piñones, después instalar un tornillo NUEVO de bloqueo del eje del piñón. Apretar el nuevo tornillo a 25 pie-lb (34 Nm) para modelos 1985-93 o a 27 pie-lb (36 Nm) para modelos de 1994-96.

16. Usar una junta nueva para la tapa del vástago del eje trasero e instalar la tapa de la caja.

17. Instalar los tambores de freno, seguidos de los conjuntos de ruedas y neumáticos.

18. Rellenar adecuadamente la caja. Para más detalles, ver la información de las especificaciones de este capítulo. RECORDAR que el vehículo debe encontrarse totalmente nivelado en llano, lo cual significa que si la parte trasera está todavía elevada y sobre los apoyos, la parte delantera también tiene que levantarse.

19. Sacar los caballetes y bajar con cuidado el vehículo.

Modelos de 4 ruedas motrices

DELANTEROS

La serie "K" (4WD) tiene rodamientos de las ruedas delanteras sellados que están preajustados y no requieren lubricación de mantenimiento. Las zonas oscurecidas en el conjunto del rodamiento son debidas a tratamientos térmicos y no requieren la sustitución del rodamiento.

1. Levantar el vehículo y apoyarlo con seguridad, sobre caballetes.

2. Sacar la rueda.

3. Envolver toallas alrededor de las fundas de las juntas VC para protegerlas de posibles daños durante este procedimiento.

4. Sacar la mordaza de freno y sujetarla a un lado con un alambre. No dejar la mordaza colgada de la manguera de freno.

5. Sacar el rotor de freno.

6. Sacar del vástago del eje el pasador de seguridad, retención, tuerca almenada y arandela de empuje.

7. Desconectar de la articulación de la dirección el extremo de la barra de conexión.

8. Sacar los tornillos de fijación del conjunto cubo/rodamiento.

9. Usando una herramienta J-28733-B para extraer el cubo/rodamiento o equivalente, presionar el conjunto cubo/rodamiento fuera del eje estriado.

▼ AVISO ▼

Después de sacar el conjunto del cubo y rodamiento, dejarlos aparte en el lado exterior. Esto evitará daños y/o contaminación del sello del rodamiento.

10. Sacar la protección contra salpicaduras.

11. Soportar el brazo de control inferior con un caballete.

12. Desconectar las rótulas inferior y superior de la articulación de la dirección.

13. Separar las rótulas de la articulación de la dirección.

14. Sacar el sello de la articulación de la dirección.

Para instalar:

15. Usando una herramienta para instalación de sellos tipo J-36605, instalar un nuevo sello en la articulación de la dirección.

16. Colocar la articulación de la dirección en las rótulas e instalar las tuercas de retención. Apretar la tuerca de la rótula superior a 74 pie-lb (100 Nm) y la tuerca de la rótula inferior a 94 pie-lb (128 Nm). Apretar las tuercas para alinear los orificios para poder insertar los pasadores de seguridad, pero NO apretar más que $1/6$ de vuelta adicional.

17. Instalar la protección contra salpicaduras.

18. Deslizar el conjunto cubo/rodamiento sobre el eje estriado, asegurándose de que las estrías se alinean correctamente. Atornillar el conjunto cubo/rodamiento a la articulación de la dirección. Apretar los tornillos a 133 pie-lb (180 Nm).

19. Conectar el extremo de la barra de conexión a la articulación de la dirección.

20. Instalar la arandela de empuje y la tuerca del eje, apretar la tuerca a 165 pie-lb (225 Nm). Instalar el retén y el pasador de seguridad.

21. Instalar el rotor y la mordaza.

22. Sacar las toallas de la funda de la junta VC.

23. Apretar las ruedas según especificaciones y bajar el vehículo.

24. Comprobar y ajustar la alineación del extremo delantero y probar el vehículo en carretera.

TRASEROS

Ver el procedimiento para vehículos de 2 ruedas motrices para revisar los rodamientos de los vástagos de ejes traseros.

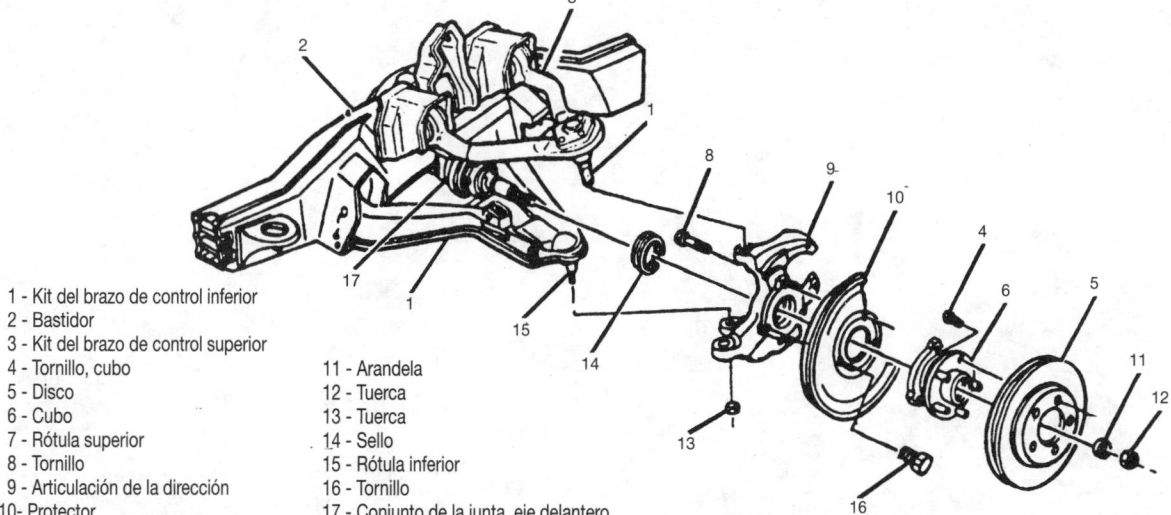

1 - Kit del brazo de control inferior
2 - Bastidor
3 - Kit del brazo de control superior
4 - Tornillo, cubo
5 - Disco
6 - Cubo
7 - Rótula superior
8 - Tornillo
9 - Articulación de la dirección
10- Protector
11 - Arandela
12 - Tuerca
13 - Tuerca
14 - Sello
15 - Rótula inferior
16 - Tornillo
17 - Conjunto de la junta, eje delantero

▲ Vista esquemática del cubo delantero y el conjunto de la articulación de la dirección – 4 ruedas motrices

ESPECIFICACIONES 354

REPARACIÓN DEL MOTOR 357

Sincronización
   del encendido 357
Conjunto motor. 357
Bomba de agua 359
Culata de cilindros 360
Balancines 363
Múltiple de admisión 365
Múltiple de escape 368
Árbol de levas y levantaválvulas 370
Holgura de válvulas 373
Depósito de aceite 373
Bomba de aceite. 375
Sello de aceite
   del cojinete principal trasero. 377
Cadena de sincronización, piñones,
   tapa delantera y sello 377

SISTEMA DE COMBUSTIBLE 380

Precauciones de mantenimiento
   del sistema de combustible 380
Presión del sistema de combustible 380
Filtro de combustible 380
Bomba de combustible 381

TREN DE TRANSMISIÓN 382

Conjunto de transmisión 382
Semieje (eje motriz) 384

DIRECCIÓN Y SUSPENSIÓN 384

Dirección asistida de cremallera y piñón. 384
Poste y resorte 385
Amortiguadores 387
Resortes 388
Rótula esférica inferior 388
Cojinetes de rueda 389

ESPECIFICACIONES
GM CARROCERÍA 'A'

Buick Century - Cutlass Ciera - Cutlass Cruiser
TABLA DE IDENTIFICACIÓN DEL VEHÍCULO

Clave	Litros	Plg³ (cc)	Cilindros	Sist. de combust.	Fab. Motor	Clave	Año
4	2.2	134 (2195)	4	MFI	BOC	S	1995
M	3.1	191 (3130)	6	MFI	BOC	T	1996

MFI: Inyección de combustible Multipunto.
BOC-Buick/Olds mobile/Cadillac.

IDENTIFICACIÓN DEL MOTOR

Año	Modelo	Cilindrada del motor litros (cc)	Serie del motor (ID/VIN)	Sistema de combustible	Nº de cilindros	Tipo de motor
1995	Century	3.1 (3130)	M	MFI	6	OHV
	Cutlass Ciera	2.2 (2195)	4	MFI	4	OHV
	Cutlass Ciera	3.1 (3130)	M	MFI	6	OHV
	Cutlass Cruiser	2.2 (2195)	4	MFI	4	OHV
	Cutlass Cruiser	3.1 (3130)	M	MFI	6	OHV
1996	Century	2.2 (2195)	4	MFI	4	OHV
	Century	3.1 (3130)	M	MFI	6	OHV
	Cutlass Ciera	2.2 (2195)	4	MFI	4	OHV
	Cutlass Ciera	3.1 (3130)	M	MFI	6	OHV
	Cutlass Cruiser	3.1 (3130)	M	MFI	6	OHV

MFI: Inyección de combustible Multipunto.
OHV: Válvulas en cabeza.

ESPECIFICACIONES GENERALES DEL MOTOR

Año	Motor ID/VIN	Cilindrada del motor litros (cc)	Sistema de combustible	Caballaje neto @ rpm	Tensión neta @ rpm (pie-lb)	Diám. x carrera (plg)	Relación de compresión	Presión de aceite @ rpm
1995	4	2.2 (2195)	MFI	120@5200	130@4000	3.50x3.46	8.85:1	56@3000
	M	3.1 (3130)	MFI	160@5200	185@4000	3.50x3.31	9.5:1	15@1100
1996	4	2.2 (2195)	MFI	120@5200	130@4000	3.50x3.46	8.85:1	56@3000
	M	3.1 (3130)	MFI	160@5200	185@4000	3.50x3.31	9.5:1	15@1100

MFI: Inyección de combustible Multipunto.

ESPECIFICACIONES PARA AFINACIÓN DE MOTORES DE GASOLINA

Año	Motor ID/VIN	Cilindrada del motor litros (cc)	Bujías: abertura (plg)	Sincronización ignición (grados) MT	AT	Bomba de combustible (lb-plg^2)	Marcha mínima (rpm) MT	AT	Holgura de válvulas Admisión	Escape
1995	4	2.2 (2195)	0.060	①	①	41-47 ②	③	③	HYD	HYD
	M	3.1 (3130)	0.060	①	①	41-47 ②	③	③	HYD	HYD
1996	4	2.2 (2195)	0.060	①	①	41-47	③	③	HYD	HYD
	M	3.1 (3130)	0.060	①	①	41-47	③	③	HYD	HYD

NOTA: la etiqueta de Información de Control de Emisiones del Vehículo a menudo detalla los cambios en las especificaciones que se hayan podido producir durante la fabricación del vehículo. Se deben tomar los valores de esta etiqueta si éstos difieren de los presentados en esta tabla.

HYD: Hidráulico.

① La sincronización del sistema de encendido DIS no es ajustable.

② Presión tomada en la bomba del combustible.

③ Marcha mínima mantenida por el ECM. No existe un procedimiento recomendado de ajuste.

CAPACIDADES

Año	Modelo	Motor ID/VIN	Cilindrada del motor litros (cc)	Aceite del motor con filtro (qts)	Transmisión (pts) 4 vel.	5 vel.	Auto.	Eje motriz Delant. (pts)	Tras. (pts)	Tanque combustible (gal)	Sistema enfriamiento (qts)
1995	Century	4	2.2 (2195)	3.8 ①	—	—	②	—	—	16.5	8.7
	Century	M	3.1 (3130)	3.8 ①	—	—	②	—	—	16.5	11.6
	Cutlass Ciera	4	2.2 (2195)	3.8 ①	—	—	②	—	—	16.5	8.7
	Cutlass Ciera	M	3.1 (3130)	3.8 ①	—	—	②	—	—	16.5	11.6
	Cutlass Cruiser	4	2.2 (2195)	3.8 ①	—	—	②	—	—	16.5	8.7
	Cutlass Cruiser	M	3.1 (3130)	3.8 ①	—	—	②	—	—	16.5	11.6
1996	Century	4	2.2 (2195)	4.0 ①	—	—	②	—	—	16.5	8.7
	Century	M	3.1 (3130)	4.0 ①	—	—	②	—	—	16.5	11.6
	Cutlass Ciera	4	2.2 (2195)	4.0 ①	—	—	②	—	—	16.5	8.7
	Cutlass Ciera	M	3.1 (3130)	3.8 ①	—	—	②	—	—	16.5	11.6
	Cutlass Cruiser	M	3.1 (3130)	4.0 ①	—	—	②	—	—	16.5	11.6

NOTA: todas las capacidades son aproximadas. Añadir el fluido de forma gradual y asegurar que se consigue un nivel de fluido correcto.

① Esta especificación es sin cambio de filtro. Podría precisar una cantidad adicional de aceite.

② 3 velocidades: 8,0.

    4 velocidades: 14,.8.

ESPECIFICACIONES DE VÁLVULAS

Año	Motor ID/VIN	Cilindrada del motor litros (cc)	Ángulo de asiento (grados)	Ángulo de cara (grados)	Tensión de prueba del resorte (lb @ plg)	Altura de resorte instalado (plg)	Holgura entre vástago y guía (plg) Admisión	Escape	Diámetro del vástago (plg) Admisión	Escape
1995	4	2.2 (2195)	46	45	220-236@ 1.278	1.710	0.0010-0.0027	0.0014-0.0031	NA	NA
	M	3.1 (3130)	45	45	250@1.239	1.710	0.0010-0.0027	0.0010-0.0027	NA	NA
1996	4	2.2 (2195)	46	45	220-236@ 1.278	1.710	0.0010-0.0027	0.0014-0.0031	NA	NA
	M	3.1 (3130)	45	45	230@1.260	1.701	0.0010-0.0027	0.0010-0.0027	NA	NA

NA: No disponible.

ESPECIFICACIONES DE TORSIÓN
Todas las lecturas están en pie-lb

Año	Motor ID/VIN	Cilindrada del motor litros (cc)	Tornillos de culata de cilindros	Tornillos cojinete principal	Tornillos cojinete biela	Tornillos polea cigüeñal	Tornillos volante	Múltiples		Bujías	Tuerca con orejetas
								Admisión	Escape		
1995	4	2.2 (2195)	①	70	38	77	55	24	10	②	100
	M	3.1 (3130)	③	④	⑤	76	59	⑥	12	②	100
1996	4	2.2 (2195)	①	70	38	77	55	24	10	②	100
	M	3.1 (3130)	③	④	⑤	76	59	⑥	12	②	100

① Tornillos cortos: 43 pie-lb más 90 grados.
   Tornillos largos: 46 pie-lb más 90 grados.
② Primera instalación de un cilindro nuevo: 21 pie-lb.
   El resto: 11 pie-lb.
③ Cubrir los fileteados con sellador, apretar a 37 pie-lb y después girar $^1/_4$ de vuelta (90 grados).
④ 37 pie-lb más 75 grados.
⑤ 15 pie-lb más 75 grados.
⑥ Apretar todos los pernos a 15 pie-lb, y reapretar a 24 pie-lb.

REPARACIÓN DEL MOTOR

➡ La desconexión del alambre negativo del acumulador puede, en algunos vehículos, interferir con las funciones del computador de a bordo y puede provocar que el computador requiera un proceso de readquisición de parámetros, al reconectar el cable negativo del acumulador.

SINCRONIZACIÓN DEL ENCENDIDO

AJUSTE

La sincronización del encendido en estos vehículos es controlada por el módulo de control del motor, no es posible ni necesario realizar ningún ajuste.

CONJUNTO MOTOR

DESMONTAJE E INSTALACIÓN

▼ PRECAUCIÓN ▼

Algunos modelos cubiertos por este manual pueden ir equipados con un Sistema Restringido Suplementario (SRS), que usa un air bag. Siempre que se trabaje cerca de alguno de los componentes del SRS, como los sensores de impacto, el módulo del air bag, la columna de la dirección y el panel de instrumentos, desactivar adecuadamente el SRS.

Motor 2.2L

▼ PRECAUCIÓN ▼

El sistema de inyección de combustible permanece bajo presión, incluso después de haber desconectado (OFF) el contacto del motor. La presión del sistema de combustible debe liberarse antes de desconectar ningún tubo de combustible. Si no se hace así existe riesgo de incendio y/o lesiones personales.

1. Liberar la presión del sistema de combustible.

▼ PRECAUCIÓN ▼

Tener en cuenta todas las precauciones de seguridad aplicables al trabajar con combustible. Al revisar y hacer el mantenimiento del circuito de combustible, trabajar siempre en un espacio bien ventilado. No permitir que los humos o pulverizaciones de combustible alcancen a una chispa o una llama. Tener un extintor de polvo seco cerca del lugar de trabajo. Almacenar siempre el combustible en un recipiente especialmente diseñado a este efecto. Asimismo, sellar siempre de forma adecuada los recipientes de combustible, para evitar la posibilidad de incendio o explosión.

2. Desconectar el alambre negativo del acumulador.

▼ PRECAUCIÓN ▼

Nunca abrir, realizar el mantenimiento o purgar el radiador o el sistema de enfriamiento en caliente, ya que el vapor de agua y el enfriante caliente podrían producir graves quemaduras.

3. Drenar el circuito de enfriamiento en un recipiente adecuado.

4. A la vez que se sujeta el capó, desconectar el pistón hidráulico del cubretablero y asegurar el capó en la posición de máxima apertura.

5. Sacar el conjunto del filtro de aire y ducto de aire.

6. Desconectar los cables de control del cuerpo del ahogador y sacar el soporte del cable de control del múltiple de admisión y de la cubierta de balancines. Dejar el conjunto a un lado.

7. Desconectar y taponar los tubos de combustible del cuerpo del ahogador y del soporte de montaje del múltiple.

8. Etiquetar y desmontar todas las mangueras de vacío que vayan a interferir al sacar el motor.

9. Sacar las mangueras inferior y superior del radiador.

10. Desconectar las mangueras de calefacción del múltiple de admisión y la bomba de agua y sujetarlas a un lado.

11. Sacar el puntal de torque.

12. Desconectar el conector del haz de alambres del motor.

13. Girar el motor hacia adelante.

14. Sacar del motor la bomba de la dirección asistida y sujetarla a un lado, con todas las líneas de la dirección asistida acopladas.

15. Desconectar los conectores eléctricos de la parte trasera del motor.

16. Sacar el tubo de llenado de aceite de la transmisión.

17. Sacar los pernos del motor a la transmisión dejando sólo los dos pernos superiores.

18. Girar el motor hasta su posición normal.

19. Levantar el vehículo y apoyarlo de forma segura.

20. Sacar el conjunto de la rueda y el neumático delantero derecho.

21. Sacar el protector contra salpicaduras interior del guardabarros derecho.

22. Desconectar el tubo de escape del múltiple de escape.

23. Sacar la cubierta del volante.

24. Desconectar y sacar el motor de arranque.

25. Sacar las tuercas de montaje del motor al bastidor.

26. Sacar los pernos del convertidor de torque al volante.

27. Sacar el compresor del aire acondicionado del soporte de montaje y sujetarlo a un lado sin desconectar los tubos del enfriante.

28. Sacar de la transmisión el soporte de apoyo del tubo de escape delantero.

29. Sacar el soporte de apoyo de la transmisión, del eje de transmisión y del bastidor.

30. Bajar el vehículo.

31. Sacar los dos restantes pernos de montaje del motor a la transmisión.

32. Acoplar un mecanismo de elevación adecuado y subir lentamente el motor. Mientras se eleva el motor, asegurarse de que no queda ninguna manguera o conexión eléctrica aún conectadas.

Para instalar:

33. Bajar el motor sobre el vehículo y conectar el motor a la transmisión.

34. Instalar los 2 pernos superiores del motor a la transmisión. Apretar los pernos sólo hasta que queden fijos.

35. Levantar el vehículo y apoyarlo de forma segura.

36. Instalar el soporte de apoyo de la transmisión y apretar los pernos de montaje a 38 pie-lb (52 Nm).

37. Instalar el perno de montaje del tubo de escape delantero a la transmisión.

38. Instalar el compresor del aire acondicionado en el soporte de montaje.

39. Instalar los pernos del convertidor de torque al volante y apretar a 46 pie-lb (62 Nm).

40. Instalar las tuercas de montaje del motor al bastidor y apretar a 33 pie-lb (45 Nm).

41. Conectar e instalar el motor de arranque y apretar los pernos de montaje a 33 pie-lb (45 Nm).

42. Instalar la cubierta del volante.

43. Conectar el tubo de escape al múltiple de escape y apretar los pernos de sujeción a 22 pie-lb (30 Nm).

44. Instalar el protector contra salpicaduras interior del guardabarros derecho.

45. Instalar el conjunto de la rueda y el neumático y apretar según especificaciones.

46. Bajar el vehículo.

47. Instalar el resto de pernos del motor a la transmisión y apretarlos todos a 37 pie-lb (50 Nm).

48. Instalar el tubo de llenado de la transmisión.

49. Conectar los conectores eléctricos en la parte posterior del motor.

50. Instalar la bomba de la dirección asistida en el soporte de montaje.

51. Conectar el haz de cables del motor.

52. Instalar el puntal de torque y apretar los pernos de sujeción a 41 pie-lb (56 Nm).

53. Conectar las mangueras del calefactor en el múltiple de admisión y en la bomba de agua.

54. Instalar las mangueras superior e inferior del radiador.

55. Conectar cualquier manguera de vacío que se hubiera desconectado para sacar el motor.

56. Conectar los tubos del combustible en el cuerpo del ahogador y en los soportes de los tubos de combustible.

57. Instalar el soporte del chicote del ahogador en el múltiple de admisión y en la cubierta de balancines y conectar los chicotes de control en el cuerpo del ahogador.

58. Instalar el conjunto de filtrado de aire y el ducto de entrada de aire.

59. Conectar el pistón hidráulico del cubretablero.

▼ AVISO ▼

Hacer funcionar el motor con un tipo o cantidad de aceite de motor inapropiados provocará daños severos en el motor.

60. Rellenar el circuito de enfriamiento. Se recomienda cambiar el filtro de aceite y el aceite.

61. Conectar el alambre negativo del acumulador.

62. Arrancar el motor y comprobar que no haya fugas.

Motor 3.1L

▼ PRECAUCIÓN ▼

El sistema de inyección de combustible permanece con presión, incluso después de que el contacto del motor se haya desconectado (OFF). La presión del sistema de combustible debe liberarse antes de desconectar ningún tubo de combustible. Si no se hace así, existe riesgo de incendio y/o lesiones personales.

1. Liberar la presión del sistema de combustible.

▼ PRECAUCIÓN ▼

Tener en cuenta todas las precauciones de seguridad aplicables al trabajar con combustible. Al revisar y hacer el mantenimiento del sistema de combustible, trabajar siempre en un espacio bien ventilado. No permitir que los vapores/pulverizaciones de combustible alcancen a una chispa o una llama. Tener un extintor de polvo seco cerca del lugar de trabajo. Almacenar siempre el combustible en un recipiente especialmente diseñado a este efecto. Asimismo, sellar siempre de forma adecuada los recipientes de combustible, para evitar la posibilidad de incendio o de explosión.

2. Desconectar el alambre negativo del acumulador.

3. Hacer unas marcas de referencia en los soportes del capó y sacar el capó. Colocar cubiertas sobre ambos guardabarros.

4. Sacar el conjunto del filtro del aire.

▼ PRECAUCIÓN ▼

Nunca abrir, realizar mantenimiento o purgar el radiador o el sistema de enfriamiento en caliente, ya que el vapor de agua y el enfriante caliente podrían producir graves quemaduras.

5. Drenar el sistema de refrigerante.

6. Sacar del motor las mangueras del radiador.

7. Sacar el puntal de torque del motor.

8. Sacar la correa serpentina.

9. Sacar las mangueras del calefactor.

10. Sacar el soporte y el chicote del cuerpo del ahogador.

11. Desconectar los tubos del combustible.

12. Etiquetar y desconectar las conexiones eléctricas del haz de alambres del motor y dejar el haz de alambres a un lado.

13. Etiquetar y desconectar las líneas de vacío del motor a los componentes ajenos al motor.

14. Desconectar los tubos de la dirección asistida.

15. Desconectar el tirante de la dirección asistida.

16. Sacar el depósito del enfriante.

17. Sacar los dos pernos superiores del compresor del aire acondicionado.

18. Sacar las conexiones eléctricas de la transmisión.

19. Sacar los alambres de masa de los pernos de soporte de la transmisión.

20. Sacar los cuatro pernos superiores de la transmisión.

21. Levantar y apoyar el vehículo de forma segura.

22. Desconectar del múltiple el tubo de escape delantero.

23. Sacar los pernos de la protección del goteo de aceite y el protector.

24. Sacar los pernos de la cubierta del volante y la cubierta.

25. Desconectar y sacar el motor de arranque.

26. Desconectar la conexión eléctrica de debajo del motor.

27. Sacar los pernos del volante al convertidor.

28. Sacar el compresor del aire acondicionado, y dejarlo a un lado.

➡ **No desconectar los tubos del compresor del aire acondicionado al sacarlo.**

29. Sacar los pernos de soporte del apoyo de la transmisión.

30. Sacar los montajes del motor.

31. Sacar los dos pernos restantes de la transmisión.

32. Bajar el vehículo.

33. Acoplar un mecanismo de elevación al motor.

34. Sacar con cuidado el conjunto del motor.

Para instalar:

35. Instalar el conjunto del motor con el mecanismo de elevación.

36. Colocar dos pernos de la transmisión al motor.

37. Sacar el mecanismo de elevación y el soporte de la transmisión.

38. Levantar y apoyar el vehículo de forma segura.

39. Instalar los restantes pernos y apretarlos a 37 pie-lb (50 Nm).

40. Instalar los montajes del motor.

41. Instalar los pernos del soporte de apoyo de la transmisión a la transmisión.

42. Colocar apropiadamente el compresor del aire acondicionado.

43. Instalar los pernos del volante al convertidor y apretar a 47 pie-lb (63 Nm).

44. Instalar la cubierta del volante y los pernos. Apretar los pernos a 89 plg-lb (10 Nm).

45. Instalar los alambres de masa en los pernos de sujeción de la transmisión.

46. Conectar en el motor los alambres eléctricos inferiores del motor.

47. Instalar el protector del goteo de aceite y los pernos.

48. Conectar al múltiple el tubo de escape delantero.

49. Bajar el vehículo de forma segura.

50. Instalar los cuatro pernos superiores de la transmisión y apretar a 37 pie-lb (50 Nm).

51. Conectar los alambres de masa eléctrica en los pernos de soporte de la transmisión.

52. Conectar en el motor los alambres eléctricos superiores del motor.

53. Instalar los pernos superiores del compresor del aire acondicionado.

54. Instalar el depósito del enfriante.

55. Instalar el tirante de la dirección asistida.

56. Conectar los tubos de la dirección asistida.

57. Conectar todas las líneas de vacío que previamente se hubieran desconectado.

58. Conectar los tubos de combustible.

59. Instalar el soporte y el cable (chicote) del cuerpo del ahogador.

60. Instalar las mangueras de calefacción y asegurarlas con abrazaderas.

61. Instalar la correa serpentina.

62. Conectar las mangueras del radiador y asegurarlas con abrazaderas.

63. Alinear las marcas de referencia entre el gozne y el capó e instalar el capó.

64. Conectar el alambre negativo del acumulador.

65. Instalar el conjunto del filtro de aire.

▼ AVISO ▼
Hacer funcionar el motor con un tipo o cantidad de aceite de motor inapro-piados provocará daños severos en el motor.

66. Llenar con enfriante y con aceite de motor.

67. Arrancar el motor y dejarlo que alcance la temperatura normal de funcionamiento. Comprobar que no haya fugas y rellenar el sistema de enfriamiento.

BOMBA DE AGUA
DESMONTAJE E INSTALACIÓN
Motor 2.2L

1. Desconectar el alambre negativo del acumulador.

▼ PRECAUCIÓN ▼
Nunca abrir, realizar mantenimiento o purgar el radiador o el sistema de enfriamiento en caliente, ya que el vapor de agua y el enfriante caliente podrían producir graves quemaduras.

2. Drenar el sistema de enfriamiento en un recipiente apropiado.

3. Aflojar, pero no sacar, los pernos de la polea de la bomba de agua.

4. Sacar la correa serpentina.

5. Sacar los pernos de sujeción del alternador y poner el alternador en un lado.

6. Sacar los pernos de la polea de la bomba de agua y sacar la polea de la bomba de agua.

7. Sacar los cuatro pernos de montaje de la bomba de agua y sacar la bomba de agua.

Para instalar:

8. Limpiar completamente todas las superficies de junta.

9. Aplicar un fino cordón de sellante alrededor del borde externo del área de asiento de la junta de la bomba de agua y colocar la junta sobre la bomba.

10. Instalar la bomba de agua en el motor y apretar los cuatro pernos de montaje a 18 pie-lb (25 Nm).

11. Instalar la polea de la bomba de agua y apretar a mano los pernos de montaje.

12. Instalar el alternador en el soporte de montaje.

13. Instalar la correa serpentina.

14. Apretar los pernos de montaje de la polea de la bomba de agua a 22 pie-lb (30 Nm).

15. Conectar el alambre negativo del acumulador.

16. Rellenar y purgar el sistema de enfriamiento.

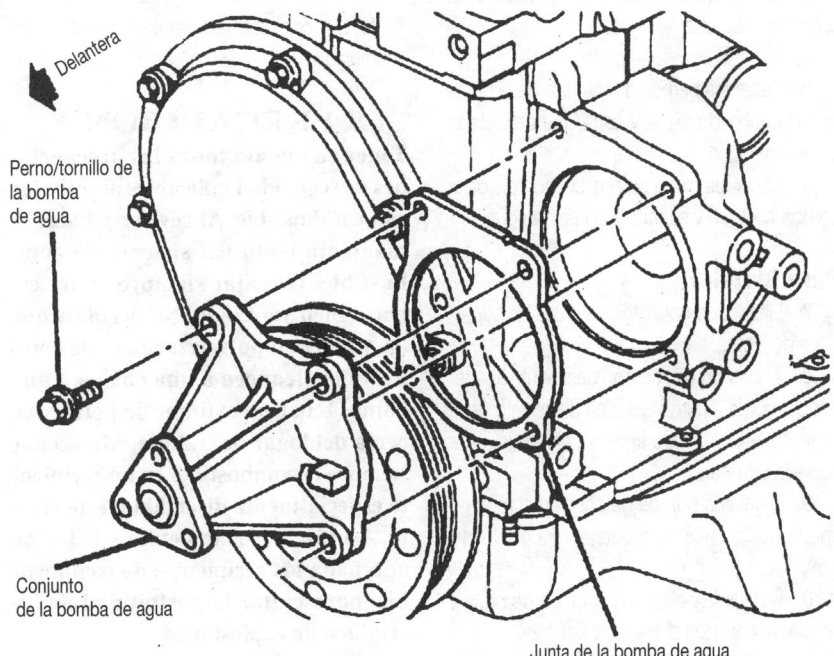

Delantera

Perno/tornillo de la bomba de agua

Conjunto de la bomba de agua

Junta de la bomba de agua

▲ Montaje de la bomba de agua – Motor 2.2L

Motor 3.1L

1. Desconectar el alambre negativo del acumulador.

▼ PRECAUCIÓN ▼

Nunca abrir, realizar mantenimiento o purgar el radiador o el sistema de enfriamiento en caliente, ya que el vapor de agua y el enfriante caliente podrían producir graves quemaduras.

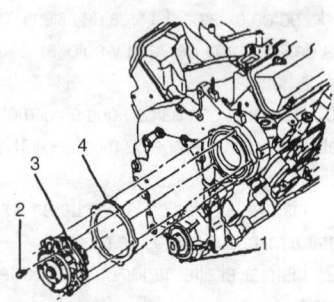

1. Conjunto de la tapa delantera del motor
2. Perno/tornillo de la bomba de agua
3. Conjunto de la bomba de agua
4. Junta de la bomba de agua

▲ Montaje de la bomba de agua – Motor 3.1L

2. Drenar el sistema de enfriamiento en un recipiente apropiado.

3. Aflojar, pero no sacar, los pernos de la polea de la bomba de agua.

4. Sacar la correa serpentina.

5. Sacar los pernos de montaje de la polea de la bomba de agua y sacar la polea de la bomba de agua.

6. Sacar los cinco pernos de montaje de la bomba de agua y sacar la bomba de agua.

Para instalar:

7. Limpiar completamente todas las superficies de junta.

8. Aplicar un fino cordón de sellante alrededor del borde externo del área de asiento de la junta de la bomba de agua y colocar la junta sobre la bomba.

9. Instalar la bomba de agua en el motor y apretar los pernos de montaje a 89 plg-lb (10 Nm).

10. Instalar la polea de la bomba de agua y apretar a mano los pernos de montaje.

11. Instalar la correa serpentina.

12. Apretar los pernos de la polea de la bomba de agua a 18 pie-lb (25 Nm).

13. Conectar el alambre negativo del acumulador.

14. Rellenar y purgar el sistema de enfriamiento.

CULATA DE CILINDROS

▼ PRECAUCIÓN ▼

Algunos modelos cubiertos por este manual pueden ir equipados con un Sistema Restringido Suplementario (SRS), que usa un air bag. Siempre que se trabaje cerca de alguno de los componentes del SRS, como los sensores de impacto, el módulo del air bag, la columna de la dirección y el panel de instrumentos, desactivar adecuadamente el SRS.

Motor 2.2L

▼ PRECAUCIÓN ▼

El sistema de inyección de combustible permanece con presión, incluso después de que el contacto del motor se haya desconectado (OFF). La presión del sistema de combustible debe liberarse antes de desconectar ningún tubo de combustible. Si no se hace así existe riesgo de incendio y/o lesiones personales.

1. Desconectar el alambre negativo del acumulador.

▼ PRECAUCIÓN ▼

Tener en cuenta todas las precauciones de seguridad aplicables al trabajar con combustible. Al revisar y hacer el mantenimiento del sistema de combustible, trabajar siempre en un espacio bien ventilado. No permitir que los vapores o pulverizaciones de combustible alcancen a una chispa o a una llama. Tener un extintor de polvo seco cerca del lugar de trabajo. Almacenar siempre el combustible en un recipiente especialmente diseñado a este efecto. Asimismo, sellar siempre de forma adecuada los recipientes de combustible, para evitar la posibilidad de incendio o de explosión.

2. Liberar la presión del sistema de combustible.

▼ PRECAUCIÓN ▼

Nunca abrir, realizar el mantenimiento o purgar el radiador o el sistema de enfriamiento en caliente, ya que el vapor de agua y el enfriante caliente podrían producir graves quemaduras.

3. Drenar el sistema de enfriamiento en un recipiente adecuado.

4. Sacar el filtro del aire y el conjunto del ducto del aire.

5. Sacar el tirante superior del resonador del aire de entrada.

6. Sacar la entrada de aire inferior.

7. Sacar la correa serpentina.

8. Sacar el alternador.

9. Sacar la bomba de la dirección asistida y colocarla a un lado sin desconectar los tubos de la dirección asistida.

10. Desconectar los cables de las bujías y guardarlos a un lado.

11. Desconectar los chicotes de control del cuerpo del ahogador y sacar el soporte del chicote, del cuerpo del ahogador y de la cubierta de balancines.

➡ Tener cuidado al sacar los componentes del tren de válvulas. Las piezas que se vayan a volver a utilizar deben colocarse en sus posiciones originales.

12. Sacar la cubierta de balancines, tuercas de los balancines, balancines y empujaválvulas.

13. Desconectar los conectores eléctricos del múltiple de entrada, del cuerpo del ahogador y de la culata de cilindros.

14. Desconectar el conector del sensor de oxígeno (O_2).

15. Sacar el soporte de la bomba de la dirección asistida del tirante del múltiple de admisión, situado bajo el múltiple de admisión.

16. Sacar el soporte de montaje del puntal de torque lateral del motor y sacar el puntal de torque.

17. Sacar el soporte posterior del alternador.

18. Etiquetar y desconectar las líneas de vacío del múltiple de admisión y de la culata de cilindros.

19. Desconectar del motor la manguera superior del radiador.

20. Levantar el vehículo y apoyarlo de forma segura.

21. Desconectar el tubo de escape del múltiple de escape.

22. Bajar el vehículo.

23. Desconectar y tapar los tubos de combustible de los rácores de desconexión rápida.

24. Sacar el tubo de llenado de la transmisión.

25. Sacar los pernos de culata de cilindros.

26. Sacar la culata de cilindros con ambos múltiples. Sacar el múltiple de admisión y el de escape de la culata de cilindros.

Para instalar:

27. Limpiar totalmente todas las superficies de junta. Limpiar el fileteado de los pernos de culata de cilindros y el fileteado de los orificios sobre el bloque de cilindros.

28. Instalar los múltiples de admisión y de escape en la culata de cilindros.

29. Colocar una nueva junta de culata de cilindros sobre los pasadores de centrado del bloque de cilindros. Guiar con cuidado la culata de cilindros dentro de su posición.

30. Se recomienda usar nuevos pernos de culata. Instalar todos los pernos de la culata de cilindros y apretarlos a mano. Los pernos largos van en las posiciones 1, 4, 5, 8 y 9. Los pernos cortos van en las posiciones 2, 3, 6 y 7. El espárrago va en la posición 10.

31. Apretar los pernos en secuencia. Los pernos largos a 46 pie-lb (63 Nm) y los pernos cortos y el espárrago a 43 pie-lb (58 Nm). Realizar un segundo pase de apriete de los pernos largos a 46 pie-lb (63 Nm) y los pernos cortos a 43 pie-lb (58 Nm). Realizar un último apriete de todos los pernos de 90° adicionales ($^1/_4$ de vuelta).

32. Instalar el tubo de llenado de la transmisión.

33. Conectar los tubos del combustible en el cuerpo del ahogador.

34. Levantar el vehículo y apoyarlo de forma segura.

35. Conectar el tubo de escape en el múltiple de escape. Apretar los pernos de sujeción a 22 pie-lb (30 Nm).

36. Bajar el vehículo.

37. Conectar la manguera superior del radiador.

38. Conectar las líneas de vacío en el múltiple de admisión.

39. Instalar el soporte del puntal de torque lateral del motor e instalar el puntal de torque.

40. Instalar el soporte trasero del alternador.

41. Instalar el soporte de la bomba de la dirección asistida en el tirante del múltiple de admisión, situada debajo del múltiple de admisión.

42. Conectar las conexiones eléctricas en el múltiple de admisión, cuerpo del ahogador y culata de cilindros.

43. Conectar el conector del sensor de oxígeno (O_2).

44. Instalar los empujaválvulas, balancines y tuercas de balancines, y apretar las tuercas a 22 pie-lb (30 Nm).

45. Instalar la cubierta de balancines.

46. Conectar los cables (chicotes) de control en el cuerpo del ahogador e instalar los soportes de los cables en el cuerpo del ahogador y cubierta de balancines.

47. Conectar los alambres de bujías.

48. Instalar la bomba de la dirección asistida en el soporte de montaje.

49. Instalar el alternador.

50. Instalar la correa serpentina.

51. Instalar el ducto de la entrada de aire inferior.

52. Instalar el tirante superior del resonador de la entrada de aire.

53. Instalar el conjunto del filtro de aire y ducto.

54. Rellenar el sistema de enfriamiento.

▼ PRECAUCIÓN ▼

La autoridad sanitaria advierte que el contacto prolongado con aceite de motor usado puede causar algunos trastornos en la piel e incluso cáncer. Por ello deberá intentar reducir al mínimo su contacto con el aceite usado. Deben usarse guantes de protección al cambiar el aceite. Debe lavarse, tan rápido como sea posible, las manos y cualquier otra parte de la piel expuestas al aceite usado de motor. Debe usarse jabón y agua, o limpiador de manos sin agua.

55. Se recomienda realizar el cambio del aceite y del filtro de aceite ya que el enfriante puede entrar en el sistema de aceite cuando se saca la culata.

▼ AVISO ▼

Hacer funcionar el motor con un tipo o cantidad de aceite de motor inapropiados provocará daños severos en el motor.

56. Conectar el alambre negativo del acumulador.

57. Arrancar el motor y comprobar que no haya fugas.

Motor 3.1L

LADO IZQUIERDO (DELANTERO)

▼ PRECAUCIÓN ▼

El sistema de inyección de combustible permanece bajo presión, incluso después de haver desconectado (OFF) el contacto del motor. La presión del sistema de combustible debe liberarse antes de desconectar ningún tubo de combustible. Si no se hace así existe riesgo de incendio y/o lesiones personales.

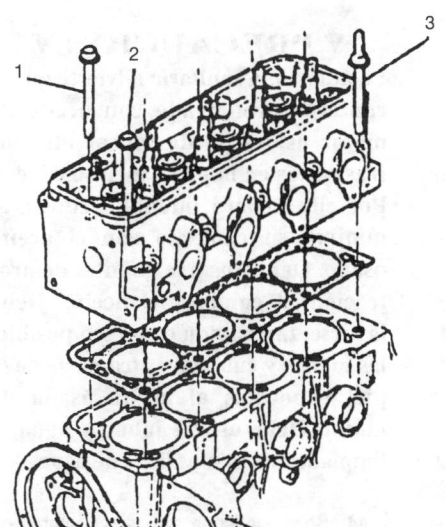

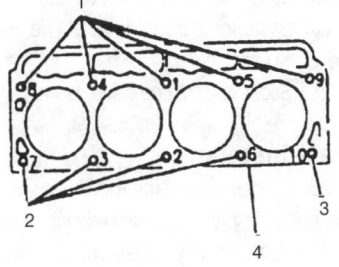

1. Pernos largos
2. Pernos cortos
3. Espárrago
4. Los números sobre la junta indican la secuencia de apriete

▲ Apretar los pernos de culata de cilindros según la secuencia que se indica, para obtener un correcto sellado de los cilindros y un aplastamiento correcto de la junta – Motor 2.2L

1. Desconectar el alambre negativo del acumulador.

▼ PRECAUCIÓN ▼

Tener en cuenta todas las precauciones de seguridad aplicables al trabajar con combustible. Al revisar y hacer el mantenimiento del sistema de combustible, trabajar siempre en un espacio bien ventilado. No permitir que los vapores o pulverizaciones de combustible alcancen a una chispa o una llama. Tener un extintor de polvo seco cerca del lugar de trabajo. Almacenar siempre el combustible en un recipiente especialmente diseñado a este efecto. Asimismo, sellar siempre de forma adecuada los recipientes de combustible, para evitar la posibilidad de incendio o de explosión.

2. Liberar la presión del sistema de combustible.

▼ PRECAUCIÓN ▼

Nunca abrir, realizar el mantenimiento o purgar el radiador o el sistema de enfriamiento en caliente, ya que el vapor de agua y el enfriante caliente podrían producir graves quemaduras.

3. Drenar el sistema de enfriamiento en un recipiente adecuado.

▼ PRECAUCIÓN ▼

Cuando se realiza el mantenimiento del sistema de aire acondicionado deben usarse las herramientas y los procedimientos apropiados. Se deben llevar protectores de los ojos. NO FUMAR o exponer el enfriante a las llamas o a una chispa.

4. Recuperar el enfriante del aire acondicionado usando un equipo de reciclado y recuperación de enfriante.

5. Sacar las cubiertas de balancines.

6. Sacar la cámara del múltiple admisión superior y el múltiple de admisión inferior.

7. Sacar el tubo de escape cruzado.

8. Desconectar los alambres de bujías de las bujías y de la funda de los alambres. Dejar los alambres a un lado.

➡ **Cuando se saquen los componentes del tren de válvulas tener cuidado de etiquetar todos los componentes que vayan**

a ser reutilizados. Los componentes del tren de válvulas deben guardarse en orden de modo que se instalen en las mismas posiciones que ocupaban antes de su desmontaje.

9. Sacar las tuercas de balancines, los balancines, las rótulas y los empujaválvulas.

10. Sacar el tubo indicador del nivel de aceite.

11. Sacar los pernos del compresor del aire acondicionado accesibles desde arriba.

12. Levantar el vehículo y apoyarlo de forma segura.

13. Sacar los pernos de montaje inferiores del compresor del aire acondicionado.

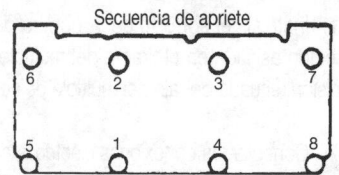

Apretar los pernos de culata de cilindros en la secuencia correcta, para asegurar un buen sellado de los cilindros – Motor 3.1L

14. Sacar los tubos del enfriante de la parte trasera del compresor.

15. Desconectar las conexiones eléctricas del compresor del aire acondicionado y sacar el compresor del aire acondicionado.

16. Sacar los pernos del soporte inferior del compresor del aire acondicionado.

17. Bajar el vehículo.

18. Sacar los pernos del soporte superior del compresor del aire acondicionado.

19. Sacar los soportes del compresor.

20. Sacar los pernos de culata de cilindros de forma uniforme.

21. Sacar la culata de cilindros.

Para instalar:

22. Limpiar totalmente todas las superficies de junta. Limpiar el fileteado de los pernos de culata de cilindros y de los orificios fileteados sobre el bloque de cilindros.

23. Colocar la junta de culata de cilindros en su posición sobre los pasadores de centrado del bloque de cilindros de forma que las palabras THIS SIDE UP ("Esta cara arriba") u otra identificación de la junta queden a la vista.

24. Recubrir el fileteado de los pernos con un sellante e instalarlos apretándolos a mano.

25. Apretar los pernos de culata de cilindros en secuencia a 33 pie-lb (45 Nm). Con todos los pernos apretados, realizar una segunda ronda de apriete de 90° adicionales ($^1/_4$ de vuelta).

26. Instalar el soporte del compresor y apretar los pernos del soporte superior a 35 pie-lb (47 Nm).

27. Levantar el vehículo y apoyarlo de forma segura.

28. Instalar los pernos del soporte inferior del compresor y apretar a 35 pie-lb (47 Nm).

29. Conectar las conexiones eléctricas de la parte trasera del compresor.

30. Instalar el compresor del aire acondicionado en el soporte de montaje.

31. Conectar los tubos del aire acondicionado a la parte trasera del compresor usando sellos NUEVOS.

32. Instalar los pernos inferiores de montaje del compresor y apretarlos a 18 pie-lb (25 Nm).

33. Bajar el vehículo.

34. Apretar los pernos superiores de montaje del compresor a 18 pie-lb (25 Nm).

35. Instalar el tubo indicador del nivel de aceite.

36. Instalar los empujaválvulas, balancines, rótulas y tuercas de balancines. Apretar las tuercas de balancines a 20 pie-lb (27 Nm).

37. Conectar los alambres de bujías a las bujías y a las fundas de los alambres.

38. Instalar el tubo de escape cruzado.

39. Instalar el múltiple de admisión inferior y la cámara del múltiple de admisión superior.

40. Instalar las cubiertas de balancines.

41. Rellenar el sistema de enfriamiento.

42. Evacuar y cargar el sistema del aire acondicionado.

43. Conectar el alambre negativo del acumulador.

▼ PRECAUCIÓN ▼

La autoridad sanitaria advierte que el contacto prolongado con aceite de motor usado puede causar algunos trastornos en la piel e incluso cáncer. Por ello deberá intentar reducir al mínimo su contacto con el aceite usado. Deben usarse guantes de protección al cambiar el aceite. Debe lavarse, tan rápido como sea posible, las manos y cualquier otra parte de la piel expuestas al aceite usado de motor. Debe usarse jabón y agua, o limpiador de manos libre de agua.

44. Se recomienda realizar el cambio de aceite y de filtro de aceite ya que el enfriante puede entrar en el sistema de aceite cuando se saca la culata.

Hacer funcionar el motor con un tipo o cantidad de aceite de motor inapropiados provocará daños severos en el motor.

45. Arrancar el motor y comprobar que no haya fugas.

LADO DERECHO (TRASERO)

▼ PRECAUCIÓN ▼

El sistema de inyección de combustible permanece bajo presión, incluso después de haber desconectado (OFF) el contacto del motor. La presión del sistema de combustible debe liberarse antes de desconectar ningún tubo de combustible. Si no se hace así existe riesgo de incendio y/o lesiones personales.

1. Desconectar el alambre negativo del acumulador.

▼ PRECAUCIÓN ▼

Tener en cuenta todas las precauciones de seguridad aplicables al trabajar con combustible. Al revisar y hacer el mantenimiento del sistema de combustible, trabajar siempre en un espacio bien ventilado. No permitir que los vapores o pulverizaciones de combustible alcancen a una chispa o una llama. Tener un extintor de polvo seco cerca del lugar de trabajo. Almacenar siempre el combustible en un recipiente especialmente diseñado a este efecto. Asimismo, sellar siempre de forma adecuada los recipientes de combustible, para evitar la posibilidad de incendio o de explosión.

2. Liberar la presión del sistema de combustible.

▼ PRECAUCIÓN ▼

Nunca abrir, realizar el mantenimiento o purgar el radiador o el sistema de enfriamiento en caliente, ya que el vapor de agua y el enfriante caliente podrían producir graves quemaduras.

3. Drenar el sistema de enfriamiento en un recipiente adecuado.

4. Sacar las cubiertas de balancines.

5. Sacar la cámara del múltiple admisión superior y el múltiple de admisión inferior.

6. Desconectar el conector eléctrico del conjunto de encendido.

7. Sacar el alternador.

8. Sacar el tubo de escape cruzado.

9. Desconectar el conector de la sonda de oxígeno (O_2).

10. Levantar el vehículo y apoyarlo de forma segura.

11. Desconectar el tubo de escape del múltiple de escape.

12. Bajar el vehículo.

13. Sacar el múltiple de escape.

14. Desconectar los alambres de bujías de las bujías y de la funda de los alambres. Dejar los alambres a un lado.

➡ Cuando se saquen los componentes del tren de válvulas tener cuidado de etiquetar todos los componentes que vayan a ser reutilizados. Los componentes del tren de válvulas deben guardarse en orden de modo que se instalen en las posiciones originales que ocupaban antes de su desmontaje.

15. Sacar las tuercas de balancines, balancines, rótulas y los empujaválvulas.

16. Sacar los pernos de culata de cilindros de forma uniforme.

17. Sacar la culata de cilindros.

Para instalar:

18. Limpiar totalmente todas las superficies de junta. Limpiar el fileteado de los pernos de la culata de cilindros y de los orificios fileteados sobre el bloque de cilindros.

19. Colocar la junta de culata de cilindros en su posición sobre los pasadores de centrado del bloque de cilindros de forma que las palabras THIS SIDE UP ("Esta cara arriba") u otra identificación de la junta queden a la vista.

20. Recubrir el fileteado de los pernos con un sellante e instalarlos apretándolos a mano.

21. Apretar los pernos de culata de cilindros en secuencia a 33 pie-lb (45 Nm). Con todos los pernos apretados, realizar una segunda ronda de apriete de 90° adicionales ($^1/_4$ de vuelta).

22. Instalar los empujaválvulas, balancines, bolas y tuercas de balancines. Apretar las tuercas de los balancines a 20 pie-lb (27 Nm).

23. Instalar el múltiple de escape.

24. Levantar el vehículo y apoyarlo de forma segura.

25. Conectar el tubo de escape al múltiple de escape.

26. Bajar el vehículo.

27. Conectar el conector de la sonda de oxígeno (O_2).

28. Conectar los alambres de bujías a las bujías y a la funda de los alambres.

29. Instalar el tubo de escape cruzado.

30. Instalar el alternador.

31. Conectar el conector eléctrico al conjunto del encendido.

32. Instalar el múltiple de admisión inferior y la cámara del múltiple de admisión superior.

33. Instalar las cubiertas de balancines.

34. Rellenar el sistema de enfriamiento.

▼ PRECAUCIÓN ▼

La autoridad sanitaria advierte que el contacto prolongado con aceite de motor usado puede causar algunos trastornos en la piel e incluso cáncer. Por ello deberá intentar reducir al mínimo su contacto con el aceite usado. Deben usarse guantes de protección al cambiar el aceite. Debe limpiarse, tan rápido como sea posible, las manos y cualquier otra parte de la piel expuestas al aceite usado de motor. Debe usarse jabón y agua, o limpiador de manos libre de agua.

35. Se recomienda realizar el cambio de aceite y de filtro de aceite ya que el enfriante puede entrar en el sistema de aceite cuando se saca la culata.

▼ AVISO ▼

Hacer funcionar el motor con un tipo o cantidad de aceite de motor inapropiados provocará daños severos en el motor.

36. Conectar el alambre negativo del acumulador.

37. Arrancar el motor y comprobar que no haya fugas.

BALANCINES

DESMONTAJE E INSTALACIÓN

Motor 2.2L

1. Desconectar el alambre negativo del acumulador.

2. Sacar el conjunto del filtro del aire y el ducto del aire.

3. Etiquetar y desconectar de las bujías los alambres de bujías y desacoplar de la cubierta

de balancines los clips de los alambres de bujías. Guardarlos a un lado.

4. Desconectar del cuerpo del ahogador los chicotes del cuerpo del ahogador y sacar de la cámara de distribución de la admisión el soporte del chicote del ahogador. Moverlo a un lado.

5. Sacar los pernos de la cubierta de balancines.

6. Sacar la cubierta de balancines.

➡ **Si se van a reutilizar los componentes del tren de válvulas, guardarlos ordenados. Se deben instalar en las posiciones originales de donde fueron desmontados.**

7. Sacar la(s) tuerca(s) de balancines, rótula(s) y balancines.

Para instalar:

8. Limpiar completamente las superficies de empaque.

9. Recubrir las superficies de los cojinetes de el/los balancín/es y de la/s rótula/s de los balancines con Molykote®, o equivalente.

10. Colocar los empujaválvulas sobre los levantaválvulas.

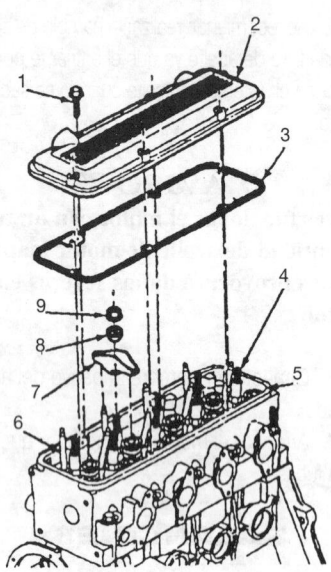

1. Perno
2. Cubierta de balancines
3. Junta
4. Espárrago de balancín
5. Brida, debe estar exenta de aceite tras instalar la junta de la cubierta de balancines
6. Empujaválvulas
7. Balancín
8. Rótula
9. Tuerca

▲ **Los balancines están unidos a los espárragos por medio de una rótula y una tuerca – Motor 2.2L**

11. Instalar el/los balancín/es, la/s rótula/s y la tuerca/s en las mismas posiciones de donde se sacaron y apretar la/s tuerca/s a 22 pie-lb (30 Nm).

12. Instalar una junta nueva en el hueco del perímetro de la cubierta de balancines.

13. Instalar la cubierta de balancines en la culata de cilindros y apretar los pernos de la cubierta de balancines a 89 plg-lb (10 Nm).

14. Instalar la abrazadera del chicote del ahogador en la cámara de admisión y conectar los alambres de control en el cuerpo del ahogador.

15. Conectar los clips de los alambres de bujías en la cubierta de balancines y conectar los alambres de las bujías en las bujías.

16. Instalar el conjunto del filtro de aire y ducto de aire.

17. Conectar el alambre negativo del acumulador.

18. Arrancar el motor y comprobar que no haya fugas.

Motor 3.1L

LADO IZQUIERDO (DELANTERO)

1. Desconectar el alambre negativo del acumulador.

▼ PRECAUCIÓN ▼

Nunca abrir, realizar el mantenimiento o purgar el radiador o el sistema de enfriamiento en caliente, ya que el vapor de agua y el enfriante caliente podrían producir graves quemaduras.

2. Drenar el sistema de enfriamiento hasta un nivel por debajo del tubo del enfriante, en la parte delantera del motor.

3. Sacar la abrazadera de la manguera del desviador del enfriante en el tubo de enfriante.

4. Sacar los dos pernos y la tuerca de sujeción del tubo del enfriante en la culata de cilindros y guardar el tubo a un lado.

➡ **Si se van a reutilizar los componentes del tren de válvulas, guardarlos ordenados. Se deben instalar en las posiciones originales de donde fueron desmontados.**

5. Sacar los cuatro pernos de la cubierta de balancines y sacar la cubierta de balancines.

6. Sacar la(s) tuerca(s) de balancines, rótula(s) y los balancines.

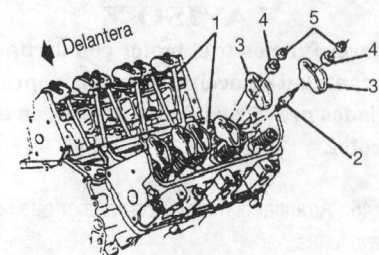

1. Empujaválvulas
2. Espárrago del balancín de válvula
3. Balancín de válvula
4. Rótula de pivote de balancín de válvula
5. Tuerca de balancín de válvula

▲ **Balancines y componentes asociados – Motor 3.1L**

Para instalar:

7. Limpiar completamente las superficies de empaque.

8. Cubrir con aceite de motor todos los componentes del tren de válvulas antes de su instalación.

9. Instalar el/los balancín/es en el/los espárrago/s. Instalar la(s) rótula(s) de balancines y tuercas de montaje. Asegurarse de que los empujaválvulas están correctamente asentados dentro de los levantaválvulas y balancines.

10. Apretar las tuercas de balancines a 89 plg-lb (10 Nm), y después 30° adicionales.

11. Instalar la cubierta de balancines usando una junta nueva y apretar los pernos de la cubierta de balancines a 90 plg-lb (10 Nm).

12. Colocar el tubo del enfriante y conectar la manguera del desviador del termostato.

13. Instalar la tuerca y pernos de montaje del tubo del enfriante. Apretar el tornillo de la bomba de agua a 106 plg-lb (12 Nm), el perno de la esquina de la culata de cilindros a 18 pie-lb (25 Nm).

14. Rellenar el circuito de enfriamiento.

15. Conectar el alambre negativo del acumulador.

16. Arrancar el vehículo y comprobar que no haya fugas de aceite o de enfriante.

LADO DERECHO (TRASERO)

1. Desconectar el alambre negativo del acumulador.

▼ PRECAUCIÓN ▼

Nunca abrir, realizar el mantenimiento o purgar el radiador o el sistema de enfriamiento en caliente, ya que el vapor de agua y el enfriante caliente podrían producir graves quemaduras.

2. Drenar el sistema de enfriamiento en un recipiente apropiado.

3. Sacar la correa serpentina.

4. Sacar el alternador.

5. Sacar el soporte de montaje del alternador.

6. Sacar los cuatro pernos de la cubierta de balancines y sacar la cubierta de balancines.

➡ **Si se van a reutilizar los componentes del tren de válvulas, guardarlos ordenados. Se deben instalar en las posiciones originales de donde fueron desmontados.**

7. Sacar la(s) tuerca(s) de los balancines, rótula(s) y balancines.

Para instalar:

8. Limpiar completamente todas las superficies de empaque.

9. Cubrir con aceite de motor todos los componentes del tren de válvulas antes de su instalación.

10. Instalar el/los balancín/es en el/los espárrago/s. Instalar la(s) rótula(s) de balancines y las tuercas de montaje. Asegurarse de que los empujaválvulas están correctamente asentados en los levantaválvulas y en los balancines.

11. Apretar las tuercas de balancines a 89 plg-lb (10 Nm) y después 30° adicionales.

12. Instalar la cubierta de balancines usando una junta nueva y apretar los pernos de la cubierta de balancines a 90 plg-lb (10 Nm).

13. Instalar el soporte de montaje del alternador.

14. Instalar el alternador.

15. Instalar la correa serpentina.

16. Llenar el sistema de enfriamiento.

17. Conectar el alambre negativo del acumulador.

18. Arrancar el vehículo y comprobar que no haya fugas de aceite o de enfriante.

MÚLTIPLE DE ADMISIÓN

DESMONTAJE E INSTALACIÓN

Motor 2.2L

Estos vehículos tienen un múltiple de admisión de dos piezas. La mitad superior, a veces llamada *plenum* o cámara de distribución, contiene el cuerpo del ahogador y las conexiones del chicote de control. La mitad inferior tiene lumbreras de unión individuales a cada lumbrera de admisión de la culata de cilindros. Esta mitad inferior va unida a la culata de cilindros por medio de pernos y aloja los inyectores de combustible. Tener en cuenta que estas piezas son de aluminio fundido. Se debe tener cuidado al trabajar con cualquier componente de una aleación ligera.

▼ PRECAUCIÓN ▼

El sistema de inyección de combustible permanece bajo presión, incluso después de haber desconectado (OFF) el contacto del motor. La presión del sistema de combustible debe liberarse antes de desconectar ningún tubo de combustible. Si no se hace así existe riesgo de incendio y/o lesiones personales.

1. Liberar la presión del sistema de combustible.

▼ PRECAUCIÓN ▼

Tener en cuenta todas las precauciones de seguridad aplicables al trabajar con combustible. Al revisar y hacer el mantenimiento del sistema de combustible, trabajar siempre en un espacio bien ventilado. No permitir que los vapores o pulverizaciones de combustible alcancen a una chispa o una llama. Tener un extintor de polvo seco cerca del lugar de trabajo. Almacenar siempre el combustible en un recipiente especialmente diseñado a este efecto. Asimismo, sellar siempre de forma adecuada los recipientes de combustible, para evitar la posibilidad de incendio o de explosión.

2. Desconectar el alambre negativo del acumulador.

3. Sacar el ducto de admisión de aire del cuerpo del ahogador.

▼ PRECAUCIÓN ▼

Nunca abrir, realizar el mantenimiento o purgar el radiador o el sistema de enfriamiento en caliente, ya que el vapor de agua y el enfriante caliente podrían producir graves quemaduras.

4. Drenar el sistema de enfriamiento en un recipiente adecuado.

5. Identificar, etiquetar y desacoplar todas las líneas de vacío que sea preciso.

6. Desconectar los chicotes de control de la palanca del cuerpo del ahogador y sacar del

múltiple de admisión el soporte de los cables (chicotes) de control.

7. Sacar la correa serpentina.

8. Sacar la bomba de la dirección asistida y guardarla a un lado, sin desconectar los tubos de fluido.

9. Sacar el tubo de llenado de fluido del eje de transmisión.

10. Identificar, etiquetar y desconectar los conectores eléctricos del sensor MAP, la válvula solenoide EGR, la válvula de Control de Aire de la marcha mínima (IAC), el Sensor de Posición del Ahogador (TPS) y los inyectores de combustible.

11. Sacar el sensor MAP.

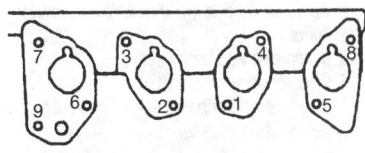

Secuencia de apriete de las tuercas del múltiple de admisión

▲ **Secuencia de apriete de los pernos del múltiple inferior de admisión – Motor 2.2L**

12. Sacar los pernos de montaje del múltiple de admisión superior y sacar el múltiple de admisión superior.

13. Desconectar los tubos de combustible del raíl de combustible.

14. Sacar el inyector de la válvula EGR.

15. Sacar la válvula EGR.

16. Sacar el soporte de retención de los inyectores de combustible, regulador e inyectores.

17. Sacar el soporte del cable de control.

18. Sacar las seis tuercas del múltiple de admisión.

19. Sacar el múltiple de admisión.

Para instalar:

20. Limpiar las superficies de montaje de empaques.

21. Instalar una junta nueva y colocar el múltiple de admisión inferior. Apretar las tuercas del múltiple de admisión inferior en la secuencia apropiada a 24 pie-lb (33 Nm).

22. Conectar los cables de control y el soporte de los cables.

23. Instalar la válvula EGR.

24. Conectar los tubos de combustible en el raíl de combustible.

25. Instalar los inyectores de combustible, regulador y soporte de retención de los inyectores y apretar los pernos de montaje a 22 plg-lb (3.5 Nm).

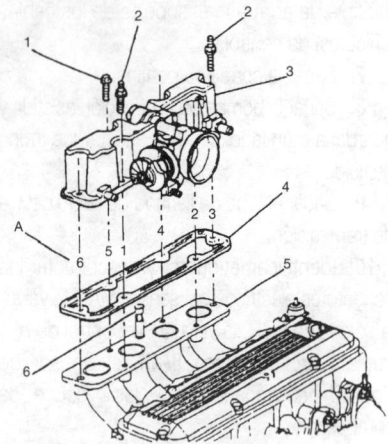

1. Perno
2. Espárrago
3. Conjunto del múltiple de admisión superior
4. Junta
5. Múltiple de admisión inferior
6. Inyector de la válvula EGR
A. Secuencia de apriete del conjunto del múltiple de admisión superior

▲ Secuencia de apriete de los pernos del múltiple de admisión superior – Motor 2.2L

26. Instalar el inyector de la válvula EGR de modo que la lumbrera se encuentre directamente encarada hacia el cuerpo del ahogador.

27. Instalar el conjunto del múltiple de admisión superior. Apretar las tuercas del múltiple de admisión superior en la secuencia apropiada a 22 pie-lb (30 Nm).

28. Instalar el sensor MAP.

29. Conectar los conectores eléctricos en el sensor MAP, en la válvula solenoide del EGR, en la válvula de Control del Aire de marcha mínima (IAC), en el Sensor de Posición del Ahogador (TPS) y en los inyectores de combustible.

30. Instalar el tubo de llenado de la transmisión.

31. Instalar la bomba de la dirección asistida.

32. Instalar la correa serpentina.

33. Conectar las líneas de vacío.

34. Instalar el ducto de admisión de aire.

35. Conectar el alambre negativo del acumulador.

36. Llenar el circuito de enfriamiento.

37. Arrancar el vehículo y comprobar que no haya fugas de enfriante o de vacío.

Motor 3.1L

MODELOS 1995

▼ **PRECAUCIÓN** ▼

El sistema de inyección de combustible permanece bajo presión, incluso

después de haber desconectado (OFF) el contacto del motor. La presión del sistema de combustible debe liberarse antes de desconectar ningún tubo de combustible. Si no se hace así existe riesgo de incendio y/o lesiones personales.

1. Liberar la presión del sistema de combustible.

▼ **PRECAUCIÓN** ▼

Tener en cuenta todas las precauciones de seguridad aplicables al trabajar con combustible. Al revisar y hacer el mantenimiento del sistema de combustible, trabajar siempre en un espacio bien ventilado. No permitir que los vapores o pulverizaciones de combustible alcancen a una chispa o una llama. Tener un extintor de polvo seco cerca del lugar de trabajo. Almacenar siempre el combustible en un recipiente especialmente diseñado a este efecto. Asimismo, sellar siempre de forma adecuada los recipientes de combustible, para evitar la posibilidad de incendio o de explosión.

2. Desconectar el alambre negativo del acumulador.

3. Sacar la mitad superior del conjunto del filtro del aire y el ducto del cuerpo del ahogador.

▼ **PRECAUCIÓN** ▼

Nunca abrir, realizar el mantenimiento o purgar el radiador o el sistema de enfriamiento en caliente, ya que el vapor de agua y el enfriante caliente podrían producir graves quemaduras.

4. Drenar el sistema de enfriamiento y recuperar el enfriante.

5. Sacar el tubo del EGR del múltiple de escape.

6. Sacar la correa serpentina.

7. Sacar el tubo de vacío de los frenos de la cámara de admisión.

8. Desconectar los cables de control del cuerpo del ahogador y del soporte de montaje de la cámara de admisión.

9. Desconectar del soporte del alternador los tubos de la dirección asistida.

10. Sacar el alternador.

11. Desconectar los alambres de bujías de las bujías y de los retenedores de los alambres de la cámara de admisión.

12. Sacar el conjunto del encendido y el solenoide de purga del bote EVAP, conjuntamente.

13. Desconectar los conectores del haz de alambres superior del motor en los componentes siguientes:
   • Sensor de Posición del Ahogador (TPS).
   • Control del aire de marcha mínima (IAC).
   • Inyectores de combustible.
   • Sensor de temperatura del enfriante.
   • Sensor MAP.
   • Sensor de posición del árbol de levas (CMP).

14. Desconectar las líneas de vacío de los componentes siguientes:
   • Modulador de vacío.
   • Regulador de presión de combustible.
   • Válvula PCV.

15. Sacar el sensor MAP del múltiple superior de admisión.

16. Sacar los pernos de montaje del múltiple de admisión superior y sacar el múltiple.

17. Desconectar los tubos de combustible del raíl de combustible y del soporte de los tubos de combustible.

18. Instalar la herramienta especial de soporte de motores J-28467-A o equivalente.

19. Sacar el montaje derecho del motor.

20. Sacar los pernos de montaje de la dirección asistida y apoyar la bomba a un lado sin desconectar los tubos de la dirección asistida.

21. Desconectar el tubo de entrada del enfriante de la caja de salida del enfriante.

22. Sacar la manguera de desvío del enfriante de la bomba de agua y de la culata de cilindros.

23. Desconectar la manguera superior del radiador de la caja del termostato.

24. Sacar la caja del termostato.

25. Sacar ambas cubiertas de balancines.

26. Sacar los pernos del múltiple de admisión inferior. Asegurarse de que las arandelas de los cuatro pernos centrales se instalan en sus posiciones originales.

➡ Al sacar los componentes del tren de válvulas deben guardarse ordenados para su posterior instalación en sus respectivas posiciones originales.

27. Sacar las tuercas de retención de los balancines y sacar los balancines y los empujaválvulas.

28. Sacar el múltiple de admisión del motor.

Para instalar:

29. Limpiar los restos de material de junta de todas las superficies de contacto. Sacar

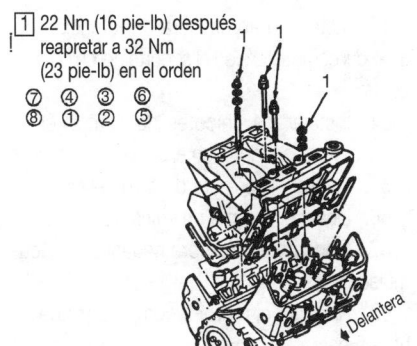

Secuencia de apriete de los pernos del múltiple de admisión – Motor 3.1L 1995

1 22 Nm (16 pie-lb) después reapretar a 32 Nm (23 pie-lb) en el orden
⑦ ④ ③ ⑥
⑧ ① ② ⑤
Delantera

todo el exceso de sellante RTV de los lomos delantero y trasero de la culata de cilindros.

30. Colocar un cordoncillo de RTV de 3 mm en cada borde, allí donde la parte delantera y trasera del múltiple de admisión contactan con el bloque de cilindros.

31. Usando una junta nueva, instalar el múltiple de admisión sobre el motor. Apretar los pernos uniforme y gradualmente en la secuencia correcta, primero a 16 pie-lb (22 Nm) y después a 23 pie-lb (32 Nm).

32. Instalar los empujaválvulas, balancines y tuercas de montaje. Asegurarse de que los empujaválvulas asientan correctamente dentro de los levantaválvulas y balancines.

33. Instalar las tuercas de los balancines y apretarlas a 18 pie-lb (24 Nm).

34. Instalar los pernos de sujeción del múltiple inferior de admisión. Aplicar un sellante PN 12345739 o equivalente, a los fileteados de los pernos, y apretar los pernos a 115 plg-lb (13 Nm).

35. Instalar la cubierta de balancines delantera.

36. Instalar la caja del termostato.

37. Conectar la manguera superior del radiador en la caja del termostato.

38. Instalar el tubo de entrada del enfriante en la caja del termostato.

39. Instalar el tubo de desvío del enfriante en la bomba del agua y en la culata de cilindros.

40. Instalar la bomba de la dirección asistida en el soporte de montaje.

41. Conectar el montaje del lado derecho del motor.

42. Sacar la herramienta especial de soporte del motor.

43. Conectar los tubos de combustible en el raíl del combustible y en el soporte.

44. Instalar el múltiple de admisión superior y apretar los pernos de montaje a 18 pie-lb (25 Nm).

45. Instalar el sensor MAP.

46. Instalar los conectores del haz de alambres superior del motor en los componentes siguientes:
- Sensor de Posición del Ahogador (TPS).
- Control de Aire en Vacío (IAC).
- Inyectores de combustible.
- Sensor de temperatura del enfriante.
- Sensor MAP.
- Sensor de posición del árbol de levas (CMP).

47. Conectar las líneas de vacío en los componentes siguientes:
- Modulador de vacío.
- Regulador de presión del combustible.
- Válvula PCV.

48. Instalar el solenoide de purga del bote EVAP y el conjunto de encendido.

49. Instalar el conjunto del alternador.

50. Conectar el tubo de la dirección asistida en el soporte del alternador.

51. Instalar la correa serpentina.

52. Conectar los alambres de bujías en las bujías y en el retenedor del múltiple de admisión superior.

53. Instalar el tubo EGR en el múltiple de escape.

54. Conectar los alambres de control en la palanca del cuerpo del ahogador y en el soporte de montaje del *plenum* (cámara) de admisión superior.

55. Instalar el conjunto de admisión de aire y la mitad superior del conjunto del filtro de aire.

56. Instalar el tubo de vacío de los frenos.

57. Llenar el sistema de enfriamiento.

58. Conectar el alambre negativo del acumulador.

59. Arrancar el motor y comprobar que no haya fugas.

MODELOS 1996

Estos vehículos tienen un múltiple de admisión en dos piezas. Estas piezas son de aluminio y por ello se debe tener cuidado al trabajar con estos componentes.

▼ PRECAUCIÓN ▼

El sistema de inyección de combustible permanece con presión, incluso después de que el contacto del motor se haya desconectado (OFF). La presión del sistema de combustible debe liberarse antes de desconectar ningún tubo de combustible. Si no se hace así existe riesgo de incendio y/o lesiones personales.

1. Desconectar el alambre negativo del acumulador.

▼ PRECAUCIÓN ▼

Tener en cuenta todas las precauciones de seguridad aplicables al trabajar con combustible. Al revisar y hacer el mantenimiento del circuito de combustible, trabajar siempre en un espacio bien ventilado. No permitir que los vapores o pulverizaciones de combustible alcancen a una chispa o una llama. Tener un extintor de polvo seco cerca del lugar de trabajo. Almacenar siempre el combustible en un recipiente especialmente diseñado a este efecto. Asimismo, sellar siempre de forma adecuada los recipientes de combustible, para evitar la posibilidad de incendio o de explosión.

2. Liberar la presión del sistema de combustible.

3. Sacar el conjunto del filtro de aire.

4. Sacar los chicotes del ahogador, del cuerpo del ahogador, y del soporte.

5. Sacar la abrazadera de retención del tubo del combustible del soporte de los cables (chicotes) de control.

6. Sacar del múltiple el soporte de los chicotes de control.

7. Etiquetar y desconectar las líneas de vacío del múltiple superior de admisión.

8. Sacar la válvula EGR.

9. Colocar las abrazaderas de la manguera de entrada del calefactor a un lado.

10. Sacar las tuercas de la bobina de encendido trasera.

11. Sacar las tuercas de la bobina de encendido delantera.

12. Sacar el clip del tubo de la dirección asistida del soporte del alternador.

13. Sacar el alternador y los soportes.

14. Desconectar las conexiones eléctricas del cuerpo del ahogador.

15. Sacar los pernos del múltiple de admisión superior y sacar el múltiple de admisión superior con el cuerpo del ahogador.

16. Sacar las mangueras de calefacción de los tubos del múltiple de admisión superior.

17. Sacar el raíl del combustible.

18. Desconectar la manguera del enfriante.

19. Sacar la bomba de la dirección asistida.

20. Sacar la manguera de calefacción de la caja del termostato.

21. Sacar la bobina de la ignición.

22. Sacar el puntal de montaje del motor.

23. Sacar las cubiertas de válvulas.

24. Sacar los pernos del múltiple de admisión inferior.

25. Sacar el múltiple de admisión inferior.

Para instalar:

26. Limpiar todos los restos de junta de las superficies de contacto. Después limpiar todas las superficies de sellado con un producto desengrasante y secarlo con aire comprimido.

27. Aplicar un pequeño cordón (0,08-0,11 plg) de sellante RTV en cada lomo donde el múltiple de admisión hace contacto con el bloque de cilindros.

28. Instalar la junta y colocar en su posición correcta el múltiple de admisión inferior.

29. Aplicar sellante GM P/N 12345382, o equivalente, al fileteado de los pernos del múltiple.

➡ **Al instalar los pernos del múltiple, se deben apretar los pernos verticales antes que los pernos diagonales. Si no se hace así pueden aparecer pérdidas de aceite.**

30. Apretar a mano los pernos verticales.

31. Apretar a mano los pernos diagonales.

32. Apretar los pernos verticales a 115 plg-lb (13 Nm).

33. Apretar los pernos diagonales a 115 plg-lb (13 Nm).

34. Instalar las cubiertas de válvulas.

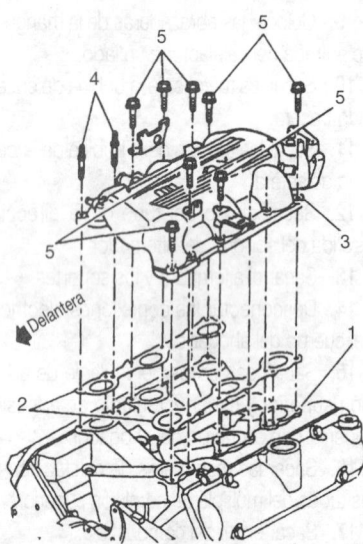

1. Múltiple de admisión inferior
2. Junta, múltiple de admisión superior
3. Múltiple de admisión superior
4. Espárrago, múltiple de admisión superior
5. Perno, múltiple de admisión superior

▲ **Montaje del múltiple de admisión superior – Motor 3.1L 1996**

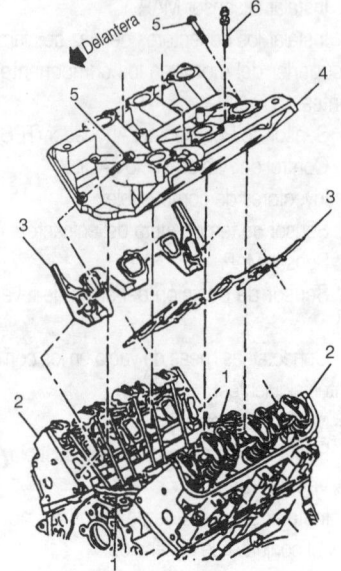

1. Aplicar sellante
2. Culata de cilindros
3. Junta, múltiple de admisión inferior
4. Múltiple de admisión inferior
5. Perno, múltiple de admisión inferior
6. Perno, múltiple de admisión inferior

▲ **Montaje del múltiple de admisión inferior – Motor 3.1L 1996**

35. Instalar el puntal de soporte del motor.

36. Instalar la bobina de encendido.

37. Instalar la manguera del calefactor en la caja del termostato.

38. Instalar la manguera superior del radiador.

39. Instalar la bomba de la dirección asistida.

40. Instalar los soportes del alternador.

41. Instalar el raíl del combustible y tubos.

42. Instalar la junta sobre el múltiple de admisión inferior y colocar en su posición el múltiple de admisión superior.

43. Conectar las mangueras de enfriante en los tubos del múltiple.

44. Instalar los pernos del múltiple de admisión superior y apretarlos a 18 pie-lb (25 Nm).

45. Conectar las conexiones eléctricas en el cuerpo del ahogador.

46. Instalar el tirante superior del alternador y el alternador.

47. Instalar el clip de la línea de la dirección asistida en el tirante del alternador.

48. Instalar las tuercas de montaje de la bobina.

49. Colocar correctamente las abrazaderas la manguera en el tubo de entrada del calefactor.

50. Instalar la válvula EGR.

51. Conectar las líneas de vacío en el múltiple de admisión superior.

52. Instalar el soporte del chicote de control y el resorte de retorno.

53. Instalar la abrazadera de retención del tubo del combustible en el soporte del chicote de control.

54. Instalar los chicotes de control en el cuerpo del ahogador y en el soporte.

55. Instalar el conjunto del filtro del aire.

56. Llenar el sistema de enfriamiento.

57. Conectar el alambre negativo del acumulador.

58. Arrancar el motor y comprobar que no haya fugas.

MÚLTIPLE DE ESCAPE

DESMONTAJE E INSTALACIÓN

Motor 2.2L

1. Desconectar el alambre negativo del acumulador.

2. Sacar el conjunto del filtro del aire y ducto del aire.

3. Sacar el ducto inferior de entrada de aire.

4. Sacar la banda de transmisión del motor.

5. Sacar el alternador.

6. Sacar el puntal de torque del motor del soporte del motor y del soporte de apoyo del radiador.

7. Sacar de la culata de cilindros el soporte del puntal de torque.

8. Sacar el soporte trasero del alternador.

9. Levantar el vehículo y apoyarlo de forma segura.

10. Sacar los dos pernos de fijación del tubo de escape en el múltiple de escape.

11. Bajar el vehículo.

12. Sacar el perno de montaje del tubo de la varilla de nivel y sacar el tubo y la varilla.

13. Desconectar el conector eléctrico del sensor de oxígeno (O$_2$).

14. Sacar los pernos de montaje del múltiple de escape.

15. Sacar el múltiple de escape.

Para instalar:

16. Limpiar completamente todas las superficies de empaque.

17. Instalar el múltiple de escape y apretar los pernos de montaje a 116 plg-lb (13 Nm), empezando por las dos lumbreras centrales y avanzando hacia el exterior.

18. Conectar el conector eléctrico del sensor de oxígeno (O$_2$).

19. Instalar el tubo de la varilla de nivel y los pernos de sujeción.

20. Levantar el vehículo y apoyarlo de forma segura.

21. Conectar el tubo de escape delantero en el múltiple de escape y apretar los pernos de montaje a 18 pie-lb (25 Nm).

22. Bajar el vehículo.

23. Instalar el soporte de apoyo trasero del alternador y apretar los tres pernos de montaje a 74 pie-lb (100 Nm).

24. Instalar el soporte del puntal de torque del motor y apretar las tuercas a 41 pie-lb (56 Nm) y el perno a 40 pie-lb (55 Nm).

25. Instalar el puntal de torque y apretar los pernos pasantes a 40 pie-lb (55 Nm).

26. Instalar el alternador.

27. Instalar la banda de transmisión.

28. Instalar el ducto inferior de entrada de aire.

29. Instalar el resonador de aire de entrada a la barra de conexión superior.

30. Instalar el conjunto del filtro del aire y el ducto.

31. Conectar el alambre negativo del acumulador.

32. Arrancar el motor y comprobar que no haya fugas en el escape.

Motor 3.1L

▼ PRECAUCIÓN ▼

El sistema de inyección de combustible permanece bajo presión, incluso después de haber desconectado (OFF) el contacto del motor. La presión del sistema de combustible debe liberarse antes de desconectar ningún tubo de combustible. Si no se hace así existe riesgo de incendio y/o lesiones personales.

LADO IZQUIERDO (DELANTERO)

▼ PRECAUCIÓN ▼

Tener en cuenta todas las precauciones de seguridad aplicables al trabajar con combustible. Al revisar y hacer el mantenimiento del sistema de combustible, trabajar siempre en un espacio bien ventilado. No permitir que los vapores o pulverizaciones de combustible alcancen a una chispa o una llama. Tener un extintor de polvo seco cerca del lugar de trabajo. Almacenar siempre el combustible en un recipiente especialmente diseñado a este efecto. Asimismo, sellar siempre de forma adecuada los recipientes de combustible, para evitar la posibilidad de incendio o de explosión.

1. Liberar la presión del sistema de combustible.

2. Desconectar el alambre negativo del acumulador.

▼ PRECAUCIÓN ▼

Nunca abrir, realizar mantenimientos o purgar el radiador o el sistema de enfriamiento en caliente, ya que el vapor de agua y el enfriante caliente podrían producir graves quemaduras.

3. Drenar el enfriante del motor.

4. Desconectar los conectores eléctricos y las mangueras de calefacción del cuerpo del ahogador.

5. Sacar del múltiple de admisión el cuerpo del ahogador.

6. Desconectar los tubos del combustible y colocarlos a un lado.

7. Desconectar la manguera del enfriante de la caja del termostato.

8. Sacar el protector térmico del tubo de escape cruzado, luego sacar el tubo de escape cruzado.

9. Sacar el puntal de torque del motor.

10. Si el vehículo está equipado con aire acondicionado, realizar las siguientes tareas:

a. Recuperar el líquido refrigerante del acondicionador de aire, usando un equipo de recuperación homologado.

b. Sacar la cubierta de la correa serpentina y la correa.

c. Sacar los pernos de montaje delanteros del compresor.

d. Sacar los dos pernos de la parte superior del soporte de montaje del compresor.

e. Levantar el vehículo y apoyarlo de forma segura.

f. Desconectar los tubos del acondicionador de aire de la parte trasera del compresor.

g. Desconectar el conector eléctrico del compresor.

h. Sacar los pernos traseros de montaje del compresor.

i. Sacar del vehículo el conjunto del compresor.

j. Sacar los pernos inferiores del soporte de montaje.

k. Sacar el soporte de montaje del compresor.

l. Bajar el vehículo.

11. Sacar las tuercas de retención del múltiple de escape y el múltiple de escape.

Para instalar:

12. Limpiar a fondo todos los restos de material de junta de las superficies de sellado de empaque del múltiple y de la culata de cilindros.

13. Instalar el múltiple de escape y las tuercas de retención. Apretar las tuercas de retención a 18 pie-lb (25 Nm).

14. Si el vehículo está equipado con acondicionador de aire, realizar las siguientes tareas:

a. Levantar el vehículo y apoyarlo de forma segura.

b. Instalar los pernos inferiores del soporte de montaje y apretar a 35 pie-lb (47 Nm).

c. Colocar el conjunto del compresor en el soporte de montaje.

d. Instalar los pernos del montaje trasero del compresor y apretar a 18 pie-lb (25 Nm).

e. Conectar el conector eléctrico en el compresor.

f. Usando juntas tóricas nuevas, conectar los tubos del acondicionador de aire a la parte trasera del compresor. Apretar el perno de montaje a 24 pie-lb (35 Nm).

g. Bajar el vehículo.

h. Instalar los pernos de montaje delantero del compresor y apretarlos a 37 pie-lb (50 Nm).

i. Instalar los dos pernos en la parte superior del soporte de montaje del compresor y apretarlos a 35 pie-lb (47 Nm).

j. Instalar la correa serpentina y la cubierta de la correa.

15. Instalar el puntal de torque y apretar a 39 pie-lb (53 Nm).

16. Conectar el tubo de escape cruzado en el múltiple y apretar las tuercas de retención a 18 pie-lb (25 Nm).

17. Instalar el protector térmico y apretar los pernos a 89 plg-lb (10 Nm).

18. Conectar la manguera del enfriante en la caja del termostato y fijarla con la abrazadera de retención.

19. Conectar los tubos de combustible.

20. Instalar el cuerpo del ahogador en el múltiple de admisión.

21. Conectar las mangueras de enfriante y los alambres eléctricos en el cuerpo del ahogador.

22. Rellenar con enfriante de motor y purgar el sistema de enfriamiento, según sea preciso.

23. Siguiendo los procedimientos apropiados, evacuar y recargar el circuito de aire acondicionado.

24. Conectar el alambre negativo del acumulador.

25. Arrancar el motor y comprobar que no haya fugas de enfriante, de combustible, de líquido refrigerante ni en el escape.

LADO DERECHO (TRASERO)

▼ PRECAUCIÓN ▼

Tener en cuenta todas las precauciones de seguridad aplicables al trabajar con combustible. Al revisar y hacer el mantenimiento del sistema de combustible, trabajar siempre en un espacio bien ventilado. No permitir que los vapores o pulverizaciones de combustible alcancen a una chispa o una llama. Tener un extintor de polvo seco cerca del lugar de trabajo. Almacenar siempre el combustible en un recipiente especialmente diseñado a este efecto. Asimismo, sellar siempre de forma adecuada los recipientes de combustible, para evitar la posibilidad de incendio o de explosión.

1. Liberar la presión del sistema de combustible.

2. Desconectar el alambre negativo del acumulador.

▼ PRECAUCIÓN ▼

Nunca abrir, realizar el mantenimiento o purgar el radiador o el sistema de enfriamiento en caliente, ya que el vapor de agua y el enfriante caliente podrían producir graves quemaduras.

3. Drenar el enfriante del motor.

4. Desconectar los conectores eléctricos y las mangueras del calefactor del cuerpo del ahogador.

5. Sacar del múltiple de admisión el cuerpo del ahogador.

6. Desconectar los tubos del combustible y colocarlos a un lado.

7. Desconectar la manguera del enfriante de la caja del termostato.

8. Desconectar del múltiple el tubo EGR.

9. Sacar el protector térmico del tubo de escape cruzado, luego sacar el tubo cruzado.

10. Desconectar el conector eléctrico del sensor de oxígeno y sacar el sensor.

11. Sacar el protector térmico superior del múltiple de escape.

12. Levantar el vehículo y apoyarlo de forma segura.

13. Desconectar del múltiple el tubo de escape delantero (convertidor).

14. Sacar la varilla de nivel de la transmisión automática y el tubo de llenado, de la transmisión automática.

15. Sacar el protector térmico inferior del múltiple de escape.

16. Sacar las tuercas de retención del múltiple de escape y el múltiple de escape.

Para instalar:

17. Limpiar a fondo todos los restos de material de junta de las superficies de contacto del múltiple y de la culata de cilindros.

18. Instalar el múltiple de escape y las tuercas de retención. Apretar las tuercas de retención a 18 pie-lb (25 Nm).

19. Instalar el protector térmico inferior del múltiple de escape y apretar los pernos a 89 plg-lb (10 Nm).

20. Instalar el tubo de llenado y la varilla de nivel de la transmisión.

21. Conectar el tubo de escape delantero en el conjunto del múltiple y apretar los pernos a 22 pie-lb (30 Nm).

22. Bajar el vehículo.

23. Instalar el protector térmico superior del múltiple y apretar los pernos a 89 plg-lb (10 Nm).

24. Instalar el sensor de oxígeno y conectar los alambres.

25. Conectar el tubo de escape cruzado al múltiple y apretar las tuercas de retención a 18 pie-lb (25 Nm).

26. Instalar el protector térmico del tubo de escape cruzado y apretar los pernos a 89 plg-lb (10 Nm).

27. Conectar la manguera superior del radiador a la caja del termostato y fijarla con la abrazadera de retención.

28. Conectar los tubos del combustible.

29. Conectar el tubo EGR en el múltiple.

30. Instalar el cuerpo del ahogador en el múltiple de admisión.

31. Conectar las mangueras de enfriante y los alambres eléctricos en el cuerpo del ahogador.

32. Llenar con enfriante de motor y purgar el sistema de enfriamiento según sea preciso.

33. Conectar el alambre negativo del acumulador.

34. Arrancar el motor y comprobar que no haya fugas de enfriante, de combustible, de líquido enfriante ni en el escape.

ÁRBOL DE LEVAS Y LEVANTAVÁLVULAS

DESMONTAJE E INSTALACIÓN

▼ PRECAUCIÓN ▼

Algunos modelos cubiertos por este manual pueden ir equipados con un Sistema Restringido Suplementario (SRS), que usa un air bag. Siempre que se trabaje cerca de alguno de los componentes del SRS, como los sensores de impacto, el módulo del air bag, la columna de la dirección y el panel de instrumentos, desactivar adecuadamente el SRS.

Motor 2.2L

Tener en cuenta que se debe sacar el motor del vehículo siguiendo este procedimiento. Tener cuidado cuando se desmonten los componentes del tren de válvulas. Cualquier parte que vaya a ser utilizada otra vez deberá montarse en su posición original. Además, si se sustituye el árbol de levas, se deberán instalar todos los levantaválvulas nuevos. Instalar los usados en un árbol de levas nuevo provocará el fallo del árbol de levas.

▼ PRECAUCIÓN ▼

El sistema de inyección de combustible permanece bajo presión, incluso después de haber desconectado (OFF) el contacto del motor. La presión del sistema de combustible debe liberarse antes de desconectar ningún tubo de combustible. Si no se hace así existe riesgo de incendio y/o lesiones personales.

1. Desconectar el alambre negativo del acumulador.

▼ PRECAUCIÓN ▼

Tener en cuenta todas las precauciones de seguridad aplicables al trabajar con combustible. Al revisar y hacer el mantenimiento del sistema de combustible, trabajar siempre en un espacio bien ventilado. No permitir que los vapores o pulverizaciones de combustible alcancen a una chispa o una llama. Tener un extintor de polvo seco cerca del lugar de trabajo. Almacenar siempre el combustible en un recipiente especialmente diseñado a este efecto. Asimismo, sellar siempre de forma adecuada los recipientes de combustible, para evitar la posibilidad de incendio o de explosión.

2. Liberar la presión del sistema de combustible.

3. Sacar el conjunto del motor del vehículo siguiendo el procedimiento recomendado. Mon-

tar el conjunto del motor sobre un soporte de motores adecuado.

4. Sacar la correa serpentina.

5. Sacar el conjunto tensor de la correa serpentina con el alternador acoplado a él.

6. Sacar el soporte del puntal y el soporte trasero del alternador.

7. Sacar el soporte de montaje delantero del motor.

8. Sacar el tubo indicador del nivel de aceite.

▼ PRECAUCIÓN ▼

La autoridad sanitaria advierte que el contacto prolongado con aceite de motor usado puede causar algunos trastornos en la piel e incluso cáncer. Por ello deberá intentar reducir al mínimo su contacto con el aceite usado. Deben usarse guantes de protección al cambiar el aceite. Debe limpiarse, tan rápido como sea posible, las manos y cualquier otra parte de la piel expuestas al aceite usado de motor. Debe usarse jabón y agua, o limpiador de manos libre de agua.

9. Drenar el aceite del motor en un recipiente adecuado.

10. Sacar el depósito del aceite.

11. Sacar el equilibrador del cigüeñal y cubierta delantera.

12. Sacar la cadena de sincronización y el piñón del árbol de levas.

13. Desconectar los alambres de bujías.

14. Sacar el sensor de posición del árbol de levas.

15. Sacar la cubierta de balancines.

➡ **Al sacar los componentes del tren de válvulas se deberán guardar ordenados para ser posteriormente montados en las posiciones originales respectivas de las que fueron desmontados.**

16. Sacar las tuercas de balancines, balancines, rótulas y empujaválvulas.

17. Sacar el soporte de la bomba de la dirección asistida.

18. Sacar la culata de cilindros con los múltiples de admisión y escape acoplados.

19. Sacar el soporte antirrotación y los levantaválvulas. Un imán puede ser de ayuda al sacar los levantaválvulas de la culata de cilindros. Asegurarse de guardar los levantaválvulas en orden. Deberán instalarse en sus posiciones originales.

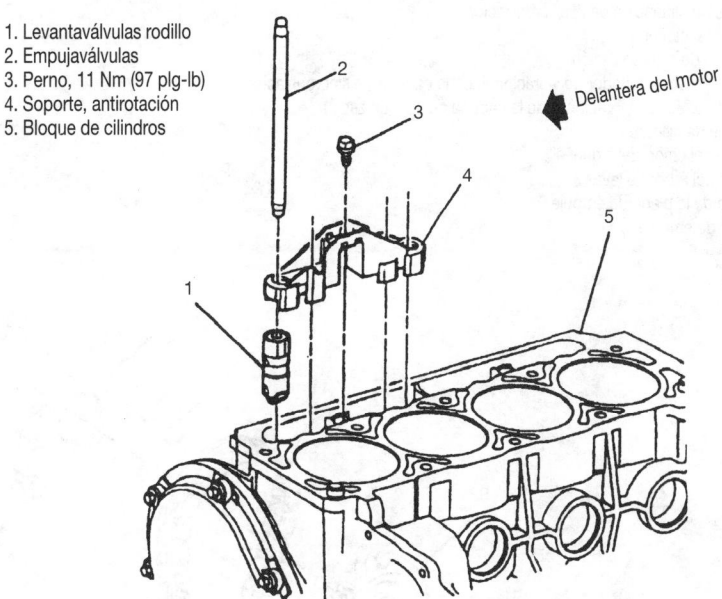

1. Levantaválvulas rodillo
2. Empujaválvulas
3. Perno, 11 Nm (97 plg-lb)
4. Soporte, antirotación
5. Bloque de cilindros

Delantera del motor

▲ Sacar los levantaválvulas después de sacar el soporte de antirotación – Motor 2.2L

20. Sacar los pernos de montaje de la placa de empuje del árbol de levas y sacar la placa de empuje.

21. Sacar el conjunto propulsor de la bomba de aceite.

22. Sacar con cuidado el árbol de levas del motor.

Para instalar:

23. Cubrir las levas del árbol de levas y los cojinetes con el suplemento de aceite de motor GM (EOS) N° 1051396, o lubricante de extrema presión para árboles de levas equivalente, e insertar con cuidado el árbol de levas en el motor.

24. Instalar el conjunto propulsor de la bomba de aceite.

25. Instalar la placa de empuje y apretar los pernos de montaje a 106 plg-lb (12 Nm).

26. Instalar los levantaválvulas en sus posiciones originales.

27. Instalar los soportes antirrotación en los levantaválvulas. Apretar el perno a 97 plg-lb (11 Nm).

28. Instalar los conjuntos de los múltiples y culatas de cilindros.

29. Instalar el soporte de la bomba de la dirección asistida.

30. Instalar los empujaválvulas, balancines, rótulas y tuercas de balancines. Apretar las tuercas a 22 pie-lb (30 Nm).

31. Instalar la cubierta de balancines.

32. Conectar los alambres de bujías.

33. Instalar el sensor de posición del árbol de levas.

34. Instalar la cadena de sincronización y el piñón del árbol de levas. Comprobar que las marcas de alineación del árbol de levas y del piñón del cigüeñal están correctamente alineadas.

35. Instalar la cubierta delantera de la cadena de sincronización y el equilibrador del cigüeñal.

36. Instalar el depósito de aceite.

37. Instalar el tubo del indicador de nivel del aceite.

38. Instalar el soporte delantero del motor, el soporte trasero del alternador y el soporte del puntal.

39. Instalar el tensor de la correa de propulsión y el conjunto del alternador e instalar la correa serpentina.

40. Instalar el conjunto del motor en el vehículo.

41. Instalar el filtro de aceite y llenar de aceite.

▼ AVISO ▼

Hacer funcionar el motor con un tipo o cantidad de aceite de motor inapropiados provocará daños severos en el motor.

42. Conectar el alambre negativo del acumulador.

43. Llenar el cárter del cigüeñal con el aceite de motor recomendado y el sistema de enfriamiento con una mezcla 50-50 de agua y anticongelante.

44. Arrancar el vehículo y comprobar que no haya fugas.

A. Marcas de alineación de la sincronización
24. Piñón del cigüeñal
25. Cadena de sincronización
50. Perno del amortiguador de vibraciones de la cadena de sincronización
51. Amortiguador de vibraciones de la cadena de sincronización
52. Bloque de cilindros
91. Perno del piñón del cigüeñal
92. Piñón del árbol de levas
93. Perno de la placa de empuje
94. Placa de empuje

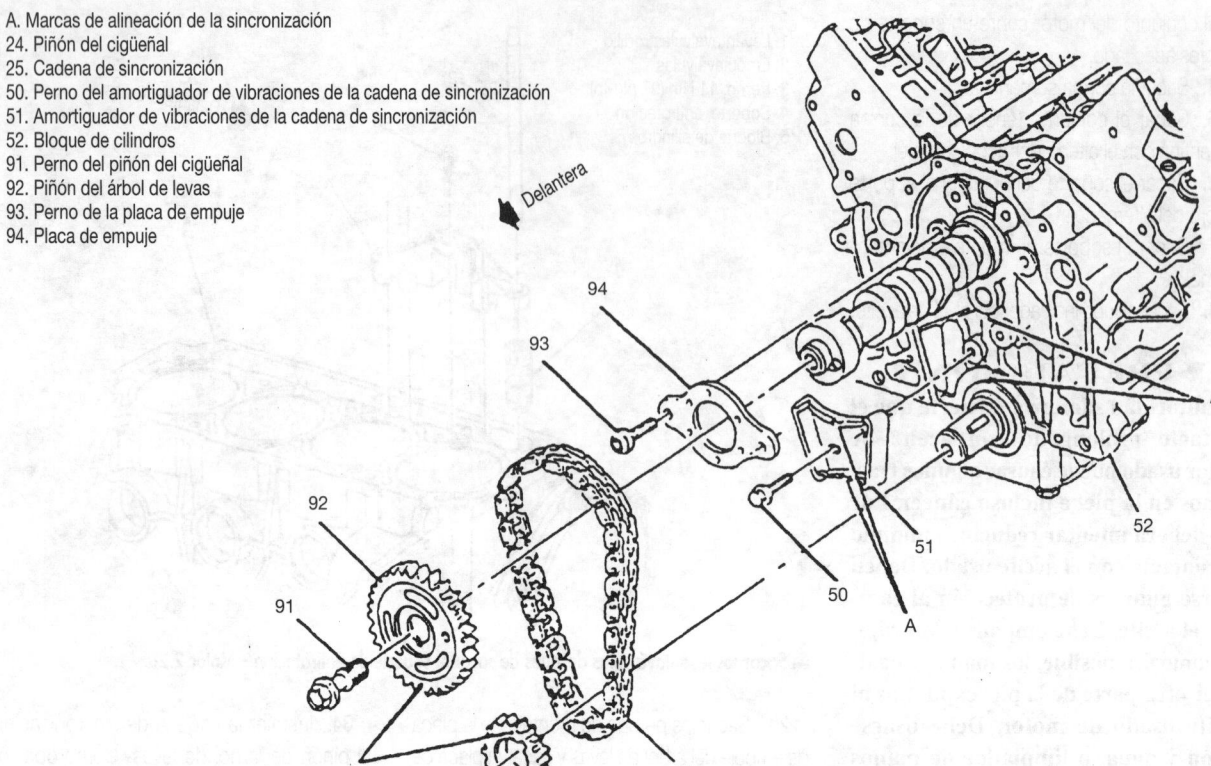

▲ Montaje del árbol de levas y de la cadena de sincronización – Motor 3.1L

Motor 3.1L

Tener en cuenta que se debe sacar el motor del vehículo para llevar a cabo este procedimiento. Al sacar los componentes del tren de válvulas, cualquier pieza que vaya a ser utilizada otra vez tiene que ser colocada de nuevo en su posición original. Disponer todas las piezas de forma ordenada y marcarlas para su posterior identificación. Además, si se va a reemplazar el árbol de levas, todos los levantaválvulas deberán ser reemplazados. En caso contrario, el árbol de levas sufriría un rápido desgaste.

▼ PRECAUCIÓN ▼

El sistema de inyección de combustible permanece bajo presión, incluso después de haber desconectado (OFF) el contacto del motor. La presión del sistema de combustible debe liberarse antes de desconectar ningún tubo de combustible. Si no se hace así existe riesgo de incendio y/o lesiones personales.

1. Liberar la presión del sistema de combustible.

▼ PRECAUCIÓN ▼

Tener en cuenta todas las precauciones de seguridad aplicables al trabajar con combustible. Al revisar y hacer el mantenimiento del sistema de combustible, trabajar siempre en un espacio bien ventilado. No permitir que los vapores o pulverizaciones de combustible alcancen a una chispa o una llama. Tener un extintor de polvo seco cerca del lugar de trabajo. Almacenar siempre el combustible en un recipiente especialmente diseñado a este efecto. Asimismo, sellar siempre de forma adecuada los recipientes de combustible, para evitar la posibilidad de incendio o de explosión.

2. Desconectar el alambre negativo del acumulador.

3. Sacar el conjunto del motor.

4. Sacar el múltiple de admisión, cubierta de válvulas, balancines, empujaválvulas y levantaválvulas.

5. Sacar el equilibrador del cigüeñal y la tapa delantera.

6. Sacar la cadena de sincronización y los piñones.

7. Sacar el perno de montaje del engrane de la bomba de aceite y sacar el engrane de la bomba de aceite.

8. Sacar los dos pernos y sacar la placa de empuje del árbol de levas.

9. Sacar con cuidado el árbol de levas. Impedir que se dañen las superficies de los cojinetes del árbol de levas.

Para instalar:

10. Cubrir el árbol de levas con lubricante GM N° 1052365 o lubricante de extrema presión para árbol de levas equivalente, o suplemento de aceite de motor de calidad e instalar el árbol de levas.

11. Instalar la placa de empuje del árbol de levas y apretar los pernos de montaje a 89 plg-pie (10 Nm).

12. Instalar el engrane de la bomba de aceite y apretar el perno de montaje a 27 pie-lb (36 Nm).

13. Instalar la cadena y el piñón de sincronización.

14. Instalar el botón de empuje del árbol de levas y la tapa delantera.

15. Instalar el equilibrador del cigüeñal y apretar el perno a 76 pie-lb (103 Nm).

16. Instalar el múltiple de admisión, cubierta de válvulas, balancines, empujaválvulas y levantaválvulas.

17. Instalar el conjunto del motor.

18. Conectar el alambre negativo del acumulador.

▼ AVISO ▼

Hacer funcionar el motor con un tipo o cantidad de aceite de motor inapropiados provocará daños severos en el motor.

19. Llenar el cárter del cigüeñal con aceite nuevo.

20. Ajustar las válvulas, tal como sea preciso.

21. Arrancar el motor y comprobar que no haya fugas.

HOLGURA DE VÁLVULAS

AJUSTE

➡ Los motores 2.2L y 3.1L están equipados con levantaválvulas hidráulicos que no precisan ajuste periódico. Si las válvulas hacen ruido, inspeccionar los empujaválvulas, balancines y puntas de los vástagos de válvulas por si presentan un desgaste excesivo.

DEPÓSITO DE ACEITE

DESMONTAJE E INSTALACIÓN

Motor 2.2L

1. Desconectar el terminal negativo de la batería.

2. Sacar el conjunto del filtro del aire y ducto de aire.

3. Sacar la correa serpentina.

4. Sacar el puntal de torque del motor.

5. Instalar el dispositivo de soporte de motores J-28467-A.

6. Levantar el vehículo y apoyarlo de forma segura.

7. Sacar el conjunto de la rueda y el neumático delantero derecho.

8. Sacar el protector contra salpicaduras interior del guardabarros derecho.

9. Sacar los pernos de la cubierta del volante.

10. Desconectar y sacar el motor de arranque y el soporte del motor de arranque.

11. Sacar la cubierta del volante.

12. Sacar el tubo de escape y el convertidor.

13. Sacar los pernos de montaje del compresor del acondicionador de aire y dejar el compresor a un lado sin desconectar los tubos de refrigerante.

14. Sacar del bastidor las tuercas delanteras de montaje del motor.

15. Sacar del motor los pernos delanteros de soporte del motor.

16. Bajar el vehículo.

17. Levantar el motor unas 3 plg (76 mm) usando el dispositivo de soporte.

18. Levantar y apoyar el vehículo de forma segura.

▼ PRECAUCIÓN ▼

La autoridad sanitaria advierte que el contacto prolongado con aceite de motor usado puede causar algunos trastornos en la piel e incluso cáncer. Por ello deberá intentar reducir al mínimo su contacto con el aceite usado. Deben usarse guantes de protección al cambiar el aceite. Debe limpiarse, tan rápido como sea posible, las manos y cualquier otra parte de la piel expuestas al aceite usado de motor. Debe usarse jabón y agua, o limpiador de manos libre de agua.

19. Drenar el aceite del motor.

20. Sacar el soporte de montaje delantero del motor.

21. Sacar las tuercas y pernos de montaje del depósito de aceite.

22. Sacar el depósito de aceite.

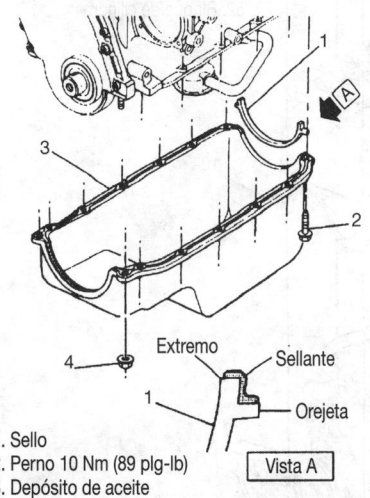

1. Sello
2. Perno 10 Nm (89 plg-lb)
3. Depósito de aceite
4. Tuerca del depósito de aceite 10 Nm (89 plg-lb)

▲ **Montaje del depósito de aceite – Motor 2.2L**

Para instalar:

23. Limpiar completamente todas las superficies de empaque.

24. Aplicar un fino cordón de sellante alrededor del borde exterior del depósito de aceite y en las esquinas de los sellos de los extremos.

25. Colocar la junta del depósito de aceite sobre el sellante.

26. Instalar el depósito de aceite sobre el motor e instalar todos los pernos y tuercas sin apretarlos.

27. Apretar las tuercas y los pernos a 89 plg-lb (10 Nm).

28. Instalar el soporte de montaje delantero del motor e instalar los pernos del montaje al motor sin apretarlos.

29. Bajar el vehículo.

30. Bajar el motor dentro de su posición.

31. Levantar y apoyar el vehículo de forma segura.

32. Apretar los pernos delanteros de montaje del motor.

33. Instalar las tuercas de montaje del motor a 33 pie-lb (45 Nm).

34. Instalar el compresor del acondicionador de aire en el soporte de montaje y apretar a 37 pie-lb (50 Nm).

35. Instalar el tubo de escape y el convertidor.

36. Conectar el motor de arranque e instalar el motor de arranque y el soporte de montaje.

37. Instalar la cubierta del volante y los pernos de montaje de la cubierta.

38. Instalar el protector contra salpicaduras del guardabarros derecho.

39. Instalar el conjunto de la rueda y el neumático delantero derecho y apretar según especificaciones.

40. Bajar el vehículo.

41. Sacar el dispositivo de soporte del motor.

42. Instalar el puntal de torque del motor.

▼ AVISO ▼

Hacer funcionar el motor con un tipo o cantidad de aceite de motor inapropiados provocará daños severos en el motor.

43. Llenar la caja del cigüeñal con aceite.

44. Instalar la correa serpentina.

45. Instalar el conjunto del filtro de aire y ducto de aire.

46. Conectar el alambre negativo del acumulador.

47. Arrancar el vehículo y comprobar que no haya fugas.

Motor 3.1L

MODELOS 1995

1. Desconectar el alambre negativo del acumulador.

2. Sacar la correa serpentina y el tensor.

3. Apoyar el motor con una herramienta J-28467 o equivalente.

▼ PRECAUCIÓN ▼

La autoridad sanitaria advierte que el contacto prolongado con aceite de motor usado puede causar algunos trastornos en la piel e incluso cáncer. Por ello deberá intentar reducir al mínimo su contacto con el aceite usado. Deben usarse guantes de protección al cambiar el aceite. Debe limpiarse, tan rápido como sea posible, las manos y cualquier otra parte de la piel expuestas al aceite usado de motor. Debe usarse jabón y agua, o limpiador de manos libre de agua.

4. Levantar y apoyar el vehículo de forma segura. Drenar el aceite del motor.

5. Sacar el conjunto de la rueda y el neumático delantero derecho. Sacar el protector contra salpicaduras interior del guardabarros derecho.

6. Sacar el perno de presión del mecanismo de la dirección. Sacar los pernos de retención del soporte de la transmisión. Si no se desconecta el eje intermedio del vástago del eje de la cremallera y piñón, puede dañarse el mecanismo de la dirección y/o del eje intermedio. Esto puede provocar una pérdida de control de la dirección que puede resultar en graves lesiones personales.

7. Sacar las tuercas de montaje entre el motor y la cuna del bastidor. Sacar del bloque de cilindros el soporte abrazadera (collar) delantero del motor.

8. Sacar el protector del motor de arranque y la cubierta del volante. Sacar el motor de arranque.

9. Aflojar, pero no sacar, los pernos traseros del motor a la cuna/bastidor. Sacar el conector eléctrico en el sensor DIS, si dispone de él.

10. Sacar los pernos delanteros de la cuna/bastidor y del frontal inferior del bastidor. Sacar los pernos y las tuercas de retención del depósito de aceite. Sacar el depósito de aceite.

Para instalar:

11. Limpiar las superficies de contacto de empaque.

12. Instalar una junta nueva en el depósito de aceite. Aplicar sellante de silicona a la parte del depósito en contacto con la parte trasera del bloque de cilindros.

13. Instalar el depósito de aceite, las tuercas y los pernos de retención. Apretar los pernos traseros a 18 pie-lb (25 Nm), y el resto de pernos y tuercas a 89 plg-lb (10 Nm).

14. Instalar los pernos delanteros de la cuna/bastidor y apretar los pernos traseros de la cuna/bastidor. Instalar el conector DIS, si dispone de él. Instalar el motor de arranque y el protector contra salpicaduras. Instalar el protector del volante.

15. Acoplar el soporte abrazadera (collar) en el bloque de cilindros, instalar las tuercas del motor a la cuna del bastidor. Instalar las tuercas de soporte de la transmisión.

16. Instalar el perno de presión de la dirección. Instalar el protector contra salpicaduras del guardabarros interior derecho y el conjunto del neumático. Bajar el vehículo.

17. Sacar la herramienta de apoyo del motor. Instalar la correa serpentina y el tensor.

▼ AVISO ▼

Hacer funcionar el motor con un tipo o cantidad de aceite de motor inapropiados provocará daños severos en el motor.

18. Llenar el cárter del cigüeñal hasta el nivel correcto. Conectar el alambre negativo del acumulador. Arrancar el motor y hacerlo funcionar a temperatura normal de marcha y comprobar que no haya fugas.

MODELOS 1996

1. Desconectar el alambre negativo del acumulador.

2. Instalar el dispositivo de soporte de motores J-28467-A o equivalente.

3. Sacar el perno del puntal de soporte del motor.

4. Levantar el vehículo y apoyarlo de forma segura.

▼ PRECAUCIÓN ▼

La autoridad sanitaria advierte que el contacto prolongado con aceite de motor usado puede causar algunos trastornos en la piel e incluso cáncer. Por ello deberá intentar reducir al mínimo su contacto con el aceite usado. Deben usarse guantes de protección al cambiar el aceite. Debe limpiarse, tan rápido como sea posible, las manos y cualquier otra parte de la piel expuestas al aceite usado de mo-

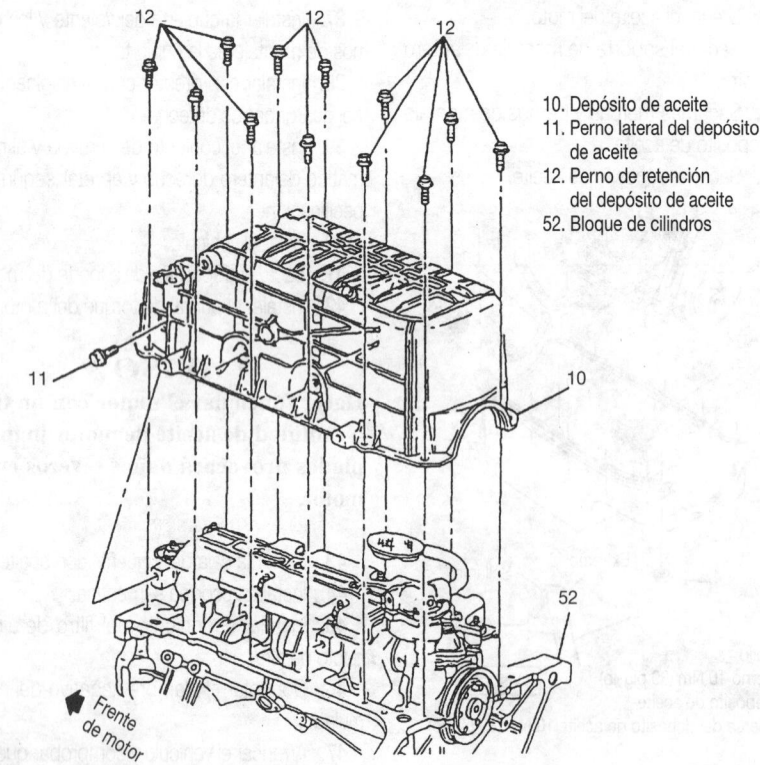

10. Depósito de aceite
11. Perno lateral del depósito de aceite
12. Perno de retención del depósito de aceite
52. Bloque de cilindros

Frente de motor

▲ Montaje del depósito de aceite – Motor 3.1L

tor. Debe usarse jabón y agua, o limpiador de manos libre de agua.

5. Drenar el aceite del motor dentro de un recipiente adecuado.

6. Sacar los pernos del protector contra el goteo de aceite y el protector contra el goteo.

7. Sacar el soporte del motor.

8. Sacar las tuercas del soporte de la transmisión.

9. Desconectar el tubo de escape del múltiple de escape.

10. Levantar el motor usando las herramientas especiales J-28467-A y J-36462 o equivalentes.

11. Bajar el vehículo.

12. Colocar apoyos bajo el bastidor en los travesaños centrales delantero y trasero.

13. Aflojar los pernos traseros del bastidor, pero sin sacarlos.

14. Sacar los pernos delanteros del bastidor y bajar la parte delantera del bastidor.

15. Sacar los pernos del soporte de montaje delantero del motor, el soporte y el montaje.

16. Desconectar los alambres eléctricos del motor de arranque y sacar el motor de arranque.

17. Sacar los soportes del depósito de aceite.

18. Sacar los pernos de retención del depósito de aceite y sacar el depósito de aceite.

19. Si es preciso, saca el desviador del aceite.

➡ Limpiar todas las superficies de contacto de empaque.

Para instalar:
➡ Aplicar una pequeña cantidad de sellante RTV en cada lado del sombrerete del cojinete principal trasero, donde la superficie de sellado en el sombrerete se encuentra con el bloque de cilindros.

20. Si se había sacado, instalar el desviador del aceite y apretar las tuercas de montaje a 18 pie-lb (25 Nm).

21. Instalar la junta y el depósito de aceite y apretar a mano los pernos de retención.

22. Después de haber apretado todos los pernos a mano, apretarlos a 18 pie-lb (25 Nm). Apretar los pernos laterales a 37 pie-lb (50 Nm).

23. Instalar los soportes eléctricos en el depósito.

24. Instalar el motor de arranque y conectar los alambres eléctricos.

25. Instalar el soporte del montaje del motor y el montaje.

26. Instalar los pernos de soporte del montaje delantero del motor.

27. Levantar el bastidor hasta su posición correcta. Usando pernos nuevos apretar a 76 pie-lb (103 Nm).

28. Sacar los apoyos.

29. Levantar el vehículo y apoyarlo de forma segura.

30. Bajar el motor a su posición correcta.

31. Instalar el tubo de escape en el múltiple de escape.

32. Instalar las tuercas de soporte de la transmisión.

33. Instalar el soporte del motor.

34. Instalar la protección contra el goteo de aceite.

35. Bajar el vehículo.

▼ AVISO ▼
Hacer funcionar el motor con un tipo o cantidad de aceite de motor inapropiados provocará daños severos en el motor.

36. Llenar el cárter del cigüeñal con aceite nuevo de motor.

37. Instalar el perno del puntal de soporte del motor.

38. Sacar la herramienta de apoyo de motores.

39. Conectar el alambre negativo del acumulador.

40. Arrancar el motor y comprobar que no haya fugas.

BOMBA DE ACEITE

DESMONTAJE E INSTALACIÓN

Motor 2.2L

1. Desconectar el alambre negativo del acumulador.

2. Levantar el vehículo y apoyarlo de forma segura.

▼ PRECAUCIÓN ▼
La autoridad sanitaria advierte que el contacto prolongado con aceite de motor usado puede causar algunos trastornos en la piel e incluso cáncer. Por ello deberá intentar reducir al mínimo su contacto con el aceite usado. Deben usarse guantes de protección al cambiar el aceite. Debe limpiarse, tan rápido como sea posible, las manos y cual-

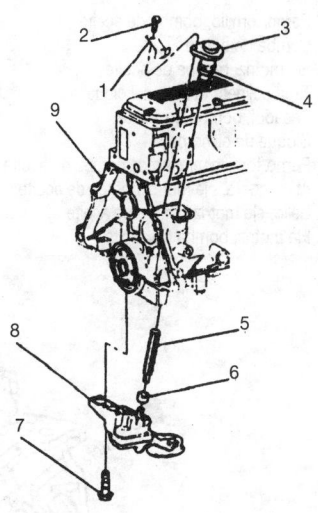

1. Soporte
2. Perno
3. Conjunto motriz de la bomba de aceite
4. Junta tórica
5. Eje
6. Retenedor; calentarlo y empapar de agua antes de su instalación
7. Perno
8. Bomba de aceite
9. Bloque de cilindros

▲ Montaje de la bomba del aceite – Motor 2.2L

quier otra parte de la piel expuestas al aceite usado de motor. Debe usarse jabón y agua, o limpiador de manos libre de agua.

3. Drenar el aceite del motor en un recipiente adecuado.

4. Sacar los pernos del depósito de aceite al motor y el depósito de aceite.

5. Sacar el perno de la bomba de aceite al sombrerete del cojinete principal trasero, la bomba de aceite y el árbol de extensión.

Para instalar:
▼ AVISO ▼
Calentar el retenedor del árbol de extensión en agua caliente antes de su montaje. Asegurarse de que el retenedor no se rompe o agrieta al instalarlo.

6. Instalar el árbol de extensión, bomba de aceite y perno de la bomba de aceite en el sombrerete del cojinete principal trasero. Apretar el perno de la bomba de aceite al sombrerete del cojinete principal trasero a 32 pie-lb (43 Nm) y el perno superior de la bomba de aceite a 18 pie-lb (25 Nm).

14. Perno/tornillo, bomba de aceite
15. Bomba de aceite
16. Eje motriz, bomba de aceite
18. Tapa cojinete trasero del cigüeñal
19. Pasador, bomba de aceite
52. Bloque de cilindros
240. Perno/tornillo, eje motriz bomba de aceite
241. Abrazadera, eje motriz bomba de aceite
242. Sello, eje motriz bomba de aceite
243. Eje motriz, bomba de aceite

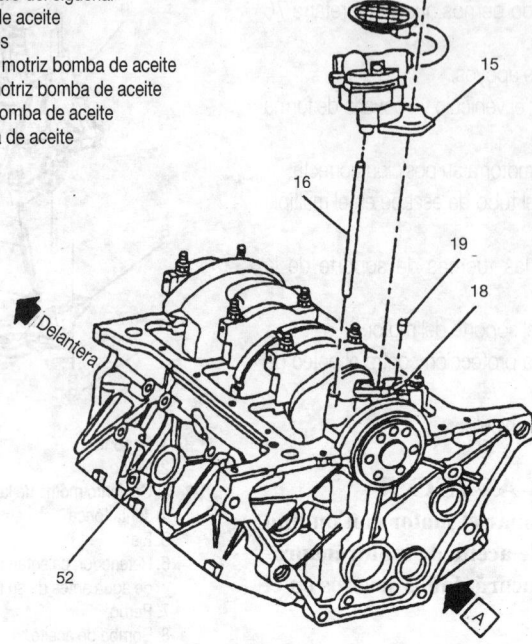

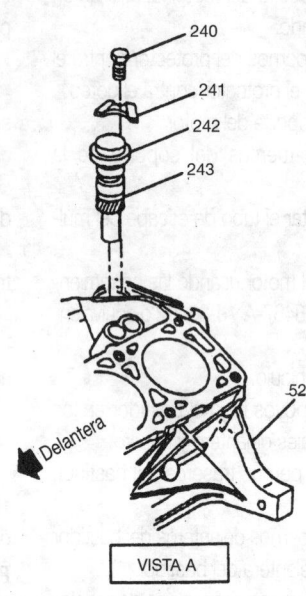

▲ Bomba del aceite y componentes asociados – Motor 3.1L

▼ AVISO ▼

Para evitar daños en el motor, todas las cavidades de la bomba deben llenarse con petrolato (jalea de petróleo) antes de instalar las ruedas dentadas dentro del cuerpo de la bomba. Esto sella las ruedas dentadas, actúa como cebador y permite que la bomba empiece a bombear aceite tan pronto como el motor empieza a girar por primera vez después de la reparación de la bomba. Por otro lado, usar sólo juntas originales del fabricante. El espesor de la junta es crítico para el buen funcionamiento de la bomba.

7. Instalar el depósito de aceite y los pernos de fijación.

8. Bajar el vehículo.

▼ AVISO ▼

Hacer funcionar el motor con un tipo o cantidad de aceite de motor inapropiados provocará daños severos en el motor.

9. Llenar el cárter del cigüeñal con aceite limpio de motor.

10. Conectar el alambre negativo del acumulador.

11. Arrancar el motor y comprobar la presión del aceite y que no haya fugas.

12. Parar el motor (OFF) y dejar que repose. Comprobar el nivel de aceite, añadir la cantidad de aceite que sea preciso.

Motor 3.1L

1. Desconectar el alambre negativo del acumulador.

2. Levantar el vehículo y apoyarlo de forma segura.

▼ PRECAUCIÓN ▼

La autoridad sanitaria advierte que el contacto prolongado con aceite de motor usado puede causar algunos trastornos en la piel e incluso cáncer. Por ello deberá intentar reducir al mínimo su contacto con el aceite usado. Deben usarse guantes de protección al cambiar el aceite. Debe limpiarse, tan rápido como sea posible, las manos y cualquier otra parte de la piel expuestas al aceite usado de motor. Debe usarse jabón y agua, o limpiador de manos libre de agua.

3. Drenar el aceite del motor dentro de un recipiente adecuado.

4. Sacar el depósito de aceite.

5. Sacar los pernos del desviador de aceite del cigüeñal.

6. Sacar el desviador de aceite del cigüeñal.

7. Sacar los pernos de retención de la bomba de aceite y sacar la bomba de aceite y el eje motriz de la bomba.

Para instalar:

8. Instalar la bomba de aceite y el eje motriz de la bomba. Apretar los pernos de sujeción de la bomba de aceite a 30 pie-lb (41 Nm).

9. Instalar el desviador de aceite del cigüeñal y los pernos de montaje. Apretar los pernos de montaje a 18 pie-lb (25 Nm).

10. Instalar el depósito del aceite.

11. Bajar el vehículo.

▼ AVISO ▼

Hacer funcionar el motor con un tipo o cantidad de aceite de motor inapropiados provocará daños severos en el motor.

12. Llenar el cárter del cigüeñal con aceite hasta el nivel correcto.

13. Arrancar el motor y comprobar la presión del aceite y que no haya fugas.

SELLO DE ACEITE DEL COJINETE PRINCIPAL TRASERO

DESMONTAJE E INSTALACIÓN

Motor 2.2L

Para llevar a cabo este procedimiento se debe sacar la transmisión del vehículo.

1. Desconectar el alambre negativo del acumulador.

2. Sacar el eje de transmisión siguiendo el procedimiento recomendado.

3. Sacar los pernos de montaje del volante y sacar el volante y el retenedor.

4. Sacar el sello del cigüeñal insertando una herramienta adecuada para hacer palanca a través del labio guardapolvo. Hacer palanca sobre el sello moviendo la herramienta alrededor del sello como sea preciso hasta conseguir sacarlo.

▼ PRECAUCIÓN ▼

Se debe tener cuidado de no dañar la superficie de sellado del cigüeñal con la herramienta de palanca.

Para instalar:

5. Cubrir el interior y el exterior del nuevo sello de aceite de cojinete principal trasero con aceite de motor.

6. Instalar el nuevo sello sobre la herramienta J-34686 hasta que la parte inferior del sello encaje a escuadra contra el collar en la herramienta J-34686.

7. Alinear la clavija de centrado de la herramienta J-34686 con el orificio para la clavija de centrado dentro del cigüeñal. Apretar los tornillos de sujeción a 45 plg-lb (6 Nm).

8. Girar el asa de la herramienta hasta que el collarín quede prieto contra la caja. Esto asegurará que el sello asienta completamente.

9. Sacar la herramienta y sacar los tornillos de sujeción.

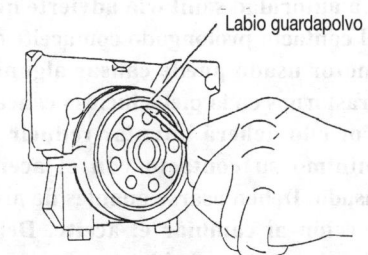

Labio guardapolvo

▲ Sacar con cuidado el sello de aceite haciendo palanca, de la parte trasera del bloque de cilindros, sin dañar la superficie de sellado del cigüeñal – Todos los motores

10. Instalar el volante y el retenedor y apretar los pernos de montaje del volante a 55 pie-lb (75 Nm).

11. Instalar el conjunto de la transmisión usando el procedimiento recomendado.

12. Conectar el alambre negativo del acumulador.

13. Comprobar el nivel de aceite del motor y rellenar si es preciso.

Motor 3.1L

Para llevar a cabo este procedimiento se debe sacar la transmisión del vehículo.

1. Desconectar el alambre negativo del acumulador.

2. Sacar la transmisión siguiendo el procedimiento recomendado.

3. Sacar los pernos de montaje del volante y sacar el volante y el espaciador.

4. Hacer palanca sobre el sello con una palanca pequeña para sacar el sello del bloque de cilindros.

▼ PRECAUCIÓN ▼

Tener cuidado de no dañar la superficie del cigüeñal al sacar el sello de aceite.

5. Limpiar la superficie de montaje del sello.

Para instalar:

6. Cubrir el interior y el exterior del nuevo sello de aceite de cojinete principal trasero con aceite de motor.

7. Instalar el nuevo sello sobre la herramienta J-34686 hasta que la parte inferior del sello encaje a escuadra contra el collarín de la herramienta J-34686.

8. Alinear la clavija de la J-34686 con el orificio para la clavija de centrado dentro del cigüeñal. Apretar los tornillos de sujeción a 45 plg-lb (5 Nm).

9. Girar el asa de la herramienta hasta que el collarín quede prieto contra la caja. Esto asegurará que el sello asienta completamente.

10. Sacar la herramienta y sacar los tornillos de sujeción.

11. Instalar el volante y el espaciador y apretar los pernos de sujeción del volante a 61 pie-lb (83 Nm).

12. Instalar el conjunto de la transmisión usando el procedimiento recomendado.

13. Conectar el alambre negativo del acumulador.

14. Comprobar el nivel de aceite del motor y llenar si es preciso.

CADENA DE SINCRONIZACIÓN, PIÑONES, TAPA DELANTERA Y SELLO

DESMONTAJE E INSTALACIÓN

Motor 2.2L

1. Desconectar el alambre negativo del acumulador.

▼ PRECAUCIÓN ▼

Nunca abrir, realizar el mantenimiento o purgar el radiador o el sistema de enfriamiento en caliente, ya que el vapor de agua y el enfriante caliente podrían producir graves quemaduras.

2. Drenar el enfriante del motor en un recipiente adecuado.

3. Sacar la correa serpentina.

4. Sacar el depósito del enfriante.

5. Sacar los pernos de montaje delanteros del alternador.

6. Sacar los tres pernos de montaje de la bomba de la dirección asistida. Se puede acceder a estos pernos a través de los orificios de la polea motriz de la bomba. Dejar la bomba a un lado sin desconectar las mangueras.

7. Sacar los cuatro pernos de montaje el tensor y sacar el tensor.

8. Levantar el vehículo y apoyarlo de forma segura.

▼ PRECAUCIÓN ▼

La autoridad sanitaria advierte que el contacto prolongado con aceite de motor usado puede causar algunos trastornos en la piel e incluso cáncer. Por ello deberá intentar reducir al mínimo su contacto con el aceite usado. Deben usarse guantes de protección al cambiar el aceite. Debe limpiarse, tan rápido como sea posible, las manos y cualquier otra parte de la piel expuestas al aceite usado de motor. Debe usarse jabón y agua, o limpiador de manos libre de agua.

9. Drenar el aceite del motor dentro de un recipiente adecuado.

10. Sacar el depósito de aceite.

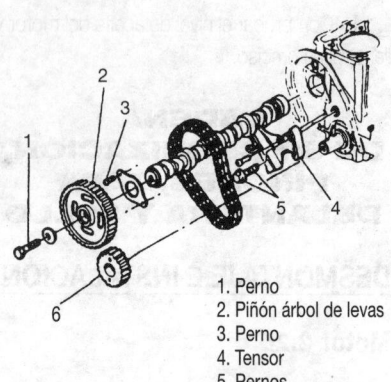

1. Perno
2. Piñón árbol de levas
3. Perno
4. Tensor
5. Pernos
6. Piñón cigüeñal

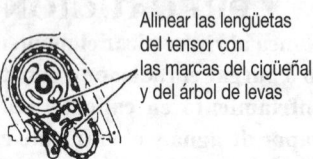

Alinear las lengüetas del tensor con las marcas del cigüeñal y del árbol de levas

▲ **Componentes de la cadena de sincronización y de las marcas de alineación de sincronización – Motor 2.2L**

11. Sacar el conjunto de la rueda y el neumático delantero derecho.

12. Sacar el protector contra salpicaduras interior del guardabarros derecho.

13. Sacar la polea del cigüeñal.

14. Sacar el equilibrador del cigüeñal.

15. Sacar los pernos de la tapa delantera y sacar la tapa delantera. Si es difícil sacar la tapa, usar una pequeña maza de cabeza blanda para golpear suavemente la tapa hasta aflojarla.

16. Sacar de la tapa el sello del cigüeñal con una herramienta extractora de sellos adecuada.

17. Girar el cigüeñal hasta que el pistón del cilindro N° 1 esté en el PMS de la carrera de compresión (posición de encendido). Las marcas en los piñones del árbol de levas y del cigüeñal deben quedar alineadas.

18. Aflojar pero no sacar la tuerca del tensor de la cadena de sincronización.

19. Sacar el perno del piñón del árbol de levas y sacar el piñón y la cadena conjuntamente. Si el piñón no se separa del árbol de levas fácilmente, golpear suavemente con la maza de cabeza blanda sobre el borde inferior del piñón hasta que el piñón se desprenda del árbol.

20. Usar la herramienta de extracción J-22888 o equivalente, y sacar el piñón del cigüeñal.

Para instalar:

21. Instalar el piñón del cigüeñal usando la herramienta de instalación J-5590 o equivalente.

22. Instalar la cadena de sincronización sobre el piñón del árbol de levas, después alrededor del piñón del cigüeñal. Asegurarse de que las marcas en ambos piñones quedan alineadas. Lubricar la superficie de empuje con Molykote®, o equivalente.

23. Alinear la clavija de centrado del árbol de levas con el orificio para la clavija de centrado en el piñón, después instalar el piñón en el árbol de levas. Usar el perno de montaje para introducir el piñón sobre el árbol de levas y apretar a 77 pie-lb (105 Nm).

24. Lubricar la cadena de sincronización con aceite limpio de motor.

25. Limpiar totalmente todas las superficies de empaque.

26. Instalar un nuevo sello en la tapa delantera usando una herramienta introductora de sellos apropiada. Aplicar aceite de motor al labio del sello.

27. Aplicar una fina capa de sellante en la tapa delantera e instalar una junta nueva sobre la tapa.

28. Instalar la tapa en el motor asegurándose de que los pasadores de centrado quedan alineados con los orificios en la tapa delantera.

29. Instalar los pernos de montaje de la tapa y apretarlos a 97 plg-pie (11 Nm).

30. Instalar el equilibrador del cigüeñal y la polea y apretar los pernos de la polea a 37 pie-lb (50 Nm) y el perno central del equilibrador a 77 pie-lb (105 Nm).

31. Instalar el protector contra salpicaduras derecho.

32. Instalar el conjunto de la rueda y el neumático.

33. Instalar el depósito del aceite.

34. Bajar el vehículo.

35. Instalar el ajustador de la banda (correa) y apretar los pernos a 37 pie-lb (50 Nm).

36. Instalar la bomba de la dirección asistida y apretar los pernos de montaje a 25 pie-lb (34 Nm).

37. Instalar los pernos de montaje del alternador y apretar el perno superior a 22 pie-lb (30 Nm) y apretar el inferior a 37 pie-lb (50 Nm).

38. Instalar el depósito del enfriante.

39. Instalar la correa serpentina.

▼ **AVISO** ▼

Hacer funcionar el motor con un tipo o cantidad de aceite de motor inapropiados provocará daños severos en el motor.

40. Llenar el cárter del cigüeñal con aceite limpio.

41. Llenar el sistema de enfriamiento.

42. Conectar el alambre negativo del acumulador.

43. Arrancar el motor y comprobar que no haya fugas.

44. Probar el vehículo en carretera y asegurarse de que su funcionamiento es correcto.

Motor 3.1L

1. Desconectar el alambre negativo del acumulador.

▼ **PRECAUCIÓN** ▼

Nunca abrir, realizar el mantenimiento o purgar el radiador o el sistema de enfriamiento en caliente, ya que el vapor de agua y el enfriante caliente podrían producir graves quemaduras.

2. Drenar el circuito de enfriamiento dentro de un recipiente apropiado.

3. Sacar el soporte de montaje derecho del motor.

4. Sacar la correa serpentina.

5. Sacar el equilibrador del cigüeñal según se detalla a continuación:

a. Levantar el vehículo y apoyarlo de forma segura.

b. Sacar el conjunto de la rueda y el neumático delantero derecho.

c. Sacar el protector contra salpicaduras interior del guardabarros derecho.

d. Sacar la cubierta del volante e instalar una herramienta de sujeción del volante.

e. Sacar el perno y la arandela de montaje del equilibrador.

f. Usando una herramienta de extracción apropiada, J-24420-B o equivalente, sacar el equilibrador del cigüeñal.

6. Sacar el perno de montaje del tensor de la correa serpentina y el tensor.

▼ **PRECAUCIÓN** ▼

La autoridad sanitaria advierte que el contacto prolongado con aceite de motor usado puede causar algunos trastornos en la piel e incluso cáncer. Por ello deberá intentar reducir al mínimo su contacto con el aceite usado. Deben usarse guantes de protección al cambiar el aceite. Debe limpiarse, tan rápido como sea posible, las manos y cualquier otra parte de la piel expuestas al aceite usado de motor. Debe usarse jabón

y agua, o limpiador de manos libre de agua.

7. Sacar el depósito del aceite siguiendo el procedimiento recomendado.

8. Sacar el tubo de desvío del enfriante de la bomba de agua y del múltiple de admisión.

9. Desconectar la manguera inferior del radiador de la salida de la tapa delantera.

10. Sacar los pernos de montaje de la tapa delantera y sacar la tapa delantera.

11. Girar el cigüeñal hasta que las marcas de sincronización sobre los piñones del árbol de levas y del cigüeñal estén alineadas en su posición más próxima.

12. Sacar el perno de montaje del piñón del árbol de levas y sacar el piñón del árbol de levas y la cadena de sincronización.

13. Sacar el piñón del cigüeñal, usando una herramienta de extracción de catarinas J-5825-A o equivalente.

14. Sacar los dos pernos de sujeción del amortiguador de vibraciones de la cadena de sincronización y sacar este amortiguador.

Para instalar:

15. Instalar el amortiguador de vibraciones de la cadena de sincronización y apretar los pernos de sujeción a 15 pie-lb (21 Nm).

16. Instalar el piñón del cigüeñal en el cigüeñal asegurándose de que la ranura en el piñón ajusta sobre la chaveta del cigüeñal. Asentar totalmente el piñón sobre el cigüeñal usando la herramienta para instalación de catarinas J-38612 o equivalente.

17. Asegurarse de que la marca de sincronización en el piñón del cigüeñal apunta recto hacia arriba.

18. Instalar la cadena de sincronización sobre el piñón del árbol de levas y sujetar el piñón de modo que la marca de sincronización señale hacia abajo y la cadena de sincronización cuelgue del piñón.

19. Pasar la cadena de sincronización por debajo del piñón del cigüeñal e instalar el piñón del árbol de levas en el árbol de levas. El piñón sólo se acoplará sobre el árbol de levas si el pasador de centrado del árbol está alineado con el orificio en el piñón.

20. Verificar que las marcas estén alineadas (el piñón del árbol de levas estará en la posición de las 6 en punto y el piñón del cigüeñal estará en la posición de las 12 en punto).

21. En los modelos de 1995, apretar el perno de montaje del piñón del árbol de levas a 74 pie-lb (100 Nm). En los modelos de 1996, apretar el perno a 81 pie-lb (110 Nm).

22. Lubricar los componentes de la cadena de sincronización con aceite de motor.

23. Limpiar completamente todas las superficies de empaque.

24. Aplicar un fino cordón de sellante alrededor del área de sellado de la junta de la tapa delantera. Instalar un sello nuevo de tapa delantera sobre la tapa delantera.

25. Instalar la tapa delantera sobre el motor e instalar los pernos de montaje. Apretar los pernos pequeños a 18 pie-lb (24 Nm) y los pernos grandes a 41 pie-lb (55 Nm) para los modelos de 1995, o apretar los pernos pequeños a 15 pie-lb (21 Nm) y los pernos grandes a 35 pie-lb (47 Nm) para los modelos de 1996.

26. Conectar la manguera del radiador en la salida del enfriante.

27. Instalar el tubo de desvío del enfriante en la bomba del agua y el múltiple de admisión.

▼ AVISO ▼
Hacer funcionar el motor con un tipo o cantidad de aceite de motor inapropiados provocará daños severos en el motor.

28. Instalar el depósito del aceite siguiendo el procedimiento recomendado.

29. Instalar el equilibrador del cigüeñal tal como sigue:

a. Cubrir la superficie de contacto con el sello del equilibrador del cigüeñal con aceite limpio de motor.

b. Alinear la ranura chavetero del equilibrador con la chaveta del cigüeñal y deslizar el equilibrador hasta que la chaveta encaje en el equilibrador.

c. Utilizando una herramienta de extracción tipo J-29113 o equivalente, asentar el equilibrador en el cigüeñal.

d. Instalar el perno de montaje del equilibrador y la arandela y apretar a 76 pie-lb (103 Nm).

e. Instalar la tapa del volante.

f. Instalar el protector contra salpicaduras interior del guardabarros derecho.

g. Instalar el conjunto de la rueda y el neumático y apretar según especificaciones.

30. Instalar el tensor de la correa serpentina y apretar el perno de montaje a 40 pie-lb (54 Nm).

31. Instalar la correa serpentina.

32. Instalar el soporte de montaje derecho del motor y apretar los pernos del soporte al montaje a 96 pie-lb (130 Nm).

33. Llenar el sistema de enfriamiento.

34. Comprobar el nivel de aceite del motor y enrasar hasta el nivel correcto.

35. Conectar el alambre negativo del acumulador.

36. Arrancar el vehículo y comprobar que no haya fugas de aceite.

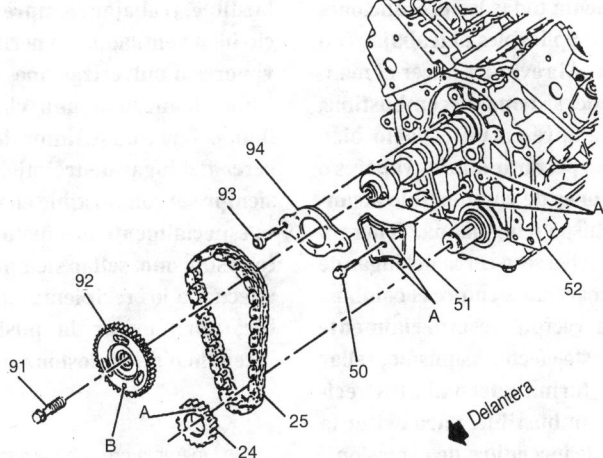

A. Marcas de alineación de sincronización
B. Orificio posicionador
24. Piñón, cigüeñal
25. Cadena, sincronización
50. Perno, amortiguador de vibraciones de la cadena de sincronización
51. Amortiguador vibraciones cadena sincronización
52. Bloque de cilindros
91. Perno, piñón árbol de levas
92. Piñón, árbol de levas
93. Perno, placa de empuje
94. Placa de empuje

▲ **Montaje de la cadena de sincronización – Motor 3.1L**

SISTEMA DE COMBUSTIBLE

PRECAUCIONES DE MANTENIMIENTO DEL SISTEMA DE COMBUSTIBLE

La seguridad es el factor más importante no sólo cuando se realiza el mantenimiento del sistema de combustible sino cualquier tipo de mantenimiento. No seguir las conductas de seguridad durante el mantenimiento y la reparación puede resultar en graves lesiones personales o incluso la muerte. El mantenimiento y prueba de los componentes del sistema de combustible del vehículo se podrá realizar de forma segura y eficaz si se siguen las siguientes reglas y consejos:

• Para evitar la posibilidad de incendio o lesiones personales, desconectar siempre el alambre negativo del acumulador a menos que el procedimiento de reparación o prueba requiera la aplicación del voltaje del acumulador.

• Siempre aliviar la presión del sistema de combustible antes de desconectar ningún elemento del sistema de combustible (inyector, raíl de combustible, regulador de presión, etc.), rácor o conector del sistema de combustible. Tener siempre una precaución extrema al aliviar la presión del sistema de combustible para evitar en todo momento la exposición de la piel, la cara o los ojos a la pulverización de combustible. Tener en cuenta que el combustible a presión puede penetrar la piel o cualquier otra parte del cuerpo con la que tenga contacto.

• Siempre colocar una toalla o trapo alrededor del rácor o conexión antes de aflojarlo para absorber cualquier derrame de combustible. En caso de producirse un derrame de combustible asegurarse de que este combustible no queda sobre las superficies del motor. Asegurarse de que todos los trapos o toallas empapados de combustible se depositan en un contenedor adecuado.

• Siempre disponer de un extintor de polvo seco (clase B) cerca del área de trabajo.

• Evitar que la pulverización de combustible o los vapores del mismo puedan tener contacto con una chispa o con una llama.

• Usar siempre una llave de tuercas como apoyo para aflojar y apretar los rácores de conexión con otra llave. Esto evitará que se apliquen tensiones y torsiones innecesarias a los tubos del sistema de combustible. Siempre adherirse a las especificaciones de apriete.

• Reemplazar siempre las juntas tóricas gastadas con nuevas juntas. No sustituir tubos de combustible rígidos con mangueras o tubos flexibles.

PRESIÓN DEL SISTEMA DE COMBUSTIBLE

ALIVIAR

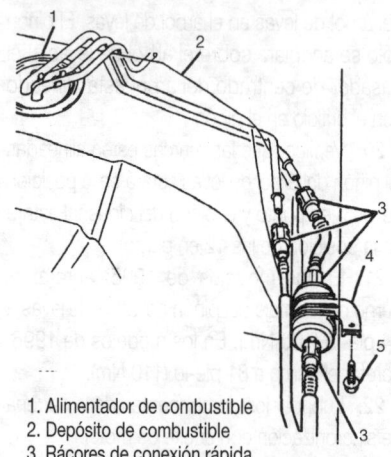

1. Alimentador de combustible
2. Depósito de combustible
3. Rácores de conexión rápida
4. Soporte del filtro de combustible en el tubo (en línea)
5. Tornillo de sujeción del soporte del filtro

▲ Montaje típico del filtro de combustible

▼ PRECAUCIÓN ▼

Tener en cuenta todas las precauciones de seguridad aplicables al trabajar con combustible. Al revisar y hacer el mantenimiento del sistema de combustible, trabajar siempre en un espacio bien ventilado. No permitir que los vapores o pulverizaciones de combustible alcancen a una chispa o una llama. Tener un extintor de polvo seco cerca del lugar de trabajo. Almacenar siempre el combustible en un recipiente especialmente diseñado a este efecto. Asimismo, sellar siempre de forma adecuada los recipientes de combustible, para evitar la posibilidad de incendio o de explosión.

1. Desconectar el alambre negativo del acumulador para impedir posibles descargas de combustible en caso de que accidentalmente se intentara arrancar el vehículo.

2. Aflojar el tapón de llenado de combustible para aliviar la presión del depósito de combustible.

3. Conectar un manómetro apropiado en el rácor de prueba de la presión de combustible. Envolver una toalla alrededor del rácor mientras se realiza la conexión del manómetro para evitar derrames.

4. Colocar la manguera de purga en un recipiente homologado y abrir la válvula del manómetro para aliviar la presión del circuito.

5. Deshacerse rápidamente del combustible líquido descargado.

FILTRO DE COMBUSTIBLE

DESMONTAJE E INSTALACIÓN

▼ PRECAUCIÓN ▼

El sistema de inyección de combustible permanece bajo presión, incluso después de haber desconectado el contacto del motor. La presión del sistema de combustible debe liberarse antes de desconectar ningún tubo de combustible. Si no se hace así existe riesgo de incendio y/o lesiones personales.

1. Desconectar el alambre negativo del acumulador.

▼ PRECAUCIÓN ▼

Tener en cuenta todas las precauciones de seguridad aplicables al trabajar con combustible. Al revisar y hacer el mantenimiento del sistema de combustible, trabajar siempre en un espacio bien ventilado. No permitir que los vapores o pulverizaciones de combustible alcancen a una chispa o una llama. Tener un extintor de polvo seco cerca del lugar de trabajo. Almacenar siempre el combustible en un recipiente especialmente diseñado a este efecto. Asimismo, sellar siempre de forma adecuada los recipientes de combustible, para evitar la posibilidad de incendio o de explosión.

2. Liberar la presión del sistema de combustible.

3. Levantar el vehículo y apoyarlo de forma segura.

4. Colocar un recipiente amplio debajo del filtro del combustible.

5. Girar cada uno de los rácores de conexión rápida del filtro del combustible $1/4$ de vuel-

ta para soltar la suciedad que haya podido quedar atrapada debajo de los rácores.

6. Apretar las lengüetas de plástico sobre los extremos macho de los rácores de conexión rápida y desconectar los tubos del combustible del filtro.

7. Sacar el perno de montaje del soporte del filtro.

8. Sacar el filtro del vehículo.

Para instalar:

9. Instalar el conjunto del filtro en su posición correcta e instalar el perno de montaje del soporte del filtro.

10. Aplicar unas cuantas gotas de aceite limpio de motor a los extremos macho del conjunto del filtro de combustible y en el tubo del combustible.

11. Acoplar los tubos de combustible (hasta que hagan un chasquido) en el filtro de combustible. Las lengüetas de bloqueo de los rácores de conexión rápida los bloquearán en su posición correcta. Darle un pequeño estirón a cada tubo para asegurarse de que los rácores han quedado fijos.

12. Bajar el vehículo.

13. Conectar el alambre negativo del acumulador.

14. Presurizar el sistema de combustible y comprobar que no haya fugas.

BOMBA DE COMBUSTIBLE

DESMONTAJE E INSTALACIÓN

La bomba del combustible está situada dentro del depósito del combustible. Debe sacarse el depósito del combustible para llevar a cabo este procedimiento. Observar que la bomba del combustible dispone de un colador para reducir el sedimento y la suciedad que podría entrar en la bomba. Este colador puede llegar a quedar obstruido en vehículos con alto kilometraje o en vehículos que hayan sufrido una contaminación en el depósito. Un colador obstruido puede provocar que la bomba no dé el combustible necesario para mantener una presión de combustible suficiente que garantice el funcionamiento suave del motor. Tener esto en cuenta cuando se busque la causa delante de una reclamación por la falta de potencia en la marcha del vehículo y/o por baja presión de combustible. Este colador debe ser sustituido siempre que se saque el depósito para revisarlo sea cual sea el motivo de la revisión.

▼ PRECAUCIÓN ▼

El sistema de inyección de combustible permanece con presión, incluso después de que el contacto del motor se haya desconectado (OFF). La presión del sistema de combustible debe liberarse antes de desconectar ningún tubo de combustible. Si no se hace así existe riesgo de incendio y/o lesiones personales.

1. Liberar de forma apropiada la presión del sistema de combustible.

2. Desconectar el alambre negativo del acumulador.

▼ PRECAUCIÓN ▼

Tener en cuenta todas las precauciones de seguridad aplicables al trabajar con combustible. Al revisar y hacer el mantenimiento del sistema de combustible, trabajar siempre en un espacio bien ventilado. No permitir que los vapores o pulverizadores de combustible alcancen a una chispa o una llama. Tener un extintor de polvo seco cerca del lugar de trabajo. Almacenar siempre el combustible en un recipiente especialmente diseñado a este efecto. Asimismo, sellar siempre de forma adecuada los recipientes de combustible, para evitar con ello la posibilidad de incendio o de explosión.

3. Sacar del vehículo el tanque de combustible utilizando el procedimiento recomendado y colocarlo en un lugar de trabajo adecuado.

4. Sacar la leva de bloqueo del conjunto de suministro de combustible usando una llave de tuercas J-24187, o equivalente.

5. Sacar del tanque de combustible el conjunto de suministro de combustible.

6. Colocar el conjunto de suministro de combustible sobre un banco de trabajo con el colador mirando hacia arriba.

7. Anotar la dirección a la que apunta el colador de combustible y sacar el colador de la bomba de combustible tirando de él hacia fuera.

8. Desconectar los conectores eléctricos de la bomba de combustible.

9. Empujar la bomba de combustible hacia la manguera de salida de combustible para desacoplar la bomba del soporte de montaje inferior. Una vez se ha sacado la bomba del soporte de montaje, inclinar la base de la bomba hacia afuera del soporte de montaje.

10. Sacar la abrazadera de plástico sobre el tubo de salida y desconectar la bomba de combustible de la manguera de salida.

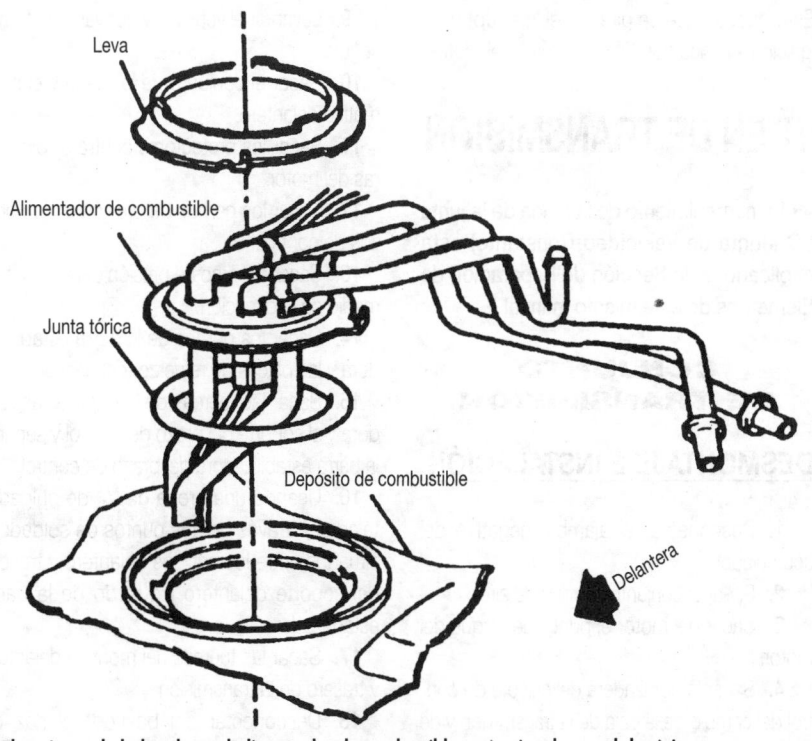

▲ El conjunto de la bomba y el alimentador de combustible están situados en el depósito

Para instalar:

11. Conectar la bomba nueva a la manguera de salida e instalar la abrazadera de plástico.

12. Instalar el aislante de goma sobre la bomba de combustible.

13. Presionar la bomba hacia la manguera de salida hasta que la base de la bomba se asiente correctamente en el soporte de montaje.

14. Conectar los conectores eléctricos de la bomba de combustible.

15. Instalar un colador nuevo en la bomba de combustible asegurándose de que la dirección en que apunta el colador es la misma que tenía en la bomba vieja.

16. Instalar el suministrador de combustible dentro del tanque usando una junta tórica nueva en la parte superior del tanque. Una grasa de silicona puede ayudar a lubricar la junta tórica.

17. Instalar la leva de bloqueo y girarla hasta la posición de bloqueo con una llave de tuercas J-24187, o equivalente.

18. Instalar el tanque de combustible en el vehículo. Llenar con gasolina. Nunca probar de hacer funcionar la bomba en vacío, incluso para cortos intervalos de tiempo. Está pensada para funcionar inmersa en combustible, que hace las funciones de lubricación y enfriamiento.

19. Conectar el alambre negativo del acumulador.

20. Presurizar el sistema de combustible y comprobar que no haya fugas de combustible. Esto puede hacerse girando el interruptor de ignición a la posición ON sin arrancar el motor.

TREN DE TRANSMISIÓN

➡ El mantenimiento de la funda de la junta VC (Junta de Velocidad Constante) está explicado en la Sección de Reparación de Elementos de este mismo manual.

CONJUNTO DE TRANSMISIÓN

DESMONTAJE E INSTALACIÓN

1. Desconectar el alambre negativo del acumulador.

2. Sacar el conjunto del filtro de aire.

3. Sacar el motor el puntal de torque del motor.

4. Sacar la abrazadera del chicote de control del cambio de la caja de la transmisión y de la palanca.

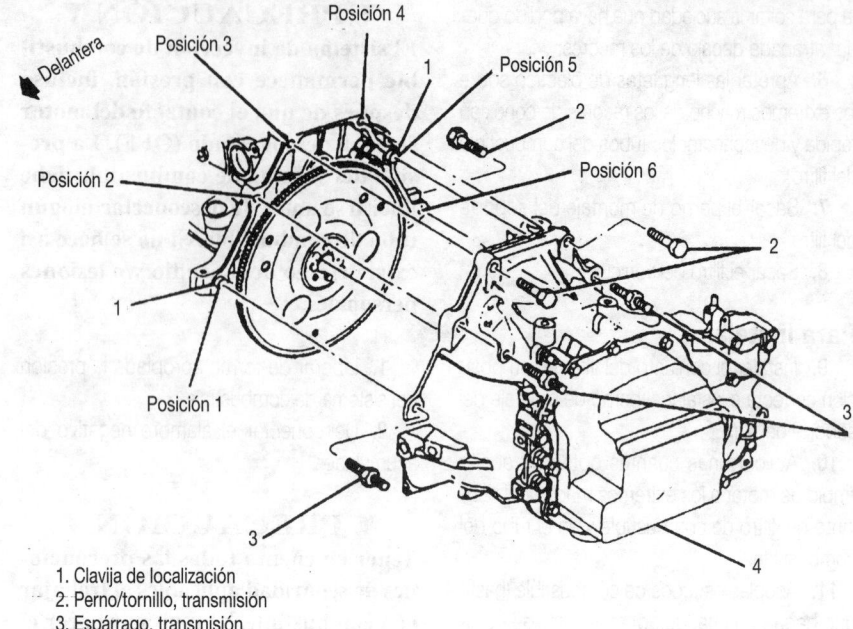

1. Clavija de localización
2. Perno/tornillo, transmisión
3. Espárrago, transmisión
4. Conjunto de la transmisión

▲ Localización de los pernos de sujeción de la transmisión al motor

5. Desacoplar el conector eléctrico del solenoide del clutch del convertidor de torque.

6. Desconectar el chicote de la válvula ahogadora (TV) del soporte del ahogador y de la transmisión.

7. Sacar los pernos superiores de la transmisión, incluyendo las masas.

8. Instalar la herramienta de soporte de motores J-28467-A o equivalente.

9. Levantar el vehículo y apoyarlo de forma segura.

10. Sacar el conjunto de la rueda y el neumático delantero.

11. Sacar los protectores contra salpicaduras del motor.

12. Sacar los pernos de presión de los brazos de control.

13. Sacar el perno de presión del árbol intermedio de la dirección.

14. Sacar los pernos de la barra estabilizadora y las placas de refuerzo, del bastidor.

15. Sacar las tuercas de la barra estabilizadora y el soporte del brazo de control y separar la barra estabilizadora del brazo de control.

16. Usando una broca de 7/16 de pulgada, taladrar a través de dos puntos de soldadura situados entre los orificios delantero y trasero del soporte delantero izquierdo de la barra estabilizadora.

17. Sacar las tuercas del montaje delantero y trasero de la transmisión.

18. Desconectar del bastidor el haz de alambres del motor.

19. Sacar los pernos de los tubos del enfriante de la dirección asistida.

20. Sacar el perno de retención del bastidor derecho al bastidor izquierdo. Colocar un caballete bajo el bastidor para apoyarlo.

21. Aflojar los dos pernos del bastidor derecho y descartarlos.

22. Sacar del bastidor los dos pernos del bastidor izquierdo.

23. Sacar el bastidor izquierdo con la colaboración de un ayudante.

24. Desconectar la rótula esférica inferior derecha de la articulación de la dirección.

25. Sacar de la transmisión los pernos del soporte de apoyo de la transmisión.

26. Sacar de la transmisión el soporte del tubo de enfriante de la dirección asistida.

27. Sacar la cubierta del convertidor de torque.

28. Sacar el motor de arranque.

29. Sacar los pernos del convertidor de torque.

30. Sacar de la caja de la transmisión los pernos del soporte de la transmisión y sacar el soporte.

31. Desconectar los conectores eléctricos del conmutador de gamas de la transmisión.

32. Sacar ambos ejes motrices de la transmisión.

33. Desconectar de la transmisión el sensor de velocidad del vehículo.

34. Colocar un gato de transmisiones bajo la misma.

35. Sacar los tubos de enfriamiento del aceite y tapar los extremos abiertos de tubos.

36. Sacar el resto de pernos de la transmisión.

37. Sacar la transmisión.

Para instalar:

38. Instalar la transmisión en el vehículo y colocar los pernos de la transmisión. Apretar a 55 pie-lb (75 Nm).

39. Instalar los tubos del enfriante del aceite.

40. Sacar el caballete de la transmisión.

41. Conectar a la transmisión el conector del sensor de velocidad del vehículo.

42. Instalar los ejes motrices.

43. Conectar el conector eléctrico del conmutador de gamas de la transmisión.

44. Instalar el soporte de la transmisión y los pernos de fijación a la caja de la transmisión.

45. Instalar los pernos del convertidor de torque y apretarlos a 47 pie-lb (63 Nm).

46. Instalar el motor de arranque.

47. Instalar la cubierta del convertidor de torque.

48. Instalar en la transmisión el soporte de los tubos de enfriante de la dirección asistida.

49. Instalar el tirante de la transmisión y los pernos en la transmisión.

50. Instalar los pernos retenedores en los brazos de control.

51. Instalar el bastidor izquierdo (con la colaboración de un ayudante).

52. Apretar los pernos del bastidor a 40 pie-lb (54 Nm).

53. Instalar los pernos del bastidor derecho a la carrocería y apretarlos a 40 pie-lb (54 Nm).

54. Sacar el caballete.

55. Instalar los pernos de retención del bastidor derecho al bastidor izquierdo, y apretarlos a 40 pie-lb (54 Nm).

56. Instalar el haz de alambres del motor en el bastidor.

57. Instalar los tubos de enfriante de la dirección asistida.

58. Instalar las tuercas del soporte trasero de la transmisión al bastidor y apretar a 39 pie-lb (53 Nm).

59. Instalar la barra estabilizadora izquierda en el brazo de control.

60. Instalar en el bastidor los pernos de la barra estabilizadora y las placas de refuerzo, usando un apoyo.

61. Instalar el perno de presión del árbol de la dirección y apretar a 35 pie-lb (48 Nm).

62. Instalar los protectores contra salpicaduras del motor.

63. Instalar los conjuntos de las ruedas y neumáticos delanteros.

64. Bajar el vehículo.

65. Sacar el dispositivo de soporte de motores.

66. Instalar los tres pernos superiores de la transmisión y los alambres de masa en el motor y apretar a 55 pie-lb (75 Nm).

67. Conectar el chicote de la válvula TV en la transmisión y en el soporte del ahogador.

68. Conectar el conector eléctrico del interruptor del clutch del convertidor de torque.

69. Instalar el chicote del cambio de la transmisión, el soporte de montaje y la palanca.

70. Instalar el puntal de torque del motor.

71. Instalar el conjunto del filtro de aire.

72. Conectar el alambre negativo del acumulador.

73. Arrancar el vehículo y comprobar el nivel de aceite en la transmisión.

➡ **Siempre que se saca o se baja el bastidor auxiliar (falso bastidor), se debe revisar la alineación de las ruedas.**

74. Comprobar la alineación del extremo delantero y ajustar según sea necesario.

75. Probar el vehículo en carretera y comprobar que su funcionamiento sea correcto.

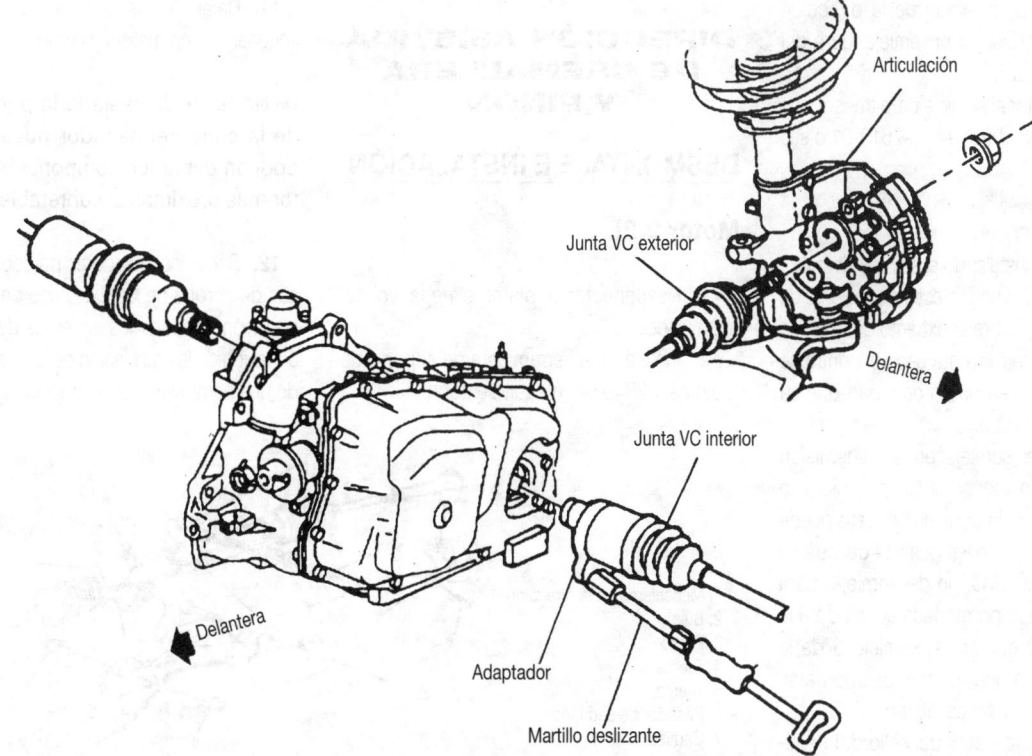

Articulación

Junta VC exterior

Delantera

Junta VC interior

Delantera

Adaptador

Martillo deslizante

▲ Se usa un martillo deslizante con un adaptador especial para sacar el semieje de la transmisión

SEMIEJE (EJE MOTRIZ)

DESMONTAJE E INSTALACIÓN

1. Levantar el vehículo y apoyarlo de forma segura.

2. Sacar el conjunto de neumático y rueda.

3. Dado que la tuerca de la maza está apretada muy fuerte, se debe sujetar el semieje para que no gire mientras se afloja la tuerca de la maza. Insertar un punzón a través de la abertura de la mordaza y hasta las aletas de enfriamiento del rotor del freno para impedir el giro del conjunto.

4. Sacar la tuerca y la arandela del semieje.

5. Sacar el punzón.

6. Sacar los pernos de montaje de la mordaza y sacar la mordaza de la articulación de la dirección y apoyarla por separado a un lado. Colgar la mordaza con un trozo de alambre rígido. NO DEJAR la mordaza colgando de la manguera del freno.

7. Sacar el rotor del freno.

8. Sacar el perno retenedor de la rótula esférica inferior y separar la rótula esférica de la articulación de la dirección.

9. Separar el semieje del cojinete de la maza utilizando una herramienta de extracción J-28733-B, o equivalente.

10. Estirar la articulación de la dirección hacia fuera para deslizar el semieje fuera del cojinete de la maza.

11. Desconectar el semieje de la transmisión utilizando J-33008, J-29794 y J-2619-01 o sus equivalentes.

Para instalar:

12. Si se está instalando el semieje derecho, instalar J-37292-B o un protector equivalente de sello del semieje, sobre el extremo de la unión VC. El asa de la herramienta debe encontrarse entre las 5 y las 7 en punto de modo que su extracción sea más fácil.

13. Asentar el semieje en la transmisión hasta que el anillo interior de cierre se bloquea encajado dentro de la transmisión. Esto puede comprobarse estirando ligeramente del cuerpo interior de la unión VC, no del semieje, para asegurarse de que permanece acoplado a la transmisión. NO estirar del semieje o de la unión interna porque podría desmontarse dañando los componentes internos.

14. Sacar el protector del sello del semieje cortándolo y extrayendo todos los pedazos.

15. Colocar el semieje dentro del conjunto del cojinete de la maza. Asegurarse de que las estrías se encajan con suavidad. Si el semieje no encajara con suavidad, cubrir las estrías internas del cojinete de la maza con grasa.

16. Conectar la rótula esférica inferior a la articulación de la dirección y apretar el perno de presión a 38 pie-lb (52 Nm).

17. Instalar la arandela y la tuerca del semieje sin apretarlas.

18. Instalar el rotor del freno.

19. Instalar la mordaza sobre la articulación de la dirección y apretar los pernos de montaje de la mordaza a 38 pie-lb (52 Nm).

20. Insertar un punzón a través de la abertura en la mordaza y entre las aletas de enfriamiento del rotor del freno.

21. Apretar la tuerca del semieje a 103 pie-lb (140 Nm) más una rotación adicional de 20 grados.

22. Sacar el punzón.

23. Instalar el conjunto de neumático y rueda y apretar las tuercas de la rueda a 100 pie-lb (140 Nm).

24. Bajar el vehículo.

DIRECCIÓN Y SUSPENSIÓN

DIRECCIÓN ASISTIDA DE CREMALLERA Y PIÑÓN

DESMONTAJE E INSTALACIÓN

Motor 2.2L

1. Desconectar el alambre negativo del acumulador.

2. Instalar una herramienta de soporte de motores J-28467-A, o equivalente.

3. Levantar el vehículo y apoyarlo de forma segura.

4. Sacar el conjunto del neumático y de la rueda.

5. Sacar el perno de presión inferior del árbol intermedio.

6. Desconectar el eje intermedio de la mangueta del eje.

▼ PRECAUCIÓN ▼

Si no se desconecta el eje intermedio de la mangueta de la cremallera y piñón puede dañarse el mecanismo de la dirección y/o del eje intermedio. Esto puede provocar la pérdida de control de la dirección y podría causar graves lesiones personales.

7. En el motor 2.2L, sacar el soporte del que cuelga el tubo de escape cerca de la parte posterior del bastidor, incluyendo también el soporte retenedor del tubo de los frenos y los colgantes de goma del tubo de escape.

8. Sacar del bastidor auxiliar las tuercas del soporte del motor y de la transmisión.

9. Apoyar la parte trasera del bastidor auxiliar con caballetes.

10. Sacar los pernos de la parte trasera del bastidor auxiliar y desecharlos.

11. Bajar el bastidor auxiliar para poder acceder a la cremallera y piñón.

➡ No bajar demasiado la parte trasera de la cuna del bastidor puesto que se podrían dañar los componentes del motor más próximos al cubretablero.

12. Sacar los pasadores partidos y las tuercas de corona de los extremos de la barra de conexión y separar los extremos de la barra de conexión de la articulación de la dirección usando una herramienta de extracción adecuada.

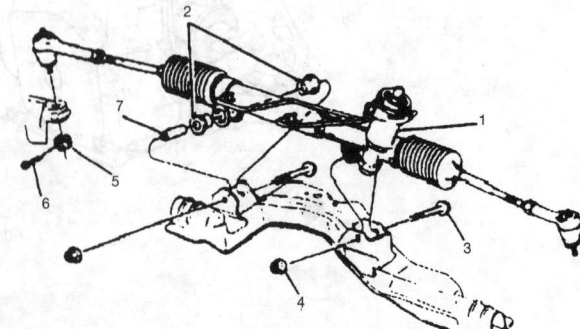

1. Mecanismo de la dirección
2. Bujes
3. Perno
4. Tuerca
5. Tuerca
6. Pasador de seguridad
7. Camisa

▲ Montaje del mecanismo de la dirección con cremallera y piñón

13. Desconectar los tubos de la dirección asistida del mecanismo de la dirección.

14. Sacar los pernos y tuercas de montaje de la cremallera y piñón.

15. Sacar la cremallera y piñón a través de la abertura de la rueda izquierda.

Para instalar:

16. Instalar la cremallera y piñón a través de la abertura de la rueda izquierda.

17. Instalar los pernos y tuercas de montaje de la cremallera y piñón y apretar a 66 pie-lb (90 Nm).

18. Conectar los tubos de la dirección asistida en la cremallera usando juntas tóricas nuevas y apretar los rácores a 13 pie-lb (17 Nm) en el tubo de retorno y a 21 pie-lb (28 Nm) en el tubo de presión.

19. Instalar la abrazadera del tubo de la dirección asistida en el mecanismo de la dirección.

20. Conectar los extremos de la barra de conexión en la articulación de la dirección. Apretar las tuercas de corona a 31 pie-lb (42 Nm). Instalar pasadores partidos nuevos.

21. Elevar el bastidor auxiliar hasta su posición e instalar pernos nuevos en el bastidor auxiliar. Apretar los pernos a 103 pie-lb (140 Nm).

22. Sacar el gato.

23. Instalar las tuercas del soporte del motor y del soporte de la transmisión y apretar a 39 pie-lb (53 Nm).

24. En el motor 2.2L, instalar el soporte del que cuelga el tubo de escape cerca de la parte posterior del bastidor, incluyendo también el retenedor del tubo de los frenos y los colgantes de goma del tubo de escape.

25. Conectar el eje intermedio en el mango del eje y apretar el perno retenedor a 29 pie-lb (40 Nm).

26. Instalar los conjuntos de neumático y rueda.

27. Bajar el vehículo.

28. Sacar el soporte de motores.

29. Conectar el alambre negativo del acumulador.

30. Llenar el depósito del líquido de la dirección asistida y purgar el sistema.

➡ Siempre que se saca o se baja el bastidor auxiliar, se debe revisar la alineación de las ruedas.

31. Comprobar la alineación del extremo delantero y ajustar según sea necesario.

Motor 3.1L

1. Desconectar el alambre negativo del acumulador.

2. Sacar del motor el puntal de torque del motor.

3. Instalar un soporte fijo de motor tipo J-28467-A o equivalente.

4. Levantar el vehículo y apoyarlo de forma segura.

5. Sacar el conjunto del neumático y la rueda.

6. Sacar los pasadores y las tuercas de corona de los extremos de la barra de conexión y separar los extremos de la barra de conexión de la articulación de la dirección usando una herramienta de extracción adecuada.

7. Sacar del bastidor los soportes central del motor y trasero de la transmisión.

8. Sacar el perno de presión inferior del eje intermedio.

9. Desconectar el eje intermedio del mango del eje.

▼ PRECAUCIÓN ▼

Si no se desconecta el eje intermedio del mango de la cremallera y piñón del eje puede dañarse el mecanismo de la dirección y/o del eje intermedio. Esto puede provocar la pérdida de control de la dirección y suponer graves lesiones personales.

10. Sacar los pernos del tirante y el tirante, incluyendo el tirante de los tubos del freno.

11. Apoyar la parte trasera del bastidor auxiliar con caballetes.

12. Sacar los pernos de la parte trasera del bastidor auxiliar y descartarlos.

13. Bajar el bastidor auxiliar para tener acceso a la cremallera y piñón.

14. Sacar el protector térmico del mecanismo de la dirección.

15. Sacar la abrazadera que sujeta los tubos en el conjunto de la cremallera.

16. Desconectar los tubos y juntas tóricas de la dirección asistida.

17. Sacar los pernos y tuercas de montaje de la cremallera y piñón.

18. Sacar la cremallera y piñón a través del hueco de la rueda izquierda.

Para instalar:

19. Instalar la cremallera a través del hueco de la rueda izquierda.

20. Instalar los pernos y las tuercas de montaje de la cremallera y piñón y apretar los pernos de montaje a 66 pie-lb (90 Nm).

21. Conectar los tubos de la dirección asistida a la cremallera usando juntas tóricas nuevas y apretar los rácores a 13 pie-lb (17 Nm) en el tubo de retorno y a 21 pie-lb (28 Nm) en el tubo de presión.

22. Instalar la abrazadera del tubo de la dirección asistida en el mecanismo de la dirección.

23. Instalar el protector térmico del mecanismo de la dirección.

24. Elevar el bastidor auxiliar hasta su posición e instalar pernos nuevos de montaje del bastidor. Apretar los pernos a 103 pie-lb (140 Nm).

25. Sacar los caballetes.

26. Instalar las tuercas del soporte del motor y del soporte de la transmisión y apretar a 39 pie-lb (53 Nm).

27. Instalar el tirante y los pernos, incluyendo el tirante de los tubos del freno.

28. Conectar el eje intermedio en el mango del eje y apretar el perno de presión a 29 pie-lb (40 Nm).

29. Conectar los extremos de la barra de conexión en la articulación de la dirección. Apretar las tuercas de corona a 31 pie-lb (42 Nm). Instalar pasadores partidos nuevos.

30. Instalar los conjuntos de las ruedas y los neumáticos.

31. Bajar el vehículo.

32. Sacar el dispositivo de soporte.

33. Conectar el alambre negativo del acumulador.

34. Llenar el depósito de la dirección asistida y purgar el sistema.

➡ Siempre que se saca o se baja el bastidor auxiliar, se debe revisar la alineación de las ruedas.

35. Comprobar la alineación del extremo delantero y ajustar según sea necesario.

POSTE Y RESORTE

DESMONTAJE E INSTALACIÓN

Delantero

1. Levantar el vehículo y apoyarlo de forma segura.

2. Sacar el conjunto del neumático y la rueda.

1. Conjunto del eje motriz de la rueda delantera
2. Arandela de montaje del poste de la suspensión delantera
3. Tuerca de montaje del poste de la suspensión delantera
4. Tuerca de torque normal (M 12 x 1.75)
5. Perno del poste de la suspensión delantera
6. Tuerca del poste de la suspensión delantera
7. Montaje del poste de la suspensión delantera
8. Asiento del resorte delantero
9. Paragolpes del poste de la suspensión delantera
10. Protector del poste de la suspensión delantera
11. Aislante superior del resorte delantero
12. Resorte delantero

29. Conjunto del eje motriz de la rueda delantera
30. Refuerzo del brazo de control inferior delantero
31. Perno del refuerzo del brazo de control inferior delantero
32. Arandela plana (M 12.2 x 24 x 3.38)
33. Perno del brazo de control inferior delantero
34. Brazo de control inferior delantero
35. Conjunto del espárrago de la rótula del brazo de control inferior delantero

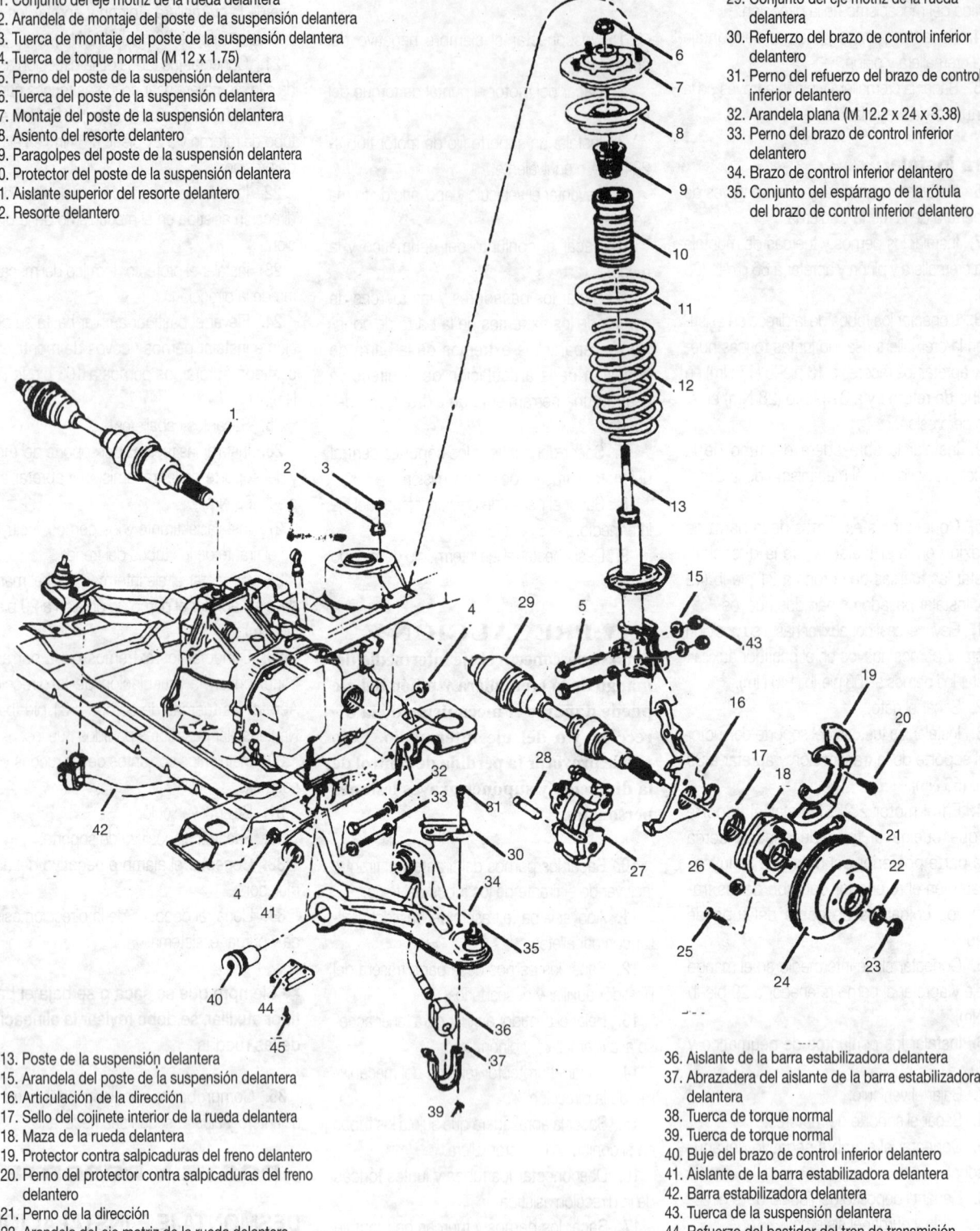

13. Poste de la suspensión delantera
15. Arandela del poste de la suspensión delantera
16. Articulación de la dirección
17. Sello del cojinete interior de la rueda delantera
18. Maza de la rueda delantera
19. Protector contra salpicaduras del freno delantero
20. Perno del protector contra salpicaduras del freno delantero
21. Perno de la dirección
22. Arandela del eje motriz de la rueda delantera
23. Tuerca del eje motriz de la rueda delantera
24. Rotor del freno delantero
25. Perno de la rueda
26. Tuerca de la articulación de la dirección
27. Mordaza del freno delantero
28. Perno de la mordaza delantera

36. Aislante de la barra estabilizadora delantera
37. Abrazadera del aislante de la barra estabilizadora delantera
38. Tuerca de torque normal
39. Tuerca de torque normal
40. Buje del brazo de control inferior delantero
41. Aislante de la barra estabilizadora delantera
42. Barra estabilizadora delantera
43. Tuerca de la suspensión delantera
44. Refuerzo del bastidor del tren de transmisión y de la suspensión delantera
45. Perno del bastidor del tren de transmisión y de la suspensión delantera

Nota: los pernos/tornillos deben colocarse en la dirección en que se muestran en la figura

▲ Suspensión delantera

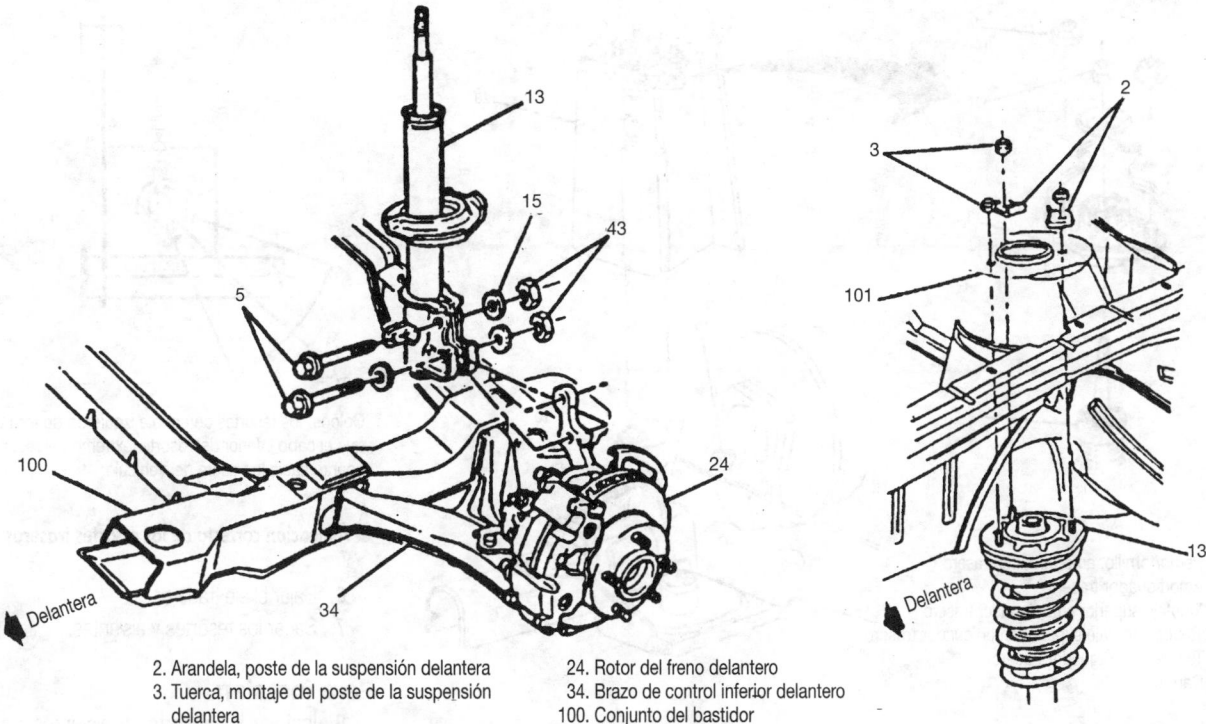

2. Arandela, poste de la suspensión delantera
3. Tuerca, montaje del poste de la suspensión delantera
5. Perno, poste de la suspensión delantera
13. Poste, de la suspensión delantera
15. Arandela del poste de la suspensión delantera

24. Rotor del freno delantero
34. Brazo de control inferior delantero
100. Conjunto del bastidor
101. Torre del amortiguador
43. Tuerca del poste de la suspensión delantera

▲ Montaje superior e inferior del poste

3. Sacar el perno de fijación del soporte de la manguera del freno en el poste y colocar la manguera a un lado.

4. Marcar el poste y la articulación de la dirección para conservar la inclinación de las ruedas existente, al volver a montar el poste.

5. Sacar las tuercas y pernos pasantes del montaje inferior del poste.

6. Sacar las tuercas de montaje superior y sacar el poste del vehículo.

➡ **Si se va a sacar el resorte, anotar la orientación del asiento superior del resorte en relación con el conjunto del poste. El asiento debe instalarse en la misma posición.**

7. Para sacar el resorte del poste, comprimir el resorte usando un compresor de resortes de buena calidad hasta que el resorte está aproximadamente a $1/2$ plg (13 mm) del asiento.

8. Sujetar el eje central con una llave y sacar la tuerca del árbol con una llave de tuberías o pata de cuervo.

9. Sacar del poste el conjunto del cojinete, el asiento superior del resorte, el paragolpes, la funda, el aislante superior del resorte y el resorte.

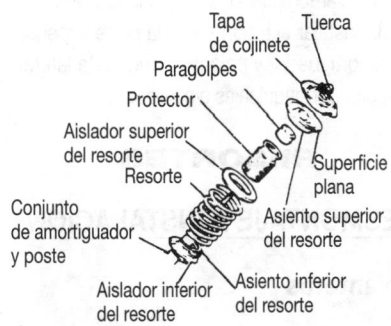

▲ Montaje del resorte y componentes asociados

Para instalar:

10. Si se había sacado el resorte, colocar el resorte sobre el asiento inferior del resorte. Asegurarse de que el extremo del resorte se apoya contra la ranura en el asiento inferior.

11. Instalar el aislante superior del resorte, la funda, el paragolpes, el asiento superior del resorte y el conjunto del cojinete.

12. Instalar la tuerca del eje en el vástago del poste. Apretar la tuerca a 80 pie-lb (108 Nm).

13. Instalar el poste en el vehículo de modo que los espárragos de la placa superior atraviesen la carrocería. Instalar las tuercas de montaje sin apretarlas.

14. Instalar los pernos pasantes del soporte inferior del poste. Instalar las tuercas de montaje y, con las marcas alineadas, apretar las tuercas a 122 pie-lb (165 Nm).

15. Conectar el soporte del tubo del freno en el poste y apretar el perno de montaje a 15 pie-lb (21 Nm).

16. Instalar el conjunto del neumático y la rueda.

17. Bajar el vehículo.

18. Apretar las tuercas de montaje de la placa superior del poste a 18 pie-lb (25 Nm).

19. Comprobar la alineación del extremo delantero y ajustar según sea necesario.

AMORTIGUADORES

DESMONTAJE E INSTALACIÓN

Traseros

➡ **Si el vehículo equipa amortiguadores SuperLift®, purgar el aire del sistema antes de desconectar las líneas de aire.**

1. Levantar el vehículo y apoyarlo a una altura en la que se puedan alcanzar las tuercas

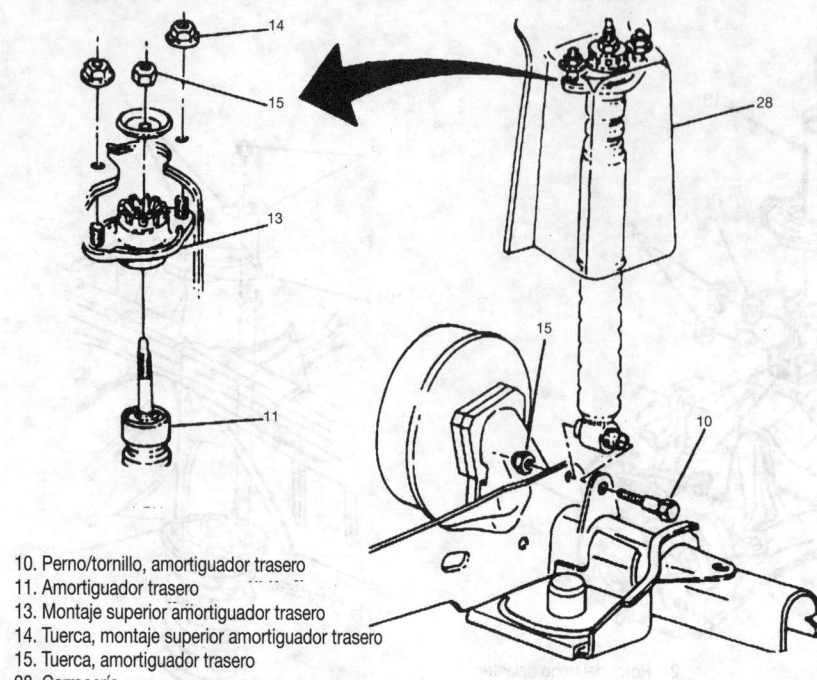

10. Perno/tornillo, amortiguador trasero
11. Amortiguador trasero
13. Montaje superior amortiguador trasero
14. Tuerca, montaje superior amortiguador trasero
15. Tuerca, amortiguador trasero
28. Carrocería

▲ **Montaje del amortiguador trasero y componentes asociados**

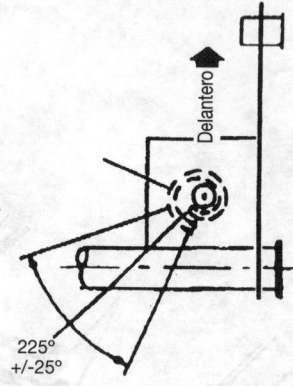

Colocar los resortes derecho e izquierdo de forma que el cabo inferior del resorte (extremo del resorte) apunte hacia la trasera del vehículo

▲ **Alineación correcta de los resortes traseros**

de sujeción de la placa superior del amortiguador, en el cofre.

2. Apoyar el eje trasero con un gato.

3. Separar la moqueta lateral del cofre de la torre del amortiguador trasero.

4. Sacar el tapón de la parte superior del amortiguador y sacar las dos tuercas de sujeción de la placa superior del amortiguador.

5. Desconectar la línea de aire del amortiguador, en el caso de que equipe amortiguadores SuperLift®.

6. Sacar el tornillo pasante y tuerca inferiores del amortiguador y sacar el conjunto del amortiguador del vehículo.

7. Sacar la tuerca central y arandela del amortiguador y sacar del amortiguador la placa del amortiguador.

Para instalar:

8. Instalar la placa del amortiguador en el nuevo amortiguador e instalar la tuerca y arandela de sujeción. Apretar la tuerca a 21 pie-lb (28 Nm).

9. Colocar el amortiguador en el vehículo de modo que los espárragos de la placa superior queden alineados con los orificios en la torre del amortiguador. Instalar las tuercas de sujeción sin apretarlas.

10. Instalar el tornillo pasante y la tuerca inferiores del amortiguador y apretar a 50 pie-lb (72 Nm).

11. Sacar el gato de debajo de la suspensión y bajar el vehículo.

12. Apretar los pernos de sujeción de la placa del amortiguador a 18 pie-lb (25 Nm).

13. Instalar el tapón sobre la parte superior del amortiguador y colocar la moqueta lateral del cofre portaequipajes a su sitio.

RESORTES

DESMONTAJE E INSTALACIÓN

Delanteros

Para el procedimiento de los resortes delanteros ver el procedimiento de desmontaje e instalación del poste.

Traseros

1. Levantar el vehículo y apoyarlo de forma segura.

2. Apoyar el eje trasero con un gato apropiado.

3. Sacar los tornillos de fijación de los soportes de los tubos de frenos derecho e izquierdo y dejar los tubos de frenos colgando.

4. Sacar el perno del brazo de acoplamiento inferior de la suspensión y colocar la barra a un lado.

5. Sacar los pernos de sujeción inferiores del amortiguador.

6. Bajar el eje trasero.

7. Sacar los resortes y aislantes.

Para instalar:

8. Instalar los resortes y aislantes en el vehículo y orientar los resortes de modo que los extremos inferiores de los resortes miren hacia la trasera del vehículo.

9. Levantar el eje trasero hasta su posición e instalar los pernos y tuercas inferiores de sujeción del amortiguador. Apretar las tuercas a 53 pie-lb (72 Nm).

10. Conectar el brazo de acoplamiento en la suspensión e instalar el perno y tuerca de sujeción y apretar a 53 pie-lb (72 Nm).

11. Colocar los soportes de sujeción de los tubos de frenos y apretar los pernos de sujeción.

12. Sacar el gato de debajo de la suspensión.

13. Bajar el vehículo.

RÓTULA ESFÉRICA INFERIOR

DESMONTAJE E INSTALACIÓN

1. Levantar el vehículo y apoyarlo de forma segura por debajo del chasis de modo que el brazo de control no quede apoyado.

2. Sacar el conjunto del neumático y rueda.

3. Sacar la tuerca del perno de presión de la rótula esférica y sacar el perno de presión.

4. Aflojar en el brazo inferior de control la barra estabilizadora.

5. Estirar hacia abajo el brazo de control para desacoplar el espárrago de la rótula esférica de la articulación de la dirección.

6. Taladrar un orificio guía en cada uno de los tres remaches de la rótula esférica usando una broca de $\frac{1}{8}$ plg.

7. Usando una broca de $\frac{1}{2}$ plg, taladrar las cabezas de los remaches.

8. Con un martillo y un punzón, extraer los restos del remache que hayan podido quedar.

9. Sacar la rótula esférica del brazo de control.

Para instalar:

10. Instalar la rótula esférica del brazo de control e instalar las tuercas y los pernos de sujeción incluidos en el equipo de mantenimiento. Apretar las tuercas según las especificaciones del equipo de mantenimiento.

11. Conectar la rótula esférica a la articulación de la dirección e instalar un perno de presión y una tuerca nuevos. Apretar la tuerca a 38 pie-lb (52 Nm). Si la rótula de recambio se suministra con un adaptador de engrase, lubricar la rótula esférica con grasa de chasis de buena calidad.

12. Apretar los pernos del soporte de la barra estabilizadora a 32 pie-lb (43 Nm).

13. Instalar el conjunto del neumático y la rueda y apretar las tuercas de rueda a 100 pie-lb (140 Nm).

14. Bajar el vehículo.

<h2 style="text-align:center">COJINETES
DE RUEDA</h2>

AJUSTE

Los cojinetes de rueda delanteros y traseros de estos vehículos no son ajustables. Los cojinetes de rueda están metidos a presión dentro del conjunto de la maza. Si los cojinetes de rueda hacen ruido o son defectuosos se debe reemplazar el conjunto de maza y cojinete.

DESMONTAJE E INSTALACIÓN

Delanteros

Los cojinetes de rueda delanteros en estos vehículos no pueden ser revisados por separado. Los cojinetes de rueda están metidos a presión dentro del conjunto de la maza. Si los cojinetes de rueda hacen ruido o son defectuosos se debe reemplazar el conjunto de maza y cojinete.

1. Desconectar el alambre negativo del acumulador.

2. Levantar el vehículo y apoyarlo de forma segura.

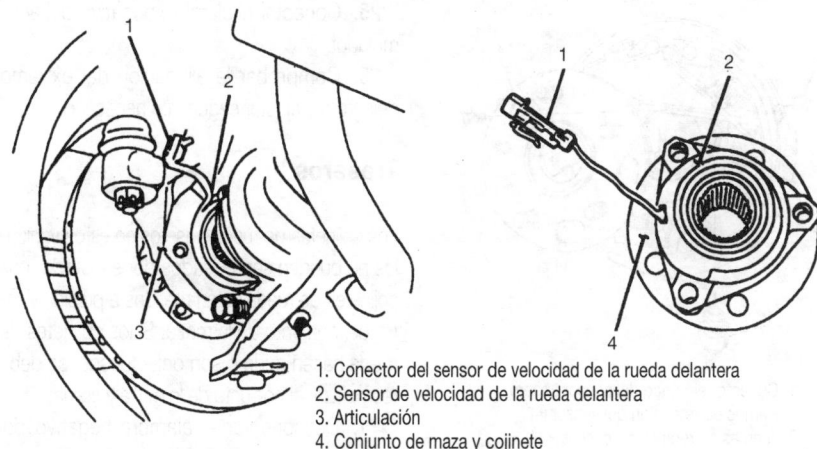

1. Conector del sensor de velocidad de la rueda delantera
2. Sensor de velocidad de la rueda delantera
3. Articulación
4. Conjunto de maza y cojinete

▲ **Al sacar el conjunto de la maza delantera, no olvidar de desconectar el haz de alambres del sensor del ABS**

3. Sacar el conjunto del neumático y rueda.

4. Marcar el soporte inferior del poste con respecto a la articulación de la dirección.

5. Para impedir que la maza y el rotor giren al sacar la tuerca del eje, insertar un punzón a través de la abertura de la mordaza y dentro de las aletas de enfriamiento del rotor del freno para bloquear el conjunto.

6. Sacar la tuerca y la arandela del eje. Sacar el punzón.

7. Sacar los pernos de sujeción de la mordaza y sacar la mordaza de la articulación de la dirección y apoyarla por separado a un lado. NO DEJAR la mordaza colgando de la manguera del freno.

8. Sacar el rotor del freno.

9. Sacar los tres pernos de sujeción del conjunto maza y cojinete y sacar la placa de anclaje.

10. Si dispone de él, desacoplar el conector del sensor de velocidad del ABS.

11. Usando una herramienta de extracción, separar el eje del conjunto de la maza y cojinete. Sacar el conjunto de maza y cojinete.

12. Si también se tiene que sacar la articulación de la dirección, continuar este procedimiento. Sacar el pasador de seguridad y la tuerca de corona del extremo exterior de la barra de acoplamiento y usando un extractor del varillaje de la dirección, separar la barra de acoplamiento de la articulación de la dirección.

13. Sacar las tuercas y los pernos pasantes de sujeción del poste.

14. Sacar el perno de presión de la rótula esférica y sacar la articulación de la dirección de la rótula esférica.

Para instalar:

15. Si se había sacado, instalar la articulación de la dirección en la rótula esférica inferior e instalar un perno de presión y una tuerca nuevos y apretar a 38 pie-lb (52 Nm).

16. Conectar la articulación de la dirección en el soporte inferior del poste e instalar los pernos pasantes y las tuercas. Con las marcas alineadas, apretar las tuercas a 122 pie-lb (165 Nm).

17. Conectar el extremo de la barra de acoplamiento en la articulación de la dirección y apretar la tuerca de corona a 30 pie-lb (41 Nm). Si es necesario alinear los orificios de los pasadores partidos apretar la tuerca de corona hasta un máximo de 60° adicionales. Instalar un nuevo pasador de seguridad (partido).

18. Instalar el cojinete de la maza sobre la articulación de la dirección y colocar la placa de anclaje. Asegurarse de que el sensor del ABS está encaminado correctamente.

19. Instalar los pernos de sujeción del cojinete de la maza y apretar a 63 pie-lb (85 Nm).

20. Instalar el rotor del freno.

21. Instalar la mordaza en la articulación de la dirección y apretar los pernos de sujeción a 38 pie-lb (52 Nm).

22. Instalar un punzón dentro de las aletas de enfriamiento del rotor. Instalar la arandela y tuerca del eje sobre el eje y apretar a 103 pie-lb (140 Nm), más una rotación adicional de 20 grados.

23. Instalar el conjunto del neumático y rueda.

24. Bajar el vehículo.

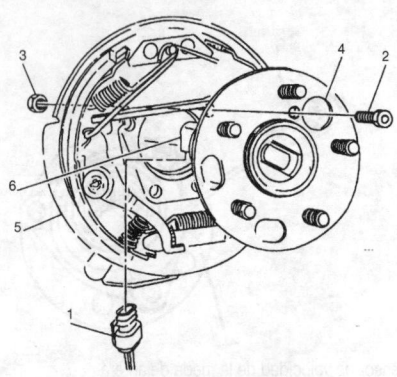

1. Conector eléctrico del sensor trasero
2. Pernos de retención del sensor (4)
3. Tuercas de retención del sensor (4)
4. Orificio de acceso para sacar el perno
5. Conjunto del tambor de freno
6. Cojinete integral trasero y conjunto del sensor de velocidad

▲ **Sacar los pernos de montaje de la maza a través de los orificios grandes de la brida de montaje de la rueda – Se muestra el montaje de la maza trasera**

25. Conectar el alambre negativo del acumulador.

26. Comprobar la alineación del extremo delantero y ajustar según sea necesario.

Traseros

Los cojinetes de rueda traseros en estos vehículos no pueden ser revisados por separado. Los cojinetes de rueda están metidos a presión dentro del conjunto de la maza. Si los cojinetes de rueda hacen ruido o son defectuosos, se debe reemplazar el conjunto de la maza y cojinete.

1. Desconectar el alambre negativo del acumulador.

2. Levantar el vehículo y apoyarlo de forma segura.

3. Sacar el conjunto del neumático y rueda.

4. Sacar el tambor del freno.

➡ **Al sacar del eje los pernos de sujeción del cojinete de la maza y el propio cojine-**

te de la maza, se tiene que sujetar el conjunto de la placa de anclaje.

5. Sacar los cuatro pernos que aseguran el conjunto de la maza y cojinete en el eje.

6. Sacar el conjunto de la maza y cojinete y apoyar la placa de anclaje.

7. Desconectar el sensor de velocidad trasero del ABS.

Para instalar:

8. Conectar el sensor de velocidad del ABS.

9. Colocar el conjunto del cojinete de la maza y la placa de anclaje sobre el eje. Instalar y apretar los pernos de sujeción a 60 pie-lb (82 Nm).

10. Instalar el tambor del freno.

11. Instalar el conjunto del neumático y la rueda.

12. Bajar el vehículo.

13. Conectar el alambre negativo del acumulador.

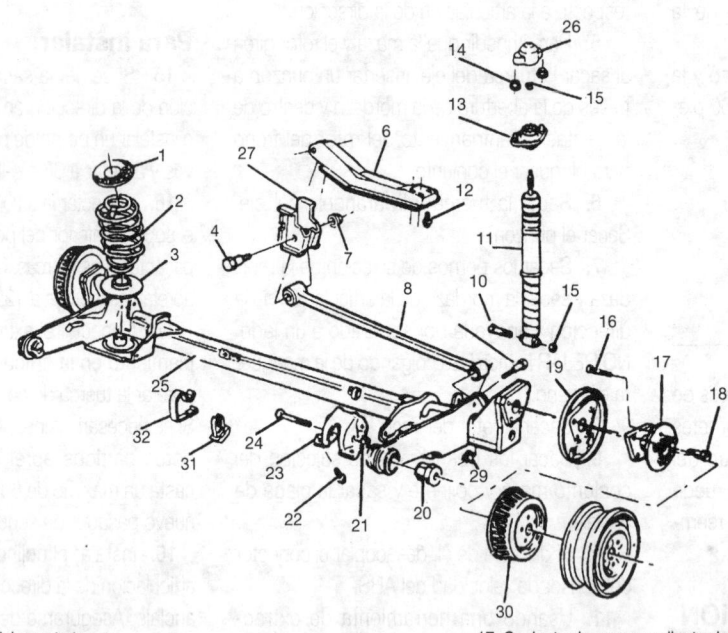

1. Aislante superior del resorte trasero
2. Resorte trasero
3. Aislante inferior del resorte trasero
4. Perno/tornillo del tirante del soporte de la barra de conexión del eje trasero
6. Tirante del soporte de la barra de conexión del eje trasero (familiar)
7. Tuerca del tirante del soporte de la barra de conexión del eje trasero
8. Barra de conexión del eje trasero
9. Perno/tornillo de la barra de conexión del eje trasero
10. Perno/tornillo del amortiguador trasero
11. Amortiguador trasero
12. Perno/tornillo del tirante del soporte de la barra del eje trasero
13. Montaje superior del amortiguador trasero
14. Tuerca de montaje superior del amortiguador trasero
15. Tuerca del amortiguador trasero
16. Espárrago de rueda

17. Conjunto de maza y cojinete de rueda trasera
18. Perno/tornillo del conjunto de maza y cojinete de rueda trasera
19. Placa de soporte del freno trasero
20. Buje del brazo de control de la suspensión trasera
21. Tuerca de soporte del brazo de control de la suspensión trasera
22. Perno/tornillo de soporte del brazo de control de la suspensión trasera
23. Soporte del brazo de control de la suspensión trasera
24. Perno/tornillo de soporte del brazo de control de la suspensión trasera
25. Eje trasero
26. Tapa superior del amortiguador trasero
27. Soporte de la barra de conexión del eje trasero
29. Tuerca de la barra de conexión del eje trasero
30. Tambor del freno trasero
31. Aislante de la barra estabilizadora trasera
32. Abrazadera del aislante de la barra estabilizadora trasera

▲ **Suspensión trasera y componentes asociados**

GM CARROCERÍA 'J'
TRACCIÓN DELANTERA
Cavalier - Sunfire

ESPECIFICACIONES	**392**
REPARACIÓN DEL MOTOR	**395**
Sincronización del encendido	395
Conjunto motor	395
Bomba de agua	398
Culata de cilindros	399
Balancines	402
Múltiple de admisión	403
Múltiple de escape	405
Árbol de levas y levantaválvulas	406
Holgura de válvulas	408
Depósito de aceite	408
Bomba de aceite	410
Cadena de sincronización,	
piñones, tapa delantera y sello	411
SISTEMA DE COMBUSTIBLE	**413**
Precauciones de mantenimiento	
del sistema de combustible	413
Presión del sistema	
de combustible	414
Filtro de combustible	414
Bomba de combustible	415
TREN DE TRANSMISIÓN	**415**
Conjunto del transeje	415
Embrague (clutch)	417
Sistema de embrague	
(clutch) hidráulico	418
Semieje	418
DIRECCIÓN Y SUSPENSIÓN	**419**
Air bag	419
Mecanismo de la dirección	
de cremallera y piñón	420
Poste	420
Resorte	422
Rótula esférica inferior	423
Cojinetes de rueda	423

ESPECIFICACIONES
GM CARROCERÍA 'J'
Cavalier, Sunfire
TABLA DE IDENTIFICACIÓN DEL VEHÍCULO

Clave	Litros	Plg³(cc)	Cil.	Sist. combustible	Fab. motor
4	2.2	133 (2180)	4	MFI	CUS
D	2.3	138 (2262)	4	MFI	CUS
T	2.4	146 (2392)	4	MFI	CUS
T	3.1	191 (3130)	6	MFI	CPC

Clave	Año
S	1995
T	1996
V	1997
W	1998
X	1999

CUS: Chevrolet/Estados Unidos.
CPC: Chevrolet/Pontiac/Canadá.
MFI: Inyección de combustible Multipunto.

IDENTIFICACIÓN DEL MOTOR

Año	Modelo	Cilindrada del motor litros (cc)	Identificación serie del motor (ID/VIN)	Sistema combustible	N° de cilindros	Tipo de motor
1995	Cavalier	2.2 (2180)	4	MFI	4	OHV
	Cavalier	2.3 (2262)	D	MFI	4	DOHC
	Sunfire	2.2 (2180)	4	MFI	4	OHV
	Sunfire	2.3 (2262)	D	MFI	4	DOHC
1996	Cavalier	2.2 (2180)	4	MFI	4	OHV
	Cavalier	2.4 (2392)	T	MFI	4	DOHC
	Sunfire	2.2 (2180)	4	MFI	4	OHV
	Sunfire	2.4 (2392)	T	MFI	4	DOHC
1997	Cavalier	2.2 (2180)	4	MFI	4	OHV
	Cavalier	2.4 (2392)	T	MFI	4	DOHC
	Sunfire	2.2 (2180)	4	MFI	4	OHV
	Sunfire	2.4 (2392)	T	MFI	4	DOHC
1998-99	Cavalier	2.2 (2180)	4	MFI	4	OHV
	Cavalier	2.4 (2392)	T	MFI	4	DOHC
	Sunfire	2.2 (2180)	4	MFI	4	OHV
	Sunfire	2.4 (2392)	T	MFI	4	DOHC

MFI: Inyección de combustible Multipunto.
OHV: Válvulas sobre culata.
DOHC: Doble árbol de levas sobre culata.

ESPECIFICACIONES GENERALES DEL MOTOR

Año	Motor ID/VIN	Cilindrada del motor litros (cc)	Sistema de combustible	Caballaje neto @ rpm	Torsión neta @ rpm (pie-lb)	Diámetro x carrera (plg)	Relación de compresión	Presión de aceite @ rpm
1995	4	2.2 (2180)	MFI	120@5200	130@3200	3.50x3.46	9.0:1	63-77@1200
	D	2.3 (2262)	MFI	150@6100	145@4800	3.63x3.35	9.5:1	30@2000
1996	4	2.2 (2180)	MFI	120@5200	130@3200	3.50x3.46	9.0:1	56@3000
	T	2.4 (2392)	MFI	150@6000	155@4400	3.54x3.70	9.5:1	30@3000
1997	4	2.2 (2180)	MFI	120@5200	130@3200	3.50x3.46	9.0:1	56@3000
	T	2.4 (2392)	MFI	150@6000	155@4400	3.54x3.70	9.5:1	30@3000
1998-99	4	2.2 (2180)	MFI	120@5200	130@3200	3.50x3.46	9.0:1	56@3000
	T	2.4 (2392)	MFI	150@6000	155@4400	3.54x3.70	9.5:1	30@3000

MFI: Inyección de combustible Multipunto.

ESPECIFICACIONES PARA AFINACIONES DE MOTORES DE GASOLINA

Año	Motor ID/VIN	Cilindrada del motor litros (cc)	Abertura de bujías (plg)	Sincronización ignición (grados) TM	Sincronización ignición (grados) TA	Bomba de combustible (lb/plg²)	Marcha mínima (rpm) TM	Marcha mínima (rpm) TA	Holgura de válvulas Admisión	Holgura de válvulas Escape
1995	4	2.2 (2180)	0.045	①	①	41-47	①	①	HYD	HYD
	D	2.3 (2262)	0.035	①	①	41-47	①	①	HYD	HYD
1996	4	2.2 (2180)	0.045	①	①	41-47	①	①	HYD	HYD
	T	2.4 (2392)	0.035	①	①	41-47	①	①	HYD	HYD
1997	4	2.2 (2180)	0.045	①	①	41-47	①	①	HYD	HYD
	T	2.4 (2392)	0.035	①	①	41-47	①	①	HYD	HYD
1998-99	4	2.2 (2180)	0.045	①	①	41-47	①	①	HYD	HYD
	T	2.4 (2392)	0.035	①	①	41-47	①	①	HYD	HYD

NOTA: la etiqueta de Información del Control de Emisiones del Vehículo a menudo detalla los cambios que se hayan podido producir en las especificaciones durante la fabricación del vehículo. Se deben tomar los valores de esta etiqueta si éstos difieren de los presentados en esta tabla.
HYD: Hidráulico.
① Ver la etiqueta del Información del Control de Emisiones del Vehículo.

CAPACIDADES

Año	Modelo	Motor ID/VIN	Cilindrada del motor litros (cc)	Aceite del motor con filtro (qts)	Transmisión (pts) 4 vel.	Transmisión (pts) 5 vel.	Transmisión (pts) Auto.	Caja transfer. (pts)	Eje motriz Delantero (pts)	Eje motriz Trasero (pts)	Depósito de combustible (gal)	Sistema enfriamiento (qts)
1995	Cavalier	4	2.2 (2180)	4.5	—	4.0	8.0 ①	—	—	—	13.6	8.5
	Cavalier	D	2.3 (2262)	4.5	—	4.0	14.0	—	—	—	13.6	10.4
	Sunfire	4	2.2 (2180)	4.5	—	4.0	8.0 ①	—	—	—	15.2	10.7
	Sunfire	D	2.3 (2262)	4.5	—	4.0	22.0	—	—	—	15.2	10.4
1996	Cavalier	4	2.2 (2180)	4.5	—	4.0	8.0 ①	—	—	—	13.6	8.5
	Cavalier	T	2.4 (2392)	4.5	—	4.0	14.0	—	—	—	13.6	10.4
	Sunfire	4	2.2 (2180)	4.5	—	4.0	8.0 ①	—	—	—	15.2	10.7
	Sunfire	T	2.4 (2392)	4.5	—	4.0	22.0	—	—	—	15.2	10.4
1997	Cavalier	4	2.2 (2180)	4.5	—	4.0	8.0 ①	—	—	—	13.6	8.5
	Cavalier	T	2.4 (2392)	4.5	—	4.0	14.0	—	—	—	13.6	10.4
	Sunfire	4	2.2 (2180)	4.5	—	4.0	8.0 ①	—	—	—	15.2	10.7
	Sunfire	T	2.4 (2392)	4.5	—	4.0	22.0	—	—	—	15.2	10.4
1998-99	Cavalier	4	2.2 (2180)	4.5	—	4.0	8.0 ①	—	—	—	13.6	8.5
	Cavalier	T	2.4 (2392)	4.5	—	4.0	14.0	—	—	—	13.6	10.4
	Sunfire	4	2.2 (2180)	4.5	—	4.0	8.0 ①	—	—	—	15.2	10.7
	Sunfire	T	2.4 (2392)	4.5	—	4.0	22.0	—	—	—	15.2	10.4

NOTA: todas las capacidades son aproximadas. Añadir el fluido de forma gradual y asegurar que se consigue un nivel de fluido correcto.
① 10,0 pts si va equipado con O/D.

ESPECIFICACIONES DE VÁLVULAS

Año	Motor ID/VIN	Cilindrada del motor litros (cc)	Ángulo de asiento (grados)	Ángulo de cara (grados)	Tensión de resortes (lb @ plg)	Altura resorte instalado (plg)	Holgura entre vástago y guía (plg)		Diámetro del vástago (plg)	
							Admisión	Escape	Admisión	Escape
1995	4	2.2 (2180)	46	45	225-233@ ① 1.25	1.640 ②	0.0011-0.0026	0.0014-0.0031	NA	NA
	D	2.3 (2262)	45	44	193-207@ 1.04	1.440 ②	0.0010-0.0027	0.0015-0.0032	0.2740-0.2750	0.2740-0.2750
1996	4	2.2 (2180)	46	45	75-81@1.71	1.710	0.0010-0.0027	0.0014-0.0031	NA	NA
	T	2.4 (2392)	45	46	50-55@1.44	1.437	0.0009-0.0025	0.0016-0.0032	0.2331-0.2339	0.2326-0.2334
1997	4	2.2 (2180)	46	45	75-81@1.71	1.710	0.0010-0.0027	0.0014-0.0031	NA	NA
	T	2.4 (2392)	45	46	50-55@1.44	1.437	0.0009-0.0025	0.0016-0.0032	0.2331-0.2339	0.2326-0.2334
1998-99	4	2.2 (2180)	46	45	75-81@1.71	1.710	0.0010-0.0027	0.0014-0.0031	NA	NA
	T	2.4 (2392)	45	46	50-55@1.44	1.437	0.0009-0.0025	0.0016-0.0032	0.2331-0.2339	0.2326-0.2334

NA: No disponible.
① Con válvula abierta.
② Con válvula cerrada.

ESPECIFICACIONES DE TORSIÓN
Todas las medidas están en pie-lb

Año	Motor ID/VIN	Cilindrada del motor litros (cc)	Tornillos culata de cilindros	Tornillos cojinete principal	Tornillos cojinete de biela	Tornillos polea cigüeñal	Tornillos volante	Múltiple		Bujías	Tuerca con orejetas
								Admisión	Escape		
1995	4	2.2 (2180)	①	77	38	85 ②	52-55	18	6-13	20	100
	D	2.3 (2262)	26 ③	④	⑤	⑥	⑦	⑧	⑨	17	100
1996	4	2.2 (2180)	①	70	38	77 ②	52-55	24	18	11	100
	T	2.4 (2392)	⑩	④	⑤	⑥	⑦	⑧	⑨	11	100
1997	4	2.2 (2180)	①	70	38	77 ②	52-55	24	18	11	100
	T	2.4 (2392)	⑩	④	⑤	⑥	⑦	⑧	⑨	11	100
1998-99	4	2.2 (2180)	①	70	38	77 ②	52-55	24	18	11	100
	T	2.4 (2392)	⑩	④	⑤	⑥	⑦	⑧	⑨	11	100

NA: No disponible.
① Paso 1: 41 pie-lb.
  Paso 2: Apretar 45 grados adicionales.
  Paso 3: Apretar 45 grados adicionales.
  Paso 4: Tornillos largos 1, 4-5, 8-9, 20 grados adicionales.
  Paso 5: Tornillos cortos 2-3, 6-7, 10, 10 grados adicionales.
② Especificaciones mostradas para tornillo central; tornillos de polea a maza: 37 pie-lb.
③ Los tornillos de culata de cilindros deben apretarse a 26 pie-lb.
  Tornillos largos: 100 grados.
  Tornillos cortos: 120 grados.
④ 15 pie-lb más 90 grados.
⑤ 18 pie-lb más 80 grados.
⑥ 74 pie-lb más 90 grados.
⑦ 22 pie-lb más 45 grados.
⑧ Tuercas: 18 pie-lb.
  Espárragos: 96 plg-lb.
⑨ Tornillos: 27 pie-lb.
  Espárragos: 106 plg-lb.
⑩ Tornillos de culata de cilindros: 40 pie-lb más 90 grados.

REPARACIÓN DEL MOTOR

➡ La desconexión del alambre negativo del acumulador puede, en algunos vehículos, interferir con las funciones del computador de a bordo y puede provocar que el computador requiera un proceso de readquisición de parámetros, al reconectar el cable negativo del acumulador.

SINCRONIZACIÓN DEL ENCENDIDO

AJUSTE

La sincronización del encendido la controla el PCM. Su ajuste no es necesario ni tampoco posible.

CONJUNTO MOTOR

DESMONTAJE E INSTALACIÓN

Motor 2.2L

▼ PRECAUCIÓN ▼

El sistema de inyección de combustible permanece con presión, incluso después de que el contacto del motor se haya desconectado (OFF). La presión del sistema de combustible debe descargarse antes de desconectar ningún tubo de combustible. Si no se hace así existe riesgo de incendio y/o lesiones personales.

1. Descargar la presión del sistema de combustible.

2. Desconectar el alambre negativo del acumulador.

▼ PRECAUCIÓN ▼

Nunca abrir, realizar el mantenimiento o purgar el radiador o el sistema de enfriamiento en caliente, ya que el vapor de agua y el enfriante caliente podrían producir graves quemaduras.

3. Drenar el sistema de enfriamiento en un recipiente adecuado.

4. Sacar el ducto de entrada de aire al cuerpo del ahogador.

5. Sacar el acumulador del vehículo.

6. Sacar el conjunto del filtro de aire.

7. Sacar la parte superior del radiador.

8. Desconectar la manguera de vacío del reforzador del servofreno.

9. Sacar el tirante superior del alternador y desconectar los alambres del alternador.

10. Etiquetar y desconectar los alambres eléctricos de los componentes siguientes:

- Sonda de oxígeno (O₂).
- Cableado de la inyección de combustible.
- Control de aire de la marcha en vacío (IAC).
- Sensor de posición del ahogador (TPS).
- Emisor de temperatura del enfriante.
- Conmutador aparcado/neutro.
- Solenoide TCC.
- Solenoide de cambio de transeje (transmisión).
- Masa del transeje.
- Sensor MAP.
- EGR.
- Ventilador de enfriamiento.

11. Si dispone de él, descargar de forma adecuada y recuperar el refrigerante del circuito del aire acondicionado.

12. Desconectar los tubos del compresor al condensador y al acumulador.

13. Sacar el cilindro auxiliar de la transmisión, si equipa una transmisión manual.

14. Desconectar y tapar los tubos de combustible.

15. Desconectar el varillaje del cambio del soporte de la transmisión.

16. Desconectar los chicotes de control de la palanca del cuerpo del ahogador y sacar el soporte del chicote de la cubierta de balancines y del múltiple de admisión.

17. Colocar un recipiente debajo de la bomba de la dirección asistida y desconectar y tapar los tubos de la dirección asistida.

18. Instalar la herramienta fija de apoyo de motores J-28467, o equivalente.

19. Levantar el vehículo y apoyarlo de forma segura.

▼ PRECAUCIÓN ▼

La autoridad sanitaria advierte que el contacto prolongado con aceite de motor usado puede causar múltiples trastornos en la piel e incluso cáncer. Por ello deberá intentar reducir al mínimo su contacto con el aceite usado. Deben usarse guantes de protección al cambiar el aceite. Debe lavarse, tan pronto como sea posible, las manos y

cualquier otra parte de la piel expuestas al aceite usado de motor. Debe usarse jabón y agua, o limpiador de manos libre de agua.

20. Drenar y reciclar el aceite del motor.

21. Sacar los conjuntos de neumático y rueda delantera.

22. Sacar los protectores contra salpicaduras de los guardabarros internos derecho e izquierdo.

23. Desconectar del múltiple el tubo de escape delantero y sacar el tubo de escape delantero.

24. Etiquetar y soltar de los componentes inferiores del motor los conectores siguientes:

- Conjunto del encendido.
- Motor de arranque.
- Sensor de velocidad del vehículo (VSS).
- Alambre de masa de la transmisión.

25. Sacar la tapa del volante.

26. Sacar la manguera inferior del radiador.

27. Desconectar las mangueras del calefactor de los tubos del núcleo del calefactor.

28. Desconectar del radiador los tubos de enfriamiento de la transmisión.

29. Sacar el perno de sujeción del poste inferior del motor en el travesaño de la suspensión.

30. Desacoplar los conectores de ambos sensores del ABS de las ruedas delanteras y desatar los cableados del travesaño de la suspensión.

31. Sacar los pasadores partidos y las tuercas almenadas de las rótulas esféricas inferiores, después separar las rótulas de las articulaciones de la dirección.

32. Sacar los travesaños de la suspensión.

33. Desconectar los semiejes de la transmisión y suspenderlos a un lado.

34. Colocar un dispositivo de soporte (bancada) adecuado debajo del conjunto del motor y transmisión.

35. Bajar el vehículo hasta que el conjunto del tren propulsor repose sobre la bancada.

36. Sacar los pernos de montaje de la transmisión al bastidor.

37. Sacar el soporte intermedio del soporte de montaje derecho del motor.

38. Sacar el dispositivo de apoyo del motor.

39. Levantar el vehículo, dejando el tren propulsor sobre el banco (bancada), para motor. Al levantar el vehículo, hacerlo lentamente para comprobar que no hay ningún tubo conectado al conjunto del tren propulsor.

40. Sacar los pernos del convertidor de torque al volante y los pernos de sujeción del transeje al motor y sacar el transeje del motor.

Para instalar:

41. Instalar el transeje en el motor y apretar los pernos de sujeción a 68 pie-lb (93 Nm).

42. Colocar los pernos del convertidor de torque al volante y apretarlos a 46 pie-lb (62 Nm).

43. Colocar el motor sobre el banco y bajar el vehículo hasta que el motor se encuentre en el compartimiento del motor.

44. Instalar el dispositivo de suspensión del motor.

45. Levantar el vehículo y apoyarlo de forma segura, y sacar el banco para motor.

46. Conectar los tubos de enfriamiento del transeje al radiador.

47. Acoplar las mangueras del calefactor a los tubos de salida del núcleo del calefactor.

48. Instalar la manguera inferior del radiador.

49. Conectar el soporte de apoyo del montaje del motor al soporte intermedio y apretar los pernos a 96 pie-lb (130 Nm).

50. Instalar los pernos del montaje de la transmisión a la carrocería y apretar a 40 pie-lb (54 Nm).

51. Conectar los semiejes a la transmisión.

52. Instalar los travesaños de la suspensión y los brazos de mando en el vehículo y apretar los pernos de sujeción a 89 pie-lb (120 Nm).

53. Conectar las rótulas esféricas inferiores a las articulaciones de la dirección y apretar los pernos de sujeción a 48 pie-lb (65 Nm) e instalar 2 pasadores partidos nuevos.

54. Conectar los sensores de velocidad del ABS de las ruedas delanteras al del haz conector y a las pinzas del bastidor auxiliar.

55. Conectar el puntal del motor al soporte de la suspensión y apretar el perno de sujeción a 89 pie-lb (120 Nm).

56. Instalar la cubierta de la transmisión.

57. Acoplar a los componentes inferiores del motor los conectores eléctricos siguientes:

- Conjunto del encendido.
- Motor de arranque.
- Sensor de velocidad del vehículo (VSS).
- Alambre eléctrico de masa de la transmisión.

58. Instalar el tubo de escape delantero y apretar los pernos del tubo al múltiple a 22 pie-lb (30 Nm).

59. Instalar los protectores contra salpicaduras de los guardabarros interiores derecho e izquierdo.

60. Instalar el conjunto del neumático y rueda delantera y apretar a 100 pie-lb (140 Nm).

61. Bajar el vehículo.

62. Acoplar los tubos de la dirección asistida a la bomba.

63. Conectar los chicotes de control a la palanca del cuerpo del ahogador y al soporte de montaje.

64. Acoplar el varillaje del cambio a la transmisión y al soporte de montaje.

65. Conectar los tubos del combustible.

66. Instalar el cilindro secundario del embrague, si dispone de él.

67. Conectar los tubos del acondicionador de aire del compresor al condensador y al acumulador.

68. Recargar el circuito del acondicionador de aire.

69. Conectar los alambres eléctricos a los componentes siguientes:

- Sonda de oxígeno (O$_2$).
- Haz de cables de la inyección de combustible.
- Control de aire de la marcha en vacío (IAC).
- Sensor de posición del ahogador (TPS).
- Emisor de temperatura del líquido enfriante.
- Conmutador aparcado/neutro.
- Solenoide TCC.
- Solenoide de cambio de la transmisión.
- Masa de la transmisión.
- Sensor MAP.
- EGR.
- Ventilador de enfriamiento.

70. Instalar el soporte de montaje superior del alternador y conectar los alambres del alternador.

71. Conectar la manguera de vacío al reforzador del servofreno.

72. Instalar las mangueras superiores del radiador.

73. Instalar el filtro del aire.

74. Instalar el alambre del acumulador y conectar el alambre positivo.

75. Instalar el ducto de entrada de aire al cuerpo del ahogador.

76. Conectar el alambre negativo del acumulador.

▼ AVISO ▼

Hacer funcionar el motor con un tipo o cantidad de aceite de motor inapropiados provocará daños severos en el motor.

77. Llenar el motor con las cantidades y los tipos correctos de enfriante y de aceite de motor.

78. Rellenar y purgar el circuito de la dirección asistida.

79. Arrancar el motor y comprobar que no haya fugas.

➡ Siempre que se saca o se baja el bastidor auxiliar (falso bastidor), se debe revisar la alineación de las ruedas.

Motores 2.3L y 2.4L

1. Si dispone de aire acondicionado, recuperar el refrigerante de forma adecuada.

2. Desconectar el alambre negativo del acumulador.

▼ PRECAUCIÓN ▼

Nunca abrir, realizar el mantenimiento o purgar el radiador o el circuito de enfriamiento en caliente, ya que el vapor de agua y el enfriante caliente podrían producir graves quemaduras.

3. Drenar el circuito de enfriamiento de forma adecuada en un recipiente homologado.

4. Descargar la presión del circuito del combustible.

5. Sacar el aislante acústico izquierdo, después desconectar la barra de empuje del embrague (clutch) del conjunto del pedal.

6. Desconectar la manguera de calefacción del conjunto del termostato, después desacoplar la manguera de entrada (superior) al radiador.

7. Sacar el conjunto del filtro del aire y el ventilador del enfriante.

8. Si dispone de aire acondicionado, desconectar del compresor la manguera del compresor al condensador, y descartar las juntas tóricas.

9. Desconectar las 2 mangueras de vacío de la parte delantera del motor.

10. Etiquetar y desconectar los conectores eléctricos siguientes:

- Alternador.
- Compresor del aire acondicionado (si se equipa).
- Cableado de los inyectores de combustible.
- Control del aire de la marcha en vacío (IAC) y sensor TP del cuerpo del ahogador.
- Sensor de presión absoluta en el múltiple (MAP).
- Sensor de temperatura del aire de entrada (IAT).
- Solenoide de purga del bote EVAP.
- Solenoide del motor de arranque.
- Conexiones de masa.
- Alambre negativo del acumulador (de la transmisión).
- Conjunto de la bobina y módulo de encendido electrónico.

- Sensor(es) de temperatura del enfriante del motor (ECT).
- Sensor/interruptor de presión del aceite.
- Sensor de oxígeno (O$_2$).
- Sensor de posición del cigüeñal (CKP).
- Interruptor de las luces de marcha atrás, luego colocar el cableado a un lado.

11. Desconectar la manguera de vacío del servofreno del cuerpo del ahogador. Desacoplar el tubo de vacío del servofreno de la manguera de la válvula anti-retorno.

12. Sacar el chicote del ahogador y el soporte.

13. Aflojar el soporte trasero de la bomba de la dirección asistida, después sacar el soporte y tubo de vacío conjuntamente.

14. Aflojar el perno del pivote de la dirección asistida, después sacar la bomba y la banda motriz. Colocar la bomba a un lado, con los tubos aún conectados.

15. Desconectar los tubos de combustible con cuidado.

16. Desconectar los chicotes del cambio. Desconectar el tubo del actuador del clutch.

17. Sacar el múltiple de escape y el protector térmico.

18. Desconectar el radiador la manguera de salida (inferior) del radiador.

19. Instalar el dispositivo de soporte del motor J-28467-A o equivalente.

20. Aflojar el perno de sujeción del tanque de expansión del enfriante, después colocar el tanque a un lado con las mangueras aún conectadas.

21. Sacar el conjunto de soporte del motor.

22. Levantar el vehículo y apoyarlo de forma segura, después sacar el conjunto del neumático y la rueda delantera. Sacar el protector contra salpicaduras derecho.

▼ PRECAUCIÓN ▼

La autoridad sanitaria advierte que el contacto prolongado con aceite de motor usado puede causar múltiples trastornos en la piel e incluso cáncer. Por ello deberá intentar reducir al mínimo su contacto con el aceite usado. Deben usarse guantes de protección al cambiar el aceite. Debe limpiarse, tan rápido como sea posible, las manos y cualquier otra parte de la piel expuestas al aceite usado de motor. Debe usarse jabón y agua, o limpiador de manos libre de agua.

23. Drenar y reciclar el aceite de motor.

24. Sacar el deflector de aire del radiador.

25. Etiquetar y desconectar las conexiones eléctricas siguientes:
- Sensor de velocidad del vehículo (VSS).
- Sensor de autoencendido.
- Solenoide del motor de arranque.
- Si dispone de ABS, ambos sensores de velocidad de la rueda delantera.

26. Sacar el puntal de montaje del motor y el montaje de la transmisión.

27. Separar las rótulas esféricas de las articulaciones de la dirección.

28. Sacar los soportes de la suspensión, el travesaño, y la barra estabilizadora como un solo conjunto.

29. Desconectar la manguera de salida de calefacción del tubo de salida del radiador.

30. Sacar el vástago del eje de la transmisión y del eje intermedio, luego colocar a un lado.

31. Si dispone de aire acondicionado, desconectar del depósito del aceite los tubos del aire acondicionado.

32. Sacar la cubierta del volante.

33. Colocar un soporte apropiado debajo del motor, después bajar con cuidado el motor sobre el soporte.

34. Hacer una marca sobre el fileteado en los ganchos del dispositivo de soporte de modo que se pueda reproducir esta misma disposición al reinstalar el motor. Sacar los ganchos tipo J del dispositivo de soporte del motor.

35. Levantar el vehículo lentamente separándolo del motor y del conjunto de la transmisión. Si fuera necesario, mover el conjunto motor/transmisión hacia atrás para que pase sin rozar el múltiple de admisión.

36. Separar el motor de la transmisión, anotando la posición de los pernos.

Para instalar:
▼ AVISO ▼
Asegurarse de que los pernos de retención están en sus posiciones correctas. En caso contrario podría dañarse el motor.

37. Acoplar el motor a la transmisión.

38. Colocar el motor y el conjunto de la transmisión debajo del compartimiento del motor. Después bajar lentamente el vehículo sobre el conjunto hasta que el montaje de la de transmisión esté en la posición marcada, luego instalar el perno de retención.

39. Instalar el dispositivo de soporte del motor J-28467-A o equivalente, asegurándose de ajustar la herramienta tal como se había ajustado en el desmontaje del motor.

40. Instalar el conjunto del montaje del motor y del montaje de la transmisión.

41. Levantar el vehículo con cuidado fuera del soporte.

42. Acoplar los semiejes a la transmisión.

43. Conectar la manguera de salida de calefacción al tubo de salida del radiador.

44. Instalar el conjunto de los soportes de la suspensión, travesaño y barra estabilizadora.

45. Acoplar las rótulas esféricas a las articulaciones de la dirección, luego fijarlas con las tuercas.

46. Instalar el montaje del puntal del motor.

47. Si dispone de aire acondicionado, conectar los tubos al depósito de aceite.

48. Conectar los conectores eléctricos siguientes, según el etiquetado que se les dio durante su desmontaje:
- Sensor de velocidad del vehículo (VSS).
- Sensor de autoencendido.
- Solenoide del motor de arranque.
- Si dispone de ABS, ambos sensores de velocidad de la rueda delantera.

49. Instalar la cubierta del volante de inercia.

50. Fijar el deflector de aire del radiador.

51. Conectar la manguera inferior del radiador.

52. Instalar el protector contra salpicaduras derecho, después el conjunto de neumático y rueda delantera.

53. Bajar el vehículo con cuidado, después sacar el dispositivo de soporte del motor.

54. Instalar el tanque de expansión del enfriante, y fijarlo con el perno de fijación.

55. Acoplar las conexiones eléctricas siguientes, según el etiquetado que se les dio durante su desmontaje:
- Alternador.
- Compresor del aire acondicionado (si se equipa).
- Cableado de los inyectores de combustible.
- Control del aire de la marcha en vacío (IAC) y sensor TP del cuerpo del ahogador.
- Sensor de presión absoluta en el múltiple (MAP).
- Sensor de temperatura del aire de entrada (IAT).
- Solenoide de purga del bote EVAP.
- Solenoide del motor de arranque.
- Conexiones de masa.
- Alambre negativo del acumulador (de la de transmisión).
- Conjunto de bobina y módulo de encendido electrónico.
- Sensor(es) de temperatura del enfriante del motor (ECT).

- Sensor/interruptor de presión del aceite.
- Sensor de oxígeno (O₂).
- Sensor de posición del cigüeñal (CKP).
- Interruptor de las luces de marcha atrás.

56. Acoplar las mangueras de vacío.

57. Si dispone de aire acondicionado, acoplar el conjunto de la manguera del compresor/condensador al compresor.

58. Fijar el tubo del actuador del embrague.

59. Instalar el múltiple de escape y el protector térmico.

60. Conectar los tubos del combustible.

61. Conectar el alambre positivo del acumulador.

62. Apretar el perno del pivote de la bomba de la dirección asistida al bloque. Instalar el soporte trasero de la bomba de la dirección asistida, y tensar la banda.

63. Conectar las mangueras de vacío al múltiple de admisión y al tubo del reforzador del freno.

64. Instalar el chicote del ahogador y el soporte.

65. Instalar el ventilador de enfriamiento y el conjunto del filtro del aire.

66. Acoplar la manguera de salida (superior) del radiador. Llenar el circuito de enfriamiento con el tipo y cantidad adecuadas de enfriante.

67. Conectar la barra de empuje del embrague al conjunto del pedal, luego instalar el aislante acústico izquierdo.

68. Acoplar la manguera de calefacción a la caja del termostato.

▼ AVISO ▼
Hacer funcionar el motor con un tipo o cantidad de aceite de motor inapropiados provocará daños severos en el motor.

69. Llenar la caja de la de transmisión con fluido, llenar el cárter con aceite.

70. Conectar el alambre negativo del acumulador.

71. Si dispone de aire acondicionado, evacuar, cargar y comprobar que no haya fugas en el sistema.

72. Arrancar el motor y comprobar los niveles de los fluidos, el correcto funcionamiento del motor y que no haya fugas de fluidos.

BOMBA DE AGUA

DESMONTAJE E INSTALACIÓN

Motor 2.2L

▼ AVISO ▼
Al añadir enfriante, es importante usar líquido enfriante GM Goodwrench DEX-COOL®, que cumple las especificaciones GM 6277M.

1. Desconectar el alambre negativo del acumulador.

▼ PRECAUCIÓN ▼
Nunca abrir, realizar el mantenimiento o purgar el radiador o el circuito de enfriamiento en caliente, ya que el vapor de agua y el enfriante caliente podrían producir graves quemaduras.

2. Drenar el circuito de enfriamiento en un recipiente apropiado.

3. Aflojar, pero no sacar, los pernos de la polea de la bomba de agua.

4. Sacar la correa serpentina.

5. Sacar los pernos de sujeción del alternador y dejar el alternador a un lado.

6. Sacar los pernos de la polea de la bomba de agua, luego sacar la polea.

7. Sacar los 4 pernos de sujeción de la bomba de agua, luego sacar la bomba de agua.

Para instalar:

8. Limpiar completamente todas las superficies de empaque.

9. Aplicar un fino cordón de sellante alrededor del borde exterior de la zona de asiento de la junta (embrague) de la bomba de agua y colocar la junta en la bomba.

10. Instalar la bomba de agua en el motor y apretar los 4 pernos de sujeción a 18 pie-lb (25 Nm).

11. Instalar la polea de la bomba de agua y apretar a mano los pernos de sujeción.

12. Instalar el alternador en el soporte de montaje.

13. Instalar la correa serpentina.

14. Apretar los pernos de sujeción de la polea de la bomba de agua a 22 pie-lb (30 Nm).

15. Conectar el alambre negativo del acumulador.

16. Rellenar y purgar el circuito de enfriamiento.

Motores 2.3L y 2.4L

1. Desconectar el alambre negativo del acumulador.

2. Desacoplar el conector de la sonda (sensor) de oxígeno.

▼ PRECAUCIÓN ▼
Nunca abrir, realizar el mantenimiento o purgar el radiador o el circuito de enfriamiento en caliente, ya que el vapor de agua y el enfriante caliente podrían producir graves quemaduras.

3. Drenar de forma adecuada el enfriante del motor en un recipiente apropiado. Sacar la manguera de calefacción de la caja del termostato para obtener un drenaje total del enfriante.

4. Sacar el protector térmico superior del múltiple de escape.

5. Sacar el perno que sujeta el tirante del múltiple de escape al múltiple de escape.

6. Sacar el protector térmico inferior del múltiple de escape.

7. Despegar los pernos de resorte cargados, que unen el múltiple al tubo de escape, usando una llave de tubo de 13 mm.

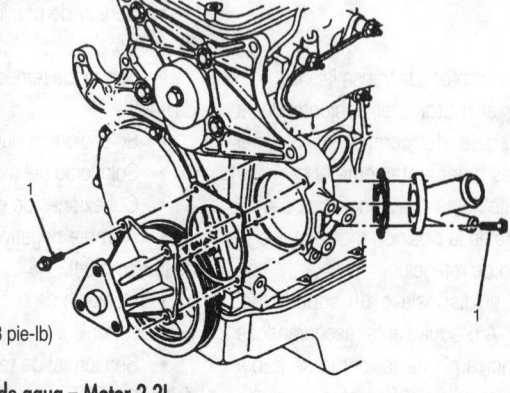

1.- Perno – 25 Nm (18 pie-lb)

▲ Montaje de la bomba de agua – Motor 2.2L

8. Levantar el vehículo y apoyarlo de forma segura.

➡ **Es necesario descargar la presión del resorte del perno 1 antes de sacar el segundo perno. Si no se descarga la presión del resorte, el tubo de escape doblará y atascará el perno en cuanto se saque el perno.**

9. Aflojar los 2 pernos de la tapa del tubo de salida del radiador a la bomba de agua.

10. Sacar los pernos del tubo de escape al múltiple, de la brida del tubo de escape, tal como sigue:

    a. Desatornillar cualquier perno en el sentido de las agujas del reloj 4 vueltas.

    b. Sacar el otro perno.

    c. Sacar el primer perno.

▼ AVISO ▼

En motores 2.4L, NO GIRAR el acoplamiento flexible más de 4 grados ya que podría quedar dañado.

11. Estirar el tubo de escape hacia abajo y atrás para desacoplarlo de los pernos del múltiple de escape.

12. Sacar el tubo de salida del radiador del depósito de aceite y de la transmisión. En caso de equipar una transmisión manual, sacar el tirante del múltiple de escape. Dejar acoplada la manguera inferior del radiador y estirar hacia abajo el tubo de salida para sacarlo de la bomba de agua. Dejar colgando el tubo de salida del radiador.

13. Bajar el vehículo con cuidado.

1. Alojamiento de la cadena de sincronización
2. Junta de la cadena de sincronización. Alojando la tapa de la bomba de agua
3. Tuerca (3)
4. Conjunto del cuerpo de la bomba de agua
5. Junta entre el cuerpo de la bomba de agua y la tapa de la bomba de agua
6. Tapa de la bomba de agua
7. Perno (M6 x 1 x 65) – 3 posiciones inferiores
8. Perno (M6 x 1 x 25)
9. Perno (M6 x 1 x 90)
10. Junta entre la tapa de la bomba de agua y el bloque
11. Pernos entre la tapa de la bomba de agua y el bloque (2)

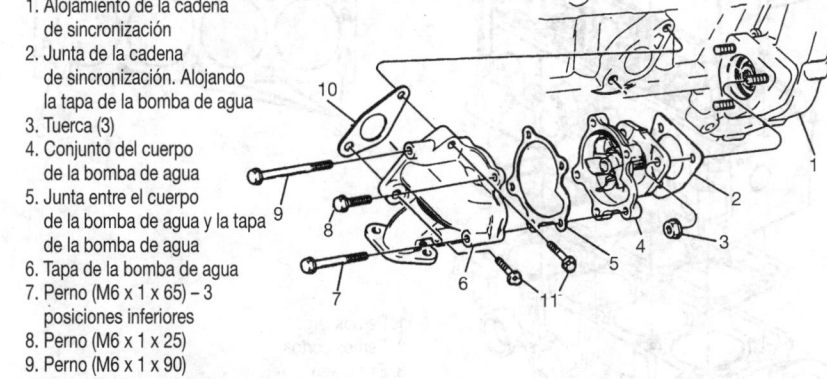

▲ Montaje de la bomba de agua y componentes asociados – Motores 2.3L y 2.4L

14. Aflojar las tuercas de retención del múltiple de escape a la culata de cilindros, luego sacar el múltiple de escape, los sellos y las juntas.

15. En el caso del motor 2.4L, sacar la tapa delantera de la cadena de sincronización y el tensor de la cadena.

16. Aflojar los pernos de la bomba de agua al bloque de cilindros. Sacar los pernos de la bomba de agua a la caja de la cadena de sincronización. Sacar la bomba de agua, y pernos y tuercas de montaje de la tapa. Sacar la bomba de agua y la tapa como un solo conjunto y después separar las 2 piezas.

Para instalar:

17. Limpiar a fondo y secar todas las superficies de contacto, pernos y orificios de los pernos. Usando una junta nueva, instalar la bomba de agua en la tapa y apretar a mano los pernos.

18. Lubricar las estrías de la bomba de agua con grasa limpia e instalar el conjunto en el motor usando juntas nuevas. Instalar los pernos y tuercas de montaje y apretarlos a mano.

19. Lubricar la junta tórica del tubo de salida del radiador con anticongelante y deslizar el tubo sobre la tapa de la bomba de agua. Instalar los pernos y apretarlos a mano.

20. Con todas las aberturas tapadas, apretar los pernos según el orden y valores siguientes:

    a. Conjunto de la bomba -a-alojamiento de la cadena – 19 pie-lb (26 Nm).

    b. Tapa de la bomba -a-conjunto de la bomba – 106 plg–lb (12 Nm).

    c. Tapa -a-bloque de cilindros, primero el perno inferior – 19 pie-lb (26 Nm).

    d. Conjunto del tubo de salida del radiador –a–tapa de la bomba – 125 plg-lb (14 Nm).

21. Usando juntas nuevas, instalar el múltiple de escape.

22. Levantar el vehículo y apoyarlo de forma segura.

23. Marcar los pernos del múltiple de escape sobre la brida del tubo de escape.

24. Conectar el tubo de escape en el múltiple. Instalar los pernos de la brida del tubo de escape de forma uniforme y gradual para evitar que se atasquen. Apretar los pernos hasta que estén completamente asentados.

25. Conectar el tubo de salida del radiador en la transmisión y en el depósito de aceite. Instalar el tirante del múltiple de escape, si se había sacado.

26. En el caso del motor 2.4L, instalar el tensor de la cadena de sincronización y la tapa delantera.

27. Instalar el protector térmico inferior.

28. Bajar el vehículo con cuidado.

29. Apretar el perno que une el tirante del múltiple de escape al múltiple.

30. Apretar las tuercas del múltiple al tubo de escape a 26 pie-lb (35 Nm).

31. Instalar el protector térmico superior.

32. Acoplar el conector de la sonda de oxígeno.

33. Llenar el radiador con enfriante hasta que éste salga por la manguera de salida de calefacción a la caja del termostato. Luego conectar la manguera del calefactor. Dejar abierto el tapón del radiador.

34. Conectar el alambre negativo del acumulador, luego arrancar el motor. Poner en marcha el vehículo hasta que el termostato se abra, llenar el radiador y el depósito de recuperación (expansión) hasta sus niveles correctos, después parar el motor (OFF).

35. Una vez el vehículo se ha enfriado, comprobar de nuevo el nivel líquido enfriante.

CULATA DE CILINDROS

DESMONTAJE E INSTALACIÓN

Motor 2.2L

▼ PRECAUCIÓN ▼

El sistema de inyección de combustible permanece con presión, incluso después de que el contacto del motor se haya desconectado (OFF). La presión del sistema de combustible debe descargarse antes de desconectar ningún tubo de combustible. Si no se hace

así existe riesgo de incendio y/o lesiones personales.

1. Descargar la presión del sistema de combustible.

▼ PRECAUCIÓN ▼

Después de descargar la presión del sistema, aún pueden descargarse de los tubos y de los conectores pequeñas cantidades de combustible cuando se realiza el mantenimiento. Para reducir las posibilidades de lesiones personales, se deben cubrir los rácores de los tubos de combustible con una toalla o trapo antes de desconectarlos, para recoger el combustible que pudiera perderse. Dejar el trapo en un contenedor homologado, una vez que se ha completado la desconexión.

2. Desconectar el alambre negativo del acumulador.

3. Sacar el conjunto del ducto de salida del filtro del aire.

4. Etiquetar y desconectar las líneas de vacío.

5. Desconectar y etiquetar para su posterior identificación las conexiones eléctricas del sensor de temperatura del enfriante (ECT), sonda de oxígeno (O_2), IAC, sensor de posición del ahogador, sensor MAP, solenoide de purga del bote EVAP y el cableado eléctrico de los inyectores de combustible.

6. Sacar del soporte de control del acelerador, los chicotes de control del acelerador, de la válvula TV y de control de crucero.

7. Sacar el soporte del chicote de control del acelerador.

8. Levantar el vehículo y apoyarlo de forma segura.

9. Sacar el tubo de escape del múltiple de escape.

▼ PRECAUCIÓN ▼

Nunca abrir, realizar el mantenimiento o purgar el radiador o el sistema de enfriamiento en caliente, ya que el vapor de agua y el enfriante caliente podrían producir graves quemaduras.

10. Drenar y recoger el enfriante en un recipiente adecuado.

11. Bajar el vehículo.

12. Sacar la correa motriz de serpentina.

13. Sacar el alternador.

14. Sacar la bomba de la dirección asistida y dejarla al lado con los tubos conectados.

15. Sacar el soporte de la bomba de la dirección asistida.

16. Instalar el dispositivo de soporte de motores J-28467-A o equivalente.

17. Sacar el soporte del tensor de la correa motriz de serpentina.

18. Etiquetar y desconectar los alambres de las bujías.

19. Desconectar la línea de purga del bote EVAP, de debajo del múltiple.

20. Sacar la manguera superior de la salida del enfriante.

21. Sacar la manguera de calefacción de la salida del enfriante.

22. Sacar del múltiple de admisión, la tuerca que sujeta el tubo de llenado de la transmisión automática, si dispone de ella.

23. Desconectar los tubos de combustible.

24. Sacar la tapa de válvulas.

➡ Siempre que se saquen los componentes del tren de válvulas para realizar su mantenimiento, deben guardarse ordenados. Estos componentes se deben instalar en las mismas posiciones y con las mismas superficies de contacto que tenían antes de su desmontaje.

25. Sacar los balancines y empujaválvulas.

26. Sacar los pernos de culata de cilindros. Se usan dos tamaños de pernos. Anotar la posición de cada uno de ellos. Estos pernos se llaman "de límite de torque". Esto significa que, en conjunto, cuando los pernos se han apretado a un determinado torque, se aprietan un cuarto de vuelta más. Esto estira los pernos ligeramente. Por lo tanto, se recomienda usar pernos nuevos para la culata de cilindros.

27. Sacar la culata de cilindros con los dos múltiples acoplados.

28. Sacar el múltiple de admisión y el de escape de la culata de cilindros.

Para instalar:

29. Limpiar completamente todas las superficies de empaque. Limpiar los fileteados de los pernos de la culata de cilindros asegurándose de que todos los orificios de perno queden limpios y exentos de restos de materiales extraños. Es una buena práctica limpiar internamente el fileteado con un macho de roscar (filetear) del tamaño adecuado. Esto elimina el óxido, la suciedad y los restos de sellante viejo que se hayan acumulado que pueden impedir alcanzar una lectura correcta del torque de apriete al apretar los pernos.

30. Inspeccionar la culata de cilindros y la superficie del bloque de cilindros para buscar grietas, muescas, rayas y para comprobar si la culata y el bloque siguen teniendo sus superficies totalmente planas.

31. Instalar los múltiples de escape y de admisión en la culata de cilindros antes de instalar la propia culata de cilindros.

32. Colocar una nueva junta de culata de cilindros en posición sobre las clavijas de centrado del bloque de cilindros. Guiar con cuidado la culata de cilindros dentro de su posición.

33. Instalar y apretar a mano los pernos de culata de cilindros. Se recomienda usar pernos nuevos de culata de cilindros.

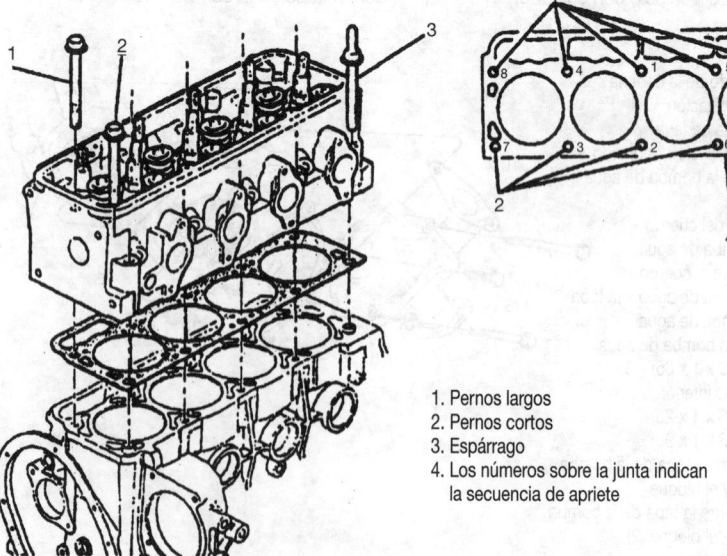

1. Pernos largos
2. Pernos cortos
3. Espárrago
4. Los números sobre la junta indican la secuencia de apriete

▲ Secuencia de apriete de la culata de cilindros – Motor 2.2L

34. Apretar los pernos en secuencia, apretar los pernos largos a 46 pie-lb (63 Nm) más 90 grados. Apretar los pernos cortos a 43 pie-lb (58 Nm) más 90 grados.

35. Instalar los empujaválvulas y balancines y las tuercas de balancines. Apretar las tuercas a 22 pie-lb (30 Nm).

36. Instalar la tapa de válvulas y apretar los pernos a 89 plg-lb (10 Nm).

37. Conectar los tubos de combustible.

38. Instalar la tuerca del tubo de llenado de la transmisión y apretar a 20 pie-lb (27 Nm).

39. Instalar la manguera de calefacción a la salida del enfriante.

40. Instalar la manguera superior del radiador al enfriante.

41. Conectar la línea de purga del bote EVAP.

42. Conectar los cables de encendido a las bujías, según se etiquetó en el desmontaje.

43. Instalar el soporte y los pernos del tensor de la correa propulsora de serpentina. Apretar los pernos a 37 pie-lb (50 Nm).

44. Sacar el dispositivo de soporte de motores.

45. Instalar el soporte de la bomba de la dirección asistida y la bomba de la dirección asistida.

46. Instalar el alternador y el tirante.

47. Instalar la correa motriz de serpentina.

48. Levantar el vehículo y apoyarlo de forma segura.

49. Conectar el tubo de escape al múltiple de escape.

50. Bajar el vehículo.

51. Instalar el soporte y los pernos del chicote de control del acelerador. Apretar los pernos a 18 pie-lb (25 Nm).

52. Conectar los chicotes de control del acelerador, control de crucero y control de la válvula TV al soporte de control.

53. Acoplar todas las conexiones eléctricas de los sensores.

54. Conectar las líneas de vacío.

55. Instalar el conjunto del ducto de salida del filtro de aire.

56. Rellenar el sistema de enfriamiento.

57. Conectar el alambre negativo del acumulador.

58. Arrancar el vehículo y comprobar que no haya fugas.

59. Purgar el aire del sistema de enfriamiento del modo siguiente:

a. Aflojar el tornillo de purga del enfriante del motor (situado en la parte superior de la salida del enfriante del motor), y añadir líquido enfriante hasta que todo el aire del circuito ha

salido a través del orificio de purga. Apretar el tornillo del orificio de purga.

b. Al llenar el circuito del enfriante, usar un enfriante que cumpla las especificaciones de GM.

Motores 2.3L y 2.4L

▼ PRECAUCIÓN ▼

El sistema de inyección de combustible permanece con presión, incluso después de que el contacto del motor se haya desconectado (OFF). La presión del sistema de combustible debe descargarse antes de desconectar ningún tubo de combustible. Si no se hace así existe riesgo de incendio y/o lesiones personales.

1. Descargar la presión del sistema de combustible.

▼ PRECAUCIÓN ▼

Después de descargar la presión del sistema, aún pueden liberarse de los tubos y de los conectores pequeñas cantidades de combustible cuando se realiza el mantenimiento. Para reducir las posibilidades de lesiones personales, se deben cubrir los rácores de los tubos de combustible con una toalla o trapo antes de desconectarlos, para recoger el combustible que pudiera perderse. Dejar el trapo en un contenedor homologado, una vez que se ha completado la desconexión.

2. Desconectar el alambre negativo del acumulador.

▼ PRECAUCIÓN ▼

Nunca abrir, realizar el mantenimiento o purgar el radiador o el circuito de enfriamiento en caliente, ya que el vapor de agua y el enfriante caliente podrían producir graves quemaduras.

3. Drenar y recoger el enfriante en un recipiente adecuado.

4. Desconectar de la salida del agua, las mangueras de entrada del calefactor y del calefactor al cuerpo del ahogador.

5. Sacar el múltiple de escape.

6. Sacar el alojamiento del árbol de levas de admisión y los levantaválvulas, luego sacar el alojamiento del árbol de levas de escape y los levantaválvulas.

7. Sacar el tubo de llenado de aceite.

8. Sacar el ducto del cuerpo del ahogador al filtro del aire.

9. Desconectar del cuerpo del ahogador la manguera de vacío del servofreno.

10. Sacar el soporte del chicote (cable) de ahogador.

11. Sacar el cuerpo del ahogador del múltiple de admisión, con el haz de alambres eléctricos y el chicote del ahogador conectados. Colocarlo a un lado.

12. Desconectar del múltiple de admisión, la manguera de vacío del sensor MAP.

13. Sacar el tirante del múltiple de admisión.

14. Desconectar las conexiones eléctricas de los sensores siguientes: sensor de temperatura del aire de admisión, sensor MAP y solenoide de purga del bote EVAP.

15. Desconectar de la salida del agua la manguera superior del radiador.

16. Desacoplar los conectores de los sensores de temperatura del enfriante.

17. Aflojar los pernos de culata de cilindros, luego sacar la culata y la junta.

Para instalar:

Esta culata de cilindros es de aluminio y debe tratarse con cuidado. No usar trapos abrasivos para limpiar la culata y las superficies del bloque de cilindros. Un trapo abrasivo puede dañar la culata de cilindros y el bloque de cilindros. GM afirma que los trapos abrasivos no deben ser usados por las razones siguientes:

a. Los trapos abrasivos producen una arenilla fina que los filtros de aceite no son capaces de eliminar del aceite. Esta arenilla es abrasiva y se sabe que ha producido daños internos en motores.

b. Los trapos abrasivos quitan con facilidad el material suficiente como para redondear los bordes de la culata de cilindros. Se sabe que esto afecta a la capacidad de sellado de la junta, especialmente en las zonas estrechas entre las cámaras de combustión y las camisas de enfriamiento de los cilindros. Es probable que la junta de la culata de cilindros tenga fugas si estos bordes están redondeados.

c. Los trapos abrasivos pueden eliminar suficiente metal como para afectar la planitud de la culata de cilindros. Hacen falta sólo unos 15 segundos para eliminar 0.008 plg (0.20 mm) de metal de la culata de cilindros con un trapo abrasivo. Si la planitud de la culata de cilindros está fuera de especificaciones la junta de culata no será capaz de sellar y la junta tendrá fugas.

18. Usar una rasqueta de hoja de afeitar para limpiar las superficies de la culata de cilindros y de la junta del bloque de cilindros. Tener cuidado de no hacer un surco o rayar las superficies de empaque. No hacer un surco o rayar las superficies de la cámara de combustión. Usar una hoja nueva para cada culata de cilindros. Sujetar la rasqueta de modo que la hoja esté tan paralela a la superficie de empaque como sea posible. No usar ningún otro método o técnica para limpiar estas superficies de empaque. Además, GM advierte de no usar un macho de terraja para limpiar los orificios de los pernos de la culata de cilindros.

19. Cuando se trabaja sobre una culata de aluminio, no sacar las bujías de la culata de cilindros de aluminio hasta que la culata se ha enfriado. Siempre limpiar toda la suciedad y los restos de la zona del hueco de las bujías. Si el fileteado del orificio de las bujías está dañado y no se puede restaurar con un macho de filetear (roscador macho), sustituir la culata de cilindros. GM NO aprueba la instalación de fileteados insertados en los orificios de las bujías en este motor. Si se instalan fileteados en los orificios de las bujías, el motor sufrirá graves daños.

20. Limpiar completamente todas las superficies de empaque. Limpiar el fileteado de los pernos de la culata de cilindros y asegurarse de que todos los orificios están limpios y sin ningún resto de material. Se recomienda usar pernos nuevos.

21. Inspeccionar las superficies de la culata y bloque de cilindros para buscar grietas, muescas, rayas y para comprobar que la culata y el bloque siguen teniendo sus superficies totalmente planas.

22. Colocar una nueva junta de culata sobre el bloque de cilindros. No usar ningún material sellante.

23. Colocar con cuidado la culata de cilindros sobre las clavijas de centrado, teniendo cuidado de no mover la junta.

24. Aplicar un poco de aceite limpio de motor al fileteado de los pernos de culata de cilindros, e instalarlos apretándolos a mano.

25. Apretar los pernos de culata en secuencia. Apretar los pernos 1 al 8 a 40 pie-lb (65 Nm); después apretar los pernos 9 y 10 a 30 pie-lb (40 Nm). Apretar en secuencia todos los 10 pernos 90 grados ($^1/_4$ de vuelta) adicionales.

26. Acoplar las conexiones del sensor de temperatura del enfriante.

27. Conectar la manguera superior del radiador a la salida del enfriante.

28. Instalar el tirante del múltiple y apretar a 19 pie-lb (26 Nm).

29. Acoplar todas las conexiones de los sensores.

30. Conectar la manguera de vacío del sensor MAP al múltiple de admisión.

31. Instalar el cuerpo del ahogador en el múltiple de admisión, usando una junta nueva.

32. Instalar el soporte del chicote de control del acelerador en el cuerpo del ahogador, y apretar los pernos a 106 plg-lb (12 Nm). Apretar la tuerca a 19 pie-lb (26 Nm).

33. Instalar el ducto del filtro del aire en el cuerpo del ahogador.

34. Instalar el tubo de llenado del aceite, apretar el perno de sujeción a 71 plg-lb (8 Nm).

35. Instalar los levantaválvulas y el alojamiento del árbol de levas.

36. Instalar el múltiple de escape, después apretar las tuercas a 26 pie-lb (35 Nm).

37. Conectar el alambre negativo del acumulador.

38. Llenar el sistema de enfriamiento y purgar el aire que contenga el sistema. Se recomienda un cambio de aceite y de filtro.

39. Comprobar que el vehículo no tiene fugas de enfriante o de vacío.

BALANCINES

DESMONTAJE E INSTALACIÓN

➡ **Colocar los componentes en orden en un estante, de modo que se asegure que se van a instalar en la misma posición y con la misma superficie de contacto que tenían antes de su desmontaje.**

1. Desconectar el alambre negativo del acumulador.

2. Sacar la(s) cubierta(s) de los balancines.

3. Aflojar las tuercas de los balancines.

4. Sacar las rótulas de pivote de los balancines.

5. Sacar los balancines.

6. Sacar los empujaválvulas. Para el motor 3.1L, los empujaválvulas de admisión están marcados en naranja y tienen 6 plg (15.2 cm) de longitud y los empujaválvulas de escape están marcados en azul y tienen 6 $^3/_8$ plg (16.2 cm) de longitud.

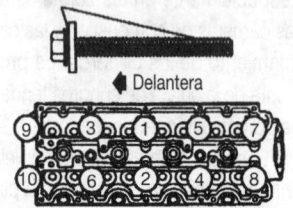

Aplicar un poco de aceite limpio de motor aquí

◀ Delantera

A – Apretar los pernos según las especificaciones siguientes en Nm (pie-lb), y en secuencia: pernos 1 al 8: 65 Nm (40 pie-lb) pernos 9 y 10: 40 Nm (30 pie-lb)
B – Después apretar los 10 pernos 90 grados más, en secuencia.

▲ **Secuencia de apriete de los pernos de culata de cilindros – Motores 2.3L y 2.4L**

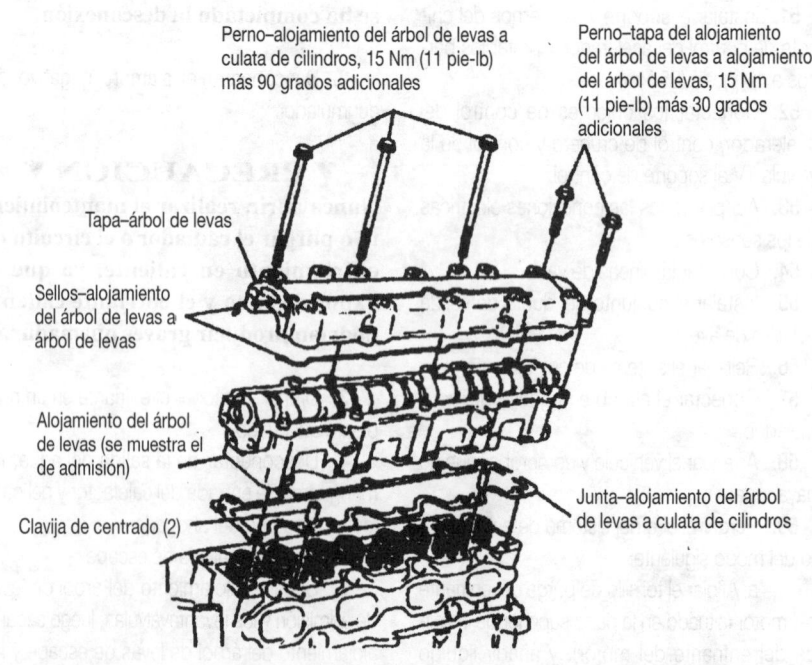

Perno–alojamiento del árbol de levas a culata de cilindros, 15 Nm (11 pie-lb) más 90 grados adicionales

Perno–tapa del alojamiento del árbol de levas a alojamiento del árbol de levas, 15 Nm (11 pie-lb) más 30 grados adicionales

Tapa–árbol de levas

Sellos–alojamiento del árbol de levas a árbol de levas

Alojamiento del árbol de levas (se muestra el de admisión)

Clavija de centrado (2)

Junta–alojamiento del árbol de levas a culata de cilindros

▲ **Montaje de la tapa del alojamiento del árbol de levas – Motores 2.3L y 2.4L**

Para instalar:

7. Instalar los empujaválvulas. Asegurarse de que se instalan los empujaválvulas en sus posiciones correctas, y que asientan correctamente sobre los levantaválvulas.

8. Cubrir las superficies de los cojinetes de los balancines y de las rótulas de pivote con lubricante de extrema presión de árbol de levas y de levantaválvulas tipo GM especificación 1052365 o equivalente. Instalar el(los) balancín(es).

9. Instalar las rótulas de pivote de los balancines.

10. Instalar las tuercas de los balancines, y apretar a 22 pie-lb (30 Nm) en el motor 2.2L y a 18 pie-lb (25 Nm) en el motor 3.1L.

11. Instalar las cubiertas de los balancines.

12. Conectar el alambre negativo del acumulador.

MÚLTIPLE DE ADMISIÓN

DESMONTAJE E INSTALACIÓN

Motor 2.2L

MODELOS 1995-97

Estos vehículos tienen un múltiple de admisión de dos piezas. La mitad superior, a veces llamada *cámara de distribución*, contiene el cuerpo del ahogador y las conexiones del chicote de control. La mitad inferior tiene lumbreras de unión individuales a cada lumbrera de admisión de la culata de cilindros. Esta mitad inferior va unida a la culata de cilindros por medio de pernos y aloja los inyectores del combustible. Tener en cuenta que estas piezas son de aluminio fundido. Se debe tener cuidado al trabajar con cualquier componente de una aleación ligera.

1. Aliviar la presión del sistema de combustible de forma adecuada.

2. Desconectar el alambre negativo del acumulador.

3. Sacar el ducto de admisión de aire del cuerpo del ahogador.

▼ PRECAUCIÓN ▼

Nunca abrir, realizar el mantenimiento o purgar el radiador o el circuito de enfriamiento en caliente, ya que el vapor de agua y el enfriante caliente podrían producir graves quemaduras.

4. Drenar el circuito de enfriante en un recipiente homologado.

5. Identificar, etiquetar y desconectar todas las líneas de vacío que sea necesario.

6. Desconectar los chicotes de control de la palanca del cuerpo del ahogador y sacar del múltiple de admisión el soporte del chicote de control.

7. Sacar la correa de serpentina.

8. Sacar la bomba de la dirección asistida y dejarla a un lado con todos los tubos conectados.

9. Sacar el tubo de llenado de la transmisión.

10. Etiquetar y desconectar los alambres eléctricos siguientes:

• Válvula de control de aire de la marcha en vacío (IAC).

• Sensor de posición del ahogador (TP).

• Sensor de presión absoluta del múltiple (MAP).

• Solenoide de emisiones EVAP.

• Haz de alambres de los inyectores de combustible.

• Válvula de recirculación de gases de escape (EGR).

11. Sacar el sensor MAP.

12. Aflojar los pernos de montaje superiores del múltiple de admisión, después sacar el múltiple de admisión.

13. Desconectar los tubos de combustible del raíl de combustible.

14. Sacar el inyector de la válvula EGR, luego sacar la válvula EGR.

15. Sacar el soporte de retención de los inyectores de combustible, regulador e inyectores.

16. Aflojar y sacar el soporte del chicote de control.

17. Si es necesario para tener acceso, levantar el vehículo y apoyarlo de forma segura.

18. Aflojar las 6 tuercas del múltiple de admisión, luego sacar el múltiple.

19. Limpiar todas las superficies de empaque.

Para instalar:

20. Instalar una nueva junta, después colocar el múltiple de admisión inferior. Apretar las tuercas del múltiple de admisión inferior en la secuencia correcta a 24 pie-lb (33 Nm).

21. Conectar los chicotes de control y el soporte de los chicotes.

22. Instalar la válvula EGR.

23. Acoplar los tubos de combustible al raíl de combustible.

24. Instalar los inyectores de combustible, regulador y soporte de la retención de los inyectores, después apretar los pernos de la retención a 22 plg-lb (3.5 Nm).

25. Instalar el inyector de la válvula EGR, que tiene la lumbrera mirando directamente hacia el cuerpo del ahogador.

26. Instalar el conjunto del múltiple superior de admisión. Apretar las tuercas del múltiple superior de admisión en la secuencia correcta a 22 pie-lb (30 Nm).

27. Instalar el sensor MAP.

28. Acoplar los conectores eléctricos al sensor MAP, válvula solenoide EGR, válvula de control de aire de la mancha en vacío (IAC), sensor de posición del ahogador (TP) y los inyectores del combustible.

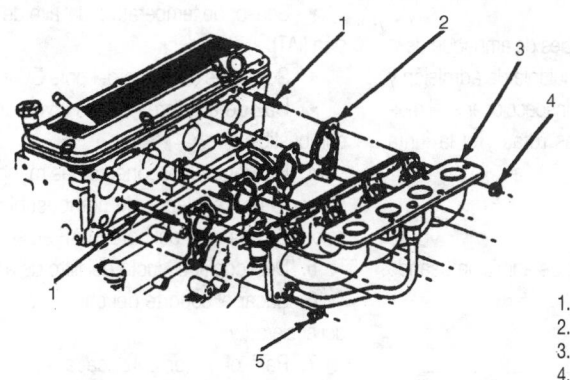

1. Espárrago
2. Junta
3. Múltiple de admisión
4. Tuerca
5. Clip

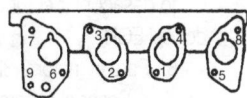

Secuencia de apriete de las tuercas
del múltiple de admisión

▲ Secuencia de apriete del múltiple de admisión inferior – Motor 2.2L

29. Instalar el tubo de llenado de la transmisión.

30. Instalar la bomba de la dirección asistida, después instalar la correa de serpentina.

31. Conectar las líneas de vacío, según se etiquetaron al desmontarlas.

32. Instalar el ducto de admisión de aire.

33. Llenar el sistema de enfriamiento.

34. Conectar el alambre negativo del acumulador, arrancar el motor y comprobar que no haya fugas.

MODELOS 1998-99

1. Desconectar el alambre negativo del acumulador.

2. Aliviar la presión del sistema de combustible de forma adecuada.

3. Sacar el ducto de entrada del filtro del aire.

4. Sacar el resonador de entrada de aire y soporte.

5. Sacar del cuerpo del ahogador, los chicotes del ahogador y control de crucero.

6. Etiquetar y desconectar los conectores eléctricos siguientes:

• Sensor de presión absoluta en el múltiple (MAP).

• Sensor de posición del ahogador (TP).

• Válvula de control de aire de la marcha en vacío (IAC).

7. Aflojar los pernos y sacar el cuerpo del ahogador. .

8. Desconectar el tubo de alimentación de combustible y el tubo de entrada de combustible.

9. Sacar los pernos/tuercas de sujeción del múltiple de admisión, luego sacar el múltiple del motor.

10. Limpiar las superficies de empaque de la culata de cilindros, del múltiple de admisión y del cuerpo del ahogador. Inspeccionar si el múltiple tiene grietas, bridas rotas y si la junta (empaque) está dañada.

Para instalar:

11. Instalar el múltiple de admisión usando una junta nueva.

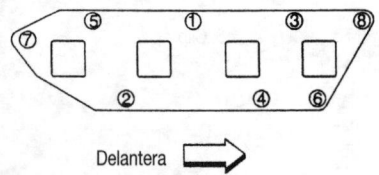

Delantera ⟹

▲ Secuencia de apriete del múltiple de admisión – Motor 2.2L de 1998-99

12. Apretar los pernos/tuercas en secuencia a 17 pie-lb (24 Nm).

13. Instalar el cuerpo del ahogador y apretar los pernos de sujeción a 89 plg-lb (10 Nm).

14. Montar el tubo del combustible y conectar el tubo de alimentación del combustible.

15. Conectar los conectores eléctricos del sensor MAP, del sensor TP y de la válvula IAC.

16. Conectar al cuerpo del ahogador los chicotes de control de crucero y del ahogador.

17. Instalar el soporte del resonador del aire de entrada e instalar el resonador.

18. Instalar el ducto de entrada del filtro de aire.

19. Conectar el alambre negativo del acumulador.

MOTORES 2.3L Y 2.4L

1. Aliviar la presión del sistema de combustible de forma adecuada.

▼ PRECAUCIÓN ▼
Nunca abrir, realizar el mantenimiento o purgar el radiador o el circuito de enfriamiento en caliente, ya que el vapor de agua y el enfriante caliente podrían producir graves quemaduras.

2. Desconectar el alambre negativo del acumulador, después drenar de forma adecuada el circuito de enfriamiento.

3. Etiquetar y desconectar los conectores eléctricos siguientes:

• Sensor de presión absoluta en el múltiple (MAP).

• Sensor de temperatura del aire de admisión (IAT).

• Solenoide de purga del bote EVAP.

• Haz de alambres de los inyectores de combustible.

4. Etiquetar y desconectar las mangueras de vacío del regulador de combustible y del solenoide de purga del bote EVAP en el bote.

5. Desacoplar el ducto del filtro de aire.

6. Sacar el soporte del chicote de control del acelerador.

7. Para el motor 2.4L, sacar el perno de sujeción (acabado en espárrago) del alternador, luego desacoplar el tubo del EGR del adaptador del EGR.

8. Para el motor 2.3L, realizar lo siguiente:

a. Sacar el separador de aceite (sistema de ventilación del cárter) como un conjunto. Dejar las mangueras conectadas al separador. Desconectar las mangueras del llenado de aceite, de la tapa de la cadena, del ducto de admisión y del múltiple de admisión.

b. Desacoplar el separador de aceite/aire del tubo de llenado de aceite.

c. Sacar el conjunto del tapón de llenado de aceite y el indicador de nivel de aceite.

d. Aflojar el perno/tornillo del tubo de llenado de aceite, después estirar el tubo hacia arriba para sacarlo.

9. Sacar el tubo de llenado de aceite por arriba, haciéndolo rotar si fuera necesario para ganar espacio para el niple (rácor) del separador aceite/aire, entre los tubos de admisión y el haz de alambres del raíl de combustible.

10. Para el motor 2.4L, levantar el vehículo y apoyarlo de forma segura.

11. Sacar el tirante de soporte del múltiple de admisión.

12. Si se había levantado, bajar el vehículo con cuidado.

13. Soltar las tuercas y los pernos de retención del múltiple, después sacar el múltiple de admisión del motor.

➡ Si se va a instalar un múltiple nuevo, transferir todas las piezas que sean necesarias del múltiple viejo al nuevo.

14. Usando una herramienta para rascar adecuada, eliminar de las superficies de empaque del múltiple de admisión el material de la junta vieja. ¡No dejar que ningún residuo de material caiga dentro del motor!

Para instalar:

15. Instalar el múltiple con una junta nueva.

➡ Asegurarse de que los números estampados en la junta miran hacia la superficie del múltiple.

16. Seguir la secuencia de apriete detallada en la figura que se incluye, después apretar los pernos/tuercas a 19 pie-lb (26 Nm) para el motor 2.3L o 18 pie-lb (24 Nm) para el motor 2.4L.

17. Para el motor 2.4L, levantar el vehículo y apoyarlo de forma segura.

18. Instalar el tirante y los retenedores del múltiple de admisión.

19. Si se había levantado, bajar el vehículo con cuidado.

20. Para el motor 2.3L, instalar el conjunto del separador aceite/aire.

21. Para el motor 2.3L, lubricar el sello de una junta tórica nueva del tubo de llenado del aceite con aceite limpio de motor, después instalar el

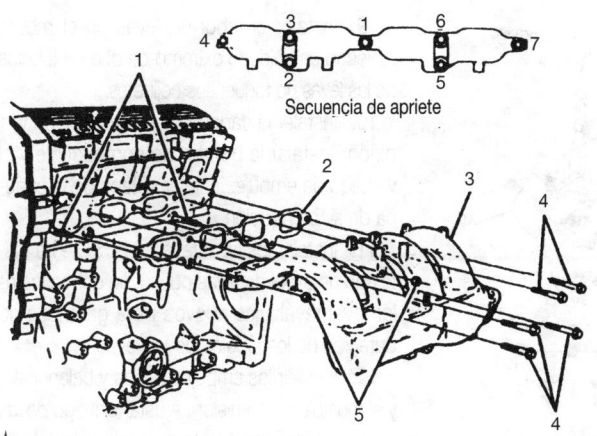

1. Espárrago–11 Nm (96 plg-lb)
2. Juntas, múltiple de admisión
3. Múltiple de admisión
4. Perno – 26 Nm (19 pie-lb)
5. Tuerca – 26 Nm (19 pie-lb)

▲ **Múltiple de admisión, mostrando la secuencia de apriete – Motor 2.3L**

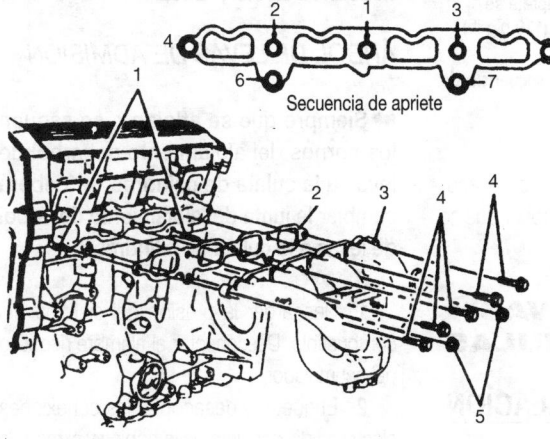

1. Espárrago–12 Nm (100 plg-lb)
2. Juntas, múltiple de admisión
3. Múltiple de admisión
4. Perno – 24 Nm (17 pie-lb)
5. Tuerca – 24 Nm (17 pie-lb)

▲ **Múltiple de admisión, mostrando la secuencia de apriete – Motor 2.4L**

tubo hacia abajo entre el múltiple de admisión. Girar si es necesario para tener espacio para el niple (rácor) del separador aceite/aire del tubo de llenado.

22. Si se había sacado, colocar el tubo de llenado de aceite en su correspondiente orificio del bloque de cilindros. Alinear el tubo de llenado de forma que tenga aproximadamente su posición correcta. Con la palma de la mano sobre la boca del tubo de llenado, presionar hacia abajo para asentar el tubo de llenado y la junta tórica dentro del bloque de cilindros.

23. Si es necesario, conectar la manguera del separador aceite/aire en el tubo de llenado. Se puede lubricar la manguera según sea necesario para facilitar su instalación. Instalar el perno/tornillo del tubo de llenado. Apretar el tapón.

24. Para el motor 2.4L, acoplar el tubo EGR al adaptador; apretar los pernos a 19 pie-lb (26 Nm). Instalar el perno acabado en espárrago del alternador.

25. Instalar el soporte del chicote de control del acelerador.

26. Conectar las mangueras de vacío en el regulador de combustible y en el solenoide de purga del bote EVAP.

27. Conectar todos los conectores eléctricos, según se etiquetaron durante el desmontaje.

28. Instalar el ducto del filtro de aire.

29. Rellenar el enfriante hasta su nivel correcto.

30. Conectar el alambre negativo del acumulador, arrancar el motor y comprobar que no haya fugas.

MÚLTIPLE DE ESCAPE

DESMONTAJE E INSTALACIÓN

Motor 2.2L

1. Desconectar el alambre negativo del acumulador.

2. Desacoplar el alambre de la sonda de oxígeno.

3. Sacar la correa de serpentina o la banda motriz del alternador.

4. Sacar los pernos del alternador al soporte, después soportar el alternador (con los alambres conectados) a un lado.

5. Levantar el vehículo y apoyarlo de forma segura.

6. Aflojar los pernos del tubo de escape al múltiple de escape, después bajar el vehículo con cuidado.

7. Si es necesario, para tener acceso para sacar el múltiple, sacar el tubo de llenado del aceite y desconectar del múltiple de escape la tuerca del conjunto de la manguera de salida del calefactor.

8. Sacar los pernos del múltiple de escape a la culata de cilindros.

9. Desacoplar el múltiple de escape de la brida del tubo de escape.

10. Aflojar las tuercas de retención, después sacar el múltiple de escape del vehículo. Sacar y descartar la(s) junta(s).

Para instalar:

11. Usando una rasqueta para juntas, limpiar con cuidado las superficies de empaque.

12. Para instalar, utilizar juntas nuevas y proceder en el orden inverso al procedimiento de desmontaje. Apretar las tuercas del múltiple de escape a la culata de cilindros a 3-12 pie-lb (4-16 Nm) y los pernos a 6-13 pie-lb (8-18 Nm).

13. Arrancar el motor y comprobar que no haya fugas en el escape.

Motores 2.3L y 2.4L

1. Desconectar el alambre negativo del acumulador.

2. Desacoplar el conector de la sonda de oxígeno (O₂).

3. Levantar el vehículo y apoyarlo de forma segura.

4. Aflojar el perno del tirante del múltiple de escape al múltiple, y las tuercas del depósito de aceite, si es necesario.

5. Para el motor 2.3L, sacar las tuercas con resorte cargado del múltiple al tubo de escape.

➡ **No doblar el acoplamiento flexible del escape más de lo necesario para sacarlo. Mover el acoplamiento en exceso podría dañarlo.**

6. Para el motor 2.4L, sacar las sujeciones del acoplamiento flexible del múltiple al escape.

7. Estirar hacia abajo y hacia atrás el tubo de escape para desacoplarlo de los pernos del múltiple de escape.

8. Bajar el vehículo con cuidado.

9. Aflojar los pernos/tuercas de retención del múltiple de escape a la culata de cilindros, después sacar el múltiple. Sacar y descartar las juntas y/o sellos. Limpiar las superficies de empaque.

Para instalar:

10. Usar juntas nuevas, después colocar el múltiple de escape. Apretar las tuercas de retención a 31 pie-lb (42 Nm) para el motor 2.3L y a 110 plg-pie (12.5 Nm) para el motor 2.4L, en secuencia.

11. Levantar el vehículo y apoyarlo de forma segura.

12. Instalar el protector térmico. Apretar los pernos a 124 plg-pie (14 Nm).

13. Colocar el perno de la abrazadera del múltiple de escape al múltiple y las tuercas del depósito de aceite. Apretar los pernos a 41 pie-lb (56 Nm) y las tuercas a 19 pie-lb (26 Nm).

14. Para el motor 2.3L, instalar las tuercas del múltiple al tubo de escape. Asegurarse de que se aprietan ambas tuercas de forma uniforme para evitar doblar el tubo de escape y atascar las tuercas.

15. Para el motor 2.4L, instalar las sujeciones del múltiple al acoplamiento flexible. Apretar los pernos a 26 pie-lb (35 Nm).

16. Bajar el vehículo con cuidado.

17. Acoplar el conector de la sonda de oxígeno. Cubrir el fileteado del sensor con el compuesto antiagarrotamiento 5613695 o equivalente.

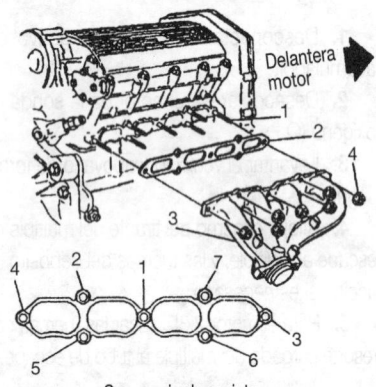

Secuencia de apriete

1. Espárrago, múltiple de escape
2. Junta, múltiple de escape
3. Múltiple de escape
4. Tuerca, múltiple de escape – 42 Nm (31 pie-lb)

▲ **Múltiple de escape, mostrando la secuencia de apriete – Motor 2.3L**

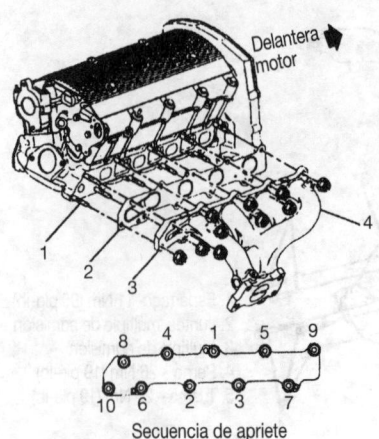

Secuencia de apriete

1. Espárrago, múltiple de escape
2. Junta, múltiple de escape
3. Múltiple de escape
4. Tuerca, múltiple de escape, debe apretarse en secuencia mostrada a 12.5 Nm (110 plg-lb)

▲ **Múltiple de escape, mostrando la secuencia de apriete – Motor 2.4L**

18. Conectar el alambre negativo del acumulador, arrancar el motor y comprobar que no haya fugas.

ÁRBOL DE LEVAS Y LEVANTAVÁLVULAS

DESMONTAJE E INSTALACIÓN

Motor 2.2L

1. Sacar el motor y colocarlo sobre un caballete de motores adecuado.

2. Sacar la tapa de la culata de cilindros, pivotar los balancines hacia los lados, y sacar los empujaválvulas, guardándolos ordenados. Sacar los levantaválvulas, guardándolos ordenados. Existen herramientas especiales que facilitan la extracción de los levantaválvulas.

3. Sacar la tapa delantera.

4. Si es necesario, sacar el mando de la bomba de aceite.

5. Sacar la bomba de combustible y su vástago de empuje.

6. Sacar la cadena de sincronización y el piñón.

7. Sacar con cuidado el árbol de levas del motor, asegurándose de que los lóbulos de las levas no tocan a los cojinetes.

Para instalar:

8. Lubricar las muñequillas del árbol de levas con aceite limpio de motor. Lubricar las levas con Molykote® o equivalente.

9. Instalar el árbol de levas en el motor, teniendo un cuidado extremo de que los lóbulos de las levas no toquen los cojinetes.

10. Instalar la cadena de sincronización y el piñón. Instalar la bomba de combustible y el vástago de empuje. Instalar la tapa de la cadena de sincronización.

11. Instalar los levantaválvulas. Si se ha instalado un árbol de levas nuevo, se deben instalar levantaválvulas nuevos para garantizar la duración de los lóbulos de las levas.

12. Instalar los empujaválvulas y balancines, y el múltiple de admisión. Ajustar el juego de las válvulas después de instalar el motor. Instalar la tapa de la culata de cilindros.

Motores 2.3L y 2.4L

ÁRBOL DE LEVAS DE ADMISIÓN

➡ **Siempre que se aflojen o se saquen los pernos del alojamiento del árbol de levas a la culata de cilindros, se deberá cambiar la junta del alojamiento del árbol de levas a la culata de cilindros.**

1. Descargar la presión del sistema del combustible. Desconectar el alambre negativo del acumulador.

2. Etiquetar y desacoplar las conexiones eléctricas del conjunto de la bobina y el módulo de encendido.

3. Aflojar los pernos del conjunto de la bobina y el módulo de encendido al alojamiento del árbol de levas, después sacar el conjunto estirándolo hacia arriba. Usar una herramienta especial de extracción de alambres de los capuchones de bujías para sacar los conjuntos de conectores, en caso que hayan quedado pegados a las bujías.

4. Si dispone de él, sacar el conector del presostato de la dirección asistida a la marcha mínima (velocidad de vacío).

5. Aflojar los 3 pernos pivote de la bomba de la dirección asistida y sacar la banda de mando.

6. Desacoplar los 2 pernos del soporte trasero de la bomba de la dirección asistida a la transmisión.

7. Sacar el perno del soporte delantero de la bomba de la dirección asistida al bloque de cilindros.

8. Desacoplar el conjunto de la bomba de la dirección asistida, y dejarlo a un lado.

9. Usando la herramienta especial, sacar la polea de mando de la bomba de la dirección asistida del árbol de levas de admisión.

10. Sacar los pernos y las mangueras del separador aceite/aire. Dejar las mangueras acopladas al separador y desconectarlas del tubo de llenado de aceite, del alojamiento de la cadena y del múltiple de admisión. Sacarlo como un conjunto.

11. Sacar la línea de vacío del regulador de presión de combustible y desacoplar el conector del haz de la inyección de combustible.

12. Desacoplar la abrazadera de sujeción de los tubos de combustible del soporte sobre de la parte superior del alojamiento del árbol de levas de admisión.

13. Aflojar los pernos de sujeción del raíl de combustible al alojamiento del árbol de levas, luego sacar el raíl de combustible de la culata de cilindros. Cubrir o taponar los orificios de los inyectores en la culata de cilindros y las toberas de los inyectores. Dejar los tubos de combustible acoplados, después colocar el raíl de combustible a un lado.

14. Desacoplar la cadena de sincronización y el alojamiento, pero NO sacarla del motor.

15. Sacar los pernos de sujeción de la tapa del alojamiento del árbol de levas de admisión al alojamiento del árbol de levas.

16. Aflojar los pernos del alojamiento del árbol de levas de admisión a la culata de cilindros. Para aflojar los pernos seguir el orden inverso al orden de apriete. Dejar 2 de los pernos en su lugar y aflojados para que sujeten el alojamiento del árbol de levas mientras se separa la tapa del árbol de levas del alojamiento.

17. Presionar la tapa fuera del alojamiento roscando 4 de los pernos de sujeción del alojamiento a la culata de cilindros dentro de los orificios roscados en la tapa de alojamiento del árbol. Apretar los pernos uniformemente de forma que la tapa no se atasque en los pasadores de centrado.

18. Sacar los 2 pernos instalados flojos del alojamiento del árbol de levas a la culata de cilindros y sacar la tapa. Descartar las juntas.

19. Anotar la posición del pasador del piñón de la cadena de sincronización para su montaje posterior.

20. Sacar del árbol de levas el sello de aceite del árbol de levas de admisión y descartar el sello. Este sello debe cambiarse siempre que se separan el alojamiento y la tapa.

21. Sacar el soporte principal del árbol de levas de la culata de cilindros y sacar la junta. Descartar la junta.

Para instalar:

22. Limpiar a fondo las superficies de contacto del soporte principal del árbol de levas y de la culata de cilindros, los pernos y los orificios de los pernos. Instalar una junta nueva y colocar el alojamiento sobre la culata. Instalar un perno sin apretar, para sujetarlo en su sitio.

23. Instalar los empujaválvulas en sus agujeros. Si se va a sustituir el árbol de levas, los empujaválvulas deben sustituirse también. Lubricar las levas del árbol, muñequillas y levantaválvulas con prelubricante de árbol de levas y de levantaválvulas. Las levas y las muñequillas del árbol deben lubricarse adecuadamente ya que si no el motor podría sufrir daños durante el arranque.

24. Instalar el árbol de levas en la misma posición que tenía antes de su extracción. El pasador del piñón de la cadena de sincronización debe estar recto hacia arriba y alineado con el eje de los agujeros de los empujaválvulas.

25. Instalar sellos nuevos entre el alojamiento del árbol de levas y la tapa del alojamiento del árbol de levas; no usar sellante. Asegurarse de que el sello del color correcto se instala en cada ranura. Instalar la tapa en el alojamiento.

26. Aplicar material de fijación de filetes (roscas) al fileteado de los pernos de sujeción del alojamiento y tapa del árbol de levas.

27. Instalar los pernos, después apretar a 11 pie-lb (15 Nm). Girar los pernos (excepto los 2 pernos traseros que sujetan el tubo de combustible al alojamiento del árbol de levas) 75 grados adicionales, en secuencia. Apretar los 2 pernos traseros a 16 pie-lb (21 Nm), después girar 25 grados adicionales.

28. Instalar el alojamiento de la cadena de sincronización y la cadena de sincronización.

29. Destapar los inyectores de combustible, después añadir los sellos de las juntas tóricas nuevas de los inyectores de combustible lubricados con aceite. Instalar el raíl de combustible.

30. Fijar la abrazadera y el retenedor del tubo de combustible al soporte en la parte superior del alojamiento del árbol de levas de admisión.

31. Conectar la línea de vacío en el regulador de presión de combustible.

32. Acoplar el conector del haz de alambres de los inyectores de combustible.

33. Instalar el conjunto separador aceite/aire.

34. Lubricar con aceite la superficie interna de sellado del sello del árbol de levas de admisión e instalar el sello en el alojamiento.

35. Instalar la polea de la bomba de la dirección asistida sobre el árbol de levas de admisión.

36. Instalar el conjunto de bomba de la dirección asistida y banda de mando.

37. Conectar el conector del presostato de la dirección asistida de marcha mínima.

38. Limpiar todo el lubricante suelto que pueda haber sobre los pernos del alojamiento del árbol de levas al conjunto de bobina y módulo de encendido. Aplicar Loctite® 592 o equivalente, sobre los pernos del conjunto de bobina y módulo de encendido al alojamiento del árbol de levas. Instalar los pernos y apretarlos a 13 pie-lb (18 Nm).

39. Conectar los conectores eléctricos en el conjunto de bobina y módulo de encendido.

40. Conectar el alambre negativo del acumulador, arrancar el motor y comprobar que no haya fugas.

ÁRBOL DE LEVAS DE ESCAPE

➡ Siempre que se aflojen o se saquen los pernos del alojamiento del árbol de levas a la culata de cilindros, se deberá cambiar la junta del alojamiento del árbol de levas a la culata de cilindros.

1. Descargar la presión del sistema de combustible. Desconectar el alambre negativo del acumulador.

2. Etiquetar y desacoplar las conexiones eléctricas del conjunto de bobina y módulo de encendido.

3. Aflojar los pernos del conjunto de bobina y módulo de encendido al alojamiento del árbol de levas, después sacar el conjunto estirándolo hacia arriba. Usar una herramienta especial de extracción de fundas de alambres de bujías para sacar los conjuntos de conectores, en caso que hayan quedado pegados a las bujías.

4. Si dispone de él, sacar el conector del presostato de la dirección asistida de marcha mínima.

5. Sacar el conjunto del tubo indicador de nivel de fluido de la transmisión de la tapa del árbol de levas de escape y dejarlo a un lado.

6. Sacar la tapa del árbol de levas de escape y la junta.

7. Desconectar la cadena de sincronización y el alojamiento pero no sacarla del motor.

8. Sacar los pernos del alojamiento del árbol de levas de escape a la culata de cilindros. Para aflojar el alojamiento del árbol de levas seguir el procedimiento de apriete pero en orden inverso, mientras se separa la tapa del árbol de levas del alojamiento.

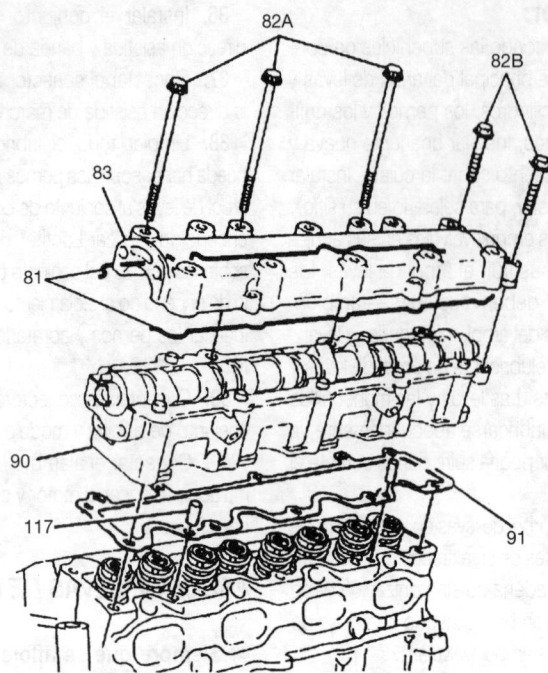

81. Sellos – alojamiento de árbol de levas a árbol de levas
82A. Perno – alojamiento de árbol de levas a culata de cilindros – 15 Nm (11 pie-lb) más 90 grados adicionales
82B. Perno – tapa de alojamiento de árbol de levas a alojamiento del árbol de levas - 15 Nm (11 pie-lb) más 30 grados adicionales
83. Tapa – árbol de levas
90. Alojamiento del árbol de levas (se muestra el de admisión)
91. Junta del alojamiento del árbol de levas a culata de cilindros
117. Clavijas de centrado (2)

▲ **Alojamiento del árbol de levas, la tapa y las juntas – Motores 2.3L y 2.4L**

9. Presionar la tapa fuera del alojamiento enroscando 4 de los pernos de sujeción del alojamiento a la culata de cilindros en los orificios roscados en la tapa del árbol de levas. Apretar los pernos uniformemente de forma que la tapa no se atasque en los pasadores de centrado.

10. Sacar los 2 pernos instalados flojos del alojamiento del árbol de levas a la culata de cilindros y sacar la tapa. Descartar las juntas.

11. Reinstalar sin apretar un perno del alojamiento del árbol de levas a la culata de cilindros para retener el alojamiento durante la extracción del árbol de levas y los levantaválvulas.

12. Anotar la posición del pasador de centrado del piñón de la cadena de sincronización para su montaje posterior. Sacar el árbol de levas teniendo cuidado de no dañar el árbol o las muñequillas.

13. Sacar el soporte principal del árbol de levas de la culata de cilindros y sacar la junta. Descartar la junta.

Para instalar:

14. Limpiar a fondo las superficies de contacto del soporte principal del árbol de levas y de la culata de cilindros, los pernos y los orificios de los pernos. Instalar una junta nueva y colocar el alojamiento sobre la culata. Instalar un perno sin apretar para sujetarlo en su sitio.

15. Instalar los levantaválvulas en sus agujeros. Si se va a sustituir el árbol de levas, los levantaválvulas deben sustituirse también. Lubricar los lóbulos de las levas, muñequillas y levantaválvulas con prelubricante de árbol de levas y de levantaválvulas. Las levas y las muñequillas del árbol deben lubricarse adecuadamente ya que si no el motor podría sufrir daños durante el arranque.

16. Instalar el árbol de levas en la misma posición que tenía antes de su extracción. El pasador de centrado del piñón de la cadena de sincronización debe estar recto hacia arriba y alineado con el eje de los agujeros de los levantaválvulas.

17. Instalar sellos nuevos entre el alojamiento del árbol de levas y la tapa del alojamiento del árbol de levas; no usar sellante. Asegurarse de que se instala el sello del color correcto en cada ranura. Instalar la tapa en el alojamiento.

18. Aplicar material de fijación de filetes al fileteado de los pernos de sujeción del alojamiento y la tapa del árbol de levas.

19. Instalar los pernos, después apretar a 11 pie-lb (15 Nm). Girar los pernos 75 grados adicionales, en secuencia.

20. Instalar el alojamiento de la cadena de sincronización y la cadena de sincronización.

21. Instalar el conjunto del tubo indicador de nivel de fluido de la transmisión en la tapa del árbol de levas de escape.

22. Conectar el conector del presostato de marcha mínima de la dirección asistida.

23. Limpiar todo el lubricante suelto que pueda haber sobre los pernos del alojamiento del árbol de levas al conjunto de bobina y módulo de encendido. Aplicar Loctite® 592 o equivalente, en los pernos del alojamiento del árbol de levas al conjunto de bobina y módulo de encendido. Instalar los pernos y apretarlos a 13 pie-lb (18 Nm).

24. Conectar los conectores eléctricos al conjunto de bobina y módulo de encendido.

25. Conectar el alambre negativo del acumulador, arrancar el motor y comprobar que no haya fugas.

HOLGURA DE VÁLVULAS

AJUSTE

Todos los motores están equipados con levantaválvulas hidráulicos que no requieren ajuste periódico de holgura de válvulas. Un ajuste a huelgo cero es mantenido de forma automática por la presión hidráulica en los levantaválvulas. Además, las tuercas de retención de los balancines están apretadas a un torque específico (ver el procedimiento de montaje de balancines) para aportar una colocación correcta de los balancines.

DEPÓSITO DE ACEITE

DESMONTAJE E INSTALACIÓN

Motor 2.2L

1. Desconectar el terminal negativo del acumulador.

2. Levantar el vehículo y apoyarlo de forma segura.

3. Drenar el aceite del motor.

4. Sacar el conjunto de neumático y rueda delantero derecho.

5. Sacar el protector contra salpicaduras del interior del guardabarros derecho.

6. Sacar el motor de arranque y el soporte del motor de arranque.

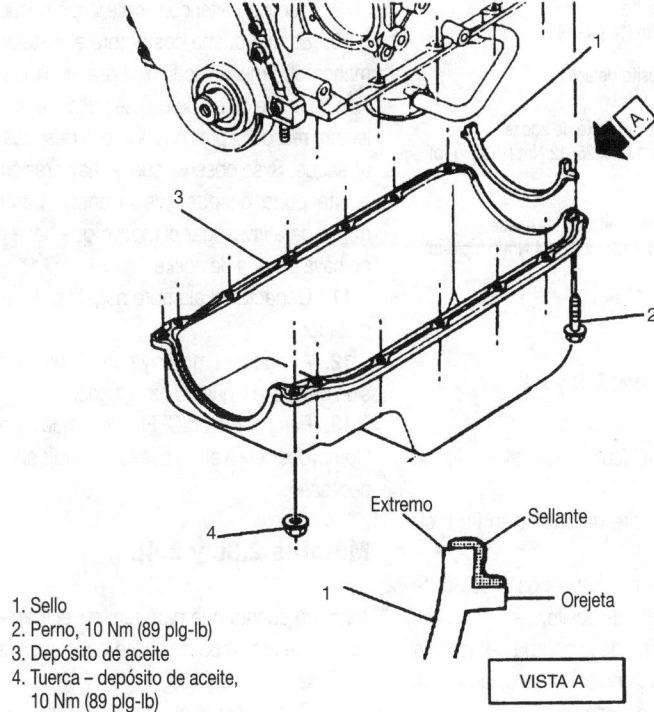

1. Sello
2. Perno, 10 Nm (89 plg-lb)
3. Depósito de aceite
4. Tuerca – depósito de aceite,
   10 Nm (89 plg-lb)

Extremo   Sellante

1   Orejeta

VISTA A

▲ **Depósito de aceite y componentes asociados – Motor 2.2L**

7. Sacar los pernos de la cubierta del volante y el volante.

8. Sacar el montante del apoyo del motor y el soporte del puntal del motor.

9. Desconectar el sensor del nivel de aceite.

10. Aflojar los pernos y las tuercas de montaje de depósito del aceite, después sacar el depósito de aceite.

Para instalar:

11. Limpiar totalmente todas las superficies de empaque.

12. Colocar un cordón de 2 mm de sellante GM 1052914 o sellante RTV equivalente, en la superficie de sellado del depósito del aceite, excepto en la superficie de montaje de sello trasero. Usando un nuevo sello trasero de depósito de aceite, aplicar una fina capa de sellante RTV sobre el extremo debajo de las orejetas. Colocar el depósito de aceite en su posición e instalar los pernos y las tuercas.

13. Instalar el depósito de aceite en el motor e instalar todos los pernos y las tuercas sin apretarlos.

14. Apretar los pernos y las tuercas a 89 plg-lb (10 Nm).

15. Conectar el sensor del nivel de aceite.

16. Instalar el soporte del puntal de montaje y el puntal de montaje del motor.

17. Conectar el motor de arranque e instalar el motor de arranque y el soporte de apoyo.

18. Instalar la cubierta del volante y los pernos de sujeción de la cubierta.

19. Instalar el protector contra salpicaduras interior del guardabarros derecho.

20. Instalar el conjunto de neumático y rueda delantero derecho y apretar a 100 pie-lb (140 Nm).

21. Bajar el vehículo.

22. Llenar el cárter con aceite.

23. Conectar el alambre negativo del acumulador.

24. Arrancar el vehículo y comprobar que no haya fugas.

Motores 2.3L y 2.4L

El depósito del aceite es de fundición de aluminio y por tanto debe ser manejado con cuidado para evitar daños. El depósito del aceite incluye una unión con la transmisión que aporta un mayor soporte estructural.

1. Desconectar el alambre negativo del acumulador.

2. Levantar el vehículo y apoyarlo de forma segura.

3. Drenar el aceite del motor.

4. Drenar el enfriante del motor en un recipiente apropiado.

5. Sacar la cubierta del volante/convertidor.

6. Sacar el conjunto del neumático y rueda delantero derecho.

7. Sacar la banda de mando de serpentina.

8. Sacar el compresor del aire acondicionado del soporte de montaje, dejarlo a un lado con las mangueras acopladas.

9. Sacar el soporte del puntal de montaje del motor.

10. Sacar los pernos del tubo de salida del radiador.

11. Sacar del depósito de aceite, los tubos del aire acondicionado y los de salida del radiador.

12. Sacar el tirante del múltiple de escape.

13. Sacar el perno y la tuerca del depósito de aceite a la cubierta del volante.

14. Sacar el espárrago de la cubierta del volante para tener más espacio.

15. Desconectar el tubo de salida del radiador de la manguera inferior del radiador y del depósito de aceite.

16. Desacoplar el conector del sensor del nivel de aceite.

17. Sacar los pernos del depósito de aceite y sacar el depósito de aceite.

Para instalar:

18. Inspeccionar la junta del depósito de aceite por si estuviera dañada. La junta del depósito de aceite puede reutilizarse, si no está dañada.

19. Con la junta en su lugar, colocar el depósito en el motor e instalar los pernos del depósito de aceite.

20. Instalar el espárrago de la cubierta del volante, el espaciador y la tuerca. Apretar esta tuerca a 19 pie-lb (26 Nm).

21. Conectar el conector del sensor de nivel de aceite.

22. Conectar el tubo de salida del radiador a la manguera inferior del radiador y al depósito de aceite.

23. Instalar el tirante del múltiple de escape.

24. Instalar los tubos del aire acondicionado y los de salida del radiador al depósito de aceite.

25. Instalar los pernos del tubo de salida del radiador y apretarlos a 124 plg-lb (14 Nm).

26. Instalar el soporte del puntal de montaje del motor y apretar los pernos a 55 pie-lb (75 Nm).

27. Instalar el compresor del aire acondicionado en el soporte de montaje.

28. Instalar la banda de mando de serpentina.

29. Instalar el protector contra salpicaduras derecho.

30. Instalar el conjunto de neumático y rueda delantero derecho.

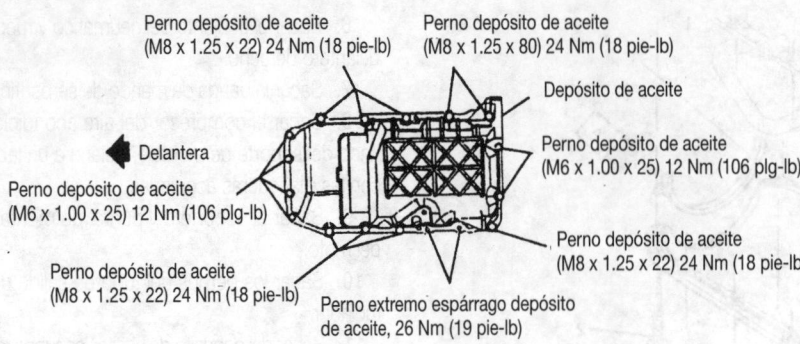

Perno depósito de aceite
(M8 x 1.25 x 22) 24 Nm (18 pie-lb)

Perno depósito de aceite
(M8 x 1.25 x 80) 24 Nm (18 pie-lb)

Depósito de aceite

◀ Delantera

Perno depósito de aceite
(M6 x 1.00 x 25) 12 Nm (106 plg-lb)

Perno depósito de aceite
(M6 x 1.00 x 25) 12 Nm (106 plg-lb)

Perno depósito de aceite
(M8 x 1.25 x 22) 24 Nm (18 pie-lb)

Perno depósito de aceite
(M8 x 1.25 x 22) 24 Nm (18 pie-lb)

Perno extremo espárrago depósito
de aceite, 26 Nm (19 pie-lb)

▲ Especificaciones de apriete de las sujeciones del depósito de aceite – Motores 2.3L y 2.4L

31. Instalar la cubierta del volante/convertidor.

32. Bajar el vehículo.

33. Llenar el cárter con aceite limpio.

34. Llenar el sistema de enfriamiento.

35. Conectar el alambre negativo del acumulador.

36. Arrancar el vehículo y comprobar que no haya fugas.

BOMBA DE ACEITE

DESMONTAJE E INSTALACIÓN

Motor 2.2L

1. Desconectar el alambre negativo del acumulador.

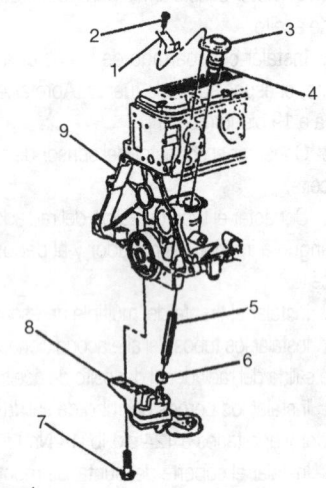

1. Soporte
2. Perno
3. Conjunto de mando de la bomba de aceite
4. Junta tórica
5. Eje
6. Retenedor: calentar y mojar en agua antes de instalar
7. Perno
8. Bomba de aceite
9. Bloque de cilindros

▲ Montaje de la bomba de aceite en el bloque de cilindros – Motor 2.2L

2. Levantar el vehículo y apoyarlo de forma segura.

3. Drenar el aceite del motor en un recipiente adecuado.

4. Sacar los pernos del depósito de aceite al motor y el depósito de aceite.

5. Sacar el perno de la bomba de aceite a la tapa del cojinete principal trasero, la bomba de aceite y el árbol de extensión.

Para instalar:

▼ AVISO ▼

Una camisa de plástico llamada retenedor del árbol de extensión conecta el eje motriz de la bomba de aceite con la bomba de aceite. Calentar el retenedor del árbol de extensión en agua caliente antes de su montaje. Asegurarse de que el retenedor no se agrieta tras instalarlo.

6. Instalar el árbol de extensión, la bomba del aceite, y el perno de la bomba a la tapa del cojinete principal trasero. Apretar el perno de la bomba a la tapa del cojinete principal trasero a 32 pie-lb (43 Nm) y el perno superior del mando de la bomba a 18 pie-lb (25 Nm).

▼ AVISO ▼

Para evitar daños en el motor, todas las cavidades de la bomba deben llenarse con jalea de petróleo antes de instalar las ruedas dentadas en el cuerpo de la bomba. Por otro lado, usar sólo juntas originales del fabricante. El espesor de la junta es crítico para el buen funcionamiento de la bomba.

7. Instalar el depósito de aceite y los pernos de sujeción.

8. Bajar el vehículo.

9. Llenar el cárter con aceite limpio de motor.

10. Es una buena costumbre el instalar un manómetro mecánico fiable para medir la presión de aceite de modo que se pueda tener una lectura real de la presión de aceite después del arranque. Si se observa que no hay presión de aceite poco después de arrancar, parar el motor para investigar el motivo que hace que no haya presión de aceite.

11. Conectar el alambre negativo del acumulador.

12. Arrancar el motor y comprobar la presión de aceite y que no haya fugas.

13. Parar el motor (OFF) y dejar que repose. Comprobar el nivel de aceite y añadir si fuera necesario.

Motores 2.3L y 2.4L

Tener en cuenta que para realizar el mantenimiento de la bomba de aceite debe sacarse la transmisión del vehículo.

1. Desconectar el alambre negativo del acumulador.

2. Instalar el dispositivo de soporte de motores J-28467-A o equivalente.

3. Drenar el aceite del motor.

4. Sacar el depósito de aceite.

5. Sacar la transmisión.

6. Sacar el volante.

7. Sacar la tapa y la guía de la cadena del árbol de equilibrio.

8. Sacar los pernos de la bomba de aceite, después sacar la tapa de la bomba de aceite.

9. Tirar hacia afuera del alojamiento para desacoplar el engrane de la bomba del árbol de equilibrio. Sacar del conjunto del árbol de equilibrio el conjunto del alojamiento.

10. Desmontar el rotor de la bomba de aceite del alojamiento de la bomba de aceite.

11. Desmontar la bomba de aceite del alojamiento del árbol de equilibrio.

12. Desmontar la válvula de descarga.

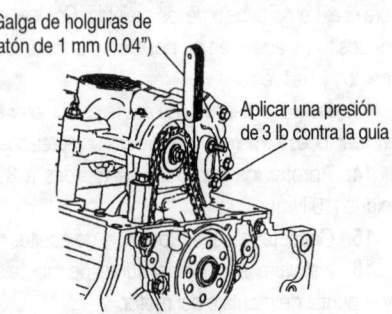

Galga de holguras de
latón de 1 mm (0.04")

Aplicar una presión
de 3 lb contra la guía

▲ Usar una galga de holguras para comprobar la tensión de la cadena – Motores 2.3L y 2.4L

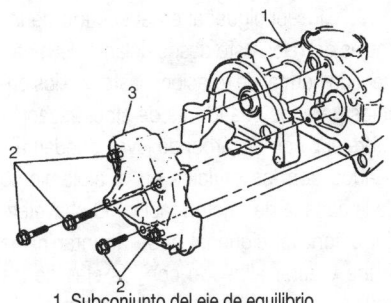

1. Subconjunto del eje de equilibrio
2. Perno, 12 Nm (106 plg-lb)
3. Subconjunto de la bomba de aceite

Montaje del conjunto de la bomba de aceite – Motores 2.3L y 2.4L

13. Sacar el pasador cilíndrico (extraerlo con un punzón pequeño).

Para instalar:

14. Limpiar todas las piezas con un solvente de limpieza adecuado. Quitar todo el barniz, fango y suciedad.

15. Inspeccionar la cubierta de la bomba y el alojamiento para ver si tienen grietas y/o desgaste excesivo; sustituir si fuera necesario.

16. Lubricar los engranes con aceite limpio de motor.

17. Montar el engrane del rotor en el alojamiento.

➡ **Llenar las cavidades de la bomba de aceite con jalea de petróleo antes de su instalación. Esto garantizará que haya presión de aceite durante el arranque y evitará daños en el motor.**

18. Instalar la válvula de descarga, usar una llave de tubo de ⁹/₁₆ plg (14.3 mm) para asentar la válvula.

19. Instalar el pasado cilíndrico.

20. Instalar el alojamiento de la bomba en el conjunto del árbol de equilibrio.

21. Instalar la tapa de la bomba en el alojamiento de la misma.

22. Instalar los pernos de la bomba de aceite al bloque de cilindros y apretarlos a 40 pie-lb (54 Nm).

23. Instalar la guía de la cadena del árbol de equilibrio y la cadena. Ajustar la tensión de la cadena insertando una galga de holguras de latón de 0.40 plg (1 mm), entre la guía de la cadena y la cadena.

➡ **Se debe usar una galga de holguras de latón para asegurar que las mediciones que se realizan son correctas. Si se usa una galga de holguras de acero, no**

se doblará para adaptarse a la guía y por lo tanto las mediciones serán incorrectas.

24. Presionar la guía contra la cadena con una fuerza de unas 3 lb (1.4 kg).

25. Apretar el perno del tensor de la cadena a 115 plg-pie (13 Nm).

26. Instalar la cubierta de la cadena del árbol de equilibrio y apretar la tuerca y el perno a 115 plg-pie (13 Nm).

27. Instalar el volante. Apretar los pernos del volante a 22 pie-lb (30 Nm) más 45 grados adicionales.

28. Instalar la transmisión.

29. Instalar el depósito de aceite.

30. Bajar el vehículo.

31. Llenar el cárter con aceite limpio de motor.

32. Sacar el dispositivo de soporte de motores.

33. Conectar el alambre negativo del acumulador.

34. Arrancar el vehículo y comprobar la presión de aceite y que no haya fugas.

CADENA DE SINCRONIZACIÓN, PIÑONES, TAPA DELANTERA Y SELLO

DESMONTAJE E INSTALACIÓN

Motor 2.2L

➡ **El procedimiento siguiente requiere usar una herramienta especial de centrado (J-23042).**

1. Desconectar el alambre negativo del acumulador.

2. Sacar la banda de serpentina y el tensor.

➡ **Aunque no es absolutamente necesario, el desmontaje del protector contra salpicaduras interior del guardabarros delantero derecho facilitará el acceso a la tapa delantera.**

3. Instalar el dispositivo de soporte de motores J-28467-A o equivalente.

4. Sacar el conjunto de montaje del motor.

5. Sacar el tirante trasero del alternador, después sacar el alternador.

6. Sacar la bomba de la dirección asistida, y dejarla a un lado con los tubos aún conectados.

7. Levantar el vehículo y apoyarlo de forma segura.

8. Sacar el depósito del aceite.

9. Aflojar el perno central de la polea del cigüeñal y sacar del cigüeñal la polea y la maza.

10. Aflojar los pernos de la tapa delantera al bloque de cilindros, luego sacar la tapa delantera. Si es difícil sacar la tapa, usar una maceta de plástico para aflojar con cuidado la tapa.

11. Usando una herramienta adecuada para sellos, extraer con golpes suaves el sello de aceite de la tapa delantera.

12. Situar el pistón N° 1 en el PMS de la carrera de compresión de modo que las marcas sobre los piñones del árbol de levas y del cigüeñal estén alineadas.

13. Aflojar la tuerca del tensor de la cadena de sincronización todo lo que se pueda sin llegar a sacarla.

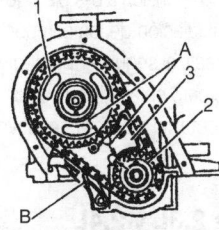

1. Piñón árbol de levas
2. Piñón cigüeñal
3. Tensor cadena de sincronización
A – Alinear marcas de sincronización de piñón con orejetas de alineación de tensor de cadena de sincronización
B – Sacar pasador después de instalar la cadena de sincronización

Alinear las marcas de sincronización del piñón con las orejetas de alineación del tensor durante la instalación de la cadena de sincronización – Motor 2.2L

14. Sacar los pernos del piñón del árbol de levas y sacar conjuntamente el piñón y la cadena. Si el piñón no se separa fácilmente del árbol de levas, golpear suavemente con una maceta blanda sobre el borde inferior del piñón hasta que se desacoplen.

15. Usar una herramienta de extracción de engranes tipo J-2288-8-20 o equivalente y sacar el piñón del cigüeñal.

Para instalar:

16. Presionar el piñón del cigüeñal hasta colocarlo sobre el cigüeñal.

17. Instalar la cadena de sincronización sobre el piñón del árbol de levas, y después alrededor del piñón del cigüeñal. Asegurarse de que las marcas sobre ambos piñones están alineadas. Lubricar la superficie de empuje con Molykote® o equivalente.

18. Alinear el pasador del árbol de levas con el orificio para el pasador sobre el piñón, luego instalar el piñón sobre el árbol de levas. Utilizar los pernos de montaje para poner el piñón sobre el árbol de levas y después apretarlos a 66-68 pie-lb (89-92 Nm).

19. Lubricar la cadena de sincronización con aceite limpio de motor. Apretar el tensor de la cadena.

20. Utilizando una herramienta adecuada de instalación de sellos, introducir con golpes suaves el nuevo sello en la tapa delantera y lubricar el labio del sello.

21. Las superficies del bloque de cilindros y de la tapa delantera deben estar limpias y exentas de aceite. Instalar una junta nueva, después colocar la tapa delantera sobre el bloque usando una herramienta de centrado (J-23042). Apretar los pernos de retención a 6-9 pie-lb (8-12 Nm).

22. La instalación de los componentes restantes se realiza según el procedimiento de desmontaje pero en sentido inverso.

23. Conectar el alambre negativo del acumulador.

Motores 2.3L y 2.4L

▼ AVISO ▼

La cadena de sincronización en el motor 2.4L DOHC de 1996-97 NO DEBE sustituirse por otra cadena de sincronización de un modelo perteneciente a otro año. Los piñones de sincronización son diferentes en estos motores y la forma de los eslabones acopla con los dientes de los piñones. Podría dañarse el motor si se usara una cadena de sincronización inapropiada.

1. Desconectar el alambre negativo del acumulador.

2. Sacar el depósito de recuperación del enfriante.

3. Sacar la banda de serpentina, usando una llave de tubo de 13 mm que tenga, al menos, 24 plg (61 cm) de longitud.

4. Para el motor 2.3L, sacar el alternador, y dejarlo a un lado. Instalar el dispositivo de soporte de motores J-28467-A o equivalente. Reinstalar el perno pasador del alternador, luego acoplar el dispositivo de soporte de motores.

5. Para el motor 2.4L, instalar la herramienta J-28467-400 sobre el perno acabado en espárrago del alternador, y amarrar la herramienta de soporte.

6. Sacar las sujeciones superiores de la tapa.

7. Desacoplar la manguera de ventilación de la tapa.

8. Sacar el montaje derecho del motor y el soporte de montaje del motor o el adaptador del soporte. Siempre que se saca el adaptador del soporte de montaje del motor, deben cambiarse los pernos.

9. Levantar el vehículo y apoyarlo de forma segura.

10. Sacar el conjunto del neumático y la rueda delantera derecha y el protector contra salpicaduras.

11. Sacar el conjunto del contrapeso del cigüeñal.

➡ **No instalar un contrapeso para motores equipados con transmisión automática en un motor equipado con transmisión manual, o viceversa.**

12. Sacar los pernos de sujeción inferiores de la tapa.

13. Bajar el vehículo con cuidado.

14. Sacar la tapa delantera y la junta. Inspeccionar si la junta está dañada y cambiarla si es necesario.

15. Usando una herramienta adecuada para sellos, extraer con golpes suaves el sello de aceite de la tapa delantera.

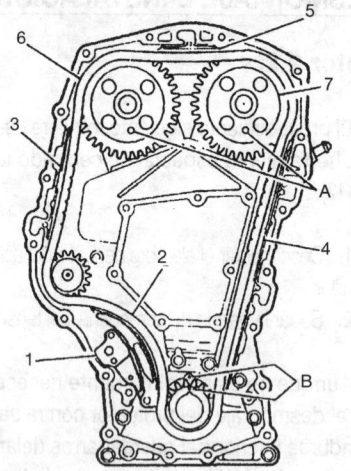

A – Localización pasador de alineación sincronización árbol de levas
B – Marca sincronización piñón cigüeñal
1 – Conjunto de zapata de tensor de cadena de sincronización
2 – Cadena de sincronización
3 – Guía de cadena de sincronización lado derecho
4 – Guía de cadena de sincronización lado izquierdo
5 – Guía superior de cadena de sincronización
6 – Piñón árbol de levas de escape
7 – Piñón árbol de levas de admisión

▲ **Después de su instalación la cadena debe encontrarse en la posición "sincronizada" – Motores 2.3L y 2.4L**

16. Girar el cigüeñal en el sentido de las agujas del reloj, visto desde delante del motor (sentido normal de rotación) hasta que los orificios para los pasadores de sincronización sobre el piñón del árbol de levas queden alineados con los orificios en el alojamiento de la cadena de sincronización. El chavetero del piñón del cigüeñal debe apuntar hacia arriba y estar alineado con los ejes de los agujeros de los cilindros; ésta es la posición "sincronizada".

17. Sacar las guías de la cadena de sincronización.

18. Levantar el vehículo y apoyarlo de forma segura.

19. Asegurarse de que toda la parte floja de la cadena de sincronización está por encima del conjunto del tensor, después sacar el tensor. La cadena de sincronización se debe desencajar de las ranuras de desgaste que tenga la zapata del tensor, para así poder sacar la zapata. Deslizar una herramienta adecuada para hacer palanca por debajo de la cadena de sincronización a la vez que la zapata se extrae hacia fuera.

▼ AVISO ▼

NO probar de hacer palanca para sacar el manguito del árbol de levas ya que podría quedar dañado el piñón o el alojamiento de la cadena.

20. Si es difícil sacar la zapata del tensor de la cadena, sacar el piñón del árbol de levas de admisión del siguiente modo:

a. Bajar el vehículo con cuidado.

b. Sujetar el piñón del árbol de levas de admisión con la herramienta J-39579 o equivalente, y sacar el perno y la arandela del piñón.

c. Sacar la arandela de los pernos y roscar los pernos de vuelta al árbol de levas con la mano. El perno aporta una superficie sobre la que poder empujar.

d. Sacar el piñón del árbol de levas usando una herramienta de extracción de tres quijadas dentro de los 3 orificios del piñón.

21. Aflojar los pernos de retención del conjunto del tensor, y sacar el tensor.

➡ **La cadena de sincronización y el piñón del cigüeñal DEBEN marcarse antes de desmontarse. Si se instalan la cadena o el piñón con la huella del desgaste en la dirección opuesta, el funcionamiento puede ser ruidoso y puede aumentar el desgaste.**

22. Marcar el piñón del cigüeñal y la superficie exterior de la cadena de sincronización para su montaje posterior, después sacar la cadena.

23. Limpiar el perno y eliminar los restos de sellante viejo con un cepillo metálico. Limpiar el orificio fileteado en el árbol de levas con un cepillo de nailon redondo. Inspeccionar si existe desgaste en estas piezas, y sustituirlas si es necesario.

Para instalar:

▼ AVISO ▼

Si no se sigue correctamente este procedimiento pueden producirse graves daños en el motor.

24. Colocar el piñón del árbol de levas de admisión en el árbol de levas con la marca hecha durante su desmontaje a la vista.

25. Instalar el perno y la arandela de retención del piñón de árbol de levas de admisión, apretar a 52 pie-lb (70 Nm) mientras se sujeta el piñón con la herramienta J-39579, en caso de haberse sacado. Usar sellante 12345493 o equivalente sobre el perno del piñón del árbol de levas.

26. Colocar la herramienta J-36008, o pasadores de alineación del árbol de levas equivalentes, a través de los orificios de los piñones de los árboles de levas dentro de los orificios del alojamiento de la cadena de sincronización. Esto coloca las levas para una sincronización correcta.

27. Si los árboles de levas están descolocados y deben girarse más de $1/8$ de vuelta para poder instalar los pasadores de alineación, proceder del modo siguiente:

a. DEBE girarse el cigüeñal 90 grados, en sentido horario, alejado del PMS para que las válvulas tengan espacio para poder abrir.

b. Una vez los árboles de levas están en posición y las clavijas colocadas, girar el cigüeñal en sentido antihorario de nuevo hasta la posición del PMS.

▼ AVISO ▼

No girar el cigüeñal en sentido horario a la posición de PMS; esto puede producir daños en las válvulas o en los pistones.

28. Colocar la cadena de sincronización sobre los piñones del árbol de levas de escape, alrededor del piñón intermedio y alrededor del piñón del árbol de levas.

29. Fijar los árboles de levas en la posición sincronizada e instalar la cadena de sincroniza-

ción. Sacar la clavija de alineación del árbol de levas de admisión. Usando la herramienta J-39579, girar el piñón del árbol de levas de admisión en sentido antihorario lo suficiente como para deslizar la cadena de sincronización sobre el piñón del árbol de levas de admisión. Sacar la llave J-39579 del piñón del árbol de levas. La longitud de la cadena entre los piñones de los dos árboles de levas se tensará. Si está correctamente sincronizado, la clavija de alineación del árbol de levas de admisión debe introducirse fácilmente. Si la clavija no penetra totalmente, significa que los árboles de levas NO están correctamente sincronizados y por lo tanto debe repetirse este procedimiento.

30. Dejar instaladas las clavijas de alineación. Levantar el vehículo y apoyarlo de forma segura.

31. Una vez que se tensa la cadena entre el piñón del árbol de levas de admisión y el piñón del cigüeñal, la marcas de sincronización sobre el cigüeñal y sobre el bloque de cilindros deben quedar alineadas. Si las marcas no quedan alineadas, mover la cadena un diente hacia delante o hacia atrás, tensar la cadena y comprobar de nuevo la posición de las marcas.

32. Tensar de nuevo el conjunto del tensor de la cadena de sincronización a su posición "cero" tal como sigue:

a. Fabricar un seguro con un trozo de alambre grueso.

b. Aplicar una ligera fuerza sobre la paleta del tensor para comprimir el émbolo.

c. Insertar una pequeña palanca en el orificio de acceso, y hacer palanca sobre el gatillo del trinquete para sacarla de los dientes del trinquete a la vez que se fuerza el émbolo completamente en el agujero.

d. Instalar el seguro entre el agujero de acceso y la paleta.

33. Instalar el conjunto del tensor en el alojamiento de la cadena de sincronización. Comprobar de nuevo la instalación del conjunto del émbolo, está correctamente instalada si el extremo largo se encuentra hacia el cigüeñal. Instalar los pernos de retención del tensor a 89 plg-lb (10 Nm).

34. Bajar el vehículo con cuidado lo suficiente para alcanzar a sacar las clavijas de alineación.

▼ AVISO ▼

Si no se sincroniza correctamente el motor, pueden producirse daños muy graves en el motor.

35. Girar el cigüeñal en sentido horario (rotación normal) 2 vueltas completas. Alinear el cha-

vetero del cigüeñal con la marca sobre el bloque de cilindros y volver a instalar las clavijas de alineación. Las clavijas se introducirán con facilidad, si se ha sincronizado correctamente el motor.

36. Utilizando una herramienta adecuada de instalación de sellos, introducir con golpes suaves el nuevo sello en la tapa delantera y lubricar el labio del sello.

37. Instalar las guías de la cadena de sincronización, después instalar la tapa delantera (de la cadena de sincronización). Apretar los pernos de la tapa delantera de la cadena de sincronización a 106 plg-lb (12 Nm). Apretar el perno de fijación del contrapeso a 74 pie-lb (100 Nm).

38. La instalación es el procedimiento inverso al procedimiento de desmontaje.

39. Conectar el alambre negativo del acumulador.

SISTEMA DE COMBUSTIBLE

PRECAUCIONES DE MANTENIMIENTO DEL SISTEMA DE COMBUSTIBLE

La seguridad es el factor más importante no sólo cuando se realiza el mantenimiento del sistema de combustible sino cualquier tipo de mantenimiento. No seguir las conductas de seguridad durante el mantenimiento y la reparación puede resultar en graves lesiones personales o incluso la muerte. El mantenimiento y prueba de los componentes del sistema de combustible del vehículo se podrá realizar de forma segura y eficaz si se siguen las siguientes reglas y consejos:

• Para evitar la posibilidad de incendio o lesiones personales, desconectar siempre el alambre negativo del acumulador a menos que el procedimiento de reparación o de prueba requiera la aplicación del voltaje del acumulador.

• Siempre descargar la presión del sistema de combustible antes de desconectar ningún elemento del sistema de combustible (inyector, raíl de combustible, regulador de presión, etc.), rácor o conector del sistema de combustible. Tener siempre una precaución extrema al descargar la presión del sistema de combustible para evitar en todo momento la exposición de la piel, la cara o los ojos al combustible pulverizado. Tener en cuenta que el combustible a presión puede penetrar la piel o cualquier otra parte del cuerpo con la que tenga contacto.

• Siempre colocar una toalla o trapo alrededor del rácor o conexión antes de aflojarlo para absorber cualquier vertido o derrame de combustible. En caso de producirse un derrame de combustible (tiene que ocurrir) asegurarse de que este combustible no queda sobre las superficies del motor. Asegurarse de que todas las ropas o toallas empapadas con combustible se depositan en un contenedor adecuado.

• Siempre disponer de un extintor de polvo seco (clase B) cerca del área de trabajo.

• Evitar que la pulverización de combustible, o los humos (vapores) del mismo, puedan entrar en contacto con una chispa o con una llama.

• Usar siempre una llave de tuercas de apoyo para aflojar y apretar los rácores de conexión con otra llave de tuercas. Esto evitará que se apliquen tensiones y torsiones innecesarias a los tubos de combustible. Siempre seguir las especificaciones de torque.

• Reemplazar siempre las juntas tóricas desgastadas con nuevas juntas. No sustituir tubos de combustible por mangueras o tubos flexibles.

PRESIÓN DEL SISTEMA DE COMBUSTIBLE

DESCARGA

▼ PRECAUCIÓN ▼

El sistema de inyección de combustible permanece con presión, incluso después de que el contacto del motor se haya desconectado (OFF). La presión del sistema de combustible debe descargarse antes de desconectar ningún tubo de combustible. Si no se hace así existe riesgo de incendio y/o lesiones personales.

Modelos 1995

1. Desconectar el alambre negativo del acumulador.

2. Descargar la presión del vapor de combustible del depósito de combustible sacando momentáneamente el tapón del depósito de combustible.

3. Conectar un manómetro de combustible J-34730-1 o equivalente, en la toma de presión del combustible, situada en el extremo del conjunto del raíl de combustible. Envolver un trapo alrededor de la toma para absorber el combustible derramado.

4. Instalar la manguera de purga dentro de un recipiente homologado y abrir la válvula para purgar la presión del sistema. Las conexiones de los tubos de combustible ahora son seguras para poder realizarles el mantenimiento.

5. Drenar todo el combustible que pudiera haber quedado en el manómetro en un recipiente homologado.

6. Una vez se terminan las pruebas o reparaciones, cebar el sistema de combustible haciendo el siguiente ciclo: interruptor de encendido ON por 2 segundos, OFF por 10 segundos, luego ON de nuevo. Repetir, si es necesario para establecer la presión normal del sistema.

Modelos 1996-99

1. Aflojar el tapón de llenado de combustible para descargar la presión del depósito (no apretar aún el tapón).

2. Levantar el vehículo y apoyarlo de forma segura.

3. Desacoplar el conector eléctrico de la bomba de combustible.

4. Arrancar y hacer funcionar el motor hasta que se pare, después usar el motor de arranque durante 3 segundos más para asegurarse de que se ha descargado toda la presión del sistema.

5. Desconectar el alambre negativo del acumulador.

6. Una vez terminadas las pruebas o reparaciones, volver a acoplar el conector eléctrico de la bomba de combustible.

7. Conectar el alambre negativo del acumulador.

8. Bajar el vehículo.

9. Apretar el tapón de llenado del depósito de combustible.

10. Cebar el circuito del combustible haciendo el siguiente ciclo: interruptor de encendido ON por 2 segundos, OFF por 10 segundos, luego ON de nuevo. Repetir, si es necesario para establecer la presión normal del sistema.

FILTRO DE COMBUSTIBLE

DESMONTAJE E INSTALACIÓN

El filtro de combustible está situado bajo la parte trasera del vehículo, detrás del depósito de combustible. Observar que hay un filtro/colador adicional dentro del depósito de combustible acoplado a la unidad de bombeo/envío de combustible.

▼ PRECAUCIÓN ▼

El sistema de inyección de combustible permanece con presión, incluso después de que el contacto del motor se haya desconectado (OFF). La presión del sistema de combustible debe liberarse antes de desconectar ningún tubo de combustible. Si no se hace así existe riesgo de incendio y/o lesiones personales.

1. Descargar la presión del sistema de combustible usando el procedimiento recomendado.

2. Desconectar el alambre negativo del acumulador.

3. Levantar el vehículo y apoyarlo de forma segura.

4. Usando una llave de tuercas en el filtro, desconectar el tubo del combustible del filtro.

▼ PRECAUCIÓN ▼

Si el tubo del combustible de nailon se ha doblado y arrugado y no puede estirarse, sustituir el tubo. Algunos técnicos emplean aire comprimido para eliminar la suciedad de los rácores de conexión rápida del filtro; asegurarse de que se llevan las gafas de seguridad.

5. Agarrar el rácor del filtro y el tubo de conexión de nailon. Girar el rácor de conexión rápida $1/4$ de vuelta en ambos sentidos para desatascar toda la suciedad que pueda haber en el rácor. Desconectar el rácor de conexión rápida del filtro de combustible comprimiendo las lengüetas, a la vez que se estira el tubo hacia afuera. GM dispone de una herramienta especial J-38778, que se coloca entre el filtro de combustible y el mecanismo de liberación del rácor de conexión rápida para separar ambas partes.

6. Sacar el filtro de combustible del soporte de montaje.

Para instalar:

7. Antes de instalar un nuevo filtro, aplicar siempre unas cuantas gotas de aceite limpio de motor sobre el extremo macho del tubo del filtro y en la conexión del conjunto de la unidad de envío de combustible. Esto será una ayuda para asegurar una conexión correcta e impedir así posibles fugas de combustible. Durante el funcionamiento normal, las juntas tóricas del conector hembra pueden hincharse e impedir una conexión correcta si no se lubrican.

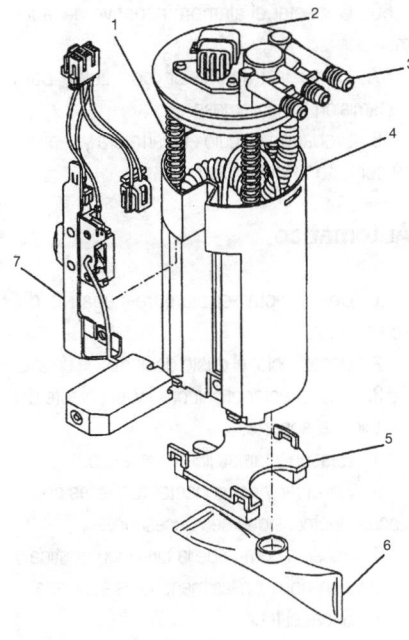

1. Conjunto de soporte, suministrador de combustible
2. Conjunto de tapa
3. Tubos de combustible (sobre tapa)
4. Tanque
5. Almohadilla de goma
6. Conjunto de colador
7. Conjunto de sensor, nivel de combustible

▲ **Identificación de los componentes de la bomba modular de combustible**

8. Instalar el filtro de combustible en el soporte de montaje.

9. Conectar el rácor de conexión rápida al filtro de combustible usando el procedimiento siguiente:

a. Aplicar siempre unas cuantas gotas de aceite limpio de motor sobre los extremos macho de los tubos del filtro y del conjunto de la unidad de envío de combustible.

b. Presionar los conectores el uno contra el otro para hacer que las lengüetas y dedos de retención se encajen en su sitio.

c. Una vez instalados, estirar de ambos extremos de cada conexión para asegurarse de que han quedado firmes.

10. Usando una junta tórica nueva, apretar con una llave de tuercas el tubo del combustible y con otra llave de apoyo sobre el filtro de combustible. Apretar el rácor del tubo de combustible a 20 pie-lb (27 Nm).

11. Bajar el vehículo.

12. Conectar el alambre negativo del acumulador.

13. Presurizar el sistema de combustible y comprobar que no hay fugas.

BOMBA DE COMBUSTIBLE

DESMONTAJE E INSTALACIÓN

▼ PRECAUCIÓN ▼
El sistema de inyección de combustible permanece con presión, incluso después de que el contacto del motor se haya desconectado (OFF). La presión del sistema de combustible debe descargarse antes de desconectar ningún tubo de combustible. Si no se hace así existe riesgo de incendio y/o lesiones personales.

1. Descargar la presión del sistema de combustible siguiendo el procedimiento recomendado.

2. Desconectar el alambre negativo del acumulador.

3. Drenar el tanque de combustible, después sacar el tanque de combustible del vehículo.

4. A la vez que se sujeta hacia abajo el conjunto modular de envío de combustible, sacar la arandela de retención de las ranuras correspondientes situadas sobre el retenedor.

▼ AVISO ▼
El conjunto modular de envío de combustible puede saltar de su posición impulsado por el resorte. Cuando se saque el suministrador modular de combustible del tanque, tener en cuenta que el cangilón de depósito está lleno de combustible. Hay que inclinar ligeramente el cangilón durante el desmontaje para evitar que se dañe la boya.

5. Sacar el colador externo de combustible.

6. Desacoplar la pieza Aseguradora de la Posición del Conector (CPA) del conector eléctrico y desacoplar el conector eléctrico de la bomba de combustible.

7. Retirar las lengüetas de los lados del suministrador de combustible en el conjunto de la tapa. Empezar estrujando los lados del tanque y liberando la lengüeta opuesta al sensor de nivel de combustible. Mover en el sentido horario para soltar la segunda y tercera lengüetas de la misma manera.

8. Levantar el conjunto de la tapa hacia arriba lo suficiente como para poder desacoplar la conexión eléctrica de la bomba de combustible.

9. Girar el deflector de la bomba de combustible en contra de las agujas del reloj y sacar del retenedor el conjunto del deflector y la bomba.

10. Retirar la salida de la bomba de combustible fuera de la ranura y sacar el sello de la salida de la bomba de combustible.

Para instalar:

11. Instalar el sello de la salida de la bomba de combustible, luego introducir la salida de la bomba de combustible en las ranuras de la tapa del tanque.

12. Instalar el conjunto del deflector y la bomba sobre el retenedor del tanque y girarlo en el sentido de las agujas del reloj hasta que quede asentado.

13. Instalar parcialmente el conjunto del retenedor inferior dentro del tanque. Alinear las 3 lengüetas. Presionar el retenedor sobre el tanque asegurándose de que las 3 lengüetas están firmemente acopladas.

➡ **Estirar suavemente sacando el tanque de la bomba de combustible desde el retenedor para comprobar que el enganche es seguro. Si no es seguro, cambiar el suministrador de combustible entero.**

14. Acoplar el conector de la bomba de combustible.

15. Acoplar el conector CPA en la tapa del suministrador de combustible.

16. Instalar un colador de combustible externo nuevo.

17. Instalar el suministrador de combustible modular.

18. Instalar el tanque de combustible en el vehículo.

19. Conectar el alambre negativo del acumulador.

20. Presurizar el sistema de combustible y comprobar que no hay fugas.

TREN DE TRANSMISIÓN

CONJUNTO DEL TRANSEJE

DESMONTAJE E INSTALACIÓN

Manual

1. Desconectar el alambre negativo del acumulador.

2. Instalar la herramienta J-28467-A o equivalente, y levantar el vehículo lo suficiente para eliminar la presión sobre los soportes del transeje.

3. Sacar el panel silenciador izquierdo.

4. Desconectar del pedal del clutch (embrague) el vástago de empuje del cilindro principal del clutch.

5. Sacar el conjunto del filtro y ducto de aire del cuerpo del ahogador.

6. Sacar el haz de alambres del soporte de montaje.

7. Sacar de la transmisión los pernos del montaje superior en la transmisión.

8. Sacar el cilindro principal del clutch del actuador del clutch.

9. Desconectar los alambres de masa de los espárragos de montaje de la transmisión.

10. Desacoplar el conector del interruptor de la luz de marcha atrás.

11. Desconectar el tubo de ventilación de la transmisión.

12. Sacar los pernos traseros de la transmisión al motor.

13. Bajar el dispositivo de soporte del motor lo suficiente para facilitar el desmontaje e instalación de la transmisión.

14. Levantar el vehículo y apoyarlo de forma segura.

15. Drenar la transmisión en un recipiente apropiado.

16. Sacar los conjuntos de los neumáticos y ruedas.

17. Sacar el protector contra salpicaduras del lado izquierdo.

18. Desconectar los cableados de los sensores de velocidad del ABS de ambas ruedas delanteras y separarlos a un lado.

19. Sacar la cubierta del volante.

20. Desconectar el sensor de velocidad del vehículo de la transmisión.

21. Sacar las tuercas de las rótulas esféricas derecha e izquierda y separarlas de las articulaciones de la dirección.

22. Sacar el pasador de unión izquierdo de la barra estabilizadora.

23. Sacar el perno en U del lado izquierdo de la barra estabilizadora.

24. Sacar los pernos de sujeción del soporte izquierdo de la suspensión.

25. Sacar los semiejes de la transmisión.

26. Sacar el montaje delantero inferior de la transmisión.

27. Colocar un gato adecuado bajo la transmisión.

28. Sacar los pernos de montaje de la transmisión al motor (anotando su posición).

29. Sacar la transmisión fuera del motor bajando con cuidado el gato.

Para instalar:

30. Colocar la transmisión sobre el gato y llevarla a su posición.

31. Instalar los pernos de montaje de la transmisión al motor y apretarlos a 55 pie-lb (75 Nm).

32. Instalar el montaje delantero de la transmisión.

33. Instalar la cubierta del volante.

34. Instalar los semiejes en la transmisión.

35. Instalar el soporte de la suspensión izquierda y los pernos de sujeción.

36. Instalar el perno en U izquierdo en la barra estabilizadora.

37. Conectar las rótulas esféricas a la articulación de la dirección e instalar las tuercas, apretar a 48 pie-lb (65 Nm).

38. Instalar el conjunto del pasador izquierdo de unión de la barra estabilizadora.

39. Pasar el haz de alambres del sensor de velocidad del ABS de la rueda izquierda y conectar los conectores de los sensores de velocidad de ambas ruedas delanteras.

40. Instalar el protector contra salpicaduras interior.

41. Conectar el sensor de velocidad del vehículo en la transmisión.

42. Instalar los dos conjuntos de neumáticos y ruedas delanteras.

43. Bajar el vehículo.

44. Instalar los alambres de masa en los espárragos de montaje de la transmisión.

45. Instalar el tubo de ventilación en la transmisión.

46. Acoplar el conector del interruptor de la luz de marcha atrás.

47. Instalar los pernos de montaje superiores de la transmisión a 55 pie-lb (75 Nm).

48. Instalar el cilindro principal del clutch en el cilindro actuador del clutch.

49. Instalar el montaje trasero de la transmisión.

50. Sujetar el haz de alambres en el soporte de montaje.

51. Sacar el dispositivo de apoyo de motores.

52. Conectar la abrazadera y la tuerca de los cables del cambio. Apretar la tuerca a 89 plg-lb (10 Nm).

53. Instalar el conjunto del filtro y ducto de aire en el cuerpo del ahogador.

54. Conectar la barra de empuje en el pedal del clutch.

55. Instalar el panel silenciador izquierdo.

56. Conectar el alambre negativo del acumulador.

57. Llenar la transmisión con fluido para transmisión Synchromesh®.

58. Probar el vehículo en carretera y verificar su correcto funcionamiento.

Automático

1. Desconectar el alambre negativo del acumulador.

2. Desconectar el ducto de admisión de aire.

3. Desconectar el chicote TV, el chicote del cambio y el soporte.

4. Desconectar las líneas de vacío.

5. Etiquetar y desconectar todas las conexiones eléctricas que sea necesario.

6. Sacar la bomba de la dirección asistida y dejarla a un lado (con las mangueras acopladas).

7. Sacar el tubo de llenado.

8. Instalar el dispositivo de apoyo de motores J-28467-A o equivalente.

9. Sacar los pernos superiores del motor a la transmisión.

10. Levantar el vehículo y apoyarlo de forma segura.

11. Sacar los conjuntos de neumáticos y ruedas delanteras de ambos lados del vehículo.

12. Sacar el protector contra salpicaduras izquierdo.

13. Desconectar del soporte izquierdo de la suspensión los haces de los sensores de velocidad del ABS de ambas ruedas delanteras.

14. Desconectar ambas rótulas esféricas inferiores.

15. Desconectar las uniones de la barra estabilizadora.

16. Sacar el deflector de aire delantero.

17. Sacar el soporte izquierdo de la suspensión.

18. Sacar ambos semiejes (ejes motrices).

19. Sacar el tirante del motor a la transmisión.

20. Sacar la cubierta del convertidor de la transmisión.

21. Sacar el motor de arranque.

22. Sacar los pernos del convertidor.

23. Desconectar los tubos de enfriamiento de la transmisión y sacar el tirante.

24. Desconectar los alambres de masa que van a la transmisión.

25. Sacar el tirante del escape.

26. Sacar los pernos de montaje del motor y de la transmisión.

27. Apoyar la transmisión sobre un gato y sacar los pernos de montaje de la transmisión a la carrocería.

28. Desconectar de la transmisión, el tirante de la manguera del núcleo del calefactor.

29. Sacar el resto de pernos del motor a la transmisión, luego sacar el conjunto de la transmisión.

Para instalar:

30. Asegurarse de que el convertidor de torque queda correctamente asentado en la bomba de aceite.

31. Instalar la transmisión dentro de su posición con el gato a la vez que se instala el semieje derecho.

32. Instalar los pernos inferiores del motor a la transmisión y apretar a 71 pie-lb (96 Nm).

33. Instalar los pernos de montaje de la transmisión a la carrocería.

34. Instalar los pernos de montaje del motor y la transmisión.

35. Instalar el tirante del escape.

36. Instalar el tirante del tubo del enfriador.

37. Acoplar los alambres de masa en el perno de la transmisión.

38. Conectar los tubos del enfriador.

39. Instalar los pernos del convertidor y apretar a 46 pie-lb (62 Nm).

40. Instalar la cubierta del convertidor de la transmisión.

41. Instalar el motor de arranque.

42. Instalar el tirante del motor a la transmisión y apretar los pernos a 32 pie-lb (43 Nm).

43. Instalar los semiejes.

44. Instalar el soporte izquierdo de la suspensión.

45. Instalar el deflector de aire delantero.

46. Instalar las uniones de la barra estabilizadora.

47. Conectar las rótulas esféricas inferiores.

48. Conectar los sensores de velocidad del ABS de ambas ruedas.

49. Instalar el protector contra salpicaduras izquierdo.

50. Instalar la tuerca y el perno del tirante del tubo del núcleo del calefactor.

51. Instalar los conjuntos de neumático y rueda delanteros.

52. Bajar el vehículo.

53. Instalar los pernos superiores del motor a la transmisión y apretar a 71 pie-lb (96 Nm).

54. Sacar el dispositivo de apoyo de motores.

55. Instalar el tubo de llenado.

56. Instalar el conjunto de la bomba de la dirección asistida.

57. Acoplar las conexiones eléctricas, según se etiquetaron durante su desmontaje.

58. Conectar las líneas de vacío.

59. Acoplar el chicote del cambio y el soporte.

60. Acoplar el chicote de la válvula TV y ajustar según sea necesario.

61. Instalar el ducto del aire de admisión.

62. Conectar el alambre negativo del acumulador.

63. Llenar la transmisión y arrancar el vehículo, verificar que no haya fugas.

64. Probar el vehículo en carretera.

EMBRAGUE (CLUTCH)

DESMONTAJE E INSTALACIÓN

Se debe sacar el conjunto del eje de transmisión manual del vehículo para realizar el mantenimiento del conjunto del clutch (embrague).

➡ **Antes de realizar ninguna operación de mantenimiento que requiera sacar el cilindro actuador, debe desconectarse del pedal del clutch la barra de empuje del cilindro principal. Si no se desconecta, el cilindro actuador sufrirá daños permanentes si se oprime el pedal del clutch mientras el cilindro actuador está desconectado.**

1. Desconectar el alambre negativo del acumulador.

2. Sacar la barra de empuje del cilindro principal del pedal del clutch.

3. Sacar la transmisión.

4. Si alguna parte va a ser reutilizada, marcar el conjunto del plato opresor y el volante de modo que puedan montarse con la misma posición. Estas dos piezas se equilibraron en fábrica como un conjunto.

5. Aflojar los pernos de sujeción una vuelta cada vez hasta que se elimine la tensión de los resortes.

6. Apoyar el plato opresor y sacar los pernos. Sacar el plato opresor y el disco del clutch. No desarmar el conjunto del plato opresor. Cambiarlo, en caso que esté defectuoso o estropeado.

7. Inspeccionar el desgaste del volante, del disco del clutch, plato opresor, cojinete de desembrague y el conjunto de la horquilla del clutch y eje de pivote. Cambiar las piezas que sea preciso sustituir. Si el volante muestra algún signo de sobrecalentamiento o está seriamente estriado o presenta muescas, la superficie del volante debe ser rehecha (reconstruida) o el volante reemplazado.

8. Limpiar a fondo las superficies de contacto del plato opresor y del volante.

Para instalar:

9. Limpiar bien todas las piezas. Aplicar una pequeña cantidad de grasa de alta temperatura al cojinete piloto dentro del extremo del cigüeñal.

10. Colocar el disco del clutch y el plato opresor en la posición de instalación, y sujetarlos con la herramienta de alineación de clutch J-29074 o equivalente. El disco del clutch se monta con los resortes del amortiguador de vibraciones descentrados hacia la transmisión. Un lado del disco del clutch de fábrica debe tener estampadas las palabras "Flywheel side" (lado del volante).

11. Instalar los pernos del plato opresor al volante. Apretarlos gradualmente siguiendo un orden cruzado, tal como sigue:

    a. Instalar todos los pernos ligeramente asentados.

    b. Apretar los pernos 1, 2 y 3 después 4, 5 y 6 a 12 pie-lb (16 Nm).

    c. Finalmente apretar los pernos 1, 2 y 3 después 4, 5 y 6 a 15 pie-lb (20 Nm).

12. Lubricar la ranura exterior y el hueco interior del cojinete de desembrague con grasa de alta temperatura. Eliminar todo el exceso de grasa. Instalar el cojinete de desembrague.

    a. En la transmisión NVG-T550, lubricar el diámetro interno del cojinete con lubricante de cojinete de clutch.

    b. En la transmisión Isuzu, empacar completamente el hueco interior del cojinete de desembrague con grasa de chasis.

➡ **En la transmisión Isuzu, asegurarse de que las zapatas del cojinete están colocadas en los extremos de la horquilla y ambos extremos del resorte están en los orificios de la horquilla con el resorte completamente asentado en la ranura del cojinete.**

13. Instalar la transmisión.

14. Instalar la barra de empuje del cilindro principal del clutch en el pedal del clutch e instalar el clip de retención.

15. Si dispone de control de crucero, comprobar el ajuste del interruptor en el soporte del pedal del clutch.

➡ **Al ajustar el interruptor del control de crucero, no aplicar una fuerza dirigida hacia arriba de más de 20 pie-lb (27 Nm) sobre la zapata del pedal del clutch ya que podría quedar dañado el aro de retención de la barra de empuje del cilindro principal.**

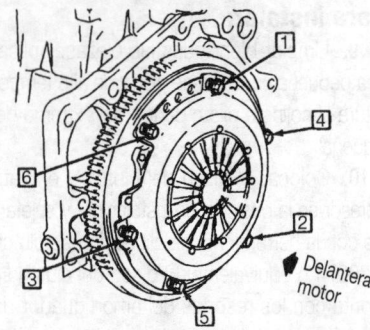

▲ **Secuencia de apriete de los pernos de la tapa del clutch (embrague)**

16. Conectar el alambre negativo del acumulador.

17. Purgar el sistema del clutch si es preciso, y probar el vehículo en carretera.

SISTEMA DE EMBRAGUE (CLUTCH) HIDRÁULICO

PURGA

No usar fluido que se haya sacado de otro sistema para llenar el depósito ya que podría estar aireado, contaminado o tener un contenido de humedad demasiado elevado. Limpiar la suciedad y la grasa del tapón para garantizar que no entren sustancias ajenas al sistema. Es también importante mantener el nivel del fluido en el depósito del clutch en el escalón superior con fluido para clutch hidráulico GM N° 12345347 o equivalente.

1. Acoplar una manguera al tornillo de purga en el conjunto del actuador del clutch y sumergir el otro cabo de la manguera en un recipiente para fluido de clutch hidráulico.

2. Oprimir lentamente el pedal del clutch y mantenerlo apretado.

3. Aflojar el tornillo de purga para purgar aire.

4. Apretar el tornillo de purga a 18 plg-lb (2 Nm).

5. Liberar el pedal del embrague (clutch).

6. Repetir los pasos 2 al 5 hasta purgar todo el aire del sistema.

7. Llenar el depósito del clutch hasta el escalón superior con fluido para clutch hidráulico.

8. Repetir este procedimiento de purga si aparece un ruido de chirrío durante la deceleración del clutch.

SEMIEJE

DESMONTAJE E INSTALACIÓN

Algunos tipos de ejes de transmisión manuales pueden tener, además, un eje intermedio.

1. Desconectar el alambre negativo del acumulador.

2. Con el peso del vehículo aún sobre las ruedas, aflojar pero no sacar la tuerca de la maza delantera. Puede necesitarse un ayudante que sujete los frenos para impedir que el semieje delantero gire. Es una buena costumbre pasar un cepillo metálico por los filetes de la mangueta exterior de la junta VC y aplicar una

cantidad abundante de aceite penetrante antes de intentar aflojar la tuerca de la maza.

3. Levantar el vehículo y apoyarlo de forma segura.

4. Sacar el conjunto de neumático y rueda.

5. Sacar la tuerca y arandela de la maza.

6. Instalar el protector del sello de la funda del eje J-33162 o equivalente, en la funda interior derecha, si dispone de ella.

7. Sacar y apoyar la mordaza del freno.

8. Sacar el rotor del freno.

9. Sacar el pasador de seguridad y la tuerca de la rótula esférica inferior y aflojar la rótula. Si se está desmontando el semieje derecho, girar la rueda hacia la izquierda. Si se está desmontando el semieje izquierdo, girar la rueda hacia la derecha.

10. Desconectar el sensor del ABS, si dispone de él.

11. Desacoplar la unión de la barra estabilizadora.

12. Separar la rótula esférica inferior de la articulación de la dirección.

13. Desacoplar el extremo del vástago del semieje del cojinete de la rueda delantera y del conjunto de la maza utilizando una herramienta de presión adecuada, presionando hasta que las estrías del semieje queden libres.

14. Separar el conjunto de la maza y el cojinete del semieje. Mover el conjunto del poste y la articulación hacia atrás.

15. Separar la rótula interior de la transmisión usando unas herramientas de extracción

1. Eje motriz derecho
2. Eje motriz izquierdo
3. J-28468 o J-33008
4. J-29794
5. J-2619-01

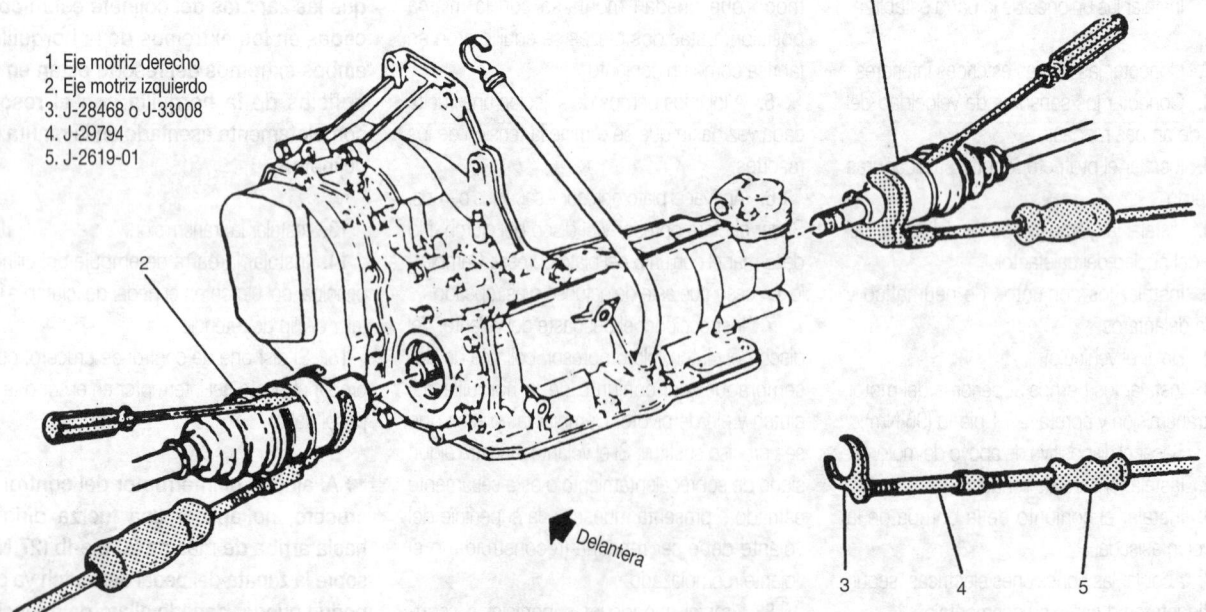

▲ **Para evitar daños a la transmisión o a los semiejes, usar las herramientas tal como se muestra para sacar los semiejes (ejes motrices)**

adecuadas tales como J-33008 y J-29764 o sus equivalentes.

16. Sacar el semieje de la transmisión. No estirar el semieje por la funda de la rótula-VC o sobre la propia rótula.

Para instalar:

17. Antes de la instalación, cubrir todos los filos y bordes vivos de esta parte del semieje con trapos de modo que las fundas de la rótula-VC queden protegidas de posibles daños. Si por cualquier motivo se desmonta un semieje, la transmisión (el mango macho y hembra del semieje) y las superficies de sellado de la articulación tienen que inspeccionarse por si tienen suciedad o corrosión. Si efectivamente tienen suciedad o corrosión, limpiar con tela de esmeril (de óxido de hierro) de grano 320 o equivalente. Se puede usar fluido de transmisión para eliminar toda la suciedad que pueda quedar. Debe secarse y limpiarse la superficie antes de intentar instalar el semieje.

18. Instalar el semieje en la transmisión (o en el eje intermedio, si dispone de él) colocando un mandril de latón dentro de la ranura sobre el alojamiento de la rótula y golpeándolo hasta asentarlo. Tener cuidado de no dañar el sello del eje o desacoplar el resorte toroidal del sello al instalar el eje.

➡ Asegurarse de que el semieje está completamente acoplado en la transmisión. Comprobar que el semieje está asentado agarrando el alojamiento de la rótula interior y estirando hacia fuera. No estirar del eje o de la funda, sólo del alojamiento de la rótula interior.

19. Instalar el semieje en el conjunto de la maza y el cojinete.

20. Instalar la rótula esférica inferior en la articulación de la dirección. Apretar la tuerca de la rótula esférica inferior a la articulación de la dirección a 41-48 pie-lb (55-65 Nm) para instalar el pasador de seguridad. No aflojar la tuerca en ningún momento durante la instalación. Instalar un pasador de seguridad nuevo.

21. Instalar la arandela y una tuerca nueva en la maza. Para impedir que la maza gire al apretar la tuerca de la maza, insertar un mandril o punzón a través de la abertura de la mordaza en una de las aberturas de ventilación del rotor del freno. Esto mantendrá unido al conjunto. Apretar la tuerca de la maza a 185 pie-lb (260 Nm).

22. Instalar el conjunto de neumático y rueda.

23. Bajar el vehículo.

24. Probar el vehículo en carretera para comprobar que no haya ruidos en la parte delantera.

DIRECCIÓN Y SUSPENSIÓN

AIR BAG

▼ PRECAUCIÓN ▼

Algunos modelos están equipados con un sistema de air bag, también conocido como Sistema Restringido Inflable Suplementario (SIR). Este sistema debe ser desactivado de forma adecuada siempre que se trabaje en o cerca de alguno de los componentes del SIR, de la columna de la dirección, de los componentes del panel de instrumentos, de alambres eléctricos y de sensores. Si no se siguen los procedimientos de seguridad y de desactivación el air bag podría desplegarse accidentalmente, lo que podría causar lesiones personales y gastos de reparación innecesarios.

PRECAUCIONES

Se deben observar varias medidas de precaución cuando se maneja el módulo inflable para evitar su activación accidental y posibles lesiones personales.

• Nunca transportar el módulo inflable por los alambres o por el conector del lado inferior del módulo.

• Cuando se transporta un módulo inflable activado, sujetarlo de forma segura con ambas manos, y asegurarse de que la bolsa y el recubrimiento decorativo miran hacia fuera.

• Colocar el módulo inflable sobre un banco u otra superficie con la bolsa y el recubrimiento decorativo mirando hacia arriba.

• Con el módulo inflable sobre el banco, nunca colocar nada sobre o cerca del módulo que pudiera salir despedido violentamente en caso de despliegue accidental del módulo.

DESACTIVADO

▼ PRECAUCIÓN ▼

El sistema Restringido Inflable Suplementario (SIR) debe ser desactivado antes de proceder a realizar muchos de los procedimientos de mantenimiento de dentro del vehículo. Si no se hace así,

el air bag puede desplegarse accidentalmente, lo que podría causar lesiones personales y gastos de reparación innecesarios.

1. Girar el volante de forma que las ruedas del vehículo queden orientadas rectas hacia delante.

2. Girar el interruptor de encendido a la posición de bloqueo LOCK y sacar la llave.

3. Sacar el fusible del air bag del bloque de fusibles del panel de instrumentos.

4. Sacar el aislante acústico izquierdo.

5. Desacoplar el Seguro de Posición del Conector (CPA) y el conector amarillo de 2 vías de la base de la columna de la dirección.

6. Si dispone de air bag en el lado del acompañante, sacar el aislante acústico derecho, después desconectar el CPA y el conector amarillo de 2 vías del cable de llegada del módulo inflable del acompañante.

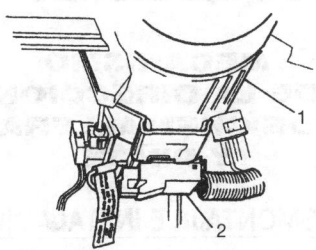

1. Columna de la dirección
2. Conector del SIR (amarillo)

▲ **Situación del conector amarillo de 2 vías CPA del air bag del lado del conductor**

REACTIVADO

1. Girar el interruptor de encendido a la posición de apagado LOCK y sacar la llave.

2. Si dispone de air bag en el lado del acompañante, conectar el CPA y el conector amarillo de 2 vías en el cable de llegada del módulo inflable del acompañante, después instalar el aislante acústico derecho.

3. Acoplar el CPA y el conector amarillo de 2 vías en la base de la columna de la dirección. Después de instalar el CPA, sujetar el conector en la brida del soporte de la columna de la dirección.

4. Instalar el aislante acústico izquierdo.

5. Instalar el fusible del air bag en el bloque de fusibles del panel de instrumentos.

6. Girar el contacto del interruptor de encendido a la posición de marcha RUN y comprobar que la lámpara de aviso del air bag parpadea 7-9 veces y después se apaga.

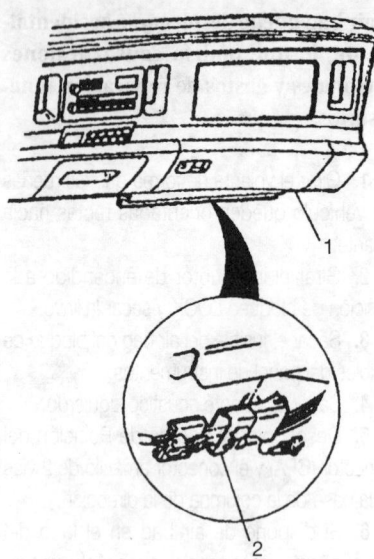

1. Compartimiento I/P
2. Conector del SIR (amarillo)

▲ **Situación del conector amarillo de 2 vías CPA del air bag del lado del acompañante**

MECANISMO DE LA DIRECCIÓN DE CREMALLERA Y PIÑÓN

DESMONTAJE E INSTALACIÓN

1. Desconectar el alambre negativo del acumulador.

2. Sacar el aislante acústico izquierdo.

3. Sacar el perno de presión superior en el conjunto del eje intermedio.

4. Sacar el retenedor de la línea, si es preciso.

5. Levantar el vehículo y apoyarlo de forma segura.

6. Sacar el conjunto de neumático y rueda delantera.

7. Desconectar los extremos de la barra de conexión de los postes usando la herramienta J-2431-01 o equivalente.

8. Sacar los pernos de montaje izquierdo y derecho.

9. Desconectar de la cremallera y piñón los conjuntos de mangueras de entrada y de salida al mecanismo.

10. Sacar el perno de presión inferior de la brida del conjunto del eje intermedio.

11. Sacar el conjunto del eje intermedio.

12. Aflojar los pernos del travesaño para ganar más espacio para el desmontaje.

13. Sacar la cremallera y el piñón a través de la abertura de la rueda.

Para instalar:

14. Instalar la cremallera y piñón a través de la abertura de la rueda izquierda.

15. Instalar los pernos del travesaño tal como se detalla a continuación:

a. Apretar el perno izquierdo trasero exterior en primer lugar a 96 pie-lb (130 Nm).

b. Apretar el perno derecho trasero exterior en segundo lugar a 96 pie-lb (130 Nm).

c. Apretar los pernos delanteros superiores a 96 pie-lb (130 Nm).

d. Apretar los pernos traseros interiores en último lugar a 96 pie-lb (130 Nm).

16. Instalar el perno de presión inferior (perno de la brida al eje intermedio) y apretar a 30 pie-lb (41 Nm).

17. Conectar los tubos de entrada y de salida del mecanismo a la cremallera y piñón y apretar a 20 pie-lb (27 Nm).

18. Colocar los pernos y tuercas a mano. Apretar el perno izquierdo a 89 pie-lb (120 Nm), después apretar el perno derecho a 89 pie-lb (120 Nm).

19. Conectar los extremos de la barra de conexión a los postes y apretar a 44 pie-lb (60 Nm), e instalar pasadores de seguridad nuevos.

20. Instalar el conjunto de neumático y rueda izquierda.

21. Instalar el retenedor de la línea, si lo lleva.

22. Bajar el vehículo.

23. Instalar el perno de presión superior y apretar a 30 pie-lb (41 Nm).

24. Instalar el aislante acústico izquierdo.

25. Conectar el alambre eléctrico negativo del acumulador.

26. Llenar con fluido y purgar el aire del sistema.

27. Comprobar la convergencia de las ruedas delanteras y ajustar según se requiera.

28. Probar el vehículo en carretera y comprobar que no haya fugas.

POSTE

DESMONTAJE E INSTALACIÓN

Delantero

1. De dentro del compartimiento del motor, sacar la tapa de la torre del poste haciendo palanca, en caso de que la equipe, y después aflojar los pernos y/o tuercas superiores del poste a la carrocería.

2. Aflojar las tuercas de rueda con orejetas, después levantar el vehículo y apoyarlo de forma segura.

3. Colocar caballetes bajo el travesaño delantero. Bajar un poco el vehículo de forma que su peso repose sobre los caballetes y NO sobre los brazos de control.

4. Sacar el conjunto de neumático y rueda.

5. Antes de sacar los componentes de la suspensión delantera, deben marcarse sus posiciones de modo que se puedan instalar correctamente.

▼ **AVISO** ▼

Siempre que se trabaje cerca de los semiejes, hay que tener cuidado de evitar que se dañe la flecha de transmisión

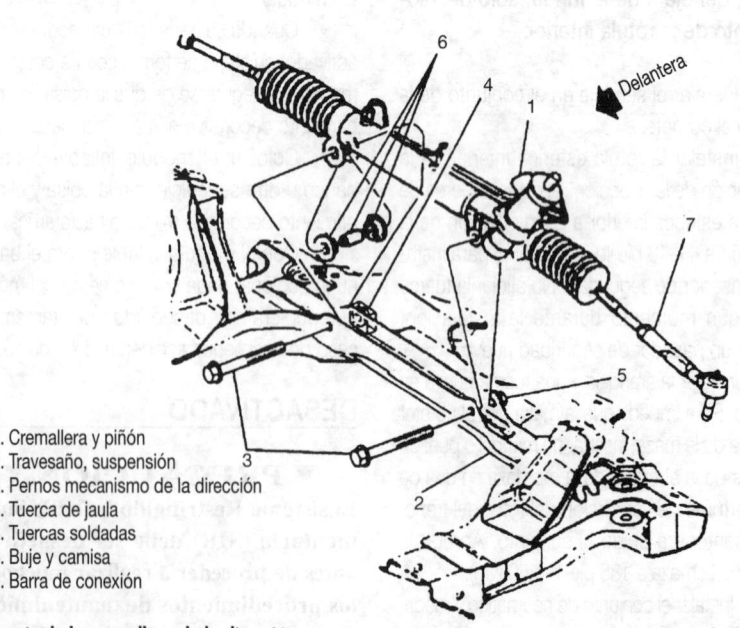

1. Cremallera y piñón
2. Travesaño, suspensión
3. Pernos mecanismo de la dirección
4. Tuerca de jaula
5. Tuercas soldadas
6. Buje y camisa
7. Barra de conexión

▲ **Montaje de la cremallera de la dirección**

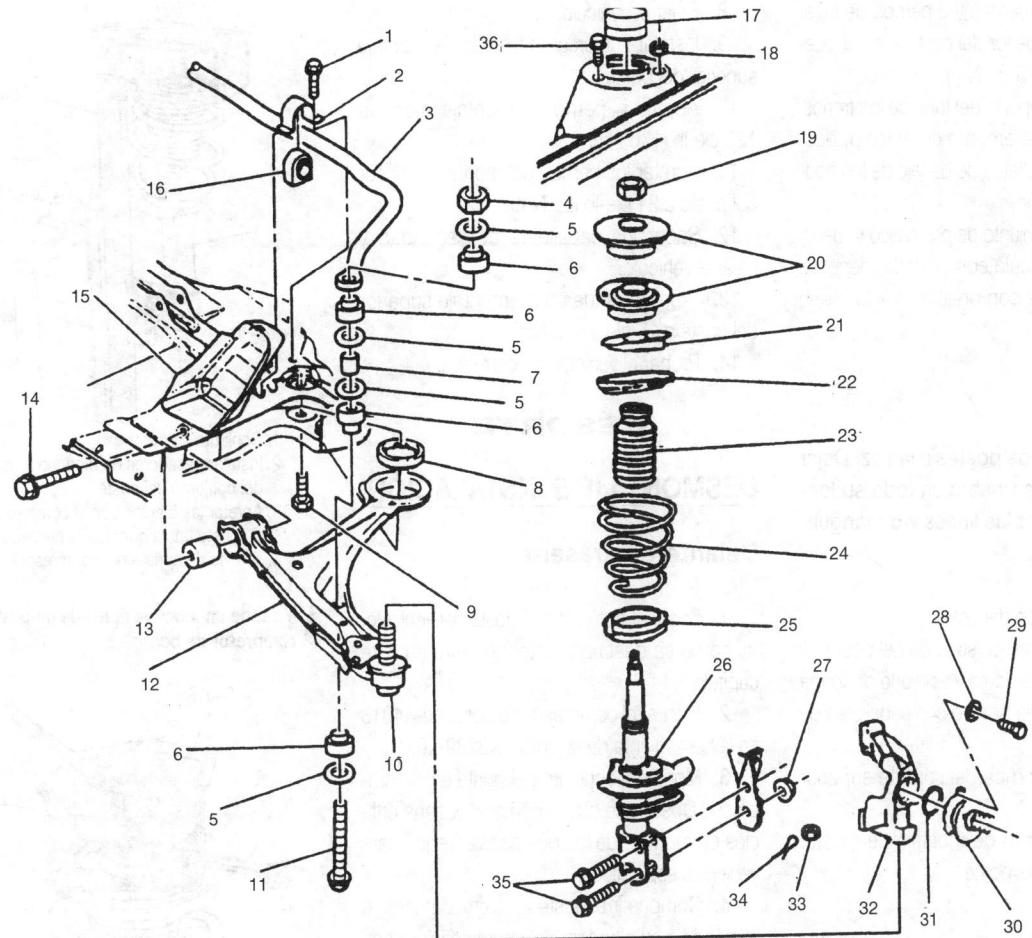

1. Perno
2. Abrazadera, barra estabilizadora
3. Barra estabilizadora
4. Tuerca, tirante de barra estabilizadora
5. Arandela
6. Aislante, tirante de barra estabilizadora
7. Espaciador, tirante de barra estabilizadora
8. Buje, vertical
9. Perno, buje vertical
10. Rótula esférica
11. Perno, tirante de barra estabilizadora
12. Brazo de control

13. Buje, brazo de control
14. Perno
15. Soporte de suspensión
16. Aislante de barra estabilizadora
17. Tapa, soporte de poste
18. Tuerca
19. Tuerca, barra amortiguadora de poste
20. Conjunto de montaje de poste y arandela
21. Asiento de resorte
22. Aislante superior de resorte
23. Paragolpes y protector de poste
24. Resorte

25. Aislante inferior de resorte
26. Poste
27. Tuerca
28. Arandela
29. Perno
30. Conjunto de maza y cojinete
31. Sello (pieza de 5)
32. Articulación de la dirección
33. Tuerca, rótula esférica
34. Pasador partido
35. Perno
36. Perno

Suspensión delantera

(eje motriz) por sobrealargamiento de las juntas de la flecha de transmisión. Cuando cualquiera de los extremos del árbol se desacopla, el alargamiento de la junta podría provocar la separación de los componentes internos y la posible rotura de la junta.

6. Instalar una tapa protectora de la junta del semieje (modificada), tal como la J-34754 o equivalente.

7. Si es necesario, sacar el soporte del tubo del freno.

8. Sacar el pasador de seguridad y la tuerca, después presionar la barra de conexión fuera del

soporte del poste usando un extractor de 2 brazos J-24319-01 o equivalente. Desechar el pasador de seguridad.

9. Aflojar y sacar los pernos del poste a la articulación de la dirección y sacar con cuidado el poste.

➡ La articulación de la dirección DEBE estar apoyada para impedir el sobrealargamiento de la junta del eje.

10. Sacar el conjunto del poste del vehículo. Tener cuidado de no desconchar o agrietar el recubrimiento del resorte al manejar el conjunto del resorte de la suspensión delantera.

Para instalar:

11. Meter el poste dentro de su posición, después instalar las tuercas y/o los pernos que conectan el conjunto del poste a la carrocería.

12. Alinear la articulación de la dirección con la marca en la brida del poste hecha durante el desmontaje, luego instalar las tuercas y pernos. Apretar a 133 pie-lb (180 Nm).

13. Colocar el extremo de la barra de conexión en el conjunto del poste, y asegurarla con el perno del extremo de la barra de conexión y con un pasador de seguridad nuevo. Apretar el perno del extremo de la barra de conexión a 44 pie-lb (60 Nm).

14. Apretar las tuercas y/o pernos de sujeción de la parte superior del poste a la carrocería a 18-20 pie-lb (25-27 Nm).

15. Instalar el soporte del tubo de los frenos.

16. Levantar ligeramente el vehículo, después sacar los caballetes de debajo de los apoyos de la suspensión.

17. Instalar el conjunto de neumático y rueda.

18. Bajar el vehículo con cuidado, después apretar las tuercas con orejetas a 100 pie-lb (140 Nm).

Trasero

➡ **No sacar ambos postes a la vez. Dejar suspendido el eje trasero en toda su longitud podría dañar las líneas y/o mangueras de los frenos.**

1. Abrir el portón del cofre.

2. Sacar la tuerca de sujeción del poste.

3. Levantar el vehículo y apoyarlo de forma segura. Apoyar el eje trasero con caballetes de seguridad.

4. Sacar los pernos del soporte superior del poste.

5. Sacar el perno de montaje del poste. Sacar el conjunto del poste.

Para instalar:

6. Instalar el conjunto del poste en el acoplamiento inferior. Instalar el perno apretándolo a mano.

7. Instalar los pernos en el montaje del poste.

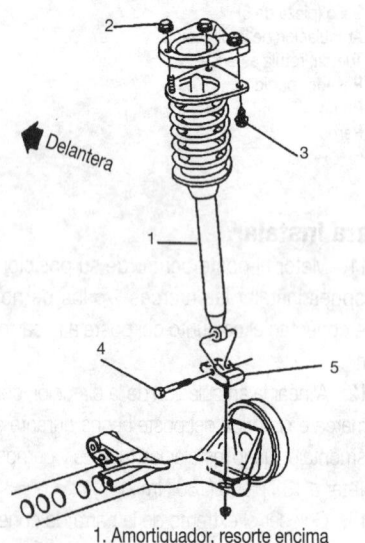

1. Amortiguador, resorte encima
2. Tuerca
3. Perno superior de poste (2)
4. Perno, eje
5. Adaptador

▲ **Montaje del poste trasero**

8. Bajar el vehículo.

9. Instalar la tuerca de fijación del montaje superior del poste.

10. Apretar el perno del montaje inferior a 125 pie-lb (170 Nm).

11. Apretar los pernos del montaje superior del poste a 21 pie-lb (28 Nm).

12. Sacar los caballetes de seguridad y bajar el vehículo.

13. Apretar la tuerca de montaje superior del poste a 15 pie-lb (20 Nm).

14. Probar el vehículo en carretera.

RESORTE

DESMONTAJE E INSTALACIÓN

Delantero y trasero

1. Sacar el conjunto del poste del vehículo, tal como se describió anteriormente en este capítulo.

2. Montar el compresor de postes J-34013 en la herramienta de sujeción J-3289-20.

3. Montar el conjunto del poste en el compresor. Obsérvese que el compresor tiene orificios de montaje de los postes taladrados para vehículos específicos.

4. Comprimir el poste aproximadamente a la mitad de su altura tras el contacto inicial con la tapa superior.

▼ AVISO ▼

¡No llegar nunca al tope del resorte o de la barra amortiguadora!

5. Sacar la tuerca de la barra amortiguadora del poste y colocar la barra de alineación/guía J-34013-27 sobre la barra amortiguadora. Usar la barra para guiar la barra amortiguadora recto hacia abajo a través de la tapa del resorte a la vez que se comprime el resorte. Sacar los componentes.

➡ **Tener cuidado de no desconchar o agrietar el recubrimiento del resorte al manejar el conjunto del resorte de la suspensión delantera.**

Para instalar:

6. Instalar la tapa del cojinete en el compresor de postes, en el caso de que previamente se hubiera sacado.

7. Montar el conjunto del poste en el compresor de postes, usando sólo el pasador de bloqueo inferior. Extender la barra amortiguadora e

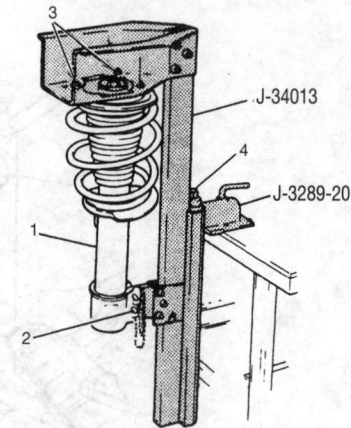

1. Conjunto de poste
2. Instalar pasadores de bloqueo a través del conjunto del poste
3. Apretar las tuercas con el compresor de poste hasta que quede nivelado
4. Tornillo de apriete del compresor

▲ **Vista de un montaje típico de un poste en un compresor de banco**

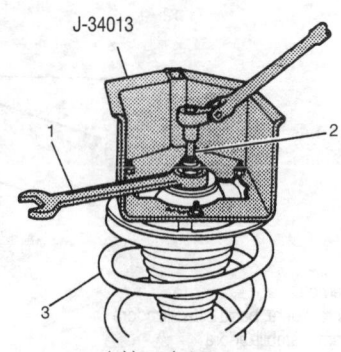

1. Llave de tuercas
2. Llave de tubo
3. Conjunto de poste

▲ **Usar una llave de tubo y una llave de tuercas para sacar la tuerca del tapón del resorte del eje del amortiguador mientras se comprime el resorte**

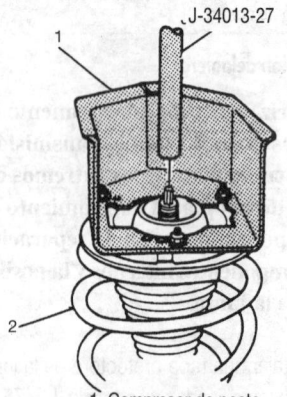

1. Compresor de poste
2. Conjunto de poste

▲ **Instalar la barra para guiar el eje del amortiguador recto hacia abajo a través del tapón del resorte mientras se comprime el resorte**

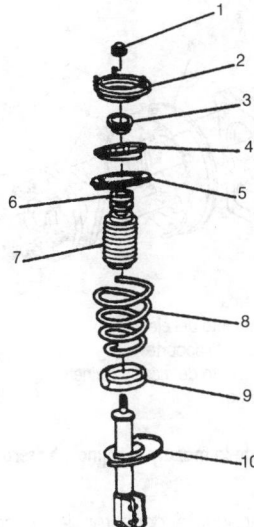

1. Tuerca de montaje de poste
2. Montaje de poste
3. Arandela
4. Asiento resorte
5. Aislante superior de resorte
6. Paragolpes, tope de rebote
7. Guardapolvos del poste
8. Resorte
9. Aislante inferior del resorte
10. Poste

▲ Conjunto de poste delantero

instalar la abrazadera J-34013-20 sobre la barra amortiguadora.

8. Instalar el resorte sobre el amortiguador y girar el conjunto hacia arriba de forma que pueda ser instalado el pasador de bloqueo superior.

9. Instalar todos los protectores, paragolpes y aislantes en el asiento del resorte. Instalar el asiento del resorte sobre el resorte. Asegurarse de que la parte plana del asiento del resorte mira en la dirección apropiada. La parte plana del asiento del resorte debe mirar en la misma dirección que el eje del conjunto del poste.

10. Instalar la barra guía y girar el tornillo de forzado mientras la barra guía centra el conjunto. Cuando el fileteado de la barra amortiguadora se hace visible, sacar la barra guía e instalar la tuerca. Apretar la tuerca a 52 pie-lb (70 Nm). Utilizar una llave de tuberías de pata de cuervo mientras se sujeta la barra amortiguadora con una llave de tubo.

11. Sacar la abrazadera.

RÓTULA ESFÉRICA INFERIOR

DESMONTAJE E INSTALACIÓN

1. Levantar el vehículo y apoyarlo de forma segura.

2. Si se usa un cabrestante suspendido, colocar caballetes debajo del travesaño. Bajar ligeramente el vehículo de modo que el peso del vehículo repose sobre el travesaño.

3. Sacar el conjunto del neumático y la rueda.

➡ **Se debe prestar cuidado para evitar que las juntas de los semiejes sufran un alargamiento excesivo. Al desconectar cualquiera de los extremos del semieje, el exceso de alargamiento de la junta puede provocar la separación de los componentes internos y que falle la junta. Si no se observan estas indicaciones puede estropearse la junta exterior o el guardapolvos y hacer nuevamente que falle la junta.**

4. Sacar el pasador de seguridad y la tuerca de la junta esférica.

5. Separar la junta esférica de la articulación de la dirección usando la herramienta J-38892 o equivalente.

6. Taladrar sacando los 3 remaches que retienen la junta esférica en el brazo de control inferior. Usar una broca de $1/8$ plg (3 mm) para hacer un orificio guía a través de los remaches. Acabar de taladrar los remaches con una broca de $1/2$ plg (13 mm).

7. Sacar la tuerca de sujeción de la unión a la barra estabilizadora.

8. Sacar la junta esférica de la articulación de la dirección y del brazo de control.

Para instalar:

9. Instalar la junta esférica dentro del brazo de control.

10. Instalar 3 pernos y tuercas nuevos (suministrados con la junta esférica nueva) y apretarlos.

11. Colocar el espárrago de la junta esférica a través de la articulación de la dirección y apretar la tuerca a 50 pie-lb (65 Nm) e instalar el pasador de seguridad.

12. Acoplar el tirante de la barra estabilizadora a la barra estabilizadora y apretar la tuerca a 13 pie-lb (17 Nm).

13. Instalar el conjunto de la rueda y el neumático.

14. Bajar el vehículo.

15. Comprobar la alineación de las ruedas delanteras y ajustarla, si es necesario.

COJINETES DE RUEDA

AJUSTE

Estos vehículos van equipados con conjuntos de maza y cojinete sellados. Los conjuntos de maza y cojinete no son reparables. En caso de que el conjunto esté dañado, debe ser reemplazada la unidad completa.

DESMONTAJE E INSTALACIÓN

Delantero

1. Levantar el vehículo y apoyarlo de forma segura.

2. Sacar el conjunto de la rueda y el neumático.

3. Sacar la tuerca del semieje.

4. Sacar los pernos de la mordaza de freno y soportar la mordaza de freno a un lado.

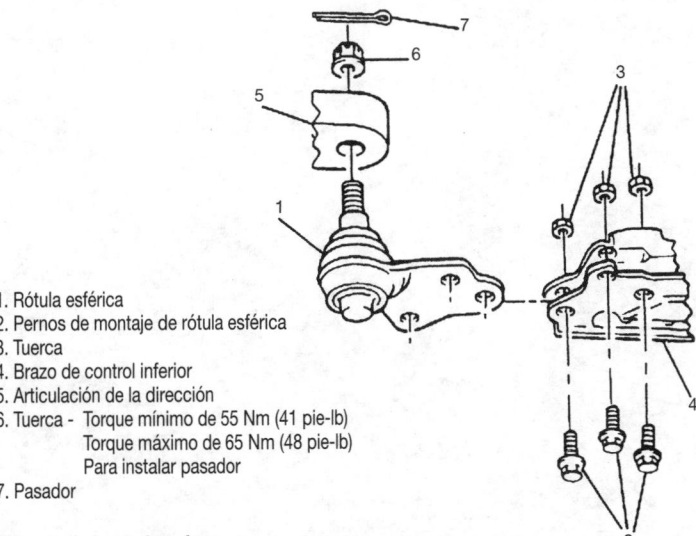

1. Rótula esférica
2. Pernos de montaje de rótula esférica
3. Tuerca
4. Brazo de control inferior
5. Articulación de la dirección
6. Tuerca - Torque mínimo de 55 Nm (41 pie-lb)
          Torque máximo de 65 Nm (48 pie-lb)
          Para instalar pasador
7. Pasador

▲ Montaje de la rótula esférica

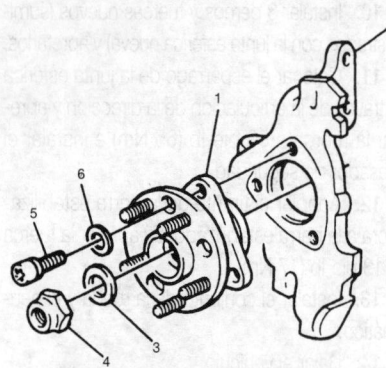

1. Conjunto de la maza y el cojinete
2. Articulación de la dirección
3. Arandela
4. Tuerca del semieje – 260 Nm (192 pie-lb)
5. Perno de retención de la maza y el cojinete
6. Arandela

▲ **Conjunto de la maza y el cojinete delantero**

5. Sacar el rotor de freno.

6. Sacar los 3 pernos que atraviesan la articulación de la dirección, de la parte posterior de la articulación. La acumulación de óxido puede hacer necesaria la aplicación de abundante aceite penetrante en el encaje de la maza con la articulación. Sacar de la articulación de la dirección el conjunto de la maza y el cojinete.

7. Sacar el conjunto de la maza y el cojinete del vehículo.

Para instalar:

8. Instalar el conjunto de la maza y el cojinete en la articulación de la dirección.

9. Instalar los pernos de la maza y el cojinete y apretarlos a 70 pie-lb (95 Nm).

10. Instalar el rotor de freno.

11. Instalar la mordaza de freno y los pernos.

12. Instalar el semieje a través de la maza y apretar la tuerca a 192 pie-lb (260 Nm).

13. Instalar el conjunto de la rueda y el neumático.

14. Bajar el vehículo.

15. Probar el vehículo en carretera y verificar su correcto funcionamiento.

Trasero

Dispone de un conjunto integrado de maza y cojinete unido con pernos a ambos extremos del semieje trasero o del conjunto de la articulación trasera. Este conjunto de maza y cojinete es una unidad sellada que se supone elimina la necesidad de ajuste del cojinete de rueda y que no requiere mantenimiento periódico.

1. Levantar el vehículo y apoyarlo de forma segura.

2. Sacar el conjunto de la rueda y el neumático.

3. Sacar el tambor de freno.

4. Sacar los pernos de montaje del conjunto maza y cojinete. El perno superior trasero no dejará a la vista la balata de freno al sacar el conjunto de maza y cojinete. Sacar parcialmente el conjunto de maza y cojinete antes de sacar este perno.

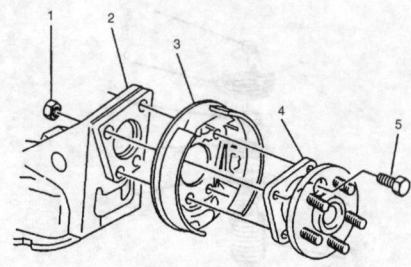

1. Tuerca
2. Conjunto del eje trasero
3. Plato de soporte
4. Conjunto de maza y cojinete
5. Perno

▲ **Conjunto de la maza y el cojinete trasero**

5. Desacoplar el conector del sensor de velocidad del ABS de la rueda.

6. Sacar del eje el conjunto maza y cojinete.

Para instalar:

7. Acoplar el conector del sensor de velocidad del ABS de la rueda.

8. Instalar el conjunto de la maza y cojinete. Colocar el perno de montaje superior trasero en el conjunto de la maza y cojinete antes de la instalación en el alojamiento del eje.

9. Apretar los pernos de sujeción a 44 pie-lb (60 Nm).

10. Instalar el tambor de freno.

11. Instalar el conjunto de rueda y neumático.

12. Bajar el vehículo.

13. Probar el vehículo en carretera.

GM CARROCERÍA 'W', BUICK/ CHEVROLET/OLDSMOBILE/PONTIAC

9

Century - Regal - Lumina - Monte Carlo - Cutlass Supreme - Intrigue - Grand Prix

ESPECIFICACIONES 426

REPARACIÓN DEL MOTOR 432

Distribuidor 432
Sincronización del encendido 432
Conjunto motor......................... 432
Bomba de agua 434
Culata de cilindros 435
Balancines............................. 440
Múltiple de admisión 441
Múltiple de escape..................... 445
Árbol de levas......................... 447
Holgura de válvulas 450
Depósito de aceite 450
Bomba de aceite....................... 452
Sello de aceite del cojinete
     principal trasero..................... 453
Cadena de sincronización,
     piñones y tapa delantera............. 454

SISTEMA DE COMBUSTIBLE 457

Precauciones de mantenimiento
     del sistema de combustible 457
Presión del sistema de combustible 458
Filtro de combustible 458
Bomba de combustible 459

TREN DE TRANSMISIÓN 459

Conjunto de transeje 459
Semieje 461

DIRECCIÓN Y SUSPENSIÓN 462

Air bag............................... 462
Dirección asistida de cremallera y piñón..... 463
Poste................................ 465
Resorte helicoidal..................... 468
Rótula esférica inferior 468
Cojinetes de rueda 469

ESPECIFICACIONES
GM CARROCERÍA 'W', BUICK/CHEVROLET/OLDSMOBILE/PONTIAC

Century, Regal, Lumina, Monte Carlo, Cutlass Supreme, Intrigue, Grand Prix

TABLA DE IDENTIFICACIÓN DEL VEHÍCULO

Clave del motor						Año del modelo	
Clave	Litros	Plg^3(cc)	Cil.	Sist. combustible	Fabr. de motor	Clave	Año
1	3.8	231 (3785)	6	MFI	BOC	S	1995
K	3.8	231 (3785)	6	MFI	CPC	T	1996
L	3.8	231 (3785)	6	MFI	BOC	V	1997
M	3.1	191 (3130)	6	MFI	BOC	W	1998
X	3.4	207 (3393)	6	MFI	CPC	X	1999

MFI: inyección de combustible Multipunto.
BOC-Buick/Oldsmobile/Cadillac.
CPC-Chevrolet/Pontiac/Canada.

IDENTIFICACIÓN DEL MOTOR

Año	Modelo	Cilindrada del motor litros (cc)	Serie del motor (ID/VIN)	Sistema combustible	Nº de cilindros	Tipo de motor
1995	Cutlass Supreme	3.1 (3130)	M	MFI	6	OHV
	Cutlass Supreme	3.4 (3393)	X	MFI	6	DOHC
	Grand Prix	3.1 (3130)	M	MFI	6	OHV
	Grand Prix	3.4 (3393)	X	MFI	6	DOHC
	Lumina	3.1 (3130)	M	MFI	6	OHV
	Lumina	3.4 (3393)	X	MFI	6	DOHC
	Monte Carlo	3.1 (3130)	M	MFI	6	OHV
	Monte Carlo	3.4 (3393)	X	MFI	6	DOHC
	Regal	3.8 (3785)	L	MFI	6	OHV
	Regal	3.1 (3130)	M	MFI	6	OHV
1996	Cutlass Supreme	3.1 (3130)	M	MFI	6	OHV
	Cutlass Supreme	3.4 (3393)	X	MFI	6	DOHC
	Grand Prix	3.1 (3130)	M	MFI	6	OHV
	Grand Prix	3.4 (3393)	X	MFI	6	DOHC
	Lumina	3.1 (3130)	M	MFI	6	OHV
	Lumina	3.4 (3393)	X	MFI	6	DOHC
	Monte Carlo	3.1 (3130)	M	MFI	6	OHV
	Monte Carlo	3.4 (3393)	X	MFI	6	DOHC
	Regal	3.8 (3785)	K	MFI	6	OHV
	Regal	3.1 (3130)	M	MFI	6	OHV
1997	Cutlass Supreme	3.1 (3130)	M	MFI	6	OHV
	Grand Prix	3.8 (3785)	1	MFI	6	OHV
	Grand Prix	3.8 (3785)	K	MFI	6	OHV
	Grand Prix	3.1 (3130)	M	MFI	6	OHV
	Lumina	3.1 (3130)	M	MFI	6	OHV
	Lumina	3.4 (3393)	X	MFI	6	DOHC
	Monte Carlo	3.1 (3130)	M	MFI	6	OHV
	Monte Carlo	3.4 (3393)	X	MFI	6	DOHC
	Regal	3.8 (3785)	1	MFI	6	OHV
	Regal	3.8 (3785)	K	MFI	6	OHV
1998-99	Century	3.1 (3130)	M	MFI	6	OHV
	Grand Prix	3.8 (3785)	1	MFI	6	OHV
	Grand Prix	3.8 (3785)	K	MFI	6	OHV
	Grand Prix	3.1 (3130)	M	MFI	6	OHV
	Intrigue	3.8 (3785)	K	MFI	6	OHV
	Lumina	3.8 (3785)	K	MFI	6	OHV
	Lumina	3.1 (3130)	M	MFI	6	OHV
	Monte Carlo	3.8 (3785)	K	MFI	6	OHV
	Monte Carlo	3.1 (3130)	M	MFI	6	OHV
	Regal	3.8 (3785)	1	MFI	6	OHV
	Regal	3.8 (3785)	K	MFI	6	OHV
	Regal	3.1 (3130)	M	MFI	6	OHV

MFI: inyección de combustible Multipunto.
OHV: válvulas en cabeza.
DOHC: doble árbol de levas en culata.

ESPECIFICACIONES GENERALES DEL MOTOR

Año	Motor ID/VIN	Cilindrada del motor litros (cc)	Sistema de combustible	Caballaje neto @ rpm	Torsión neta @ rpm (pie-lb)	Diámetro x carrera (plg)	Relación de compresión	Presión de aceite @ rpm
1995	L	3.8 (3785)	MFI	170@4800	225@3200	3.80x3.40	9.0:1	60@1850
	M	3.1 (3130)	MFI	160@5200	185@4000	3.50x3.31	9.5:1	15@1100
	X	3.4 (3393)	MFI	210@5200	215@4000	3.62x3.31	9.25:1	15@1100
1996	K	3.8 (3785)	MFI	205@5200	230@4000	3.80x3.40	9.4:1	60@1850
	M	3.1 (3130)	MFI	160@5200	185@4000	3.50x3.31	9.5:1	15@1100
	X	3.4 (3393)	MFI	210@5200	215@4000	3.62x3.31	9.25:1	15@1100
1997	1	3.8 (3785)	MFI	240@5200	280@3200	3.80x3.40	9.0:1	60@1850
	K	3.8 (3785)	MFI	205@5200	230@4000	3.80x3.40	9.4:1	60@1850
	M	3.1 (3130)	MFI	160@5200	185@4000	3.50x3.31	9.5:1	15@1100
	X	3.4 (3393)	MFI	210@5200	215@4000	3.62x3.31	9.25:1	15@1100
1998-99	1	3.8 (3785)	MFI	240@5200	280@3200	3.80x3.40	9.0:1	60@1850
	K	3.8 (3785)	MFI	205@5200	230@4000	3.80x3.40	9.4:1	60@1850
	M	3.1 (3130)	MFI	160@5200	185@4000	3.50x3.31	9.5:1	15@1100

MFI: inyección de combustible Multipunto.

ESPECIFICACIONES PARA AFINACIÓN DE MOTORES DE GASOLINA

Año	Motor ID/VIN	Cilindrada del motor litros (cc)	Bujías: abertura (plg)	Sincronización ignición (grados) MT	AT	Bomba de combustible (lb/plg^2)	Marcha mínima (rpm) MT	AT	Holgura válvulas Admisión	Escape
1995	L	3.8 (3785)	0.060	—	①	40-47	—	②	HYD	HYD
	M	3.1 (3130)	0.060	—	①	41-47	—	②	HYD	HYD
	X	3.4 (3393)	0.045	—	①	41-47	—	②	HYD	HYD
1996	K	3.8 (3785)	0.060	—	①	41-47	—	②	HYD	HYD
	M	3.1 (3130)	0.060	—	①	41-47	—	②	HYD	HYD
	X	3.4 (3393)	0.045	—	①	41-47	—	②	HYD	HYD
1997	1	3.8 (3785)	0.060	—	①	41-47	—	②	HYD	HYD
	K	3.8 (3785)	0.060	—	①	41-47	—	②	HYD	HYD
	M	3.1 (3130)	0.060	—	①	41-47	—	②	HYD	HYD
	X	3.4 (3393)	0.045	—	①	41-47	—	②	HYD	HYD
1998-99	1	3.8 (3785)	0.060	—	①	41-47	—	②	HYD	HYD
	K	3.8 (3785)	0.060	—	①	41-47	—	②	HYD	HYD
	M	3.1 (3130)	0.060	—	①	41-47	—	②	HYD	HYD

NOTA: la placa de Información del Control de Emisiones del Vehículo a menudo detalla los cambios en las especificaciones que se hayan podido producir durante la fabricación del vehículo. Se deben tomar los valores de esta etiqueta si éstos difieren de los presentados en esta tabla.

HYD: hidráulico.

① La sincronización del sistema de encendido DIS no es ajustable.

② La marcha mínima la mantiene el ECM. No existe un procedimiento de ajuste recomendado.

CAPACIDADES

Año	Modelo	Motor ID/VIN	Cilindrada del motor litros (cc)	Aceite del motor con filtro (en qts)	Transmisión (pts) 4 vel.	5 vel.	Auto.	Eje motriz Delantero (pts)	Trasero (pts)	Tanque de combustible (gal)	Sistema enfria-miento (qts)
1995	Cutlass Supreme	M	3.1 (3130)	4.5	—	—	②	—	—	16.0	12.6
	Cutlass Supreme	X	3.4 (3393)	5.0	—	—	②	—	—	16.5	12.7
	Grand Prix	M	3.1 (3130)	4.5	—	—	②	—	—	16.0	12.6
	Grand Prix	X	3.4 (3393)	5.0	—	—	②	—	—	16.5	12.7
	Lumina	M	3.1 (3130)	4.5	—	—	②	—	—	16.0	12.6
	Lumina	X	3.4 (3393)	5.0	—	—	②	—	—	16.5	12.7
	Monte Carlo	M	3.1 (3130)	4.5	—	—	②	—	—	16.5	12.6
	Monte Carlo	X	3.4 (3393)	5.0	—	—	②	—	—	16.5	12.7
	Regal	L	3.8 (3785)	4.0 ①	—	—	12.0	—	—	16.5	11.1
	Regal	M	3.1 (3130)	4.0 ①	—	—	12.0	—	—	16.5	11.8
1996	Cutlass Supreme	M	3.1 (3130)	4.5	—	—	②	—	—	16.0	12.6
	Cutlass Supreme	X	3.4 (3393)	5.0	—	—	②	—	—	16.5	12.7
	Grand Prix	M	3.1 (3130)	4.5	—	—	②	—	—	16.0	12.6
	Grand Prix	X	3.4 (3393)	5.0	—	—	②	—	—	16.5	12.7
	Lumina	M	3.1 (3130)	4.5	—	—	②	—	—	16.0	12.6
	Lumina	X	3.4 (3393)	5.0	—	—	②	—	—	16.5	12.7
	Monte Carlo	M	3.1 (3130)	4.5	—	—	②	—	—	16.5	12.6
	Monte Carlo	X	3.4 (3393)	5.0	—	—	②	—	—	16.5	12.7
	Regal	K	3.8 (3785)	4.0 ①	—	—	②	—	—	17.1	11.1
	Regal	M	3.1 (3130)	4.0 ①	—	—	②	—	—	17.1	12.5
1997	Cutlass Supreme	M	3.1 (3130)	4.5	—	—	②	—	—	16.0	12.6
	Grand Prix	1	3.8 (3785)	5.0	—	—	②	—	—	16.5	12.7
	Grand Prix	K	3.8 (3785)	5.0	—	—	②	—	—	16.5	12.7
	Grand Prix	M	3.1 (3130)	4.5	—	—	②	—	—	16.0	12.6
	Lumina	M	3.1 (3130)	4.5	—	—	②	—	—	16.0	12.6
	Lumina	X	3.4 (3393)	5.0	—	—	②	—	—	16.5	12.7
	Monte Carlo	M	3.1 (3130)	4.5	—	—	②	—	—	16.5	12.6
	Monte Carlo	X	3.4 (3393)	5.0	—	—	②	—	—	16.5	12.7
	Regal	1	3.8 (3785)	5.0	—	—	②	—	—	16.5	12.7
	Regal	K	3.8 (3785)	5.0	—	—	②	—	—	16.5	12.7
1998-99	Century	M	3.1 (3130)	4.5	—	—	②	—	—	16.0	12.6
	Grand Prix	1	3.8 (3785)	5.0	—	—	②	—	—	16.5	12.7
	Grand Prix	K	3.8 (3785)	5.0	—	—	②	—	—	16.5	12.7
	Grand Prix	M	3.1 (3130)	4.5	—	—	②	—	—	16.0	12.6
	Intrigue	K	3.8 (3785)	5.0	—	—	②	—	—	16.5	12.7
	Lumina	K	3.8 (3785)	5.0	—	—	②	—	—	16.5	12.7
	Lumina	M	3.1 (3130)	4.5	—	—	②	—	—	16.0	12.6
	Monte Carlo	K	3.8 (3785)	5.0	—	—	②	—	—	16.5	12.7
	Monte Carlo	M	3.1 (3130)	4.5	—	—	②	—	—	16.5	12.6
	Regal	1	3.8 (3785)	5.0	—	—	②	—	—	16.5	12.7
	Regal	K	3.8 (3785)	5.0	—	—	②	—	—	17.1	11.1
	Regal	M	3.1 (3130)	4.5	—	—	②	—	—	17.1	12.5

NOTA: todas las capacidades son aproximadas. Añadir el fluido de forma gradual y asegurar que se consigue un nivel de fluido correcto.
① Este volumen es sin cambio de filtro. Puede requerirse una cantidad adicional de aceite.
② Transmisión 3T40: 8.0 pts.
  Transmisión 4T60: 12.0 pts.
  Transmisión 4T60E: 14.8 pts.

ESPECIFICACIONES DE VÁLVULAS

Año	Motor ID/VIN	Cilindrada del motor litros (cc)	Ángulo de asiento (grados)	Ángulo de cara (grados)	Tensión de resortes (lb @ plg)	Altura resorte instalado (plg)	Holgura entre vástago y guía (plg) Admisión	Escape	Diámetro del vástago (plg) Admisión	Escape
1995	L	3.8 (3785)	45	45	210@1.315	1.690-1.720	0.0015-0.0035	0.0015-0.0032	NA	NA
	M	3.1 (3130)	45	45	250@1.239	1.710	0.0001-0.0027	0.0010-0.0027	NA	NA
	X	3.4 (3393)	46	45	75@1.40	1.40	0.0011-0.0026	0.0014-0.0031	NA	NA
1996	K	3.8 (3785)	45	45	210@1.32	1.69-1.72	0.0015-0.0035	0.0015-0.0032	NA	NA
	M	3.1 (3130)	45	45	250@1.239	1.710	0.0001-0.0027	0.0010-0.0027	NA	NA
	X	3.4 (3393)	46	45	75@1.40	1.40	0.0011-0.0026	0.0014-0.0031	NA	NA
1997	1	3.8 (3785)	45	45	80@1.750	1.690-1.720	0.0015-0.0032	0.0015-0.0032	NA	NA
	K	3.8 (3785)	45	45	210@1.32	1.69-1.72	0.0015-0.0035	0.0015-0.0032	NA	NA
	M	3.1 (3130)	45	45	250@1.239	1.710	0.0001-0.0027	0.0010-0.0027	NA	NA
	X	3.4 (3393)	46	45	75@1.40	1.40	0.0011-0.0026	0.0014-0.0031	NA	NA
1998-99	1	3.8 (3785)	45	45	80@1.750	1.690-1.720	0.0015-0.0032	0.0015-0.0032	NA	NA
	K	3.8 (3785)	45	45	210@1.32	1.69-1.72	0.0015-0.0035	0.0015-0.0032	NA	NA
	M	3.1 (3130)	45	45	250@1.239	1.710	0.0001-0.0027	0.0010-0.0027	NA	NA

NA: no disponible.

ESPECIFICACIONES DE TORSIÓN
Todas las medidas están en pie-lb

Año	Motor ID/VIN	Cilindrada del motor litros (cc)	Tornillos culata de cilindros	Tornillos cojinete principal	Tornillos cojinete de biela	Tornillos amortiguador cigüeñal	Tornillos volante	Múltiple		Bujías	Tuerca con orejetas
								Admisión	Escape		
1995	L	3.8 (3785)	⑧	⑨	⑩	⑪	⑫	⑩	38	11	100
	M	3.1 (3130)	①	②	③	76	61	④	10	⑤	100
	X	3.4 (3393)	⑥	②	39	78	61	18	⑦	11	100
1996	K	3.8 (3785)	⑧	⑬	20	⑪	⑫	⑭	18	11	100
	M	3.1 (3130)	①	②	③	76	61	④	10	⑤	100
	X	3.4 (3393)	⑥	②	39	78	61	18	⑦	11	100
1997	1	3.8 (3785)	⑧	⑬	20	⑪	⑫	⑯	22	11	100
	K	3.8 (3785)	⑧	⑬	20	⑪	⑫	⑭	38	11	100
	M	3.1 (3130)	①	②	③	76	61	④	10	⑤	100
	X	3.4 (3393)	⑥	②	39	78	61	18	⑦	11	100
1998-99	1	3.8 (3785)	⑧	⑬	⑮	⑪	⑫	⑯	22	11	100
	K	3.8 (3785)	⑧	⑬	⑮	⑪	⑫	⑭	38	11	100
	M	3.1 (3130)	①	②	③	76	61	④	10	⑩	100

① Recubrir los fileteados con sellante, apretar a 33 pie-lb más un giro adicional de 1/4 de vuelta (90 grados).

② 37 pie-lb más 77 grados.

③ 15 pie-lb más 75 grados.

④ Apretar todos los tornillos a 15 pie-lb. Volver a apretar a 24 pie-lb.

⑤ Culata de cilindros nueva.
  1ª instalación: 20 pie-lb.
  Resto de instalaciones: 11 pie-lb.

⑥ 37 pie-lb más 90 grados.

⑦ 115 plg-lb.

⑧ Paso 1: 35 pie-lb.
  Paso 2: 130 grados.
  Paso 3: girar los cuatro tornillos centrales 30 grados adicionales.

⑨ 26 pie-lb más 50 grados.

⑩ 20 pie-lb más 50 grados.

⑪ 110 pie-lb más 76 grados.

⑫ 11 pie-lb más 50 grados.

⑬ 30 pie-lb más 110 grados.
  Tornillos laterales: 11 pie-lb más 45 grados.

⑭ Múltiple superior: 18 pie-lb.
  Tornillos/tuerca del múltiple inferior: 22 pie-lb.
  Espárragos del múltiple superior: 89 plg-lb.

⑮ 20 pie-lb más 50 grados.

⑯ Múltiple superior: 8 pie-lb.
  Múltiple inferior: 11 pie-lb.

REPARACIÓN DEL MOTOR

➡ La desconexión del alambre negativo del acumulador puede, en algunos vehículos, interferir con las funciones del computador de a bordo y puede provocar que el computador requiera un proceso de readquisición de parámetros, al reconectar el negativo del acumulador.

DISTRIBUIDOR

Los motores 3.1L, 3.4L y 3.8L utilizan un sistema de encendido sin distribuidor (DIS). Este sistema usa tres bobinas torres gemelas que provocan el encendido de dos bujías simultáneamente. Una bujía se encuentra en un cilindro en carrera de compresión y la otra en un cilindro en carrera de escape. Este método de distribución es conocido como el método de pérdida de chispa.

SINCRONIZACIÓN DEL ENCENDIDO

AJUSTE

La sincronización de encendido no es ajustable; se establece electrónicamente de acuerdo con la demanda del motor. El Módulo de Control del Tren de Transmisión (PCM) controla la sincronización de encendido para todas las condiciones de marcha.

CONJUNTO MOTOR

DESMONTAJE E INSTALACIÓN

▼ PRECAUCIÓN ▼

El sistema de inyección de combustible en estos vehículos permanece con presión, incluso después de que el contacto del motor se haya desconectado (OFF). La presión del sistema de combustible debe liberarse antes de desconectar ningún tubo de combustible. Si no se hace así existe riesgo de incendio y/o lesiones personales.

Motor 3.1L

1. Desconectar el alambre negativo del acumulador. Sacar el cubretablero con la ayuda de un auxiliar.

2. Drenar el enfriante del motor.

3. Sacar el conjunto del filtro del aire y el ducto.

4. Desconectar el conjunto del tubo de llenado del fluido de la transmisión.

5. Sacar los soportes de puntales del motor.

6. Levantar el vehículo y apoyarlo de forma segura. Drenar el aceite del motor.

7. Sacar el tubo de escape delantero y el protector térmico del múltiple de escape.

8. Sacar los pernos inferiores traseros de la transmisión.

9. Desconectar el conector eléctrico del sensor de velocidad del vehículo.

10. Sacar las tuercas laterales del bastidor del soporte del motor.

11. Sacar la cubierta de inspección del volante y el conjunto del motor de arranque.

12. Sacar los pernos del convertidor de torque.

13. Sacar el conjunto del soporte de la transmisión. Bajar el vehículo de forma segura.

14. Sacar el conjunto del depósito de recuperación de enfriante.

15. Sacar la banda serpentina.

16. Sacar la abrazadera del chicote de control del acelerador y retirar los conjuntos de chicotes a un lado.

17. Sacar del conjunto del múltiple de admisión superior la manguera de vacío del refuerzo del servofreno.

18. Sacar la cubierta de plástico de la torre del amortiguador.

19. Sacar los tirantes delantero y trasero del alternador.

20. Sacar del vehículo el conjunto del alternador.

21. Desconectar los conjuntos de tubos de alimentación y de retorno de combustible.

22. Sacar las cintas de sujeción de alrededor del haz de alambres de encendido, el puntal de soporte del motor y el soporte del compresor del acondicionador de aire.

23. Sacar el conjunto de la polea de la bomba de la dirección asistida.

24. Sacar los pernos/tornillos de la bomba de la dirección asistida y separar a un lado la bomba de la dirección asistida.

25. Sacar los conjuntos de mangueras de entrada y salida del calefactor.

26. Sacar del motor el conjunto de la manguera superior del radiador.

27. Sacar el conjunto de la manguera inferior del radiador del conjunto de la bomba de agua.

28. Sacar los pernos de los soportes del puntal del motor y del compresor del aire acon-

dicionado, y mover el conjunto del compresor a un lado.

29. Sacar el conjunto del tubo del modulador de vacío de la transmisión automática.

30. Desconectar los conectores eléctricos del sensor de detonación, sonda de oxígeno, sensor de temperatura del enfriante, sensor del árbol de levas, del cigüeñal y sensores de velocidad de las ruedas.

31. Desconectar los conectores eléctricos del conjunto de bobinas de encendido.

32. Desconectar los conectores eléctricos de la válvula de control de aire de la marcha en vacío y el sensor de posición del ahogador.

33. Sacar las mangueras de vacío del conjunto del múltiple de admisión superior.

34. Sacar los pernos de fijación de la transmisión.

35. Instalar un perno de seguridad entre los conjuntos del soporte del alternador y el soporte de izado del motor.

36. Apoyar la transmisión de forma adecuada con caballetes.

37. Acoplar un equipo adecuado de elevación del motor.

38. Sacar del vehículo el conjunto motor.

Para instalar:

39. Instalar el motor en el vehículo con un equipo de elevación adecuado.

40. Sacar el equipo de elevación del motor. Sacar los caballetes de la transmisión.

41. Sacar el perno de seguridad de los conjuntos del soporte del alternador y del soporte de izado delantero del motor.

42. Instalar los pernos de la transmisión.

43. Instalar el resto de componentes en el orden inverso al de su desmontaje. Apretar según estas especificaciones:

• Pernos del convertidor de torque a 46 pie-lb (63 Nm).

• Tuercas laterales del bastidor de soporte del motor a los pernos del tren de transmisión, a 32 pie-lb (43 Nm).

44. Rellenar el motor con aceite limpio.

45. Instalar los soportes del puntal de montaje del motor.

46. Instalar el conjunto del tubo de llenado de fluido de la transmisión.

47. Instalar el conjunto del filtro de aire y el ducto. Instalar el cubretablero.

48. Rellenar el enfriante del motor y añadir al enfriante del motor dos pastillas selladoras tipo GM 3634621 o equivalente.

49. Purgar el sistema de enfriamiento usando el procedimiento recomendado.

50. Arrancar el motor y comprobar su correcta marcha mínima y su buen funcionamiento.

Motor 3.4L

1. Sacar el conjunto del filtro de aire.

2. Sacar el cubretablero con la ayuda de un auxiliar.

3. Drenar el circuito de enfriamiento. Sacar el depósito de recuperación de enfriante.

4. Sacar del motor las mangueras calefactoras. Sacar el soporte del puntal de torque del motor y sacar el puntal.

5. Sacar los ventiladores de enfriamiento.

6. Sacar del motor las mangueras del radiador. Desacoplar las líneas de enfriamiento de la transmisión.

7. Sacar el radiador y las mangueras acopladas a él.

8. Sacar los chicotes de control del soporte y del cuerpo del ahogador.

9. Sacar el tubo de escape cruzado.

10. Sacar las bandas de masa del alojamiento del embrague.

11. Sacar la cubierta del inyector de combustible.

12. Sacar los tubos de la dirección asistida de la bomba y de la cubierta delantera.

13. Sacar la banda motriz serpentina. Sacar los pernos superiores del compresor del aire acondicionado.

14. Levantar el vehículo y apoyarlo de forma segura. Sacar el conjunto de la rueda y el neumático delantero derecho.

15. Sacar la protección contra salpicaduras delantera derecha.

16. Sacar los pernos inferiores del compresor del A/A y reponer el compresor.

17. Sacar la cubierta de inspección del volante. Sacar el filtro de aceite del motor.

18. Sacar el conjunto del motor de arranque.

19. Sacar el tubo de escape delantero y el convertidor.

20. Sacar del bastidor auxiliar las tuercas del soporte del motor.

21. Desconectar las conexiones eléctricas de la parte trasera del motor.

22. Sacar la tuerca de la rótula esférica derecha y separar la rótula esférica del brazo de control.

23. Sacar la barra de acoplamiento exterior.

24. Sacar el conjunto del eje motriz.

25. Sacar el protector de la transmisión.

26. Apoyar de forma adecuada la transmisión con un caballete fijo apropiado.

27. Sacar las tuercas y los pernos del soporte de montaje del motor a la transmisión.

28. Sacar el soporte de la transmisión y bajar el vehículo de forma segura.

29. Sacar la cubierta de plástico de la torre del amortiguador.

30. Desacoplar los conectores eléctricos rápidos del PCM.

31. Desconectar todas las líneas de vacío que sea necesario.

32. Apoyar la transmisión.

33. Instalar un equipo adecuado de elevación del motor.

34. Sacar el conjunto del motor del vehículo después de haber desconectado las conexiones del alternador.

Para instalar:

35. Instalar el conjunto del motor en el vehículo con un equipo de elevación adecuado.

36. Conectar las conexiones eléctricas en el alternador.

37. Sacar el equipo de elevación del motor. Sacar el soporte de la transmisión.

38. Instalar los pernos del alojamiento del embrague.

39. Conectar todas las líneas de vacío que sea necesario.

40. Acoplar los conectores rápidos cerca del PCM.

41. Instalar la tapa de plástico de la torre del amortiguador.

42. Levantar el vehículo y apoyarlo de forma segura. Apoyar de forma segura la transmisión con un caballete.

43. Instalar las tuercas del soporte de montaje del motor en la transmisión y apretar las tuercas a 43 pie-lb (58 Nm).

44. Instalar el resto de componentes en el orden inverso al de desmontaje. Apretar los siguientes componentes:

• Tuercas de la rótula esférica al brazo de control a 63 pie-lb (85 Nm).

• Pernos del convertidor de torque a 46 pie-lb (63 Nm).

45. Rellenar el motor con aceite limpio.

46. Rellenar el circuito de enfriamiento.

47. Rellenar el fluido de la dirección asistida.

48. Comprobar y rellenar el fluido de la transmisión. Instalar el cubretablero.

49. Instalar el conjunto del filtro de aire.

50. Conectar el alambre negativo del acumulador. Arrancar el motor y comprobar que el nivel de todos los fluidos es correcto y que no hay fugas.

51. Purgar el circuito de enfriamiento y el circuito de la dirección asistida según el procedimiento recomendado.

Motor 3.8L

1. Aliviar la presión del circuito de combustible. Desconectar el alambre negativo del acumulador.

2. Sacar el capó del vehículo. Sacar el conjunto del filtro de aire.

3. Desconectar y tapar las líneas de combustible del raíl de combustible y los soportes de montaje.

4. Drenar el enfriante del motor y sacar el depósito de recuperación.

5. Sacar la cubierta eléctrica interior del guardabarros y la cubierta visible del inyector de combustible.

6. Desconectar los chicotes de control de marcha y del ahogador (si dispone de ellos) del cuerpo del ahogador y de la abrazadera de sujeción.

7. Sacar la pantalla térmica trasera del tubo cruzado.

8. Sacar la abrazadera de sujeción del chicote del ahogador y desconectar todas las líneas de vacío de la abrazadera.

9. Desconectar el escape cruzado de los múltiples.

10. Sacar el perno de sujeción del puntal de torque y desacoplar el puntal del soporte del motor.

11. Sacar el ventilador del lado derecho de enfriamiento del motor.

12. Desconectar la línea de vacío del módulo de la transmisión.

13. Sacar la banda serpentina.

14. Sacar los conjuntos de la bomba de la dirección asistida y alternador.

15. Etiquetar y desconectar todas las conexiones eléctricas del motor.

16. Desconectar del motor las mangueras superior e inferior del radiador, así como las mangueras del calefactor.

17. Sacar los pernos del motor a la transmisión y desconectar los alambres de masa.

18. Levantar el vehículo y apoyarlo de forma segura. Sacar la rueda delantera derecha y el protector contra salpicaduras interior.

19. Sacar la cubierta del volante, hacer una marca en el convertidor de torque y en el volante y sacar los pernos del convertidor de torque al volante.

20. Desconectar las pinzas del haz de alambres del bastidor cerca del radiador.

21. Sacar el compresor del aire acondicionado del soporte, dejarlo a un lado y atarlo al bastidor.

22. Sacar el motor de arranque.

23. Apoyar la transmisión con un gato y sacar el perno de la transmisión al motor, a través del hueco de la rueda, usando una herramienta alargada.

24. Acoplar un equipo de elevación y sacar las tuercas de soporte del motor al bastidor.

25. Drenar el aceite del motor y sacar el filtro de aceite.

26. Desconectar los tubos de enfriador del aceite de sus conexiones de mangueras.

27. Desconectar el tubo de escape del múltiple de escape.

28. Bajar el vehículo y sacar el conjunto del motor del vehículo.

Para instalar:

29. Con un ayudante, instalar un equipo de elevación en el motor y colocarlo en el vehículo.

30. Apoyar la transmisión, instalar los pernos de la transmisión al motor y el aparejo de los alambres de masa y apretar a 46 pie-lb (62 Nm).

31. Instalar en el motor las mangueras del calefactor y superior e inferior del radiador.

32. Instalar todas las conexiones eléctricas en el motor.

33. Instalar el alternador, la bomba de la dirección asistida y la banda serpentina.

34. Instalar la línea de vacío en el módulo de la transmisión.

35. Instalar el puntal de torque del motor y el perno, y apretar a 41 pie-lb (56 Nm).

36. Instalar el tubo cruzado de escape.

37. Instalar el soporte de montaje del chicote del ahogador y las líneas de vacío.

38. Instalar la pantalla térmica en el tubo cruzado y los chicotes del ahogador en el cuerpo del ahogador y en el soporte de montaje.

39. Instalar la cubierta eléctrica interior del guardabarros y el depósito de recuperación de enfriante.

40. Instalar las mangueras de combustible en el raíl de combustible y en las abrazaderas de montaje.

41. Levantar el vehículo y apoyarlo de forma segura.

42. Conectar el tubo de escape delantero en el múltiple.

43. Instalar el filtro de aceite y las líneas de enfriamiento de aceite.

44. Instalar las tuercas de soporte del motor en el bastidor y apretar a 32 pie-lb (43 Nm).

45. Instalar el perno de la transmisión al motor a través del hueco de la rueda y apretar a 46 pie-lb (62 Nm).

46. Instalar el conjunto del motor de arranque y conectar las conexiones eléctricas.

47. Instalar el compresor del aire acondicionado en el soporte.

48. Instalar las abrazaderas del haz de alambres del bastidor cerca del radiador.

49. Alinear las marcas realizadas, instalar los pernos del convertidor de torque al volante y apretarlos a 46 pie-lb (62 Nm).

50. Instalar la cubierta del volante y el protector contra salpicaduras interior del guardabarros.

51. Instalar el conjunto de la rueda delantera derecha y bajar el vehículo.

52. Rellenar el circuito de enfriamiento y purgar el circuito de la dirección asistida.

53. Instalar el ventilador de enfriamiento del lado derecho.

54. Instalar el protector del inyector de combustible y el conjunto del filtro de aire.

55. Conectar el alambre negativo del acumulador e instalar el capó.

56. Comprobar el nivel de los fluidos y añadir si es necesario. Probar el vehículo en carretera, comprobar que no haya fugas y corregir los niveles.

BOMBA DE AGUA

DESMONTAJE E INSTALACIÓN

Motores 3.1L y 3.4L

1. Desconectar el alambre negativo del acumulador. Drenar el sistema de enfriamiento.

2. Sacar el depósito del enfriante y dejarlo a un lado.

3. Sacar el protector de la banda serpentina, los pernos y las tuercas.

4. Aflojar los pernos de la polea de la bomba de agua. Sacar la banda serpentina.

5. Sacar los pernos de la polea de la bomba de agua y la polea.

6. Sacar los pernos de fijación de la bomba de agua; después sacar la bomba de agua y la junta.

Para instalar:

7. Limpiar todas las superficies de empaque de la bomba.

8. Inspeccionar la bomba. Debe haber una orejeta de referencia para identificar la parte superior de la bomba. Esta orejeta debe estar en posición vertical al instalar la bomba. Instalar

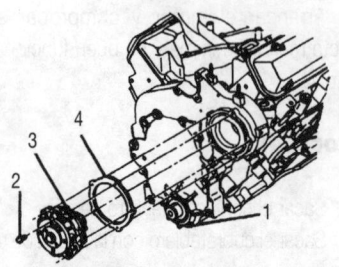

1. Conjunto de la tapa delantera del motor
2. Perno/tornillo de la bomba de agua
3. Conjunto de la bomba de agua
4. Junta de la bomba de agua

▲ Montaje de la bomba de agua – Motor 3.1L (VIN M)

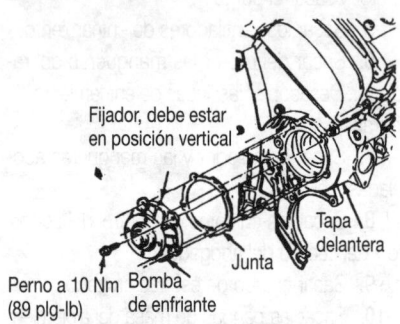

Fijador, debe estar en posición vertical

Perno a 10 Nm (89 plg-lb) — Bomba de enfriante

Junta

Tapa delantera

▲ Bomba de agua, junta y pernos de sujeción – Motor 3.4L (VIN X)

la bomba de agua y la junta. Apretar los pernos de fijación a 89 plg-lb (10 Nm).

9. Instalar el resto de componentes en el orden inverso a su desmontaje. Apretar los pernos de la polea a 18 pie-lb (25 Nm).

10. Conectar el alambre negativo del acumulador. Instalar el conjunto del filtro de aire.

11. Rellenar el sistema de enfriamiento con el enfriante apropiado. Purgar el sistema de enfriamiento y comprobar si hay fugas con el motor en marcha mínima.

Motores 3.8L

MODELOS VIN L Y VIN K

1. Desconectar el alambre negativo del acumulador. Drenar el sistema de enfriamiento.

2. Sacar el depósito de recuperación de enfriante.

3. Sacar la banda serpentina. Si se necesita más espacio de acceso, sacar la cubierta eléctrica del guardabarros interior.

4. Para motores VIN L, sacar el alternador y dejarlo a un lado; después sacar la polea tensora de la banda serpentina.

5. Para motores VIN K, sacar la polea de la dirección asistida usando una herramienta de extracción J–25034-B o equivalente.

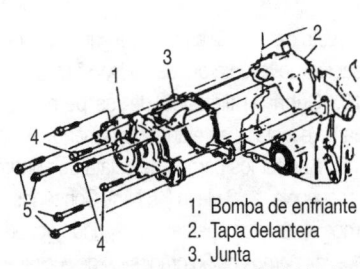

1. Bomba de enfriante
2. Tapa delantera
3. Junta
4. 13 pie-lb (18 Nm)
5. 22 pie-lb (30 Nm)

▲ Montaje del conjunto de la bomba de agua – Motores 3.8L (VIN L y K)

6. Sacar la polea de la bomba de agua.

7. Sacar los pernos de fijación de la bomba de agua. Observar que hay pernos de distintas longitudes. Tener cuidado de guardarlos de forma ordenada para su correcta instalación posterior. Sacar la bomba de agua del vehículo.

Para instalar:

8. Limpiar las superficies de empaque de la bomba de agua. Instalar la bomba de agua usando una junta nueva.

9. Limpiar el fileteado de los pernos de la bomba de agua. Instalar los pernos de sujeción de la bomba teniendo cuidado de instalar los pernos en sus posiciones correctas. Apretar los pernos largos a 22 pie-lb (30 Nm) y los pernos cortos a 13 pie-lb (18 Nm) más 80 grados adicionales usando un medidor angular de apriete.

10. Instalar la polea de la bomba de agua y apretar los pernos a 115 plg-lb (13 Nm).

11. Para motores VIN L, instalar la polea tensora de la banda serpentina; después instalar el alternador.

12. Para motores VIN K, instalar la polea de la bomba de la dirección asistida usando la herramienta J-25033-B o equivalente para meter a presión la polea sobre el eje.

13. Instalar la banda serpentina.

14. Instalar el depósito de recuperación del enfriante.

15. Llenar el sistema de enfriamiento con la cantidad y tipo correctos de enfriante.

16. Conectar el alambre negativo del acumulador. Arrancar el motor y purgar el sistema de enfriamiento siguiendo el procedimiento recomendado.

MODELOS VIN 1

1. Desconectar el alambre negativo del acumulador.

2. Drenar el sistema de enfriamiento dentro de un recipiente homologado.

3. Sacar las bandas de la transmisión de accesorios y del supercargador.

4. Sacar el alternador y tirante.

5. Desconectar los tubos y las mangueras de la bomba de agua.

6. Sacar el conjunto del soporte de la polea.

7. Levantar el vehículo y apoyarlo de forma segura.

8. Sacar la bomba de la dirección asistida y tubos.

9. Bajar el vehículo.

10. Apoyar el motor usando la herramienta fija de soporte de motores J-28467-A o equivalente, y sacar el soporte delantero del motor.

11. Sacar la polea de la bomba de agua.

12. Sacar los pernos de sujeción de la bomba de agua y sacar la bomba de agua del vehículo.

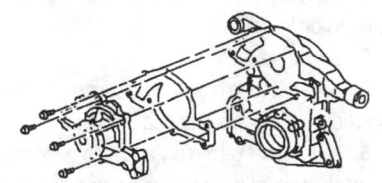

▲ Montaje del conjunto de la bomba de agua – Motores 3.8L (VIN 1)

Para instalar:

13. Limpiar todas las superficies de empaque.

14. Aplicar un fino cordón de sellante sobre la superficie de sellado de empaque de la bomba de agua e instalar una nueva junta en la bomba.

15. Instalar la bomba de agua en el motor. Apretar los pernos de la bomba a la tapa delantera a 11 pie-lb (15 Nm) más un giro de 80 grados adicionales usando un medidor angular de apriete.

16. Instalar la polea de la bomba de agua y apretar los pernos a 9.5 pie-lb (13 Nm).

17. Instalar el soporte delantero del motor.

18. Levantar el vehículo y apoyarlo de forma segura.

19. Instalar la bomba de la dirección asistida y los tubos siguiendo el procedimiento recomendado.

20. Bajar el vehículo.

21. Instalar el conjunto de soporte de polea.

22. Conectar los tubos y mangueras de la bomba de agua.

23. Instalar el alternador y tirante.

24. Instalar las bandas de la transmisión de accesorios y del supercargador.

25. Conectar el alambre negativo del acumulador.

26. Llenar y purgar el sistema de enfriamiento siguiendo el procedimiento recomendado.

27. Arrancar el motor y comprobar si hay fugas.

28. Comprobar de nuevo el nivel de enfriante una vez el motor se haya enfriado.

CULATA DE CILINDROS

DESMONTAJE E INSTALACIÓN

▼ PRECAUCIÓN ▼

El sistema de inyección de combustible permanece con presión, incluso después de que el contacto del motor se haya desconectado (OFF). La presión del sistema de combustible debe liberarse antes de desconectar ningún tubo de combustible. Si no se hace así, existe riesgo de incendio y/o lesiones personales.

Motor 3.1L

CULATA DE CILINDROS IZQUIERDA (DELANTERA)

1. Desconectar el alambre negativo del acumulador. Descargar la presión del sistema de combustible.

2. Drenar el sistema de enfriante en un recipiente adecuado.

3. Sacar las cubiertas de los balancines.

4. Sacar el *plenum* (cámara de sobrepresión) de admisión superior y el múltiple de admisión inferior.

5. Sacar el tubo cruzado de escape.

6. Desconectar los cables de bujías de las bujías y las fundas de los cables y encaminar los cables apartándolos a un lado.

➡ Cuando se saquen los componentes del tren de válvulas, tener el cuidado de etiquetar todos los componentes que vayan a ser reutilizados. Los componentes del tren de válvulas deben guardarse en orden, de modo que se instalen en las posiciones originales que ocupaban antes de su desmontaje.

7. Sacar las tuercas de balancines, balancines, rótulas (pivotes) y empujaválvulas.

8. Sacar el tubo indicador del nivel de aceite.

9. Sacar todos los pernos del compresor del aire acondicionado accesibles desde arriba.

10. Levantar el vehículo y apoyarlo de forma segura. Sacar los pernos de sujeción inferior del compresor del aire acondicionado.

11. Desconectar las conexiones eléctricas del compresor del aire acondicionado y reubicar el compresor.

12. Sacar los pernos del soporte inferior del compresor del aire acondicionado.

13. Bajar el vehículo.

14. Sacar los pernos del soporte superior del compresor del aire acondicionado.

15. Sacar los soportes del compresor.

16. Sacar los pernos de la culata de cilindros de forma uniforme.

17. Sacar la culata de cilindros.

Para instalar:

18. Limpiar completamente todas las superficies de las juntas. Limpiar el fileteado de los pernos de culata de cilindros y de los orificios sobre el bloque de cilindros. Se recomienda instalar nuevos pernos.

19. Colocar en posición la junta (empaque) de culata sobre las clavijas de centrado del bloque de cilindros de forma que las palabras THIS SIDE UP ("esta cara hacia arriba") o alguna otra identificación de la junta queden a la vista.

20. Recubrir el fileteado de los pernos con sellante e instalar apretándolos a mano.

21. Apretar los pernos de culata de cilindros en orden a 33 pie-lb (45 Nm). Con todos los pernos apretados, realizar un segundo apriete a todos los pernos de 90 grados adicionales (¹/₄ de vuelta).

22. Instalar el resto de componentes en el orden inverso al de su desmontaje. Apretar los siguientes componentes:

- Pernos del soporte del compresor del aire acondicionado a 35 pie-lb (47 Nm).
- Pernos de sujeción del compresor del aire acondicionado a 18 pie-lb (25 Nm).
- Tuercas de balancines a 20 pie-lb (27 Nm).

23. Llenar el circuito de enfriamiento.

24. Conectar el alambre negativo del acumulador.

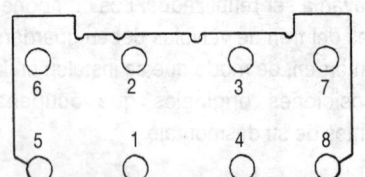

Apretar los pernos de la culata de cilindros en el orden que se muestra para evitar que la culata sufra daños – Motor 3.1L (VIN M)

25. Se recomienda un cambio de aceite y filtro de aceite, puesto que puede suceder que el líquido enfriante entre en el sistema de aceite cuando se saca la culata de cilindros.

26. Arrancar el vehículo y verificar que no haya fugas.

CULATA DE CILINDROS DERECHA (TRASERA)

1. Desconectar el alambre negativo del acumulador. Descargar la presión del sistema del combustible.

2. Drenar el sistema de enfriante en un recipiente adecuado.

3. Sacar las cubiertas de balancines.

4. Sacar el *plenum* (cámara de sobrepresión) de admisión superior y el múltiple de admisión inferior.

5. Desconectar el conector eléctrico del conjunto de la ignición.

6. Sacar el alternador.

7. Sacar el tubo cruzado de escape. Desacoplar el conector de la sonda de oxígeno.

8. Levantar el vehículo y apoyarlo de forma segura. Desacoplar el tubo de escape del múltiple de escape.

9. Bajar el vehículo.

10. Sacar el múltiple de escape.

11. Desconectar los alambres de bujías de las bujías y las fundas de cables de bujías y encaminar los cables apartados a un lado.

➡ **Cuando se saquen los componentes del tren de válvulas, tener cuidado de etiquetar todos los componentes que vayan a ser reutilizados. Los componentes del tren de válvulas deben guardarse en orden, de modo que se instalen en las posiciones originales que ocupaban antes de su desmontaje.**

12. Sacar las tuercas de balancines, balancines, rótulas (pivotes) y empujaválvulas.

13. Sacar los pernos de la culata de cilindros de forma uniforme. Sacar la culata de cilindros.

Para instalar:

14. Limpiar completamente todas las superficies de junta. Limpiar el fileteado de los pernos de culata de cilindros y de los orificios sobre el bloque de cilindros. Se recomienda instalar nuevos pernos.

15. Colocar en posición la junta de culata sobre las clavijas de centrado del bloque de cilindros de forma que las palabras THIS SIDE UP ("esta cara hacia arriba") o alguna otra identificación de la junta queden a la vista.

16. Cubrir el fileteado de los pernos con sellante e instalar apretándolos a mano.

17. Apretar los pernos de culata de cilindros en secuencia, a 33 pie-lb (45 Nm). Con todos los pernos apretados, realizar un segundo apriete a todos los pernos de 90 grados (¹/₄ de vuelta).

18. Instalar los empujaválvulas, balancines, rótulas (pivotes) y tuercas de balancines. Apretar las tuercas de balancines a 20 pie-lb (27 Nm).

19. Instalar el resto de componentes en el orden inverso al de desmontaje.

20. Llenar el sistema de enfriamiento.

21. Se recomienda un cambio de aceite y filtro puesto que puede suceder que entre líquido enfriante en el sistema de aceite cuando se saca la culata de cilindros.

22. Conectar el alambre negativo del acumulador.

23. Arrancar el vehículo y verificar que no haya fugas.

Motor 3.4L

CULATA DE CILINDROS IZQUIERDA (DELANTERA)

1. Aliviar la presión del sistema de combustible. Sacar el conjunto de filtro de aire y ducto.

2. Desconectar el alambre negativo del acumulador. Drenar el sistema de enfriamiento.

3. Sacar los componentes del múltiple inferior y superior de admisión.

4. Sacar la cubierta del soporte del árbol de levas izquierdo, siguiendo el procedimiento siguiente:

   a. Desconectar la manguera de ventilación de aceite/aire de la cubierta del soporte del árbol de levas.

   b. Desconectar los alambres de bujías de las bujías delanteras.

   c. Desconectar los alambres de las bujías traseras de los clips sobre la cubierta del árbol de levas delantero.

   d. Sacar los cuatro pernos de sujeción de la cubierta del árbol de levas.

   e. Sacar la cubierta del árbol de levas y descartar las juntas y sellos anulares viejos.

5. Sacar el soporte izquierdo del árbol de levas, siguiendo el procedimiento siguiente:

   a. Sacar la banda de sincronización del árbol de levas.

   b. Sacar el tubo cruzado de escape y colocarlo a un lado.

   c. Sacar el puntal de torque del motor.

d. Sacar el soporte delantero de izada del motor.

e. Instalar seis secciones de 6 plg de manguera en la línea del combustible, debajo del árbol de levas y entre los levantaválvulas. Esto sujetará los levantaválvulas en el soporte. Para realizar esto, usar manguera de línea de vacío/combustible de $^5/_{16}$ plg (8 mm) para las válvulas de escape y de $^5/_{32}$ plg (5.5 mm) para las válvulas de admisión.

f. Sacar los pernos del soporte del árbol de levas y sacar el soporte. Descartar la junta.

6. Sacar el múltiple de escape delantero.

7. Sacar el perno de montaje del tubo indicador del nivel de aceite y sacar el conjunto del tubo.

8. Desacoplar el conector eléctrico del sensor de temperatura del enfriante.

9. Sacar los pernos de culata de cilindros y sacar la culata de cilindros. Descartar la junta.

Para instalar:

10. Limpiar bien todas las piezas. Asegurarse de que las superficies de contacto entre la culata de cilindros y el bloque están limpias. Limpiar los orificios fileteados del bloque de cilindros y asegurarse de que no queda nada de aceite en los orificios. Inspeccionar el fileteado de los pernos de la culata de cilindros y asegurarse de que queden limpios. Se recomienda reemplazar los pernos de la culata. Si se va a sustituir la culata de cilindros por una culata nueva, transferir los birlos (espárragos) del múltiple y el sensor de temperatura.

11. Instalar una junta de culata nueva en el bloque de cilindros con las orejetas metálicas (en el caso de las juntas de fábrica) entre los cilindros mirando hacia arriba (UP).

12. Instalar la culata de cilindros sobre el bloque con las clavijas de centrado alineadas. Colocar los pernos de sujeción y apretarlos a mano.

13. Con todos los pernos colocados, apretarlos en secuencia a 37 pie-lb (50 Nm) para los vehículos de 1994 y a 44 pie-lb (60 Nm) para los de 1995-97. Realizar una segunda pasada por todos los pernos según el mismo orden anterior, apretándolos 90 grados ($^1/_4$ de vuelta) adicionales, usando un medidor angular de apriete.

14. Conectar el conector eléctrico del transmisor de temperatura del enfriante.

15. Instalar el conjunto del tubo del nivel de aceite y apretar el perno de sujeción a 89 plg-lb (10 Nm).

16. Instalar el múltiple de escape delantero y apretar los pernos de sujeción a 18 pie-lb (25 Nm).

17. Limpiar todo el aceite que pueda quedar en los orificios de los pernos entre el soporte del árbol de levas y la culata de cilindros (orificios de los pernos más próximos al múltiple de escape).

18. Instalar la herramienta especial de sujeción del árbol de levas J-38613-A o equivalente y apretar el perno de montaje a 22 pie-lb (30 Nm).

➡ El uso de gelatina de petróleo (nunca grasa de chasis) en los agujeros de los levantaválvulas junto con el uso de mangueras de sujeción de los levantaválvulas ayuda a mantener los levantaválvulas en su posición correcta.

19. Instalar una nueva junta de soporte del árbol de levas sobre la culata de cilindros e instalar el soporte del árbol de levas sobre la culata de cilindros.

20. Instalar los pernos de montaje del soporte del árbol de levas y apretarlos a 20 pie-lb (27 Nm).

21. Sacar las mangueras de sujeción de los levantaválvulas.

22. Instalar el conjunto de los múltiples de admisión superior e inferior. Si se sacó el alojamiento del termostato, instalarlo con una junta nueva.

23. Instalar el soporte delantero de izada del motor.

24. Instalar el puntal de torque del motor y apretar el perno a 39 pie-lb (53 Nm).

25. Instalar el tubo cruzado del múltiple de escape.

26. Instalar los piñones del árbol de levas, en caso de haberse desmontado. Instalar la banda de sincronización, teniendo mucho cuidado de alinear todas las marcas de sincronización.

▼ PRECAUCIÓN ▼

Mientras se instalan los piñones del árbol de levas y la banda de sincronización, la sincronización del árbol de levas debe hacerse teniendo en cuenta todas las marcas de sincronización. Si la sincronización del árbol de levas no se realiza correctamente, el motor puede sufrir graves daños.

27. Sacar las herramientas especiales abrazaderas de sujeción de árbol de levas J-38613, en caso de haberse usado.

28. Instalar el tubo de enfriante delantero del motor. Conectar el tubo manguera del calefactor en el *plenum* de admisión (cámara de sobrepresión).

29. Conectar la manguera superior del radiador.

30. Instalar sellos anulares y una junta nueva en la cubierta del soporte del árbol de levas.

➡ Antes de apretar los pernos de montaje de la cubierta, hacer que los aisladores de los pernos asienten correctamente en la cubierta del árbol de levas.

31. Instalar la cubierta sobre el soporte del árbol de levas y apretar los pernos de sujeción a 97 plg-lb (11 Nm).

32. Conectar los cables de las bujías traseras en la cubierta del árbol de levas.

33. Conectar los cables de las bujías delanteras en las bujías.

34. Conectar la manguera de ventilación aceite/aire en la cubierta del árbol de levas.

35. Drenar el aceite del motor, puesto que es posible que el enfriante pueda haber contaminado el aceite al sacar la culata de cilindros. Llenar con la cantidad y tipo correctos de aceite de motor. Se recomienda cambiar el filtro del aceite.

36. Conectar el alambre negativo del acumulador. Instalar el conjunto del filtro y el ducto del aire.

37. Llenar el circuito de enfriamiento.

38. Arrancar el vehículo y comprobar que no haya fugas de aceite o de enfriante. Purgar el circuito de enfriamiento según sea preciso.

1. Perno de culata
2. Culata de cilindros
3. Junta
4. Pasador
5. Bloque de cilindros

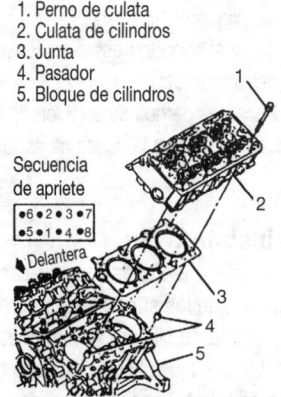

Secuencia de apriete

▲ Montaje de culata de cilindros y orden de apriete de los pernos – Motores 3.4L (VIN X)

CULATA DE CILINDROS DERECHA (TRASERA)

1. Aliviar la presión del sistema de combustible. Sacar el conjunto del filtro del aire y el ducto.

2. Desconectar el alambre negativo del acumulador. Drenar el sistema de enfriamiento.

3. Sacar el múltiple superior de admisión. Sacar la cubierta de la banda de sincronización derecha.

4. Sacar los alambres de las bujías derechas traseras. Desconectar la manguera de ventilación de aceite/aire de la cubierta del árbol de levas.

5. Sacar los cuatro pernos de sujeción de la cubierta del árbol de levas.

6. Sacar la cubierta del árbol de levas y descartar las juntas viejas y los sellos anulares.

7. Sacar la banda de sincronización del árbol de levas.

8. Instalar seis secciones de 6 plg de manguera de línea de combustible debajo del árbol de levas y entre los levantaválvulas. Esto sujetará los levantaválvulas en el soporte. Para realizar esto, usar manguera de línea de vacío/combustible de $^3/_{16}$ plg (8 mm) para las válvulas de escape y de $^5/_{32}$ plg (5.5 mm) para las válvulas de admisión.

9. Sacar el múltiple de admisión inferior.

10. Sacar los pernos de sujeción del soporte del árbol de levas derecho.

11. Sacar el soporte del árbol de levas derecho y la junta del motor.

12. Sacar del motor el tubo cruzado de escape.

13. Levantar el vehículo y apoyarlo de forma segura. Desconectar el tubo de escape delantero del múltiple.

14. Bajar el vehículo.

15. Desconectar el conector eléctrico de la sonda de oxígeno (O_2).

16. Sacar el soporte trasero del tensor de la banda de sincronización.

17. Sacar los pernos de sujeción de la culata de cilindros y sacar la culata de cilindros y la junta.

Para instalar:

18. Limpiar bien todas las piezas. Asegurarse de que las superficies de empaque entre la culata de cilindros y el bloque están limpias. Limpiar los orificios fileteados del bloque de cilindros y asegurarse de que no queda nada de aceite en los orificios. Inspeccionar el fileteado de los pernos de la culata de cilindros y asegurarse de que queden limpios. Se recomienda reemplazar los pernos de la culata. Si se va a sustituir la culata de cilindros por una culata nueva, transferir los birlos (espárragos) del múltiple y el sensor de temperatura.

19. Instalar una junta de culata nueva en el bloque de cilindros con las orejetas metálicas (en el caso de las juntas de fábrica) entre los cilindros mirando hacia arriba (UP).

20. Instalar la culata de cilindros sobre el bloque, con el múltiple de escape acoplado, con las clavijas de centrado alineadas. Colocar los pernos de sujeción y apretarlos a mano. Con todos los pernos colocados apretarlos en orden a 37 pie-lb (50 Nm) para los modelos de 1994 y a 44 pie-lb (60 Nm) para los de 1995-97. Realizar una segunda pasada por todos los pernos según el mismo orden anterior, apretándolos 90 grados ($^1/_4$ de vuelta) adicionales, usando una herramienta especial J-36660 o un medidor angular de apriete equivalente.

21. Instalar el soporte trasero del tensor de la banda de sincronización.

22. Conectar el conector eléctrico a la sonda de oxígeno (O_2).

23. Levantar el vehículo y apoyarlo de forma segura.

24. Conectar el tubo de escape delantero al múltiple de escape.

25. Bajar el vehículo.

26. Instalar el tubo cruzado de escape.

➡ **Eliminar el aceite del orificio para la herramienta de sujeción del árbol de levas, en el soporte del árbol de levas, antes de colocar y apretar el perno.**

27. Instalar la herramienta especial de sujeción del árbol de levas J-38613-A o equivalente y apretar a 22 pie-lb (30 Nm).

➡ **El uso de gelatina de petróleo (nunca grasa de chasis) en los agujeros de los levantaválvulas, junto con el uso de mangueras de sujeción de los levantaválvulas, ayuda a mantener los levantaválvulas en su posición correcta.**

28. Instalar una junta del soporte del árbol de levas nueva en la culata de cilindros e instalar el soporte del árbol de levas en la culata de cilindros.

29. Instalar los pernos de fijación y apretar a 20 pie-lb (27 Nm).

30. Sacar las mangueras de sujeción de los levantaválvulas.

31. Instalar los piñones del árbol de levas y la banda de sincronización.

▼ PRECAUCIÓN ▼

Después de instalar los piñones del árbol de levas y la banda de sincronización, debe quedar establecida la sin-cronización del árbol de levas. Si la sincronización del árbol de levas no se realiza correctamente, el motor puede sufrir graves daños.

32. Sacar la herramienta especial de sujeción del árbol de levas J-38613-A o equivalente.

33. Instalar el múltiple inferior de admisión.

34. Instalar los sellos anulares y juntas nuevas en la cubierta del soporte del árbol de levas.

➡ **Antes de apretar los pernos de sujeción de la cubierta, hacer que los aisladores de los pernos asienten correctamente en la cubierta del árbol de levas.**

35. Instalar la cubierta en el soporte del árbol de levas y apretar los pernos de sujeción a 97 plg-lb (11 Nm).

36. Conectar la manguera de ventilación aceite/aire en la cubierta del árbol de levas.

37. Conectar los alambres de las bujías traseras en la cubierta del árbol de levas.

38. Instalar la cubierta de la banda de sincronización derecha. Instalar el múltiple de admisión superior.

39. Conectar el alambre negativo del acumulador. Instalar el conjunto del filtro y el ducto del aire.

40. Drenar el aceite del motor puesto que es posible que el enfriante pueda haber contaminado el aceite al sacar la culata de cilindros. Rellenar con la cantidad y tipo correctos de aceite de motor. Se recomienda cambiar el filtro del aceite.

41. Llenar el sistema de enfriamiento.

42. Arrancar el vehículo y comprobar que no haya fugas.

Motores 3.8L

CULATA DE CILINDROS IZQUIERDA (DELANTERA)

1. Sacar el conjunto del filtro de aire. Desconectar el alambre negativo del acumulador.

2. Siguiendo los procedimientos apropiados, aliviar la presión del sistema de combustible.

3. Drenar el sistema de enfriamiento y sacar el múltiple de admisión.

4. Sacar las cubiertas de las válvulas y sacar el conjunto de los balancines, los soportes, las placas guía de válvulas y los empujaválvulas, guardándolos todos en orden para su posterior reinstalación.

5. Etiquetar y desconectar los alambres del encendido y sacar las bujías.

6. Sacar el puntal de torque del motor del soporte de sujeción.

7. Sacar la línea de vacío del módulo de la transmisión.

8. Sacar el múltiple de escape izquierdo.

9. Sacar las bujías.

10. Sacar el soporte de montaje delantero del alternador y el módulo de encendido con el soporte de montaje. Dejar el módulo de encendido a un lado.

11. Sacar los pernos de culata de cilindros y descartarlos. Sacar la culata de cilindros del vehículo.

12. Limpiar todas las superficies de empaque y orificios de perno de culata de cilindros en el bloque de cilindros.

Para instalar:

13. Limpiar a fondo todas las piezas. Si se va a reemplazar la culata de cilindros con una nueva, transferir el soporte del puntal de torque y del montaje del escape con la línea de vacío de la transmisión. Si se va a realizar el mantenimiento de la culata de cilindros, deben desmontarse estas piezas e instalarlas una vez acabada la revisión.

14. Inspeccionar la junta de culata y superficies de empaque por si tuvieran fugas o corrosión, o presentaran *blow-by* (fugas durante las carreras de compresión y explosión).

15. De fábrica se especifica usar pernos nuevos en la culata de cilindros siempre que se saque y se reinstale la culata de cilindros. Limpiar los restos de sellante de todos los orificios fileteados. Los orificios fileteados del bloque de cilindros deben limpiarse con un macho de $^7/_{16}$ plg, 14 hilos/plg.

16. Colocar la junta de culata sobre las clavijas de centrado del bloque de cilindros con la anotación THIS SIDE UP ("esta cara hacia arriba") mirando hacia la culata de cilindros y la flecha indicando hacia la parte delantera del motor. Colocar la culata de cilindros sobre el bloque de cilindros.

▼ PRECAUCIÓN ▼

Para evitar que la junta quede dañada, al instalar la culata de cilindros, no deslizar la culata de cilindros sobre la junta.

17. Instalar los pernos nuevos de culata de cilindros y apretar según se especifica a continuación:

a. Apretar los pernos de culata de cilindros, en orden, a 37 pie-lb (50 Nm).

b. Girar cada perno 120 grados ($^1/_3$ de vuelta) en orden usando la herramienta especial J-36660 o equivalente.

c. Girar los 4 pernos centrales 30 grados adicionales ($^1/_{12}$ de vuelta), en orden, usando la herramienta especial J-36660 o equivalente.

18. Instalar los empujaválvulas, los conjuntos de balancines, retenciones de placas guía de válvulas y las cubiertas de válvulas.

19. Instalar el múltiple de escape y apretar los espárragos a 32 pie-lb (48 Nm).

20. Instalar el múltiple de admisión siguiendo el procedimiento recomendado.

21. Instalar el soporte de montaje delantero del alternador y el módulo de encendido con el soporte.

22. Instalar las bujías y los alambres.

23. Instalar el puntal de torque del motor y apretar el perno a 32 pie-lb (53 Nm).

24. Llenar el sistema de enfriamiento.

25. Se recomienda drenar el aceite del motor y llenar la caja del cigüeñal con aceite limpio de motor, puesto que el enfriante y restos de suciedad entran en el depósito de aceite al sacar la culata de cilindros. También es recomendable cambiar el filtro de aceite.

26. Conectar el alambre negativo del acumulador.

27. Instalar el conjunto del filtro de aire.

28. Arrancar el motor y comprobar que funciona correctamente. Verificar que no haya fugas.

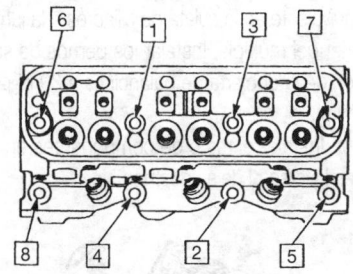

▲ Orden de apriete de los pernos de culata de cilindros – Motores 3.8L

CULATA DE CILINDROS DERECHA (TRASERA)

1. Sacar el conjunto del filtro de aire. Desconectar el alambre negativo del acumulador.

2. Descargar la presión del sistema de combustible.

3. Drenar el sistema de enfriamiento y desconectar el tubo cruzado de escape.

4. Sacar el múltiple de admisión.

5. Levantar el vehículo y apoyarlo de forma segura.

6. Sacar del múltiple el tubo de escape derecho.

7. Bajar el vehículo de forma segura.

8. Sacar la cubierta de válvulas derecha trasera. Sacar la banda motriz serpentina.

9. Sacar la polea tensora de la banda. Sacar del motor la manguera calefactora.

10. Sacar el soporte de sujeción de la bomba de la dirección asistida y dejar la bomba a un lado.

11. Etiquetar y desconectar los alambres de encendido y sacar las bujías.

12. Sacar el múltiple de escape sólo de la culata de cilindros.

13. Desconectar la conexión eléctrica de la sonda de oxígeno.

14. Sacar el conjunto de los balancines, los soportes, las retenciones de las placas guía de las válvulas y los empujaválvulas, guardándolos todos en orden para su posterior reinstalación.

15. Sacar los pernos de la culata de cilindros en el orden inverso a su instalación y sacar la culata. Descartar los pernos de la culata de cilindros.

Para instalar:

16. Limpiar bien todas las piezas. Inspeccionar la junta de culata y las superficies de empaque por si tuvieran fugas o corrosión, o presentaran *blow-by* (fugas durante las carreras de compresión y explosión).

17. De fábrica se especifica usar pernos nuevos en la culata de cilindros siempre que se saque y se reinstale la culata de cilindros. Limpiar los restos de sellante de todos los orificios fileteados. Los orificios fileteados del bloque de cilindros deben limpiarse con un macho de $^7/_{16}$ plg, 14 hilos/plg.

18. Colocar la junta de culata sobre las clavijas de centrado del bloque de cilindros con la anotación THIS SIDE UP ("esta cara hacia arriba") mirando hacia la culata de cilindros y la flecha indicando hacia la parte delantera del motor. Colocar la culata de cilindros sobre el bloque de cilindros.

▼ PRECAUCIÓN ▼

Para evitar que la junta quede dañada, al instalar la culata de cilindros, no deslizar la culata de cilindros sobre la junta.

19. Instalar los nuevos pernos de culata de cilindros y apretar según se especifica a continuación:

a. Apretar los pernos de la culata de cilindros, en orden, a 37 pie-lb (50 Nm).

b. Girar cada perno 120 grados ($^1/_3$ de vuelta) en orden usando la herramienta especial J-36660 o equivalente.

c. Girar los 4 pernos centrales 30 grados adicionales ($^1/_{12}$ de vuelta) en orden usando la herramienta especial J-36660 o equivalente.

20. Conectar el conector eléctrico en la sonda de oxígeno.

21. Instalar los múltiples de admisión y de escape.

22. Instalar los empujaválvulas, retenciones de placas guía de válvulas y conjuntos de los balancines.

23. Instalar la cubierta de válvulas derecha trasera. Instalar las bujías y alambres en el orden correcto.

24. Instalar el soporte de la bomba de la dirección asistida y apretar los pernos a 35 pie-lb (47 Nm).

25. Instalar la polea tensora de la banda y la banda serpentina.

26. Instalar el tubo cruzado de escape. Levantar el vehículo y apoyarlo de forma segura.

27. Instalar el tubo delantero de escape en el múltiple.

28. Llenar el sistema de enfriamiento.

29. Se recomienda drenar el aceite del motor y llenar el cárter del cigüeñal con aceite limpio de motor, puesto que el enfriante y restos de suciedad entrarán en el depósito de aceite al sacar la culata de cilindros. También es recomendable cambiar el filtro del aceite.

30. Conectar el alambre negativo del acumulador. Instalar el conjunto del filtro de aire.

31. Arrancar el motor y comprobar que funciona correctamente. Verificar que no haya fugas.

BALANCINES

DESMONTAJE E INSTALACIÓN

Motor 3.1L

1. Sacar la cubierta de balancines y junta.

2. Sacar los pernos de balancines y los balancines.

➡ Los empujaválvulas de escape son aproximadamente $^1/_4$ plg (6.35 mm) más largos que los empujaválvulas de admisión. Colocar todos los componentes del tren de válvulas sobre un estante, de modo que puedan volver a instalarse en las mismas posiciones que ocupaban antes de su desmontaje.

3. Sacar los conjuntos de empujaválvulas.

➡ Tener cuidado al sacar los empujaválvulas de que no caigan dentro del hueco de los levantaválvulas.

Para instalar:

4. Limpiar completamente todas las superficies de empaque.

5. Recubrir la superficie cojinete de los balancines, pernos de balancines y los empujaválvulas con prelubricante N° 1052365, o equivalente, antes de su instalación.

➡ Asegurarse de que se instalan todos los componentes del tren de válvulas en sus posiciones originales.

▼ AVISO ▼
Si se ha rectificado la culata de cilindros como parte de la revisión, puede ser necesario colocar calzas bajo los postes de balancines.

6. Instalar los balancines. Apretar los pernos a 89 plg-lb (10 Nm) más 30 grados adicionales con un medidor angular de apriete.

7. Colocar una junta nueva en la cubierta de balancines. Aplicar sellante GM 12345739 o equivalente en la culata de cilindros a la junta inferior del múltiple. Instalar los pernos de sujeción de la cubierta de balancines a 89 plg-lb (10 Nm).

8. Instalar el resto de componentes en el orden inverso al de su desmontaje.

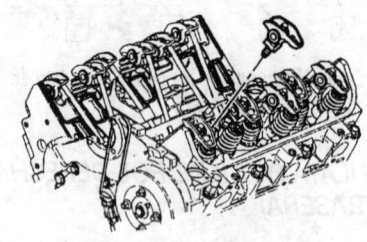

▲ Montaje de un balancín – Motor 3.1L

Motor 3.4L

El modelo de árbol de levas sobre culata del motor 3.4L sólo usa levantaválvulas hidráulicos entre el árbol de levas y las válvulas. No se usan conjuntos de balancines.

Motor 3.8L

▼ AVISO ▼
Los pernos de balancines han estado permanentemente sometidos a tracción durante su funcionamiento. Se deben usar pernos nuevos originales cada vez que se desmonta el conjunto de balancines por el motivo que sea.

BALANCINES IZQUIERDOS (DELANTEROS)

1. Desconectar el alambre negativo del acumulador.

2. Sacar el soporte de izada del motor de los espárragos del múltiple de escape.

3. Sacar el protector del inyector de combustible.

4. Sacar la banda serpentina.

5. Sacar el perno entre el alternador y el tirante (perno inferior).

6. Sacar la tuerca y sacar el tirante del alternador del múltiple de admisión.

7. Desconectar de las bujías los alambres de bujías. Desencajar la tapa de los alambres de las bujías de la tapa de balancines y retirarla a un lado.

8. Sacar el perno de la tapa de balancines y sacar la tapa.

➡ Los balancines, los empujaválvulas, los postes y los pernos deben guardarse ordenados, de modo que se puedan reinstalar en las posiciones originales que ocupaban antes de su desmontaje.

9. Sacar el/los perno/s de los balancines, el/los poste/s, el/los balancín/es y el/los empujaválvulas.

Para instalar:

10. Limpiar completamente todas las superficies de empaque.

11. Aplicar un compuesto de bloqueo del fileteado en el/los perno/s de balancines.

12. Asentar el empujaválvulas sobre el levantaválvulas e instalar el balancín, el poste y el perno de fijación. Apretar el perno de fijación a 11 pie-lb (15 Nm) más 90 grados adicionales usando un medidor de apriete angular.

13. Instalar la tapa de balancines con una junta nueva y apretar los pernos de montaje a 89 plg-lb (10 Nm).

14. La instalación del resto de componentes se realiza en el orden inverso al desmontaje.

15. Conectar el alambre negativo del acumulador. Arrancar el vehículo y verificar que no haya fugas de aceite.

BALANCINES DERECHOS (TRASEROS)

1. Desconectar el alambre negativo del acumulador. Sacar la botella de recuperación del enfriante.

2. Sacar la banda serpentina.

3. Sacar los pernos de montaje de la dirección asistida y sacar hacia delante la bomba de la dirección asistida.

4. Sacar el protector del inyector de combustible. Sacar del soporte la válvula de purga de la lata.

5. Sacar los tirantes de soporte de la bomba de la dirección asistida.

6. Sacar el soporte de izada del motor de los espárragos del múltiple de escape.

7. Desconectar de las bujías los alambres de bujías. Desconectar la tapa de los alambres de bujías de la tapa de balancines y retirarla a un lado.

8. Sacar el perno de la tapa de balancines y sacar la tapa.

➡ Los balancines, empujaválvulas, poste y pernos deben guardarse ordenados, de modo que se puedan volver a instalar en las posiciones de origen que ocupaban antes del desmontaje.

9. Sacar el(los) perno(s) de balancines, el(los) poste(s), el(los) balancines y el(los) empujaválvulas.

Para instalar:

10. Limpiar completamente todas las superficies de empaque.

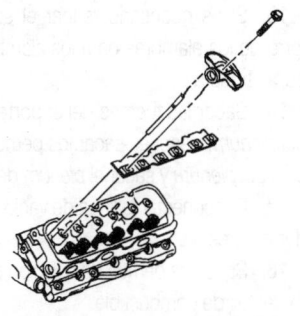

▲ Conjunto del balancín, empujaválvulas y el plato guía del empujaválvulas – Motor 3.8L

11. Aplicar un compuesto de bloqueo del fileteado en el(los) perno(s) de balancines.

12. Asentar el empujaválvulas sobre el levantaválvulas e instalar el balancín, el poste y el perno de fijación. Apretar el perno de fijación a 11 pie-lb (15 Nm) más 90 grados adicionales, usando un medidor de apriete angular.

13. La instalación del resto de componentes se realiza en el orden inverso al desmontaje. Apretar los pernos de la tapa de balancines a 89 plg-lb (10 Nm) y el perno de la abrazadera de izada del motor a 41 pie-lb (55 Nm).

14. Conectar el alambre negativo del acumulador.

15. Arrancar el vehículo y comprobar que no haya fugas de aceite.

MÚLTIPLE DE ADMISIÓN

DESMONTAJE E INSTALACIÓN

▼ PRECAUCIÓN ▼

Los sistemas de inyección de combustible permanecen bajo presión, incluso después de que el contacto del motor se haya desconectado (OFF). La presión del sistema de combustible debe liberarse antes de desconectar ningún tubo de combustible. Si no se hace así, existe riesgo de incendio y/o lesiones personales.

Motor 3.1L

1. Desconectar el alambre negativo del acumulador.

2. Drenar el enfriante del motor. Sacar el depósito de recuperación de enfriante.

3. Sacar el conjunto del filtro de aire y el ducto.

4. Sacar la banda serpentina.

5. Desconectar del cuerpo del ahogador los chicotes de control de marcha y del ahogador. Sacar los soportes de retención y dejar los conjuntos de chicotes a un lado.

6. Desconectar el tubo modulador de vacío de la transmisión automática. Desconectar la manguera de vacío del reforzador del freno del conjunto del múltiple.

7. Identificar y etiquetar cualquier otra línea de vacío y desconectarla del múltiple de admisión.

➡ En algunos vehículos puede ser necesario sacar los pernos de la abrazadera

del puntal de torque al motor, girar los puntales de torque a un lado y girar el motor hacia delante usando la herramienta J-41131 para ganar espacio.

8. Desconectar los conectores eléctricos del conjunto de la bobina de encendido.

9. Sacar los tirantes delantero y trasero del alternador.

10. Desconectar el resto de conectores eléctricos del múltiple de admisión. Sacar el sensor MAP.

11. Sacar los alambres de bujías de las bujías.

12. Sacar el sistema de encendido electrónico y el soporte de sujeción de la válvula de purga del bote EVAP.

13. Sacar el conjunto del tubo EGR del múltiple de escape derecho.

14. Sacar la tuerca del tubo de desvío del termostato del múltiple de admisión superior.

15. Sacar los pernos y espárragos del múltiple de admisión superior; después sacar el múltiple de admisión superior y la junta.

16. Si es preciso sacar el múltiple de admisión inferior, sacar los pernos del raíl de inyectores y sacar el conjunto del raíl de inyectores.

17. Sacar el conjunto del tubo de entrada del calefactor, manguera superior del radiador y cintas de sujeción que retienen el tubo de salida del calefactor y conjunto de alambres de encendido. Desconectar el tubo del calefactor desde el nucleo del calefactor a la bomba de enfriante.

18. Sacar los pernos de la bomba de la dirección asistida y sacar la bomba.

19. Sacar las tapas de balancines.

20. Sacar los pernos de fijación del múltiple de admisión inferior y sacar el múltiple de admisión inferior y la junta.

Para instalar:

21. Limpiar bien todas las piezas. Tener cuidado en limpiar el material de las juntas viejas de las superficies de aluminio mecanizadas del *plenum* (cámara de sobrepresión) y del múltiple, ya que las herramientas agudas pueden dañar las superficies de sellado.

22. Limpiar las superficies de contacto del múltiple de admisión y bloque de cilindros. Eliminar todos los trozos sueltos de sellante RTV.

23. Aplicar sellante GM 12345739, o equivalente, en la superficie de contacto entre el bloque de cilindros y el múltiple. El cordón debe ser de 3.0 mm de anchura y de 5.0 mm de espesor.

24. Instalar el múltiple de admisión inferior y los pernos de retención. Aplicar sellante GM

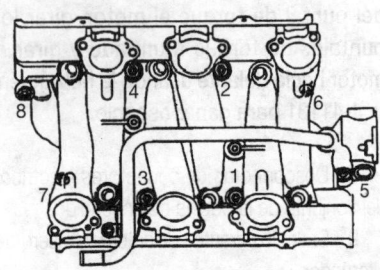

▲ Asegurarse de apretar los pernos del múltiple inferior de admisión en el orden que se muestra – Motor 3.1L

12345382, o equivalente, al fileteado de los pernos. Apretar los pernos, en orden, a 115 plg-lb (13 Nm).

25. Instalar las tapas de los balancines.

26. Conectar el tubo del calefactor desde el nucleo del calefactor hasta la bomba de enfriante. Instalar nuevas cintas de fijación alrededor del tubo del calefactor de salida y conjunto del haz de alambres de encendido. Conectar la manguera superior del radiador en el motor y el tubo de entrada del calefactor en el múltiple.

27. Instalar la bomba de la dirección asistida y polea.

28. Sacar los sellos de junta tórica de los inyectores, tanto del extremo de las boquillas de pulverización como del raíl de combustible, de cada inyector. Descartar los sellos. Con la junta tórica de la boquilla de pulverización sacada, la pieza de apoyo de la junta tórica puede desprenderse del inyector. Asegurarse de retener la pieza de apoyo de la junta tórica, para su reinstalación. Asegurarse de que la pieza de apoyo de la junta tórica está colocada en la boquilla de pulverización del inyector antes de instalar una nueva junta tórica. Lubricar los sellos de nueva junta tórica de los inyectores con aceite limpio de motor e instalarlos en los inyectores.

29. Instalar el conjunto del raíl de combustible en el múltiple de admisión. Inclinar el conjunto del raíl de combustible para instalar los inyectores. Instalar los pernos de fijación del raíl de combustible y apretar a 89 plg-lb (10 Nm).

30. Conectar los conectores eléctricos de los inyectores.

31. Instalar juntas tóricas nuevas en las líneas de combustible e instalar los tubos de alimentación y de retorno de combustible. Apretar las tuercas del raíl de combustible a 13 pie-lb (17 Nm). Usar una llave como apoyo sobre los rácores para impedir que giren, mientras se aprietan con la otra llave.

32. Usando juntas nuevas, instalar el *plenum* (cámara de sobrepresión) del múltiple de admisión. Asegurarse de encaminar el conector eléctrico del sensor MAP por fuera de la junta del *plenum*. Apretar los pernos a 18 pie-lb (25 Nm).

33. Instalar la banda serpentina motriz. Instalar el depósito de expansión y recuperación de enfriante.

34. Instalar el sensor MAP, tirantes en el alternador, los pernos delanteros de la bobina de encendido y los pernos del EGR en el *plenum*. Conectar las líneas de vacío tal como estaban antes de su desmontaje.

35. Si se desmontó del múltiple de admisión superior el cuerpo del ahogador, inspeccionar el cuerpo del ahogador antes de su instalación. Los depósitos de suciedad en el hueco del cuerpo del ahogador y en las válvulas pueden limpiarse con limpiador de carburador y un cepillo para limpiar piezas. NO usar un producto limpiador que contenga Metiletilcetona (MEK), un solvente extremadamente fuerte, no necesario para eliminar este tipo de depósitos. El sensor TP y la válvula IAC NO deben tener contacto con solventes o limpiadores, ya que podrían quedar dañados. Verificar que las superficies de las juntas están limpias y, usando una junta nueva de brida, instalar el cuerpo del ahogador. Apretar sujeciones, pernos y espárragos a 18 pie-lb (25 Nm).

36. Retornar el motor a su posición original e instalar el puntal de torque.

37. Conectar los chicotes del control de marcha y del ahogador.

38. Conectar los conectores eléctricos de la válvula IAC y el sensor TP. Conectar el ducto de entrada de aire. Comprobar que el pedal del acelerador está suelto pisando el pedal hasta el fondo y soltándolo.

39. Conectar el resto de conexiones eléctricas y líneas de vacío. Asegurarse de que los tirantes del alternador están seguros.

40. Llenar el circuito de enfriamiento.

41. Debido a que el enfriante puede introducirse en el circuito de aceite del motor al sacar el múltiple de admisión, se debe cambiar el aceite del motor y el filtro del aceite.

42. Conectar el alambre negativo del acumulador.

43. Girar el contacto repetidas veces a la posición ON para presurizar el circuito de combustible y comprobar si hay fugas de combustible.

44. Una vez el motor en marcha, purgar el circuito de enfriamiento y comprobar que la marcha mínima es correcta.

Motor 3.4L

1. Descargar la presión del circuito de combustible. Sacar el filtro de aire y el conjunto de ductos.

2. Desconectar el alambre negativo del acumulador. Drenar el circuito de enfriamiento.

3. Desconectar los chicotes de control de la palanca del cuerpo del ahogador y la abrazadera de sujeción del *plenum* (cámara de sobrepresión) de admisión.

4. Sacar los pernos de la tapa del raíl de combustible y sacar la tapa del raíl de combustible.

5. Desconectar del raíl de combustible los tubos del combustible y tapar los tubos.

6. Para los vehículos de 1995, desconectar la manguera del calefactor del múltiple de admisión. Desconectar del *plenum* la válvula PCV y la manguera de vacío.

7. Para los vehículos de 1996-97, sacar el solenoide de purga del control de emisiones y el soporte.

8. Para vehículos de 1995, desconectar los conectores eléctricos del solenoide AIR, de la válvula EGR y del sensor de posición del ahogador (TP).

9. Para los vehículos de 1996-97, etiquetar y desconectar los alambres de bujías.

10. Para vehículos de 1995, sacar los pernos de la EGR y colocar la válvula EGR lejos del *plenum*.

11. Para vehículos de 1995, sacar del *plenum* el soporte de la línea de combustible. Aflojar la abrazadera de la manguera del calefactor del cuerpo del ahogador en el *plenum*.

12. Para vehículos de 1995, desconectar los conectores eléctricos del solenoide de purga del filtro-bote y del sensor MAP.

13. Para los vehículos de 1996-97, sacar los pernos de sujeción del módulo de control; después sacar el módulo.

14. Etiquetar y desconectar las mangueras de vacío del *plenum*.

15. Si es necesario, sacar el soporte del forro de los alambres para los alambres de las bujías traseras.

16. Sacar las tuercas del soporte de apoyo del *plenum*; después sacar los pernos de sujeción del *plenum* y sacar el *plenum* de admisión.

17. Desconectar la línea de vacío del regulador de presión.

18. Sacar los pernos de sujeción del conjunto del raíl de combustible.

19. Desconectar los conectores eléctricos de los inyectores de combustible.

20. Sacar el conjunto del raíl de combustible.

21. Desconectar la manguera del radiador del alojamiento del termostato.

22. Sacar del cuerpo del ahogador la tuerca del tubo del calefactor.

23. Sacar los pernos de sujeción del múltiple de admisión y sacar el múltiple de admisión.

Para instalar:

24. Limpiar completamente todas las superficies de empaque.

25. Instalar la junta del múltiple de admisión y el múltiple de admisión.

26. Para vehículos de 1995, insertar aislantes de goma nuevos en la brida del múltiple. Apretar los pernos de sujeción a 18 pie-lb (25 Nm). Empezar por los pernos centrales y continuar con los exteriores siguiendo una pauta circular.

27. Para los vehículos de 1996-97, instalar los pernos M8 x 50 mm con la arandela en los orificios verticales en el múltiple de admisión. Apretar estos pernos a 62 plg-lb (7 Nm). Instalar los pernos de sujeción del múltiple de admisión inferior. Insertar completamente el aislante de goma dentro de la brida del múltiple antes de apretar ningún elemento de sujeción. Apretar los pernos según se especifica a continuación:

   a. Llevar el múltiple inferior dentro de su posición apretando los pernos de forma gradual, empezando con los pernos del medio y avanzando según una pauta circular. NO apretar un lado más que el otro.

   b. Apretar estos pernos a 116 plg-lb (13 Nm).

   c. Sacar los 2 pernos de los orificios verticales del múltiple de admisión.

28. Instalar el resto de componentes en el orden inverso al de su desmontaje. Apretar los siguientes componentes:

• Pernos del raíl de combustible a 89 plg-lb (10 Nm).

• Tuercas del soporte de apoyo del *plenum,* y del propio *plenum,* empezando por los pernos centrales y continuando por los exteriores según una pauta circular, con sus respectivos pernos a 18 pie-lb (25 Nm).

29. Llenar y purgar el circuito de enfriamiento siguiendo el procedimiento recomendado.

30. Conectar el alambre negativo del acumulador.

31. Instalar el conjunto del filtro del aire.

32. Presurizar el circuito del combustible y comprobar que no haya fugas.

Motor 3.8L (VIN L)

1. Descargar la presión del sistema de combustible. Desconectar el alambre negativo del acumulador.

2. Sacar el conjunto del filtro de aire y el protector de los inyectores de combustible.

3. Desconectar los chicotes del ahogador de la palanca del cuerpo del ahogador y del soporte del múltiple de admisión.

▼ PRECAUCIÓN ▼

Nunca abrir, realizar el mantenimiento o purgar el radiador o el circuito de enfriamiento en caliente, ya que el vapor de agua y el enfriante caliente podrían producir graves quemaduras. Siempre drenar el enfriante dentro de un recipiente apropiado, que se pueda sellar. El enfriante debe volver a utilizarse a menos que esté contaminado o tenga muchos años.

4. Sacar el depósito de recuperación de enfriante.

5. Sacar la cubierta eléctrica del guardabarros interior derecho.

6. Sacar el protector térmico del escape.

7. Desconectar el adaptador del EGR del tubo del múltiple de admisión superior.

8. Desconectar del raíl de combustible los tubos del combustible y tapar los tubos. Sacar los tubos del soporte del múltiple.

9. Sacar la banda serpentina.

10. Sacar del múltiple de admisión el tirante trasero del alternador y el alternador.

11. Sacar del múltiple de admisión el soporte del chicote del cuerpo del ahogador.

12. Desconectar los conectores eléctricos del cuerpo del ahogador.

13. Desconectar los conectores eléctricos de los inyectores de combustible.

14. Desconectar las mangueras de vacío de las conexiones del solenoide de purga del botefiltro (de carbón activo), del módulo del eje de transmisión y del múltiple de admisión.

15. Desconectar la conexión rápida de la manguera de vacío en el múltiple de admisión superior.

16. Sacar los pernos de sujeción de la bomba de la dirección asistida y echar la bomba hacia delante.

17. Sacar del soporte de montaje la polea tensora de la banda serpentina.

18. Sacar el soporte de apoyo de la bomba de la dirección asistida.

19. Etiquetar y desconectar los alambres de bujías del conjunto de bobinas y dejarlos a un lado.

20. Drenar el circuito de enfriamiento.

21. Desconectar el tubo de desvío de enfriante del múltiple de admisión.

22. Desconectar los tubos del calefactor del múltiple de admisión y tapa delantera.

23. Sacar el soporte de sujeción de la válvula solenoide y el tirante de la bomba de la dirección asistida del múltiple de admisión.

24. Desconectar del alojamiento del termostato la manguera superior del radiador.

25. Sacar del múltiple de admisión el alojamiento del termostato y termostato.

26. Desconectar el conector eléctrico del sensor del enfriante y sacar el sensor del múltiple de admisión.

27. Sacar los pernos de sujeción del múltiple de admisión y sacar el múltiple de admisión.

Para instalar:

28. Limpiar completamente todas las superficies de empaque. Asegurarse de que todos los orificios fileteados no tienen nada de suciedad o restos de sellante viejo. Se puede usar un macho de fileteado para limpiar los orificios fileteados.

29. Instalar el múltiple de admisión con juntas nuevas.

30. Aplicar un compuesto de bloqueo de fileteado en los pernos del múltiple de admisión e instalar los pernos apretándolos a 88 plg-lb (10 Nm). Realizar una segunda pasada para verificar que todos los pernos están apretados a 88 plg-lb (10 Nm). No apretar por encima de este valor, puesto que la aleación ligera del múltiple quedaría dañada.

31. Instalar el resto de componentes en el orden inverso al de su desmontaje:

• Pernos del alojamiento del termostato a 20 pie-lb (27 Nm).

• Pernos del soporte de apoyo de la bomba de la dirección asistida a 37 pie-lb (50 Nm).

• Pernos de la polea de la banda serpentina a 33 pie-lb (45 Nm).

32. Llenar el circuito de enfriamiento. Se recomienda hacer un cambio de aceite y filtro de aceite.

33. Instalar el conjunto del filtro de aire y el protector del inyector de combustible.

34. Conectar el alambre negativo del acumulador.

35. Presurizar el sistema de combustible girando la llave del contacto a la posición ON para cebar la bomba de combustible y comprobar que no haya fugas de combustible.

36. Poner en marcha el vehículo y comprobar que no haya fugas de aceite, de enfriante o de vacío.

Motor 3.8L (VIN K)

1. Desconectar el alambre negativo del acumulador.

2. Sacar la cubierta de plástico del motor, sujeta con clips en el raíl de combustible.

3. Sacar el conjunto de filtro y ductos de aire. Etiquetar y sacar los alambres de bujías.

▼ PRECAUCIÓN ▼

Tener en cuenta todas las precauciones de seguridad aplicables al trabajar con combustible. Al revisar y hacer el mantenimiento del sistema de combustible, trabajar siempre en un espacio bien ventilado. No permitir que los vapores o pulverizadores de combustible alcancen una chispa o una llama. Tener un extintor de polvo seco cerca del lugar de trabajo. Almacenar siempre el combustible en un recipiente especialmente diseñado a este efecto. Asimismo, sellar siempre de forma adecuada los recipientes de combustible, para evitar la posibilidad de incendio o de explosión.

4. Descargar la presión del circuito de combustible de forma adecuada. Desacoplar el haz de alambres de la inyección del combustible.

5. Sacar el conector eléctrico de purga del bote-filtro de carbón activo.

6. Sacar el raíl de combustible. Sacar el adaptador del EGR del tubo superior de admisión.

7. Sacar el conjunto del cuerpo del ahogador.

8. Sacar los pernos de sujeción del múltiple superior y sacar el múltiple del vehículo.

9. Sacar la cubierta eléctrica interior del guardabarros.

10. Sacar el protector del escape.

11. Sacar el tirante y el alternador. Sacar el soporte del chicote de control.

12. Desconectar los chicotes de control, las líneas de vacío y los conectores eléctricos del cuerpo del ahogador y del múltiple de admisión.

13. Sacar las líneas de vacío de la purga del bote de carbón y del módulo de la transmisión en la conexión de admisión.

14. Sacar la bomba de la dirección asistida y moverla hacia delante.

15. Sacar el soporte de montaje del tensor de la banda.

16. Sacar el soporte de apoyo de la bomba de la dirección asistida.

17. Sacar la manguera de desvío del enfriante. Sacar los tubos del calefactor de la admisión y de la tapa delantera.

18. Sacar el tirante de soporte del alternador.

19. Sacar la manguera superior del radiador del alojamiento del termostato.

20. Desacoplar el conector del sensor de temperatura.

21. Sacar los pernos de sujeción del múltiple inferior y sacar el múltiple inferior. Sacar las juntas de sellado viejas y limpiar las superficies a fondo.

Para instalar:

22. Instalar las juntas nuevas del múltiple inferior y aplicar sellante en las esquinas de los sellos extremos. Asegurarse de recubrir el fileteado de los pernos de la admisión con P/N 12345336 o equivalente. Apretar los pernos a 89 plg-lb (10 Nm) en el orden apropiado.

23. Instalar el resto de componentes en el orden inverso al de su desmontaje. Apretar los pernos del múltiple superior, en orden, a 11 pie-lb (15 Nm).

24. Llenar y purgar el circuito de enfriamiento siguiendo el procedimiento recomendado.

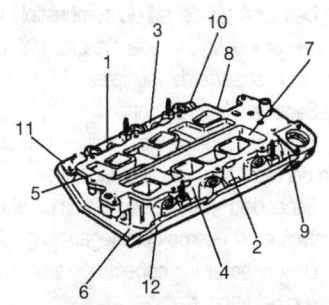

▲ Siempre apretar los pernos del múltiple inferior de admisión en el orden que se muestra – Motores 3.8L (VIN 1 y VIN K)

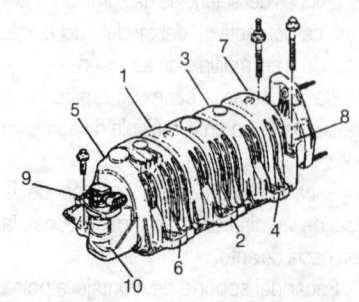

▲ Secuencia de apriete de los pernos del múltiple superior de admisión – Motor 3.8L (VIN K)

25. Instalar el conjunto del filtro y ductos de aire. Conectar el alambre negativo del acumulador.

26. Girar el contacto de la llave de encendido unas cuantas veces para asegurarse de que no hay fugas de combustible antes de arrancar el vehículo.

27. Verificar que la marcha mínima del motor es correcta y asegurarse de que no hay fugas de aceite o de enfriante.

Motor 3.8L (VIN 1)

1. Desconectar el alambre negativo del acumulador.

▼ PRECAUCIÓN ▼

Tener en cuenta todas las precauciones de seguridad aplicables al trabajar con combustible. Al revisar y hacer el mantenimiento del sistema de combustible, trabajar siempre en un espacio bien ventilado. No permitir que los vapores o pulverizaciones de combustible alcancen una chispa o una llama. Tener un extintor de polvo seco cerca del lugar de trabajo. Almacenar siempre el combustible en un recipiente especialmente diseñado a este efecto. Asimismo, sellar siempre de forma adecuada los recipientes de combustible, para evitar la posibilidad de incendio o de explosión.

2. Descargar la presión del sistema del combustible siguiendo el procedimiento recomendado.

3. Levantar el vehículo y apoyarlo de forma segura.

4. Sacar la protección contra salpicaduras delantera.

▼ PRECAUCIÓN ▼

Nunca abrir, realizar el mantenimiento o vaciar el radiador o el sistema de enfriamiento en caliente, ya que el vapor de agua y el enfriante caliente podrían producir graves quemaduras. Asimismo, al drenar el enfriante del motor, tener presente que el etilglicol del anticongelante atrae a perros y gatos, y podrían beberse los restos que pudieran quedar en un recipiente destapado o en charcos del suelo. Esto es, en cantidades suficientes, fatal para ellos. Siempre drenar el enfriante en un recipiente apropiado, que se pueda

sellar. El enfriante debe reutilizarse a menos que esté contaminado o tenga muchos años.

5. Drenar el enfriante del radiador en un recipiente apropiado. Cerrar el drenado del radiador.

6. Reinstalar el protector contra salpicaduras delantero.

7. Bajar el vehículo.

8. Sacar el conjunto del sobrealimentador.

9. Sacar el alojamiento del termostato.

10. Desconectar el tubo del EGR en el múltiple de admisión.

11. Desconectar el sensor de temperatura del enfriante.

12. Sacar el múltiple de admisión.

Para instalar:

13. Limpiar a fondo todas las superficies de empaque.

14. Limpiar todos los restos de sellante viejo de los pernos y orificios de pernos del múltiple de admisión.

15. Instalar juntas y sellos nuevos del múltiple. Aplicar sellante en los extremos de los sellos del múltiple.

16. Instalar el múltiple de admisión.

17. Instalar los pernos del múltiple de admisión y apretar, en orden, a 11 pie-lb (15 Nm).

18. Instalar el conector eléctrico en el sensor de temperatura.

19. Instalar el tubo del EGR en el múltiple de admisión.

20. Instalar el alojamiento del termostato.

21. Instalar el conjunto del sobrealimentador.

22. Conectar el alambre negativo del acumulador.

23. Llenar y purgar el circuito de enfriamiento siguiendo el procedimiento recomendado.

24. Poner en marcha el motor y comprobar su correcto funcionamiento y que no haya fugas.

MÚLTIPLE DE ESCAPE

DESMONTAJE E INSTALACIÓN

Motor 3.1L

MÚLTIPLE IZQUIERDO (DELANTERO)

1. Desconectar el alambre negativo del acumulador. Sacar el conjunto del filtro y ductos de aire.

2. Sacar el depósito de recuperación de enfriante.

➡ En algunos vehículos de 1995-97, puede ser necesario girar el motor hacia delante sacando el puntal de torque e instalando la herramienta J-41131, o equivalente, y luego girar hacia delante el conjunto motor.

▼ AVISO ▼

Para impedir que se cizalle el manguito (buje) de goma, aflojar los pernos sobre el puntal del motor antes de girar los puntales.

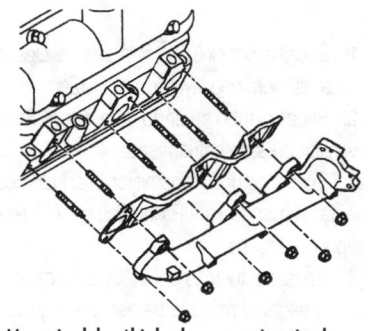

▲ **Montaje del múltiple de escape izquierdo – Motor 3.1L**

3. Aflojar el tensor de la banda de accesorios y sacar la banda.

4. Desconectar las mangueras superior e inferior del conjunto motor.

5. Sacar las cintas de sujeción que aseguran la manguera de salida del calefactor y el haz de alambres de encendido en su posición.

6. Sacar el conjunto del tubo de vacío del modulador de la transmisión.

7. Desconectar el tubo del calefactor que va de la bomba de agua al núcleo del calefactor.

8. Sacar el protector térmico y el tubo cruzado en el múltiple.

9. Sacar el puntal de soporte del motor.

10. Sacar el soporte del compresor del acondicionador de aire.

11. Sacar los pernos de sujeción del múltiple de escape y sacar el múltiple.

Para instalar:

12. Limpiar las superficies de montaje de empaque. Instalar el múltiple de escape en el motor e instalar sin apretar las tuercas de sujeción.

13. Instalar el tubo cruzado de escape. Apretar las tuercas del múltiple de escape a 12 pie-lb (16 Nm) y los pernos del tubo cruzado a 18 pie-lb (25 Nm).

14. Instalar el protector del múltiple de escape y apretar a 89 plg-lb (10 Nm).

15. Instalar el puntal de soporte del motor y el soporte del compresor del acondicionador de aire.

16. Conectar el tubo del calefactor en la bomba de agua y en el núcleo del calefactor.

17. Conectar el conjunto del tubo de vacío del modulador de la transmisión.

18. Usando cintas de sujeción nuevas, asegurar en su posición la manguera de salida del calefactor y el haz de alambres del encendido.

19. Conectar las mangueras superior e inferior del radiador en el motor.

20. Instalar la banda serpentina.

21. Instalar el depósito de recuperación de enfriante y llenar el circuito de enfriamiento. Purgar correctamente el circuito.

22. Instalar el conjunto de filtro y ductos de aire.

23. Conectar el alambre negativo del acumulador. Arrancar el motor y comprobar si hay fugas en el sistema de escape.

MÚLTIPLE DERECHO (TRASERO)

1. Desconectar el alambre negativo del acumulador. Sacar el conjunto de filtro y ductos de aire.

2. Sacar el depósito de recuperación de enfriante.

3. Desconectar la manguera superior del motor.

4. Sacar las cintas de sujeción que aseguran la manguera de salida del calefactor y el haz de alambres de encendido en su posición.

5. Sacar el conjunto del tubo de vacío del modulador de la transmisión.

6. Desconectar el tubo del calefactor que va de la bomba de agua al núcleo del calefactor.

7. Sacar el protector térmico y el tubo cruzado en el múltiple.

8. Desconectar el/los conector/es eléctrico/s de la sonda (sensor) de oxígeno.

➡ En algunos vehículos de 1995-97, puede ser necesario girar el motor hacia delante sacando el puntal de torque e instalando la herramienta J-41131, o equivalente, y luego girar hacia delante el conjunto motor.

▼ AVISO ▼

Para impedir que se cizalle el manguito (buje) de goma, aflojar los pernos del puntal del motor antes de girar los puntales.

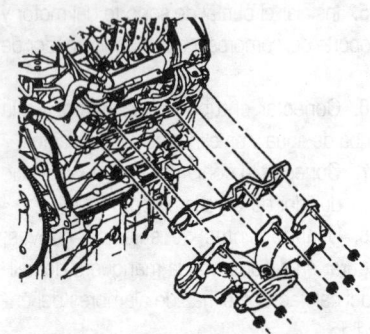

▲ **Montaje del múltiple de escape derecho – Motor 3.1L**

9. Levantar el vehículo y apoyarlo de forma segura.

10. Mientras se sujeta la trasera del conjunto de soporte del motor, sacar los pernos de sujeción traseros y bajar la trasera del conjunto de soporte del motor.

11. Desconectar el tubo de escape delantero del múltiple.

12. Desconectar el tubo del EGR del conjunto del múltiple.

13. Sacar la sonda (sensor) de oxígeno.

14. Sacar la varilla y el tubo de llenado de la transmisión automática.

15. Sacar los protectores térmicos del múltiple de escape y los pernos de sujeción. Sacar el conjunto del múltiple del vehículo.

Para instalar:

16. Limpiar las superficies de montaje de empaque.

17. Instalar el múltiple de escape en el motor y apretar las tuercas de sujeción a 12 pie-lb (16 Nm).

18. Instalar la varilla y el tubo de llenado de la transmisión automática.

19. Instalar la sonda de oxígeno y conectar el tubo del EGR al múltiple.

20. Levantar la parte trasera del conjunto de soporte del motor. Instalar los pernos de fijación y apretarlos a 107 pie-lb (145 Nm).

21. Bajar el vehículo.

22. Instalar el tubo cruzado de escape y apretar los pernos del tubo cruzado a 18 pie-lb (25 Nm).

23. Conectar el tubo del calefactor en la bomba de agua y en el núcleo del calefactor.

24. Conectar el conjunto del tubo de vacío del modulador de la transmisión.

25. Usando cintas de sujeción nuevas, asegurar en su posición la manguera de salida del calefactor y el haz de alambres del encendido.

26. Conectar la manguera superior del radiador en el motor.

27. Instalar el depósito de recuperación de enfriante y llenar el circuito de enfriamiento. Purgar correctamente el circuito.

28. Instalar el conjunto de filtro y ducto de aire.

29. Conectar el alambre negativo del acumulador.

30. Arrancar el motor y comprobar si hay fugas de escape.

Motor 3.4L

MÚLTIPLE IZQUIERDO (DELANTERO)

1. Sacar el conjunto de filtro de aire. Desconectar el alambre negativo del acumulador.

2. Sacar el tubo cruzado de escape. Sacar los ventiladores de enfriamiento.

3. Si equipa una transmisión manual, desconectar la manguera AIR del tubo del AIR en el múltiple de escape.

4. Sacar las tuercas del múltiple de escape; después sacar el múltiple de escape, la junta y el protector térmico.

Para instalar:

5. Limpiar completamente todas las superficies de contacto de empaque. Instalar una junta nueva de múltiple de escape.

6. Instalar el múltiple de escape y el protector térmico y apretar las tuercas de fijación a 115 plg-lb (13 Nm).

7. Instalar el resto de componentes en el orden inverso al de su desmontaje. Apretar los pernos del tubo cruzado de escape a 18 pie-lb (25 Nm).

8. Conectar el alambre negativo del acumulador. Arrancar el motor y comprobar si hay fugas de escape.

MÚLTIPLE DERECHO (TRASERO)

1. Sacar el conjunto de filtro y ducto de aire.

2. Desconectar el alambre negativo del acumulador. Sacar el tubo cruzado de escape.

3. Sacar el tubo del EGR del múltiple de escape.

4. Levantar el vehículo y apoyarlo de forma segura. Sacar el tubo de escape delantero y el conjunto del convertidor.

5. Sacar la sonda de oxígeno.

6. Sacar el protector térmico del tubo de escape.

7. Sacar el tirante trasero del alternador. Sacar el tubo de la varilla de la transmisión.

8. Sacar el eje intermedio del mecanismo de la dirección.

9. Sacar las tuercas de fijación del múltiple de escape.

10. Instalar un gato fijo para apoyar el bastidor auxiliar trasero.

11. Sacar los pernos del bastidor auxiliar trasero.

12. Bajar el bastidor auxiliar del motor de forma segura.

13. Sacar el protector térmico del mecanismo de la dirección.

14. Sacar el múltiple de escape y el protector térmico y el empaque de unión.

Para instalar:

15. Limpiar completamente todas las superficies de empaque.

16. Instalar la junta del múltiple de escape, el múltiple y los protectores térmicos.

17. Instalar las tuercas de sujeción del múltiple de escape y apretar a 115 plg-lb (13 Nm).

18. Instalar el resto de componentes en el orden inverso al de su desmontaje. Apretar según estas especificaciones:

• Pernos de la parte trasera del bastidor auxiliar a 125 pie-lb (170 Nm).

• Perno de retención entre el árbol intermedio y el mecanismo de la dirección a 35 pie-lb (47 Nm).

• Tubo cruzado de escape y apretar las tuercas a 18 pie-lb (25 Nm).

19. Conectar el alambre negativo del acumulador. Instalar el conjunto del filtro y ducto de aire.

20. Arrancar el motor y comprobar que no haya fugas en el sistema de escape.

➡ **Siempre que se desmonte o se baje el bastidor auxiliar del vehículo, debe comprobarse la alineación de las ruedas.**

Motor 3.8L

MÚLTIPLE IZQUIERDO (DELANTERO)

1. Sacar el conjunto de filtro y ducto de aire.

2. Desconectar el alambre negativo del acumulador. Sacar los puntales de torque.

3. Sacar el ventilador de enfriamiento del lado derecho del motor.

4. Sacar el protector térmico del tubo cruzado y desconectar el tubo cruzado del múltiple trasero.

5. Drenar el circuito de enfriamiento.

6. Desconectar la manguera superior del radiador del alojamiento del termostato.

7. Sacar la cubierta del raíl de combustible.

8. Desconectar el tubo entre el adaptador del EGR y el múltiple de admisión.

9. Sacar la válvula EGR.

10. Sacar el gancho de izada de la parte delantera del motor.

11. Sacar el soporte del puntal de torque de la culata de cilindros izquierda.

12. Sacar el tubo indicador del nivel de aceite.

13. Desconectar los alambres de bujías de la tapa de balancines y las bujías, y guardarlas aparte.

14. Sacar el tirante de soporte del compresor del acondicionador de aire del espárrago del múltiple de escape.

15. Sacar los pernos de sujeción del múltiple y sacar el múltiple de escape.

Para instalar:

16. Limpiar completamente todas las superficies de empaque.

17. Instalar el múltiple de escape e instalar sin apretar los pernos de sujeción. Apretar los pernos a 38 pie-lb (52 Nm), empezando por los del centro y avanzando hacia los exteriores.

18. Instalar las bujías y apretar a 11 pie-lb (15 Nm).

19. Instalar el resto de componentes en el orden inverso al de su desmontaje. Apretar según estas especificaciones:

• Tuerca del gancho de izada del motor a 22 pie-lb (30 Nm).

• Pernos del tubo cruzado al múltiple de escape trasero a 22 pie-lb (30 Nm).

• Apretar los pernos de sujeción del puntal a 41 pie-lb (56 Nm).

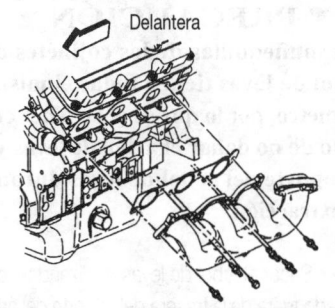

▲ **Montaje del múltiple de escape izquierdo – Motor 3.8L**

20. Conectar el alambre negativo del acumulador. Instalar el conjunto de filtro y ducto de aire.

21. Arrancar el motor y comprobar que no haya fugas en el sistema de escape.

MÚLTIPLE DERECHO (TRASERO)

1. Sacar el conjunto de filtro y ducto de aire.

2. Sacar la cubierta del raíl de combustible.

3. Desconectar el alambre negativo del acumulador. Sacar el depósito de recuperación del enfriante.

4. Sacar el protector térmico del tubo cruzado y desconectar el tubo cruzado en el múltiple trasero.

5. Sacar el tubo indicador del nivel del aceite de la transmisión.

6. Desconectar los alambres de bujías de la tapa de los balancines y bujías, y guardarlos aparte.

7. Desconectar el conector eléctrico de la sonda (sensor) de oxígeno.

8. Sacar los puntales de torque.

9. Sacar el gancho de izada de la parte trasera del motor. Sacar las bujías.

10. Levantar el vehículo y apoyarlo de forma segura. Sacar el tubo de escape delantero y el conjunto del convertidor.

11. Sacar las tuercas del bastidor al soporte trasero del motor.

12. Bajar el vehículo.

13. Usando un gato de piso, levantar la esquina trasera derecha del motor para ganar espacio.

14. Sacar los pernos de sujeción del múltiple y sacar el múltiple de escape.

Para instalar:

15. Limpiar completamente todas las superficies de empaque.

16. Instalar el múltiple de escape e instalar sin apretar los pernos de sujeción. Apretar los pernos a 38 pie-lb (52 Nm), empezando por los del centro y avanzando hacia los exteriores.

17. Conectar el tubo cruzado en el múltiple de escape trasero y apretar los pernos de sujeción a 22 pie-lb (30 Nm).

18. Instalar el resto de componentes en el orden inverso al de su desmontaje. Apretar según estas especificaciones:

• Tuercas del soporte trasero del motor a 50 pie-lb (68 Nm).

• Tuerca del gancho de izada del motor a 22 pie-lb (30 Nm).

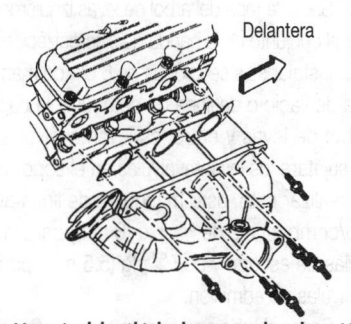

▲ **Montaje del múltiple de escape derecho – Motor 3.8L**

• Bujías a 11 pie-lb (15 Nm).

• Pernos de sujeción del puntal a 41 pie-lb (56 Nm).

19. Conectar el alambre negativo del acumulador. Instalar el conjunto de filtro y ducto de aire.

20. Arrancar el motor y comprobar que no haya fugas en el sistema de escape.

ÁRBOL DE LEVAS

DESMONTAJE E INSTALACIÓN

▼ PRECAUCIÓN ▼

El sistema de inyección de combustible permanece con presión, incluso después de que el contacto del motor se haya desconectado (OFF). La presión del sistema de combustible debe liberarse antes de desconectar ningún tubo de combustible. Si no se hace así, existe riesgo de incendio y/o lesiones personales.

Motor 3.1L

1. Descargar la presión del sistema de combustible. Desconectar el alambre negativo del acumulador.

2. Sacar el conjunto motor del vehículo siguiendo el procedimiento recomendado y colocarlo sobre un caballete de motor apropiado.

➡ Cuando se sacan los componentes del tren de válvulas, hay que marcarlos para así reinstalarlos en las mismas posiciones que ocupaban antes de su desmontaje. Cuando se cambia el árbol de levas también hay que cambiar los levantaválvulas.

3. Sacar el múltiple de admisión, la tapa de válvulas, los balancines, los empujaválvulas y los levantaválvulas.

4. Sacar el compensador del cigüeñal usando una herramienta de extracción para sacar el compensador del cigüeñal del extremo del cigüeñal.

5. Sacar la tapa delantera de la cadena de sincronización.

6. Es una buena costumbre dejar el motor en el Punto Muerto Superior (PMS) para el cilindro N°1 (posición de encendido) antes de desmontar la cadena y los piñones de sincronización. Con esto, las marcas de sincronización deben quedar alineadas y servir posteriormente como punto de referencia. Sacar la cadena y piñones de sincronización.

▼ PRECAUCIÓN ▼

Si se sustituye el árbol de levas, los levantaválvulas deberán también ser reemplazados. Los levantaválvulas viejos presentan un perfil de desgaste asociado al árbol de levas viejo y, si se instalan sobre el nuevo árbol de levas, provocarían el desgaste prematuro de las levas del árbol.

7. Sacar el engrane mandado de la bomba de aceite de modo que se pueda extraer el árbol de levas en el paso N° 9.

8. Sacar los dos pernos y sacar el plato de empuje del árbol de levas.

9. Sacar el árbol de levas con cuidado. Evitar rayar las superficies de cojinetes del árbol de levas.

Para instalar:

10. Recubrir el árbol de levas con lubricante GM N° de pieza 1052365 o lubricante penetrante de árbol de levas equivalente o aceite de motor de calidad, e instalar el árbol de levas.

11. Instalar el plato de empuje del árbol de levas y apretar los pernos de sujeción a 89 plg-lb (10 Nm).

12. Instalar el engrane mandado de la bomba de aceite y apretar el perno de sujeción a 27 pie-lb (36 Nm).

13. Instalar la cadena y el piñón de sincronización.

14. Comprobar que todas las marcas de sincronización estén alineadas. Es una buena costumbre darle varias vueltas completas al cigüeñal para asegurarse de que las marcas de sincronización permanecen alineadas cuando se lleva el cigüeñal al PMS del cilindro N° 1 en la carrera de compresión (posición de encendido). Esto es muy importante. Si el tren de válvulas no se dejara correctamente sincronizado, el motor quedaría dañado al arrancarlo. Cuando se cumple que todas las marcas están correctamente alineadas, instalar el botón de empuje del árbol de levas y la tapa delantera.

15. Instalar el compensador del cigüeñal y apretar el perno a 75 pie-lb (103 Nm).

16. Instalar el múltiple de admisión, la tapa de válvulas, los balancines, los empujaválvulas y los levantaválvulas.

17. Instalar el conjunto del motor en el vehículo siguiendo el procedimiento recomendado.

18. Conectar el alambre negativo del acumulador.

19. Comprobar que todos los niveles de fluidos (enfriante, aceite de motor, etc.) son co-

rrectos. Se recomienda un cambio de aceite y filtro.

➡ Sólo se necesita ajustar las válvulas cuando se ha realizado algún trabajo en ellas o cuando los espárragos de balancines se han reemplazado con espárragos ajustables. Los espárragos de balancines instalados de fábrica deben ser con collarín y no necesitan ningún ajuste.

20. Ajustar las válvulas, según se requiera.

21. Arrancar el motor y comprobar que no haya fugas de aceite.

Motor 3.4L

El motor 3.4L VIN X tiene soportes del árbol de levas de aluminio que alojan los árboles de levas, de forma que el aluminio real del soporte del árbol actúa como superficie de cojinete del árbol de levas. Tener cuidado al trabajar con estas piezas de aleación ligera, ya que pueden quedar dañadas o romperse si no se manejan con cuidado.

Los motores DOHC tienen muchas marcas de sincronización del tren de válvulas que deben estar alineadas, puesto que en caso contrario el motor podría sufrir serios daños. Puede ser útil llevar el motor al PMS, carrera de compresión del cilindro N° 1 (posición de encendido) antes de comenzar a trabajar. De este modo se tiene un punto de referencia conocido y, según se va avanzando el trabajo, se puede ir anotando la posición de las marcas de sincronización, cosa que debe ahorrar tiempo durante el montaje. Además, anotar la dirección de marcha de la banda de sincronización de modo que posteriormente se instale de forma correcta.

ÁRBOL DE LEVAS IZQUIERDO

1. Sacar el conjunto de filtro y ducto de aire.

2. Desconectar el alambre negativo del acumulador. Drenar el circuito de enfriamiento.

3. Sacar la tapa del árbol de levas izquierdo. Sacar el conjunto de la banda de sincronización.

4. Instalar seis secciones de 6 plg de manguera de vacío o de línea de combustible bajo el árbol de levas y entre los levantaválvulas. Esto sujetará los levantaválvulas en el soporte. Para realizar esto, usar manguera de línea de vacío/combustible de $^5/_{16}$ plg (8 mm) para las válvulas de escape y de $^7/_{32}$ plg (5.5 mm) para las válvulas de admisión.

5. Sacar el tubo cruzado de escape. Sacar la manguera superior del radiador.

6. Desconectar la manguera del tubo del calefactor del *plenum* (cámara de sobrepresión) de admisión.

7. Sacar el múltiple delantero de escape.

8. Desconectar el tubo delantero de enfriamiento del motor y colocarlo aparte.

9. Sacar los pernos de sujeción del soporte del árbol de levas.

10. Sacar el soporte del árbol de levas y la junta.

11. Colocar el soporte del árbol de levas sobre una superficie de trabajo adecuada.

12. Sacar las mangueras que sujetan los levantaválvulas y sacar los levantaválvulas del soporte del árbol de levas.

13. Vaciar el aceite del orificio de montaje de la herramienta de sujeción del árbol de levas e instalar la herramienta de montaje de árboles de levas J-38613 o equivalente. Apretar el perno de fijación de la herramienta a 22 pie-lb (30 Nm).

14. Sacar los pernos y arandelas del piñón del árbol de levas, mientras se sujeta el árbol para que no gire, usando la herramienta de sujeción de piñón de árbol de levas J-38614 o equivalente.

15. Usando una herramienta de extracción de piñón adecuada, J-38616 o equivalente, sacar los piñones de los árboles de levas.

16. Sacar los seis tornillos de la tapa del plato de empuje y sacar la tapa y la junta.

17. Sacar los dos pernos del plato de empuje del árbol de levas y sacar el plato de empuje.

18. Sacar la herramienta J-38613.

▼ PRECAUCIÓN ▼

Las muñequillas de los cojinetes del árbol de levas tienen todas el mismo diámetro, por lo que se debe tener cuidado de no dañar el árbol de levas y/o el soporte del árbol de levas durante su extracción.

19. Sacar el árbol de levas deslizándolo con cuidado fuera de la trasera del soporte del árbol de levas.

20. Sacar el sello de aceite del árbol de levas usando una herramienta para hacer palanca adecuada. No rayar el soporte del árbol de levas con la herramienta.

Para instalar:

21. Recubrir los labios de los sellos del árbol de levas con aceite limpio de motor y, usando un instalador de sellos J-38619 o equivalente, asentar los sellos en sus alojamientos.

22. Recubrir las muñequillas y los lóbulos de las levas con lubricante de motor GM 1052637 o equivalente.

23. Instalar el árbol de levas con cuidado dentro del soporte del árbol de levas. Asegurarse de que el árbol de levas no deforma el sello del árbol de levas al instalarlo.

24. Instalar la placa de empuje y apretar los dos pernos de sujeción a 89 plg-lb (10 Nm).

25. Instalar la tapa y la junta de la placa de empuje y apretar los 6 pernos de sujeción a 89 plg-lb (10 Nm).

26. Instalar la herramienta de sujeción del árbol de levas y apretar el perno de sujeción a 22 pie-lb (30 Nm).

27. Instalar una nueva junta de soporte de árbol de levas en la culata de cilindros e instalar el soporte de árbol de levas en la culata de cilindros.

28. Instalar los pernos de sujeción y apretar a 18 pie-lb (25 Nm).

29. Instalar los levantaválvulas debajo de los árboles de levas. Instalar los piñones de los árboles de levas y la banda de sincronización.

▼ PRECAUCIÓN ▼

Después de instalar los piñones de los árboles de levas y la banda de sincronización, se debe establecer la sincronización del árbol de levas. Si esto no se realiza correctamente, el motor sufrirá graves daños.

30. Sacar la herramienta J-38613.

31. Instalar el tubo delantero de enfriamiento del motor. Instalar el múltiple de escape delantero.

32. Conectar la manguera del tubo del calefactor en el *plenum* de admisión.

33. Conectar la manguera superior del radiador.

34. Instalar el tubo cruzado de escape. Instalar la tapa del árbol de levas.

➡ Antes de apretar los pernos de sujeción de la tapa, asentar totalmente los aislantes de pernos en la tapa del árbol de levas.

35. Conectar el alambre negativo del acumulador. Instalar el conjunto del filtro y ducto de aire.

36. Llenar el circuito de enfriamiento.

37. Arrancar el motor y comprobar que no haya fugas y que el funcionamiento del motor es correcto.

ÁRBOL DE LEVAS DERECHO

1. Sacar el conjunto del filtro y ducto de aire.

2. Desconectar el alambre negativo del acumulador. Drenar el circuito de enfriamiento.

3. Sacar la tapa del árbol de levas derecho.

4. Sacar la banda de sincronización.

5. Instalar seis secciones de 6 plg de manguera de línea de combustible debajo del árbol de levas y entre los levantaválvulas. Esto sujetará los levantaválvulas en el soporte. Para realizar esto, usar manguera de línea de vacío/combustible de $^5/_{16}$ plg (8 mm) para las válvulas de escape y de $^7/_{32}$ plg (5.5 mm) para las válvulas de admisión.

6. Sacar los soportes de izada delantero y trasero del motor.

7. Sacar los pernos de sujeción del soporte del árbol de levas; después sacar el soporte y la junta del motor.

8. Colocar el soporte del árbol de levas en una superficie de trabajo adecuada.

9. Sacar las mangueras que sujetan los levantaválvulas y sacar los levantaválvulas del soporte del árbol de levas.

10. Vaciar el aceite del orificio de fijación de la herramienta de sujeción de árbol de levas e instalar la herramienta especial de sujeción de árbol de levas J-38613 o equivalente. Apretar el perno de fijación de la herramienta a 22 pie-lb (30 Nm).

11. Sacar los pernos y las arandelas del piñón del árbol de levas, mientras se sujeta el árbol para que no gire, usando la herramienta de sujeción del piñón del árbol de levas J-38614 o equivalente.

12. Usando una herramienta de extracción del piñón adecuada, J-38616 o equivalente, sacar los piñones de los árboles de levas.

13. Sacar los seis tornillos de la tapa del plato de empuje y sacar la tapa y la junta.

14. Sacar los dos pernos del plato de empuje del árbol de levas y sacar el plato de empuje.

15. Sacar la herramienta J-38613.

▼ PRECAUCIÓN ▼

Las muñequillas de los cojinetes del árbol de levas tienen todas el mismo diámetro, por lo que se debe tener cuidado de no dañar el árbol de levas y/o el soporte del árbol de levas durante su extracción.

16. Sacar el árbol de levas deslizándolo con cuidado fuera de la trasera del soporte del árbol de levas.

17. Sacar el sello de aceite del árbol de levas usando una herramienta para hacer palanca adecuada. No rayar el soporte del árbol de levas con la herramienta.

Para instalar:

18. Recubrir los labios de los sellos de árbol de levas con aceite limpio de motor y, usando un montador de sellos J-38619 o equivalente, asentar los sellos en sus alojamientos.

19. Recubrir las muñequillas y lóbulos de levas del árbol de levas con lubricante de motor GM 1052637 o equivalente.

20. Instalar el árbol de levas con cuidado dentro del soporte del árbol de levas. Asegurarse de que el árbol de levas no deforma el sello del árbol de levas al instalarlo.

21. Instalar la placa de empuje y apretar los dos pernos de sujeción a 89 plg-lb (10 Nm).

22. Instalar la tapa y la junta de la placa de empuje y apretar los 6 pernos de sujeción a 89 plg-lb (10 Nm).

23. Instalar la herramienta de sujeción del árbol de levas y apretar el perno de sujeción a 22 pie-lb (30 Nm).

24. Instalar una junta nueva del soporte del árbol de levas en la culata de cilindros e instalar el soporte del árbol de levas en la culata de cilindros.

25. Instalar los pernos de sujeción y apretar a 18 pie-lb (25 Nm).

26. Instalar los levantaválvulas debajo de los árboles de levas.

27. Instalar los piñones de los árboles de levas y la banda de sincronización.

▼ PRECAUCIÓN ▼

Después de instalar los piñones de los árboles de levas y la banda de sincronización, se debe establecer la sincronización del árbol de levas. Si esto no se realiza correctamente, el motor sufrirá graves daños.

28. Sacar la herramienta J-38613.

29. Instalar los soportes delantero y trasero de izada del motor.

30. Instalar la tapa del árbol de levas.

➡ Antes de apretar los pernos de sujeción de la tapa, asentar totalmente los aislantes de pernos en la tapa del árbol de levas.

31. Conectar el alambre negativo del acumulador. Instalar el conjunto de filtro y ducto de aire.

32. Rellenar el circuito de enfriamiento y sangrar el sistema usando el procedimiento recomendado.

33. Arrancar el motor y comprobar que no haya fugas y que el funcionamiento del motor es correcto.

Motor 3.8L

1. Desconectar el cable negativo del acumulador.

2. Descargar la presión del circuito del combustible siguiendo el procedimiento recomendado.

3. Sacar el conjunto del motor y colocarlo sobre un banco de motor apropiado.

4. Si dispone de él, sacar el sobrealimentador.

5. Sacar el múltiple de admisión.

6. Sacar las tapas de balancines.

7. Sacar los conjuntos de balancines, empujaválvulas y levantaválvulas. Identificar todas las piezas a medida que se van sacando, de modo que puedan ser reinstaladas en sus posiciones originales.

8. Sacar el perno central del compensador del cigüeñal y, usando un extractor adecuado, sacar del cigüeñal el compensador.

9. Sacar la tapa delantera de la cadena de sincronización.

10. Colocar el motor en el Punto Muerto Superior (PMS) del cilindro N° 1 (posición de encendido) para alinear las marcas de sincronización, antes de desmontar la cadena de sincronización y los piñones.

➡ **Alinear las marcas de sincronización de los piñones del árbol de levas y del cigüeñal para evitar hacer rebabas en las muñequillas del árbol de levas con el cigüeñal.**

11. Sacar el piñón del árbol de levas y la cadena de sincronización.

12. Sacar los pernos del plato de empuje del árbol de levas y sacar el plato de empuje.

13. Sacar con cuidado el árbol de levas del bloque de cilindros.

14. Inspeccionar los lóbulos de las levas y las muñequillas del árbol de levas por si presentan desgaste o están dañadas; cambiarlas según sea preciso.

➡ **Si se sustituye el árbol de levas, también deberán sustituirse los levantaválvulas. Los levantaválvulas viejos presentan**

un perfil de desgaste asociado al árbol de levas viejo y, si se instalan con el nuevo árbol de levas, provocarán el desgaste prematuro de las levas del árbol nuevo.

Para instalar:

15. Recubrir los lóbulos y cojinetes del árbol de levas con lubricante GM N° de pieza 1052365, o prelubricante penetrante de árbol de levas equivalente, antes de su instalación.

16. Instalar con cuidado el árbol de levas en el motor.

17. Instalar el plato de empuje del árbol de levas y apretar los pernos de sujeción a 11 pie-lb (15 Nm).

18. Instalar el piñón del árbol de levas y cadena de sincronización. Asegurarse de que las marcas de sincronización están alineadas. Apretar el perno de retención del piñón del árbol de levas a 74 pie-lb (100 Nm) más 90 grados ($\frac{1}{4}$ de vuelta) adicionales.

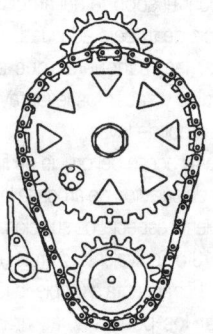

▲ **Las marcas de sincronización deben estar una frente a la otra si la cadena y los engranes se han instalado correctamente**

19. Instalar la tapa delantera de la cadena de sincronización.

20. Instalar el compensador del cigüeñal y apretar el perno de sujeción a 111 pie-lb (150 Nm) más un giro adicional de 76 grados.

21. Recubrir los levantaválvulas con prelubricante de árbol de levas e instalar los levantaválvulas en sus orificios de alojamiento.

22. Instalar las guías de los levantaválvulas y retenedores de guías. Apretar los pernos de sujeción de retenedores a 22 pie-lb (30 Nm).

23. Instalar los empujaválvulas y los balancines y apretar los pernos de los balancines a 11 pie-lb (15 Nm) más un giro adicional de 90 grados.

24. Instalar las tapas de los balancines.

25. Instalar el múltiple de admisión.

26. Si dispone de él, instalar el sobrealimentador.

27. Instalar el motor en el vehículo.

28. Conectar el alambre negativo del acumulador.

29. Comprobar que los niveles de todos los fluidos sean correctos.

30. Arrancar el motor y verificar que no haya fugas. Comprobar el funcionamiento del motor.

HOLGURA DE VÁLVULAS

AJUSTE

La holgura de válvulas no puede ajustarse en estos motores. Los levantaválvulas hidráulicos funcionan de manera que mantienen una holgura cero cuando las válvulas están abriéndose y cerrándose. Cualquier holgura se contrarresta de forma automática por la acción hidráulica. Las reclamaciones acerca de "ruido de los levantaválvulas" pueden requerir la limpieza de los levantaválvulas recubiertos de barrillo o la sustitución de los levantaválvulas.

DEPÓSITO DE ACEITE

DESMONTAJE E INSTALACIÓN

Motor 3.1L

1. Desconectar el cable negativo del acumulador. Sacar el capó.

2. Sacar los puntales de torque y el soporte de sujeción del compresor del aire acondicionado/puntal de torque.

3. Sacar los conjuntos de los ventiladores de enfriamiento.

4. Instalar una herramienta de soporte de motores, J-28467-A o equivalente.

5. Levantar el vehículo y apoyarlo de forma segura.

6. Desconectar el tubo delantero del múltiple de escape.

7. Sacar el perno retenedor del árbol intermedio de la dirección y desconectar el árbol de la dirección del grupo de la cremallera y piñón.

8. Drenar el aceite del motor.

9. Desconectar y sacar el indicador de nivel de aceite.

10. Sacar el protector contra salpicaduras del motor.

11. Apoyar el conjunto del bastidor con caballetes de suelo adecuados.

12. Sacar las tuercas del bastidor a la transmisión y las tuercas de montaje del bastidor al motor.

13. Sacar las tuercas de sujeción del bastidor y bajar ligeramente el bastidor.

14. Sacar el soporte del motor y el soporte de montaje delantero del motor.

15. Sacar la tapa del volante.

16. Sacar el motor de arranque.

17. Sacar el soporte de la transmisión del depósito del aceite.

18. Sacar los pernos de sujeción del depósito del aceite y sacar el depósito del aceite.

Para instalar:

19. Limpiar completamente todas las superficies de empaque. Instalar el depósito del aceite en su posición con empaques nuevos.

20. Apretar los pernos del raíl del depósito de aceite a 18 pie-lb (25 Nm) y los pernos laterales del depósito del aceite a 37 pie-lb (50 Nm).

21. Instalar el resto de componentes en el orden inverso al de su desmontaje. Apretar los pernos de sujeción del bastidor a 103 pie-lb (140 Nm) y el perno de retención del árbol intermedio en el grupo de la cremallera y el piñón a 35 pie-lb (47 Nm).

22. Rellenar el cárter del cigüeñal con aceite, y también la dirección asistida, si se desconectan las líneas de presión, para ganar espacio.

23. Conectar el alambre negativo del acumulador. Arrancar el motor y comprobar que no haya fugas de aceite.

➡ **Siempre que el bastidor auxiliar del vehículo se desmonte o baje, se deberá comprobar la alineación de las ruedas.**

Motor 3.4L

1. Sacar el conjunto del filtro de aire. Desconectar el alambre negativo del acumulador. Drenar el circuito de enfriamiento.

2. Sacar el tanque de recuperación de enfriante.

3. Instalar una herramienta de apoyo de motores J-28467-A, J-28467-90, J-36462 o sus equivalentes.

4. Levantar el vehículo y apoyarlo de forma segura. Sacar el conjunto de neumático y rueda delanteros.

5. Drenar el aceite del motor.

6. Sacar los pernos de retención del conjunto del mecanismo de la cremallera y piñón, y colgar el mecanismo de la dirección de la carrocería.

7. Sacar los pasadores de seguridad y tuercas de corona de las rótulas esféricas inferiores y separar las rótulas esféricas inferiores de los brazos de control inferiores.

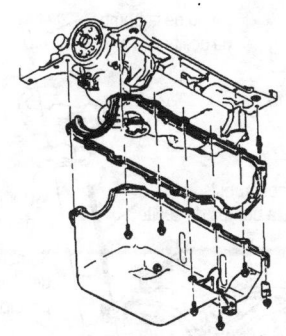

▲ **Montaje del depósito de aceite – Motor 3.4L**

8. Sacar las abrazaderas de las líneas de enfriamiento de la dirección asistida en el bastidor.

9. Sacar las tuercas de sujeción del motor en el bastidor.

10. Apoyar el bastidor con un caballete adecuado, sacar los pernos de sujeción del bastidor y sacar el conjunto del bastidor.

11. Sacar el filtro de aceite.

12. Sacar el enfriador de aceite del motor como se especifica a continuación:

    a. Desconectar los conectores eléctricos de la trasmisión de la presión de aceite y del sensor del cigüeñal.

    b. Desconectar la manguera de salida y retirarla a un lado.

    c. Desconectar la manguera de entrada y retirarla a un lado.

    d. Sacar los pernos de sujeción.

    e. Sacar el enfriador de aceite.

13. Sacar el motor de arranque.

14. Sacar la tapa del volante.

15. Sacar las tuercas y pernos de retención del depósito de aceite.

16. Sacar el depósito de aceite y la junta.

Para instalar:

17. Limpiar completamente todas las superficies de empaque. Instalar una junta nueva de depósito de aceite y aplicar sellante en la junta cerca del sombrerete del cojinete principal trasero.

18. Instalar el depósito de aceite y los fijadores y apretarlos tal como sigue:

- Tuercas del depósito de aceite: 97 plg-lb (11 Nm).

- Pernos de sujeción traseros: 20 pie-lb (27 Nm).

- Resto de pernos: 97 plg-lb (11 Nm).

19. Instalar el resto de componentes en el orden inverso al de su desmontaje. Apretar lo siguiente según estas especificaciones:

- Pernos del enfriador de aceite del motor a 24 pie-lb (33 Nm).

- Pernos de sujeción del bastidor a 103 pie-lb (140 Nm).

- Tuercas de corona de la rótula esférica en el brazo de control a 63 pie-lb (85 Nm).

- Pernos de sujeción del mecanismo de la dirección a 59 pie-lb (80 Nm).

20. Instalar el tanque de recuperación de enfriante. Rellenar el cárter del cigüeñal con aceite.

21. Llenar y purgar el circuito de enfriamiento. Conectar el cable negativo del acumulador.

22. Instalar el conjunto del filtro de aire.

23. Arrancar el motor y verificar que no haya fugas de aceite.

➡ **Siempre que el bastidor auxiliar del vehículo se desmonte o baje, se deberá comprobar la alineación de las ruedas.**

24. Comprobar la alineación del extremo delantero y corregir si es necesario.

Motor 3.8L

1. Desconectar el cable negativo del acumulador. Sacar los puntales del torque.

2. Levantar y soportar con seguridad el vehículo.

3. Desconectar del múltiple de escape el múltiple de escape delantero.

4. Sacar el conjunto delantero derecho de neumático y rueda.

5. Sacar el protector contra salpicaduras del guardabarros interior derecho.

6. Drenar el aceite del motor.

7. Desconectar y taponar los tubos del enfriador de aceite del motor.

8. Soportar con seguridad el peso del motor dado que se desmontarán los soportes de montaje del motor. Usar un aparato adecuado de elevación/sujeción.

9. Sacar de los montajes delanteros del motor las tuercas de sujeción del motor en el bastidor.

10. Sacar la cubierta de inspección del volante.

11. Elevar el conjunto del tren de transmisión (motriz), en la transmisión, para facilitar espacio, usando un adecuado gato de transmisiones.

➡ **Antes de sacar el depósito de aceite, se debe desmontar el sensor del nivel de aceite, pues, de lo contrario, el sensor del nivel de aceite podría sufrir daños.**

12. Sacar el sensor del nivel de aceite.

13. Sacar los tornillos de sujeción del depósito de aceite.

14. Bajar el depósito de aceite y desconectar de la bomba de aceite el conjunto del colador de la bomba de aceite; bajarlo dentro del depósito.

15. Sacar juntos el depósito y el colador de la bomba.

Para instalar:

16. Limpiar bien todas las piezas, en especial las bridas de sellado de empaque, sobre el bloque de cilindros y el depósito de aceite.

17. Instalar sobre el depósito de aceite un nuevo empaque de depósito de aceite.

18. Colocar el colador de la bomba de aceite dentro del depósito de aceite y colocar el depósito bajo el motor.

19. Montar el colador sobre la bomba de aceite y apretar el tornillo de montaje a 10 pie-lb (14 Nm).

20. Elevar el depósito de aceite dentro de su posición y apretar los tornillos de montaje a 10 pie-lb (14 Nm).

21. Instalar el sensor del nivel de aceite.

22. Instalar los componentes restantes en el orden inverso al desmontaje. Apretar lo siguiente:

- Tuercas de montaje del motor a 50 pie-lb (68 Nm).
- Apretar los tornillos de montaje del puntal a 41 pie-lb (56 Nm).

▼ AVISO ▼

Hacer funcionar el motor sin la cantidad y el tipo adecuado de aceite de motor conducirá a severos daños en el motor.

23. Llenar el cárter con aceite de motor limpio.

24. Conectar el cable negativo del acumulador.

BOMBA DE ACEITE

DESMONTAJE E INSTALACIÓN

Motor 3.1L

1. Desconectar el alambre negativo del acumulador. Levantar el vehículo y apoyarlo de forma segura.

2. Drenar el aceite del motor; después sacar el depósito de aceite.

3. Sacar los pernos del deflector del aceite del cárter del cigüeñal; después sacar el deflector.

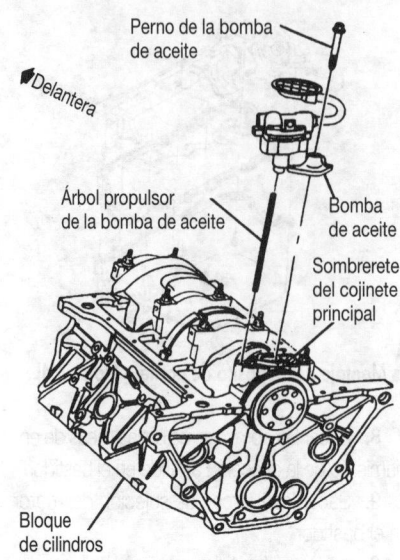

Perno de la bomba de aceite

◀ Delantera

Árbol propulsor de la bomba de aceite

Bomba de aceite

Sombrerete del cojinete principal

Bloque de cilindros

▲ **Componentes de la bomba de aceite y del árbol propulsor – Motor 3.1L**

4. Sacar los pernos de retención de la bomba de aceite y sacar la bomba de aceite y el eje motriz de la bomba.

Para instalar:

5. Instalar la bomba de aceite y árbol propulsor de la bomba. Apretar los pernos de retención de la bomba de aceite a 30 pie-lb (41 Nm).

6. Instalar el deflector de aceite del cárter del cigüeñal y pernos de sujeción. Apretar los pernos de sujeción a 18 pie-lb (25 Nm).

7. Instalar el depósito de aceite.

8. Bajar el vehículo.

9. Llenar el cárter del cigüeñal con aceite hasta el nivel correcto.

10. Es una buena costumbre instalar un manómetro de presión de aceite mecánico fiable, de modo que se pueda leer la presión real de la bomba tras el arranque. Si no se aprecia presión de aceite dentro de los instantes posteriores al arranque, parar el motor para determinar el motivo por el cual no hay presión de aceite.

11. Arrancar el motor, comprobar la presión del aceite y comprobar si hay fugas.

Motor 3.4L

1. Desconectar el alambre negativo del acumulador. Drenar el aceite del motor.

2. Sacar el depósito de aceite.

3. Sacar las ocho tuercas de montaje del deflector del depósito de aceite y sacar el deflector.

4. Sacar el perno de retención de la bomba de aceite.

5. Sacar la bomba de aceite con la extensión del árbol propulsor y con el enganche.

Para instalar:

6. Limpiar completamente todas las piezas. Limpiar el interior del depósito del aceite, las bridas de empaque sobre el depósito de aceite y el raíl de empaque sobre el bloque de cilindros.

7. Instalar la bomba de aceite con el alargamiento del árbol propulsor y el conjunto de succión (aspiración) sobre el sombrerete del cojinete principal trasero, asegurándose de que el alargamiento del árbol propulsor se acopla con la transmisión de la bomba de aceite.

8. Instalar el perno de retención de la bomba del aceite y apretar a 40 pie-lb (54 Nm).

9. Instalar el deflector del depósito del aceite y apretar las tuercas de sujeción a 18 pie-lb (25 Nm).

10. Instalar el depósito de aceite siguiendo el procedimiento recomendado.

11. Llenar el cárter del cigüeñal con aceite.

12. Conectar el alambre negativo del acumulador.

13. Arrancar el motor y comprobar que la presión de aceite sea la correcta, 15 lb como mínimo a 1100 rpm y temperatura normal de funcionamiento.

Motores 3.8L

MODELOS VIN L

1. Desconectar el alambre negativo del acumulador. Levantar el vehículo y apoyarlo de forma segura.

2. Drenar el aceite del motor.

3. Sacar el conjunto de la tapa delantera.

4. Sacar los cuatro pernos que aseguran el adaptador del filtro de aceite en la tapa delantera y sacar el adaptador del filtro de aceite, la válvula reguladora de presión y el resorte.

5. Sacar los cuatro pernos de sujeción de la tapa de la bomba de aceite y sacar la tapa.

6. Sacar los engranes interior y exterior de la bomba de aceite.

Para instalar:

7. Lubricar los engranes con gelatina de petróleo e instalarlos en su alojamiento.

8. Rellenar las cavidades de los engranes con gelatina de petróleo después de haber instalado los engranes en el alojamiento.

9. Instalar la tapa del la bomba del aceite y pernos y apretarlos a 97 plg-lb (11 Nm).

10. Instalar el adaptador del filtro de aceite con una junta nueva, la válvula reguladora de presión y el resorte. Apretar los pernos de sujeción a 24 pie-lb (33 Nm).

1. Perno
2. Bomba de aceite
3. Árbol con identificación de pintura blanca
4. Pasador posicionador
5. Sombrerete del cojinete principal trasero
6. Bloque de cilindros
7. Perno
8. Abrazadera
9. Mecanismo de mando de la bomba de aceite
10. Grasa

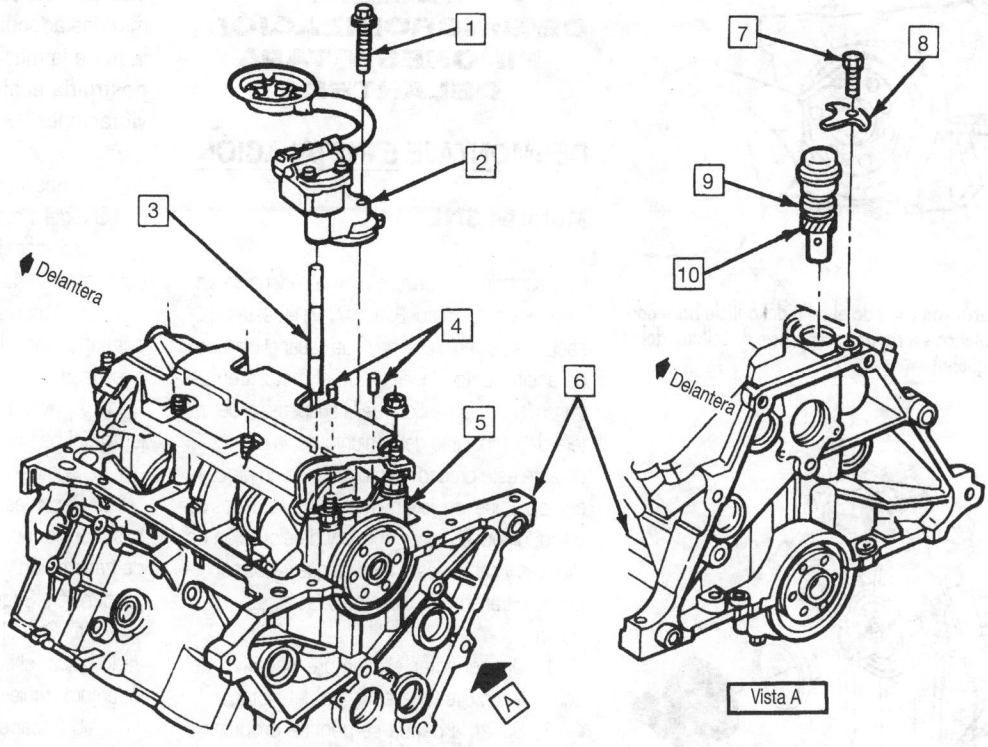

Montaje de la bomba de aceite y el mecanismo de propulsión – Motor 3.4L

11. Instalar el conjunto de la tapa delantera.

12. Llenar el cárter del cigüeñal con aceite limpio de motor.

13. Conectar el alambre negativo del acumulador. Arrancar el vehículo y comprobar que no haya fugas y que la presión de aceite sea la correcta.

MODELOS VIN K Y 1

1. Desconectar el alambre negativo del acumulador.

2. Sacar el conjunto de bandas propulsoras del motor y tensores.

3. Sacar la polea intermedia de la banda propulsora y soporte, si es necesario.

1. 97 plg-lb (11 Nm)
2. Cubierta de la bomba de aceite
3. Engrane exterior de la bomba
4. Engrane interior de la bomba
5. Tapa delantera

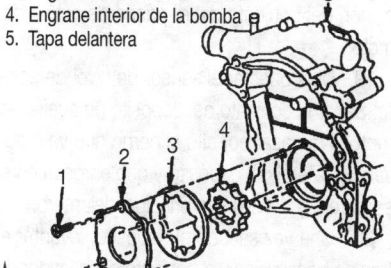

Montaje de la bomba de aceite – Motor 3.8L

4. Levantar el vehículo y apoyarlo de forma segura.

5. Apoyar el motor usando la herramienta de apoyo de motores J-28467 o equivalente, y sacar el conjunto de soporte y montaje del eje de torque.

6. Sacar el conjunto de la tapa delantera del motor.

7. Sacar los cuatro pernos que aseguran el adaptador del filtro de aceite en la tapa delantera y sacar el adaptador del filtro de aceite, la válvula reguladora de presión y el resorte.

8. Sacar los cuatro pernos de sujeción de la tapa de la bomba de aceite y sacar la tapa.

9. Sacar los engranes interior y exterior de la bomba de aceite.

Para instalar:

10. Lubricar los engranes con gelatina de petróleo e instalar los engranes en su alojamiento.

11. Empacar la cavidad de los engranes con gelatina de petróleo, después de haber instalado los engranes en el alojamiento. Esto sella la bomba y actúa como cebado, de modo que el aceite empezará a salir del depósito de aceite tan pronto como el motor se ponga en marcha. No menospreciar este paso. NO usar ningún tipo de grasa. La gelatina de petróleo tiene un punto de fusión bajo y se disipará correctamente cuando el aceite empiece a fluir y no sea ya necesaria.

12. Instalar la tapa de la bomba de aceite y los tornillos y apretar a 97 plg-lb (11 Nm).

13. Instalar el adaptador del filtro de aceite con una junta nueva, la válvula reguladora de presión y el resorte. Apretar los pernos de sujeción a 24 pie-lb (33 Nm). Aplicar sellador a la rosca de los tornillos.

14. Instalar el conjunto de la tapa delantera.

15. Instalar el conjunto tensor.

16. Instalar la polea intermedia de la banda propulsora y soporte, si se habían sacado.

17. Instalar el conjunto del eje de torque y sacar el soporte de motores.

18. Verificar que el nivel de aceite sea correcto. Se recomienda poner un filtro nuevo de aceite.

19. Conectar el alambre negativo del acumulador.

20. Arrancar el vehículo y comprobar que no haya fugas y que la presión de aceite sea la correcta.

SELLO DE ACEITE DEL COJINETE PRINCIPAL TRASERO

DESMONTAJE E INSTALACIÓN

1. Sacar el conjunto de la transmisión.

2. Sacar el plato flexible del cigüeñal.

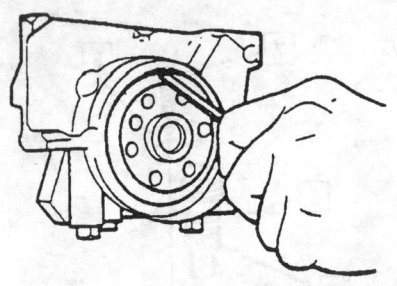

▲ Sacar con cuidado el sello del orificio haciendo palanca sin rayar la superficie de sellado del cigüeñal

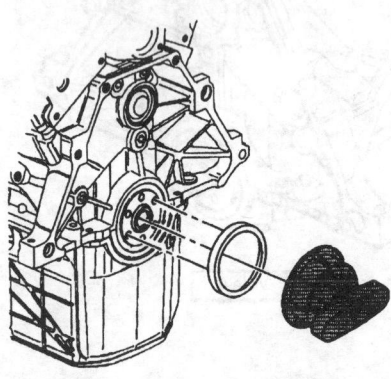

▲ El sello del cojinete principal trasero debe empujarse a su posición usando una herramienta fileteada de instalación

3. Hacer palanca con cuidado para sacar el sello viejo del bloque de cilindros. No dañar o rayar la superficie de sellado sobre el cigüeñal o el hueco del sello.

Para instalar:

4. Lubricar el labio y el borde exterior del sello nuevo con aceite limpio de motor.

5. Deslizar el sello de aceite sobre el mandril hasta que la cara trasera del sello esté completamente asentada a escuadra sobre el collarín de la herramienta.

6. Acoplar el instalador de sellos J-34686 o equivalente para los motores 3.1L y 3.4L o el J-38196 para el motor 3.8L en la parte trasera del cigüeñal con los dos pernos de sujeción; después girar la manecilla T hasta que el sello de aceite esté completamente asentado dentro de la parte trasera del motor.

7. Aflojar completamente la manecilla T de la herramienta.

8. Sacar los dos pernos de fijación y sacar la herramienta.

9. Instalar el plato flexible.

10. Instalar la transmisión siguiendo el procedimiento recomendado.

CADENA DE SINCRONIZACIÓN, PIÑONES Y TAPA DELANTERA

DESMONTAJE E INSTALACIÓN

Motores 3.1L

Para sacar la tapa delantera de la cadena de sincronización del motor 3.1L (VIN M) en estas aplicaciones de vehículos, hay que sacar el depósito de aceite. Esto significa que el motor/tren de transmisión y el bastidor de la suspensión delantera deben bajarse del conjunto de la carrocería durante este procedimiento. Esto es un proceso complejo que requiere herramientas y equipos de izado, dispositivos de apoyo y de elevación de motores y caballetes, a medida que varios soportes de la transmisión y del motor se aflojan y/o se sacan.

1. Desconectar el alambre negativo del acumulador. Drenar el enfriante del motor.

2. Sacar la banda serpentina propulsora del motor.

3. Sacar el conjunto del capó. Será necesaria la colaboración de un ayudante para evitar dañar la pintura del vehículo.

➡ No dejar apoyar el capó sobre el parabrisas, ya que el cristal y la pintura podrían sufrir daños.

4. Sacar el puntal de soporte del motor y el soporte del compresor del acondicionador de aire y el soporte del puntal de montaje del motor.

5. Sacar los conjuntos de ventiladores eléctricos de enfriamiento del motor.

6. Instalar un equipo fijo de izado adecuado que haga de soporte seguro del motor con el vehículo situado tanto sobre el suelo como elevado.

7. Levantar el vehículo y apoyarlo de forma segura. Desconectar el tubo del múltiple de escape delantero.

8. Sacar el perno/tornillo del árbol intermedio de la dirección y retirar la tapa a un lado.

9. Drenar el aceite del motor. Sacar el protector contra salpicaduras del motor.

10. Sacar el compensador del cigüeñal. Seguir este procedimiento:

➡ La sección de la masa de inercia del compensador del cigüeñal está acoplada a la maza con una camisa de goma. Los procedimientos de desmontaje e instala-

ción DEBEN cumplirse usando las herramientas adecuadas, ya que, si no, el traslado de la masa de inercia sobre la maza destruiría el ajuste del amortiguador de vibraciones.

a. Sacar el protector contra salpicaduras derecho del motor.

b. Sacar el perno y la arandela centrales del compensador del cigüeñal.

c. Sacar el compensador fuera del cigüeñal usando la herramienta de extracción adecuada.

11. Apoyar el tren de transmisión y el conjunto del bastidor de la suspensión delantera con caballetes.

12. Sacar las tuercas del soporte lateral del bastidor de montaje de la transmisión del tren de transmisión y del conjunto del bastidor de la suspensión. Seguir el procedimiento siguiente:

a. Con el vehículo correctamente apoyado, sacar el conjunto de rueda y neumático delantero izquierdo.

b. Sacar el conjunto del protector contra salpicaduras del tablero de mandos del parachoques delantero izquierdo.

c. Apoyar correctamente el conjunto de la transmisión con caballetes.

d. Sacar las tuercas del soporte lateral del montaje de la transmisión.

13. Sacar las tuercas laterales del bastidor de montaje del motor, del tren de transmisión y del conjunto del bastidor de la suspensión delantera.

14. Sacar los pernos y tornillos del tren de transmisión trasero y del bastidor de la suspensión delantera.

15. Bajar el conjunto del tren de transmisión y del bastidor de la suspensión delantera.

16. Sacar el conjunto de montaje del motor. Sacar la tapa de inspección del volante.

17. Sacar el conjunto del motor de arranque. Observar si hay algún calzo de ajuste entre el motor de arranque y el bloque de cilindros, de modo que puedan ser reutilizados en el montaje.

18. Sacar el conjunto del soporte de la transmisión del conjunto del depósito de aceite del motor.

19. Desconectar el sensor de nivel de aceite. Sacar el conjunto del depósito de aceite del motor. No pasar por alto el perno que va a través del lateral del depósito y que enrosca en el sombrerete del cojinete principal delantero.

20. Una vez sacado el depósito, levantar el tren de transmisión y el conjunto del bastidor de la suspensión delantera de nuevo dentro de su

posición e instalar los pernos según se requiera, para asegurar de forma temporal el conjunto del bastidor. Bajar el vehículo.

21. Sacar el conjunto del depósito de recuperación de enfriante.

22. Sacar la protección de la banda propulsora serpentina.

23. Sacar la polea de la bomba de la dirección asistida, usando herramientas especiales. Desconectar el haz de alambres de control del encendido; después sacar los pernos de sujeción de la bomba y retirar la bomba a un lado.

24. Sacar del múltiple de admisión superior la tuerca abrazadera del tubo de desvío del termostato. Sacar el tubo de la bomba de agua.

25. Sacar el conjunto de la polea de la bomba de enfriante. Sacar el tubo de salida inferior del radiador de la bomba de agua.

26. Sacar el tensor de la banda propulsora serpentina.

27. Si la tapa delantera va a ser sólo desmontada, pero no reemplazada por una nueva, el sensor de posición del cigüeñal 24X puede dejarse en su lugar sobre la tapa delantera. Sólo hace falta desconectar el haz de alambres. Si la tapa va a ser reemplazada por estar dañada, sacar el sensor de la tapa delantera.

➡ Observar que este motor utiliza dos sensores de posición del cigüeñal; uno llamado el **Sensor de Posición del Cigüeñal 3X**, está en el lado del bloque de cilindros para detectar el cigüeñal. El otro sensor se llama **Sensor de Posición del Cigüeñal 24X y está montado en la parte más baja de la tapa delantera. Sólo el Sensor de Posición del Cigüeñal 24X debe ser sacado para reemplazar la tapa delantera.**

28. Sacar los pernos de la tapa delantera, anotando sus posiciones, y separar la tapa delantera del bloque de cilindros. Si se va a reemplazar la tapa, transferir la bomba de agua a la nueva tapa, asegurándose de que el centrador de la parte superior de la bomba se instala en la posición más alta (de las 12 en punto).

29. Girar el cigüeñal hasta que las marcas de sincronización en los piñones del árbol de levas y del cigüeñal están alineadas en su máxima proximidad.

30. Sacar el perno de sujeción del piñón del árbol de levas y sacar el piñón del árbol de levas y cadena de sincronización.

31. Sacar el piñón del cigüeñal, usando un extractor de engranes tipo J-5825-A o equivalente.

32. Sacar los dos pernos de sujeción del antivibrador de la cadena de sincronización y sacar el antivibrador.

Para instalar:

33. Limpiar a fondo todas las piezas y superficies de sellado de empaque. Tener en cuenta que los pernos del depósito de aceite pueden tener pequeñas juntas tóricas debajo del collarín de la cabeza de los pernos, que deben inspeccionarse con cuidado. Un sello dañado o en mal estado puede provocar una fuga de aceite.

34. Instalar el antivibrador de la cadena de sincronización y apretar los pernos de sujeción a 15 pie-lb (21 Nm).

35. Instalar el piñón del cigüeñal en el cigüeñal, asegurándose de que la muesca en el piñón encaja sobre la chaveta del cigüeñal. Asentar completamente el piñón sobre el cigüeñal usando la herramienta J-38612, o equivalente.

36. Asegurarse de que la marca de sincronización en el piñón está dirigida hacia arriba.

37. Instalar la cadena de sincronización sobre el piñón del árbol de levas y sujetar el piñón de tal forma que la marca de sincronización está dirigida hacia abajo y la cadena de sincronización cuelga del piñón.

38. Rodear por debajo el piñón del cigüeñal con la cadena de sincronización e instalar el piñón del árbol de levas sobre el árbol de levas. El piñón sólo encajará sobre el árbol de levas si la clavija de centrado del árbol de levas queda alineada con el orificio en el piñón.

39. Verificar que las marcas están alineadas (el piñón del árbol de levas estará en la posición de las 6 en punto y el piñón del cigüeñal estará en la posición de las 12 en punto).

40. En los vehículos de 1995, apretar el perno de sujeción del piñón del árbol de levas a

Nota: alinear las marcas de sincronización de los piñones del árbol de levas y del cigüeñal usando las marcas de alineación estampadas sobre el antivibrador o las marcas fundidas de alineación sobre el bloque de cárter y de cilindros

1. Antivibrador (amortiguador de vibraciones)
2. Marcas de alineación
3. Cadena de sincronización
4. Piñón del cigüeñal
5. 28 Nm (21 pie-lb)
6. Piñón del árbol de levas
7. 21 Nm (15 pie-lb)

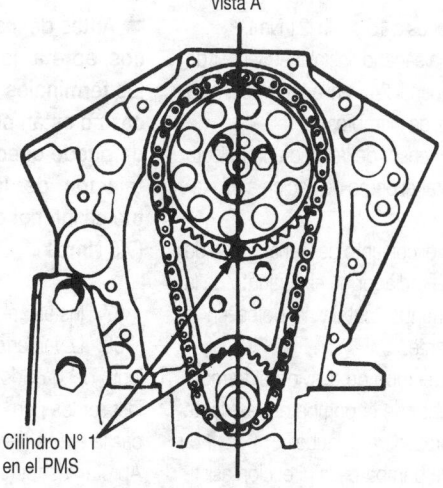

Vista A

Cilindro N° 1 en el PMS

Nota: la marca en el piñón del árbol de levas a las 6 en punto y la marca en el piñón del cigüeñal a las 12 en punto

▲ Alineación de la marca de sincronización de la cadena de sincronización y el piñón – Motores 3.1L

74 pie-lb (100 Nm). En los vehículos de 1996-99 apretar el perno a 81 pie-lb (110 Nm).

41. Lubricar los componentes de la cadena de sincronización con aceite de motor.

42. El sello del cojinete delantero del cigüeñal debe sacarse con mucho cuidado e instalar uno nuevo con el labio del sello mirando hacia el motor. Con la tapa delantera sacada, se pueden inspeccionar la cadena de sincronización y los piñones. Si se tienen que cambiar la cadena de sincronización y los piñones, girar el cigüeñal del motor hasta que las marcas de sincronización del piñón del cigüeñal y del piñón del árbol de levas estén alineadas. También tienen que haber marcas en el bloque de cilindros y en el antivibrador de la cadena (guía). Sacar el perno central del piñón del árbol de levas y sacar hacia fuera el piñón y la cadena. Usar una herramienta para sacar el piñón del cigüeñal. Cambiar la cadena y los piñones como un conjunto, teniendo cuidado de alinear todas las marcas de sincronización igual que antes.

43. Si se va a reemplazar la tapa por una de repuesto o si se va a cambiar la bomba del enfriante por una de recambio, instalar la bomba del enfriante usando una junta nueva en la tapa delantera, teniendo cuidado de que el centrador sobre la parte superior de la bomba quede instalado en la posición superior (las 12 en punto).

44. Recubrir ambos lados de las orejetas inferiores de una junta nueva de tapa delantera con sellante. Instalar el conjunto de la tapa delantera. Apretar los pernos grandes a 35 pie-lb (47 Nm) y los pernos pequeños a 15 pie-lb (21 Nm).

45. Si se había sacado, instalar el Sensor de Posición del Cigüeñal 24X en la tapa delantera y conectar el haz de alambres.

46. Instalar el tensor de la banda propulsora serpentina. Apretar el perno de fijación a 37 pie-lb (50 Nm).

47. Conectar el conjunto de la manguera de salida inferior del radiador en el conjunto de la bomba del enfriante. Instalar la polea en la bomba del enfriante.

48. Conectar el tubo de desvío del termostato en el conjunto de la bomba del enfriante con la tuerca abrazadera del tubo.

49. Colocar la bomba de la dirección asistida e instalar los pernos. Apretar los pernos a 25 pie-lb (34 Nm). Utilizando las herramientas adecuadas, instalar la polea sobre la bomba de la dirección asistida. La cara de la maza de la polea TIENE que estar enrasada con el eje propulsor de la bomba. NO usar una prensa de husillo para instalar la polea.

50. Instalar el protector de la banda propulsora serpentina.

51. Instalar el depósito de enfriante. Lubricar la manguera del depósito con agua limpia y guiarla a través del orificio en el protector térmico del ECM y hacia arriba del rácor del rebosadero del radiador, hasta que el extremo de la manguera haga tope contra el cuello de llenado.

52. Levantar el vehículo y apoyarlo de forma segura. Apoyar el tren de transmisión y el bastidor de la suspensión delantera con caballetes adecuados.

53. Sacar los pernos del tren de transmisión trasero y del bastidor de la suspensión delantera. Bajar el conjunto del tren de transmisión y bastidor de la suspensión delantera. Con esto se debe conseguir espacio para la instalación del depósito de aceite.

54. Aplicar una pequeña cantidad de sellante en cada lado del sombrerete del cojinete principal trasero, donde la superficie del sello en el sombrerete contacta con el bloque de cilindros (2 posiciones). Usando una junta nueva, instalar el depósito del aceite y los pernos de retención. Apretar los pernos de retención a 18 pie-lb (25 Nm). Instalar los pernos laterales del depósito del aceite a 37 pie-lb (50 Nm).

55. Instalar el conjunto del soporte de la transmisión en el conjunto del depósito de aceite del motor.

56. Instalar el motor de arranque. Apretar los pernos a 32 pie-lb (43 Nm). Instalar la tapa de inspección del volante.

➡ **Antes de instalar los alambres eléctricos, apretar las tuercas interiores sobre los terminales del solenoide. Si las tuercas no están prietas, la tapa del solenoide puede quedar dañada durante la instalación de los alambres. Apretar la tuerca interior del terminal BAT a 84 plg-lb (9.5 Nm).**

57. Instalar el soporte del motor.

58. Levantar el tren de transmisión y el conjunto del bastidor de la suspensión delantera e instalar los pernos de fijación. Instalar las tuercas laterales del bastidor de soporte del motor. Apretar las tuercas a 32 pie-lb (43 Nm). Sacar los caballetes del tren de transmisión y del conjunto del bastidor de la suspensión delantera.

59. Lubricar el sello del cigüeñal de la tapa delantera con aceite limpio de motor. Aplicar una pequeña cantidad de sellante en el chavetero del conjunto compensador. Instalar el compensador de vibraciones usando la herramienta

adecuada para estirar el compensador sobre el cigüeñal. Instalar el perno central y apretar a 76 pie-lb (103 Nm).

➡ **La sección de la masa de inercia del compensador del cigüeñal está acoplada a la maza con una camisa de goma. Los procedimientos de desmontaje e instalación DEBEN cumplirse usando las herramientas adecuadas, ya que, si no, el traslado de la masa de inercia sobre la maza destruiría el ajuste del equilibrio del amortiguador de vibraciones.**

60. Instalar el protector contra salpicaduras del motor.

61. Conectar el perno del árbol intermedio de la dirección. Apretar a 35 pie-lb (48 Nm). Instalar la cubierta.

62. Conectar el tubo del múltiple de escape delantero. Bajar el vehículo.

63. Sacar las herramientas fijas de soporte del motor.

64. Instalar los conjuntos de ventiladores eléctricos de enfriamiento del motor.

65. Instalar el puntal del montaje del motor y el soporte del compresor del acondicionador de aire y el soporte del puntal del montaje del motor.

66. Instalar el conjunto del panel del capó.

➡ **Tener cuidado al trabajar alrededor del capó, ya que, si no se maneja de forma apropiada, se podrían provocar daños en los cristales y en la pintura.**

67. Instalar el protector contra salpicaduras derecho del motor y los conjuntos de las ruedas delanteras.

68. Instalar la banda serpentina propulsora.

69. Llenar el cárter del cigüeñal con aceite de motor y llenar el circuito de enfriamiento. Conectar el alambre negativo del acumulador.

70. Colocar el tornillo de purga en el cuello del termostato. Asegurarse de que está cerrado pero NO apretarlo en exceso. El tornillo de purga de aire está hecho de latón blando. Arrancar el motor y dejar que se caliente. Abrir el tornillo de purga, según sea necesario, para eliminar el aire del circuito. Comprobar que no haya fugas de aceite o enfriante.

➡ **La luz de indicación de nivel bajo de enfriante puede encenderse después de realizar este procedimiento. Después de hacer funcionar el vehículo de modo que el motor se caliente y se enfríe tres veces,** si la luz de indicación de nivel bajo de enfriante NO se apaga, o está apagada durante el chequeo inicial de encendido y el nivel del enfriante es correcto (motor frío, el enfriante está a nivel de la base de la garganta del radiador), hay que hacer una revisión del sistema eléctrico para localizar la avería. Si en cualquier instante se enciende el indicador de aviso TEMP, habrá que actuar inmediatamente.

71. Probar el vehículo en carretera.

➡ Siempre que el bastidor auxiliar del vehículo se desmonte o se baje, se deberá comprobar la alineación de las ruedas.

Motor 3.8L

1. Desconectar el alambre negativo del acumulador. Drenar el circuito de enfriamiento.

2. Desconectar las mangueras del enfriante de la tapa delantera de la cadena de sincronización.

3. Apoyar el vehículo usando el equipo fijo J-28467-A o equivalente; después sacar el soporte del motor.

4. Sacar la/s banda/s propulsora/s y el tensor de la banda.

5. Levantar el vehículo y apoyarlo de forma segura. Sacar la rueda delantera derecha. Sacar el panel de acceso al guardabarros interior derecho.

6. Desacoplar los conectores del sensor de posición del árbol de levas, sensor de posición del cigüeñal y sensor de presión de aceite.

7. Impedir que gire el volante usando la herramienta J-37096, o equivalente. Sacar los pernos de fijación del compensador del cigüeñal; después usar la herramienta de extracción J-38197 o equivalente para sacar el compensador del cigüeñal.

8. Sacar el protector del sensor de posición del cigüeñal y el sensor de posición del cigüeñal.

9. Sacar los pernos entre el depósito de aceite y la tapa delantera.

10. Sacar los pernos de fijación de la tapa delantera; luego sacar la tapa.

11. Alinear las marcas de sincronización de los piñones del árbol de levas y del cigüeñal de modo que estén lo más próximas posible.

12. Sacar el antivibrador de la cadena de sincronización.

13. Sacar los pernos de fijación del piñón del cigüeñal; después sacar el piñón y la cadena de sincronización.

➡ NO girar el árbol de levas o el cigüeñal mientras están desmontados la cadena de sincronización o los piñones.

14. Limpiar a fondo todas las superficies de sellado de empaque.

Para instalar:

15. Montar la cadena de sincronización y los piñones con las marcas de sincronización alineadas. Instalar la cadena de sincronización y los piñones en el árbol de levas y cigüeñal.

16. Instalar el perno del piñón del árbol de levas y apretarlo a 74 pie-lb (100 Nm) más un giro adicional de 90 grados. Comprobar de nuevo que las marcas de sincronización de los piñones del árbol de levas y del cigüeñal permanecen alineadas.

17. Instalar el antivibrador de la cadena de sincronización y apretar a 14 pie-lb (19 Nm).

18. Sacar los tornillos y la cubierta de la bomba de aceite de detrás de la tapa delantera de la cadena de sincronización. Rellenar completamente los huecos entre los engranes de la bomba de aceite con gelatina de petróleo. No debe quedar ningún espacio con aire dentro de la bomba. Reinstalar la cubierta de la bomba y apretar los tornillos a 97 plg-lb (11 Nm).

19. Usando juntas nuevas, instalar la tapa de la cadena de sincronización en el bloque de cilindros. Apretar los pernos a 22 pie-lb (30 Nm) en los vehículos de 1995 o a 11 pie-lb (15 Nm) más un giro adicional de 40 grados en los vehículos de 1996-99. Apretar los pernos entre el depósito del aceite y la tapa delantera a 125 plg-lb (14 Nm).

20. Instalar el sensor de posición del cigüeñal y apretar los pernos a 14-28 pie-lb (20-40 Nm). Instalar el protector del sensor de posición del cigüeñal.

21. Impedir que el volante gire usando la herramienta J-37096 o equivalente. Instalar el

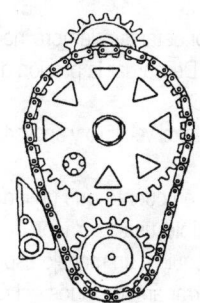

▲ Instalar la cadena de sincronización y los piñones con las marcas de sincronización alineadas y próximas – Motor 3.8L

compensador del cigüeñal y apretar el perno a 111 pie-lb (150 Nm) más un giro adicional de 76 grados.

22. Acoplar los conectores del sensor de posición del árbol de levas, sensor de posición del cigüeñal y sensor de presión de aceite.

23. Instalar el panel de acceso al guardabarros interior derecho y la rueda delantera derecha.

24. Bajar el vehículo.

25. Instalar el conjunto tensor.

26. Instalar la/s banda/s propulsora/s.

27. Instalar el soporte del motor y sacar la herramienta fija de apoyo del motor.

28. Conectar las mangueras de enfriante.

29. Conectar el alambre negativo del acumulador. Llenar y purgar el circuito de enfriamiento.

30. Arrancar el vehículo y comprobar que no haya fugas y que el funcionamiento del motor sea correcto.

SISTEMA DE COMBUSTIBLE

PRECAUCIONES DE MANTENIMIENTO DEL SISTEMA DE COMBUSTIBLE

La seguridad es el factor más importante, no sólo cuando se realiza el mantenimiento del sistema de combustible sino cualquier tipo de mantenimiento. No seguir las conductas de seguridad durante el mantenimiento y la reparación puede resultar en graves lesiones personales o incluso la muerte. El mantenimiento y la prueba de los componentes del sistema de combustible del vehículo se podrá realizar de forma segura y eficaz si se siguen estas reglas y consejos:

• Para evitar la posibilidad de incendio o lesiones personales, desconectar siempre el alambre negativo del acumulador a menos que el procedimiento de reparación o de prueba requiera la aplicación del voltaje del acumulador.

• Siempre aliviar la presión del sistema de combustible antes de desconectar cualquier elemento del sistema de combustible (inyector, raíl de combustible, regulador de presión, etc.), rácor o conector del sistema de combustible. Tener siempre una precaución extrema al aliviar la presión del sistema de combustible para evitar en todo momento la exposición de la piel, la cara o los ojos a la pulverización de combustible. Tener en cuenta que el combustible a presión puede penetrar la piel o cualquier otra parte del cuerpo con la que tenga contacto.

• Siempre colocar una toalla o trapos alrededor del rácor o conexión antes de aflojarlo, para absorber cualquier vertido o derrame de combustible. En caso de producirse un derrame de combustible, asegurarse de que este combustible no queda sobre las superficies del motor. Asegurarse de que todos los trapos o toallas mojadas con combustible se depositan en un contenedor adecuado.

• Siempre disponer de un extintor de polvo seco (clase B) cerca del área de trabajo.

• Evitar que la pulverización de combustible o sus vapores puedan tener contacto con una chispa o una llama.

• Usar siempre una llave de tuercas de apoyo para aflojar y apretar con otra llave los rácores de conexión de líneas de combustible. Esto evitará que se apliquen esfuerzos y torsiones innecesarios en los tubos de combustible. Siempre adherirse a las especificaciones de torque de apriete.

• Reemplazar siempre las juntas tóricas desgastadas con nuevas juntas. No sustituir tubos de combustible por mangueras de combustible.

PRESIÓN DEL SISTEMA DE COMBUSTIBLE

DESCARGA

▼ PRECAUCIÓN ▼

El sistema de inyección de combustible permanece con presión, incluso después de que el contacto del motor se haya desconectado (OFF). La presión del sistema de combustible debe aliviarse antes de desconectar cualquier tubo de combustible. Si no se hace así, existe riesgo de incendio y/o lesiones personales. Tener en cuenta que, incluso después de descargar la presión del sistema de combustible, una pequeña cantidad de combustible puede escaparse durante la revisión de tubos y conexiones. Para reducir las posibilidades de lesiones personales, cubrir las conexiones de los tubos de combustible con un trapo antes de desconectarlas, para recoger todo el combustible que pudiese escaparse.

1. Desconectar el alambre negativo del acumulador para impedir posibles descargas de combustible en caso de que accidentalmente se intentara arrancar el vehículo.

2. Aflojar el tapón de llenado del combustible para aliviar la presión del depósito de combustible.

3. Este procedimiento requiere el uso de la herramienta especial GM J-34730-1A o equivalente. Ésta es un manómetro de prueba con una línea equipada con un rácor para ser conectado a la conexión de prueba a presión y otra manguera para descargar en un recipiente homologado. Envolver una toalla alrededor del rácor mientras se realiza la conexión del manómetro para evitar derrames.

4. Colocar la manguera de purga en un recipiente homologado y abrir la válvula del manómetro para aliviar la presión del sistema. Las conexiones de combustible son ahora seguras para realizar su mantenimiento.

5. Drenar todo el combustible que quede en el manómetro en un recipiente homologado.

6. Reconectar el alambre negativo del acumulador a menos que se vaya a realizar algún trabajo de mantenimiento adicional.

FILTRO DE COMBUSTIBLE

DESMONTAJE E INSTALACIÓN

▼ PRECAUCIÓN ▼

El sistema de inyección de combustible permanece con presión, incluso después de que el contacto del motor se haya desconectado (OFF). La presión del sistema de combustible debe descargarse antes de desconectar cualquier tubo de combustible. Si no se hace así, existe riesgo de incendio y/o lesiones personales.

1. Desconectar el alambre negativo del acumulador. Descargar la presión del sistema de combustible.

2. Levantar el vehículo y apoyarlo de forma segura.

3. Tener en cuenta que un lado del filtro de combustible usa un rácor de conexión rápida. Se requiere un manejo especial. Para sacarlo, agarrar ambos lados del rácor. Girar el conector hembra ¼ de vuelta en ambos sentidos para aflojar la suciedad que haya dentro del rácor.

▼ PRECAUCIÓN ▼

Se deben llevar gafas de seguridad siempre que se trabaje con aire comprimido, puesto que las partículas de suciedad volantes pueden causar lesiones en los ojos.

4. Limpiar la suciedad del rácor, usando aire comprimido.

5. Si equipa un rácor de plástico, estrujar las orejetas del retenedor de plástico y separar la conexión.

6. Si equipa un rácor metálico, escoger la herramienta especial adecuada J-37088-A, J-39504 o conjunto de herramientas equivalente para el tamaño de rácor correcto. Insertar la herramienta en el conector hembra; luego empujar y estirar para liberar las orejetas de bloqueo. Separar la conexión con cuidado.

7. Sacar la tuerca del tubo de alimentación del lado de salida del filtro del combustible.

8. Sacar el filtro del combustible del soporte.

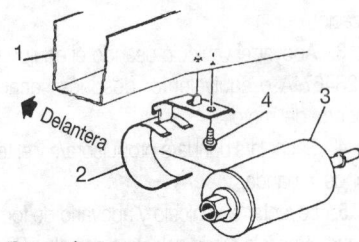

1. Carrocería
2. Abrazadera del filtro de combustible
3. Filtro de combustible
4. Tornillo – apretado hasta el fondo, asentado y no pelado

▲ Montaje normal del filtro de combustible

Para instalar:

9. Instalar el filtro de combustible en el soporte.

10. Usar una llave fija de apoyo sobre el rácor de entrada mientras se aprieta con otra llave la tuerca de salida del filtro de combustible a 22 pie-lb (30 Nm).

11. Aplicar unas gotas de aceite limpio de motor en el extremo macho del tubo.

12. Presionar ambas partes del rácor, una contra otra, para hacer que las orejetas/dedos de retención encajen en su posición.

13. Una vez instalado, estirar de ambos lados del rácor para asegurarse de que la conexión es segura.

14. Bajar el vehículo de forma segura.

15. Apretar el tapón de llenado de combustible.

16. Girar el interruptor de encendido a la posición ON para presurizar el sistema de combustible para comprobar si hay fugas.

BOMBA DE COMBUSTIBLE

DESMONTAJE E INSTALACIÓN

▼ PRECAUCIÓN ▼

El sistema de inyección de combustible de estos vehículos permanece con presión, incluso después de que el contacto del motor se haya desconectado (OFF). La presión del sistema de combustible debe descargarse, antes de desconectar un tubo de combustible. Si no se hace así, existe riesgo de incendio y/o lesiones personales.

1. Descargar la presión del sistema de combustible. Desconectar el alambre negativo del acumulador.

▼ PRECAUCIÓN ▼

Tener en cuenta todas las precauciones de seguridad aplicables al trabajar con combustible. No permitir que los vapores o pulverizaciones de combustible alcancen una chispa o una llama. Tener un extintor de polvo seco (clase B) cerca del lugar de trabajo. No drenar o almacenar nunca el combustible en un recipiente abierto para evitar la posibilidad de incendio o de explosión.

2. En los vehículos Lumina, Monte Carlo, Buick 1995-96, Oldsmobile y Pontiac, drenar y sacar el depósito de combustible siguiendo el procedimiento recomendado. En el resto de vehículos, sacar la rueda de repuesto; después sacar el panel de acceso a la bomba de combustible.

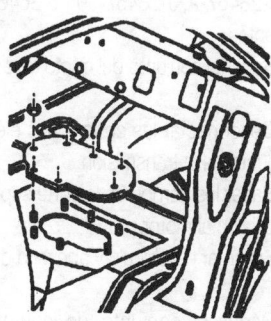

▲ Panel de acceso a la bomba de combustible – Modelos Buick de 1997-99, Olds y Pontiac

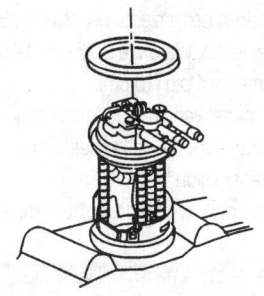

▲ Sacar la bomba de combustible del depósito después de haber sacado el aro de bloqueo

3. Desconectar las conexiones rápidas del conjunto del suministrador de combustible y sacar las líneas de combustible.

4. Usando una llave ajustable J-35731 o equivalente, sacar la anilla de bloqueo del suministrador de combustible.

5. Sacar el conjunto del suministrador con cuidado fuera del depósito de combustible.

6. Sacar de la parte de arriba del depósito la junta tórica del suministrador y descartarla.

▼ AVISO ▼

NO poner en marcha la bomba de combustible a menos que esté sumergida en combustible. Arrancar la bomba en seco causaría graves daños a la bomba de combustible y podría provocar la explosión de la bomba debido al oxígeno del aire.

7. Observar la posición del colador de la bomba de combustible en la bomba y, mientras se sujeta el conjunto de la bomba con una mano, girar y sacar el colador del combustible y desecharlo.

8. Desconectar el conector eléctrico de la bomba de combustible.

9. Sacar la abrazadera de la línea de combustible en la parte superior de la bomba.

10. Sujetar el suministrador de combustible boca abajo sobre un banco de trabajo y sacar la bomba de combustible fuera del soporte inferior de montaje. Una vez separada la bomba del soporte inferior de montaje, ladear la bomba hacia fuera y desconectar la bomba del conjunto del suministrador.

Para instalar:

11. Instalar el paragolpes de goma y el aislador de la bomba de combustible.

12. Sujetar el suministrador de combustible boca abajo e instalar la bomba de combustible entre el amortiguador de pulsos del combustible y el soporte de montaje.

13. Conectar el conector eléctrico de la bomba de combustible.

14. Instalar la abrazadera en la línea de combustible.

15. Instalar un colador de combustible nuevo en el borde externo del anillo de refuerzo hasta que esté bien encajado. El colador debe estar mirando en la misma dirección que antes de su desmontaje.

16. Instalar una nueva junta tórica en la parte superior del depósito de combustible e instalar el conjunto de suministro.

17. Instalar la anilla de bloqueo usando la J-35731 o una llave equivalente.

18. En los vehículos Lumina, Monte Carlo, Buick 1995-96, Oldsmobile y Pontiac, instalar y llenar el depósito de combustible. En el resto de vehículos, instalar el panel de acceso a la bomba de combustible. Apretar las tuercas a 8 pie-lb (11 Nm) e instalar la rueda de repuesto y la cubierta.

19. Conectar el alambre negativo del acumulador. Girar el contacto a la posición ON para presurizar el sistema de combustible y comprobar que no hay fugas.

TREN DE TRANSMISIÓN

Para información sobre el cambio del fuelle de la junta VC, ver el capítulo 19 de reparación de ejes propulsores, juntas universales y fuelles de juntas VC.

CONJUNTO DE TRANSEJE

DESMONTAJE E INSTALACIÓN

➡ Estas transmisiones (transejes) se usaron en una gran variedad de vehículos de General Motors. Debido al año del modelo, modelo de vehículo y opciones instaladas, los procedimientos de desmontaje e instalación pueden variar ligeramente. Los procedimientos que se dan aquí deben ser suficientes para la mayoría de vehículos que usan estas transmisiones.

Transejes automáticos de 3 velocidades 3T40

1. Sacar el conjunto del filtro de aire.

2. Desconectar el alambre negativo del acumulador.

3. Sacar el depósito de recuperación del enfriante.

4. Sacar los chicotes de control del cambio y de la TV en la transmisión.

5. Sacar la abrazadera del chicote del ahogador y la manguera del servofreno si dispone de él.

6. Sacar los dos puntales de torque del motor.

7. Sacar el soporte del puntal de torque izquierdo.

8. Sacar las líneas del enfriador de aceite de la transmisión en la transmisión y taponar las líneas.

9. Instalar las herramientas especiales de soporte de motores J-28467-A, J-28467-90 y J-36462, o equivalentes.

10. Levantar el vehículo de forma segura.

11. Sacar el conjunto de neumático y rueda.

12. Sacar los conjuntos de soportes de mordazas y rotores de freno.

13. Sacar ambos protectores contra salpicaduras inferiores del motor.

14. Sacar los conjuntos de ejes.

15. Sacar las barras de acoplamiento y rótulas esféricas.

16. Sacar el protector térmico de la cremallera y el piñón, y el conector eléctrico.

17. Sacar los pernos que sujetan el haz de alambres principal del motor en la transmisión.

18. Atar con alambres el conjunto de cremallera y piñón en el escape y sacar los pernos de la cremallera y el piñón del bastidor.

19. Sacar los pernos que sujetan las líneas de la dirección asistida en el bastidor.

20. Sacar del bastidor los soportes del motor y la transmisión.

21. Apoyar el bastidor con caballetes por cada extremo.

22. Sacar los pernos del bastidor.

23. Con un ayudante, sacar el bastidor y los caballetes.

24. Sacar la cubierta del volante.

25. Sacar los pernos del convertidor de torque.

26. Sacar el motor de arranque y suspenderlo con alambres de mecánico.

27. Sacar el alambre de masa de la transmisión.

28. Sacar el perno del tubo de llenado de la transmisión.

29. Sacar el soporte de montaje de la transmisión.

30. Sacar el tirante de la transmisión al motor.

31. Bajar el vehículo de forma segura.

32. Sacar el conector eléctrico en la transmisión.

33. Sacar el tubo de llenado de la transmisión.

34. Usando la herramienta especial J-28467-A, o equivalente, bajar la parte izquierda del motor aproximadamente 4 plg (10 cm).

35. Levantar el vehículo de forma segura.

36. Sacar el soporte de la línea de combustible de la transmisión.

37. Sacar los pernos de la transmisión al motor.

38. Sacar la transmisión del vehículo.

Para instalar:

39. Aplicar un poco de grasa MP (todo uso) en la maza piloto del convertidor de torque.

40. Colocar la transmisión en el vehículo.

41. Instalar los pernos de la transmisión al motor y apretar a 55 pie-lb (75). Sacar el gato de transmisión.

42. Instalar el soporte de la línea de combustible en la transmisión.

43. Bajar el vehículo de forma segura.

44. Usando la herramienta especial J-28467-A, o equivalente, levantar el vehículo hasta su posición apropiada.

45. Instalar el tubo de llenado de aceite de la transmisión.

46. Conectar el conector eléctrico en la transmisión.

47. Levantar el vehículo de forma segura.

48. Instalar y apretar el tirante del motor a la transmisión a 35 pie-lb (47 Nm).

49. Instalar el soporte de montaje del motor.

50. Instalar el perno del tubo de llenado de la transmisión.

51. Con un ayudante, colocar y apoyar el bastidor debajo del vehículo.

52. Instalar pernos nuevos del bastidor a la carrocería y apretar los pernos a 125 pie-lb (170 Nm).

53. Sacar los apoyos del bastidor.

54. Bajar el vehículo de forma segura y colocar el montaje del motor y la transmisión en el bastidor.

55. Levantar el vehículo de forma segura.

56. Instalar y apretar los pernos del convertidor de torque al volante a 46 pie-lb (63 Nm).

57. Instalar la cubierta del volante.

58. Instalar el conjunto del motor de arranque.

59. Instalar el alambre de masa en la transmisión.

60. Instalar las rótulas esféricas y las barras de acoplamiento.

61. Instalar los conjuntos de los ejes.

62. Instalar los conjuntos de los rotores y soportes de mordazas.

63. Instalar la cremallera y piñón con sus líneas acopladas en el bastidor.

64. Instalar el conector eléctrico de la cremallera y el piñón y los protectores térmicos.

65. Instalar ambos protectores contra salpicaduras inferiores del motor.

66. Instalar el haz principal de alambres del motor en la caja de la transmisión.

67. Instalar los conjuntos de ruedas y neumáticos.

68. Bajar el vehículo de forma segura.

69. Sacar las herramientas de soporte del motor.

70. Instalar el soporte del chicote del ahogador y la línea del servofreno, si lo equipa.

71. Instalar el soporte del puntal de torque.

72. Instalar las líneas del enfriado de aceite de la transmisión en la transmisión.

73. Instalar los puntales de torque.

74. Instalar los chicotes de control del cambio y de la TV en la transmisión.

75. Instalar el depósito de recuperación de enfriante.

76. Conectar el alambre negativo del acumulador.

77. Instalar el conjunto del filtro de aire.

78. Ajustar el varillaje del cambio y los chicotes de la TV.

79. Arrancar el motor y comprobar el nivel de aceite del motor y de la transmisión. Añadir aceite según sea necesario.

Transejes automáticos de 4 velocidades 4T60-E y 4T65

1. Sacar el conjunto del capó; hacer una marca en el área del gozne que sirva de referencia en la instalación.

2. Sacar el conjunto de la varilla indicadora de nivel de fluido de la transmisión.

3. Sacar los soportes del puntal del montaje del motor.

4. Sacar los conjuntos de los ventiladores eléctricos de enfriamiento del motor.

5. Instalar las herramientas de apoyo del motor J-28467-A, J-28467-90 y J-36462, o las equivalentes.

6. Sacar el conjunto del ducto de admisión de aire.

7. Desconectar las conexiones eléctricas del conjunto de la transmisión.

8. Sacar los pernos de la parte superior de la transmisión al motor.

9. Levantar el vehículo y apoyarlo de forma segura.

10. Sacar el conjunto de neumático y rueda. Marcar la posición de la rueda en los birlos (espárragos) de rueda, antes de su desmontaje, para tener una referencia al instalarla.

11. Sacar el conjunto de la protección contra salpicaduras del tablero de mandos del parachoques delantero izquierdo.

12. Sacar el tubo del múltiple de escape delantero.

13. Sacar el conjunto del protector térmico del mecanismo de la dirección.

14. Sacar los pernos del mecanismo de la dirección.

15. Sacar los conjuntos de los brazos de control delanteros inferiores de los conjuntos de los postes de la suspensión delantera.

16. Sacar el conjunto del tubo de enfriamiento del fluido de la dirección asistida.

17. Apoyar de forma segura el tren de transmisión y el conjunto del bastidor de la suspensión delantera con caballetes fijos.

18. Sacar las tuercas del soporte lateral del montaje de la transmisión.

19. Sacar las tuercas laterales del bastidor del montaje del motor.

20. Sacar el tirante de la transmisión.

21. Sacar el tren de transmisión y el conjunto del bastidor de la suspensión delantera.

22. Desconectar el conector eléctrico del sensor de velocidad del motor.

23. Sacar de la transmisión los conjuntos de flechas de transmisión (ejes propulsores) de las ruedas delanteras.

24. Sacar el conjunto de la cubierta del convertidor de la transmisión.

25. Sacar el conjunto del motor de arranque.

26. Sacar los pernos del convertidor de la transmisión.

27. Sacar los conjuntos de tubos inferior y superior del enfriador de aceite de la transmisión.

28. Instalar un gato para transmisiones.

29. Sacar el conjunto de soporte de la transmisión del conjunto motor.

30. Sacar el conjunto del tubo de llenado de fluido de la transmisión.

31. Sacar el conjunto de la transmisión del vehículo.

32. Sacar el conjunto del convertidor de torque de la transmisión del conjunto de la transmisión.

33. Sacar el conjunto de la transmisión del gato de transmisiones.

Para instalar:

34. Instalar el conjunto de la transmisión sobre el gato de transmisiones.

35. Si se había sacado, instalar el convertidor de torque en el conjunto de la transmisión.

36. Instalar el conjunto de la transmisión en el motor. Apretar los pernos inferiores traseros de la transmisión al motor a 55 pie-lb (75 Nm).

37. Instalar el conjunto del tubo de la varilla de nivel.

38. Instalar el conjunto del soporte de la transmisión en el motor y apretar los pernos a 43 pie-lb (58 Nm).

39. Sacar el caballete de seguridad del conjunto de la transmisión.

40. Instalar los conjuntos de tubos superior e inferior del enfriador de aceite de la transmisión.

41. Instalar y apretar los pernos del convertidor de torque en la transmisión a 46 pie-lb (63 Nm).

42. Instalar el conjunto del motor de arranque.

43. Instalar el conjunto de la cubierta del convertidor de la transmisión.

44. Instalar y apretar los pernos de la cubierta del convertidor en la transmisión a 89 plg-lb (10 Nm).

45. Instalar los conjuntos de los ejes propulsores (flechas de transmisión) de las ruedas delanteras a la transmisión.

46. Instalar y apretar los pernos del tren de transmisión y del bastidor de la suspensión delantera a 107 pie-lb (145 Nm).

47. Instalar los tirantes y soportes de la transmisión. Apretar los pernos de fijación a 39 pie-lb (53 Nm).

48. Sacar los caballetes de seguridad del tren de transmisión y del conjunto del bastidor de la suspensión delantera.

49. Instalar el conjunto del tubo del fluido de enfriamiento de la dirección asistida.

50. Instalar los conjuntos de los brazos de control inferior a los postes de las suspensiones delanteras.

51. Instalar los pernos del mecanismo de la dirección y el conjunto del protector térmico.

52. Instalar el tubo del múltiple de escape delantero en el motor.

53. Instalar el conjunto de protección contra salpicaduras del tablero de mandos del parachoques delantero izquierdo.

54. Instalar el conjunto del neumático y rueda, alineando las marcas hechas durante el desmontaje.

55. Bajar el vehículo de forma segura.

56. Instalar y apretar los pernos superiores de la transmisión al motor a 55 pie-lb (75 Nm).

57. Instalar el conjunto del selector de rango de la transmisión en el conjunto de la transmisión.

58. Acoplar los conectores eléctricos en el conjunto de la transmisión.

59. Instalar el conjunto del ducto de aire de admisión.

60. Sacar las herramientas fijas de apoyo del motor.

61. Instalar los conjuntos de ventiladores de enfriamiento del motor.

62. Instalar los soportes del puntal de montaje del motor.

63. Instalar el conjunto del indicador de nivel de fluido de la transmisión.

64. Instalar el conjunto del panel del capó.

65. Arrancar el motor y comprobar que no haya fugas.

66. Comprobar el nivel de fluido en la transmisión y ajustar el varillaje del cambio.

67. Probar el vehículo en carretera para verificar el funcionamiento correcto del cambio y la marcha suave del vehículo.

SEMIEJE

DESMONTAJE E INSTALACIÓN

➡ **Si el vehículo equipa frenos ABS, tener cuidado de no dañar el anillo dentado del ABS. Los daños en este anillo pueden provocar que la característica del autodiagnóstico del ABS establezca un código de avería del sistema.**

1. Desconectar el alambre negativo del acumulador.

2. Levantar el vehículo y apoyarlo de forma segura. Sacar el conjunto de la rueda y el neumático.

3. Sacar la tuerca del eje propulsor (semieje) de la rueda delantera.

4. Sacar los conjuntos de soportes y de mordazas de freno, y colgar las mordazas del poste con alambre de mecánico.

5. Sacar los rotores de freno.

6. Sacar los cuatro pernos de fijación de la maza/cojinete y sacar la maza.

7. Sacar el perno de sujeción del sensor del ABS y retirar el sensor aparte, si dispone de frenos con ABS.

8. Colocar un depósito de drenaje bajo la transmisión.

➡ **Tener cuidado al sacar el semieje. Las juntas universales de tres rodillos radiales (juntas tripot) pueden quedar dañadas si el eje propulsor sufre sobreextensiones. Es importante manipular el semieje de manera que se eviten alargamientos excesivos.**

9. Sacar el semieje del vehículo, siguiendo el procedimiento recomendado para cada lado y para cada modelo de transmisión:

a. Para sacar el semieje derecho, usar las herramientas especiales J-33008, J-29794 y J-2619-01, o equivalentes. Separar el semieje de la transmisión.

b. Para sacar el semieje izquierdo en una transmisión 3T40, usar las herramientas especiales J-33008, J-29794 y J-2619-01, o equivalentes. Separar el semieje de la transmisión.

c. Para sacar el semieje izquierdo, usando el bastidor para hacer palanca, separar el semieje de la transmisión, con una herramienta de palanca adecuada, aplicada en la muesca preparada para ello en la junta interior.

10. Sacar el conjunto del semieje/cojinete a través de la articulación.

Para instalar:

11. Instalar el conjunto del semieje/cojinete a través de la articulación y dentro de la transmisión. Sacar la herramienta especial J-37292-A, o equivalente, y desecharla.

12. Colocar correctamente el sensor del ABS e instalar el perno de sujeción, en caso de haberse sacado.

13. Asegurar sin apretarlo el cojinete a los pernos de la articulación.

14. Asentar el semieje dentro de la transmisión, usando una herramienta palanca adecuada aplicada en la muesca preparada para ello sobre la junta interior. Hacer palanca con cuidado contra el bastidor o el brazo de control inferior para asentar el semieje.

15. Verificar que el aro de resorte está asentado dando unos golpes suaves con una palanca sobre la muesca interior. Agarrar el alojamiento interior del eje propulsor y tirar hacia fuera. No tirar del mismo eje propulsor. Si el aro de resorte está correctamente asentado, el eje permanecerá en su sitio.

16. Instalar el conjunto de la maza y cojinete en el eje, con una tuerca y arandela nuevas. Apretar los pernos a 60 pie-lb (80 Nm).

17. Instalar el rotor del freno.

18. Instalar la mordaza del freno y el soporte de fijación y apretar los pernos desplazables de la mordaza a 80 pie-lb (108 Nm).

19. Instalar el conjunto de la rueda y el neumático.

20. Bajar el vehículo de forma segura.

➡ No reutilizar la tuerca vieja de eje propulsor de la rueda delantera. Usar siempre una tuerca de eje propulsor de rueda delantera nueva, de características similares, al instalar la tuerca. No usar una tuerca tipo Nylock o de giro libre.

21. Instalar la tuerca del eje propulsor de la rueda delantera y apretar a 150 pie-lb (205 Nm).

22. Conectar el alambre negativo del acumulador.

DIRECCIÓN Y SUSPENSIÓN

AIR BAG

▼ PRECAUCIÓN ▼

Estos modelos van equipados con un sistema de air bag (bolsa [saco] de aire), también conocido como Sistema Restringido de Hinchado Suplementario (SIR) o Sistema Restringido Suplementario (SRS). Este sistema debe ser desactivado de forma adecuada siempre que se trabaje en, o cerca de, alguno de los componentes del sistema, de la columna de la dirección, de los componentes del panel de instrumentos, de alambres y de sensores. Si no se siguen los procedimientos de seguridad y de desactivación, el air bag podría desplegarse accidentalmente, lo que podría causar lesiones personales y gastos de reparación innecesarios.

PRECAUCIONES

Se deben observar varias medidas de seguridad, cuando se maneja el módulo de hinchado, para evitar su despliegue accidental y posibles lesiones personales.

• Nunca transportar el módulo de hinchado cogido por los alambres o por el conector sobre el lado inferior del módulo.

• Cuando se transporta un módulo de hinchado activado, sujetarlo de forma segura con ambas manos y asegurarse de que la bolsa y el recubrimiento de tejido miran hacia fuera.

• Colocar el módulo de hinchado sobre un banco u otra superficie, con la bolsa y el recubrimiento de tejido mirando hacia arriba.

• Con el módulo de hinchado sobre el banco, nunca colocar nada sobre o cerca del módulo, que pudiera salir despedido en caso de un despliegue accidental del módulo.

DESARMADO

▼ PRECAUCIÓN ▼

El Sistema Restringido Suplementario (SRS) debe ser desactivado, antes de proceder a realizar mantenimientos, cerca del air bag o de los alambres del SRS. Si no es así, el air bag podría desplegarse accidentalmente, lo que podría causar lesiones personales y gastos de reparación innecesarios.

1. Girar el volante de forma que las ruedas del vehículo queden dirigidas rectas hacia el frente.

2. Girar el interruptor de ignición a la posición de cerrado LOCK y sacar la llave.

3. Desconectar el alambre negativo del acumulador.

4. Sacar el fusible del air bag del bloque de fusibles del panel de instrumentos.

➡ La posición del fusible dentro del panel varía de acuerdo con el modelo y año. Consultar el manual de usuario del vehículo para localizar la posición del fusible.

5. Sacar el aislante acústico izquierdo (panel acolchado debajo del panel de instrumentos).

6. Sacar el Seguro de Posición del Conector (CPA) y desacoplar el conector amarillo de 2 vías de la base de la columna de la dirección.

7. Si dispone de air bag en el lado del acompañante, sacar el CPA y desconectar el conector amarillo de 2 vías. Las posiciones del conector varían desde detrás de la cajuela de guantes al sacar el aislante acústico derecho y encontrar el conector amarillo.

REARMADO

1. Girar el volante de forma que las ruedas del vehículo queden orientadas rectas hacia delante.

2. Girar el interruptor de encendido a la posición de cerrado LOCK y sacar la llave.

3. Desconectar el alambre negativo del acumulador.

4. Conectar el conector amarillo de 2 vías en la base de la columna de la dirección e instalar el CPA.

5. Instalar el aislante acústico izquierdo.

6. Acoplar el conector amarillo de 2 vías sobre el lado derecho e instalar el CPA, si dis-

pone de él. Instalar el aislante acústico y/o la cajuela de guantes.

7. Instalar el fusible del air bag.

8. Conectar el alambre negativo del acumulador.

9. Girar el contacto de interruptor de encendido a la posición de arranque RUN y comprobar que la lámpara indicadora del air bag parpadea 7-9 veces y después se apaga (OFF). Si la lámpara no funciona tal como se especifica aquí, hay un mal funcionamiento del sistema del air bag.

DIRECCIÓN ASISTIDA DE CREMALLERA Y PIÑÓN

DESMONTAJE E INSTALACIÓN

Excepto motor 3.4L

1. Desconectar el alambre negativo del acumulador.

2. Levantar el vehículo y apoyarlo de forma segura.

3. Sacar las ruedas delanteras.

4. Sacar la conexión eléctrica del presostato del mecanismo de la dirección.

5. Sacar el perno retenedor del árbol intermedio en el mecanismo de la dirección y desconectar el árbol intermedio del grupo de la cremallera y piñón.

▼ PRECAUCIÓN ▼

Si no se desconecta el árbol intermedio del eje corto (mango) de la cremallera y piñón, el mecanismo de la dirección puede sufrir daños. Estos daños pueden provocar la pérdida de control de la dirección y ser causa de lesiones personales.

➡ Fijar el árbol de la dirección de modo que el diente de bloqueo en la parte superior del árbol de la dirección se encuentre en la posición de las 12 en punto. Las ruedas deben estar rectas al frente. Girar el contacto del encendido a la posición de cerrado, LOCK. Si no se siguen estos procedimientos, se pueden provocar daños al conjunto de la bobina del SIR.

6. Sacar los pasadores de seguridad y las tuercas de corona (almenadas) de los extremos exteriores de las barras de acoplamiento y

separar las barras de acoplamiento de las articulaciones de la dirección, usando una herramienta de extracción de barras de acoplamiento J-35917, o equivalente.

7. Apoyar la parte trasera del bastidor auxiliar con un gato ajustable adecuado.

➡ NO bajar demasiado el bastidor. Los componentes del motor cercanos a la pared cortafuegos podrían sufrir daños.

8. Sacar los pernos de la parte trasera del bastidor y bajar la parte trasera del bastidor hasta 5 plg (128 mm).

9. Sacar el protector térmico, abrazadera de retención del tubo y los tubos de fluido del conjunto de la cremallera. Utilizar llaves de tuercas con boquilla para sacar los tubos de fluido.

10. Sacar los pernos y las tuercas de sujeción de la cremallera.

11. Sacar el conjunto de la cremallera hacia fuera a través del hueco de la rueda izquierda.

Para instalar:

12. Instalar el conjunto de la cremallera a través del hueco de la rueda izquierda.

13. Instalar los pernos y las tuercas de sujeción y apretar a 59 pie-lb (80 Nm).

14. Conectar las líneas de fluido de la dirección asistida con juntas tóricas nuevas en el conjunto de la cremallera y piñón. Apretar los rácores a 20 pie-lb (27 Nm).

15. Instalar las abrazaderas de fijación del tubo y el protector térmico.

16. Levantar el bastidor e instalar los pernos traseros y apretarlos a 103 pie-lb (140 Nm).

17. Conectar los extremos de la barra de acoplamiento a las articulaciones de la dirección y apretar las tuercas con corona a 40 pie-lb (54 Nm). Si es necesario para alinear los orificios del pasador de seguridad, apretar ligeramente las tuercas hasta que los pasadores de seguridad puedan ser instalados. No aflojar NUNCA las tuercas para alinear los orificios.

18. Conectar el árbol intermedio al eje corto (mangueta) y apretar el perno inferior de fijación a 35-40 pie-lb (47-54 Nm).

19. Instalar las ruedas delanteras y apretar según especificaciones.

20. Bajar el vehículo.

21. Conectar el alambre negativo del acumulador.

22. Rellenar y purgar el sistema de la dirección asistida.

➡ Siempre que se baja o se saca el bastidor auxiliar del vehículo, hay que comprobar la alineación de las ruedas.

23. Comprobar la alineación de las ruedas y ajustar según sea necesario.

Motor 3.4L

1. Desconectar el alambre negativo del acumulador. Sacar el conjunto del filtro y ducto de aire.

2. Instalar las herramientas fijas de apoyo de motores J-28467-A, J-28467-90 y J-36462, o equivalentes.

3. Levantar el vehículo y apoyarlo de forma segura.

4. Sacar la rueda delantera izquierda.

5. Aflojar el protector contra salpicaduras derecho del motor.

6. Sacar las tuercas derecha e izquierda de las barras de acoplamiento y las barras de acoplamiento de la articulación de la dirección.

7. Sacar el perno de fijación del árbol intermedio en el mecanismo de la dirección y desconectar el árbol intermedio del grupo de la cremallera y piñón.

▼ PRECAUCIÓN ▼

Si no se desconecta el árbol intermedio del eje corto (mango) de la cremallera y piñón, el mecanismo de la dirección puede sufrir daños. Estos daños pueden provocar la pérdida de control de la dirección y ser causa de lesiones personales.

➡ Fijar el árbol de la dirección, de modo que el diente de bloqueo en la parte superior del árbol de la dirección se encuentre en la posición de las 12 en punto. Las ruedas deben estar rectas al frente. Girar el contacto del encendido a la posición de cerrado LOCK. Si no se siguen estos procedimientos se pueden provocar daños al conjunto de la bobina del SIR.

8. Sacar la conexión eléctrica del presostato del mecanismo de la dirección.

9. Sacar el tubo de escape y el conjunto del convertidor catalítico.

10. Apoyar el bastidor en su parte trasera central, usando caballetes de seguridad.

➡ NO bajar demasiado el bastidor. Los componentes del motor cercanos a la pared cortafuegos podrían sufrir daños.

11. Sacar los pernos de la parte trasera del bastidor y bajar la parte trasera del bastidor hasta 3 plg (76 mm).

12. Sacar el protector térmico, la abrazadera de retención del tubo y los tubos de fluido del conjunto de soporte. Utilizar llaves de tuercas con boquilla para sacar los tubos de fluido.

13. Sacar los pernos y las tuercas de soporte de la cremallera y piñón.

14. Sacar el conjunto de la cremallera y piñón hacia fuera a través del hueco de la rueda izquierda.

15. Cambiar los sellos del eje corto (mangueta).

Para instalar:

16. Instalar el conjunto (cremallera y piñón) a través del hueco de la rueda.

17. Instalar los pernos y las tuercas de sujeción y apretar a 59 pie-lb (80 Nm).

18. Conectar las líneas de fluido de la dirección asistida con juntas tóricas nuevas en el

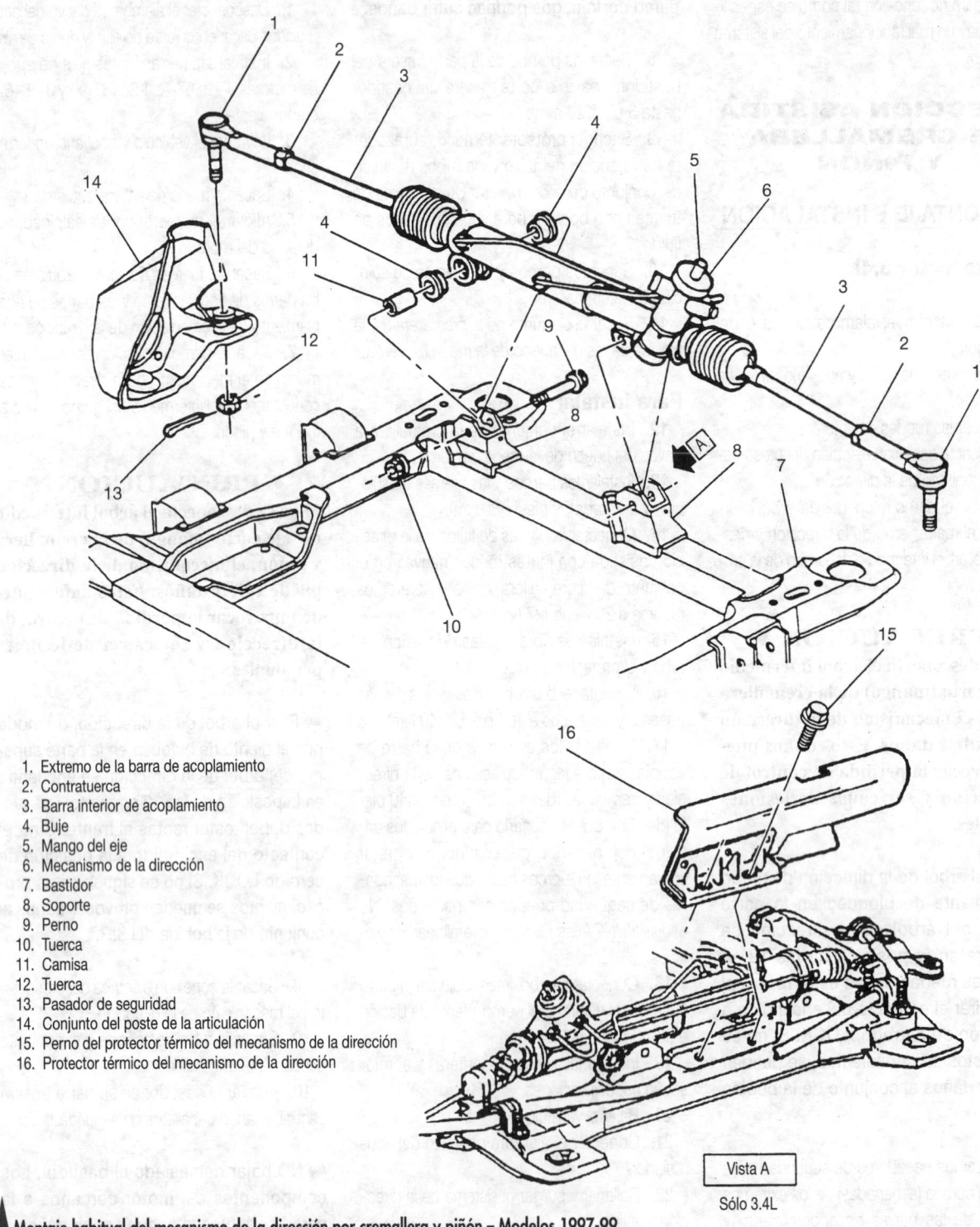

1. Extremo de la barra de acoplamiento
2. Contratuerca
3. Barra interior de acoplamiento
4. Buje
5. Mango del eje
6. Mecanismo de la dirección
7. Bastidor
8. Soporte
9. Perno
10. Tuerca
11. Camisa
12. Tuerca
13. Pasador de seguridad
14. Conjunto del poste de la articulación
15. Perno del protector térmico del mecanismo de la dirección
16. Protector térmico del mecanismo de la dirección

Vista A

Sólo 3.4L

▲ Montaje habitual del mecanismo de la dirección por cremallera y piñón – Modelos 1997-99

conjunto de la cremallera y piñón. Apretar los rácores a 20 pie-lb (27 Nm).

19. Instalar las abrazaderas de fijación del tubo de la dirección asistida y protector térmico.

20. Levantar el bastidor y alinear el eje corto (mango) del mecanismo de la dirección con el árbol intermedio de la dirección. Instalar los pernos traseros y apretarlos a 103 pie-lb (140 Nm).

21. Sacar los caballetes de seguridad de la parte central trasera del bastidor.

22. Instalar el tubo de escape y conjunto del convertidor catalítico.

23. Conectar la conexión eléctrica del interruptor de presión del mecanismo de la dirección.

▼ PRECAUCIÓN ▼

Al instalar el árbol intermedio, asegurarse de que el árbol está bien asentado antes de la instalación del perno de retención. Si el perno de retención se inserta en el acoplamiento antes de la instalación del árbol intermedio, las dos superficies en contacto pueden desacoplarse provocando la pérdida del gobierno de la dirección.

24. Conectar el árbol intermedio en el mango y apretar el perno de retención inferior a 35 pie-lb (47 Nm).

25. Conectar los extremos de las barras de acoplamiento en las articulaciones de la dirección y apretar las tuercas con corona a 40 pie-lb (54 Nm). Se permite realizar un apriete adicional si esto es necesario para alinear los orificios del pasador de seguridad. No aflojar NUNCA las tuercas para alinear los orificios.

26. Instalar el protector contra salpicaduras derecho del motor.

27. Instalar la rueda delantera izquierda.

28. Bajar el vehículo.

29. Sacar las herramientas fijas de apoyo del motor.

30. Conectar el alambre negativo del acumulador. Instalar el conjunto del filtro y ducto de aire.

31. Rellenar y purgar el sistema de la dirección asistida.

➡ **Siempre que se baja o se saca el bastidor auxiliar del vehículo, hay que comprobar la alineación de las ruedas.**

32. Comprobar la alineación de las ruedas y ajustar según sea necesario.

POSTE

DESMONTAJE E INSTALACIÓN

Delantero

EXCEPTO EL CENTURY 1997-99, GRAND PRIX, INTRIGUE Y REGAL – CONJUNTO DEL POSTE

El tubo del poste está soldado a la articulación de acero estampado con la rótula esférica inferior remachada en el extremo inferior de la articulación.

1. Marcar el plato-tapa del poste para su correcta reinstalación.

2. Aflojar los tres pernos del plato-tapa.

3. Levantar el vehículo y apoyarlo de forma segura.

4. Sacar el conjunto de la rueda y el neumático.

5. Sacar el conjunto de la mordaza del freno y soporte. Sujetar la mordaza de la suspensión.

6. Sacar el rotor del freno.

7. Sacar la maza y el cojinete de los pernos de fijación de la articulación.

8. Sacar el perno de sujeción del sensor del ABS y colocar el sensor del ABS a un lado para evitar que se dañe, si dispone de ABS.

9. Separar el eje de la transmisión y sacar el eje.

10. Sacar la tuerca de fijación de la barra de acoplamiento en la articulación de la dirección.

➡ **Usar exclusivamente las herramientas recomendadas (una prensa para la rótula esférica o un extractor, no una "horquilla") para separar las rótulas esféricas. Si no se usan las herramientas recomendadas, la rótula esférica y el sello pueden sufrir daños.**

11. Usando la herramienta especial J-35917 o equivalente, separar la barra de acoplamiento del conjunto de la articulación.

12. Sacar la tuerca de fijación de la rótula esférica inferior en la articulación de la dirección.

13. Usando la herramienta especial J-35917 o equivalente, separar la rótula esférica del brazo de control inferior.

14. Sacar los pernos de retención del protector térmico de la rótula esférica y el conjunto del protector térmico.

15. Sacar las tuercas del plato-tapa del poste.

16. Sacar la articulación de la dirección y el conjunto del poste.

Para instalar:

17. Instalar la articulación de la dirección y el conjunto del poste en el vehículo.

18. Instalar el plato-tapa del poste y las tuercas de fijación del soporte superior del poste en la carrocería. Apretar las tuercas después de bajar el vehículo.

19. Instalar el protector térmico de la rótula esférica y apretar los pernos de retención a 89 plg-lb (10 Nm).

20. Instalar la tuerca de la rótula esférica inferior al brazo de control. Apretar la tuerca de la rótula esférica a 63 pie-lb (85 Nm) con un pasador de seguridad nuevo. Apretar la tuerca de la rótula esférica para alinear la siguiente ranura de la tuerca con el orificio del pasador de seguridad en el birlo (espárrago). No apretar la tuerca más de 60 grados para alinearla con el orificio.

21. Instalar la barra de acoplamiento en la articulación de la dirección y apretar la tuerca de fijación con un pasador de seguridad nuevo a 40 pie-lb (54 Nm).

22. Instalar con cuidado el conjunto del eje propulsor a través del hueco en la articulación de la dirección.

23. Instalar y apretar los pernos de fijación de la maza y el cojinete en la articulación a 60 pie-lb (80 Nm).

24. Colocar el sensor del ABS e instalar los pernos de fijación, si se habían sacado.

25. Instalar el rotor del freno.

26. Instalar el conjunto de la mordaza del freno y soporte. Apretar los pernos desplazables a 80 pie-lb (108 Nm).

27. Instalar el conjunto de rueda y neumático.

28. Bajar el vehículo de forma segura.

29. Apretar las tuercas del plato-tapa del poste a 18 pie-lb (24 Nm) después de alinear las marcas de referencia.

30. Probar el vehículo en carretera.

EXCEPTO EL CENTURY 1997-99, GRAND PRIX, INTRIGUE Y REGAL – CARTUCHO DEL POSTE

➡ **Los modelos Lumina, Monte Carlo, Century 1995-96, Regal, Grand Prix y Cutlass Supreme 1995-97 usan un cartucho recambiable dentro del conjunto del poste. Este cartucho puede cambiarse sin sacar el conjunto del poste del vehículo.**

▼ PRECAUCIÓN ▼

NO realizar ningún trabajo de mantenimiento en el cartucho del poste a menos que el peso del vehículo esté sobre la suspensión. El peso del vehículo mantiene el resorte comprimido. De lo contrario, la liberación de la tensión del resorte podría provocar lesiones personales.

1. Desconectar el alambre negativo del acumulador.

2. Marcar la tapa del poste y la carrocería para asegurar un correcto ajuste de la inclinación de las ruedas.

3. Sacar la tapa del poste sacando las tuercas de la tapa.

4. Sacar la tuerca del eje del poste usando una boquilla N° 5 Torx® y J-35668 o equivalente.

5. Sacar el aislador del soporte del poste haciendo palanca con una herramienta de hoja plana . Usar la J-35668 o equivalente para aplicar presión en el poste según sea preciso, para aliviar la carga lateral (compresión) sobre el buje.

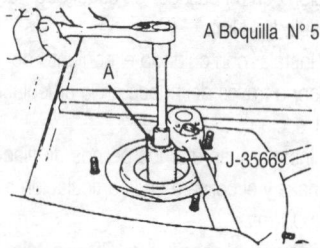

Extracción de la tuerca del vástago del poste – Excepto Century 1997-99, Grand Prix, Intrigue y Regal

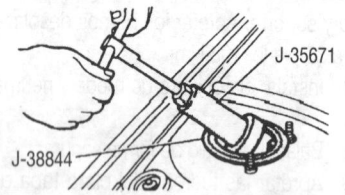

Extracción de la tuerca de cierre del poste – Excepto Century 1997-99, Grand Prix, Intrigue y Regal

6. Sacar el paragolpes fijando la J-35668, o equivalente, al poste y sacando hacia fuera el paragolpes.

7. Instalar la J-38844, o equivalente, en la posición correcta y comprimir el poste hacia abajo dentro del cartucho.

8. Sacar la tuerca de cierre del poste desatornillando la tuerca de cierre, usando la J-35671 o equivalente.

9. Sacar el cartucho y sacar el aceite del alojamiento del poste usando una bomba succionadora para eliminar todo el aceite.

Para instalar:

10. Instalar el cartucho de repuesto integral en el alojamiento del poste.

11. Instalar la tuerca de cierre del cartucho del poste usando la J-35671 o equivalente y apretar la tuerca a 82 pie-lb (110 Nm).

12. Instalar la J-35668, o equivalente, y comprimir el eje hacia abajo dentro del cartucho.

13. Sacar la herramienta de alineación del poste J-38844, o equivalente.

14. Instalar el paragolpes del poste y levantar el poste y sacar la J-35668, o equivalente.

15. Instalar como sigue el aislador del soporte del poste:

a. Usar una solución jabonosa para lubricar el buje (casquillo), para facilitar la instalación.

b. Si es necesario, instalar la J-35668, o equivalente, después de que el buje esté parcialmente instalado, y colocar el poste como sea preciso, para ayudar a la instalación del buje.

16. Instalar la tuerca del eje del poste, usando la unidad de apriete N° 5 Torx®, y la J-35669, o equivalente, y apretar la tuerca a 59 pie-lb (80 Nm).

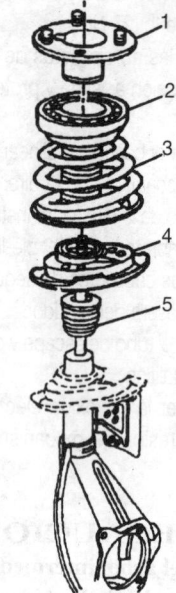

1. Plato de retención del poste de la suspensión delantera
2. Aislador superior del resorte delantero
3. Resorte delantero
4. Asiento del resorte delantero
5. Paragolpes del poste de la suspensión delantera

▲ **Montaje del poste y de la articulación con cartucho del poste recargable**

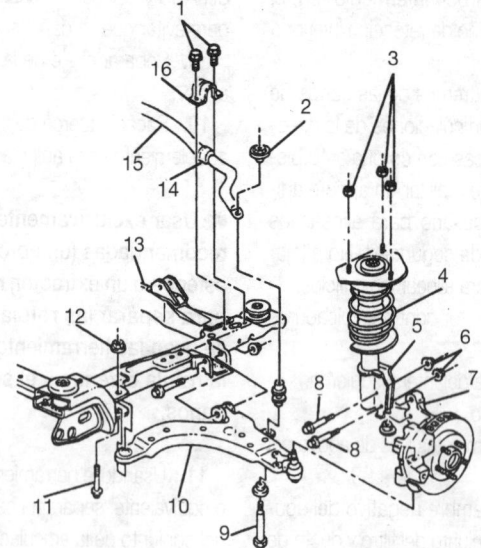

1. Perno/tornillo de la abrazadera del aislador de la barra estabilizadora delantera
2. Tuerca de la unión de la barra estabilizadora delantera
3. Tuerca del soporte del poste de la suspensión delantera
4. Resorte de la suspensión delantera
5. Poste de la suspensión delantera
6. Tuerca del poste a la articulación
7. Articulación de la dirección delantera
8. Perno/tornillo del poste a la articulación
9. Perno de la unión de la barra estabilizadora delantera
10. Brazo inferior de control delantero
11. Perno/tornillo del brazo inferior de control delantero
12. Tuerca del brazo inferior de control delantero
13. Bastidor
14. Aislador de la barra estabilizadora delantera
15. Barra estabilizadora delantera
16. Abrazadera de la barra estabilizadora delantera

▼ **Suspensión delantera cartucho del poste recambiable**

17. Instalar el soporte del poste alineando las marcas de referencia; después apretar los pernos a 24 pie-lb (33 Nm).

18. Se recomienda alinear las cuatro ruedas después de realizar cualquier reparación en la dirección y/o la suspensión.

CENTURY 1997-99, GRAND PRIX, INTRIGUE Y REGAL

1. Sacar las tres tuercas de montaje del poste en la carrocería.

2. Levantar el vehículo y apoyarlo de forma segura de modo que los brazos de control cuelguen libremente.

3. Sacar la rueda delantera.

4. Marcar la posición del poste sobre la articulación de la dirección para tener una referencia al instalar el poste.

▼ AVISO ▼

Para impedir dañar la rótula esférica o el semieje, aguantar el conjunto de la articulación al sacar el poste.

5. Sacar los pernos que sujetan el conjunto del poste en la articulación y sacar el poste.

Para instalar:

6. Colocar el poste en la carrocería e instalar las tres tuercas de fijación. Apretar las tuercas a 30 pie-lb (41 Nm).

7. Acoplar el extremo inferior del poste en el conjunto de la articulación. Instalar los pernos desde delante y apretar las tuercas a 90 pie-lb (123 Nm).

8. Instalar la rueda delantera.

9. Bajar el vehículo al suelo.

Delantero

REGAL 1995-96, CUTLASS, SUPREME Y GRAND PRIX

1. Levantar el vehículo y apoyarlo de forma segura.

2. Sacar el conjunto de la rueda y el neumático. Marcar la posición de la rueda con los birlos (espárragos) de la rueda, antes de su desmontaje, para tener una referencia en la instalación.

3. Marcar una línea de referencia desde el poste en la articulación.

4. Sacar el apoyo del gato.

5. Sacar el sistema de escape, si dispone de escape doble.

6. Instalar la herramienta especial J-35778 o equivalente. Esta herramienta en forma de Y se abre hasta la anchura de la ballesta (muelle) transversal de fibra de vidrio. Comprimir al máximo la herramienta especial para eliminar la tensión sobre los componentes exteriores de la suspensión. NO sacar el muelle o los platos de retención. Sólo descargar la tensión de modo que se pueda sacar el poste.

➡ No usar agentes limpiadores corrosivos, lubricantes de silicona, desengrasantes de motor, solventes, etc. en o cerca de la ballesta (muelle) transversal trasera de fibra de vidrio. Estos compuestos podrían causar serios daños a la ballesta.

7. Sacar el soporte de la manguera del freno del conjunto del poste.

8. Sacar los pernos del poste a la carrocería.

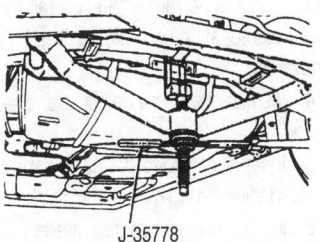

J-35778

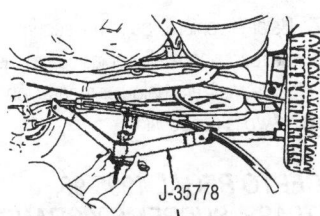

J-35778

▲ Se usa la herramienta especial J-35778 para comprimir el muelle trasero de fibra de vidrio durante el mantenimiento de la suspensión trasera – Regal 1995-96, Cutlass Supreme y Grand Prix

9. Sacar el soporte del poste/barra estabilizadora, del conjunto de la articulación.

Para instalar:

10. Instalar los pernos del conjunto del poste a la carrocería. Apretar los pernos a 34 pie-lb (46 Nm).

11. Instalar el soporte del poste/barra estabilizadora en el conjunto de la articulación. Alinear las marcas de referencia para asegurar una correcta alineación. Apretar los pernos de fijación a 122 pie-lb (165 Nm).

12. Instalar el soporte de la manguera del freno.

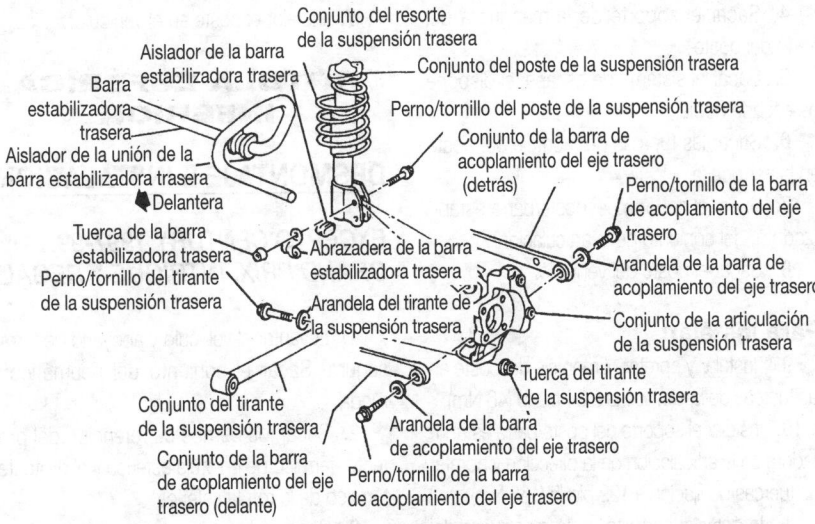

▲ Montaje del poste delantero – Century, 1997-99 Grand Prix, Intrigue y Regal

▲ Componentes de la suspensión trasera – Excepto Regal 1995-96, Cutlass Supreme y Grand Prix

13. Sacar la herramienta especial J-35778, o equivalente, si se usó, de la ballesta (muelle) transversal.

14. Instalar el sistema de escape, si se había sacado.

15. Instalar el apoyo del gato y apretar los pernos de fijación a 18 pie-lb (25 Nm).

16. Instalar el conjunto de la rueda y neumático, alineando las marcas hechas en el desmontaje.

17. Bajar el vehículo de forma segura.

18. Se recomienda alinear las cuatro ruedas, después de realizar cualquier reparación en la dirección y/o la suspensión.

EXCEPTO REGAL 1995-96, CUTLASS, SUPREME Y GRAND PRIX

Estos vehículos usan postes directos de doble acción, que van sujetos a la carrocería y al conjunto de la articulación de la rueda trasera. Observar que la reparación del poste requiere el uso de herramientas especiales para comprimir y sujetar los componentes durante el desmontaje y la instalación. Este procedimiento pide el uso de los números de herramientas especiales recomendadas por GM. Tener cuidado si se usan sustitutos de éstas.

1. Desconectar el alambre negativo del acumulador. Levantar el vehículo y apoyarlo de forma segura.

2. Sacar el conjunto de la rueda trasera. Marcar la posición de las ruedas en los birlos de la rueda, antes de sacarla, para tener una referencia al instalarla.

3. Hacer una marca entre el poste y la articulación, para su correcta instalación posterior.

4. Sacar el soporte de la manguera del freno del poste.

5. Sacar el sistema de escape, si dispone de escape doble.

6. Sacar las tuercas de montaje del poste en la carrocería.

7. Sacar el soporte del poste/barra estabilizadora, del conjunto de la articulación.

8. Sacar el poste del vehículo.

Para instalar:

9. Instalar y apretar el montaje del poste en las tuercas de la carrocería a 34 pie-lb (46 Nm).

10. Instalar el soporte del poste/barra estabilizadora en la articulación de la dirección y apretar las tuercas de fijación a 122 pie-lb (165 Nm).

11. Instalar el soporte de la manguera del freno.

12. Instalar el sistema de escape, si se había sacado.

13. Instalar el conjunto de la rueda y neumático, alineando las marcas hechas en el desmontaje.

14. Bajar el vehículo de forma segura.

15. Se recomienda alinear las cuatro ruedas después de realizar cualquier reparación en la dirección y/o la suspensión.

RESORTE HELICOIDAL

DESMONTAJE E INSTALACIÓN

1. Sacar el conjunto del poste del vehículo.

▼ PRECAUCIÓN ▼

No sobrecomprimir el resorte. Sólo comprimir el resorte hasta que llegue a separarse del asiento.

2. Comprimir el resorte helicoidal usando un compresor de resortes adecuado.

3. Sacar la tuerca del eje del poste.

4. Sacar el asiento superior del resorte y el resorte.

Para instalar:

5. Comprimir el resorte con cuidado y colocarlo sobre el conjunto del poste, con la misma orientación que tenía el resorte original.

6. Instalar el asiento superior del resorte. En los resortes delanteros con cartucho recambiable, apretar la tuerca a 81 pie-lb (110 Nm). En el resto de modelos, apretar la tuerca a 63 pie-lb (85 Nm). Apretar la tuerca en todos los conjuntos de postes traseros a 55 pie-lb (75 Nm).

7. Instalar el poste en el vehículo.

RÓTULA ESFÉRICA INFERIOR

DESMONTAJE E INSTALACIÓN

EXCEPTO CENTURY 1997-99, GRAND PRIX, INTRIGUE Y REGAL

1. Levantar el vehículo y apoyarlo de forma segura. Sacar el conjunto del neumático y rueda.

2. Sacar los pernos de retención del protector térmico de la rótula esférica y el protector térmico de la rótula esférica.

3. Sacar la tuerca y el pasador de seguridad de la rótula esférica inferior.

4. Aflojar, pero no sacar, los pernos del conjunto del casquillo de la barra estabilizadora.

5. Sacar la rótula esférica del brazo inferior de control, usando la herramienta especial J-35917, o herramienta prensa de rótula esférica equivalente.

6. Sacar con el taladro los cuatro remaches que sujetan la rótula esférica en la articulación de la dirección. Usar una broca de $1/8$ plg para hacer un orificio piloto a través de los remaches. Acabar de taladrar los remaches usando una broca de $1/2$ plg.

➡ **No dañar la funda del eje propulsor al taladrar los remaches de la rótula esférica.**

7. Sacar la rótula esférica del conjunto de la articulación de la dirección.

Para instalar:

8. Instalar la rótula esférica dentro del conjunto de la articulación de la dirección.

9. Instalar cuatro nuevos pernos y tuercas de la rótula esférica.

10. Instalar la rótula esférica en el brazo inferior de control y apretar la tuerca a 63 pie-lb (85 Nm). Apretar la tuerca para alinear la ranura en la tuerca almenada de la rótula esférica con el orificio del pasador de seguridad en el birlo (espárrago). No apretar la tuerca de la rótula esférica más de 60 grados (una cara o $1/6$ de vuelta) para alinear el orificio y no aflojar la tuerca en ningún momento, durante su instalación. Cuando la instalación de la tuerca de la rótula esférica es satisfactoria, instalar un pasador de seguridad nuevo.

11. Instalar el protector térmico de la rótula esférica.

12. Instalar el conjunto del neumático y rueda.

13. Bajar el vehículo de forma segura y probarlo en carretera.

➡ **Se recomienda alinear las cuatro ruedas después de realizar cualquier reparación en la dirección y/o la suspensión.**

CENTURY 1997-99, GRAND PRIX, INTRIGUE Y REGAL

1. Levantar el vehículo y apoyarlo de forma segura.

2. Sacar la rueda delantera.

3. Desconectar el extremo de la barra de acoplamiento de la articulación.

4. Sacar el eslabón de la barra estabilizadora del brazo inferior de control.

5. Sacar la tuerca de retención exterior del semieje y sacar el semieje.

6. Sacar el haz de cables de conexión del sensor de velocidad del ABS.

7. Sacar los pernos de sujeción del brazo de control.

8. Desconectar el birlo (espárrago) de la rótula esférica de la articulación.

9. Taladrar o amolar las cabezas de los remaches y sacar la rótula esférica del brazo de control.

Para instalar:

10. Instalar la rótula esférica nueva en el brazo de control. Asegurarse de instalar los pernos de la parte superior del brazo de control. Apretar las tuercas a 50 pie-lb (68 Nm).

11. Instalar el brazo de control en el bastidor, pero no apretar las sujeciones, de momento.

12. Instalar el espárrago de la junta esférica en la articulación. Apretar la tuerca a 40 pie-lb (55 Nm). Apretar la tuerca un poco más, si es necesario, para alinear los orificios del pasador de seguridad e instalar el pasador de seguridad.

13. Conectar el eslabón de la barra estabilizadora en el brazo de control. Apretar la tuerca a 17 pie-lb (23 Nm).

14. Instalar el haz de cables de conexión del sensor de velocidad del ABS.

15. Instalar el semieje.

16. Colocar un gato bajo el brazo de control inferior, elevar el gato para que soporte el peso del vehículo y apretar las tuercas del brazo de control a 83 pie-lb (113 Nm). Sacar el gato.

17. Instalar la rueda delantera y bajar el vehículo al suelo.

COJINETES DE RUEDA

AJUSTE

Los cojinetes de la rueda no son ajustables. Si un cojinete de rueda está fuera de especificaciones, se deberá cambiar. Usando un indicador de cuadrante, comprobar la holgura. Si ésta excede 0.005 plg (0.1270 mm) en frenos de disco o de tambor, el desgaste del cojinete es excesivo y la maza y el cojinete deben cambiarse.

DESMONTAJE E INSTALACIÓN

Delantero

➡ No sacar de momento la tuerca del eje propulsor. Si no se respeta el orden correcto de desmontaje, los cojinetes pueden sufrir daños permanentes.

1. Aflojar la tuerca de la maza una vuelta completa. No sacarla.

2. Levantar el vehículo y apoyarlo de forma segura. Sacar el conjunto del neumático y rueda.

3. Sacar los pernos de montaje del soporte de sujeción de la mordaza en la articulación de la dirección y sacar el conjunto de la mordaza de abrazadera y apoyar el conjunto aparte. NO desconectar la manguera del freno de la mordaza o dejar que la manguera aguante el peso de la mordaza.

4. Sacar el rotor del freno.

5. Sacar la tuerca y la arandela de la maza.

6. Usando la herramienta especial J-28733-A o un extractor de mazas equivalente, sacar el semieje fuera de la maza, aproximadamente una pulgada (25.4 mm).

7. Sacar los pernos de fijación del conjunto de la maza en la articulación.

8. Si dispone de ABS, sacar el perno de sujeción del sensor del ABS y retirar el sensor del ABS aparte.

9. Sacar el conjunto de la maza y el cojinete del vehículo.

Para instalar:

10. Limpiar bien todas las piezas. Instalar el conjunto de la maza y el cojinete en las estrías del vástago del eje. Asegurarse de que las estrías se acoplan con suavidad. NO forzar la maza sobre las estrías del eje o se dañarán las estrías.

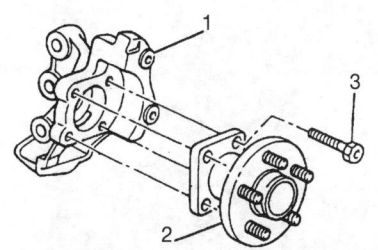

1. Conjunto de la articulación de la suspensión trasera
2. Conjunto de la maza/cojinete
3. Perno/tornillo de la rueda

▲ El conjunto de la maza/cojinete trasero se acopla a la articulación con pernos

11. Asentar el conjunto de la maza y el cojinete contra la articulación de la dirección, e instalar los pernos de sujeción. Apretar los pernos de modo alternativo y uniforme a 52 pie-lb (70 Nm).

12. Asegurarse de que el sensor del ABS está limpio. El pequeño imán en su extremo atrae óxido y trocitos metálicos que pueden degradar su funcionamiento. Instalar el sensor del ABS y apretar el perno de sujeción.

13. Instalar el rotor del freno.

14. Instalar el conjunto de la mordaza y soporte en la articulación de la dirección y apretar los pernos de sujeción del soporte de la mordaza a 79 pie-lb (107 Nm).

15. Instalar el conjunto del neumático y rueda. Bajar el vehículo.

16. Instalar tuerca y arandela nuevas en el eje propulsor. En los vehículos de 1995, apretar la tuerca a 184 pie-lb (250 Nm). En los vehículos de 1996-99, apretar la tuerca del eje propulsor a 151 pie-lb (205 Nm).

Trasero

La suspensión trasera usa un conjunto de maza/cojinete no reparable con un sensor de velocidad de la rueda integrado, conjunto que está atornillado a la articulación de la suspensión trasera. Este conjunto maza/cojinete es una unidad sellada y exenta de mantenimiento. Si se daña la maza/cojinete, debe cambiarse todo el conjunto.

1. Levantar el vehículo y apoyarlo de forma segura.

2. Sacar la rueda trasera.

3. Sacar la manguera del freno y el tambor o mordaza del freno.

4. Si equipa ABS, desacoplar el conector eléctrico del ABS.

5. Sacar los pernos de sujeción de la maza y cojinete y sacar el conjunto de la maza y cojinete.

Para instalar:

6. Instalar el conjunto de la maza y cojinete, apretar el perno a 55 pie-lb (75 Nm).

7. Si equipa ABS, acoplar el conector eléctrico del ABS.

8. Instalar la mordaza o el tambor del freno y el soporte de la manguera del freno.

9. Instalar la rueda trasera.

10. Bajar el vehículo al suelo de forma segura.

11. Se recomienda alinear las cuatro ruedas, después de realizar cualquier reparación en la dirección y/o la suspensión.

DODGE
Dakota - Durango - Camiones RAM - Camionetas RAM

10

ESPECIFICACIONES	**472**
REPARACIÓN DEL MOTOR DE GASOLINA . .	**482**
Distribuidor	482
Sincronización del encendido	482
Conjunto motor	482
Bomba de agua	484
Culata de cilindros	487
Balancines/ejes de balancines	491
Múltiple de admisión	493
Múltiple de escape	495
Sello de aceite delantero del cigüeñal	497
Árbol de levas y levantaválvulas	497
Holgura de válvulas	500
Depósito de aceite	500
Bomba de aceite	503
Sello de aceite principal trasero	505
Cadena de sincronización, piñones	
y tapa delantera	506
REPARACIÓN DEL MOTOR DIESEL	**508**
Conjunto motor	508
Bomba de agua	508
Tapones (bujías) incandescentes	509
Culata de cilindros	509
Balancines/ejes de balancines	509
Turbocargador	510
Múltiple de admisión	510
Múltiple de escape	510
Sello de aceite delantero del cigüeñal	510
Árbol de levas y levantaválvulas	511
Holgura de válvulas	512
Depósito de aceite	513
Bomba de aceite	513
Sello de aceite principal trasero	514

Engranes de sincronización	514
SISTEMA DE COMBUSTIBLE: GASOLINA . . .	**514**
Precauciones de mantenimiento	
del sistema de combustible	514
Presión del sistema de combustible	515
Filtro de combustible	515
Bomba de combustible	516
SISTEMA DE COMBUSTIBLE: DIESEL	**516**
Precauciones de mantenimiento	
del sistema de combustible	516
Sistema de combustible	516
Marcha mínima	517
Filtro separador de agua/combustible	517
Bomba de inyección Diesel	517
TREN DE TRANSMISIÓN (PROPULSOR)	**518**
Conjunto de la transmisión	518
Conjunto del clutch (embrague)	519
Purga del sistema	
de clutch (embrague) hidráulico	519
Conjunto de la caja de transferencia	519
Semieje	519
DIRECCIÓN Y SUSPENSIÓN	**520**
Air bag (bolsa de aire)	520
Mecanismo de dirección por tornillo sin fin	
y recirculación de bolas	520
Mecanismo de dirección por cremallera y piñón .	521
Amortiguadores	521
Resortes helicoidales	522
Rótula esférica superior	523
Rótula esférica inferior	525
Cojinetes de rueda	526

ESPECIFICACIONES
DODGE

Dakota - Durango - Camiones RAM - Camionetas RAM
IDENTIFICACIÓN DEL VEHÍCULO

Clave	Litros	Plg³ (cc)	Cil.	Sist. combustible	Fabr. del motor
5	5.9	360 (5899)	V8	SMFI	Chrysler
6	5.9	359 (5882)	I6	DSL-24V	Cummins
C	5.9	359 (5882)	I6	DSL-12V	Cummins
D	5.9	359 (5882)	I6	DSL-12V	Cummins
G	2.5	153 (2507)	I4	TFI	Chrysler
P	2.5	153 (2507)	I4	SMFI	Chrysler
W	8.0	488 (7994)	V10	SMFI	Chrysler
X	3.9	238 (3916)	V6	SMFI	Chrysler
Y	5.2	318 (5208)	V8	SMFI	Chrysler
Z	5.9	360 (5899)	V8	SMFI	Chrysler

Año-Modelo

Clave	Año
S	1995
T	1996
V	1997
W	1998
X	1999

DSL-12V- Diesel con culata de cilindros de 12 válvulas.
DSL-24V- Diesel con culata de cilindros de 24 válvulas.
SMFI – Inyección de combustible secuencial multipunto.
TFI – Inyección de combustible en el cuerpo del ahogador.

IDENTIFICACIÓN DEL MOTOR

Año	Modelo	Cilindrada del motor litros (cc)	Serie del motor (ID/VIN)	Sistema combustible	Nº de cilindros	Tipo de motor
1995	B150 Van	3.9 (3916)	X	SMFI	6	OHV
		5.2 (5211)	Y	SMFI	8	OHV
	B250 Van	3.9 (3916)	X	SMFI	6	OHV
		5.2 (5211)	Y	SMFI	8	OHV
		5.9 (5899)	Z	SMFI	8	OHV
	B350 Van	5.2 (5211)	Y	SMFI	8	OHV
		5.9 (5899)	Z	SMFI	8	OHV
	C 1500 Pick-up	3.9 (3916)	X	SMFI	6	OHV
	C/F 1500 Pick-up	5.2 (5211)	Y	SMFI	8	OHV
		5.9 (5899)	Z	SMFI	8	OHV
	C/F 2500 Pick-up	5.2 (5211)	Y	SMFI	8	OHV
		5.9 (5882)	C	DSL	6	OHV
		5.9 (5899)	Z	SMFI	8	OHV
		8.0 (7997)	W	SMFI	10	OHV
	C/F 3500 Pick-up	5.9 (5882)	C	DSL	6	OHV
		5.9 (5899)	5	SMFI	8	OHV
		8.0 (7997)	W	SMFI	10	OHV
	Dakota	2.5 (2507)	G	TFI	4	SOHC
		3.9 (3916)	X	SMFI	6	OHV
		5.2 (5211)	Y	SMFI	8	OHV
1996	B1500 Van	3.9 (3916)	X	SMFI	6	OHV
		5.2 (5211)	Y	SMFI	8	OHV
	B2500 Van	3.9 (3916)	X	SMFI	6	OHV
		5.2 (5211)	Y	SMFI	8	OHV
		5.9 (5899)	Z	SMFI	8	OHV
	B3500 Van	5.2 (5211)	Y	SMFI	8	OHV
		5.9 (5899)	Z	SMFI	8	OHV
	C/F 1500 Pick-up	3.9 (3916)	X	SMFI	6	OHV
		5.2 (5211)	Y	SMFI	8	OHV
		5.9 (5899)	Z	SMFI	8	OHV
	C/F 2500 Pick-up	5.2 (5211)	Y	SMFI	8	OHV
		5.9 (5882)	C	DSL	6	OHV
		5.9 (5899)	Z	SMFI	8	OHV
		8.0 (7997)	W	SMFI	10	OHV
	C/F 3500 Pick-up	5.9 (5882)	C	DSL	6	OHV
		5.9 (5899)	5	SMFI	8	OHV
		8.0 (7997)	W	SMFI	10	OHV
	Dakota	2.5 (2458)	P	SMFI	4	OHV
		3.9 (3916)	X	SMFI	6	OHV
		5.2 (5211)	Y	SMFI	8	OHV
1997	Dakota	2.5 (2458)	P	SMFI	4	OHV
		3.9 (3916)	X	SMFI	6	OHV
		5.2 (5211)	Y	SMFI	8	OHV
	Ram Truck 1500	3.9 (3916)	X	SMFI	6	OHV
		5.2 (5211)	Y	SMFI	8	OHV
		5.9 (5899)	Z	SMFI	8	OHV
	Ram Truck 2500	5.2 (5211)	Y	SMFI	8	OHV
		5.9 (5882)	C	DSL	6	OHV
		5.9 (5899)	Z	SMFI	8	OHV
		8.0 (7997)	W	SMFI	10	OHV

IDENTIFICACIÓN DEL MOTOR

Año	Modelo	Cilindrada del motor litros (cc)	Serie del motor (ID/VIN)	Sistema combustible	Nº de cilindros	Tipo de motor
1997 cont.	Ram Truck 3500	5.9 (5882)	C	DSL	6	OHV
		5.9 (5899)	5	SMFI	8	OHV
		8.0 (7997)	W	SMFI	10	OHV
	Ram Van 1500	3.9 (3916)	X	SMFI	6	OHV
		5.2 (5211)	Y	SMFI	8	OHV
	Ram Van 2500	3.9 (3916)	X	SMFI	6	OHV
		5.2 (5211)	Y	SMFI	8	OHV
		5.9 (5899)	Z	SMFI	8	OHV
	Ram Van 3500	5.2 (5211)	Y	SMFI	8	OHV
		5.9 (5899)	Z	SMFI	8	OHV
1998-99	Dakota	2.5 (2464)	P	SMFI	4	OHV
		3.9 (3906)	X	SMFI	6	OHV
		5.2 (5208)	Y	SMFI	8	OHV
		5.9 (5825)	Z	SMFI	8	OHV
	Durango	3.9 (3906)	X	SMFI	6	OHV
		5.2 (5208)	Y	SMFI	8	OHV
		5.9 (5825)	Z	SMFI	8	OHV
	Ram Truck 1500	3.9 (3906)	X	SMFI	6	OHV
		5.2 (5208)	Y	SMFI	8	OHV
		5.9 (5825)	Z	SMFI	8	OHV
	Ram Truck 2500	5.9 (5825)	D	DSL-12V	6	OHV
		5.9 (5825)	6	DSL-24V	6	OHV
		5.9 (5825)	Z	SMFI	8	OHV
		8.0 (7994)	W	SMFI	10	OHV
	Ram Truck 3500	5.9 (5825)	D	DSL-12V	6	OHV
		5.9 (5825)	6	DSL-24V	6	OHV
		5.9 (5825)	5	SMFI	8	OHV
		8.0 (7994)	W	SMFI	10	OHV
	Ram Van 1500	3.9 (3916)	X	SMFI	6	OHV
		5.2 (5208)	Y	SMFI	8	OHV
	Ram Van 2500	3.9 (3916)	X	SMFI	6	OHV
		5.2 (5208)	Y	SMFI	8	OHV
		5.9 (5825)	Z	SMFI	8	OHV
	Ram Van 3500	5.2 (5208)	Y	SMFI	8	OHV
		5.9 (5825)	Z	SMFI	8	OHV

DOHC: Doble árbol de levas en culata.
DSL-12V- Diesel con culata de cilindros de 12 válvulas.
DSL-24V- Diesel con culata de cilindros de 24 válvulas.
OHV – Válvulas en culata.
SMFI – Inyección de combustible secuencial multipunto.
SOHC – Árbol de levas simple en culata.
TFI – Inyección de combustible en el cuerpo del ahogador.

ESPECIFICACIONES GENERALES DEL MOTOR

Año	Motor ID/VIN	Cilindrada del motor litros (cc)	Sistema combustible	Caballaje neto @ rpm	Torsión neta @ rpm (pie-lb)	Diámetro x carrera (plg)	Relación de compresión	Presión de aceite @ rpm
1995	5	5.9 (5899)	SMFI	230@4000	330@2800	4.00x3.58	8.9:1	30-80@3000
	C	5.9 (5882)	DSL	160@2500 ①	400@1600 ②	4.02x4.72	17.5:1	30@2500
	G	2.5 (2507)	TFI	100@4800	135@2800	3.45x4.09	8.9:1	25-80@3000
	W	8.0 (7997)	SMFI	300@4000	450@2400	4.00x3.88	8.6:1	50-60@3000
	X	3.9 (3916)	SMFI	175@4800	220@3200	3.91x3.31	9.1:1	30-80@3000
	Y	5.2 (5211)	SMFI	220@4400	300@3200	3.91x3.31	9.1:1	30-80@3000
	Z	5.9 (5899)	SMFI	230@4000	330@3200	4.00x3.58	8.9:1	30-80@3000
1996	5	5.9 (5899)	SMFI	230@4000	330@2800	4.00x3.58	8.9:1	30-80@3000
	C	5.9 (5882)	DSL	180@2500 ⑤	420@1600 ⑥	4.02x4.72	17.5:1	30@2500
	P	2.5 (2458)	SMFI	120@5200	145@3400	3.88x3.19	9.2:1	25-80@3000
	W	8.0 (7997)	SMFI	300@4000	450@2400	4.00x3.58	8.4:1	50-60@3000
	X	3.9 (3916)	SMFI	175@4800	220@3200	3.91x3.31	9.1:1	30-80@3000
	Y	5.2 (5211)	SMFI	220@4400 ③	300@3200 ④	3.91x3.31	9.1:1	30-80@3000
	Z	5.9 (5899)	SMFI	230@4000	330@3250	4.00x3.58	9.1:1	30-80@3000
1997	5	5.9 (5899)	SMFI	230@4000	330@2800	4.00x3.58	8.9:1	30-80@3000
	C	5.9 (5882)	DSL	180@2500 ⑤	420@1600 ⑥	4.02x4.72	17.5:1	30@2500
	P	2.5 (2458)	SMFI	120@5200	145@3400	3.88x3.19	9.2:1	25-80@3000
	W	8.0 (7997)	SMFI	300@4000	450@2400	4.00x3.58	8.4:1	50-60@3000
	X	3.9 (3916)	SMFI	175@4800	220@3200	3.91x3.31	9.1:1	30-80@3000
	Y	5.2 (5211)	SMFI	220@4400 ③	300@3200 ④	3.91x3.31	9.1:1	30-80@3000
	Z	5.9 (5899)	SMFI	230@4000	330@3250	4.00x3.58	9.1:1	30-80@3000
1998-99	5	5.9 (5825)	SMFI	250@4400	345@3200	4.00x3.58	9.1:1	30-80@3000
	6	5.9 (5825)	DSL-24V	NA	NA	4.02x4.72	NA	30@2500
	D	5.9 (5825)	DSL-12V	⑦	⑧	4.02x4.72	17.5:1	30-80@3000
	P	2.5 (2464)	SMFI	120@5200	145@3250	3.88x3.19	9.2:1	37-75 above 1600
	W	8.0 (7994)	SMFI	300@4000	⑨	4.00x3.88	8.6:1	30-80@3000
	X	3.9 (3906)	SMFI	175@4800	225@3200	3.91x3.31	9.1:1	30-80@3000
	Y	5.2 (5208)	SMFI	230@4400	300@3200	3.91x3.31	9.1:1	30-80@3000
	Z	5.9 (5825)	SMFI	250@4400	345@3200	4.00x3.58	9.1:1	30-80@3000

MFI – Inyección de combustible multipunto.
TFI – Inyección de combustible en el cuerpo del ahogador.
DSL-12V- Diesel con culata de cilindros de 12 válvulas.
DSL-24V- Diesel con culata de cilindros de 24 válvulas.
① Transmisión manual: 430 @ 1600.
② Transmisión manual: 175 @ 2500.
③ Motor de gas natural comprimido: 200 @ 4400.
④ Motor de gas natural comprimido: 250 @ 3600.
⑤ Transmisión manual: 200 @ 2500.
⑥ Transmisión manual: 440 @ 1600.
⑦ Modelos federales con transmisión manual: 215 @ 2600.
   Excepto modelos federales con transmisión manual: 180 @ 2500.
⑧ Modelos federales con transmisión manual: 440 @ 1600.
   Excepto modelos federales con transmisiones manuales: 420 @ 1500.
⑨ Modelos federales: 450 @ 2800.
   Modelos de California: 440 @ 2800.

ESPECIFICACIONES DE AFINACIÓN DE MOTORES DE GASOLINA

Año	Motor ID/VIN	Cilindrada del motor litros (cc)	Bujías: abertura (plg)	Sincronización ignición (grados)		Bomba de combustible (lb/plg^2)	Marcha mínima (rpm)		Holgura de válvulas	
				MT	AT		TM	TA	Admisión	Escape
1995	G	2.5 (2507)	0.035	①	①	14.5	②	②	HYD	HYD
	X	3.9 (3916)	0.030	①	①	35-45	②	②	HYD	HYD
	Y	5.2 (5211)	0.030	①	①	35-45	②	②	HYD	HYD
	5	5.9 (5899)	0.030	①	①	35-45	②	②	HYD	HYD
	Z	5.9 (5899)	0.030	①	①	35-45	②	②	HYD	HYD
	W	8.0 (7997)	0.030	①	①	35-45	②	②	HYD	HYD
1996	P	2.5 (2458)	0.035	—	②	49.2	②	②	HYD	HYD
	X	3.9 (3916)	0.035	①	①	49.2	②	②	HYD	HYD
	Y	5.2 (5211)	0.035	①	①	49.2	②	②	HYD	HYD
	5	5.9 (5899)	0.035	①	①	49.2	②	②	HYD	HYD
	Z	5.9 (5899)	0.035	①	①	49.2	②	②	HYD	HYD
	W	8.0 (7997)	0.045	①	①	49.2	②	②	HYD	HYD
1997	P	2.5 (2458)	0.035	—	②	49.2	②	②	HYD	HYD
	X	3.9 (3916)	0.035	①	①	49.2	②	②	HYD	HYD
	Y	5.2 (5211)	0.035	①	①	49.2	②	②	HYD	HYD
	5	5.9 (5899)	0.035	①	①	49.2	②	②	HYD	HYD
	Z	5.9 (5899)	0.035	①	①	49.2	②	②	HYD	HYD
	W	8.0 (7997)	0.045	①	①	49.2	②	②	HYD	HYD
1998-99	5	5.9 (5825)	0.040	①	①	44.2-54.2	②	②	HYD	HYD
	P	2.5 (2464)	0.035	①	①	44.2-54.2	②	②	HYD	HYD
	W	8.0 (7994)	0.045	①	①	44.2-54.2	②	②	HYD	HYD
	X	3.9 (3916)	0.040	①	①	44.2-54.2	②	②	HYD	HYD
	Y	5.2 (5208)	0.040	①	①	44.2-54.2	②	②	HYD	HYD
	Z	5.9 (5899)	0.040	①	①	44.2-54.2	②	②	HYD	HYD

NOTA: la placa de Información de Control de Emisiones del Vehículo (VECI) a menudo refleja los cambios en las especificaciones que se hayan podido producir durante la fabricación del vehículo. Se deben usar los valores de esta etiqueta si difieren de los presentados en esta tabla.
HYD: Hidráulico.
① La sincronización del sistema de encendido no es ajustable. La sincronización base del motor se establece durante su montaje, y es controlada por el PCM.
② Ver la placa VECI para las especificaciones correctas.

ESPECIFICACIONES DE AFINACIÓN DE MOTORES DIESEL

Año	Motor ID/VIN	Cilindrada del motor plg^3 (cc)	Holgura de válvulas		Abertura válvulas admisión (grados)	Reglaje bomba inyección (grados)	Presión de inyectores (lb/plg^2)		Marcha mínima (rpm)	Presión de compresión al arranque (lb/plg^2)
			Admisión (plg)	Escape (plg)			Nuevos	Usados		
1995	C	5.9 (5882)	0.010	0.020	NA	①	3822	NA	②	NA
1996	C	5.9 (5882)	0.010	0.020	NA	①	3822	NA	②	NA
1997	C	5.9 (5882)	0.010	0.020	NA	①	3822	NA	②	NA
1998-99	6	5.9 (5825)	0.006-0.015	0.0015-0.0300	NA	③	4250-4750	NA	④	NA
	D	5.9 (5825)	0.010	0.020	NA	⑤	3394-3887	NA	⑥	NA

NOTA: la placa de Información de Control de Emisiones del Vehículo (VECI) a menudo refleja los cambios en las especificaciones que se hayan podido producir durante la fabricación del vehículo. Se deben usar los valores de esta etiqueta si difieren de los presentados en esta tabla.
NA. No disponible.
① Alinear las marcas en la brida de la bomba y en la tapa de engranes.
② Transmisión automática con aire acondicionado: 750-800 rpm.
Transmisión manual con aire acondicionado: 780 rpm.

③ Alinear las marcas de los engranajes del cigüeñal, del árbol de levas y de la bomba.
④ La marcha mínima está controlada por computador y no puede ajustarse.
⑤ Modelos federales con transmisiones manuales: 13.5 grados APMS.
Excepto modelos federales con transmisiones manuales: 14.0 grados APMS.
⑥ Transmisión automática: 750-800 rpm con la transmisión engranada y el aire acondicionado en marcha.
Transmisión manual: 780 rpm en punto muerto (neutral) y el aire acondicionado en marcha.

CAPACIDADES

Año	Modelo	Motor ID/VIN	Cilindrada del motor litros (cc)	Aceite del motor con filtro (qts)	Transmisión (pts) 4 vel.	5 vel.	Auto.	Caja de transferencia (pts)	Eje propulsor Delantero (pts)	Trasero (pts)	Tanque de combustible (gal)	Sistema de enfriamiento (qts)
1995	B150 Van	X	3.9 (3916)	4.0	—	—	①	—	—	②	22.0 ③	14.6
		Y	5.2 (5211)	5.0	—	—	①	—	—	②	22.0 ③	16.5
	B250 Van	X	3.9 (3916)	4.0	—	—	①	—	—	②	22.0 ③	14.6
		Y	5.2 (5211)	5.0	—	—	①	—	—	②	22.0 ③	16.5
		Z	5.9 (5899)	5.0	—	—	①	—	—	②	35.0	15.0 ④
	B350 Van	Y	5.2 (5211)	5.0	—	—	①	—	—	②	22.0 ③	16.5
		Z	5.9 (5899)	5.0	—	—	①	—	—	②	35.0	15.0 ④
	C 1500 Pick-up	X	3.9 (3916)	4.0	—	⑤	①	—	—	②	26.0 ③	20.0
	C/F 1500 Pick-up	Y	5.2 (5211)	5.0	—	⑤	①	⑥	⑦	②	26.0 ③	20.0
		Z	5.9 (5899)	5.0	—	⑤	①	⑥	⑦	②	26.0 ③	20.0
	C/F 2500 Pick-up	Y	5.2 (5211)	5.0	—	⑤	①	⑥	⑦	②	26.0 ③	20.0
		C	5.9 (5882)	11.0	—	⑤	①	⑥	⑦	②	26.0 ③	26.0
		Z	5.9 (5899)	5.0	—	⑤	①	⑥	⑦	②	26.0 ③	20.0
		W	8.0 (7997)	7.0	—	⑤	①	⑥	⑦	②	26.0 ③	24.0
	C/F 3500 Pick-up	C	5.9 (5882)	11.0	—	⑤	①	⑥	⑦	②	26.0 ③	26.0
		5	5.9 (5899)	5.0	—	⑤	①	⑥	⑦	②	26.0 ③	20.0
		W	8.0 (7997)	7.0	—	⑤	①	⑥	⑦	②	26.0 ③	24.0
	Dakota	G	2.5 (2507)	4.5	—	⑤	①	2.5	3.0	⑧	15.0 ⑨	9.8
		X	3.9 (3916)	4.5	—	⑤	①	2.5	3.0	⑧	15.0 ⑨	14.0
		Y	5.2 (5211)	5.0	—	⑤	①	2.5	3.0	⑧	15.0 ⑨	14.3
1996	B1500 Van	X	3.9 (3916)	4.0	—	—	①	—	—	②	22.0 ③	14.6
		Y	5.2 (5211)	5.0	—	—	①	—	—	②	22.0 ③	16.5
	B2500 Van	X	3.9 (3916)	4.0	—	—	①	—	—	②	22.0 ③	14.6
		Y	5.2 (5211)	5.0	—	—	①	—	—	②	22.0 ③	16.5
		Z	5.9 (5899)	5.0	—	—	①	—	—	②	35.0	15.0 ④
	B3500 Van	Y	5.2 (5211)	5.0	—	—	①	—	—	②	22.0 ③	16.5
		Z	5.9 (5899)	5.0	—	—	①	—	—	②	35.0	15.0 ④
	C/F 1500 Pick-up	X	3.9 (3916)	4.0	—	⑤	①	—	—	⑩	26.0 ③	20.0
		Y	5.2 (5211)	5.0	—	⑤	①	⑪	⑦	⑩	26.0 ③	20.0
		Z	5.9 (5899)	5.0	—	⑤	①	⑪	⑦	⑩	26.0 ③	20.0
	C/F 2500 Pick-up	Y	5.2 (5211)	5.0	—	⑤	①	⑪	⑦	⑩	26.0 ③	20.0
		C	5.9 (5882)	11.0	—	⑤	①	⑪	⑦	⑩	26.0 ③	26.0
		Z	5.9 (5899)	5.0	—	⑤	①	⑪	⑦	⑩	26.0 ③	20.0
		W	8.0 (7997)	7.0	—	⑤	①	⑪	⑦	⑩	26.0 ③	24.0
	C/F 3500 Pick-up	C	5.9 (5882)	11.0	—	⑤	①	⑪	⑦	⑩	26.0 ③	26.0
		5	5.9 (5899)	5.0	—	⑤	①	⑪	⑦	⑩	26.0 ③	20.0
		W	8.0 (7997)	7.0	—	⑤	①	⑪	⑦	⑩	26.0 ③	24.0
	Dakota	P	2.5 (2458)	4.5	—	⑤	①	2.5	3.0	⑧	⑫	9.8
		X	3.9 (3916)	4.5	—	⑤	①	2.5	3.0	⑧	⑫	14.0
		Y	5.2 (5211)	5.0	—	⑤	①	2.5	3.0	⑧	⑫	14.3
1997	Dakota	P	2.5 (2458)	4.5	—	⑤	①	2.5	3.0	⑧	⑫	9.8
		X	3.9 (3916)	4.5	—	⑤	①	2.5	3.0	⑧	⑫	14.0
		Y	5.2 (5211)	5.0	—	⑤	①	2.5	3.0	⑧	⑫	14.3
	Ram Truck 1500	X	3.9 (3916)	4.0	—	⑤	①	—	—	⑩	26.0 ③	20.0
		Y	5.2 (5211)	5.0	—	⑤	①	⑪	⑦	⑩	26.0 ③	20.0
		Z	5.9 (5899)	5.0	—	⑤	①	⑪	⑦	⑩	26.0 ③	20.0
	Ram Truck 2500	Y	5.2 (5211)	5.0	—	⑤	①	⑪	⑦	⑩	26.0 ③	20.0
		C	5.9 (5882)	11.0	—	⑤	①	⑪	⑦	⑩	26.0 ③	26.0
		Z	5.9 (5899)	5.0	—	⑤	①	⑪	⑦	⑩	26.0 ③	20.0
		W	8.0 (7997)	7.0	—	⑤	①	⑪	⑦	⑩	26.0 ③	24.0
	Ram Truck 3500	C	5.9 (5882)	11.0	—	⑤	①	⑪	⑦	⑩	26.0 ③	26.0
		5	5.9 (5899)	5.0	—	⑤	①	⑪	⑦	⑩	26.0 ③	20.0

CAPACIDADES

Año	Modelo	Motor ID/VIN	Cilindrada del motor litros (cc)	Aceite del motor con filtro (qts)	Transmisión (pts)			Caja de transferencia (pts)	Eje propulsor		Tanque de combustible (gal)	Sistema de enfriamiento (qts)
					4 vel.	5 vel.	Auto.		Delantero (pts)	Trasero (pts)		
1997 (cont.)	Ram Truck 3500	W	8.0 (7997)	7.0	—	⑤	①	⑪	⑦	⑩	26.0 ③	24.0
	Ram Van 1500	X	3.9 (3916)	4.0	—	—	①	—	—	②	22.0 ③	14.6
		Y	5.2 (5211)	5.0	—	—	①	—	—	②	22.0 ③	16.5
	Ram Van 2500	X	3.9 (3916)	4.0	—	—	①	—	—	②	22.0 ③	14.6
		Y	5.2 (5211)	5.0	—	—	①	—	—	②	22.0 ③	16.5
		Z	5.9 (5899)	5.0	—	—	①	—	—	②	35.0	15.0 ④
	Ram Van 3500	Y	5.2 (5211)	5.0	—	—	①	—	—	②	22.0	16.5
		Z	5.9 (5899)	5.0	—	—	①	—	—	②	35.0	15.0 ④
1998-99	Dakota	P	2.5 (2458)	4.5	—	⑬	—	—	—	⑭	⑫	9.8
		X	3.9 (3916)	4.0	—	⑬	⑮	2.5	3.0	⑭	⑫	14.0
		Y	5.2 (5211)	5.0	—	⑬	⑮	2.5	3.0	⑭	⑫	14.3
		Z	5.9 (5899)	5.0	—	—	⑮	2.5	3.0	⑭	⑫	14.3
	Durango	X	3.9 (3916)	4.0	—	—	⑮	⑯	3.0	⑭	25.0	14.0
		Y	5.2 (5211)	5.0	—	—	⑮	⑯	3.0	⑭	25.0	14.3
		Z	5.9 (5899)	5.0	—	—	⑮	⑯	3.0	⑭	25.0	14.3
	Ram Truck 1500	X	3.9 (3916)	4.0	—	4.2 ⑰	3.0 ⑱	2.5	⑲	⑳	21	20.0
		Y	5.2 (5211)	5.0	—	4.2 ⑰	3.0 ⑱	2.5	⑲	⑳	21	20.0
		Z	5.9 (5899)	5.0	—	—	3.0 ⑱	2.5	⑲	⑳	21	20.0
	Ram Truck 2500	D	5.9 (5882)	11.0	—	8.0 22	3.0 ⑱	23	⑲	⑳	21	26.0
		6	5.9 (5882)	11.0	—	8.0 22	3.0 ⑱	23	⑲	⑳	21	26.0
		Z	5.9 (5899)	5.0	—	8.0 24	3.0 ⑱	23	⑲	⑳	21	20.0
		W	8.0 (7997)	7.0	—	8.0 22	3.0 ⑱	23	⑲	⑳	21	24.0
	Ram Truck 3500	D	5.9 (5882)	11.0	—	8.0 22	3.0 ⑱	23	⑲	⑳	21	26.0
		6	5.9 (5882)	11.0	—	8.0 22	3.0 ⑱	23	⑲	⑳	21	26.0
		5	5.9 (5899)	5.0	—	8.0 24	3.0 ⑱	23	⑲	⑳	21	20.0
		W	8.0 (7997)	7.0	—	8.0 22	3.0 ⑱	23	⑲	⑳	21	24.0
	Ram Van	X	3.9 (3916)	4.0	—	4.2 ⑰	3.0 ⑱	2.5	⑲	⑳	21	20.0
		Y	5.2 (5211)	5.0	—	4.2 ⑰	3.0 ⑱	2.5	⑲	⑳	21	20.0
		Z	5.9 (5899)	5.0	—	—	3.0 ⑱	2.5	⑲	⑳	21	20.0

NOTA: todas las capacidades son aproximadas. Añadir el fluido de forma gradual y asegurar que se consigue un nivel de fluido correcto.

① 32RH: 17.0 pts.
  36RH: 16.6 pts.
  42RH: 20.2 pts.
  32RH: 17.0 pts.
  36RH: 16.6 pts.
  42RH: 20.2 pts.
② Chrysler 8.25 plg: 4.4 pts.
  Chrysler 9.25 plg: 4.8 pts.
  Dana 60: 6.3 pts.
③ Depósito de combustible opcional: 35 gal.
④ Con calefactor trasero: 16.0 qts.
⑤ NV3500: 4.2 pts.
  NV4500: 8.0 pts.
  AX15: 6.6 pts.
  Getrag: 7.0 pts.
⑥ NP231HD: 2.5 pts.
  NP241: 4.7 pts.
  NP241HD: 13 pts.
⑦ 7.25 plg: 3 pts.
  Dana 44: 5.6 pts.
  Dana 60: 6.5 pts.
⑧ 7.25 plg: 2.9 pts.
  8.25 plg: 4.4 pts.

⑨ Depósito opcional de combustible: 22 gal.
⑩ Chrysler 7.25 plg: 3 pts.
  Chrysler 8.25 plg y 9.25 plg: 4.8 pts.
  Spicer y Dana 60: 6.0 pts.
  Dana 70 y 80: 7.0 pts.
⑪ NP231HD: 2.5 pts.
  NP241: 4.7 pts.
  NP241HD: 6.5 pts.
⑫ Tanque estándar de combustible: 15 gal.
  Tanque opcional de combustible: 22 gal.
⑬ Transmisión AX15: 6.6 pts.
  Transmisión NV3500: 4.2 pts.
⑭ Los valores siguientes incluyen 0.25 pts de modificador de fricción para ejes LSD.
  Eje de 8.25: 4.4 pts.
  Eje de 9.25: 4.9 pts.
⑮ Drenaje del fluido/revisión del filtro: 8.0 pts
  llenado desde seco después de revisión: 20-23 pts.
⑯ NV231: 2.5 pts.
  NV231HD: 2.5 pts.
  NV242: 3.0 pts.
⑰ Transmisión NV3500.

⑱ Sólo para drenaje del fluido y sustitución del filtro. Para una revisión completa, o llenado desde seco-
  42RE: 17-22 pts.
  46RE: 19-23 pts.
  47RE: 29-33 pts.
⑲ Eje delantero 216-FBI: 4.8.
  Eje delantero 248-FBI: 7.6.
⑳ Eje de 9.25 plg: 4.9; incluye 0.25 pts de modificador de fricción para ejes LSD.
  Eje 248RBI: 6.3; incluye 0.25 pts de modificador de fricción para ejes LSD.
  Eje 267RBI: 7.0; incluye 0.25 pts de modificador de fricción para ejes LSD.
  Eje 286RBI (2 ruedas motrices): 6.8; incluye 0.25 pts de modificador de fricción para ejes LSD.
  Eje 286RBI (4 ruedas motrices): 10.1; incluye 0.4 pts de modificador de fricción para ejes LSD.
21 Modelos con 119 plg de distancia entre ejes: 26 gal.
  Modelos con 135 plg de distancia entre ejes: 26 gal.
  Resto de modelos: 35 gal.
22 Transmisión NV 4500 HD.
23 NV241: 5.0.
  NV241 HD: 6.5.
  NV241 HD con PTO: 9.0.
24 Transmisión NV 4500.

ESPECIFICACIONES DE VÁLVULAS

Año	Motor ID/VIN	Cilindrada del motor litros (cc)	Ángulo de asiento (grados)	Ángulo de cara (grados)	Tensión de prueba del resorte (lbs @ plg)	Altura resorte instalado (plg)	Holgura entre vástago y guía (plg)		Diámetro del vástago (plg)	
							Admisión	Escape	Admisión	Escape
1995	G	2.5 (2507)	45.0	45.0	115@1.65	1.65	0.001-0.003	0.003-0.005	0.3124	0.3103
	X	3.9 (3916)	44.25-44.75	43.25-43.75	85@1.64	1.64	0.001-0.003	0.001-0.003	0.3110-0.3120	0.3110-0.3120
	Y	5.2 (5211)	44.25-44.75	43.25-43.75	85@1.64	1.64	0.001-0.003	0.001-0.003	0.3110-0.3120	0.3110-0.3120
	C	5.9 (5882)	①	①	81@1.94	2.36	0.002-0.006	0.002-0.006	0.3130-0.3140	0.3130-0.3140
	5	5.9 (5899)	44.25-44.75	43.25-43.75	85@1.64	1.64	0.001-0.003	0.002-0.004	0.3720-0.3730	0.3710-0.3720
	Z	5.9 (5899)	44.25-44.75	43.25-43.75	85@1.64	1.64	0.001-0.003	0.002-0.004	0.3720-0.3730	0.3710-0.3720
	W	8.0 (7997)	44.5	45.0	81-89@1.64	1.64	0.001-0.003	0.001-0.003	0.3110-0.3120	0.3110-0.3120
1996	P	2.5 (2507)	45.0	45.0	184-196@1.22	1.65	0.001-0.003	0.001-0.003	0.311-0.312	0.311-0.312
	X	3.9 (3916)	44.25-44.75	43.25-43.75	200@1.21	1.64	0.001-0.003	0.001-0.003	0.311-0.312	0.311-0.312
	Y	5.2 (5211)	44.25-44.75	43.25-43.75	200@1.21	1.64	0.001-0.003	0.001-0.003	0.311-0.312	0.311-0.312
	C	5.9 (5882)	①	①	81@1.94	2.36	0.002-0.006	0.002-0.006	0.313-0.314	0.313-0.314
	5	5.9 (5899)	44.25-44.75	43.25-43.75	200@1.21	1.64	0.001-0.003	0.002-0.004	0.372-0.373	0.371-0.372
	Z	5.9 (5899)	44.25-44.75	43.25-43.75	200@1.21	1.64	0.001-0.003	0.002-0.004	0.372-0.373	0.371-0.372
	W	8.0 (7997)	44.5	45.0	190-210@1.22	1.64	0.001-0.003	0.001-0.003	0.311-0.312	0.311-0.312
1997	P	2.5 (2507)	45.0	45.0	184-196@1.22	1.65	0.001-0.003	0.001-0.003	0.311-0.312	0.311-0.312
	X	3.9 (3916)	44.25-44.75	43.25-43.75	200@1.21	1.64	0.001-0.003	0.001-0.003	0.311-0.312	0.311-0.312
	Y	5.2 (5211)	44.25-44.75	43.25-43.75	200@1.21	1.64	0.001-0.003	0.001-0.003	0.311-0.312	0.311-0.312
	C	5.9 (5882)	①	①	81@1.94	2.36	0.002-0.006	0.002-0.006	0.313-0.314	0.313-0.314
	5	5.9 (5899)	44.25-44.75	43.25-43.75	200@1.21	1.64	0.001-0.003	0.002-0.004	0.372-0.373	0.371-0.372
	Z	5.9 (5899)	44.25-44.75	43.25-43.75	200@1.21	1.64	0.001-0.003	0.002-0.004	0.372-0.373	0.371-0.372
	W	8.0 (7997)	44.5	45.0	190-210@1.22	1.64	0.001-0.003	0.001-0.003	0.311-0.312	0.311-0.312
1998-99	P	2.5 (2458)	44.5	45.0	184-196@1.216	1.64	0.001-0.003	0.001-0.003	0.311-0.312	0.311-0.312
	X	3.9 (3916)	44.25-44.75	43.25-43.75	200@1.21	1.64	0.001-0.003	0.001-0.003	0.311-0.312	0.311-0.312
	Y	5.2 (5208)	44.25-44.75	43.25-43.75	200@1.21	1.64	0.001-0.003	0.001-0.003	0.311-0.312	0.311-0.312

ESPECIFICACIONES DE VÁLVULAS

Año	Motor ID/VIN	Cilindrada del motor litros (cc)	Ángulo de asiento (grados)	Ángulo de cara (grados)	Tensión de prueba del resorte (lbs @ plg)	Altura resorte instalado (plg)	Holgura entre vástago y guía (plg)		Diámetro del vástago (plg)	
							Admisión	Escape	Admisión	Escape
1998-99 cont.	Z	5.9 (5899)	44.25-44.75	43.25-43.75	200@1.21	1.64	0.001-0.003	0.002-0.004	0.372-0.373	0.371-0.372
	D	5.9 (5825)	①	①	81@1.94	1.94	0.0031-0.0051	0.0031-0.0051	0.3126-0.3134	0.3126-0.3134
	6	5.9 (5825)	①	①	76.4@1.39	1.39	0.002	0.002	0.2752-0.2760	0.2752-0.2760
	W	8.0 (7994)	44.5	45.0	200@1.212	1.64	0.001-0.003	0.001-0.003	0.311-0.312	0.311-0.312
	5	5.9 (5899)	44.25-44.75	43.25-43.75	200@1.21	1.64	0.001-0.003	0.002-0.004	0.372-0.373	0.371-0.372

① Admisión: 30 grados.
Escape: 45 grados.

ESPECIFICACIONES DE TORSIÓN
Todas las medidas están expresadas en pie-lb

Año	Motor ID/VIN	Cilindrada del motor litros (cc)	Tornillos culata de cilindros	Tornillos cojinete principal	Tornillos cojinete biela	Cigüeñal		Múltiple		Bujías	Tuerca con orejetas
						Tornillos polea amortiguador	Tornillos volante	Admisión	Escape		
1995	5	5.9 (5899)	②	85	45	135	55	③	25	30	④
	C	5.9 (5882)	⑤	⑥	⑦	92	101	⑧	32	—	④
	G	2.5 (2507)	⑨	⑩	⑪	85	70	17	17	20	95
	W	8.0 (7997)	②	85	45	135	55	⑫	16	30	④
	X	3.9 (3916)	②	85	45	135	55	③	25	30	④
	Y	5.2 (5211)	②	85	45	135	55	③	25	30	④
	Z	5.9 (5899)	②	85	45	135	55	③	25	30	④
1996	5	5.9 (5899)	②	85	45	135	55	③	25	30	④
	C	5.9 (5882)	⑤	⑥	⑦	92	101	⑧	32	—	④
	P	2.5 (2507)	⑬	80	33	80	105	17	17	27	95
	W	8.0 (7997)	②	85	45	135	55	⑫	16	30	④
	X	3.9 (3916)	②	85	45	135	55	③	25	30	④
	Y	5.2 (5211)	②	85	45	135	55	③	25	30	④
	Z	5.9 (5899)	②	85	45	135	55	③	25	30	④
1997	5	5.9 (5899)	②	85	45	135	55	③	25	30	④
	C	5.9 (5882)	⑤	⑥	⑦	92	101	⑧	32	—	④
	P	2.5 (2507)	⑬	80	33	80	105	17	17	27	95
	W	8.0 (7997)	②	85	45	135	55	⑫	16	30	④
	X	3.9 (3916)	②	85	45	135	55	③	25	30	④
	Y	5.2 (5211)	②	85	45	135	55	③	25	30	④
	Z	5.9 (5899)	②	85	45	135	55	③	25	30	④
1998-99	5	5.9 (5899)	②	85	45	18	㉔	③	25	30	④
	6	5.9 (5825)	⑭	⑮	⑯	92	⑰	18	32	—	④
	D	5.9 (5825)	⑱	⑲	⑯	92	⑰	18	32	—	④
	P	2.5 (2458)	⑳	80	33	80	105	㉑	㉑	27	④
	W	8.0 (7994)	㉒	㉓	45	135	55	40	16	30	④
	X	3.9 (3916)	②	85	45	18	23	⑥	25	30	④
	Y	5.2 (5211)	②	85	45	18	㉔	③	25	30	④
	Z	5.9 (5899)	②	85	45	18	㉔	③	25	30	④

① Aplicable sólo al múltiple inferior de admisión.

② Paso 1: 50 pie-lb.
Paso 2: 105 pie-lb.

③ Para motores V6:
Paso 1: Tornillos 1-2: 72 plg-lb en orden y en pasos de 12 plg-lb.
Paso 2: Tornillos 3-12: 72 plg-lb.
Paso 3: Comprobar que todos los tornillos se han apretado a 72 plg-lb.
Paso 4: Apretar todos los tornillos en orden a 12 pie-lb.
Paso 5: Comprobar que todos los tornillos se han apretado a 12 pie-lb.
Para motores V8:
Paso 1: Tornillos 1-4: 72 plg-lb en orden y en pasos de 12 plg-lb.
Paso 2: Tornillos 5-12: 72 plg-lb.
Paso 3: Comprobar que todos los tornillos se han apretado a 72 plg-lb.
Paso 4: Apretar todos los tornillos en orden a 12 pie-lb.
Paso 5: Comprobar que todos los tornillos se han apretado a 12 pie-lb.

④ Rueda con 5 birlos (espárragos): 95 pie-lb.
Rueda con 8 birlos: 135 pie-lb.
Ruedas dobles con 8 birlos: 145 pie-lb.

⑤ Todos los tornillos : 66 pie-lb.
Tornillos largos: 89 pie-lb.
Todos los tornillos un giro adicional de 1/4 de vuelta.

⑥ Paso 1: 45 pie-lb.
Paso 2: 88 pie-lb.
Paso 3: 129 pie-lb.

⑦ Paso 1: 26 pie-lb.
Paso 2: 51 pie-lb.

⑧ Tornillos de la cubierta del múltiple de admisión: 18 pie-lb.

⑨ Paso 1: 45 pie-lb.
Paso 2: 65 pie-lb.
Paso 3: 65 pie-lb.
Paso 4: 1/4 de vuelta adicional.

⑩ Paso 1: 30 pie-lb.
Paso 2: 1/4 de vuelta adicional.

⑪ Paso 1: 40 pie-lb.
Paso 2: 1/4 de vuelta adicional.

⑫ Múltiple de admisión inferior: 40 pie-lb.
Múltiple de admisión superior: 16 pie-lb.

⑬ Paso 1: 25 pie-lb.
Paso 2: 50 pie-lb.
Paso 3: 50 pie-lb.
Paso 4: 1/4 de vuelta adicional.

⑭ Paso 1: 66 pie-lb.
Paso 2: volver a comprobar los 66 pie-lb.
Paso 3: 1/4 de vuelta adicional (90 grados).

⑮ Paso 1: 44 pie-lb.
Paso 2: 88 pie-lb.
Paso 3: 129 pie-lb.

⑯ Paso 1: 26 pie-lb.
Paso 2: 51 pie-lb.
Paso 3: 73 pie-lb.

⑰ Transmisión manual: 101 pie-lb.
Transmisión automática: 32 pie-lb.

⑱ Paso 1: 66 pie-lb.
Paso 2: volver a comprobar los 66 pie-lb.
Paso 3: 90 pie-lb (sólo los tornillos largos).
Paso 4: volver a comprobar los 90 pie-lb (sólo los tornillos largos).
Paso 5: para todos los tornillos 1/4 de vuelta adicional (90 grados).

⑲ Paso 1: 45 pie-lb.
Paso 2: 60 pie-lb.
Paso 3: 1/4 de vuelta adicional (90 grados).

⑳ Tornillos 1-10 y 12-14: 110 pie-lb.
Perno 11: 100 pie-lb.

㉑ Tornillo 1 del múltiple de escape: 30 pie-lb.
Tornillos 2-5 de los múltiples de escape y de admisión: 23 pie-lb.
Tuercas 6 y 7 del múltiple de escape: 23 pie-lb.

㉒ Paso 1: 43 pie-lb.
Paso 2: 105 pie-lb.

㉓ Paso 1: 20 pie-lb.
Paso 2: 85 pie-lb.

㉔ Tornillos del volante: 55 pie-lb.
Plato propulsor del convertidor de torque: 23 pie-lb.

REPARACIÓN DEL MOTOR DE GASOLINA

➡ La desconexión del alambre negativo del acumulador puede, en algunos vehículos, interferir con las funciones del computador de a bordo y puede provocar que el computador requiera un proceso de readquisición de parámetros, al reconectar el negativo del acumulador.

DISTRIBUIDOR

DESMONTAJE

1. Sacar el protector contra salpicaduras (si dispone de él).

2. Si es necesario, sacar el conjunto del filtro de aire y los tubos conectados.

3. Desacoplar el/los conector/es del cable de captación del haz de alambres.

4. Dejando los alambres del distribuidor conectados, desenganchar los clips o tornillos que retienen la tapa del distribuidor, y sacar la tapa.

➡ Si sacando la tapa con los cables aún conectados no se ha ganado el espacio suficiente, los alambres de alguna o de todas las bujías deberán etiquetarse y desconectarse de la tapa para tener un mejor acceso.

5. Girar el motor hasta que el rotor esté mirando al cilindro N° 1 en posición de encendido, con las marcas de sincronización en la caja delantera y en la polea del cigüeñal alineadas. Desconectar el alambre negativo del acumulador.

6. Marcar el cuerpo del distribuidor y el bloque de cilindros para indicar la posición del distribuidor en el bloque. Marcar el cuerpo del distribuidor para indicar la posición del rotor. Estas marcas se usarán como referencia al instalar el distribuidor.

7. Sacar el perno y la abrazadera de sujeción del distribuidor. Sacar con cuidado el distribuidor del motor. El eje puede rotar ligeramente al sacar el distribuidor. Anotar o hacer una marca donde deja de girar. Este punto es adonde el rotor debe estar dirigido cuando el distribuidor se reinstale en el bloque.

INSTALACIÓN

Motor no alterado

1. Si el cigüeñal no ha girado al sacar el distribuidor del motor, usar las marcas de referencia hechas antes del desmontaje para colocar el distribuidor correctamente en el bloque. El eje podría tenerse que girar ligeramente para acoplar el engrane del árbol intermedio (3.9L, 5.2L y 5.9L, [OHV]).

2. Instalar el distribuidor mientras se sujeta el rotor en su posición, sólo permitiendo el movimiento de éste necesario para que la ranura encaje en el engrane propulsor.

3. Instalar los alambres de la bobina de captación y la tapa del distribuidor. Asegurarse de que todos los alambres de alta tensión están firmemente enganchados en las capuchas de la tapa. Instalar el tornillo de la abrazadera de sujeción del distribuidor y apretar a 200 plg-lb (22.5 Nm).

Motor alterado

Llevar a cabo este procedimiento si se giró el cigüeñal o se desajustó la sincronización de algún otro modo (p. ej., durante el montaje del motor) tras haber sacado el distribuidor.

1. Girar el cigüeñal hasta que el cilindro N° 1 esté en el Punto Muerto Superior (PMS) de la carrera de compresión. El modo más sencillo de realizar esto es sacar la bujía del cilindro N° 1 y colocar el pulgar sobre el orificio. Girar lentamente el motor con la mano en el sentido normal de rotación hasta que se sienta compresión en el orificio.

2. Asegurarse de que la marca de indicación en el amortiguador de vibraciones del cigüeñal se alinea con la marca de 0 grados (PMS) en la cubierta de la cadena de sincronización.

3. Limpiar el soporte del distribuidor en el motor y en la base del distribuidor. Lubricar ligeramente con aceite la junta tórica de goma en el alojamiento del distribuidor.

4. Sujetar el distribuidor sobre la base de montaje en el bloque de cilindros de modo que la brida del cuerpo del distribuidor coincida con la base de montaje y el rotor esté mirando hacia la posición de encendido del cilindro N° 1.

5. Instalar el distribuidor mientras se sujeta el rotor en posición, sólo permitiendo el movimiento de éste necesario para que la ranura encaje en el engrane propulsor.

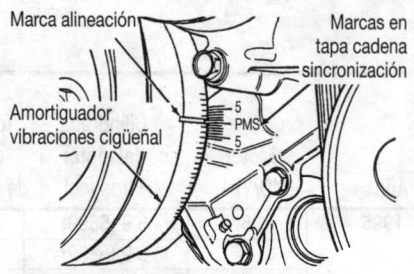

▲ Girar el cigüeñal hasta que la marca en la polea del cigüeñal y la tapa de la cadena de sincronización estén alineadas en el Punto Muerto Superior (PMS)

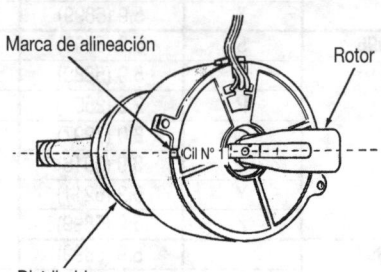

▲ La marca de alineación en el distribuidor es la posición de encendido del cilindro N° 1

6. Instalar los alambres de la bobina de captación y la tapa del distribuidor. Asegurarse de que todos los alambres de alta tensión están firmemente enganchados en las capuchas de la tapa. Instalar el tornillo de abrazadera de sujeción del distribuidor y apretar a 200 plg-lb (23 Nm).

SINCRONIZACIÓN DEL ENCENDIDO

AJUSTE

La sincronización del encendido la establece automáticamente el Módulo de Control del Tren de Transmisión y no es ajustable.

CONJUNTO MOTOR

▼ PRECAUCIÓN ▼

Tener en cuenta todas las precauciones de seguridad aplicables al trabajar con combustible. Al revisar y hacer el mantenimiento del sistema de combustible, trabajar siempre en un espacio bien ventilado. No permitir que los vapores o pulverizaciones de combustible alcancen a una chispa o una llama. Tener un extintor de polvo seco cerca del lugar de trabajo. Almacenar siempre el combustible en un recipiente especialmente diseñado a este efecto. Asimismo, sellar

siempre de forma adecuada los recipientes de combustible, para evitar la posibilidad de un incendio o explosión.

DESMONTAJE E INSTALACIÓN

Furgoneta Ram

1. Marcar el contorno de los goznes del capó sobre el capó y sacar el capó del vehículo.

2. Desconectar los terminales del acumulador.

3. Sacar la rejilla y el puntal de apoyo.

4. Sacar la tapa del motor de dentro de la furgoneta.

5. Drenar el enfriante en un recipiente apropiado.

▼ PRECAUCIÓN ▼

Al drenar el enfriante, tener en cuenta que a gatos y perros les atrae el anticongelante de etilglicol, y es probable que beban el anticongelante almacenado en recipientes no tapados o en charcos del suelo. Esto puede ser fatal en cantidad suficiente. Drenar siempre el enfriante en un recipiente sellable.

6. Sacar el filtro del aire.

▼ PRECAUCIÓN ▼

La autoridad sanitaria advierte que el contacto prolongado con aceite de motor usado puede causar algunos trastornos en la piel e incluso cáncer. Por ello se deberá intentar reducir al mínimo el contacto con el aceite usado. Deben usarse guantes de protección al cambiar el aceite. Deben limpiarse, tan rápido como sea posible, las manos y cualquier otra parte de la piel expuestas al aceite usado de motor. Debe usarse jabón y agua, o un limpiador de manos libre de agua.

7. Despresurizar el sistema de inyección de combustible.

8. Hacer que un técnico homologado por la autoridad sanitaria descargue el sistema de aire acondicionado.

9. Si dispone de él, sacar el enfriador de aceite de la transmisión.

10. Desconectar las mangueras del radiador y del calefactor. Sacar el radiador y dejar la envoltura del ventilador aparte.

11. Sacar el condensador del aire acondicionado. Tapar las líneas abiertas inmediatamente con un trozo de plástico o con cinta para impedir que la humedad penetre en el sistema.

12. Sacar la bomba de la dirección asistida y la bomba de aire con las mangueras acopladas y dejarlas a un lado.

13. Sacar el tanque de lavado.

14. Desconectar y etiquetar las líneas de vacío.

15. Sacar el compresor del aire acondicionado y dejarlo a un lado con las mangueras conectadas, si tienen suficiente longitud. Si no, desconectar las mangueras del aire acondicionado y taparlas.

16. Desacoplar el varillaje del ahogador y todas las conexiones eléctricas en los sensores del motor. Etiquetar todas las conexiones eléctricas antes de desacoplarlas.

17. Sacar el alternador, el ventilador, la polea y la/s banda/s propulsora/s.

18. Si es aplicable, sacar la tapa del distribuidor y los alambres.

19. Sacar y tapar la línea del combustible.

20. Sacar el cuerpo del ahogador.

21. Sacar el conjunto del raíl del combustible.

22. Sacar el múltiple de admisión.

23. Levantar el vehículo y apoyarlo de forma segura.

24. Drenar el aceite del motor y sacar el filtro de aceite.

25. Desconectar el tubo de escape del múltiple.

26. Sacar el motor de arranque.

27. Sacar los pernos del alojamiento acampanado y la placa de inspección. Acoplar una abrazadera-C en la parte delantera inferior de la carcasa del convertidor de torque para impedir que se salga el convertidor de torque.

28. Sacar los pernos de retención del plato propulsor del convertidor de torque. Marcar el convertidor y el plato propulsor para facilitar su posterior instalación.

29. Sacar la flecha de transmisión y el soporte trasero del motor.

30. Apoyar la transmisión con un gato de transmisión adecuado.

31. Sacar la transmisión.

32. Sacar los soportes y los aisladores delanteros del motor.

33. Usando una grúa de pluma, acoplada a la culata de cilindros con el gancho más corto posible, tomar toda la tensión y apoyar el motor.

34. Sacar el motor con cuidado de la parte delantera del vehículo. Izar lentamente y mirar si

queda alguna conexión no desconectada o enganchada.

➡ Puede ser necesario levantar el vehículo lo suficiente para mantener el elevador del motor horizontal.

35. Colocar el motor en un caballete adecuado para seguir desmontándolo o para realizar su revisión.

Para instalar:

36. Guiar el motor dentro del vehículo con cuidado.

37. Instalar los soportes y aisladores delanteros del motor.

38. Levantar el vehículo.

39. Instalar los pernos del plato propulsor del convertidor de torque.

40. Instalar el clutch o plato propulsor y el volante.

41. Si dispone de transmisión automática, instalar la transmisión intacta con el convertidor de torque. Usar las marcas de referencia para alinear los pernos de sujeción del plato propulsor y del convertidor de torque.

42. Instalar el aislador en la cara inferior de la caja de transmisión.

43. Instalar la flecha de transmisión y el soporte trasero del motor.

44. Instalar el motor de arranque.

45. Conectar el tubo de escape en el múltiple.

46. Bajar el vehículo.

47. Si es aplicable, instalar la tapa y los cables del distribuidor.

48. Reconectar la línea de combustible.

49. Instalar el alternador, el ventilador, la polea y la/s banda/s propulsora/s.

50. Acoplar el varillaje del ahogador, las mangueras del calefactor y de vacío y todas las conexiones eléctricas al encendido, alternador y al resto de conexiones eléctricas.

51. Instalar el compresor del aire acondicionado con los tubos acoplados.

52. Instalar las bombas de la dirección asistida y del aire.

53. Instalar el condensador del aire acondicionado.

54. Instalar el radiador y la envoltura del ventilador.

55. Instalar el puntal cruzado y la rejilla.

56. Conectar las mangueras del radiador y del calefactor.

57. Si dispone de él, instalar el enfriador de aceite de la transmisión.

58. Instalar el filtro de aire.

59. Rellenar todos los fluidos con los respectivos tipos y cantidades adecuados.

60. Vaciar y recargar el sistema del aire acondicionado y hacer una prueba por si hay fugas.

Excepto la furgoneta Ram

1. Desconectar el alambre negativo del acumulador.

2. Sacar el capó del vehículo.

3. Drenar el sistema de enfriamiento en un recipiente limpio. Este enfriante va a ser reutilizado si no está contaminado. En caso de que esté contaminado, disponer de enfriante reciclado.

4. En el *pick-up* Ram, sacar el travesaño superior y el soporte central superior.

5. Sacar el radiador, el conjunto de paletas del ventilador y el conjunto de la envoltura.

6. Sacar el ducto de aire de admisión y, si lo equipa, el deflector superior de aire.

7. Descargar la presión del sistema de combustible, usando el procedimiento recomendado.

8. Desconectar el chicote del acelerador y, si lo equipa, el chicote del actuador de control de velocidad y el chicote de la válvula ahogadora de la transmisión.

9. Etiquetar y desconectar todas las mangueras de vacío y del calefactor, del motor.

10. Sacar la/s banda/s propulsora/s de auxiliares.

11. En las bombas de la dirección asistida con el depósito integrado, puede ser posible sacar la bomba de la dirección asistida y colocarla a un lado sin desconectar las mangueras. En caso contrario, colocar un recipiente debajo de la bomba para recoger el drenaje, y desconectar los tubos de la bomba.

12. Si lo equipa, sacar y retirar a un lado el compresor del aire acondicionado. Usar alambre o cuerda para sujetarlo a un lado. En algunos casos no hace falta desconectar las líneas de refrigerante. Si, por el contrario, las líneas de refrigerante deben ser desconectadas, taparlas inmediatamente para impedir la entrada de humedad en el sistema.

13. Etiquetar y desacoplar todas las conexiones de alambres y, si lo equipa, el calefactor del bloque de cilindros.

14. Desconectar las líneas de combustible del múltiple de suministro de la inyección de combustible, en algunos vehículos habrá que sacar antes el múltiple superior de admisión. En caso de haberse sacado la admisión, tapar los orificios libres del múltiple de admisión con trapos limpios de modo que no pueda caer nada en ellos (p. ej., tuercas o pernos sueltos).

15. Levantar el vehículo y apoyarlo de forma segura.

16. Desconectar el sistema de escape del múltiple de escape.

17. Sacar el motor de arranque.

18. En vehículos equipados con transmisión automática, sacar las mangueras de enfriamiento de la transmisión de la abrazadera de sujeción en el bloque, si dispone de él. También sacar la tapa de inspección de la transmisión, los pernos del convertidor de torque y los pernos de la transmisión al bloque de cilindros. Empujar el convertidor de torque sacándolo fuera del plato flexible, hacia la transmisión, de modo que no salga con el motor.

19. En vehículos equipados con transmisiones manuales, sacar los pernos del alojamiento de campana y separar el alojamiento de campana del conjunto del motor.

20. Apoyar la parte delantera de la transmisión con un gato. En transmisiones automáticas, colocar un bloque de madera sobre el gato para proteger el depósito de aceite.

21. Sacar los pernos de los lados izquierdo y derecho, de soporte del motor.

22. Bajar el vehículo.

▼ AVISO ▼

No izar el motor sujeto por el múltiple de admisión.

23. Instalar el soporte o la cadena de izado del motor, en el motor. Examinar con cuidado el motor por si tuviera algo que pudiera interferir al sacarlo, y desconectar o sacar estas partes, según se requiera.

24. Izar lentamente el motor sacándolo fuera del vehículo.

25. Colocar el motor sobre un caballete para motores adecuado, para su desmontaje.

Para instalar:

26. Bajar con cuidado el motor dentro del vehículo e instalar los pernos de soporte del motor. Apretar los pernos a 70 pie-lb (95 Nm).

27. Instalar el conjunto de la transmisión dentro del vehículo.

28. Instalar el motor de arranque.

29. Conectar el sistema de escape en los múltiples.

30. Conectar las líneas de combustible y, si se había sacado, instalar el múltiple superior de admisión.

31. Acoplar todas las conexiones del haz de alambres y, si lo equipa, el calefactor del bloque de cilindros.

32. Si se habían sacado, instalar el compresor del aire acondicionado y la bomba de la dirección asistida.

33. Conectar todas las líneas y mangueras de vacío.

34. Conectar el chicote del acelerador y, si lo equipa, el chicote del actuador de control de velocidad y el chicote de la válvula ahogadora de la transmisión.

35. Instalar el radiador, el conjunto del ventilador y la envoltura del ventilador.

36. Instalar el ducto de admisión del filtro de aire del motor y si lo equipa, el deflector superior del aire.

37. Rellenar el sistema de enfriamiento.

38. Instalar el capó, después conectar el alambre negativo del acumulador.

39. Comprobar los niveles de los fluidos y añadir según sea necesario.

40. Arrancar el motor y comprobar que no haya fugas. Purgar el sistema de enfriamiento según se requiera.

41. El sistema del aire acondicionado debe ser vaciado y recargado por un mecánico certificado por la autoridad sanitaria utilizando un equipo de recuperación y reciclado de refrigerante.

BOMBA DE AGUA

DESMONTAJE E INSTALACIÓN

Motor 2.5L (SOHC)

1. Desconectar el alambre negativo del acumulador.

➡ Al sacar o instalar las abrazaderas de tensión constante de las mangueras en vehículos que los equipen, usar exclusivamente la herramienta correcta para abrazaderas, como la Snap-On N° HPC-20, o equivalente.

2. Si el vehículo dispone de aire acondicionado, sacar el compresor del soporte y colocarlo a un lado.

3. Levantar el vehículo y apoyarlo de forma segura, y si es necesario sacar el alternador y el soporte. Sacar la polea de la bomba de agua.

4. Desconectar de la bomba de agua la manguera inferior del radiador y la manguera del calefactor.

5. Sacar los tornillos de fijación del alojamiento de la bomba de agua y sacar el conjunto del vehículo. Descartar la junta tórica.

6. Sacar la bomba de agua del alojamiento.

Para instalar:

7. Limpiar las superficies de empaque antes de sellar la bomba de agua.

➡ **Este componente está sometido a constante alta presión por parte del fluido caliente y debe sellarse correctamente o tendrá fugas.**

8. Usando una junta nueva o sellador de silicona, instalar la bomba de agua en el alojamiento.

9. Instalar una junta tórica en el alojamiento e instalarlo en el motor. Apretar los pernos a 21 pie-lb (30 Nm).

10. Instalar la polea de la bomba de agua. Conectar la manguera del radiador y la manguera del calefactor en la bomba de agua.

11. Instalar todos los elementos que se hubieran sacado para ganar acceso a la bomba de agua y ajustar la/s banda/s.

12. Sacar el tapón de cabeza hexagonal en la parte superior del alojamiento del termostato. Llenar el radiador con enfriante hasta que el enfriante salga por el orificio del tapón. Instalar el tapón o válvula y continuar llenando el radiador.

13. Conectar el alambre negativo del acumulador, hacer funcionar el motor hasta que el termostato se abra, llenar completamente el radiador y comprobar que no haya fugas.

14. Una vez el vehículo esté frío, comprobar de nuevo el nivel del enfriante.

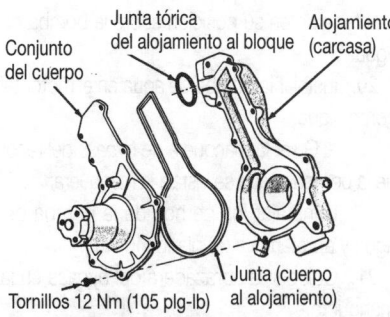

Conjunto del cuerpo
Junta tórica del alojamiento al bloque
Alojamiento (carcasa)
Tornillos 12 Nm (105 plg-lb)
Junta (cuerpo al alojamiento)

▲ **Despiece de la bomba de agua – Motor 2.5L (SOHC)**

Motor 2.5L (OHV)

➡ **Tener presente que en el motor 2.5L (OHV) el rodete impulsor gira en la dirección contraria a las agujas del reloj. Comprobar que un álabe del impulsor tenga la letra R estampada en él. El uso de una bomba de agua de motores de años anteriores, causará sobrecalentamiento.**

1. Desconectar el alambre negativo del acumulador.

2. Drenar el enfriante en un recipiente adecuado.

3. Sacar la banda propulsora.

4. Sacar la bomba de la dirección asistida.

5. Sacar la manguera inferior del radiador y la manguera del calefactor de las conexiones de la bomba de agua.

➡ **Al sacar o instalar las abrazaderas de tensión constante de las mangueras en vehículos que los equipen, usar exclusivamente la herramienta correcta para abrazaderas, como la Snap-On N° HPC-20, o equivalente.**

6. Sacar los cuatro pernos de sujeción y sacar la bomba del motor. Anotar que uno de los cuatro pernos de sujeción es más largo que los otros.

Para instalar:

7. Limpiar las superficies de empaque de toda suciedad y restos de material de junta.

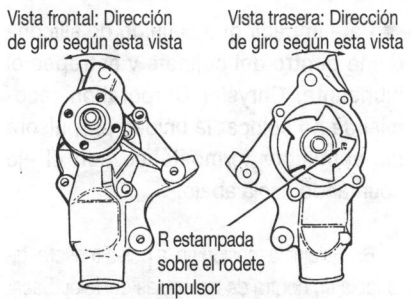

Vista frontal: Dirección de giro según esta vista
Vista trasera: Dirección de giro según esta vista
R estampada sobre el rodete impulsor

▲ **Una R estampada sobre el rodete impulsor indica que es una bomba de agua diseñada para girar en contra de las agujas del reloj – Motor 2.5L (OHV)**

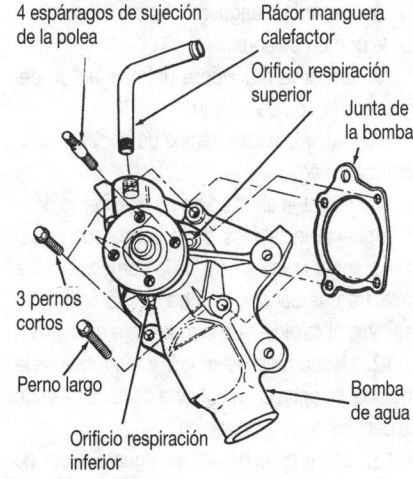

4 espárragos de sujeción de la polea
Rácor manguera calefactor
Orificio respiración superior
Junta de la bomba
3 pernos cortos
Perno largo
Bomba de agua
Orificio respiración inferior

▲ **Conjunto de la bomba de agua – Motor 2.5L (OHV)**

8. Si se va a reemplazar la bomba sacar el tubo de la manguera del calefactor de la bomba vieja, envolver el fileteado (rosca), con cinta de Teflon®, e instalar el tubo en la nueva bomba.

9. Instalar la bomba de agua y la junta nueva. Apretar los pernos a 22 pie-lb (30 Nm).

10. Instalar la polea de la bomba de agua.

11. Conectar la manguera inferior del radiador y la manguera del calefactor en la bomba de agua.

12. Instalar la bomba de la dirección asistida.

13. Instalar la banda propulsora.

14. Llenar de forma apropiada el sistema de enfriamiento.

15. Conectar el alambre negativo del acumulador.

Motores 3.9L, 5.2L y 5.9L

1. Desconectar el alambre negativo del acumulador.

2. Drenar el enfriante en un recipiente adecuado.

➡ **Al sacar o instalar las abrazaderas de tensión constante de las mangueras en vehículos que los equipen, usar exclusivamente la herramienta correcta para abrazaderas, como la Snap-On N° HPC-20, o equivalente.**

3. Relajar la tensión en la polea tensora girándola en el sentido de las agujas del reloj (girarla en el sentido contrario a las agujas del reloj sólo en el caso del motor 5.9L HDC). Sacar la banda propulsora.

4. Desconectar del radiador la manguera superior del radiador.

5. Desconectar el clutch térmico del eje de la bomba del agua usando una llave de ventilador SP346 tipo Snap-On de 36 mm, o equivalente, en la tuerca del clutch térmico y una barra de palanca entre los pernos de la polea de la bomba de agua.

6. Sacar los cuatro pernos de la envoltura del ventilador. Las furgonetas Ram tienen una envoltura de 2 piezas. Sacar los dos pernos de fijación del medio de la envoltura.

7. Sacar la envoltura y el clutch térmico con el ventilador al mismo tiempo.

➡ **Para impedir que el fluido de silicona drene dentro del cojinete y estropee el lubricante, Chrysler Corporation recomienda no colocar la unidad propulsora del ventila-**

dor termostático con el eje apuntando hacia abajo.

8. Sacar los cuatro pernos que sujetan la polea de la bomba de agua a la bomba.

9. Desconectar la manguera inferior del radiador y las mangueras del calefactor, de la bomba de agua.

10. Sacar los siete pernos de la bomba de agua que fijan la bomba en el motor. Sacar la bomba.

Para instalar:

➡ Este componente está sometido a constante alta presión por parte del fluido caliente y debe sellarse correctamente o tendrá fugas.

11. Limpiar las superficies de empaque antes de sellar la bomba de agua.

12. Transferir el tubo de retorno de enfriante, con una junta tórica nueva instalada, a la bomba de recambio.

13. Instalar la bomba de agua en el motor. Usar una junta nueva recubierta con sellante. Apretar los pernos a 30 pie-lb (41 Nm).

14. Reconectar todas las mangueras en la bomba de agua.

15. Instalar la polea de la bomba de agua. Apretar los pernos a 20 pie-lb (27 Nm).

16. Instalar la banda propulsora.

17. Instalar el conjunto de la envoltura y el ventilador. Apretar la tuerca del clutch térmico a 42 pie-lb (57 Nm).

18. Colocar la envoltura y apretar los pernos de sujeción a 50 plg-lb (6 Nm).

19. Conectar la manguera superior del radiador en el radiador.

20. Llenar correctamente el sistema de enfriamiento.

21. Conectar el alambre negativo del acumulador.

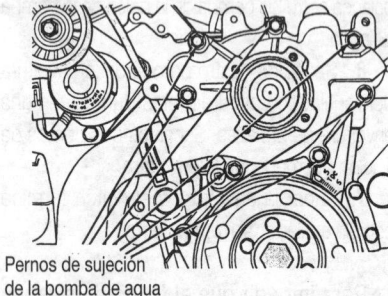

Pernos de sujeción de la bomba de agua

▲ Localización de los pernos de sujeción de la bomba del agua – Motores 3.9L, 5.2L y 5.9L, el motor 8.0L es similar

Motor 8.0L

1. Desconectar el alambre negativo del acumulador.

2. Drenar el enfriante en un recipiente adecuado.

3. Sacar el tanque de lavado de la envoltura del ventilador y desconectar la envoltura del ventilador pero no sacarla del radiador.

4. Sacar del radiador la manguera superior del radiador.

➡ Al sacar o instalar las abrazaderas de tensión constante de las mangueras en vehículos que los equipen, usar exclusivamente la herramienta correcta para abrazaderas, como la Snap-On N° HPC-20 o equivalente.

5. Desconectar el clutch térmico del eje de la bomba de agua, usando una llave de ventilador SP346 tipo Snap-On de 36 mm, o equivalente, en la tuerca del clutch térmico y una barra de palanca entre los pernos de la polea de la bomba de agua.

➡ Para impedir que el fluido de silicona drene dentro del cojinete y estropee el lubricante, Chrysler Corporation recomienda no colocar la unidad propulsora del ventilador termostático con el eje apuntando hacia abajo.

6. Relajar la tensión en la polea tensora, girándola en contra de las agujas del reloj. Sacar la banda propulsora.

7. Sacar los cuatro pernos de cubo de la polea a la bomba de agua y sacar la polea del vehículo.

8. Sacar la manguera inferior del radiador, de la bomba de agua.

9. Sacar la manguera del calefactor, del rácor de la bomba de agua.

10. Sacar los siete pernos de sujeción de la bomba de agua.

11. Aflojar la abrazadera en el extremo de la manguera de *bypass* de la bomba de agua. Desprender la manguera de la bomba de agua mientras se saca la bomba del vehículo. No sacar la abrazadera de la manguera de *bypass*.

12. Descartar el sello de la junta tórica de la bomba de agua en la cubierta de la carcasa de la cadena de sincronización.

13. Sacar de la bomba de agua el rácor de la manguera del calefactor, si es necesario reemplazar la bomba. Anotar la posición (direc-

ción) del rácor, antes de sacarlo. El rácor debe instalarse en la misma posición.

➡ No desconectar ninguna línea de refrigerante del compresor.

Para instalar:
▼ AVISO ▼
Este componente está sometido a constante alta presión por parte del fluido caliente y debe sellarse correctamente o tendrá fugas.

14. Limpiar las superficies de empaque antes de sellar la bomba de agua.

15. Instalar la bomba de agua en el motor. Usar una junta nueva recubierta con sellante.

16. Instalar los pernos de sujeción del soporte delantero de la bomba de agua en el compresor. Apretar los pernos a 30 pie-lb (41 Nm).

17. Si se ha instalado una bomba nueva, instalar después el rácor de la manguera del calefactor en la bomba. Apretar el rácor a 144 plg-pie (16 Nm). Después de apretar el rácor, colocarlo tal como se muestra en el dibujo. Al colocar el rácor, no girarlo en contra de las agujas del reloj. Usar un sellante de fileteado adecuado que contenga Teflon®. Ver las indicaciones de la caja de embalaje.

18. Limpiar la muesca de la junta tórica e instalar la junta tórica nueva.

19. Aplicar una pequeña cantidad de gelatina de petróleo en la junta tórica para ayudarla a mantenerse en su posición sobre la bomba de agua.

20. Instalar la bomba de agua en el motor tal como sigue:

   a. Guiar la manguera de *bypass* del rácor de la bomba según se instala la manguera.

   b. Instalar los pernos de la bomba del agua y apretarlos a 30 pie-lb (40 Nm).

21. Colocar la abrazadera del *bypass* en la manguera.

22. Hacer girar la bomba de agua para asegurarse de que el rodete impulsor no fricciona con la caja/cubierta de la cadena de sincronización.

23. Conectar la manguera inferior del radiador en la bomba de agua.

24. Conectar la manguera del calefactor y la abrazadera de la manguera en el rácor de la manguera del calefactor.

25. Instalar la polea de la bomba de agua. Apretar los pernos a 16 pie-lb (22 Nm). Colocar una barra de palanca entre los pernos de la

polea de la bomba de agua para impedir que se afloje la polea.

26. Instalar la banda serpentina.

27. Colocar el conjunto de la envoltura del ventilador y el conjunto impulsor por viscosidad y hélice del ventilador como una sola unidad.

28. Instalar la envoltura del ventilador en el radiador. Apretar los pernos a 50 plg-lb (6 Nm).

29. Instalar el impulsor viscoso y hélice del ventilador en el eje de la bomba de agua.

30. Llenar el sistema de enfriamiento, conectar el alambre negativo del acumulador y comprobar que no haya fugas.

CULATA DE CILINDROS

DESMONTAJE E INSTALACIÓN

▼ PRECAUCIÓN ▼

Tener en cuenta todas las precauciones de seguridad aplicables al trabajar con combustible. Al revisar y hacer el mantenimiento del circuito de combustible, trabajar siempre en un espacio bien ventilado. No permitir que los vapores o pulverizaciones de combustible alcancen a una chispa o una llama. Tener un extintor de polvo seco cerca del lugar de trabajo. Almacenar siempre el combustible en un recipiente especialmente diseñado a este efecto. Asimismo, sellar siempre de forma adecuada los recipientes de combustible, para evitar la posibilidad de incendio o explosión.

Motor 2.5L (SOHC)

1. Descargar la presión del sistema de combustible.

2. Desconectar el alambre negativo del acumulador y desatornillarlo de la culata.

3. Drenar el sistema de enfriamiento. Sacar la tuerca del soporte de la varilla del alojamiento del termostato.

4. Sacar el conjunto del filtro de aire. Sacar la manguera superior del radiador y desconectar las mangueras del calefactor.

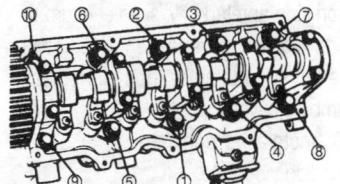

▲ Secuencia de apriete de la culata de cilindros – Motor 2.5L (SOHC)

5. Desacoplar y etiquetar las líneas de vacío, mangueras y conectores de alambres de el/los múltiple/s, del cuerpo del ahogador y de la culata de cilindros. Sacar la bomba de aire, si dispone de ella.

6. Desconectar todos los varillajes y la línea del combustible del cuerpo del ahogador. Sacar el perno de la abrazadera del chicote. Sacar el tornillo de sujeción de la banda de masa, del tabique cortafuegos.

7. Si equipa aire acondicionado, sacar los pernos superiores de sujeción del compresor. La culata de cilindros puede sacarse con el compresor y el soporte montados. Sacar la parte superior de la cubierta de la banda de sincronización.

8. Levantar el vehículo y apoyarlo de forma segura. Desconectar el convertidor catalítico del múltiple de escape. Desconectar la manguera de agua y el drenaje de aceite del turbocargador, si dispone de él.

9. Rotar el motor con la mano, hasta que las marcas de sincronización queden alineadas (pistón Nº 1 en el PMS). Bajar el vehículo.

10. Con las marcas de sincronización alineadas, sacar el piñón del árbol de levas. Se puede colgar el piñón del árbol de levas para mantener intacta la sincronización. Sacar de las bujías los alambres de las bujías.

11. Sacar la cubierta de la culata de cilindros y la cortina, si la equipa. Sacar los pernos y las arandelas de la culata de cilindros, empezando por el centro y avanzando hacia fuera.

12. Sacar la culata de cilindros del motor.

Para instalar:

➡ Antes de desmontar o reparar ninguna parte del conjunto de la culata de cilindros, identificar los componentes instalados de fábrica sobredimensionados. Para hacerlo, buscar las partes superiores de los sombreretes de los cojinetes pintadas de verde y las letras O/SJ estampadas en el tapón de la galería de aceite situado en la parte posterior de la culata. Además, el tambor del árbol de levas está pintado en verde y tiene estampado O/SJ en el extremo trasero del árbol de levas. La instalación de piezas de tamaño estándar en una culata equipada con piezas sobredimensionadas (o viceversa) causará daños severos en el motor.

13. Limpiar las superficies de empaque de la junta de culata.

14. Usando juntas y sellos nuevos, instalar la culata en el motor.

15. Usando pernos de culata nuevos montados con las arandelas antiguas, apretar los pernos de culata de cilindros en orden, a 45 pie-lb (61 Nm). Repitiendo el mismo orden, apretar los pernos a 65 pie-lb (88 Nm). Con los pernos apretados a 65 pie-lb (88 Nm), girar cada perno $1/4$ de vuelta adicional.

➡ **El diámetro del perno de culata es 11 mm. Estos pernos quedan identificados por el número 11 en la cabeza del perno. Los pernos de 10 mm usados en algunos modelos anteriores entrarán en el orificio fileteado de 11 mm, pero dañarán de forma permanente el bloque de cilindros. Asegurarse de que se están usando los pernos correctos cuando se sustituyen los pernos de culata viejos.**

16. Instalar la banda de sincronización.

17. Instalar o conectar todos los elementos que se sacaron o desconectaron durante el desmontaje.

18. Rellenar el sistema de enfriamiento. Arrancar el motor y comprobar que no haya pérdidas.

Motor 2.5L (OHV)

1. Desconectar el alambre negativo del acumulador.

▼ PRECAUCIÓN ▼

El sistema de inyección de combustible permanece con presión, incluso después de que el contacto del motor se haya desconectado (OFF). La presión del sistema de combustible debe liberarse antes de desconectar ningún tubo de combustible. Si no se hace así existe riesgo de incendio y/o lesiones personales.

2. Descargar de forma apropiada la presión del sistema de combustible, según sea preciso.

3. Drenar el sistema de enfriamiento.

4. Desconectar las mangueras del alojamiento del termostato.

5. Sacar el filtro de aire.

6. Desconectar la manguera de vacío de Ventilación del Cigüeñal (CCV) y la manguera de entrada de aire limpio, de la cubierta de la culata de cilindros.

7. Sacar los pernos de retención de la cubierta de la culata de cilindros y sacar la cubierta de la culata de cilindros. Tener cuidado. El composite de apariencia de plástico usado en muchas versiones de este motor, para la cubierta de la culata de cilindros, se daña con suma facilidad. Limpiar la cubierta con un solvente adecuado e inspeccionar la parte inferior de la cubierta. Debe haber una indicación PRY HERE («hacer palanca aquí») que muestra una zona reforzada donde se puede insertar una espátula para ayudar a romper el sello de modo que se pueda sacar la cubierta.

➡ En algunos últimos modelos de motor, la cubierta de los balancines (cubierta de la culata de cilindros) tiene una junta vulcanizada acoplada. Esta junta no debe sacarse. Si falta alguna parte de la junta o está muy comprimida, reemplazar la cubierta. Sin embargo, daños menores tales como pequeñas grietas, cortes o picaduras pueden repararse con material de junta líquida.

8. Sacar los balancines y los empujadores. Todas las piezas del tren de válvulas que vayan a ser reutilizadas deben retornarse a sus posiciones originales. Guardarlas en su orden original para tener una referencia al instalarlas.

9. Sacar la/s banda/s propulsora/s de auxiliares.

10. Si dispone de aire acondicionado, proceder según se explica a continuación:

a. Sacar el compresor y retirarlo a un lado, con todas las líneas acopladas.

b. Sacar los pernos del soporte del compresor, de la culata de cilindros.

c. Aflojar el perno pasante en la parte inferior del soporte.

11. Si dispone de ella, sacar la bomba de la dirección asistida y el soporte de montaje. Colgar la bomba aparte. No desconectar las mangueras de la bomba.

12. Desconectar las líneas de combustible.

13. Sacar los múltiples de admisión y escape.

14. Sacar las bujías y los alambres. Asegurarse de etiquetar cada uno de los alambres de bujías para garantizar su correcta instalación.

15. Desconectar el alambre de la unidad sensora de temperatura.

16. Sacar el conjunto de la bobina de encendido y soporte.

17. Sacar los pernos de la culata de cilindros en el orden inverso al orden de apriete durante su instalación.

18. Izar la culata del motor y sacar la junta de culata. Impedir que entre cualquier material extraño en el motor taponando las bocas de los cilindros con toallas de taller limpias que no dejen hilos ni pelusa.

19. Limpiar a fondo las superficies de empaque. Eliminar todos los restos del material de la junta vieja. Eliminar todos los depósitos de carbonilla de las cámaras de combustión. Poner una regla de ajustador cruzando la culata y comprobar la planicidad de la misma. La desviación total no debe exceder 0.008 plg (0.20 mm).

Para instalar:

20. Fabricar dos clavijas de centrado de la culata de cilindros, a partir de dos pernos usados. Usando los pernos más largos, cortar la cabeza hexagonal y hacer cortes sobre la parte superior para un destornillador grande. Ver ilustración.

21. Instalar una clavija en el orificio del perno N° 10 de la culata de cilindros y la otra clavija en el orificio del perno N° 8.

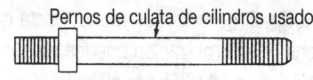
Pernos de culata de cilindros usado

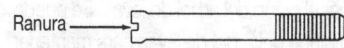
Ranura

▲ Fabricar 2 clavijas de alineación a partir de pernos de culata de cilindros usados – Motor 2.5L (OHV)

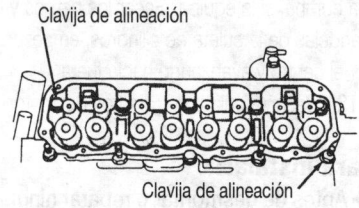
Clavija de alineación

Clavija de alineación

▲ Para colocar correctamente la culata de cilindros durante su montaje, instalar de forma temporal las clavijas de centrado en los orificios de las esquinas de la culata, tal como se muestra – Motor 2.5L (OHV)

➡ Los pernos de culata de cilindros deben reusarse sólo una vez. Reemplazar los pernos que previamente se habían usado o que están marcados con pintura. Si se van a reusar algunos pernos, marcarlos con pintura para referencia futura. Los pernos de culata deben instalarse usando sellante. Ha habido casos de rotura de pernos de culata en este motor. En cualquier caso, se recomienda siempre instalar pernos nuevos.

22. Sacar las toallas de taller, de las ánimas de los cilindros y recubrir cada ánima de cilindro con aceite limpio de motor.

23. Instalar la junta de culata nueva dentro de su posición en el motor sobre las clavijas. Asegurarse de que los números que hay sobre la junta están mirando hacia arriba.

➡ No aplicar sellante puesto que las juntas de culata son de tipo composite.

24. Instalar la culata de cilindros en posición en el motor sobre la junta y las clavijas.

25. Sólo en el perno N° 7 de la culata, recubrir el fileteado con sellante Loctite® PST o equivalente.

26. Instalar todos los pernos de culata excepto el N° 8 y el N° 10.

27. Sacar las clavijas e instalar los pernos N° 8 y N° 10.

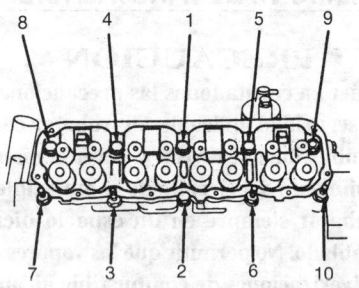

▲ Apretar los pernos de la culata de cilindros en el orden que se muestra – Motor 2.5L (OHV)

28. Apretar los pernos de culata en el orden correcto según las especificaciones de torque siguientes:

a. Apretar todos los pernos a 22 pie-lb (30 Nm).

b. Apretar todos los pernos a 45 pie-lb (61 Nm).

c. Apretar los pernos N° 1 al N° 6 a 110 pie-lb (150 Nm).

d. Apretar el perno N° 7 a 100 pie-lb (136 Nm).

e. Apretar los pernos del N° 8 al N° 10 a 110 pie-lb (150 Nm).

29. Repasar todos los pernos en orden para comprobar que el torque es correcto. Si aún no se había hecho, limpiar y dar un pequeño toque de pintura en la cabeza de cada perno, después de apretarlos. Esto indica que los pernos ya han sido apretados y, si en el futuro se va a realizar algún otro trabajo en ellos, los pernos deberán ser reemplazados con piezas de recambio nuevas.

30. Instalar el conjunto de la bobina de encendido y soporte.

31. Conectar el alambre de la unidad de transmisión de temperatura.

32. Instalar las bujías y apretarlas a 27 pie-lb (37 Nm).

33. Reconectar los alambres de bujías. Asegurarse de que los alambres se conectan a las bujías correctas.

34. Instalar los múltiples de admisión y de escape.

35. Reconectar las líneas de combustible.

36. Si dispone de ella, instalar la bomba de la dirección asistida y soporte.

37. Instalar los empujaválvulas y balancines en sus posiciones originales. Apretar los pernos de los balancines, alternativamente y de forma uniforme, para evitar dañar el puente. Apretar los pernos de balancines a 21 pie-lb (28 Nm).

38. Instalar la cubierta de balancines. Apretar los pernos de la cubierta de balancines a 115 plg-lb (13 Nm).

39. Instalar el soporte de montaje del compresor del aire acondicionado en la culata de cilindros y en el bloque de cilindros. Apretar los pernos de sujeción a 30 pie-lb (40 Nm).

40. Instalar el compresor del aire acondicionado en el soporte de montaje y apretar los pernos de sujeción a 20 pie-lb (27 Nm).

41. Instalar la/s banda/s propulsora/s de auxiliares y ajustarlas a la tensión apropiada. Asegurarse de que la banda serpentina está correctamente encaminada. Un encaminado incorrecto puede hacer que la bomba del agua gire en sentido opuesto, lo cual provocaría el sobrecalentamiento del motor.

42. Instalar el conjunto del filtro del aire.

43. Reconectar la manguera de vacío CCV y la manguera de entrada de aire limpio en la cubierta de balancines.

44. Conectar las mangueras en el alojamiento del termostato.

45. Llenar el sistema de enfriamiento.

46. Cambiar el aceite del motor y el filtro del aceite.

47. Conectar el alambre negativo del acumulador.

48. Ajustar el varillaje y el chicote del ahogador de la transmisión automática, si dispone de ella.

49. Hacer funcionar el motor a la temperatura normal de funcionamiento. Comprobar si hay fugas y que el funcionamiento sea normal.

Motor 3.9L

1. Descargar la presión del sistema de combustible.

2. Desconectar el alambre negativo del acumulador.

3. Drenar el sistema de enfriamiento.

4. Levantar el vehículo y apoyarlo de forma segura.

5. Desconectar el tubo de escape de los múltiples.

6. Sacar el alternador, si se va a sacar la culata derecha y la bomba de aire, y el alambre negativo del acumulador, si se va a sacar la culata izquierda.

7. Sacar el conjunto del filtro de aire. Desatornillar el compresor del aire acondicionado y retirarlo a un lado, si dispone de él. Sacar la tapa del distribuidor, con todos los alambres conectados.

8. Desconectar todos los alambres, mangueras, varillajes y chicotes del cuerpo del ahogador. Desconectar y tapar la línea de combustible.

9. Desacoplar la bobina de encendido, el alambre de la unidad transmisora de temperatura del enfriante y todos los otros conectores junto con el haz de alambres conectados a elementos del múltiple de admisión.

10. Desconectar la manguera del calefactor, la manguera superior del radiador y la abrazadera de la manguera del *bypass* inferior.

11. Sacar las cubiertas de la culata de cilindros.

12. Sacar el conjunto del múltiple de admisión. Sacar los múltiples de escape.

13. Sacar los balancines.

14. Sacar los empujaválvulas e identificarlos para asegurar que se van a instalar en sus posiciones originales.

15. Sacar los pernos de la culata y sacar la/s culata/s de cilindros.

Para instalar:

16. Limpiar y secar todas las superficies de empaque de la culata y bloque de cilindros.

17. Inspeccionar todas las superficies con una regla metálica de ajustador y una galga de holguras. Si indican la existencia de alabeo, medir su valor. Este valor del alabeo no debe exceder 0.00075 veces la longitud del vano (luz) en cualquier dirección. Por ejemplo, con una luz de 12 plg (305 mm) y un alabeo de 0.004 plg (0.10 mm), la máxima diferencia permisible es de 12 x 0.00075 = 0.009 plg (305 x 0.00075 = 0.22875 mm). En este caso, la culata se encuentra dentro de los límites. Si el alabeo supera los límites especificados, o se cambia la culata o se rectifica ligeramente la superficie de la culata de cilindros.

18. No usando ningún tipo de sellante, sea cual sea éste, instalar la/s junta/s de culata nueva/s en el bloque de cilindros. Limpiar, secar y poner un poco de aceite en los fileteados (roscas) de todos los pernos de culata. Instalar la/s culata/s e instalar los pernos de culata/s.

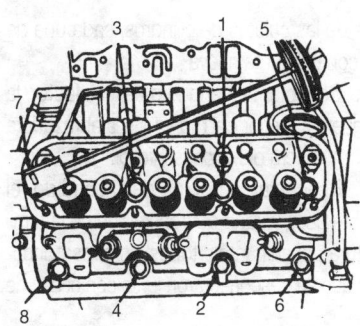

▲ Secuencia de apriete de la culata de cilindros – Motor 3.9L

19. Apretar los pernos de culata en secuencia, a 50 pie-lb (68 Nm). Repetir el mismo orden apretando ahora a un valor final de apriete de 105 pie-lb (143 Nm) y repetir el paso segundo, para asegurarse de que todos los pernos se han apretado correctamente.

20. Montar los balancines. Apretar los pernos de forma uniforme y gradual a 21 pie-lb (28 Nm).

21. Limpiar y secar las superficies de contacto del múltiple de admisión. Recubrir las juntas laterales del múltiple de admisión muy ligeramente con sellante e instalar las juntas en las culatas. Unas muescas recortadas en la delantera de las juntas, permiten diferenciar los lados izquierdo y derecho de éstas.

22. Aplicar una capa fina y uniforme de masilla de secado rápido en las juntas delantera y trasera del múltiple de admisión y en las superficies de montaje en el bloque de cilindros y aplicar una gota de sellante en cada una de las cuatro esquinas. Instalar las juntas delantera y trasera encajando el orificio en el bloque y las lengüetas de las juntas de culata. Aplicar un segundo cordón fino de sellante sobre las juntas en las cuatro esquinas.

23. Bajar con cuidado el múltiple de admisión en su posición, acoplando la manguera de *bypass*; después de colocarlo satisfactoriamente, en su sitio inspeccionar las juntas para comprobar que no se hayan desencajado.

24. Instalar los pernos del múltiple de admisión y apretar en orden a 25 pie-lb (34 Nm). Repetir el mismo orden apretando los pernos hasta un apriete final de 40 pie-lb (54 Nm) y repetir el segundo paso para asegurarse de que todos los pernos están correctamente apretados.

25. Instalar el/los múltiple/s de escape y apretar los pernos a 20 pie-lb (27 Nm). Apretar las tuercas finales a 15 pie-lb (20 Nm).

26. Limpiar y secar las superficies de empaque de la tapa de la culata de cilindros, los pernos y los orificios para los pernos. Instalar las tapas de las culatas de cilindros, cada una de ellas con una junta nueva.

27. Conectar la manguera del calefactor, la manguera superior del radiador y la abrazadera de la manguera del *bypass* inferior.

28. Reacoplar la bobina de encendido, el alambre de la unidad de transmisión de la temperatura del enfriante y todos los otros conectores que se desconectaron junto con el haz de alambres.

29. Instalar el compresor del aire acondicionado, si dispone de él. Instalar la tapa del distribuidor y de todos los alambres bujías.

30. Instalar el alternador, la masa del acumulador, y la bomba de aire, en caso de que se hubieran sacado.

31. Conectar todos los alambres, mangueras, chicotes y la línea de combustible en el cuerpo del ahogador. Instalar el conjunto del filtro de aire.

32. Levantar el vehículo y apoyarlo de forma segura. Conectar el tubo de escape en los múltiples.

33. Llenar el sistema de enfriamiento.

34. Conectar el alambre negativo del acumulador.

Motores 5.2L y 5.9L

1. Drenar el sistema de enfriamiento y desconectar el alambre negativo del acumulador.

2. Sacar el alternador, el filtro de aire, la línea de combustible y los protectores térmicos que puedan estar obstruyendo.

3. Desacoplar el varillaje del acelerador.

4. Sacar las líneas de vacío del cuerpo del ahogador. En vehículos con el motor 5.9L, sacar el acumulador.

5. Sacar la tapa del distribuidor y los alambres, como un conjunto.

6. Desconectar los alambres de la bobina, la unidad de transmisión de la temperatura del agua, las mangueras del calefactor, y la manguera de *bypass*. En el motor 5.9L, sacar el distribuidor.

7. Sacar el sistema cerrado de ventilación, el sistema de control evaporativo, y las tapas de las culatas de cilindros.

8. Sacar el múltiple de admisión.

9. Sacar los múltiples de escape.

10. En motores 5.9L, etiquetar los pernos centrales.

11. Sacar la tapa de la cámara de levantaválvulas. Sacar los conjuntos de balancines y ejes.

12. Sacar los empujaválvulas y guardarlos en orden, de modo que se asegure su instala-

ción en las posiciones originales que ocupaban. En el motor 5.9L, sacar los pernos de la bomba del agua en la culata.

13. Sacar los pernos de culata, de cada culata de cilindros, y sacar las culatas de cilindros.

14. Limpiar todas las superficies de empaque del bloque de cilindros y de las culatas de cilindros. Instalar las bujías.

15. Inspeccionar todas las superficies con una regla metálica de taller y una galga de huelgos. Si indican la existencia de alabeo (deformaciones), medir su valor. Este valor del alabeo no debe exceder 0.00075 veces la longitud del vano en cualquier dirección. Por ejemplo, con una luz de 12 plg (305 mm) y un alabeo de 0.004 plg (0.10 mm), la máxima diferencia permisible es de 12 x 0.00075 = 0.009 plg (305 x 0.00075 = 0.22875 mm). En este caso, la culata se encuentra dentro de los límites. Si el alabeo supera los límites especificados, o se cambia la culata o se rectifica ligeramente la superficie de la culata de cilindros.

Para instalar:

16. Recubrir las juntas de culata nuevas con sellante, instalar las juntas y (e instalar) las culatas de cilindros.

17. Instalar los pernos de culata de cilindros. Apretar los pernos de culata de cilindros a 105 pie-lb (143 Nm) en el orden indicado en la figura. Repetir este orden, para volver a apretar todos los pernos a sus especificaciones.

18. Instalar los empujaválvulas.

19. En el motor 5.9L, instalar los pernos de la bomba del agua en la culata.

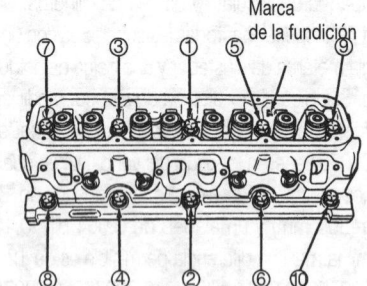

Marca de la fundición

▲ Apretar los pernos de la culata de cilindros en el orden que se muestra para asegurar un sellado total y un buen aplastamiento de la junta – Motores 5.2L y 5.9L

▼ AVISO ▼

Para evitar el contacto de la válvula con el pistón, asegurarse de que el pistón en el cilindro en cuestión no se encuentra en el PMS al apretar los balancines.

20. Instalar los balancines. Apretar los pernos a 21 pie-lb (28 Nm).

21. Instalar los múltiples de escape.

22. Instalar el múltiple de admisión.

23. Instalar el sistema PCV, el sistema de control evaporativo y las tapas de la culata de cilindros.

24. Conectar los alambres de la bobina, unidad de transmisión de la temperatura del agua, las mangueras del calefactor, y la manguera de *bypass*. En el motor 5.9L, instalar el distribuidor.

25. Instalar la tapa del distribuidor y los alambres como un conjunto.

26. Instalar las líneas de vacío en el cuerpo del ahogador. En vehículos con el motor 5.9L, instalar el acumulador.

27. Conectar el varillaje del acelerador.

28. Instalar el alternador, el filtro de aire, y la línea de combustible.

29. Llenar el sistema de enfriamiento y conectar el alambre negativo del acumulador.

Motor 8.0L

1. Desconectar el alambre negativo del acumulador.

2. Drenar el sistema de enfriamiento.

3. Sacar los protectores térmicos.

4. Sacar la barra de sujeción del soporte del múltiple de admisión en el alternador. Sacar el alternador.

5. Desconectar el varillaje del acelerador.

6. Sacar el sistema cerrado de ventilación, el sistema de control evaporativo, y las tapas de la culata de cilindros.

7. Desconectar el sistema de control de evaporación.

8. Sacar el filtro de aire.

9. Descargar la presión del sistema de combustible.

10. Desconectar el varillaje del ahogador y los chicotes de control de velocidad y del cambio obligado de la transmisión, si lo equipa.

11. Sacar el conjunto de bobina y soporte.

12. Desconectar los alambres de la bobina.

13. Desconectar el alambre de la unidad transmisora del indicador de calentamiento.

14. Desconectar las mangueras del calefactor y la manguera de *bypass*.

15. Sacar el múltiple superior de admisión y el cuerpo del ahogador como un conjunto.

16. Sacar las tapas de las culatas de cilindros y las juntas (reutilizables).

17. Sacar el tubo EGR. Descartar la junta sólo para el lado derecho.

18. Sacar el múltiple de admisión inferior. Descartar las juntas laterales de la brida y las juntas de los tubos cruzados delantero y trasero.

19. Desconectar el tubo de escape del múltiple de escape.

20. Sacar los conjuntos de balancines, y empujaválvulas. Organizarlos de modo que se vuelvan a instalar en las mismas posiciones que ocupaban antes de su desmontaje.

21. Sacar los pernos de culata de cada culata de cilindros y sacar las culatas de cilindros. Descartar la junta.

22. Sacar las bujías.

23. Limpiar todas las superficies de empaque del bloque de cilindros y de la culata de cilindros.

24. Inspeccionar todas las superficies con una regla metálica de taller y una galga de huelgos. Si indican la existencia de alabeo, medir su valor. El valor límite admisible especificado para el alabeo son 0.0004 plg por cada plg (0.0007 mm por 1 mm) o 0.005 plg por cada 6 plg (0.127 mm por 152 mm) en cualquier dirección, o 0.010 plg (0.254 mm) en conjunto en la culata. Si el alabeo supera los límites especificados, o se cambia la culata, o se rectifica ligeramente la superficie para dejarla plana. El acabado de la superficie de la culata de cilindros debe ser de 15-80 micropulgadas (1.78-4.57 micras).

Para instalar:

25. Instalar las juntas e instalar las culatas de cilindros.

26. Instalar los pernos de culata de cilindros. Apretar los pernos de culata de cilindros en dos etapas:

   a. Apretar todos los pernos de culata de cilindros a 43 pie-lb (58 Nm).

   b. Apretar todos los pernos de culata de cilindros a 105 pie-lb (143 Nm).

▼ AVISO ▼

Para evitar el contacto de la válvula con el pistón, asegurarse de que el pistón en el cilindro en cuestión no se encuentra en el PMS al apretar los balancines.

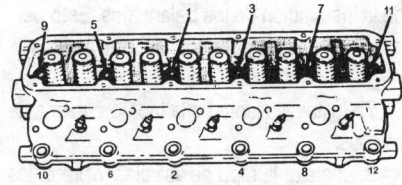

▲ Secuencia de apriete de la culata de cilindros – Motor 8.0L

27. Instalar los conjuntos de los balancines y empujaválvulas en sus posiciones originales. Apretar los pernos a 21 pie-lb (28 Nm).

28. Instalar las juntas del múltiple de admisión. Asegurarse de que las clavijas de centrado están colocadas en la culata.

▼ AVISO ▼

Asegurarse completamente de que no hay aceite sobre la superficie de sellado del bloque de cilindros.

29. Quitar el papel de protección (azul-detrás y marrón-delante).

30. Alinear las ranuras en los sellos de los extremos con las muescas en el múltiple de admisión.

31. Insertar sellante adhesivo de goma de silicona Mopar® o equivalente, en los huecos de las cuatro esquinas. Llenar –sin sobrellenar– las cavidades.

32. Instalar el múltiple inferior de admisión DURANTE los tres minutos posteriores a haber aplicado el sellante (nunca esperar más de este tiempo). Bajar el múltiple de admisión con cuidado a su posición sobre el bloque de cilindros y las culatas. Después de que el múltiple de admisión esté colocado, comprobar que las juntas y los sellos estén también en su posición correcta.

33. Apretar todos los pernos a mano, alternando un lado con el otro.

34. Apretar los pernos del múltiple de admisión inferior a 40 pie-lb (54 Nm).

35. Usar una junta nueva y colocar el múltiple de admisión superior sobre el múltiple de admisión inferior.

36. Apretar los pernos del múltiple de admisión superior a 16 pie-lb (22 Nm).

37. Instalar el tubo de escape en el múltiple de escape. Apretar los pernos a 25 pie-lb (34 Nm).

38. Usando una junta nueva, colocar el tubo EGR en el múltiple de admisión y en el múltiple de escape.

39. Apretar la tuerca a 25 pie-lb (34 Nm). Apretar los pernos a 15 pie-lb (20 Nm).

40. Instalar los protectores térmicos y las arandelas. Asegurarse de que las orejetas de los protectores térmicos enganchan sobre la junta de escape. Apretar las tuercas a 11 pie-lb (15 Nm).

41. Instalar las bujías. Apretar a 30 pie-lb (40 Nm).

42. Instalar los paquetes de las bobinas y soportes. Apretar los pernos a 16 pie-lb (21 Nm). Conectar los alambres de bobinas.

43. Conectar el alambre de la unidad de transmisión del indicador de calentamiento.

44. Conectar las mangueras del calefactor y la manguera de *bypass*.

45. Conectar el varillaje del ahogador y (si lo equipa) los chicotes del control de velocidad y del cambio obligado de la transmisión.

46. Instalar la línea de combustible.

47. Instalar el alternador y la banda propulsora. Apretar el perno de sujeción a 30 pie-lb (41 Nm). Apretar el perno de la cinta de ajuste a 17 pie-lb (23 Nm).

48. Instalar la tapa de la culata de cilindros sobre la junta. Instalar los pernos espárrago y los pernos de cabeza hexagonal en sus posiciones correspondientes. Apretar los pernos espárrago a 12 pie-lb (16 Nm).

49. Instalar el sistema cerrado de ventilación del cárter.

50. Conectar el sistema de control de evaporación.

51. Instalar el filtro de aire.

52. Llenar el sistema de enfriamiento.

53. Conectar el alambre negativo del acumulador.

54. Arrancar el vehículo y comprobar que no haya fugas.

BALANCINES/EJES DE BALANCINES

DESMONTAJE E INSTALACIÓN

Motor 2.5L (SOHC)

1. Desconectar el alambre negativo del acumulador.

2. Sacar la tapa de la culata de cilindros.

3. Girar el cigüeñal hasta que el punto más bajo del lóbulo de la leva en cuestión, esté en contacto con el balancín.

4. Usando la herramienta especial de compresión de resortes de válvula, o equivalente, bajar el resorte de la válvula (sin desencajar el seguro) y deslizar fuera el balancín.

Balancín (seguidor de rodillo)

Ajustador de huelgo

▲ Vista de detalle del balancín y del ajustador de huelgo – Motor 2.5L (SOHC)

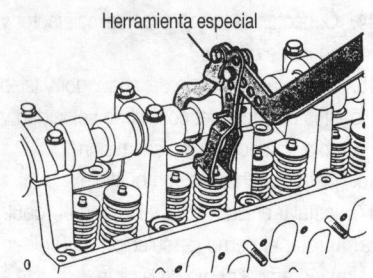

▲ Comprimir el resorte de la válvula para sacar el conjunto del balancín – Motor 2.5L (SOHC)

Para instalar:

5. Bajar el resorte de válvula con la herramienta de compresión, e instalar en orden inverso, girando el árbol de levas según sea necesario.

6. Instalar la tapa de la culata de cilindros.

7. Conectar el alambre negativo del acumulador.

Motor 2.5L (OHV)

1. Desconectar el alambre negativo del acumulador.

2. Desconectar la manguera de vacío de ventilación del cárter (CCV) y la manguera de entrada de aire limpio de la tapa de la culata de cilindros.

3. Sacar los pernos de retención de la tapa de la culata de cilindros y sacar la tapa de la culata de cilindros. Tener cuidado. El material composite tipo plástico de la tapa de la culata de cilindros, usado en muchas versiones de este motor, se daña con facilidad. Limpiar la tapa con un solvente adecuado e inspeccionar la parte baja de la tapa. Debe haber una indicación PRY HERE («hacer palanca aquí»), que muestra el área reforzada donde se debe insertar una espátula para romper el sello, de modo que se pueda sacar la tapa.

➡ En algunos motores de último modelo, la tapa o cubierta de balancines (cubierta

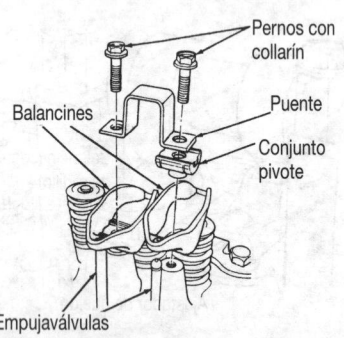

▲ Montaje del conjunto del balancín – Motor 2.5L (OHV)

de culata de cilindros) tiene una junta acoplada por vulcanización. Esta junta no debe sacarse. Si falta alguna parte de la junta o está muy comprimida, reemplazar la tapa o cubierta. Sin embargo, daños menores tales como pequeñas grietas, cortes o picaduras pueden repararse con material líquido de junta.

4. Sacar los balancines y los empujadores. Todas las piezas del tren de válvulas que vayan a ser reutilizadas deberán retornarse a sus posiciones originales. Guardarlas en su orden original para tener la referencia del montaje.

Para instalar:

5. Instalar los empujaválvulas, los balancines, los pivotes y los puentes. Apretar alternativamente los pernos de los puentes de balancines. Apretar los pernos a 21 pie-lb (28 Nm).

6. Verter aceite o suplemento de aceite sobre los balancines y los empujaválvulas. Tener cuidado de no llenar en exceso el cárter del cigüeñal.

7. Instalar la tapa o cubierta de válvulas. Apretar los pernos de sujeción a 115 plg-lb (14 Nm).

8. Conectar la manguera de vacío de la ventilación del cárter del cigüeñal (CCV) y la manguera de entrada de aire limpio de la tapa de culata de cilindros.

9. Conectar el alambre negativo del acumulador.

Motor 3.9L

1. Desconectar el alambre negativo del acumulador.

2. Sacar la tapa de la culata de cilindros y la junta.

3. Anotar la posición de la muesca del aceite y sacar de la culata los balancines y pivotes.

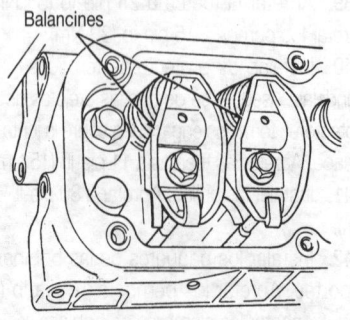

▲ Colocación del empujaválvulas y el balancín en la culata de cilindros – Motor 3.9L

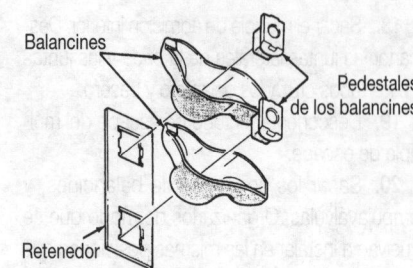

▲ Montaje de los balancines - Motor 8.0L

Para instalar:

4. Instalar los balancines en el mismo sitio de donde se sacaron. Apretar los pernos a 21 pie-lb (28 Nm).

5. Instalar la tapa de la culata de cilindros. Apretar los pernos de sujeción a 95 plg-lb (11 Nm).

6. Conectar el alambre negativo del acumulador y comprobar que no haya fugas.

Motores 5.2L, 5.9L y 8.0L

1. Desconectar el sistema cerrado de ventilación y el sistema de control evaporativo (si lo equipa) de la tapa de la culata de cilindros.

2. Desconectar los alambres de las bujías.

3. Sacar cada cubierta de válvula y junta.

4. Sacar cada balancín y perno pivote. Guardarlo todo ordenado para reinstalarlo en su posición original.

Para instalar:

5. Girar el cigüeñal hasta que la marca "V8" quede alineada con la marca del PMS, en la tapa de la cadena de sincronización.

▼ AVISO ▼

Para evitar el contacto de la válvula con el pistón, asegurarse de que el pistón en el cilindro en cuestión no se encuentra en el PMS al apretar los balancines.

6. Instalar los balancines y los pivotes. Apretar los pernos de los balancines a 21 pie-lb (28 Nm).

➡ No arrancar o girar el motor hasta que hayan pasado al menos 5 minutos después de la instalación de los balancines. Esto permitirá que se purguen los levantaválvulas.

7. Instalar la junta de la tapa o cubierta de válvulas.

8. Instalar la tapa de válvulas. Apretar los pernos de sujeción a 95 plg-lb (11 Nm).

9. Conectar los alambres de las bujías.

MÚLTIPLE DE ADMISIÓN

DESMONTAJE E INSTALACIÓN

Motor 2.5L (SOHC)

➡ Los dos múltiples, el de admisión y el de escape, deben desmontarse siempre que se vaya a reparar uno de ellos, puesto que comparten una junta.

1. Desconectar el alambre negativo del acumulador.

2. Drenar el sistema de enfriamiento.

3. Despresurizar el sistema del combustible. Sacar el filtro de aire y desconectar todas las líneas de vacío, los alambres eléctricos y los tubos de combustible del cuerpo del ahogador y/o del múltiple.

4. Desconectar el varillaje del ahogador.

5. Aflojar la bomba de la dirección asistida y sacar la banda propulsora. Sacar el soporte del apoyo de la dirección asistida y de la bomba de aire.

6. Sacar la manguera de vacío del servofreno del múltiple de admisión.

7. En modelos para Canadá, sacar la manguera de acoplamiento desde la válvula de desvío en el conjunto de tubos de inyección de aire del múltiple de escape.

8. Sacar las mangueras de agua del tubo cruzado del agua.

9. Levantar el vehículo y apoyarlo de forma segura. Desconectar el tubo de escape del múltiple de escape.

10. Sacar la bomba de la dirección asistida y retirarla a un lado.

11. Sacar el soporte de apoyo del múltiple de admisión, si dispone de él.

12. Sacar el tubo EGR.

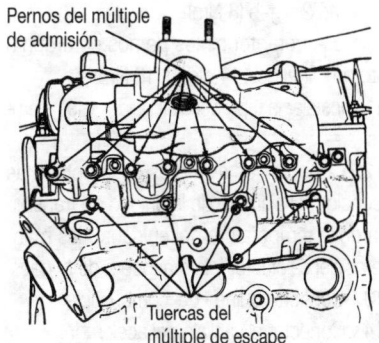

▲ Situación de los pernos de sujeción del múltiple de admisión y de escape – Motor 2.5L (SOHC)

13. Si lo equipa, sacar los pernos del tubo de inyección de aire y el conjunto del tubo de inyección de aire.

14. Sacar los pernos del múltiple de admisión.

15. Bajar el vehículo y sacar el múltiple de admisión.

16. Sacar las tuercas del múltiple de escape.

17. Sacar el múltiple de escape.

Para instalar:

18. Instalar una nueva junta del múltiple, ligeramente recubierta por el lado del múltiple con sellante de junta Mopar® o equivalente.

19. Colocar la junta en su posición, e instalar y apretar las tuercas a 17 pie-lb (23 Nm). Se debe empezar apretando por las tuercas del centro y avanzar hacia fuera en ambas direcciones.

20. Repetir la secuencia de apriete hasta que todas las tuercas estén con el torque especificado.

21. Instalar el puntal del múltiple de admisión. Apretar el perno a 70 pie-lb (95 Nm). Apretar la tuerca a 40 pie-lb (54 Nm).

22. Instalar el tubo EGR con una junta nueva. Apretar los pernos a 17 pie-lb (23 Nm).

23. Instalar el tubo de escape en el múltiple de escape, apretando a 20 pie-lb (27 Nm).

24. Conectar la manguera de agua.

25. Instalar el conjunto de la válvula de desvío y el tubo de inyección de aire en el múltiple de escape.

26. Instalar la manguera de vacío del servofreno en el múltiple de admisión.

27. Instalar el soporte de apoyo de la bomba de la dirección asistida y de la bomba de aire.

28. Instalar el varillaje del ahogador.

29. Instalar una junta nueva y el cuerpo del ahogador, sobre el múltiple de admisión. Apretar los pernos a 175 plg-lb (20 Nm).

30. Instalar el filtro de aire. Conectar todas las líneas de vacío, alambres eléctricos y líneas de combustible en el cuerpo del ahogador.

31. Llenar el sistema de enfriamiento y conectar el alambre negativo del acumulador.

Motor 2.5L (OHV)

1. Desconectar el alambre negativo del acumulador.

2. Sacar el conjunto del filtro de aire.

3. Drenar el enfriante del motor.

4. Sacar la banda de la bomba de la dirección asistida.

5. Sacar la bomba de la dirección asistida y los soportes de la bomba de agua y del múltiple de admisión. Colocar la bomba atada a

un lado, usando alambre o cordel, si es necesario.

6. Descargar la presión del sistema de combustible.

➡ Algunas conexiones de las líneas de combustible requieren herramientas especiales para su desmontaje.

7. Desconectar el tubo de suministro de combustible del raíl de combustible.

▼ AVISO ▼

Para impedir que se dañe el retenedor, aplicar presión sólo con los dedos cuando se desconecte el chicote de control de crucero, del cuerpo del ahogador.

8. Desconectar el chicote del ahogador y si lo equipa, el chicote de control de crucero del cuerpo del ahogador.

9. Desacoplar todos los conectores eléctricos y las mangueras del múltiple de admisión. Etiquetarlos para poder instalarlos en sus posiciones originales.

10. Sacar los pernos del múltiple de admisión del 2 al 5. Aflojar ligeramente el perno N° 1 y las tuercas 6 y 7.

11. Sacar el múltiple de admisión y la junta.

Para instalar:

12. Limpiar las superficies de empaque del múltiple de admisión y de la culata de cilindros.

13. Usando una junta nueva, instalar el múltiple de admisión en la culata de cilindros. Siguiendo el orden correcto, apretar todos los pernos y las tuercas excepto el perno N° 1 a 23 pie-lb (31 Nm) y apretar el perno N° 1 a 30 pie-lb (41 Nm).

14. Instalar una junta tórica nueva en la línea de suministro y conectarla al raíl de combustible. Empujarlas una contra la otra hasta que se oiga un "clic".

15. Instalar la bomba de la dirección asistida y los soportes.

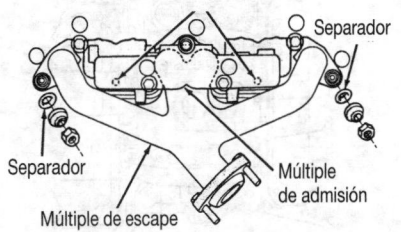

▲ Apretar los pernos y las tuercas del múltiple de admisión según el orden correcto para impedir el alabeo – Motor 2.5L (OHV)

16. Instalar la banda propulsora en la bomba de la dirección asistida.

17. Instalar el resto de componentes en el orden inverso al de su desmontaje.

18. Conectar el alambre negativo del acumulador.

19. Llenar el sistema de enfriante con el tipo y la cantidad de enfriante adecuados.

Motor 3.9L

1. Descargar la presión del sistema de combustible. Desconectar el acumulador, el alambre negativo del acumulador, y drenar el sistema de enfriamiento.

2. Sacar la bomba de aire y soporte. La extracción del soporte facilitará la instalación de la esquina izquierda delantera del múltiple de admisión.

3. Sacar el conjunto del filtro de aire. Desatornillar el compresor del aire acondicionado y retirarlo a un lado, si lo equipa. Sacar la tapa del distribuidor con todos los alambres acoplados.

4. Desconectar todos los alambres, mangueras, varillajes y chicotes del cuerpo del ahogador. Desconectar la línea de combustible.

5. Desacoplar la bobina de encendido, el alambre de la unidad de transmisión de la temperatura del enfriante y todos los demás conectores junto con el haz de alambres acoplados a elementos del múltiple de admisión.

6. Desconectar la manguera del calefactor, la manguera superior del radiador y la abrazadera de la manguera del *bypass* inferior.

7. Desatornillar el múltiple de admisión de las culatas y sacar el conjunto del múltiple. Desmontar el múltiple según sea necesario, y limpiar los pasos del tubo cruzado de escape.

Para instalar:

8. Limpiar y secar las superficies de empaque del múltiple de admisión. Recubrir muy ligeramente las juntas laterales del múltiple de admi-

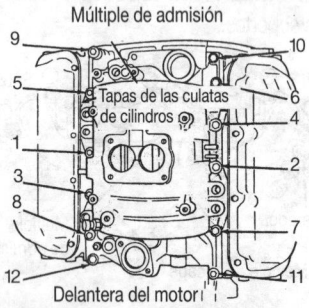

Apretar los pernos del múltiple de admisión según el orden correcto para impedir las fugas – Motor 3.9L

sión con sellante, e instalar las juntas en las culatas. Las muescas en la parte delantera de las juntas diferencian el lado derecho del izquierdo.

9. Aplicar una capa fina y uniforme de cemento de secado rápido en las juntas delantera y trasera del múltiple de admisión y superficies de montaje sobre el bloque de cilindros y aplicar un fino cordón de sellante en cada una de las cuatro esquinas. Instalar las juntas delantera y la trasera, encajando el orificio en el bloque de cilindros y las lengüetas de las juntas de culata. Aplicar un segundo cordón fino de sellante sobre las juntas en las cuatro esquinas.

10. Bajar el múltiple de admisión con cuidado a su posición acoplando la manguera de *bypass;* inspeccionar las juntas para asegurarse de que no se han desencajado.

11. Instalar los pernos del múltiple de admisión con el tubo aspirador, la abrazadera de la bomba del aire y la abrazadera del varillaje del cambio obligado en posición, si dispone de ellos. Apretar los pernos en cuatro etapas:

    a. Apretar los pernos N° 1 y N° 2 a 72 plg-lb (8 Nm).

    b. Apretar los pernos N° 3 al N° 12 en orden a 72 plg-lb (8 Nm).

    c. Repetir la secuencia reapretando los pernos a 72 plg-lb (8 Nm).

    d. Apretar todos los pernos, en orden, a un torque final de 144 plg-lb (16 Nm).

12. Limpiar y secar las superficies de empaque de la tapa de la culata de cilindros, los pernos y los orificios de los pernos. Instalar la tapa de la culata de cilindros con una junta nueva. Apretar los pernos o las tuercas a 95 plg-lb (11 Nm).

13. Conectar la manguera del calefactor, la manguera superior del radiador, y la abrazadera de la manguera del *bypass* inferior.

14. Acoplar la bobina de encendido, el alambre de la unidad de transmisión de la temperatura del enfriante y todos los demás conectores que se desconectaron junto con el haz de alambres.

15. Instalar el compresor del aire acondicionado, si lo equipa. Instalar la tapa del distribuidor y todos los alambres de bujías.

16. Instalar la bomba de aire.

17. Conectar todos los alambres, mangueras, chicotes y la línea de combustible en el cuerpo del ahogador. Instalar el conjunto del filtro de aire.

18. Llenar el sistema de enfriamiento.

19. Conectar el alambre negativo del acumulador. Girar el contacto a la posición ON para represurizar el sistema de combustible, activando la bomba de combustible. Comprobar que no haya fugas.

Motores 5.2L y 5.9L

1. Drenar el sistema de enfriamiento y desconectar el alambre negativo del acumulador.

2. Sacar el alternador y el filtro de aire.

3. Desconectar el varillaje del acelerador.

4. Despresurizar el sistema de combustible y desconectar la línea de combustible.

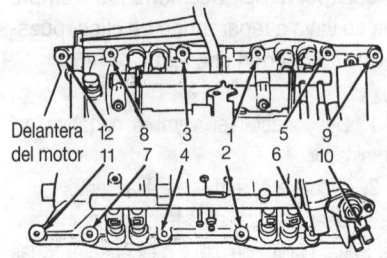

Apretar los pernos del múltiple de admisión según la secuencia numerada que se muestra – Motores 5.2L y 5.9L

5. Sacar la tapa y los alambres del distribuidor.

6. Desconectar los alambres de la bobina de encendido, el alambre de la unidad de transmisión de la temperatura del enfriante, las mangueras del calefactor y la manguera de *bypass*.

7. Sacar el múltiple de admisión y el cuerpo del ahogador, como un solo conjunto.

Para instalar:

8. Limpiar las superficies de junta, de modo que queden limpias y secas.

9. Colocar el múltiple de admisión en posición e instalar las sujecciones de montaje. Si las sujeciones estaban muy oxidadas al sacarlas, usar sujeciones nuevas del múltiple de admisión.

10. Apretar los pernos en cuatro etapas:

    a. Apretar los pernos N° 1 al N° 4 a 72 plg-lb (8 Nm).

    b. Apretar los pernos N° 5 al N° 12 en orden a 72 plg-lb (8 Nm).

    c. Repetir la secuencia reapretando los pernos a 72 plg-lb (8 Nm).

    d. Apretar todos los pernos en orden a un torque final de 144 plg-lb (16 Nm).

11. Instalar la tapa del distribuidor y los alambres.

12. Conectar los alambres de la bobina de encendido, el alambre de la unidad de transmisión de la temperatura del enfriante, las mangueras del calefactor y la manguera de *bypass*.

13. Conectar la línea del combustible.

14. Conectar el varillaje del acelerador.

15. Instalar el alternador y el filtro de aire.

16. Llenar adecuadamente el sistema de enfriamiento.

17. Conectar el alambre negativo del acumulador.

Motor 8.0L

1. Drenar el sistema de enfriamiento y desconectar el alambre negativo del acumulador.

2. Sacar el alternador y el filtro de aire.

3. Sacar la banda serpentina.

4. Sacar el alternador y su puntal.

5. Sacar el puntal del compresor del aire acondicionado, después sacar el compresor y dejarlo a un lado, sin desconectar los tubos.

6. Sacar la tapa del filtro de aire y el filtro. Descartar la junta.

7. Despresurizar el sistema de combustible y desconectar la línea de combustible.

8. Desconectar el varillaje del acelerador, y si dispone de él, los chicotes del cambio obligado de la transmisión y de control de la velocidad.

9. Sacar los conjuntos de bobinas. Desconectar las líneas de vacío.

10. Desconectar las mangueras del calefactor y la manguera de *bypass*.

11. Sacar el sistema cerrado de ventilación del cárter del cigüeñal y el sistema de control de evaporación.

12. Sacar el cuerpo del ahogador y sacarlo del múltiple de admisión superior. Descartar la junta.

13. Sacar los pernos delanteros del múltiple de admisión superior. Sujetar los tres pernos traseros en la posición de aflojados con cinta o gomas.

14. Levantar el múltiple de admisión superior del compartimiento del motor. Descartar la junta.

15. Sacar los pernos del múltiple de admisión inferior y sacar el múltiple. Descartar la junta.

Para instalar:

16. Limpiar los múltiples y las superficies de montaje con solvente y dejarlas secar o secarlas completamente con aire comprimido.

17. Inspeccionar las superficies por si tuvieran grietas o estuvieran alabeadas, usando una regla metálica de taller.

18. Con las clavijas centradoras en su posición sobre la culata, instalar las juntas laterales del múltiple de admisión.

19. Cuando se esté seguro de que el bloque de cilindros no tiene nada de aceite, quitar el papel de la junta (azul-detrás, marrón-delante) y presionarla firmemente sobre el bloque. Alinear las ranuras en los sellos de los extremos con las muescas en las juntas del múltiple de admisión.

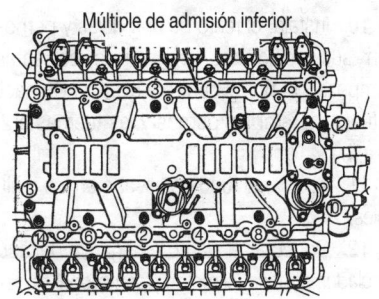

Múltiple de admisión inferior

▲ **Secuencia de apriete del múltiple de admisión inferior – Motor 8.0L**

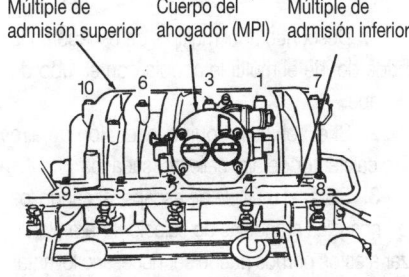

Múltiple de admisión superior | Cuerpo del ahogador (MPI) | Múltiple de admisión inferior

▲ **Secuencia de apriete del múltiple de admisión superior – Motor 8.0L**

20. En cada una de las cavidades de las cuatro esquinas, insertar el sellante adhesivo de goma de silicona Mopar® o equivalente. NO llenarlas en exceso.

21. El múltiple inferior de admisión debe instalarse antes de que pasen más de 3 minutos después de haber aplicado el sellante. Después de colocarlo, inspeccionar para asegurarse de que todas las juntas y sellos están en sus posiciones respectivas. Colocar a mano todos los pernos del múltiple inferior.

22. Apretar los pernos del múltiple inferior, en orden, a 40 pie-lb (54 Nm).

23. Instalar una junta nueva y el múltiple superior de admisión, después apretar a mano todos los pernos. Alternar de un lado al otro.

24. Apretar los pernos a 16 pie-lb (22 Nm).

25. Instalar una junta nueva y el cuerpo del ahogador, sobre el múltiple superior de admisión. Apretar los pernos a 17 pie-lb (23 Nm).

26. Instalar el sistema cerrado de ventilación del cárter del cigüeñal y el sistema de control de evaporación.

27. Conectar las mangueras del calefactor y la manguera de *bypass*.

28. Conectar las líneas de vacío.

29. Instalar los conjuntos de bobinas y de alambres de encendido.

30. Conectar el varillaje del acelerador y, si dispone de él, los chicotes de control de velocidad y del cambio obligado de la transmisión.

31. Instalar las líneas de combustible.

32. Usando una junta nueva, instalar el alojamiento del filtro de aire. Apretar los pernos a 96 plg-lb (11 Nm). Instalar el conjunto del filtro de aire y su tapa.

33. Instalar el compresor del aire acondicionado. Instalar el puntal, apretando los pernos a 30 pie-lb (41 Nm).

34. Instalar la banda serpentina.

35. Llenar el sistema de enfriamiento y conectar el alambre negativo del acumulador.

MÚLTIPLE DE ESCAPE

DESMONTAJE E INSTALACIÓN

Motor 2.5L (SOHC)

Ver el procedimiento del múltiple de admisión del motor 2.5L SOHC.

Motor 2.5L (OHV)

1. Sacar el múltiple de admisión, usando el procedimiento de este mismo capítulo.

2. Levantar el vehículo y apoyarlo de forma segura.

3. Sacar el tubo de escape, del múltiple de escape.

4. Bajar el vehículo de forma segura.

5. Sacar las sujeciones N° 1, 6 y 7 y sacar el múltiple de escape.

Para instalar:

6. Limpiar las superficies de empaque de la culata de cilindros, y de los múltiples de escape y de admisión.

7. Instalar una junta nueva del múltiple de admisión en las clavijas de centrado de la culata de cilindros.

8. Colocar el múltiple de escape en la culata de cilindros. Asegurarse de que el múltiple está centrado en los birlos (espárragos) y separadores. Apretar el perno N° 1 a 30 pie-lb (41 Nm). No instalar aún las tuercas.

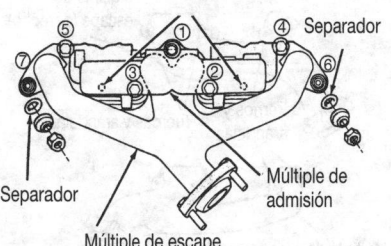

Separador | Separador | Múltiple de admisión | Múltiple de escape

▲ **Apretar los pernos y las tuercas de múltiples de escape y admisión en el orden correcto para impedir fugas de vacío y de escape – Motor 2.5L (OHV)**

9. Instalar el múltiple de admisión, y apretar los pernos N° 2 a N° 5 a 23 pie-lb (31 Nm).

10. Instalar nuevos separadores en los birlos extremos y apretar las tuercas a 23 pie-lb (31 Nm).

11. Apretar las tuercas N° 6 y N° 7 a 23 pie-lb (31 Nm).

12. Instalar todos los componentes que previamente se habían desmontado.

13. Levantar el vehículo y apoyarlo de forma segura.

14. Conectar el tubo de escape en el múltiple de escape. Apretar los pernos a 23 pie-lb (31 Nm).

15. Bajar el vehículo de forma segura.

16. Conectar el alambre negativo del acumulador, arrancar el motor y comprobar que no haya fugas.

Motor 3.9L

1. Desconectar el alambre negativo del acumulador.

2. Sacar el tubo del aire caliente y el protector térmico, si es necesario.

3. Levantar el vehículo y apoyarlo de forma segura.

4. Sacar el tubo de escape, de los múltiples de escape.

5. Bajar el vehículo.

6. Anotar la posición de todas las arandelas cónicas y sacar los pernos, tuercas y arandelas que sujetan el múltiple en la culata.

7. Sacar el múltiple.

Para instalar:

8. Si alguno de los birlos (espárragos) extremos se salió con las tuercas, instalar un birlo nuevo usando sellante sobre el fileteado de paso estropeado.

9. Colocar el múltiple en los birlos extremos. Instalar las arandelas cónicas y las tuercas en los birlos.

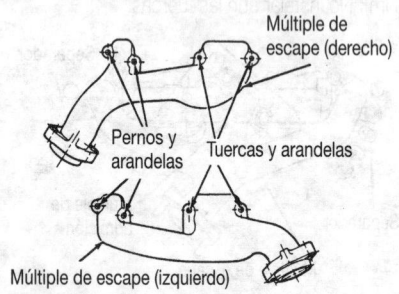

Asegurarse de instalar los espárragos y pernos en sus posiciones correctas, tal como se indica aquí – Motor 3.9L

10. Instalar el resto de arandelas y pernos, en sus posiciones respectivas correctas. Empezando por el centro y avanzando hacia afuera, apretar los pernos y las tuercas a 25 pie-lb (34 Nm).

11. Acoplar el tubo de escape en los múltiples.

12. Conectar el alambre negativo del acumulador, arrancar el motor, y comprobar que no haya fugas en el escape.

Motores 5.2L y 5.9L

1. Desconectar el múltiple de escape en la brida donde el múltiple acopla con el tubo de escape.

2. Si el vehículo equipa inyección de aire y/o calefactor de aire caliente, sacarlos.

3. Sacar el múltiple de escape, sacando los pernos y las arandelas de sujeción. Para alcanzar a estos pernos puede ser necesario levantar con un gato sacando ligeramente el motor, de los soportes delanteros. Cuando se saca el múltiple de escape, algunas veces se desatornillarán los birlos con las tuercas. Si esto ocurre, hay que volver a colocar los birlos con la ayuda de compuesto sellante sobre el fileteado de paso estropeado. Si esto no se realiza, se pueden desarrollar fugas de agua en los birlos.

Para instalar:

4. Limpiar las superficies de montaje de modo que queden limpias y secas.

5. Reemplazar las piezas de sujección, si es necesario. Instalar una junta nueva y el múltiple de escape. Apretar las tuercas y los pernos, empezando por el centro, a 25 pie-lb (34 Nm).

6. Instalar el inyector de aire y/o el calefactor de aire, si se habían sacado.

7. Instalar el tubo de escape en la brida del múltiple de escape.

8. Arrancar el motor, y comprobar que no haya fugas en el escape.

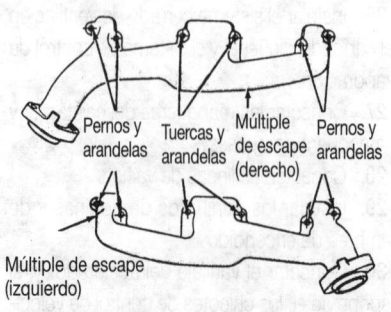

Instalar los espárragos y los pernos en las posiciones mostradas – Motores 5.2L y 5.9L

Motor 8.0L

1. Desconectar el alambre negativo del acumulador.

2. Levantar el vehículo y apoyarlo de forma segura.

3. Sacar las piezas de fijación que sujetan el tubo de escape en el múltiple de escape.

4. Bajar el vehículo.

5. Sacar los protectores térmicos de escape.

6. Para sacar el múltiple de escape derecho:
   a. Sacar el tubo EGR. Descartar la junta.
   b. Sacar del múltiple el soporte de la varilla de nivel.

7. Desatornillar y sacar el múltiple de escape. Descartar la junta.

Para instalar:

8. Limpiar las superficies de empaque de modo que no tengan restos de material de la junta vieja, de aceite o de grasa.

9. Instalar una junta nueva y el/los múltiple/s de escape. Asegurarse de que se colocan los pernos y los birlos en sus posiciones correctas. Apretar los birlos y los pernos a 16 pie-lb (22 Nm).

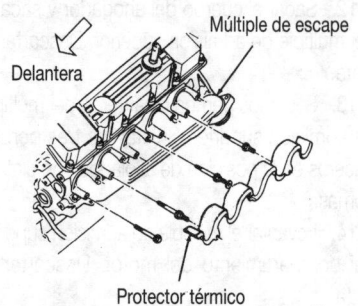

Instalar los espárragos en las posiciones correctas de modo que se pueda acoplar el protector térmico – Motor 8.0L

10. Para el múltiple derecho:
   a. Instalar una junta nueva y el tubo EGR. Apretar la tuerca del conjunto del tubo a 25 pie-lb (34 Nm). Apretar las dos tuercas del EGR a 15 pie-lb (20 Nm).
   b. Instalar el soporte de la varilla de nivel en el múltiple.

11. Instalar el protector térmico. Apretar las tuercas en los birlos a 15 pie-lb (20 Nm).

12. Levantar el vehículo y apoyarlo de forma segura.

13. Instalar el tubo de escape. Apretar los pernos a 25 pie-lb (34 Nm).

14. Bajar el vehículo y conectar el alambre negativo del acumulador.

SELLO DE ACEITE DELANTERO DEL CIGÜEÑAL

DESMONTAJE E INSTALACIÓN

➡ Este procedimiento sólo es aplicable a vehículos que utilicen bandas de sincronización.

Motor 2.5L (SOHC)

1. Sacar la banda de sincronización.

2. Sacar el piñón del cigüeñal usando un extractor de piñones o de volantes de la dirección. Asegurarse de que no se daña el fileteado interior del cigüeñal.

3. Si es necesario, sujetar el piñón del motor para que no gire, con la herramienta especial N° C-4687, o equivalente, y el adaptador, mientras se saca/instala el tornillo.

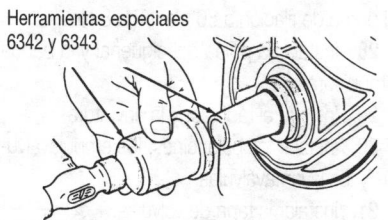

Herramientas especiales 6342 y 6343

▲ Instalar los sellos hasta que encajen nivelados con el bloque de cilindros – Motor 2.5L (SOHC)

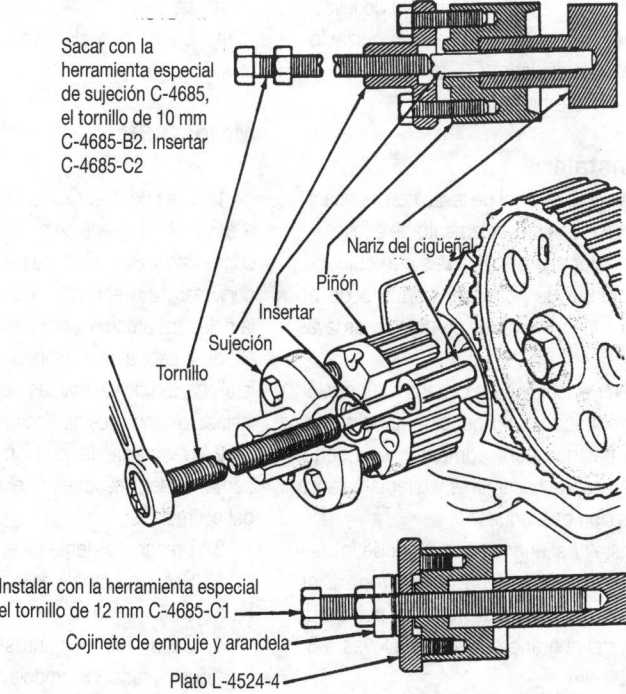

Sacar con la herramienta especial de sujeción C-4685, el tornillo de 10 mm C-4685-B2. Insertar C-4685-C2

Nariz del cigüeñal

Piñón

Insertar

Sujeción

Tornillo

Instalar con la herramienta especial el tornillo de 12 mm C-4685-C1

Cojinete de empuje y arandela

Plato L-4524-4

▲ Para evitar daños, usar las herramientas apropiadas al sacar o instalar el piñón del cigüeñal – Motor 2.5L (SOHC)

4. Sacar el sello del cigüeñal, usando la herramienta especial N° 6341-A. Sacar los sellos intermedio y del árbol de levas, si es necesario, con la herramienta especial N° C-4679, o equivalente.

5. La superficie del labio del sello del eje no debe tener barniz de grasa polimerizada, suciedad ni cortes. Pulirla con papel de lija de 1500, si es necesario.

6. Instalar el sello del cigüeñal en el retenedor, usando la herramienta especial N° 6342 y 6343. Instalar los sellos intermedio y del árbol de levas, si se habían sacado, con la herramienta especial C-4680. Instalar los sellos hasta que encajen correctamente enrasados.

7. Usando la herramienta C-4685, el tornillo de 10 mm C-4685-B2 y el inserto C-4685-C2, instalar el piñón del cigüeñal, y si se había sacado, instalar el piñón del eje intermedio. Para instalar el piñón en el cigüeñal, no usar el martillo sobre el piñón, se debe usar una herramienta de instalación de poleas de cigüeñal.

ÁRBOL DE LEVAS Y LEVANTAVÁLVULAS

DESMONTAJE E INSTALACIÓN

Motor 2.5L (SOHC)

1. Desconectar el alambre negativo del acumulador.

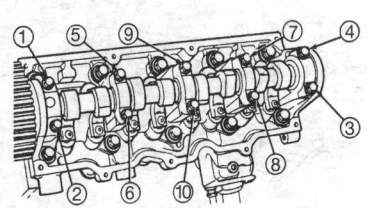

▲ Aflojar y sacar en el orden correcto los pernos de sombrerete de cojinetes del árbol de levas – Motor 2.5L (SOHC)

2. Descargar la presión del sistema de combustible.

3. Girar el cigüeñal de modo que el pistón N° 1 esté en el PMS de la carrera de compresión. Sacar la cubierta superior de la banda de sincronización. Sacar la polea de la bomba de aire, si dispone de ella.

4. Sacar el perno del piñón del árbol de levas y el piñón, y colgarlo firmemente de modo que la banda no pierda tensión. Si la pierde, deberá de establecerse de nuevo la sincronización de la banda.

5. Sacar la tapa de la culata de cilindros.

6. Si se van a reutilizar los balancines, marcarlos para su identificación durante la instalación y aflojar los pernos del cojinete del árbol de levas de forma uniforme y gradual.

7. Usando una maceta de cabeza blanda, golpear suavemente la parte trasera del árbol de levas unas cuantas veces para desencajar los sombreretes de los cojinetes.

8. Sacar los pernos, los sombreretes de los cojinetes y el árbol de levas con los sellos.

9. Sacar los ajustadores del huelgo de sus huecos en la culata de cilindros.

➡ Antes de reemplazar el árbol de levas, identificar los componentes instalados de fábrica sobredimensionados. Para hacerlo, buscar las partes superiores de los sombreretes de los cojinetes pintadas de verde y las letras O/SJ estampadas en el tapón de la galería de aceite situado en la parte trasera de la culata. Además, el tambor del árbol de levas está pintado en verde y tiene estampado O/SJ en el extremo trasero del árbol de levas. La instalación de piezas de tamaño estándar en una culata equipada con piezas sobredimensionadas (o viceversa) causará daños severos en el motor. También tomar nota del color de la banda de pintura en el sello trasero del árbol de levas. Esta banda diferencia los tamaños de sello. Si se instala un sello con una banda de color distinto, aparecerán fugas si el sello es pequeño, o el sombrerete no

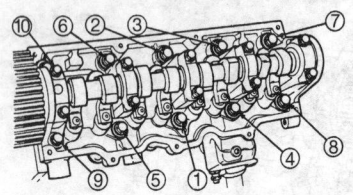

Secuencia de apriete de los pernos de sombrerete de los cojinetes del árbol de levas – Motor 2.5L (SOHC)

se podrá instalar totalmente en caso de que el sello instalado sea grande.

10. Comprobar que no haya obturaciones en los conductos y pasos de aceite, y comprobar el desgaste y daños de las piezas, reemplazando las piezas que sea necesario. Limpiar las superficies de montaje de juntas.

Para instalar:

11. Instalar los ajustadores del huelgo en sus alojamientos en la culata de cilindros. Asegurarse de que quedan, como mínimo, parcialmente llenos con aceite. Esto es necesario dado que no tienen capacidad de comprimirse. En caso de que sí puedan comprimirse, sumergirlos en aceite limpio de motor, después comprimirlos y soltarlos hasta que se llenen de aceite.

12. Transferir la chaveta del piñón al nuevo árbol de levas. Normalmente el paquete de árbol de levas incluye balancines nuevos y un perno del piñón del árbol de levas nuevo. Instalar los balancines, lubricar el árbol de levas e instalarlo con los sellos de los extremos ya instalados.

13. Colocar los sombreretes de los cojinetes con el N° 1 en el extremo de la banda de sincronización y el N° 5 en el extremo de la transmisión. Los sombreretes de los cojinetes del árbol de levas están numerados y tienen unas flechas que miran hacia adelante. Apretar los pernos de los cojinetes del árbol de levas, de forma uniforme y gradual, a 18 pie-lb (24 Nm).

➡ Aplicar material de junta de silicona RTV en los sombreretes de los cojinetes N° 1 y N° 5. Instalar los sombreretes de los cojinetes antes de que se instalen los sellos.

14. Montar un indicador de esfera en la parte delantera del motor y comprobar el juego axial del árbol de levas. Este juego no debe exceder las 0.006 plg (0.15 mm).

15. Instalar el piñón del árbol de levas y el perno nuevo. Instalar la polea de la bomba de aire, si dispone de ella.

16. Instalar la tapa de la culata de cilindros con una junta nueva.

17. Conectar el alambre negativo del acumulador y comprobar que no haya fugas.

Motor 2.5L (OHV)

1. Desconectar el alambre negativo del acumulador.

2. Sacar la/s banda/s de la polea del cigüeñal.

3. Sacar el ventilador y su envoltura del vehículo.

4. Sacar la tapa del distribuidor y los alambres. Marcar la alineación del rotor del distribuidor y la base del distribuidor.

5. Sacar el distribuidor.

6. Sacar la cubierta de válvulas.

7. Sacar los balancines, los empujaválvulas y los levantaválvulas.

8. Sacar la polea del cigüeñal.

9. Girar el amortiguador de vibraciones hasta el PMS.

10. Sacar el amortiguador de vibraciones usando el extractor apropiado.

11. Sacar la tapa de la caja de sincronización.

12. Alinear las marcas de sincronización de las poleas tan cerca como sea posible.

13. Sacar el anillo salpicador de aceite del cigüeñal.

14. Sacar los pernos de fijación del engrane del árbol de levas.

15. Sacar los engranes del árbol de levas y del cigüeñal y la cadena de sincronización como una sola unidad.

16. Sacar el árbol de levas.

Para instalar:

17. Recubrir el árbol de levas con lubricante de montaje o con un suplemento de aceite.

18. Instalar el árbol de levas con cuidado. Tener cuidado de no hacer cortes o de no dañar las superficies de los cojinetes o las levas del árbol.

19. Girar el tensor de la cadena a la posición de desbloqueado. Tirar del bloque del tensor hacia la palanca para comprimir el resorte. Sujetar el resorte hacia atrás y girar la palanca en la posición de bloqueo.

20. Instalar el engrane del árbol de levas y del cigüeñal y la cadena de sincronización como una sola unidad. Apretar los pernos de sujeción del engrane del árbol de levas a 80 pie-lb (108 Nm).

21. Verificar que las marcas de alineación estén correctamente alineadas. La marca sobre

el engrane del árbol de levas debe encontrase en la posición de las 6 en punto, y la marca sobre el engrane del cigüeñal en la posición de las 12 en punto.

22. Girar el tensor de la cadena en la posición de desbloqueado (abajo).

23. Colocar el anillo salpicador en el cigüeñal.

24. Instalar un sello de aceite nuevo en la tapa de la caja de sincronización.

25. Aplicar una capa fina de sellante de junta alrededor de la tapa, incluyendo la superficie inferior donde la tapa se une con el depósito del aceite.

26. Colocar la junta nueva e instalar la tapa en el motor, con la herramienta de sellado para alinear correctamente la tapa. Apretar los pernos de la tapa de $1/4$ plg a 60 plg-lb (7 Nm), los pernos de $5/16$ plg a 192 plg-lb (22 Nm) y los pernos del depósito de aceite a la tapa a 84 plg-lb (9.5 Nm). Sacar la herramienta de sellado.

27. Instalar el chavetero en el cigüeñal. Instalar el amortiguador de vibraciones. Apretar el perno de fijación a 80 pie-lb (108 Nm).

28. Instalar la polea del cigüeñal y la banda propulsora.

29. Instalar el radiador y la envoltura.

30. Instalar los balancines, los empujaválvulas y los levantaválvulas.

31. Instalar la tapa de válvulas.

32. Instalar el distribuidor. Contramarcar el rotor del distribuidor y la base del distribuidor.

33. Instalar la tapa del distribuidor y los alambres.

34. Conectar el alambre negativo del acumulador.

Motor 3.9L

1. Si es posible, girar el motor de modo que el cilindro N° 1 quede en el PMS de la carrera de compresión. Sacar la tapa del distribuidor para confirmar y alinear la marca de sincronización de la polea del amortiguador de vibraciones con el "0" de la escala de sincronización. Esto facilitará la alineación de las marcas de sincronización al instalar los engranes de sincronización.

2. Descargar la presión del sistema de combustible. Desconectar el alambre negativo del acumulador.

3. Drenar el sistema de enfriamiento.

4. Sacar la/s tapa/s de la(s) culata(s) de cilindros.

5. Sacar los conjuntos de balancines. Identificar y sacar los empujaválvulas.

6. Sacar el múltiple de admisión. Identificar y sacar todos los levantaválvulas.

7. Sacar el distribuidor.

8. Sacar hacia arriba el eje propulsor de la bomba de aceite y del distribuidor.

9. Sacar el radiador, el ventilador y todas las piezas relacionadas.

10. Sacar la bomba de combustible, si dispone de ella. Sacar la cubierta de la cadena de sincronización, la cadena de sincronización y los engranes.

11. Anotar la posición de la lengüeta del aceite y sacar el plato de empuje del árbol de levas.

12. Instalar un perno largo apropiado en la parte delantera del árbol de levas para facilitar su extracción. Sacar el árbol de levas, teniendo cuidado de no dañar los cojinetes del árbol de levas con los lóbulos de las levas.

Para instalar:

13. Instalar el árbol de levas dentro de un margen de 2 plg (50 mm) de su posición final de instalación.

14. Instalar la herramienta de bloqueo del árbol de levas C-3509, o equivalente, y atornillarla con el perno de sujeción del distribuidor. Esto impedirá que se inserte demasiado el árbol de levas y golpear el tapón galés de la parte posterior del bloque de cilindros. Esta herramienta debe permanecer colocada, hasta que se termine la instalación de la cadena de sincronización.

15. Instalar el plato de empuje del árbol de levas y la lengüeta de aceite de la cadena. Asegurarse de que la cola de la lengüeta del aceite entra en el orificio en el plato de empuje en la parte inferior derecha. Apretar los pernos a 18 pie-lb (24 Nm). Asegurarse de que el borde superior de la lengüeta del aceite queda plano contra el plato de empuje o si no, no aportará aceite a la cadena.

16. Colocar los engranes del cigüeñal y del árbol de levas sobre el banco de trabajo con las marcas de sincronización en el centro de unión imaginario de ambos engranes, tal como se instalan en el motor. Colocar la cadena de sincronización alrededor de los piñones.

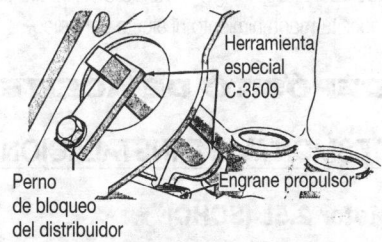

Perno de bloqueo del distribuidor

Herramienta especial C-3509

Engrane propulsor

▲ Usar la herramienta especial de sujeción para mantener en posición el cigüeñal durante su instalación – Motores 3.9L, 5.2L y 5.9L

17. Girar el cigüeñal y el árbol de levas de modo que las chavetas se alinean con los chaveteros en los engranes cuando las marcas de sincronización se encuentran en la posición correcta.

18. Deslizar ambos engranes sobre sus ejes respectivos y usar una regla metálica para comprobar la alineación de las marcas de sincronización.

19. Instalar la excéntrica de la bomba de combustible y la arandela cóncava, si la equipa. Apretar el perno de retención del engrane del árbol de levas a 35 pie-lb (47 Nm).

20. Sacar la herramienta de bloqueo del árbol de levas, en caso de que se hubiese instalado.

21. Medir el juego axial del árbol de levas. Si el juego no está entre 0.002 y 0.010 plg (0.051 y 0.254 mm), cambiar el plato de empuje.

22. Recubrir el eje propulsor de la bomba de aceite y del distribuidor con aceite de motor. Instalar el eje de modo que cuando el engrane gira en espiral en su posición y cae en la bomba de aceite, la ranura en la parte superior del engrane está apuntando directamente hacia el orificio del perno delantero izquierdo del múltiple de admisión.

23. Si no se cambió el árbol de levas, lubricar e instalar los levantaválvulas en sus posiciones originales. Si se cambió el árbol de levas, se deben usar levantaválvulas nuevos.

24. Instalar los empujaválvulas y los conjuntos de los ejes de balancines.

25. Instalar el múltiple de admisión, en caso de que se hubiese sacado. Instalar las tapas de culata de cilindros.

26. Instalar el distribuidor de modo que el rotor apunte a la posición de la bujía N° 1 en la tapa.

27. Instalar la tapa de la cadena de sincronización y todas las piezas relacionadas.

28. Instalar la bomba de combustible si la equipa, y el radiador.

29. Cuando todas las piezas están atornilladas en su posición, cambiar el aceite del motor y reemplazar el filtro de aceite.

➡ Si se han cambiado el árbol de levas o los levantaválvulas, añadir una pinta (¹/₂ litro aprox.) de acondicionador de cárter de cigüeñal Mopar®, o equivalente, al rellenar con aceite nuevo, para ayudar al rodaje. Esta mezcla deberá dejarse en el motor por un mínimo de 500 millas (805 km) y drenarse en el siguiente cambio de aceite programado.

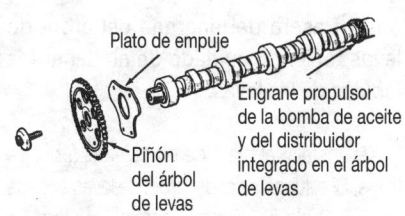

Plato de empuje

Engrane propulsor de la bomba de aceite y del distribuidor integrado en el árbol de levas

Piñón del árbol de levas

▲ Si el juego axial del árbol de levas no está dentro de especificaciones, el plato de empuje debe reemplazarse - Motores 3.9L, 5.2L, 5.9L y 8.0L

30. Llenar el radiador con enfriante.

31. Conectar el alambre negativo del acumulador, establecer todos los ajustes según especificaciones y comprobar que no haya fugas.

Motores 5.2L y 5.9L

1. Drenar el sistema de enfriamiento y desconectar el alambre negativo del acumulador.

2. Sacar el múltiple de admisión, las tapas de culata de cilindros, conjuntos de balancines, empujaválvulas, y levantaválvulas, guardándolos en orden para asegurar la posterior instalación en sus posiciones originales respectivas.

3. Sacar la tapa del engrane de sincronización, los piñones del árbol de levas y del cigüeñal, y la cadena de sincronización.

4. Sacar el distribuidor y extraer el eje propulsor de la bomba de aceite y del distribuidor.

5. Sacar el plato de empuje del árbol de levas.

6. Instalar un perno largo en la parte delantera del árbol de levas y sacar el árbol de levas, teniendo cuidado de no dañar los cojinetes del árbol con los lóbulos de las levas.

Para instalar:

➡ Antes de su instalación, lubricar los lóbulos de las levas y las muñequillas de los cojinetes del árbol de levas. Se recomienda añadir una pinta (¹/₂ litro aprox.) de acondicionador Mopar® de cárter del cigüeñal, al aceite con que inicialmente se ha llenado el cárter del cigüeñal. Insertar el árbol de levas en el bloque de cilindros hasta 2 plg (51 mm) de su posición final en el bloque. Pedir la ayuda de un auxiliar que sujete el árbol de levas con una herramienta adecuada, para impedir que el árbol de levas contacte con el tapón en la trasera del bloque de cilindros. Colocar la herramienta contra la parte trasera del engrane del árbol de levas teniendo cuidado de no dañar los lóbulos de las levas.

7. Instalar el plato de empuje del árbol de levas. Si el juego axial del árbol de levas excede las 0.010 plg (0.25 mm), instalar un plato de empuje nuevo. Con el nuevo plato el juego debe estar entre 0.002 y 0.006 plg (0.15 mm).

8. Instalar la cadena de sincronización y los piñones, la tapa del engrane de sincronización y la polea.

9. Instalar los levantaválvulas, los empujaválvulas, los balancines, y las tapas de la culata de cilindros. Instalar la bomba de combustible, si se había sacado.

10. Instalar el eje propulsor del distribuidor y de la bomba de aceite. Si es necesario, instalar un casquillo (buje) nuevo.

11. Instalar el distribuidor.

12. Instalar el resto de componentes que se habían desmontado, en el orden inverso al de su desmontaje.

13. Llenar el sistema de enfriamiento y conectar el alambre negativo del acumulador.

14. Después de arrancar el motor, ajustar la sincronización del encendido.

Motor 8.0L

1. Drenar el sistema de enfriamiento y desconectar el alambre negativo del acumulador.

2. Sacar las tapas de la culata de cilindros, los conjuntos de los balancines, empujaválvulas y los levantaválvulas, guardándolos en orden para asegurar la posterior instalación en sus posiciones originales respectivas.

➡ Guardar todos los levantaválvulas en orden para su instalación en la misma posición idéntica de donde se desmontaron. Los cuatro levantaválvulas de las esquinas no se pueden sacar sin sacar antes las culatas de cilindros y las juntas. Sin embargo se pueden levantar y sujetar para poder sacar el árbol de levas.

3. Sacar los múltiples de admisión superior e inferior.

4. Sacar la tapa de la cadena de sincronización, la cadena de sincronización y el plato de empuje de la cadena de sincronización.

5. Sacar el distribuidor y extraer el eje propulsor de la bomba de aceite y del distribuidor.

6. Instalar un perno largo en la parte delantera del árbol de levas y sacar el árbol de levas,

teniendo cuidado de no dañar los cojinetes del árbol con las levas del mismo.

Para instalar:

➡ Antes de su instalación, lubricar los lóbulos de las levas y las muñequillas de los cojinetes del árbol de levas. Se recomienda añadir una pinta ($^1/_2$ litro aprox.) de acondicionador Mopar® de cárter del cigüeñal, al aceite con que inicialmente se ha llenado el cárter del cigüeñal. Insertar el árbol de levas en el bloque de cilindros hasta 2 plg (51 mm) de su posición final en el bloque. Pedir la ayuda de un auxiliar que sujete el árbol de levas con una herramienta adecuada, para impedir que el árbol de levas contacte con el tapón en la parte trasera del bloque de cilindros. Colocar la herramienta contra la parte trasera del engrane del árbol de levas teniendo cuidado de no dañar los lóbulos de las levas.

7. Instalar el plato de empuje del árbol de levas. Si el juego axial del árbol de levas excede las 0.010 plg (0.254 mm), instalar un plato de empuje nuevo. La tolerancia normal para un plato nuevo debe estar entre 0.002 y 0.006 plg (entre 0.051 y 0.152 mm).

8. Alinear la chaveta con el chavetero en el piñón, y presionar sobre el piñón de sincronización del cigüeñal, usando la herramienta especial C-3688, C-3718 y MB990799, o equivalente, para asentar el piñón contra el reborde del cigüeñal.

9. Alinear la marca de sincronización del piñón del cigüeñal con la línea de centros del cigüeñal y del árbol de levas.

10. Colocar la cadena de sincronización en el piñón del árbol de levas.

11. Tomar la cadena de sincronización y el piñón del árbol de levas y alinear la marca con la línea de centros del cigüeñal y del árbol de levas, e instalar el piñón del árbol de levas y la cadena en el árbol de levas.

12. Instalar el perno del árbol de levas. Apretarlo a 55 pie-lb (75 Nm).

13. Instalar la tapa de la cadena de sincronización.

14. Instalar la polea del cigüeñal/amortiguador de vibraciones usando la herramienta C7-3688, o equivalente.

15. Cebar la bomba de aceite echando un chorro de aceite en el orificio de montaje del filtro de aceite y llenando la trampilla-J de la tapa delantera de la cadena de sincronización. Llenar un filtro de aceite nuevo con aceite limpio

de motor e instalarlo rápidamente cuando el aceite empiece a rebosar.

16. Cada levantaválvulas que se reutilice debe instalarse en la misma posición de donde se había sacado.

➡ Cuando se cambia el árbol de levas, también deben cambiarse todos los levantaválvulas.

17. Instalar los levantaválvulas y los empujaválvulas en sus posiciones originales respectivas.

18. Instalar los balancines.

▼ AVISO ▼
Las sujeciones de la cubierta de la culata de cilindros tienen un recubrimiento electrolítico especial y no deben reemplazarse por unas sujeciones distintas.

19. Colocar la cubierta (tapa) de la culata de cilindros sobre la junta. Instalar los birlos (espárragos) y los pernos de cabeza hexagonal, en sus posiciones respectivas. Apretar los birlos y los pernos a 144 plg-lb (16 Nm).

➡ La junta de la cubierta de la culata de cilindros puede reutilizarse. Para el lado izquierdo, la etiqueta del número se encuentra en la parte delantera del motor con el número hacia arriba. Para el lado derecho, la etiqueta del número se encuentra en la parte trasera del motor.

20. Instalar los múltiples de admisión.

21. Rellenar el sistema de enfriamiento y conectar el alambre negativo del acumulador.

HOLGURA DE VÁLVULAS

AJUSTE

Todos los motores de gasolina tratados en este capítulo usan levantaválvulas hidráulicos y/o ajustadores de huelgo (motores SOHC). No se necesita mantenimiento ni ajuste periódico.

DEPÓSITO DE ACEITE

DESMONTAJE E INSTALACIÓN

Motor 2.5L (SOHC)

1. Desconectar el alambre negativo del acumulador. Sacar la varilla del nivel de aceite.

2. Desconectar la manguera superior de la válvula de seguridad de la bomba de aire.

3. Levantar el vehículo y apoyarlo de forma segura.

4. Sacar el puntal del alojamiento del clutch al motor y la tapa de inspección del clutch.

5. Sacar la abrazadera de soporte de la manguera inferior del radiador.

6. Aflojar ligeramente el perno pasante del montaje derecho del motor sólo lo suficiente para eliminar su tensión.

7. Usando el equipo apropiado, apoyar el peso del motor. Aflojar el perno pasante del montaje izquierdo del motor lo suficiente para sacar el soporte.

8. Levantar el lado izquierdo del motor aproximadamente 2 plg (51 mm).

9. Sacar los tornillos de fijación del depósito del aceite y sacar el depósito del aceite y la junta.

Para instalar:

10. Limpiar a fondo y secar todas las superficies de sellado, pernos y orificios de pernos.

11. Aplicar sellante de silicona en las cuatro esquinas del bloque de cilindros a los sellos extremos e instalar los sellos extremos asegurándose de que las esquinas no queden dobladas.

12. Aplicar silicona a las cuatro esquinas del bloque de cilindros al depósito de aceite. Instalar una junta nueva de depósito o aplicar sellante de silicona en la superficie de sellado del depósito e instalarlo en el motor, asegurándose de no descolocar los sellos extremos.

13. Instalar los tornillos de fijación del depósito y apretarlos a 17 pie-lb (23 Nm).

14. Bajar el motor. Apretar los pernos pasantes de soporte del motor a 50 pie-lb (68 Nm).

15. Instalar la tapa de inspección del clutch y el puntal del alojamiento del clutch al motor. Instalar el soporte de apoyo de la manguera inferior del radiador. Bajar el vehículo.

16. Instalar la varilla de nivel del aceite y la manguera de la bomba de aire. Llenar el motor con la cantidad apropiada de aceite.

17. Conectar el alambre negativo del motor y comprobar que no haya fugas.

Motor 2.5L (OHV)

1. Desconectar el alambre negativo del acumulador. Sacar la varilla del nivel de aceite.

2. Levantar el vehículo y apoyarlo de forma segura.

3. Drenar el aceite del motor.

4. Desconectar el tubo de escape delantero del múltiple y el soporte de apoyo del convertidor catalítico.

5. Sacar el motor de arranque.

6. Sacar la tapa de acceso al perno del convertidor de torque.

7. Colocar un caballete debajo del amortiguador de vibraciones con un bloque de madera en medio.

8. Sacar los pernos pasantes del soporte del motor.

9. Levantar el caballete hasta que se tenga el suficiente espacio.

10. Sacar los pernos de fijación del depósito de aceite.

Para instalar:

11. Limpiar las superficies de contacto de suciedad, aceite y material de la junta vieja.

12. Recubrir el depósito con un sellante de junta para pegar la junta en su posición, o fabricar clavijas de centrado a partir de pernos para mantener la junta sin moverse.

13. Instalar los pernos de fijación. Apretar los pernos de $^1/_4$ plg a 120 plg-lb (14 Nm) y los pernos de $^5/_{16}$ plg a 156 plg-lb (18 Nm).

14. Bajar el caballete lo suficiente para alinear los pernos pasantes de soporte del motor. Apretar los pernos pasantes a 60 pie-lb (81 Nm).

15. Instalar el motor de arranque.

16. Instalar la tapa de acceso al perno del convertidor de torque.

17. Conectar el tubo de escape delantero en el múltiple y el soporte de apoyo en el convertidor catalítico.

18. Bajar el vehículo.

19. Llenar el cárter del cigüeñal hasta el nivel apropiado con aceite limpio de motor.

20. Conectar el alambre negativo del acumulador.

Motor 3.9L

MODELOS DE 2 RUEDAS MOTRICES

1. Desconectar el alambre negativo del acumulador. Sacar la varilla del nivel del aceite.

2. Desacoplar la tapa del distribuidor y separarla del tabique cortafuegos.

3. Levantar el vehículo y apoyarlo de forma segura.

4. Drenar el aceite del motor.

5. Sacar el tubo cruzado de escape.

6. Aflojar los pernos del soporte del motor. Usando el equipo necesario, levantar el motor. Cuando el motor esté lo suficientemente alto, instalar los nuevos pernos (de tamaño similar a los pernos del soporte del motor), en los puntos de fijación del soporte del motor, sobre los soportes del bastidor.

7. Bajar el motor de modo que las partes inferiores de los soportes del motor reposen sobre los dos pernos nuevos. Sacar la tapa de inspección del convertidor de torque, si dispone de ella.

8. Sacar los tornillos de fijación del depósito de aceite y sacar el depósito de aceite y las juntas.

Para instalar:

9. Limpiar a fondo y secar todas las superficies de sellado, los pernos y los orificios de los pernos.

10. Poner un cordón de sellante de silicona en la junta de contacto entre la cubierta de la cadena de sincronización y el bloque de cilindros.

11. Instalar las juntas nuevas en el motor y añadir una gota de sellante de silicona en las esquinas donde coincide la goma con el corcho. Instalar los sellos de goma en el depósito.

12. Instalar el depósito en el motor y apretar los tornillos de fijación a 17 pie-lb (23 Nm). Instalar la tapa de inspección del convertidor de torque, si dispone de ella.

13. Reinstalar el motor en el soporte e instalar el tubo cruzado de escape. Bajar el vehículo.

14. Instalar la tapa del distribuidor.

15. Instalar la varilla del nivel del aceite. Llenar el motor con la cantidad adecuada de aceite.

16. Conectar el alambre negativo del acumulador y comprobar que no haya fugas.

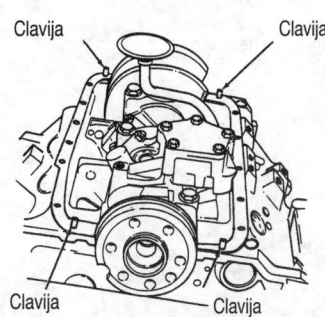

Instalar cuatro clavijas de alineación de fabricación propia, para ayudar a colocar el depósito de aceite en el bloque de cilindros – Se muestra el motor 3.9L, en los otros motores es similar

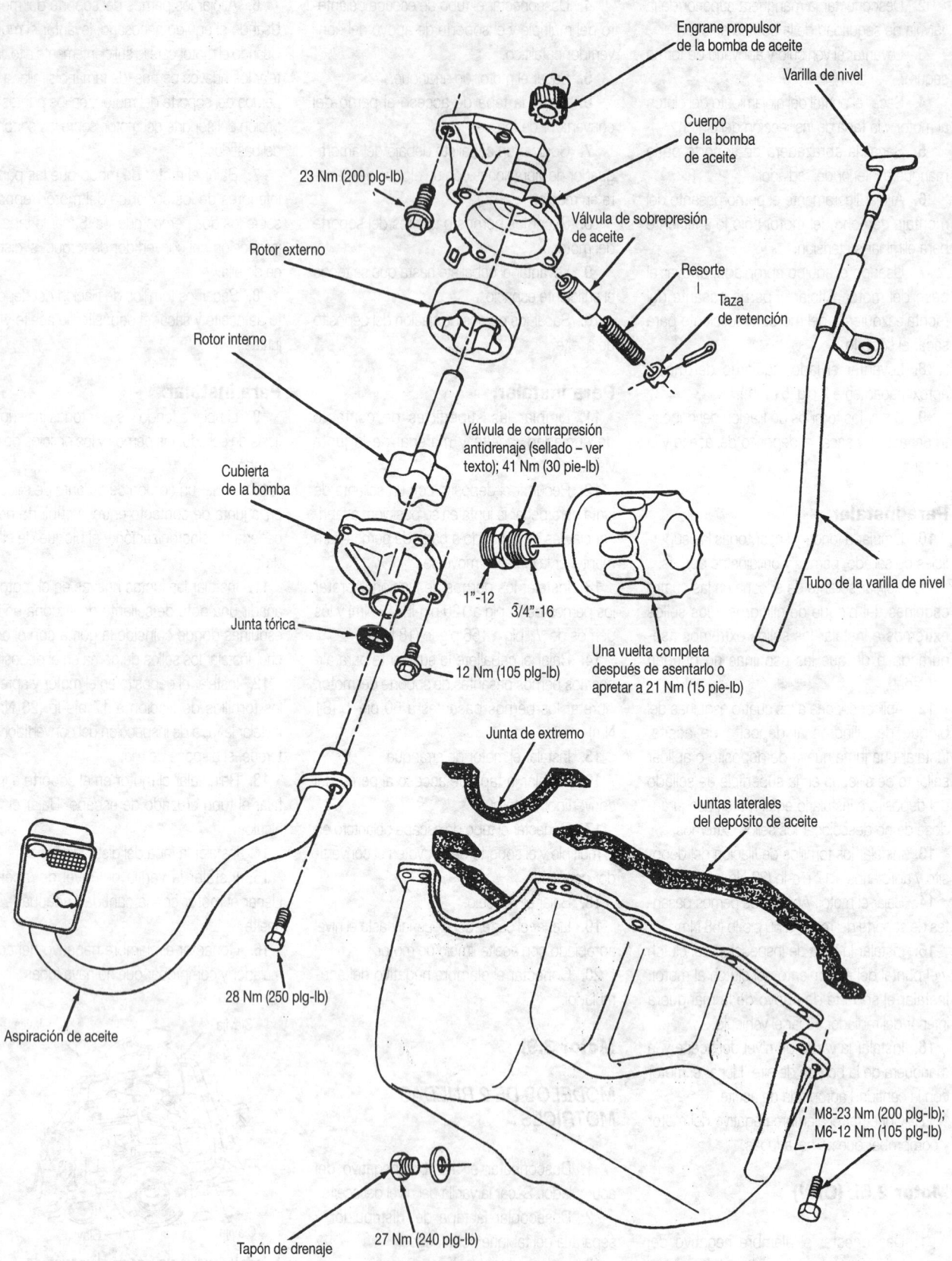

Engrane propulsor
de la bomba de aceite

Varilla de nivel

23 Nm (200 plg-lb)

Cuerpo
de la bomba
de aceite

Rotor externo

Válvula de sobrepresión
de aceite

Resorte

Taza
de retención

Rotor interno

Válvula de contrapresión
antidrenaje (sellado – ver
texto); 41 Nm (30 pie-lb)

Cubierta
de la bomba

1"-12

3/4"-16

Junta tórica

Tubo de la varilla de nivel

12 Nm (105 plg-lb)

Una vuelta completa
después de asentarlo o
apretar a 21 Nm (15 pie-lb)

Junta de extremo

Juntas laterales
del depósito de aceite

28 Nm (250 plg-lb)

Aspiración de aceite

M8-23 Nm (200 plg-lb);
M6-12 Nm (105 plg-lb)

Tapón de drenaje

27 Nm (240 plg-lb)

▲ Despiece del sistema de lubricación del motor – Motor 2.5L (SOHC)

MODELOS DE 4 RUEDAS MOTRICES

1. Desconectar el alambre negativo del acumulador. Sacar la varilla del nivel de aceite.

2. Levantar el vehículo y apoyarlo de forma segura.

3. Usando el equipo adecuado, apoyar el peso del motor. Sacar el eje propulsor delantero.

4. Sacar el tubo cruzado de escape y la tapa inferior de la transmisión.

5. Sacar los tornillos de sujeción del depósito de aceite y sacar el depósito de aceite y las juntas.

Para instalar:

6. Limpiar a fondo y secar todas las superficies de sellado, los pernos y los orificios de los pernos.

7. Poner un cordón de sellante de silicona en la junta de contacto entre la cubierta de la cadena de sincronización con el bloque de cilindros.

8. Instalar las juntas nuevas en el motor y añadir una gota de sellante de silicona en las esquinas donde coincide la goma con el corcho. Instalar los sellos de goma en el depósito.

9. Instalar el depósito en el motor y apretar los tornillos de fijación a 17 pie-lb (23 Nm). Instalar la tapa inferior de la transmisión, si dispone de ella.

10. Instalar el tubo cruzado de escape.

11. Instalar el eje propulsor delantero. Bajar el vehículo.

12. Instalar la varilla del nivel de aceite. Llenar el motor con la cantidad adecuada de aceite.

13. Conectar el alambre negativo del acumulador y comprobar que no haya fugas.

Motores 5.2L y 5.9L

1. Desconectar el alambre negativo del acumulador.

2. Sacar la varilla del nivel de aceite.

3. Levantar la parte delantera del vehículo y apoyarla de forma segura.

4. Drenar el aceite.

5. Sacar el tubo cruzado de escape.

6. Sacar el puntal izquierdo del motor a la transmisión.

7. Sacar los pernos y bajar el depósito de aceite.

8. Limpiar a fondo las superficies de sellado de empaque.

9. Al instalar el depósito, usar siempre juntas nuevas recubiertas con sellante. Aplicar una

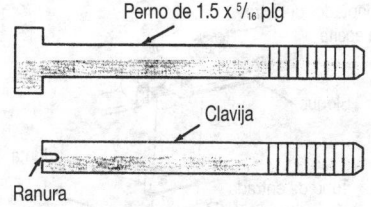

Perno de 1.5 x ⁵/₁₆ plg
Clavija
Ranura

▲ **Fabricar cuatro clavijas de alineación cortando las cabezas de los pernos y realizando una ranura en las partes superiores – Motores 5.2L, 5.9L y 8.0L**

gota de sellante de silicona RTV donde las juntas de goma y de corcho se tocan. Apretar los pernos del depósito de aceite a 15 pie-lb (20 Nm). Apretar el tubo cruzado de escape a 24 pie-lb (32 Nm).

Motor 8.0L

1. Desconectar el alambre negativo del acumulador.

2. Sacar la varilla del nivel de aceite.

3. Levantar la parte delantera del vehículo y apoyarla de forma segura.

4. Drenar el aceite.

5. Sacar el puntal izquierdo del motor a la transmisión.

6. Sacar los pernos y bajar el depósito de aceite. Sacar la junta de una pieza. Puede pasar que se tenga que levantar ligeramente el motor, en el caso de vehículos 2WD (2 ruedas motrices).

7. Sacar el conjunto del tubo de succión de aceite.

Para instalar:

8. Limpiar a fondo las superficies de sellado de empaque. Si lo hay, cortar el exceso de sellante de la junta desde la parte interior del motor.

9. Limpiar el depósito de aceite del motor con solvente y secar completamente con un trapo que no deje hilos.

10. Limpiar el filtro de aceite y el tubo. Inspeccionar el estado del filtro.

11. Fabricar cuatro clavijas de centrado a partir de pernos de ⁵/₁₆ x 1 ¹/₂ plg. Cortar las cabezas de los pernos y cortar una ranura sobre la parte superior para permitir montarlo y desmontarlo con un destornillador.

12. Instalar las clavijas de centrado en las cuatro esquinas con un destornillador.

13. Aplicar un poco de sellante adhesivo de goma de silicona Mopar®, o equivalente, en las líneas de separación. Éstas se encuentran entre el bloque de cilindros, la tapa de la

cadena de sincronización y el sello trasero del cigüeñal.

➡ **Después de aplicar el sellante, se tienen tres minutos para instalar la junta y el depósito de aceite.**

14. Deslizar la junta de una pieza sobre las clavijas de centrado y colocarla en el bloque de cilindros.

15. Colocar el depósito de aceite sobre la junta. Puede pasar que se tenga que levantar ligeramente el motor, en el caso de vehículos 2WD (2 ruedas motrices).

16. Instalar los pernos. Apretar los pernos de ¹/₂ plg a 96 plg-lb (11 Nm). Apretar los birlos (espárragos) a 12 pie-lb (16 Nm). Apretar los pernos de ⁵/₁₆ plg a 12 pie-lb (16 Nm).

17. Sacar las clavijas y, en su lugar, instalar los cuatro pernos restantes de ⁵/₁₆ plg. Apretar estos pernos a 12 pie-lb (16 Nm).

18. Instalar el tapón de drenaje. Apretarlo a 25 pie-lb (34 Nm).

19. Instalar el puntal del motor a la transmisión.

20. Bajar el vehículo. Conectar el alambre negativo del acumulador. Llenar el cárter del cigüeñal con aceite.

BOMBA DE ACEITE

DESMONTAJE E INSTALACIÓN

Motor 2.5L (SOHC)

1. Girar el motor de modo que el pistón N° 1 esté en el PMS. Desconectar el alambre negativo del acumulador.

2. Marcar la alineación del rotor con el bloque y sacar el distribuidor para confirmar que la ranura en el árbol de la bomba de aceite está paralela a la línea central del cigüeñal. Marcar la posición de la ranura con el hueco del distribuidor, si se desea.

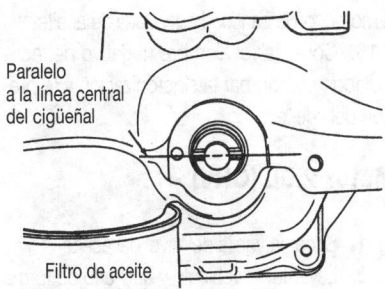

Paralelo a la línea central del cigüeñal

Filtro de aceite

▲ **Durante la instalación, alinear el eje de la bomba de aceite tal como se muestra – Motor 2.5L (SOHC)**

3. Sacar la varilla del nivel del aceite.

4. Levantar el vehículo y apoyarlo de forma segura.

5. Drenar el aceite del motor y sacar el depósito.

6. Sacar el tubo de succión del aceite.

7. Sacar los dos pernos de sujeción y sacar la bomba de aceite del motor.

Para instalar:

8. Cebar la bomba echando aceite limpio en la admisión de la bomba y girando el eje propulsor hasta que salga aceite por la lumbrera de presión. Repetir unas cuantas veces hasta que el aceite no tenga burbujas de aire.

9. Aplicar sellante (Loctite® 515, o equivalente) en la superficie de contacto mecanizada, entre el cuerpo de la bomba y el bloque de cilindros. Lubricar el eje propulsor de la bomba de aceite y del distribuidor.

10. Alinear la ranura de modo que quede en la misma posición que tenía cuando se sacó. Si no es así, el distribuidor no estará correctamente sincronizado. Instalar firmemente la bomba y girarla hacia adelante y hacia atrás, para asegurar una correcta colocación entre la superficie de montaje de la bomba y la superficie mecanizada del bloque de cilindros.

11. Instalar los pernos de sujeción apretándolos a mano y bajar el vehículo para confirmar la correcta colocación de la ranura. Si la ranura no queda correctamente colocada, levantar el vehículo y mover el engrane según se requiera. Si la ranura está correcta, sujetar firmemente la bomba contra el bloque y apretar los pernos de sujeción a 17 pie-lb (23 Nm).

12. Limpiar el tubo de succión del aceite, o reemplazarlo, si es necesario. Reemplazar la junta tórica del tubo de aspiración del aceite, e instalar el tubo de aspiración en la bomba.

13. Instalar el depósito de aceite usando juntas nuevas. Bajar el vehículo.

14. Instalar el distribuidor.

15. Instalar la varilla del nivel del aceite. Llenar el motor con la cantidad adecuada de aceite.

16. Conectar el alambre negativo del acumulador, comprobar la sincronización y la presión del aceite.

Motor 2.5L (OHV)

1. Sacar la varilla del nivel del aceite.

2. Levantar el vehículo y apoyarlo de forma segura.

3. Drenar el aceite del motor y sacar el depósito, tal como se describe en este capítulo.

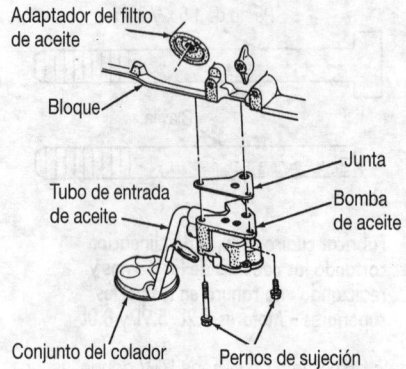

▲ **Montaje del conjunto de la bomba de aceite – Motor 2.5L (OHV)**

4. Sacar los dos pernos de sujeción de la bomba de aceite.

5. Sacar la bomba de aceite y el conjunto del colador, del motor.

➡ **Para asegurar un sello hermético, deben instalarse un tubo nuevo de entrada y un colador nuevo, si el tubo de entrada de aceite original ha sido movido dentro del cuerpo de la bomba de aceite.**

Para instalar:

6. Cebar la bomba con aceite de motor limpio.

7. Colocar la bomba de aceite y una junta nueva. Instalar y apretar los dos pernos de fijación a 17 pie-lb (23 Nm).

8. Instalar el depósito de aceite.

9. Bajar el vehículo.

10. Llenar el cárter del cigüeñal hasta el nivel adecuado con aceite de motor limpio.

Motor 3.9L

1. Desconectar el alambre negativo del acumulador.

2. Levantar el vehículo y apoyarlo de forma segura. Drenar el aceite del motor y sacar el depósito.

3. Sacar el filtro.

4. Desatornillar la bomba de aceite del sombrerete del cojinete principal trasero, y sacarla del motor.

Para instalar:

5. Cebar la bomba, echando aceite limpio en la admisión de la bomba, y girando el eje propulsor hasta que salga aceite por la lumbrera de presión. Repetir una cuantas veces hasta que el aceite no presente burbujas de aire. Instalar la bomba de aceite con movimiento

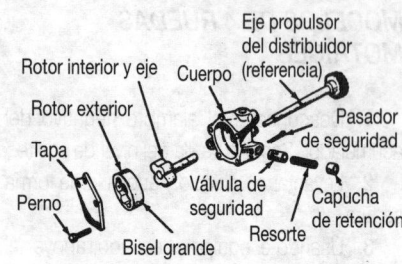

▲ **Conjunto de la bomba de aceite – Motores 3.9L, 5.2L y 5.9L**

rotativo para asegurar un correcto acoplamiento entre la bomba y el eje propulsor.

6. Sujetar la bomba encajada contra el sombrerete del cojinete principal y apretar a mano los pernos de fijación.

7. Apretar los pernos a 130 pie-lb (176 Nm).

8. Instalar el filtro.

9. Instalar el depósito de aceite con una junta nueva.

10. Conectar el alambre negativo del acumulador y comprobar la presión del aceite.

Motores 5.2L y 5.9L

Es necesario sacar el depósito de aceite, y sacar la bomba de aceite, del sombrerete del cojinete principal trasero, para revisar la bomba de aceite.

1. Drenar el aceite del motor y sacar el depósito de aceite.

2. Sacar los pernos de sujeción de la bomba de aceite y sacar la bomba de aceite del sombrerete del cojinete principal trasero.

Para instalar:

3. Instalar la bomba y apretar los pernos de la tapa a 95 plg-lb (11 Nm).

4. Cebar la bomba de aceite antes de su instalación, llenando la cavidad del rotor con aceite de motor. Instalar la bomba del aceite en el motor y apretar los pernos de sujeción a 30 pie-lb (41 Nm).

5. Instalar el depósito de aceite.

6. Llenar el motor con el aceite del grado apropiado. Arrancar el motor y comprobar que no haya fugas.

Motor 8.0L

1. Sacar la tapa de la cadena de sincronización.

2. Sacar el tapón de la válvula de seguridad, la junta, el resorte y la válvula. Desechar la junta.

3. Sacar la tapa de la bomba de aceite.

4. Sacar los rotores de la bomba.

Llenar con gelatina de petróleo o lubricante de plato

⚠ **Lubricar los rotores como un medio de cebar la bomba de aceite de modo que no esté seca al arrancar – Motor 8.0L (VIN W)**

Para instalar:

5. Instalar la bomba de aceite y lubricar los rotores de la bomba con gelatina de petróleo o Lubriplate®.

6. Instalar la tapa de la cadena de sincronización.

7. Colocar la tapa de la bomba de aceite sobre la tapa de la cadena de sincronización, y apretar los pernos de la tapa a 125 plg-lb (14 Nm).

8. Después de instalar la tapa, asegurarse de que el anillo interior puede aún moverse libremente y no se traba de ninguna manera.

9. Instalar la tapa de la cadena de sincronización. Echar un chorro de aceite en el orificio de la válvula de seguridad, hasta que rebose aceite.

10. Usando una junta nueva para la válvula de seguridad, instalar el tapón de la válvula de seguridad, apretándolo a 15 pie-lb (20 Nm).

11. Llenar con aceite el filtro de aceite e instalarlo en el motor.

SELLO DE ACEITE PRINCIPAL TRASERO

DESMONTAJE E INSTALACIÓN

Motores 2.5L

1. Sacar el conjunto de la transmisión.

2. Sacar el volante o plato flexible.

3. Hacer palanca con cuidado y sacar el sello de aceite principal trasero. Tener cuidado de no dañar o rayar la superficie de sellado del cigüeñal o el alojamiento del sello.

Para instalar:

4. Para el motor SOHC, colocar sobre el cigüeñal la herramienta especial C-4681, o equivalente. Para el motor OHV colocar sobre el cigüeñal la herramienta especial 6271-A.

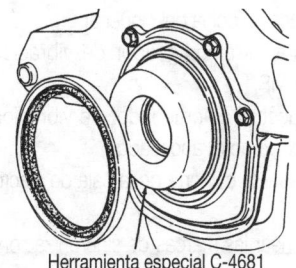

Herramienta especial C-4681

⚠ **Para impedir que se dañe, usar la herramienta adecuada para guiar el sello principal trasero sobre el cigüeñal – Motor 2.5L (SOHC)**

5. Recubrir ligeramente el diámetro exterior del sello con Loctite® para montaje de espárragos y cojinetes, o equivalente.

6. Colocar el nuevo sello sobre la herramienta C-4681, y golpearlo suavemente con un martillo de plástico para introducirlo en su posición. Sacar la herramienta especial.

➡ **Si se hubiese sacado el retenedor del sello, usar sellante de silicona, al reinstalarlo, para garantizar que no hay fugas. Apretar los pernos del retenedor a 105 plg-lb (12 Nm).**

7. Instalar el plato flexible o el volante.

8. Instalar la transmisión.

Motores 3.9L, 5.2L y 5.9L

1. Desconectar el alambre negativo del acumulador.

2. Levantar el vehículo y apoyarlo de forma segura.

3. Drenar el aceite del motor y sacar el depósito de aceite.

4. Sacar la bomba de aceite del sombrerete del cojinete principal trasero.

5. Sacar el sombrerete del cojinete principal trasero.

➡ **Para facilitar el desmontaje y la instalación del sello de aceite, aflojar al menos dos de los sombreretes de los cojinetes delante del sombrerete del cojinete principal trasero.**

6. Sacar con cuidado la mitad superior del sello de aceite del bloque de cilindros. Sacar la mitad inferior del sombrerete del cojinete.

Para instalar:

7. Limpiar la superficie de contacto entre el bloque de cilindros y el sombrerete del cojinete.

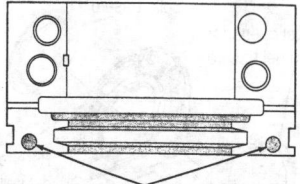

Gota de 0.25 plg de Loctite® 515 o equivalente en ambos lados del sombrerete del cojinete

⚠ **Antes de la instalación, aplicar Loctite® 515 o equivalente, a la superficie de sellado del sombrerete de cojinete – Motores 3.9L, 5.2L y 5.9L**

8. Poner un poco de aceite en el labio de sellado del sello superior, e instalarlo con la marca blanca de pintura mirando hacia detrás del motor.

9. Poner un poco de aceite e instalar el nuevo sello inferior en el sombrerete del cojinete mirando en la misma dirección.

10. Aplicar una gota de Loctite® 515 (o equivalente) de 0.20 plg (5 mm) en ambos lados de la superficie de sellado del sombrerete del cojinete. No aplicar sellante en exceso ni dejar que el sellante toque el sello de goma.

11. Instalar el sombrerete del cojinete. No sacar el sellante en exceso después del montaje. Apretar de forma alternada todos los pernos de los sombreretes de los cojinetes a 85 pie-lb (115 Nm).

12. Instalar la bomba de aceite.

13. Instalar el depósito de aceite.

14. Bajar el vehículo.

15. Llenar el motor con la cantidad y tipo apropiados de aceite limpio de motor.

16. Conectar el alambre negativo del acumulador, arrancar el motor y comprobar que no haya fugas.

Motor 8.0L

1. Desconectar el alambre negativo del acumulador.

2. Drenar el aceite del motor.

3. Levantar el vehículo y apoyarlo de forma segura.

4. Sacar el conjunto de la transmisión.

5. Sacar el depósito de aceite.

6. Sacar el retenedor del sello de aceite trasero y la junta. Sacar el sello de aceite del retenedor.

Para instalar:

7. Limpiar el retenedor del sello de aceite y la superficie de montaje del retenedor sobre el bloque de cilindros.

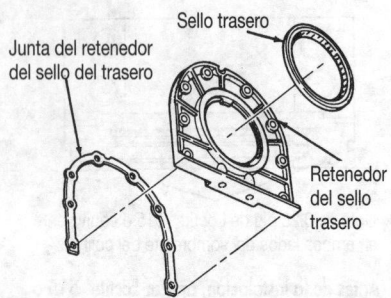

▲ Despiece del sello de aceite trasero y del retenedor – Motor 8.0L

8. Lubricar el labio del sello nuevo y colocarlo en el retenedor.

9. Usando la herramienta especial 6687, o equivalente, colocar la junta nueva y el retenedor sobre el cigüeñal. Instalar y apretar los pernos a 16 pie-lb (22 Nm).

➡ Montar un indicador de esfera en la parte trasera del cigüeñal, con la punta (palpador) en la superficie metálica del sello. Girar el cigüeñal una vuelta. La superficie del sello debe ser paralela con un margen de 0.020 plg (0.508 mm) en relación con la cara trasera del cigüeñal. Si no es así, golpear suavemente la superficie del sello para corregir la desviación.

10. Aplicar sellante de silicona en la línea de separación entre el retenedor y el bloque de cilindros.

11. Instalar el depósito de aceite.

12. Instalar la transmisión.

13. Bajar el vehículo.

14. Llenar el motor con la cantidad y tipo apropiados de aceite de motor limpio.

15. Conectar el alambre negativo del acumulador, arrancar el motor y comprobar que no haya fugas.

CADENA DE SINCRONIZACIÓN, PIÑONES Y TAPA DELANTERA

DESMONTAJE E INSTALACIÓN

Motor 2.5L (OHV)

1. Desconectar el alambre negativo del acumulador.

2. Sacar la/s banda/s de la polea del cigüeñal.

3. Sacar el ventilador y su envoltura del vehículo.

4. Sacar la polea del cigüeñal.

5. Girar el amortiguador de vibraciones hasta el PMS.

6. Sacar el amortiguador de vibraciones usando el extractor adecuado.

7. Sacar la cubierta de la caja de sincronización.

8. Alinear las marcas de sincronización de las poleas lo más próximas posible.

9. Sacar el anillo salpicador de aceite del cigüeñal.

10. Sacar los pernos de fijación del engrane del árbol de levas.

11. Sacar los engranes del árbol de levas y del cigüeñal y la cadena de sincronización como una sola unidad.

Para instalar:

12. Girar el tensor de cadena a la posición de desbloqueado. Tirar del bloque del tensor hacia la palanca para comprimir el resorte. Sujetar el resorte hacia atrás y girar la palanca a la posición de bloqueo.

13. Instalar los engranes del árbol de levas y del cigüeñal y la cadena de sincronización

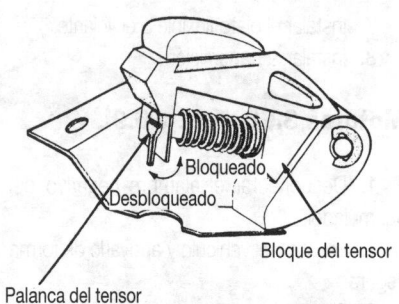

▲ Vista en detalle del tensor de la cadena de sincronización, mostrando la palanca de bloqueo – Motor 2.5L (OHV)

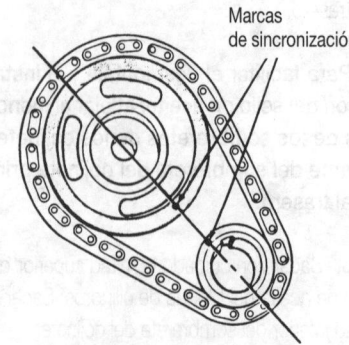

▲ Cuando está correctamente instalado, las marcas de sincronización deben estar alineadas, tal como se indica – Motor 2.5L (OHV)

como una sola unidad. Apretar los pernos de sujeción del engrane del árbol de levas a 80 pie-lb (108 Nm).

14. Verificar que las marcas de sincronización estén alineadas correctamente. La marca sobre el engrane del árbol de levas debe encontrarse en la posición de las 6 en punto y la marca sobre el engrane del cigüeñal en la posición de las 12 en punto.

15. Girar el tensor de la cadena a la posición de desbloqueado (abajo).

16. Colocar el anillo salpicador de aceite en el cigüeñal.

17. Instalar un sello de aceite nuevo en la tapa de la caja de sincronización.

18. Aplicar una capa fina de sellante de junta alrededor de la tapa, incluyendo la superficie inferior en donde la tapa se une con el depósito de aceite.

19. Colocar la junta nueva e instalar la tapa en el motor, con la herramienta de sellado para alinear correctamente la tapa. Apretar los pernos de la tapa de 1/4 plg a 60 plg-lb (7 Nm), los pernos de 5/16 plg a 192 plg-lb (22 Nm) y los pernos del depósito de aceite a la tapa a 84 plg-lb (9.5 Nm). Sacar la herramienta de sellado.

20. Instalar el chavetero en el cigüeñal. Instalar el amortiguador de vibraciones. Apretar el perno de fijación a 80 pie-lb (108 Nm).

21. Instalar la polea del cigüeñal y la banda propulsora.

22. Instalar el radiador y la envoltura.

23. Conectar el alambre negativo del acumulador.

Motor 3.9L

1. Si es posible, girar el motor de modo que el cilindro N° 1 quede en el PMS de la carrera de compresión. Sacar la tapa del distribuidor para confirmar y alinear la marca de sincronización de la polea del amortiguador de vibraciones con el "0" de la escala de sincronización. Esto facilitará la alineación de las marcas de sincronización al instalar los engranes de sincronización.

2. Desconectar el alambre negativo del acumulador.

3. Drenar el sistema de enfriamiento.

4. Sacar el radiador, ventilador y todas las piezas relacionadas. Sacar la bomba de agua.

5. Sacar la polea del cigüeñal.

6. Sacar el amortiguador de vibraciones usando el extractor adecuado.

7. Desatornillar la tapa de la cadena del bloque y sacarla, teniendo la precaución de evitar dañar la junta del depósito de aceite. Sacar la

bomba de combustible de la tapa, si dispone de ella.

8. Sacar el perno de fijación del engrane del árbol de levas y la arandela cóncava. Sacar la cadena de sincronización y los engranes. Si es necesario, sacar la cadena y el engrane superior, después usar un extractor de engranes para sacar los engranes inferiores.

Para instalar:

9. Colocar los engranes del cigüeñal y del árbol de levas sobre el banco de trabajo con las marcas de sincronización sobre la línea central imaginaria que pasa a través de los ejes de ambos engranes, tal como se instalan en el motor.

10. Colocar la cadena de sincronización alrededor de ambos piñones.

11. Girar el cigüeñal y el árbol de levas de modo que chavetas se alineen con los chaveteros en los engranes, cuando las marcas de sincronización se encuentran en la posición correcta.

12. Deslizar ambos engranes sobre sus ejes respectivos y usar una regla metálica de taller para comprobar la alineación de las marcas de sincronización.

13. Instalar la excéntrica de la bomba de combustible y la arandela cóncava, si la equipa. Apretar el perno de sujeción del engrane del árbol de levas a 35 pie-lb (47 Nm).

14. Limpiar y secar las superficies de contacto de la tapa de la cadena de sincronización y el bloque. Aplicar un cordón fino de sellante a la junta del depósito de aceite.

15. Instalar una junta nueva de la tapa e instalar la tapa. Apretar los pernos a 30 pie-lb (41 Nm).

16. Instalar la bomba de agua con una junta nueva, si se había sacado.

17. Instalar el amortiguador de vibraciones con la herramienta C-3638, o equivalente, instalar el perno y la arandela, y apretar según especificaciones. Aplicar una pequeña cantidad de sellante a los pernos e instalar la polea del cigüeñal.

18. Instalar la bomba de combustible usando una junta nueva, si la equipa, y conectar las líneas de combustible. Instalar los dos pernos del depósito de combustible en caso de que se hubieran sacado.

19. Instalar el radiador, el ventilador y todas las piezas relacionadas.

20. Llenar el sistema de enfriamiento.

21. Conectar el alambre negativo del acumulador, establecer todos los ajustes según especificaciones, y comprobar que no haya fugas.

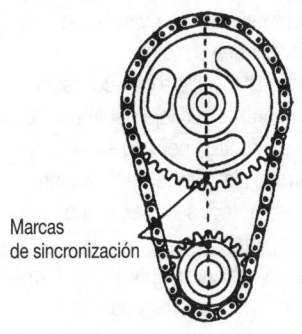

Marcas de sincronización

▲ Asegurarse de la alineación de las marcas de sincronización – Motores 3.9L, 5.2L y 5.9L

Motores 5.2L y 5.9L

1. Sacar la tapa delantera.

2. Sacar el perno de bloqueo del piñón del árbol de levas, que sujeta la arandela cóncava, y la excéntrica de la bomba de combustible. Sacar la cadena de sincronización con ambos piñones.

Para instalar:

3. Para empezar con el procedimiento de instalación, colocar los piñones del árbol de levas y del cigüeñal sobre una superficie plana con los indicadores de sincronización sobre un eje imaginario de las cajas de ambos piñones. Colocar la cadena de sincronización alrededor de ambos piñones. Asegurarse de que las marcas de alineación están alineadas.

▼ AVISO ▼

Al instalar la cadena de sincronización, hacer que un ayudante sujete el árbol de levas con una herramienta adecuada para impedir que contacte con el tapón de la parte posterior del bloque de cilindros. Sacar el distribuidor y el engrane propulsor de la bomba de aceite/distribuidor. Colocar la herramienta adecuada contra la parte trasera del engrane del árbol de levas y tener cuidado de no dañar los lóbulos de las levas.

4. Girar el árbol de levas y el cigüeñal para alinearlos con el chavetero situado en el piñón del cigüeñal y el chavetero o el orificio de la clavija en el piñón del árbol de levas.

5. Levantar los piñones y la cadena de sincronización mientras se mantienen los piñones apretados contra la cadena en su posición correcta. Deslizar ambos piñones de forma gradual sobre sus ejes respectivos.

6. Usar una regla metálica de taller para medir la alineación de las marcas de sincronización de los piñones. Tienen que estar perfectamente alineadas.

7. Instalar la excéntrica de la bomba de combustible, la arandela cóncava, y el perno de bloqueo del engrane árbol de levas y apretar a 35 pie-lb (47 Nm). Si el juego axial del árbol de levas excede las 0.010 plg (0.25 mm), instalar un plato de empuje nuevo. Con el plato nuevo el juego debe estar entre 0.002 y 0.006 plg (0.05 y 0.15 mm).

Motor 8.0L

1. Alinear la línea de ejes del árbol de levas y del cigüeñal. Sacar el perno de sujeción del piñón del árbol de levas y sacar la cadena de sincronización y los piñones de los árboles de levas.

2. Usar el extractor N° 6444 y las mordazas N° 6920 o equivalentes, para tirar del piñón del cigüeñal.

Para instalar:

3. Alinear la chaveta del piñón del cigüeñal con el piñón. Presionar sobre el piñón del cigüeñal usando la herramientas N° C-3688, C-3718 y MB-990799, o sus equivalentes. Asentar el piñón contra el reborde del cigüeñal.

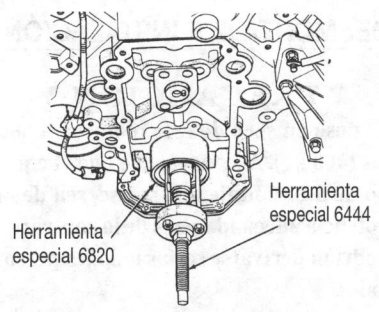

Herramienta especial 6444

Herramienta especial 6820

▲ Usar la herramienta de extracción (extractor) adecuada, para sacar el piñón del extremo del cigüeñal – Motor 8.0L

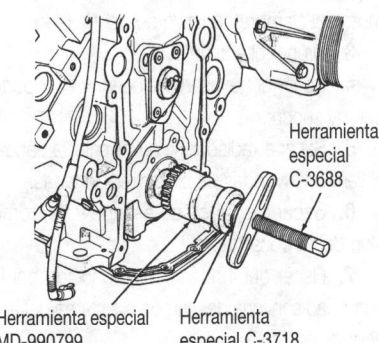

Herramienta especial C-3688

Herramienta especial MD-990799

Herramienta especial C-3718

▲ Las herramientas apropiadas también hacen mucho más fácil la instalación del piñón – Motor 8.0L

4. Girar el cigüeñal para alinear la marca de sincronización con la línea de ejes del cigüeñal y del árbol de levas.

5. Colocar la cadena de sincronización sobre el piñón del árbol de levas.

6. Alinear las marcas de sincronización e instalar la cadena y el piñón del árbol de levas sobre el piñón del cigüeñal. Comprobar que las marcas de sincronización están sobre la línea de ejes del cigüeñal y del árbol de levas.

7. Instalar el perno del árbol de levas. Apretar el perno a 45 pie-lb (61 Nm).

8. Comprobar el juego axial del árbol de levas. Si se instala un plato de empuje nuevo el juego debe estar entre 0.002 y 0.006 plg (0.051 y 0.152 mm). Si se instala el plato de empuje usado, el juego o hueco del extremo puede ser de hasta 0.010 plg (0.254 mm).

9. Si no está dentro de estos límites, instalar un plato de empuje nuevo.

REPARACIÓN DEL MOTOR DIESEL

CONJUNTO MOTOR

DESMONTAJE E INSTALACIÓN

▼ PRECAUCIÓN ▼

El peso en seco de este motor son 880 lbs (400 kg). Asegurarse de que el equipo de desmontaje que se use, sea de la potencia adecuada pues de lo contrario, podrían derivarse serias lesiones personales.

1. Marcar el contorno de los goznes sobre el capó y sacar el capó del vehículo.

2. Desconectar del acumulador y del motor, el alambre negativo del acumulador.

3. Drenar el enfriante.

4. Sacar el travesaño superior y el soporte central superior.

5. Sacar el radiador, su envolvente, la banda, el ventilador y todas las piezas relacionadas.

6. Sacar los tubos de escape y de admisión del turbocargador.

7. Hacer que un técnico reconocido por la autoridad sanitaria descargue el sistema del aire acondicionado.

8. Desacoplar las conexiones del aire acondicionado. Cubrir las aberturas que se dejen en el compresor.

9. Desacoplar el alternador y todas las otras conexiones eléctricas en el motor.

10. Desconectar el varillaje del acelerador.

11. Desconectar el varillaje del ahogador, de la palanca de control, pero no sacar la palanca de control de la bomba de inyección.

12. Desconectar todos los accesorios propulsados por el motor.

13. Levantar el vehículo y apoyarlo de forma segura. Sacar el motor de arranque.

14. Si equipa transmisión automática, sacar los pernos del convertidor de torque y sacar los pernos inferiores del alojamiento campana. Si equipa una transmisión manual, sacar la transmisión.

15. Drenar el aceite del motor.

▼ PRECAUCIÓN ▼

La autoridad sanitaria advierte que el contacto prolongado con aceite de motor usado puede causar varios trastornos en la piel e incluso cáncer. Por ello se deberá intentar reducir al mínimo su contacto con el aceite usado. Deben usarse guantes de protección al cambiar el aceite. Debe limpiarse, tan rápido como sea posible, las manos y cualquier otra parte de la piel expuestas al aceite usado de motor. Debe usarse jabón y agua, o limpiador de manos libre de agua.

16. Desconectar de sus abrazaderas las líneas del enfriador de aceite de la transmisión, si dispone de ellas.

17. Desconectar el tubo de escape, del turbocargador. Bajar el vehículo.

18. Desconectar y taponar las líneas de combustible.

19. Sacar los soportes del motor.

20. Sacar los pernos superiores del alojamiento campana.

21. Sacar el motor del vehículo.

Para instalar:

22. Colocar el motor en el compartimiento del motor e instalar los soportes del motor. Apretar las tuercas y los pernos a 57 pie-lb (77 Nm).

23. Instalar los pernos del alojamiento campana y apretar los pernos del convertidor, si dispone de él. Instalar la transmisión manual, si dispone de ella.

24. Instalar el motor de arranque.

25. Conectar el tubo de escape.

26. Conectar las líneas del enfriador del aceite de la transmisión en sus soportes, si dispone de él.

27. Conectar las líneas de combustible.

28. Conectar las líneas de la dirección asistida.

29. Conectar todos los accesorios propulsados por el motor.

30. Conectar el varillaje del acelerador.

31. Conectar el varillaje del ahogador en la palanca de control.

32. Reacoplar las conexiones del aire acondicionado.

33. Acoplar el alternador y el resto de conexiones eléctricas en el motor.

34. Instalar los tubos de escape y de admisión en el turbocargador.

35. Instalar el ventilador y todas las piezas relacionadas, la envolvente y el radiador.

36. Llenar el motor con la cantidad adecuada de aceite de motor Diesel.

37. Llenar el radiador con enfriante.

38. Conectar el alambre negativo de la batería, ajustar, todos los ajustes según las especificaciones, y comprobar que no haya fugas.

BOMBA DE AGUA

DESMONTAJE E INSTALACIÓN

1. Desconectar el alambre negativo del acumulador.

▼ PRECAUCIÓN ▼

Nunca abrir, realizar el mantenimiento o purgar el radiador o el sistema de enfriamiento en caliente, ya que el vapor de agua y el enfriante caliente podrían producir graves quemaduras. Siempre drenar el enfriante en un recipiente apropiado, que se pueda sellar. El enfriante debe reutilizarse a menos que esté contaminado o tenga varios años.

2. Drenar el enfriante.

3. Usar como palanca una barra de perforación de 3/8 plg para levantar el tensor de la banda y extraer la banda.

4. Sacar los dos pernos de fijación de la bomba de agua y sacar la bomba del motor.

5. Sacar la junta tórica de la ranura de la bomba.

Para instalar:

6. Limpiar la ranura de la junta tórica e instalar una junta tórica nueva.

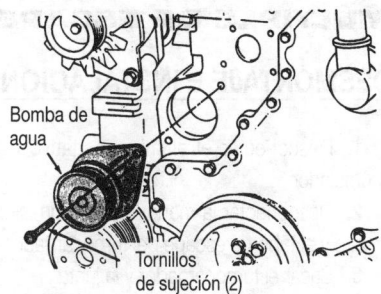

Bomba de agua

Tornillos de sujeción (2)

▲ **Montaje de la bomba de agua – Motor Diesel 5.9L**

7. Limpiar las superficies de contacto de la bomba e instalar la bomba en el motor.

8. Apretar los pernos de fijación a 18 pie-lb (24 Nm). Llenar el radiador con enfriante.

9. Instalar la banda propulsora.

10. Conectar el alambre negativo del acumulador, hacer funcionar el motor hasta que el termostato se abra, llenar el radiador totalmente y comprobar que no haya fugas.

11. Una vez que el vehículo se ha enfriado, comprobar de nuevo el nivel del enfriante.

TAPONES (BUJÍAS) INCANDESCENTES

DESMONTAJE E INSTALACIÓN

El motor Diesel 5.9L usa un calentador de aire en el múltiple de admisión en lugar de bujías (tapones) de incandescencia, que precalienta el aire para mejorar la capacidad de arranque. El elemento calentador está situado dentro de la tapa superior del múltiple de admisión. Ver los procedimientos de desmontaje y de instalación del múltiple de admisión para hacer la revisión del calentador del aire del múltiple de admisión.

CULATA DE CILINDROS

DESMONTAJE E INSTALACIÓN

1. Desconectar el alambre negativo del acumulador.

2. Drenar el enfriante.

3. Desconectar la manguera del radiador y las mangueras del calefactor.

4. Sacar el turbocargador y el tubo cruzado de aire.

5. Sacar el múltiple de escape.

6. Sacar todas las líneas de combustible de la bomba de inyección y de las boquillas de los inyectores. Sacar el filtro de combustible.

7. Sacar las tapas de la culata de cilindros.

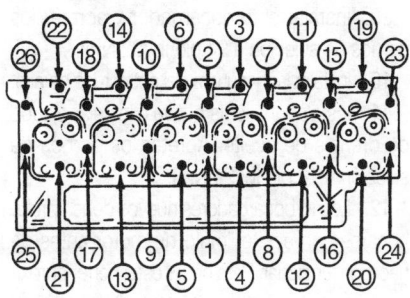

▲ **Secuencia de apriete de los pernos de la culata de cilindros - Motor Diesel 5.9L**

8. Sacar los balancines y empujaválvulas.

9. Si la culata de cilindros está caliente, aflojar gradualmente los pernos de la culata de cilindros usando la secuencia de APRIETE. Si el motor está frío, el orden de aflojar los pernos de la culata no es importante. Sacar la culata de cilindros.

10. Inspeccionar los pasos del enfriante. Una acumulación grande de óxido o de cal hará necesaria la revisión del bloque de cilindros.

11. Inspeccionar la planicidad de la culata de cilindros. La variación máxima son 0.0004 plg (0.010 mm) para cualquier área de diámetro 2 plg (50 mm) o de 0.012 plg (0.30 mm) en total de un extremo al otro o de un lado al otro.

Para instalar:

12. Limpiar a fondo y secar las superficies de contacto de la culata y el bloque. Colocar la junta de culata nueva sobre las clavijas.

13. Instalar la culata sobre las clavijas en el bloque.

14. Lubricar los casquillos de los empujaválvulas, e instalar los empujaválvulas y los balancines.

15. Limpiar, secar y lubricar ligeramente los pernos de culata. Instalar y apretar, en orden, primero a 29 pie-lb (40 Nm), después a 62 pie-lb (85 Nm) y finalmente a 93 pie-lb (126 Nm).

16. Instalar los pernos de los pedestales de los balancines. Apretar a 18 pie-lb (24 Nm).

17. Ajustar el huelgo de las válvulas.

18. Instalar las tapas de las culatas de cilindros con juntas nuevas. Apretar a 18 pie-lb (24 Nm).

19. Instalar todas las líneas de combustible y el filtro de combustible.

20. Instalar el múltiple de escape.

21. Instalar el tubo cruzado de aire y el turbocargador.

22. Conectar la manguera del radiador y las mangueras del calefactor.

23. Llenar el radiador con enfriante.

24. Conectar el alambre negativo del acumulador, establecer todos los ajustes según especificaciones y comprobar que no haya fugas.

BALANCINES/EJES DE BALANCINES

DESMONTAJE E INSTALACIÓN

1. Desconectar el alambre negativo del acumulador.

2. Sacar la tapa de la culata de cilindros.

3. Aflojar las contratuercas de los tornillos de ajuste. Aflojar los tornillos hasta que no retrocedan más.

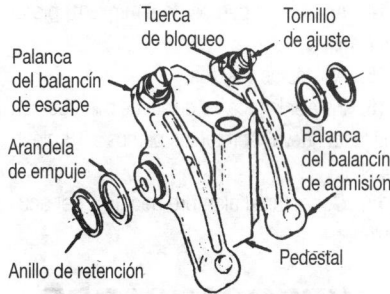

Tuerca de bloqueo

Tornillo de ajuste

Palanca del balancín de escape

Arandela de empuje

Palanca del balancín de admisión

Anillo de retención

Pedestal

▲ **Balancines y componentes relacionados – Motor Diesel 5.9L**

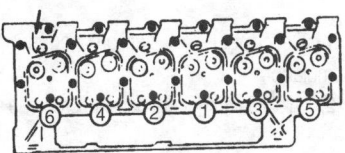

▲ **Secuencia de apriete de los pernos de los balancines – Motor Diesel 5.9L**

4. Sacar los pernos de 8 mm y de 12 mm del pedestal.

5. Sacar el conjunto de pedestal y balancín. Sacar los empujaválvulas si es necesario.

6. Sacar el anillo de retención y la arandela de empuje.

7. Sacar el balancín del pedestal.

➡ **No desacoplar el eje de balancines y el pedestal; se deben reemplazar como una sola unidad.**

8. Sacar la tuerca de bloqueo y el tornillo de ajuste del balancín.

Para instalar:

9. Instalar el tornillo de ajuste y la contratuerca.

10. Lubricar el eje con aceite e instalar el balancín en el eje. Instalar la arandela de empuje y el anillo de seguridad.

11. Si se habían sacado, instalar los empujaválvulas en sus respectivas posiciones originales.

12. Instalar el conjunto de pedestal y balancín en la culata alineando la clavija del pedestal con el orificio de la clavija en la culata. Si el empujaválvula está sujetando el balancín fuera de la culata, girar el motor hasta que el pedestal quede sobre la culata sin interferencia.

13. Lubricar el fileteado de los pernos con aceite. Instalar y apretar primero a 29 pie-lb (40 Nm), después a 62 pie-lb (85 Nm) y finalmente a 93 pie-lb (126 Nm). Si se habían sacado todos los pedestales, seguir la secuencia completa de apriete de los pernos de culata, incluyendo aquellos pernos de culata que no se habían sacado durante este procedimiento.

14. Apretar los pernos de 8 mm a 18 pie-lb (24 Nm).

15. Ajustar las válvulas.

16. Instalar la tapa de culata de cilindros con una junta nueva. Apretar los pernos a 18 pie-lb (24 Nm).

17. Conectar el alambre negativo del acumulador.

TURBOCARGADOR

DESMONTAJE E INSTALACIÓN

1. Desconectar el alambre negativo del acumulador.

2. Aflojar la manguera del entrecruce de aire.

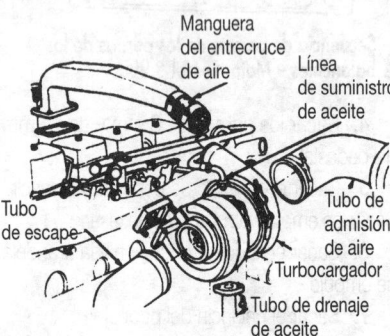

▲ **Montaje del turbocargador – Motor Diesel 5.9L**

3. Desconectar la manguera de admisión y el tubo de escape.

4. Sacar los pernos del tubo de drenaje de aceite.

5. Sacar del turbocargador la línea de alimentación de aceite.

6. Sacar las tuercas de sujeción del turbocargador y sacar el turbocargador.

Para instalar:

7. Inspeccionar la superficie de montaje por si estuviera dañada o presentara grietas.

8. Instalar una junta nueva y aplicar un producto antiagarrotamiento a los birlos (espárragos) de sujeción.

9. Instalar el turbocargador y apretar los pernos de sujeción a 24 pie-lb (32 Nm).

10. Instalar la manguera del entrecruce de aire.

11. Instalar una junta nueva e instalar el tubo de drenaje de aceite. Apretar los pernos de sujeción a 18 pie-lb (24 Nm).

12. Los turbocargadores nuevos deben prelubricarse con aceite limpio de motor antes de hacerlos funcionar. Para hacer esto, verter aproximadamente 2 o 3 onzas (65-100 ml) de aceite en el rácor de alimentación de aceite y girar la rueda de la turbina para hacer circular el aceite.

13. Instalar la línea de alimentación de aceite al turbocargador.

14. Conectar los tubos de la admisión y del escape.

15. Conectar el alambre negativo del acumulador y comprobar que no haya fugas en el escape.

MÚLTIPLE DE ADMISIÓN

DESMONTAJE E INSTALACIÓN

1. Desconectar el alambre negativo del acumulador.

2. Sacar el soporte y varillaje del control del ahogador.

3. Sacar las líneas de combustible de alta presión.

4. Desconectar el calentador del múltiple de admisión.

5. Desconectar del múltiple de admisión el alambre de masa del calentador del combustible.

6. Sacar el tubo del entrecruce de aire y el calentador del múltiple de admisión.

7. Sacar la tapa y la junta del múltiple. Limpiar la junta de sellado de empaque.

Para instalar:

8. Si se habían sacado, instalar el calentador del múltiple de admisión y el tubo del entrecruce de aire.

9. Instalar la junta nueva y la tapa. Algunos de los orificios de los pernos son pasantes. Aplicar sellante líquido de Teflon® a estos pernos. Apretar los pernos a 18 pie-lb (24 Nm).

10. Acoplar todos los tubos de la admisión y el calentador del múltiple de admisión con el soporte y el varillaje del control del ahogador.

11. Conectar el alambre de masa del calentador del combustible.

12. Instalar y purgar las líneas de combustible a alta presión.

13. Conectar el alambre negativo del acumulador.

MÚLTIPLE DE ESCAPE

DESMONTAJE E INSTALACIÓN

1. Desconectar el alambre negativo del acumulador.

2. Desconectar la manguera de admisión de aire y el tubo de escape del turbocargador.

3. Sacar el turbocargador y la junta.

4. Sacar las líneas de suministro y retorno del calefactor de la cabina.

5. Sacar el múltiple de escape y la junta. Limpiar la superficie de sellado de empaque.

Para instalar:

6. Instalar la junta nueva y el múltiple. Empezando por el centro, apretar los pernos del múltiple de escape a 32 pie-lb (43 Nm).

7. Instalar la línea de suministro y retorno del calefactor de la cabina.

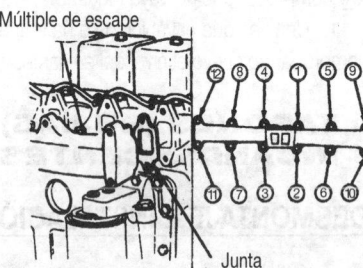

Múltiple de escape

Junta

▲ **Apretar los pernos de sujeción del múltiple de escape de acuerdo con la secuencia mostrada – Motor Diesel 5.9L**

8. Instalar el turbocargador y la junta.

9. Conectar los tubos de admisión de aire y de escape.

10. Conectar el alambre negativo del acumulador, arrancar el motor y comprobar que no haya fugas en el escape.

SELLO DE ACEITE DELANTERO DEL CIGÜEÑAL

DESMONTAJE E INSTALACIÓN

1. Sacar la banda propulsora.

2. Sacar el amortiguador de vibraciones.

3. Taladrar dos orificios de $^1/_8$ plg (3 mm) en la cara del sello, separados 180 grados.

4. Atornillar tornillos de chapa metálica de #10 en los orificios de la cara del sello.

5. Usar un martillo de percusión (deslizante) para tirar de los tornillos de chapa metálica, alternando de un lado a otro hasta que se saque el sello.

Para instalar:

6. Asegurarse de que la superficie de sellado del cigüeñal está totalmente exenta de cualquier residuo de aceite o de suciedad para evitar fugas en el sello.

7. Si se había cambiado la tapa del engrane, usar la herramienta de alineación del juego de herramientas del sello, para asegurar que la tapa queda alineada con el cigüeñal.

8. Aplicar un cordón de Loctite® 277, o equivalente, en el diámetro exterior del sello.

9. Instalar el piloto del juego de herramientas del sello sobre el cigüeñal.

10. Instalar el sello sobre el piloto e iniciar la introducción en el alojamiento del sello de la tapa de la carcasa del engrane.

11. Sacar el piloto.

12. Usar la herramienta de instalación/alineación y un martillo de plástico para asentar el sello hasta la profundidad correcta.

13. Instalar el amortiguador de vibraciones, pero NO apretar el perno del amortiguador de vibraciones hasta que se instale la banda.

14. Instalar la banda propulsora.

15. Apretar los pernos del amortiguador de vibraciones a 92 pie-lb (125 Nm). Usar una herramienta bloqueadora del motor para mantenerlo sin girar durante el proceso de apriete.

ÁRBOL DE LEVAS Y LEVANTAVÁLVULAS

DESMONTAJE E INSTALACIÓN

1. Desconectar el alambre negativo del acumulador.

2. Sacar la tapa de la culata de cilindros.

3. Sacar los conjuntos de los balancines.

4. Sacar los empujaválvulas.

5. Sacar la banda propulsora.

▼ PRECAUCIÓN ▼

Nunca abrir, realizar el mantenimiento o purgar el radiador o el sistema de enfriamiento en caliente, ya que el vapor de agua y el enfriante caliente podrían producir graves quemaduras. Siempre drenar el enfriante en un recipiente apropiado, que se pueda sellar. El enfriante debe reutilizarse a menos que esté contaminado o tenga varios años.

6. Drenar el sistema de enfriamiento. Sacar el conjunto del ventilador, el radiador y todas las piezas relacionadas.

7. Sacar la polea del cigüeñal.

8. Sacar la tapa delantera del engrane.

9. Sacar la bomba de combustible.

10. Instalar las clavijas especiales en los orificios de los empujaválvulas y sobre la parte superior de cada levantaválvulas. Cuando estén correctamente instaladas, las clavijas pueden usarse para sujetar los levantaválvulas arriba de forma segura. Enrollar bandas de goma alrededor de la parte superior de las clavijas para impedir que se caigan.

11. Girar el cigüeñal para alinear las marcas de sincronización del cigüeñal con el árbol de levas.

12. Sacar los pernos del plato de empuje.

13. Sacar el árbol de levas y el plato de empuje.

14. Presionar el engrane sacándolo del árbol de levas, y sacar la cuña (chaveta).

15. Para sacar los levantaválvulas, instalar un pasador en las aberturas del árbol de levas para extraer los levantaválvulas a medida que se sacan las clavijas. Si se van a reutilizar los levantaválvulas, sacarlos de uno en uno y anotar sus posiciones.

Para instalar:

16. Si se habían sacado los levantaválvulas, instalar el pasador en la abertura del árbol de levas. Introducir la herramienta de instalación de los levantaválvulas abajo en el orificio del levantaválvulas correspondiente.

17. Tirar del pasador hacia fuera y recuperar la herramienta de instalación de los levantaválvulas. Acoplar el levantaválvulas en la herramienta, luego insertar el pasador de nuevo en el orificio de la leva mientras se entra el levantaválvulas dentro del orificio del levantaválvulas.

18. Una vez que el levantaválvulas está en el orificio, girar el pasador $1/2$ vuelta de modo que

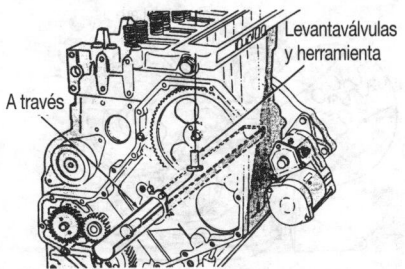

Usar las herramientas especiales para sacar o instalar los levantaválvulas, tal como se muestra – Motor Diesel 5.9L

el lado redondeado del pasador sujete el levantaválvulas en posición.

19. Sacar la herramienta de instalación de levantaválvulas y reinstalar la clavija especial para sujetar el levantaválvulas en posición, mientras se instalan el resto de levantaválvulas.

20. Instalar la cuña (chaveta) en el cigüeñal.

21. Calentar el engrane del árbol de levas a 250 °F (121 °C) durante 45 minutos. Lubricar la superficie del soporte del engrane con Lubriplate® 105. Instalar el engrane en el árbol de levas con las marcas de sincronización mirando en sentido contrario al árbol.

22. Lubricar los alojamientos del árbol de levas, los lóbulos de las levas, las muñequillas y la arandela de empuje con Lubriplate® 105.

▼ AVISO ▼

No empujar el árbol de levas demasiado hacia dentro pues podría sacar el tapón de la parte trasera del alojamiento del árbol de levas, provocando posiblemente una fuga.

23. Instalar el árbol de levas y la arandela de empuje de modo que las marcas de sincronización en los engranes del cigüeñal y del árbol de levas queden alineadas.

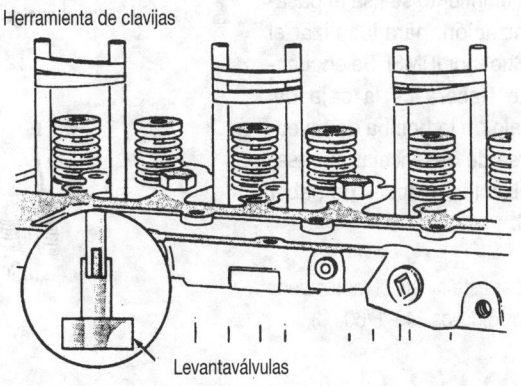

Usar herramientas de clavijas y bandas de goma para sostener los levantaválvulas en el hueco mientras que se saca el árbol de levas – Motor Diesel 5.9L

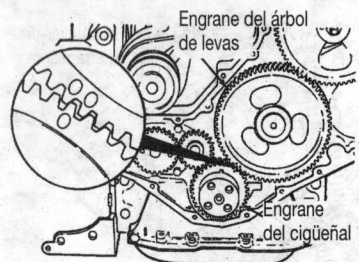

Durante el montaje, asegurarse de alinear las marcas en los engranes del árbol de levas y del cigüeñal, tal como se muestra – Motor Diesel 5.9L

24. Instalar los pernos de la arandela de empuje, y apretar a 18 pie-lb (24 Nm).

25. Comprobar el juego axial del árbol de levas. La especificación es de 0.006-0.010 plg (0.152-0.254 mm).

26. Comprobar el retroceso del engrane del árbol de levas. La especificación es de 0.003-0.013 plg (0.080-0.330 mm).

27. Instalar los empujaválvulas.

28. Instalar los conjuntos de pedestales de balancines y balancines.

29. Instalar la tapa delantera y la polea del cigüeñal.

30. Instalar la banda propulsora y el conjunto del ventilador.

31. Instalar la bomba de combustible.

32. Ajustar las válvulas.

33. Instalar las tapas de culata de cilindros.

34. Conectar el alambre negativo del acumulador y comprobar que no haya fugas.

HOLGURA DE VÁLVULAS

AJUSTE

En el motor Diesel es necesario un ajuste de válvulas cada 36 000 millas (57 971 km).

➡ En este procedimiento se usa el pasador de sincronización, para localizar el Punto Muerto Superior (PMS). Se encuentra en la parte trasera de la caja del engrane y debajo de la bomba de inyección. Asegurarse de desencajar el pasador de sincronización después de haber situado el PMS.

1. Para realizar este ajuste el motor debe estar frío (por debajo de los 140 °F/60 °C).

▼ AVISO ▼

No fijar el huelgo de válvulas por debajo del valor de las especificaciones con

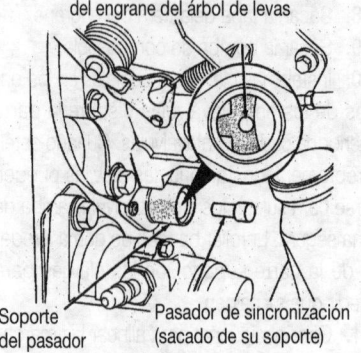

Usar el pasador de sincronización para localizar el PMS en motores Diesel

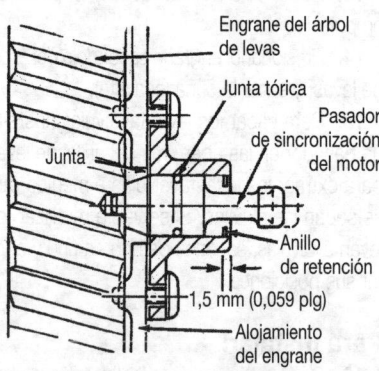

Corte del pasador de sincronización entrando en el orificio del engrane del árbol de levas – Motor Diesel

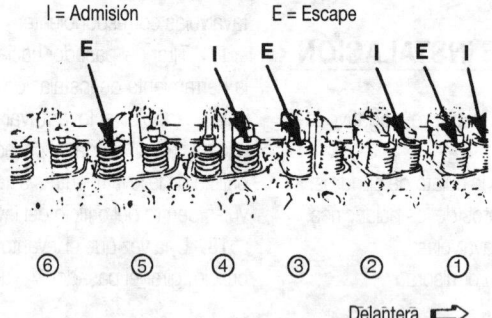

Paso 1. Ajustar el huelgo en las válvulas que se indican – Motor Diesel 5.9L

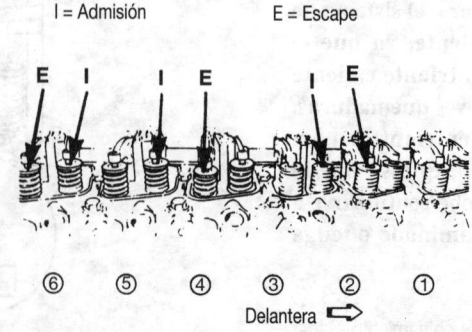

Paso 2. Ajustar el huelgo en el resto de las válvulas que no se habían ajustado en el paso 1 – Motor Diesel 5.9L

la intención de hacer los levantaválvulas más silenciosos. Esto se traduciría en la quemadura de las válvulas.

2. Sacar la tapa de válvulas.

3. Girar el motor manualmente y usar el pasador de sincronización para situar el Punto Muerto Superior (PMS) para el cilindro N° 1. Desacoplar el pasador de sincronización después de haber situado el PMS.

4. Para ajustar las válvulas, llevar a cabo este procedimiento de dos etapas. Ver las ilustraciones que se acompañan para determinar qué válvulas deben ajustarse en cada una de las etapas:

a. El huelgo de la válvula se mide entre el balancín y el final de la válvula. Comprobar la holgura insertando una galga de huelgos entre el balancín y la válvula. Cuando la separación es la correcta, debe haber una pequeña resistencia sobre la galga de huelgos. Ajustar la separación, si es necesario. La separación para las válvulas de admisión es de 0.010 plg (0.254 mm). La separación para las válvulas de escape es de 0.020 plg (0.508 mm). Ajustar el huelgo aflojando la tuerca de bloqueo del balancín y girando el tornillo de ajuste. Una vez se ha hecho el ajuste, apretar la contratuerca a 18 pie-lb (24 Nm) y comprobar de nuevo el huelgo para asegurarse de que no ha cambiado a medida que se apretaba la contratuerca.

b. Volver a comprobar que el pasador de sincronización se ha desacoplado, después marcar la polea y girar el cigüeñal del motor 360°, en el sentido normal de rotación (horario). Comprobar y ajustar la separación de las válvulas indicadas siguiendo las mismas especificaciones que las del paso 4°.

5. Instalar la tapa de los balancines con una junta nueva, luego acoplar la línea de combustible en el inyector. Arrancar el motor y comprobar que no haya fugas.

DEPÓSITO DE ACEITE

DESMONTAJE E INSTALACIÓN

▼ PRECAUCIÓN ▼

La autoridad sanitaria advierte que el contacto prolongado con aceite de motor usado puede causar algunos trastornos en la piel e incluso cáncer. Por ello se deberá intentar reducir al mínimo su contacto con el aceite usado. Deben usarse guantes de protección al cambiar el aceite. Debe limpiarse, tan rápido como sea posible, las manos y cualquier otra parte de la piel expuestas al aceite usado de motor. Debe usarse jabón y agua, o limpiador de manos libre de agua.

1. Sacar el motor y colocarlo sobre un caballete de motores de forma segura.

2. Drenar el aceite del motor en un recipiente apropiado y deshacerse de él de forma adecuada.

3. Sacar el depósito de aceite y la junta. Asegurarse de conectar el soporte de apoyo.

4. Si se requiere, sacar el tubo de aspiración y la junta.

Para instalar:

5. Limpiar la superficie de sellado.

6. Instalar el tubo de aspiración y la junta. Apretar los pernos de 18 pie-lb (24 Nm).

7. Llenar con sellante la junta entre el raíl del depósito y el alojamiento del engrane y el raíl del depósito y la tapa trasera. Usar *(Three Bond)* Triple Adherencia 1207-C, o equivalente.

8. Instalar el depósito y la junta. Apretar los pernos de 18 pie-lb (24 Nm).

9. Instalar el tapón de drenaje con una arandela de sellado nueva. Apretar a 60 pie-lb (80 Nm).

10. Instalar el conjunto motor en el vehículo.

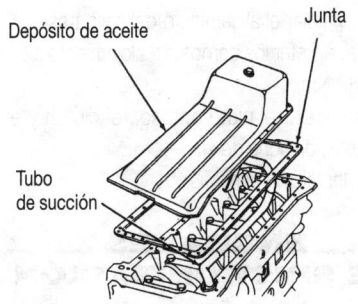

▲ Montaje del depósito de aceite – Motor Diesel 5.9L

11. Llenar el motor con aceite limpio de motor. Arrancar el motor y comprobar que no haya fugas.

12. Parar el motor y dejar que repose durante cinco minutos. Comprobar el nivel del aceite. Añadir si fuera necesario.

BOMBA DE ACEITE

DESMONTAJE E INSTALACIÓN

▼ PRECAUCIÓN ▼

La autoridad sanitaria advierte que el contacto prolongado con aceite de motor usado puede causar algunos trastornos en la piel e incluso cáncer. Por ello se deberá intentar reducir al mínimo su contacto con el aceite usado. Deben usarse guantes de protección al cambiar el aceite. Debe limpiarse, tan rápido como sea posible, las manos y cualquier otra parte de la piel expuestas al aceite usado de motor. Debe usarse jabón y agua, o limpiador de manos libre de agua.

1. Desconectar el alambre negativo del acumulador.

2. Sacar la banda propulsora.

3. Sacar el radiador.

4. Sacar el conjunto del ventilador.

5. Sacar el tubo de llenado de aceite y el adaptador.

6. Sacar la polea del cigüeñal.

7. Sacar la tapa delantera.

8. Sacar los cuatro pernos de sujeción de la bomba y sacar la bomba del bloque de cilindros.

Para instalar:

9. Cebar la bomba echando aceite limpio en la admisión de la bomba y girando el eje propulsor hasta que salga aceite por la lumbrera de presión. Repetir esto unas pocas veces hasta que el aceite no contenga burbujas de aire.

10. Alinear el pasador del engrane intermedio con el orificio de situación en el bloque e instalar la bomba.

11. Apretar los pernos de sujeción en el orden correcto a 44 plg-lb (5 Nm), después repetir la secuencia de apriete hasta 18 pie-lb (24 Nm).

➡ Cuando la bomba esté correctamente instalada, la brida de la bomba no debe tocar el bloque de cilindros; la placa de apoyo de la bomba asienta contra el fondo del alojamiento.

12. Medir el huelgo de retroceso entre los engranes intermedio y de la bomba. La especificación es de 0.003 a 0.013 plg (0.08 a 0.33 mm).

13. Medir el huelgo de retroceso entre los engranes intermedio y del cigüeñal. La especificación es de 0.003 a 0.013 plg (0.08 a 0.33 mm).

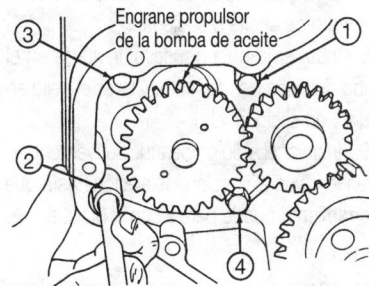

▲ Asegurarse de apretar los pernos de sujeción de la bomba de aceite en la secuencia mostrada – Motor Diesel 5.9L

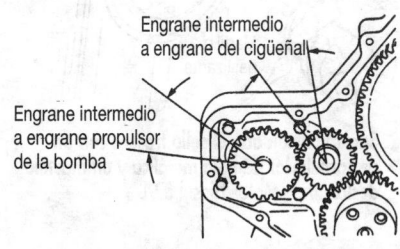

▲ Reemplazar los engranes intermedio y de la bomba de aceite, si el huelgo del engrane del árbol de levas no está dentro de especificaciones – Motor Diesel 5.9L

14. Instalar la tapa delantera y la polea del cigüeñal.

15. Instalar el tubo de llenado del aceite y el adaptador.

16. Instalar el conjunto del ventilador, el radiador y la banda propulsora.

17. Conectar el alambre negativo del acumulador y comprobar la presión de aceite.

SELLO DE ACEITE PRINCIPAL TRASERO

DESMONTAJE E INSTALACIÓN

1. Sacar la transmisión.

2. Sacar el plato opresor, el clutch, el volante, si lo equipa.

3. Sacar el alojamiento del sello de aceite trasero y la junta.

4. Taladrar dos orificios de ⅛ plg (3 mm) en la cara del sello, separados 180°.

5. Atornillar tornillos de chapa metálica de #10 en los orificios de la cara del sello.

6. Usar un martillo de percusión (deslizante) para tirar de los tornillos de chapa metálica, alternando de un lado a otro, hasta que se saque el sello.

Para instalar:

7. Limpiar la superficie de sellado de cualquier resto de aceite o suciedad.

8. Instalar la guía del sello, incluida en el equipo del sello de repuesto. Clavar el sello en la guía y en el cigüeñal.

9. Instalar el sello golpeando suavemente la herramienta de alineación/instalación hasta que la herramienta quede pareja con el bloque.

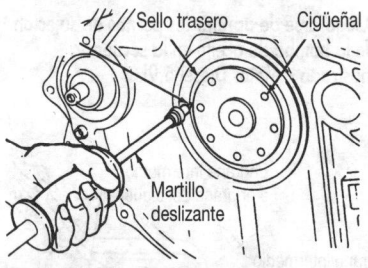

Tornillo N° 10 — Sello trasero — Cigüeñal — Martillo deslizante

▲ Sacar con cuidado el sello trasero con un destornillador de hoja metálica y un martillo deslizante – Motor Diesel 5.9L

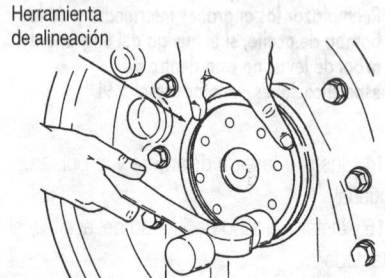

Herramienta de alineación

▲ Colocar la herramienta de alineación sobre el sello y golpear suavemente el sello introduciéndolo en su posición – Motor Diesel 5.9L

10. Instalar el alojamiento del sello trasero y la junta. Apretar los pernos del alojamiento a 84 plg-lb (9 Nm).

11. Instalar el plato opresor, el clutch y el volante, si dispone de él.

12. Instalar la transmisión.

ENGRANES DE SINCRONIZACIÓN

DESMONTAJE E INSTALACIÓN

1. Desconectar el alambre negativo del acumulador.

2. Sacar el conjunto propulsor del ventilador y la banda.

3. Sacar el tensor de la banda.

4. Sacar el tubo de llenado del aceite y el adaptador.

5. Sacar el amortiguador de vibraciones del cigüeñal.

6. Sacar la tapa de los engranes, para tener acceso a los engranes de sincronización.

7. Aflojar los engranes (desatornillando los pernos) y deslizarlos fuera de sus respectivos ejes.

Para instalar:

8. Lubricar los engranes con aceite de motor e instalarlos en el árbol de levas y en el cigüeñal. Asegurarse de alinear las marcas de sincronización.

9. Instalar un sello nuevo de cigüeñal en la cubierta del engrane.

10. Instalar la herramienta guía del conjunto de herramientas del sello, en el cigüeñal.

11. Instalar la cubierta del engrane con una junta nueva. Apretar los pernos a 18 pie-lb (24 Nm), luego sacar la herramienta guía.

12. Instalar el conjunto del tubo de llenado del aceite. Apretar los pernos de sujeción a 32 pie-lb (43 Nm).

13. Instalar el tensor de la banda. Apretar los pernos de sujeción a 32 pie-lb (43 Nm).

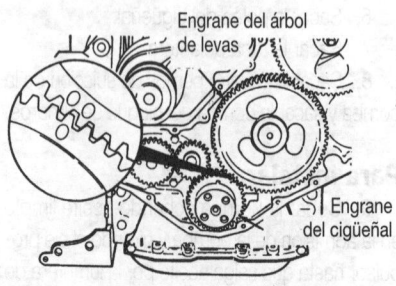

Engrane del árbol de levas — Engrane del cigüeñal

▲ Marcas de alineación del engrane de sincronización – Motor Diesel 5.9L

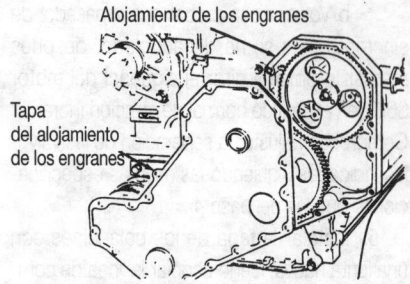

Alojamiento de los engranes — Tapa del alojamiento de los engranes

▲ Sacar la tapa de los engranes para reemplazar los engranes de sincronización – Motor Diesel 5.9L

14. Levantar el tensor e instalar la banda.

15. Instalar el amortiguador de vibraciones del cigüeñal. Apretar el perno a 92 pie-lb (125 Nm).

16. Instalar el conjunto propulsor del ventilador.

17. Conectar el alambre negativo del acumulador.

SISTEMA DE COMBUSTIBLE: GASOLINA

PRECAUCIONES DE MANTENIMIENTO DEL SISTEMA DE COMBUSTIBLE

La seguridad es el factor más importante, no sólo cuando se realiza el mantenimiento del sistema de combustible, sino cualquier tipo de mantenimiento. No seguir las conductas de seguridad durante el mantenimiento y la reparación puede resultar en graves lesiones personales o incluso la muerte. El mantenimiento y prueba de los componentes del sistema de combustible del vehículo se podrá realizar de forma segura y eficaz si se siguen las siguientes reglas y consejos:

• Para evitar la posibilidad de incendio o lesiones personales, desconectar siempre el alambre negativo del acumulador, a menos que el procedimiento de reparación o de prueba requiera la aplicación del voltaje del acumulador.

• Descargar siempre la presión del sistema de combustible antes de desconectar ningún elemento del sistema de combustible (inyector, raíl de combustible, regulador de presión, etc.), rácor o conector del sistema de combustible. Tener siempre una precaución extrema al aliviar la presión del sistema de combustible, para evitar en todo momento la exposición de la piel, la cara o los ojos a la pulverización de combustible. Tener en cuenta que el combustible a presión puede penetrar la piel o cualquier otra parte del cuerpo con la que entre en contacto.

• Colocar siempre una toalla o trapo alrededor del rácor o conexión, antes de aflojarlo, para absorber cualquier vertido o derrame de combustible. En caso de producirse un derrame de combustible, asegurarse de que este combustible no quede sobre las superficies del motor. Asegurarse de que todos los trapos o toallas empapados con combustible, se depositan en un contenedor adecuado.

• Disponer siempre de un extintor de polvo seco (clase B) cerca del área de trabajo.

• Evitar que la pulverización de combustible o los vapores del mismo puedan entrar en contacto con una chispa o llama.

• Usar siempre una llave de tuercas de apoyo para aflojar y apretar los rácores de conexión de las líneas de combustible. Esto evitará que se apliquen tensiones y torsiones innecesarias en los tubos del sistema de combustible. Seguir siempre las especificaciones de par de apriete.

• Reemplazar siempre las juntas tóricas gastadas con juntas nuevas. No sustituir tubos rígidos de combustible con mangueras.

PRESIÓN DEL SISTEMA DE COMBUSTIBLE

DESCARGAR

1. Desconectar el alambre negativo del acumulador.

2. Sacar el tapón de llenado del depósito de combustible, para descargar la posible presión que pueda tener el depósito.

3. Aflojar el tapón roscado de plástico de la lumbrera de prueba de presión en el raíl de combustible. En el motor 8.0L, la lumbrera de prueba se encuentra en la parte delantera del vehículo.

4. Tomar un manómetro y manguera del equipo de herramientas de medición de presión, N° 5069 o equivalente. Sacar el manómetro, luego poner el extremo de la manguera del manómetro dentro de un recipiente adecuado para recoger gasolina.

5. Colocar un trapo o toalla debajo de la lumbrera de prueba.

6. Roscar el otro extremo de la manguera, en la lumbrera de presión de combustible para descargar la presión.

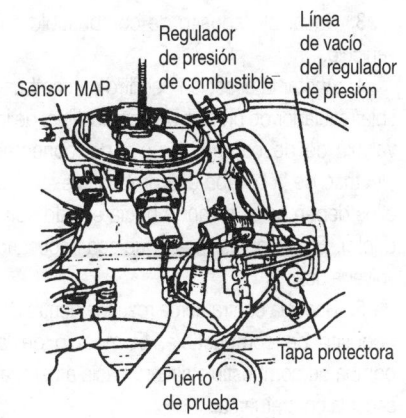

▲ Puerto de prueba de la presión de combustible – Motor 3.9L

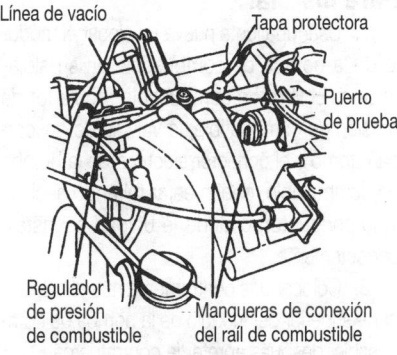

▲ Puerto de prueba de la presión de combustible – Motor 5.2L, en el motor 5.9L es similar

7. Cuando se haya descargado la presión, sacar la manguera y tapar la lumbrera.

FILTRO DE COMBUSTIBLE

DESMONTAJE E INSTALACIÓN

▼ PRECAUCIÓN ▼

Tener en cuenta todas las precauciones de seguridad aplicables al trabajar con combustible. Siempre que se revise el sistema de combustible, trabajar en una zona bien ventilada. No permitir que los vapores o pulverizaciones de combustible alcancen a una chispa o una llama. Tener un extintor de polvo seco (clase B) cerca del lugar de trabajo. Guardar siempre el combustible en un recipiente diseñado específicamente al efecto; sellar siempre de forma adecuada los recipientes de combustible para evitar la posibilidad de incendio o explosión.

El filtro de combustible está integrado en el regulador de presión de combustible, que está mon-

tado en el tanque de combustible. Esta unidad no está controlada por el PCM, o el vacío del motor. Está calibrada para enviar el combustible a una presión de 35-45 lb/plg^2 (241-310 kPa) a los inyectores. Si la presión excede el valor máximo del rango especificado, un diafragma interno se cierra para retornar el combustible al depósito de combustible. Este sistema elimina la necesidad de las líneas de retorno convencionales desde el compartimiento del motor, y se conoce como el sistema de inyección "Sin retorno" *(returnless)*, empleado en estos vehículos.

➡ **Para llevar a cabo este procedimiento es necesaria la extracción del depósito de combustible. También se precisan unos alicates externos para el anillo de seguridad, y unos alicates apropiados para la abrazadera de la manguera, tales como los N° C-4124 (disponibles a través de suministradores Plymouth/Dodge), o equivalentes.**

1. Descargar de forma adecuada la presión del sistema de combustible.

2. Drenar el depósito de combustible y sacar el depósito.

3. Sacar el filtro regulador de combustible (que está aprisionado dentro de una arandela de caucho), retorciéndolo y tirando de él directamente hacia arriba.

4. Sacar el anillo de seguridad que sujeta el tubo de la tapa, después deslizarlo hacia abajo para dejar a la vista el tubo de plástico transparente de combustible y su abrazadera de retención.

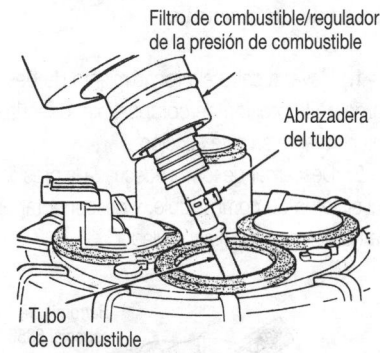

▲ Estirar y girar el filtro/regulador para sacarlo de la parte superior del módulo de la bomba de combustible – Motor Diesel 5.9L

5. Cortar con cuidado la abrazadera vieja, sin dañar el tubo, y descartar la abrazadera.

6. Tirar con cuidado del tubo hacia afuera, después sacar el filtro/regulador del módulo de la bomba de combustible.

Para instalar:

7. Instalar una abrazadera nueva sobre el tubo de plástico de combustible y acoplarlo sin apretar al filtro/regulador. Girar la unidad en la línea de combustible hasta que apunte hacia el lado conductor del vehículo.

8. Apretar la abrazadera usando las tenazas para morder abrazaderas de manguera.

➡ **No usar alicates de corte lateral convencionales, para apretar la abrazadera.**

9. Deslizar la cubierta del tubo hasta la parte inferior del filtro/regulador, e instalar el anillo de seguridad.

10. Presionar con cuidado el conjunto dentro de la arandela de caucho con la mano. Éste debe apuntar hacia el lado conductor del vehículo.

11. Instalar el depósito de combustible.

BOMBA DE COMBUSTIBLE

DESMONTAJE E INSTALACIÓN

▼ PRECAUCIÓN ▼

El sistema de combustible se encuentra a presión constante. Antes de realizar el mantenimiento de cualquier parte del sistema de inyección de combustible, tiene que descargarse la presión del sistema. Usar un trapo limpio para atrapar cualquier posible pulverización de combustible, y tomar las precauciones necesarias para evitar el riesgo de un incendio.

1. Llevar a cabo el procedimiento de descarga de la presión de combustible, descrito anteriormente en esta sección.

2. Descargar de forma adecuada la presión del sistema de combustible, y desconectar el alambre negativo del acumulador.

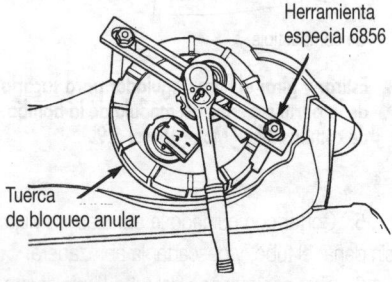

Sacar el anillo de tuerca de bloqueo para liberar del depósito el módulo de la bomba de combustible

3. Sacar el depósito de combustible del vehículo.

4. Anotar la dirección del filtro de combustible/regulador de presión de combustible, de la válvula de descarga/retorno y del conector eléctrico de la bomba de combustible. Todos ellos deben estar mirando hacia el lado conductor. Etiquetar las líneas que sea necesario volver a usar.

5. Sacar la contratuerca roscada dentro del depósito de combustible. El módulo de la bomba de combustible saltará hacia afuera, al sacar la contratuerca.

6. Sacar el módulo, del depósito de combustible.

Para instalar:

7. Usar una junta nueva y colocar el módulo de la bomba de combustible en su alojamiento. El filtro de combustible/regulador de presión de combustible, la válvula de descarga/retorno y el conector eléctrico de la bomba de combustible, deben estar mirando hacia el lado conductor, cuando la unidad se instala correctamente.

8. Colocar una contratuerca nueva sobre la parte superior del módulo de la bomba de combustible, después apretar la contratuerca.

9. Instalar el tanque de combustible.

SISTEMA DE COMBUSTIBLE: DIESEL

PRECAUCIONES DE MANTENIMIENTO DEL SISTEMA DE COMBUSTIBLE

La seguridad es el factor más importante no sólo cuando se realiza el mantenimiento del sistema de combustible, sino cualquier tipo de mantenimiento. No seguir las conductas de seguridad durante el mantenimiento y la reparación puede concluir con graves lesiones personales o incluso la muerte. El mantenimiento y prueba de los componentes del sistema de combustible del vehículo se podrá realizar de forma segura y eficaz si se siguen las siguientes reglas y consejos:

• Para evitar la posibilidad de incendio y lesiones personales, desconectar siempre el alambre negativo del acumulador, a menos que el procedimiento de reparación o prueba, requiera la aplicación del voltaje del acumulador.

• Descargar siempre la presión del sistema de combustible, antes de desconectar ningún elemento del sistema de combustible (inyector, raíl de combustible, regulador de presión, etc.), rácor o conector del sistema de combustible. Tener siempre una precaución extrema al aliviar la presión del sistema de combustible para evitar en todo momento la exposición de la piel, la cara o los ojos a la pulverización de combustible. Tener en cuenta que el combustible a presión puede penetrar la piel o cualquier otra parte del cuerpo con la que entre en contacto.

• Colocar siempre una toalla o trapo alrededor del rácor o conexión, antes de aflojarlo, para absorber cualquier vertido o derrame de combustible. En caso de producirse un derrame de combustible, asegurarse de que este combustible no queda sobre las superficies del motor. Asegurarse de que todas los trapos o toallas empapados con combustible, se depositan en un contenedor adecuado.

• Disponer siempre de un extintor de polvo seco (clase B) cerca del área de trabajo.

• Evitar que la pulverización de combustible o los vapores del mismo puedan entrar en contacto con una chispa o con una llama.

• Usar siempre una llave de tuercas de apoyo para aflojar y apretar los rácores de conexión de las líneas de combustible. Esto evitará que se apliquen tensiones y torsiones innecesarias a los tubos del circuito de combustible. Seguir siempre las especificaciones de par de apriete.

• Reemplazar siempre las juntas tóricas gastadas con juntas nuevas. No sustituir tubos rígidos de combustible con mangueras.

SISTEMA DE COMBUSTIBLE

PURGA DE AIRE

1. Aflojar el perno de purga de baja presión.

2. Presionar el botón de goma cebador sobre la bomba de transferencia de combustible. Hacer esto hasta que el combustible que sale por el tornillo de purga, no contenga aire. Si se nota como si el botón de cebado no estuviera bombeando, girar el motor aproximadamente 90 grados, después seguir bombeando como se ha descrito.

3. Apretar el tornillo de purga de baja presión a 72 plg-lb (8 Nm).

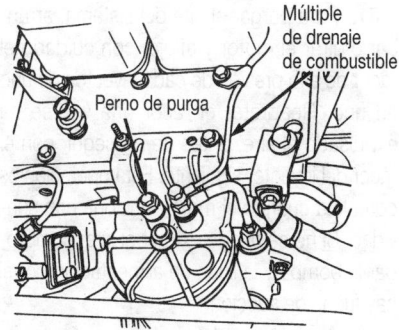

▲ **Situación del perno de purga de la baja presión - Motor Diesel 5.9L**

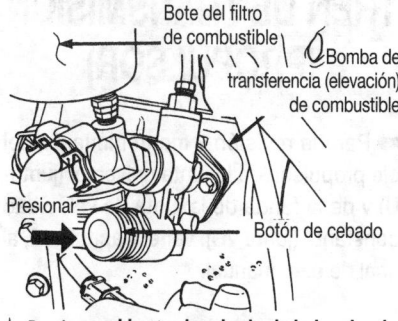

▲ **Presionar el botón de cebado de la bomba de transferencia de combustible hasta que el combustible que sale no contenga aire**

MARCHA MÍNIMA

AJUSTE

1. Arrancar el motor y hacerlo funcionar hasta que alcance la temperatura normal de funcionamiento.

2. Se debe usar un tacómetro óptico para leer la velocidad del motor.

3. Si dispone de él, poner en marcha el aire acondicionado (posición ON).

4. Girar el tornillo de ajuste de la marcha mínima hasta obtener la marcha mínima deseada. La especificación para un vehículo equipado con transmisión automática es de 700 rpm. La especificación para un vehículo equipado con transmisión manual es de 750 rpm.

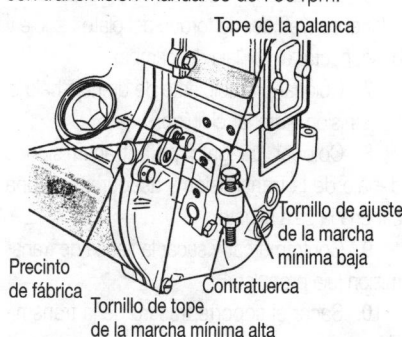

▲ **Localización del tornillo de ajuste de la marcha mínima – Motor Diesel 5.9L**

FILTRO SEPARADOR DE AGUA/COMBUSTIBLE

DRENAJE DE AGUA

La filtración y separación del agua contenida en el combustible es importante para el funcionamiento sin averías y para una larga duración del sistema del combustible. Es esencial un mantenimiento regular, que incluya el drenaje de la humedad del filtro separador del agua del combustible, para no introducir agua en la bomba de combustible. Para extraer el agua recogida, simplemente desatornillar el drenaje de la parte inferior del conjunto del Agua dentro del Filtro (WIF) situado en la parte baja del filtro separador.

DESMONTAJE E INSTALACIÓN

1. Desconectar el alambre negativo del acumulador.

2. Desacoplar el conector del sensor WIF.

3. Sacar el conjunto del filtro separador de la cabeza del filtro, con una llave estándar para filtros de aceite.

4. Sacar la junta tórica cuadrada del buje de montaje del filtro.

5. Drenar el filtro separador de agua/combustible, y sacar el conjunto del filtro de combustible.

Para instalar:

6. Instalar una junta tórica nueva en el conjunto del WIF e instalar el nuevo filtro separador.

7. Instalar una junta tórica nueva cuadrada en el buje de montaje del filtro.

8. Llenar el filtro separador agua/combustible con combustible diesel limpio.

9. Aplicar un recubrimiento ligero de aceite en la superficie de sellado del filtro separador.

10. Instalar el conjunto y apretarlo $1/2$ vuelta después de que el sello contacte con la cabeza del filtro.

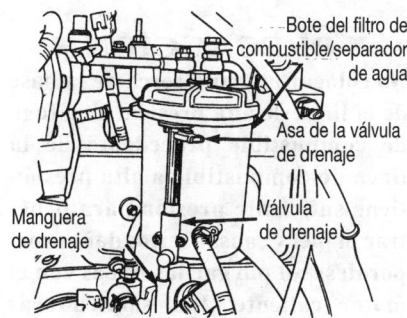

▲ **Conjunto del filtro de combustible/separador de agua y componentes relacionados**

11. Volver a conectar el conector del sensor del WIF.

12. Conectar el alambre negativo del acumulador, arrancar el motor y comprobar que no haya fugas.

BOMBA DE INYECCIÓN DIESEL

DESMONTAJE E INSTALACIÓN

➡ **La palanca Bosch VE apunta al eje durante la calibración de la bomba. No extraerla de la bomba durante el desmontaje de la misma.**

1. Desconectar el alambre negativo del acumulador.

2. Sacar el varillaje y soporte del ahogador.

3. Desconectar el múltiple de drenaje de combustible.

4. Sacar la línea de alimentación de la bomba de inyección.

5. Sacar las líneas de alta presión.

6. Desconectar el alambre eléctrico de la válvula de corte del combustible.

7. Sacar el tubo de control de aire en el combustible.

8. Sacar el soporte de sujeción de la bomba.

9. Sacar el soporte del tubo de llenado de aceite, y el adaptador de la tapa del engrane delantero.

10. Colocar un trapo en la abertura de la cubierta del engrane, en una posición que impida que la tuerca y la arandela caigan dentro del alojamiento del engrane. Sacar la tuerca y la arandela de retención del engrane.

11. Instalar la herramienta de giro en la abertura del alojamiento del volante, en el lado del escape del motor. Colocar un dispositivo del mando de $1/2$ plg de junta universal en la herramienta de rotación, y acoplar suficientes extensiones de alargo (barras) a la junta para hacerla útil para girar la herramienta.

12. Usando un trinquete para girar la herramienta de barras, girar el motor hasta que el cuñero (chavetero) en el árbol de la bomba del combustible apunte aproximadamente a la posición de las 6 en punto.

13. Situar el PMS del cilindro N° 1, girando lentamente el motor a la vez que se presiona sobre el pasador del PMS. Parar de girar el motor tan pronto como el pasador encaje en el orificio de sincronización del engrane. Desacoplar el pasador después de haber situado el PMS, y sacar el equipo de rotación.

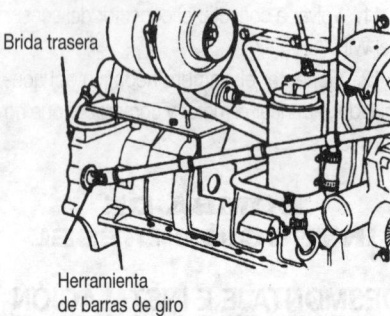

Brida trasera

Herramienta de barras de giro

▲ **Usar la herramienta de barras de giro para girar el motor Diesel**

14. Aflojar el tornillo de bloqueo, sacar la arandela especial de la bomba de inyección y atarla a la línea de encima, de modo que no se coloque en un lugar impropio. Reapretar el tornillo de bloqueo a 22 pie-lb (30 Nm) para bloquear el eje propulsor.

15. Usando un extractor adecuado, sacar el engrane propulsor de la bomba, del árbol propulsor.

➡ **Tener cuidado de que la cuña (chaveta) del engrane propulsor, no se caiga dentro de la tapa delantera, al sacar o instalar la bomba. En caso de que se cayera dentro, debería sacarse antes de continuar.**

16. Sacar las tres tuercas de sujeción y sacar la bomba de inyección del vehículo.

17. Sacar la junta y limpiar la superficie de montaje.

Para instalar:

18. Instalar una junta nueva.

➡ **El eje de una bomba nueva o reacondicionada está bloqueado de modo que la cuña (chaveta) queda alineada con el cuñero (chavetero) del engrane propulsor, con el cilindro N° 1 en el PMS.**

19. Instalar la bomba y apretar a mano las tuercas de sujeción; la bomba debe estar suelta para moverse en las ranuras.

20. Instalar el engrane propulsor de la bomba, la arandela y la tuerca en el árbol propulsor. La bomba girará un poco debido a la hélice del engrane y la separación. Esto es aceptable siempre que la bomba tenga libertad para moverse en las ranuras de la brida y el cigüeñal no se mueva. Apretar la tuerca a 11-15 pie-lb (15-20 Nm). Éste no es el apriete final; no apretar por encima de estos valores.

21. Si se instala la bomba original, girar la bomba para alinear las marcas de sincronización originales, y apretar las tuercas de sujeción a 18 pie-lb (24 Nm).

22. Si se instala una bomba de repuesto, eliminar el juego del engrane girando la bomba en sentido antihorario hacia la culata de cilindros, y apretar las tuercas de montaje a 18 pie-lb (24 Nm). Marcar de forma permanente la brida de la bomba de inyección nueva para coincidir con la marca en el alojamiento del engrane.

23. Aflojar el tornillo de bloqueo e instalar la arandela especial debajo del tornillo de bloqueo; apretar a 13 pie-lb (18 Nm). Desacoplar el pasador del PMS.

24. Instalar el soporte de apoyo de la bomba de inyección. Inicialmente apretar los pernos con la mano, después apretarlos a 18 pie-lb (24 Nm), según la secuencia siguiente:

    a. Pernos del soporte al bloque.

    b. Pernos del soporte a la bomba de inyección.

    c. Pernos del soporte de apoyo del ahogador.

25. Realizar ahora el apriete final de la tuerca de fijación del engrane propulsor de la bomba a 48 pie-lb (65 Nm).

26. Instalar el conjunto del tubo de llenado de aceite y la abrazadera. Apretar los pernos a 32 pie-lb (43 Nm).

27. Instalar todas las líneas de combustible y el conector eléctrico en la válvula de cierre de combustible. Apretar las líneas de alta presión a 18 pie-lb (24 Nm).

28. Instalar el tubo de control de aire del combustible. Apretar el perno hueco de conexión a 108 plg-lb (12 Nm).

29. Instalar el soporte y varillaje del ahogador. Al conectar el chicote en la palanca de control, ajustar la longitud de modo que tenga un recorrido de tope a tope.

30. Conectar el alambre negativo del acumulador.

▼ PRECAUCIÓN ▼

No colocar la mano cerca de la base de la línea de alta presión. Una fuga de combustible procedente de la línea de combustible a alta presión tiene suficiente presión para penetrar la piel y causar serios daños corporales. No purgar las líneas con el motor caliente. Las salpicaduras sobre un múltiple caliente generan un peligro de incendio.

31. Para purgar el aire del sistema, arrancar o girar el motor y aflojar con cuidado el rácor de alta presión de cada inyector, de uno en uno. Reapretar el rácor una vez se ha expulsado el aire, antes de proseguir con el rácor del inyector siguiente. Esta operación es completa cuando el motor funciona con suavidad. Si no se puede extraer el aire, comprobar la bomba y la línea de alimentación por si hay fugas de succión.

32. Ajustar la marcha mínima, si es necesario.

TREN DE TRANSMISIÓN (PROPULSOR)

➡ **Para la revisión y mantenimiento del eje propulsor, de la junta universal (junta-U) y de la funda de la junta de velocidad constante (junta VC), ver el Capítulo 19, al final de este manual.**

CONJUNTO DE LA TRANSMISIÓN

DESMONTAJE E INSTALACIÓN

1. Desconectar el alambre negativo del acumulador.

2. En transmisiones manuales, sacar la funda y la palanca del cambio del interior del vehículo.

3. Levantar el vehículo y apoyarlo de forma segura.

4. En vehículos con cuatro ruedas motrices, sacar el eje propulsor delantero y la caja de transferencia.

5. Desacoplar todos los chicotes, conectores y líneas de fluidos que puedan interferir con la extracción de la transmisión. Etiquetarlos, si es útil para su posterior instalación.

6. En transmisiones automáticas, desatornillar el convertidor de torque del plato flexible y desconectar el varillaje del cambio.

7. Colocar un recipiente de drenaje bajo la transmisión y drenar el fluido.

8. Colocar un gato para transmisiones debajo de la transmisión y asegurar con una cadena la caja al gato.

9. Contramarcar y sacar la flecha de transmisión (eje propulsor).

10. Sacar el soporte trasero de la transmisión.

11. Levantar ligeramente la transmisión y sacar el travesaño.

12. En transmisiones automáticas, sacar los pernos de la transmisión al bloque de cilindros. Para transmisiones manuales, sacar los pernos que fijan la transmisión al alojamiento campana.

▼ AVISO ▼

El convertidor de torque se caerá fuera de la transmisión si ésta se inclina hacia delante. Colocar una mano sobre él mientras se baja la transmisión sacándola fuera del vehículo.

13. Retroceder la transmisión hasta que aparezca el eje de entrada, bajar el gato y sacar la transmisión.

Para instalar:

14. Levantar con cuidado la transmisión hasta el motor o el alojamiento campana.

15. Avanzar la transmisión hasta dentro de su posición.

16. En transmisiones automáticas, apretar los pernos a 65 pie-lb (87 Nm) para los motores Diesel; a 50 pie-lb (67 Nm), para los de gasolina. En transmisiones manuales, apretar los pernos a 50 pie-lb (64 Nm).

17. Instalar el travesaño y apretar los pernos a 55 pie-lb (74 Nm).

18. Instalar el aislador trasero de la transmisión y el retenedor inferior. Apretar los pernos a 60 pie-lb (81 Nm).

19. El resto del procedimiento de instalación es el inverso al de desmontaje.

20. Llenar la transmisión con la cantidad y el tipo correctos de fluido.

CONJUNTO DEL CLUTCH (EMBRAGUE)

DESMONTAJE E INSTALACIÓN

1. Desconectar el alambre negativo del acumulador.

2. Levantar el vehículo y apoyarlo de forma segura.

3. Sacar la transmisión y la caja de transferencia, si se tiene como equipo.

4. Sacar la tapa de inspección en la parte baja del alojamiento campana.

▼ PRECAUCIÓN ▼

El plato opresor es bastante pesado, no dejarlo caer después de sacar el último perno.

5. Sacar de forma gradual los pernos del plato opresor. Girar el motor si es necesario para tener acceso, con un girador del volante.

6. Sacar el plato opresor y el disco bajándolo a través de la abertura en la parte baja del alojamiento.

Para instalar:

7. Limpiar a fondo todas las superficies de trabajo del volante y del plato opresor.

8. Inspeccionar el volante por si tuviera grietas del calor y/o ranuras. Reemplazar el volante o renovar su superficie.

9. Aplicar un poco de compuesto antiagarrotamiento en las estrías del eje de entrada y del disco del clutch. Instalar un cojinete de desembrague nuevo.

10. Levantar e introducir el plato opresor y el disco en su posición, después usar una herramienta de alineación del clutch adecuada, o un eje de entrada de repuesto, para centrar el disco. Apretar todos los pernos con la mano.

11. Apretar de forma gradual los pernos del plato opresor, según un patrón en estrella, a 21 pie-lb (28 Nm).

12. Instalar la transmisión y la caja de transferencia, si dispone de ella.

13. Instalar la tapa de inspección.

14. Conectar el alambre negativo del acumulador y comprobar el correcto funcionamiento del clutch.

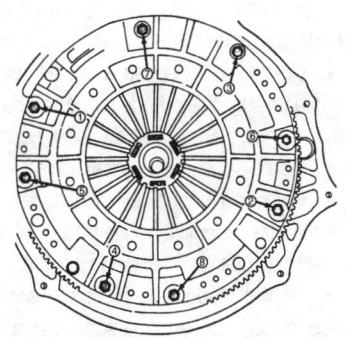

▲ Apretar los pernos del plato opresor según la secuencia mostrada, para garantizar un asiento uniforme

PURGA DEL SISTEMA DE CLUTCH (EMBRAGUE) HIDRÁULICO

Este sistema se purga por sí mismo. Oprimir el pedal del clutch repetidamente para liberar el aire del fluido. El aire se escapará del depósito.

CONJUNTO DE LA CAJA DE TRANSFERENCIA

DESMONTAJE E INSTALACIÓN

1. Desconectar el alambre negativo del acumulador.

2. Levantar el vehículo y apoyarlo de forma segura.

3. Sacar la chapa de deslizamiento, si la equipa. Drenar el fluido de la caja de transferencia.

4. Desconectar el sensor de distancia, si lo equipa, y desconectar el chicote (cable) del velocímetro de la caja de transferencia.

5. Contramarcar y sacar los ejes propulsores.

6. Desconectar la toma de fuerza (PTO), si la equipa.

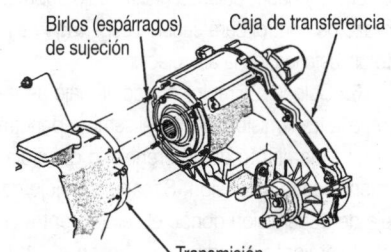

Birlos (espárragos) de sujeción — Caja de transferencia — Transmisión

▲ Montaje típico de la caja de transferencia

7. Desacoplar el varillaje, conectores eléctricos y las líneas de vacío de la caja de transferencia. Usando un gato adecuado, apoyar la caja de transferencia y sacar el travesaño.

8. Desatornillar la caja de transferencia de la transmisión, y deslizarla hacia atrás para sacarla del vehículo.

9. La instalación es la operación inversa del procedimiento de desmontaje. Apretar las tuercas de la caja de transferencia a la caja de la transmisión a 26 pie-lb (35 Nm). Llenar la caja de transferencia con fluido para transmisión automática Dexron® II.

SEMIEJE

DESMONTAJE E INSTALACIÓN

Dakota y Durango

1. Desconectar el alambre negativo del acumulador.

2. Levantar el vehículo y apoyarlo de forma segura.

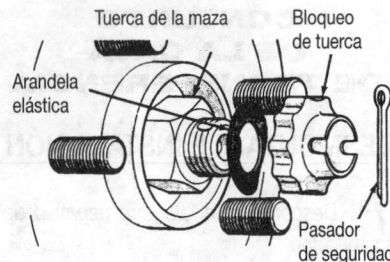

▲ Para separar el semieje de la maza (cubo), sacar el pasador de seguridad, bloqueo de tuerca y la arandela elástica, del vástago del eje

Tuerca de la maza — Bloqueo de tuerca — Arandela elástica — Arandela elástica — Pasador de seguridad

3. Sacar el conjunto de la rueda y el neumático.

4. Sacar el pasador de seguridad del extremo del semieje. Sacar el bloqueo de la tuerca, arandela de resorte, la tuerca del eje y la arandela.

5. Sacar el perno de retención de la rótula esférica, y hacer palanca hacia abajo sobre el brazo de control para sacar el espárrago de la rótula esférica, de la articulación.

6. Colocar un recipiente de drenaje debajo de la transmisión, donde el semieje penetra en el alojamiento del diferencial o del alojamiento de la extensión. Sacar el semieje del eje de transmisión donde el semieje entra en el alojamiento del diferencial o en el de la extensión. Sacar el semieje de la transmisión o del cojinete central. Desatornillar el cojinete central del bloque y sacar el eje intermedio de la transmisión, si lo equipa.

Para instalar:

7. Instalar el semieje o el eje intermedio en la transmisión, teniendo cuidado de no dañar los sellos laterales. Asegurarse de que la junta interior encaja con un "clic" en su posición dentro del diferencial. Instalar el eje exterior en el cojinete central, si lo equipa.

8. Tirar del puntal delantero hacia fuera e insertar la junta exterior en la maza delantera.

9. Girar el birlo (espárrago) de la rótula esférica, si es necesario, para colocar la muesca de fijación del perno hacia el interior del vehículo. Instalar el birlo de la rótula esférica en la articulación de la dirección. Instalar el perno y la tuerca de fijación.

10. Instalar la arandela de la tuerca del eje y la tuerca y apretar la tuerca a 180 pie-lb (244 Nm). Instalar la arandela de resorte, el bloqueo de la tuerca y un pasador de seguridad nuevo.

11. Instalar el conjunto del neumático y la rueda.

DIRECCIÓN Y SUSPENSIÓN

AIR BAG (BOLSA DE AIRE)

▼ PRECAUCIÓN ▼

Algunos vehículos van equipados con un sistema de air bag, también conocido como Sistema Restringido de Hinchado Suplementario (SIR) o Sistema Restringido Suplementario (SRS). Este sistema debe ser desactivado de forma adecuada siempre que se trabaje en o cerca de alguno de los componentes del sistema, de la columna de la dirección, de los componentes del panel de instrumentos, de alambres y de sensores. Si no se siguen los procedimientos de seguridad y de desactivación el air bag podría desplegarse accidentalmente, lo que podría causar lesiones personales y gastos de reparación innecesarios.

PRECAUCIONES

Se deben observar varias medidas de precaución cuando se maneja el módulo de hinchado para evitar su activación accidental y posibles lesiones personales.

• Nunca transportar el módulo de hinchado sujetado por los alambres o por el conector del lado inferior del módulo.

• Cuando se transporta un módulo de hinchado activado, sujetarlo de forma segura con ambas manos, y asegurarse de que la bolsa y el recubrimiento de guarnición miran hacia fuera.

• Colocar el módulo de hinchado sobre un banco u otra superficie con la bolsa y el recubrimiento de guarnición mirando hacia arriba.

• Con el módulo de hinchado sobre el banco, nunca colocar nada sobre o cerca del módulo que pudiera salir despedido en caso del despliegue accidental del módulo.

DESARMADO

1. Primeramente leer las precauciones del sistema.

2. Desconectar y aislar el alambre negativo del acumulador.

3. Si el módulo del air bag no está desplegado, esperar dos minutos para que se descargue el condensador del sistema.

ARMADO

Asumiendo que los componentes del sistema (módulo de control del air bag, sensores, airbag, etc.) están correctamente instalados y están en buen estado, el sistema está armado siempre que los alambres negativo y positivo del acumulador estén conectados.

Si se ha desarmado el sistema del air bag por cualquier motivo, para rearmarlo, asegurarse de que no hay nadie en el vehículo (como una medida de seguridad añadida), después conectar el alambre negativo del acumulador.

MECANISMO DE DIRECCIÓN POR TORNILLO SIN FIN Y RECIRCULACIÓN DE BOLAS

DESMONTAJE E INSTALACIÓN

▼ AVISO ▼

Para evitar la activación accidental del air bag y posibles lesiones personales, desconectar siempre y aislar el alambre negativo del acumulador. Dejar pasar dos minutos antes de empezar el desmontaje de ningún componente.

1. Colocar las ruedas delanteras mirando al frente.

2. Desconectar el alambre negativo del acumulador.

3. Sacar el depósito del solvente del limpiaparabrisas y el tanque de rebose del enfriante, si es necesario.

4. Colocar un recipiente de drenaje debajo del mecanismo de la dirección.

5. Desconectar y taponar las mangueras de fluido de la dirección asistida.

6. Desconectar la columna de la dirección del mango del eje.

7. Levantar el vehículo y apoyarlo de forma segura.

8. En los modelos Dakota y Durango, separar el brazo Pitman del eslabón central. En los modelos Ram, contramarcar y sacar el brazo Pitman del mecanismo de la dirección.

9. Sacar los pernos de retención y sacar el mecanismo de la dirección del vehículo.

Para instalar:

10. Colocar el mecanismo de la dirección en el raíl del bastidor o en un refuerzo, e instalar los pernos sin apretarlos. Conectar el árbol de la direc-

ción al mango del eje. Apretar el perno a 33 pie-lb (45 Nm). Realinear el mecanismo con el bastidor y apretar los pernos a 100 pie-lb (136 Nm).

11. En los modelos Ram, instalar el brazo Pitman en el árbol de la dirección y apretar la tuerca a 175 pie-lb (237 Nm). En los modelos Dakota y Durango, instalar el brazo Pitman en el eslabón central. Apretar la tuerca a 65 pie-lb (88 Nm). Instalar el/los pasador/es de seguridad de repuesto.

12. Conectar las mangueras de fluido en el mecanismo de la dirección. Apretar los rácores a 25 pie-lb (35 Nm).

13. Bajar el vehículo.

14. Conectar el alambre negativo del acumulador.

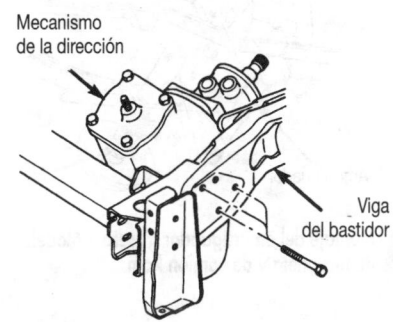

▲ **Montaje típico de mecanismo de la dirección asistida por recirculación de bolas**

15. Llenar el sistema de la dirección con la cantidad correcta de fluido de la dirección asistida.

16. Arrancar el motor y purgar el sistema de la dirección asistida.

17. Probar el funcionamiento correcto del vehículo en carretera.

MECANISMO DE DIRECCIÓN POR CREMALLERA Y PIÑÓN

DESMONTAJE E INSTALACIÓN

1. Levantar la parte delantera del vehículo y apoyarla de forma segura.

2. Separar los extremos de la barra de acoplamiento de las articulaciones usando el extractor C-3894-A, o equivalente.

3. Desconectar y taponar las mangueras de fluido de la dirección asistida.

4. Sacar el perno del acoplamiento inferior y sacar el acoplamiento del mecanismo.

5. Sacar los dos pernos de fijación del mecanismo de la dirección al travesaño, y sacar la

cremallera (mecanismo), de la dirección del vehículo.

Para instalar:

➡ **Inspeccionar los casquillos de soporte y reemplazarlos si están gastados o dañados.**

6. Instalar el mecanismo de la dirección en el travesaño. Apretar los pernos a 190 pie-lb (258 Nm).

7. Conectar el acoplamiento del árbol en el mecanismo de la dirección. Instalar y apretar el perno a 36 pie-lb (49 Nm).

8. Limpiar los birlos (espárragos) de los extremos de la barra de acoplamiento y los orificios cónicos de las articulaciones.

9. Conectar los extremos de la barra de acoplamiento en las articulaciones. Apretar las tuercas a 65 pie-lb (88 Nm).

10. Conectar las mangueras de fluido en el mecanismo de la dirección. Apretar los rácores a 25 pie-lb (35 Nm).

11. Bajar el vehículo de forma segura y llenar el circuito de la dirección asistida.

12. Purgar el circuito de la dirección asistida.

13. Comprobar y ajustar en caso que sea necesario la alineación de la convergencia de las ruedas delanteras.

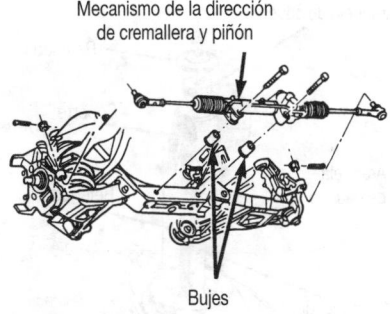

Bujes

▲ **Montaje del mecanismo de la dirección de cremallera y piñón, usado en los modelos Dakota y Durango 2WD**

AMORTIGUADORES

DESMONTAJE E INSTALACIÓN

Delantero

SUSPENSIÓN POR RESORTE HELICOIDAL

1. Levantar y apoyar de forma segura el vehículo con caballetes o gatos de piso colocados en los extremos delanteros de los raíles del bastidor.

2. Sacar la rueda.

3. Sacar el perno de sujeción posterior.

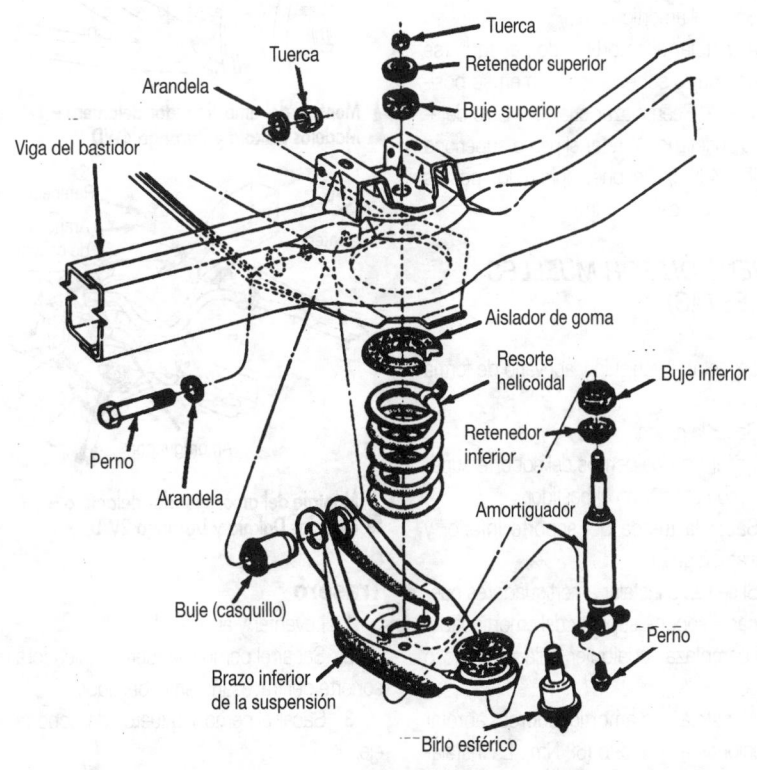

▲ **Montaje del amortiguador delantero – Modelos de furgoneta Ram**

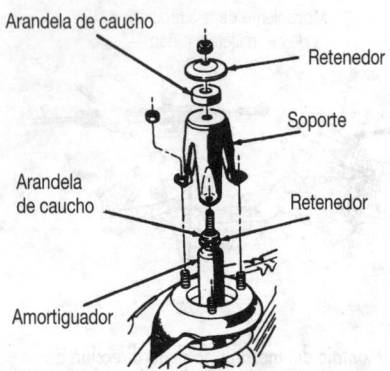

▲ **Montaje superior del amortiguador – Modelos de camión Ram**

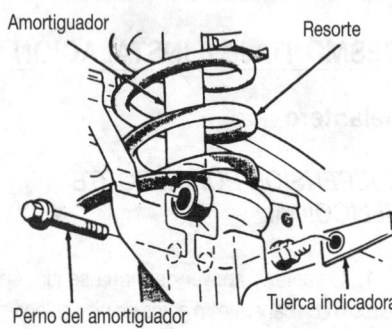

▲ **Montaje inferior del amortiguador – Modelos de camión Ram**

4. Sacar los dos pernos de sujeción inferiores.

5. Sacar el amortiguador.

6. Al instalar el amortiguador, asegurarse de que los bujes superiores están en su posición correcta. Reemplazar cualquier buje deteriorado o agrietado. Apretar el perno superior a 25 pie-lb (34 Nm). Después apretar los pernos inferiores a 15 pie-lb (20 Nm).

SUSPENSIÓN POR MUELLES (BALLESTAS)

1. Levantar el vehículo y apoyarlo de forma segura.

2. Sacar la rueda.

3. Sacar los dos pernos del soporte superior del amortiguador en el bastidor.

4. Sacar la tuerca del soporte inferior y sacar el amortiguador.

5. Si se van a instalar amortiguadores nuevos, sacar el soporte superior del amortiguador viejo. Reemplazar cualquier buje gastado o agrietado.

6. Al instalar los amortiguadores, apretar las sujeciones a 50 pie-lb (68 Nm). La instalación del resto de componentes es el procedimiento inverso al de desmontaje.

SUSPENSIÓN POR BARRA DE TORSIÓN

1. Sacar las piezas del espárrago del amortiguador.

2. Levantar el vehículo y apoyarlo de forma segura.

3. Sacar la rueda.

4. Sacar el perno inferior, después sacar el amortiguador.

Para instalar:

5. Instalar el retenedor inferior y la arandela de caucho en el espárrago del amortiguador. Insertar el amortiguador a través del orificio del bastidor. Instalar el perno inferior.

6. Apretar el perno a 100 pie-lb (136 Nm).

7. Instalar el retenedor superior y la arandela (ojete) de caucho en el espárrago del amortiguador. Instalar la tuerca de bayoneta y apretar a 30 pie-lb (41 Nm).

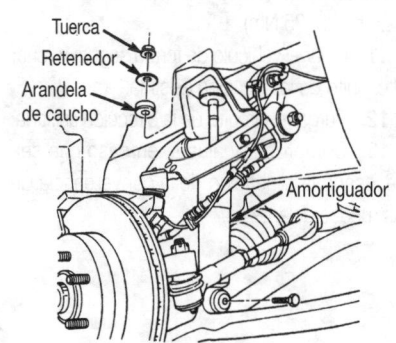

▲ **Montaje del amortiguador delantero – Modelos Dakota y Durango 4WD**

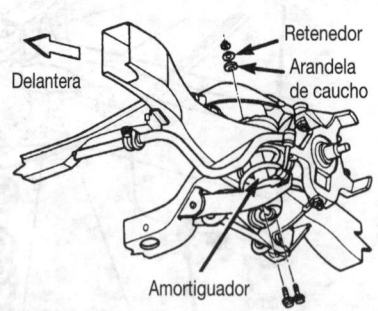

▲ **Montaje del amortiguador delantero – Modelos Dakota y Durango 2WD**

Trasero

1. Levantar y apoyar el eje.

2. Sacar el perno y la tuerca indicadora del soporte del travesaño en el bastidor.

3. Sacar el perno y la tuerca del soporte del eje.

4. Sacar el amortiguador trasero del vehículo.

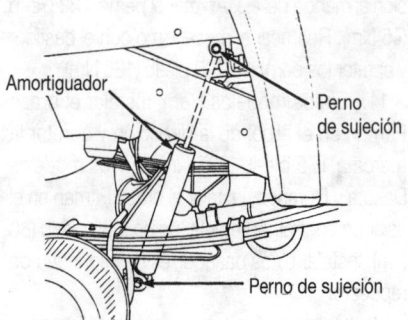

▲ **Montaje del amortiguador trasero – Modelos Dakota y Durango**

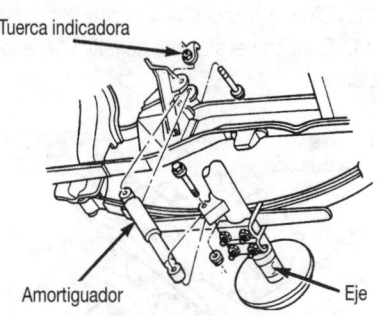

▲ **Montaje del amortiguador trasero – Modelos de furgoneta y de camión Ram**

Para instalar:

5. Instalar los pernos a través de los soportes y del amortiguador.

6. En los modelos Dakota y Durango, apretar el perno y la tuerca inferior a 60 pie-lb (81 Nm) y las tuercas del soporte superior a 20 pie-lb (27 Nm).

7. Para los modelos Ram, apretar el perno superior a 70 pie-lb (95 Nm) y el perno inferior a 100 pie-lb (136 Nm).

RESORTES HELICOIDALES

DESMONTAJE E INSTALACIÓN

Dakota y Durango

1. Levantar el vehículo y apoyarlo de forma segura.

2. Sacar el amortiguador.

3. Desconectar la barra oscilante del brazo de control inferior, si la equipa.

4. Instalar la herramienta de compresión de resortes DD-1278, o equivalente, en el resorte helicoidal. Apretar la tuerca con la mano, luego aflojarla 1/2 vuelta.

5. Sacar el pasador de seguridad y la tuerca de la rótula esférica inferior.

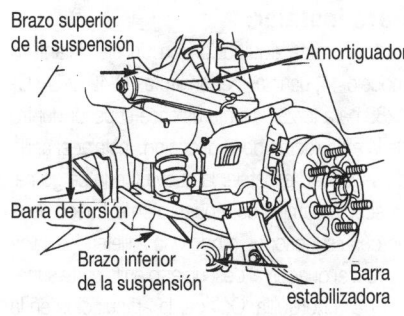

▲ **Componentes de la suspensión delantera – Modelos Dakota y Durango 4WD**

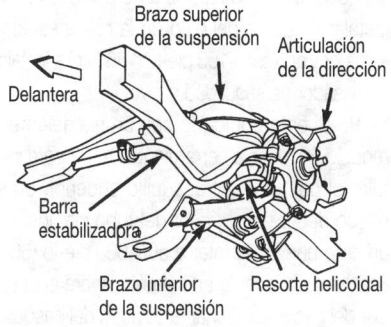

▲ **Componentes de la suspensión delantera – Modelos Dakota 2WD**

6. Aflojar el cono de la rótula esférica inferior usando la herramienta para aflojar el birlo (espárrago) de la rótula esférica C-3564-A, o equivalente.

7. Sacar la herramienta y sacar el birlo del brazo de control. Sacar la herramienta compresora del resorte helicoidal.

8. Estirar el brazo hacia abajo y sacar del vehículo el resorte con el cojín aislante de goma.

Para instalar:

9. Instalar el resorte con el aislante de goma. Instalar la herramienta de compresión y comprimirla lo suficiente como para que la rótula esférica inferior se pueda insertar a través de la articulación.

10. Apretar la tuerca de la rótula esférica inferior a 135 pie-lb (183 Nm). Instalar un pasador de seguridad nuevo. Sacar el compresor del resorte.

11. Conectar la barra oscilante en el brazo de control inferior, si la equipa.

12. Instalar el amortiguador.

Excepto Dakota y Durango

1. Levantar el vehículo y apoyarlo de forma segura.

2. Sacar la rueda.

3. Sacar la mordaza y el rotor del freno.

4. Desconectar la barra de acoplamiento de la articulación de la dirección.

5. Desconectar el eslabón de la barra estabilizadora, del brazo de control inferior.

6. Apoyar el extremo exterior del brazo inferior con un gato de piso. Colocar el gato debajo del brazo, delante del soporte del amortiguador.

7. Sacar el pasador de seguridad y la tuerca del birlo de la rótula esférica. Usar la herramienta de extracción C-4150-A o equivalente, para separar el birlo de la rótula esférica.

8. Sacar el perno inferior del amortiguador, del brazo de suspensión.

9. Bajar el gato y el brazo de suspensión hasta que la tensión del resorte desaparezca. Sacar el resorte y el aislante de goma.

Para instalar:

10. Instalar el aislante de goma sobre el resorte. Colocar el resorte en el asiento superior del resorte y en el brazo de suspensión inferior.

11. Levantar el brazo de suspensión con el gato y colocar el amortiguador dentro del soporte del brazo de suspensión. Instalar el perno del amortiguador y apretarlo según especificaciones.

12. Instalar la articulación de la dirección en el birlo de la rótula esférica inferior. Instalar la tuerca del birlo de la rótula esférica inferior, y

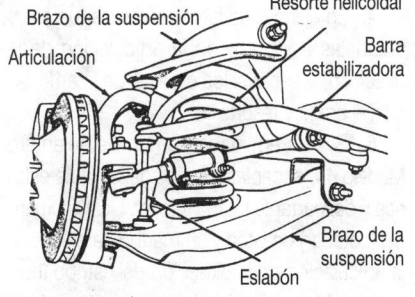

▲ **Componentes de la suspensión delantera independiente – Modelos Ram 2WD de camión y de furgoneta**

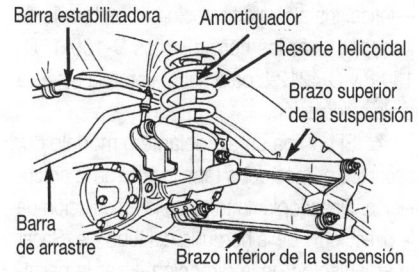

▲ **Componentes de la suspensión delantera del eslabón y resorte - Modelos Ram 4WD de camión y de furgoneta**

apretar a 95 pie-lb (129 Nm). Instalar un pasador de seguridad nuevo, y sacar el gato.

13. Instalar el eslabón de la barra estabilizadora en el brazo de suspensión inferior. Instalar la arandela de caucho, el retenedor y la tuerca, después apretar la tuerca a 27 pie-lb (37 Nm).

14. Instalar la barra de acoplamiento en la articulación de la dirección y apretar la tuerca a 65 pie-lb (88 Nm).

15. Instalar la mordaza y el rotor del freno.

16. Instalar las ruedas.

17. Sacar los caballetes y bajar el vehículo.

18. Alinear las ruedas delanteras.

RÓTULA ESFÉRICA SUPERIOR

DESMONTAJE E INSTALACIÓN

Dakota

➡ **Este procedimiento solamente cubre los modelos de 1995-96. Los modelos Dakota de 1997-99 y Durango utilizan un brazo de control superior con una rótula esférica integrada. En estos últimos modelos, si la rótula esférica está deteriorada o desgastada, se debe reemplazar el brazo de control superior.**

1. Levantar el vehículo y apoyarlo de forma segura.

2. Colocar un soporte en el extremo exterior del brazo de control inferior y bajar el vehículo de modo que el soporte comprima el resorte helicoidal.

3. Sacar el conjunto de rueda y neumático.

4. Sacar el pasador de seguridad y la tuerca del birlo.

5. Aflojar el cono de la rótula esférica inferior, usando la herramienta para aflojar el birlo de la rótula esférica, C-3564-A, o equivalente.

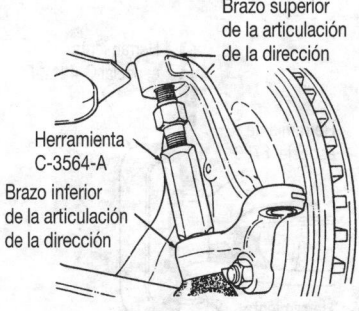

▲ **Separar el espárrago de la rótula esférica del conjunto de la articulación usando la herramienta C-3564-A o equivalente – Modelos Dakota 2WD y 4WD de 1995-96**

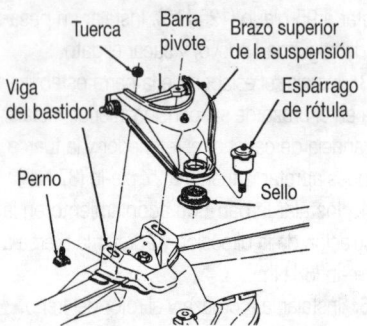

▲ **Brazo superior (de control) de la suspensión y componentes relacionados – Modelos Dakota 2WD y 4WD de 1995-96**

6. Desenroscar la rótula esférica del brazo de control con la herramienta C-3561, o equivalente.

Para instalar:

7. Apretar la rótula esférica misma a 125 pie-lb (169 Nm).

8. Apretar la tuerca del birlo de la rótula esférica superior a 135 pie-lb (183 Nm), e instalar un pasador de seguridad nuevo.

9. La instalación del resto de componentes es la inversa al procedimiento de desmontaje.

Excepto Dakota y Durango

MODELOS DE 2 RUEDAS MOTRICES

1. Levantar el vehículo y apoyarlo de forma segura.

2. Colocar un soporte en el extremo exterior del brazo de control inferior y bajar el vehículo de modo que el soporte comprima el resorte helicoidal.

3. Sacar el conjunto de rueda y neumático.

4. Sacar el pasador de seguridad y la tuerca del birlo.

5. Aflojar el cono de la rótula esférica inferior, usando la herramienta para aflojar birlos de rótula esférica C-3564-A, o equivalente.

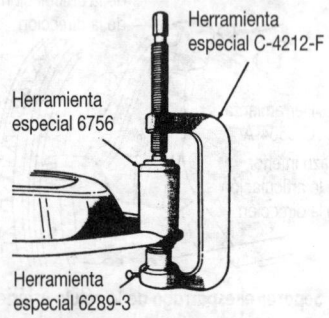

▲ **Extracción de la rótula esférica superior – Excepto modelos Dakota**

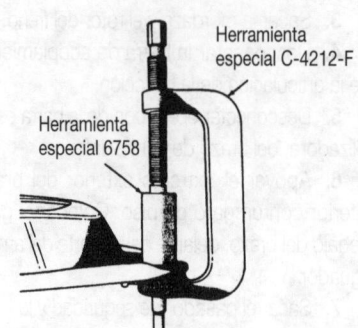

▲ **Instalación de la rótula esférica superior – Excepto modelos Dakota**

6. Desenroscar la rótula esférica del brazo de control con la herramienta C-3561, o equivalente.

7. La instalación es la inversa del procedimiento de desmontaje. Apretar la rótula esférica a 125 pie-lb (169 Nm). Apretar la tuerca del birlo de la rótula esférica superior a 135 pie-lb (183 Nm).

MODELOS DE 4 RUEDAS MOTRICES

1. Levantar el vehículo y apoyarlo de forma segura.

2. Sacar el eje propulsor delantero.

3. Desconectar el extremo de la barra de acoplamiento de la articulación de la dirección. En el lado izquierdo, desconectar el birlo de la rótula esférica, del eslabón de arrastre de la articulación de la dirección.

4. En el lado izquierdo, sacar las tuercas y arandelas del brazo de la articulación de la dirección, y sacar si los equipa, de la articulación el brazo y resorte.

5. Si está equipado con un eje delantero Modelo 44, sacar las tuercas de la rótula esférica y descartar la tuerca inferior. Usar un mandril (botador) de latón y un martillo para separar la articulación de la dirección del estribo (horquilla) del tubo eje. Usar la herramienta C-4169 para sacar el manguito del brazo superior de la horquilla.

6. Sacar el anillo de seguridad de la rótula esférica. Instalar la articulación en un tornillo de banco, y usar las herramientas D-150-1, D-150-3 y C-4212-L para sacar la rótula esférica de la articulación.

7. Si equipa un eje delantero modelo 60, sacar los pernos del la tapa inferior de la articulación. Desacoplar la tapa de la articulación de la dirección y de la horquilla del tubo eje. Sacar la articulación de la dirección. Usar la herramienta D-192 para sacar el pasador superior del casquillo, del hueco del brazo superior del tubo eje. Sacar el sello.

Para instalar:

8. Si está equipado con un eje delantero modelo 44, usar las herramientas C-4212-L y C-4288 para forzar la junta esférica superior dentro de la articulación de la dirección. Instalar el anillo de seguridad e instalar la nueva funda de goma. Roscar la camisa de repuesto en el hueco de la horquilla superior de modo que 2 fileteados (hilos de rosca) queden al descubierto en la parte superior de la horquilla. Colocar la articulación en la horquilla del tubo eje, e instalar una tuerca nueva en el birlo de la rótula esférica inferior, después apretar a 80 pie-lb (108 Nm). Usando el casquillo especial, apretar la camisa a 40 pie-lb (54 Nm). Instalar la tuerca del birlo de la rótula esférica superior y apretar a 100 pie-lb (136 Nm) e instalar un pasador de seguridad nuevo.

9. Si está equipado con un eje delantero modelo 60, usar la herramienta D-192 para instalar el pasador del casquillo superior, en el hueco del brazo superior del tubo eje. Instalar un sello nuevo. Apretar a 500-600 pie-lb (668-813 Nm). Colocar la articulación sobre el pasador del casquillo. Llenar la cavidad del casquillo inferior con grasa. Instalar la tapa inferior y apretar los pernos a 80 pie-lb (108 Nm).

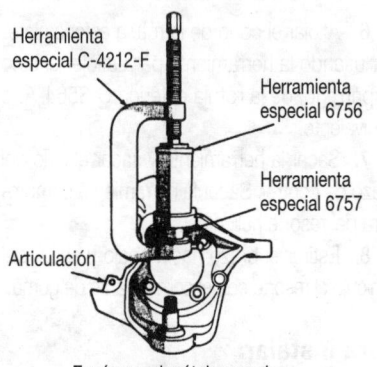

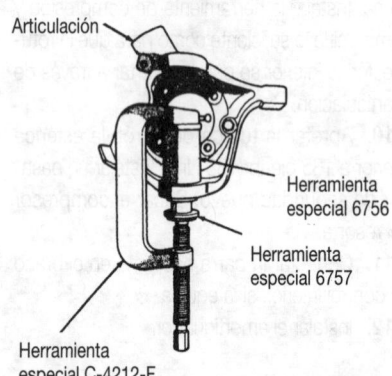

▲ **Desmontaje típico de la rótula esférica usando las herramientas especiales – Se muestra el eje 248 FBI**

10. En el lado izquierdo, instalar el resorte, si lo equipa, y el brazo de la articulación de la dirección en la articulación de la dirección.

11. Conectar la barra de acoplamiento en el extremo de la articulación de la dirección. En el lado izquierdo, conectar el birlo de la rótula esférica del eslabón de arrastre en la articulación de la dirección.

12. Instalar el eje propulsor delantero y todos los componentes asociados.

RÓTULA ESFÉRICA INFERIOR

DESMONTAJE E INSTALACIÓN

Dakota y Durango

MODELOS DE 2 RUEDAS MOTRICES

1. Levantar el vehículo y apoyarlo de forma segura.

2. Sacar el amortiguador.

3. Desconectar la barra oscilante del brazo de control inferior, si la equipa.

4. Instalar la herramienta de compresión de resortes DD-1278, o equivalente, en el resorte helicoidal. Apretar la tuerca con la mano, luego aflojarla ½ vuelta.

5. Sacar el pasador de seguridad y la tuerca de la rótula esférica inferior.

6. Aflojar el cono de la rótula esférica inferior, usando la herramienta para aflojar el birlo de la rótula esférica C-3564-A, o equivalente.

7. Sacar la herramienta y sacar el birlo, del brazo de control. Sacar la herramienta compresora del resorte helicoidal.

8. Estirar el brazo hacia abajo y sacar del vehículo el resorte con la almohadilla aislante de goma. Sacar la funda de la rótula esférica. Usar la herramienta C-4212, o una prensa de rótula

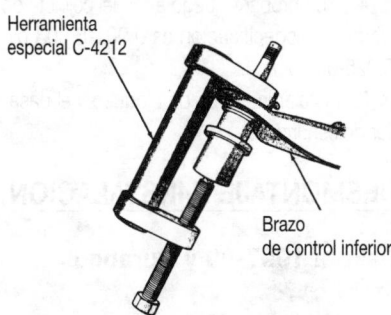

Herramienta especial C-4212

Brazo de control inferior

▲ Se necesita la herramienta apropiada para sacar la rótula esférica inferior vieja del brazo de control inferior – Modelos Dakota y Durango 2WD

esférica apropiada, para sacar la rótula esférica del brazo.

Para instalar:

9. Usar la herramienta de extracción para introducir a presión la rótula esférica dentro del brazo. Instalar una funda de goma nueva. Instalar el resorte con los aislantes de goma. Instalar la herramienta de compresión y comprimirla lo suficiente como para que la rótula esférica inferior se pueda insertar a través de la articulación.

10. Apretar la tuerca de la rótula esférica inferior a 135 pie-lb (183 Nm). Instalar un pasador de seguridad nuevo. Sacar el compresor del resorte.

11. Conectar la barra oscilante en el brazo de control inferior, si la equipa.

12. Instalar el amortiguador.

MODELOS DE 4 RUEDAS MOTRICES

1. Levantar el vehículo y apoyarlo de forma segura.

2. Sacar el semieje.

3. Sacar el paragolpes de la suspensión del brazo de control superior.

4. Levantar el vehículo con la suspensión delantera colgando libremente, y apoyarlo de forma segura con caballetes.

5. Descargar la carga de la barra de torsión girando el perno de ajuste en sentido antihorario.

6. Sacar el perno de ajuste del eslabón giratorio y luego sacar del vehículo la barra de torsión y el anclaje de forma conjunta.

7. Sacar el perno inferior de fijación del amortiguador.

8. Desconectar la barra estabilizadora del brazo de control inferior.

9. Sacar el pasador de seguridad y la tuerca del birlo de la rótula inferior. Separar el birlo de la rótula esférica inferior de la articulación de la dirección.

10. Hacer palanca hacia arriba, sobre las secciones martilleadas del retenedor de la rótula esférica, del brazo de control inferior, y sacar del brazo la rótula esférica.

Para instalar:

11. Instalar la nueva rótula esférica en el brazo de control. Martillear remachando el retenedor del alojamiento de la rótula esférica, para asegurar la rótula esférica.

12. Instalar el sello de grasa.

13. Insertar el birlo de la rótula esférica en el alojamiento de la articulación de la dirección.

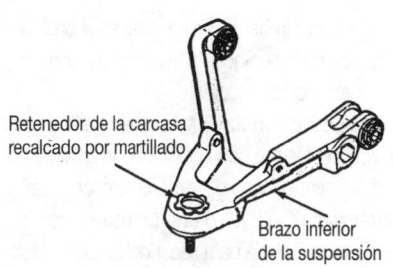

Retenedor de la carcasa recalcado por martillado

Brazo inferior de la suspensión

▲ Brazo de control inferior con rótula esférica – Modelos Dakota 4WD

Apretar la tuerca a 120 pie-lb (163 Nm) e instalar un pasador de seguridad nuevo.

14. Acoplar la barra estabilizadora en el brazo de control e instalar el perno de montaje del amortiguador.

15. Insertar los extremos de la barra de torsión dentro de los casquillos.

16. Colocar el anclaje y el buje en el travesaño. Insertar el perno de ajuste y roscarlo en el eslabón giratorio.

17. Girar el perno de ajuste en sentido horario para aplicar una carga sobre la barra.

18. Bajar el vehículo.

19. Establecer la altura de la suspensión delantera. La diferencia entre la distancia de la superficie sobre la que reposan los neumáticos al pivote interior del brazo de control inferior y la distancia de la superficie sobre la que reposan los neumáticos al extremo exterior del brazo es de 1 a 1 ½ plg (25 a 38 mm).

20. Instalar el paragolpes del brazo de control superior.

21. Alinear las ruedas delanteras.

Modelos Ram de camión y furgoneta

MODELOS DE 2 RUEDAS MOTRICES

1. Levantar el vehículo y apoyarlo de forma segura.

2. Sacar el amortiguador.

3. Sacar el puntal (poste) y desconectar la barra oscilante del brazo de control inferior, si la equipa.

4. Instalar la herramienta de compresión del resorte DD-1278, o equivalente, en el resorte helicoidal. Apretar la tuerca con la mano, luego aflojarla ½ vuelta.

5. Sacar el pasador de seguridad y la tuerca de la rótula esférica inferior.

6. Aflojar el cono de la rótula esférica inferior usando la herramienta para aflojar el birlo de la rótulas esféricas C-3564-A, o equivalente.

10 DODGE

7. Sacar la herramienta y sacar el birlo del brazo de control. Sacar la herramienta compresora del resorte helicoidal.

8. Estirar el brazo hacia abajo y sacar del vehículo el resorte con la almohadilla aislante de goma. Sacar la funda de la rótula esférica. Usar la herramienta C-4212, o una prensa de rótulas esféricas apropiada para sacar del brazo la rótula esférica.

Para instalar:

9. Usar la herramienta de extracción para introducir a presión la rótula esférica dentro del brazo. Instalar una funda de goma nueva. Instalar el resorte con los aislantes de goma. Instalar la herramienta de compresión y comprimirla lo suficiente como para que la rótula esférica inferior se pueda insertar a través de la articulación.

10. Apretar las tuercas $^{11}/_{16}$ plg de la rótula esférica inferior a 135 pie-lb (183 Nm). Apretar las tuercas de $^3/_4$ plg a 175 pie-lb (237 Nm). Instalar un pasador de seguridad nuevo. Sacar el compresor del resorte.

11. Conectar la barra oscilante en el brazo de control inferior, si la equipa.

12. Instalar el amortiguador.

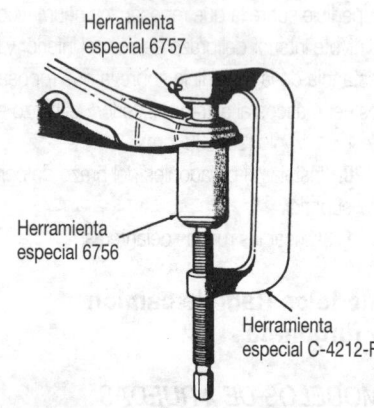

▲ **Extracción de la rótula esférica inferior – Modelos Ram 42WD de camión y de furgoneta**

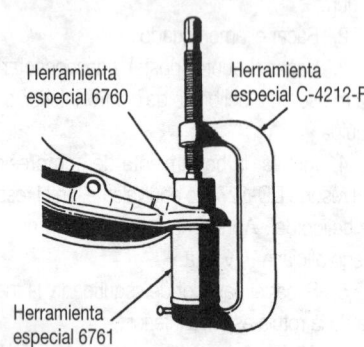

▲ **Instalación de la rótula esférica inferior – Modelos Ram 2WD de camión y de furgoneta**

MODELOS DE 4 RUEDAS MOTRICES

1. Levantar el vehículo y apoyarlo de forma segura.

2. Sacar el eje propulsor delantero.

3. Desconectar el extremo de la barra de acoplamiento de la articulación de la dirección. En el lado izquierdo, desconectar, de la articulación de la dirección, el birlo de la rótula esférica del eslabón de arrastre.

4. En el lado izquierdo, sacar las tuercas y arandelas del brazo de la articulación de la dirección y sacar el brazo y el resorte, si lo equipa, de la articulación.

5. Si está equipado con un eje delantero modelo 44, sacar las tuercas de la rótula esférica y descartar la tuerca inferior. Usar un botador de latón y un martillo para separar la articulación de la dirección, del estribo del tubo eje.

6. Sacar el anillo de seguridad de la rótula esférica. Instalar la articulación en un tornillo de banco y usar las herramientas D-150-1, D-150-3 y C-4212-L para sacar la rótula esférica de la articulación.

7. Si equipa un eje delantero Dana 60, usar las herramientas C-4212-L, C-4366-1 y C-4366-2 (o equivalentes) para sacar la rótula esférica inferior.

Para instalar:

8. Si está equipado con un eje delantero modelo 44, usar las herramientas C-4212-L y C-4288 para forzar la rótula superior dentro de la articulación de la dirección. Instalar el anillo de seguridad e instalar la nueva funda de goma. Colocar la articulación en el estribo del tubo eje e instalar una tuerca nueva de birlo de rótula inferior, después apretar a 80 pie-lb (108 Nm). Instalar la tuerca de birlo de la rótula superior y apretar a 100 pie-lb (136 Nm) e instalar un pasador de seguridad nuevo.

9. Si está equipado con un eje delantero modelo 60, usar las herramientas C-4212-L, C-4366-3 y C-4366-4 para instalar el sello y la taza (pista) del cojinete inferior en el alojamiento inferior del estribo del tubo eje. Reponer las herramientas e instalar el cojinete inferior y el sello en el alojamiento. Colocar la articulación sobre el pasador del casquillo. Llenar la cavidad del casquillo inferior con grasa. Instalar la tapa inferior y apretar los pernos a 80 pie-lb (108 Nm).

10. En el lado izquierdo, instalar el resorte, si lo equipa, y el brazo de la articulación de la dirección en la articulación de la dirección.

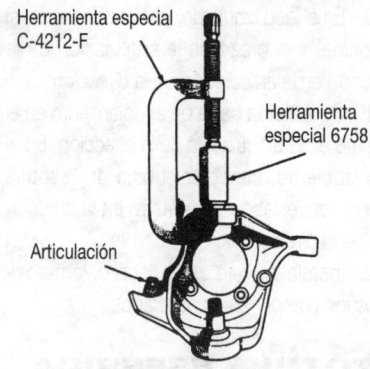

▲ **Instalación de la rótula esférica inferior – Modelos Ram 4WD de camión y de furgoneta**

11. Conectar la barra de acoplamiento en el extremo de la articulación de la dirección. En el lado izquierdo, conectar el birlo de la rótula esférica del eslabón de arrastre en la articulación de la dirección.

12. Instalar el eje propulsor delantero y todos los componentes asociados.

COJINETES DE RUEDA

AJUSTE

Dakota 1997-99 y Durango

Los modelos Dakota 1997-99 y Durango usan un conjunto maza/cojinete que no es ajustable.

Excepto Dakota 1997-99 y Durango

1. Apretar la tuerca del cojinete de rueda a 30-40 pie-lb (41-54 Nm) a la vez que se gira el rotor.

2. Aflojar completamente la tuerca de ajuste del cojinete de rueda.

3. Apretar la tuerca con la mano.

4. Comprobar el juego axial del cojinete de rueda. La especificación es 0.001-0.003 plg (0.025-0.076 mm).

5. Instalar la tuerca de bloqueo y el pasador de seguridad.

DESMONTAJE E INSTALACIÓN

Dakota 1997-99 y Durango

1. Levantar el vehículo y apoyarlo de forma segura.

2. Sacar la rueda delantera.

3. Sacar la mordaza y el rotor del freno.

526

4. Sacar la tuerca de la mangueta, luego el conjunto cubo (maza) cojinete.

Para instalar:

5. Colocar el conjunto cubo/cojinete en la mangueta.

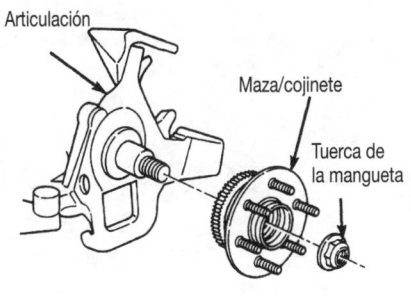

Conjunto de la maza/cojinete – Dakota 1997-99 y Durango

6. Instalar la tuerca de la mangueta. Apretar la tuerca a 185 pie-lb (251 Nm).
7. Instalar el rotor y mordaza.
8. Instalar la rueda delantera.
9. Bajar el vehículo al suelo.

Excepto Dakota 1997-99 y Durango

1. Levantar el vehículo y apoyarlo de forma segura.
2. Sacar el conjunto de neumático y rueda.
3. Sacar la mordaza del freno y las zapatas (pastillas) del freno de disco.
4. Sacar el tapón guardapolvos.
5. Sacar el pasador de seguridad, la tuerca (de bloqueo) almenada, tuerca de cojinete de rueda y arandela, de la mangueta.

6. Sacar el cojinete exterior de la rueda.
7. Sacar el rotor con el cojinete interior de la rueda, de la mangueta. Sacar el sello de grasa.

Para instalar:

8. Lubricar e instalar el cojinete interior de la rueda. Instalar un sello nuevo de grasa.
9. Instalar el rotor en la mangueta.
10. Lubricar e instalar el cojinete exterior de la rueda, la arandela y la tuerca. Una vez se ha establecido correctamente la precarga del cojinete, instalar la tuerca de bloqueo y un pasador de seguridad nuevo.
11. Instalar el tapón de grasa.
12. Instalar las zapatas (pastillas) de freno y la mordaza de freno.
13. Instalar la rueda.

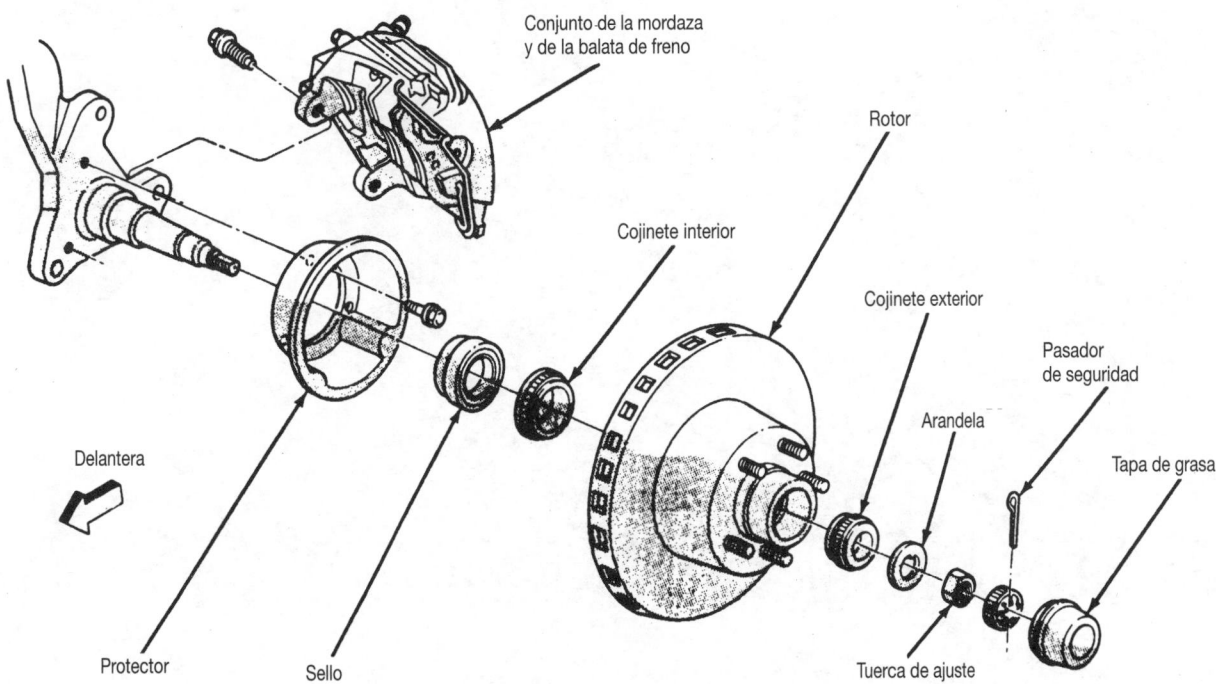

Montaje del rotor delantero, de la mordaza y del cojinete – Excepto Dakota 1997-99 y Durango

BMW

M3 - Z3 - Serie 3 - Serie 5 - Serie 7 - Serie 8

11

ESPECIFICACIONES **530**

REPARACIÓN DEL MOTOR **539**

Sincronización del encendido 539
Conjunto motor. 539
Bomba de agua 544
Culata de cilindros 544
Balancines y ejes 547
Múltiple de admisión 547
Múltiple de escape 549
Árbol de levas y levantaválvulas 550
Holgura de válvulas 556
Depósito de aceite 556
Bomba de aceite. 558
Sello de aceite principal trasero 559
Cadena de sincronización, engranajes,
    cubierta delantera y sello de aceite 559

SISTEMA DE COMBUSTIBLE **562**

Precauciones para el mantenimiento
    del sistema de combustible 562

Presión del sistema de combustible 563
Filtro de combustible 563
Bomba de combustible 563

TREN DE TRANSMISIÓN (PROPULSOR) . . . **564**

Conjunto de transmisión 564
Embrague 568
Sistema de embrague hidráulico 568
Semieje 568

DIRECCIÓN Y SUSPENSIÓN **570**

Air bag. 571
Dirección asistida de cremallera
    y piñón 571
Dirección asistida
    de recirculación de bolas 571
Poste. 571
Amortiguadores 572
Resortes helicoidales 574
Rótula esférica inferior 576
Cojinetes de rueda 577

ESPECIFICACIONES
BMW

318i-318iS-318iC-323is-323iC-325i-325iS-325iC-328i-525i-525ti-528i-530i-530ti-540i-740i-740iL-840Ci-750iL-850Ci-850CSi-M3-Z3

TABLA DE IDENTIFICACIÓN DEL VEHÍCULO

Clave del motor						Año-Modelo	
Clave	Litros	Plg³ (cc)	Cil.	Sist. combustible	Fabr. motor	Clave	Año
M42B18	1.8L	116 (1796)	4	M1.7	BMW	S	1995
M44B19	1.9L	116 (1895)	4	①	BMW	T	1996
M50B25	2.5L	152 (2494)	6	②	BMW	V	1997
M50B25	2.5L	152 (2494)	6	M3.1	BMW	W	1998
M52B28	2.8L	170 (2793)	6	②	BMW	X	1999
M60B30	3.0L	183 (2997)	8	M3.3	BMW		
M60B40	4.0L	243 (3982)	8	M3.3	BMW		
M62B44	4.4L	268 (4398)	8	M5.2	BMW		
M73B54	5.4L	328 (5379)	12	M5.3	BMW		
S50B30	3.0L	182 (2990)	6	M3.3	BMW		
S52B32	3.2L	192 (3152)	6	M3.3	BMW		
S70B56	5.6L	340 (5576)	12	M3.3	BMW		

① Bosch ML-Motronic con control de detonación (2 sensores).
② 1996-97 Siemens MS 41.0 con control de detonación (2 sensores).
   1998-99 Siemens MS 41.1 con control de detonación (2 sensores).

IDENTIFICACIÓN DEL MOTOR

Año	Modelo	Cilindrada del motor litros (cc)	Serie del motor (ID/VIN)	Sistema combustible	Nº de cilindros	Tipo de motor
1995	318i	1.8 (1796)	M42B18	M1.7	4	DOHC
	318iS	1.8 (1796)	M42B18	M1.7	4	DOHC
	318iC	1.8 (1796)	M42B18	M1.7	4	DOHC
	325i	2.5 (2494)	M50B25	M3.1	6	DOHC
	325iS	2.5 (2494)	M50B25	M3.1	6	DOHC
	325iC	2.5 (2494)	M50B25	M3.1	6	DOHC
	525i	2.5 (2494)	M50B25	M3.1	6	DOHC
	525ti	2.5 (2494)	M50B25	M3.1	6	DOHC
	M3	3.0 (2990)	S50B30	M3.3	6	DOHC
	530i	3.0 (2997)	M60B30	M3.3	8	DOHC
	530ti	3.0 (2997)	M60B30	M3.3	8	DOHC
	540i	4.0 (3982)	M60B40	M3.3	8	DOHC
	740i	4.0 (3982)	M60B40	M3.3	8	DOHC
	740iL	4.0 (3982)	M60B40	M3.3	8	DOHC
	840Ci	4.0 (3982)	M60B40	M3.3	8	DOHC
	750iL	5.4 (5379)	M73B54	M5.2	12	SOHC
	850Ci	5.4 (5379)	M73B54	M5.2	12	SOHC
	850CSi	5.6 (5576)	S70B56	M3.3	12	SOHC
1996	318i	1.8 (1796)	M42B18	M1.7	4	DOHC
	318iS	1.8 (1796)	M42B18	M1.7	4	DOHC
	318iC	1.8 (1796)	M42B18	M1.7	4	DOHC
	325i	2.5 (2494)	M50B25	M3.1	6	DOHC
	325iS	2.5 (2494)	M50B25	M3.1	6	DOHC
	325iC	2.5 (2494)	M50B25	M3.1	6	DOHC
	525i	2.5 (2494)	M50B25	M3.1	6	DOHC
	525ti	2.5 (2494)	M50B25	M3.1	6	DOHC
	M3	3.0 (2990)	S50B30	M3.3	6	DOHC
	530i	3.0 (2997)	M60B30	M3.3	8	DOHC
	530ti	3.0 (2997)	M60B30	M3.3	8	DOHC
	540i	4.0 (3982)	M60B40	M3.3	8	DOHC
	740i	4.0 (3982)	M60B40	M3.3	8	DOHC
	740iL	4.0 (3982)	M60B40	M3.3	8	DOHC
	840Ci	4.0 (3982)	M60B40	M3.3	8	DOHC
	750iL	5.4 (5379)	M73B54	M5.2	12	SOHC
	850Ci	5.4 (5379)	M73B54	M5.2	12	SOHC
	850CSi	5.6 (5576)	S70B56	M3.3	12	SOHC
1997	318i	1.8 (1796)	M42B18	M1.7	4	DOHC
	318iS	1.8 (1796)	M42B18	M1.7	4	DOHC
	318iC	1.8 (1796)	M42B18	M1.7	4	DOHC
	325i	2.5 (2494)	M50B25	M3.1	6	DOHC
	325iS	2.5 (2494)	M50B25	M3.1	6	DOHC
	325iC	2.5 (2494)	M50B25	M3.1	6	DOHC
	525i	2.5 (2494)	M50B25	M3.1	6	DOHC
	525ti	2.5 (2494)	M50B25	M3.1	6	DOHC
	M3	3.0 (2990)	S50B30	M3.3	6	DOHC

IDENTIFICACIÓN DEL MOTOR

Año	Modelo	Cilindrada del motor litros (cc)	Serie del motor (ID/VIN)	Sistema combustible	Nº de cilindros	Tipo de motor
1997 (cont.)	530i	3.0 (2997)	M60B30	M3.3	8	DOHC
	530ti	3.0 (2997)	M60B30	M3.3	8	DOHC
	540i	4.0 (3982)	M60B40	M3.3	8	DOHC
	740i	4.0 (3982)	M60B40	M3.3	8	DOHC
	740iL	4.0 (3982)	M60B40	M3.3	8	DOHC
	840Ci	4.0 (3982)	M60B40	M3.3	8	DOHC
	750iL	5.4 (5379)	M73B54	M5.2	12	SOHC
	850Ci	5.4 (5379)	M73B54	M5.2	12	SOHC
	850CSi	5.6 (5576)	S70B56	M3.3	12	SOHC
1998-99	318ti	1.9 (1895)	M44B19	①	4	DOHC
	318i	1.9 (1895)	M44B19	①	4	DOHC
	323is	2.5 (2494)	M50B25	②	6	DOHC
	323iC	2.5 (2494)	M50B25	②	6	DOHC
	328i	2.8 (2793)	M52B28	②	6	DOHC
	328iS	2.8 (2793)	M52B28	②	6	DOHC
	328iC	2.8 (2793)	M52B28	②	6	DOHC
	M3 coupe	3.2 (3152)	S52B32	M3.3	6	DOHC
	M3 sedan	3.2 (3152)	S52B32	M3.3	6	DOHC
	Z3	1.9 (1895)	M44B19	M5.2	4	DOHC
	Z3	2.8 (2793)	M52B28	②	6	DOHC
	528i	2.8 (2793)	M52B28	②	6	DOHC
	540i	4.4 (4398)	M62B44	M3.3	8	DOHC
	740i	4.4 (4398)	M62B44	M3.3	8	DOHC
	740iL	4.4 (4398)	M62B44	M3.3	8	DOHC
	750iL	5.4 (5379)	M73B54	M5.2	12	SOHC

DOHC-Árbol de levas doble sobre culata.
SOHC-Árbol de levas simple sobre culata.
① Bosch ML-Motronic con control de detonación (2 sensores).
② 1996-97 Siemens MS 41.0 con control de detonación (2 sensores).

ESPECIFICACIONES GENERALES DEL MOTOR

Año	Motor ID/VIN	Cilindrada del motor litros (cc)	Sistema de combustible	Caballaje neto @ rpm	Torsión neta @ rpm (pie-lb)	Diámetro x carrera (plg)	Relación de compresión	Presión de aceite @ rpm
1995	M42B18	1.8 (1796)	M1.7	138@6000	129@4500	3.31x3.19	10.0:1	18@idle
	M50B25	2.5 (2494)	M3.1	189@5900	181@4200	3.31x2.95	10.5:1	28@idle
	S50B30	3.0 (2990)	M3.1	240@6000	225@4200	3.39x3.38	10.5:1	28@idle
	M60B30	3.0 (2997)	M3.3	215@5800	214@4500	2.94x2.66	10.5:1	18@idle
	M60B40	4.0 (3982)	M3.3	282@5800	295@4500	3.50x3.15	10.0:1	18@idle
	M73B54	5.4 (5379)	M5.2	322@5000	361@3900	3.35x3.11	10.0:1	18@idle
	S70B56	5.6 (5576)	M1.7	372@5300	402@4000	3.93x3.15	9.8:1	18@idle
1996	M44B19	1.9(1895)	①	138@6000	133@4300	3.35x3.29	10.0:1	8@idle
	M52B28	2.8 (2793)	②	190@5300	204@3950	3.31x3.31	10.2:1	8@idle
	S52B32	3.2 (3152)	NA	240@6000	236@3800	3.40x3.53	NA	NA
	M60B44	4.4 (4398)	③	282@5700	310@3900	3.62x3.26	10.0:1	8@idle
	M73B54	5.4 (5379)	M5.2	322@5000	361@3900	3.35x3.11	10.0:1	18@idle
1997	M44B19	1.9(1895)	①	138@6000	133@4300	3.35x3.29	10.0:1	8@idle
	M52B28	2.8 (2793)	②	190@5300	204@3950	3.31x3.31	10.2:1	8@idle
	S52B32	3.2 (3152)	NA	240@6000	236@3800	3.40x3.53	NA	NA
	M60B44	4.4 (4398)	③	282@5700	310@3900	3.62x3.26	10.0:1	8@idle
	M73B54	5.4 (5379)	M5.2	322@5000	361@3900	3.35x3.11	10.0:1	18@idle
1998-99	M44B19	1.9(1895)	①	138@6000	133@4300	3.35x3.29	10.0:1	8@idle
	M50B25	2.5 (2494)	②	168@5500	181@3950	3.31x2.95	10.5:1	8@idle
	M52B28	2.8 (2793)	②	190@5300	204@3950	3.31x3.31	10.2:1	8@idle
	S52B32	3.2 (3152)	NA	240@6000	236@3800	3.40x3.53	10.5:1	8@idle
	M62B44	4.4 (4398)	③	282@5700	310@3900	3.62x3.26	10.0:1	8@idle
	M73B54	5.4 (5379)	M5.2	322@5000	361@3900	3.35x3.11	10.0:1	18@idle

NA-No disponible.
① Bosch ML-Motronic con control de detonación (2 sensores).
② 1996-97 Siemens MS 41.0 con control de detonación (2 sensores).
③ 1998-99 Siemens MS 41.1 con control de detonación (2 sensores).
   Bosch HFM-Motronic 5.2 con sistema de control de detonación adaptable.

ESPECIFICACIONES PARA AFINACIÓN DEL MOTOR DE GASOLINA

Año	Motor ID/VIN	Cilindrada del motor litros (cc)	Bujías Abertura (plg)	Sincronización ignición (grados)		Bomba de combustible (lb/plg³)	Marcha mínima (rpm)		Holgura válvulas	
				TM	TA		TM	TA	Admisión	Escape
1995	M42B18	1.8 (1796)	0.030	①	①	43	850	850	HYD	HYD
	M50B25	2.5 (2494)	0.030	①	①	51	700	700	HYD	HYD
	S50B30	3.0 (2990)	0.030	①	①	51	700	700	HYD	HYD
	M60B30	3.0 (2997)	0.030	①	①	51	600	600	HYD	HYD
	M60B40	4.0 (3982)	0.030	①	①	51	600	600	HYD	HYD
	M73B54	5.4 (5379)	0.030	①	①	43	700	700	HYD	HYD
	S70B56	5.6 (5576)	0.030	①	①	43	700	800	HYD	HYD
1996	M44B19	1.9(1895)	②	①	①	43	810-890	810-890	HYD	HYD
	M52B28	2.8 (2793)	②	①	①	43	700	700	HYD	HYD
	S52B32	3.2 (3152)	②	①	①	43	660-740	660-740	HYD	HYD
	M60B44	4.4 (4398)	②	①	①	43	660-740	660-740	HYD	HYD
	M73B54	5.4 (5379)	②	①	①	43	700	700	HYD	HYD
1997	M44B19	1.9(1895)	②	①	①	43	810-890	810-890	HYD	HYD
	M52B28	2.8 (2793)	②	①	①	43	660-740	660-740	HYD	HYD
	S52B32	3.2 (3152)	②	①	①	43	660-740	660-740	HYD	HYD
	M60B44	4.4 (4398)	②	①	①	43	750-850	750-850	HYD	HYD
	M73B54	5.4 (5379)	②	①	①	43	700	700	HYD	HYD
1998-99	M44B19	1.9(1895)	②	①	①	43	810-890	810-890	HYD	HYD
	M50B25	2.5 (2494)	②	①	①	43	660-740	660-740	HYD	HYD
	M52B28	2.8 (2793)	②	①	①	43	660-740	660-740	HYD	HYD
	S52B32	3.2 (3152)	②	①	①	43	660-740	660-740	HYD	HYD
	M62B44	4.4 (4398)	②	①	①	43	750-850	750-850	HYD	HYD
	M73B54	5.4 (5379)	②	①	①	43	700	700	HYD	HYD

Nota: la etiqueta de Información del Control de Emisiones del Vehículo a menudo refleja los cambios de especificaciones hechos durante la producción. Se han de utilizar las cifras de las etiquetas si difieren de las de esta tabla.

HYD-Hidráulico.

① Controlado por ordenador; no es posible ajustar o verificar.

② Excepto motores M: 0.028.

    Motores M: 0.024.

    Todos los modelos con electrodo de masa doble: 0.035.

    Todos los modelos con electrodo de masa triple y cuádruple no pueden ajustarse.

CAPACIDADES

Año	Modelo	Motor ID/VIN	Cilindrada del motor litros (cc)	Aceite del motor con filtro	Transmisión (pts)			Caja de transferencia (pts)	Eje motriz		Tanque combustible (gal)	Sistema enfriamiento (qts)
					4 Vel.	5 Vel.	Auto.		Delantero (pts)	Trasero (pts)		
1995	318i	M42B18	1.8 (1796)	5.0	—	2.4	6.4	—	—	3.3	17.2	13.5
	318iS	M42B18	1.8 (1796)	5.0	—	2.4	6.4	—	—	3.3	17.2	13.5
	318iC	M42B18	1.8 (1796)	5.0	—	2.4	6.4	—	—	3.3	17.2	13.5
	325i	M50B25	2.5 (2494)	6.9	—	2.6	6.4	—	—	3.3	17.2	11.0
	325iS	M50B25	2.5 (2494)	6.9	—	2.6	6.4	—	—	3.3	17.2	11.0
	325iC	M50B25	2.5 (2494)	6.9	—	2.6	6.4	—	—	3.3	17.2	11.0
	525i	M50B25	2.5 (2494)	6.9	—	2.6	6.4	—	—	3.3	21.1	12.7
	525ti	M50B25	2.5 (2494)	6.9	—	2.6	6.4	—	—	3.3	21.1	12.7
	M3	S50B30	3.0 (2990)	6.9	—	2.6	—	—	—	3.3	17.2	13.5
	530i	M60B30	3.0 (2997)	7.9	—	2.6	6.4	—	—	3.3	21.1	12.7
	530ti	M60B30	3.0 (2997)	7.9	—	2.6	6.4	—	—	3.3	21.1	12.7
	540i	M60B40	4.0 (3982)	7.9	—	2.6 ①	6.4	—	—	3.7	21.1	13.4
	740i	M60B40	4.0 (3982)	7.9	—	—	6.4	—	—	3.7	22.5	13.4
	740iL	M60B40	4.0 (3982)	7.9	—	—	6.4	—	—	3.7	25.1	13.4
	840Ci	M60B40	4.0 (3982)	7.9	—	—	6.4	—	—	3.7	23.8	13.4
	750iL	M73B54	5.4 (5379)	7.9	—	—	6.4	—	—	3.7	25.1	14.8
	850Ci	M73B54	5.4 (5379)	7.9	—	—	6.4	—	—	3.7	23.8	13.7
	850CSi	S70B56	5.6 (5576)	7.9	—	2.6	6.4	—	—	3.7	23.8	13.7
1996	318i	M44B19	1.9(1895)	5	—	2.6	6	—	—	3	14.5	7
	318iC	M44B19	1.9(1895)	5	—	2.6	6	—	—	3	16.4	7
	318is	M44B19	1.9(1895)	5	—	2.6	6	—	—	3	16.4	7
	318ti	M44B19	1.9(1895)	5	—	2.6	6	—	—	3	16.4	7
	Z3	M44B19	1.9(1895)	6	—	2.6	6	—	—	3	13.5	7
	328i	M52B28	2.8 (2793)	6	—	2.6	6	—	—	3	16.4	10
	328is	M52B28	2.8 (2793)	6	—	2.6	6	—	—	3	16.4	10
	328iC	M52B28	2.8 (2793)	6	—	2.6	6	—	—	3	16.4	10
	M3	S52B32	3.2 (3152)	6	—	2.6	6	—	—	3	16.4	10
	740iL	M60B44	4.4 (4398)	7.9	—	—	6.4	—	—	3.7	25.1	13.4
	750iL	M73B54	5.4 (5379)	7.9	—	—	6.4	—	—	3.7	25.1	14.8
	840Ci	M60B44	4.4 (4398)	7.9	—	—	6.4	—	—	3.7	23.8	13.4
	850Ci	M73B54	5.4 (5379)	7.9	—	—	6.4	—	—	3.7	23.8	13.7
1997	318i	M44B19	1.9(1895)	5	—	2.6	6	—	—	3	14.5	7
	318iC	M44B19	1.9(1895)	5	—	2.6	6	—	—	3	16.4	7
	318is	M44B19	1.9(1895)	5	—	2.6	6	—	—	3	16.4	7
	318ti	M44B19	1.9(1895)	5	—	2.6	6	—	—	3	16.4	7
	Z3	M44B19	1.9(1895)	6	—	2.6	6	—	—	3	13.5	7
	328i	M52B28	2.8 (2793)	6	—	2.6	6	—	—	3	16.4	10
	328is	M52B28	2.8 (2793)	6	—	2.6	6	—	—	3	16.4	10
	328iC	M52B28	2.8 (2793)	6	—	2.6	6	—	—	3	16.4	10
	M3	S52B32	3.2 (3152)	6	—	2.6	6	—	—	3	16.4	10
	740iL	M60B44	4.4 (4398)	7.9	—	—	6.4	—	—	3.7	25.1	13.4
	750iL	M73B54	5.4 (5379)	7.9	—	—	6.4	—	—	3.7	25.1	14.8
	840Ci	M60B44	4.4 (4398)	7.9	—	—	6.4	—	—	3.7	23.8	13.4
	850Ci	M73B54	5.4 (5379)	7.9	—	—	6.4	—	—	3.7	23.8	13.7

CAPACIDADES

Año	Modelo	Motor ID/VIN	Cilindrada del motor litros (cc)	Aceite del motor con filtro	Transmisión (pts)			Caja de trans-ferencia (pts)	Eje motriz		Tanque combus-tible (gal)	Sistema enfria-miento (qts)
					4 Vel.	5 Vel.	Auto.		Delantero (pts)	Trasero (pts)		
1998-99	318ti	M44B19	1.9(1895)	5	—	2.6	6	—	—	3	14.5	7
	318i	M44B19	1.9(1895)	5	—	2.6	6	—	—	3	16.4	7
	323is	M50B25	2.5 (2494)	5.5	—	2.6	6	—	—	3	16.4	11
	323iC	M50B25	2.5 (2494)	5.5	—	2.6	6	—	—	3	16.4	11
	328i	M52B28	2.8 (2793)	6	—	2.6	6	—	—	3	16.4	10
	328iS	M52B28	2.8 (2793)	6	—	2.6	6	—	—	3	16.4	10
	328iC	M52B28	2.8 (2793)	6	—	2.6	6	—	—	3	16.4	10
	M3 coupe	S52B32	3.2 (3152)	6	—	2.6	6	—	—	3	16.4	10
	M3 sedan	S52B32	3.2 (3152)	6	—	2.6	6	—	—	3	16.4	10
	Z3	M44B19	1.9(1895)	6	—	2.6	6	—	—	3	13.5	7
	Z3	M52B28	2.8 (2793)	6	—	2.6	6	—	—	—	13.5	10
	528i	M52B28	2.8 (2793)	6	—	2.6	6	—	—	3	18.5	10.5
	540i	M62B44	4.4 (4398)	6	—	2.6 ①	6	—	—	3	18.5	12.5
	740i	M62B44	4.4 (4398)	7	—	— ①	6	—	—	3	22.5	12.5
	740iL	M62B44	4.4 (4398)	7	—	—	6	—	—	3	22.5	12.5
	750iL	M73B54	5.4 (5379)	7.9	—	—	6.4	—	—	3.7	25.1	14.8

Nota: todas las capacidades son aproximadas. Añadir fluido gradualmente y asegurarse de que se obtiene el nivel de fluido correcto.

① 5 o 6 velocidades.

ESPECIFICACIONES DE VÁLVULAS

Año	Motor ID/VIN	Cilindrada del motor litros (cc)	Ángulo de asiento (grados)	Ángulo de cara (grados)	Tensión de prueba del resorte (lb@plg)	Altura resorte instalado (plg)	Holgura entre vástago y guía (plg)		Diámetro del vástago (plg)	
							Admisión	Escape	Admisión	Escape
1995	M42B18	1.8 (1796)	45	NA	NA	NA	0.020 ①	0.020 ①	0.275	0.275
	M50B25	2.5 (2494)	45	NA	NA	NA	0.020 ①	0.020 ①	0.275	0.275
	S50B30	3.0 (2990)	45	NA	NA	NA	0.020 ①	0.020 ①	0.275	0.275
	M60B30	3.0 (2997)	45	NA	NA	NA	0.020 ①	0.020 ①	0.235	0.235
	M60B40	4.0 (3982)	45	NA	NA	NA	0.020 ①	0.020 ①	0.235	0.235
	M73B54	5.4 (5379)	45	NA	NA	NA	0.020 ①	0.020 ①	0.280	0.280
	S70B56	5.6 (5576)	45	NA	NA	NA	0.021 ①	0.021 ①	0.280	0.280
1996	M44B19	1.9(1895)	45	NA	NA	NA	0.020 ①	0.020 ①	NA	NA
	M52B28	2.8 (2793)	45	NA	NA	NA	0.020 ①	0.020 ①	NA	NA
	S52B32	3.2 (3152)	45	NA	NA	NA	0.020 ①	0.020 ①	NA	NA
	M60B44	4.4 (4398)	45	NA	NA	NA	0.020 ①	0.020 ①	NA	NA
	M73B54	5.4 (5379)	45	NA	NA	NA	0.020 ①	0.020 ①	0.280	0.280
1997	M44B19	1.9(1895)	45	NA	NA	NA	0.020 ①	0.020 ①	NA	NA
	M52B28	2.8 (2793)	45	NA	NA	NA	0.020 ①	0.020 ①	NA	NA
	S52B32	3.2 (3152)	45	NA	NA	NA	0.020 ①	0.020 ①	NA	NA
	M60B44	4.4 (4398)	45	NA	NA	NA	0.020 ①	0.020 ①	NA	NA
	M73B54	5.4 (5379)	45	NA	NA	NA	0.020 ①	0.020 ①	0.280	0.280
1998-99	M44B19	1.9(1895)	45	NA	NA	NA	0.020 ①	0.020 ①	NA	NA
	M50B25	2.5 (2494)	45	NA	NA	NA	0.020 ①	0.020 ①	NA	NA
	M52B28	2.8 (2793)	45	NA	NA	NA	0.020 ①	0.020 ①	NA	NA
	S52B32	3.2 (3152)	45	NA	NA	NA	0.020 ①	0.020 ①	NA	NA
	M62B44	4.4 (4398)	45	NA	NA	NA	0.020 ①	0.020 ①	NA	NA
	M73B54	5.4 (5379)	45	NA	NA	NA	0.020 ①	0.020 ①	0.280	0.280

NA-No disponible.

① Para medir la holgura entre el vástago y la guía, insertar una válvula nueva dentro de la guía hasta que el extremo de la válvula se iguale con el extremo de la guía. Utilizar un indicador de esfera para medir el movimiento de la cabeza de válvula. Las especificaciones dadas son para el desgaste máximo.

ESPECIFICACIONES DE TORSIÓN
Todas las medidas están expresadas en pie-lb

Año	Motor ID/VIN	Cilindrada del motor litros (cc)	Tornillos culata de cilindros	Tornillos cojinete principal	Tornillos cojinete biela	Tornillos polea cigüeñal	Tornillos volante	Múltiple Admisión	Múltiple Escape	Bujías	Tuerca de orejas
1995	M42B18	1.8 (1796)	①	②	③	217-231	90	④	④	14-22	65-79
	M50B25	2.5 (2494)	①	②	③	303	78	④	④	14-22	65-79
	S50B30	3.0 (2990)	①	②	③	303	78	④	④	14-22	65-79
	M60B30	3.0 (2997)	⑤	⑥	⑦	⑧	78	④	④	14-22	65-79
	M60B40	4.0 (3982)	⑤	⑥	⑦	⑧	78	④	④	14-22	65-79
	M73B54	5.4 (5379)	⑨	⑥	③	⑧	78	④	④	14-22	65-79
	S70B56	5.6 (5576)	⑨	⑥	③	⑧	78	④	④	14-22	65-79
1996	M44B19	1.9(1895)	NA	NA	NA	NA	77-88	④	④	14-22	65-79
	M52B28	2.8 (2793)	NA	NA	NA	NA	77-88	④	④	14-22	65-79
	S52B32	3.2 (3152)	NA	NA	NA	NA	77-88	④	④	14-22	65-79
	M60B44	4.4 (4398)	NA	NA	NA	NA	77-88	④	④	14-22	65-79
	M73B54	5.4 (5379)	⑨	⑥	③	⑧	78	④	④	14-22	65-79
1997	M44B19	1.9(1895)	NA	NA	NA	NA	77-88	④	④	14-22	65-79
	M52B28	2.8 (2793)	NA	NA	NA	NA	77-88	④	④	14-22	65-79
	S52B32	3.2 (3152)	NA	NA	NA	NA	77-88	④	④	14-22	65-79
	M60B44	4.4 (4398)	NA	NA	NA	NA	77-88	④	④	14-22	65-79
	M73B54	5.4 (5379)	⑨	⑥	③	⑧	78	④	④	14-22	65-79
1998-99	M44B19	1.9(1895)	NA	NA	NA	NA	77-88	④	④	14-22	65-79
	M50B25	2.5 (2494)	NA	NA	NA	NA	77-88	④	④	14-22	65-79
	M52B28	2.8 (2793)	NA	NA	NA	NA	77-88	④	④	14-22	65-79
	S52B32	3.2 (3152)	NA	NA	NA	NA	77-88	④	④	14-22	65-79
	M62B44	4.4 (4398)	NA	NA	NA	NA	77-88	④	④	14-22	65-79
	M73B54	5.4 (5379)	⑨	⑥	③	⑧	78	④	④	14-22	65-79

NA-No disponible.

① Paso 1: 22 pie-lb.
  Paso 2: girar 90 grados adicionales.
  Paso 3: repetir el paso 2.
② Paso 1: 14-18 pie-lb.
  Paso 2: girar 50 grados adicionales.
③ Paso 1: 17 pie-lb.
  Paso 2: girar 70 grados adicionales.
④ Tornillos M8: 16 pie-lb.
  Tornillos M7: 11 pie-lb.
  Tornillos M6: 7 pie-lb.
⑤ Paso 1: 22 pie-lb.
  Paso 2: girar 80 grados adicionales.
  Paso 3: repetir el paso 2.

⑥ Paso 1: 14.5 pie-lb.
  Paso 2: girar 47-53 grados adicionales.
⑦ Paso 1: 3 pie-lb.
  Paso 2: 15 pie-lb.
  Paso 3: girar 80 grados adicionales.
⑧ Paso 1: 78 pie-lb.
  Paso 2: girar 60 grados adicionales.
  Paso 3: repetir el paso 2.
  Paso 4: girar 30 grados adicionales.
⑨ Tornillos de cabeza hexagonal:
  Paso 1: 22 pie-lb. sin tiempo de asentado.
  Paso 2: girar 120 grados adicionales.
  Tornillos Torx®:
  Paso 1: 22 pie-lb, tiempo de asentado 15 minutos.
  Paso 2: girar 120 grados adicionales.

REPARACIÓN DEL MOTOR

➡ En algunos vehículos, la desconexión del cable negativo de la batería puede interferir en el funcionamiento del ordenador de a bordo y, puede ser necesaria su reprogramación, cuando el cable negativo de la batería sea conectado de nuevo.

SINCRONIZACIÓN DEL ENCENDIDO

AJUSTE

Todas las funciones de encendido y de inyección del combustible están controladas por el módulo de control Digital Motor Electronics (DME). La sincronización del encendido está controlada totalmente de modo electrónico; no hay avance de vacío o ajuste manual. Las funciones de encendido están calculadas por los mapas internos y los mismos sensores que utiliza el sistema de inyección de combustible. En los vehículos con transmisión automática, el módulo de control retrasará brevemente la sincronización del encendido cuando la transmisión esté a punto de cambiar hacia arriba o hacia abajo. Por esta razón, hay un enlace de datos entre el módulo de control DME y el módulo de control de la transmisión.

En diferentes motores se utilizan variantes de este sistema de encendido. El motor M42B18 utiliza encendido sin distribuidor con una bobina instalada sobre el guardabarros interior. El motor M50B25 utiliza encendido sin distribuidor con una bobina instalada encima de cada bujía.

Puesto que la sincronización del encendido está controlada por el DME, es imposible comprobar y ajustar la sincronización. No hay ningún método para fijar la sincronización dinámica o estática.

CONJUNTO MOTOR

DESMONTAJE E INSTALACIÓN

Motores M42/M44

1. Desconectar el cable de toma de tierra de la batería. Sacar la transmisión y sacar el protector contra salpicaduras del motor. Desconectar el resorte del acelerador y la barra de apoyo, y

soportar con seguridad el capó en posición totalmente abierto.

2. Sacar la cubierta del ventilador girando los remaches de expansión en los lados derecho e izquierdo. Levantar la cubierta hacia arriba y sacarla del compartimiento del motor.

3. Sujetar la polea del ventilador mientras se desatornilla la tuerca del ventilador, del eje. El eje utiliza roscas levógiras; para desatornillar, girar la tuerca en el sentido de las agujas del reloj.

4. Drenar el fluido refrigerante del bloque de cilindros. Desconectar la manguera inferior del depósito de expansión del radiador, las mangueras de fluido refrigerante del motor y las mangueras del calefactor de la protección contra salpicaduras. Drenar todo el fluido refrigerante dentro de recipientes limpios para reutilizarlo o desecharlo correctamente.

5. Desconectar la clavija (conector) eléctrica del medidor del flujo de aire y aflojar la abrazadera de la manguera y los tornillos de soporte. Levantar el sensor del aire hacia arriba junto con el filtro del aire y sacarlos del compartimiento del motor.

6. Soltar el cable del ahogador y tirar del cable hacia fuera junto con el soporte de goma.

7. Desconectar las líneas de combustible anotando sus posiciones. Separar la manguera de ventilación del filtro para purgar el depósito.

8. Desconectar el conector de vacío en el servofreno.

9. Sacar los conductores del encendido de la bobina. Desatornillar las conexiones en el alternador y en el motor de arranque. Desconectar las 2 clavijas del cableado eléctrico. Sacar la clavija (conector) del potenciómetro de la válvula del ahogador situado en el cuello del ahogador. Sacar la clavija de la válvula de purgado del depósito situada cerca del filtro de aire. Desconectar el conector del inyector de combustible situado en el extremo del cableado eléctrico cerca de los tubos del combustible. Sacar el conector de control de marcha mínima en la parte trasera del múltiple de admisión. Desconectar la conexión eléctrica del interruptor de la presión del aceite.

10. Desatornillar los soportes delantero y trasero del múltiple de admisión.

11. Sacar el cableado eléctrico del motor. Desconectar los transmisores de temperatura del fluido refrigerante para el indicador y el DME.

12. Desconectar el cableado eléctrico y el cableado sobre el motor y dejarlo al lado del motor.

13. Utilizar una horquilla de articulación elevadora adecuada para acoplar a las argollas de izada del motor. Desatornillar los montajes del

motor y la banda de conexión de masa del motor. Levantar, sacando, el motor.

Para instalar:

14. Bajar el motor dentro del compartimiento del motor. Sujetar los montajes del motor y la banda de conexión de masa.

15. El resto de la instalación es inverso al procedimiento de desmontaje.

16. Instalar el ventilador utilizando la herramienta 11-5-040, o una equivalente. Apretar la tuerca a 29 pie-lb (40 Nm). Si se utiliza la herramienta para el ventilador, ajustar la llave torsiométrica a 22 pie-lb (30 Nm); la longitud adicional de la herramienta multiplica el apriete para conseguir 29 pie-lb (40 Nm) en la tuerca.

17. Añadir la mezcla de fluido refrigerante adecuada y sangrar el sistema de refrigeración.

18. Conectar los conductores de la batería y comprobar los niveles de todos los fluidos antes de arrancar el motor.

Motores M50/M52/S50

SERIE 3

1. Desconectar el cable de tierra (masa) de la batería.

2. Sacar la transmisión del vehículo.

3. Sacar el protector contra salpicaduras del motor.

4. Presionar la bisagra de manera que vaya hacia el centro y soportar el capó con seguridad en la posición de totalmente abierto.

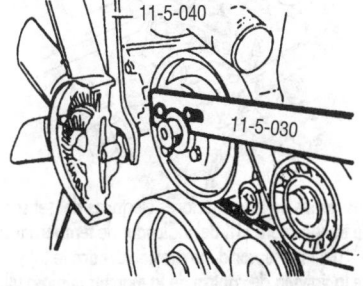

▲ Herramientas de extracción del ventilador de refrigeración

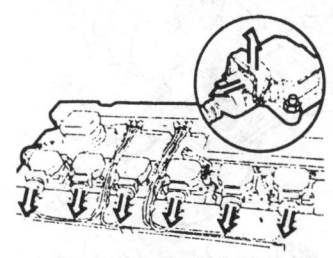

▲ Conductores del encendido sobre la bobina – Serie 3 con motores M50/M52/S50

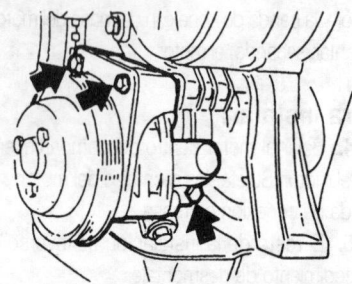

▲ Tornillos de montaje de la bomba de la dirección asistida – Serie 3 con motores M50/M52/S50

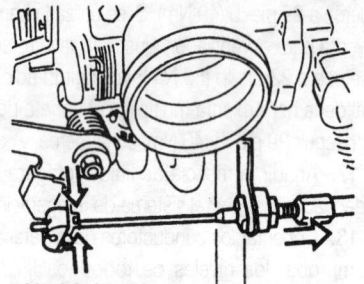

▲ Cable del ahogador – Serie 3 con motores M50/M52/S50

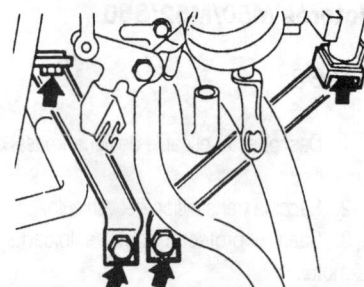

▲ Soportes delantero y trasero del múltiple de admisión – Serie 3 con motores M50/M52/S50

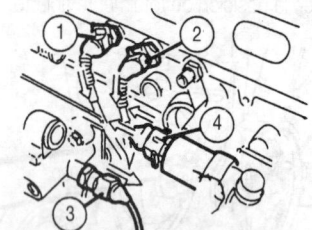

▲ Posiciones de los conectores eléctricos del sensor de temperatura (1), del indicador de temperatura (2), del interruptor de la presión del aceite (3) y de la válvula de control de la marcha mínima (4) – Serie 3 con motores M50/M52/S50

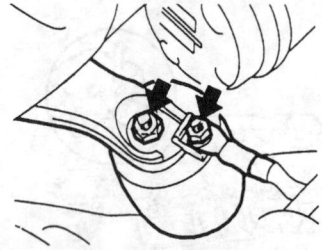

▲ Montaje derecho del motor, mostrando la conexión del cable de toma de tierra – Serie 3 con motores M50/M52/S50

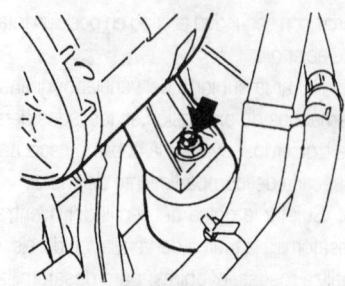

▲ Soporte izquierdo del motor – Serie 3 con motores M50/M52/S50

▲ Filtro de aire y sensor de la masa de aire – Serie 3 con motores M50/M52/S50

5. Desconectar la clavija del sensor de masa de aire y aflojar la abrazadera de la manguera del conducto de admisión de aire. Sacar el conjunto del filtro del aire.

6. Desconectar las mangueras para el control de la marcha mínima y la válvula de ventilación del cárter.

7. Desatornillar y sacar la conducción eléctrica para el alternador. Tirar hacia fuera los remaches de expansión de la cubierta del ventilador y sacar la cubierta hacia arriba.

8. Sujetar la polea con una herramienta 11-5-030, o equivalente, y desatornillar el ventilador en el sentido de las agujas del reloj. Sacar el ventilador y mantenerlo vertical.

9. Drenar el sistema de refrigeración. El tapón de drenaje del bloque de cilindros es accesible a través del múltiple de escape.

10. Sacar las mangueras superior e inferior del radiador. Desconectar el interruptor del nivel de fluido refrigerante y las líneas del refrigerador de la transmisión automática, si está equipado. Tapar las líneas del refrigerador.

11. Desconectar la manguera del lado derecho y el sensor de temperatura.

12. Insertar una herramienta en las grapas de soporte del radiador y presionar hacia abajo sobre la lengüeta. Tirar hacia atrás el radiador para soltarlo. Sacar el radiador.

13. Desconectar las mangueras del calefactor, en el calefactor y en la válvula del calefactor.

14. Sacar la parrilla de la cubierta de la admisión de aire en la base del parabrisas.

    a. Sacar la bandeja de los conductores eléctricos.

    b. Sacar los tornillos del lado derecho del soporte de la sujeción de la cubierta y el tornillo del lado izquierdo.

    c. Sacar la cubierta del compartimiento del motor.

15. Desatornillar la sujeción de la cubierta del cable del ahogador y tirar hacia adelante la cubierta, y sacarla. Soltar el cable y tirar de él hacia fuera junto con el soporte de goma.

16. Tirar de los conectores de vacío del servofreno y tapar las aberturas.

17. Sacar las cubiertas del motor y del múltiple de admisión. Desatornillar el tornillo que sujeta la conexión de masa sobre la argolla de izada delantera. Antes de levantar el motor, reponer el tornillo en su sitio.

18. Desatornillar los dos tornillos que sujetan la placa de las clavijas y sacar la placa. Ir con cuidado de no dañar los sellos de goma. Quitar las clavijas eléctricas de la bobina de encendido. Quitar la placa de clavijas completa con los conductores eléctricos.

19. Sacar la manguera de ventilación de la culata de cilindros y sacar la clavija del sensor de la temperatura del aire.

20. Sacar la manguera de ventilación del depósito y las mangueras del calefactor del ahogador, del cuerpo del ahogador.

21. Sacar la clavija del interruptor de la válvula del ahogador.

22. Soltar la válvula de control de la marcha mínima, montada sobre el múltiple.

23. Desconectar las mangueras de combustible de los tubos.

24. Desatornillar el dispositivo que sujeta el múltiple de admisión en la culata de cilindros. Desconectar el múltiple de admisión teniendo cuidado de no dejar caer nada dentro de las aberturas descubiertas.

25. Desconectar las clavijas del sensor de temperatura, del indicador de temperatura, del interruptor de la presión del aceite y de la válvula de control de la marcha mínima.

26. Desconectar la clavija de transmisión de identificación del cilindro (negra) y la clavija de transmisión de impulsos (gris) para el DME. Desatornillar la clavija del sensor de oxígeno en el soporte.

27. Sacar los conductores eléctricos del alternador y del motor de arranque. Desatornillar la bandeja de conductores eléctricos y colocar el cableado del motor a un lado.

28. Aflojar la correa propulsora para la bomba de la dirección asistida y el compresor del acondicionador de aire, girando sus tensores respectivos en el sentido de las agujas del reloj. Ello liberará la tensión en la correa y permitirá sacarla.

29. Desatornillar la bomba de la dirección asistida y colocarla a un lado sin desconectar las mangueras.

30. Desatornillar el compresor del acondicionador de aire y colocarlo a un lado sin desconectar las líneas.

31. Acoplar un dispositivo elevador a los ganchos de izada del motor.

32. Desatornillar los montajes del motor y la conexión de tierra (masa).

33. Elevar y sacar el motor fuera del vehículo, teniendo cuidado con el montaje delantero del radiador.

Para instalar:

34. Bajar el motor dentro del vehículo y conectar los montajes del motor y la conexión de tierra. Apretar el montaje del motor: los tornillos de 8 mm a 16 pie-lb (22 Nm) y los tornillos de 10 mm a 31 pie-lb (42 Nm).

35. Instalar la bomba de la dirección asistida y el compresor del aire acondicionado. Instalar las correas propulsoras.

36. Recolocar la bandeja del cableado y de los conductores eléctricos sobre el motor. Conectar los conductores en el motor de arranque y en el alternador.

37. Atornillar la clavija del soporte del sensor de oxígeno.

38. Conectar los conductores del transmisor de identificación del cilindro, el transmisor de impulsos del DME, el sensor de temperatura, el transmisor del indicador de temperatura, el interruptor de presión del aceite y la válvula de control de la marcha mínima.

39. Instalar el múltiple de admisión, asegurándose de que las juntas de admisión estén intactas. Si hay alguna señal evidente de deterioro en las juntas de admisión, reemplazarlas.

40. Conectar las líneas de combustible. La línea superior es el retorno y la línea inferior es la alimentación.

41. Conectar la manguera de la válvula de control de la marcha mínima situada en el múltiple.

42. Conectar la clavija del interruptor de la válvula del ahogador, las líneas de calefacción de la válvula del ahogador y la línea de ventilación del depósito.

43. Conectar la clavija del sensor de la temperatura del aire y conectar las mangueras de ventilación de la culata de cilindros.

44. Reconectar las clavijas de las bobinas de encendido y montar la placa de clavijas.

Conectar la conexión de tierra en la argolla de izada delantera.

45. Volver a colocar las cubiertas del motor y del múltiple. Conectar la línea al servofreno.

46. Reconectar el cable del ahogador y la cubierta. Instalar la cubierta de la admisión del aire en la base del parabrisas.

47. Conectar las mangueras del calefactor en la válvula y en la entrada.

48. Volver a montar el radiador introduciendo a presión sobre las grapas de soporte para sujetarlo. Comprobar que los montajes inferiores estén en su sitio.

49. Conectar la clavija del interruptor de la temperatura del aire acondicionado y volver a colocar el panel de guarnición.

50. Conectar las mangueras del sistema de refrigeración y las líneas de la transmisión automática. Utilizar sellos nuevos en las líneas de la transmisión y apretar a 13-15 pie-lb (18-21 Nm).

51. Instalar y apretar el tapón de drenaje del bloque de cilindros.

52. Instalar el ventilador utilizando una herramienta 11-5-040, o una llave equivalente, y sujetarla. Apretar la tuerca a 29 pie-lb (40 Nm). Si se utiliza la herramienta, ajustar la llave torsiométrica a 22 pie-lb (30 Nm); la longitud adicional de la herramienta multiplica el apriete para conseguir 29 pie-lb (40 Nm) en la tuerca.

53. Volver a colocar la cubierta del radiador en sus ranuras de montaje y presionar sobre los remaches.

54. Instalar la conducción de aire del alternador.

55. Conectar la manguera de la marcha mínima y de la válvula de ventilación del cárter en el conducto de admisión del aire. Volver a colocar el conjunto del filtro del aire y conectar la clavija eléctrica.

56. Instalar la transmisión en el vehículo.

57. Rellenar y sangrar el sistema de refrigeración.

58. Instalar el protector contra salpicaduras.

59. Conectar el cable negativo de la batería.

60. Antes de arrancar el motor, comprobar todos los fluidos.

SERIE 5

1. Desconectar los terminales de la batería, primero el lado negativo, y sacar la batería. Desatornillar y sacar la bandeja de la batería. Sacar la transmisión.

2. Aflojar la abrazadera del conducto de refrigeración al alternador y sacar el conducto.

3. Desconectar la clavija del medidor del flujo de aire y aflojar las abrazaderas del conducto del filtro del aire. Desatornillar los tornillos de montaje y sacar el conjunto del filtro del aire.

4. Extraer los remaches de expansión que sujetan la cubierta del ventilador. Quitar la cubierta levantándola fuera del compartimiento del motor.

5. Sujetar la polea del ventilador mientras se desatornilla la tuerca del ventilador del eje. El eje utiliza roscas levógiras; para desatornillar girar la tuerca en el sentido de las agujas del reloj.

6. Drenar el fluido refrigerante del bloque. El tapón de drenaje está situado entre los múltiples de escape. Desconectar las mangueras de fluido refrigerante del radiador y sacar la clavija del interruptor del nivel de fluido refrigerante. En vehículos equipados con transmisión automática, sacar las líneas de aceite del radiador y taparlas.

7. Desconectar la manguera inferior del radiador y sacar el panel de guarnición del lado derecho del compartimiento del motor para descubrir el lado del radiador y el condensador del aire acondicionado.

8. Sacar la clavija del interruptor de temperatura del aire acondicionado.

9. Sacar las grapas de soporte del radiador insertando una barra pequeña para hacer palanca de arriba a abajo dentro de la ranura y tirando hacia atrás. Liberar el radiador de las grapas. Sacar el radiador del vehículo.

10. Desconectar las mangueras del calefactor de la válvula del calefactor y del calefactor.

11. Desatornillar la sujeción de la cubierta del cable del ahogador y tirar la cubierta hacia delante y sacarla. Soltar el cable y sacar el cable con el soporte de goma.

12. Sacar el conector de vacío del servofreno y tapar las aberturas.

13. Sacar las cubiertas del motor y del múltiple de admisión. Desatornillar el tornillo que sujeta la conexión de tierra en la argolla de izada delantera. Antes de levantar el motor, volver a colocar el tornillo.

14. Desatornillar los 2 tornillos que sujetan la placa de clavijas y sacar la placa de clavijas. Ir con cuidado de no dañar los sellos de goma. Sacar las clavijas eléctricas de las bobinas de encendido. Sacar la placa de clavijas completa con los conductores eléctricos.

15. Sacar la manguera de ventilación de la culata de cilindros y sacar la clavija del sensor de la temperatura del aire. Sacar la manguera de ventilación del depósito y las mangueras calefactoras del ahogador, del cuerpo del ahogador. Sacar la clavija del interruptor de la válvula del ahogador. Soltar la válvula de control de la marcha mínima montada sobre el múltiple. Desconectar las mangueras del combustible de los tubos.

16. Desatornillar el dispositivo que sujeta el múltiple de admisión en la culata de cilindros. Sacar el múltiple de admisión vigilando que no caiga nada en las aberturas descubiertas.

17. Desconectar las clavijas del sensor de temperatura, del indicador de temperatura, del interruptor de la presión del aceite y de la válvula de control de la marcha mínima. Desconectar la clavija de transmisión de identificación del cilindro (negra) y la clavija de transmisión de impulsos (gris) para el DME. Desatornillar la clavija del sensor de oxígeno en el soporte.

18. Sacar los conductores eléctricos del alternador y del motor de arranque. Desatornillar la bandeja de conductores eléctricos y colocar el cableado del motor a un lado.

19. Aflojar la correa propulsora de la bomba de la dirección asistida y el compresor del aire acondicionado girando sus tensores respectivos en el sentido de las agujas del reloj. Ello descargará la tensión en la correa y permitirá sacarla.

20. Desatornillar la bomba de la dirección asistida y colocarla a un lado sin desconectar las mangueras. Desatornillar el compresor del aire acondicionado y colocarlo a un lado sin desconectar las líneas.

21. Acoplar un accesorio elevador a los ganchos elevadores del motor. Desatornillar los montajes y la conexión de alambre del motor. Levantar el motor fuera del vehículo teniendo cuidado con el montaje delantero del radiador.

Para instalar:

22. Bajar el motor dentro del vehículo y acoplar los montajes y la conexión de tierra del motor.

23. Instalar la bomba de la dirección asistida y el compresor del aire acondicionado. Instalar las correas propulsoras.

24. Instalar los componentes restantes en el orden inverso al del desmontaje.

25. Instalar el ventilador, utilizando la herramienta 11-5-040, o equivalente. Apretar la tuerca a 29 pie-lb (40 Nm). Si se utiliza la herramienta, ajustar la llave torsiométrica a 22 pie-lb (30 Nm); la longitud adicional de la herramienta multiplica el apriete para conseguir 29 pie-lb (40 Nm) en la tuerca. Volver a colocar la cubierta del radiador.

26. Volver a colocar el conjunto del filtro del aire, y conectar la clavija eléctrica. Instalar la transmisión y llenar y sangrar el sistema de refri-

geración. Instalar la bandeja de la batería y la batería. Antes de arrancar el motor, comprobar todos los fluidos.

Motores M60/M62 y M70/M73/S70

SERIE 5

1. Dejar enfriar el motor. Desconectar el cable de la batería en la batería, primero el lado negativo. Abrir el capó tanto como sea posible y asegurarlo en esta posición.

2. Sacar el protector contra salpicaduras de debajo del vehículo. Drenar el fluido refrigerante y sacar el radiador.

3. Sacar la transmisión.

4. Sacar la tuerca que sujeta las líneas refrigeradoras del aceite de la transmisión en el depósito de aceite del motor.

5. Aflojar y sacar las correas propulsoras de la bomba de la dirección asistida y del compresor del aire acondicionado. Sacar los tornillos que sujetan la bomba y el compresor en el motor y sacarlos del motor, manteniendo conectadas las líneas. Sujetar con alambre la bomba y el compresor a un lado, sin tensión en las mangueras.

6. Desconectar las mangueras del depósito de expansión del fluido refrigerante. Sacar los tornillos del lado del depósito de expansión y sacar el depósito de expansión del compartimiento del motor.

7. Desconectar las mangueras del calefactor de la válvula de control del calefactor y del tubo de entrada del calefactor.

8. Sacar las conexiones en la bobina de encendido. Sacar el conjunto del filtro del aire. Desconectar y sacar el control de la marcha mínima del conducto de admisión.

9. Desconectar el cableado en el medidor del flujo de aire. Desconectar la conducción en el medidor del flujo de aire y sacarla junto con la línea de vacío de la válvula de ventilación del cárter.

10. En vehículos no equipados con ASC, desconectar el cable de control de velocidad de crucero y el cable del ahogador, en el ahogador. Sacar el soporte de montaje del cable. Si están equipados con ASC, sacar el conector en la unidad de control del ahogador, dado que no habrá cable del ahogador para desconectar.

11. Desconectar los conductores del motor de arranque. Separar los 2 conectores eléctricos en la zona del motor de arranque. Separar los conductores transmisores del nivel del acei-

te y las conexiones del alternador. Sacar el conducto de aire en el alternador.

12. Desconectar la válvula de ventilación del depósito y la manguera en el cartucho (lata) de carbón activo.

13. Marcar las líneas de alimentación y retorno de combustible. Desconectar las líneas y recoger cualquier combustible vertido.

14. Desconectar la línea de vacío del servofreno y tapar la abertura. Desconectar las conexiones del cableado en los sensores de temperatura y en los sensores del DME.

15. Desconectar la conexión de tierra y comprobar si alguna de las líneas o de conductores eléctricos todavía están conectados.

16. Acoplar una eslinga elevadora al motor. Sacar las tuercas y los tornillos del montaje del motor y levantar el motor sacándolo del compartimiento del motor.

Para instalar:

17. Instalar el motor dentro del compartimiento del motor. Apretar los montajes del motor a 32.5 pie-lb (45 Nm). Conectar la banda de conexión de tierra.

18. Conectar la línea de vacío del servofreno, los sensores de temperatura y los sensores del DME.

19. Conectar las líneas del combustible en sus posiciones correctas previamente marcadas. Conectar la válvula de ventilación del depósito y la línea del cartucho de carbón. Conectar los conductores del alternador y el conducto de refrigeración.

20. Los componentes restantes se instalan en el orden inverso al del desmontaje.

21. Instalar la transmisión y el radiador. Llenar el sistema de refrigeración y comprobar los fluidos del motor. Instalar el protector contra salpicaduras y conectar la batería.

22. Hacer marchar el motor y comprobar si hay fugas. Sangrar el sistema de refrigeración.

SERIE 7

1. Desconectar el cable negativo de la batería y después el positivo. Sacar la transmisión. Marcar las posiciones de las bisagras y sacar el capó, o sacar los puntales de soporte y apuntalarlo con seguridad.

2. Sacar el protector contra salpicaduras de debajo del motor. Después, con el motor frío, sacar los tapones de drenaje en el radiador y en el bloque, y drenar el fluido refrigerante del motor.

3. Aflojar los tornillos de debajo de la bomba de la dirección asistida. Girar el piñón de ajuste para aflojar la correa y sacarla. Después, sacar los tornillos de montaje y sacar la bomba de la dirección asistida sin desconectar las mangueras. Soportar la bomba a un lado evitando que las mangueras se tensen.

4. Hacer lo mismo con el compresor del aire acondicionado, esta unidad no tiene el piñón de ajuste de la correa. Para sacar la correa, sólo es necesario aflojar todos los tornillos y empujar el compresor hacia el motor.

5. Aflojar la abrazadera de la manguera de la admisión de aire y desconectar la manguera. Sacar la tuerca de montaje, después sacar el/los filtro/s del aire.

6. Desatornillar el tornillo de la cubierta del filtro de aceite y desconectar las líneas refrigeradoras del aceite y la clavija del interruptor de la presión del aceite en el 750iL.

7. La unidad del lado opuesto de la manguera de admisión del filtro del aire contiene la válvula de control de la marcha mínima, que debe sacarse después. Aflojar las abrazaderas de las mangueras y sacar las mangueras. Desconectar el conector eléctrico. Sacar la tuerca de montaje, después sacar el control de la marcha mínima de la manguera de admisión de aire.

8. Sacar los retenes del sensor del flujo de aire, después sacar la unidad de sus montajes, desconectando al mismo tiempo la manguera de vacío del sistema del PCV.

9. Trabajando sobre el depósito de expansión del fluido refrigerante, separar el conector eléctrico. Sacar las tuercas de ambos lados. Aflojar sus abrazaderas, después desconectar las mangueras y sacar el depósito.

10. Desconectar las mangueras del calefactor en la válvula de control y en el núcleo del calefactor.

11. Desconectar los cables del ahogador y del control de la velocidad de crucero en la palanca del ahogador. Desatornillar el retén de la caja del cable y sacar la caja y los cables.

12. Sacar los conectores de bajo amperaje del motor de arranque, y separar el conector de alto amperaje, procedente de la batería.

13. Aflojar su abrazadera, después desconectar la manguera de fluido refrigerante que va al alternador.

14. Desconectar la clavija de conexión del sensor de oxígeno, así como las otras clavijas.

15. Aflojar las abrazaderas, después desconectar los tubos de suministro y retorno de combustible.

16. Desconectar el tubo del combustible en el múltiple de suministro de los inyectores. Desco-

nectar la clavija. Separar el conector eléctrico en el cuerpo del ahogador. Sacar las tapas protectoras, después sacar las tuercas de sujeción de la cubierta protectora del cableado y de los inyectores y sacarla.

17. Desconectar la banda de conexión de tierra en el bloque. Sacar la tuerca de montaje del motor de la parte superior de ambos lados.

18. Conectar en el motor una eslinga elevadora y soportar el conjunto. Desconectar el cable conductor de tierra. Con cuidado, levantar el motor sacándolo fuera del compartimiento, ladeando la delantera del motor hacia arriba para tener más espacio.

Para instalar:

19. Durante la instalación, tener presentes estos puntos:

a. Apretar los tornillos de montaje del motor a 32.5 pie-lb (43 Nm).

b. Ajustar la tensión de correa de las correas propulsoras del compresor del aire acondicionado y de la bomba de la dirección asistida, para que tengan $^1/_2$-$^3/_4$ plg de desviación.

c. Apretar las tuercas de antorcha de la línea refrigeradora del aceite a 25 pie-lb (34 Nm).

d. Al volver a conectar el múltiple de admisión en las gargantas del ahogador, inspeccionar, y si es necesario reemplazar, las juntas tóricas. Apretar las tuercas de montaje a 6.5 pie-lb (8 Nm).

20. Bajar el motor dentro del compartimiento del motor. Cuando el motor esté colocado en su sitio, el pasador guía debe ajustar en el agujero del soporte del eje. Apretar los tornillos de montaje del soporte del eje delantero (tornillo pequeño) a 18-20 pie-lb (25-27 Nm); el tornillo más grande a 31-35 pie-lb (40-47 Nm). Los tornillos del montaje al soporte están apretados a 31-35 pie-lb (40-47 Nm).

21. Conectar las líneas del combustible, utilizar abrazaderas de manguera nuevas para conectar las líneas del combustible al filtro del combustible. Conectar todas las clavijas de extremo múltiple y todas las mangueras de vacío.

22. El resto de la instalación es el procedimiento inverso al desmontaje.

23. Antes de arrancar el motor, asegurarse de que los niveles de todos los fluidos son correctos. Purgar el aire del sistema de refrigeración.

SERIE 8

1. Desconectar el cable negativo de la batería, después el positivo. Sacar la transmisión.

Marcar las posiciones de las bisagras y sacar el capó, o sacar los postes de soporte y apuntalarlo con seguridad.

2. Sacar el sensor de masa del flujo de aire del motor. Sacar el depósito del limpiaparabrisas.

3. Aflojar la tapa del filtro de aceite para permitir que el aceite se drene dentro del depósito de aceite. Después sacar las líneas del filtro de aceite.

4. Sacar el radiador y el depósito de expansión.

5. Soltar la abrazadera de diagnóstico. Soltar los cables de las bobinas derecha e izquierda. Desatornillar la bobina de encendido derecha.

6. Desconectar el D+ (conductor delgado) del alternador. Desconectar el transmisor de aceite.

7. Desconectar las mangueras y las conexiones de cables de las válvulas de ventilación del depósito.

8. Sacar la bandeja colectora del aceite. Soltar los conectores de cables de los sensores, los inyectores y el cuerpo del ahogador.

9. Desconectar la cubierta del cableado en la parte trasera del motor.

10. Desconectar las mangueras en el regulador de presión, anotando allí su disposición.

11. Desconectar los sensores de temperatura y sacar el cableado de los inyectores.

12. Desconectar los cables principales del alternador, en el punto de la conexión B+. Desconectar las conexiones del cable del motor de arranque.

13. Sacar el compresor del aire acondicionado, dejando conectadas las mangueras.

14. Sacar el conducto del aire frío del alternador.

15. Desconectar y tapar las líneas del combustible.

16. Sacar los protectores térmicos situados bajo el vehículo, en los puntales de empuje.

17. Sacar los protectores térmicos del múltiple de escape derecho y sacar el tubo de escape derecho del múltiple.

18. Drenar el fluido de la dirección asistida y sacar la manguera del depósito de suministro.

19. Sacar el conjunto del motor de arranque. Desconectar cualquier conexión que no sea necesaria.

20. Desconectar las mangueras del calefactor.

21. Acoplar un mecanismo de elevación adecuado al motor y desatornillar la conexión de tierra y los montajes del motor.

22. Sacar el tubo guía para la varilla medidora del aceite.

23. Elevar un poco el motor y sacar el soporte derecho del motor. Girar la parte trasera del motor hacia la derecha para despejar el tubo de escape izquierdo sobrepasando la mangueta de la dirección.

24. Sacar el motor y colocarlo sobre un dispositivo de sujeción adecuado.

Para instalar:

25. Durante la instalación, tener presentes estos puntos:

a. Apretar los tornillos de montaje del motor a 32.5 pie-lb (43 Nm).

b. Ajustar la tensión de correa de las correas propulsoras del compresor del aire acondicionado y de la bomba de la dirección asistida, para que tengan $^1/_2$-$^3/_4$ plg de desviación.

c. Asegurarse de que todas las mangueras y los cables estén conectados como antes del desmontaje.

26. Bajar el motor dentro del compartimiento del motor. Los tornillos del montaje al soporte están apretados a 31-35 pie-lb (40-47 Nm).

27. Instalar el resto de componentes en el orden inverso al del desmontaje.

28. Antes de arrancar el motor, asegurarse de que los niveles de todos los fluidos son correctos. Purgar el aire del sistema de refrigeración.

BOMBA DE AGUA

DESMONTAJE E INSTALACIÓN

Motores M42/M44

1. Desconectar el cable negativo de la batería. Drenar el sistema de refrigeración.

2. Sacar la correa propulsora y la polea de la bomba de agua.

3. Sacar los tornillos de montaje de la bomba.

4. Atornillar 2 tornillos M6 en los agujeros roscados y presionar sacando de modo uniforme, la bomba de agua, fuera de la cubierta.

Para instalar:

5. Lubricar e instalar una junta tórica nueva.

6. Instalar la bomba de agua y apretar los tornillos a 6 pie-lb (9 Nm).

7. Los componentes restantes se instalan en el orden inverso al que se han sacado.

8. Arrancar el motor y comprobar si hay fugas de fluido refrigerante.

Motores M50/M52/S50 y M70/M73/S70

1. Desconectar el cable negativo de la batería. Drenar el sistema de refrigeración.

2. Sacar la cubierta del ventilador y el ventilador, si es necesario.

3. Sacar la correa propulsora y la polea. Desconectar el soporte, si es necesario.

4. Sacar el filtro del aire con el sensor del flujo de aire, si es necesario.

5. Desconectar las mangueras de refrigeración y sacar la bomba de agua.

6. La instalación es el procedimiento inverso al del desmontaje. Apretar los tornillos M8 a 16 pie-lb (22 Nm) y los tornillos M6 a 6.5 pie-lb (9 Nm).

Motores M60/M62

1. Desconectar el cable negativo de la batería.

2. Drenar el sistema de refrigeración.

3. Sacar los protectores térmicos en los lados derecho e izquierdo del soporte del eje delantero.

4. Sacar los protectores contra salpicaduras delantero y trasero del motor.

5. Sacar el ventilador. El ventilador debe sujetarse inmóvil con la herramienta 11-5-030, o algún tipo de cuchilla de hoja plana para sujetar sobre el cubo y taladrada para ajustar sobre 2 de los espárragos de la parte delantera de la polea. Sacar la tuerca del embrague del ventilador; rosca levógira para sacar, girar en el sentido de las agujas del reloj.

6. Sacar el tensor de la correa propulsora y la correa propulsora de serpentina.

7. Sacar el amortiguador de vibraciones y el cubo. Hay ocho tornillos de montaje y un tornillo central. Utilizar una herramienta de sujeción adecuada 11-2-230, o equivalente, para el tornillo central.

8. Desconectar la manguera del fluido refrigerante, en la cubierta de la caja del termostato. Sacar el termostato.

9. Sacar la polea de la bomba de agua, sujetando la polea con la correa propulsora, y sacando los cuatro tornillos de montaje de la polea.

10. Desconectar las mangueras de la bomba de agua. Sacar los 6 tornillos de montaje y sacar la bomba de agua.

Para instalar:

11. Limpiar las superficies de junta y utilizar una junta nueva.

12. Comprobar si las espigas de centrado están asentadas correctamente. Instalar la bomba de agua en su sitio. Apretar los tornillos de montaje M8 a 16 pie-lb (22 Nm) y los tornillos de montaje M6 a 7 pie-lb (10 Nm). Conectar las mangueras.

13. Instalar el amortiguador de vibraciones y el cubo. Apretar los ocho tornillos de montaje a 17 pie-lb (24 Nm). Apretar el tornillo de montaje central en cuatro pasos, como se indica a continuación:

- Una torsión inicial de 74-81 pie-lb (100-110 Nm).
- Añadir una torsión adicional de 60 grados.
- Añadir una torsión adicional de 60 grados.
- Después, añadir una torsión adicional de 30 grados.

14. Instalar el termostato. Conectar la manguera de fluido refrigerante.

15. Instalar el tensor de la correa propulsora y la correa propulsora.

16. Instalar la polea y apretar los tornillos a 6-7 pie-lb (8-10 Nm). Instalar la correa y apretar. Instalar el ventilador.

17. Instalar los protectores térmicos y los protectores contra salpicaduras.

18. Conectar el terminal negativo de la batería.

19. Llenar y sangrar el sistema de refrigeración.

CULATA DE CILINDROS

DESMONTAJE E INSTALACIÓN

Motores M42/M44

1. Desconectar el cable negativo de la batería.

2. Sacar la cubierta de la bobina de encendido y sacar los conectores de las bujías.

3. Sacar todo el aparejo de encendido. Sacar la cubierta de la culata de cilindros.

4. Desconectar las mangueras del fluido refrigerante y desatornillar el sensor de temperatura.

5. Sacar la caja del termostato y el termostato. Desatornillar la cubierta superior de la caja de sincronización.

6. Girar el motor en la dirección de rotación hasta que los vértices de los lóbulos de las levas de admisión y de escape para el cilindro N° 1 se miren el uno al otro. Las flechas sobre los engranajes miran hacia arriba.

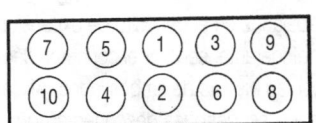

▲ Secuencia de apriete de la culata de cilindros – Motores M42/M44

7. Sacar el tensor de la cadena. Sacar la guía superior de la cadena, el tornillo de la guía del lado derecho de la cadena y los engranajes.

8. Sacar los tornillos de la culata de cilindros de la parte exterior a la interior, en varios pasos, utilizando la herramienta correcta.

9. Sacar la culata de cilindros. Limpiar las superficies de sellado de la culata de cilindros y del cárter.

Para instalar:

10. Instalar la culata de cilindros sobre el motor con una junta nueva.

11. Apretar la culata de cilindros, en 3 pasos, siguiendo la secuencia que se muestra a continuación:

    a. Paso 1-24 pie-lb (32.5 Nm).

    b. Paso 2-girar 90-95 grados.

    c. Paso 3-girar 90-95 grados adicionales.

12. El resto de la instalación es el procedimiento inverso al desmontaje.

13. Conectar el cable negativo de la batería, después arrancar el motor y examinar si hay alguna fuga de combustible, de vacío o de fluido refrigerante.

Motores M50/M52/S50

1. Si el motor no se ha sacado todavía del vehículo, desconectar el cable negativo de la batería y drenar el fluido refrigerante del motor. Sacar el múltiple de admisión y la válvula del ahogador. Desconectar los tubos de escape y los cables de los sensores de oxígeno. Sacar los múltiples de escape. Sacar la caja del termostato y las argollas de izada del motor.

2. Sacar los conectores para las bobinas de encendido y sacar las bobinas. Desatornillar la cubierta de las culatas de cilindros y sacarla. Sacar el transmisor de la culata y el conducto de los conductores eléctricos.

3. Sacar la cubierta superior de la caja de sincronización y la cubierta del árbol de levas. Dar vueltas al motor en la dirección de la rotación, de manera que los vértices de las levas de admisión y de escape para el cilindro N° 1 se miren el uno al otro. Sujetar los árboles de levas en esta posición con la herramienta 11-3-240, o equivalente. Con los árboles de levas en esta

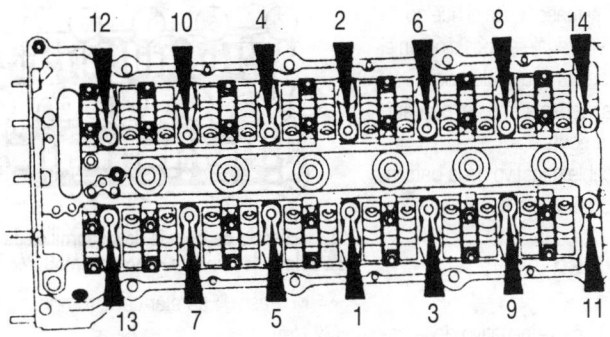

▲ Secuencia de apriete de los tornillos de montaje de la culata de cilindros – Motores M50/M52/S50

alineación, las flechas de los engranajes mirarán hacia arriba. Sacar los espárragos de montaje de la cubierta de válvulas. Bloquear el volante en su sitio para evitar que el cigüeñal se mueva.

4. Desatornillar el tensor de la cadena y sacarlo con cuidado. Dentro del tensor hay un resorte y si no se va con cuidado puede salir expulsado.

5. Presionar hacia abajo el tensor superior de la cadena y bloquearlo en su sitio utilizando una herramienta 11-3-290, o equivalente. Desatornillar los engranajes de transferencia de la cadena de sincronización y sacar los 2 junto con la cadena. Sacar el tensor superior de la cadena y la guía inferior de la cadena. Sacar el engranaje principal de la cadena de sincronización junto con la cadena. Utilizar un trozo de alambre curvado para sujetar la cadena y que no caiga dentro del motor. No girar el motor después de este punto, en caso contrario, cuando el motor se reensamble, la sincronización de las válvulas estará alterada.

6. Desatornillar los tornillos de la culata en los extremos de las levas. Utilizando una boquilla Torx® de la medida adecuada, o una herramienta 11-2-250, aflojar los tornillos de la culata de cilindros en varios pasos. Utilizar una pauta desde el exterior hacia el interior para prevenir deformaciones. En las culatas de origen las arandelas de los tornillos están fijadas en su sitio, mientras que en las culatas de repuesto las arandelas están sueltas. Vigilar de cerca las arandelas de los tornillos.

Para instalar:

7. Si los árboles de levas se han sacado y reinstalado, es necesario un período de espera dependiendo de la temperatura ambiente, antes de montar la culata de cilindros sobre el motor. A la temperatura ambiente, esperar 4 minutos para permitir que los levantadores de válvulas se compriman totalmente. A bajas temperaturas de hasta 50 °F (10 °C) esperar 11 minutos. A temperaturas inferiores a 50 °F (10 °C) esperar 30 minutos. Ello es para evitar el contacto entre las válvulas y las partes superiores de los pistones. El motor no puede girarse bajo las mismas condiciones durante un período de 10 minutos a temperatura ambiente; 30 minutos para temperaturas de hasta 50 °F (10 °C); 75 minutos para temperaturas inferiores a 50 °F (10 °C).

8. Limpiar todas las superficies de montaje de junta y comprobar si la culata está deformada. Ir con cuidado de que no caiga ningún trozo de junta, o suciedad, dentro de los conductos de aceite o de fluido refrigerante. Comprobar el estado de las camisas de centrado que posicionan la culata.

9. Colocar una junta de culata nueva en el bloque de cilindros sobre las espigas de posicionado y colocar suavemente la culata en el motor. Alinear la culata con las camisas de centrado y comprobar que la culata se asienta plana sobre el motor.

10. Los tornillos de culata de cilindros sólo pueden utilizarse una vez. Lubricar un poco las roscas de los tornillos de culata de cilindros nuevos. Comprobar que las arandelas de los tornillos de culata estén en su sitio, e instalar los tornillos. Apretar los tornillos de culata como sigue.

11. Si está equipado con un bloque de hierro fundido, apretar en 3 pasos; paso 1 a 22 pie-lb (30 Nm), pasos 2 y 3 ángulo de torsión de 90 grados. Apretar primero los tornillos centrales y seguir con una pauta en diagonal.

12. Si está equipado con un bloque de aluminio fundido, apretar en 3 pasos; paso 1 a 29.5 pie-lb (40 Nm), paso 2 y 3 ángulo de torsión de 90 grados. Apretar primero los tornillos centrales y seguir con una pauta en diagonal.

13. Alinear la cadena de sincronización principal y el engranaje sobre el bote de manera que la flecha mire hacia arriba. Los agujeros de los tornillos en el árbol de levas deben estar en los lados izquierdos de las ranuras del engranaje. Ello permitirá que el tensor quite el huelgo de la cadena, y rotar el engranaje en posición en el sentido contrario al de las agujas del reloj.

14. El resto de la instalación es el procedimiento inverso al desmontaje.

15. Conectar el cable negativo de la batería, arrancar el motor y comprobar si hay alguna fuga.

Motores M60/M62

1. Desconectar el cable negativo de la batería.

2. Sacar ambos múltiples de escape de cada lado del motor. Sacar los protectores térmicos del soporte del eje delantero.

3. Drenar el fluido refrigerante del motor y sacar el depósito de expansión del fluido refrigerante.

4. Sacar la cubierta superior de la caja de sincronización.

5. Sacar los tubos del aceite de la culata de cilindros.

6. Sacar el múltiple de admisión.

7. Sacar la cubierta de la culata de cilindros.

8. Sacar el tubo de ventilación del motor junto con la junta tórica. Desconectar todas las mangueras de fluido refrigerante en el colector del fluido refrigerante. Sacar los tornillos de montaje del colector del fluido refrigerante y sacar el colector del fluido refrigerante.

9. Sacar las ocho bujías.

10. Sacar los engranajes de los árboles de levas y el tensor de la cadena de sincronización.

11. Sacar los tornillos que retienen el raíl guía en el lado izquierdo de la culata de cilindros.

12. Sacar la trampa de retener aceite de tipo ciclón.

13. Sacar los tornillos de la culata de cilindros desde la parte exterior hasta la parte interior. Sacar la culata de cilindros.

➡ **Los tornillos de culata de cilindros deben reemplazarse.**

Para instalar:

14. Limpiar a fondo todas las superficies de montaje y comprobar si la culata está deformada. Ir con cuidado de que no caiga algún trozo de junta, o suciedad, en los conductos de aceite o de fluido refrigerante. Comprobar el estado de las camisas de centrado que posicionan la culata y limpiar las roscas de los tornillos con una terraja para repasar roscas.

15. Montar la culata de cilindros y los tornillos nuevos. Apretar los tornillos en la secuencia correcta en tres pasos:

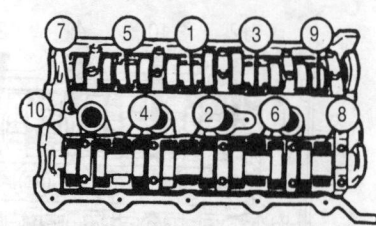

Secuencia de apriete de los tornillos de la culata de cilindros – Motores M60/M62

- Paso 1: apretar cada tornillo a 24 pie-lb (32 Nm).
- Paso 2: esperar de 10 a 20 minutos; después girar cada tornillo 80 grados adicionales.
- Paso 3: esperar de 10 a 20 minutos; después girar cada tornillo 80 grados adicionales.

16. Instalar la trampa de retener aceite de tipo ciclón.

17. Instalar los tornillos que retienen el raíl guía sobre el lado izquierdo de la culata de cilindros.

18. Instalar los engranajes del árbol de levas y el tensor de la cadena de sincronización. Apretar los tornillos de montaje del engranaje a 11 pie-lb (15 Nm).

19. El resto de componentes se instalan en el orden inverso al que se han sacado.

20. Conectar el cable negativo de la batería.

Motores M70/M73/S70

1. Desatornillar las conexiones del tubo de escape en el múltiple y en la abrazadera del tubo de la transmisión. Desconectar el cable negativo de la batería.

2. Sacar el protector contra salpicaduras de debajo del motor. Con el motor frío, sacar los tapones de drenaje de la parte inferior del radiador y del bloque. Drenar el aceite del motor, y el líquido refrigerante del motor.

3. Sacar el ventilador. Sacar los remaches de expansión de cada lado y sacar el recubrimiento del ventilador.

4. Aflojar la abrazadera de la manguera y desconectar la manguera de entrada de aire. Sacar la tuerca de montaje y sacar el filtro del aire.

5. La unidad del lado opuesto de la manguera de admisión del filtro del aire contiene la válvula de control de la marcha mínima, que debe sacarse a continuación. Aflojar las abrazaderas de las mangueras y sacar las mangueras. Separar el conector eléctrico. Sacar la tuerca de montaje, después sacar el control de la marcha mínima de la manguera de admisión de aire.

6. Sacar los retenes del sensor del flujo de aire, después sacar la unidad de sus montajes, desconectando al mismo tiempo la manguera de vacío del sistema del VPC.

7. Trabajando en el depósito de expansión de fluido refrigerante, separar el conector eléctrico. Sacar las tuercas de ambos lados. Aflojar sus abrazaderas, después desconectar todas las mangueras y sacar el depósito.

8. Desconectar las mangueras del calefactor en la válvula de control y en el núcleo del calefactor. Si es necesario, sacar la válvula.

9. Desconectar los cables del ahogador y de control de la velocidad de crucero en la palanca del ahogador. Desatornillar el retén de la caja de los cables y sacar la caja y los cables.

10. Desconectar las clavijas próximas a la caja del termostato. Aflojar las abrazaderas de las mangueras y sacar las mangueras del fluido refrigerante.

11. Desconectar la clavija en la línea que lleva al sensor de oxígeno. Desconectar las otras clavijas.

12. Desconectar las líneas de suministro y de retorno del combustible, recogiendo el combustible en un recipiente metálico para su eliminación segura.

13. Separar el tubo de combustible que va a lo largo de la culata de cilindros, cerca del múltiple. Sacar el conector eléctrico en el cuerpo del ahogador. Sacar las tapas, después sacar los tornillos de sujeción y sacar el soporte del cableado y el cableado de los inyectores de combustible.

14. Desconectar el conductor de la bobina de alta tensión. Desconectar los cables de alta tensión en las clavijas. Después, sacar las tuercas de montaje y sacar el soporte de los cables de alta tensión, de la culata.

15. Sacar las tuercas de sujeción de la cubierta del árbol de levas, y sacarla.

16. Girar el motor hasta que las marcas de sincronización estén en el PMS y las válvulas N° 6 estén solapadas, ambas un poco abiertas.

17. Sacar la cubierta superior de la caja de la sincronización. Sacar el pistón tensor de la cadena de sincronización.

18. Sacar los tornillos del engranaje superior de la cadena de sincronización y sacar el engranaje, sujetándolo vertical. Después, soportarlo con seguridad, de manera que la conexión (relación) entre la cadena y las partes superior e inferior de los engranajes no se pierda.

19. Desconectar la manguera superior del radiador en la caja del termostato. Sacar los tornillos y sacar el soporte del múltiple de admisión.

20. Sacar los tornillos de la culata de cilindros en el orden opuesto al numerado. Después, instalar 4 clavijas especiales, pieza 11-1-063, o equivalente. Esto es necesario para evitar que los ejes de balancines se muevan. Después, sacar la culata.

Para instalar:

21. Comprobar las superficies inferior de la culata de cilindros y superior del bloque para asegurarse de que están bien. Instalar una junta de culata nueva, asegurándose de que todos los orificios de los tornillos, del aceite y del fluido refrigerante estén alineados. Utilizar una junta marcada M30B35. Si la culata ha sido rectificada a máquina, utilizar una junta de 0.3 mm más de grosor.

22. Aplicar una ligera capa de aceite a los tornillos de culata. No dejar que entre aceite en los agujeros de los tornillos ni aplicar excesiva cantidad de aceite pues, en caso contrario, la torsión podría ser incorrecta y el bloque podría agrietarse. Utilizar el tipo de tornillo sin collarín. Instalar los tornillos apretándolos con la mano.

23. Apretar los tornillos 1-6, en el orden correcto, a 42-44 pie-lb (57-60 Nm). Sacar las clavijas que sujetan los balancines en su sitio. Ahora, completar el primer paso de la torsión apretando los tornillos 7-14, en el orden correcto, a la misma especificación. Después de esperar 15 minutos, ajustar las válvulas. Apretar los tornillos, en el orden correcto, a 30-36 grados con un medidor de ángulos de apriete, utilizando una herramienta especial 11-2-110, o equivalente.

24. Reinstalar el engranaje de sincronización en el árbol de levas. Asegurarse de que el árbol de levas está sincronizado correctamente, de que se utilizan placas de sujeción nuevas y de que las tuercas están apretadas correctamente.

25. Al reinstalar la cubierta de sincronización, asegurarse de aplicar selladora líquida en las juntas entre las cubiertas de sincronización superior e inferior. El resto de la instalación es inversa al desmontaje. Tener en cuenta estos puntos:

a. Ajustar los cables del ahogador, del control de velocidad y del acelerador. Examinar la junta del múltiple de escape y, si es necesario, reemplazarla.

b. Al reinstalar el tapón del fluido refrigerante del bloque de cilindros, cubrirlo con selladora. Asegurarse de llenar el sistema de refrigeración y de sangrarlo. Asegurarse de llenar el depósito de aceite con la cantidad correcta de aceite.

c. Instalar la cadena de sincronización de manera que la clavija inferior del engranaje del árbol de levas esté en la posición de las 8 en punto cuando sus agujeros roscados estén en ángulo recto con el motor. Apretar los tornillos del engranaje a 6.5-7.5 pie-lb (8-10 Nm).

d. Comprobar la junta de la cubierta del árbol de levas, reemplazándola si es necesario. Apretar los tornillos de la cubierta del árbol de levas en el orden mostrado. Apretar los tornillos a 6.5-7.5 pie-lb (8-10 Nm).

e. Al reinstalar el recubrimiento del ventilador, asegurarse de que todas las guías estén colocadas correctamente.

f. Cubrir la parte conificada de la brida de conexión del tubo de escape con el sellador correcto. Apretar las tuercas de sujeción a 4.5 pie-lb (6 Nm) y aflojarlas 1 ½ vueltas.

26. Arrancar el motor y hacerlo marchar hasta que esté caliente (25 minutos). Después, sacar otra vez la cubierta de válvulas y apretar los tornillos de la culata, en el orden correcto, 30-40 grados.

BALANCINES Y EJES

DESMONTAJE E INSTALACIÓN

Los modelos BMW comprendidos aquí no utilizan balancines y ejes. El árbol de levas actúa directamente sobre las válvulas.

MÚLTIPLE DE ADMISIÓN

DESMONTAJE E INSTALACIÓN

Motores M42/M44

1. Desconectar el cable negativo de la batería. Desatornillar la parte superior del múltiple.

2. Desconectar el soporte de montaje trasero y sacar la manguera del fluido refrigerante.

3. Aflojar el soporte de montaje delantero y desconectar el soporte del precalentador.

4. Sacar los tornillos de montaje y sacar la parte superior del múltiple. Al mismo tiempo, sacar la manguera del regulador de presión del combustible.

5. Sacar la placa de clavijas de los inyectores de combustible y sacar la abrazadera de sujeción de los cables.

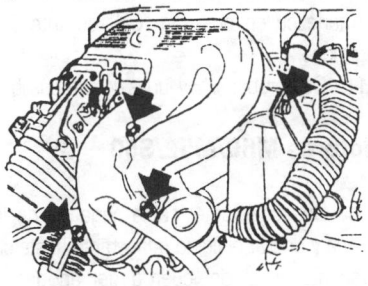

▲ Localización de los tornillos de montaje del múltiple de admisión superior y del soporte del apoyo – Motores M42/M44

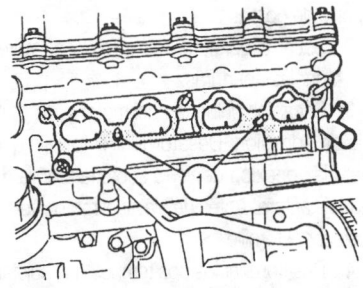

▲ Asegurarse de que los protectores de las cavidades (1) estén instalados correctamente – Motores M42/M44

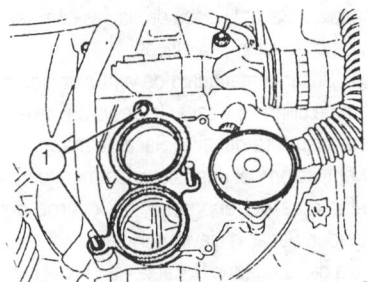

▲ Comprobar si las espigas de centrado (1) están dañadas y en la posición de instalación correcta – Motores M42/M44

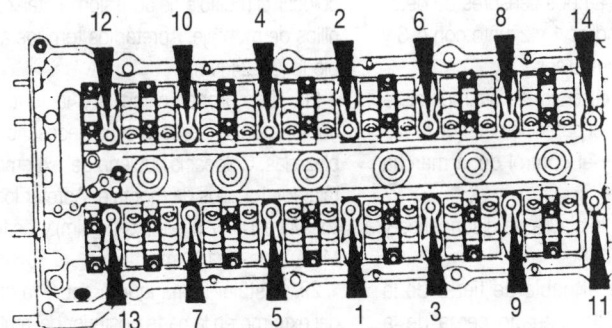

▲ Secuencia de apriete de los tornillos de la culata de cilindros, ambas culatas de cilindros son lo mismo – Motores M70/M73/S70

6. Sacar el tubo de inyección con los inyectores de combustible conectados y sacar la parte inferior del múltiple.

Para instalar:

7. Instalar la parte inferior del múltiple sobre el motor, después de limpiar las superficies de unión de ambos componentes. Apretar los tornillos del múltiple de manera uniforme, desde el medio hacia cada extremo.

8. Limpiar los agujeros de montaje de los inyectores de combustible, después instalar el tubo de inyección y los inyectores de combustible en el múltiple de admisión inferior.

9. El resto de componentes se instalan en el orden inverso al que se han sacado.

10. Conectar el cable negativo de la batería, poner el encendido en posición "ON" y "OFF" varias veces para establecer la presión de combustible. Permitir que cada vez el encendido permanezca en posición "ON" durante 5-7 segundos.

11. Comprobar si hay fugas de combustible.

Motores M50/M52/S50

1. Desconectar el cable negativo de la batería y drenar el fluido refrigerante hasta un nivel inferior al del cuerpo del ahogador. Desatornillar la sujeción de la cubierta del cable del ahogador y tirar la cubierta hacia adelante y afuera. Soltar el cable y sacar el cable con el soporte de goma.

2. Sacar el conector de vacío del servofreno y tapar las aberturas.

3. Sacar las cubiertas del motor y del múltiple de admisión. Desatornillar el tornillo que sujeta la conexión de tierra sobre la argolla de izada delantera. Antes de elevar el motor, volver a colocar el tornillo.

4. Desatornillar los dos tornillos que sujetan la placa de clavijas y sacar la placa. Ir con cuidado de no dañar los sellos de goma. Desconectar las clavijas eléctricas de la bobina de encendido. Sacar la placa de clavijas completa con los conductores eléctricos.

5. Sacar la manguera de ventilación de la culata de cilindros y sacar la clavija del sensor de temperatura del aire. Sacar la manguera de ventilación del depósito y las mangueras calefactoras del ahogador, del cuerpo del ahogador. Sacar la clavija del interruptor de la válvula del ahogador. Soltar la válvula del control de la marcha mínima montada sobre el múltiple. Desconectar las mangueras de combustible de los tubos.

6. Desatornillar las sujeciones que sujetan el múltiple de admisión en la culata de cilindros. Sacar el múltiple de admisión con cuidado de que no caiga nada dentro de las aberturas expuestas.

Para instalar:

7. Instalar la parte inferior del múltiple en el motor, después de limpiar las superficies de unión de ambos componentes. Apretar los tornillos del múltiple de manera uniforme desde el centro hasta cada extremo.

8. Instalar el resto de los componentes en el orden opuesto al que se han sacado.

9. Conectar el cable negativo de la batería, poner el encendido en posición "ON" y "OFF" varias veces para establecer la presión del combustible. Cada vez, permitir que el encendido permanezca en posición "ON" durante 5-7 segundos.

10. Comprobar si hay fugas de combustible.

Motores M60/M62

1. Descargar la presión del sistema de combustible. Desconectar el cable negativo de la batería.

2. Sacar la cubierta central de la cubierta de la culata de cilindros.

3. Aflojar las abrazaderas de las mangueras del control de la marcha mínima y del conjunto de la válvula del ahogador.

4. Desconectar la clavija del sensor de masa del flujo de aire.

5. Soltar y sacar la parte superior del conjunto del filtro del aire junto con el sensor de masa del flujo de aire.

6. Sacar la cubierta de mano derecha de la cubierta de la culata de cilindros.

7. Levantar y soportar con seguridad el vehículo. Desconectar la clavija del interruptor del nivel de aceite. Bajar el vehículo.

8. Desconectar las clavijas de las bobinas de encendido.

9. Desconectar ambos sensores de detonación (para los cilindros 1 y 2 junto con el 3 y el 4), y el sensor de impulsos.

10. Desconectar el sensor de la temperatura del aire de admisión, el potenciómetro de la válvula del ahogador y el control de la marcha mínima.

11. Desconectar la clavija de diagnóstico y la clavija del motor.

12. Desatornillar el cable de tierra de la bobina de encendido, situado cerca de la argolla de izada trasera del motor. Desconectar el sensor de temperatura (negro) del

indicador de temperatura y el sensor de temperatura (blanco) del DME.

13. Sacar los cuatro tornillos del soporte de la cubierta del múltiple de admisión. Sacar el soporte.

14. Desconectar y sacar el cable del ahogador.

15. Sacar la cubierta de mano izquierda de la cubierta de la culata de cilindros.

16. Separar los conectores eléctricos de las bobinas de encendido.

17. Desconectar ambos sensores de detonación (para los cilindros 5 y 6 junto con el 7 y el 8), y el transmisor del árbol de levas.

18. Desconectar el tapón y la manguera de vertido del depósito de expansión del fluido refrigerante. Sacar los dos tornillos de montaje y mover el depósito hacia un lado.

19. Separar el conector eléctrico del interruptor de la presión del aceite y sacar el cableado.

20. Sacar los tornillos de los conductos de cables en las culatas de cilindros.

21. Desconectar las mangueras de vacío en el radiador y aflojar la abrazadera de la manguera. Sacar la manguera de vacío del servofreno.

22. Sacar la manguera de ventilación del vapor del depósito de combustible del conjunto de la válvula del ahogador.

23. Desconectar las líneas de suministro y retorno de combustible.

24. Sacar la manguera fuera de la cubierta del extremo en la parte trasera del múltiple.

25. Sacar los siete tornillos de montaje y sacar la cubierta del extremo junto con la válvula de regulación de presión recta hacia atrás para evitar que el tubo de ventilación se dañe.

26. Sacar los cinco tornillos del múltiple de admisión y sacar el múltiple de admisión hacia arriba.

Para instalar:

27. Sacar la junta del múltiple y de la culata de cilindros, rascándola. Reemplazar la junta, y colocar el múltiple de admisión. Instalar los tornillos de montaje. Apretar los tornillos a 14-17 pie-lb (20-24 Nm).

28. Comprobar el sello y la junta de la cubierta del extremo y, si es necesario, reemplazarlas. Colocar la cubierta del extremo e instalar los tornillos de montaje. Apretar los tornillos M8 a 14-17 pie-lb (20-24 Nm) y los tornillos M6 a 7 pie-lb (10 Nm).

29. Instalar la manguera sobre la cubierta del extremo en la parte posterior del múltiple.

30. Conectar las líneas de suministro y de retorno de combustible.

31. Instalar la manguera de ventilación del vapor del depósito de combustible en el conjunto de la válvula del ahogador.

32. El resto de la instalación es el procedimiento inverso al desmontaje.

▼ AVISO ▼

Confundir los conectores de los sensores de detonación podría dañar el motor.

33. Conectar el cable negativo de la batería.

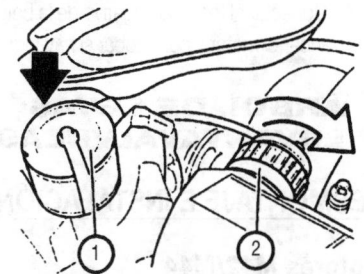

▲ Localizaciones del conector de diagnóstico (1) y del conector del motor (2) – Motores M60/M62

Motores M70/M73/S70

1. Desconectar el cable negativo de la batería. Aflojar las abrazaderas de las líneas del combustible.

2. Sacar las mangueras de vacío de los reguladores de presión. Sacar los tubos de inyección con los inyectores conectados.

3. Sacar las tapas de distribuidor y las gargantas de la válvula del ahogador en los múltiples.

4. Desconectar los cables de las bujías y sacar los tubos de los conductores de encendido.

5. Desconectar la manguera de la ventilación del cárter y aflojar las tuercas de soporte del múltiple.

6. Desconectar el protector del morro y sacar el múltiple de admisión utilizando la herramienta adecuada.

Para instalar:

7. Sacar la junta del múltiple y de la culata de cilindros, rascándola. Reemplazar la junta y colocar el múltiple de admisión. Instalar los tornillos de montaje a 14-17 pie-lb (19-23 Nm), desde el centro del múltiple hasta los extremos.

8. Instalar el resto de componentes en el orden opuesto al que se han sacado.

9. Conectar el cable negativo de la batería, poner el encendido en posición "ON" y "OFF" varias veces para establecer la presión en el

combustible. Cada vez, dejar el encendido en posición "ON" durante 5-7 segundos.

10. Comprobar si hay fugas de combustible.

MÚLTIPLE DE ESCAPE

DESMONTAJE E INSTALACIÓN

Motores M42/M44

1. Desconectar el terminal negativo de la batería.

2. Con el sistema de escape frío, desconectar el tubo de escape del múltiple. Sacar las 4 tuercas de la conexión con brida y bajar los tubos de escape. Soportar el sistema de escape. Asegurarse de que no se estire el cable del sensor de oxígeno.

3. Sacar las tuercas que fijan los múltiples en la culata de cilindros. Sacar los múltiples.

Para instalar:

4. Limpiar las superficies de montaje de los múltiples y de la culata de cilindros. Comprobar el estado de los espárragos y, si es necesario, reemplazarlos.

5. Instalar juntas nuevas del múltiple de escape con el lado de grafito hacia la culata de cilindros, e instalar los múltiples. Apretar las tuercas a 16-18 pie-lb (22-25 Nm). Utilizar tuercas nuevas y anti-agarrote.

6. Conectar el tubo de escape en los múltiples. Conectar el terminal negativo de la batería. Arrancar el motor y comprobar si hay fugas.

7. Después de 1200 millas, aflojar y después apretar cada tuerca a 10 pie-lb (12 Nm).

Motores M50/M52/S50

1. Desconectar el terminal negativo de la batería.

2. Sacar las tuercas de montaje en cada conexión con brida y separar los tubos de escape del múltiple. Soportar el sistema de escape. Asegurarse de que no se estire el cable del sensor de oxígeno.

3. Sacar las tuercas que fijan los múltiples en la culata de cilindros. Sacar los múltiples.

Para instalar:

4. Limpiar las superficies de montaje de los múltiples y de la culata de cilindros. Comprobar el estado de los espárragos y, si es necesario, reemplazarlos.

5. Instalar juntas de múltiple de escape nuevas con el lado de grafito hacia la culata de

cilindros e instalar los múltiples. Apretar las tuercas a 14 pie-lb (19 Nm). Utilizar tuercas nuevas y anti-agarrote.

6. Instalar el tubo de escape en los múltiples utilizando tuercas de montaje nuevas.

7. Conectar el terminal negativo de la batería.

8. Arrancar el motor y comprobar si hay fugas de escape.

Motores M60/M62

MÚLTIPLE DE ESCAPE IZQUIERDO

1. Desconectar el cable negativo de la batería.

2. Desconectar la clavija del sensor de oxígeno y sacar el conjunto de escape.

3. Sacar el alternador.

4. Sacar la cubierta de la culata de cilindros izquierda.

5. Sacar la parte superior completa del filtro del aire junto con el sensor de masa del flujo de aire.

6. Sacar los tornillos de los montajes derecho e izquierdo en la parte inferior del motor.

7. Sacar el protector contra salpicaduras trasero del motor.

8. Sacar los tornillos del montaje del centro de gravedad en el soporte del eje delantero. Sacar los protectores térmicos izquierdos del soporte del eje delantero.

9. Levantar el motor, con una herramienta adecuada, en la argolla de izada delantera. Asegurarse de que haya espacio suficiente entre el motor y el cortafuegos.

10. Sacar los tornillos de los múltiples y sacar los múltiples hacia abajo.

Para instalar:

11. Sacar la junta vieja de la culata de cilindros y del múltiple de escape, rascándola, y reemplazar la junta. Los rebordes de la junta miran hacia los múltiples de escape.

12. Cubrir la hilera superior de los tornillos del escape con fluido de bloqueo. Colocar el múltiple de escape e instalar los tornillos. Apretar los tornillos de montaje a 16 pie-lb (22 Nm).

13. Bajar el motor a su posición original. Instalar los protectores térmicos izquierdos y los tornillos del montaje del centro de gravedad al soporte del eje delantero.

14. Instalar la protección contra salpicaduras trasera del motor.

15. Instalar los tornillos para los montajes derecho e izquierdo del motor en la parte inferior. Apretar los tornillos de 10 mm a 31 pie-lb (42 Nm) y los tornillos de 8 mm a 16 pie-lb (22 Nm).

16. Instalar la parte superior completa del filtro del aire junto con el sensor de masa del flujo de aire.

17. Instalar la cubierta de la culata de cilindros izquierda y reemplazar la junta. Apretar los tornillos de montaje, siguiendo una pauta entrecruzada, a 11 pie-lb (15 Nm).

18. Instalar el alternador. Conectar la clavija del sensor de oxígeno e instalar el conjunto de escape.

19. Conectar el cable negativo de la batería.

MÚLTIPLE DE ESCAPE DERECHO

1. Desconectar el cable negativo de la batería.

2. Desconectar la clavija del sensor de oxígeno y sacar el conjunto de escape.

3. Sacar los protectores térmicos derechos del soporte del eje delantero.

4. Sacar el protector contra salpicaduras trasero del motor.

5. Sacar el depósito de fluido de lavado.

➡ **Primero sacar el múltiple de los cilindros dos y cuatro.**

6. Sacar los tornillos de los múltiples y sacar los múltiples hacia arriba.

Para instalar:

7. Sacar la junta vieja de la culata de cilindros y del múltiple de escape, rascándola, y reemplazar la junta. Los rebordes de la junta miran hacia los múltiples de escape.

8. Cubrir la hilera superior de los tornillos del escape con fluido de bloqueo. Colocar el múltiple de escape e instalar los tornillos. Apretar los tornillos de montaje a 16 pie-lb (22 Nm).

9. Instalar el depósito de fluido de lavado.

10. Instalar el protector contra salpicaduras trasero del motor.

11. Instalar los protectores térmicos derechos.

12. Conectar la clavija del sensor de oxígeno e instalar el conjunto de escape.

13. Conectar el cable negativo de la batería.

Motores M70/M73/S70

1. Desconectar el terminal negativo de la batería.

2. Sacar la parte superior del lado izquierdo del conjunto del filtro de aire, junto con el sensor de masa de aire.

3. Sacar la abrazadera de los tubos partidos derecho e izquierdo.

4. Sacar los protectores térmicos del múltiple izquierdo y del mecanismo de dirección.

5. Sacar los tornillos del múltiple/tubo partido de mano izquierda.

6. En el lado izquierdo, sacar los múltiples delantero y trasero junto con las juntas.

7. Sacar las tuercas de los pernos de anclaje. Sacar los pernos de anclaje en la culata de cilindros para el múltiple izquierdo.

8. Sacar la parte superior del lado derecho del conjunto del filtro de aire junto con el sensor de masa de aire.

9. Sacar el depósito de fluido de lavado del parabrisas.

10. Sacar el tubo guía de la varilla medidora del aceite.

11. Sacar los protectores térmicos en el múltiple derecho.

12. En el lado derecho, sacar los múltiples derecho e izquierdo junto con las juntas.

13. Sacar las tuercas de los pernos de anclaje. Sacar los pernos de anclaje del múltiple derecho en la culata de cilindros.

Para instalar:

14. Limpiar las superficies de montaje en los múltiples y la culata de cilindros. Comprobar el estado de los espárragos y, si es necesario, reemplazarlos.

15. Instalar los pernos de anclaje del múltiple derecho en la culata de cilindros. Instalar las tuercas sobre los pernos de anclaje.

16. En el lado derecho, instalar las juntas nuevas de los protectores térmicos del múltiple de escape e instalar los múltiples. Apretar las tuercas a 16-18 pie-lb (22-25 Nm). Utilizar tuercas autobloqueantes nuevas.

17. Instalar los protectores térmicos en el múltiple derecho.

18. Instalar el tubo guía de la varilla medidora del aceite.

19. Instalar el depósito de fluido de lavado del parabrisas.

20. Instalar la parte superior del lado derecho del conjunto del filtro del aire junto con el sensor de masa de aire.

21. Instalar los pernos de anclaje del múltiple izquierdo en la culata de cilindros. Instalar las tuercas en los pernos de anclaje.

22. En el lado izquierdo, instalar las juntas nuevas de los protectores térmicos del múltiple

de escape e instalar los múltiples. Apretar las tuercas a 16-18 pie-lb (22-25 Nm). Utilizar tuercas autobloqueantes nuevas.

23. Instalar los tornillos del múltiple/tubo partido en el lado izquierdo.

24. Instalar los protectores térmicos en el múltiple izquierdo y en el mecanismo de dirección.

25. Instalar la abrazadera en los tubos partidos derecho e izquierdo.

26. Instalar la parte superior del lado izquierdo del conjunto del filtro del aire junto con el sensor de masa de aire.

27. Conectar el terminal negativo de la batería. Arrancar el motor y comprobar si hay fugas.

ÁRBOL DE LEVAS Y LEVANTAVÁLVULAS

DESMONTAJE E INSTALACIÓN

Motores M42/M44

1. Desconectar el cable negativo de la batería.

2. Desatornillar la cubierta de la bobina de encendido y sacar los conectores de las bujías y las bujías. Sacar las tuercas de montaje y sacar el conjunto del encendido completo.

3. Desconectar y marcar todos los cables y las mangueras que puedan interferir en el desmontaje de la cubierta de la culata de cilindros. Colocarlos a un lado.

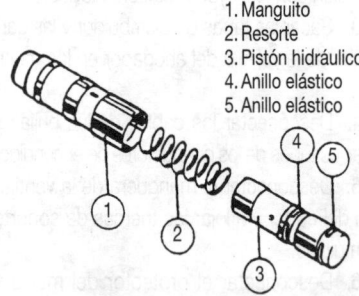

1. Manguito
2. Resorte
3. Pistón hidráulico
4. Anillo elástico
5. Anillo elástico

▲ **Componentes del ajustador hidráulico de holgura – Motores M42/M44**

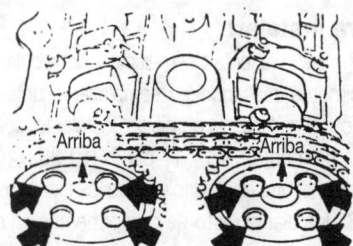

▲ **Cuando el motor está en el PMS en el cilindro N° 1, los engranajes de los árboles de levas deben colocarse como se muestra – Motores M42/M44**

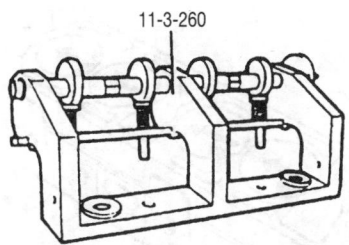

▲ Herramienta 11-3-260 de desmontaje del árbol de levas – Motores M42/M44

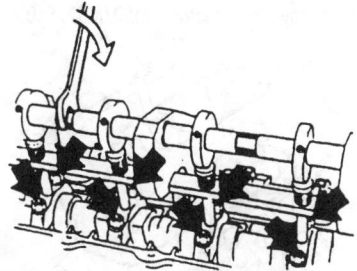

▲ Localizaciones de los tornillos de las tapas de cojinetes – Motores M42/M44

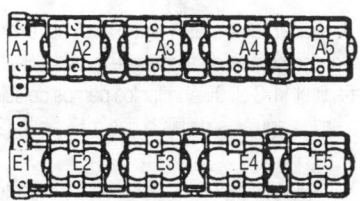

▲ Las tapas de cojinetes están marcadas del A1 al A5 en el lado de escape y del E1 al E5 en el lado de admisión – Motores M42/M44

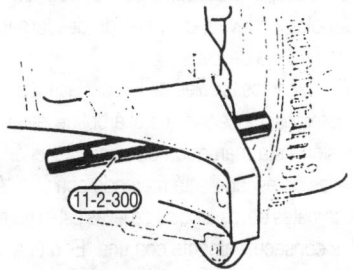

▲ Sujetar el cigüeñal en la posición del PMS, con la herramienta 11-2-300, o equivalente – Motores M42/M44

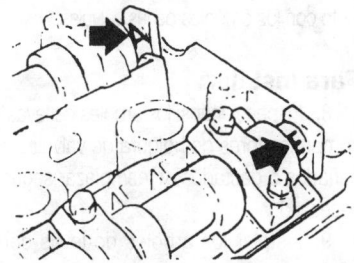

▲ Los árboles de levas están marcados con una "A" para el de escape y con una "E" para el de admisión – Motores M42/M44

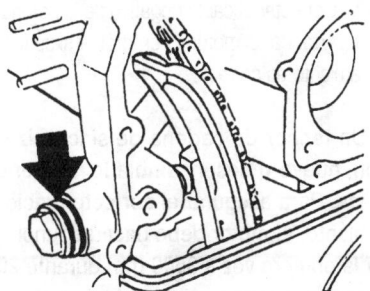

▲ Posición del tensor de cadena – Motores M42/M44

▲ Posición de la guía superior de la cadena – Motores M42/M44

4. Desatornillar y sacar la cubierta de la culata de cilindros.

5. Girar el cigüeñal en la dirección de rotación normal hasta que los lóbulos de leva de las levas de admisión y de escape del cilindro N° 1 se miren el uno al otro. Las flechas de los engranajes de la cadena de sincronización miran hacia arriba.

➡ **Si el árbol de levas se debe rotar con la cadena de sincronización y los engranajes desmontados, primero debe girarse el cigüeñal aproximadamente 90 grados desde la posición del PMS, en la dirección de la rotación del motor. En esta posición, se evitará el contacto entre las válvulas y los pistones.**

6. Para evitar perder la sincronización del encendido, montar la herramienta de sujeción del cigüeñal 11-2-300, o equivalente, en su posición.

7. Marcar la relación entre la cadena de sincronización y los engranajes.

8. Sacar el tensor de la cadena de sincronización.

9. Desatornillar y sacar la guía superior de la cadena.

10. Desatornillar y sacar la cadena de sincronización y los engranajes. Después de sacar la cadena de sincronización y los engranajes, suspenderlos.

11. Montar el dispositivo especial 11-3-260, o uno de equivalente, en los agujeros de las bujías y apretar a 17 pie-lb (23 Nm).

▼ AVISO ▼
Desmontar/instalar los árboles de levas sin el dispositivo, pueden dañarlos o romperlos.

12. Aplicar carga en las tapas de los cojinetes girando el eje excéntrico del dispositivo especial. Aflojar y sacar los tornillos de las tapas de los cojinetes.

13. Desatornillar y sacar el dispositivo especial. Sacar las tapas de los cojinetes y los árboles de levas. Los árboles de levas están marcados con una "A" para el escape y con una "E" para la admisión. Las tapas de los cojinetes están marcadas de la "A1 a la A5" para el lado de escape y de la "E1 a la E5" para el lado de admisión.

Para instalar:

14. Colocar los árboles de levas y las tapas de los cojinetes en sus posiciones. Observar la posición correcta de los árboles de levas de admisión y de escape. Observar también la posición de cada una de las tapas de los cojinetes. No apretar todavía las tapas de los cojinetes.

15. Alinear los árboles de levas de manera que los lóbulos de las levas de admisión y de escape se miren el uno al otro en el cilindro N° 1 (ver la nota superior). Los árboles de levas se pueden girar mediante el hexágono con una llave de 27 mm. Los árboles de levas pueden sujetarse en posición utilizando la herramienta especial de sujeción 11-3-240, o equivalente.

➡ **Los elementos de compensación de la holgura de la válvula se expanden siempre que el árbol de levas no aplica carga (árbol de levas desmontado) y, después de la instalación, requieren cierto espacio de tiempo antes de que se compriman de nuevo. Esperar siempre aproximadamente 10 minutos a temperatura ambiente de 68 °F (20 °C) después de la instalación del árbol de levas, antes de dar vueltas al motor. A temperaturas más bajas, dejar un tiempo de espera más largo.**

16. Montar el dispositivo especial 11-3-260, o uno equivalente, y aplicar carga a las tapas de los cojinetes girando el eje excéntrico del dispositivo especial. Apretar los tornillos de las tapas de los cojinetes M6 a 7 pie-lb (10 Nm), M7 a 11 pie-lb (15 Nm) o M8 a 15 pie-lb (20 Nm).

17. Instalar los engranajes de los árboles de levas y la cadena de sincronización. Apretar los tornillos de montaje M6 a 11 pie-lb (15 Nm) y todos los demás a 7 pie-lb (10 Nm). Asegurarse de que todas las marcas estén alineadas correctamente. Las flechas de los engranajes de la cadena de sincronización miran hacia ARRIBA.

18. Antes de instalar el tensor de la cadena de sincronización, ajustar la posición básica:

  a. Golpear la camisa exterior del tensor de cadena sobre una superficie dura. Esto hará que el pistón salte fuera del bloqueo.

  b. Reensamblar las piezas y sujetarlas en un tornillo de banco provisto de mordazas suaves.

  c. Empujar el tensor de cadena junto y adaptar el anillo elástico en el bisel deslizante de la camisa.

  d. Empujar de nuevo, nivelado junto, el tensor de cadena hasta que se oiga que el anillo elástico está encajado.

  e. Sacar el tensor de cadena del tornillo de banco e instalar el tensor de cadena en el motor y apretar a 29 pie-lb (40 Nm). Utilizando una herramienta adecuada, bajar y empujar el raíl del tensor de cadena contra el pistón hidráulico hasta que el elemento tensor se suelte.

➡ Después de sacar el tensor de la cadena de sincronización, el émbolo hidráulico está bloqueado y no se puede comprimir. Sin acción de resorte, la cadena o el tensor se romperían. Por esta razón, antes de instalar, el émbolo del tensor de la cadena de sincronización, debe ponerse en la posición básica.

19. Instalar la guía superior de la cadena de sincronización.

20. Comprobar la junta de la cubierta de la culata de cilindros y, si es necesario, reemplazarla. Instalar la cubierta de la culata de cilindros y comprobar si la junta está correctamente asentada en la trasera de la culata de cilindros. Apretar los tornillos de la cubierta a 7-11 pie-lb (10-15 Nm).

21. Conectar todos los cables y las mangueras. Instalar el conjunto completo de encendido, las bujías, los conectores de las bujías y la cubierta de la bobina de encendido.

▼ **AVISO** ▼

Antes de hacer funcionar el motor, sacar la herramienta de sujeción del cigüeñal.

22. Conectar el cable negativo de la batería.

23. Arrancar el motor y comprobar si su funcionamiento es correcto.

➡ Un tensor de cadena de sincronización, nuevo o desensamblado, no tiene aceite. Para asegurar el correcto funcionamiento, el motor debe hacerse funcionar la primera vez a 3500 rpm durante 20 segundos aproximadamente.

Motores M50/M52/S50

1. Desconectar el cable negativo de la batería.

2. Sacar la culata de cilindros.

➡ Para realizar esta operación se requieren herramientas especiales. Para el desmontaje y la instalación correctos de los árboles de levas y para retención de los compensadores de holgura de válvulas, se requieren las herramientas BMW 11-3-260/270/250, o equivalentes.

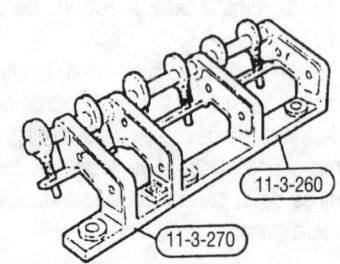

▲ Herramientas de desmontaje de árboles de levas 11-3-260 y 11-3-270 – Motores M50/M52/S50

▲ Localizaciones de los tornillos de las tapas de los cojinetes – Motores M50/M52/S50

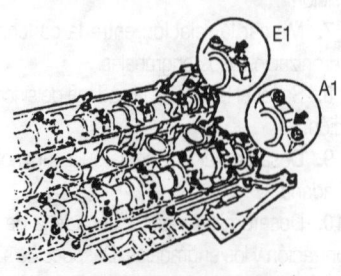

▲ Marcas ID de las tapas de los cojinetes – Motores M50/M52/S50

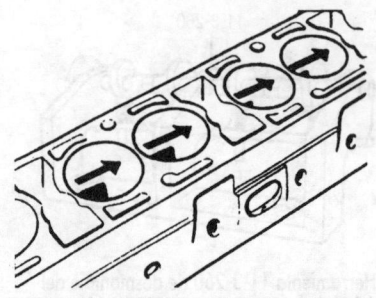

▲ Comprobar si las superficies de cojinete de los compensadores de holgura de válvulas están rayadas – Motores M50/M52/S50

▲ Marcas de la placa de cojinete – Motores M50/M52/S50

3. Sacar las bujías y acoplar el accesorio para el desmontaje de árboles de levas 11-3-260 (y añadir el 11-3-270). Apretar los pernos de sujeción en los agujeros de las bujías a 17 pie-lb (23 Nm).

4. Aplicar carga a las tapas de los cojinetes girando el eje excéntrico. Esto descarga la tensión sobre los tornillos de las tapas de cojinetes. Aflojar y sacar los tornillos de las tapas de cojinetes.

5. Sacar el dispositivo para el desmontaje de árboles de levas, después de descargar la tensión del eje de levas.

6. Sacar los árboles de levas y las tapas de los cojinetes. Observar que el árbol de levas de admisión está marcado con una "E" y el árbol de levas de escape está marcado con una "A". Los cojinetes de los árboles de levas están numerados consecutivamente con una "E" o una "A" para designar el lado de admisión o de escape.

7. Sujetar los compensadores de holgura de válvulas en su sitio utilizando la herramienta 11-3-250, o equivalente, y sacar la placa de contacto junto con los émbolos de las válvulas.

Para instalar:

8. Inspeccionar si los árboles de levas y los compensadores de holgura de válvulas están dañados o gastados, y reemplazar según sea necesario.

9. Instalar los árboles de levas con los vértices de los lóbulos de las levas de admisión y de escape del cilindro N° 1, apuntando el uno hacia el otro. Los planos de los extremos de los engranajes de los árboles de levas deben estar paralelos. El árbol de levas de escape está marcado con una muesca en la brida.

10. Instalar el dispositivo de sujeción. Colocar las tapas de los cojinetes dentro de su posición y presionar las tapas hacia abajo con la herramienta. Apretar los tornillos a 10-12 pie-lb (13-17 Nm).

11. Cuando los árboles de levas han sido sacados y reinstalados, es necesario un tiempo de espera que depende de la temperatura ambiente, antes de montar la culata de cilindros sobre el motor. A la temperatura ambiente esperar 4 minutos para permitir que los elevadores se compriman totalmente. A temperaturas de hasta 50 °F (10 °C) esperar 11 minutos. A temperaturas inferiores a 50 °F (10 °C) esperar 30 minutos. Esto es para evitar el contacto entre las válvulas y la parte superior de los pistones.

12. Bajo las mismas condiciones arriba indicadas, el motor no debe dar vueltas durante un periodo de 10 minutos a temperatura ambiente; de 30 minutos para temperaturas de hasta 50 °F (10 °C); de 75 minutos para temperaturas inferiores a 50 °F (10 °C).

Motores M60/M62

ÁRBOL DE LEVAS IZQUIERDO (BANCADA DE CILINDROS 5-8)

1. Desconectar el cable negativo de la batería.

2. Sacar las cubiertas de las culatas de cilindros derecha e izquierda.

3. Sacar todas las bujías.

4. Sacar la cubierta de la caja de sincronización superior izquierda.

5. Sacar el protector contra salpicaduras.

6. Sacar todas las líneas de aceite de las culatas de cilindros derecha e izquierda.

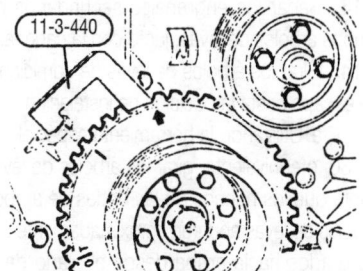

La abertura del engranaje de aumento debe ajustar en la herramienta especial 11-3-440 – Motores M60/M62

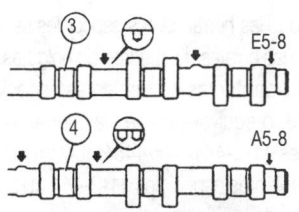

Identificación del árbol de levas del lado izquierdo (bancada de los cilindros 5 a 8): cabeza hexagonal (3) en el árbol de levas de admisión entre los cilindros 7 y 8, cabeza hexagonal (4) en el árbol de levas de escape entre los cilindros 5 y 6 – Motores M60/M62

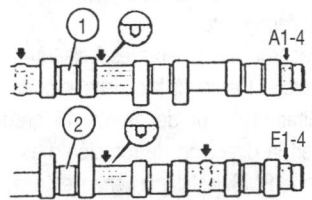

Identificación del árbol de levas del lado derecho (bancada de los cilindros 1 a 4): cabeza hexagonal (2) en el árbol de levas de admisión entre los cilindros 3 y 4, cabeza hexagonal (1) en el árbol de levas de escape entre los cilindros 1 y 2 – Motores M60/M62

Posicionamiento del árbol de levas – Motores M60/M62

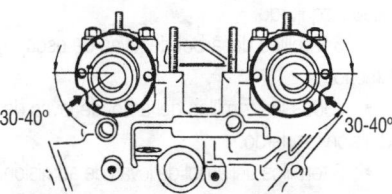

Instalación de los árboles de levas de mano izquierda: los huecos en los árboles de levas apuntan hacia abajo 30-40 grados aproximadamente, desde el plano de la culata de cilindros – Motores M60/M62

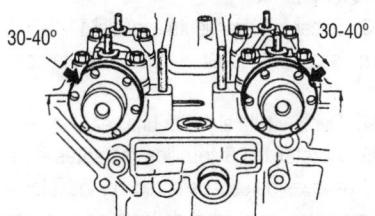

Instalación de los árboles de levas de mano derecha: Los huecos en los árboles de levas apuntan hacia arriba 30-40 grados aproximadamente, desde el plano de la culata de cilindros – Motores M60/M62

7. Girar el cigüeñal en la dirección de rotación hasta que el primer cilindro esté en posición PMS.

8. Apuntalar el árbol de levas con una llave de tuercas de extremo abierto adecuada sobre la cabeza hexagonal y aflojar los 3 tornillos accesibles en cada engranaje derecho aproximadamente ½ vuelta.

a. Dar la vuelta al motor una vez y aflojar los 3 tornillos restantes en cada engranaje derecho aproximadamente ½ vuelta.

b. Desatornillar y sacar el engranaje principal del árbol de levas de mano izquierda (bancada de cilindros 5-8). Asegurar la cadena para evitar que se caiga.

9. Girar el motor a 45 grados de la posición de montaje APMS (antes PMS). Girar el cigüeñal contra la dirección de rotación, hasta que el hueco en el engranaje de aumento se adapte en la herramienta especial 11-3-440, o una equivalente.

10. Sacar los tornillos de los árboles de levas de escape con una llave de tuercas, o equivalente.

11. Sacar los tornillos del engranaje del árbol de levas de escape. No sacar el engranaje.

12. Comprimir el tensor de la cadena e instalar la herramienta especial 11-3-420, o una equivalente, para fijar el tensor en su sitio.

13. Sacar los engranajes secundarios de ambos árboles de levas junto con la cadena.

14. Girar los árboles de levas de admisión y de escape hasta la posición de instalación:

a. Utilizando la herramienta especial 11-3-430, o una de equivalente, girar los árboles de levas hasta que los huecos en las bridas de ambos árboles de levas apunten 30-40 grados aproximadamente hacia abajo, desde el plano de la culata de cilindros.

b. Comprobar la posición de montaje instalando la herramienta especial 11-2-430, o una equivalente, en los árboles de levas. La designación de cilindro de la herramienta especial debe apuntar hacia arriba.

15. Aflojar ½ vuelta las tapas de los cojinetes de ambos árboles de levas, uniformemente, desde la parte exterior hacia la interior.

16. Sacar todas las tapas de cojinetes. Etiquetar cada tapa de cojinete para facilitar el reensamblaje y colocarlas a un lado.

17. Sacar los árboles de levas tomando nota de sus posiciones.

18. Para desmontar los levantaválvulas hidráulicos, utilizar la herramienta especial 11-3-250, para sacarlos de la culata de cilindros. Asegurarse de que no se producen daños a las guías en la culata. Inspeccionar si las superficies de contacto de los empujaválvulas (elevadores) están gastadas o rayadas.

Para instalar:

19. Si se han sacado los levantadores, instalarlos con la herramienta especial 11-32-250, o equivalente.

20. Lubricar e instalar los árboles de levas en su posición correcta.

➡ **El árbol de levas de admisión tendrá un hexágono entre los cilindros 7 y 8. El árbol de levas de escape tendrá el hexágono entre los cilindros 5 y 6.**

21. Girar los árboles de levas de admisión y de escape hasta la posición de instalación:

a. Utilizando la herramienta especial 11-3-430, o equivalente, girar los árboles de levas hasta que los huecos en las bridas de ambos árboles de levas apunten 30-40 grados aproximadamente hacia abajo, desde el plano de la culata de cilindros.

b. Comprobar la posición de instalación instalando una herramienta especial 11-2-430, o equivalente, en los árboles de levas. La designación de cilindro de la herramienta especial debe apuntar hacia arriba.

22. Instalar las tapas de cojinetes. Apretar las tapas de cojinetes, desde el exterior hacia el interior, en incrementos de $1/2$ vuelta. Apretar los tornillos a 9-13 pie-lb (12-17 Nm).

➡ **No confundir las tapas de los cojinetes de los árboles de levas de los cilindros N° 1-4 y 5-8. Las tapas de los cojinetes del árbol de levas de escape están marcadas A1-A5 desde el lado de admisión. Las tapas de los cojinetes del árbol de levas de admisión están marcadas E1-E5, desde el extremo de admisión.**

23. Adaptar la herramienta especial 11-3-430, o equivalente, al árbol de levas. Girar el árbol de levas hasta que los agujeros marcadores miren hacia arriba.

a. Instalar las herramientas especiales 11-2-442/446, o equivalentes, en el árbol de levas sobre la bancada de los cilindros 5-8.

b. Instalar las herramientas especiales 11-2-441/445, o equivalentes, en el árbol de levas sobre la bancada de los cilindros 1-4.

c. Utilizando una llave de extremo abierto adecuada, alinear todos los árboles de levas de tal

manera que las herramientas especiales se ajusten sobre las culatas de cilindros sin holguras.

d. Adaptar las herramientas especiales 11-2-443, o equivalentes, en las herramientas especiales 11-2-441/442/445/446 y fijarlas con las herramientas especiales 11-2-444 utilizando las roscas de las bujías.

24. Instalar los engranajes secundarios junto con la cadena en los árboles de levas sobre la bancada de los cilindros 5-8.

25. Instalar los tornillos sobre el engranaje del árbol de levas de escape y apretar con la mano ajustadamente.

26. Sacar la herramienta especial utilizada para bloquear el tensor de la cadena en posición.

27. Girar el motor desde los 45 grados APMS, en la dirección de rotación, hasta la posición del PMS. Instalar la herramienta especial 11-2-300 en el volante para bloquear el cigüeñal en la posición PMS.

28. Ensamblar el engranaje primario y la cadena en el árbol de levas de admisión con la flecha apuntando hacia arriba (en el eje del cilindro) y los agujeros largos alineados centralmente. Instalar los tornillos de forma ajustada.

29. Instalar la herramienta especial 11-3-390, o una equivalente, en la cubierta de la caja de sincronización derecha, y con una llave de apriete adecuada, tensar la herramienta a 1.3 Nm.

30. Apretar los engranajes a 11 pie-lb (15 Nm), en el orden siguiente:

- Todos los tornillos del árbol de levas de escape izquierdo.
- 3 tornillos del árbol de levas de escape derecho.
- Todos los tornillos del árbol de levas de admisión izquierdo.
- 3 tornillos del árbol de levas de admisión derecho.

31. Sacar las herramientas especiales 11-2-444/443/441/445.

32. Sacar las herramientas especiales 11-2-444/443/442/446.

33. Sacar la herramienta especial 11-2-300, utilizada para bloquear el cigüeñal en la posición PMS.

34. Dar la vuelta al motor una vez.

35. Apretar los 3 tornillos restantes en el árbol de levas de escape derecho y los 3 tornillos restantes en el árbol de levas de admisión derecho a 11 pie-lb (15 Nm).

36. Liberar la carga y sacar la herramienta especial 11-3-390, o equivalente, de la cubierta de la caja de sincronización derecha.

37. El resto de la instalación es inversa al procedimiento de desmontaje.

38. Arrancar el motor. Comprobar si hay fugas, y si el funcionamiento es correcto.

ÁRBOL DE LEVAS DERECHO (BANCADA DE CILINDROS 1-4)

1. Desconectar el cable negativo de la batería.

2. Sacar las cubiertas de las culatas de cilindros derecha e izquierda.

3. Sacar todas las bujías.

4. Sacar el conjunto del ventilador.

5. Sacar la cubierta superior de la caja de sincronización derecha.

6. Sacar el protector contra salpicaduras.

7. Sacar todas las líneas de aceite de las culatas de cilindros derecha e izquierda.

8. Girar el cigüeñal en la dirección de rotación, hasta que el primer cilindro esté en posición PMS.

9. Apuntalar el árbol de levas sobre la cabeza hexagonal, con una llave de extremo abierto adecuada, y aflojar los 3 tornillos accesibles en cada engranaje izquierdo aproximadamente $1/2$ vuelta.

a. Dar la vuelta al motor una vez y aflojar los 3 tornillos restantes en cada engranaje izquierdo aproximadamente $1/2$ vuelta.

b. Desatornillar y sacar el engranaje primario del árbol de levas de admisión de mano derecha (grupo de cilindros 1-4). Fijar la cadena para evitar que se caiga.

10. Girar el motor a 45 grados de la posición APMS. Girar el cigüeñal contra la dirección de rotación, hasta que el hueco en el engranaje de aumento se adapte en la herramienta especial 11-3-440, o equivalente.

11. Sacar los tornillos del engranaje del árbol de levas de escape. No sacar el engranaje.

12. Comprimir el tensor de la cadena e instalar la herramienta especial 11-3-420, o equivalente, para fijar el tensor en su sitio.

13. Sacar los engranajes secundarios de ambos árboles de levas, junto con la cadena.

14. Girar los árboles de levas de admisión y de escape hasta la posición de instalación:

a. Utilizando la herramienta especial 11-3-430, o equivalente, girar los árboles de levas hasta que los huecos de las bridas de ambos árboles de levas apunten aproximadamente 30-40 grados hacia arriba desde el plano de la culata de cilindros.

b. Comprobar la posición de instalación instalando la herramienta especial 11-2-430, o equivalente, en los árboles de levas. La designación de cilindro de la herramienta especial debe apuntar hacia arriba.

15. Aflojar uniformemente $1/2$ vuelta, las tapas de los cojinetes de ambos árboles de levas, desde la parte exterior hacia la interior.

16. Sacar todas las tapas de los cojinetes. Etiquetar cada tapa de cojinete para facilitar el reensamblaje, y colocarlas a un lado.

17. Sacar los árboles de levas tomando nota de sus posiciones.

18. Para sacar los levantaválvulas hidráulicos, utilizar la herramienta especial 11-3-250 para desmontarlos de la culata de cilindros. Asegurarse de que no se dañen las guías en la culata. Inspeccionar si las superficies de contacto de los levantaválvulas (levantadores) están dañadas o rayadas.

Para instalar:

19. Si se han sacado los levantadores, lubricarlos e instalarlos con la herramienta especial 11-32-250, o equivalente.

20. Lubricar e instalar los árboles de levas en sus posiciones correctas.

➡ **El árbol de levas de admisión tiene un hexágono entre los cilindros 3 y 4. El árbol de levas de escape tiene el hexágono entre los cilindros 1 y 2.**

21. Girar los árboles de levas de admisión y de escape a las posiciones de instalación:

a. Utilizando la herramienta especial 11-3-430, o equivalente, girar los árboles de levas hasta que los huecos en las bridas de ambos árboles de levas apunten aproximadamente 30-40 grados hacia arriba, desde el plano de la culata de cilindros.

b. Comprobar la posición de instalación instalando la herramienta especial 11-2-430, o equivalente, en los árboles de levas. La designación de cilindro de la herramienta especial debe apuntar hacia arriba.

22. Instalar las tapas de los cojinetes. Apretar las tapas de los cojinetes, desde la parte exterior hacia la interior, en incrementos de $1/2$ vuelta. Apretar los tornillos a 9-13 pie-lb (12-17 Nm).

➡ **No confundir las tapas de los cojinetes de los árboles de levas de los cilindros 1-4 y 5-8. Las tapas de los cojinetes del árbol de levas de escape están marcadas A1-A5 desde el lado de admisión. Las tapas de los cojinetes del**

árbol de levas de admisión están marcadas E1-E5 desde el extremo de admisión.

23. Adaptar la herramienta especial 11-3-430, o equivalente, al árbol de levas. Girar el árbol de levas hasta que los agujeros marcados miren hacia arriba.

a. Instalar las herramientas especiales 11-2-442/446, o equivalentes, en los árboles de levas sobre la bancada de los cilindros 5-8.

b. Instalar las herramientas especiales 11-2-441/445, o equivalentes, en los árboles de levas sobre la bancada de los cilindros 1-4.

c. Utilizando una llave de extremo abierto adecuada, alinear todos los árboles de levas de manera que las herramientas especiales se adapten en las culatas de cilindros sin ningún huelgo.

d. Adaptar la herramienta especial 11-2-443, o equivalente, a las herramientas especiales 11-2-441/442/445/446 y fijarlas con la herramienta especial 11-2-444 utilizando roscas de bujías.

24. Instalar los engranajes secundarios junto con la cadena, sobre los árboles de levas en la bancada de los cilindros 1-4.

25. Instalar los tornillos en el engranaje del árbol de levas de escape y apretar a mano, de forma ajustada.

26. Sacar la herramienta especial, utilizada para fijar el tensor de la cadena en posición.

27. Girar el motor desde los 45 grados APMS, en la dirección de rotación, hasta la posición del PMS. Instalar la herramienta especial 11-2-300 en el volante para bloquear el cigüeñal en la posición del PMS.

28. Ensamblar el engranaje principal/cadena con la clavija de sensor en el árbol de levas de admisión, con la flecha apuntando hacia arriba (en el eje de cilindros) y los agujeros largos, alineados centralmente. Instalar los tornillos a mano de manera ajustada.

29. Instalar la herramienta especial 11-2-400, o equivalente, en la culata de cilindros derecha (bancada de los cilindros 1-4). Instalar la herramienta especial 11-3-390 en la herramienta especial 11-2-400. Utilizando una llave de apriete adecuada, tensar la herramienta a 1.3 Nm.

30. Apretar los engranajes a 11 pie-lb (15 Nm) en el orden siguiente:

• 3 tornillos del árbol de levas de escape izquierdo.

• Todos los tornillos del árbol de levas de escape derecho.

• 3 tornillos del árbol de levas de admisión izquierdo.

• Todos los tornillos del árbol de levas de admisión derecho.

31. Sacar las herramientas especiales 11-2-444/443/441/445.

32. Sacar las herramientas especiales 11-2-444/443/442/446.

33. Sacar la herramienta especial 11-2-300 utilizada para bloquear el cigüeñal en la posición del PMS.

34. Dar la vuelta al motor una vez.

35. Apretar los 3 tornillos restantes del árbol de levas de escape izquierdo y los 3 tornillos restantes del árbol de levas de admisión izquierdo a 11 pie-lb (15 Nm).

36. Liberar la carga y sacar la herramienta especial 11-3-390 y 11-2-400.

37. Instalar los componentes restantes en el orden inverso al del desmontaje.

38. Arrancar el motor. Comprobar si hay fugas y si el funcionamiento es correcto.

Motores M70/M73/S70

1. Desconectar el cable negativo de la batería. Drenar el sistema de refrigeración y sacar el conjunto del ventilador.

2. Sacar ambos múltiples de admisión y las cajas de los distribuidores.

3. Desconectar los montajes de goma redondos, los tornillos y las tuercas. Sacar las cubiertas de ambas culatas de cilindros.

4. Sacar los tornillos de montaje y sacar la cubierta de sincronización superior.

5. Colocar el motor en el PMS. Instalar una sujeción en el cigüeñal. Las válvulas de los cilindros uno y siete están cerradas. Las clavijas de centrado en los árboles de levas deben mirarse la una a la otra.

6. Con un destornillador, desprecintar el precinto antimanipulación del tensor de cadena. Aflojar la tuerca, luego aflojar el tornillo de reglaje varias vueltas, después desatornillar el tapón. Sacar el pistón tensor de la correa de sincronización, con cuidado de no perder el resorte que hay entre el tapón y el pistón.

7. Sacar los tornillos de montaje de la guía de la cadena de sincronización, y sacar la guía. Sacar el raíl tensor.

8. Sacar los tornillos de montaje de los engranajes de los árboles de levas y, con cuidado, sacar los engranajes. No permitir que la cadena de sincronización caiga dentro del motor.

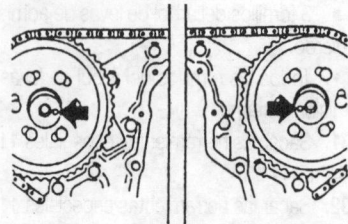

▲ En el PMS, las clavijas de centrado en los engranajes de los árboles de levas, deben mirarse la una a la otra – Motores M70/M73/S70

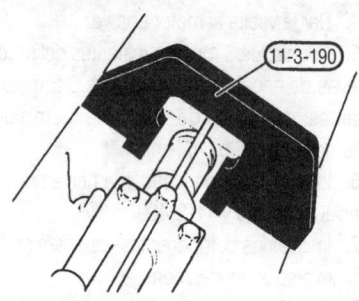

(11-3-190)

▲ Indicador de la alineación del árbol de levas – Motores M70/M73/S70

9. Sacar los tornillos de montaje del tubo de aceite de la parte superior de los cojinetes del árbol de levas.

10. Desatornillar las tapas de los cojinetes y sacar el árbol de levas.

▼ AVISO ▼

Las tapas de los cojinetes están emparejadas con los cojinetes, no confundir el orden de las tapas.

Para instalar:

11. Con el cigüeñal colocado en el PMS, instalar el árbol de levas con la clavija de centrado mirando hacia el centro del motor. Colocar las tapas de los cojinetes e instalar los tornillos de montaje desde el interior hacia el exterior. Apretar los tornillos a 11 pie-lb (15 Nm).

12. Sujetar ambos árboles de levas en posición con la herramienta especial 11-3-190.

13. Montar los tubos de aceite con los agujeros de salida del aceite mirando hacia el árbol de levas. Instalar el tornillo hueco de unión en la cubierta de los cojinetes. Instalar los tornillos de montaje y apretar a 9 pie-lb (12 Nm).

14. Instalar los tornillos de montaje de los engranajes del árbol de levas, apretándolos con la mano. Colocar la cadena de sincronización sobre los engranajes, en la dirección opuesta a la rotación del motor, empezando en el cigüeñal. Verificar que la cadena de sincronización esté correctamente alineada en todos los engranajes, y sacar la sujeción del cigüeñal.

15. Colocar e instalar la guía de la cadena de sincronización, y el raíl tensor.

16. Instalar el tensor de la cadena de sincronización.

17. Apretar los tornillos del engranaje del árbol de levas a 7 pie-lb (10 Nm).

18. Instalar la cubierta de sincronización superior y una junta nueva.

19. Instalar las cubiertas de la culata de cilindros.

20. Instalar ambos múltiples de admisión y las cajas de los distribuidores.

21. Instalar el conjunto del ventilador. Llenar y sangrar el sistema de refrigeración.

22. Conectar el cable negativo de la batería.

HOLGURA DE VÁLVULAS

AJUSTE

Todos los motores están equipados con ajustadores hidráulicos de holguras de válvulas. Este diseño no requiere ajustes, ni hay ajustes posibles.

DEPÓSITO DE ACEITE

DESMONTAJE E INSTALACIÓN

Motores M42/M44

1. Desconectar el cable negativo de la batería. Levantar y soportar con seguridad el vehículo.

2. Drenar el aceite del motor.

3. Desconectar el tubo de escape, si es necesario.

4. Sacar los tornillos de montaje del depósito de aceite inferior y sacar el depósito de aceite inferior. Sacar los tornillos de la sección superior del depósito de aceite y sacar el depósito de aceite superior.

Para instalar:

5. Limpiar las superficies de montaje e instalar juntas nuevas.

6. Colocar el depósito de aceite contra el motor e instalar los tornillos de montaje. Apretar los tornillos de montaje a 6 pie-lb (9 Nm).

7. Instalar el tubo de escape, si se ha sacado.

8. Instalar y apretar el tapón de drenaje del depósito de aceite, después llenar el motor con la cantidad y la viscosidad correcta de aceite de motor limpio.

9. Bajar el vehículo y conectar el cable negativo de la batería.

10. Arrancar el motor y comprobar que hay presión de aceite; si la lámpara de la presión no se apaga pasados los 5-7 segundos siguientes, después de arrancar el motor, APAGAR el motor. Comprobar si hay alguna fuga de aceite.

Motores M50/M52/S50

SERIE 3

1. Desconectar el cable negativo de la batería. Levantar y soportar con seguridad el vehículo. Drenar el aceite del motor.

2. Sacar el protector contra salpicaduras delantero inferior, si es necesario.

3. Desconectar el terminal eléctrico de la unidad transmisora de aceite.

4. Sacar el mecanismo de la dirección asistida del soporte del eje delantero, si es necesario.

5. Sacar la cubierta del volante.

6. Sacar los tornillos del depósito de aceite y bajar el depósito de aceite. Sacar los tornillos del depósito de aceite y sacar la bomba de aceite, y el depósito de aceite.

Para instalar:

7. Antes de instalar el depósito de aceite, limpiar las superficies de junta e instalar una junta nueva en el depósito de aceite.

8. Cubrir las uniones sobre los extremos de la cubierta delantera del motor con un compuesto sellador universal.

9. Instalar la cubierta del volante.

10. Si se ha sacado el mecanismo de la dirección asistida, asegurarse de llenar y sangrar este sistema.

11. Conectar el cableado eléctrico en la unidad transmisora de aceite.

12. Instalar el protector contra salpicaduras delantero inferior, si se ha sacado.

13. Instalar y apretar el tapón de drenaje del depósito de aceite, después llenar el motor con la viscosidad y cantidad correcta de aceite de motor limpio.

14. Bajar el vehículo y conectar el cable negativo de la batería.

15. Arrancar el motor y comprobar si hay presión de aceite; si la lámpara de la presión del aceite no se apaga durante los 5-7 segundos siguientes después de arrancar el motor, APAGAR el motor. Comprobar si hay alguna fuga de aceite.

SERIE 5

1. Desconectar el terminal negativo de la batería y levantar y soportar con seguridad el vehículo. Drenar el aceite del motor.

2. Aflojar el tornillo de sujeción del tubo guía de la varilla medidora del aceite y sacar la abrazadera. Liberar el tubo guía del depósito.

3. Sacar todos los tornillos del depósito de aceite y sacar el depósito. Si se necesita más espacio, levantar un poco el motor.

Para instalar:

4. Aplicar selladora a la unión entre el depósito, la cubierta delantera y el bloque.

5. Instalar juntas nuevas e instalar el depósito. Apretar los tornillos de montaje a 6.5-8.0 pie-lb (9-11 Nm).

6. Instalar el tubo guía de la varilla medidora, utilizando un sello de base nuevo y apretar el tornillo de sujeción.

Motores M60/M62

1. Desconectar el cable negativo de la batería.

2. Sacar la cubierta del múltiple de admisión. Sacar las grapas de sujeción superiores del radiador.

3. Sacar el ventilador de refrigeración.

4. Sacar el tubo guía de la varilla medidora del aceite.

5. Sacar los protectores contra salpicaduras del motor.

6. Sacar la cubierta del filtro de aceite, de manera que el aceite vuelva hacia el depósito. Drenar el aceite del motor. Desconectar la clavija del interruptor de nivel.

7. Sacar los tornillos del depósito de aceite inferior y sacar el depósito de aceite inferior. Sacar la junta y limpiar las superficies de montaje.

8. Desconectar los montajes derecho e izquierdo del motor, en la parte inferior.

9. Desatornillar la bomba de la dirección asistida del soporte. En las transmisiones automáticas, sacar los tubos del aceite de la bomba de la dirección asistida.

10. Sacar el tornillo hueco de unión del tubo de retorno del aceite, del filtro de aceite al depósito de aceite.

11. Sacar el tornillo de montaje del engranaje de la bomba del aceite y sacar el engranaje junto con la cadena.

12. Sacar los tres tornillos de montaje de la bomba de aceite y sacar la bomba de aceite. Sacar los tubos de aceite fuera del cárter.

13. Levantar el motor por el gancho de izada delantero. Mientras se levanta el motor, observar la distancia entre el motor y el cortafuegos.

14. Desatornillar los tornillos del depósito de aceite superior y sacar el depósito de aceite superior.

Para instalar:

15. Limpiar las superficies de montaje e instalar una junta nueva.

16. Instalar el depósito de aceite superior y apretar los tornillos a 7-8 pie-lb (9-11 Nm).

17. Bajar el motor.

18. Comprobar los sellos de los tubos de aceite y, si es necesario, reemplazarlos. Lubricar los sellos con aceite y los tubos de aceite.

19. Comprobar el sello de la bomba de aceite y, si es necesario, reemplazarlo. Volver a atornillar el adaptador hexagonal dentro de la bomba de aceite hasta que haga tope.

20. Colocar la bomba de aceite e instalar los dos tornillos de montaje del lado derecho de la bomba de aceite. Apretar los tornillos a 14-17 pie-lb (20-24 Nm). Colocar la cadena sobre la bomba y el engranaje, e instalar el engranaje. Apretar el tornillo a 35 pie-lb (47 Nm). Verificar que la cadena esté correctamente colocada.

21. Ajustar la flecha de la cadena a 0.315-0.472 plg (8-12 mm), girando el adaptador hexagonal de la bomba de aceite. Instalar el tornillo de montaje del lado izquierdo.

22. Instalar el tornillo hueco de unión del tubo de retorno del aceite, del filtro del aceite al depósito de aceite.

23. Instalar la bomba de la dirección asistida y conectar las líneas de aceite (si está equipado).

24. Asegurarse de conectar la conexión de la banda de tierra. Conectar los montajes derecho e izquierdo del motor en la parte inferior y apretar a 32 pie-lb (43 Nm).

➡ **Si el depósito de aceite inferior se reemplaza, sacar el interruptor de nivel del depósito usado e instalarlo en el depósito nuevo, con una junta tórica nueva.**

25. Colocar el depósito de aceite inferior con una junta nueva. Instalar los tornillos y apretar a 7-8 pie-lb (9-11 Nm), empezando por el medio y trabajando hacia el exterior.

26. Conectar la clavija del interruptor de nivel, asegurándose de reemplazar la junta tórica.

27. Instalar los protectores contra salpicaduras.

28. Instalar el tubo guía de la varilla medidora del aceite, asegurándose de reemplazar la junta tórica. Instalar el ventilador de refrigeración.

29. Instalar la cubierta del múltiple de admisión. Instalar las grapas de sujeción de la parte superior sobre el radiador.

30. Llenar el aceite del motor. Conectar el cable negativo de la batería.

Motores M70/M73/S70

SERIE 7

1. Desconectar el cable negativo de la batería. Levantar y soportar con seguridad el vehículo.

2. Sacar la transmisión y el conjunto de la bomba de aceite. Bajar el vehículo.

3. Desconectar y sacar el depósito de lavado del parabrisas y el depósito de expansión del fluido refrigerante.

4. Sacar el tubo guía de la varilla medidora del aceite. Desconectar el tubo de aceite de la bomba tándem. Sacar el soporte de montaje.

5. Desatornillar el tensor de la correa y sacar la manguera de drenaje del aceite.

6. Girar el motor hasta el PMS y desatornillar el volante utilizando una herramienta correcta.

7. Desconectar los montajes derecho e izquierdo del motor en la parte inferior. Sacar el adaptador del tubo de la extracción del aceite.

8. Sacar las consolas de la bomba de aceite. Desatornillar los tornillos del depósito de aceite y sacar el depósito de aceite.

Para instalar:

9. Limpiar las superficies de montaje e instalar una junta nueva.

10. Instalar el depósito de aceite y apretar los tornillos de montaje a 7 pie-lb (11 Nm).

11. Conectar los montajes derecho e izquierdo del motor en la parte inferior y apretar a 32.5 pie-lb (43 Nm).

12. Recolocar las consolas de la bomba de aceite y apretar a 25 pie-lb (34 Nm).

13. Instalar el volante y apretar los tornillos a 72 pie-lb (97 Nm).

14. El resto de la instalación es el procedimiento inverso al de desmontaje.

SERIE 8

1. Desconectar el cable negativo de la batería. Levantar y soportar con seguridad el vehículo.

2. Sacar la transmisión y el conjunto de la bomba de aceite. Bajar el vehículo.

3. Desconectar y sacar el depósito de lavado del parabrisas y el depósito de expansión del fluido refrigerante.

4. Sacar el tubo guía de la varilla medidora del aceite. Desconectar el tubo de aceite de la bomba tándem. Sacar el soporte de montaje.

5. Desatornillar el tensor de la correa y sacar la manguera de drenaje del aceite.

6. Girar el motor hasta el PMS y desatornillar el volante utilizando la herramienta correcta.

7. Desconectar los montajes derecho e izquierdo del motor, en la parte inferior. Sacar el adaptador del tubo para la extracción de aceite.

8. Sacar las consolas de la bomba de aceite. Desatornillar los tornillos del depósito de aceite y sacar el depósito de aceite.

Para instalar:

9. Limpiar las superficies de montaje e instalar una junta nueva.

10. Instalar el depósito de aceite y apretar los tornillos de montaje a 7 pie-lb (11 Nm).

11. Conectar los montajes derecho e izquierdo del motor en la parte inferior y apretar a 32.5 pie-lb (43 Nm).

12. Recolocar las consolas de la bomba de aceite y apretar a 25 pie-lb (34 Nm).

13. Instalar el volante y apretar los tornillos a 72 pie-lb (97 Nm).

14. El resto de la instalación es el procedimiento inverso al de desmontaje.

BOMBA DE ACEITE

DESMONTAJE E INSTALACIÓN

Motores M42/M44

1. Desconectar el cable negativo de la batería.

2. Levantar y soportar con seguridad el vehículo.

3. Sacar la cubierta de la caja de sincronización.

4. Desconectar los tornillos de montaje de la cubierta de la bomba de aceite y sacar el conjunto de la bomba de aceite.

Para instalar:

5. Limpiar las superficies de montaje de la bomba de aceite, después colocar la bomba de aceite sobre el motor. Instalar los tornillos de montaje de la cubierta de la bomba de aceite.

6. Instalar la cubierta de la caja de sincronización.

7. Instalar y apretar el tapón de drenaje del depósito de aceite, después llenar el motor con la viscosidad y la cantidad correcta de aceite de motor limpio.

8. Bajar el vehículo y conectar el cable negativo de la batería.

9. Arrancar el motor y comprobar que hay presión de aceite; si la lámpara de la presión del aceite no se apaga durante los 5-7 segundos siguientes después de arrancar el motor, APAGAR el motor. Comprobar si hay alguna fuga de aceite.

Motores M50/M52/S50

1. Levantar y soportar con seguridad el vehículo. Desconectar el cable negativo de la batería. Drenar el aceite del motor. Sacar el depósito de aceite para acceder al engranaje propulsor de la bomba de aceite.

2. Sacar la tuerca del engranaje propulsor de la bomba de aceite. Tener en cuenta que es una rosca levógira. Sacar el engranaje propulsor de la bomba de aceite del eje de la bomba de aceite. Comprobar las estrías del eje.

3. Desatornillar el cuerpo de la bomba de aceite del bloque y sacarla. Comprobar el estado de las camisas de centrado.

Para instalar:

4. Limpiar las superficies de montaje de la bomba de aceite, después colocar la bomba de aceite sobre el motor. Instalar los tornillos de montaje del cuerpo de la bomba de aceite a 16 pie-lb (22 Nm).

5. Instalar el engranaje propulsor de la bomba de aceite, sobre el eje de la bomba de aceite. Instalar la tuerca del engranaje propulsor de la bomba de aceite a 18 pie-lb (25 Nm). La tuerca del engranaje debe apretarse en el sentido contrario al de las agujas del reloj; tiene una rosca levógira o inversa.

6. Instalar el depósito de aceite.

7. Instalar y apretar el tapón de drenaje del depósito de aceite, después llenar el motor con la viscosidad y la cantidad correcta de aceite de motor limpio.

8. Bajar el vehículo y conectar el cable negativo de la batería.

9. Arrancar el motor y comprobar que hay presión de aceite; si la lámpara de la presión del aceite no se apaga durante los 5-7 segundos siguientes después de arrancar el motor, APAGAR el motor. Comprobar si hay alguna fuga de aceite.

Motores M60/M62

1. Desconectar el cable negativo de la batería.

2. Sacar el depósito de aceite inferior.

3. Desconectar los montajes derecho e izquierdo del motor en la parte inferior.

4. Desatornillar la bomba de la dirección asistida en el soporte. En las transmisiones automáticas, sacar los tubos de aceite en la bomba de la dirección asistida.

5. Sacar el tornillo hueco de unión para el tubo de retorno de aceite, del filtro de aceite al depósito de aceite.

6. Sacar el tornillo de montaje del engranaje de la bomba de aceite y sacar el engranaje junto con la cadena.

7. Sacar los tres tornillos de montaje de la bomba de aceite y sacar la bomba de aceite. Sacar los tubos de aceite fuera del cárter.

Para instalar:

8. Comprobar los sellos en los tubos de aceite y, si es necesario, reemplazarlos. Lubricar los sellos con aceite y los tubos de aceite.

9. Comprobar el sello en la bomba de aceite y, si es necesario, reemplazarlo. Volver a atornillar el adaptador hexagonal dentro de la bomba de aceite hasta que haga tope.

10. Colocar la bomba de aceite e instalar los dos tornillos de montaje del lado derecho de la bomba de aceite. Apretar los tornillos a 14-17 pie-lb (20-24 Nm). Colocar la cadena sobre la bomba y el engranaje e instalar el engranaje. Apretar el tornillo a 35 pie-lb (47 Nm). Verificar que la cadena esté correctamente colocada.

11. Ajustar la flecha de la cadena a 0.315-0.472 plg (8-12 mm), girando el adaptador hexagonal en la bomba de aceite. Instalar el tornillo de montaje del lado izquierdo.

12. Instalar el tornillo hueco de unión del tubo de retorno de aceite, del filtro de aceite al depósito de aceite.

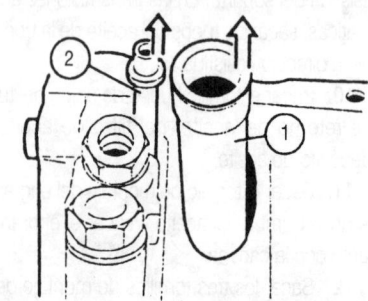

▲ Localización del tubo de aceite nuevo (1) y del tubo de aceite puro (2) – Motores M60/M62

13. Instalar la bomba de la dirección asistida y conectar las líneas de aceite (si está equipado).

14. Instalar el depósito de aceite inferior.

15. Llenar el aceite del motor. Conectar el cable negativo de la batería.

Motores M70/M73/S70

1. Desconectar el cable negativo de la batería y sacar el depósito de aceite.

2. Sacar los tornillos que retienen el engranaje en el eje de la bomba de aceite y sacar el engranaje.

3. Sacar los tornillos de retención de la bomba de aceite y bajar la bomba de aceite del bloque de cilindros. Hay 3 tornillos en la parte delantera y 2 tornillos que sujetan la parte trasera del succionador de aceite en el extremo inferior de un soporte de apoyo. Es necesario sacar los 5 tornillos.

4. No soltar las calzas de ajuste de la cadena de las 2 posiciones de montaje.

Para instalar:

5. Añadir o sustraer calzas entre el cuerpo de la bomba de aceite y el bloque de cilindros para obtener un pequeño movimiento de la cadena bajo la ligera presión del dedo pulgar.

6. Instalar la bomba de aceite en su sitio.

➡ **Cuando se utilizan, el grosor de los 2 ajustes debe ser el mismo. Una vez que el ajuste de calzas esté completo, apretar el soporte de la bomba en el extremo del succionador para evitar esfuerzos sobre la bomba.**

7. Después de que los tornillos de montaje principal de la bomba estén apretados, aflojar los tornillos en el soporte, sobre la parte trasera del succionador, permitiendo que el succionador asuma su posición más natural. Esto descargará la tensión sobre el soporte.

8. El resto de la instalación es el procedimiento inverso al de desmontaje.

9. Instalar el depósito de aceite.

10. Instalar y apretar el tapón de drenaje del depósito de aceite, después llenar el motor con la viscosidad y la cantidad correcta de aceite de motor limpio.

11. Bajar el vehículo y conectar el cable negativo de la batería.

12. Arrancar el motor y comprobar si hay presión de aceite; si la lámpara de la presión de aceite no se apaga durante los 5-7 segundos

después de arrancar el motor, APAGAR el motor. Comprobar si hay alguna fuga de aceite.

SELLO DE ACEITE PRINCIPAL TRASERO

DESMONTAJE E INSTALACIÓN

El sello de aceite principal trasero puede ser sustituido una vez que la transmisión y el embrague/volante o el convertidor/volante hayan sido sacados del motor.

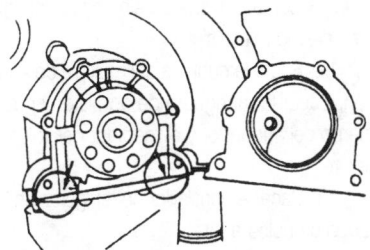

▲ Aplicar selladora a las juntas (tal como se muestra) durante la instalación del cuerpo del sello de aceite principal trasero

1. Levantar y soportar con seguridad el vehículo. Drenar el aceite del motor y aflojar los tornillos del depósito de aceite. Utilizar con cuidado una herramienta afilada de hoja plana para separar la junta del depósito de aceite de la superficie inferior del cuerpo de la cubierta del extremo.

2. Sacar los 2 tornillos traseros del depósito de aceite.

3. Sacar los tornillos alrededor de la parte exterior del cuerpo de la cubierta y sacar el cuerpo de la cubierta del extremo del bloque de cilindros. Sacar la junta de la superficie del bloque.

4. Sacar el sello del cuerpo.

Para instalar:

5. Cubrir los labios de sellado del sello nuevo con aceite. Instalar el sello nuevo dentro del cuerpo de la cubierta del extremo, con una herramienta instaladora de sellos especial. En los motores de 6 cilindros, presionar el sello hasta que esté aproximadamente 0.039-0.079 plg (0.991-2.070 mm), más hundido que el sello estándar, que estaba instalado a nivel.

6. Mientras la cubierta está fuera, comprobar el tapón en el extremo trasero de la galería de aceite principal. Si el tapón presenta señales de fugas, reemplazarlo por otro, cubriéndolo con la selladora adecuada, para mantenerlo en su sitio.

➡ **Antes de la instalación, llenar con grasa la cavidad entre los labios selladores del sello.**

7. Cubrir con selladora la superficie de unión entre el depósito de aceite y la cubierta del extremo. Utilizando una junta nueva, instalar la cubierta del extremo sobre el bloque de cilindros y atornillarla en su sitio.

8. Instalar el resto de los componentes en el orden opuesto al que se han sacado.

9. Instalar y apretar el tapón de drenaje del depósito de aceite, después llenar el motor con la viscosidad y la cantidad correcta de aceite de motor limpio.

10. Bajar el vehículo y conectar el cable negativo de la batería.

11. Arrancar el motor y comprobar que haya presión de aceite; si la lámpara de la presión del aceite no se apaga durante los 5-7 segundos después de arrancar el motor, APAGAR el motor. Comprobar si hay alguna fuga de aceite.

CADENA DE SINCRONIZACIÓN, ENGRANAJES, CUBIERTA DELANTERA Y SELLO DE ACEITE

DESMONTAJE E INSTALACIÓN

Motores M42/M44 y M50/M52/S50

1. Desconectar el cable negativo de la batería.

2. Drenar el sistema de refrigeración y sacar el conjunto del radiador y del ventilador.

3. Sacar las correas propulsoras y cualquier accesorio que bloquee el acceso a la cubierta de sincronización. Sacar el protector contra salpicaduras del motor, si es necesario.

4. Sacar el amortiguador de vibraciones utilizando la herramienta correcta. Desatornillar el tornillo central y sacar el cubo del amortiguador de vibraciones.

5. Sacar los tornillos de la cubierta de la caja de sincronización y sacar la cubierta de sincronización.

➡ **La cubierta de la caja de sincronización puede sacarse sin sacar la bomba de agua.**

6. Desatornillar la guía superior de la cadena y el tornillo superior sobre la guía derecha de la cadena.

7. Sacar los engranajes de la cadena de sincronización y después sacar la cadena. Sacar la guía de la cadena de sincronización.

8. Sacar el raíl tensor, si es necesario. Sacar el engranaje del cigüeñal con la herramienta correcta y sacar la chaveta Woodruff.

9. Sacar el rodillo inversor, si es necesario.

➡ **El rodillo inversor sólo puede reemplazarse junto con los cojinetes.**

Para instalar:

10. Instalar la chaveta Woodruff dentro del chavetero del cigüeñal. Deslizar el engranaje del cigüeñal sobre el extremo del cigüeñal con la chaveta alineada con el chavetero en el cigüeñal. Utilizar el tornillo de montaje central para introducir el engranaje del todo en su sitio.

11. Los componentes restantes se instalan en el orden inverso al que se han sacado. Asegurarse de apretar los tornillos del engranaje del árbol de levas a 16 pie-lb (22 Nm), los tornillos M6 de la cubierta de sincronización a 6.5-8.0 pie-lb (9-11 Nm) y los tornillos M8 de la cubierta de sincronización a 16 pie-lb (22 Nm), el tornillo del cubo del amortiguador de vibraciones a 295 pie-lb (410 Nm) y los tornillos del amortiguador de vibraciones a 17 pie-lb (23 Nm). Utilizar selladora en las intersecciones de la cubierta de sincronización y el depósito.

12. Conectar el cable negativo de la batería, arrancar el motor y comprobar si hay fugas.

Motores M60/M62

1. Desconectar el cable negativo de la batería.

2. Sacar la cubierta de sincronización superior izquierda como sigue:

a. Sacar la cubierta de la culata de cilindros izquierda.

b. Sacar el alternador.

c. Sacar la cubierta del filtro de aceite. Desatornillar el tubo de retorno del cuerpo del filtro de aceite. Sacar las tuercas de retención del cuerpo del filtro de aceite de flujo total y sacar el cuerpo del filtro de aceite.

d. Sacar el cable positivo de la batería del alternador. Sacar los tornillos de montaje del tubo protector y mover el cable a un lado.

e. Sacar los nueve tornillos de montaje de la caja de sincronización y sacar la caja de sincronización.

3. Sacar la cubierta de sincronización derecha y los tensores tal como sigue:

a. Sacar la cubierta de la culata de cilindros derecha.

b. Sacar la parte superior del filtro de aire junto con el sensor de masa del flujo de aire.

c. Desatornillar el elemento de montaje del tensor de la cadena de sincronización del lado de la cubierta. Sacar el elemento de montaje y el tensor hidráulico completos.

d. Sacar el tornillo del transmisor del árbol de levas.

e. Sacar el tornillo de montaje superior del tubo guía de la varilla medidora del aceite. Sacar la tuerca de montaje inferior del tubo y sacar el tubo.

f. Sacar los nueve tornillos de montaje de la caja de sincronización derecha y sacar la cubierta de la culata de cilindros.

4. Sacar la cubierta de sincronización inferior y el sello como sigue:

a. Sacar la cubierta del múltiple de admisión. Sacar la manguera de admisión entre el cuerpo del ahogador y el medidor del volumen de aire.

b. Sacar el ventilador de refrigeración y la correa propulsora.

c. Sacar la polea sobre la bomba de agua.

d. Sacar los ocho tornillos de montaje del amortiguador de vibraciones y sacar el amortiguador.

e. Levantar y soportar con seguridad el vehículo. Sacar el protector contra salpicaduras delantero del motor. Sacar la guía del aire de refrigeración del alternador, situada sobre el soporte del motor. Bajar el vehículo.

f. Colocar la herramienta especial 11-2-450, o equivalente, sobre el tornillo central del cubo del amortiguador de vibraciones. Sacar el tornillo. Instalar un extractor adecuado sobre el cubo y sacar el cubo.

g. Expulsar a presión el sello de aceite utilizando las herramientas especiales 11-2-380 y 11-2-383, o equivalentes.

h. Sacar los 15 tornillos de montaje de la cubierta de la caja de sincronización inferior y sacar la cubierta.

5. Girar el motor en la dirección de la rotación y colocar el cilindro N° 1 en el PMS. Las flechas sobre los engranajes deben mirar hacia arriba, en el eje del cilindro. Utilizar una sujeción de cigüeñales para mantener la posición del PMS.

6. Aflojar y sacar los tornillos del engranaje del árbol de levas de ambas bancadas de cilindros. Comprimir el elemento tensor hidráulico para aflojar la cadena de sincronización. Bloquear el elemento con la herramienta especial 11-3-420, y sacar los engranajes con la cadena. No girar el motor sin la cadena de sincronización.

7. Dirigir la cadena fuera de los raíles tensores y del engranaje inferior.

8. Para sacar el raíl guía:

a. En el lado izquierdo (bancada de cilindros 1-4), sacar el tornillo de montaje inferior y sacar el raíl tensor. Sacar el separador con suministro de aceite del raíl tensor.

b. En el lado izquierdo, sacar los dos tornillos de montaje del raíl guía. No confundir los dos tornillos de montaje, es importante instalar el mismo tornillo en el mismo agujero. Sacar el raíl deslizante.

c. En el lado derecho (bancada de cilindros 5-8), sacar los dos tornillos de montaje sobre el raíl tensor, y los dos tornillos de montaje sobre el raíl guía. Sacar los raíles.

Para instalar:

9. En la bancada de cilindros derecha, colocar el raíl guía e instalar los tornillos de montaje. Colocar el raíl tensor e instalar los tornillos de montaje.

10. En la bancada de cilindros izquierda, comprobar el sello del separador. Colocar el raíl guía, e instalar los tornillos de montaje en los agujeros correctos. Instalar el separador. Colocar el raíl tensor, e instalar el tornillo de montaje inferior.

11. Inspeccionar si los engranajes están gastados y, si es necesario, reemplazarlos.

12. Instalar la cadena en su posición.

13. Asegurarse de que el pistón N° 1 permanece en la parte superior de su carrera de encendido y de que la chaveta sobre el cigüeñal está en la posición de las 12 en punto.

14. Colocar la cadena sobre el raíl guía y girar la cadena hacia el interior y hacia la izquierda.

15. Engranar la cadena sobre el engranaje del cigüeñal e instalar los engranajes de los árboles de levas dentro de la cadena.

16. El engranaje sobre el árbol de levas de admisión de la bancada de los cilindros 1-4 tiene una clavija transmisora. Con la flecha apuntando hacia arriba, alinear la clavija en medio de las ranuras. Instalar los engranajes de los árboles de levas. Sacar la herramienta especial 11-3-420. Sacar la sujeción del cigüeñal.

17. Instalar el pistón, el resorte y el tapón roscado del tensor de cadena, sin apretar.

18. Para sangrar el tensor de cadena, llenar la cámara de aceite, situada en la cubierta del cuerpo de sincronización superior, con aceite de motor y mover el tensor de acá para allá, con una barra para hacer palanca adecuada, hasta que el aceite salga por el tapón roscado. Apretar el tapón roscado fijamente.

19. Instalar la cubierta de sincronización inferior como sigue:

a. Comprobar si las espigas de centrado están correctamente asentadas. Limpiar las superficies de sellado y sacar todas los trozos de junta. Colocar una junta nueva en la cubierta inferior.

b. Cortar los extremos salientes de la junta, asegurándose de que la herramienta de corte está nivelada. No dejar que los trozos caigan dentro del motor.

c. Colocar la cubierta inferior e instalar los tornillos de montaje con una presión distribuida uniformemente. Apretar los tornillos de 6 mm a 7 pie-lb (10 Nm), los tornillos de 8 mm a 16 pie-lb (22 Nm) y los tornillos de 10 mm a 35 pie-lb (47 Nm).

d. Instalar el sello de aceite en la cubierta de la caja de sincronización, utilizando la herramienta 11-1-220, o una herramienta instaladora de sellos apropiada, y el tornillo del cubo del amortiguador del cigüeñal. Asegurarse de que el sello esté nivelado con la cubierta.

e. Instalar el cubo del amortiguador de vibraciones, e instalar el tornillo. Apretar el tornillo del cubo en 4 pasos:

• Paso 1: 74-81 pie-lb (100-110 Nm).
• Paso 2: girar 60 grados adicionales.
• Paso 3: girar 60 grados adicionales.
• Paso 4: girar 30 grados adicionales.

f. Levantar y soportar con seguridad el vehículo. Instalar la guía del aire de refrigeración del alternador, situada en el soporte del motor. Instalar el protector contra salpicaduras delantero del motor. Bajar el vehículo.

g. Colocar el amortiguador de vibraciones. Instalar los tornillos de montaje sobre el amortiguador de vibraciones.

h. Instalar la polea sobre la bomba de agua.

i. Instalar la correa propulsora y el ventilador de refrigeración.

j. Instalar la manguera de admisión entre el cuerpo del ahogador y el medidor del volumen de aire. Instalar la cubierta del múltiple.

20. Instalar la cubierta de sincronización derecha como sigue:

a. Recolocar el sello de aceite del tensor hidráulico en la cubierta de la caja de sincronización.

b. Comprobar si las camisas (manguitos) de centrado están correctamente asentadas. Limpiar las superficies de sellado, para sacar el aceite o cualquier trozo de junta vieja. Colocar una junta nueva.

c. Montar la cubierta de la caja de sincronización. Atornillar los tornillos montados verticalmente, hasta que la cubierta toque la culata de cilindros. No apretar todavía los tornillos.

21. Instalar los tornillos montados horizontalmente, después apretar los tornillos montados verticalmente en dos pasos. Una vez que los tornillos montados verticalmente estén apretados, apretar los tornillos montados horizontalmente en dos pasos. Apretar los tornillos de 6 mm a 7 pie-lb (10 Nm), los tornillos de 8 mm a 16 pie-lb (22 Nm) y los tornillos de 10 mm a 35 pie-lb (47 Nm).

a. Instalar el tubo guía de la varilla medidora del aceite, asegurándose de reemplazar la junta tórica.

b. Instalar el tornillo de la transmisión del árbol de levas y el tensor de la cadena.

c. Instalar la parte superior del filtro de aire junto con el sensor de la masa del flujo de aire.

d. Instalar la cubierta de la culata de cilindros derecha.

22. Instalar la cubierta de la cadena de sincronización izquierda como sigue:

a. Comprobar si las camisas de centrado están correctamente asentadas. Limpiar las superficies de sellado para sacar todo el aceite o cualquier trozo de junta vieja. Colocar una junta nueva.

b. Montar la cubierta de la caja de sincronización junto con el tornillo insertado.

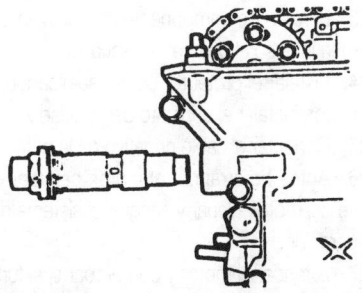

▲ El tensor de la cadena de sincronización se desliza fuera del lado de la cubierta delantera – Motores M60/M62

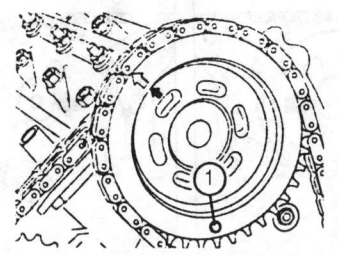

▲ Clavija de transmisión del engranaje del árbol de levas – Motores M60/M62

Este tornillo no puede instalarse con la cubierta en su sitio. Instalar el resto de tornillos de montaje y atornillar los tornillos montados verticalmente hasta que la cubierta justo toque la culata de cilindros. No apretar todavía los tornillos.

c. Instalar los tornillos montados horizontalmente, después apretar los tornillos montados verticalmente en dos pasos. Una vez los tornillos montados verticalmente estén apretados, apretar los tornillos montados horizontalmente en dos pasos. Apretar los tornillos de 6 mm a 7 pie-lb (10 Nm), los tornillos de 8 mm a 16 pie-lb (22 Nm) y los tornillos de 10 mm a 35 pie-lb (47 Nm).

d. Colocar el cable positivo de la batería para el alternador, e instalar los tornillos de montaje del tubo protector. Conectar el cable en el alternador.

e. Instalar el cuerpo del filtro de aceite. Instalar el tubo de retorno y volver a colocar la cubierta del cuerpo.

f. Instalar el alternador y la cubierta de la culata de cilindros.

23. Conectar el cable negativo de la batería.

Motores M70/M73/S70

1. Desconectar el cable negativo de la batería. Drenar el sistema de refrigeración y sacar el conjunto del ventilador.

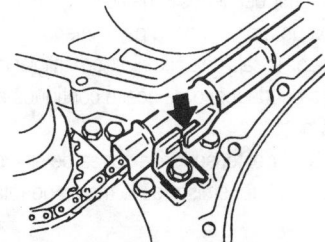

▲ Con la cubierta de la caja de sincronización adaptada correctamente, la lengüeta de retención no es visible – Motores M70/M73/S70

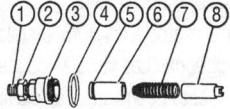

1. Tornillo de reglaje
2. Contratuerca
3. Tapón roscado
4. Reemplazar el anillo de sellado
5. Reemplazar la junta tórica
6. Camisa de centrado
7. Resorte de compresión
8. Pistón tensor de cadena

▲ Componentes del tensor de la cadena de sincronización – Motores M70/M73/S70

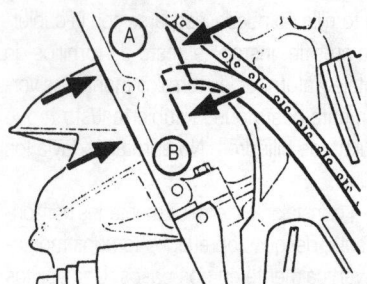

▲ Ajuste del tensor de la cadena de sincronización: la medida de "B" a "A" debe ser de 0.216-0.256 plg (5.48-6.5 mm) – Motores M70/M73/S70

2. Sacar las correas propulsoras y el protector contra salpicaduras del motor. Sacar el tornillo tensor.

3. Sacar ambos múltiples de admisión y los cuerpos de los distribuidores.

4. Desconectar los montajes de goma redondos, los tornillos y las tuercas. Sacar las cubiertas de ambas culatas de cilindros.

5. Sacar los tornillos de montaje y sacar la cubierta de sincronización.

6. Desatornillar los tornillos pero sin sacar el amortiguador de vibraciones. Sacar el tornillo del cubo central con la herramienta correcta.

7. Sacar el amortiguador de vibraciones, utilizando la herramienta correcta para sacar el cubo del amortiguador de vibraciones del cigüeñal.

8. Drenar el aceite de motor y sacar la parte inferior del depósito de aceite. Sacar los tornillos de montaje de la parte inferior de la cubierta de la caja de sincronización y aflojar los tornillos del depósito de aceite contiguos en ambos lados.

9. Sacar el tensor de la correa de sincronización y el transmisor de la marca de referencia.

10. Sacar los tornillos de montaje y la cubierta de la caja de sincronización.

11. Sacar a presión el sello de aceite de la cubierta delantera, utilizando la herramienta especial 11-1-210, o equivalente.

12. Colocar el motor en el PMS. Instalar una sujeción en el cigüeñal. Las válvulas de los cilindros N° 1 y N° 7 están cerradas. Las clavijas de centrado en los árboles de levas deben mirarse la una a la otra.

13. Sacar los tornillos de montaje sobre los engranajes de los árboles de levas y con cuidado sacar los engranajes con la cadena de sincronización.

14. Sacar los tornillos de montaje de la guía de cadena de sincronización y sacar la guía.

Para instalar:

15. Colocar e instalar la guía de la cadena de sincronización.

16. Colocar la cadena de sincronización sobre los engranajes e instalar los engranajes de los árboles de levas. Verificar que la cadena de sincronización esté alineada correctamente sobre todos los engranajes y sacar la sujeción del cigüeñal.

17. Lubricar el labio de sellado del sello del eje, con aceite. Instalar el sello nuevo, utilizando un instalador de sellos adecuado. El sello debe estar nivelado con la cubierta.

18. Limpiar la cubierta de la cadena de sincronización y la zona de montaje sobre el motor. Instalar la cubierta de la cadena de sincronización y los tornillos de montaje.

19. Instalar el transmisor de la marca de referencia y el tensor de la cadena de sincronización.

20. Instalar los componentes restantes en el orden inverso al del desmontaje. Asegurarse de apretar el tornillo del cubo central a 318 pie-lb (430 Nm) y los tornillos de montaje del amortiguador de vibraciones a 17 pie-lb (25 Nm).

21. Limpiar las superficies de montaje de la cubierta de sincronización y del bloque de cilindros; después colocar la cubierta de sincronización sobre el motor. Instalar los tornillos de montaje.

22. Instalar las cubiertas de ambas culatas de cilindros.

23. El resto de componentes se instalan en el orden inverso al que se han sacado.

24. Instalar el protector contra salpicaduras del motor. Instalar el conjunto del ventilador.

25. Conectar el cable negativo de la batería.

26. Antes de arrancar el motor, cambiar el aceite del motor. Llenar y sangrar el sistema de refrigeración.

27. Arrancar el motor y comprobar si el funcionamiento es correcto.

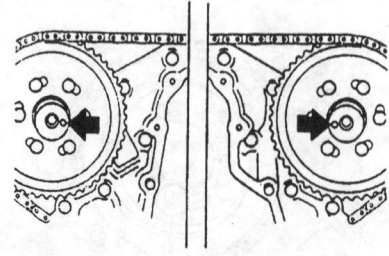

▲ Clavijas de centrado de los árboles de levas con el motor en el PMS – Motores M70/M73/S70

SISTEMA DE COMBUSTIBLE

PRECAUCIONES PARA EL MANTENIMIENTO DEL SISTEMA DE COMBUSTIBLE

La seguridad es el factor más importante al realizar, no sólo el mantenimiento del sistema de combustible, sino cualquier tipo de mantenimiento. El comportamiento poco seguro durante el mantenimiento y la reparación puede causar daños personales graves e incluso la muerte. El mantenimiento y la prueba de los componentes del sistema de combustible del vehículo pueden realizarse de manera segura y efectiva siguiendo las reglas y directrices siguientes.

• Para evitar la posibilidad de que se produzca un incendio y/o y daños personales, desconectar siempre el cable negativo de la batería, excepto en las reparaciones o procedimientos de prueba que requieran la aplicación del voltaje de la batería.

• Descargar siempre la presión del sistema de combustible, antes de desconectar cualquier componente (inyector, raíl de combustible, regulador de presión, etc.), rácor o conexión de líneas de combustible, del sistema de combustible. Siempre que se descargue la presión del sistema de combustible, extremar las precauciones para evitar exponer la piel, la cara y los ojos a las pulverizaciones de combustible. El combustible bajo presión puede penetrar la piel o cualquier parte del cuerpo que toque.

• Colocar siempre una toalla de taller o un trapo alrededor del rácor, o de la conexión, antes de aflojarlos para absorber cualquier exceso de combustible debido a un vertido. Asegurarse de que todo el combustible vertido (podría ocurrir) se retira rápidamente de las superficies del motor. Asegurarse de que todos los trapos y toallas empapados de combustible se depositen en un recipiente de desechos adecuado.

• Mantener siempre un extintor de incendios de polvo seco (clase B), cerca de la zona de trabajo.

• No permitir que pulverizaciones o vapores de combustible entren en contacto con una chispa o una llama.

• Al aflojar y al apretar los rácores de conexión de las líneas de combustible, utilizar siempre una llave de tuercas de apoyo. Esto evitará la tensión y la torsión innecesaria de las líneas de combustible. Seguir siempre las especificaciones de torsión correctas.

• Reemplazar siempre por nuevas las juntas tóricas de los rácores del combustible. No sustituir por mangueras (flexibles) de combustible, o equivalentes, donde haya instalado un tubo (rígido) de combustible.

PRESIÓN DEL SISTEMA DE COMBUSTIBLE

DESCARGA

Para descargar la presión del sistema, primero encontrar el conector del relé de la bomba de combustible, situado en el cubretablero. Desconectar el relé, dejándolo en una posición segura de manera que las conexiones no puedan tocar tierra. Si es necesario, sujetar con cinta adhesiva eléctrica la clavija en su sitio o sobre los pitones del conector. Después, arrancar el motor y hacerlo funcionar hasta que se pare solo. Una vez se haya parado (calado), intentar arrancar el motor durante 10 segundos más, para eliminar cualquier presión residual.

FILTRO DE COMBUSTIBLE

DESMONTAJE E INSTALACIÓN

En los filtros situados cerca del depósito de combustible, es necesario pinzar con abrazaderas las líneas flexibles de combustible para cerrarlas, antes de desconectarlas o, de lo contrario, el combustible saldrá continuamente.

1. Desconectar el cable negativo de la batería. Descargar la presión del sistema de combustible. Si el filtro está montado bajo, cerca del depósito del combustible, cerrar con abrazaderas las líneas. Después, aflojar las abrazaderas de mangueras y desconectar las mangueras de entrada y salida. Sacar las abrazaderas de las mangueras o deslizarlas hacia atrás, separar las conexiones para hacer más sencillo el sacar las mangueras, si es necesario.

2. Generalmente, los filtros están acoplados a un bastidor, a un plano del piso o a un hueco de rueda por medio de un soporte. Aflojar el soporte y sacar el filtro. Tomar nota de la dirección del flujo, después sacar el filtro.

Para instalar:

3. Situar un nuevo filtro de combustible en posición sobre el bastidor, plano del piso o hueco de rueda (según el modelo concreto), mientras se observa la dirección del flujo marcada sobre el filtro. Instalar el soporte de montaje hasta que ajuste.

4. Instalar las líneas de combustible en los rácores correctos del filtro de combustible. Apretar las abrazaderas de las líneas de combustible bien ajustadas, pero no hasta el punto de que las líneas de combustible se pellizquen o dañen en exceso.

5. Conectar el cable negativo de la batería y girar el encendido a la posición "ON" y a la posición "OFF", varias veces, para establecer la presión en el combustible.

6. Examinar si en el filtro y en las líneas de combustible hay fugas de combustible.

BOMBA DE COMBUSTIBLE

DESMONTAJE E INSTALACIÓN

Serie 3

1. Descargar la presión del sistema de combustible. Desconectar el cable negativo de la batería. Ir a la bomba, que está debajo del vehículo y cerca del depósito de combustible, echar hacia atrás todas las tapas protectoras, anotar el recorrido y desconectar el/los conector/es eléctrico/s.

2. Fijar firmemente la manguera de aspiración (procedente del depósito) y tapar la manguera de descarga de manera que el combustible no pueda escaparse.

3. Abrir la abrazadera de la manguera, que conecta la manguera de aspiración en la bomba, y desconectarla.

4. Sacar las tuercas de sujeción que montan la bomba y el soporte en el plano del piso y sacarlos ambos como un conjunto.

5. Sacar el tornillo que pasa a través de las dos piezas del soporte y que también monta la correa de fijación de la manguera en el soporte. Después, sacar la bomba del soporte.

6. Aflojar la abrazadera de la manguera de descarga y desconectarla de la bomba. Sacar el anillo de goma de la bomba.

7. Anotar el número de clave de la bomba y asegurarse de reemplazarla por una del mismo número. Inspeccionar todos los montajes de goma sobre el soporte de montaje de la bomba, y reemplazar los que estén agrietados o aplastados.

Para instalar:

8. Acoplar la manguera de descarga en la bomba de combustible, después deslizar la bomba dentro del soporte de montaje. Instalar el tornillo de la correa de fijación de la manguera en el soporte de montaje de la bomba.

9. Instalar el resto de componentes en el orden opuesto al que se han sacado.

10. Conectar el cable negativo de la batería. Asegurarse de sacar las abrazaderas de las mangueras, después hacer funcionar el motor y comprobar si hay fugas. Comprobar la presión del sistema de combustible.

Serie 5

La bomba de combustible es una unidad eléctrica, que proporciona combustible a través de un regulador de presión, al distribuidor de combustible o a una línea anular de las válvulas de inyección. La bomba de combustible está montada bajo el vehículo, en el depósito de combustible, o en el compartimiento del motor.

1. Descargar la presión del sistema de combustible. Separar el conector negativo de la batería. Tirar hacia atrás todas las tapas protectoras y separar el/los conector/es eléctrico/s.

2. Si las líneas de combustible son flexibles, pellizcarlas con una herramienta abrazadera adecuada para cerrarlas. Desconectar las líneas de combustible y tapar los extremos.

3. Sacar los tornillos de retención y sacar la bomba y el depósito de expansión como un conjunto.

4. La bomba puede separarse del depósito de expansión una vez sacados.

Para instalar:

5. Instalar la bomba en la posición correcta, asegurándose de utilizar tipos similares de abrazaderas de mangueras, si alguna de ella necesita reemplazarse. Utilizar un tipo erróneo de abrazadera puede dañar las líneas de combustible.

6. Hacer funcionar el motor y comprobar si en las líneas de combustible hay fugas. Comprobar la presión del sistema de combustible.

Serie 7

En estos vehículos, la bomba está montada en la parte superior del depósito, junto con la unidad transmisora de nivel de combustible.

1. Desconectar el cable negativo de la batería. Drenar el depósito de combustible, lo suficiente para evitar que se vierta combustible al sacar la bomba.

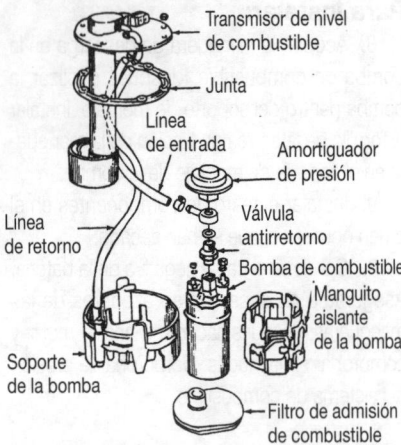

Vista de la bomba de combustible que va en el interior del depósito – Serie 7

2. Descargar la presión del sistema de combustible. Sacar los paneles de guarnición del maletero. Después, sacar los tornillos de la cubierta del conjunto bomba/unidad transmisora.

3. Etiquetar las mangueras de combustible conectadas en la parte superior del conjunto bomba/unidad transmisora. Soltar y desconectar las mangueras de combustible, después taparlas.

4. Deslizar el collarín del conector eléctrico hacia un lado, después desconectar el conector.

5. Sacar los tornillos de montaje y sacar el conjunto bomba/unidad transmisora. Reemplazar la junta.

6. Presionar hacia dentro los bloqueos de retención de la unidad de la bomba y deslizar la bomba fuera del conjunto bomba/unidad transmisora.

7. Tomar nota del recorrido de las líneas de combustible y eléctricas hasta la bomba, desde la parte superior del conjunto bomba/unidad transmisora. Aflojar los tornillos de las abrazaderas de mangueras y los tornillos que sujetan los conectores eléctricos en la bomba. Separar la mangueras y los conectores.

8. Desatornillar el regulador de presión de la parte superior de la válvula antirretorno (unidireccional). Después, desatornillar la válvula unidireccional de la parte superior de la bomba.

9. Sacar el manguito aislante de la bomba. Después, aflojar el tornillo de retención y deslizar el filtro fuera de la bomba.

Para instalar:

10. Introducir un filtro nuevo sobre de la bomba, después instalar y apretar el tornillo de retención.

11. Instalar el manguito aislante sobre la bomba.

12. Instalar los componentes restantes en el orden inverso al del desmontaje.

13. Cuidar de asegurarse de que los 2 bloqueos de retención sujeten la bomba en su sitio de manera segura. Hacer funcionar el motor y comprobar si hay fugas.

Serie 8

En estos vehículos, la bomba está montada en la parte superior del tanque, junto con la unidad transmisora del nivel de combustible.

1. Desconectar el cable negativo de la batería. Drenar el depósito de combustible, lo suficiente para evitar que se vierta al sacar la bomba.

2. Descargar la presión del sistema de combustible. Sacar el asiento trasero. Después, sacar los tornillos de la cubierta del conjunto bomba/unidad transmisora.

3. Etiquetar las mangueras de combustible conectadas en la parte superior del conjunto bomba/unidad transmisora. Soltar y desconectar las mangueras de combustible, después taparlas.

4. Deslizar el collarín del conector eléctrico hacia un lado, después desconectar el conector.

5. Sacar la tuerca de acoplamiento y sacar el conjunto bomba/unidad transmisora. Reemplazar la junta.

6. Sacar las rejillas de filtro y el revestimiento (forro) de goma.

7. Marcar el recorrido de las líneas de combustible y eléctricas hasta la bomba, desde la parte superior del conjunto bomba/unidad transmisora. Aflojar los tornillos de las abrazaderas de mangueras y los tornillos que sujetan los conectores eléctricos en la bomba. Soltar las mangueras y los conectores.

Para instalar:

8. Conectar la manguera y el conector en la bomba de combustible. Apretar las abrazaderas de la manguera y los tornillos de retención del conector eléctrico, hasta que estén ajustados a mano.

9. Instalar las rejillas del filtro y el forro de goma sobre la bomba.

10. Los componentes restantes se instalan en el orden inverso al que se han sacado.

11. Cuidar de asegurarse de que las 2 bombas estén conectadas tal como previamente se han marcado.

12. Conectar el cable negativo de la batería. Hacer funcionar el motor y comprobar si hay fugas.

CONJUNTO DE TRANSMISIÓN

DESMONTAJE E INSTALACIÓN

Manual

SERIE 3

1. Desconectar el cable negativo de la batería. Levantar y soportar con seguridad el vehículo. Sacar el sistema de escape. Sacar la riostra cruzada y el protector térmico.

2. Sujetar las tuercas en la parte delantera con una llave de tuercas y sacar los tornillos de la parte trasera con otra para desconectar los acoplamientos flexibles de la parte delantera del eje propulsor. Algunos vehículos tienen un amortiguador de vibraciones en este punto, en el tren de transmisión. Este amortiguador está montado sobre la brida de la salida de la transmisión, con tornillos a presión dentro del amortiguador. En estos vehículos, desatornillar y sacar las tuercas situadas detrás del amortiguador.

3. Aflojar el manguito roscado sobre el eje propulsor. Disponer de una herramienta especial para sujetar la parte estriada del eje, mientras se gira el manguito.

4. Sacar sus tornillos de montaje y sacar el montaje del eje propulsor central. Después, doblar hacia abajo el eje propulsor en el centro y sacarlo de la brida de salida de la transmisión. Mantener aparte las secciones que se han sacado del eje propulsor y suspenderlas del vehículo con alambre.

5. Sacar el retén y la arandela y quitar la barra selectora del cambio.

6. Utilizar una llave de cabeza hexagonal para sacar los tornillos autobloqueantes que retienen el soporte de la barra del cambio, en la parte trasera de la transmisión; después sacar el soporte. Si está equipado con un brazo de cambio, utilizar una barra adecuada para hacer palanca sobre la abrazadera de resorte sacándolo de la protuberancia sobre la transmisión, y girarla hacia arriba. Después, sacar la clavija de eje del cambio.

7. Desatornillar y sacar el cilindro auxiliar del embrague y soportarlo de manera que la línea hidráulica pueda permanecer conectada.

8. La transmisión incorpora unidades transmisoras para la velocidad de giro y la posición del volante. Sacar el protector térmico que las protege del calor del escape, después sacar el tornillo de retención de cada unidad transmisora. Observar que la unidad transmisora de la velocidad, que no tiene anillo identificador, va en el agujero de la derecha y que la unidad transmisora de marca de referencia, que tiene un anillo marcado, va en el agujero de la izquierda. Si las unidades transmisoras se instalan en posiciones inversas, el motor no funcionará. Sacar las unidades de sus alojamientos en el volante.

9. Separar el conector de cables que va al interruptor de la luz de marcha atrás, y sacar los cables fuera del cableado.

10. Soportar la transmisión desde debajo, de manera segura. Sacar los tornillos de montaje y sacar el travesaño que sujeta la parte trasera de la transmisión en la carrocería. Después, bajar la transmisión sobre el soporte del eje delantero.

11. Utilizando una herramienta adecuada, sacar los tornillos que sujetan el cuerpo del volante de la transmisión en el motor en la parte delantera. Asegurarse de retener las arandelas con los tornillos. Tirar de la transmisión hacia atrás para deslizar el eje de entrada fuera del disco del embrague, después bajar la transmisión y sacarla del vehículo.

Para instalar:

12. Instalar la transmisión en posición debajo del vehículo. Alinear el eje de entrada e instalar la transmisión.

13. Los componentes restantes se instalan en el orden inverso al que se han sacado; tomar nota de los siguientes puntos:

a. Cubrir las estrías del eje de entrada y las clavijas guía del cuerpo del volante con una ligera capa de grasa adecuada.

b. Asegurarse de que los tornillos de montaje delanteros estén instalados con sus arandelas. Apretarlos a 46-58 pie-lb (62-80 Nm).

c. Antes de instalar las unidades transmisoras de la posición y velocidad del volante, asegurarse de que sus caras estén libres de grasa o suciedad, después cubrirlas con una ligera capa de lubricante adecuado. Inspeccionar las juntas tóricas y, si están cortadas, agrietadas, aplastadas o dadas, reemplazarlas.

d. Al instalar el soporte de la barra de cambio en la parte trasera de la transmisión, utilizar tornillos autobloqueantes nuevos y asegurarse de que el soporte esté nivelado, antes de apretarlos. Apretar los tornillos del soporte

de la barra de cambio a 16.5 pie-lb (22 Nm), exceptuando los M3 que utilizan un soporte de aluminio.

e. Instalar el cilindro auxiliar del embrague con el tornillo de sangrado hacia abajo.

f. Al instalar el cojinete central del eje propulsor, cargarlo hacia adelante 0.157-0.236 plg (3.98-5.99 mm). Con una herramienta adecuada para ello, comprobar la alineación del eje propulsor. Volver a colocar las tuercas, después apretar los tornillos de montaje centrales a 16-17 pie-lb (21-23 Nm).

g. Apretar los tornillos de los acoplamientos flexibles a 83-94 pie-lb (114-129 Nm).

14. Instalar el sistema de escape, después bajar el vehículo al suelo. Conectar el cable negativo de la batería.

SERIE 5

1. Desconectar el cable negativo de la batería. Levantar y soportar con seguridad el vehículo. Desconectar y bajar el sistema de escape, para tener más espacio en el desmontaje de la transmisión. Sacar la riostra del protector térmico y el protector térmico de la transmisión.

2. Soportar el eje propulsor, después desatornillar los acoplamientos flexibles en la parte trasera de la transmisión. Utilizar una llave de tuercas en la tuerca y el tornillo.

3. Trabajando en la parte delantera del cojinete central del eje propulsor, desatornillar el conector tipo anillo roscado que sujeta el eje propulsor en el cojinete central. Después, desatornillar el montaje del cojinete central. Inclinar el eje propulsor hacia abajo y sacarlo de la clavija de centrado. Si está equipado con un amortiguador de vibraciones, girarlo y tirarlo hacia atrás sobre la brida de salida antes de sacar el eje propulsor de la clavija guía. Suspenderlo del vehículo.

4. Sacar los cables del interruptor de la luz de marcha atrás. Desatornillar la consola del compartimiento del acompañante para desconectarla de la parte superior de la transmisión, sacando los tornillos autobloqueantes. Desechar y reemplazar.

5. Sacar la grapa de bloqueo y desconectar la barra del cambio, de la parte trasera de la transmisión. Tener cuidado de conservar todas las arandelas.

6. Si la transmisión está unida a la palanca de cambio con un brazo, utilizar una pequeña barra de palanca para sacar el resorte de la sujeción sobre el soporte, después levantar el brazo. Sacar el tornillo del eje de cambio.

7. Si está equipado con una cubierta del cuerpo del volante (de forma semicircular), sacar los tornillos de montaje y sacar la cubierta.

8. El sensor de velocidad y el sensor de marca de referencia del cuerpo del volante deben desconectarse. Tomar nota de sus posiciones. El sensor de velocidad va en el agujero superior marcado con una D. El sensor de marca de referencia, que tiene un anillo, va en el agujero inferior, marcado con una B. Comprobar las juntas tóricas de los sensores y, si alguna de ellas está dañada, instalar de nuevas.

9. Soportar con seguridad la transmisión. Después, desatornillar y sacar el travesaño trasero de la transmisión.

10. Sacar las tuercas de sujeción superiores e inferiores y sacar el cilindro auxiliar del embrague, soportándolo de manera que la línea hidráulica no tenga que desconectarse. Desconectar el interruptor de la luz de marcha atrás y sacar los cables fuera de los soportes.

11. Desatornillar los tornillos que sujetan la transmisión en la cubierta, utilizando una herramienta adecuada. En algunos vehículos se utilizan tornillos Torx®; para ellos utilizar una llave Torx®. Tirar la transmisión hacia atrás, hasta que el eje de entrada se haya desencajado del disco del embrague, después bajarla y sacarla.

Para instalar:

12. Colocar la transmisión engranada en una marcha. Con cuidado, insertar el manguito guía del eje de entrada dentro del cojinete guía del embrague. Girar el eje motor para que rote la parte delantera del eje de entrada hasta que las estrías se alineen y encajen en las del disco de embrague.

13. Realizar las partes restantes del procedimiento en el orden inverso al desmontaje, teniendo en cuenta los siguientes puntos:

a. Asegurarse de que las flechas del travesaño trasero apuntan hacia delante.

b. Cargar el montaje del cojinete central hacia adelante 0.079-0.157 plg (2.07-3.99 mm) de su posición más natural.

c. Al apretar el anillo roscado del eje propulsor, utilizar la herramienta 26-1-040, o equivalente.

d. Al reconectar las tuercas y el tornillo en los acoplamientos de la transmisión, reemplazar las tuercas por otras nuevas y girar sólo la tuerca, sujetando los tornillos inmovilizados.

e. Asegurarse de que las caras del sensor del DME estén limpias. Cubrir los diámetros exteriores del sensor con el lubricante apropiado.

f. Si está equipado con brazo de cambio, lubricar el tornillo con una ligera capa del lubricante adecuado.

g. Observar las cifras de torsión siguientes:

- Transmisión a la cubierta acampanada: 52-58 pie-lb (70-80 Nm).
- Tornillos Torx® de la transmisión trasera/parte superior: 46-58 pie-lb (62-80 Nm).
- Montaje central a la carrocería: 16-17 pie-lb (21-23 Nm).
- Junta delantera a la transmisión: 83-94 pie-lb (114-129 Nm).

14. Instalar el sistema de escape, después bajar el vehículo al suelo. Conectar el cable negativo de la batería.

SERIES 7 Y 8

1. Desconectar el cable negativo de la batería. Levantar y soportar con seguridad el vehículo. Sacar el sistema de escape. Sacar los tornillos de sujeción y sacar el protector térmico montado en la parte trasera de la transmisión, sobre la plancha del piso.

2. Soportar la transmisión con seguridad desde debajo. Después, sacar el travesaño que lo soporta en la parte trasera de la carrocería, sacando los tornillos de montaje de ambos lados.

3. Utilizando llaves sobre las cabezas de los tornillos y sobre las tuercas, sacar los tornillos que pasan a través del amortiguador de vibraciones y la junta universal delantera, en la parte delantera del eje propulsor.

4. Sacar sus tornillos de montaje y sacar el montaje del eje propulsor central. Después, inclinar el eje propulsor hacia abajo, en el centro, y sacarlo de la brida de salida de la transmisión. Evitar que las partes del eje propulsor se separen y suspenderlo del vehículo con un alambre.

5. Sacar el anillo elástico, deslizar fuera la arandela, después sacar la barra selectora del cambio, del eje de cambio de la transmisión. Desconectar el interruptor de la luz de marcha atrás.

6. Bajar un poco la transmisión para acceder a ella. Después, utilizar una pequeña barra para hacer palanca y sacar el resorte la sujeción sobre el soporte, después levantar el brazo. Sacar el tornillo de eje del cambio.

7. Sacar las tuercas de sujeción superior e inferior y sacar el cilindro auxiliar del embrague, soportándolo de manera que la línea hidráulica no tenga que ser desconectada.

8. Desatornillar los tornillos que sujetan la transmisión a la cubierta acampanada. Utilizar una llave Torx® para sacar los tornillos. Asegurarse de guardar las arandelas con cada tornillo para asegurarse de que, más tarde, podrán sacarse fácilmente, si es necesario. Tirar la transmisión hacia atrás, hasta que el eje de entrada se desencaje del disco de embrague; después bajar y sacar la transmisión.

Para instalar:

9. Instalar la transmisión en posición debajo del vehículo. Alinear el eje de entrada e instalar la transmisión.

10. Cargar el montaje del cojinete central hacia adelante 0.157-0.236 plg (3.98-5.99 mm) de su posición más natural.

11. Al reconectar las tuercas y los tornillos en el acoplamiento de la transmisión, reemplazar las tuercas por unas de nuevas y girar sólo la tuerca, sujetando los tornillos inmóviles. Apretar la tuerca del montaje central a la carrocería a 16-17 pie-lb (21-23 Nm). Apretar la tuerca de la junta delantera a la transmisión a 58 pie-lb (80 Nm).

12. Instalar los componentes restantes en el orden inverso al del desmontaje.

13. Reconectar el brazo del cambio, si está equipado, y lubricar el tornillo con una ligera capa de un lubricante adecuado, después comprobar si la junta tórica está aplastada, agrietada o cortada y, si está dañada, reemplazarla.

14. Al instalar el cilindro auxiliar del embrague, asegurarse de que el tornillo de sangrado mire hacia abajo.

15. Instalar el sistema de escape. Conectar el cable negativo de la batería, después bajar el vehículo al suelo.

Automático

EXCEPTO SERIE 3

➡ **Para realizar este procedimiento se necesitan las siguientes herramientas, o equivalentes. Herramientas especiales de soporte de la transmisión 24-0-120 y 00-2-020 y herramienta de aro de bloqueo para el eje propulsor 26-1-040, o equivalente.**

1. Desconectar el cable de tierra (masa) de la batería. Aflojar las tuercas de ajuste del cable del ahogador, descargar la tensión del cable y desconectar el cable en la palanca del ahogador. Después, sacar las tuercas y sacar el cuerpo del cable fuera del soporte.

2. Desconectar el sistema de escape del múltiple y los colgadores, y bajarlo fuera de la zona. Sacar el colgador que pasa atravesado por debajo del eje propulsor. Sacar el protector térmico del escape de debajo del centro del vehículo.

3. Soportar la transmisión con un mecanismo de elevación adecuado. Sacar el travesaño que soporta la transmisión en la parte trasera.

4. Sacar los tornillos pasantes y tuercas de los acoplamientos del eje propulsor o los tornillos pasantes y tuercas de la junta VC. Ambos tipos están colocados en la derecha de la parte trasera de la transmisión. Desechar las tuercas de los acoplamientos autobloqueantes. Mantener la junta VC limpia y reemplazar su empaque.

5. Desatornillar el aro de bloqueo de la transmisión en el montaje central, si está equipado. Después, sacar los tornillos y sacar el montaje central. Inclinar el eje propulsor hacia abajo y sacarlo de la clavija de centrado. Suspenderlo con alambre de debajo del vehículo.

6. Drenar el aceite de la transmisión y desecharlo. Sacar el cuello de llenado de aceite. Desconectar las líneas del refrigerador de aceite en la transmisión, desatornillando las tuercas de antorcha y tapando las conexiones abiertas.

7. Si está equipado, sacar la cubierta del convertidor, sacando los tornillos Torx® de detrás y los tornillos normales de debajo.

8. Sacar los tornillos que sujetan el convertidor de par en el plato propulsor, girando el volante como sea necesario para tener acceso desde debajo.

9. Si está equipado, sacar el protector de los sensores de velocidad y de marca de referencia. Sacar el tornillo de sujeción para cada sensor y sacar cada sensor. Guardar los sensores limpios.

10. Desconectar el cable del cambio, aflojando la contratuerca que lo sujeta a la palanca del cambio, y desconectando el cable en el soporte del cuerpo del cable.

11. Si la transmisión tiene una conexión eléctrica, girar la sujeción de bayoneta hacia la izquierda para liberar la conexión, desconectarla y sacar el cable de la conexión.

12. Bajar la transmisión tanto como sea posible. Después, sacar todos los tornillos tipo Torx® o de tipo normal, que sujetan la transmisión en el motor.

13. Sacar la rejilla pequeña de la parte inferior de la transmisión. Después, extraer a presión el convertidor fuera, con una barra para hacer palanca grande, a través de esta abertura mientras se desliza la transmisión hacia fuera.

Para instalar:

14. Instalar la transmisión debajo del vehículo y levantarla hasta dentro de su posición. Deslizar el convertidor de par y la transmisión instalados juntos antes de instalar la transmisión completamente en el motor.

15. Instalar la rejilla pequeña en la transmisión.

16. Levantar la transmisión para instalarla contra el bloque de cilindros.

17. Los componentes restantes se instalan en el orden inverso al que se han sacado. Asegurarse de que el convertidor esté totalmente instalado dentro de la transmisión –de manera que el anillo de la parte delantera esté dentro del borde de la caja.

a. Al reinstalar el eje propulsor, apretar el aro de bloqueo con una herramienta especial. Si el eje tiene un acoplamiento simple, en vez de una junta VC, asegurarse de reemplazar las tuercas autobloqueantes y de sujetar los tornillos inmóviles mientras se aprieten las tuercas para evitar la distorsión del acoplamiento.

b. Al instalar el montaje central, precargarlo hacia adelante 0.157-0.236 plb (3.98-5.99 mm) de su posición más natural.

18. Conectar el cable negativo (tierra o masa) de la batería, después ajustar los cables del ahogador.

SERIE 3

➡ **Para realizar este procedimiento, se necesitan un soporte para la transmisión, herramienta BMW 24-0-120 y 00-2-020, o equivalente, y una herramienta para apretar el aro de bloqueo del eje propulsor, herramienta BMW 26-1-040, o equivalente.**

1. Desconectar el cable de tierra (negativo) de la batería. Aflojar las tuercas de ajuste del cable (chicote) del ahogador, descargar la tensión del cable y desconectar el cable en la palanca del ahogador. Después, sacar (y retener) las tuercas y sacar el cuerpo del cable del soporte.

2. Desconectar el sistema de escape del múltiple y de los colgadores y bajarlos hacia un lado. Sacar el colgador que pasa atravesado por debajo del eje propulsor. Sacar el protector térmico de debajo del centro del vehículo.

3. Drenar el aceite de la transmisión y desecharlo. Sacar el cuello de llenado de aceite. Desconectar las líneas del refrigerador de aceite de la transmisión, desatornillando las tuercas de antorcha, y tapar las conexiones abiertas.

4. Soportar la transmisión con las herramientas adecuadas. Separar el cuerpo del convertidor de par, de la transmisión, sacando de detrás los tornillos Torx®, con la herramienta adecuada, y de debajo, los tornillos normales. Guardar las arandelas usadas con los tornillos Torx®.

5. Sacar los tornillos que sujetan el cuerpo del convertidor de par en el motor, asegurándose de retener el separador usado detrás de uno de los tornillos. Después, aflojar los tornillos de montaje del interruptor del nivel de aceite, lo suficiente para que el plato pueda sacarse, mientras se empuja hacia un lado el soporte de montaje del interruptor.

6. Sacar los tornillos que sujetan el convertidor de par en el plato propulsor. Girar el volante como sea necesario, para tener acceso a cada uno de los tornillos, que están espaciados a intervalos iguales a su alrededor. Asegurarse de reutilizar los mismos tornillos y retener las arandelas.

7. Para sacar los sensores de velocidad y de marca de referencia, sacar el tornillo de sujeción de cada sensor y sacar cada sensor. Mantener los sensores limpios.

8. Girar el conector eléctrico tipo bayoneta en el sentido contrario al de las agujas del reloj, después sacar la clavija fuera del casquillo adaptador. Después, sacar el cableado de los fijadores.

9. Soportar la transmisión utilizando el gato adecuado. Después, sacar el travesaño que soporta la transmisión en la parte trasera.

10. Desconectar la barra de cambio de la transmisión. Luego, sacar las tuercas, después los tornillos pasantes del amortiguador tipo junta U, en la parte delantera de la transmisión.

11. Desatornillar el aro de bloqueo de la transmisión en el montaje central, si está equipado, utilizando la herramienta especial destinada a este propósito. Después, sacar los tornillos y sacar el montaje central. Inclinar el eje propulsor hacia abajo y sacarlo de la clavija de centrado. Suspenderlo con alambre de debajo del vehículo.

12. Bajar la transmisión tanto como sea posible. Después, sacar todos los tornillos Torx®, o de tipo normal, que sujetan la transmisión al motor.

13. Sacar la rejilla pequeña de la parte inferior de la transmisión. Después, presionar el convertidor hacia fuera, con una barra para palanca grande, pasándola a través de esta abertura, mientras se desliza la transmisión hacia fuera.

Para instalar:

14. Instalar la transmisión en posición debajo del vehículo, e instalar el convertidor de par sobre la transmisión.

15. Asegurarse de que el convertidor esté totalmente instalado sobre la transmisión de manera que el anillo de la parte delantera esté

sobre el borde de la caja. Instalar la rejilla pequeña en la parte inferior de la transmisión.

16. Levantar la transmisión y juntarla con el motor, después instalar los tornillos de sujeción del motor a la transmisión hasta que estén apretados.

17. Los componentes restantes se instalan en el orden inverso al que se han desmontado. Al instalar el eje propulsor, apretar el aro de bloqueo con la herramienta correcta. Asegurarse de reemplazar las tuercas autobloqueantes sobre la junta flexible del eje propulsor y sujetar los tornillos inmovilizados, mientras se aprietan las tuercas para evitar su distorsión. Al instalar el montaje central, cargarlo hacia adelante a 0.157-0.236 plg (3.98-5.99 mm) de su posición más natural. Al reconectar el conector eléctrico tipo bayoneta, asegurarse de que las marcas de alineación estén alineadas, después de que la clavija se gire hasta su posición final. Al reinstalar los sensores de velocidad y de marca de referencia, inspeccionar las juntas tóricas utilizadas en los sensores, e instalar nuevas, si es necesario. Asegurarse de instalar el sensor de velocidad dentro del agujero marcado con una D y el sensor de marca de referencia, que está marcado con un anillo, dentro del agujero marcado con una B. Apretar los tornillos de montaje del travesaño a 16-17 pie-lb (21-23 Nm). Si se utilizan juntas tóricas en las conexiones del refrigerador del aceite de la transmisión, reemplazarlas.

18. Instalar el cable negativo (de tierra) de la batería, después ajustar los cables del ahogador.

AJUSTE DEL VARILLAJE DEL CAMBIO

1. Mover la palanca selectora hasta la posición P. Aflojar la tuerca hasta que el cable esté suelto.

2. Empujar la palanca de la transmisión hasta la posición D o P. Después, empujar la barra del cable en la dirección opuesta.

3. Sujetar la barra del cable sin tensión.

4. Apretar la tuerca a 7.0-8.5 pie-lb (9-11 Nm).

➡ No doblar el cable.

AJUSTE DEL VARILLAJE DEL AHOGADOR

1. En el cuerpo del ahogador del sistema de inyección, aflojar las 2 contratuercas en el extremo del cable del ahogador y ajustar el cable hasta que tenga un juego de 0.010-0.030 plg (0.254-0.762 mm).

2. Aflojar la contratuerca y bajar el tope del cambio obligado debajo del pedal del acelerador. Con un ayudante, hundir el pedal del acelerador, hasta que se pueda notar el fiador de la transmisión. Después, volver el tope del cambio obligado hacia atrás hasta que justo toque el pedal.

3. Comprobar que la distancia desde el sello en el extremo del cuerpo del ahogador del alojamiento del cable, sea como mínimo de 1.732 plg (43.9 mm) desde el extremo trasero del manguito roscado. Si se comprueba esta distancia, apretar todas las contratuercas.

EMBRAGUE

AJUSTE

Estos vehículos están equipados con un sistema accionador del embrague hidráulico que es autoajustable.

DESMONTAJE E INSTALACIÓN

1. Desconectar el cable negativo de la batería. Levantar y soportar con seguridad el vehículo. Sacar el protector térmico, después los tornillos de montaje. Desconectar los sensores de velocidad y de marca de referencia, en el cuerpo del volante. Marcar las clavijas para su reinstalación.

2. Sacar la transmisión y el cuerpo del embrague.

3. En los vehículos con motores de 6 cilindros, se necesita una llave de tubo Torx®. Si está equipado con una transmisión 265/6 (sin un cuerpo del embrague integral), sacar el cuerpo del embrague.

4. Evitar que el volante se gire, utilizando una herramienta de bloqueo.

5. Aflojar los tornillos de montaje, gradualmente, uno después del otro, entre 1 y 1 ¹/₂ vueltas cada vez, para descargar la tensión del embrague.

6. Sacar los tornillos de montaje, el embrague y el plato propulsor. Cubrir las estrías del eje de entrada de la transmisión con Molykote® Longterm 2, Microlube® GL 2611, o equivalente. Asegurarse de que el cojinete guía del embrague, situado en el centro del cigüeñal, gira fácilmente.

7. Comprobar si el disco accionado del embrague está excesivamente gastado o agrietado. Comprobar si los resortes del amortiguador

de torsión integral, utilizados únicamente en los volantes más ligeros, están bien apretados. Inspeccionar los remaches, para asegurarse de que están apretados del todo. Comprobar el volante para asegurarse de que no esté rayado, agrietado o quemado, incluso en un pequeño punto. Utilizar una regla para asegurarse de que la superficie de contacto es correcta. Reemplazar cualquier pieza defectuosa.

Para instalar:

8. Para instalar, adaptar un plato de embrague y un disco nuevos en su sitio e instalar los tornillos de montaje.

9. Al instalar los tornillos de retención del embrague, girarlos gradualmente para apretar de modo uniforme el disco y evitar deformaciones.

10. Instalar la transmisión y el cuerpo del embrague.

11. Si está equipado, instalar los sensores de velocidad y de marca de referencia. Instalar el protector térmico.

12. Tener en cuenta que en los vehículos con motores de 6 cilindros, la placa de presión del embrague debe adaptarse sobre las clavijas de centrado. Apretar los tornillos de montaje del embrague a 16-19 pie-lb (21-26 Nm).

SISTEMA DE EMBRAGUE HIDRÁULICO

SANGRADO

1. Llenar el depósito.

2. Conectar una manguera de sangrado desde el tapón de sangrado hasta un contenedor lleno de líquido de freno de manera que, durante el procedimiento de sangrado, no pueda entrar aire.

3. Bombear el pedal del embrague unas 10 veces, después sujetarlo apretado.

4. Abrir el tapón de sangrado y observar el flujo del fluido de salida. Cuando no salgan más burbujas, cerrar el tornillo de sangrado y apretarlo.

5. Soltar el pedal de embrague y repetir el procedimiento anterior hasta que no se puedan ver más burbujas cuando el tornillo está abierto.

6. Si este procedimiento no consigue producir un flujo libre de burbujas:

a. Sacar el cilindro auxiliar de la transmisión, sin desconectar la línea de fluido.

➡ No hundir el pedal del embrague mientras el cilindro auxiliar esté desmontado.

b. Hundir la barra de empuje en el cilindro hasta que golpee el tope interno. Después, reinstalar el cilindro.

SEMIEJE

DESMONTAJE E INSTALACIÓN

Serie 3

1. Levantar y soportar con seguridad el vehículo.

2. Sacar el conjunto de la llanta y la rueda trasera.

3. Desconectar el eje propulsor de la brida exterior y suspenderlo con un alambre.

4. Desatornillar la mordaza y suspenderla con la línea del freno conectada. Desatornillar y sacar el disco trasero.

5. Sacar la tuerca grande y sacar la placa de bloqueo. Si está equipado con ABS, desconectar y después sacar el sensor de velocidad del ABS, desatornillándolo.

6. Desatornillar la tuerca de reborde. Después, sacar la brida propulsora con la/s herramienta/s adecuada/s.

7. Atornillar la tuerca de reborde hasta que se nivele con el extremo del eje y utilizar un martillo adecuado para sacar el eje.

8. Sacar el anillo de resorte. Sacar los cojinetes de rueda, utilizando una herramienta adecuada.

9. Sacar la pista del cojinete interior del eje de transmisión con la herramienta especial 00-7-500, o equivalente.

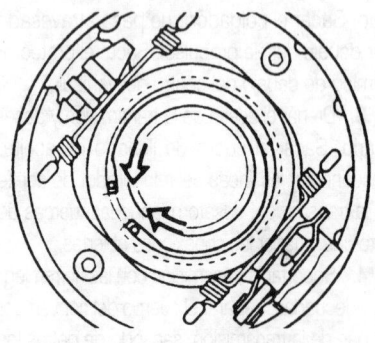

▲ Sacar el anillo de resorte del cubo – Series 3 y 5

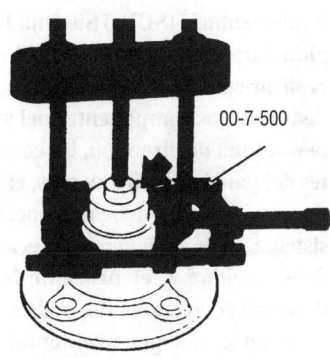

▲ **Herramienta especial 00-7-500 extractora de cojinetes – Series 3 y 5**

Para instalar:

10. Instalar el conjunto del cojinete nuevo utilizando las herramientas correctas. Después, volver a instalar el anillo de resorte.

11. Instalar el eje de transmisión trasero con las herramientas especiales: 23-1-300, 33-4-080 y 33-4-020, o equivalentes.

12. Lubricar e instalar la tuerca de reborde e introducir la placa de bloqueo con la/s herramienta/s adecuada/s. Apretar la tuerca de reborde a 148 pie-lb (200 Nm).

13. Instalar y conectar el sensor de velocidad del ABS.

14. Volver a montar el disco del freno y la mordaza.

15. Volver a conectar el eje de salida.

16. Instalar el conjunto de la llanta y la rueda trasera.

17. Bajar el vehículo.

Series 5 y 7

1. Levantar y soportar con seguridad el vehículo. Sacar el conjunto de la llanta y la rueda trasera.

2. Sacar la placa de bloqueo y, si está equipado, sacar el sensor del ABS.

3. Sacar la tuerca de retención de la brida de salida. Sacar la brida.

4. Desconectar el eje de salida (medio) del propulsor final (soporte del diferencial) presionándolo hacia fuera con la herramienta adecuada, y suspenderlo.

5. Sacar el eje de salida del cubo propulsor con brida con una herramienta especial.

6. Sacar el eje de transmisión trasero con la herramienta adecuada.

7. Sacar el anillo de resorte. Después, sacar los cojinetes de rueda, utilizando una herramienta adecuada.

8. Sacar el sello con una herramienta adecuada.

9. Si el revestimiento del cojinete interior está dañado, sacarlo con un extractor y una almohadilla de empuje.

Para instalar:

10. Utilizando un instalador de cojinetes apropiado, introducir el conjunto del cojinete de rueda, introducir el sello, insertar el anillo de resorte, después introducir el eje de transmisión trasero, todo en el orden inverso al procedimiento de desmontaje. Instalar el sello del eje de transmisión.

11. Para instalar el eje de salida, atornillar la mangueta estriada totalmente dentro del eje, después utilizar la tuerca y la arandela contra la parte exterior del puente.

12. Volver a conectar el eje de salida en el propulsor final. Apretar los tornillos de montaje a 42-46 pie-lb (58-63 Nm).

13. Lubricar la superficie de cojinete de la tuerca exterior, con aceite, e instalar la tuerca. Apretar la tuerca a 169-188 pie-lb (234-260 Nm).

14. Instalar el sensor del ABS, si se ha sacado.

15. Instalar el conjunto de la llanta y rueda trasera, y bajar el vehículo.

Serie 8

1. Levantar y soportar con seguridad el vehículo. Sacar el conjunto de la llanta y rueda trasera.

2. Sacar el sensor del ABS.

3. Sacar la tuerca de retención de la brida de salida. Sacar el cubo propulsor con brida.

4. Sacar el semieje del vehículo, desatornillando el eje de la brida de salida del propulsor final, y presionando el semieje fuera del cubo propulsor con brida, con las herramientas especiales 33-2-111, 116 y 117.

5. Sacar a presión el cubo propulsor con brida, con las herramientas especiales 33-3-250 y 33-2-105.

6. Sacar el anillo de resorte. Después, sacar los cojinetes de rueda, utilizando las herramientas especiales 33-3-261, 262 y 263.

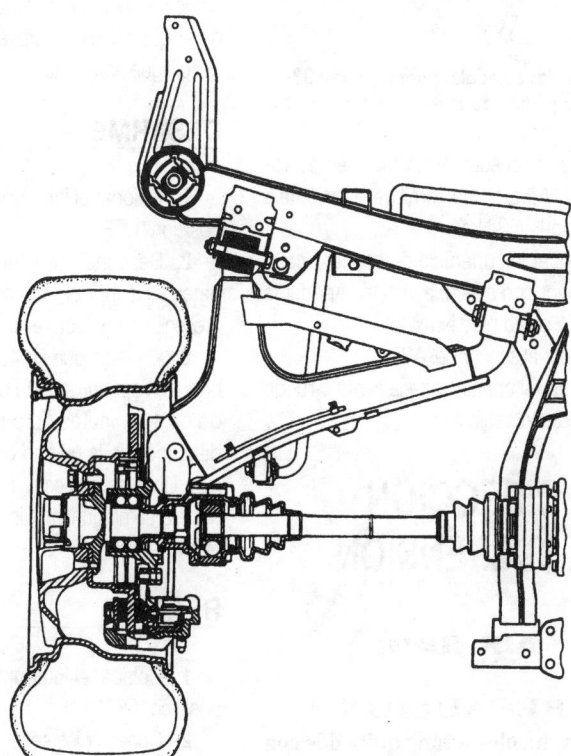

▲ **Corte esquemático del sistema de suspensión y semieje trasero – Serie 5**

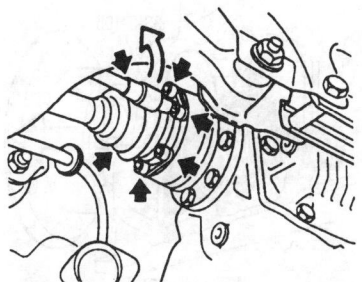

▲ **Localización de los tornillos del semieje al propulsor final (diferencial trasero) – Serie 8 y otras similares**

7. Sacar el sello con una herramienta adecuada.

8. Si la pista interior del cojinete está dañada, sacarla del cubo propulsor con brida, con la herramienta especial 33-3-240.

Para instalar:

9. Utilizando un instalador de cojinetes apropiado, introducir el conjunto del cojinete de rueda, introducir el sello, insertar el anillo de resorte, y después introducir el cubo propulsor con brida con las herramientas especiales 33-3-261, 263 y 264. Instalar el sello del eje de transmisión.

10. Para instalar el eje de salida, introducir el semieje con las herramientas especiales 33-2-116 y 118.

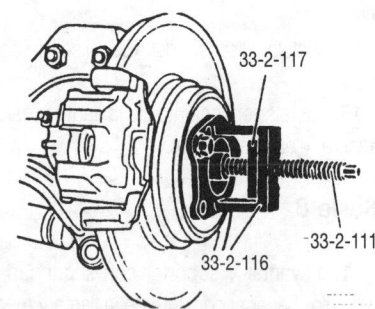

▲ Herramientas especiales para el desmontaje de los semiejes: 33-2-111, 116 y 117 – Serie 8

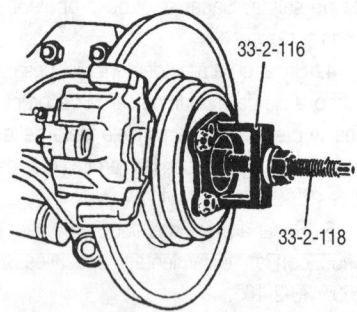

▲ Herramientas especiales para la instalación de los semiejes: 33-2-116 y 118 – Serie 8

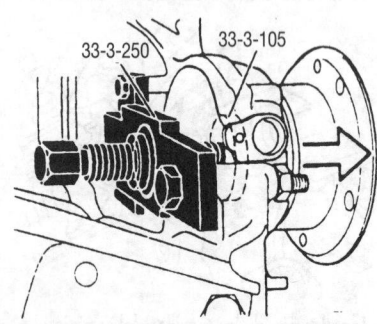

▲ Herramientas especiales para el desmontaje del cubo propulsor con brida – Serie 8

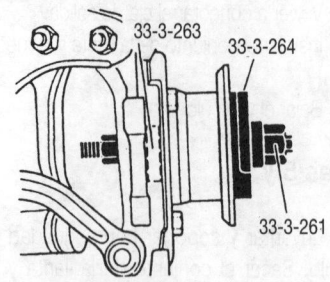

▲ Herramientas especiales de instalación del cubo propulsor con brida: 33-3-261, 263 y 264 – Serie 8

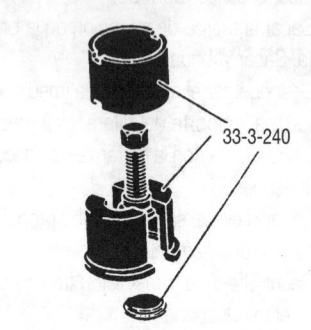

▲ Herramienta especial: 33-3-240 – Serie 8

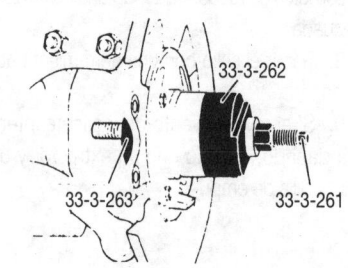

▲ Herramientas especiales para cojinetes: 33-3-261, 262 y 263 – Serie 8

11. Volver a conectar el eje salida en el propulsor final. Apretar los tornillos de montaje M10 a 61 pie-lb (83 Nm).

12. Lubricar la superficie de cojinete de la tuerca exterior con aceite, e instalar. Apretar la tuerca a 221 pie-lb (300 Nm).

13. Instalar el sensor del ABS.

14. Instalar el conjunto de la llanta y rueda trasera, y bajar el vehículo.

DIRECCIÓN Y SUSPENSIÓN

AIR BAG

▼ PRECAUCIÓN ▼

Algunos vehículos están equipados con un sistema de air bag, también conocido como Sistema Restringido de Hinchado Suplementario (SIR) o Sistema Restringido Suplementario (SRS). Antes de realizar cualquier reparación en, o alrededor de, los componentes del sistema, la columna de dirección, los componentes del panel de instrumentos, el cableado y los sensores, debe desconectarse el sistema. Si no se siguen las precauciones de seguridad y el procedimiento de desarme correctamente, podría producirse un despliegue accidental del air bag, posibles daños personales y reparaciones innecesarias del sistema.

PRECAUCIONES

Al manejar el módulo hinchable deben seguirse diversas precauciones para evitar un despliegue accidental y posibles daños personales.

• No llevar nunca sujeto el módulo hinchable por los cables o el conector de debajo del módulo.

• Al sujetar un módulo hinchable activado, sujetarlo firmemente con las dos manos y asegurarse de que la bolsa y la cubierta de guarnición estén apuntando hacia fuera.

• Colocar el módulo hinchable en un banco u otra superficie con la bolsa y la cubierta de guarnición mirando hacia arriba.

• Con el módulo hinchable en el banco, no colocar nunca nada sobre el módulo, o cerca de él, que pueda ser proyectado en caso de un despliegue accidental.

DESARME

1. Colocar el interruptor de encendido en posición "OFF".

2. Desconectar el terminal negativo de la batería y cubrir el terminal de la batería para prevenir un contacto accidental.

3. Una vez que se haya desconectado la batería, esperar durante un período aproximado de 10 minutos para permitir que el condensador de la unidad de control se descargue. Una vez que esté descargado, no puede generarse ningún impulso activador de manera imprevista.

REARME

1. Colocar el interruptor de encendido en posición "OFF".

2. Conectar los sensores, el conector de la columna de dirección y los conectores del tensor del cinturón de los asientos.

3. Conectar el terminal negativo de la batería.

4. Colocar el interruptor de encendido en posición "ON". Comprobar que la luz del SRS se enciende durante 6 segundos y se apaga. Si se ilumina siguiendo alguna otra pauta, hay algún problema que debe rectificarse por un técnico cualificado de BMW.

DIRECCIÓN ASISTIDA DE CREMALLERA Y PIÑÓN

DESMONTAJE E INSTALACIÓN

Serie 3

1. Levantar y soportar con seguridad el vehículo y sacar las ruedas delanteras. Sacar el tornillo de constricción y aflojar el tornillo. Sacar a presión la mangueta del mecanismo de dirección.

2. Utilizar una jeringa para vaciar el depósito del fluido de la dirección asistida. Aflojar la abrazadera y sacar la línea de retorno del fluido hidráulico de la unidad de la dirección asistida. Desechar el fluido drenado.

3. Desconectar y tapar la línea de presión.

4. Desatornillar las tuercas del lado derecho e izquierdo y sacar a presión las barras de conexión de donde se conectan en los postes de resortes.

5. Sacar los tornillos que sujetan la unidad de dirección en el travesaño delantero, y sacarla.

Para instalar:

6. Instalar la unidad de dirección en el travesaño delantero, después instalar y apretar los tornillos de montaje.

7. Instalar en orden inverso, teniendo presentes los siguientes puntos:

a. Los tornillos de la unidad de dirección en los agujeros traseros del soporte del eje. Utilizar tuercas autobloqueantes nuevas, y apretarlas a 29-34 pie-lb (40-46 Nm).

b. Al volver a conectar las barras de conexión en los postes de resortes, asegurarse de que las clavijas de las barras de conexión y los agujeros de los postes estén limpios. Volver a colocar la tuerca autobloqueante, y apretar a 40-48 pie-lb (54-66 Nm).

c. Volver a colocar los sellos sobre la conexión de la bomba de la dirección asistida, y apretar el tornillo a 29-32 pie-lb (40-43 Nm).

8. Llenar el depósito de fluido con fluido especial. Poner el motor a la marcha mínima, y

girar el volante de dirección de acá para allá, hasta que alcance los topes derecho e izquierdo, 2 veces cada uno. Después, APAGAR el motor y llenar el depósito.

DIRECCIÓN ASISTIDA DE RECIRCULACIÓN DE BOLAS

DESMONTAJE E INSTALACIÓN

Series 5, 7 y 8

1. Desconectar el cable negativo de la batería.

2. Sacar el volante de dirección, si está equipado con air bag (SRS).

3. Descargar el depósito de presión, empujando el pedal del freno aproximadamente 10 veces. Vaciar el fluido hidráulico del depósito de suministro.

4. Desatornillar el tornillo y sacar a presión la barra de conexión, del brazo (Pitman) de la dirección, con la herramienta adecuada.

5. Sacar el protector térmico del mecanismo de dirección y desconectar los tubos de control de altura del nivel de conducción en los 750iL.

6. Sacar el tornillo y sacar la junta U, del mecanismo de la dirección. Desconectar y tapar las líneas hidráulicas.

7. Desatornillar los tornillos de montaje del mecanismo de la dirección y sacar el mecanismo de la dirección.

➡ Si es necesario, mover el brazo (Pitman) descendente de la dirección girando la mangueta de la dirección, para permitir el desmontaje del conjunto del mecanismo.

Para instalar:

8. Instalar el mecanismo de la dirección y apretar los tornillos de montaje.

9. Conectar las líneas hidráulicas, utilizando sellos nuevos.

10. Girar el volante de la dirección en el sentido contrario o en el sentido de las agujas del reloj contra el tope, después volver a girarlo aproximadamente 1.7 vueltas, hasta que las marcas estén alineadas.

11. Conectar la junta U en el mecanismo de la dirección asegurándose de que el tornillo esté en la ranura de bloqueo de la mangueta de la dirección.

12. Instalar la barra de conexión en el brazo descendente de la dirección y volver a colocar la tuerca autobloqueante.

13. Colocar el protector térmico en el mecanismo de la dirección y conectar los tubos de control de altura del nivel de conducción en los 750iL.

14. Llenar el fluido hidráulico y colocar el volante de la dirección, si está equipado con air baig (SRS).

15. Conectar el cable negativo de la batería.

POSTE

DESMONTAJE E INSTALACIÓN

Delantero

SERIE 3

1. Desconectar el cable negativo de la batería.

2. Levantar y soportar con seguridad el vehículo. Sacar el conjunto de la llanta y la rueda.

3. Desconectar la clavija indicadora del desgaste de la zapata del freno y el cable de tierra. Sacar los cables del soporte sobre el poste. Sacar el transmisor de impulsos del ABS, si está equipado.

4. Desatornillar la mordaza y sacarla del poste, suspendiéndola de la carrocería con un trozo de alambre. No desconectar la línea del freno.

5. Sacar la tuerca de sujeción, después separar la barra de empuje sobre la barra estabilizadora en el poste.

6. Desatornillar la tuerca de sujeción y presionar fuera la junta guía con la herramienta correcta.

7. Desatornillar la tuerca y presionar fuera la junta de la barra de conexión.

8. Presionar la parte inferior del poste hacia fuera y empujarla por encima de la clavija de la junta guía, utilizando la herramienta correcta. Soportar la parte inferior del poste.

9. Desatornillar las tuercas de la parte superior del poste, desde la parte interior del compartimiento del motor, después sacar el poste.

Para instalar:

10. Colocar el poste en el vehículo, después apretar las tuercas de montaje de la parte superior del poste a 16-17 pie-lb (21-23 Nm). Las tuercas de montaje de la parte superior del poste deben reemplazarse por tuercas autobloqueantes nuevas.

11. Los componentes restantes se instalan en el orden inverso al que se han desmontado.

La barra de conexión y las juntas guía deben tener ambas clavijas y ambos agujeros limpios para el reensamblaje. Colocar las juntas autobloqueantes. Apretar la tuerca de sujeción del brazo de control en el poste de resorte a 43-51 pie-lb (59-69 Nm).

12. Instalar los conjuntos de las llantas y ruedas delanteras, después bajar la parte delantera del vehículo.

13. Conectar el cable negativo de la batería.

SERIES 5, 7 Y 8

1. Desconectar el cable negativo de la batería.

2. Levantar y soportar con seguridad el vehículo. Sacar el conjunto de la llanta y la rueda.

3. Desconectar la clavija indicadora del desgaste de la zapata de freno y el cable de tierra. Sacar los cables fuera de su soporte sobre el poste. Sacar el transmisor de impulsos del ABS, si está equipado.

4. Desconectar la barra de empuje estabilizadora con la herramienta correcta.

5. Desconectar los tornillos de la parte inferior del poste, en el brazo de control.

6. Soportar la parte inferior del poste y desatornillar las tuercas en la parte superior del poste, desde el interior del compartimiento del motor. Sacar el poste.

7. La instalación es el procedimiento inverso al de desmontaje.

AMORTIGUADORES

DESMONTAJE E INSTALACIÓN

Trasero

SERIE 3

1. Sacar el panel de guarnición del maletero para dejar expuestos los montajes superiores de los amortiguadores.

2. Levantar la parte trasera del vehículo y soportarla con seguridad.

3. Soportar el brazo de arrastre y sacar el tornillo de montaje inferior.

▼ AVISO ▼

El soporte no debe sacarse hasta que se haya instalado el nuevo amortiguador, y el vehículo no debe levantarse ya que ello podría dañar los semiejes.

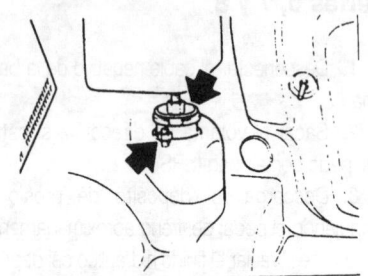

▲ Soportar el brazo de arrastre y sacar el tornillo (1) – Serie 3

▲ Localizaciones de las tuercas del montaje superior – Serie 3

4. Sacar la tapa y sacar las tuercas de montaje superiores y sacar el amortiguador del vehículo.

Para instalar:

5. Colocar el amortiguador en posición con nuevos sellos adaptados, entre el amortiguador y la carrocería. Renovar las tuercas autobloquean-

tes superiores y apretar a 11 pie-lb (15 Nm) para el Z3 y el 318ti y a 16 pie-lb (22 Nm) para el resto de vehículos de la serie 3 (incluyendo el M3).

6. Instalar el panel de guarnición del maletero.

7. Instalar el montaje inferior del amortiguador en el conjunto del eje trasero. La arandela de empuje sobre el montaje de goma debe mirar la cabeza del tornillo.

8. Bajar el vehículo. Con el vehículo apoyado a la altura de conducción normal, apretar el tornillo de montaje a 63 pie-lb (87 Nm), o a 94 pie-lb (130 Nm), si está marcado con 10.9, para los modelos Z3 y 318ti, o a 74 pie-lb (100 Nm) para todos los demás vehículos de la serie 3 (incluyendo el M3).

SERIES 5 Y 7 CON SUSPENSIÓN NORMAL

1. Levantar y soportar con seguridad la parte trasera del vehículo.

2. Sacar la almohadilla del asiento trasero y del respaldo. Sacar el panel de guarnición sobre el montaje del poste.

3. Soportar el brazo de control, sacar la tapa de goma, y sacar las tuercas de la parte superior del montaje del poste.

4. Sacar el tornillo de montaje inferior y bajar el conjunto resorte/amortiguador. Sacar el conjunto del vehículo.

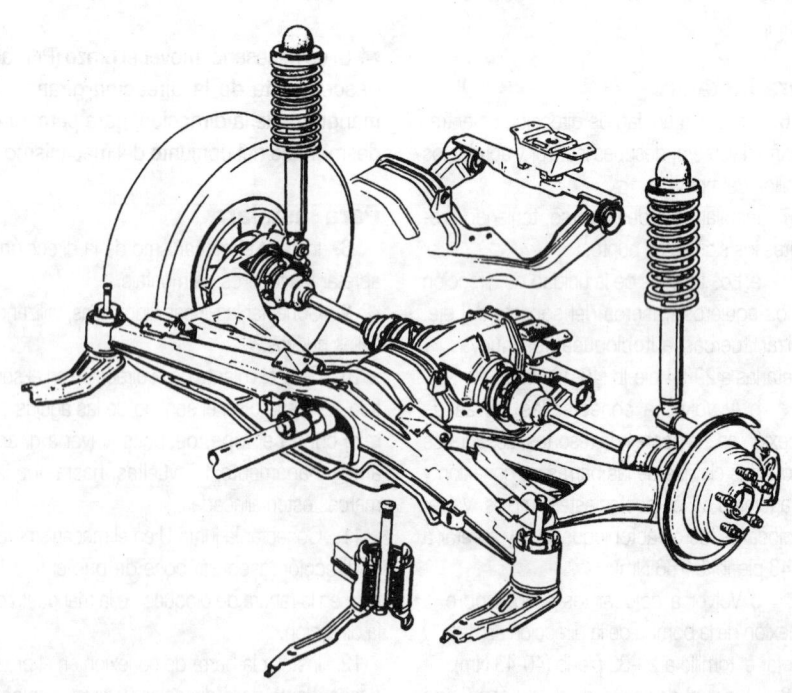

▲ Sistema de suspensión trasera – Serie 5

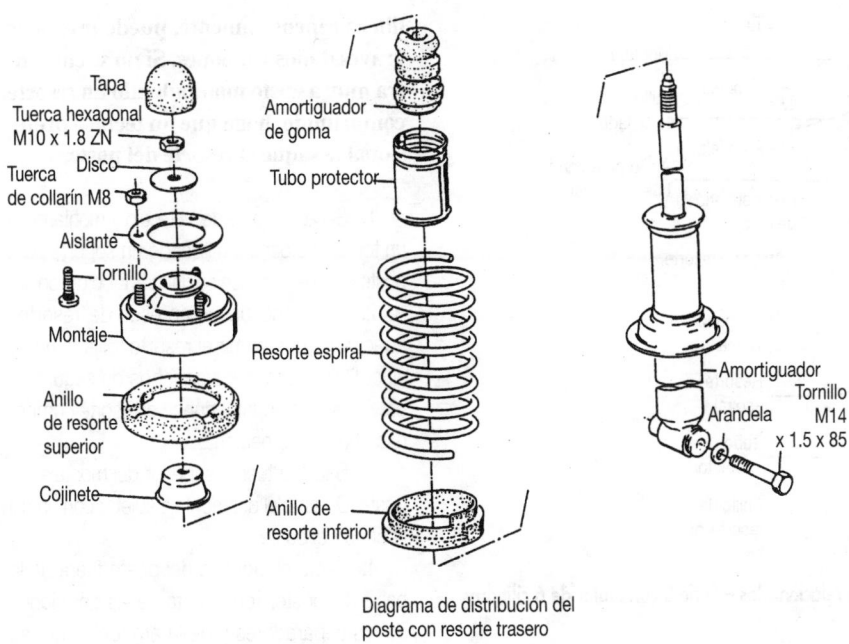

Diagrama de distribución del
poste con resorte trasero

▲ **Despiece del conjunto del amortiguador y resortes espirales – Series 5 y 7**

5. Utilizar un compresor de resortes y comprimir el resorte. Sacar la tuerca superior y sacar el montaje superior. Sacar el resorte.

Para instalar:

6. Comprimir un resorte nuevo, o colocar el resorte usado, en el amortiguador. Instalar el montaje y las arandelas. Utilizar una contratuerca nueva y apretar a 18 pie-lb (25 Nm). Liberar el resorte.

7. Instalar el amortiguador y apretar las tuercas del montaje superior a 16 pie-lb (21.5 Nm). Instalar el tornillo de montaje inferior holgadamente.

8. Con el vehículo bajado al suelo y a una altura de conducción normal, apretar el montaje inferior a 94 pie-lb (130 Nm).

9. Instalar la guarnición y las almohadillas del asiento.

SERIES 5 Y 7 CON SUSPENSIÓN CON CONTROL DE ALTURA DEL NIVEL DE CONDUCCIÓN

1. Levantar y soportar la parte trasera del vehículo.

2. Sacar la almohadilla del asiento trasero y del respaldo. Sacar el panel de guarnición sobre el montaje del poste.

➡ **El conjunto resorte helicoidal, amortiguador funciona como una correa, de** manera que **el brazo de control siempre debe estar apoyado.**

3. Desconectar la conexión eléctrica del interruptor de la presión baja y poner el encendido en posición "ON".

4. Desconectar la tuerca de la barra de control, sujetando el collarín con una llave de 8 mm contra torsión. No desconectar la barra en la rótula esférica.

5. Hacer funcionar la palanca del interruptor de control en la dirección de "descarga" durante aproximadamente 20 segundos, para descargar el fluido de las líneas.

6. Desconectar la línea hidráulica sobre el poste y poner el encendido en posición "OFF".

7. Soportar el brazo de control, sacar la tapa de goma y sacar las tuercas de la parte superior del montaje del poste.

8. Sacar el tornillo de montaje inferior y bajar el conjunto del poste con resorte. Sacar el conjunto del vehículo.

9. Utilizar un compresor de resortes y comprimir el resorte. Sacar la tuerca de la parte superior y sacar el montaje superior. Sacar el resorte.

Para instalar:

10. Comprimir un resorte nuevo o colocar el resorte usado en el poste. Instalar el montaje y las arandelas. Utilizar una contratuerca nueva y apretar a 18 pie-lb (25 Nm). Liberar el resorte.

11. Instalar el poste con resorte y apretar las tuercas del montaje superior a 16 pie-lb (21.5 Nm). Instalar el tornillo de montaje inferior holgadamente.

12. Conectar la línea hidráulica sobre el poste.

13. Conectar la tuerca de la barra de control, sujetando el collarín con una llave de 8 mm contra torsión.

14. Conectar la conexión eléctrica del interruptor de la presión baja.

15. Con el vehículo bajado al suelo y a una altura de conducción normal, apretar el montaje inferior, a 94 pie-lb (130 Nm).

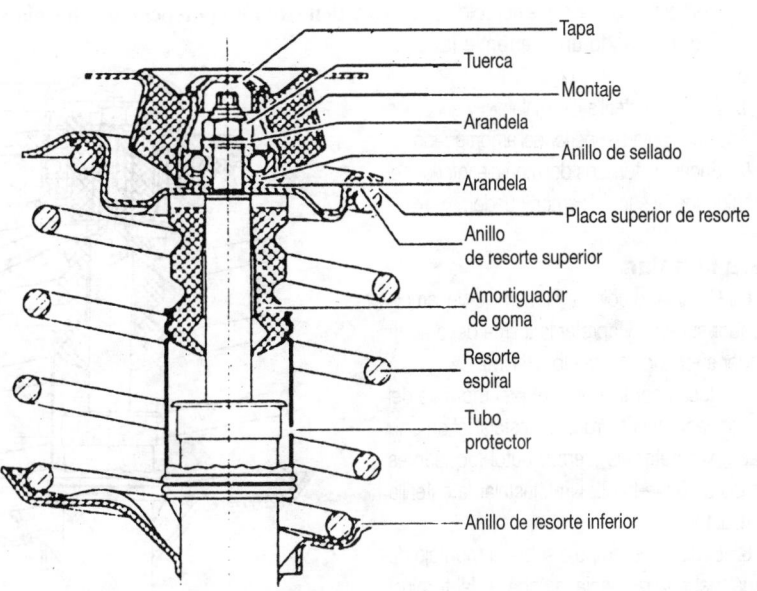

▲ **Sección del montaje del poste y de los componentes relacionados – Serie 3 con motor de 4 cilindros**

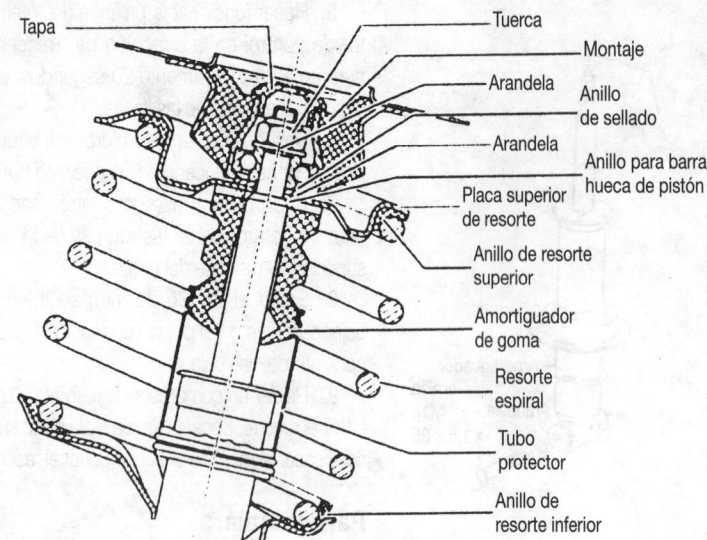

Tapa
Tuerca
Montaje
Arandela
Anillo de sellado
Arandela
Anillo para barra hueca de pistón
Placa superior de resorte
Anillo de resorte superior
Amortiguador de goma
Resorte espiral
Tubo protector
Anillo de resorte inferior

▲ Sección del montaje del poste y de los componentes relacionados – Serie 3 con motor de 6 cilindros

16. Instalar la guarnición y las almohadillas del asiento.

SERIE 8

▼ AVISO ▼

El soporte no debe sacarse hasta que el amortiguador nuevo esté instalado, y el vehículo no debe levantarse dado que podrían dañarse los semiejes.

1. Levantar y soportar con seguridad el vehículo.

2. Soportar correctamente los brazos de arrastre.

3. Comprimir los resortes helicoidales con seguridad, utilizando una herramienta adecuada.

4. Sacar la esterilla del maletero y sacar los tornillos del montaje superior del amortiguador.

5. Sacar los tornillos del montaje inferior del amortiguador y sacar el amortiguador.

Para instalar:

6. Cambiar o colocar el montaje del amortiguador superior y apretar la tuerca del amortiguador superior a 11 pie-lb (15 Nm).

7. Recolocar la junta entre el montaje del amortiguador y la carrocería. Instalar el amortiguador y apretar las tuercas autobloqueantes nuevas a 16 pie-lb (22 Nm). Instalar la esterilla del maletero.

8. El disco de empuje sobre el montaje de goma, debe mirar hacia la cabeza del tornillo. Instalar el tornillo de montaje inferior del amortiguador y colocar la tapa.

9. Liberar el resorte y sacar el soporte del brazo de arrastre. Bajar el vehículo. Con el vehículo a la altura normal de conducción, apretar el tornillo de montaje a 85 pie-lb (115 Nm).

RESORTES HELICOIDALES

DESMONTAJE E INSTALACIÓN

Delanteros

▼ PRECAUCIÓN ▼

Este procedimiento exige que se comprima el resorte. Un resorte comprimido tiene un alto potencial de energía y, si se

libera repentinamente, puede provocar graves daños y lesiones. Si no se encuentra muy a gusto manipulando un resorte comprimido, haga que un técnico profesional le saque el resorte del poste.

1. Sacar el poste del vehículo y montarlo en un tornillo de banco, utilizando un soporte para postes. Ello evitará que se dañe el tubo del poste.

2. Utilizando un compresor de resortes adecuado, comprimir el resorte y fijarlo en su sitio. Utilizar todos los ganchos de seguridad previstos y no apuntar nunca el resorte comprimido hacia una persona.

3. Sacar la tuerca superior del montaje del poste. Durante el desmontaje sujetar con un útil la barra del poste.

4. Sacar el montaje del poste fuera de la barra del poste. Tomar nota de las posiciones de los separadores y de la arandela para su colocación.

5. Sacar el resorte fuera del poste y colocarlo en algún sitio seguro.

6. Liberar lentamente la compresión del resorte.

Para instalar:

7. Instalar el resorte en el compresor y comprimirlo.

8. Instalar el resorte y el montaje del poste con todos los separadores y arandelas en sus posiciones originales. Apretar la nueva tuerca de la barra del poste a 47 pie-lb (65 Nm).

9. Liberar lentamente el resorte y comprobar que se asienta en los soportes del resorte. Instalar el poste en el vehículo.

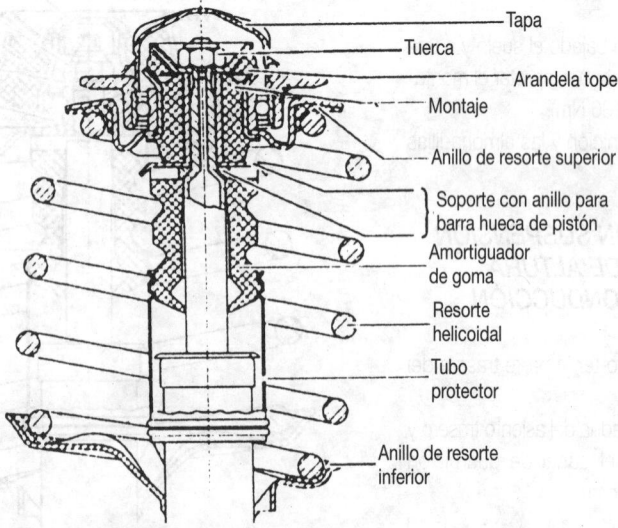

Tapa
Tuerca
Arandela tope
Montaje
Anillo de resorte superior
Soporte con anillo para barra hueca de pistón
Amortiguador de goma
Resorte helicoidal
Tubo protector
Anillo de resorte inferior

▲ Sección del montaje del poste con un cojinete de soporte separado y de los componentes relacionados - Serie 3 con motor de 6 cilindros

Traseros

SERIE 3 (EXCEPTO Z3 Y 318ti)

1. Levantar la parte trasera del vehículo y soportarla con seguridad. No soportarla en las piezas de la suspensión.

2. Sacar el conjunto de la llanta y la rueda.

3. Soportar el brazo de arrastre inferior en el cubo, y desconectar la barra estabilizadora en el brazo de control y el subbastidor.

4. Sacar el tornillo inferior de montaje del amortiguador.

5. Bajar lentamente el brazo de arrastre y sacar el resorte del lateral.

Para instalar:

6. Instalar el resorte con el protector en su sitio y la parte de encima del anillo elástico superior lubricada.

7. Levantar el brazo de arrastre hasta el nivel en que el tornillo pueda colocarse en el montaje inferior del amortiguador. Conectar la barra estabilizadora. No apretar todavía ningún tornillo.

8. Instalar el conjunto de la llanta y la rueda.

9. Bajar la parte trasera del vehículo.

10. Apretar el tornillo del estabilizador a 16 pie-lb (21.5 Nm) y el tornillo del amortiguador a 63 pie-lb (87 Nm) con el brazo de control en la posición de conducción normal.

MODELOS Z3 Y 318ti

1. Desconectar la parte trasera del sistema de escape y colgarlo de la carrocería.

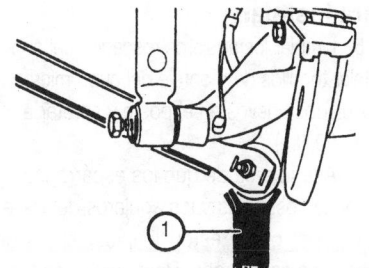

▲ **Soportar el brazo de arrastre (1) – Serie 3, excepto Z3 y 318ti**

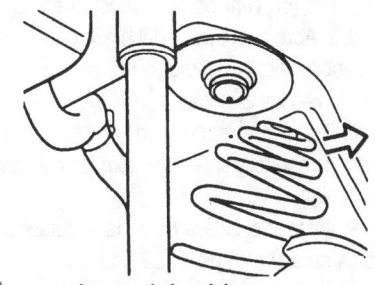

▲ **Sacar el resorte helicoidal – Serie 3, excepto Z3 y 318ti**

2. Desconectar el montaje de goma del propulsor final, apretarlo hacia abajo y sujetarlo abajo con una cuña.

3. Sacar el tornillo que conecta la barra estabilizadora trasera en el poste sobre el lado en que se esté trabajando. Ir con cuidado de no dañar la línea del freno.

➡ **Soportar con seguridad el brazo de control inferior, con un gato u otro mecanismo que permita bajarlo gradualmente, mientras se mantiene soportado con seguridad.**

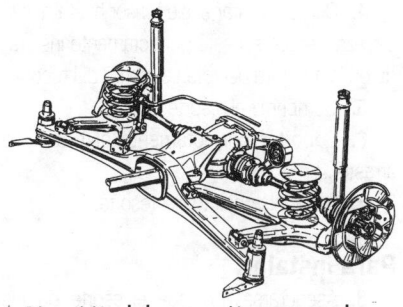

▲ **Disposición de la suspensión trasera en los modelos Z3 y 318ti**

4. Después, para evitar que se dañen las juntas del eje de salida, bajar el brazo de control sólo lo suficiente para deslizar el resorte helicoidal fuera del retén.

Para instalar:

5. Asegurarse, al colocar el resorte, de que se utilizan el mismo número de clave de las piezas, clave de color y anillo de goma adecuados. Instalar el resorte, asegurándose de que el resorte esté en la posición correcta.

6. Mantener el brazo de control soportado con seguridad mientras se levanta, y colocar el tornillo del amortiguador. Instalar los tornillos en el montaje de goma del propulsor final y apretar a 69 pie-lb (95 Nm).

7. Apretar el tornillo del estabilizador a 16 pie-lb (21.5 Nm) y el tornillo del amortiguador a 63 pie-lb (87 Nm) con el brazo de control en la posición normal de conducción. Instalar el sistema de escape.

SERIES 5 Y 7

El resorte helicoidal se saca junto con el amortiguador. Las series 5 y 7 utilizan un amortiguador tipo "sobre espiral" en el que el resorte está montado en el amortiguador en una unidad compacta. Una vez sacado el amortiguador del vehículo, el resorte puede comprimirse y separarse del amortiguador.

SERIE 8

1. Levantar y soportar con seguridad el vehículo.

2. Colocar la herramienta compresora del resorte en el resorte.

3. Colocar la placa tensora del resorte en medio del resorte. Girar completamente hacia arriba la placa tensora superior del resorte y completamente hacia abajo la placa tensora inferior del resorte.

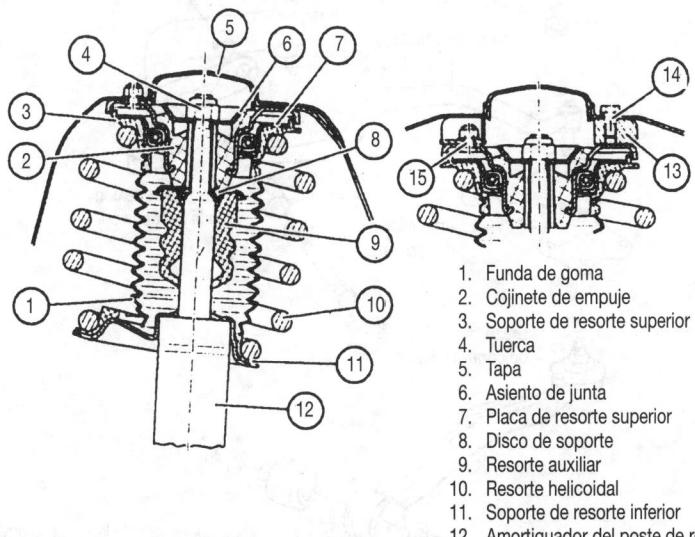

1. Funda de goma
2. Cojinete de empuje
3. Soporte de resorte superior
4. Tuerca
5. Tapa
6. Asiento de junta
7. Placa de resorte superior
8. Disco de soporte
9. Resorte auxiliar
10. Resorte helicoidal
11. Soporte de resorte inferior
12. Amortiguador del poste de resorte

▲ **Sección del montaje del poste y de los componentes relacionados – Series 5, 7 y 8**

4. Deslizar y girar el eje tensor hasta que la cabeza transversal esté perfectamente insertada en la abertura del retén superior del resorte.

5. Comprimir el resorte.

6. Soportar correctamente el brazo de arrastre.

7. Sacar el conjunto del resorte.

Para instalar:

8. Asegurarse, al colocar el resorte, de que se utilizan el mismo número de clave de las piezas, clave del color y anillos de goma correctos. Instalar el resorte, asegurándose de que el resorte esté en la posición correcta.

9. Mantener el brazo de control soportado con seguridad. Comprobar si las fundas de goma están correctamente colocadas.

10. Liberar el resorte.

11. Sacar el soporte y bajar el vehículo.

RÓTULA ESFÉRICA INFERIOR

DESMONTAJE E INSTALACIÓN

Las series 5, 7 y 8 utilizan una suspensión de tipo multi-articulación. Hay un brazo de control inferior para soportar el cuerpo del poste y una barra de empuje para controlar el movimiento hacia delante y hacia atrás. En los vehículos de la Serie 3 no se utiliza la barra de empuje.

Serie 3

1. Levantar y soportar con seguridad el vehículo. Sacar el conjunto de la llanta y la rueda delantera. Utilizar un trozo de alambre para evitar que el poste se alargue demasiado y dañe la manguera del freno.

2. Desconectar el soporte del protector del brazo de control trasero donde se conecta a la carrocería, sacando los tornillos.

3. Sacar la tuerca y desconectar el enlace de la barra estabilizadora delantera donde se conecta con el brazo de control.

4. Desatornillar la tuerca que acopla el brazo de control al travesaño, y sacar la tuerca de encima del travesaño. Después, utilizar un martillo de goma para sacar el espárrago fuera del travesaño.

5. Desatornillar la tuerca en el punto en que contacta con el cuerpo del poste. Sacar los tornillos que conectan el cubo en los postes. Presionar la rótula esférica hacia fuera del sitio donde el brazo de control se acopla en el extremo inferior del poste, utilizando una herramienta adecuada.

Para instalar:

6. Limpiar los agujeros roscados del cubo. Instalar tornillos de montaje del cubo microencapsulados nuevos en el poste y apretar a 58 pie-lb (80 Nm).

7. Asegurarse de que los espárragos de las rótulas esféricas y los agujeros del travesaño y del poste estén limpios, antes de insertar los espárragos. Reemplazar las tuercas originales por tuercas de repuesto y arandelas. Apretar la tuerca de la rótula esférica a 47 pie-lb (65 Nm) para la tracción en las 2 ruedas. Apretar la tuerca del brazo de control al subbastidor a 61 pie-lb (85 Nm) para la tracción en las 2 ruedas.

8. Instalar el soporte del protector del brazo de control y apretar los tornillos a 30 pie-lb (42 Nm).

9. Instalar el enlace de la barra estabilizadora y apretar a 43 pie-lb (59 Nm).

Series 5, 7 y 8

BRAZO DE CONTROL

1. Levantar y soportar con seguridad el extremo delantero. No colocar los caballetes debajo de ninguna pieza de la suspensión. Sacar la rueda.

2. Sacar los 3 tornillos que sujetan la articulación de la dirección en la parte inferior del poste.

3. Sacar la tuerca de la rótula esférica y presionar el espárrago fuera de la articulación de la dirección con una herramienta de desmontaje de rótulas esféricas.

4. Sacar la tuerca y el tornillo en el extremo del bastidor auxiliar del brazo de control. Sacar el brazo de control.

Para instalar:

5. Instalar el brazo de control en el bastidor auxiliar, utilizando una tuerca y una arandela nuevas en ambos lados. No apretar todavía.

6. Limpiar la grasa y la suciedad del espárrago de la rótula esférica y del agujero. Instalar el espárrago de la rótula esférica dentro de la articulación de la dirección y apretar la tuerca nueva a 67 pie-lb (93 Nm).

7. Limpiar las roscas y los agujeros de los tornillos de montaje de la articulación de la dirección y el cuerpo del poste. Instalar los tornillos, utilizando un bloqueador de roscas, y apretar a 80 pie-lb (110 Nm). Hay una ranura que alineará el poste y la articulación.

8. Instalar la rueda y bajar el vehículo al suelo. Cargar 150 lb en cada uno de los asientos delanteros y en el centro del asiento trasero.

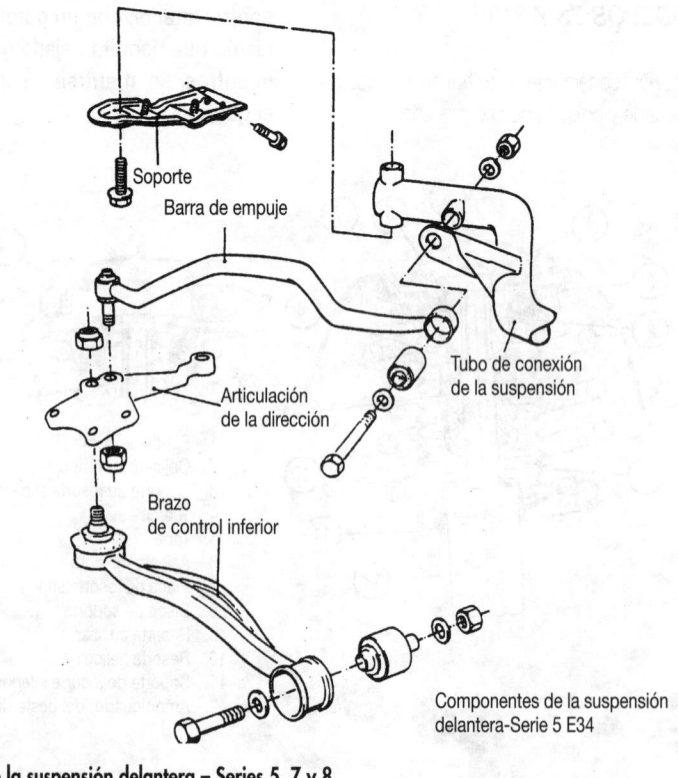

Despiece de la suspensión delantera – Series 5, 7 y 8

Soporte
Barra de empuje
Articulación de la dirección
Brazo de control inferior
Tubo de conexión de la suspensión
Componentes de la suspensión delantera-Serie 5 E34

Apretar el tornillo del brazo de control al sub-bastidor (bastidor auxiliar) a 56 pie-lb (77.5 Nm).

BARRA DE EMPUJE

Reemplazar siempre las barras del poste por pares. Si las barras del poste no se reemplazan por pares, podría producirse una respuesta de conducción desigual.

1. Levantar y soportar con seguridad el extremo delantero. No colocar los caballetes debajo de ninguna de las piezas de la suspensión. Sacar la rueda.

2. Sacar la tuerca de la rótula esférica de la barra de empuje y, presionar el espárrago fuera de la articulación de la dirección, con una herramienta de desmontaje de rótulas esféricas.

3. Sacar la tuerca y el tornillo en el extremo del subbastidor de la barra del poste. Sacar la barra del poste.

Para instalar:

4. Instalar el poste en el subbastidor, utilizando una tuerca y una arandela nuevas en ambos lados. No apretar todavía.

5. Limpiar la grasa y la suciedad del espárrago de la rótula esférica y del agujero. Instalar el espárrago de la rótula esférica dentro de la articulación de la dirección y apretar la tuerca nueva a 67 pie-lb (93 Nm).

6. Instalar la rueda y bajar el vehículo al suelo. Cargar 150 lb en cada uno de los asientos delanteros y en el centro del asiento trasero. Apretar el tornillo del brazo de control al sub-bastidor a 92 pie-lb (127 Nm).

COJINETES DE RUEDA

AJUSTE

Los cojinetes de rueda no pueden ajustarse. Los cojinetes deben reemplazarse como una unidad y una vez que se han sacado de la mangueta no pueden ser reutilizados.

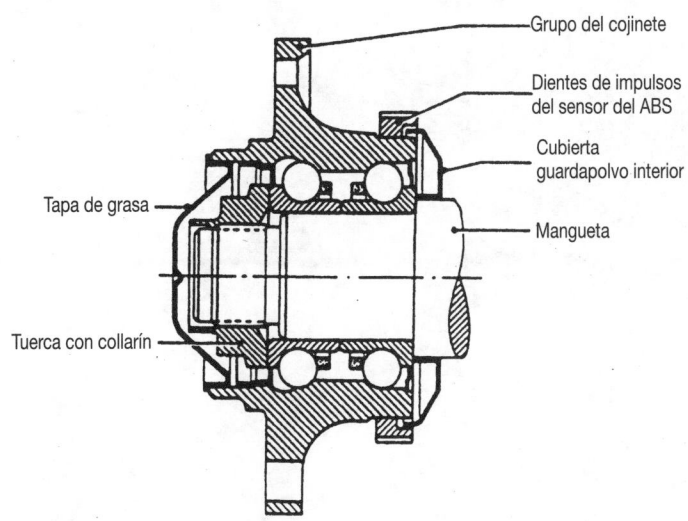

Grupo del cojinete
Dientes de impulsos del sensor del ABS
Cubierta guardapolvo interior
Mangueta
Tapa de grasa
Tuerca con collarín

▲ Sección del cojinete de rueda delantero

DESMONTAJE E INSTALACIÓN

Delanteros

➡ Los cojinetes de rueda sólo se sacan si están gastados. No pueden sacarse sin destruirlos (debido al empuje lateral del extractor de cojinetes). No son periódicamente desensamblados, ensamblados y ajustados.

1. Sacar la rueda delantera y soportar el vehículo. Sacar los tornillos de sujeción, y sacar y suspender la mordaza del freno, colgándola de la carrocería para evitar tensión en la línea del freno.

2. Sacar el tornillo fijador con una llave Allen. Sacar el disco de freno y hacer palanca para sacar la cubierta guardapolvo con una pequeña barra para hacer palanca.

3. Utilizando un cincel, golpear sacando la lengüeta de seguridad de la tuerca de reborde (collarín) fuera del eje. Desatornillar y desechar la tuerca.

4. Sacar el cojinete con un juego de extractores como el 31-2-101/102/104 y desecharlo. En el M3, utilizar un juego de extractores como el 31-2-102/105/106. En el M3, instalar el soporte principal del extractor con 3 tornillos de la rueda.

5. Si la pista interior del cojinete de la parte interna permanece en el mango del eje, desatornillar y sacar el guardapolvo. Doblar hacia atrás el guardapolvo interior y sacar la pista interior con una herramienta especial capaz de ponerse debajo de la pista (BMW 00-7-500 y 33-1-309, o equivalente). Reinstalar el guardapolvo.

Para instalar:

6. Si el guardapolvo se ha sacado, instalar uno nuevo. Instalar una herramienta especial (BMW 31-2-120 o equivalente; en el M3, utilizar la 31-2-110 o equivalente) sobre el mango del eje y atornillarla en toda la longitud de la rosca del manguito guía. Presionar el cojinete encima.

7. Para instalar el disco y la mordaza, invertir el resto de los procedimientos de desmontaje. Apretar la tuerca de collarín (reborde) del cubo de la rueda a 210 pie-lb (290 Nm). Bloquear la tuerca de collarín doblando la lengüeta sobre ella.

Traseros

Para el desmontaje y la instalación de los cojinetes de rueda traseros, consultar el procedimiento de los semiejes.

MERCEDES BENZ
Clase C - Clase CLK - Clase E - Clase S - Clase SL - Clase SLK

ESPECIFICACIONES	**580**
REPARACIÓN DEL MOTOR DE GASOLINA .	**591**
Sincronización del encendido	591
Conjunto motor	591
Bomba de agua.	592
Culata de cilindros	594
Balancines y ejes de balancines	599
Sobrealimentador	599
Múltiple de admisión	600
Múltiple de escape	603
Árbol de levas y levantaválvulas	603
Holgura de válvulas	607
Depósito de aceite	607
Bomba de aceite.	610
Sello de aceite principal trasero	610
Cubierta delantera y sello	613
Cadena de sincronización	614
REPARACIÓN DEL MOTOR DIESEL	**614**
Conjunto motor	614
Bomba de agua.	615
Bujías incandescentes	615
Culata de cilindros	615
Balancines y ejes de balancines	616
Turboalimentador	616
Múltiple de admisión	617
Múltiple de escape	617
Árbol de levas y levantaválvulas	617
Holgura de válvulas	619
Depósito de aceite	619
Bomba de aceite.	619
Sello de aceite principal trasero	619
Cubierta y sello de la cadena de sincronización. .	620
Cadena de sincronización	620
SISTEMA DE COMBUSTIBLE: GASOLINA . .	**621**
Precauciones para la reparación del sistema de combustible	621
Presión del sistema de combustible.	621
Filtro de combustible	621
Bomba de combustible	622
SISTEMA DE COMBUSTIBLE: DIESEL	**622**
Precauciones para la reparación del sistema de combustible.	622
Marcha mínima	622
Filtro de combustible/separador de agua	622
Bomba de inyección Diesel	623
Sincronización de la inyección Diesel.	623
TREN DE TRANSMISIÓN	**624**
Conjunto de transmisión	624
Embrague	625
Sistema de embrague hidráulico.	625
Conjunto de caja de transferencia	626
Semieje	627
DIRECCIÓN Y SUSPENSIÓN	**627**
Mecanismo de la dirección de cremallera y piñón	628
Mecanismo de la dirección de tornillo sin fin y sector	629
Poste	629
Amortiguadores	631
Resortes helicoidales.	633
Rótula esférica superior	634
Rótula esférica inferior	634
Cojinetes de rueda	636

ESPECIFICACIONES
MERCEDES BENZ

C220-C280-CL500-CLK320-E320-S320-SL320-S350-E420-S420-E500-S500-S600-SL500-SL600-SLK230

TABLA DE IDENTIFICACIÓN DEL VEHÍCULO

Clave del motor						Año del modelo	
Clave	Litros	Plg³ (cc)	Cil.	Sist. combustible	Fabr. motor	Clave	Año
104.941	2.8L	171 (2799)	6	HFM	MB	S	1995
104.941	3.6L	220 (3606)	6	HFM	MB	T	1996
104.991	3.2L	195.1 (3199)	6	HFM	MB	V	1997
104.992	3.2L	195.1 (3199)	6	HFM	MB	W	1998
104.994	3.2L	195.1 (3199)	6	HFM - Motronic	MB	X	1999
104.995	3.2L	195.1 (3199)	6	ME2.1	MB		
111.961	2.2L	134 (2199)	4	HFM	MB		
111.973	2.3L	140 (2295)	4	ME2.1	MB		
111.974	2.3L	140 (2295)	4	ME2.1	MB		
112.920	2.8L	171 (2799)	6	ME 2.0	MB		
112.940	3.2L	195 (3199)	6	ME 2.0	MB		
112.941	3.2L	195 (3199)	6	ME 2.0	MB		
113.940	4.3L	260 (4265)	8	ME 2.0	MB		
119.970	5.0L	303 (4973)	8	LH	MB		
119.971	4.2L	256 (4196)	8	LH	MB		
119.972	5.0L	303 (4973)	8	ME-1	MB		
119.975	4.2L	256 (4196)	8	LH	MB		
119.980	5.0L	303 (4973)	8	ME-1	MB		
119.981	4.2L	256 (4196)	8	ME-1	MB		
119.982	5.0L	303 (4973)	8	ME-1	MB		
119.985	4.2L	256 (4196)	8	ME-1	MB		
120.980	6.0L	365 (5987)	12	LH	MB		
120.981	6.0L	365 (5987)	12	ME-1	MB		
120.982	6.0L	365 (5987)	12	ME-1	MB		
120.983	6.0L	365 (5987)	12	ME-1	MB		
603.971	3.5L	210 (3449)	6	EDC	MB		
606.910	3.0L	182.7 (2996)	6	EDC	MB		
606.962	3.0L	182.7 (2996)	6	EDC	MB		

HFM-Gestión del motor por Capa Caliente con inyección secuencial de combustible.
HFM-Motronic-Gestión del motor por Capa Caliente con controles Motronic.
ME-Gestión del motor Motronic.
LH-Sistema de combustible por Alambre Caliente Bosch.
EDC-Control Diesel Electrónico.

IDENTIFICACIÓN DEL MOTOR

Año	Modelo	Cilindrada del motor litros (cc)	Serie del motor (ID/VIN)	Sistema combustible	Nº. de cilindros	Tipo de motor
1995	C220	2.2 (2199)	111.961	HFM	4	DOHC
	C280	2.8 (2799)	104.941	HFM	6	DOHC
	E320	3.2 (3199)	104.992	HFM	6	DOHC
	S320	3.2 (3199)	104.994	HFM	6	DOHC
	SL320	3.2 (3199)	104.991	HFM	6	DOHC
	S350	3.5 (3449)	603.971	EDS	6	SOHC
	E420	4.2 (4196)	119.975	LH	8	DOHC
	S420	4.2 (5196)	119.971	LH	8	DOHC
	E500	5.0 (4973)	119.974	LH	8	DOHC
	S500	5.0 (4973)	119.970	LH	8	DOHC
	SL500	5.0 (4973)	119.972	LH	8	DOHC
	S600	6.0 (5987)	120.980	LH	12	DOHC
	SL600	6.0 (5987)	120.981	LH	12	DOHC
1996	C220	2.2 (2199)	111.961	HFM	4	DOHC
	C280	2.8 (2799)	104.941	HFM	6	DOHC
	C36	2.8 (2799)	104.941	HFM	6	DOHC
	E300	3.0 (2996)	606.912	EDS	6	DOHC
	E320	3.2 (3199)	104.995	HFM	6	DOHC
	S320	3.2 (3199)	104.994	HFM	6	DOHC
	SL320	3.2 (2199)	104.991	HFM	6	DOHC
	S420	4.2 (5196)	119.981	ME	8	DOHC
	S500	5.0 (4973)	119.980	ME	8	DOHC
	SL500	5.0 (4973)	119.982	ME	8	DOHC
	S600	6.0 (5987)	120.982	ME	12	DOHC
	SL600	6.0 (5987)	120.983	ME	12	DOHC
1997	C220	2.2 (2199)	111.961	HFM	4	DOHC
	C280	2.8 (2799)	104.941	HFM	6	DOHC
	C36	2.8 (2799)	104.941	HFM	6	DOHC
	E300	3.0 (2996)	606.912	EDS	6	DOHC
	E320	3.2 (3199)	104.995	HFM	6	DOHC
	S320	3.2 (3199)	104.994	HFM	6	DOHC
	SL320	3.2 (2199)	104.991	HFM	6	DOHC
	S420	4.2 (5196)	119.981	ME	8	DOHC
	S500	5.0 (4973)	119.980	ME	8	DOHC
	SL500	5.0 (4973)	119.982	ME	8	DOHC
	S600	6.0 (5987)	120.982	ME	12	DOHC
	SL600	6.0 (5987)	120.983	ME	12	DOHC
1998-99	C230	2.3 (2295)	111.974	ME2.1	4	DOHC
	C280	2.8 (2799)	112.920	ME 2.0	6	DOHC
	E300	3.0 (2996)	606.962	EDS	6	DOHC
	E320	3.2 (3199)	112.941	ME 2.0	6	DOHC
	E430	4.3 (4265)	113.940	ME 2.0	8	DOHC

CIS-E-Sistema de Inyección Continua con controles electrónicos.
EDS-Sistema Diesel Electrónico.
HFM-Inyección de Combustible Multipunto.
SOHC-Árbol de levas simple sobre culata.
DOHC-Árbol de levas doble sobre culata.
ME-Inyección de Combustible Multipunto.

IDENTIFICACIÓN DEL MOTOR

Año	Modelo	Cilindrada del motor litros (cc)	Serie del motor (ID/VIN)	Sistema combustible	Nº. de cilindros	Tipo de motor
1998-99 (cont.)	S320	3.2 (3199)	104.994	HFM	6	DOHC
	S420	4.2 (5196)	119.981	ME	8	DOHC
	S500	5.0 (4973)	119.980	ME-1	8	DOHC
	S600	6.0 (598.)	120.982	ME	12	DOHC
	CL500	5.0 (4973)	119.980	ME-1	8	DOHC
	CL600	6.0 (5987)	120.982	ME	12	DOHC
	SL500	5.0 (4973)	119.982	ME	8	DOHC
	SL600	6.0 (5987)	120.983	ME	12	DOHC
	CLK320	3.2 (3199)	112.940	ME 2.0	6	DOHC
	SLK 230	2.3 (2295)	111.973	ME2.1	4	DOHC

CIS-E-Sistema de Inyección Continua con controles electrónicos.
EDS-Sistema Diesel Electrónico.
HFM-Inyección de Combustible Multipunto.
SOHC-Árbol de levas sobre culata simple.
DOHC-Árbol de levas sobre culata doble.
ME-Inyección de Combustible Multipunto.

ESPECIFICACIONES GENERALES DEL MOTOR

Año	Motor (ID/VIN)	Cilindrada del motor litros (cc)	Sistema de combustible	Caballaje neto @ rpm	Torsión neta @ rpm (pie-lb)	Diámetro x carrera (plg)	Relación de compresión	Presión de aceite @ rpm
1995	111.961	2.2 (2199)	HFM	148@5500	155@4000	3.54x3.41	9.8:1	43.5-58@2000
	104.941	2.8 (2799)	HFM	194@5500	199@3750	3.54x2.89	10.0:1	69.6@2000
	104.991	3.2 (3199)	HFM	229@5600	232@3750	3.54x3.30	10.0:1	69.6@2000
	104.992	3.2 (3199)	HFM	217@5500	229@3750	3.54x3.30	10.0:1	69.6@2000
	104.994	3.2 (3199)	HFM	228@5600	229@3750	3.54x3.30	10.0:1	69.6@2000
	603.971	3.5 (3449)	EDS	148@4000	232@2000	3.50x3.60	22.0:1	①
	119.971	3.5 (3449)	EDS	275@5700	302@3900	3.62x3.11	11.0:1	23.2-72.5@2000
	119.975	4.2 (5196)	LH	275@5700	295@3900	3.62x3.11	11.0:1	23.2-72.5@2000
	119.970	5.0 (4973)	LH	315@5600	345@3900	3.80x3.35	10.0:1	23.2-72.5@2000
	119.972	5.0 (4973)	LH	315@5600	345@3900	3.80x3.35	10.0:1	23.2-72.5@2000
	119.974	5.0 (4973)	LH	315@5600	347@3900	3.80x3.35	10.0:1	23.2-72.5@2000
	120.980	6.0 (5987)	LH	389@5200	421@3800	3.50x3.16	10.0:1	①
	120.981	6.0 (5987)	LH	389@5200	420@3800	3.50x3.16	10.0:1	①
1996	111.961	2.2 (2199)	HFM	148@5500	155@4000	3.54x3.41	9.8:1	43.5-58@2000
	104.941	2.8 (2799)	HFM	194@5500	199@3750	3.54x2.89	10.0:1	69.6@2000
	606.912	3.0 (2966)	EDS	134@5000	155@2600	3.43x3.31	22.0:1	①
	104.991	3.2 (3199)	HFM	229@5600	232@3750	3.54x3.30	10.0:1	69.6@2000
	104.994	3.2 (3199)	HFM	228@5600	232@3750	3.54x3.30	10.0:1	69.6@2000
	104.995	3.2 (3199)	HFM	217@5500	229@5750	3.54x3.30	10.0:1	NA
	104.941 ②	3.6 (3606)	HFM	268@5750	280@4000	3.64x3.58	10.5:1	NA
	119.981	4.2 (5196)	ME	275@5700	295@3900	3.62x3.11	11.0:1	23.2-72.5@2000
	119.980	5.0 (4973)	ME	315@5600	347@3900	3.80x3.35	10.0:1	23.2-72.5@2000
	119.982	5.0 (4973)	ME	315@5600	345@3900	3.80x3.35	10.0:1	23.2-72.5@2000
	120.982	6.0 (5987)	ME	389@5200	420@3800	3.50x3.16	10.0:1	①
	120.983	6.0 (5987)	ME	389@5200	420@3800	3.50x3.16	10.0:1	①
1997	111.961	2.2 (2199)	HFM	148@5500	155@4000	3.54x3.41	9.8:1	43.5-58@2000
	104.941	2.8 (2799)	HFM	194@5500	199@3750	3.54x2.89	10.0:1	69.6@2000
	606.912	3.0 (2966)	EDS	134@5000	155@2600	3.43x3.31	22.0:1	①
	104.991	3.2 (3199)	HFM	229@5600	232@3750	3.54x3.30	10.0:1	69.6@2000
	104.994	3.2 (3199)	HFM	228@5600	232@3750	3.54x3.30	10.0:1	69.6@2000
	104.995	3.2 (3199)	HFM	217@5500	229@5750	3.54x3.30	10.0:1	NA
	104.941 ②	3.6 (3606)	HFM	268@5750	280@4000	3.64x3.58	10.5:1	NA
	119.981	4.2 (5196)	ME	275@5700	295@3900	3.62x3.11	11.0:1	23.2-72.5@2000
	119.980	5.0 (4973)	ME	315@5600	347@3900	3.80x3.35	10.0:1	23.2-72.5@2000
	119.982	5.0 (4973)	ME	315@5600	345@3900	3.80x3.35	10.0:1	23.2-72.5@2000
	120.982	6.0 (5987)	ME	389@5200	420@3800	3.50x3.16	10.0:1	①
	120.983	6.0 (5987)	ME	389@5200	420@3800	3.50x3.16	10.0:1	①
1998-99	111.974	2.3 (2295)	ME2.1	148@5500	162@4000	3.58x3.48	10.4:1	23.2-72.5@2000
	112.920	2.8 (2799)	ME 2.0	194@5800	195@30-4600	3.54x2.89	10.0:1	23.2-72.5@2000
	606.962	3.0 (2996)	EDS	174@5000	244@16-3000	3.43x3.31	22.0:1	①
	112.941	3.2 (3199)	ME 2.0	221@5500	232@30-4800	3.54x3.30	10.0:1	③
	113.940	4.3 (4265)	ME 2.0	275@5750	295@30-4400	3.54x3.31	10.0:1	③
	104.994	3.2 (3199)	HFM	228@5600	232@3750	3.54x3.30	10.0:1	69.6@2000

ESPECIFICACIONES GENERALES DEL MOTOR

Año	Motor (ID/VIN)	Cilindrada del motor litros (cc)	Sistema de combustible	Caballaje neto @ rpm	Torsión neta @ rpm (pie-lb)	Diámetro x carrera (plg)	Relación de compresión	Presión de aceite @ rpm
1998-99 (cont.)	119.981	4.2 (5196)	ME	275@5700	295@3900	3.62x3.11	11.0:1	23.2-72.5@2000
	119.980	5.0 (4973)	ME	315@5600	347@3900	3.80x3.35	10.0:1	23.2-72.5@2000
	119.982	5.0 (4973)	ME	315@5600	345@3900	3.80x3.35	10.0:1	23.2-72.5@2000
	120.983	6.0 (5987)	ME	389@5200	420@3800	3.50x3.16	10.0:1	①
	112.940	3.2 (3199)	ME 2.0	215@5500	229@30-4600	3.54x3.30	10.0:1	③
	111.973	2.3 (2295)	ME2.1	185@5300	200@25-4800	3.58x3.48	8.8:1	③

CIS-E-Sistema de Inyección Continua con controles electrónicos.
EDS-Sistema Diesel Electrónico.
HFM-Inyección de Combustible y Sistema de Encendido Multipunto.
ME-Inyección de Combustible y Sistema de Encendido Multipunto.
NA-No disponible.

① Con el motor a temperatura de funcionamiento, la presión del aceite debe ser como mínimo de 43.5 lb.plg^2 @ marcha mínima. Cuando el motor se acelera, la presión del aceite debe aumentar inmediatamente y alcanzar una presión mínima de 43.5 lb.plg^2 @ 3000 rpm.

② C36.

③ 43.5 @ 3000.

  10 @ 700.

ESPECIFICACIONES PARA LA AFINACIÓN DE MOTORES DE GASOLINA

Año	Motor (ID/VIN)	Cilindrada del motor litros (cc)	Bujías Abertura (plg)	Sincronización encendido (grados) TM	Sincronización encendido (grados) TA	Bomba de com-bustible (lb/plg²)	Marcha mínima (rpm) TM	Marcha mínima (rpm) TA	Holgura válvulas Admisión	Holgura válvulas Escape
1995	111.961	2.2 (2199)	0.031	—	①	③	—	700-800	HYD	HYD
	104.941	2.8 (2799)	0.031	—	7-11B	③	—	650-750	HYD	HYD
	104.991	3.2 (3199)	0.031	—	①	③	—	650-750	HYD	HYD
	104.992	3.2 (3199)	0.031	—	①	③	—	650-750	HYD	HYD
	104.994	3.2 (3199)	0.031	—	①	③	—	650-750	HYD	HYD
	119.975	4.2 (4196)	0.031	—	①	③	—	600-750	HYD	HYD
	119.971	4.2 (5196)	0.031	—	①	③	—	600-750	HYD	HYD
	119.970	5.0 (4973)	0.031	—	①	③	—	600-750	HYD	HYD
	119.972	5.0 (4973)	0.031	—	①	③	—	600-750	HYD	HYD
	119.974	5.0 (4973)	0.031	—	①	③	—	600-750	HYD	HYD
	120.980	6.0 (5987)	0.031	—	①	③	—	600-750	HYD	HYD
	120.981	6.0 (5987)	0.031	—	①	③	—	600-750	HYD	HYD
1996	111.961	2.2 (2199)	0.031	—	①	③	—	700-800	HYD	HYD
	104.941	2.8 (2799)	0.031	—	7-11B	③	—	650-750	HYD	HYD
	104.991	3.2 (3199)	0.031	—	①	③	—	650-750	HYD	HYD
	104.994	3.2 (3199)	0.031	—	①	③	—	650-750	HYD	HYD
	104.995	3.2 (3199)	0.031	—	①	③	—	650-750	HYD	HYD
	104.941 ②	3.6 (3606)	0.031	—	①	③	—	650-750	HYD	HYD
	119.981	4.2 (4196)	0.031	—	①	③	—	600-750	HYD	HYD
	119.980	5.0 (4973)	0.031	—	①	③	—	600-750	HYD	HYD
	119.982	5.0 (4973)	0.031	—	①	③	—	600-750	HYD	HYD
	120.982	6.0 (5987)	0.031	—	①	③	—	600-750	HYD	HYD
	120.983	6.0 (5987)	0.031	—	①	③	—	600-750	HYD	HYD
1997	111.961	2.2 (2199)	0.031	—	①	③	—	700-800	HYD	HYD
	104.941	2.8 (2799)	0.031	—	7-11B	③	—	650-750	HYD	HYD
	104.991	3.2 (3199)	0.031	—	①	③	—	650-750	HYD	HYD
	104.994	3.2 (3199)	0.031	—	①	③	—	650-750	HYD	HYD
	104.995	3.2 (3199)	0.031	—	①	③	—	650-750	HYD	HYD
	104.941 ②	3.6 (3606)	0.031	—	①	③	—	650-750	HYD	HYD
	119.981	4.2 (4196)	0.031	—	①	③	—	600-750	HYD	HYD
	119.980	5.0 (4973)	0.031	—	①	③	—	600-750	HYD	HYD
	119.982	5.0 (4973)	0.031	—	①	③	—	600-750	HYD	HYD
	120.982	6.0 (5987)	0.031	—	①	③	—	600-750	HYD	HYD
	120.983	6.0 (5987)	0.031	—	①	③	—	600-750	HYD	HYD
1998-99	111.974	2.3 (2295)	0.031	—	①	③	—	700-800	HYD	HYD
	112.920	2.8 (2799)	0.031	—	7-11B	③	—	650-750	HYD	HYD
	112.941	3.2 (3199)	0.031	—	①	③	—	650-750	HYD	HYD
	113.940	4.3 (4265)	0.031	—	①	③	—	650-750	HYD	HYD
	104.994	3.2 (3199)	0.031	—	①	③	—	650-750	HYD	HYD
	119.981	4.2 (5196)	0.031	—	①	③	—	650-750	HYD	HYD

ESPECIFICACIONES PARA LA AFINACIÓN DE MOTORES DE GASOLINA

Año	Motor (ID/VIN)	Cilindrada del motor litros (cc)	Bujías Abertura (plg)	Sincronización encendido (grados)		Bomba de combustible (lb/plg²)	Marcha mínima (rpm)		Holgura válvulas	
				TM	TA		TM	TA	Admisión	Escape
1998-99	119.980	5.0 (4973)	0.031	—	①	③	—	650-750	HYD	HYD
(cont.)	119.982	5.0 (4973)	0.031	—	①	③	—	600-750	HYD	HYD
	120.983	6.0 (5987)	0.031	—	①	③	—	600-750	HYD	HYD
	112.940	3.2 (3199)	0.031	—	①	③	—	600-750	HYD	HYD
	111.973	2.3 (2295)	0.031	—	①	③	—	600-750	HYD	HYD

Nota: la etiqueta de Información del Control de Emisiones del Vehículo a menudo refleja los cambios de especificaciones hechos durante la producción. Las cifras de las etiquetas se han de utilizar si difieren de las de esta tabla.

B-Antes del Punto Muerto Superior.

HYD-Hidráulico.

① Sincronización controlada por el módulo de control del motor. No es posible el ajuste.

② C36.

③ 46-52 lb/plg² sin aplicar vacío.
  53-61 lb/plg² aplicando vacío.
  36 lb/plg² retención pasados 30 minutos.

CAPACIDADES

Año	Modelo	Motor ID/VIN	Cilindrada del motor litros (cc)	Aceite del motor con filtro	Transmisión (pts) 5 vel.	auto.	Eje motriz Del. (pts)	Tras. (pts)	Depósito combustible (gal)	Sistema enfria- miento (qts)
1995	C220	111.961	2.2 (2199)	6.1	—	11.7	—	2.3	16.4	8.8
	C280	104.941	2.8 (2799)	7.9	—	11.7	—	2.3	16.4	10.5
	E320	104.992	3.2 (3199)	7.9	—	13.1	—	2.7	18.5	9.5
	S320	104.994	3.2 (3199)	7.9	—	13.1	—	2.7	26.4	15.3
	SL320	104.991	3.2 (3199)	7.9	—	13.1	—	2.7	21.1	11.6
	S350	603.971	3.5 (3449)	8.5	—	13.1	—	2.7	26.4	10.6
	E420	119.975	4.2 (4196)	8.5	—	16.3	—	2.7	23.7	13.2
	S420	119.971	4.2 (5196)	8.5	—	16.3	—	2.7	26.4	17.4
	E500	119.974	5.0 (4973)	8.5	—	16.3	—	2.7	23.7	13.2
	S500	119.970	5.0 (4973)	8.5	—	16.3	—	2.9	26.4	17.4
	SL500	119.972	5.0 (4973)	8.9	—	16.3	—	2.9	21.1	15.9
	S600	120.980	6.0 (5987)	10.0	—	16.3	—	2.9	26.4	19.6
	SL600	120.981	6.0 (5987)	10.6	—	16.3	—	2.9	21.1	21.1
1996	C220	111.961	2.2 (2199)	6.2	—	11.7	—	2.3	16.4	8.8
	C280	104.941	2.8 (2799)	7.9	—	11.7	—	2.3	16.4	10.5
	E300	606.912	3.0 (2996)	NA	—	NA	—	NA	17.2	NA
	E320	104.995	3.2 (3199)	NA	—	NA	—	NA	21.1	NA
	S320	104.994	3.2 (3199)	7.9	—	13.1	—	2.7	26.4	15.3
	SL320	104.991	3.2 (3199)	7.9	—	13.1	—	2.7	21.1	11.6
	C36	104.941	3.6 (3606)	7.9	—	NA	—	NA	16.4	7.9
	S420	119.981	4.2 (5196)	8.5	—	16.3	—	2.7	26.4	17.4
	S500	119.980	5.0 (4973)	8.5	—	16.3	—	2.9	26.4	17.4
	SL500	119.982	5.0 (4973)	8.9	—	16.3	—	2.9	21.1	15.9
	S600	120.982	6.0 (5987)	10.0	—	16.3	—	2.9	26.4	19.6
	SL600	120.983	6.0 (5987)	10.6	—	16.3	—	2.9	21.1	21.1
1997	C220	111.961	2.2 (2199)	6.2	—	11.7	—	2.3	16.4	8.8
	C280	104.941	2.8 (2799)	7.9	—	11.7	—	2.3	16.4	10.5
	E300	606.912	3.0 (2996)	NA	—	NA	—	NA	17.2	NA
	E320	104.995	3.2 (3199)	NA	—	NA	—	NA	21.1	NA
	S320	104.994	3.2 (3199)	7.9	—	13.1	—	2.7	26.4	15.3
	SL320	104.991	3.2 (3199)	7.9	—	13.1	—	2.7	21.1	11.6
	C36	104.941	3.6 (3606)	7.9	—	NA	—	NA	16.4	7.9
	S420	119.981	4.2 (5196)	8.5	—	16.3	—	2.7	26.4	17.4
	S500	119.980	5.0 (4973)	8.5	—	16.3	—	2.9	26.4	17.4
	SL500	119.982	5.0 (4973)	8.9	—	16.3	—	2.9	21.1	15.9
	S600	120.982	6.0 (5987)	10.0	—	16.3	—	2.9	26.4	19.6
	SL600	120.983	6.0 (5987)	10.6	—	16.3	—	2.9	21.1	21.1
1998-99	C230	111.974	2.3 (2295)	6	—	19.7	—	2.9	16.4	8.8
	C280	112.920	2.8 (2799)	8.5	—	19.7	—	2.9	16.4	10
	E300	606.962	3.0 (2996)	7	—	19.7	—	2.9	21.1	9.5
	E320	112.941	3.2 (3199)	6.5	—	19.7	—	2.9	①	9

CAPACIDADES

Año	Modelo	Motor ID/VIN	Cilindrada del motor litros (cc)	Aceite del motor con filtro	Transmisión (pts)		Eje motriz		Depósito combustible (gal)	Sistema enfria-miento (qts)
					5 vel.	auto.	Del. (pts)	Tras. (pts)		
1998-99 (cont.)	E430	113.940	4.3 (4265)	8	—	19.7	—	2.9	23.0	11.6
	S320	104.994	3.2 (3199)	7.5	—	17	—	2.9	26.4	15.3
	S420	119.981	4.2 (5196)	8.5	—	16.3	—	2.7	26.4	17.4
	S500	119.980	5.0 (4973)	8.5	—	16.3	—	2.9	26.4	17.4
	S600	120.982	6.0 (5987)	10.0	—	16.3	—	2.9	26.4	19.6
	CL500	119.980	5.0 (4973)	8.5	—	19.7	—	2.9	26.4	21.1
	CL600	120.982	6.0 (5987)	10	—	19.7	—	2.9	26.4	21.1
	SL500	119.982	5.0 (4973)	8.9	—	16.3	—	2.9	21.1	15.9
	SL600	120.983	6.0 (5987)	10.6	—	16.3	—	2.9	21.1	21.1
	CLK320	112.940	3.2 (3199)	6.5	—	19.7	—	2.9	16.4	17.5
	SLK 230	111.973	2.3 (2295)	6	—	19.7	—	2.9	14.0	9

Nota: todas las capacidades son aproximadas. Añadir fluido gradualmente y asegurarse de que se obtiene el nivel de fluido correcto.

① Sedan 21.1.
  Wagon 18.5.

ESPECIFICACIONES DE TORSIÓN
Todas las medidas están expresadas en pie-lb

Año	Motor ID/VIN	Cilindrada del motor litros (cc)	Tornillos culata de cilindros	Tornillos cojinete principal	Tornillos cojinete biela	Tornillos amortiguador cigüeñal	Tornillos volante	Múltiple Admisión	Múltiple Escape	Bujías	Tuerca orejas
1995	111.961	2.2 (2199)	①	②	③	221	③	15	29.5	④	81
	104.941	2.8 (2799)	①	②	③	⑤	⑥	18.4	29.5	④	81
	104.991	3.2 (3199)	①	②	③	⑤	⑥	18.4	29.5	④	81
	104.992	3.2 (3199)	①	②	③	⑤	⑥	18.4	29.5	④	81
	104.994	3.2 (3199)	①	②	③	⑤	⑥	18.4	29.5	④	95
	603.971	3.5 (3449)	⑦	⑧	NA	⑤	⑨	18.4	18.4	④	95
	119.975	4.2 (4196)	①	⑩	⑪	295	⑫	18.4	22.1	④	81
	119.971	4.2 (5196)	①	⑩	⑪	295	⑫	18.4	22.1	④	95
	119.970	5.0 (4973)	①	⑩	⑪	295	⑫	18.4	22.1	④	95
	119.972	5.0 (4973)	①	⑩	⑪	295	⑫	18.4	22.1	④	81
	119.974	5.0 (4973)	①	⑩	⑪	295	⑫	18.4	22.1	④	81
	120.980	6.0 (5987)	⑬	⑩	⑪	295	⑫	18.4	29.5	④	95
	120.981	6.0 (5987)	⑬	⑩	⑪	295	⑫	18.4	29.5	④	81
1996	111.961	2.2 (2199)	⑭	②	③	300	③	14.7	29.5	④	81
	104.941	2.8 (2799)	①	②	③	⑤	⑥	18.4	29.5	④	81
	606.912	3.0 (2996)	NA	NA	NA	NA	NA	NA	NA	NA	81
	104.991	3.2 (3199)	①	②	③	⑤	⑥	18.4	29.5	④	81
	104.994	3.2 (3199)	①	②	③	⑤	⑥	18.4	29.5	④	110
	104.995	3.2 (3199)	NA	NA	NA	NA	NA	NA	NA	NA	81
	104.941 ⑮	3.6 (3606)	NA	NA	NA	NA	NA	NA	NA	NA	81
	119.981	4.2 (4196)	①	⑩	⑪	400	⑫	18.4	22.1	④	81
	119.980	5.0 (4973)	①	⑩	⑪	400	⑫	18.4	22.1	④	110
	119.982	5.0 (4973)	①	⑩	⑪	400	⑫	18.4	22.1	④	81
	120.982	6.0 (5987)	⑬	⑩	⑪	400	⑫	18.4	29.5	④	110
	120.983	6.0 (5987)	⑬	⑩	⑪	400	⑫	18.4	29.5	④	81
1997	111.961	2.2 (2199)	⑭	②	③	300	③	14.7	29.5	④	81
	104.941	2.8 (2799)	①	②	③	⑤	⑥	18.4	29.5	④	81
	606.912	3.0 (2996)	NA	NA	NA	NA	NA	NA	NA	NA	81
	104.991	3.2 (3199)	①	②	③	⑤	⑥	18.4	29.5	④	81
	104.994	3.2 (3199)	①	②	③	⑤	⑥	18.4	29.5	④	110
	104.995	3.2 (3199)	NA	NA	NA	NA	NA	NA	NA	NA	81
	104.941 ⑮	3.6 (3606)	NA	NA	NA	NA	NA	NA	NA	NA	81
	119.981	4.2 (4196)	①	⑩	⑪	400	⑯	18.4	22.1	④	81
	119.980	5.0 (4973)	①	⑩	⑪	400	⑯	18.4	22.1	④	110
	119.982	5.0 (4973)	①	⑩	⑪	400	⑯	18.4	22.1	④	81
	120.982	6.0 (5987)	⑬	⑩	⑪	400	⑯	18.4	29.5	④	110
	120.983	6.0 (5987)	⑬	⑩	⑪	400	⑯	18.4	29.5	④	81

ESPECIFICACIONES DE TORSIÓN
Todas las medidas están expresadas en pie-lb

Año	Motor ID/VIN	Cilindrada del motor litros (cc)	Tornillos culata de cilindros	Tornillos cojinete principal	Tornillos cojinete biela	Tornillos amortiguador cigüeñal	Tornillos volante	Múltiple		Bujías	Tuerca orejas
								Admisión	Escape		
1998-99	104.994	3.2 (3199)	①	②	③	⑤	⑬	18.4	29.5	④	110
	111.973	2.3 (2295)	⑭	②	③	300	⑩	14.7	29.5	④	81
	111.974	2.3 (2295)	⑭	②	③	300	⑩	14.7	29.5	④	81
	112.920	2.8 (2799)	⑯	⑰	⑱	⑲	⑳	15	12	21	100
	112.940	3.2 (3199)	⑯	⑰	⑱	⑲	⑳	15	12	21	100
	112.941	3.2 (3199)	⑯	⑰	⑱	⑲	⑳	15	12	21	100
	113.940	4.3 (4265)	⑯	⑰	⑱	⑲	⑳	15	12	21	100
	119.980	5.0 (4973)	①	⑩	⑪	400	⑯	18.4	22.1	④	110
	119.981	4.2 (5196)	①	⑩	⑪	400	⑯	18.4	22.1	④	81
	119.982	5.0 (4973)	①	⑩	⑪	400	⑯	18.4	22.1	④	81
	120.983	6.0 (5987)	⑬	⑩	⑪	400	⑯	18.4	29.5	④	81

① Paso 1: 40.5 pie-lb.
Paso 2: +90 grados.
Paso 3: +90 grados.
Paso 4: Tornillos M8: 18.4 pie-lb.
② Paso 1: 40.5 pie-lb.
Paso 2: +90-100 grados.
③ Paso 1: 22.1 pie-lb.
Paso 2: +90-100 grados.
④ Bujía con asiento cónico: 7.3-14.7 pie-lb.
Bujía con asiento plano: 14.7-22.1 pie-lb.
⑤ Paso 1: 147.5 pie-lb.
Paso 2: +90 grados.
⑥ Sin volante de masa doble:
Paso 1: 22.1 pie-lb.
Paso 2: +90-100 grados.
Con volante de masa doble:
Paso 1: 29.5 pie-lb.
Paso 2: +90-100 grados.

⑦ Paso 1: 11 pie-lb.
Paso 2: 25.8 pie-lb.
Paso 3: +90 grados.
Paso 4: Esperar diez minutos.
Paso 5: +90 grados.
Paso 6: Tornillos M8: 18.4 pie-lb.
⑧ Tornillos M11:
Paso 1: 40.5 pie-lb.
Paso 2: +90-100 grados.
⑨ Sin volante de masa doble:
Paso 1: 25.8 pie-lb.
Paso 2: +90-100 grados.
Con volante de masa doble:
Paso 1: 29.5 pie-lb.
Paso 2: +90-100 grados.
⑩ Tornillos M8: 22.1 pie-lb.
Tornillo M10: 36.8 pie-lb.

⑪ Paso 1: 33.1 pie-lb.
Paso 2: +90-100 grados.
⑫ Paso 1: 25.8 pie-lb.
Paso 2: +90-100 grados.
⑬ Paso 1: 40.5 pie-lb.
Paso 2: +90 grados.
Paso 3: +90 grados.
⑭ Paso 1: 51.6 pie-lb.
Paso 2: +90 grados.
Paso 3: +90 grados.
⑮ C36.
⑯ Paso 1: 15 pie-lb.
Paso 2: 37 pie-lb.
Paso 3: 65 grados.
Paso 4: 65 grados.

⑰ M8 x 40: 18 pie-lb.
M8 x 75:
Paso 1: 10 pie-lb.
Paso 2: 90-100 grados.
M10 x 90:
Paso 1: 15 pie-lb.
Paso 2: 90-100 grados.
⑱ Paso 1: 44 plg-lb.
Paso 2: 18 pie-lb.
Paso 3: 90 grados.
⑲ Paso 1: 148 pie-lb.
Paso 2: 95 grados.
⑳ Paso 1: 33 pie-lb.
Paso 2: 90 grados.

REPARACIÓN DEL MOTOR DE GASOLINA

➡ En algunos vehículos, la desconexión del cable negativo de la batería puede interferir en el funcionamiento del ordenador de a bordo y puede ser necesaria su reprogramación cuando el cable negativo sea conectado de nuevo.

SINCRONIZACIÓN DEL ENCENDIDO

AJUSTE

Todos los motores, excepto los de 4.2L y los de 5.0L, están equipados con un sistema de encendido sin distribuidor; el ajuste no es necesario ni posible. Los motores de 4.2L y 5.0.L están equipados con un sistema de encendido electrónico. La sincronización del encendido está controlada por la unidad de control de Encendido Electrónico con Retardo Anti-detonación (EZL/ARK). El ajuste de la sincronización del encendido no es posible.

CONJUNTO MOTOR

DESMONTAJE E INSTALACIÓN

➡ En todos los casos, los motores Mercedes-Benz se desmontan como una unidad con las transmisiones.

1. Sacar la cubierta de debajo del motor.
2. Desconectar el cable negativo de la batería.
3. Descargar correctamente la presión del sistema de combustible.

▼ PRECAUCIÓN ▼

No abrir, reparar o drenar nunca el radiador o el sistema de refrigeración si están calientes; pueden producirse quemaduras graves debidas al vapor y al fluido refrigerante caliente.

4. Drenar y reciclar el fluido refrigerante del motor.

▼ PRECAUCIÓN ▼

La autoridad sanitaria advierte que el contacto prolongado con aceite de motor usado puede causar varios trastornos en la piel e incluso cáncer. Por ello se deberá intentar reducir al mínimo el contacto con el aceite de motor usado. Al cambiar el aceite deben utilizarse guantes protectores. Limpiarse las manos y cualquier otra zona expuesta de la piel, tan pronto como sea posible, después de haberse puesto en contacto con el aceite usado. Debe utilizarse agua y jabón, o un limpiador de manos sin agua.

5. Drenar y reciclar el aceite del motor y de la transmisión.
6. Sacar el cople viscoso y el ventilador. El conjunto del embrague (cople) viscoso del ventilador está equipado con roscas levógiras (roscadas a la izquierda).
7. Sacar el recubrimiento del radiador y del ventilador.
8. Desconectar todas las mangueras del calefactor y las líneas del refrigerador de aceite. Tapar todas las aberturas para evitar que entre suciedad.
9. Sacar el sensor del flujo de aire de masa de la capa caliente y el conjunto de la admisión de aire.
10. Si está equipado con sobrealimentador, sacar los tubos de carga de aire del compresor.
11. Sacar las correas propulsoras de accesorios.
12. Proteger el condensador del A/A utilizando un trozo de chapa metálica, madera contrachapada o plástico.
13. Etiquetar y desconectar el cableado del motor.
14. Etiquetar y separar todas las bandas de conexión a tierra, y conexiones eléctricas.
15. Etiquetar y desconectar todas las mangueras de vacío que sea necesario para facilitar el desmontaje del motor.
16. Etiquetar y separar las líneas de suministro y retorno de combustible.
17. Desconectar el varillaje del acelerador.
18. Sacar el fluido de la dirección asistida (D/A) del depósito y desconectar las mangueras de la bomba de la D/A.
19. Desatornillar el compresor del A/A y colocarlo a un lado, manteniendo las mangueras conectadas.
20. Desconectar el varillaje de la transmisión.
21. Si está equipado con 4-MATIC, desconectar los semiejes delanteros del diferencial delantero.
22. Si está equipado con transmisión manual, desconectar la línea del embrague en el cilindro auxiliar.
23. Desconectar el sistema de escape en los múltiples y sacarlo.
24. Desconectar el eje motriz en la transmisión y empujarlo hacia atrás.
25. Si está equipado con transmisión automática, asegurarse de que todas las conexiones eléctricas y mecánicas estén separadas de la transmisión.
26. Soportar el conjunto del motor y transmisión. Desconectar los montajes del motor y de la transmisión.
27. Utilizando un elevador de cadena y un cable, levantar el motor y la transmisión hacia arriba y afuera. Un ángulo de aproximadamente 45 grados permitirá al vehículo ser empujado hacia atrás mientras el motor sube.

Para instalar:

28. Utilizando un elevador de cadena y un cable, colocar el motor y la transmisión dentro del vehículo. Un ángulo de aproximadamente 45 grados permitirá al vehículo ser empujado hacia delante mientras el motor baja hacia dentro.
29. Instalar los montajes del motor y de la transmisión y apretar los tornillos como sigue:
• Tornillos del soporte de la transmisión al travesaño a 18 pie-lb (25 Nm).
• Tornillos del travesaño de la transmisión a la carrocería a 30 pie-lb (40 Nm).
• Tuerca del montaje de la transmisión a la transmisión a 52 pie-lb (70 Nm).
• Tornillo de montaje del soporte del motor al subbastidor a 30 pie-lb (40 Nm).
30. Conectar el eje motriz.
31. Si está equipado con 4-MATIC, acoplar los semiejes delanteros al diferencial delantero.
32. Si está equipado con transmisión automática, asegurarse de que todas las conexiones eléctricas y mecánicas estén conectadas a la transmisión.
33. Conectar el sistema de escape.
34. Si está equipado con transmisión manual, conectar la línea hidráulica del embrague al cilindro auxiliar.
35. Conectar el varillaje de la transmisión.
36. Acoplar el compresor del A/A.
37. Conectar las mangueras de la D/A (dirección asistida) y llenar el depósito.
38. Conectar el varillaje del acelerador.

39. Conectar las líneas de suministro y de retorno de combustible.

40. Conectar todas las líneas de vacío que se hayan sacado.

41. Conectar todas las conexiones de banda de tierra y eléctricas.

42. Conectar el cableado del motor.

43. Instalar las correas propulsoras de accesorios.

44. Si está equipado con sobrealimentador, conectar los tubos de carga de aire en el compresor.

45. Instalar el sensor del flujo de aire de masa de la capa caliente y el conjunto de la admisión del aire.

46. Sacar el protector del condensador del A/A.

47. Instalar el radiador y conectar las mangueras de refrigeración.

48. Sacar los tapones de las líneas del refrigerador de aceite y conectarlas en los rácores apropiados.

49. Instalar el cople (embrague) viscoso y el ventilador.

▼ AVISO ▼

Hacer funcionar el motor sin la cantidad y el tipo de aceite de motor correcto puede dañar gravemente el motor.

50. Llenar el sistema de refrigeración con fluido refrigerante, y el motor y la transmisión con aceite al nivel correcto.

51. Conectar el cable negativo de la batería.

52. Arrancar el motor y comprobar si hay fugas; después instalar la cubierta de debajo del motor.

BOMBA DE AGUA

DESMONTAJE E INSTALACIÓN

1. Desconectar el cable negativo de la batería.

▼ PRECAUCIÓN ▼

No abrir, reparar o drenar nunca el radiador o el sistema de refrigeración si están calientes; pueden producirse quemaduras graves debidas al vapor y al fluido refrigerante caliente.

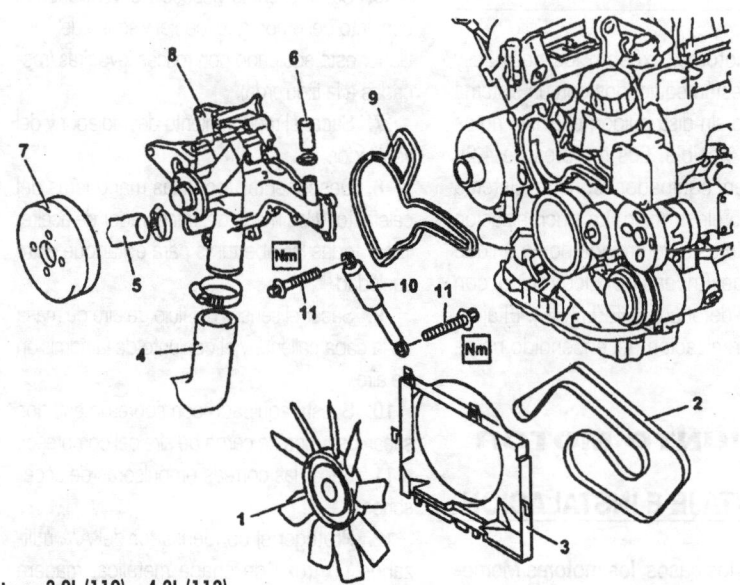

1. Ventilador viscoso
2. Correa poly-V
3. Recubrimiento del ventilador
4. Manguera de fluido refrigerante
5. Manguera de fluido refrigerante
6. Manguera de fluido refrigerante en el intercambiador de calor aceite-agua
7. Polea de la correa de la bomba de fluido refrigerante
8. Bomba de fluido refrigerante
9. Junta de la bomba de fluido refrigerante
10. Amortiguador
11. Tornillos del amortiguador

▲ Despiece del montaje de la bomba de agua – Motores 3.2L (112) y 4.3L (113)

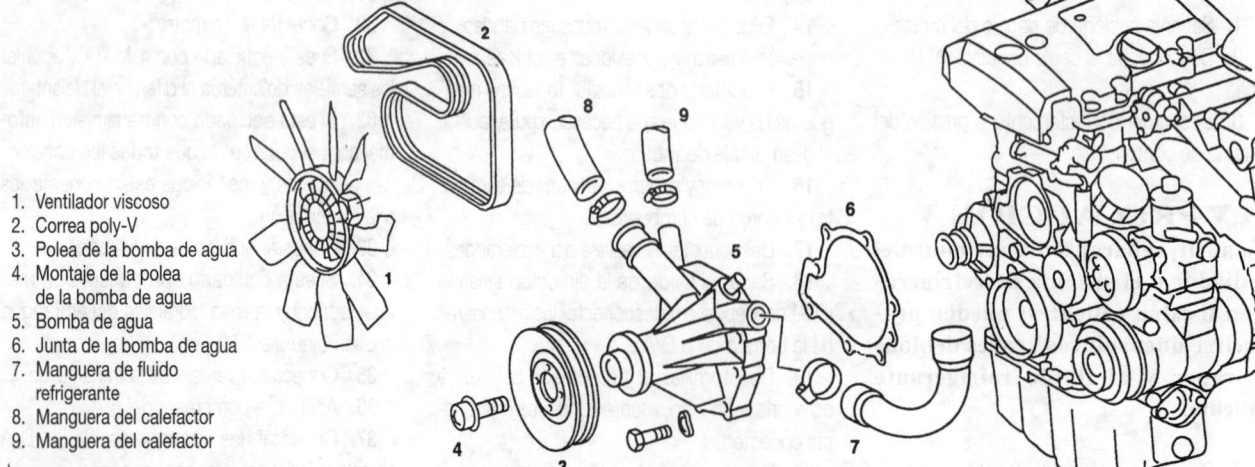

1. Ventilador viscoso
2. Correa poly-V
3. Polea de la bomba de agua
4. Montaje de la polea de la bomba de agua
5. Bomba de agua
6. Junta de la bomba de agua
7. Manguera de fluido refrigerante
8. Manguera del calefactor
9. Manguera del calefactor

▲ Despiece del montaje de la bomba de agua – Motores 2.2L y 2.3L (111)

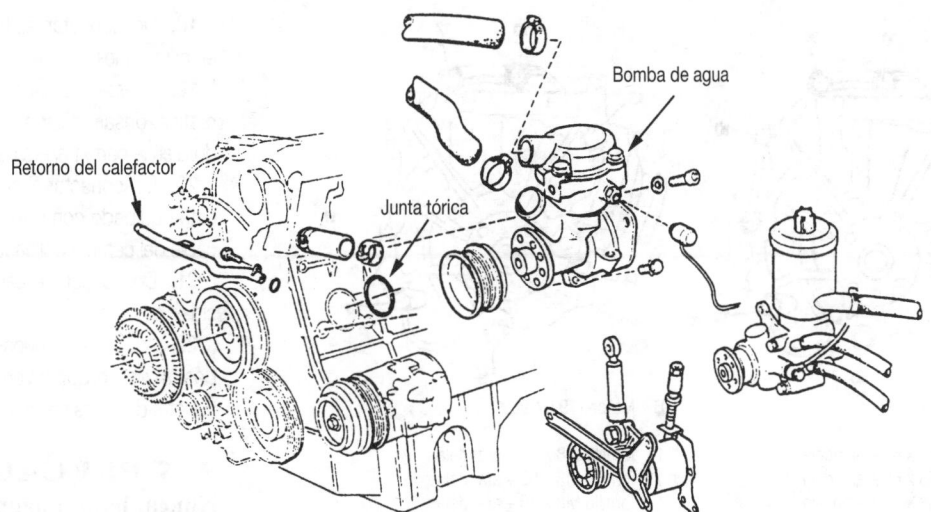

▲ Despiece del montaje de la bomba de agua – Motores 2.8L y 3.2L (104) en las clases E 1995 y SL

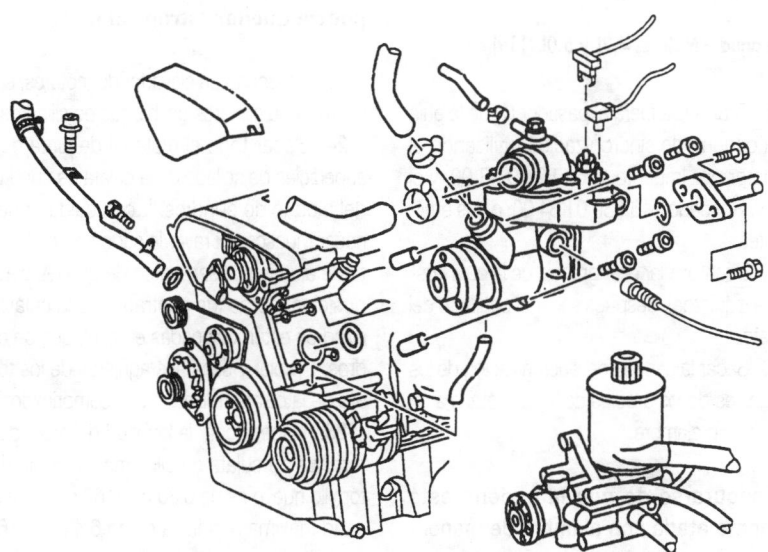

▲ Despiece del montaje de la bomba de agua – Motores 2.8L y 3.2L (104) en las clases E 1996-99 y C

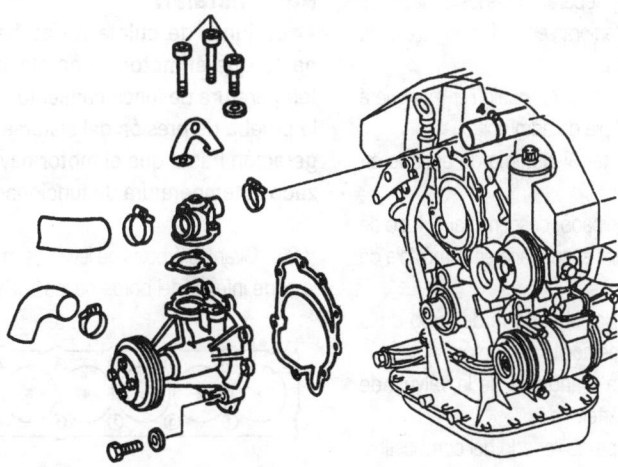

▲ Despiece del montaje de la bomba de agua – Motores 4.2L y 5.0L (119)

2. Drenar y reciclar el fluido refrigerante del motor.

3. Sacar el ventilador y el embrague de refrigeración del motor, después el recubrimiento del ventilador.

4. Si está equipado, sacar la cubierta del motor.

5. Sacar la cubierta propulsora de accesorios.

6. Si es necesario, desatornillar la bomba de la dirección asistida y colocarla a un lado, manteniendo las mangueras conectadas.

7. Desconectar las mangueras del fluido refrigerante de la bomba de agua.

8. Si está equipado, desconectar las mangueras del fluido refrigerante del intercambiador de calor aceite-agua.

9. Sacar la polea de la correa.

10. Sacar los tornillos de montaje de la bomba de agua, después la bomba de agua.

11. Limpiar y secar la superficie de unión de la junta de la bomba de agua.

Para instalar:

12. Instalar la bomba de agua y la junta y apretar los tornillos M6 a 88 plg-lb (10 Nm) y los tornillos M8 a 177 plg-lb (20 Nm).

13. Instalar la polea de la correa de la bomba de agua, y apretar los tornillos de montaje a 88 plg-lb (10 Nm).

14. Conectar las mangueras del fluido refrigerante a la bomba de agua.

15. Instalar la bomba de la dirección asistida.

16. Instalar la correa propulsora de accesorios.

17. Instalar la cubierta del motor.

18. Instalar el recubrimiento del ventilador y el ventilador.

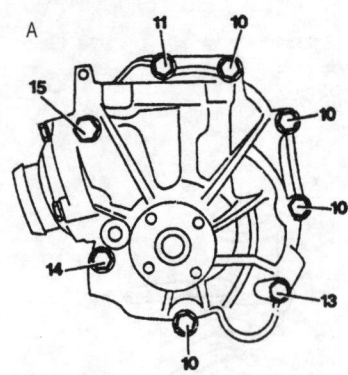

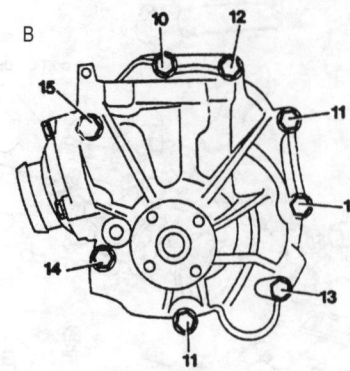

A Motor 119.96

10 Tornillo M8 x 60 + arandela
11 Tornillo M8 x 65 + arandela
13 Tornillo M8 x 85 + arandela
14 Tornillo M8 x 90 + arandela (junto con el soporte del embrague del ventilador)
15 Tornillo M8 x 135 + arandela

B Motor 119.97/98

10 Tornillo M8 x 60 + arandela
11 Tornillo M8 x 65 + arandela
12 Tornillo M8 x 75 + arandela
13 Tornillo M8 x 85 + arandela
14 Tornillo M8 x 90 + arandela (junto con el soporte del embrague del ventilador)
15 Tornillo M8 x 135 + arandela

▲ Identificación de los tornillos de montaje de la bomba de agua – Motores 4.2L y 5.0L (119)

19. Llenar el motor con fluido refrigerante.

20. Conectar el cable negativo de la batería.

21. Arrancar el motor y comprobar si hay fugas.

CULATA DE CILINDROS

DESMONTAJE E INSTALACIÓN

Motores 2.8L y 3.2L (104)

1. Descargar correctamente la presión del sistema de combustible.

2. Desconectar el cable negativo de la batería.

▼ PRECAUCIÓN ▼
No abrir, reparar o drenar nunca el radiador o el sistema de refrigeración si están calientes; pueden producirse quemaduras graves debidas al vapor y al fluido refrigerante caliente.

3. Drenar y reciclar el fluido refrigerante del motor.

4. Desconectar las mangueras del fluido refrigerante de la culata de cilindros.

5. Colocar el pistón del cilindro N° 1 en el Punto Muerto Superior (PMS).

6. Sacar la cubierta superior de la sincronización.

7. Marcar la coincidencia del engranaje del árbol de levas en la cadena de sincronización.

8. Tirar hacia fuera el pasador (1) de la guía de la cadena de sincronización, utilizando el Extractor por Impacto 116 589 20 33 00, y el Tornillo Roscado 116 589 01 34 00, o sus equivalentes.

9. Desatornillar el engranaje de la guía (rosca a la izquierda), después sacar el conjunto del cojinete.

10. Sacar la cadena de sincronización de los engranajes de los árboles de levas y atarla a un lado con un alambre.

➡ Asegurarse de que la cadena esté fijamente atada con alambre de manera que no pueda deslizarse dentro del motor.

11. Etiquetar y separar todos los conectores eléctricos que interfieran en el desmontaje de la culata de cilindros.

12. Etiquetar y separar cualquier manguera de vacío del múltiple de admisión.

13. Desconectar el sistema de escape en los múltiples.

14. Si está equipado, desconectar el tubo de la inyección del aire secundario en el múltiple de escape.

15. Desatornillar el soporte del tubo de la varilla medidora de aceite del motor.

16. Separar la manguera de la válvula de respiración del cárter.

17. Abrir la tapa de llenado del combustible para descargar la presión del vapor en el depósito, después cerrarla.

18. Desconectar las líneas del combustible en el múltiple.

19. Si está equipado con transmisión automática, desatornillar el tubo de la varilla medidora en la parte trasera de la culata de cilindros.

20. Desconectar el cable del ahogador, y si está equipado con transmisión automática, el cable del cambio obligado.

21. Desconectar el cable de control de velocidad de crucero.

22. Aflojar los tornillos de la culata en varios pasos y en orden inverso a la secuencia de apriete; después sacarla.

▼ PRECAUCIÓN ▼
Nunca, bajo ninguna circunstancia, utilizar una barra de palanca para hacer palanca entre la culata y el bloque, ya que la culata se marcaría y podría quedar estropeada.

23. Utilizando un elevador de motores, sacar la culata de cilindros del bloque de cilindros.

24. Sacar todo el material de junta de las superficies de sellado de la culata de cilindros y del bloque de cilindros. Ir con cuidado de no hacer muescas ni rayar la superficie de la culata de aluminio. Asegurarse de que las clavijas posicionadoras (de centrado) de la culata de cilindros estén colocadas en el bloque de cilindros. Limpiar y secar los agujeros de los tornillos de la culata utilizando aire comprimido.

25. Inspeccionar la longitud del árbol de los tornillos de culata de cilindros, la longitud del tornillo nuevo es de 6.30 plg (160 mm) y la longitud máxima permitida es de 6.44 plg (163.5 mm). Reemplazar los tornillos cuya medida sea mayor que la longitud máxima permitida.

Para instalar:
➡ La junta de culata no es hermética hasta que el motor no ha alcanzado la temperatura de funcionamiento. No hacer la prueba de presión del sistema de refrigeración hasta que el motor haya alcanzado la temperatura de funcionamiento.

26. Girar los árboles de levas de manera que la parte inferior del borde de los agujeros en la

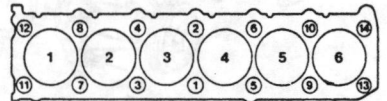

▲ Secuencia de apriete de los tornillos de culata de cilindros – Motores 2.8L y 3.2L (104)

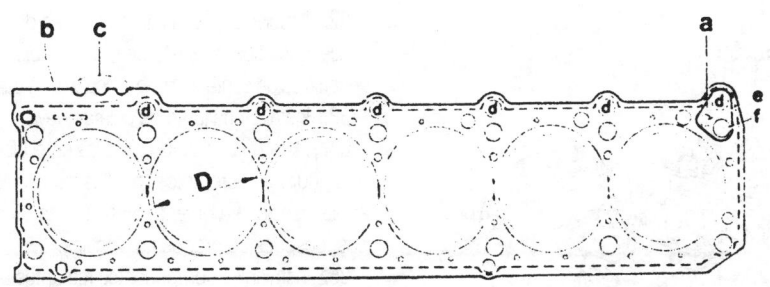

⚠ Identificación de la junta de culata de cilindros – Motores 2.8L y 3.2L (104)

brida del árbol de levas esté nivelada con la parte superior del borde de la culata de cilindros.

27. Verificar la posición del cilindro N° 1 en el PMS.

28. Limpiar las roscas de los tornillos de culata, después aplicar aceite de motor limpio a las superficies de contacto de la rosca y de culata.

29. Instalar una junta de culata nueva.

30. Instalar la culata de cilindros en el bloque de cilindros y apretar los tornillos de la culata, en secuencia, a 41 pie-lb (55 Nm) más 90 grados, después 90 grados adicionales.

31. Sacar el alambre e instalar la cadena de sincronización.

32. Instalar la guía superior de la cadena de sincronización.

33. Instalar el conjunto del engranaje y del cojinete guía, después apretar el tornillo a 26 pie-lb (35 Nm).

34. Conectar los cables del ahogador y del control de velocidad de crucero.

35. Si está equipado con transmisión automática, instalar el cable del cambio obligado y atornillar el tubo de la varilla medidora, en la parte trasera de la culata de cilindros.

36. Conectar las líneas de combustible en el múltiple.

37. Conectar la manguera de ventilación (respiración) del cárter.

38. Montar el soporte del tubo de la varilla medidora de aceite del motor.

39. Si está equipado, conectar el tubo de inyección del aire secundario en el múltiple de escape.

40. Conectar el sistema de escape en los múltiples.

41. Conectar todas las mangueras de vacío y los conectores eléctricos que se hayan sacado.

42. Instalar el pasador dentro de la guía de la cadena de sincronización.

43. Conectar las mangueras del fluido refrigerante que se hayan sacado.

44. Conectar el cable negativo de la batería.

45. Arrancar el vehículo y comprobar si hay fugas.

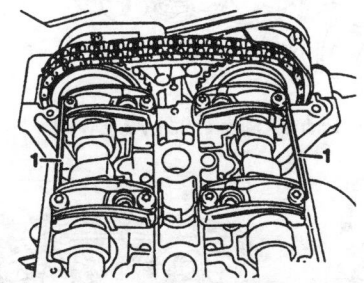

⚠ Verificar la posición correcta de los árboles de levas para la instalación de la culata de cilindros, utilizando una clavija de 4 mm (1) – Motores 2.8L y 3.2L (104)

Motores 2.2L y 2.3L (111)

▼ PRECAUCIÓN ▼

Nunca abrir, reparar o drenar el radiador o el sistema de refrigeración si están calientes; pueden producirse quemaduras graves debidas al vapor y al fluido refrigerante caliente.

1. Drenar y reciclar el fluido refrigerante del bloque.

2. Desconectar el cable negativo de la batería.

3. Desatornillar el sistema de escape de los múltiples.

4. Desatornillar el soporte del sistema de escape en la transmisión.

5. Sacar los tubos de admisión de aire.

6. Sacar la cubierta del termostato de la temperatura del fluido refrigerante.

7. Desconectar las conexiones eléctricas en la culata de cilindros.

8. Desatornillar el múltiple de admisión (19) y colocarlo a un lado.

9. Desconectar la manguera de la ventilación del cárter.

10. Desatornillar el soporte (2) del múltiple.

11. Desconectar la manguera del fluido refrigerante (3) en la parte trasera de la culata de cilindros.

12. Sacar la cubierta (tapa) de válvulas.

13. Sacar la caja del termostato.

14. Sacar la cubierta delantera de la culata de cilindros.

15. Separar el conector del sensor de oxígeno.

16. Desatornillar el tubo guía de la varilla medidora de aceite del motor (7).

17. Si está equipado con transmisión automática, desatornillar el tubo guía de la varilla medidora (8).

18. Colocar el cigüeñal a 20°-30° después del PMS para el cilindro N° 1.

19. Fijar los árboles de levas (75 y 78) con clavijas fijadoras (01).

20. Marcar la cadena de sincronización en los engranajes.

21. Sacar el tensor de cadena (14).

22. Sacar el raíl guía de la cadena en la culata de cilindros.

23. Sacar el engranaje del árbol de levas de escape (76), después el engranaje del árbol de levas de admisión (74).

24. Instalar el soporte (16) para sacar la culata de cilindros.

25. Sacar la clavija (11) del raíl guía, utilizando el Extractor por Impacto 116 589 20 33 00 y el Tornillo Roscado 116 589 01 34 00, o sus equivalentes.

26. Sacar los tornillos (A) del cuerpo de la cadena de sincronización.

27. Aflojar, después sacar los tornillos de la culata de cilindros en el orden inverso a la secuencia de apriete.

▼ PRECAUCIÓN ▼

Nunca, bajo ninguna circunstancia, utilizar una barra de palanca para hacer palanca entre la culata y el bloque, ya que la culata se marcaría y podría quedar estropeada.

28. Utilizando un elevador de motores, sacar la culata de cilindros del bloque de cilindros.

29. Sacar todo el material de junta de las superficies de sellado de la culata de cilindros y del bloque de cilindros. Ir con cuidado de no hacer muescas ni rayar la superficie de la culata de aluminio. Asegurarse de que las clavijas posicionadoras (de centrado) de la culata de cilindros estén colocadas en el bloque de cilindros. Limpiar y secar los agujeros de los tornillos de la culata utilizando aire comprimido.

30. Inspeccionar la longitud del árbol de los tornillos de culata de cilindros; la longitud del tornillo nuevo es de 4.02 plg (102 mm) y la longitud máxima permitida es de 4.13 plg (105

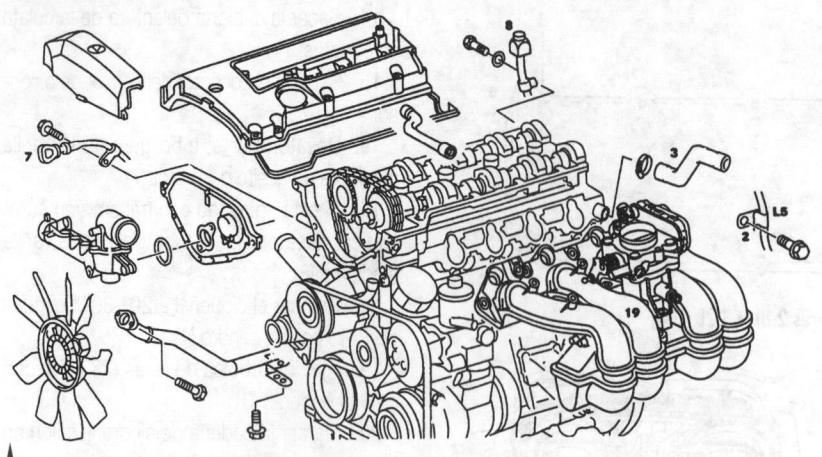

▲ Despiece de los componentes accesorios de la culata de cilindros – Motores 2.2L y 2.3L (111)

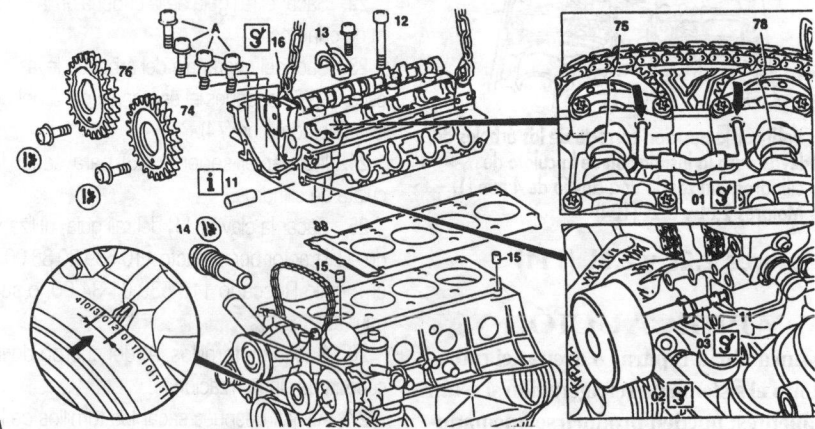

▲ Despiece del montaje de la culata de cilindros – Motores 2.2L y 2.3L (111)

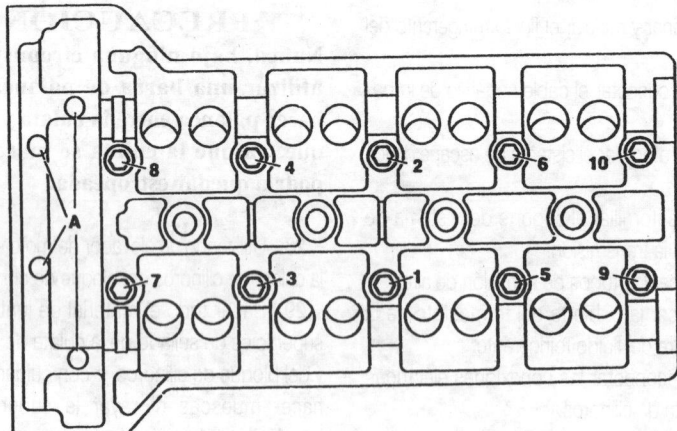

▲ Secuencia de desmontaje de los tornillos de la culata de cilindros – Motores 2.2L y 2.3L (111)

mm). Reemplazar los tornillos cuya medida sea mayor que la longitud máxima permitida.

Para instalar:

➡ La junta de la culata no es estanca hasta que el motor no ha alcanzado la temperatura de funcionamiento. No

hacer la prueba de presión del sistema de refrigeración hasta que el motor haya alcanzado la temperatura de funcionamiento.

31. Verificar que el cilindro N° 1 está en posición PMS.

32. Limpiar las roscas de los tornillos de culata, después aplicar aceite de motor limpio a las superficies de contacto de la rosca y de la culata.

33. Instalar una junta de culata nueva.

34. Instalar la culata de cilindros en el bloque de cilindros y apretar los tornillos de la culata, en secuencia, a 41 pie-lb (55 Nm) más 90 grados, después 90 grados adicionales.

35. Instalar los componentes restantes en el orden inverso al de la instalación.

Motores 3.2L (112) y 4.3L (113)

1. Desconectar el cable negativo de la batería.

▼ PRECAUCIÓN ▼

Nunca abrir, reparar o drenar el radiador o el sistema de refrigeración si están calientes; pueden producirse quemaduras graves debidas al vapor y al fluido refrigerante caliente.

2. Drenar y reciclar el fluido refrigerante del motor.

3. Sacar el ventilador y el embrague de la refrigeración del motor; después el recubrimiento del ventilador.

➡ El embrague del ventilador está equipado con una rosca a mano derecha.

4. Colocar una placa de protección detrás del radiador/condensador para protegerlo de cualquier daño durante el desmontaje y la instalación.

5. Sacar la cubierta del motor.

6. Sacar la caja, el tubo de resonancia y el cuerpo del filtro de aire.

7. Descargar correctamente la presión del sistema de combustible.

8. Desconectar la línea del combustible.

9. Sacar las bobinas de encendido.

10. Sacar las cubiertas de las culatas de cilindros.

➡ El sistema del múltiple de admisión no debe desensamblarse.

11. Sacar el múltiple de admisión.

12. Etiquetar y sacar la válvula del conmutador de vacío.

13. Sacar el sensor de posición del árbol de levas.

14. Bloquear el tensor automático de la correa girando el tensor en el sentido contrario al de las

agujas del reloj hasta que un botador o punzón de 5 mm encaje a través del tensor, después sacar la correa de serpentina.

15. Sacar la bomba de la dirección asistida y colocarla a un lado manteniendo las mangueras conectadas.

16. Desconectar la manguera del calefactor en el tabique cortafuegos.

17. Separar el sistema de escape de los múltiples de escape.

18. Girar el motor en el sentido de las agujas del reloj para colocar el cigüeñal a 40 grados después del punto muerto superior.

▼ AVISO ▼
El motor no debe girarse hacia atrás.

19. Bloquear los árboles de levas utilizando las herramientas Bloqueadores de Árboles de Levas 112 589 00 32 00 y 112 589 01 32 00, o sus equivalentes.

20. Sacar el generador, después el tensor de la cadena de sincronización.

21. Desatornillar los engranajes de los árboles de levas y unirlos a la cadena con una atadura de cable.

22. Sacar los puentes de cojinetes de los árboles de levas.

23. Sacar los tornillos de la caja de sincronización en la culata de cilindros.

24. Aflojar y sacar los tornillos de la culata de cilindros, por pasos, siguiendo la secuencia ilustrada.

25. Sacar la culata de cilindros del bloque de cilindros.

26. Sacar todo el material de junta de las superficies de sellado de la culata de cilindros y del bloque de cilindros. Ir con cuidado de no hacer muescas ni rayar la superficie de la culata de aluminio. Asegurarse de que las clavijas de posicionamiento de la culata de cilindros estén colocadas en el bloque de cilindros. Limpiar y secar los agujeros de los tornillos de culata utilizando aire comprimido.

27. Inspeccionar la longitud del árbol de los tornillo de culata de cilindros; la longitud del tornillo nuevo es de 5.57 plg (141.5 mm) y la longitud máxima permitida es de 5.69 plg (144.5 mm). Reemplazar los tornillos cuya medida sea mayor que la longitud máxima permitida.

Para instalar:
28. Limpiar las roscas de los tornillos de culata, después aplicar aceite de motor limpio en las superficies de contacto de la rosca y la culata.

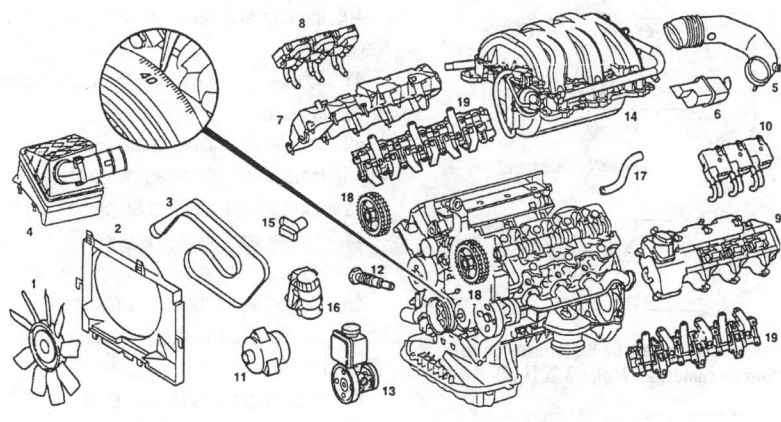

1. Ventilador viscoso
2. Recubrimiento del ventilador
3. Correa poly-V
4. Caja del filtro de aire con HFM-SFI
5. Tubo de resonancia
6. Cuerpo de resonancia
7. Cubierta de la culata de cilindros derecha
8. Bobinas de encendido de la derecha
9. Cubierta de la culata de cilindros izquierda
10. Bobinas de encendido de la izquierda
11. Generador
12. Tensor de la cadena
13. Bomba de la dirección asistida con depósito
14. Múltiple de admisión
15. Sensor de posición del árbol de levas
16. Alojamiento del filtro de aceite
17. Manguera de calefacción
18. Engranajes del árbol de levas
19. Puentes de cojinetes de árboles de levas

▲ Despiece de los componentes accesorios de la culata de cilindros – Motores 3.2L (112) y 4.3L (113)

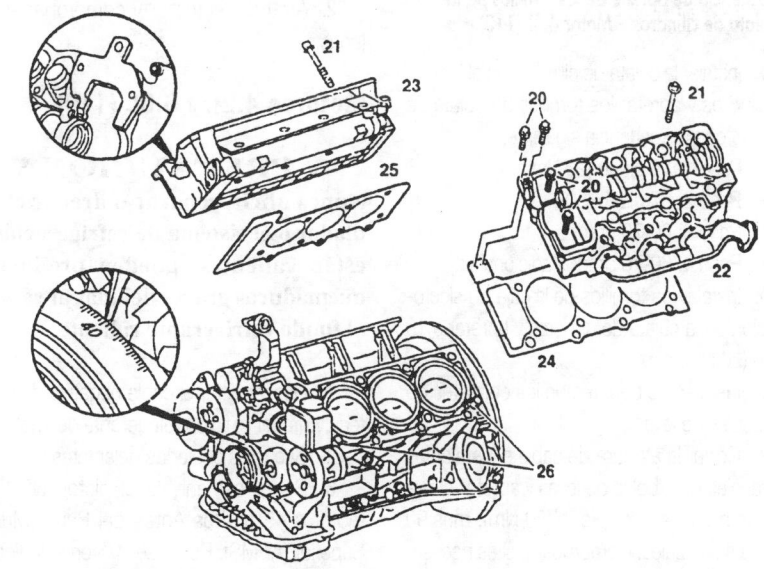

▲ Despiece del desmontaje de la culata de cilindros – Motores 3.2L (112) y 4.3L (113)

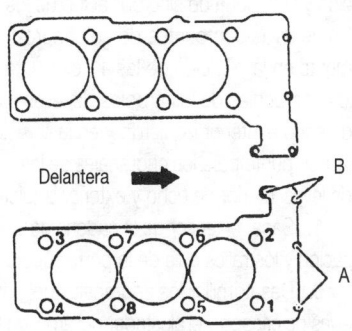

▲ Secuencia de desmontaje de los tornillos de la culata de cilindros – Motor 3.2L (112)

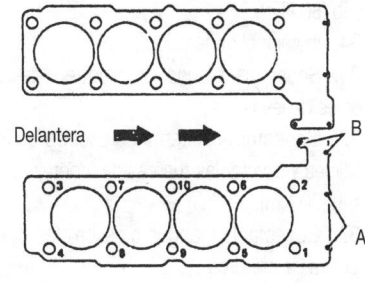

▲ Secuencia de desmontaje de los tornillos de la culata de cilindros – Motor 4.3L (113)

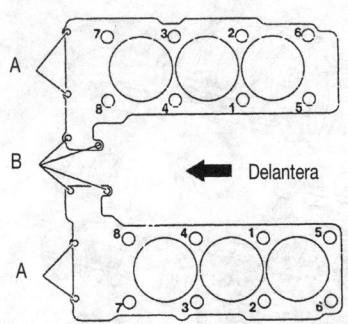

Secuencia de apriete de los tornillos de la culata de cilindros – Motor 3.2L (112)

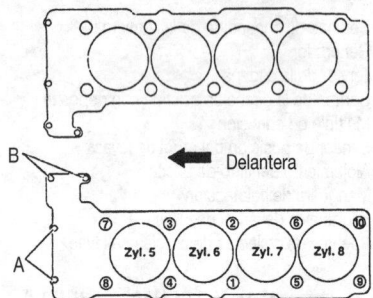

Secuencia de apriete de los tornillos de la culata de cilindros – Motor 4.3L (113)

29. Instalar la culata de cilindros en el bloque de cilindros y apretar los tornillos de culata de acuerdo con la secuencia siguiente:

- Paso 1: 15 pie-lb (20 Nm).
- Paso 2: 37 pie-lb (50 Nm).
- Paso 3: 60-70 grados.
- Paso 4: 60-70 grados adicionales.

30. Instalar los tornillos de la caja de sincronización en la culata de cilindros y apretar a 15 pie-lb (20 Nm).

31. Instalar los puentes de los cojinetes de los árboles de levas.

32. Cortar la atadura de cable e instalar los engranajes de árboles de levas y apretar el tornillo de montaje a 37 pie-lb (50 Nm), más 90 grados adicionales. Comprobar y, si es necesario, ajustar la posición básica del árbol de levas.

33. Instalar el tensor de la cadena de sincronización, con una junta nueva, y apretar a 59 pie-lb (80 Nm).

34. Instalar el generador.

35. Sacar las placas de bloqueo de los árboles de levas.

36. Conectar el sistema de escape en los múltiples y apretar las tuercas de montaje a 15 pie-lb (20 Nm).

37. Conectar la manguera del calefactor en la culata de cilindros.

38. Instalar la bomba de la dirección asistida.

39. Instalar la correa de serpentina y sacar el punzón o botador de bloqueo.

40. Instalar el sensor de posición del árbol de levas.

41. Instalar y conectar la válvula del conmutador de vacío.

42. Instalar el múltiple de admisión.

43. Instalar las cubiertas de culata de cilindros y apretar los tornillos a 88 plg-lb (10 Nm).

44. Instalar las bobinas de encendido y apretar los tornillos de montaje a 70 plg-lb (8 Nm).

45. Conectar el tubo de combustible.

46. Instalar la caja, el tubo de resonancia y el cuerpo del filtro de aire.

47. Instalar la cubierta del motor.

48. Sacar la placa de protección del radiador/condensador.

49. Instalar el recubrimiento del ventilador, después el ventilador de enfriamiento.

➡ **El embrague del ventilador está equipado con roscas a mano derecha.**

50. Llenar el motor con fluido refrigerante.

51. Conectar el cable negativo de la batería.

52. Arrancar el motor y comprobar si hay fugas.

Motores 4.2L y 5.0L (119)

▼ PRECAUCIÓN ▼

Nunca abrir, reparar o drenar el radiador o el sistema de refrigeración si están calientes; pueden producirse quemaduras graves debidas al vapor y al fluido refrigerante caliente.

1. Desconectar el cable negativo de la batería y drenar el fluido refrigerante del motor.

2. Sacar las cubiertas delanteras.

3. Poner a manivela el pistón N° 1 del motor a 45 grados Antes del Punto Muerto Superior (APMS). Buscar el 4/5 en el indicador de sincronización.

4. Marcar los 4 engranajes de sincronización y la cadena de sincronización de los árboles de levas con puntos de color aproximadamente en la posición de las 11 en punto, para los engranajes de los árboles de levas exterior derecho e interior izquierdo y en la posición de la 1 en punto para los engranajes de los árboles de levas interior derecho y exterior izquierdo.

5. Sacar el tensor de la cadena de sincronización y los raíles guía de la parte superior.

6. Desatornillar los engranajes del árbol de levas de escape y el ajustador del árbol de levas.

7. Sacar la cubierta del motor y el múltiple de admisión.

8. Etiquetar y desconectar todo el cableado eléctrico, las mangueras y los cables de los múltiples y de la/s culata/s de cilindros.

9. Si está equipado con transmisión automática, sacar el tubo guía de la varilla medidora.

10. Desconectar el sistema de escape de la culata.

11. Sacar los accesorios, según sea necesario.

12. Con mucho cuidado, sacar la cubierta de la culata de cilindros.

➡ **Antes de sacar los tornillos de la culata de cilindros, asegurarse de que el motor esté frío. En los modelos 124 y 140, el tornillo 10 de la culata, y en el modelo 210 los tornillos 9 y 10 de la culata no pueden sacarse con la culata de cilindros instalada. Al sacar la culata de cilindros, levantar y sujetar el tornillo. En la cubierta de cierre del cárter, los tornillos de la culata de cilindros tienen diferentes longitudes.**

13. Aflojar los tornillos de la culata de cilindros en el orden inverso al de apriete. Para sacar los tornillos se necesita una llave especial Torx®.

14. Instalar un mecanismo elevador adecuado en la culata de cilindros y sacarla.

15. Sacar todo el material de junta de las superficies de sellado de la culata de cilindros y del bloque de cilindros. Ir con cuidado de no hacer muescas ni rayar la superficie de la culata de aluminio. Asegurarse de que los pasadores de centrado o posicionamiento de la culata de cilindros estén colocados en el bloque de cilindros. Limpiar y secar los agujeros de los tornillos de la culata utilizando aire comprimido.

16. Inspeccionar la longitud del árbol del tornillo de culata de cilindros; la longitud del tornillo nuevo es de 6.30 plg (160 mm) y la longitud máxima permitida es de 6.44 plg (163.5 mm). Reemplazar los tornillos cuya medida sea mayor que la longitud máxima permitida.

Para instalar:

➡ **La junta de culata no es estanca hasta que el motor no ha alcanzado la temperatura de funcionamiento. No hacer la prueba de presión del sistema de refrigeración hasta que el motor haya alcanzado la temperatura de funcionamiento.**

17. Limpiar las superficies de unión de la junta y comprobar si está deformada.

18. Instalar la junta de culata de cilindros y la culata.

19. Limpiar las roscas de los tornillos de culata, después aplicar aceite de motor limpio a las superficies de contacto de la rosca y de la culata. Apretar los tornillos, en secuencia y en varios pasos. El primer paso a 41 pie-lb (55 Nm), el segundo paso a un ángulo de rotación de 90 grados y el tercer paso a un ángulo de rotación de 90 grados. Apretar los tornillos M8 próximos a los engranajes de sincronización a 18 pie-lb (25 Nm).

➡ Al instalarse los tornillos que son atornillados en la parte delantera de la culata de cilindros deben cubrirse con una capa de selladora.

20. Conectar el tubo de escape y apretar a 80 pie-lb (25 Nm).

21. Instalar los componentes restantes.

22. Conectar todos los cableados, las mangueras y los cables (chicotes).

23. Llenar el motor con fluidos, conectar el cable de la batería, arrancar el motor y comprobar si hay fugas.

BALANCINES Y EJES DE BALANCINES

DESMONTAJE E INSTALACIÓN

Ningún motor, excepto el 112 y el 113, está equipado con balancines y ejes de balancines, el/los árbol/es de levas actúa/n directamente sobre los empujadores de válvulas. En los motores 112 y 113, los balancines y ejes de balancines son parte del conjunto de las tapas de cojinetes de los árboles de levas y se llaman

puente de cojinetes de árbol de levas. Este procedimiento es para desmontar e instalar los puentes de cojinetes de los árboles de levas.

Motores 3.2L (112) y 4.3L (113)

1. Desconectar el cable negativo de la batería.

2. Sacar la cubierta de la culata de cilindros.

3. Girar el motor en el sentido de las agujas del reloj para colocar el cigüeñal 40 grados después del punto muerto superior.

▼ AVISO ▼

El motor no debe girarse hacia atrás.

4. Sacar el generador.

5. Sacar el tensor de la cadena de sincronización.

6. Atar con un cable la cadena de sincronización en el engranaje del árbol de levas.

7. Aflojar los tornillos del puente de cojinetes de árbol de levas, en el orden inverso al de la instalación, empezando en el 16.

➡ El puente de cojinetes del árbol de levas no debe desensamblarse. Si el mecanismo de la válvula o la mitad superior del muñón del cojinete del árbol de levas están dañados, deberá reemplazarse la culata de cilindros completa.

Para instalar:

8. Lubricar los muñones de los cojinetes del árbol de levas.

9. Instalar el puente de cojinetes del árbol de levas y apretar los tornillos a 11 pie-lb (15 Nm), en secuencia como se muestra.

10. Sacar las ataduras de cable de los engranajes del árbol de levas.

11. Instalar el tensor de la cadena de sincronización con una junta nueva y apretar a 59 pie-lb (80 Nm).

12. Instalar las cubiertas de la culata de cilindros a 88 plg-lb (10 Nm).

13. Conectar el cable negativo de la batería.

14. Arrancar el vehículo y comprobar si hay fugas.

SOBREALIMENTADOR

DESMONTAJE E INSTALACIÓN

▼ PRECAUCIÓN ▼

Nunca abrir, reparar o drenar el radiador o el sistema de refrigeración si están calientes; pueden producirse quemaduras graves debidas al vapor y al fluido refrigerante caliente.

1. Drenar y reciclar el fluido refrigerante del motor.

2. Sacar el conjunto del aire de admisión y tapar las aberturas del sobrealimentador.

3. Sacar la cubierta del bloque sensor en la parte delantera de la culata de cilindros.

4. Desconectar el conector del embrague electromagnético.

5. Sacar la manguera del fluido refrigerante del radiador a la bomba de agua.

6. Sacar la manguera de retorno del fluido refrigerante en la bomba de agua.

7. Sacar el ventilador y el recubrimiento.

8. Sacar la correa propulsora para el sobrealimentador.

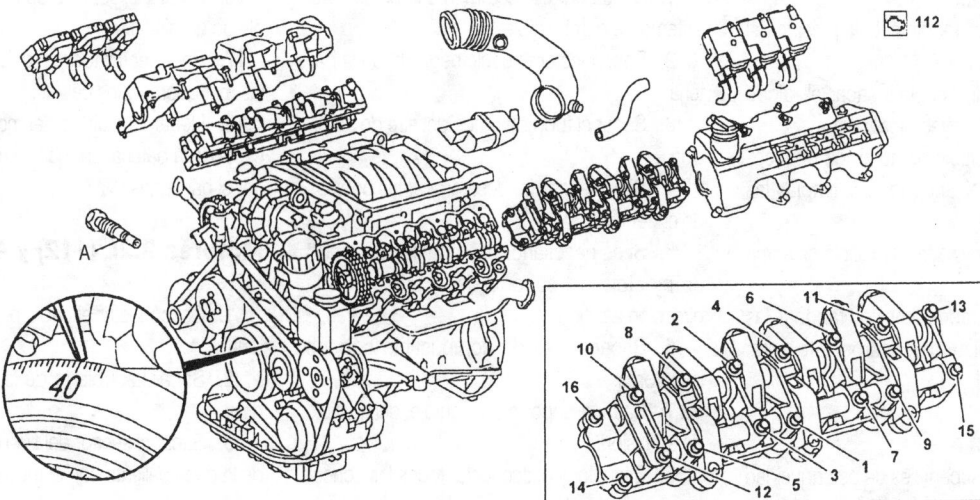

▲ Despiece de los componentes de montaje de los puentes de cojinetes de árboles de levas – Motores 3.2L (112) y 4.3L (113)

9. Sacar las conexiones de presión en el sobrealimentador.

10. Desatornillar y sacar el sobrealimentador.

Para instalar:

➡ Antes de la instalación, instalar el tornillo de fijación de la parte inferior en el sobrealimentador.

11. Instalar el sobrealimentador y apretar los tornillos de montaje a 16 pie-lb (21 Nm).

12. Instalar las conexiones de presión utilizando sellos nuevos.

13. Instalar la correa propulsora.

14. Instalar el ventilador y el recubrimiento.

15. Conectar todas las mangueras de fluido refrigerante que se hayan sacado.

16. Acoplar el conector del embrague electromagnético.

17. Instalar la cubierta del bloque sensor en la parte delantera de la culata de cilindros.

18. Sacar el tapón de la entrada del sobrealimentador e instalar el conjunto del aire de admisión.

19. Llenar el sistema de refrigeración.

MÚLTIPLE DE ADMISIÓN

DESMONTAJE E INSTALACIÓN

Motores 2.8L y 3.2L (104)

1. Desconectar el cable negativo de la batería.

2. Etiquetar y separar todos los conectores de vacío, eléctricos y de cables (chicotes) del múltiple de admisión.

3. Descargar correctamente la presión del sistema de combustible.

4. Desatornillar, después sacar el raíl de combustible con los inyectores.

5. Sacar el múltiple de admisión de resonancia (cuerpo del ahogador) y limpiar las superficies de junta.

6. Desatornillar y sacar el múltiple de admisión.

7. Utilizando trapos limpios, taponar las aberturas de la culata de cilindros para evitar que entre suciedad.

Para instalar:

8. Limpiar las superficies de estanqueidad de la junta del múltiple de admisión.

9. Sacar los tapones del múltiple.

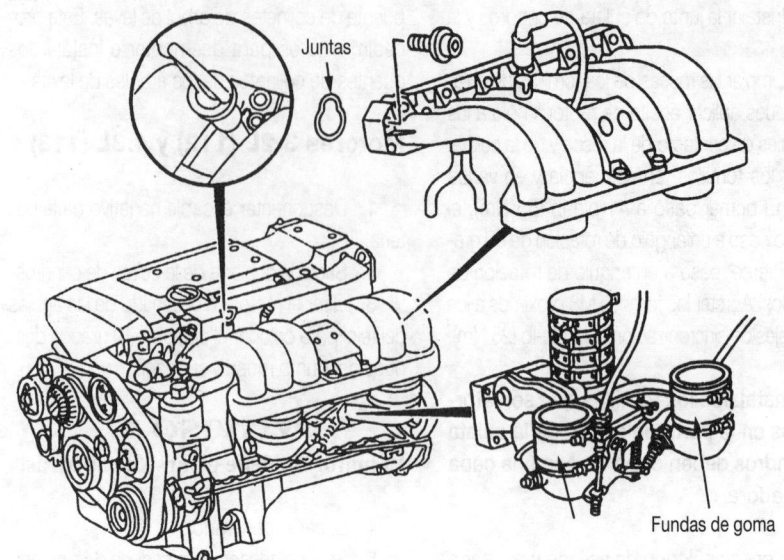

Despiece de los componentes de montaje y relacionados del múltiple de admisión – Motores 2.8L y 3.2L (104)

10. Instalar el múltiple utilizando juntas nuevas y apretar los tornillos de montaje a 18 pie-lb (25 Nm).

11. Instalar el múltiple de admisión de resonancia, utilizando juntas nuevas.

12. Instalar el raíl de combustible con los inyectores, utilizando sellos nuevos para los inyectores.

13. Reconectar todo el cableado (eléctrico), mangueras y cables (chicotes).

14. Comprobar y ajustar el varillaje del ahogador.

15. Llenar los fluidos del motor, conectar el cable de la batería, arrancar el motor y comprobar si hay fugas.

Motores 2.2L y 2.3L (111)

1. Descargar correctamente la presión del sistema de combustible.

2. Desconectar el cable negativo de la batería.

3. Sacar el tubo de cruce del aire de admisión.

4. Si es necesario, desatornillar las bobinas de encendido.

5. Si es necesario, desatornillar el tornillo de montaje del soporte de la bomba de la dirección asistida.

6. Sacar el raíl de combustible con los inyectores.

7. Sacar el soporte de montaje, del múltiple de admisión.

8. Etiquetar y desconectar todos los conectores de vacío, eléctricos y cables del múltiple de admisión.

9. Desconectar el cable del ahogador.

10. Aflojar, después sacar las tuercas y los tornillos de montaje del múltiple.

11. Limpiar las superficies de unión de la junta y comprobar si está deformada.

Para instalar:

12. Utilizando una junta nueva, instalar el múltiple de admisión y apretar los tornillos/tuercas de montaje a 15 pie-lb (20 Nm).

13. Comprobar y ajustar el varillaje del ahogador.

14. Instalar el raíl de combustible con los inyectores utilizando sellos nuevos para los inyectores.

15. Si se han sacado, instalar las bobinas de encendido y el tornillo de montaje del soporte de la bomba de la dirección asistida.

16. Instalar el soporte de montaje del múltiple de admisión.

17. Reconectar todo el cableado eléctrico, las mangueras y los cables.

18. Llenar los fluidos del motor, conectar el cable de la batería, arrancar el motor y comprobar si hay fugas.

Motores 3.2L (112) y 4.3L (113)

1. Desconectar el cable negativo de la batería.

2. Sacar la cubierta de la culata de cilindros.

3. Sacar el sensor del flujo de aire de masa de la capa caliente con el tubo de admisión.

4. Descargar correctamente la presión del sistema de combustible.

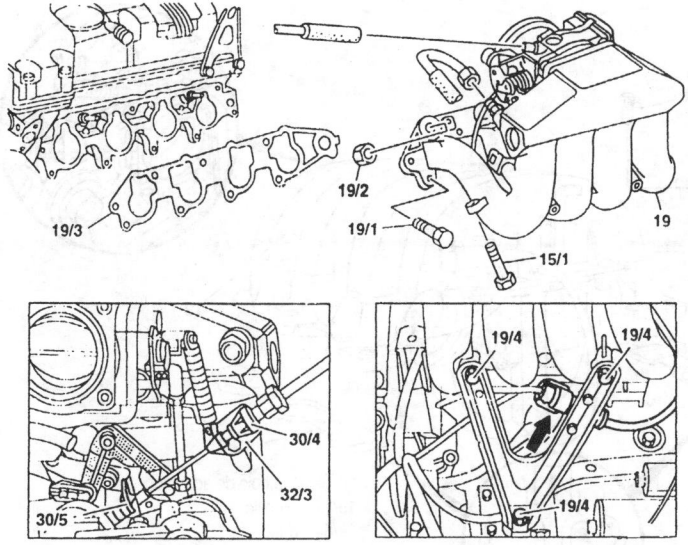

15/1	Tornillo de la cubeta de la bomba de la dirección asistida
19	Múltiple de admisión
19/1	Tornillo
19/2	Tuerca
19/3	Junta
19/4	Tornillo del soporte del múltiple de admisión
30/4	Grapa de plástico
30/5	Trozo guía
32/3	Soporte de la palanca de control del ahogador
Flecha	Conector

▲ Despiece de los componentes de montaje y relacionados del múltiple de admisión – Motores 2.2L y 2.3L (111) 1995-96

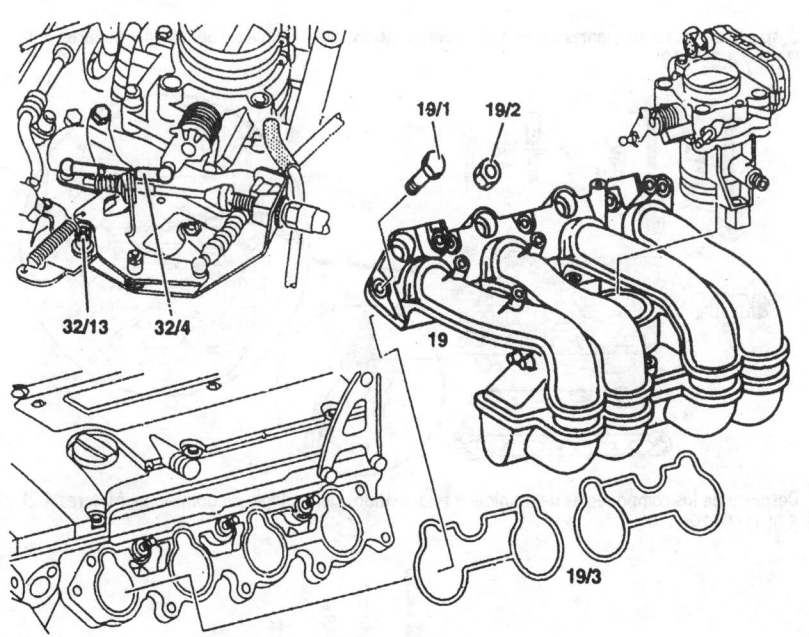

19	Múltiple de admisión
19/1	Tornillo
19/2	Tuerca
19/3	Anillo de sellado moldeado
32/4	Bieleta
32/13	Tornillo

▲ Despiece de los componentes de montaje y relacionados del múltiple de admisión – Motores 2.2L y 2.3L (111) 1997-99

5. Sacar el raíl de combustible con los inyectores.

6. Etiquetar y desconectar las líneas de vacío del múltiple de admisión.

7. Etiquetar y separar todas las conexiones eléctricas en el múltiple de admisión.

8. Desconectar la válvula de RGE.

9. Sacar la válvula de combinación, después los tornillos de montaje del múltiple de admisión.

10. Sacar el múltiple de admisión y las juntas.

11. Colocar trapos limpios dentro de los conductos de admisión para evitar que entre suciedad. Limpiar las superficies de unión de juntas.

Para instalar:

12. Instalar juntas nuevas y verificar la abertura del paso de inyección del aire secundario en la junta.

13. Sacar los trapos de los pasos de admisión.

14. Instalar el múltiple de admisión en el motor y apretar los tornillos de montaje a 15 pie-lb (20 Nm).

15. Instalar la válvula de combinación y apretar los tornillos a 15 pie-lb (20 Nm).

16. Conectar la válvula de RGE.

17. Conectar las conexiones eléctricas en el múltiple de admisión.

18. Conectar las líneas de vacío en el múltiple.

19. Instalar el raíl de combustible con los inyectores.

20. Instalar el sensor de masa del flujo de aire con el tubo de admisión de aire.

21. Instalar la cubierta de la culata de cilindros y apretar los tornillos a 88 plg-lb (10 Nm).

22. Conectar el cable negativo de la batería.

23. Arrancar el vehículo y comprobar si hay fugas.

Motores 4.2L y 5.0L (119)

▼ PRECAUCIÓN ▼

Nunca abrir, reparar o drenar el radiador o el sistema de refrigeración si están calientes; pueden producirse quemaduras graves debidas al vapor y al fluido refrigerante caliente.

1. Desconectar el cable negativo de la batería. Drenar parcialmente el fluido refrigerante.

2. Sacar el filtro del aire y la cubierta del motor.

3. Etiquetar y separar todas las líneas de vacío y conectores eléctricos en el múltiple de admisión.

4. Descargar correctamente la presión del sistema de combustible.

5. Desconectar las líneas de suministro (17/3) y retorno (17/2) del combustible.

6. Sacar el elemento guía (27).

7. Separar el cable (chicote) del ahogador (30) en la palanca de control (9).

8. Si está equipado con transmisión automática, separar el cable de control (98) de presión.

9. Separar el conector del accionador electrónico del acelerador (M16/1 x 1) y el cable.

10. Desconectar la manguera del fluido refrigerante (33) en la parte delantera del múltiple.

11. Desconectar la manguera del fluido refrigerante en la parte trasera del múltiple.

12. Sacar los tornillos de montaje del múltiple, después el múltiple.

13. Colocar trapos limpios dentro de los pasos de admisión para evitar que entre suciedad. Limpiar las superficies de contacto de junta.

14. Limpiar todo resto de junta vieja y material de sellado.

Para instalar:

15. Sacar los trapos de los pasos de admisión.

16. Utilizando una junta nueva, instalar el múltiple y apretar los tornillos, en secuencia, a 18 pie-lb (25 Nm).

17. Conectar en el múltiple las mangueras del calefactor.

18. Conectar los cables del ahogador y de la transmisión.

19. Conectar las líneas de combustible.

20. Conectar todas las líneas de vacío y conectores eléctricos en el múltiple de admisión.

21. Instalar el filtro de aire y la cubierta del motor.

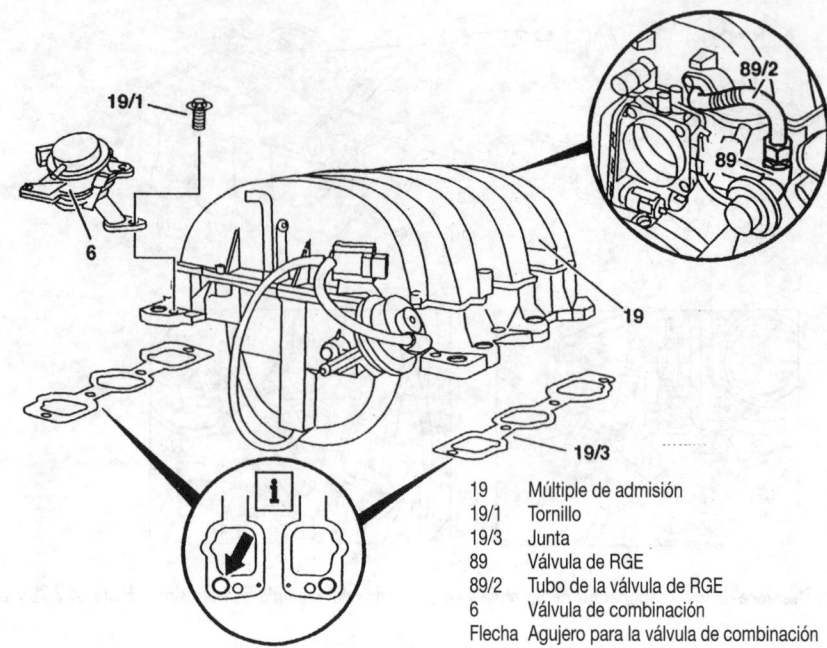

19	Múltiple de admisión
19/1	Tornillo
19/3	Junta
89	Válvula de RGE
89/2	Tubo de la válvula de RGE
6	Válvula de combinación
Flecha	Agujero para la válvula de combinación

▲ Despiece de los componentes de montaje y relacionados del múltiple de admisión – Motores 3.2L (112) y 4.3L (113)

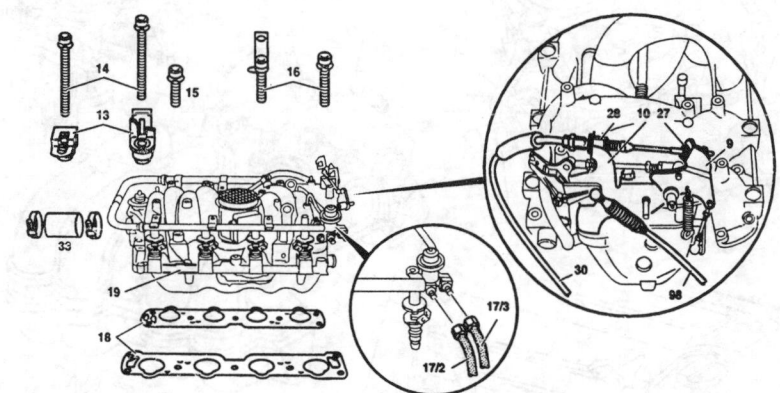

▲ Despiece de los componentes de montaje y relacionados del múltiple de admisión – Motores 4.2L y 5.0L (119) 1995

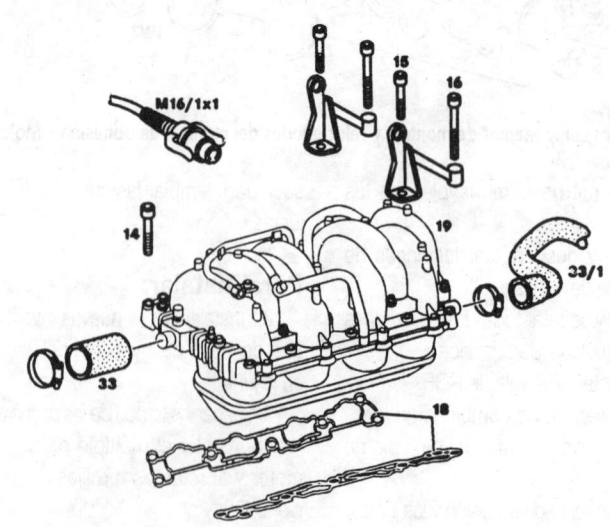

▲ Despiece de los componentes de montaje y relacionados del múltiple de admisión – Motores 4.2L y 5.0L (119) 1996-99

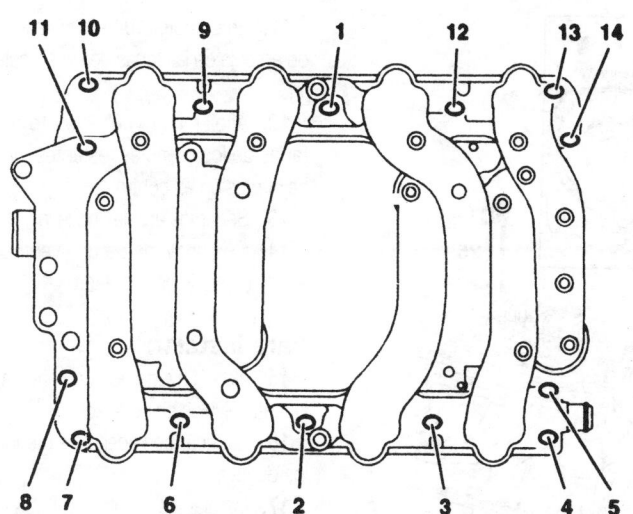

▲ Secuencia de apriete de los tornillos del múltiple de admisión – Motores 4.2L y 5.0L (119)

22. Llenar los fluidos del motor, conectar el cable de la batería, arrancar el motor y comprobar si hay fugas.

MÚLTIPLE DE ESCAPE

DESMONTAJE E INSTALACIÓN

Motores 4 cilindros y 6 cilindros en línea

1. Desconectar el cable negativo de la batería.

2. Desconectar el tubo de escape del múltiple.

3. Sacar el soporte del escape de la transmisión, si está equipado así.

4. Desconectar el tubo de inyección de aire del múltiple, si está equipado así.

5. Sacar los tornillos de retención del múltiple de escape, y el múltiple. Ir con cuidado con

el tubo de acoplamiento del múltiple entre las 2 mitades. Si está dañado, reemplazarlo.

Para instalar:

6. Instalar el múltiple y apretar los tornillos siguiendo una pauta uniforme. Utilizar una junta nueva.

7. Instalar el tubo de escape con tuercas autobloqueantes nuevas. Apretar el tubo a 25 pie-lb (34 Nm).

8. Instalar los componentes restantes y conectar el cable de la batería.

9. Arrancar el motor y comprobar si hay fugas.

Motores V-6 cilindros y V-8 cilindros

1. Desconectar el cable negativo de la batería.

2. Sacar la cubierta inferior del motor.

3. Desatornillar los tubos de escape de los múltiples.

4. Sacar el recubrimiento del ventilador.

5. Soportar el motor y sacar el montaje del motor, para reparar el múltiple.

6. Descargar correctamente la presión del sistema de combustible.

7. Para el múltiple izquierdo, desconectar los tubos de suministro y retorno de combustible.

8. Para el motor 119.985, sacar los tornillos autobloqueantes y sacar el múltiple de debajo.

9. Sacar los tornillos autobloqueantes, después sacar el múltiple.

Para instalar:

10. Limpiar la superficie de sellado del múltiple y de la culata de cilindros, de material de junta vieja.

11. Inspeccionar las tuercas de remache en el múltiple y reemplazar según sea necesario.

12. Utilizando una junta nueva, instalar el múltiple y apretar los tornillos de montaje a 23 pie-lb (30 Nm).

13. Conectar las líneas de combustible.

14. Instalar los montajes del motor y sacar el soporte del motor.

15. Instalar el recubrimiento del ventilador.

16. Instalar el sistema de escape y la cubierta inferior del motor.

17. Conectar el cable negativo de la batería.

18. Arrancar el motor y comprobar si hay fugas.

ÁRBOL DE LEVAS Y LEVANTAVÁLVULAS

DESMONTAJE E INSTALACIÓN

➡ Al reparar el tren de válvulas, asegurarse de marcar la posición de las piezas que se saquen, de manera que puedan volver a instalarse en sus posiciones originales.

Motores 2.8L y 3.2L (104)

1. Desconectar el cable negativo de la batería.

2. Colocar el cilindro N° 1 a 30° antes del PMS.

3. Sacar la cubierta de válvulas.

4. Sacar el tensor de la cadena de sincronización (1).

5. Sacar la cubierta delantera superior (30) y el raíl guía de la parte superior (42).

▲ Despiece del montaje – Se muestra el del motor 4 cilindros; el del motor 6 cilindros en línea es similar

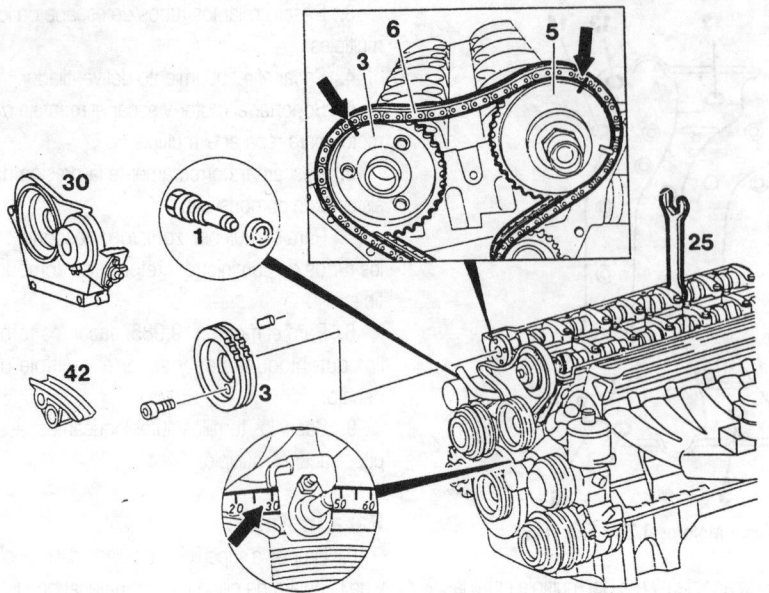

▲ Colocar el cigüeñal como se muestra, para prevenir el contacto del pistón y la válvula – Motores 2.8L y 3.2L (104)

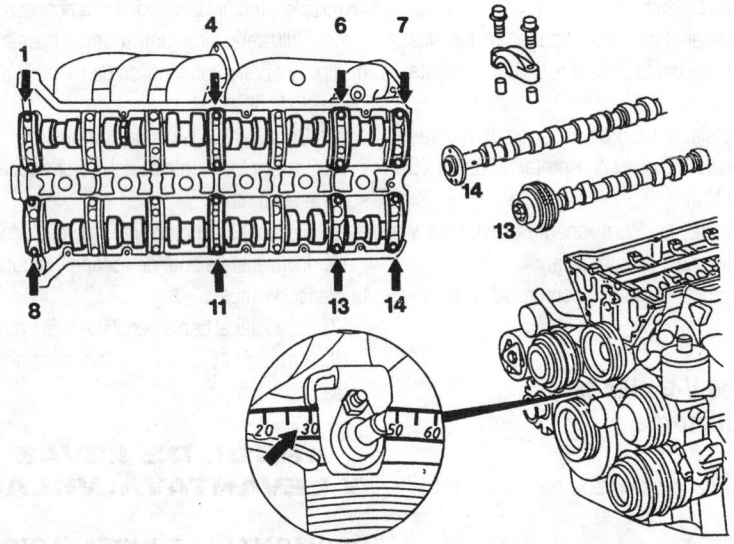

▲ Asegurarse de sacar primero las tapas de los cojinetes indicados – Motores 2.8L y 3.2L (104)

6. Marcar la coincidencia de cadena de sincronización (6) en los engranajes de los árboles de levas (3 y 5).

7. Desatornillar, después sacar el engranaje del árbol de levas de escape (3).

8. Sacar la cadena de sincronización del árbol de levas de admisión (5).

9. Utilizando una llave de extremo abierto, sujetar los árboles de levas de manera que los lóbulos de leva del cilindro N° 2 presionen sobre el centro de los levantaválvulas.

10. Desatornillar las tapas de los cojinetes 1, 4, 6 y 7 del árbol de levas de escape (14) y las tapas de los cojinetes 8, 11, 13 y 14 del árbol de levas de admisión (13).

11. En el motor 104.98, sacar las arandelas de empuje de las tapas de los cojinetes 1, 4, 8 y 11.

12. Aflojar una vuelta los tornillos de las tapas de los cojinetes restantes, hasta que no haya presión en contra.

13. Sacar los árboles de levas.

14. Con la ayuda de una ventosa, sacar el levantaválvulas de su taladro.

Para instalar:

15. Con la ayuda de una ventosa, instalar el levantaválvulas en su taladro.

16. Lubricar con aceite los muñones y lóbulos de leva.

17. Instalar los árboles de levas a 30° antes del PMS del cilindro N° 1. Los lóbulos de leva deben mirar hacia el centro de los levantaválvulas del cilindro N° 2.

18. Instalar las tapas de los cojinetes 2, 3 y 5 del árbol de levas de escape y las tapas de los cojinetes 9, 10 y 12 del árbol de levas de admisión, después apretar a 15 pie-lb (21 Nm).

19. Utilizando una llave de extremo abierto, sujetar los árboles de levas de manera que los lóbulos de leva del cilindro N° 2 presionen en el centro de los levantaválvulas.

20. En el motor 104.98, instalar las arandelas de empuje de las tapas de cojinetes 1, 4, 8 y 11.

21. Instalar las tapas de cojinetes restantes y apretarlas a 15.5 pie-lb (21 Nm).

22. Colocar la cadena de sincronización sobre el engranaje del árbol de levas de admisión.

23. Instalar el engranaje del árbol de levas de escape en la cadena de sincronización mientras se alinean las marcas de coincidencia. Instalar el engranaje sobre el árbol de levas, y apretar a las especificaciones siguientes:

• Tornillo Torx® T30 M7 de 13.5 mm: 13 pie-lb (18 Nm).

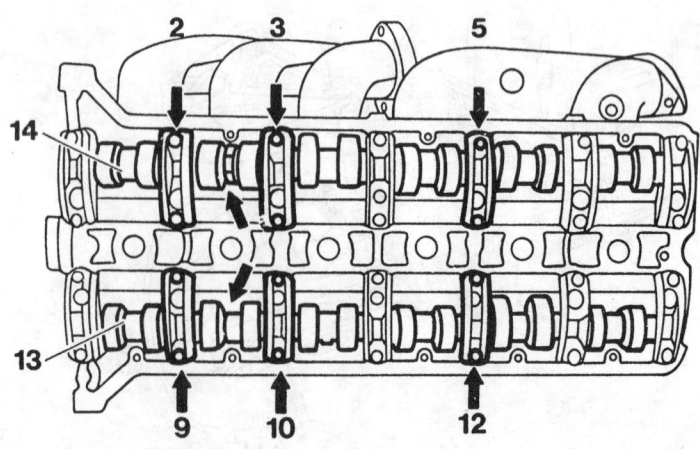

▲ Asegurarse de instalar primero las tapas de los cojinetes indicados – Motores 2.8L y 3.2L (104)

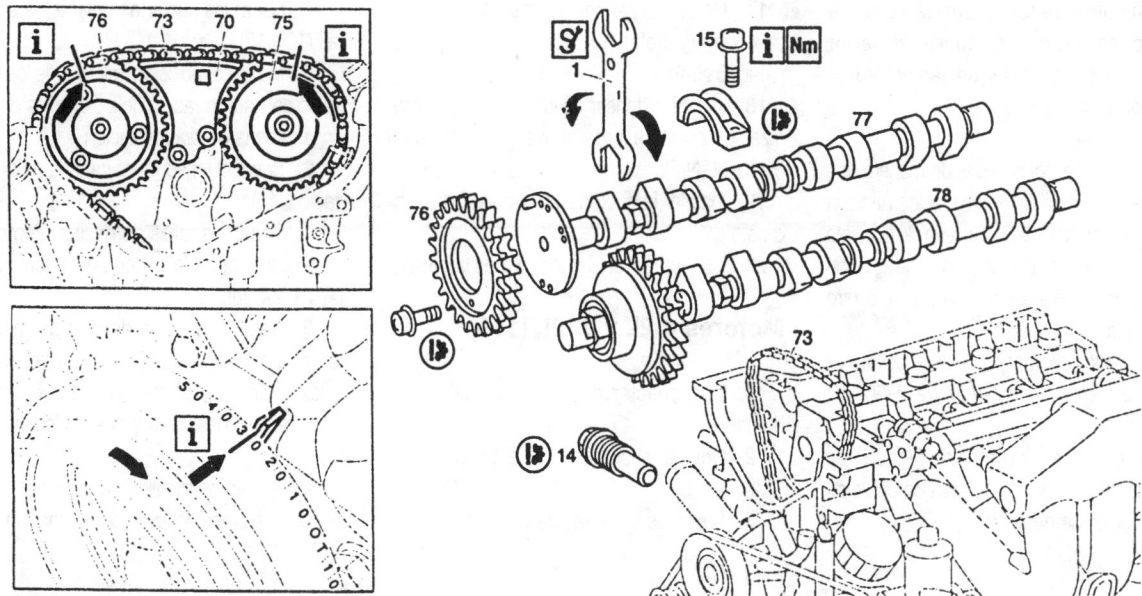

▲ Despiece de los componentes de montaje y colocación de los árboles de levas – Motores 2.2L y 2.3L (111)

- Tornillo Torx® T40 M7 de 13.5 mm: 16 pie-lb (22 Nm).
- Tornillo Torx® T30 M7 de 13 mm: 15 pie-lb (20 Nm) más 60°.

24. Instalar la cubierta delantera y el raíl guía de la parte superior.

25. Instalar el tensor de la cadena de sincronización.

26. Instalar la cubierta de válvulas.

27. Conectar el cable negativo de la batería.

Motores 2.2L y 2.3L (111)

1. Desconectar el cable negativo de la batería.

2. Colocar el cilindro N° 1 a 30° después del PMS.

3. Sacar las cubiertas de válvulas y delantera de la sincronización.

4. Marcar la cadena de sincronización (73) en los engranajes de los árboles de levas (75 y 76).

5. Sacar el tensor de la cadena de sincronización (14).

6. Sacar el engranaje del árbol de levas de escape (76).

7. Sacar la cadena de sincronización del engranaje del árbol de levas de admisión (75).

8. Utilizando una llave de extremo abierto (1), girar los árboles de levas (77 y 78) de manera que el círculo de la base de las levas se apoye contra los levantaválvulas.

9. Desatornillar las tapas de los cojinetes de los árboles de levas, después sacar los árboles de levas.

10. Con la ayuda de una ventosa, sacar el levantaválvulas de su taladro.

Para instalar:

11. Con la ayuda de una ventosa, instalar el levantaválvulas en su taladro.

12. Lubricar con aceite los muñones y lóbulos de leva.

13. Instalar los árboles de levas con el círculo de la base de las levas apoyándose contra los levantaválvulas.

14. Instalar las tapas de cojinetes de los árboles de levas, y apretar a 44 plg-lb (5 Nm) más 90°.

15. Colocar la cadena de sincronización sobre el engranaje del árbol de levas de admisión.

16. Instalar el engranaje del árbol de levas de escape sobre la cadena de sincronización mientras se alinean las marcas. Instalar el engranaje sobre el árbol de levas y apretar a 15 pie-lb (20 Nm) más 90°.

17. Instalar la cubierta delantera y el raíl guía de la parte superior.

18. Instalar el tensor de la cadena de sincronización.

19. Instalar la cubierta de válvulas.

20. Conectar el cable negativo de la batería.

Motores 3.2L (112) y 4.3L (113)

1. Desconectar el cable negativo de la batería.

2. Sacar la cubierta (tapa) de culata de cilindros.

3. Girar el motor en el sentido de las agujas del reloj, para colocar el cigüeñal a 40° Después del Punto Muerto Superior (DPMS).

▼ AVISO ▼
El motor no debe girarse hacia atrás.

4. Sacar el generador.

5. Sacar el tensor de la cadena de sincronización (2).

6. Sacar el sensor Hall, del árbol de levas (1).

7. Atar con un cable la cadena de sincronización en el engranaje del árbol de levas (5).

8. Bloquear el árbol de levas utilizando las herramientas de Bloqueo de Árboles de levas (3) 112 589 00 32 00 y 112 589 01 32 00, o sus equivalentes.

9. Desatornillar los engranajes de árbol de levas.

10. Sacar el puente de cojinetes de árbol de levas (4).

11. Con cuidado sacar los árboles de levas de la culata de cilindros.

Para instalar:
➡ Asegurarse de instalar el árbol de levas correcto de la culata de cilindros correspondiente.

12. Aplicar aceite de motor limpio a las superficies de contacto del árbol de levas, después instalar el árbol de levas.

13. Instalar el puente de cojinetes de árbol de levas.

➡ **Los árboles de levas pueden girarse 40° después del punto muerto superior del cilindro N° 1, sin que las válvulas toquen los pistones.**

14. Colocar el árbol de levas de manera que los puntos de ranura estén centrados hacia la superficie de contacto de la cubierta de la culata de cilindros, después acoplar la placa de sujeción del árbol de levas. Repetir este paso para el otro árbol de levas.

15. Instalar los engranajes de árbol de levas y apretar el tornillo de sujeción a 37 pie-lb (50 Nm) más 90-100°.

16. Sacar las herramientas de bloqueo de los árboles de levas y las ataduras de cable de la cadena de sincronización.

17. Instalar el sensor de posición del árbol de levas, y apretar el tornillo de montaje a 70 plg-lb (8 Nm).

18. Instalar el tensor de la cadena de sincronización con una junta nueva, y apretar a 59 pie-lb (80 Nm).

19. Instalar la cubierta de la culata de cilindros.

20. Conectar el cable negativo de la batería.

Motores 4.2L y 5. 0L (119)

1. Desconectar el cable negativo de la batería.

2. Colocar el cilindro N° 1 a 45° antes del PMS.

3. Sacar las cubiertas de válvulas.

4. Sacar las cubiertas delanteras superiores (10 y 12).

5. Marcar la posición (relativa) de los engranajes de sincronización de los árboles de levas, en la cadena de sincronización.

6. Sacar el tensor de la cadena de sincronización (13).

7. Sacar los raíles de deslizamiento de la parte superior de la cadena de sincronización (1, 1a, 2 y 2a).

8. Sacar la cadena de sincronización de los engranajes de los árboles de levas, después rotar las levas de manera que el círculo de la base de las levas toque los levantaválvulas.

9. Aflojar los tornillos de las tapas de cojinetes de árboles de levas de manera uniforme.

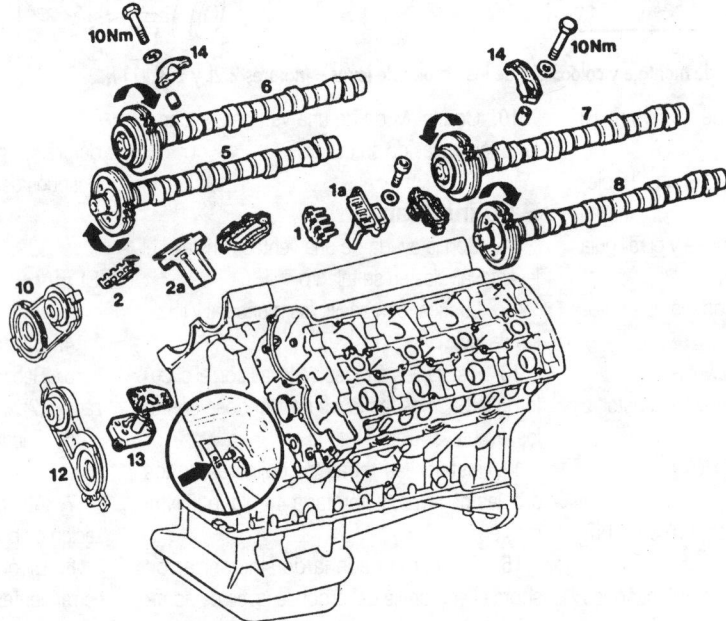

▲ Despiece de los componentes de montaje y relacionados de los árboles de levas – Motores 4.2L y 5. 0L (119)

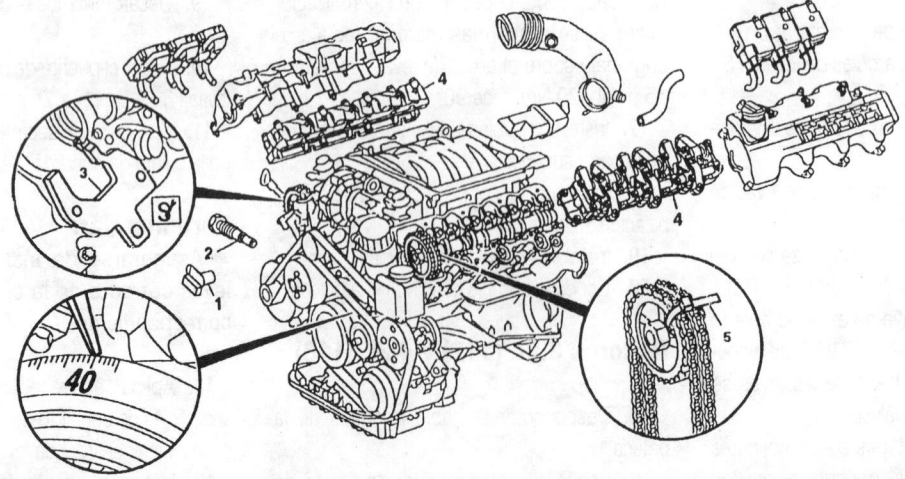

▲ Despiece de los componentes de montaje y relacionados (se muestran en la figura) de los árboles de levas – Motores 3.2L (112) y 4.3L (113)

10. Sacar las tapas de los cojinetes de los árboles de levas, después los árboles de levas con los engranajes.

11. Con la ayuda de una ventosa, sacar el levantaválvulas de su taladro.

Para instalar:

12. Con la ayuda de una ventosa, instalar el levantaválvulas en su taladro.

13. Lubricar con aceite los muñones y lóbulos de levas de los árboles de levas.

14. Instalar los árboles de levas izquierdos de admisión y de escape.

15. Alinear las marcas e instalar la cadena de sincronización en la culata de cilindros izquierda.

16. Instalar las tapas de los cojinetes y apretar a 88 plg-lb (10 Nm).

17. Instalar los árboles de levas derechos de admisión y de escape.

18. Alinear las marcas e instalar la cadena de sincronización en la culata de cilindros derecha.

19. Instalar las tapas de los cojinetes y apretar a 88 plg-lb (10 Nm).

20. Instalar los raíles de deslizamiento de la parte superior de la cadena de sincronización.

21. Instalar el tensor de la cadena de sincronización.

22. Instalar las cubiertas delanteras superiores de la sincronización y de las válvulas.

23. Conectar el cable negativo de la batería.

HOLGURA DE VÁLVULAS

AJUSTE

Todos los motores Mercedes-Benz utilizan levantaválvulas hidráulicos. No hay necesidad ni provisión para realizar ajustes de la holgura de válvulas.

DEPÓSITO DE ACEITE

DESMONTAJE E INSTALACIÓN

1. Desconectar el cable negativo de la batería.

▼ PRECAUCIÓN ▼

La autoridad sanitaria advierte que el contacto prolongado con aceite de motor usado puede causar numerosos trastornos en la piel e incluso cáncer. Por ello deberá intentar reducir al mínimo su contacto con el aceite de motor usado. Al cambiar el aceite deben utilizarse guantes protectores. Limpiarse las manos y cualquier zona de la piel expuesta tan pronto como sea posible después de exponerse al aceite usado. Debe utilizarse agua y jabón, o un limpiador de manos sin agua.

2. Drenar y reciclar el aceite del motor.

3. Utilizando una herramienta de soporte de motores adecuada, soportar el peso del motor.

4. Levantar y soportar con seguridad el vehículo.

5. Soportar el bastidor auxiliar delantero y sacar los tornillos de montaje.

6. Bajar suficientemente el bastidor auxiliar para acceder a los tornillos de montaje del depósito de aceite.

➡ Puede ser necesario golpear ligeramente el depósito de aceite con una

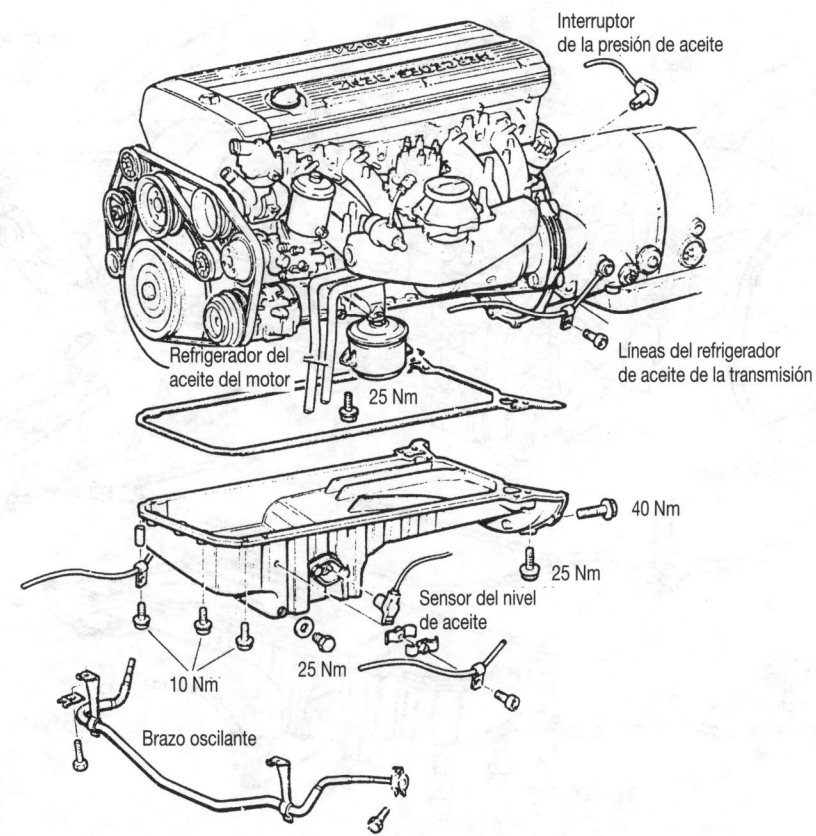

Despiece de los componentes de montaje y relacionados del depósito de aceite – Excepto en los motores 3.2L (112) y 4.3L (113)

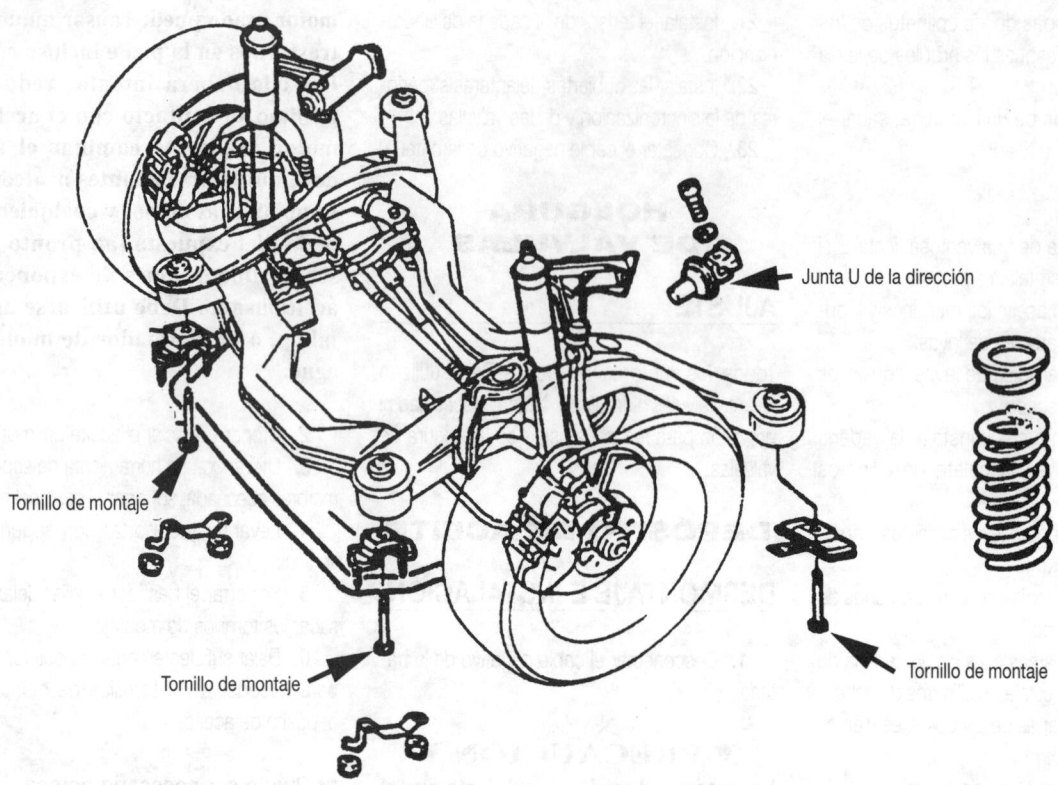

Junta U de la dirección

Tornillo de montaje

Tornillo de montaje

Tornillo de montaje

▲ Bajar el bastidor auxiliar delantero, sacando los tornillos de montaje – Excepto en los motores 3.2L (112) y 4.3L (113)

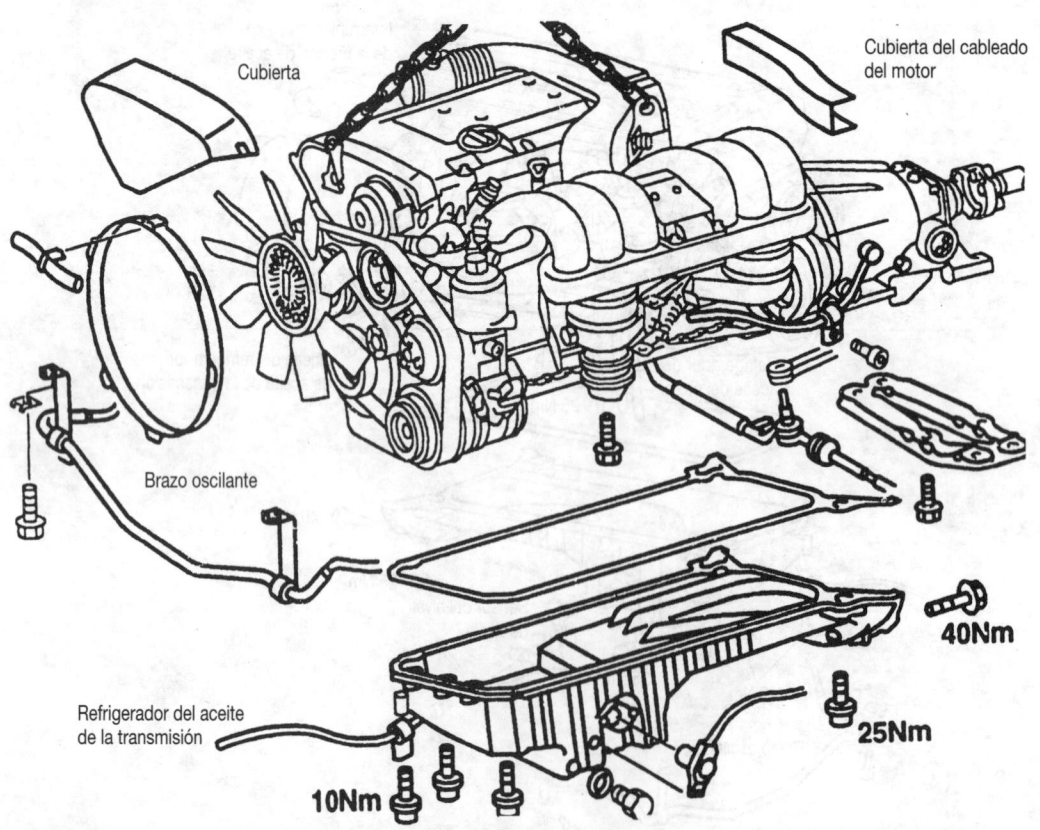

Cubierta

Cubierta del cableado del motor

Brazo oscilante

Refrigerador del aceite de la transmisión

40Nm

25Nm

10Nm

▲ Despiece de los componentes de montaje y relacionados del depósito de aceite – Excepto en los motores 3.2L (112) y 4.3L (113)

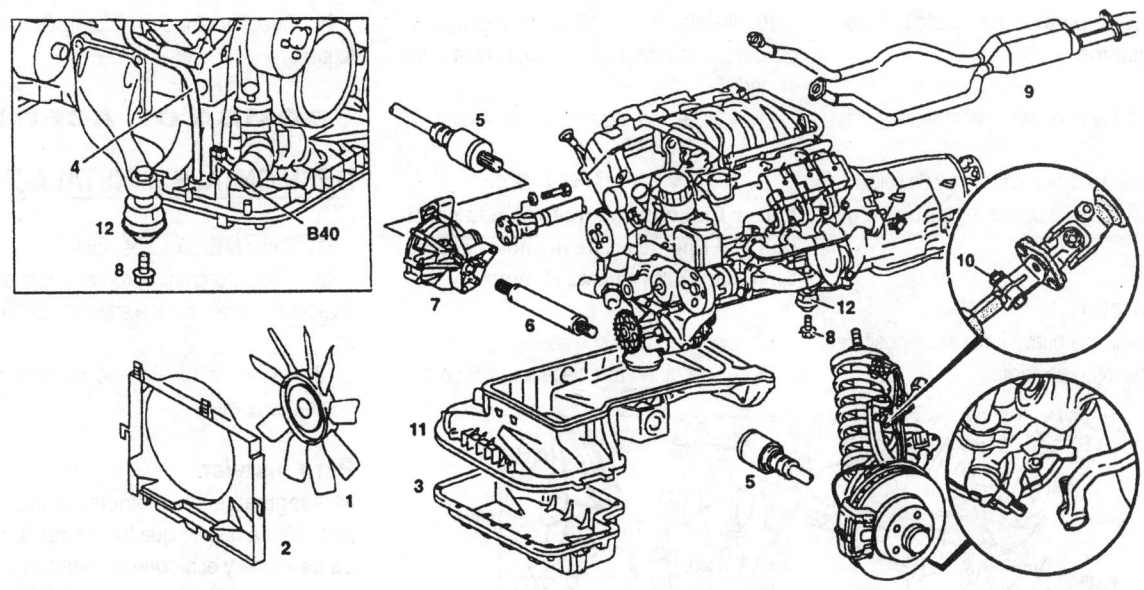

1. Ventilador viscoso
2. Recubrimiento del ventilador
3. Parte inferior del depósito de aceite
4. Tubo del aceite
5. Ejes delanteros
6. Eje intermedio

7. Diferencial del eje delantero
8. Tornillos de los montajes del motor
9. Escape
10. Tornillo de acoplamiento de la dirección
11. Parte superior del depósito de aceite
12. Montaje del motor
B40 Sensor del nivel de aceite

▲ Despiece del montaje del depósito de aceite superior y de los componentes relacionados – Motores 3.2L (112) y 4.3L (113)

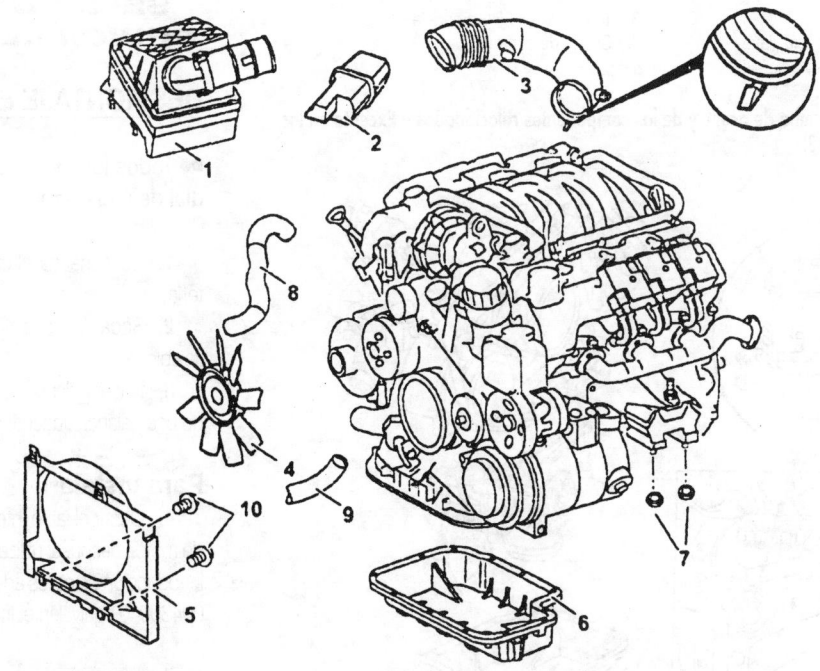

1. Caja del filtro de aire
2. Cuerpo de resonancia
3. Tubo de resonancia
4. Ventilador viscoso
5. Recubrimiento del ventilador

6. Parte inferior del depósito de aceite
7. Tuercas
8. Tubo del fluido refrigerante
9. Tubo del fluido refrigerante
10. Tornillos del recubrimiento del ventilador

▲ Despiece del montaje del depósito de aceite inferior y de los componentes relacionados – Motores 3.2L (112) y 4.3L (113)

maza de goma para desprenderlo del bloque de cilindros.

7. Sacar los tornillos de montaje, después el depósito.

8. Limpiar todo resto de junta y de selladora viejos, del depósito de aceite y del bloque de cilindros.

Para instalar:

9. Instalar una nueva junta de depósito e instalar el depósito de aceite.

10. Instalar los tornillos de montaje del depósito de aceite, siguiendo una pauta entrecruzada.

11. Instalar las piezas que se hayan sacado.

▼ AVISO ▼

Hacer funcionar el motor sin la cantidad y el tipo de aceite de motor correcto, dañará gravemente el motor.

12. Llenar el cárter con aceite.

13. Conectar el cable negativo de la batería.

14. Arrancar el motor y comprobar si hay fugas.

BOMBA DE ACEITE

DESMONTAJE E INSTALACIÓN

1. Sacar el depósito de aceite.

2. Sacar el engranaje propulsor de la bomba de aceite, después sacar el engranaje de la cadena.

3. Sacar los tornillos de montaje de la bomba de aceite.

Para instalar:

➡ Asegurarse de reemplazar cualquier junta tórica o sello que haya entre la bomba de aceite y el bloque de cilindros.

4. Instalar la bomba de aceite y apretar los tornillos de montaje como sigue:
- Tornillos M6 a 88 plg-lb (9 Nm).
- Tornillos M8 a 15 pie-lb (21 Nm).

5. Instalar el engranaje propulsor de la bomba de aceite y apretar el tornillo de montaje a 21 pie-lb (28 Nm).

6. Instalar el depósito de aceite.

SELLO DE ACEITE PRINCIPAL TRASERO

DESMONTAJE E INSTALACIÓN

➡ Todos los motores utilizan un sello radial de una pieza.

1. Desconectar el cable negativo de la batería.

2. Sacar la transmisión y el volante/plato flexible.

3. Hacer palanca para sacar el sello utilizando una palanca adecuada envuelta con un trapo.

Para instalar:

4. Cubrir el labio interior del sello con aceite de motor, después, utilizando una herramienta de introducción de sellos adecuada como la 117589 004300, o equivalente, instalar el sello en el retén.

➡ Asegurarse de que el sello esté asentado lisamente; en caso contrario el sello tendrá fugas.

5. Instalar el volante/plato flexible.

6. Instalar la transmisión.

7. Conectar el cable negativo de la batería.

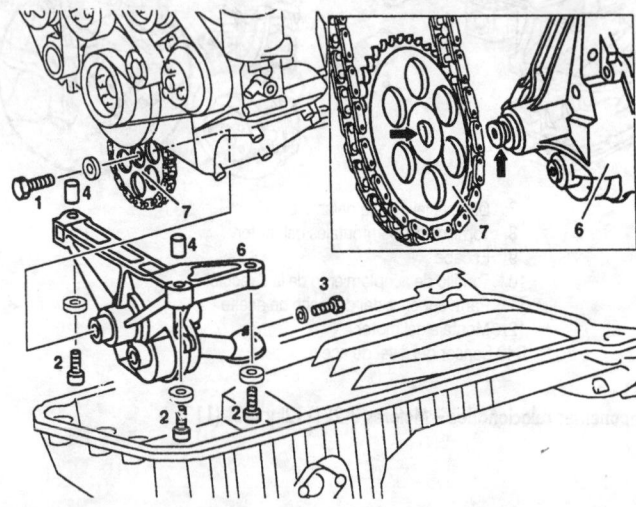

1. Tornillo M8 x 20
2. Tornillo M8 x 35 + arandela (llave de cabeza hueca hexagonal, Allen)
3. Tornillo M6 x 25 + arandela
4. Clavija de centrado

▲ Despiece del montaje de la bomba de aceite y de los componentes relacionados – Excepto en los motores 3.2L (112) y 4.3L (113)

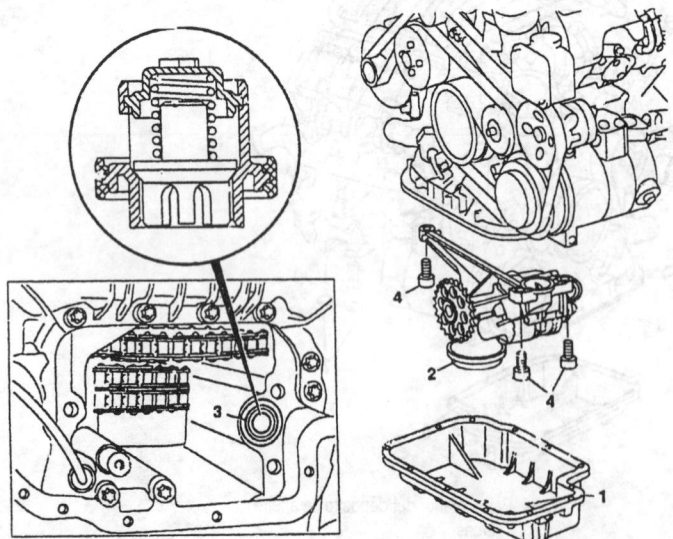

1. Depósito de aceite
2. Bomba de aceite
3. Válvula antirretorno (unidireccional) del retorno del aceite
4. Tornillos de montaje de la bomba de aceite

▲ Despiece del montaje de la bomba de aceite y de los componentes relacionados – Motores 3.2L (112) y 4.3L (113)

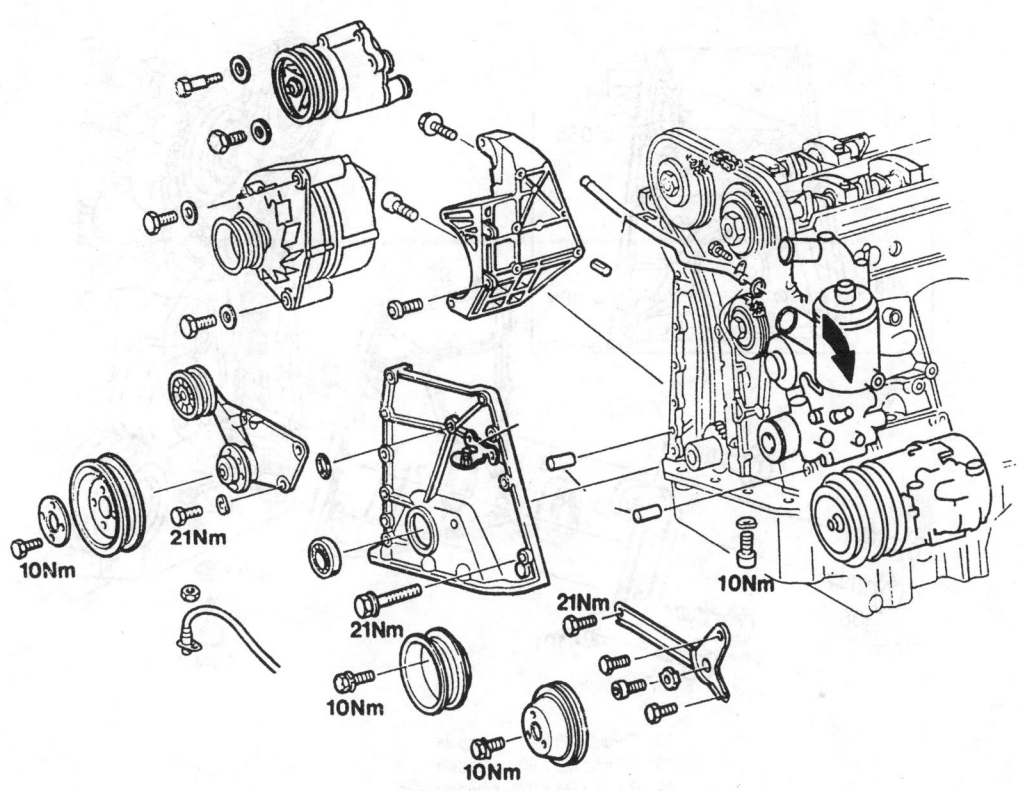

▲ Despiece de los componentes de montaje y relacionados de la cubierta de sincronización inferior – Motores 2.8L y 3.2L (104) en la clase E 1995 (124) y en la clase SL (129)

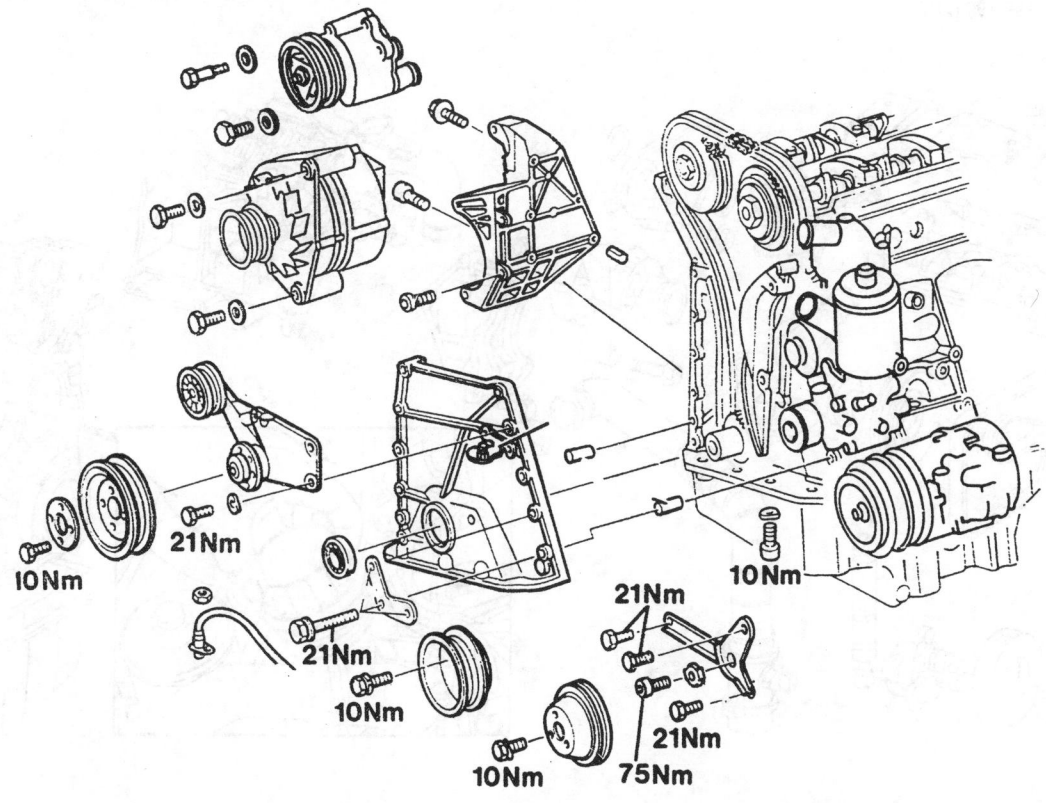

▲ Despiece de los componentes de montaje y relacionados de la cubierta de sincronización inferior – Motores 2.8L y 3.2L (104) en la clase S (140)

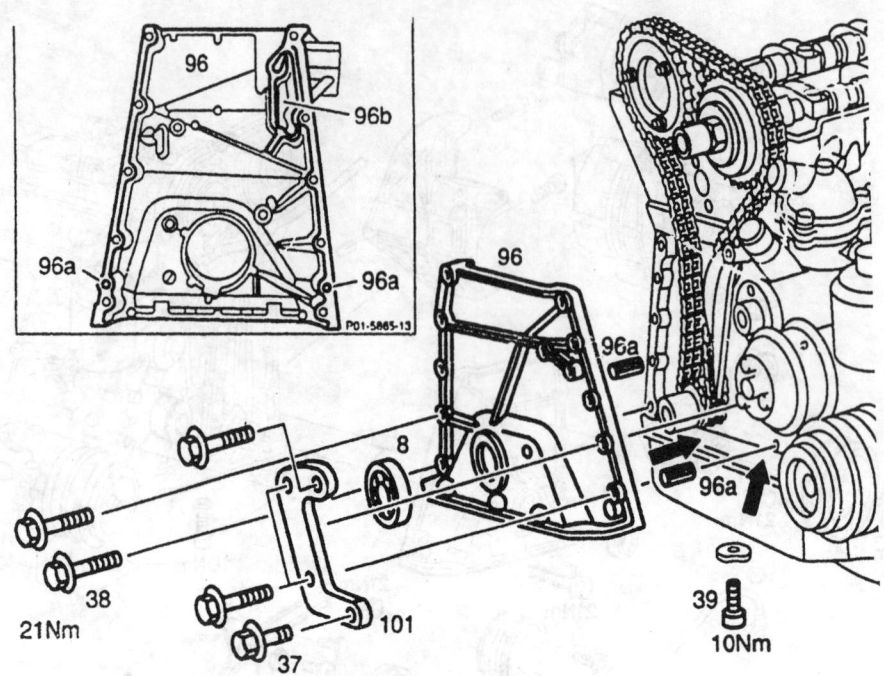

37 Tornillo M8 x 40 + arandela
38 Tornillo M8 x 60 + arandela
39 Tornillo M6 x 22 + arandela llave
   de cabeza hueca hexagonal, Allen
96a Pasador cilíndrico

▲ Despiece de los componentes de montaje y relacionados de la cubierta de sincronización inferior – Motores 2.8L y 3.2L (104) en la clase C (202) y modelos
▲ de la clase E 1996-99 (210)

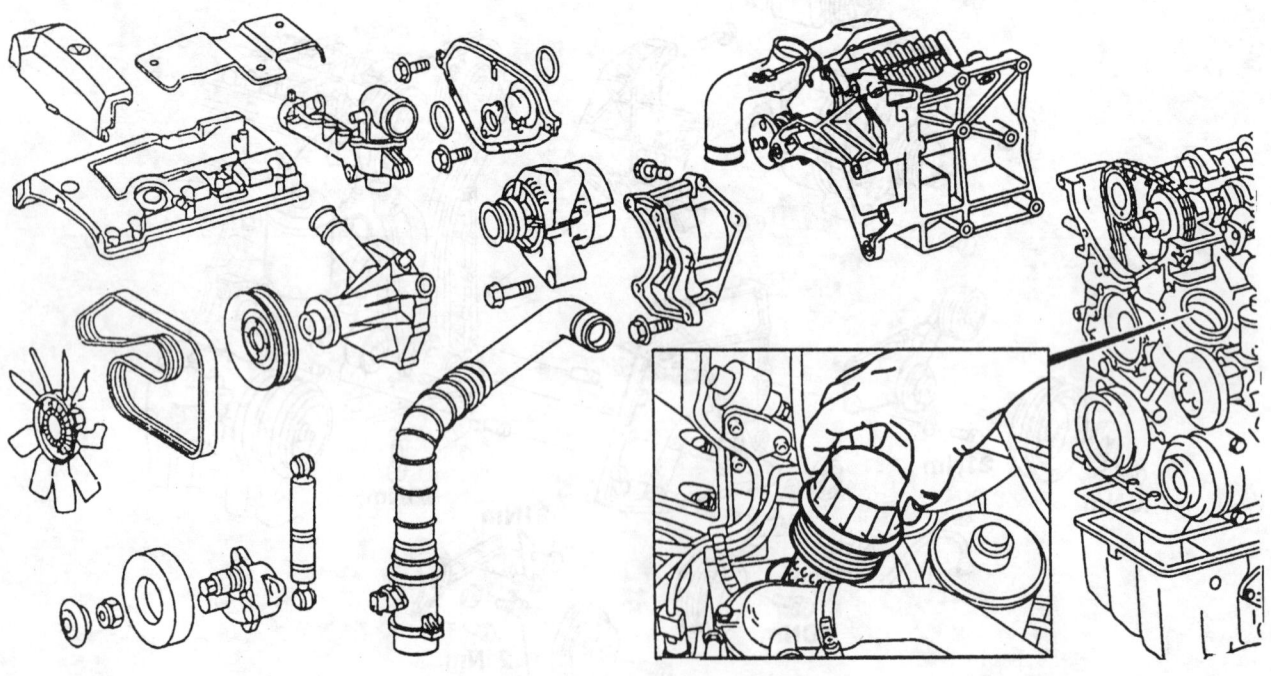

▲ Despiece de los componentes de montaje y relacionados de la cubierta de sincronización inferior – Motores 2.2L y 2.3L (111) en las clases E 1995, CLK 230
▲ (170) y C (202), y modelos de la clase E 1996-99 (210)

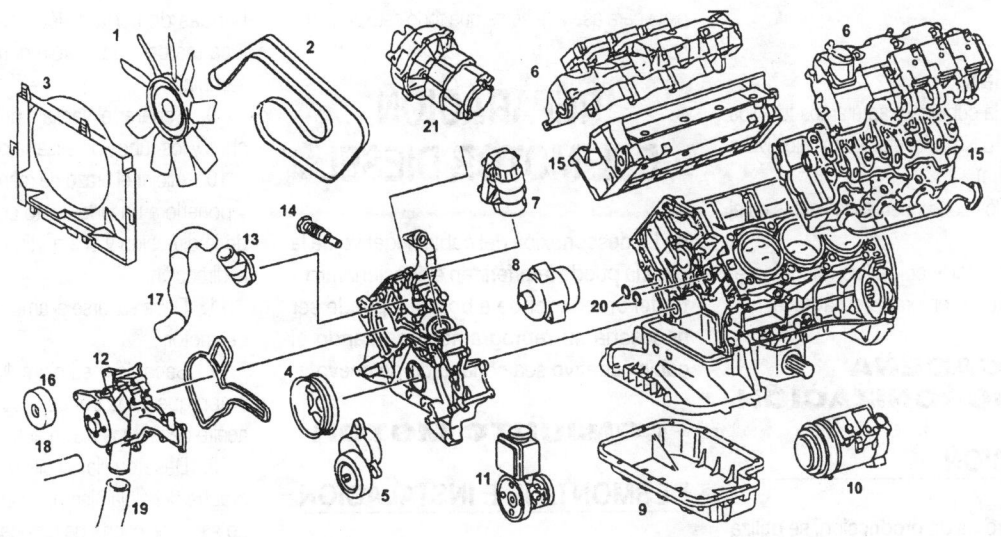

1. Ventilador viscoso
2. Correa poly-V
3. Recubrimiento del ventilador
4. Amortiguador de vibraciones
5. Mecanismo tensor
6. Cubiertas de las culatas de cilindros con bobinas de encendido
7. Caja del filtro de aceite
8. Generador
9. Parte inferior del depósito de aceite
10. Compresor del A/A
11. Bomba de la dirección asistida
12. Bomba de fluido refrigerante
13. Caja del termostato
14. Tensor de cadena
15. Culatas de cilindros
16. Polea guía
17. Manguera de fluido refrigerante a la caja del termostato
18. Manguera de fluido refrigerante a la bomba de fluido refrigerante
19. Manguera de fluido refrigerante a la bomba de fluido refrigerante
20. Sellos de la caja de sincronización
21. Bomba de aire

▲ Despiece de los componentes de montaje y relacionados de la cubierta de sincronización inferior – Motores 3.2L (112) y 4.3L (113) en la clase C (202) y modelos de la clase E 1996-99 (210)

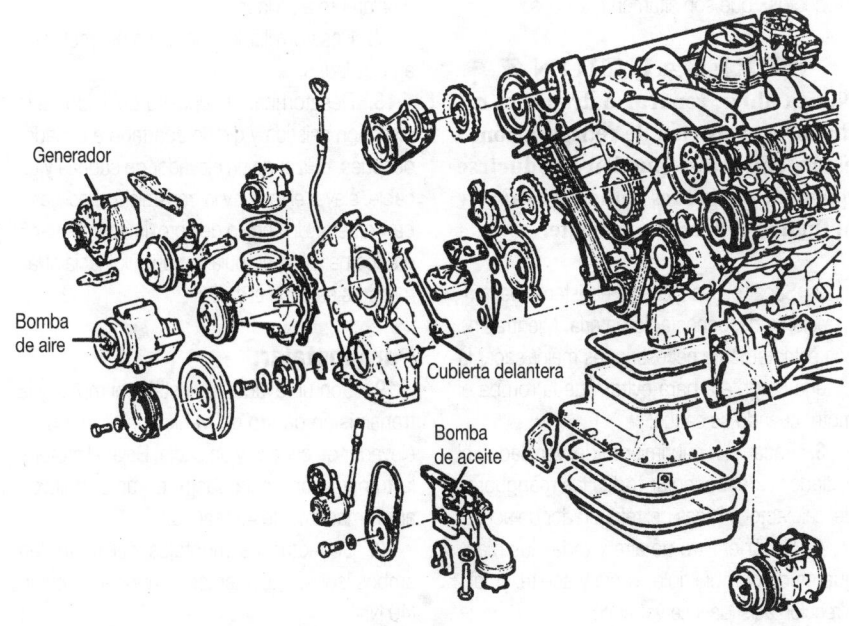

▲ Despiece de los componentes de montaje y relacionados de la cubierta de sincronización inferior – Motores 4.2L y 5.0L (119)

CUBIERTA DELANTERA Y SELLO

DESMONTAJE E INSTALACIÓN

1. Desconectar el cable negativo de la batería y drenar el fluido refrigerante del motor.

2. Sacar la cubierta del motor, el filtro de aire y el recogedor de admisión.

3. Sacar el embrague viscoso del ventilador, la correa del ventilador y los aparejos de montaje.

4. Desconectar todo el cableado y las mangueras de la parte delantera del motor.

5. Sacar la cubierta superior de la sincronización y marcar la cadena de sincronización y los engranajes.

6. Sacar el mecanismo tensor de la cadena de sincronización.

7. Sacar los accesorios que sean necesarios, remitiéndose a la ilustración de cada modelo específico.

8. Sacar el sensor del PMS, alternador y soporte.

9. Sacar la polea del cigüeñal.

10. Sacar las cubiertas inferiores de la sincronización.

Para instalar:

11. Instalar la cubierta y apretar los tornillos M6 a 7 pie-lb (10 Nm). Apretar los tornillos M8 a 15 pie-lb (21 Nm).

12. Instalar los componentes restantes en el orden inverso.

13. Llenar el motor con fluido refrigerante, arrancar el motor y comprobar si hay fugas.

CADENA DE SINCRONIZACIÓN

SUSTITUCIÓN

➡ En los motores de producción, se utiliza una cadena de sincronización sin fin, pero en las reparaciones se utiliza una cadena partida, con un enlace de conexión. La cadena sin fin puede separarse con un "rompedor de cadenas". En una cadena sólo debería utilizarse un enlace principal (enlace de conexión).

1. Desconectar el cable negativo de la batería. Sacar las bujías.

2. Sacar la/s cubierta/s de válvulas.

3. Fijar con abrazadera la cadena en el engranaje del árbol de levas y cubrir la abertura de la caja de la cadena de sincronización con trapos.

4. Separar la cadena con un rompedor de cadenas.

Para instalar:

5. Acoplar una cadena de sincronización nueva a la cadena usada con un enlace principal.

6. Utilizando una llave de tubo en el cigüeñal, girar el motor lentamente en la dirección de rotación normal. Simultáneamente, tirar de la cadena usada hasta que el enlace principal esté en lo más alto del engranaje del árbol de levas; asegurarse de mantener la tensión sobre la cadena durante todo el procedimiento.

7. Desconectar la cadena de sincronización usada y conectar los extremos de la nueva cadena con el enlace principal. Insertar un enlace de conexión nuevo desde la parte trasera, de manera que las arandelas de seguridad puedan verse desde la parte delantera.

8. Girar el motor hasta que las marcas de sincronización estén alineadas. Comprobar la sincronización de las válvulas. Una vez que la cadena nueva esté ensamblada, girar el motor, con la

mano, hasta dar como mínimo una vuelta completa para asegurarse de que todo esté correcto.

REPARACIÓN DEL MOTOR DIESEL

➡ La desconexión del cable negativo de la batería puede interferir en el funcionamiento del ordenador de a bordo, y puede ser necesaria su reprogramación cuando el cable negativo sea conectado de nuevo.

CONJUNTO MOTOR

DESMONTAJE E INSTALACIÓN

➡ Siempre, los motores y las transmisiones Mercedes-Benz se desmontan como una unidad.

1. Las líneas del aire acondicionado no deben desconectarse indiscriminadamente sin tomar las precauciones adecuadas. Es mejor girar el compresor hacia un lado mientras todavía esté conectado a sus mangueras. Nunca realizar una soldadura alrededor del compresor/culata, podría provocar una explosión. También el refrigerante, inerte a temperatura ambiente, a altas temperaturas se descompone en fluoruro de hidrógeno y fosgeno (entre otros productos), que son altamente tóxicos.

▼ PRECAUCIÓN ▼

Nunca abrir, reparar o drenar el radiador o el sistema de refrigeración si están calientes; pueden producirse quemaduras graves debidas al vapor y al fluido refrigerante caliente.

2. Sacar el capó, drenar el sistema de refrigeración y desconectar la batería. Mientras no sea estrictamente necesario, es mejor sacar la batería completa para evitar que la rompa el motor cuando se saque.

3. Sacar el recubrimiento del ventilador, el radiador y desconectar todas las mangueras del calefactor y líneas del refrigerador de aceite.

4. Sacar el filtro de aire y todas las mangueras de combustible, vacío y aceite, p. ej., dirección asistida y servofrenos.

5. Tapar todas las aberturas para evitar que entre suciedad.

6. Sacar el cople viscoso y el ventilador.

7. Desconectar el varillaje del acelerador.

8. Desconectar todas las conexiones de bandas de tierra y eléctricas. Es una buena idea marcar cada cable para facilitar el reensamblaje.

9. Separar el varillaje del cambio de marchas y los tubos de escape de los múltiples.

10. Aflojar el brazo de reenvío de la dirección y ponerlo a un lado, junto con la barra central de la dirección y el amortiguador hidráulico de la dirección.

11. Debe sacarse el amortiguador hidráulico del motor.

12. Sacar la línea hidráulica del cuerpo del embrague y los conectores de las líneas del aceite de la transmisión automática.

13. Desatornillar el cilindro auxiliar del embrague del alojamiento, acampanado después de sacar el resorte de retroceso.

14. Sacar el soporte del tubo de escape de la transmisión. Soportar el alojamiento acampanado o colocar una eslinga de cable debajo del depósito de aceite, para soportar el motor. En los modelos con turboalimentador, desconectar los tubos de escape en el turboalimentador.

15. Marcar la posición del soporte trasero del motor y desatornillar los 2 tornillos exteriores; después sacar el tornillo de la parte superior en la transmisión y sacar el soporte.

16. Desconectar el cable del velocímetro y la junta U delantera del eje motriz (propulsor). Empujar el eje propulsor hacia atrás y atarlo con un alambre a un lado.

17. Desatornillar los montajes del motor en ambos lados.

18. Desatornillar el depósito de fluido de la dirección asistida y girarlo apartado a un lado; después, utilizando un elevador de cadena y un cable, elevar el motor y la transmisión hacia arriba y afuera. Un ángulo de aproximadamente 45 grados permitirá empujar el vehículo hacia atrás mientras se sube el motor.

Para instalar:

19. Con un ayudante, instalar el motor y la transmisión dentro del vehículo utilizando un elevador de cadena y un cable. Bajar el motor y la transmisión hacia abajo, en un ángulo de aproximadamente 45 grados.

20. Conectar los montajes del motor en ambos lados, y apretar los tornillos a 30 pie-lb (40 Nm).

21. Conectar el cable del velocímetro y la junta U delantera del eje propulsor.

22. Instalar el soporte trasero del motor y atornillar los 2 tornillos exteriores.

23. Instalar el soporte del tubo de escape en la transmisión. En los modelos con turboalimentador, conectar los tubos de escape en el turboalimentador. Apretar los tornillos del tubo a 25 pie-lb (34 Nm).

24. Instalar el cilindro auxiliar del embrague, en el alojamiento acampanado la cubierta, e instalar el resorte de retorno.

25. Instalar la línea hidráulica en el cuerpo del embrague y los conectores de la línea de aceite, en la transmisión automática.

26. Debe instalarse el amortiguador hidráulico del motor.

27. Apretar el brazo de reenvío de la dirección a 15 pie-lb (20 Nm). Conectar el amortiguador de la dirección al varillaje de la dirección.

28. Conectar el varillaje del cambio de marchas y los tubos de escape en los múltiples. Apretar los tornillos de los múltiples a 25 pie-lb (34 Nm).

29. Conectar todas las conexiones de las bandas de tierra y eléctricas.

30. Conectar el varillaje del acelerador.

31. Instalar el embrague (cople) viscoso y el ventilador.

32. Instalar todas las mangueras de combustible, vacío y aceite, p. ej., dirección asistida, servofrenos y filtro de aire.

33. Instalar el radiador, recubrimiento del ventilador y conectar todas las mangueras del calefactor y líneas del refrigerador de aceite.

34. Llenar el motor con fluido refrigerante e instalar el capó.

35. Instalar la batería y conectarla.

36. Sangrar el embrague hidráulico, la dirección asistida, los servofrenos y el sistema de combustible.

BOMBA DE AGUA

DESMONTAJE E INSTALACIÓN

➡ **Después de llenar el sistema de refrigeración, debe sangrarse el sistema. Sacar un sensor de refrigeración, o equivalente, del punto más alto del sistema de refrigeración del motor. Llenar el radiador hasta que el fluido refrigerante se derrame fuera del agujero. Aplicar cinta selladora de roscas a los componentes e instalar. Acabar llenando el radiador al nivel adecuado.**

1. Desconectar el cable negativo de la batería. Sacar el recubrimiento del ventilador.

2. Sacar el embrague viscoso del ventilador con el ventilador.

3. Sacar los tornillos de sujeción y la polea.

4. Sacar las tuercas hexagonales y el cuerpo magnético.

➡ **El soporte magnético está pegado al cuerpo de la bomba de agua y no debe separarse.**

5. Sacar el cuerpo de la bomba de agua.

6. Limpiar las superficies de sellado.

Para instalar:

7. Insertar la bomba de agua con una nueva junta y apretar los tornillos de combinación a 7.5 pie-lb (10 Nm).

8. Montar la bomba de agua con una junta nueva y apretar los tornillos mixtos a 7.5 pie-lb (10 Nm).

9. Montar el cuerpo magnético y conectar el cable.

10. Montar la polea y apretar los tornillos de sujeción a 7.5 pie-lb (10 Nm).

11. Completar la instalación siguiendo el procedimiento inverso al del desmontaje.

BUJÍAS INCANDESCENTES

DESMONTAJE E INSTALACIÓN

Las bujías incandescentes están localizadas en el lado conductor de la culata de cilindros.

1. Desconectar el cable negativo de la batería.

2. Separar los conectores eléctricos de las bujías incandescentes.

3. Sacar las bujías incandescentes de la culata de cilindros.

Para instalar:

4. Aplicar material anti-agarrote a las roscas de las bujías incandescentes. Instalar las bujías incandescentes y apretar a 15 pie-lb (20 Nm).

5. Acoplar el conector eléctrico y apretar la tuerca de retención a 35 plg-lb (4 Nm).

6. Conectar el cable negativo de la batería.

CULATA DE CILINDROS

DESMONTAJE E INSTALACIÓN

➡ **Ir con cuidado de asegurarse que la sincronización de las válvulas no esté alterada.**

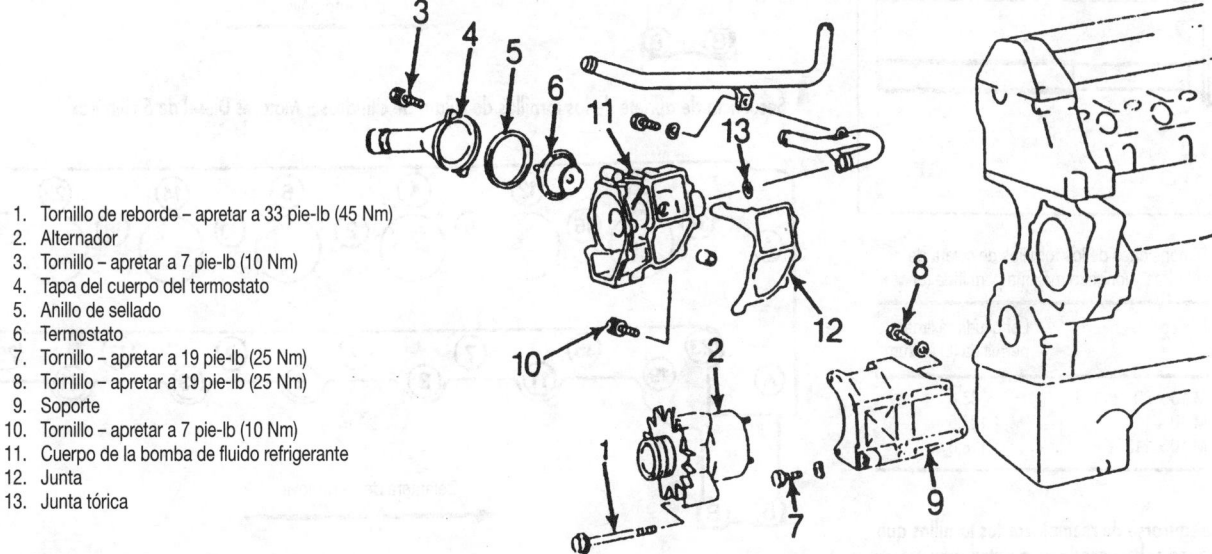

1. Tornillo de reborde – apretar a 33 pie-lb (45 Nm)
2. Alternador
3. Tornillo – apretar a 7 pie-lb (10 Nm)
4. Tapa del cuerpo del termostato
5. Anillo de sellado
6. Termostato
7. Tornillo – apretar a 19 pie-lb (25 Nm)
8. Tornillo – apretar a 19 pie-lb (25 Nm)
9. Soporte
10. Tornillo – apretar a 7 pie-lb (10 Nm)
11. Cuerpo de la bomba de fluido refrigerante
12. Junta
13. Junta tórica

▲ Despiece del conjunto del cuerpo de la bomba de agua – Motores Diesel

1. Desconectar el cable negativo de la batería. Drenar el radiador y sacar todas las mangueras y cables. Marcar todos los cables para asegurar que se facilite el reensamblaje.

2. Sacar la cubierta del árbol de levas y el varillaje asociado del ahogador.

3. Sacar la tuerca del engranaje del árbol de levas.

4. Sacar los balancines y sus soportes; deben sacarse juntos.

5. Marcar la cadena, el engranaje y la leva para facilitar el ensamblaje.

6. Utilizando un extractor adecuado, sacar el engranaje del árbol de levas.

7. Sacar el engranaje y la cadena y atarlos a un lado con un alambre.

➡ **Asegurarse de que la cadena esté firmemente atada de manera que no pueda deslizarse dentro del motor.**

8. Desatornillar los múltiples y el tubo cabecero de escape y empujarlos a un lado.

9. Aflojar los pernos de sujeción de la culata de cilindros, en el orden inverso a la secuencia de apriete. Un buen método es aflojar todos los tornillos, un poco cada vez, trabajando alrededor de la culata, hasta que todos estén liberados.

10. Meterse en el compartimiento del motor y aflojar gradualmente la culata desde cada extremo, balanceándola. No usar nunca una barra para hacer palanca entre la culata y el bloque, en caso contrario la culata se marcaría y podría quedar inutilizada.

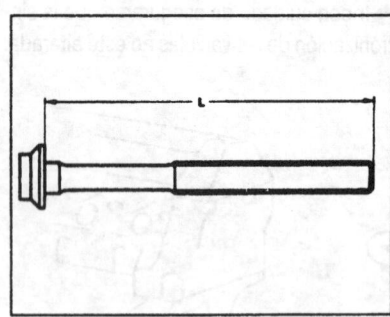

Dimensiones de los tornillos de culata de cilindros y longitud máxima permitida (L)

Nuevo	Longitud máxima permitida (L) en mm
M 10 x 80	83.6
M 10 x 102	105.6
M 10 x 115	118.6

▲ **Asegurarse de reemplazar los tornillos que hayan sobrepasado la longitud máxima – Motores Diesel**

▼ AVISO ▼

Todos los motores Diesel utilizan tornillos de estiramiento en la culata de cilindros. Estos tornillos experimentan un estiramiento permanente cada vez que se aprietan. Cuando han alcanzado una longitud máxima, deben desecharse y reemplazarse por tornillos nuevos. En estos motores, antes de apretar los tornillos de la culata, remitirse a la ilustración para la longitud específica de los tornillos.

Para instalar:

11. Limpiar las superficies de unión de junta. Instalar la culata de cilindros utilizando un elevador aprobado.

12. Apretar los tornillos de culata de cilindros, en secuencia, como sigue:
   a. Primer paso: 11 pie-lb (15 Nm).
   b. Segundo paso: 20 pie-lb (35 Nm).
   c. Tercer paso: 90°.
   d. Cuarto paso: esperar 10 minutos.
   e. Quinto paso: 90°.

13. Instalar los múltiples y el tubo de escape de cabeza. Apretar el tubo a 24 pie-lb (34 Nm).

14. Instalar el engranaje y la cadena.

15. Instalar los balancines y sus soportes. Apretar a 15 pie-lb (20 Nm).

16. Instalar la tuerca del engranaje del árbol de levas.

17. Instalar la cubierta del árbol de levas y el varillaje asociado del ahogador.

18. Conectar el cable negativo de la batería. Llenar el radiador e instalar todas las mangueras y cables.

BALANCINES Y EJES DE BALANCINES

DESMONTAJE E INSTALACIÓN

Los motores Diesel no utilizan balancines. El árbol de levas actúa directamente sobre el levantaválvulas hidráulico.

TURBOALIMENTADOR

DESMONTAJE E INSTALACIÓN

1. Desconectar el cable negativo de la batería. Sacar el filtro de aire.

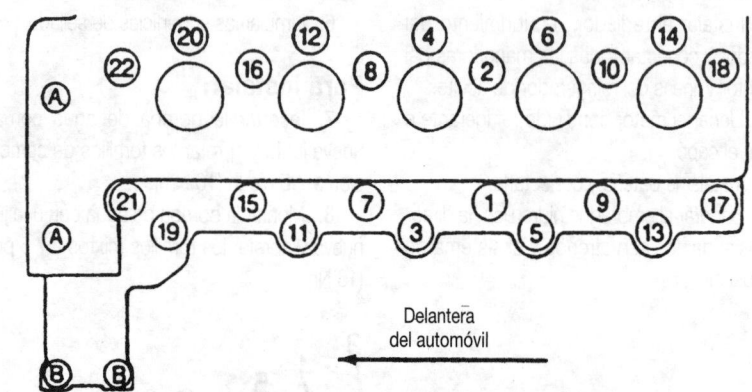

▲ Secuencia de apriete de los tornillos de culata de cilindros – Motores Diesel de 5 cilindros

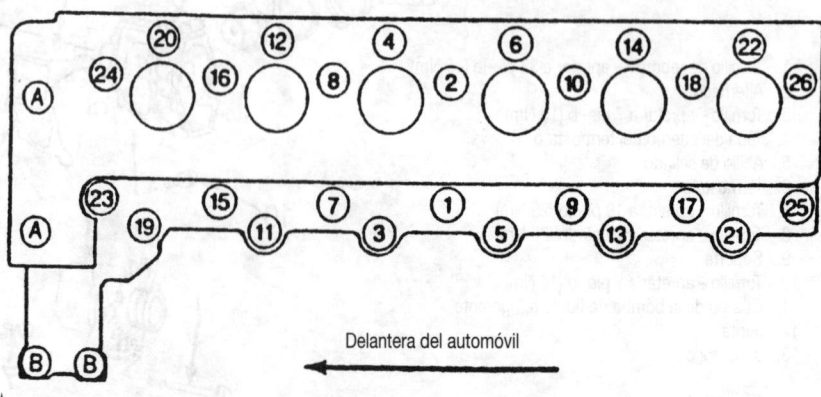

▲ Secuencia de apriete de los tornillos de la culata de cilindros – Motores Diesel de 6 cilindros

2. Desconectar el cable eléctrico del interruptor de la temperatura.

3. Aflojar la abrazadera de la manguera inferior sobre el conducto de aire que conecta el filtro de aire con el cuerpo del compresor.

4. Sacar la línea de vacío y el tubo de la respiración del cárter.

5. Sacar el filtro de aire y el conducto de admisión de aire.

6. Desconectar la línea de aceite en el turboalimentador.

7. Sacar el soporte de montaje del filtro de aire.

8. Desconectar el turboalimentador en la brida de escape.

9. Desconectar y sacar el soporte del tubo en la transmisión automática.

10. Empujar el tubo de escape hacia atrás.

11. Sacar el soporte de montaje en la brida intermedia.

12. Desatornillar y sacar el turboalimentador.

13. Sacar la brida intermedia y la línea de retorno de aceite en el sobrealimentador.

Para instalar:

14. Antes de instalar el turboalimentador, instalar la línea de retorno de aceite y la brida intermedia.

15. Instalar la junta de la brida entre el turboalimentador y el múltiple de escape con el reborde de refuerzo hacia el múltiple de escape. Usar sólo tuercas y tornillos a prueba de calor.

16. Antes de hacer funcionar un turboalimentador nuevo llenarlo con $1/2$ pinta de aceite de motor a través del agujero de suministro de aceite de motor.

MÚLTIPLE DE ADMISIÓN

DESMONTAJE E INSTALACIÓN

1. Desconectar el cable negativo de la batería.

2. Sacar del múltiple los tubos de ventilación del motor.

3. Desconectar todo el cableado eléctrico, los cables (chicotes) y las mangueras del múltiple de escape.

4. Sacar los tornillos de retención del múltiple, y el múltiple.

Para instalar:

5. Limpiar las superficies de unión de junta, e instalar una junta nueva.

6. Instalar el múltiple y los tornillos. Apretar los tornillos a 18 pie-lb (25 Nm), trabajando desde el centro hacia fuera.

7. Instalar los componentes restantes y el cable de la batería.

8. Arrancar el motor y comprobar si hay fugas.

MÚLTIPLE DE ESCAPE

DESMONTAJE E INSTALACIÓN

1. Desconectar el cable negativo de la batería.

2. Sacar el tubo de escape del múltiple.

3. Sacar los tornillos de retención del múltiple, y el múltiple. En los motores 3.5L no es necesario sacar ambos múltiples de escape. Separar la junta entre los cilindros 3 y 4.

Para instalar:

4. Limpiar las superficies de unión de junta, e instalar una junta nueva.

5. Instalar el múltiple y los tornillos. Apretar los tornillos a 18 pie-lb (25 Nm), trabajando desde el centro hacia fuera.

6. Instalar los componentes restantes y el cable de la batería.

7. Arrancar el motor y comprobar si hay fugas.

ÁRBOL DE LEVAS Y LEVANTAVÁLVULAS

DESMONTAJE E INSTALACIÓN

1. Desconectar el cable negativo de la batería. Sacar la cubierta de la culata de cilindros.

2. Colocar el cigüeñal en el PMS del cilindro Nº 1.

➡ **No girar el motor sobre el tornillo de sujeción del engranaje de sincronización del árbol de levas; no girar el motor en sentido contrario.**

3. Sacar el tensor de la cadena.

4. Marcar el engranaje de sincronización del árbol de levas y la cadena de sincronización en su relación entre sí.

5. Sacar el engranaje de sincronización del árbol de levas. Para aflojar los tornillos, aplicar un útil de sujeción sobre el árbol de levas con un mandril.

6. Si está equipado con un control de nivel, sacar la bomba de presión de aceite y colocarla a un lado con las líneas conectadas.

7. Para prevenir que se dañen los árboles de levas, asegurarse de aplicar la secuencia siguiente durante el ensamblaje:

a. Motor 2.5L: Sacar ambos tornillos en los cojinetes 1, 2 y 6 del árbol de levas (flechas oscuras). Aflojar ambos tornillos en los cojinetes 3, 4 y 5 del árbol de levas, alternativamente y por pasos, sólo hasta que se haya eliminado la presión en contra.

b. Motor 3.5L: Sacar ambos tornillos en los cojinetes 1, 5 y 6 del árbol de levas (flechas oscuras). Aflojar ambos tornillos en los cojinetes 2, 3, 4 y 7 del árbol de levas, alternativamente y por pasos, sólo hasta que se haya eliminado la presión en contra.

8. Sacar el árbol de levas en dirección hacia arriba.

9. Sacar el anillo de seguridad de alineación del árbol de levas y comprobar si está desalineado.

10. Sacar el levantaválvulas con la herramienta de levantaválvulas con solenoide (electromagnética) 102 589 03 40 00, o equivalente.

11. Comprobar el estado del levantaválvulas, comprobación visual, y, si es necesario, renovarlo.

Para instalar:

➡ **Instalar los levantaválvulas sólo en los mismos puntos donde estaban instalados. Si se ha instalado un árbol de levas nuevo, o si se ha mecanizado la culata de cilindros, comprobar el funcionamiento correcto del árbol de levas.**

12. Insertar el anillo de seguridad de situación axial, dentro de la culata de cilindros.

13. Lubricar el árbol de levas y colocarlo dentro de la culata de cilindros, sin el levantaválvulas.

14. Apretar las tapas de los cojinetes del árbol de levas, uniformemente, a 18.5 pie-lb (25 Nm). Prestar atención para identificar las tapas de los cojinetes.

15. Al comprobar la corrección del funcionamiento, el árbol de levas puede girarse con un tornillo de cabeza hueca hexagonal (Allen) M10 x 30, que está atornillado en cada engranaje de sincronización de árbol de levas, en lugar del tornillo de sujeción. Si el árbol de levas sólo puede girarse con esfuerzo, proceder como sigue:

a. Aflojar las tapas de los cojinetes del árbol de levas individualmente. Si es necesario, girar el árbol de levas.

b. Repetir, hasta que se encuentre el punto de ajuste del cojinete.

c. Comprobar si el árbol de levas está descentrado.

16. Lubricar los levantaválvulas e insertarlos. Prestar atención a la secuencia.

17. Lubricar el árbol de levas y colocarlo dentro de la culata de cilindros de manera que la marca del PMS esté vertical.

18. Instalar las tapas de los cojinetes de árbol de levas de manera opuesta a la secuencia de aflojamiento. Apretar las tapas de los cojinetes a 18 pie-lb (25 Nm).

19. Montar el engranaje de sincronización del árbol de levas. Prestar atención a las marcas de color. Apretar el tornillo de sujeción del engranaje de sincronización del árbol de levas a 48 pie-lb (65 Nm). Para ello, aplicar un útil

de sujeción en el engranaje de sincronización del árbol de levas con una clavija de acero o herramienta adecuada.

20. Instalar el tensor de la cadena.

21. Si está equipado con control de nivel, montar la bomba de presión de aceite e introducirla.

22. Comprobar las marcas del PMS del motor.

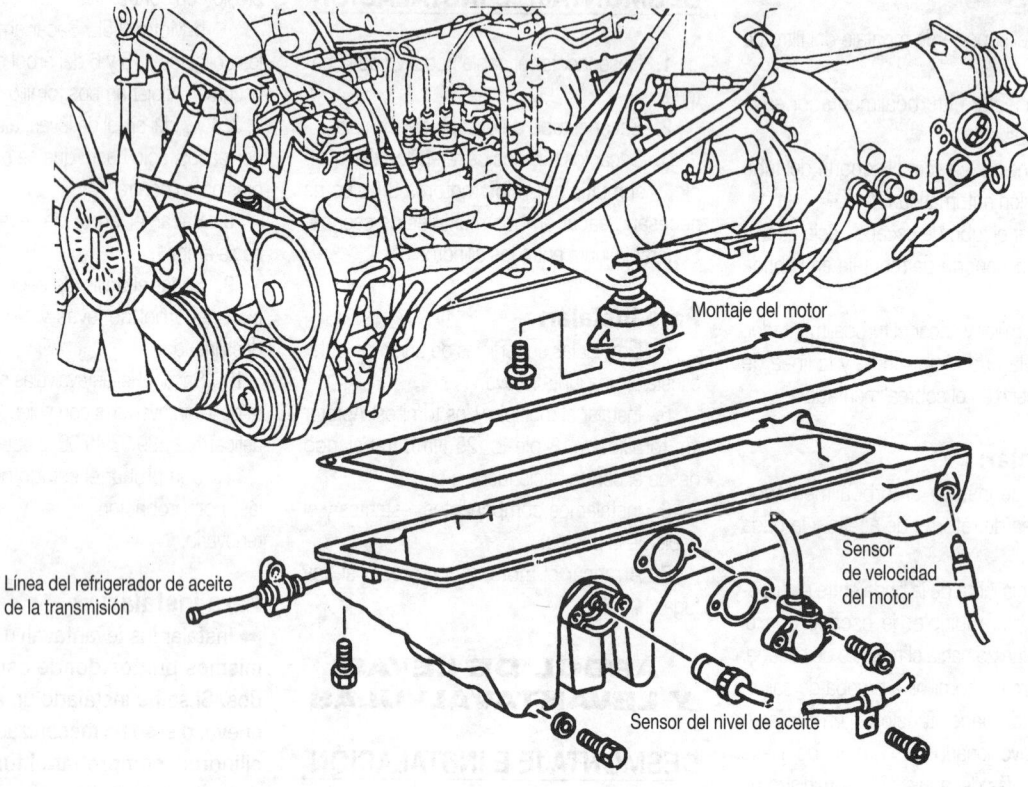

Montaje del motor

Línea del refrigerador de aceite de la transmisión

Sensor de velocidad del motor

Sensor del nivel de aceite

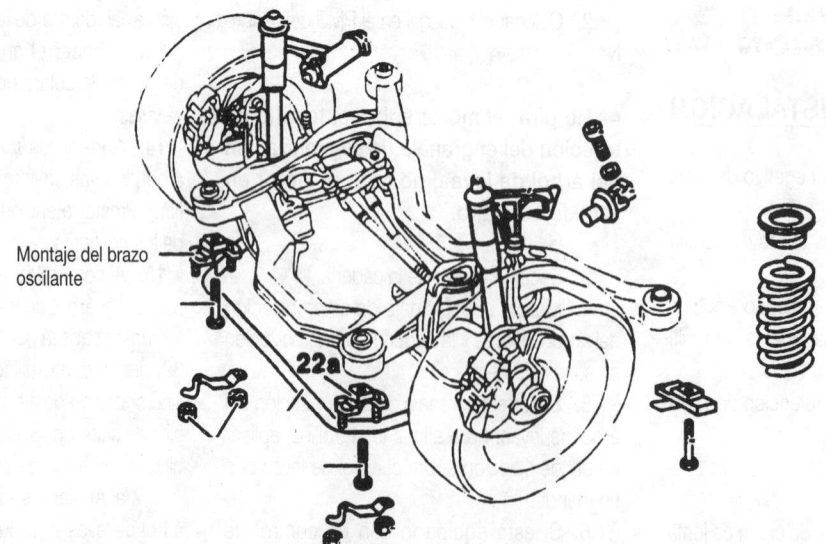

Montaje del brazo oscilante

22a

▲ **Despiece de los componentes de montaje y relacionados para el desmontaje y la instalación del depósito de aceite – Motores Diesel**

23. Montar la cubierta de la culata de cilindros.

HOLGURA DE VÁLVULAS

AJUSTE

Los motores Diesel de 5 y 6 cilindros utilizan levantaválvulas hidráulicos. No tienen necesidad ni está previsto realizar ajustes de la holgura de válvulas.

DEPÓSITO DE ACEITE

DESMONTAJE E INSTALACIÓN

1. Desconectar el cable negativo de la batería.

▼ PRECAUCIÓN ▼

La autoridad sanitaria advierte que el contacto prolongado con aceite de motor usado puede causar numerosos trastornos en la piel e incluso cáncer. Por ello deberá intentar reducir al mínimo su contacto con el aceite de motor usado. Al cambiar el aceite deben utilizarse guantes protectores. Limpiarse las manos y cualquier zona de la piel expuesta tan pronto como sea posible después de exponerse al aceite usado. Debe utilizarse agua y jabón, o un limpiador de manos sin agua.

2. Drenar y reciclar el aceite del motor.
3. Utilizando una herramienta adecuada para soportar motores, soportar el peso del motor.
4. Levantar y soportar con seguridad el vehículo.
5. Soportar la parte delantera del subbastidor (bastidor auxiliar) y sacar los tornillos de montaje.
6. Bajar suficientemente el subbastidor para acceder a los tornillos de montaje del depósito de aceite.

➡ **Puede ser necesario golpear el depósito de aceite con una maza de goma para sacarlo del bloque de cilindros.**

7. Sacar los tornillos de montaje, después el depósito.
8. Limpiar todo resto de junta y selladora, del depósito de aceite y del bloque de cilindros.

Para instalar:

9. Instalar una junta nueva de depósito, e instalar el depósito de aceite.
10. Instalar los tornillos de montaje del depósito de aceite, siguiendo una pauta entrecruzada.
11. Instalar las piezas que se hayan sacado.

▼ AVISO ▼

Si se hace funcionar el motor sin la cantidad y el tipo de aceite de motor correcto se puede dañar gravemente el motor.

12. Llenar el cárter con aceite.
13. Conectar el cable negativo de la batería.
14. Arrancar el motor y comprobar si hay fugas.

BOMBA DE ACEITE

DESMONTAJE E INSTALACIÓN

1. Desconectar el cable negativo de la batería. Sacar el depósito de aceite.
2. Sacar el tornillo del engranaje y sacar el engranaje del eje propulsor.
3. Sacar los tornillos y sacar la bomba de aceite.

4. Si está equipado, sacar cualquier tornillo adicional del soporte del múltiple de admisión.

Para instalar:

5. Colocar la bomba de aceite y apretar el tornillo a 18.5 pie-lb (25 Nm).
6. Si se han sacado, instalar los tornillos adicionales y apretar a 7.5 pie-lb (10 Nm).
7. Encajar el engranaje en la cadena y montarlo en el eje propulsor.

➡ **Montar el engranaje de manera que el saliente apunte hacia la bomba de aceite y de manera que la forma trocoidal (cicloidal) se corresponda con la del eje de la bomba de aceite.**

8. Instalar el depósito de aceite.
9. Hacer marchar el motor, comprobar si hay fugas.

SELLO DE ACEITE PRINCIPAL TRASERO

DESMONTAJE E INSTALACIÓN

➡ Todos los motores usan un sello radial de una pieza.

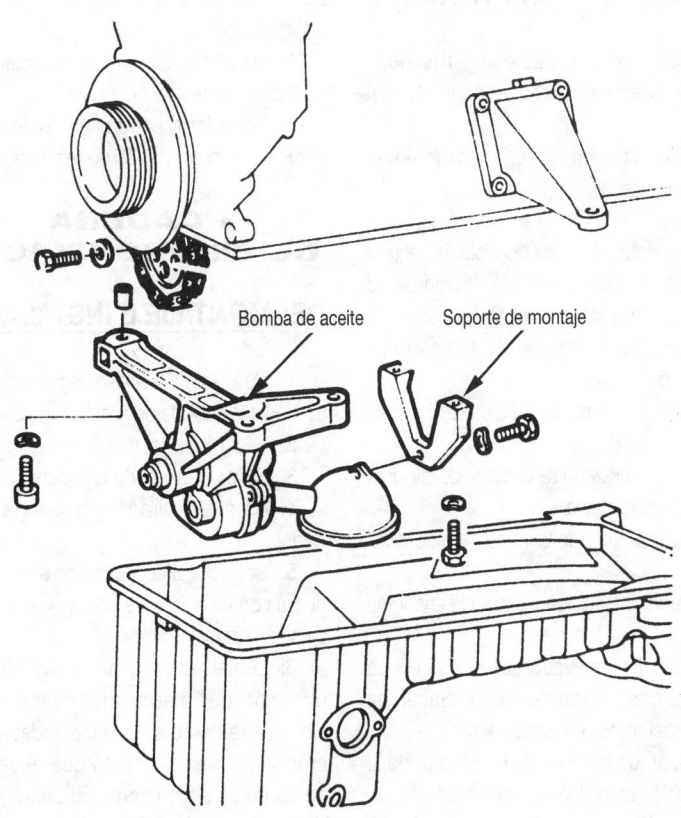

Bomba de aceite   Soporte de montaje

▲ **Despiece del montaje de la bomba de aceite – Motor Diesel**

1. Desconectar el cable negativo de la batería.

2. Sacar la transmisión y el volante/plato flexible.

3. Hacer palanca para sacar el sello utilizando una herramienta adecuada para hacer palanca envuelta con un trapo.

Para instalar:

4. Cubrir el labio interior del sello con aceite de motor, después, utilizando una herramienta introductora de sellos adecuada como la 117 589 00 43 00 o equivalente, instalar el sello dentro del retén.

➡ Asegurarse de que el sello esté asentado lisamente; en caso contrario el sello tendrá fugas.

5. Instalar el volante/plato flexible.
6. Instalar la transmisión.
7. Conectar el cable negativo de la batería.

CUBIERTA Y SELLO DE LA CADENA DE SINCRONIZACIÓN

DESMONTAJE E INSTALACIÓN

1. Desconectar el cable negativo de la batería y drenar el fluido refrigerante del motor.

2. Sacar la cubierta del compartimiento del motor, parte inferior.

3. Sacar el radiador, el embrague del ventilador, el ventilador, la polea del cigüeñal, el tensor de la correa de serpentina, la bomba de vacío, la bomba de la dirección asistida, la bomba hidráulica de suspensión autonivelante y el alternador.

4. Instalar una placa protectora del condensador.

5. Sacar la cubierta de la culata de cilindros y el tubo de carga de aire.

6. Sacar el tubo de la varilla medidora del aceite.

7. Marcar la posición y sacar el sensor del PMS.

8. Instalar un elevador adecuado en los ganchos de elevación del motor. Sacar los montajes del motor y levantar el motor.

9. Sacar los tornillos de la cubierta de la sincronización en el depósito de aceite.

10. Sacar los tornillos Allen hexagonales de la cubierta de la sincronización.

11. Con cuidado sacar del motor la cubierta. Ir con cuidado de no dañar las juntas del depósito de aceite y de la culata de cilindros.

Para instalar:

12. Utilizar selladora RTV y una junta nueva. Con cuidado, instalar la cubierta en el motor. Ir con cuidado de no dañar las juntas del depósito de aceite y de la culata de cilindros.

13. Instalar los tornillos Allen hexagonales en la cubierta de la sincronización. Apretar los tornillos a 18 pie-lb (25 Nm).

14. Instalar los tornillos de la cubierta de la sincronización en el depósito de aceite.

15. Instalar los montajes del motor y bajar el motor.

16. Instalar el sensor del PMS.

17. Instalar el tubo de la varilla medidora de aceite.

18. Instalar la cubierta de la culata de cilindros y el tubo de carga de aire.

19. Sacar la placa protectora del condensador.

20. Instalar el radiador, el embrague del ventilador, el ventilador, la polea del cigüeñal, el tensor de la correa de serpentina, la bomba de vacío, la bomba de la dirección asistida, la bomba hidráulica de suspensión autonivelante y el alternador.

21. Instalar la cubierta del compartimiento del motor, parte inferior.

22. Conectar el cable negativo de la batería y rellenar el motor con fluido refrigerante.

CADENA DE SINCRONIZACIÓN

DESMONTAJE E INSTALACIÓN

1. Desconectar el cable negativo de la batería. Sacar la cubierta de la culata de cilindros.

2. Sacar los inyectores.

3. Sacar el tensor de la cadena.

4. Sacar el ventilador y la cubierta del ventilador.

5. Conectar una cadena de sincronización nueva con un enlace de conexión en la cadena de sincronización usada.

6. Lentamente, girar el cigüeñal en la dirección de rotación del motor, mientras simultáneamente se sube la cadena de sincronización usada, hasta que el enlace de conexión se apoye contra el punto más alto del engranaje de sincronización del árbol de levas.

➡ Mientras se giran los engranajes de sincronización del árbol de levas y del cigüeñal, la cadena de sincronización debe permanecer engranada.

7. Sacar la cadena de sincronización usada y conectar los extremos de la cadena de sincronización nueva con el eslabón de conexión. Para ello, asegurar los extremos de la cadena con alambre sobre el engranaje de sincronización del árbol de levas.

Para instalar:

➡ Utilizar sólo un enlace (eslabón) de conexión de tipo remache. No utilizar un enlace de conexión que utilice un resorte de retención.

8. Insertar el enlace de conexión, desde la parte trasera, dentro de la cadena de sincronización.

9. Meter la brida exterior del enlace de conexión, incluida separadamente, con el troquelado de identificación IWIS, dentro de la herramienta de presión. La brida exterior está sujeta magnéticamente.

10. Colocar la herramienta de presión sobre el enlace de conexión y presionar sobre la brida hasta el tope, mientras se sujeta la herramienta de presión en posición vertical.

11. Volver a disponer el émbolo de la herramienta de ensamblar, de manera que la muesca apunte hacia delante.

12. Sujetar la herramienta de ensamblar por el mango y remachar los pernos de la cadena individualmente. Apretar el husillo aproximadamente a 22-26 pie-lb (30-35 Nm).

13. Comprobar el remachado de los pernos de la cadena y, si es necesario, remachar de nuevo.

14. Instalar el tensor de la cadena.

15. Girar el cigüeñal y comprobar si la marca de ajuste está en la posición PMS del motor.

➡ Si la marca de ajuste no es correcta, comprobar la sincronización del árbol de levas y empezar la descarga de la bomba de inyección.

16. Instalar la cubierta de la culata de cilindros y apretar a 7.5 pie-lb (10 Nm).

17. Instalar el ventilador y la cubierta del ventilador.

SISTEMA DE COMBUSTIBLE: GASOLINA

PRECAUCIONES PARA LA REPARACIÓN DEL SISTEMA DE COMBUSTIBLE

La seguridad es el factor más importante al realizar no sólo el mantenimiento del sistema de combustible sino cualquier tipo de mantenimiento. El comportamiento poco seguro durante el mantenimiento y la reparación puede causar daños personales graves e incluso la muerte. El mantenimiento y la prueba de los componentes del sistema de combustible del vehículo pueden realizarse de manera segura y efectiva siguiendo las reglas y directrices siguientes.

• Para evitar la posibilidad de que se produzca un incendio y daños corporales, desconectar siempre el cable negativo de la batería, excepto en las reparaciones o los procedimientos de prueba que requieran que haya voltaje en la batería.

• Descargar siempre la presión del sistema de combustible, antes de desconectar cualquier componente (inyector, raíl de combustible, regulador de presión, etc.), rácor o línea de conexión de combustible del sistema de combustible. Siempre que se descargue la presión del sistema de combustible, extremar las precauciones para evitar exponer la piel, la cara y los ojos a las pulverizaciones de combustible. El combustible bajo presión puede penetrar en la piel o en cualquier parte del cuerpo que toque.

• Colocar siempre una toalla o trapo alrededor del rácor, o conexión, antes de aflojarlos, para absorber cualquier exceso de combustible debido a un vertido. Asegurarse de que todo el combustible vertido (podría ocurrir) se retire rápidamente de las superficies del motor. Asegurarse de que todos los trapos y toallas empapados de combustible se depositen en un recipiente de desechos adecuado.

• Mantener siempre un extintor de incendios de polvo seco (clase B), cerca de la zona de trabajo.

• No permitir que pulverizaciones o vapores de combustible entren en contacto con una chispa o una llama.

• Al aflojar y apretar los rácores de conexión de las líneas de combustible, utilizar siempre una llave de tuercas de apoyo. Esto evitará esfuerzos y torsiones innecesarias en las líneas de combustible.

• Reemplazar siempre por nuevas, las juntas tóricas gastadas de los rácors del combustible. No sustituir por una manguera (flexible) de combustible, o equivalente, donde esté instalado un tubo de combustible.

PRESIÓN DEL SISTEMA DE COMBUSTIBLE

DESCARGA

1. Desconectar el cable negativo de la batería.

2. Conectar un indicador de presión de combustible con una válvula de descarga de presión en la lumbrera de servicio del raíl de suministro de combustible.

3. Colocar el tubo de descarga de combustible dentro de un recipiente y abrir la válvula.

4. Sacar el indicador de la presión de combustible de la lumbrera de servicio sobre el raíl de suministro de combustible.

FILTRO DE COMBUSTIBLE

DESMONTAJE E INSTALACIÓN

➡ Dependiendo del vehículo, se utilizan dos tipos de filtros. Ambos están localiza-

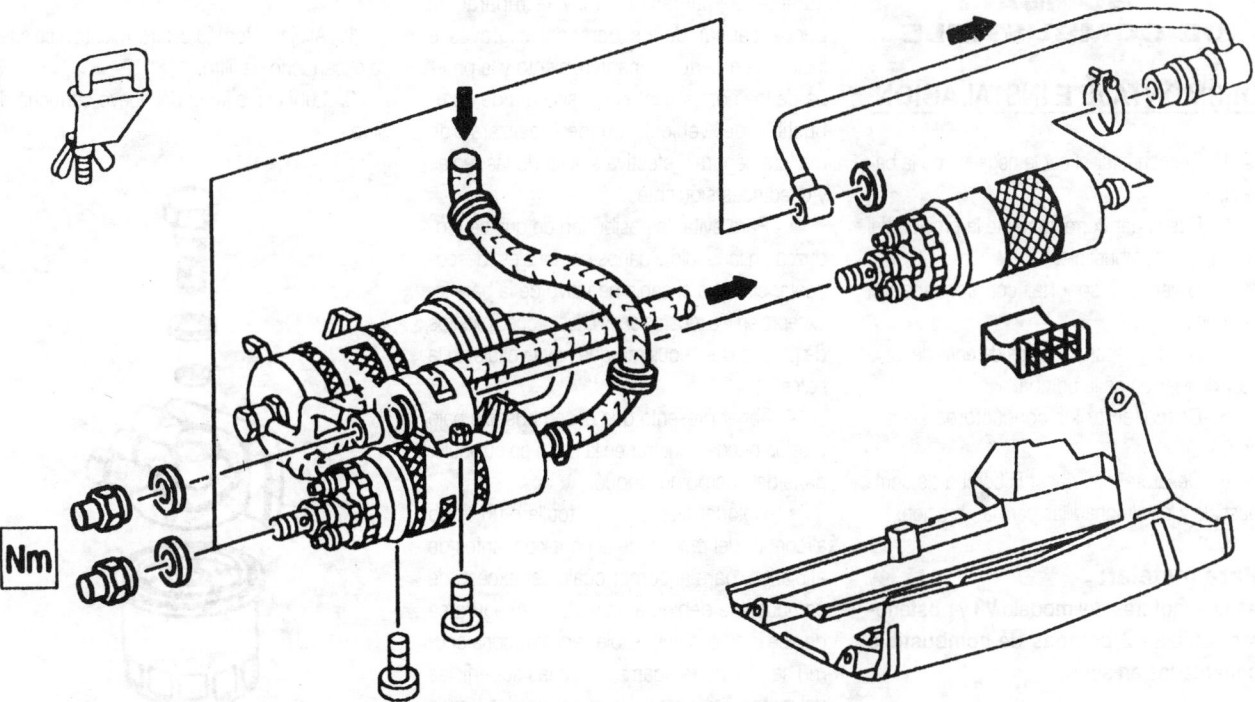

▲ Bombas de combustible características y componentes relacionados

dos entre el eje trasero y el depósito de combustible.

1. Descargar correctamente la presión del sistema de combustible.

2. Desatornillar la caja de la cubierta.

3. Sacar el tapón de gasolina, la cubierta de la bomba de combustible y las mangueras de presión.

4. Aflojar los tornillos y sacar el filtro. Sacar el tapón roscado de conexión del filtro usado e instalarlo en el filtro nuevo, utilizando una junta nueva.

Para instalar:

5. Instalar un filtro nuevo en la dirección del flujo.

6. Colocar los tornillos de sujeción.

7. Instalar las mangueras de presión, la cubierta de la bomba y el tapón de llenado de la gasolina.

8. Instalar el filtro de combustible en el soporte colocándolo en el centro del soporte transparente. Asegurarse de que el manguito de plástico, entre el filtro de combustible y la bomba de combustible, esté instalado. Si hubiera contacto directo entre estas dos piezas podría darse una corrosión galvánica.

9. Colocar la caja de la cubierta y comprobar si el sellado es correcto.

BOMBA DE COMBUSTIBLE

DESMONTAJE E INSTALACIÓN

1. Desconectar el cable negativo de la batería.

2. Descargar correctamente la presión del sistema de combustible.

3. Levantar y soportar con seguridad el vehículo.

4. Sacar y tapar las líneas de entrada, salida y desviación de la bomba.

5. Desconectar los conductores eléctricos.

6. Desatornillar y sacar la bomba de combustible y las almohadillas para la vibración.

Para instalar:

➡ Los motores del modelo V8 y posteriores, utilizan 2 bombas de combustible conectadas en serie.

7. Instalar la bomba de combustible en el orden inverso al del desmontaje.

8. Apretar las tuercas de tapón (ciegas) y los tornillos huecos de conexión (banjo), a 18-22 pie-lb (25-30 Nm).

➡ Asegurarse de que los conductores eléctricos estén conectados en los terminales correctos. El cable negativo (marrón) se conecta en el terminal negativo (placa de plástico marrón) y el cable positivo (negro/rojo) se conecta en el terminal positivo (placa de plástico roja). Si los terminales están invertidos, la bomba funcionará en dirección contraria a la rotación normal y no suministrará combustible.

SISTEMA DE COMBUSTIBLE: DIESEL

PRECAUCIONES PARA LA REPARACIÓN DEL SISTEMA DE COMBUSTIBLE

La seguridad es el factor más importante al realizar, no sólo el mantenimiento del sistema de combustible, sino cualquier tipo de mantenimiento. El comportamiento poco seguro durante el mantenimiento y la reparación puede causar daños personales graves e incluso la muerte. El mantenimiento y la prueba de los componentes del sistema de combustible del vehículo pueden realizarse de manera segura y efectiva siguiendo las reglas y directrices siguientes.

• Para evitar la posibilidad de que se produzca un incendio y daños personales, desconectar siempre el cable negativo de la batería, excepto en las reparaciones o los procedimientos de prueba que requieran que haya voltaje en la batería.

• Tener presente que el combustible bajo presión puede penetrar en la piel o en cualquier parte del cuerpo que toque.

• Colocar siempre una toalla o un trapo alrededor del rácor o de la conexión, antes de aflojarlos, para absorber cualquier exceso de combustible debido a un vertido. Asegurarse de que todo el combustible vertido (podría ocurrir) se elimina rápidamente de las superficies del motor. Asegurarse de que todos los trapos y toallas empapados de combustible se depositen en un recipiente de desechos adecuado.

• Mantener siempre un extintor de incendios de polvo seco (clase B), cerca de la zona de trabajo.

• No permitir que pulverizaciones o vapores de combustible entren en contacto con una chispa o una llama.

• Al aflojar y al apretar los rácores de conexión de las líneas de combustible, utilizar siempre una llave de tuercas de apoyo. Esto prevendrá la tensión y torsión innecesaria de las líneas de combustible.

• Reemplazar siempre por nuevas las juntas tóricas gastadas de los rácores del combustible. No sustituir por mangueras flexibles de combustible, o equivalentes, cuando estén instalados tubos de combustible rígidos.

MARCHA MÍNIMA

AJUSTES

Estos motores tienen la velocidad de marcha mínima controlada electrónicamente, utilizando un solenoide conectado a la unidad de control. No se recomiendan ajustes de mezcla y de marcha mínima.

FILTRO DE COMBUSTIBLE/ SEPARADOR DE AGUA

1. Aflojar el tornillo central mientras se sujeta el cartucho de filtro.

2. Lubricar la junta del nuevo cartucho de filtro.

▲ Conjunto del filtro de combustible – Motores Diesel

3. Instalar el cartucho nuevo, la arandela, la junta tórica y el tornillo.

➡ **Los motores Diesel de esta sección utilizan una bomba de combustible de autosangrado, por lo que se ha eliminado la bomba de cebado. No es necesario sangrar el sistema.**

BOMBA DE INYECCIÓN DIESEL

DESMONTAJE E INSTALACIÓN

1. Desconectar el cable negativo de la batería.

➡ **El tornillo de sujeción central utiliza rosca a mano izquierda; para aflojar, girar el tornillo en el sentido de las agujas del reloj.**

2. Sacar la cubierta y aflojar el tornillo de sujeción mientras se sujeta el cigüeñal con una llave de tubo.

3. Colocar la polea del cigüeñal a 15 grados después del PMS. Fijar el engranaje del árbol de levas y la bomba de inyección en posición, con una tira de cable, o equivalente.

4. Sacar el tensor de la cadena de sincronización.

5. Desconectar las líneas de combustible y de inyección de la bomba de combustible.

6. Separar las líneas de vacío y el conector de dos clavijas del control electrónico de marcha mínima.

7. Desconectar los cables eléctricos del sensor de recorrido y del accionador de la barra de control.

8. Desconectar la línea de presión en la unidad ALDA.

9. Desconectar el varillaje de control del ahogador en la palanca de control de la bomba.

10. Sacar la válvula del control de vacío.

11. Sacar el tornillo del engranaje de la bomba de inyección, sujetando el cigüeñal en su sitio. El tornillo tiene rosca a la izquierda.

12. Sacar el tornillo del engranaje y los tornillos de montaje de la bomba. Sacar la bomba de inyección, mientras se sujeta en su sitio el mecanismo de sincronización.

Para instalar:

13. Asegurarse de que el cigüeñal todavía está a 15° después del PMS.

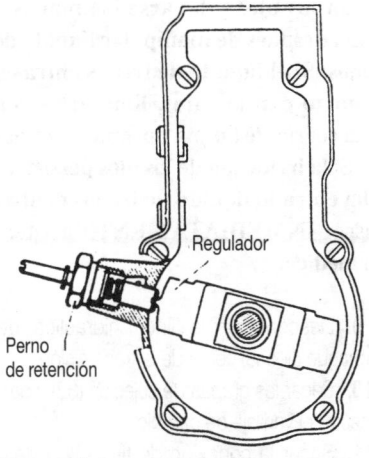

Regulador

Perno de retención

▲ **Instalar la herramienta perno de retención (023) para evitar que la bomba gire durante la instalación – Motores Diesel**

14. Sacar la clavija de sincronización de la bomba.

15. Utilizando la herramienta especial 601 589 00 08 00 (llave dentada), girar la bomba hasta que la orejeta terminal del regulador sea visible a través del agujero.

16. Instalar la herramienta especial 601 589 05 21 00 (perno de retención) en el agujero de la clavija de sincronización para evitar que la bomba gire mientras se instala.

17. Instalar la bomba en el motor. Apretar las líneas de inyección a 7-15 pie-lb (10-20 Nm), los tornillos de montaje a 15-18 pie-lb (20-25 Nm) y el tornillo central a 30-36 pie-lb (40-50 Nm).

18. Sacar el perno de retención del lado de la bomba de inyección. Si no se ha seguido este procedimiento, al arrancar el motor se dañará la bomba.

19. Reconectar la cadena de sincronización e instalar los componentes restantes.

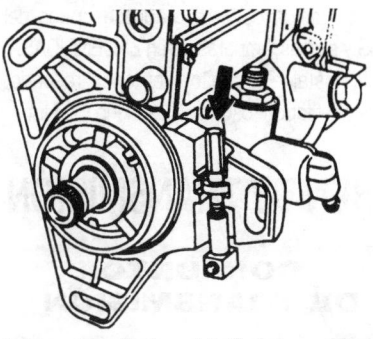

▲ **Girar el tornillo de reglaje (flecha) para afinar la sincronización de la inyección – Motor Diesel**

20. Girar una vuelta el motor y volver a comprobar la marca del PMS del cigüeñal y el árbol de levas. Comprobar el inicio del suministro del inyector (sincronización de la bomba del inyector) con un medidor digital.

SINCRONIZACIÓN DE LA INYECCIÓN DIESEL

AJUSTE

1. Sacar el tapón roscado del lado del cuerpo del regulador de la bomba de inyección. Estar preparado para recoger el aceite vertido.

2. Instalar un sensor de posición dentro del agujero y conectar el medidor a la batería del vehículo y al sensor de posición.

3. Girar el cigüeñal con la mano hasta que las lámparas A y B del medidor se enciendan simultáneamente. Tomar la lectura en la polea del cigüeñal.

4. Aflojar la bomba de inyección y girar el tornillo de reglaje hasta que el indicador de la

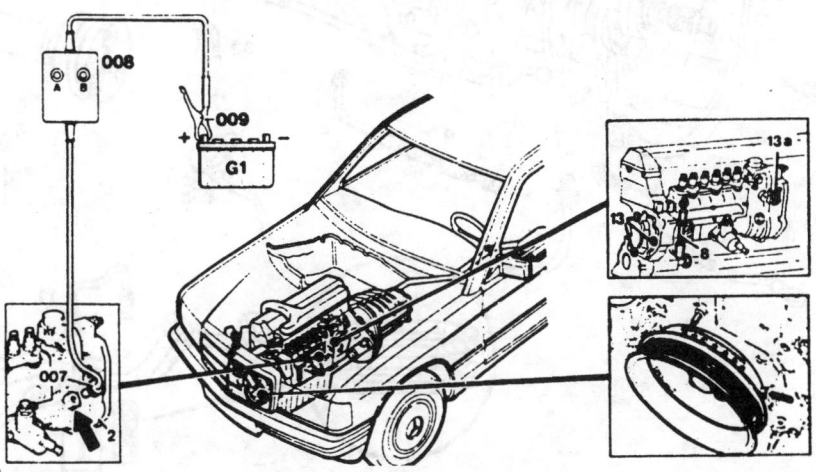

▲ **Sacar el tapón roscado e instalar el sensor de posición para la sincronización de la inyección**

sincronización esté 15 grados después del PMS y ambas lámparas estén ENCENDIDAS.

5. Instalar el aceite y el tapón roscado. Apretar el tapón roscado a 22 pie-lb (30 Nm).

TREN DE TRANSMISIÓN

CONJUNTO DE TRANSMISIÓN

DESMONTAJE E INSTALACIÓN

Manual

1. Desconectar el cable negativo de la batería.

2. Levantar y soportar con seguridad el vehículo.

3. Soportar la transmisión con un gato y sacar el soporte (19).

4. Sacar el soporte de montaje del escape (10) y el tornillo U (11).

5. Sacar el protector térmico (5).

6. Sacar el eje propulsor delantero (71).

7. Separar el sistema de escape (60) del montaje trasero. Utilizar un trozo de alambre para suspenderlo.

8. Sacar el cable del velocímetro (9), o el sensor (85a), de la transmisión.

▼ PRECAUCIÓN ▼

El líquido del freno contiene éteres poliglicólicos y poliglicoles. Evitar el contacto con los ojos y lavarse las manos a fondo después de manipular líquido de frenos. Si el líquido de frenos entra en contacto con los ojos, limpiarlos con agua corriente limpia durante 15 minutos. Si la irritación de los ojos persiste, o si ha entrado líquido de frenos dentro, buscar INMEDIATAMENTE asistencia médica.

9. Desconectar la línea hidráulica del embrague (flecha) cerca de la transmisión.

10. Sacar las grapas de sujeción (32) y desconectar el varillaje de cambio.

11. Sacar la conexión de tierra (27) de la transmisión.

12. Sacar los tornillos de montaje de la transmisión al motor.

13. Sacar la transmisión hacia abajo en ángulo.

Para instalar:

14. Aplicar una pequeña capa de grasa a las estrías del eje de entrada (33).

15. Inspeccionar si el cojinete de desembrague (3), la horquilla (4) y el cojinete guía en el cigüeñal, están gastados o dañados. Si es necesario, reemplazar.

16. Levantar la transmisión hasta el motor e instalar los tornillos de montaje.

17. Instalar la conexión de tierra y conectar el varillaje.

18. Conectar la línea hidráulica del embrague.

19. Instalar el cable del velocímetro, o el sensor de velocidad.

20. Ensamblar el sistema de escape utilizando juntas nuevas, si está equipado.

21. Instalar el eje propulsor.

22. Instalar el protector térmico, el soporte de montaje del escape y el tornillo U.

23. Instalar el soporte de la transmisión y sacar el gato.

24. Comprobar el nivel del aceite de la transmisión y, si es necesario, añadir.

25. Bajar el vehículo al suelo y conectar el cable negativo de la batería.

26. Sangrar el sistema del embrague hidráulico.

Automático

1. Desconectar el cable negativo de la batería.

2. Sacar el recubrimiento del ventilador del radiador.

3. Levantar y soportar con seguridad el vehículo.

4. Sacar el tubo de la varilla medidora de la transmisión (61).

5. Drenar el fluido de la transmisión (4). Apretar el tapón de drenaje a 11 pie-lb (14 Nm).

6. Drenar el convertidor de par (9). Apretar el tapón de drenaje a 12 pie-lb (16 Nm).

➡ **Si el fluido aparece quemado u oscurecido por material del embrague, antes**

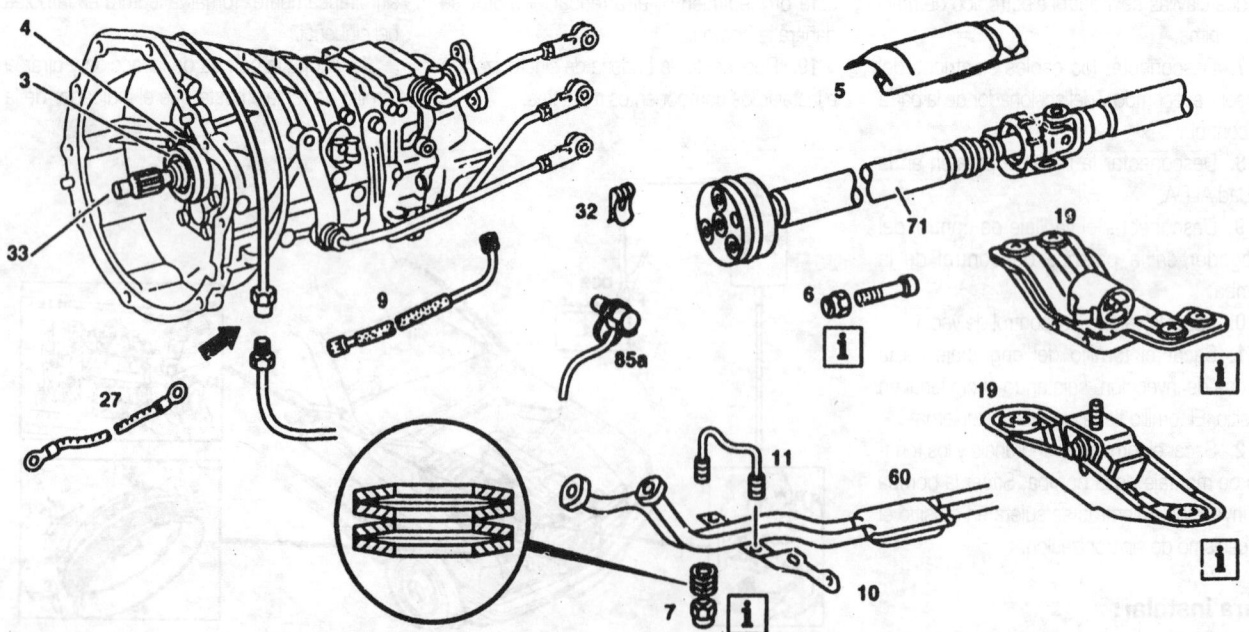

▲ Despiece de los componentes asociados con el desmontaje y la instalación de la transmisión manual

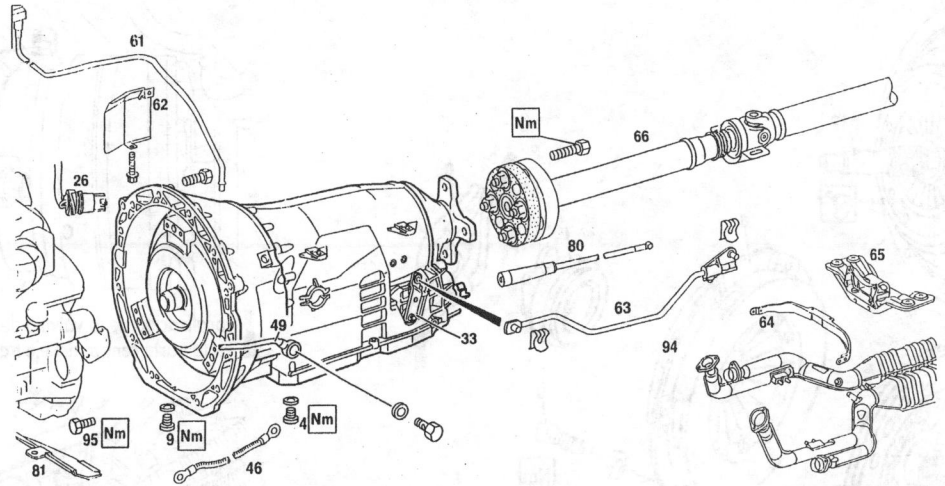

▲ Despiece de los componentes asociados con el desmontaje y la instalación de la transmisión automática

de instalar la transmisión debe limpiarse el refrigerador de aceite.

7. Sacar el protector (62) y desconectar el conector de 13 clavijas en la transmisión.

8. Desconectar el cable de interbloqueo de estacionamiento (80), de la transmisión. Asegurarse de que la palanca selectora de la transmisión está en posición PARK antes de sacar el cable.

9. Sacar la cubierta (81) y desatornillar el convertidor de par del plato flexible. Girar el cigüeñal o el engranaje anular del motor de arranque, según sea necesario para acceder a los tornillos.

10. Desconectar las líneas del refrigerador de aceite de la transmisión.

11. Sacar la grapa de sujección y desconectar la barra de cambio (63).

12. Sacar el soporte de montaje del escape (64).

13. Sacar el sistema de escape (94), si es necesario disponer de más espacio para sacar la transmisión.

14. Soportar la transmisión y sacar el montaje trasero (65).

15. Sacar la mitad delantera del eje propulsor (66).

16. Sacar la conexión de tierra (46).

▼ PRECAUCIÓN ▼

El convertidor de par puede caerse de la transmisión si se inclina hacia delante. Fijarlo para evitar que se caiga.

17. Sacar los tornillos de montaje de la transmisión en el motor, y sacar la transmisión.

Para instalar:

18. Colocar la transmisión en el motor e instalar los tornillos de montaje.

19. Instalar la conexión de tierra.

20. Instalar la mitad delantera del eje propulsor.

21. Instalar el montaje trasero de la transmisión y sacar el gato.

22. Ensamblar el sistema de escape, si se ha sacado.

23. Instalar el soporte de montaje del sistema de escape.

24. Conectar la barra de cambio y las líneas del refrigerador de aceite.

25. Instalar los tornillos del plato flexible al convertidor de par. Apretar los tornillos a 31 pie-lb (42 Nm).

26. Instalar el cable de interbloqueo de estacionamiento.

27. Conectar el conector de 13 clavijas e instalar el protector.

28. Instalar el tubo de la varilla medidora de la transmisión.

29. Bajar el vehículo al suelo.

30. Conectar el cable negativo de la batería.

EMBRAGUE

AJUSTES

Todos los mecanismos de desembrague son hidráulicos, no necesitan ajustes periódicos.

DESMONTAJE E INSTALACIÓN

1. Sacar el conjunto de la transmisión.

2. Sacar los tornillos de montaje (6) del plato de presión (6). Después de sacar el

último tornillo, estar preparado para sostener el plato de presión y el disco del embrague (5).

3. Inspeccionar el cojinete guía, el cojinete de desembrague (7), la horquilla de desconexión (8) y el volante. Reemplazar según sea necesario.

Para instalar:

4. Quitar el brillo al volante con tela abrasiva gruesa.

5. Colocar un disco de embrague nuevo en el volante. Colocar una herramienta de alineación (012) a través del disco, dentro del cojinete guía, para mantenerlo en posición.

6. Instalar un plato de presión nuevo en el volante. Apretar los tornillos de montaje a 18 pie-lb (25 Nm).

7. Sacar la herramienta de alineación.

8. Engrasar ligeramente las superficies de rozamiento (flechas) de la horquilla de desconexión.

9. Instalar el conjunto de la transmisión.

SISTEMA DE EMBRAGUE HIDRÁULICO

SANGRADO

1. Llenar el depósito con líquido de frenos. No permitir que el líquido de frenos entre en contacto con las superficies pintadas.

2. Con un ayudante, empujar el pedal del embrague hacia abajo y mantenerlo.

3. Acoplar una manguera de plástico transparente a la válvula de sangrado. Colocar el otro extremo de la manguera en un recipiente para recoger el líquido de frenos.

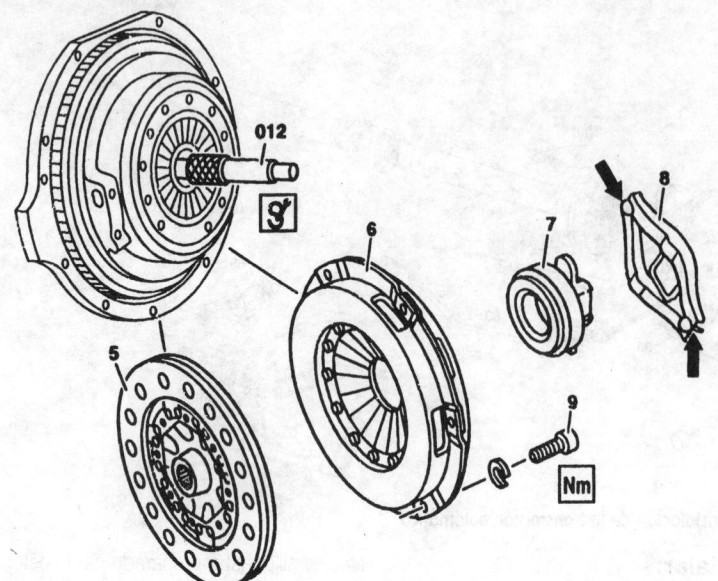

▲ Despiece del conjunto del embrague

4. Abrir la válvula de sangrado del cilindro de desembrague para expulsar el aire, después cerrar la válvula de sangrado. No soltar el pedal del embrague hasta que la válvula de sangrado esté cerrada.

5. Repetir el procedimiento hasta que por la válvula de sangrado fluya líquido transparente (sin burbujas de aire).

CONJUNTO DE CAJA DE TRANSFERENCIA

DESMONTAJE E INSTALACIÓN

1. Drenar el fluido y sacar el conjunto de la transmisión/caja de cambios.

2. Sacar la caja de transferencia de la transmisión. Asegurarse de tomar nota de la localización de los tornillos.

Para instalar:

3. Utilizar una junta nueva e instalar la caja de transferencia en la transmisión. Apretar los tornillos a 20 pie-lb (27 Nm).

4. Instalar el conjunto de la transmisión/caja de transferencia.

5. Realizar lo siguiente para sangrar el sistema hidráulico:

a. Llenar el depósito con fluido.

SANGRADO

1. En los vehículos con válvula de servicio, poner la válvula en la posición de prueba y permitir que el motor esté en marcha duran-

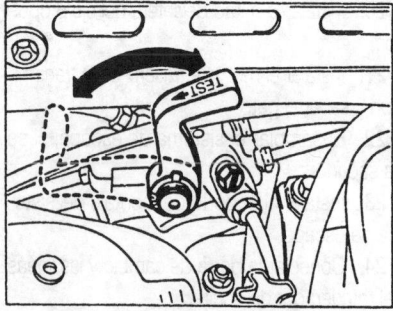

▲ Válvula de servicio para el sistema hidráulico – 4-MATIC

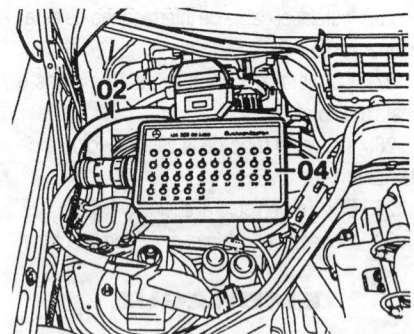

▲ Para sangrar la caja de transferencia, conectar la caja de desconexión (04) y el cable adaptador (2) en su sitio en la unidad de control – 4-MATIC

te aproximadamente 30 segundos a 1000-2000 rpm. Poner la válvula en la posición normal.

2. Sacar la unidad de control – 4-MATIC e instalar la caja de desconexión 124 589 00 21 00. Conectar con un cable las clavijas (hembra) 8 y 2 de la caja de desconexión. Arrancar

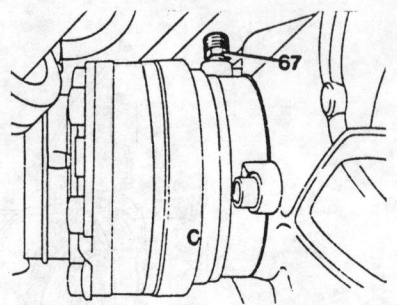

▲ Localización de la válvula de sangrado (67) en la parte central del eje trasero – 4-MATIC

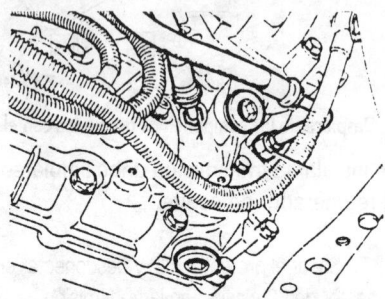

▲ Desconectar las mangueras (AV) y (ZS) de la caja de transferencia, para sangrar el aire fuera del sistema – 4-MATIC

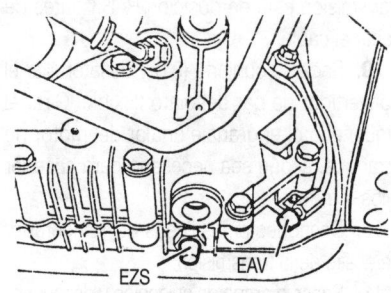

▲ En la caja de transferencia N° 26 617, abrir las válvulas de ventilación (EAV y EZS), para purgar el aire del sistema – 4-MATIC

el motor y dejarlo en marcha mínima. Abrir la válvula de sangrado de la parte central del eje trasero y dejar que salga el aire. Cuando el fluido esté libre de aire, cerrar la válvula. APAGAR el motor.

3. Sacar las líneas hidráulicas del tren propulsor delantero (AV) y del bloqueo central del diferencial (ZS). Colocar las líneas en un recipiente y arrancar el motor. Cuando el fluido esté libre de aire, APAGAR el motor (unos 20 segundos). Conectar las líneas.

4. En la caja de transferencia N° 26 617, abrir las válvulas de ventilación (EAV, EZS). Arrancar el motor y dejar que salga el aire. APAGAR el motor y cerrar las válvulas.

5. Llenar el depósito con aceite hidráulico hasta el nivel máximo.

SEMIEJE

DESMONTAJE E INSTALACIÓN

Delantero (4-MATIC)

1. Desconectar el cable negativo de la batería.

2. Sacar las ruedas delanteras.

3. Sacar la tuerca con reborde de 12 puntas (61) del semieje.

4. Sacar la cubierta inferior del motor.

5. Sacar el soporte de la manguera del freno (flecha) del amortiguador.

6. Sacar los soportes de la barra estabilizadora (22b) de los brazos de control inferiores (4).

7. Sacar el varillaje nivelador de los faros (80).

8. Separar la rótula esférica inferior (7) de la articulación de la dirección (5).

9. Sacar el amortiguador (11) del brazo de control inferior (4).

10. Aflojar los tornillos de montaje del brazo de control inferior en el soporte del eje.

11. Sacar el semieje del diferencial.

Para instalar:

12. Instalar el semieje dentro del diferencial.

13. Instalar el semieje a través del cubo.

14. Levantar el brazo de control inferior e instalar la rótula esférica inferior.

15. Instalar el amortiguador sobre el brazo de control inferior.

16. Instalar el varillaje nivelador de los faros.

17. Acoplar los soportes de la barra estabilizadora en el brazo de control inferior.

18. Instalar el soporte de la manguera del freno sobre el amortiguador.

19. Instalar la cubierta inferior del motor.

20. Bajar el vehículo e instalar la tuerca de 12 puntas. Apretar la tuerca a 162 pie-lb (220 Nm).

21. Instalar el bloqueo de la tuerca.

Trasero

➡ Las juntas cubiertas de goma están llenas de un aceite especial. Si por algún motivo se desensamblan, deben rellenarse con aceite especial.

1. Levantar y soportar con seguridad el vehículo. Sacar el perno de sujeción del eje central y de la rueda (en el cubo).

2. Sacar la mordaza del freno y suspenderla de un gancho.

3. Drenar el aceite del diferencial y soportar el cuerpo del diferencial.

4. Desatornillar el montaje de goma del chasis y del cuerpo del diferencial, y sacar la cubierta del cuerpo del diferencial para descubrir el engranaje con piñón y el engranaje anular (corona dentada).

5. Presionar el eje, sacándolo de la brida del eje. Si es necesario, aflojar el amortiguador.

6. Utilizando una barra de palanca, sacar el anillo de retén del eje, dentro de la caja del diferencial.

7. Sacar el eje del cuerpo, sacando el extremo estriado de los engranajes laterales, junto con el separador.

➡ Los ejes de transmisión llevan estampados una R y una L en las unidades derecha e izquierda respectivamente. Utilizar siempre anillos de retén nuevos.

Para instalar:

8. Instalar el eje propulsor y asentar el cojinete. Apretar la tuerca del eje a 148-175 pie-lb (200-208>240 Nm).

9. Llenar el eje trasero con aceite. En todos los modelos se utilizan anillos de sellado radiales nuevos. Antes de la instalación, lubricar el diámetro exterior de los anillos de sellado radiales cubiertos de goma con lubricante de engranajes hipoides.

➡ Comprobar el juego axial del anillo de retén en la ranura. Si es necesario, instalar un anillo de retén o separador más grueso para eliminar todo el juego axial, mientras todavía se permita girar al anillo de retén. No dejar que las juntas del eje propulsor cuelguen libremente, porque el cojinete de unión podría dañarse y tener fugas.

DIRECCIÓN Y SUSPENSIÓN

▼ PRECAUCIÓN ▼

Los vehículos Mercedes-Benz están equipados con un sistema de air bag (saco [bolsa] de aire), también conocido como Sistema Restringido de Hinchado Suplementario (SIR) o Sistema de Restringido Suplementario (SRS). Antes de realizar cualquier reparación en, o alrededor de, componentes del sistema, columna de dirección, componentes del panel de instrumentos, cableados y sensores, debe desactivarse el sistema. Si no se siguen las precauciones de seguridad y el procedimiento de desactivado, podría ocurrir un despliegue accidental del air bag, y posibles daños personales y reparaciones innecesarias del sistema.

PRECAUCIONES

Al manejar el módulo hinchable deben observarse diversas precauciones para evitar un

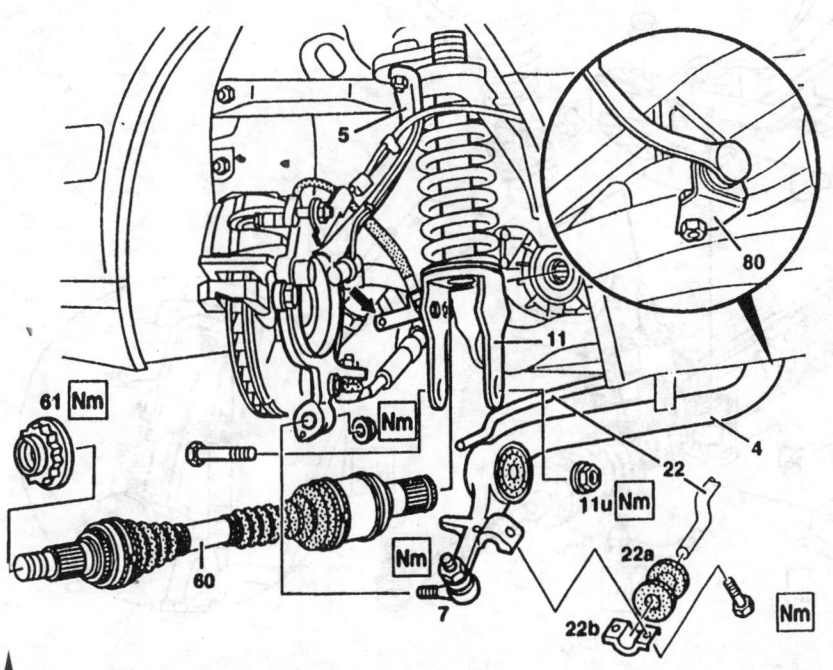

▲ Despiece del semieje delantero montado – 4-Matic

despliegue accidental y posibles daños personales.

• No llevar nunca sujeto el módulo hinchable por los cables o el conector de debajo del módulo.

• Al sujetar un módulo hinchable activado, hacerlo firmemente con las dos manos y asegurarse de que la bolsa y la cubierta de guarnición estén apuntando hacia afuera.

• Colocar el módulo hinchable sobre un banco u otra superficie, con la bolsa y la cubierta de guarnición mirando hacia arriba.

• Con el módulo hinchable sobre el banco, no colocar nunca nada encima del módulo, o cerca de él, que pueda ser proyectado, en caso de un despliegue accidental.

DESARME

Para evitar daños personales, cuando se trabaja en vehículos equipados con air bag, antes de trabajar en el sistema, debe desconectarse el cable negativo de la batería y aislarlo. En caso contrario podría producirse un despliegue accidental del air bag.

REARME

Para rearmar el sistema del air bag, volver a conectar el/los cable/s de la batería.

MECANISMO DE LA DIRECCIÓN DE CREMALLERA Y PIÑÓN

DESMONTAJE E INSTALACIÓN

1. Centrar el volante de dirección y girar la llave a la posición de bloqueo. Permitir que el volante se bloquee en esta posición. Sacar la llave del interruptor de encendido.

2. Desconectar el cable negativo de la batería.

3. Sacar la tapa del depósito del fluido de la dirección asistida y sacar con un sifón el fluido.

4. Levantar y soportar con seguridad el vehículo.

5. En los modelos con control de nivel, desconectar la línea de alimentación del depósito del fluido.

6. Separar los extremos de la barra de conexión de las articulaciones de la dirección.

7. Desconectar las líneas de presión y retorno del mecanismo de la dirección. Si está equipado, sacar el protector térmico para acceder a las líneas de fluido.

8. Aflojar la abrazadera y sacar la línea de retorno del mecanismo de la dirección.

9. Sacar el protector térmico del acoplamiento (cople) de la dirección.

10. Sacar el tornillo de constricción (presión) y, con cuidado, desconectar el acoplamiento de la dirección de la válvula de control. No usar la fuerza para separar la junta. Si es necesario, utilizar una herramienta de hoja plana para abrir la abrazadera.

11. Si está equipado con dirección sensible a la velocidad, separar el conector de la válvula de control.

12. Sacar los tornillos (23g) de la parte delantera del retén del mecanismo de dirección y sacar el mecanismo de la dirección con el retén.

Para instalar:

13. Utilizando contratuercas nuevas, instalar el mecanismo de la dirección en el vehículo. Apretar el tornillo a 36 pie-lb (50 Nm).

14. Si está equipado con dirección sensible a la velocidad, acoplar el conector a la válvula de control.

15. Instalar el acoplamiento en la válvula de control. Apretar el tornillo a 15 pie-lb (20 Nm).

16. Colocar la línea de retorno en el mecanismo de la dirección y volver a colocar la abrazadera.

17. Utilizar juntas tóricas nuevas y conectar las líneas de fluido en el mecanismo de la dirección. Apretar los rácors a 30 pie-lb (40 Nm).

18. Si está equipado, volver a colocar el protector térmico.

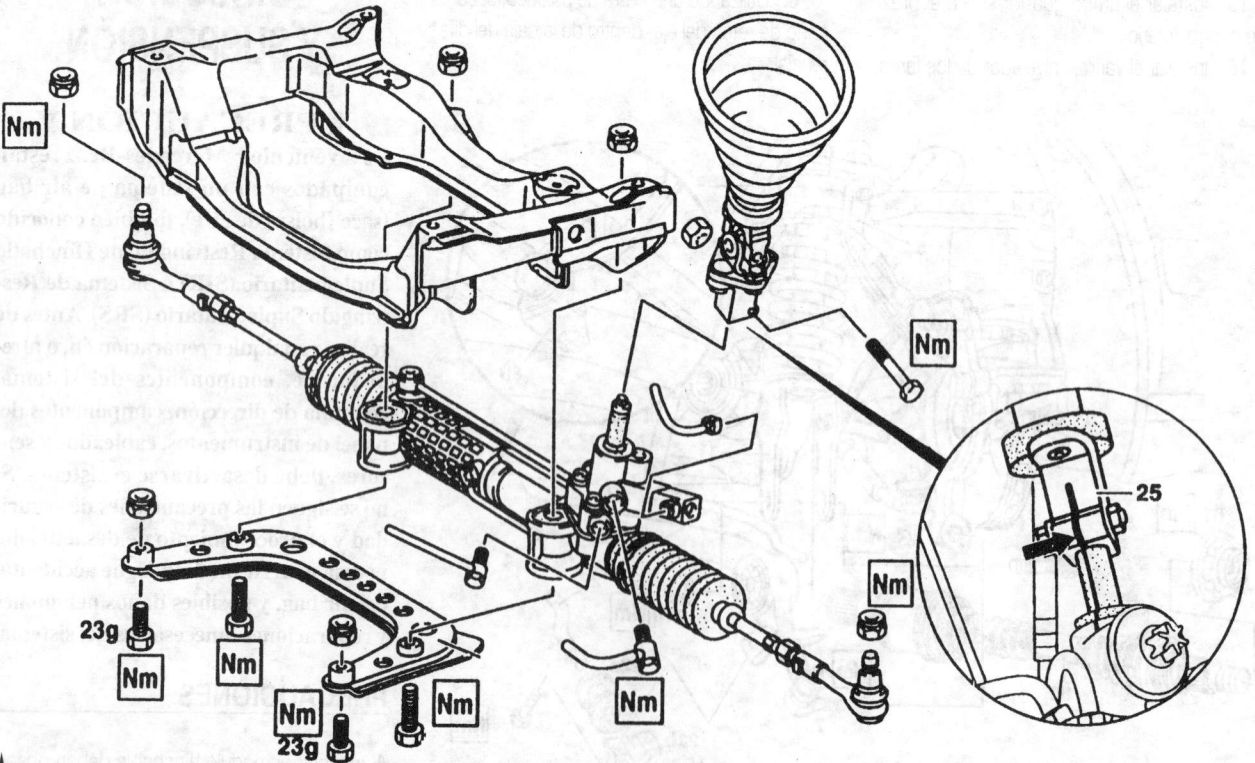

▲ Despiece del montaje de la dirección de cremallera y piñón – Clase E (210)

19. Utilizar tuercas nuevas e instalar los extremos de la barra de conexión en las articulaciones de la dirección. Apretar las tuercas a 44 pie-lb (60 Nm).

20. Si está equipado con control de nivel, conectar la línea de alimentación en el depósito.

21. Conectar el cable negativo de la batería.

22. Llenar el depósito con fluido nuevo. Arrancar el motor y girar el volante de la dirección de tope a tope, varias veces. El sistema se sangrará automáticamente.

23. Comprobar si hay fugas y reparar según sea necesario.

24. Comprobar la alineación de las ruedas delanteras y, si es necesario, ajustarlas.

MECANISMO DE LA DIRECCIÓN DE TORNILLO SIN FIN Y SECTOR

DESMONTAJE E INSTALACIÓN

1. Centrar el volante de la dirección y girar la llave hasta la posición de bloqueo. Dejar el volante bloqueado en esta posición. Sacar la llave del interruptor de encendido.

2. Desconectar el cable negativo de la batería.

3. Sacar la tapa del depósito de fluido de la dirección asistida y sacar el fluido con un sifón.

4. Levantar y soportar con seguridad el vehículo.

5. Sacar el panel de guarnición, si es necesario, para acceder al mecanismo de la dirección.

6. Separar la barra de tracción y la barra de conexión del brazo Pitman.

7. Sacar el tubo de cruce de escape y el protector térmico del mecanismo de la dirección.

8. Desconectar las líneas de presión y retorno del mecanismo de la dirección. Cubrir los agujeros del mecanismo de la dirección con tapones.

9. Sacar los tornillos de constricción (presión) que fijan el eje de la dirección en el acoplamiento del mecanismo de la dirección.

10. Sacar los tres tornillos de montaje del mecanismo de la dirección y el mecanismo de la dirección.

Para instalar:

11. Centrar el mecanismo de la dirección alineando la marca sobre el eje del sector, con la marca en el cuerpo.

▼ PRECAUCIÓN ▼
Al instalar la caja de la dirección y apretar el acoplamiento deben utilizarse tornillos de estiramiento (de tensión) nuevos.

12. Instalar el mecanismo de la dirección en el bastidor mientras se inserta el eje de la dirección en el acoplamiento. Apretar los tornillos de estiramiento nuevos a 52-59 pie-lb (70-80 Nm).

13. Instalar un tornillo nuevo en el acoplamiento. Apretar el tornillo a 18 pie-lb (25 Nm).

14. Conectar las líneas de presión y retorno en el mecanismo de la dirección. Apretar la línea de presión a 18 pie-lb (25 Nm) y la línea de retorno a 26-30 pie-lb (35-40 Nm).

15. Instalar el protector térmico y el tubo de cruce de escape.

16. Instalar la barra de tracción y la barra de conexión en el brazo Pitman, con tuercas auto-bloqueantes nuevas.

17. Si se ha sacado, instalar el panel de guarnición.

18. Bajar el vehículo al suelo.

19. Conectar el cable negativo de la batería.

20. Llenar el depósito con fluido nuevo. Arrancar el motor y girar el volante de la dirección de tope a tope, varias veces. El sistema se sangrará automáticamente.

21. Comprobar si hay fugas y, si es necesario, reparar.

POSTE

DESMONTAJE E INSTALACIÓN

Delantero

CLASE SL (129)
Y CLASE E 1995 (124)

1. Levantar y soportar con seguridad el vehículo.

2. Sacar las ruedas delanteras.

3. Soportar el brazo de control inferior, con un gato.

4. Utilizando un compresor de resortes, comprimir unas ocho espiras del resorte para descargar la presión del brazo de control inferior.

➡ **Los modelos descapotables tienen un amortiguador de vibraciones montado sobre la parte superior del montaje del poste izquierdo. La tuerca sólo se puede instalar utilizando la llave de tubo 124 589 00 09 00 y la llave de apriete 001 589 67 21 00.**

5. Aflojar la tuerca de montaje superior mientras se sujeta la barra del pistón con una llave hexagonal.

6. Sacar la abrazadera que fija el cable del sensor ABS en el poste.

7. Sacar los tornillos de montaje inferiores que acoplan el poste en la articulación.

▼ AVISO ▼
No permitir que el conjunto de la articulación cuelgue de la manguera del freno, del cable del ABS o del cable del sensor de la almohadilla del freno.

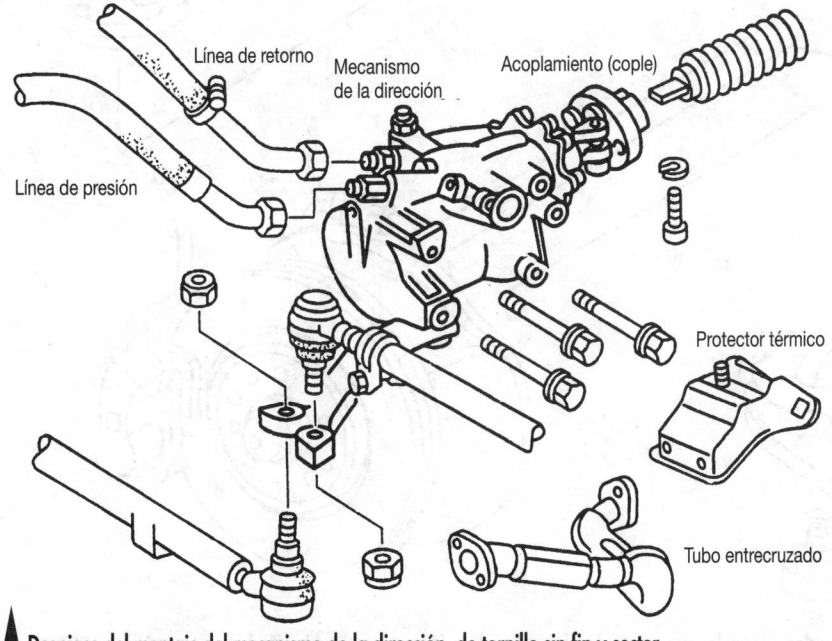

Línea de retorno

Mecanismo de la dirección

Acoplamiento (cople)

Línea de presión

Protector térmico

Tubo entrecruzado

▲ **Despiece del montaje del mecanismo de la dirección, de tornillo sin fin y sector**

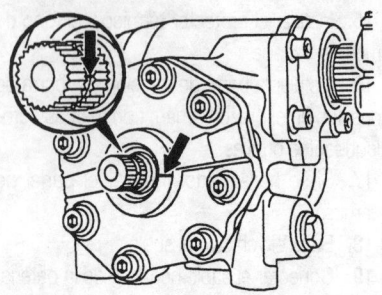

▲ Alinear la marca del eje con la del cuerpo para centrar el mecanismo de la dirección – Mecanismo de la dirección de tornillo sin fin y sector

8. Sacar la tuerca superior y el poste del vehículo. Asegurarse de soportar el conjunto de la articulación.

Para instalar:

9. Si se instala un poste nuevo, traspasar todos los componentes del poste viejo al nuevo. Asegurarse de enganchar la funda en los dos collarines cortos del montaje de goma.

10. Limpiar la superficie de montaje del poste, de la articulación.

11. Insertar el poste, a través del montaje de goma, en la carrocería.

12. Instalar el extremo inferior del poste en la articulación. Apretar los tornillos sólo hasta que las cabezas hagan contacto.

13. Instalar el tornillo de montaje superior, con arandela, utilizando una tuerca autobloqueante nueva, y apretarlo hasta que la superficie de la articulación haga contacto con el poste.

14. Apretar los dos tornillos de montaje inferiores a 81 pie-lb (110 Nm), después apretar el tornillo superior a 147 pie-lb (200 Nm).

15. Instalar el montaje superior. Apretar la tuerca hexagonal nueva a 45 pie-lb (60 Nm). En los modelos descapotables, asegurarse de instalar una arandela de acero de 0.008 plg (0.2 mm) de grosor, debajo de la tuerca autobloqueante.

16. Descargar la tensión del compresor de resortes. Asegurarse de que los extremos superior e inferior del resorte estén correctamente asentados.

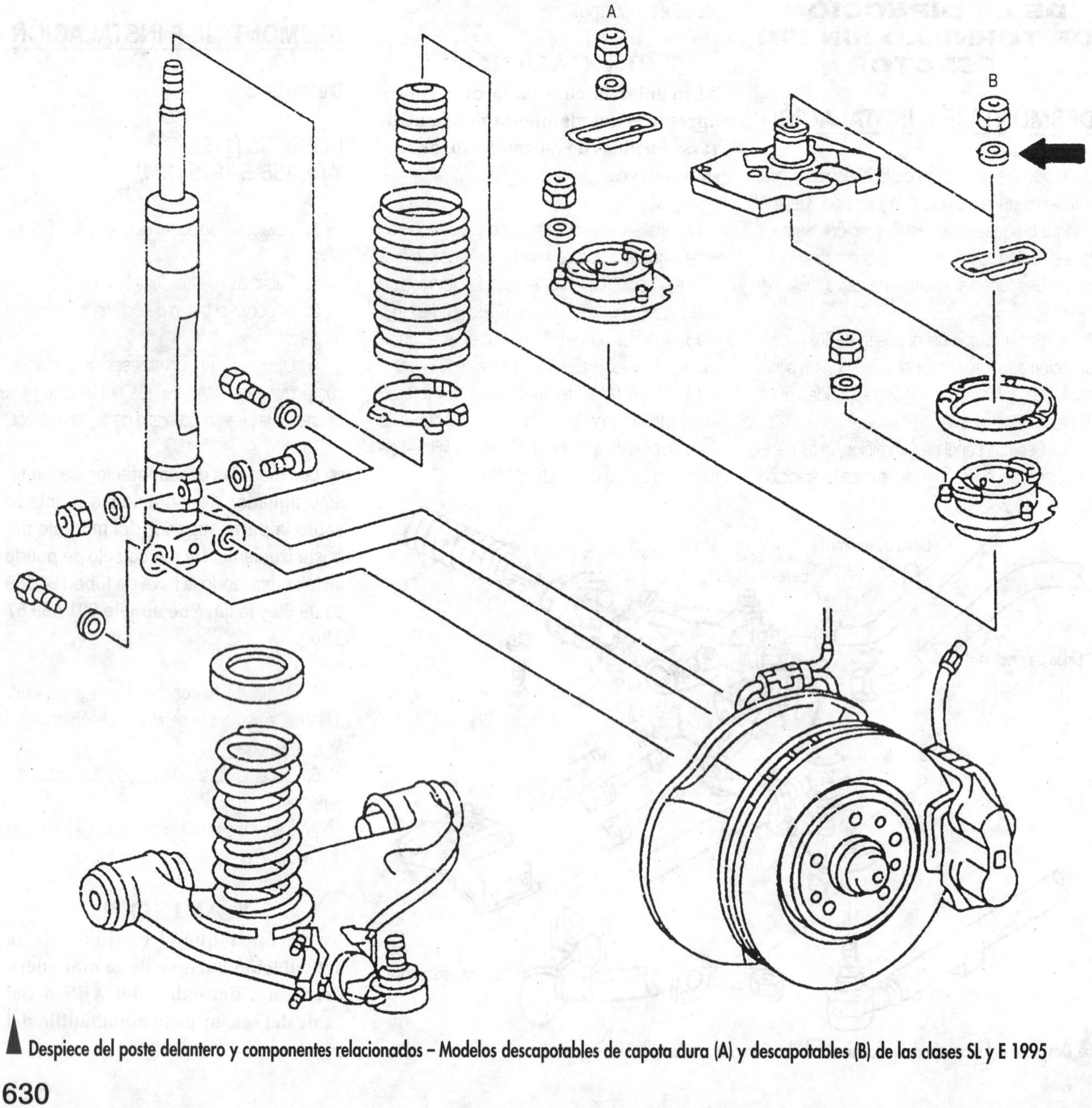

▲ Despiece del poste delantero y componentes relacionados – Modelos descapotables de capota dura (A) y descapotables (B) de las clases SL y E 1995

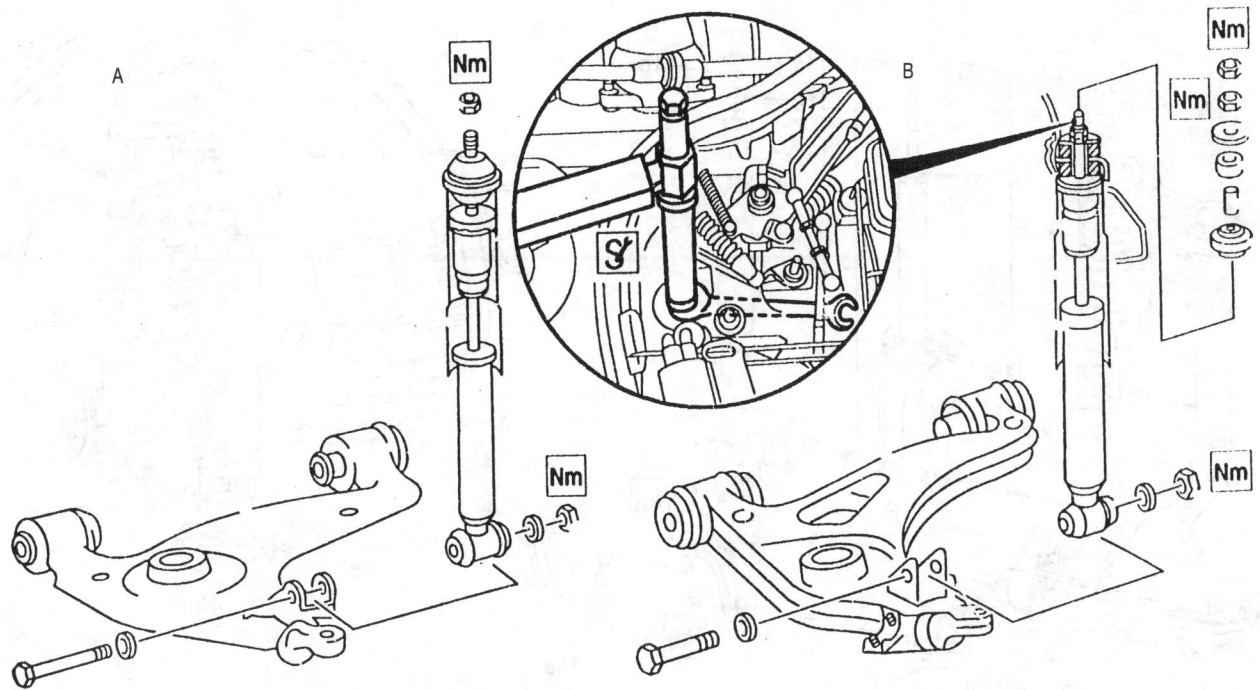

▲ Montaje de amortiguador delantero – Clase S (A) y clases C y E (B)

AMORTIGUADORES

DESMONTAJE E INSTALACIÓN

Delanteros

CLASE S (140), CLASE C (202) Y CLASE E 1996-99 (210) – EXCEPTO 4-MATIC

1. Levantar y soportar con seguridad el vehículo.

2. Sacar las ruedas delanteras.

3. Soportar el brazo de control inferior, con un gato. Levantar un poco el gato para descargar la tensión del amortiguador.

4. Sacar el montaje superior del amortiguador.

5. Sacar el tornillo de montaje inferior y sacar el amortiguador del vehículo.

Para instalar:

6. Colocar el amortiguador en el vehículo.

7. Instalar el tornillo de montaje inferior. Apretar el tornillo a 74 pie-lb (100 Nm).

8. Instalar el protector superior, la arandela y las tuercas. Apretar la tuerca inferior a 11-13 pie-lb (15-18 Nm) y la tuerca superior a 22 pie-lb (30 Nm).

9. Instalar las ruedas delanteras y bajar el vehículo al suelo.

CLASE E 1996-99 (210) 4-MATIC

1. Levantar y soportar con seguridad el vehículo.

2. Sacar las ruedas delanteras.

3. Sacar la tuerca de 12 puntas, del eje propulsor.

4. Sacar el soporte de la manguera del freno del grillete del amortiguador.

5. Sacar el sensor de velocidad y los cables del sensor del forro de freno de la guía.

6. Separar el extremo de la barra de conexión de la articulación de la dirección.

7. Separar la junta de apoyo de la articulación de la dirección.

8. Sacar la articulación de la dirección hacia fuera y sacar el eje delantero de la brida del eje propulsor.

9. Separar la junta seguidora de la articulación de la dirección. Utilizar un alambre para soportar el conjunto de la articulación.

10. Sacar la cubierta interior del motor.

11. Presionar hacia fuera el eje propulsor.

12. Sacar el soporte de la barra estabilizadora, del brazo de control inferior. Sacar el buje protector del extremo de la barra.

13. Comprimir el resorte helicoidal y sacar el montaje superior del amortiguador.

14. Sacar el montaje inferior del amortiguador y el amortiguador.

15. Sacar el resorte helicoidal.

Para instalar:

16. Colocar el resorte helicoidal en su posición sobre el amortiguador.

▼ AVISO ▼

Todas las sujeciones (tornillos) de la suspensión que pasan a través del protector de goma deben apretarse mientras el vehículo está a la altura normal de conducción. Si las sujeciones se aprietan mientras la suspensión está colgando, el protector puede averiarse prematuramente debido a que el protector se ha girado cuando la suspensión se devuelve a su posición normal.

17. Instalar los montajes superior e inferior del amortiguador. En el montaje superior, apretar la tuerca inferior a 11-13 pie-lb (15-18 Nm) y la tuerca superior a 22 pie-lb (30 Nm). Apretar la tuerca autobloqueante en el montaje inferior a 136 pie-lb (185 Nm).

18. Instalar la barra estabilizadora en el brazo de control inferior. Apretar los tornillos del soporte a 15 pie-lb (20 Nm).

19. Instalar el eje propulsor y la cubierta inferior del motor.

➡ **Antes de conectar la junta seguidora, asegurarse de que el eje propulsor esté en la posición correcta.**

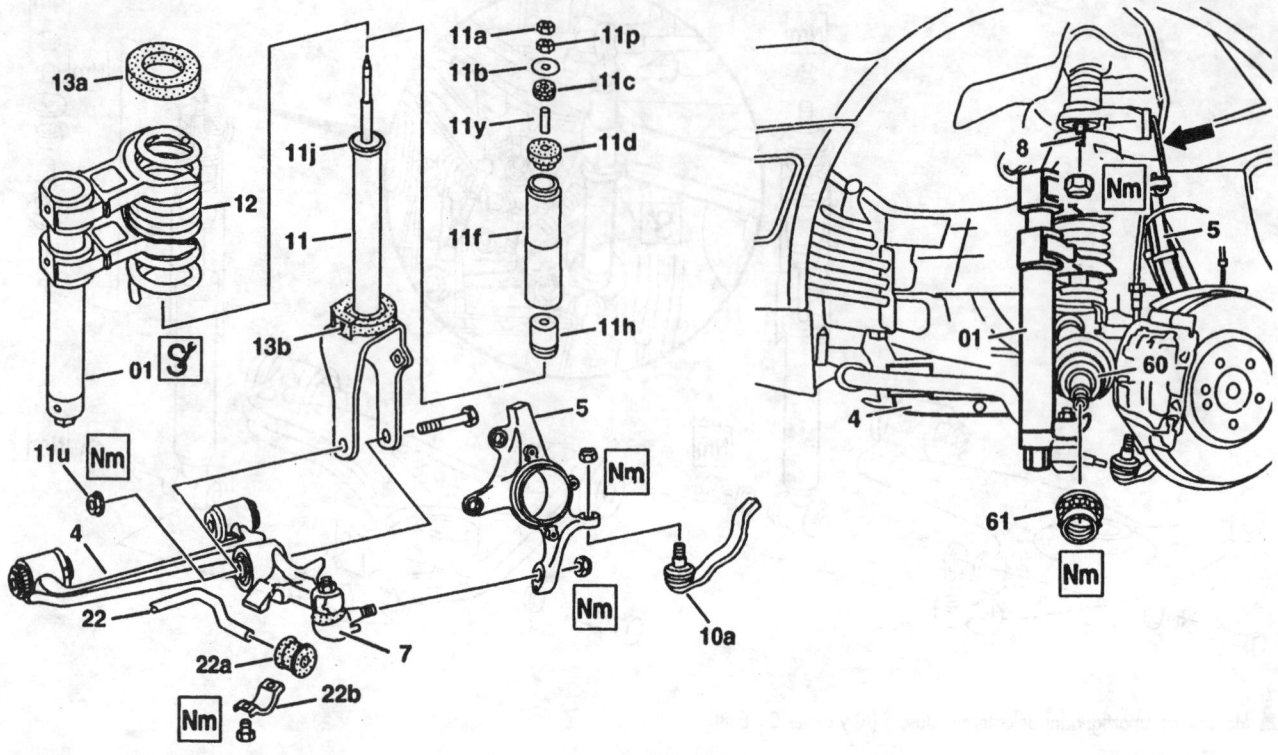

01. Compresor de resortes
4. Brazo inferior
5. Articulación de la dirección
7. Rótula de soporte
8. Rótula seguidora
10a. Barra de conexión
11. Amortiguador
11a. Tuerca superior
11b. Arandela
11c. Protector
11d. Protector
11f. Cubierta

11h. Protector
11j. Tapa
11p. Tuerca inferior
11y. Manguito
12. Resorte helicoidal
13a. Aislante superior del resorte
13b. Aislante inferior del resorte
22. Barra estabilizadora
22a. Protector de la barra estabilizadora
22b. Soporte
60. Eje de transmisión
61. Tuerca de 12 puntas

▲ **Despiece del montaje del amortiguador/resorte helicoidal delantero – 4-MATIC (210)**

20. Instalar la junta seguidora en la articulación de la dirección. Apretar la tuerca autobloqueante a 33 pie-lb (45 Nm).

21. Instalar la junta de apoyo en la articulación de la dirección. Apretar una tuerca autobloqueante nueva a 77 pie-lb (105 Nm).

22. Conectar la barra de conexión en la articulación de la dirección. Apretar la tuerca autobloqueante a 44 pie-lb (60 Nm).

23. Volver a colocar los cables del sensor de velocidad y del sensor de forros de freno en la guía.

24. Instalar el soporte de la manguera del freno, en el amortiguador.

25. Instalar una tuerca de 12 puntas nueva en el eje propulsor. Apretar la tuerca a 162 pie-lb (220 Nm). Fijar la tuerca con un adhesivo bloqueador de tuercas de manera que no haya espacio entre la ranura y la lengüeta de bloqueo.

26. Instalar las ruedas delanteras y bajar el vehículo al suelo.

Traseros

CLASE C (202), CLASE E (124 Y 210), CLASE S (140) Y CLASE SL (129)

1. Levantar y soportar con seguridad el vehículo.

2. Soportar con un gato el brazo de control inferior.

AVISO
Asegurarse de que al sacar la tuerca el vástago del pistón no gire. El montaje del pistón en funcionamiento puede aflojarse y liberar el gas y el aceite del amortiguador.

3. Sacar la tuerca del montaje superior del amortiguador.

4. En los modelos descapotables, sacar el interruptor de la barra arrolladora de la capota.

5. Sacar la cubierta del brazo de control inferior.

6. Sacar el tornillo del montaje inferior del amortiguador.

7. Apretar el amortiguador hacia abajo, fuera de la carrocería y sacar el amortiguador del vehículo.

Para instalar:

8. Instalar el montaje de goma inferior en el amortiguador. Comprimir el amortiguador y colocarlo en el vehículo. Instalar el tornillo inferior y apretarlo a 40 pie-lb (55 Nm).

9. Instalar la cubierta del brazo de control inferior.

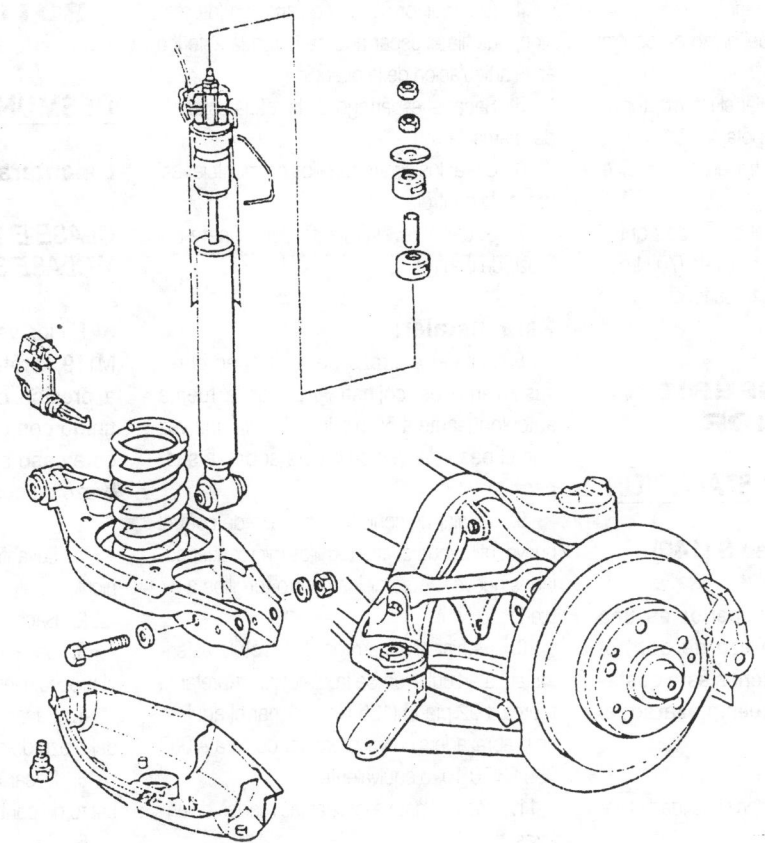

▲ **Despiece del montaje del amortiguador trasero – Clase E 1995**

10. En los modelos descapotables, instalar el interruptor de la barra arrolladora de la capota.

11. Bajar el vehículo e instalar el separador, el buje protector superior, arandelas y tuercas autobloqueantes nuevas. Apretar la tuerca inferior a 11-13 pie-lb (15-18 Nm) y la tuerca superior a 22 pie-lb (30 Nm).

RESORTES HELICOIDALES

DESMONTAJE E INSTALACIÓN

Delanteros

CLASE C (202), CLASE E 1996-99 (210), CLASE S (140) Y CLASE SL (129) – EXCEPTO 4-MATIC

1. Levantar y soportar con seguridad el vehículo.

2. Sacar las ruedas delanteras.

3. Instalar un compresor de resortes internos a través del resorte helicoidal delantero.

4. Comprimir y sacar el resorte y el asiento superior hacia la delantera del vehículo.

Para instalar:

5. Limpiar la zona de montaje del resorte, en el brazo de control inferior.

6. Comprimir el resorte y colocarlo en el brazo de control inferior, con el asiento superior.

7. Con cuidado, descargar el compresor de resortes, hasta que el resorte esté instalado en la posición correcta.

8. Instalar las ruedas delanteras.

9. Bajar el vehículo al suelo.

10. Comprobar y, si es necesario, ajustar la posición de los faros.

CLASE E 1996-99 4-MATIC (210)

Para la revisión de los resortes helicoidales, remitirse al procedimiento de desmontaje e instalación de los amortiguadores.

Traseros

CLASE SL (129), CLASE S (140), CLASE C (202) Y CLASE E (124 Y 210)

1. Levantar y soportar con seguridad el vehículo.

2. Sacar las ruedas traseras.

3. En la clase SL, sacar el interruptor de la barra arrolladora de la capota.

4. Sacar la cubierta del brazo de control inferior.

5. Sacar el tirante cruzado.

6. Soltar el cable del sensor del forro de freno, del brazo de control inferior.

7. Subir con un gato el brazo de control inferior hasta que el eje propulsor esté horizontal. Ir con cuidado de no levantar el vehículo fuera del elevador.

8. Comprimir el resorte con un compresor de resortes internos. No utilizar herramientas de aire comprimido para comprimir el resorte.

9. Aflojar el tornillo que fija el brazo de control inferior en el soporte del eje.

10. Sacar el resorte con el montaje inferior.

Para instalar:

11. Limpiar la superficie de montaje del resorte.

12. Colocar el resorte en el brazo de control inferior y descargar el compresor.

13. Sacar el gato del brazo de control inferior.

14. Conectar el cable del sensor del forro de freno, en el brazo de control.

15. Instalar el tirante cruzado.

16. Instalar la cubierta del brazo de control inferior.

17. En la clase SL, instalar el interruptor de la barra arrolladora de la capota.

18. Instalar las ruedas traseras y bajar el vehículo al suelo.

19. Apretar la tuerca del brazo de control inferior al soporte del eje, a 52 pie-lb (70 Nm).

20. Comprobar y, si es necesario, ajustar los faros.

RÓTULA ESFÉRICA SUPERIOR

DESMONTAJE E INSTALACIÓN

Clase C (202) y clase S (140)

➡ La rótula esférica superior es una parte integrante del brazo de control superior. Si la rótula esférica está gastada o dañada debe reemplazarse el brazo de control.

1. Levantar y soportar con seguridad el vehículo.

2. Sacar las ruedas delanteras.

3. Soportar el brazo de control inferior con un gato.

4. Sacar el tornillo de constricción (de presión) que fija el espárrago de la rótula esférica en la articulación de la dirección.

5. Sacar el espárrago de la rótula esférica, de la articulación.

6. Sacar los cuatro tornillos de montaje, del brazo de control.

7. Sacar el revestimiento del cojinete del brazo de control.

Para instalar:

8. Instalar el brazo de control en el revestimiento del cojinete. Apretar la tuerca autobloqueante a 55 pie-lb (75 Nm), una vez que el peso del vehículo esté sobre la suspensión.

9. Instalar un conjunto de brazo de control nuevo, utilizando cuatro tornillos microencapsulados nuevos. Apretar los cuatro tornillos a 37 pie-lb (50 Nm).

10. Instalar el espárrago de la rótula esférica, en la articulación de la dirección. Apretar la tuerca a 92 pie-lb (125 Nm). Llenar el agujero en la abrazadera con el protector de cera A 000 986 33 70 10, o equivalente.

11. Sacar el gato e instalar las ruedas delanteras.

12. Bajar el vehículo al suelo y apretar el tornillo pasante y la tuerca del brazo de control según las especificaciones.

RÓTULA ESFÉRICA INFERIOR

DESMONTAJE E INSTALACIÓN

Delantera

CLASE E 1995 (124) Y CLASE SL (129)

➡ En los vehículos con motores M104 y M119, la rótula esférica no puede sacarse a presión del brazo de control. Se ha unido con soldadura en su posición. En este caso se reemplaza el conjunto del brazo de control.

1. Levantar y soportar con seguridad el vehículo.

2. Sacar las ruedas delanteras.

3. Sacar los resortes helicoidales siguiendo el procedimiento recomendado.

4. Sacar la barra estabilizadora y el soporte del brazo de control inferior.

5. Sacar los tornillos y tuercas que fijan el brazo de control inferior en el bastidor.

6. Sacar el tornillo de constricción (presión) y la tuerca que fija el espárrago de la rótula esférica en la articulación.

7. Sacar el brazo de control inferior del vehículo.

8. Sacar a presión la rótula esférica vieja, del brazo de control.

Para instalar:

9. Meter a presión una rótula esférica nueva dentro del brazo de control.

10. Instalar el brazo de control en el vehículo. Apretar temporalmente las tuercas del brazo de control en el bastidor. Apretar la tuerca en el tornillo de constricción a 92 pie-lb (125 Nm).

11. Instalar el soporte de la barra estabilizadora en el brazo de control. Apretar los tornillos a 15 pie-lb (20 Nm).

12. Instalar los resortes helicoidales.

13. Instalar las ruedas delanteras.

14. Bajar el vehículo al suelo. Apretar las tuercas del brazo de control en el bastidor a 88 pie-lb (120 Nm).

CLASE C (202) Y CLASE S (140)

1. Levantar y soportar con seguridad el vehículo.

2. Sacar las ruedas delanteras.

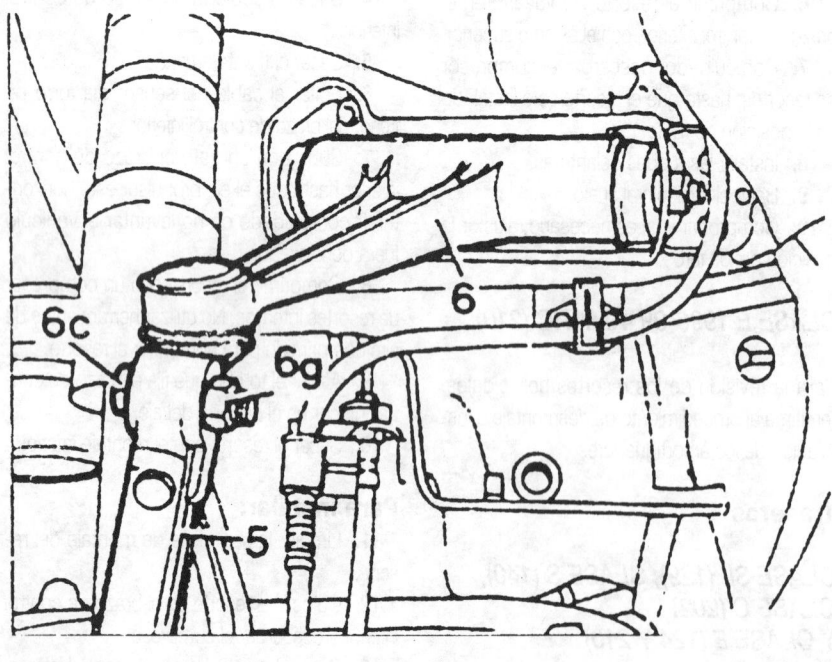

▲ Articulación de la dirección (5), brazo de control (6), tornillo (6c) y tuerca (6g) – Clase S (140) y clase C (202)

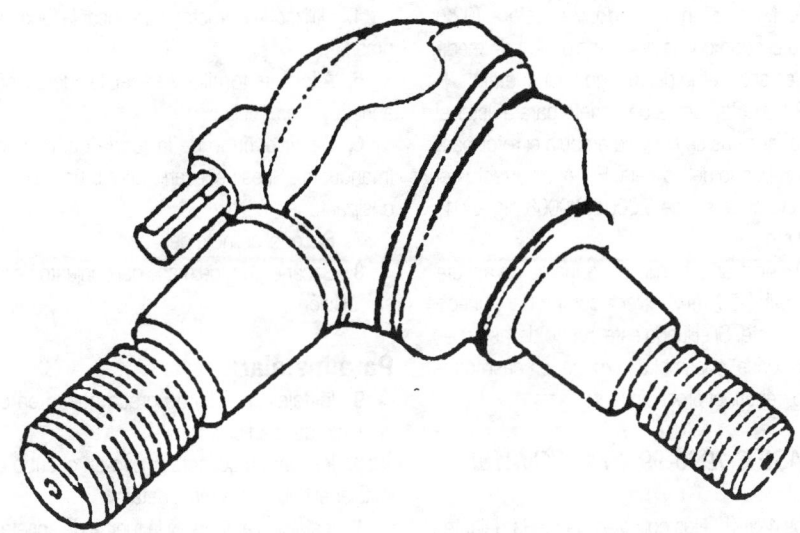

▲ **Rótula esférica común – Clase C (202) y clase S (140)**

3. Sacar el tornillo de fijación del rotor del freno de disco y el tornillo del plato de anclaje.

4. Sacar la tuerca que fija la rótula esférica en el brazo de control.

5. Sacar la tuerca que fija la rótula esférica en la articulación de la dirección.

6. Separar la rótula esférica de la articulación, utilizando una herramienta para rótulas esféricas.

Para instalar:

7. Instalar la rótula esférica en la articulación y en el brazo de control. Apretar la tuerca del brazo de control a 74 pie-lb (100 Nm) y la tuerca de la articulación a 104 pie-lb (140 Nm).

8. Instalar el tornillo del plato de anclaje. Apretar el tornillo a 6 pie-lb (8 Nm).

9. Instalar el tornillo del rotor de freno. Apretar el tornillo a 7 pie-lb (10 Nm).

10. Instalar las ruedas delanteras.

CLASE E 1996-99 4-MATIC (210)

1. Levantar y soportar con seguridad el vehículo.

2. Sacar las ruedas delanteras.

3. Sacar el calafateado con adhesivo de bloqueo y la tuerca de 12 puntas (61) del eje propulsor.

4. Sacar la tuerca y sacar a presión la rótula esférica de la articulación de la dirección (5).

5. Tirar de la articulación de la dirección hacia fuera y sacar el eje propulsor (60) de la brida.

6. Soportar el conjunto de la articulación colocando un bloque de madera (flecha) entre el resorte helicoidal y la articulación.

7. Colocar el eje propulsor apartado de la zona, utilizando un trozo de alambre.

8. Sacar la tuerca y extraer la rótula esférica (7) del brazo de control inferior (4).

Para instalar:

9. Instalar la rótula esférica en el brazo de control inferior. Apretar una tuerca autobloqueante nueva a 77 pie-lb (105 Nm).

10. Ensamblar el eje propulsor a través del conjunto de la articulación.

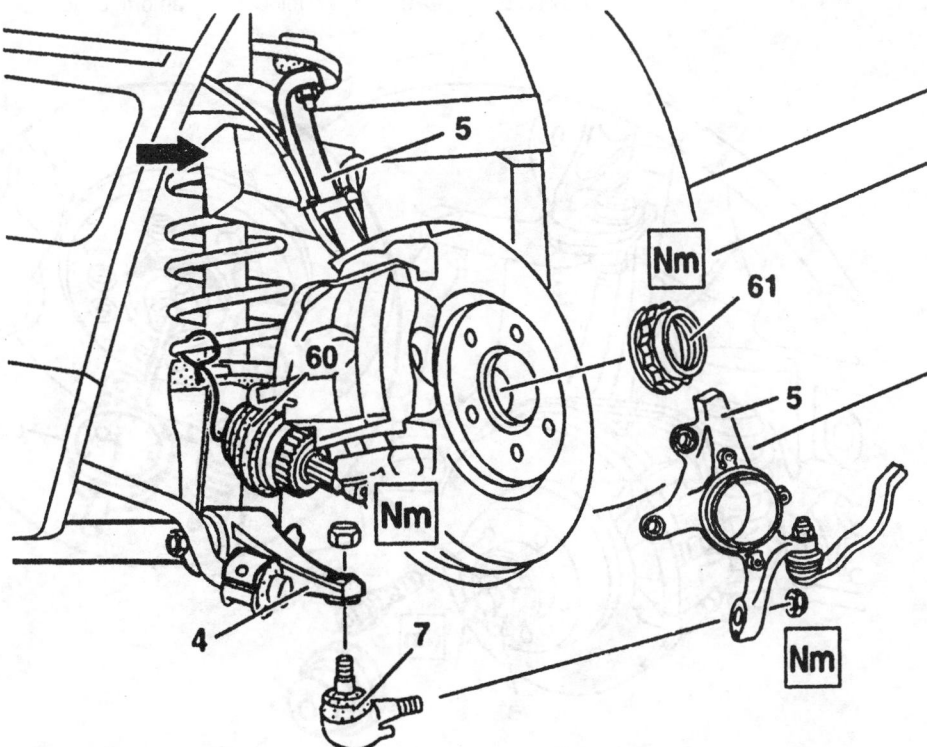

▲ **Montaje de la rótula esférica inferior – Clase E 1996-99 4-MATIC (210)**

11. Instalar la rótula esférica en la articulación de la dirección. Apretar una tuerca autobloqueante nueva a 77 pie-lb (105 Nm).

12. Instalar la tuerca de 12 puntas en el eje. Apretar la tuerca a 162 pie-lb (220 Nm).

13. Instalar las ruedas delanteras.

14. Bajar el vehículo al suelo.

COJINETES DE RUEDA

AJUSTE

Delanteros

EXCEPTO CLASE E 1996-99 4-MATIC (210)

1. Levantar y soportar con seguridad el vehículo.

2. Sacar las ruedas delanteras.

3. Instalar un tornillo de rueda (48a) en la brida sobre el lado opuesto al perno de retención.

4. Empujar las zapatas de freno dentro de la mordaza hasta que no toquen el rotor.

5. Sacar la tapa de grasa (9e).

6. Aflojar el tornillo (9i) y apretar la tuerca de apriete (9d) mientras se gira el rotor hasta que todo el juego del cojinete se haya eliminado.

7. Aflojar la tuerca de apriete hasta que se perciba juego.

8. Montar un indicador de esfera (022) sobre el cubo con la punta (palpador) de medición en el extremo del mango (mangueta).

9. Girar la tuerca de apriete para ajustar el juego mientras se tira y se empuja el rotor para medir el juego del cojinete. El juego correcto del cojinete debe ser de 0.0004-0.0008 plg (0.01-0.02 mm).

10. Apretar el tornillo en la tuerca de apriete a 8 pie-lb (12 Nm) y volver a comprobar el juego del cojinete. Si el juego está dentro de las especificaciones, ensamblar la rueda; en caso contrario, repetir el procedimiento.

CLASE E 1996-99 4-MATIC (210)

En los 4-MATIC los cojinetes de rueda delanteros no son ajustables. Si los cojinetes están flojos o hacen ruido, deben reemplazarse.

DESMONTAJE E INSTALACIÓN

Delanteros

EXCEPTO CLASE E 1996-99 4-MATIC (210)

1. Levantar y soportar con seguridad el vehículo.

2. Sacar las ruedas delanteras.

3. Sacar la mordaza de freno y el rotor.

4. Utilizar un extractor para sacar la tapa de grasa.

5. Aflojar el tornillo y sacar la tuerca de apriete y la arandela.

6. Sacar el cubo de la rueda del mango (mangueta). Si es necesario utilizar un martillo deslizante.

7. Sacar el cojinete del cubo.

8. Sacar el sello de grasa del conjunto de la articulación.

Para instalar:

9. Instalar un sello de grasa nuevo en el conjunto de la articulación.

10. Instalar un cojinete nuevo en el cubo e instalar el cubo en la mangueta.

11. Instalar la arandela y la tuerca de apriete. Ajustar el juego del cojinete y apretar el tornillo en la abrazadera a 8 pie-lb (12 Nm).

12. Llenar la tapa de grasa en el borde acampanado con grasa de alta temperatura para cojinetes de rodillos, e instalar la tapa.

13. Instalar el rotor y la mordaza.

14. Instalar las ruedas delanteras y bajar el vehículo al suelo.

CLASE E 1996-99 4-MATIC (210)

➡ **Al sacar la articulación de la dirección, no es necesario sacar el resorte y el amortiguador.**

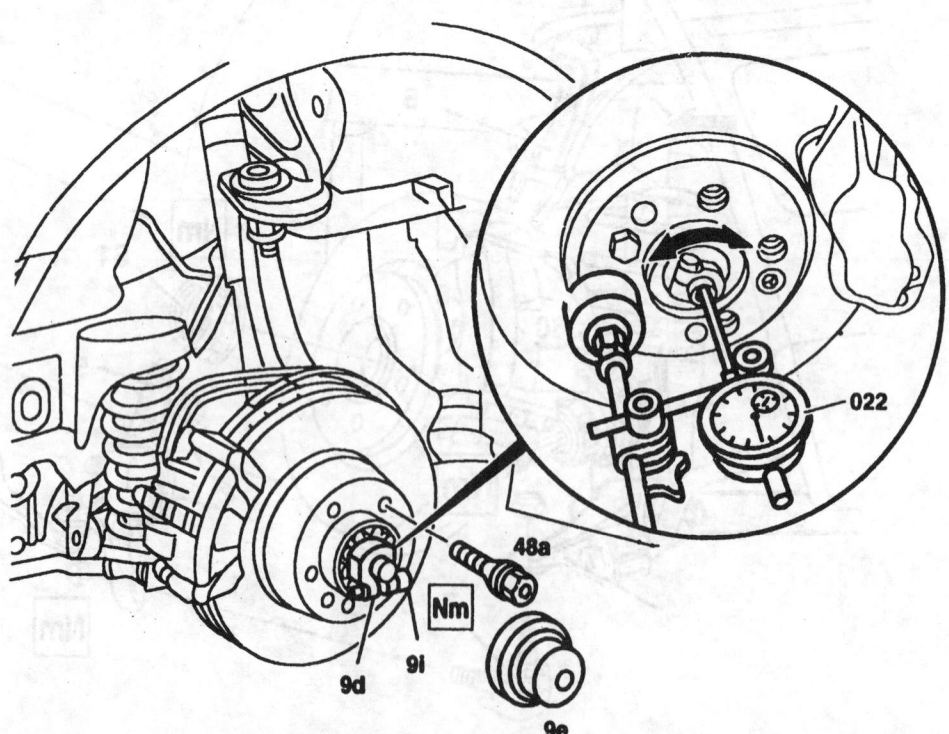

▲ Montar un indicador de esfera en el rotor, para medir el juego del cojinete – Excepto clase E 4-MATIC

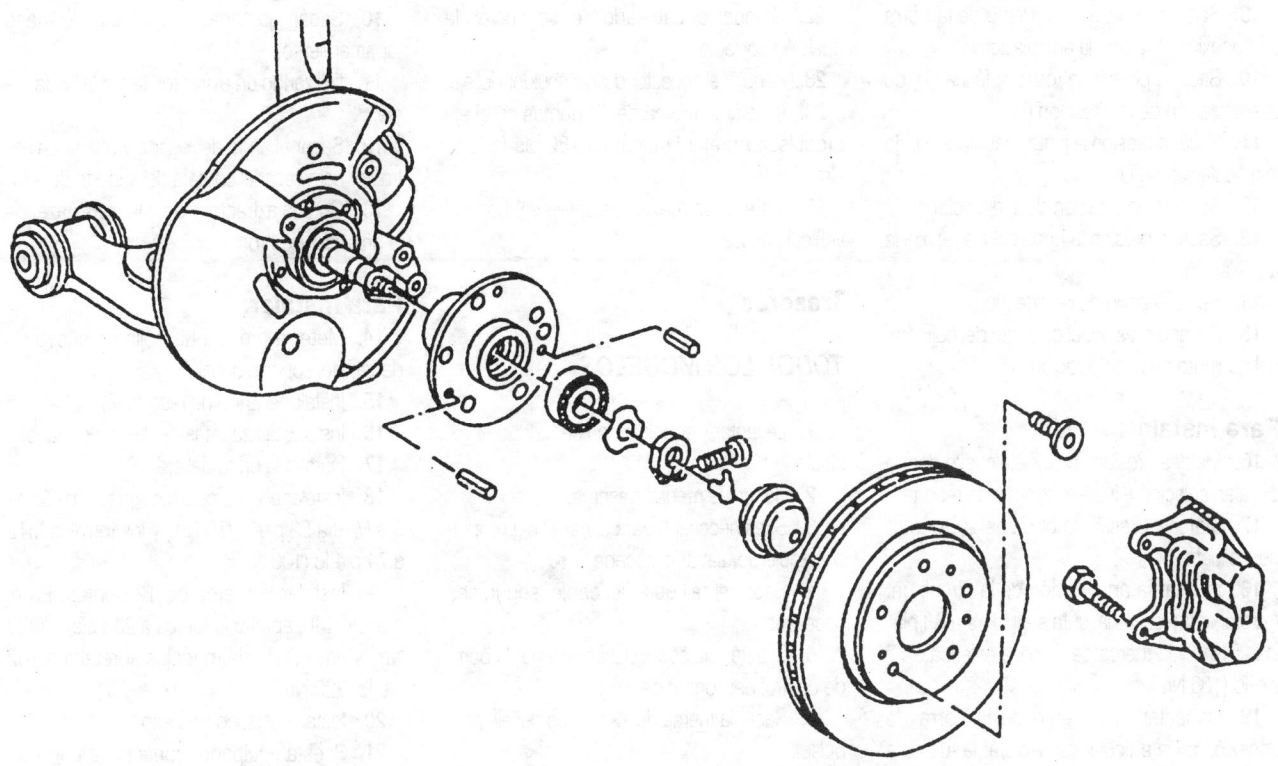

▲ **Despiece del conjunto de cojinete de rueda delantero – Clases S (140), SLK 230 (170), clases C (202), CLK 320 (208) y clase E (210)**

1. Levantar y soportar con seguridad el vehículo.

2. Sacar las ruedas delanteras.

3. Sacar la tuerca de 12 puntas (61) del eje propulsor.

4. Separar el conector del distribuidor del eje delantero.

5. Colocar los cables de los sensores de velocidad y del forro de freno apartados de la zona.

6. Sacar el disco de freno (34).

7. Sacar el protector contra salpicaduras (35), de la articulación.

8. Sacar el sensor de velocidad y el soporte (5f).

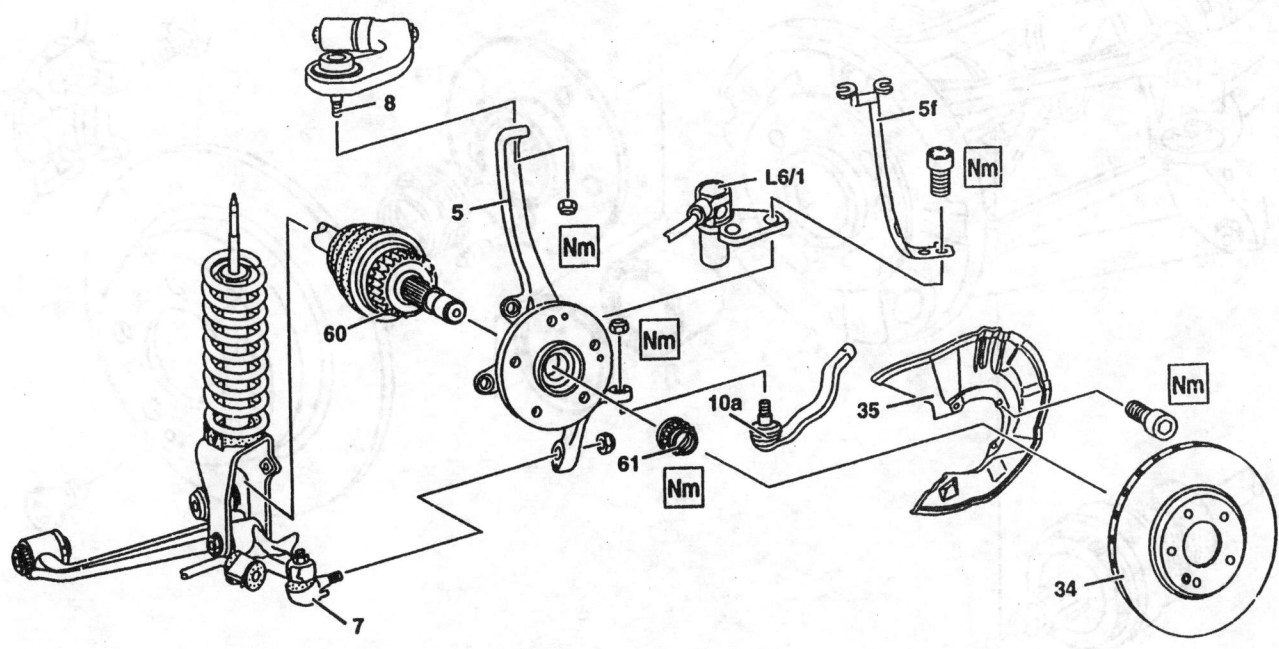

▲ **Articulación de la dirección y componentes relacionados – Clase E 4-MATIC (210)**

9. Sacar a presión el extremo de la barra de conexión (10a), de la articulación.

10. Sacar a presión la rótula esférica (7), de la articulación de la dirección (5).

11. Sacar a presión la junta seguidora (8), de la articulación de la dirección.

12. Sacar la articulación de la dirección.

13. Sacar a presión la brida del eje (9), de la articulación.

14. Sacar el anillo de resorte (9p).

15. Sacar a presión, el conjunto del cojinete, del conjunto de la articulación.

Para instalar:

16. Meter a presión un cojinete nuevo dentro de la articulación e instalar el anillo de resorte.

17. Meter a presión la brida del eje dentro del cojinete.

18. Instalar la articulación de la dirección. Apretar la tuerca de la junta seguidora a 33 pie-lb (45 Nm) y la tuerca de la rótula esférica a 77 pie-lb (105 Nm).

19. Conectar el extremo de la barra de conexión en la articulación. Apretar la tuerca a 16 pie-lb (22 Nm).

20. Instalar el sensor de velocidad de la rueda y el soporte.

21. Instalar el protector contra salpicaduras y el disco de freno.

22. Colocar el cableado del sensor en la posición correcta.

23. Acoplar el conector del distribuidor del eje.

24. Instalar la tuerca de 12 puntas en el eje propulsor. Apretar la tuerca a 162 pie-lb (220 Nm).

25. Instalar las ruedas delanteras y bajar el vehículo al suelo.

Traseros

TODOS LOS MODELOS

1. Levantar y soportar con seguridad el vehículo.

2. Sacar las ruedas traseras.

3. Si es necesario para sacar el eje propulsor izquierdo, sacar el escape.

4. Sacar el raíl guía del cable, según sea necesario.

5. Si está equipado, desenganchar la barra de control del sensor de nivel.

6. Sacar la tuerca de 12 puntas del eje propulsor.

7. Sacar los tornillos que acoplan el eje propulsor a la brida del diferencial.

8. Empujar el eje propulsor a través del cubo y sacarlo.

9. Sacar el disco de freno.

10. Sacar las zapatas del freno de mano (aparcamiento).

11. Utilizando un extractor, sacar la brida del eje.

12. Sacar el anillo de resorte y utilizar un extractor para sacar el cojinete del soporte del eje.

13. Con un extractor, sacar la pista (taza) de la brida del eje propulsor.

Para instalar:

14. Meter a presión un cojinete nuevo (8) dentro del soporte del eje.

15. Instalar el anillo de resorte (9).

16. Instalar las zapatas del freno de mano.

17. Instalar la brida del eje (10).

18. Instalar el eje propulsor. Apretar los tornillos M10 a 52 pie-lb (70 Nm) y los tornillos M12 a 74 pie-lb (100 Nm).

19. Instalar la tuerca de 12 puntas. En el modelo 140, apretar la tuerca a 236 pie-lb (320 Nm) y en el resto de modelos apretarla a 162 pie-lb (220 Nm).

20. Instalar el disco de freno.

21. Si está equipado, conectar la barra de control del sensor de nivel, al sensor.

22. Instalar la guía del cable y el sistema de escape.

23. Instalar las ruedas traseras.

24. Bajar el vehículo al suelo.

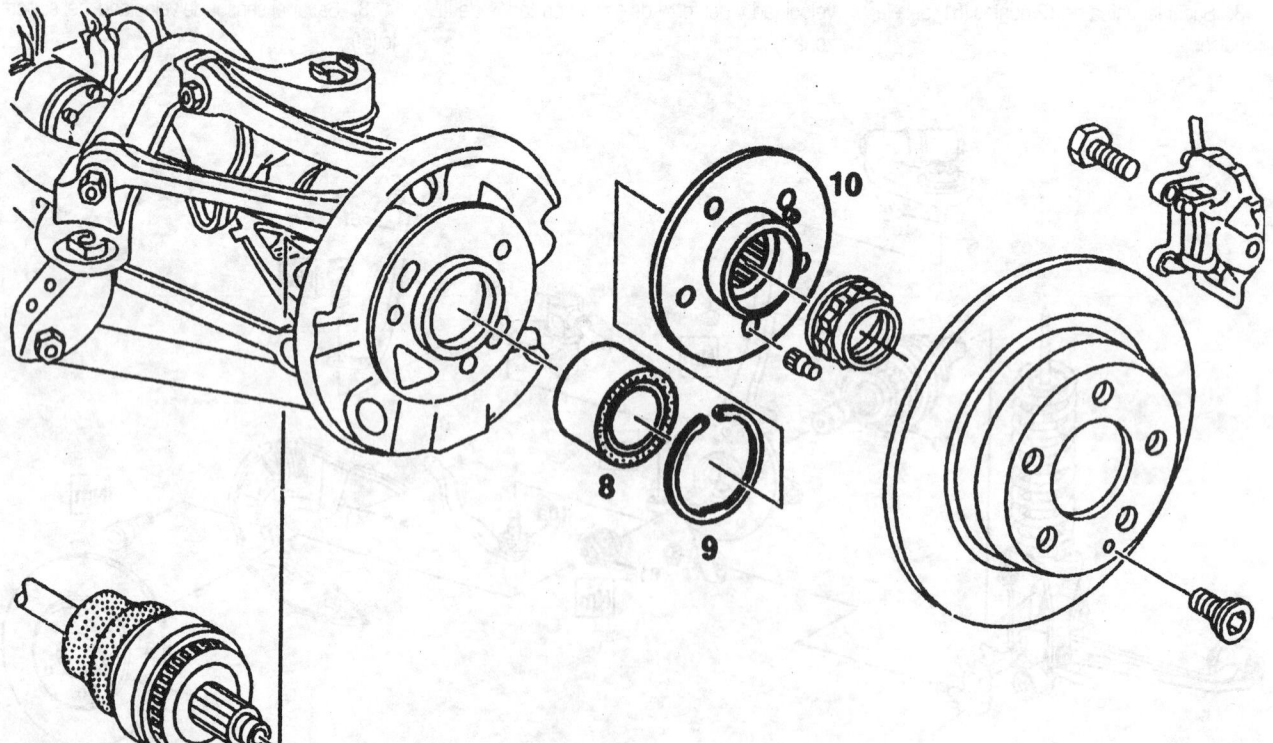

▲ **Despiece del conjunto del cojinete trasero – Todos los modelos**

ESPECIFICACIONES	640
REPARACIÓN DEL MOTOR	647
Distribuidor	647
Sincronización	
del encendido	647
Conjunto motor.	649
Bomba de agua	653
Culata de cilindros	655
Balancines	658
Turboalimentador	659
Múltiple de admisión	661
Múltiple de escape	664
Sello de aceite	
delantero del cigüeñal	665
Árbol de levas y levantaválvulas	666
Holgura de válvulas	673
Depósito de aceite	675
Sello de aceite	
principal trasero.	678
Cadena de sincronización, engranajes,	
cubierta delantera y sello de aceite	679

SISTEMA DE COMBUSTIBLE	686
Precauciones de mantenimiento	
del sistema de combustible	686
Presión del sistema de combustible	687
Filtro de combustible	687
Bomba de combustible	687
TREN DE TRANSMISIÓN	689
Conjunto de transmisión	689
Conjunto de transeje	691
Embrague	693
Sistema de embrague hidráulico	693
Semiejes	693
DIRECCIÓN Y SUSPENSIÓN	695
Air bag (bolsa de aire)	695
Dirección de cremallera y piñón	696
Poste y resorte	698
Amortiguador y resorte.	704
Rótula esférica inferior	704
Cojinetes de rueda	705

ESPECIFICACIONES
NISSAN
200SX-240SX-300ZX-Altima-Maxima-Sentra

TABLA DE IDENTIFICACIÓN DEL VEHÍCULO

Clave del motor						Año-Modelo	
Clave	Litros	Plg³ (cc)	Cil.	Sist. combustible	Fabr. del motor	Clave	Año
GA16DE	1.6	97 (1597)	4	MFI	Nissan	S	1995
SR20DE	2.0	122 (1998)	4	MFI	Nissan	T	1996
KA24DE	2.4	146 (2389)	4	MFI	Nissan	V	1997
VG30DE	3.0	181 (2960)	6	MFI	Nissan	W	1998
VG30DETT	3.0	181 (2960)	6	MFI	Nissan	X	1999
VQ30DE	3.0	182 (2988)	6	MFI	Nissan		

IDENTIFICACIÓN DEL MOTOR

Año	Modelo	Cilindrada del motor litros (cc)	Serie del motor (ID/VIN)	Sistema de combustible	Nº de cilindros	Tipo de motor
1995	240SX	2.4 (2389)	KA24DE	MFI	4	DOHC
	300ZX	3.0 (2960)	VG30DE	MFI	6	DOHC
	300ZX	3.0 (2960)	VG30DETT	MFI	6	DOHC
	Altima	2.4 (2389)	KA24DE	MFI	4	DOHC
	Maxima	3.0 (2988)	VQ30DE	MFI	6	DOHC
	Sentra	1.6 (1597)	GA16DE	MFI	4	DOHC
	Sentra	2.0 (1998)	SR20DE	MFI	4	DOHC
1996	240SX	2.4 (2389)	KA24DE	MFI	4	DOHC
	300ZX	3.0 (2960)	VG30DE	MFI	6	DOHC
	300ZX	3.0 (2960)	VG30DETT	MFI	6	DOHC
	Altima	2.4 (2389)	KA24DE	MFI	4	DOHC
	Maxima	3.0 (2988)	VQ30DE	MFI	6	DOHC
	Sentra	1.6 (1597)	GA16DE	MFI	4	DOHC
	Sentra	2.0 (1998)	SR20DE	MFI	4	DOHC
1997	200SX	1.6 (1597)	GA16DE	MFI	4	DOHC
	200SX	2.0 (1998)	SR20DE	MFI	4	DOHC
	240SX	2.4 (2389)	KA24DE	MFI	4	DOHC
	Altima	2.4 (2389)	KA24DE	MFI	4	DOHC
	Maxima	3.0 (2988)	VQ30DE	MFI	6	DOHC
	Sentra	1.6 (1597)	GA16DE	MFI	4	DOHC
	Sentra	2.0 (1998)	SR20DE	MFI	4	DOHC
1998-99	200SX	1.6 (1597)	GA16DE	MFI	4	DOHC
	200SX	2.0 (1998)	SR20DE	MFI	4	DOHC
	240SX	2.4 (2389)	KA24DE	MFI	4	DOHC
	Altima	2.4 (2389)	KA24DE	MFI	4	DOHC
	Maxima	3.0 (2988)	VQ30DE	MFI	6	DOHC
	Sentra	1.6 (1597)	GA16DE	MFI	4	DOHC

MFI-Inyección de combustible multipunto.
DOHC-Árbol de levas doble sobre culata.
SOHC-Árbol de levas simple sobre culata.

ESPECIFICACIONES GENERALES DEL MOTOR

Año	Motor ID/VIN	Cilindrada del motor litros (cc)	Sistema combustible	Caballaje neto @ rpm	Torsión neta @ rpm (pie-lb)	Diámetro x carrera (plg)	Relación de compresión	Presión de aceite @ rpm
1995	GA16DE	1.6 (1597)	MFI	110@6000	108@4000	2.99x3.46	9.5:1	50@3000
	SR20DE	2.0 (1998)	MFI	140@6400	132@4800	3.39x3.39	9.5:1	46@3200
	KA24DE	2.4 (2389)	MFI	①	②	3.50x3.78	10.5:1	60@3000
	VG30DE	3.0 (2960)	MFI	222@6400	198@4800	3.43x3.27	10.5:1	51@3000
	VG30DETT	3.0 (2960)	MFI	②	283@3600	3.43x3.27	8.5:1	51@3000
	VQ30DE	3.0 (2988)	MFI	190@5600	205@4000	3.66x2.89	10.0:1	63@3000
1996	GA16DE	1.6 (1597)	MFI	110@6000	108@4000	2.99x3.46	9.5:1	50@3000
	SR20DE	2.0 (1998)	MFI	140@6400	132@4800	3.39x3.39	9.5:1	46@3200
	KA24DE	2.4 (2389)	MFI	①	②	3.50x3.78	10.5	60@3000
	VG30DE	3.0 (2960)	MFI	222@6400	198@4800	3.43x3.27	10.5:1	51@3000
	VG30DETT	3.0 (2960)	MFI	③	283@3600	3.43x3.27	8.5:1	51@3000
	VQ30DE	3.0 (2988)	MFI	190@5600	205@4000	3.66x2.89	10.0:1	63@3000
1997	GA16DE	1.6 (1597)	MFI	110@6000	108@4000	2.99x3.46	9.5:1	50@3000
	SR20DE	2.0 (1998)	MFI	140@6400	132@4800	3.39x3.39	9.5:1	46@3200
	KA24DE	2.4 (2389)	MFI	③	②	3.50x3.78	④	60@3000
	VQ30DE	3.0 (2988)	MFI	190@5600	205@4000	3.66x2.89	10.0:1	63@3000
1998-99	GA16DE	1.6 (1597)	MFI	115@6000	108@4000	2.99x3.46	9.9:1	50@3000
	SR20DE	2.0 (1998)	MFI	140@6400	132@4800	3.39x3.39	9.5:1	46@3200
	KA24DE	2.4 (2389)	MFI	①	②	3.50x3.78	④	60@3000
	VQ30DE	3.0 (2988)	MFI	190@5600	205@4000	3.66x2.89	10.0:1	63@3000

MFI-Inyección de combustible multipunto.
① 240SX: 155@5600.
   Altima: 150@5600.
② 240SX: 160@4400.
   Altima: 154@4400.
③ Transmisión manual: 300@6400.
   Transmisión automática: 280@6400.
④ 240SX: 9.5:1.
   Altima: 9.2:1.

ESPECIFICACIONES PARA AFINACIÓN DE MOTORES DE GASOLINA

Año	Motor ID/VIN	Cilindrada del motor litros (cc)	Bujías Abertura (plg)		Sincronización encendido (grados) TM	TA	Bomba de combustible (lb/plg²)		Marcha mínima (rpm) TM	TA		Holgura válvulas Admisión	Escape
1995	GA16DE	1.6 (1597)	0.041		10B	10B	36	①	700	800	②	0.015 ③	0.016 ③
	SR20DE	2.0 (1998)	0.033	④	15B	15B	36	①	800	800	②	HYD	HYD
	KA24DE	2.4 (2389)	0.041		20B	20B	33	①	700	700	②	0.014 ③	0.015 ③
	VE30DE	3.0 (2960)	0.041		15B	15B	36	①	750	750	②	HYD	HYD
	VG30DE	3.0 (2960)	0.041		15B	15B	36	①	700	770	②	HYD	HYD
	VG30DETT	3.0 (2960)	0.041		15B	15B	36	①	700	750	②	HYD	HYD
1996	GA16DE	1.6 (1597)	0.041		10B	10B	36	①	700	800	②	0.015 ③	0.016 ③
	SR20DE	2.0 (1998)	0.033	④	15B	15B	36	①	800	800	②	HYD	HYD
	KA24DE	2.4 (2389)	0.041		20B	20B	33	①	700	700	②	0.014 ③	0.015 ③
	VG30DE	3.0 (2960)	0.041		15B	15B	36	①	700	770	②	HYD	HYD
	VG30DETT	3.0 (2960)	0.041		15B	15B	36	①	700	750	②	HYD	HYD
	VQ30DE	3.0 (2988)	0.041	⑥	15B	15B	34	①	650	700	②	0.014 ③	0.015 ③
1997	GA16DE	1.6 (1597)	0.041		10B	10B	36	①	700	800	②	0.015 ③	0.016 ③
	SR20DE	2.0 (1998)	0.033	④	15B	15B	36	①	800	800	②	HYD	HYD
	KA24DE	2.4 (2389)	0.041		20B	20B	33	①	700	700	②	0.014 ③	0.015 ③
	VQ30DE	3.0 (2988)	0.041	⑥	15B	15B	34	①	650	700	②	0.014 ③	0.015 ③
1998-99	GA16DE	1.6 (1597)	0.041		8B	8B	36	①	625 ⑤	725	②	0.015 ③	0.016 ③
	SR20DE	2.0 (1998)	0.033		15B	15B	36	①	800	800	②	HYD	HYD
	KA24DE	2.4 (2389)	0.041	⑥	20B	20B	33	①	650	650	②	0.015 ③	0.015 ③
	VQ30DE	3.0 (2988)	0.041	⑥	15B	15B	34	①	650	700	②	0.014 ③	0.015 ③

Nota: la etiqueta de Información del Control de Emisiones del Vehículo a menudo refleja los cambios de especificaciones hechos durante la producción. Se han de utilizar, las cifras de las etiquetas si difieren de las de esta tabla.
B-Antes del Punto Muerto Superior.
HYD-Hidráulico.
① 1 Presión del sistema a marcha mínima con la manguera de vacío conectada; cuando se desconecte debe aumentar a 43 lb/plg².
② 2 Transmisión automática en posición neutra.
③ Motor caliente.
④ Convencional-0.033.
   Platino-0.041.
⑤ Canadá: 750.
⑥ No comprobar o ajustar la abertura de las bujías con puntas de platino.

CAPACIDADES

Año	Modelo	Motor ID/VIN	Cilindrada del motor litros (cc)	Aceite del motor con filtro (qts)	Transmisión (pts)			Eje motriz		Tanque com-bustible (gal)	Sistema enfria-miento (qts)
					4 vel.	5 vel.	Auto.	Delant. (pts)	Tras. (pts)		
1995	240SX	KA24DE	2.4 (2389)	3.8	—	5.1	17.5	—	①	16.0	7.1
	300ZX	VG30DE	3.0 (2960)	3.6	—	5.9	17.5	—	3.1	19.0	9.5
	300ZX	VG30DETT	3.0 (2960)	3.6	—	5.9	17.2	—	3.9	19.0	9.5
	Altima	KA24DE	2.4 (2389)	4.1	—	10.0	20.0	—	—	16.0	8.2
	Maxima	VG30E	3.0 (2960)	4.1	—	10.0	15.5	—	—	18.0	9.3
	Maxima	VE30DE	3.0 (2960)	4.0	—	10.0	18.0	—	—	18.0	11.2
	Sentra	GA16DE	1.6 (1597)	3.4	5.9	6.1	14.7	—	—	13.0	5.6
	Sentra	SR20DE	2.0 (1998)	3.4	—	7.5	14.7	—	—	13.0	6.0
1996	240SX	KA24DE	2.4 (2389)	3.8	—	5.1	17.5	—	①	16.0	7.1
	300ZX	VG30DE	3.0 (2960)	3.6	—	5.9	17.5	—	3.1	19.0	9.5
	300ZX	VG30DETT	3.0 (2960)	3.6	—	5.9	17.3	—	3.9	19.0	9.5
	Altima	KA24DE	2.4 (2389)	4.1	—	10.0	20.0	—	—	16.0	8.2
	Maxima	VQ30DE	3.0 (2988)	4.3	—	9.5	20.0	—	—	18.5	9.4
	Sentra	GA16DE	1.6 (1597)	3.4	—	6.1	14.8	—	—	13.0	5.6
	Sentra	SR20DE	2.0 (1998)	3.4	—	7.5	14.8	—	—	13.0	6.0
1997	200SX	GA16DE	1.6 (1597)	3.4	—	8.2	14.8	—	—	13.2	②
	200SX	SR20DE	2.0 (1998)	3.6	—	8.2	14.8	—	—	13.2	6.5
	240SX	KA24DE	2.4 (2389)	4.0	—	5.1	17.5	—	①	17.2	7.3
	Altima	KA24DE	2.4 (2389)	4.1	—	10.0	20.0	—	—	15.9	8.3
	Maxima	VQ30DE	3.0 (2988)	4.3	—	9.5	20.0	—	—	18.5	9.4
	Sentra	GA16DE	1.6 (1597)	3.4	—	④	14.8	—	—	13.2	②
	Sentra	SR20DE	2.0 (1998)	3.4	—	7.5	14.8	—	—	13.0	6.0
1998-99	200SX	GA16DE	1.6 (1597)	3.5	—	④	14.8	—	—	13.2	⑤
	200SX	SR20DE	2.0 (1998)	3.6	—	④	14.8	—	—	13.2	6.5
	240SX	KA24DE	2.4 (2389)	4.0	—	5.3	17.5	—	①	17.2	7.3
	Altima	KA24DE	2.4 (2389)	4.1	—	10.0	20.0	—	—	15.9	8.3
	Maxima	VQ30DE	3.0 (2988)	4.3	—	9.5	20.0	—	—	18.5	9.4
	Sentra	GA16DE	1.6 (1597)	3.5	—	④	14.8	—	—	13.2	⑤
	Sentra	SR20DE	2.0 (1998)	3.4	—	7.5	14.8	—	—	13.0	6.0

Nota: todas las capacidades son aproximadas. Añadir fluido gradualmente y asegurarse de que se obtiene el nivel de fluido correcto.
① Con deslizamiento limitado: 3.1 pts.
   Standard: 2.8 pts.
② GA16DE con TM: 5.4 qts.
   GA16DE con TA: 5.6 qts.
③ 2 plazas y 2+2: 18.7 gal.
   Descapotable: 18.2 gal.
④ RS5F31A: 6.5 pts.
   RS5F32V: 8.0 pts.
⑤ GA16DE con TM: 5.5 qts.
   GA16DE con AT: 6.0 qts.

ESPECIFICACIONES DE VÁLVULAS

Año	Motor ID/VIN	Cilindrada del motor litros (cc)	Ángulo de asiento (grados)	Ángulo de cara (grados)	Presión de prueba del resorte (lb @ plg)	Altura resorte instalado (plg)	Holgura entre vástago y guía (plg)		Diámetro del vástago (plg)	
							Admisión	Escape	Admisión	Escape
1995	GA16DE	1.6 (1597)	45	45.25-45.75	77@0.9945	NA	0.0008-0.0020	0.0016-0.0028	0.2152-0.2157	0.2144-0.2150
	SR20DE	2.0 (1998)	45	45.25-45.75	144@1.181	NA	0.0008-0.0021	0.0016-0.0029	0.2348-0.2354	0.2341-0.2346
	KA24DE	2.4 (2389)	45	45.25-45.75	123@1.024	NA	0.0008-0.0021	0.0016-0.0029	0.2742-0.2748	0.2734-0.2740
	VG30DE	3.0 (2960)	45	45.25-45.75	120@1.043	NA	0.0008-0.0021	0.0016-0.0029	0.2348-0.2354	0.2341-0.2346
	VG30DETT	3.0 (2960)	45	45.25-45.75	120@1.043	NA	0.0008-0.0021	0.0016-0.0029	0.2348-0.2354	0.2341-0.2346
	VQ30DE	3.0 (2988)	45	45.25-45.75	102@1.085	NA	0.0008-0.0021	0.0016-0.0029	0.2348-0.2354	0.2341-0.2346
1996	GA16DE	1.6 (1597)	45	45.25-45.75	77@0.9945	NA	0.0008-0.0020	0.0016-0.0028	0.2152-0.2157	0.2144-0.2150
	SR20DE	2.0 (1998)	45	45.25-45.75	144@1.181	NA	0.0008-0.0021	0.0016-0.0029	0.2348-0.2354	0.2341-0.2346
	KA24DE	2.4 (2389)	45	45.25-45.75	106@1.026	NA	0.0008-0.0021	0.0016-0.0029	0.2742-0.2748	0.2734-0.2740
	VG30DE	3.0 (2960)	45	45.25-45.75	120@1.043	NA	0.0008-0.0021	0.0016-0.0029	0.2348-0.2354	0.2341-0.2346
	VG30DETT	3.0 (2960)	45	45.25-45.75	120@1.043	NA	0.0008-0.0021	0.0016-0.0029	0.2348-0.2354	0.2341-0.2346
	VQ30DE	3.0 (2988)	45	45.25-45.75	102@1.085	NA	0.0008-0.0021	0.0016-0.0029	0.2348-0.2354	0.2341-0.2346
1997	GA16DE	1.6 (1597)	45	45.25-45.75	77@0.9945	NA	0.0008-0.0020	0.0016-0.0028	0.2152-0.2157	0.2144-0.2150
	SR20DE	2.0 (1998)	45	45.25-45.75	144@1.181	NA	0.0008-0.0021	0.0016-0.0029	0.2348-0.2354	0.2341-0.2346
	KA24DE	2.4 (2389)	45	45.25-45.75	106@1.026	NA	0.0008-0.0021	0.0016-0.0029	0.2742-0.2748	0.2734-0.2740
	VQ30DE	3.0 (2988)	45	45.25-45.75	102@1.085	NA	0.0008-0.0021	0.0016-0.0029	0.2348-0.2354	0.2341-0.2346
1998-99	GA16DE	1.6 (1597)	45	45.25-45.75	77@0.995	NA	0.0008-0.0020	0.0016-0.0028	0.2152-0.2157	0.2144-0.2150
	SR20DE	2.0 (1998)	45	45.25-45.75	137@1.181	NA	0.0008-0.0021	0.0016-0.0029	0.2348-0.2354	0.2341-0.2346
	KA24DE	2.4 (2389)	45	45.25-45.75	123@1.024	NA	0.0008-0.0021	0.0016-0.0029	0.2742-0.2748	0.2734-0.2740
	VQ30DE	3.0 (2988)	45	45.25-45.75	102@1.085	NA	0.0008-0.0021	0.0016-0.0029	0.2348-0.2354	0.2341-0.2346

NA-No disponible.

ESPECIFICACIONES DE TORSIÓN
Todas las lecturas están en pie-lb

Año	Motor ID/VIN	Cilindrada del motor litros (cc)	Tornillos culata de cilindros	Tornillos cojinete principal	Tornillos cojinete biela	Tornillos amortiguador cigüeñal	Tornillos volante	Múltiple Admisión	Múltiple Escape	Bujías	Tuerca de orejas
1995	GA16DE	1.6 (1597)	①	34-38	②	98-112	③	14	14	18	75
	SR20DE	2.0 (1998)	④	⑤	⑥	105-112	61-69	14	30	18	75
	KA24DE	2.4 (2389)	⑦	34-41	⑥	105-112	105-112	14	32	18	75
	VG30DE	3.0 (2960)	⑧	67-74	⑥	123-130	61-69	⑨	18	18	75
	VG30DETT	3.0 (2960)	⑧	67-74	⑩	159-174	61-69	⑨	22	18	75
	VQ30DE	3.0 (2988)	⑪	⑫	⑬	⑭	61-69	⑮	23	18	80
1996	GA16DE	1.6 (1597)	①	34-38	②	98-112	③	14	14	18	75
	SR20DE	2.0 (1998)	④	⑤	⑥	105-112	61-69	14	30	18	75
	KA24DE	2.4 (2389)	⑦	34-41	⑥	105-112	105-112	14	32	18	75
	VG30DE	3.0 (2960)	⑧	67-74	⑥	123-130	61-69	⑨	18	18	75
	VG30DETT	3.0 (2960)	⑧	67-74	⑩	159-174	61-69	⑨	22	18	75
	VQ30DE	3.0 (2988)	⑪	⑫	⑬	⑭	61-69	⑮	23	18	80
1997	GA16DE	1.6 (1597)	①	34-38	②	98-112	③	14	19	18	79
	SR20DE	2.0 (1998)	④	⑤	⑥	105-112	61-69	14	30	18	79
	KA24DE	2.4 (2389)	⑦	34-41	⑥	105-112	105-112	14	32	18	80
	VQ30DE	3.0 (2988)	⑪	⑫	⑬	⑭	61-69	⑮	23	18	80
1998-99	GA16DE	1.6 (1597)	①	34-38	②	98-112	③	14	19	18	79
	SR20DE	2.0 (1998)	④	⑨	⑥	105-112	61-69	14	30	18	79
	KA24DE	2.4 (2389)	⑦	34-41	⑥	105-112	105-112	14	32	18	80
	VQ30DE	3.0 (2988)	⑪	⑫	⑬	⑭	61-69	⑮	23	18	80

① Tornillos núm. 1-10:
   Paso 1: 22 pie-lb.
   Paso 2: 43 pie-lb.
   Paso 3: Aflojar completamente, después reapretar a 22 pie-lb.
   Paso 4: 43 pie-lb o 50-55 grados adicionales.
   Apriete final a 72 plg-lb.
   Tornillos núm. 11-15:
② Paso 1: 12 pie-lb.
   Paso 2: 19 pie-lb o 35-40 grados adicionales.
③ Transmisión manual: 61-69 pie-lb.
   Transmisión automática: 69-76 pie-lb.
④ Paso 1: 29 pie-lb.
   Paso 2: 58 pie-lb.
   Paso 3: Aflojar completamente, después reapretar a 30 pie-lb.
   Paso 4: Girar cada tornillo, en secuencia, 90-100 grados adicionales.
   Paso 5: Repetir el paso 4.
⑤ Paso 1: 28 pie-lb.
   Paso 2: 54-61 pie-lb o 45-50 grados adicionales.
⑥ 12 pie-lb más 60-65 grados adicionales.
⑦ Paso 1: 22 pie-lb.
   Paso 2: 58 pie-lb.
   Paso 3: Aflojar completamente, después reapretar a 22 pie-lb.
   Paso 4: 58 pie-lb o 80-85 grados adicionales.

⑧ Paso 1: 29 pie-lb.
   Paso 2: 90 pie-lb.
   Paso 3: Aflojar completamente, después reapretar a 29 pie-lb.
   Paso 4: 90 pie-lb o 70 grados adicionales.
⑨ Paso 1: 20-24 pie-lb.
   Paso 2: 75-80 grados.
   Paso 3: Aflojar completamente y reapretar a 24-28 pie-lb.
   Paso 4: Girar 45-50 grados.
⑩ Paso 1: 12 pie-lb.
   Paso 2: 43-48 pie-lb o 60-65 grados adicionales.
⑪ Paso 1: 29-36 pie-lb.
   Paso 2: Más 60-65 grados.
⑫ Paso 1: 3.6-7.2 pie-lb.
   Paso 2: 20-23 pie-lb.
⑬ Paso 1: 29 pie-lb.
   Paso 2: 90 pie-lb.
   Paso 3: Aflojar completamente y reapretar a 25-33 pie-lb.
   Paso 4: Más 90 pie-lb o 70 grados.
   Paso 5: Apretar dos tornillos marcados con una "X" a 7-9 pie-lb.
⑭ Paso 1: 29-36 pie-lb.
   Paso 2: 60-66 grados.
⑮ Paso 1: 10-12 pie-lb.
   Paso 2: 43-48 pie-lb o 60-65 grados adicionales.

REPARACIÓN DEL MOTOR

➡ En algunos vehículos, desconectar el cable negativo de la batería puede interferir con las funciones de los sistemas del ordenador de a bordo y puede ser necesaria su reprogramación, una vez que el cable negativo de la batería sea reconectado.

DISTRIBUIDOR

DESMONTAJE

Motores 1.6L, 2.0L y 2.4L

1. Desconectar el cable negativo de la batería.

2. Situar el motor en el Punto Muerto Superior (PMS) con el pistón N° 1 en carrera de compresión.

3. Sacar y etiquetar los cables de bujías del distribuidor de la tapa del distribuidor.

4. Sacar la tapa del distribuidor y trazar una marca en el bloque de cilindros para mostrar la posición del rotor y del distribuidor antes del desmontaje.

5. Separar y etiquetar las conexiones del cableado en el distribuidor.

6. Sacar el/los tornillo/s que sujeta/n el distribuidor en el motor.

7. Tirar del distribuidor hacia arriba para sacarlo del bloque de cilindros.

➡ Después de sacar el distribuidor del motor, no alterar la posición del árbol de levas o del cigüeñal. Si se mueve alguno de estos componentes, se tendrá que encontrar otra vez el PMS en el cilindro N° 1 antes de reinstalar el distribuidor.

INSTALACIÓN

Motores 1.6L, 2.0L y 2.4L

MOTOR NO ALTERADO

1. Instalar una junta tórica de cuerpo de distribuidor nueva.

2. Instalar el distribuidor dentro del motor de manera que el rotor esté alineado con la marca en el cuerpo y el cuerpo esté alineado con la marca en el motor. Asegurarse de que el distribuidor está totalmente asentado y de que el engrane del distribuidor está totalmente engranado.

3. Instalar y ajustar a mano el perno de sujeción.

4. Conectar los cables de captación del distribuidor.

5. Instalar la tapa del distribuidor y apretar los tornillos. Instalar el protector contra salpicaduras.

6. Instalar los cables de bujías.

7. Conectar el cable negativo de la batería.

8. Una vez que la sincronización del encendido esté ajustada, apretar el/los perno/s de sujeción a 80-104 plg-lb (9-11 Nm) para los motores GA16DE y VG30E, o a 108-144 plg-lb (13-16 Nm) para los motores SR20DE y los motores Altima (KA24DE). En el motor del 240SX (KA24DE), apretar a 34-39 plg-lb (4-5 Nm).

MOTOR ALTERADO

1. Instalar una junta tórica de cuerpo de distribuidor nueva.

2. Colocar el motor de manera que el pistón N° 1 esté en el PMS para su carrera de compresión y la marca en el amortiguador de vibraciones se alinee con 0 en el indicador de la sincronización.

3. Instalar el distribuidor en el motor de manera que el rotor esté alineado con la posición del cable de encendido N° 1 en la tapa del distribuidor. Asegurarse de que el distribuidor está totalmente asentado y de que el eje del distribuidor está totalmente engranado.

4. Instalar y ajustar el perno de sujeción.

5. Conectar los cables de captación del distribuidor.

6. Instalar la tapa del distribuidor y apretar los tornillos. Instalar el protector contra salpicaduras, si está equipado.

7. Instalar los cables de bujías.

8. Conectar el cable negativo de la batería.

9. Una vez que la sincronización del encendido haya sido ajustada, apretar el/los perno/s de sujeción a 80-104 plg-lb (9-11 Nm) para los motores GA16DE y VG30E, o a 108-144 plg-lb (13-16 Nm) para los motores SR20DE y los motores Altima (KA24DE). En el motor del 240SX (KA24DE), apretar a 34-39 plg-lb (4-5 Nm).

SINCRONIZACIÓN DEL ENCENDIDO

AJUSTE

Motores 1.6L, 2.0L y 2.4L

Antes de ajustar la sincronización del encendido, comprobar visualmente el filtro de aire, las mangueras de admisión, los conductos, el funcionamiento de la válvula de RGE y las conexiones eléctricas. Corregir o reparar cualquier problema según sea necesario. Asegurarse de inspeccionar la válvula del ahogador y el sensor de posición del ahogador para comprobar si su funcionamiento es correcto.

1. Localizar las marcas de sincronización en la polea del cigüeñal y la delantera del motor.

2. Limpiar las marcas de sincronización.

3. Utilizar tiza o pintura blanca y colorear la marca en la polea del cigüeñal y la marca en la escala con la que se indicará la sincronización correcta cuando esté alineada con la muesca en la polea del cigüeñal.

4. Acoplar un tacómetro en el motor.

5. Acoplar una luz de sincronización en el motor, en el cable de encendido del cilindro N° 1.

6. Comprobar para asegurarse de que todos los cables despejan el ventilador; arrancar el motor y permitirle alcanzar la temperatura normal de funcionamiento.

7. Bloquear las ruedas delanteras y poner el freno de mano. Cambiar la transmisión a

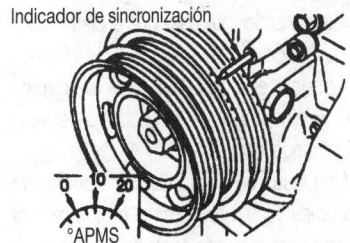

Indicador de sincronización

▲ Apuntar la luz de sincronización hacia la polea del cigüeñal para ver las marcas de sincronización – Motor 1.6L

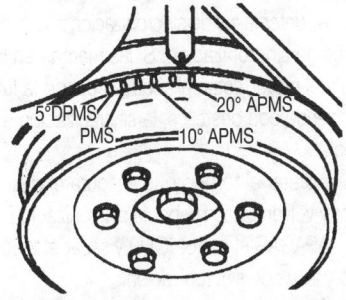

▲ Las marcas de sincronización están situadas sobre la polea del cigüeñal – Motor 2.4L

NEUTRAL para las transmisiones automáticas y manuales; al hacer los ajustes, no ponerse delante del vehículo.

8. Realizar los procedimientos siguientes:

a. Poner el motor a 2000 rpm durante dos minutos aproximadamente bajo la condición sin carga; asegurarse de que todos los accesorios estén apagados.

b. Realizar diagnósticos de a bordo del motor y reparar cualquier código que falle.

c. Acelerar 2-3 veces el motor bajo condición sin carga, después rodar el motor a marcha mínima durante un minuto.

d. Parar el motor y desconectar el sensor de posición del ahogador.

e. Acelerar el motor a 2000 rpm durante dos minutos aproximadamente bajo la condición sin carga; asegurarse de que todos los accesorios estén APAGADOS.

f. Rodar el motor a marcha mínima.

- 1.6L (GA16DE)- 6-10 grados APMS (Antes Punto Muerto Superior).
- 2.0L (SR20DE)- 13-17 grados APMS.
- 2.4L (KA24DE)- 18-22 grados APMS.

9. Apuntar la luz de sincronización hacia las marcas de sincronización. Si las marcas en la polea y el motor están alineadas cuando la luz se enciende con destellos, la sincronización es correcta. APAGAR el motor y sacar el tacómetro y la luz de sincronización. Si las marcas no están alineadas, seguir los pasos siguientes.

10. APAGAR el motor (OFF).

11. Aflojar los tornillos que aseguran el distribuidor justo lo suficiente para que el distribuidor pueda ser girado.

12. Arrancar el motor. Mantener los cables de la luz de sincronización despejados del ventilador de refrigeración.

13. Con la luz de sincronización apuntando hacia la polea y las marcas en el motor, girar el distribuidor para el ajuste correcto.

14. Acelerar el motor 2-3 veces bajo condición sin carga, después rodar el motor a marcha mínima durante un minuto.

15. Apuntar la luz de sincronización hacia las marcas de sincronización. Si las marcas en la polea y el motor están alineadas cuando la luz se enciende con destellos, la sincronización es correcta.

16. Apretar el tornillo que asegura el distribuidor y volver a comprobar la sincronización.

17. APAGAR el motor (OFF) y sacar el tacómetro y la luz de sincronización.

18. Conectar el sensor de posición del ahogador.

Motor 3.0L (VQ30DE)

➡ **La sincronización del encendido no es ajustable. Si no está dentro de las especificaciones, es necesaria una inspección de diagnóstico adicional. El procedimiento siguiente es para inspeccionar el ajuste de la sincronización del encendido.**

Antes de ajustar la sincronización del encendido, comprobar visualmente el filtro del aire, las mangueras de admisión, los conductos, el funcionamiento de la válvula de RGE y las conexiones eléctricas. Corregir o reparar cualquier problema según sea necesario. Asegurarse de inspeccionar la válvula del ahogador y el sensor de posición del ahogador para comprobar si su funcionamiento es correcto.

1. Localizar las marcas de sincronización en la polea del cigüeñal y la parte delantera del motor.

2. Limpiar las marcas de sincronización.

➡ **La especificación de la sincronización del encendido es 13-17º APMS.**

3. Utilizar tiza o pintura blanca y colorear la marca en la polea del cigüeñal y la marca de la escala con la que se indicará la sincronización correcta cuando esté alineada con la ranura en la polea del cigüeñal.

4. Acoplar un tacómetro en el motor.

5. Acoplar una luz de sincronización en el motor, en el cable de encendido del cilindro número uno.

6. Apagar todos los equipos eléctricos y los accesorios.

7. Comprobar para asegurarse de que todos los cables despejan el ventilador, después, arrancar el motor y permitirle que alcance la temperatura normal de funcionamiento.

8. Bloquear las ruedas delanteras y poner el freno de mano. Cambiar la transmisión a NEUTRAL para las transmisiones manuales y automáticas. Al hacer los ajustes, no ponerse delante del vehículo.

9. Realizar los procedimientos siguientes:

a. Acelerar el motor a 2000 rpm durante dos minutos aproximadamente bajo la condición sin carga; asegurarse de que todos los accesorios estén apagados.

b. Realizar diagnósticos de a bordo del motor y reparar cualquier código que falle.

c. Acelerar el motor a 2000 rpm durante dos minutos aproximadamente bajo la condición sin carga.

d. APAGAR el motor y desconectar el sensor de posición del ahogador.

e. Arrancar y acelerar el motor 2-3 veces bajo condición sin carga, después rodar el motor a marcha mínima.

➡ **La especificación de la sincronización del encendido es 13-17º APMS.**

10. Apuntar la luz de sincronización hacia las marcas de sincronización. Si las marcas en la polea y en el motor están alineadas cuando la luz se enciende, la sincronización es correcta. APAGAR el motor y sacar el tacómetro y la luz de sincronización. Si las marcas no están alineadas, seguir los pasos siguientes.

11. APAGAR el motor (OFF).

12. Comprobar el sensor de posición del árbol de levas (PHASE), el sensor de posición del cigüeñal (REF) y el sensor de posición del cigüeñal (POS). Si es necesario, reemplazar.

13. Si la sincronización del encendido todavía no es correcta, sustituir por un ECM bien conocido.

➡ **El ECM puede ser la causa del problema, pero éste raramente es el caso.**

14. APAGAR el motor y sacar el tacómetro y la luz de sincronización.

Motores 3.0L (VG30DE y VG30DETT)

➡ **Antes de realizar este ajuste, el motor debe estar en buenas condiciones mecánicas y todos los conectores eléctricos y mangueras de vacío conectados.**

1. Arrancar el motor y dejar que se caliente hasta su temperatura normal de funcionamiento.

2. Abrir el capó o rodar el motor bajo condición sin carga a 2000 rpm aproximadamente durante unos dos minutos.

3. Realizar el Modo II del Test de Diagnóstico y reparar, cuando sea necesario, cualquier causa de códigos averiados.

4. Rodar el motor bajo condición sin carga a 2000 rpm durante dos minutos aproximadamente. Acelerar el motor dos o tres veces y dejarlo a marcha mínima durante un minuto.

5. Apagar el motor y separar el conector del sensor de posición del ahogador. Sacar la bobina de encendido Nº 1. Conectar la bobina a la bujía utilizando un trozo de cable de alta tensión de repuesto de manera que se tenga un sitio donde conectar la luz de sincronización. Arrancar el motor.

6. Rodar el motor bajo condición sin carga a 2000 rpm durante dos minutos aproximadamente. Acelerar el motor dos o tres veces y dejarlo a marcha mínima.

7. Comprobar la sincronización del encendido y, si es necesario, ajustar. La sincronización del encendido correcta es 8-12° APMS en vehículos sin turboalimentación; 13-17° APMS en vehículos con turboalimentación. El ajuste se hace aflojando los tornillos y girando el sensor de posición del árbol de levas. Apretar los tornillos de montaje y confirmar que la sincronización del encendido no ha cambiado.

8. APAGAR el motor y conectar el conector del sensor de posición del ahogador.

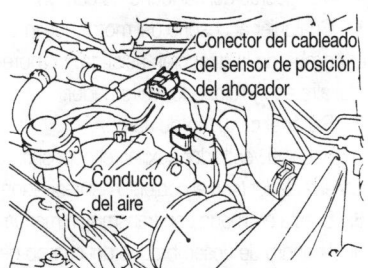

▲ Localización del conector del sensor de posición del ahogador – Motores 3.0L (VG30DE y VG30DETT)

CONJUNTO MOTOR

DESMONTAJE E INSTALACIÓN

Sentra y 200SX

➡ El motor y la transmisión se quitan como una unidad desde la parte de debajo del vehículo.

▼ PRECAUCIÓN ▼

Después de apagar el motor, el sistema de inyección del combustible permanece bajo presión. Antes de desconectar cualquier línea de combustible, descargar correctamente la presión de combustible. Si no se realiza correctamente puede producirse un incendio o daños personales.

1. Descargar la presión del sistema de combustible.

2. Desconectar el cable negativo de la batería y después el positivo.

3. Sacar la batería y la bandeja de la batería del vehículo.

4. Levantar y soportar con seguridad el vehículo.

5. Sacar ambas ruedas delanteras.

6. Sacar las subcubiertas del motor y sacar las cubiertas laterales del motor.

7. Drenar el fluido refrigerante del radiador y del bloque de cilindros.

8. Drenar el aceite del motor.

9. Sacar el conjunto del filtro de aire y sacar el conducto de aire.

10. Anotar las posiciones y sacar las mangueras de vacío.

11. Desconectar del motor las mangueras del calefactor.

12. Si está equipado, desconectar las mangueras del refrigerador de la T/A de la transmisión.

13. Desconectar las mangueras de combustible del motor.

14. Anotar las posiciones y separar el cableado y las conexiones del cableado.

15. Desconectar el cable del ahogador y el cable del control de velocidad de crucero.

16. Si está equipado con transmisión automática, desconectar el cable de control.

17. Sacar los ventiladores de refrigeración, el radiador y el depósito de recuperación.

18. Sacar los ejes propulsores delanteros del vehículo.

19. Sacar el tubo de escape delantero.

20. En los motores 1.6L, desconectar la barra de control y la barra de soporte de la transmisión.

21. Sacar los soportes del motor de arranque y del montaje del múltiple de admisión.

22. Sacar las correas propulsoras del motor.

23. Sacar los soportes del alternador y ajuste.

24. Sacar la bomba de la dirección asistida y el compresor del A/A. No es necesario desconectar las líneas.

25. En los motores 1.6L, sacar el soporte del montaje delantero de la culata de cilindros.

26. Colocar un gato de transmisiones debajo de la transmisión y soportar el motor con una eslinga de motores.

27. Sacar el travesaño central.

28. En algunos modelos, puede ser necesario sacar la barra estabilizadora delantera.

29. Sacar los tornillos de montaje del motor, de ambos lados del motor.

30. Bajar lentamente los mecanismos del gato y sacar el motor y la transmisión del vehículo.

Para instalar:

31. Instalar el conjunto del motor y la transmisión.

32. Instalar los tornillos de montaje de ambos lados del motor.

33. Para vehículos con transmisiones manuales, ajustar la altura del soporte de montaje (barra de tope). La distancia entre los dos tornillos pasantes debe ser 2.126-2.205 plg (54-56 mm).

34. Instalar el travesaño central y sacar los gatos de soporte del motor. Sacar la eslinga del motor.

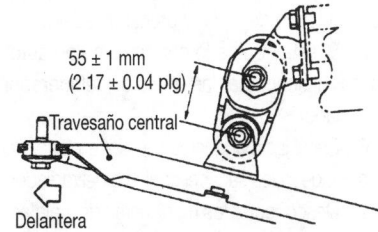

▲ Ajuste de altura de la barra de tope – Sentra y 200SX con motor 1.6L

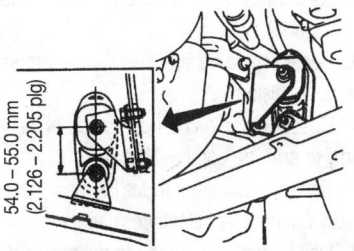

▲ Asegurarse de ajustar la altura de montaje del motor para los vehículos T/M – Motor 2.0L

35. Instalar los componentes restantes en el orden inverso al de desmontaje.

36. Apretar el tornillo de la barra de control a 10-13 pie-lb (14-18 Nm). Apretar el tornillo de la barra de soporte a 26-35 pie-lb (35-47 Nm).

37. Instalar la bandeja de la batería e instalar la batería.

38. Conectar el cable positivo de la batería y después el negativo.

39. Arrancar el motor y comprobar si hay fugas. Hacer todos los ajustes necesarios.

Altima

▼ PRECAUCIÓN ▼

Antes de desconectar las líneas de combustible, descargar la presión del combustible en el sistema.

Después de APAGAR el motor, el sistema de combustible permanecerá bajo presión. Si no se descarga correctamente la presión, puede producirse un incendio o daños personales.

➡ El motor y la transmisión deben sacarse como una sola unidad. El motor y la transmisión se sacan desde debajo del vehículo.

1. Marcar la posición de las bisagras del capó y sacar el capó del vehículo.

2. Descargar la presión del sistema de combustible.

3. Desconectar los cables de la batería y sacar la batería y bandeja de la batería.

4. Drenar el fluido refrigerante desde el tapón del tubo del agua y drenar el radiador.

5. Si está equipado con transmisión automática, desconectar las líneas del refrigerador del radiador.

6. Sacar las mangueras superior e inferior del radiador, después sacar el conjunto del radiador.

7. Desconectar las mangueras del calefactor del motor.

8. Desconectar el cable del ahogador y el cable del control de velocidad de crucero (si está equipado).

9. Sacar el filtro de aire, caja de aire y manguera de admisión.

10. Desconectar las mangueras de alimentación y retorno de combustible.

11. Separar y etiquetar todas las mangueras de vacío y conectores eléctricos necesarios.

12. Desconectar el cableado del motor de arranque.

13. Si está equipado, desconectar el cilindro auxiliar de la transmisión. Si no es necesario, no desconectar la manguera hidráulica.

14. Sacar las correas propulsoras del motor. Asegurarse de marcar las correas para su reinstalación.

15. Sacar el alternador, compresor del A/A y bomba de la dirección asistida del motor.

16. Sacar los ejes propulsores derecho e izquierdo de la transmisión.

17. Desconectar el tubo de escape del múltiple de escape.

18. Desconectar el sensor de posición del cigüeñal del bloque de cilindros.

19. Soportar el motor con una eslinga y soportar la transmisión con un gato adecuado.

20. Desconectar los tornillos pasantes de montaje izquierdo y derecho del motor.

21. Sacar los tornillos que aseguran el travesaño en el vehículo y sacar el travesaño.

22. Sacar los montajes delantero y trasero del motor.

23. Bajar el conjunto transmisión y motor del vehículo.

➡ **El conjunto del motor y transmisión deben sacarse a través de la parte infe-**

rior del vehículo. No intentar sacar el conjunto desde arriba.

Para instalar:

24. Levantar el conjunto de la transmisión y el motor hasta el vehículo.

25. Instalar los montajes delantero y trasero del motor. Apretar los tornillos de montaje según las especificaciones.

26. Instalar el travesaño y apretar los tornillos de montaje a 57-72 pie-lb (77-98 Nm).

27. Conectar los tornillos pasantes de los montajes izquierdo y derecho del motor. Apretar los tornillos según las especificaciones.

28. Sacar los gatos de soporte del motor y la transmisión.

29. El resto de la instalación es inverso al procedimiento de desmontaje.

30. Rellenar el sistema de refrigeración y el aceite del motor. Comprobar los niveles de todos los fluidos.

31. Arrancar el motor, sangrar el sistema de refrigeración y comprobar si hay fugas. Hacer todos los ajustes necesarios.

32. Instalar el capó.

Maxima

Se recomienda que el motor y la transmisión se saquen como una sola unidad. Si es necesario, las unidades pueden separarse después de sacadas.

➡ **El conjunto del motor y la transmisión debe sacarse desde la parte inferior del vehículo.**

1. Marcar la conexión de las bisagras del capó y sacar el capó.

2. Descargar la presión del sistema de combustible. Desconectar el cable negativo de la batería y levantar y soportar con seguridad el vehículo.

3. Drenar el fluido refrigerante del bloque de cilindros y el radiador. Drenar el cárter y la transmisión automática, si está equipado.

4. Sacar el filtro de aire, el tubo de admisión de aire y el medidor de flujo de aire, y desconectar el varillaje del ahogador.

5. Desconectar y/o sacar lo siguiente:

• Correas propulsoras.

• Cable de toma de tierra del motor.

• Conector eléctrico del sensor de ángulo del cigüeñal.

• Conectores del cableado eléctrico del motor.

Después de APAGAR el motor, el sistema de inyección de combustible permanece bajo presión. Antes de desconectar cualquier línea de combustible, descargar correctamente la presión del combustible. En caso contrario, puede producirse un incendio o daños personales.

• Mangueras de suministro y retorno de combustible.

• Mangueras superior e inferior del radiador.

• Mangueras de entrada y salida del calefactor.

• Conector eléctrico del sensor de ángulo del cigüeñal.

• Mangueras de vacío del motor.

• Mangueras del cartucho de carbón.

• Cualquier accesorio del motor que interfiera: bomba de la dirección asistida, compresor del aire acondicionado y alternador.

6. Sacar el cartucho de carbón.

7. Sacar el ventilador auxiliar, el depósito de agua y el radiador (con el conjunto del ventilador).

8. Si está equipado con transmisión manual, sacar el cilindro de desembrague del cuerpo del embrague.

9. En algunos modelos con transmisión manual, desconectar la barra de control del cambio y desconectar la barra de soporte del cambio. En otros modelos con transmisión automática, desconectar el cable de control de la transmisión.

10. Instalar eslingas de motor en el bloque y conectar un mecanismo de elevación en las eslingas. No tensar todavía el mecanismo de elevación.

11. Desconectar el tubo de escape en ambas conexiones del múltiple y sacar el tubo de escape delantero del vehículo.

12. Si está equipado con transmisión manual, drenar el aceite del mecanismo de la transmisión.

13. Soportar el conjunto del motor y la transmisión con un gato adecuado.

14. Desconectar los semiejes derecho e izquierdo, de sus bridas laterales y sacar el tornillo que sujeta el soporte del enlace radial.

15. Bajar las barras del cambio de marchas y selectora y sacar los tornillos de los soportes de montaje del motor. Sacar las tuercas que sujetan los montajes delantero y trasero del motor en el bastidor.

16. En algunos modelos será necesario sacar el conjunto del travesaño central del vehículo.

17. Bajar el conjunto motor/transmisión y ponerlo sobre un banco para motores.

Para instalar:

18. Levantar el conjunto motor/transmisión en el vehículo. Cuando se levante el motor sobre sus montajes, asegurarse de mantenerlo tan nivelado como sea posible.

19. Después de instalar los montajes del motor, ajustar e instalar las barras de tope; la delantera debe estar a 3.50-5.58 plg (89-91 mm) y la trasera a 3.90-3.98 plg (99-101 mm).

20. Comprobar la holgura entre el bastidor y el cuerpo del embrague y asegurarse de que los tornillos de los montajes del motor están asentados en la ranura del soporte de montaje.

21. Sacar el conjunto del gato de la transmisión y el motor.

22. Los componentes restantes se instalan en el orden inverso al que se han desmontado.

23. Llenar la transmisión, el motor y el sistema de refrigeración, a los niveles correctos, con los fluidos apropiados.

24. Instalar el capó, y conectar el cable negativo de la batería.

25. Hacer todos los ajustes necesarios del motor. Cargar el sistema del aire acondicionado, si está descargado. Probar el vehículo en carretera para ver si su funcionamiento es correcto.

240SX

➡ El conjunto motor se saca desde la parte superior del vehículo.

1. Asegurarse de que está sobre una superficie plana y nivelada y que las ruedas están fuertemente inmovilizadas.

2. Dejar que el sistema de escape se enfríe completamente antes de empezar a trabajar, para prevenir quemaduras y un posible incendio cuando las líneas de combustible sean desconectadas.

▼ PRECAUCIÓN ▼

Después de APAGAR (OFF) el motor, el sistema de combustible permanece bajo presión. Antes de desconectar cualquier línea de combustible, descargar correctamente la presión de combustible. En caso contrario, puede producirse un incendio o daños personales.

3. Descargar la presión del combustible del sistema de combustible antes de intentar desconectar cualquier línea de combustible.

4. Marcar la posición de las bisagras en el capó. Desatornillar y sacar el capó.

5. Desconectar los cables de la batería y sacar la batería. Asegurarse de desconectar primero el cable negativo.

6. Sacar la subcubierta del motor.

7. Sacar la transmisión del vehículo.

8. Drenar el fluido refrigerante del radiador y del bloque de cilindros.

9. Drenar el aceite del motor del vehículo.

10. Después de desconectar los tubos de la transmisión automática a la refrigeración del radiador, sacar el radiador y el recubrimiento del radiador.

11. Sacar el filtro de aire.

12. Sacar las correas propulsoras del motor.

13. Sacar el ventilador y la polea.

14. Separar los conectores del cableado eléctrico en el sensor de la temperatura del agua, la unidad de transmisión de presión del aceite y del motor de arranque. Desconectar los cables de encendido primarios.

15. Desconectar las mangueras de combustible.

▼ PRECAUCIÓN ▼

En todos los modelos de inyección de combustible, la presión del combustible debe descargarse antes de poder desconectar las líneas de combustible.

16. Separar las conexiones eléctricas en el alternador. Desconectar las mangueras del calefactor y las conexiones del ahogador.

17. Desconectar el cable de toma de tierra del motor, el cable transmisor de la temperatura, el cable del solenoide de cierre del suministro de combustible y el cable del solenoide de corte de vacío.

18. Sacar el tubo de escape delantero del vehículo.

▼ PRECAUCIÓN ▼

En modelos con aire acondicionado, es necesario sacar el compresor del vehículo. NO INTENTAR SOLTAR NINGUNA DE LAS MANGUERAS DEL AIRE ACONDICIONADO ANTES DE EVACUAR CORRECTAMENTE EL SISTEMA.

19. Sacar el compresor del A/A del vehículo.

20. Sacar la bomba de la dirección asistida del motor.

21. Desconectar la manguera del reforzador del servofreno del motor.

22. Acoplar un elevador en los ganchos de elevación del motor (en cada extremo de la culata de cilindros). Soportar el motor.

23. Sacar las tuercas de montaje del motor de ambos lados inferiores de los montajes del motor.

➡ Cuando se eleve el motor hacia fuera, guiarlo con cuidado para evitar que se golpeen piezas como el cilindro principal.

24. Sacar el motor del vehículo.

Para instalar:

25. Con el conjunto motor asegurado en el elevador, bajar el conjunto dentro del vehículo.

26. Apretar las tuercas de montaje del motor a 51-58 pie-lb (69-78 Nm). Puede ser necesario bajar o subir el elevador del motor para colocar correctamente el conjunto motor y alinearlo con los agujeros de los montajes. Sacar el elevador del motor.

27. Instalar la bomba de la dirección asistida en el motor. Instalar el reforzador del servofreno.

28. El resto de la instalación es inverso al procedimiento de desmontaje.

29. Rellenar los niveles del motor, de la transmisión y del fluido refrigerante con el tipo y la cantidad correcta de fluido.

30. Comprobar todos los fluidos para asegurarse de que están en el nivel correcto. Arrancar el motor y rodarlo a marcha mínima hasta que alcance la temperatura normal de funcionamiento. Comprobar si hay fugas de fluido y repararlas como sea necesario.

31. Una vez se esté seguro de que no hay fugas, probar el vehículo en carretera. Comprobar si el funcionamiento del vehículo es correcto. Una vez que la prueba en carretera se haya completado, volver a comprobar los niveles de los fluidos.

300ZX

CON TRANSMISIÓN MANUAL

1. Descargar la presión del sistema del combustible y desconectar el cable negativo de la batería.

▼ PRECAUCIÓN ▼

Después de APAGAR el motor, el sistema de inyección de combustible permanece bajo presión. Antes de desconectar cualquier línea de combustible, descargar correctamente la presión del combustible. En caso contrario, puede producirse un incendio o daños personales.

2. Marcar la conexión de las bisagras del capó y sacar el capó.

3. Drenar el fluido refrigerante del bloque de cilindros y del radiador. Drenar el cárter y la transmisión.

4. Sacar el filtro de aire, el tubo de admisión de aire, el medidor de flujo de aire y desconectar el varillaje del ahogador.

5. Anotar las localizaciones y desconectar las mangueras de vacío del motor.

6. Desconectar las mangueras de suministro y retorno de combustible.

7. Anotar las localizaciones del cableado y separar las conexiones del aparejo.

8. Levantar y soportar con seguridad el vehículo.

9. Sacar la/s subcubierta/s del motor.

10. Desconectar los tubos de escape delanteros del motor.

11. Desconectar y sacar el eje propulsor de la parte trasera de la transmisión.

12. Sacar las mangueras superior e inferior del radiador.

13. Sacar el recubrimiento del radiador y sacar el radiador del vehículo.

14. Sacar las correas propulsoras del motor.

15. Sacar el ventilador de refrigeración y los enganches del ventilador de refrigeración.

16. Desconectar y sacar la bomba de la dirección asistida, el compresor del A/A y el alternador.

17. Desconectar el cableado del motor de arranque y sacar el conjunto del motor de arranque.

18. Sacar el cilindro auxiliar del embrague de la transmisión y colocarlo a un lado. No es necesario desconectar la línea de fluido.

19. Desconectar las abrazaderas del tubo del A/A.

20. Desconectar la junta inferior de la columna de la dirección.

21. Sacar las tuercas de montaje de la barra tensora en el brazo de control inferior de ambos lados y desconectar la barra del brazo de control inferior.

22. Aflojar, sin sacar, los tornillos del brazo de control inferior en el travesaño.

23. Colocar un gato para transmisiones adecuado debajo del travesaño y soportar el motor con una eslinga y un elevador.

24. Sacar los tornillos de montaje del travesaño.

➡ Durante el desmontaje del motor, el travesaño permanecerá en el vehículo.

25. Sacar los tornillos de montaje del motor de ambos lados del motor, después bajar lentamente el gato.

26. Sacar el motor y la transmisión del vehículo.

➡ Cuando se eleve el motor del vehículo, ir con cuidado de no golpear las piezas contiguas. Poner especial atención en la funda del cable del acelerador, las líneas del freno y el cilindro principal.

Para instalar:

27. Instalar el conjunto motor y transmisión.

28. Bajar lentamente el gato de suelo e instalar los tornillos de montaje del motor.

29. Instalar los tornillos de montaje del travesaño.

30. Sacar la eslinga y el elevador del motor.

➡ Todos los tornillos de la suspensión deben apretarse con todo el peso del vehículo sobre el suelo.

31. Apretar los tornillos del brazo de control inferior en el travesaño.

32. Instalar el resto de componentes en el orden opuesto al que se han desmontado.

33. Apretar los tornillos y las tuercas de montaje del enlace transversal y de la barra tensora a 80-94 pie-lb (108-127 Nm).

34. Llenar el aceite de motor, la transmisión y el sistema de refrigeración con el tipo y cantidad de fluido adecuados.

35. Instalar el capó y conectar el cable negativo de la batería.

36. Realizar todos los ajustes necesarios.

37. Arrancar el motor y calentarlo a la temperatura de pleno funcionamiento; sangrar el sistema de refrigeración y comprobar si hay fugas.

CON TRANSMISIÓN AUTOMÁTICA

1. Descargar la presión del sistema de combustible y desconectar el cable negativo de la batería.

▼ PRECAUCIÓN ▼

Después de APAGAR el motor, el sistema de presión del combustible permanece bajo presión. Antes de desconectar cualquier línea de combustible, descargar correctamente la presión del combustible. En caso contrario, puede producirse un incendio o daños personales.

2. Marcar la conexión de las bisagras del capó y sacar el capó.

3. Drenar el fluido refrigerante del bloque de cilindros y del radiador. Drenar el cárter y la transmisión automática.

4. Sacar el filtro de aire, el tubo de admisión de aire y el medidor de flujo de aire y desconectar el varillaje del ahogador.

5. Anotar las localizaciones y desconectar las mangueras de vacío del motor.

6. Desconectar las mangueras de suministro y retorno de combustible.

7. Anotar las localizaciones del cableado y separar las conexiones del aparejo.

8. Levantar y soportar con seguridad el vehículo.

9. Sacar la/s subcubierta/s del motor.

10. Desconectar los tubos de escape delanteros del motor.

11. Desconectar y sacar el eje propulsor de la parte trasera de la transmisión.

12. Sacar las mangueras superior e inferior del radiador. Desconectar las mangueras del núcleo del calefactor.

13. Sacar el recubrimiento del radiador y sacar el radiador del vehículo.

14. Sacar las correas propulsoras del motor.

15. Desconectar y sacar la bomba de la dirección asistida, el compresor del A/A y el alternador.

16. Desconectar el cableado del motor de arranque y sacar el conjunto del motor de arranque.

17. Sacar la transmisión del vehículo.

18. Instalar una eslinga y un elevador de motor.

19. Soportar el peso del motor con el elevador y desconectar los tornillos de montaje del motor.

20. Levantar el motor de sus montajes y sacar el conjunto motor.

➡ Cuando se levante el motor del vehículo ir con cuidado de no golpear las piezas contiguas. Poner especial atención en la funda del cable del acelerador, las líneas del freno y el cilindro principal.

Para instalar:

21. Instalar el conjunto motor en el compartimiento del motor.

22. Instalar los tornillos de montaje del motor.

23. Instalar el conjunto de la transmisión.

24. Instalar el motor de arranque y conectar el cableado.

25. Instalar los componentes restantes en el orden inverso al de desmontaje.

26. Llenar el sistema de refrigeración, la transmisión y el cárter con el tipo y la cantidad adecuada de fluido.

27. Instalar el capó y conectar el cable negativo de la batería.

28. Realizar todos los ajustes necesarios.

29. Arrancar el motor y calentarlo a la temperatura de pleno funcionamiento, sangrar el sistema de refrigeración y comprobar si hay fugas.

BOMBA DE AGUA

DESMONTAJE E INSTALACIÓN

Motor 1.6L

1. Desconectar el cable negativo de la batería.

▼ PRECAUCIÓN ▼

No abrir, reparar o drenar el radiador o sistema de refrigeración cuando esté caliente; pueden producirse quemaduras graves a causa del vapor y del fluido refrigerante caliente. Drenar siempre el fluido refrigerante en un recipiente provisto de cierre. El fluido refrigerante puede reutilizarse excepto si está contaminado o es muy viejo.

2. Drenar el sistema de refrigeración.

3. Sacar el soporte de montaje delantero de la culata de cilindros.

4. Aflojar los tornillos de la polea de la bomba de agua.

5. Sacar las correas propulsoras del motor, del compresor del A/A, bomba de la dirección asistida y alternador.

6. Sacar la polea de la correa de la bomba de agua.

7. Separar los conectores eléctricos y las mangueras de fluido refrigerante del cuerpo del termostato.

8. Desatornillar y sacar la bomba de agua y el cuerpo del termostato del motor.

➡ Sacar la caja del termostato con el conjunto de la bomba de agua.

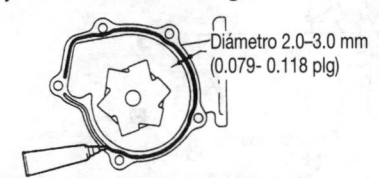

Diámetro 2.0–3.0 mm (0.079- 0.118 plg)

▲ Aplicar selladora RTV a la superficie de sellado de la bomba de agua, tal como se muestra – Motor 1.6L

9. Sacar los tornillos que fijan el cuerpo del termostato en la bomba de agua.

10. Sacar todo resto de material de junta, de las superficies de sellado.

Para instalar:

11. Aplicar un cordón continuo de sellador líquido en la superficie de sellado de la bomba de agua. El sellador debe tener un diámetro de 0.079-0.118 plg (2-3 mm).

12. Instalar el cuerpo del termostato en la bomba de agua y apretar los tornillos de montaje a 56-73 plg-lb (7-8 Nm).

13. Aplicar un cordón continuo de sellador líquido en la superficie de sellado de la bomba de agua. El cordón sellador debe tener un diámetro de 0.079-0.118 plg (2-3 mm).

14. Instalar la bomba de agua en el motor y apretar los tornillos de montaje a 56-73 plg-lb (7-8 Nm).

15. Instalar la polea en la bomba de agua y apretar los tornillos de montaje a 56-73 plg-lb (7-8 Nm).

16. Conectar los conectores eléctricos y las mangueras del fluido refrigerante en el cuerpo del termostato.

17. Instalar y ajustar las correas propulsoras del alternador, la dirección asistida y el compresor del A/A.

18. Llenar el sistema de refrigeración y conectar el cable negativo de la batería.

19. Arrancar el motor, sangrar el sistema de refrigeración, calentar el motor a la temperatura de funcionamiento completo y comprobar si hay fugas.

20. Si es necesario, cuando el motor se haya enfriado, llenar el sistema de refrigeración.

Motor 2.0L

1. Desconectar el cable negativo de la batería.

2. Drenar el fluido refrigerante del radiador.

3. Sacar el tapón de drenaje del bloque de cilindros situado en la parte delantera izquierda del motor y drenar el fluido refrigerante.

4. Aflojar los tornillos de la polea de la bomba de agua.

5. Sacar las correas propulsoras de la bomba de la dirección asistida, el alternador y el compresor del A/A (si está equipado).

6. Sacar la polea de la bomba de agua.

7. Anotar la posición del soporte de ajuste de la bomba de la dirección asistida y sacar el soporte de ajuste de la bomba de la dirección

asistida, de la bomba de agua. Si es necesario, sacar la bomba de la dirección asistida para acceder al soporte.

➡ Al sacar la bomba de la dirección asistida no es necesario desconectar las mangueras de presión o drenar el sistema. Colocar o atar la bomba a un lado.

8. Soportar el motor y sacar el montaje delantero del motor.

9. Sacar los tornillos de montaje de la bomba de agua y sacar la bomba de agua.

10. Sacar todos los restos de material de la junta líquida de las superficies de sellado.

Para instalar:

11. Aplicar un cordón continuo de sellador líquido a la superficie de unión de la bomba de agua. La anchura del sellador debe ser 0.079-0.118 plg (2-3 mm).

12. Instalar el conjunto de la bomba de agua y apretar los tornillos de montaje a 12-15 pie-lb (16-21 Nm).

➡ Asegurarse de colocar el soporte de ajuste en la posición correcta que se anotó durante el desmontaje.

13. Instalar el montaje delantero del motor.

14. Instalar el soporte de ajuste de la bomba de la dirección asistida e instalar la bomba de la dirección asistida, si se ha sacado.

15. Instalar la polea de la bomba de agua y apretar los tornillos de montaje a 55-73 plg-lb (6-8 Nm).

16. Instalar y ajustar las correas propulsoras de la bomba de la dirección asistida, el alternador y el compresor del A/A (si está equipado).

17. Instalar el tapón de drenaje del bloque de cilindros situado en la parte delantera izquierda del motor y apretar el tapón de drenaje a 70-104 plg-lb (8-12 Nm).

18. Llenar el sistema de refrigeración y conectar el cable negativo de la batería.

19. Arrancar el motor, sangrar el sistema de refrigeración y comprobar si hay fugas.

Motor 2.4L

ALTIMA

1. Desconectar el cable negativo de la batería.

2. Drenar el sistema de refrigeración y el tubo del agua, utilizando los tapones de drenaje.

3. Sacar la manguera superior del radiador para proporcionar espacio para trabajar y sacar de las poleas la/s correa/s propulsora/s.

4. Sacar el alternador y el compresor del A/A.

➡ **No desconectar las líneas del compresor del A/A. Desatornillar el compresor y colocarlo a un lado.**

5. Sacar la polea de la bomba de agua.

6. Sacar los tornillos de montaje y sacar la bomba de agua del motor.

➡ **Los tornillos de montaje tienen medidas diferentes y deben instalarse en la posición correcta; por esta razón, es una buena idea disponer los tornillos de manera que puedan identificarse fácilmente durante la instalación.**

Para instalar:

7. Asegurarse de que todas las superficies de junta están limpias y aplicar correctamente un cordón continuo de sellador de silicona en la bomba.

8. Instalar la bomba en el motor y apretar los tornillos de 6 mm a 57-66 plg-lb (6-8 Nm) y los tornillos de 8 mm a 12-14 pie-lb (16-19 Nm).

9. Instalar la polea de la bomba de agua y apretar los tornillos a 57-66 plg-lb (6-8 Nm).

10. Instalar los componentes restantes en el orden opuesto al que se han desmontado.

11. Llenar y sangrar el sistema de refrigeración.

12. Arrancar el motor y comprobar si hay fugas.

240SX

1. Desconectar el cable negativo de la batería.

2. Drenar el sistema de refrigeración y el bloque de cilindros, utilizando la llave de purga del radiador y el tapón de drenaje del bloque de cilindros.

3. Sacar la manguera superior del radiador para proporcionar espacio para trabajar y sacar la/s correa/s propulsora/s, de las poleas.

4. Sacar los tornillos de retención y elevar el recubrimiento del ventilador de refrigeración, del motor.

5. Mientras se sujeta la polea, sacar las tuercas que retienen el ventilador de refrigeración y la polea a la bomba de agua.

6. Sacar los tornillos de montaje y sacar la bomba de agua, del motor.

Para instalar:

7. Asegurarse de que todas las superficies de junta están limpias y aplicar correctamente sellador líquido en la bomba.

8. Instalar la bomba en el motor y apretar los tornillos a 12-14 pie-lb (16-19 Nm).

9. Instalar los componentes restantes en el orden inverso al de desmontaje.

10. Apretar las tuercas de montaje del embrague del ventilador, ventilador y polea a 66 plg-lb (8 Nm).

11. Arrancar el motor y comprobar si hay fugas.

Motores 3.0L (VG30DE y VG30DETT)

1. Desconectar el cable negativo de la batería.

2. Drenar el fluido refrigerante, del radiador y bloque de cilindros.

3. Sacar la subcubierta y el radiador.

4. Sacar el conjunto del ventilador de refrigeración, la entrada y la salida de agua y las correas propulsoras.

5. Sacar la polea del cigüeñal y la cubierta de la correa de sincronización.

6. Sacar la bomba de agua.

Para instalar:

7. Sacar todos los restos de material de junta.

8. Aplicar un cordón continuo de junta líquida en la superficie de unión de la bomba de agua.

9. Instalar la bomba de agua en el bloque de cilindros.

10. Apretar los tornillos de la bomba de agua a 12-15 pie-lb (16-21 Nm).

11. Reinstalar la cubierta de la correa de sincronización y apretar los tornillos de la cubierta a 26-43 plg-lb (3-5 Nm).

12. Volver a poner la polea del cigüeñal y apretar el tornillo de montaje a 159-174 pie-lb (216-235 Nm).

13. Reinstalar las correas propulsoras, la entrada de agua, la salida de agua y el conjunto del ventilador de refrigeración.

14. Apretar las tuercas del ventilador de refrigeración a 51-86 plg-lb (6-10 Nm).

15. Reinstalar el radiador y la subcubierta.

16. Llenar y sangrar el sistema de refrigeración.

17. Reconectar el cable negativo de la batería.

18. Arrancar el motor y comprobar si el funcionamiento es correcto.

Motor 3.0L (VQ30DE)

1. Desconectar el cable negativo de la batería.

2. Drenar el fluido refrigerante de los tapones sobre el radiador y ambos lados del bloque de cilindros.

3. Colocar un gato debajo del depósito de aceite para soportarlo. Asegurarse de colocar un bloque de madera sobre el gato para proteger las piezas del motor.

4. Sacar el montaje derecho del motor y el soporte del montaje del motor.

5. Sacar las correas propulsoras y el soporte de la polea tensora.

6. Sacar la cubierta del tensor de la cadena y la cubierta de la bomba de agua.

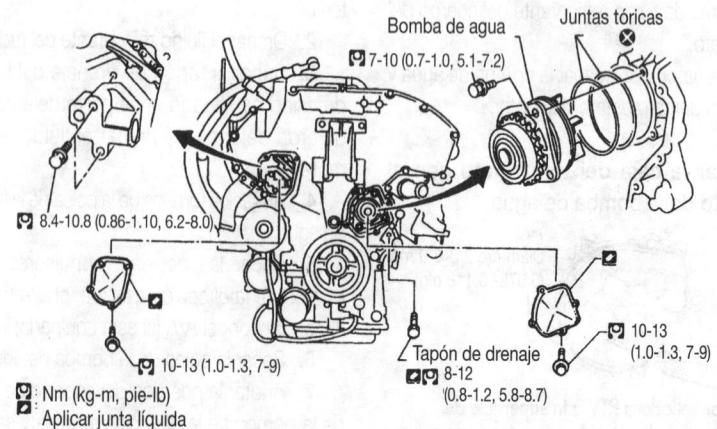

Conjunto de bomba de agua y cubierta de sincronización – Motor 3.0L (VQ30DE)

7. Empujar el manguito tensor de la cadena de sincronización y aplicar un pasador tope de manera que no retroceda.

8. Sacar el conjunto del tensor de la cadena de sincronización.

9. Sacar los tres tornillos que aseguran la bomba de agua.

10. Girar el cigüeñal 20 grados en el sentido contrario al de las agujas del reloj, para proporcionar huelgo a la cadena de sincronización.

11. Poner tornillos M8 en los dos agujeros roscados M8 de la bomba de agua.

12. Apretar cada tornillo, girando $\frac{1}{2}$ vuelta alternativamente, hasta que lleguen a la caja trasera de la cadena de sincronización. Asegurarse de girar cada tornillo $\frac{1}{2}$ vuelta cada vez para evitar daños.

13. Elevar hacia arriba la bomba de agua y sacarla.

14. Una vez quitada la bomba de agua, no permitir que el engrane de la bomba de agua golpee la cadena de sincronización.

15. Sacar y desechar las juntas tóricas de la bomba de agua.

16. Limpiar todos los restos de junta líquida de la bomba de agua y de las cubiertas.

Para instalar:

17. Utilizando juntas tóricas nuevas, instalar la bomba de agua en el bloque de cilindros.

18. Apretar de manera uniforme los tres tornillos de soporte de la bomba de agua a 62-86 plg-lb (7-10 Nm).

19. Girar la polea del cigüeñal hasta su posición original, girándola 20 grados en el sentido de las agujas del reloj.

20. Instalar el tensor de la cadena de sincronización y apretar los tornillos de montaje a 75-96 plg-lb (9-10 Nm).

21. Sacar el pasador de tope del tensor de la cadena de sincronización.

22. Aplicar un cordón continuo de 0.091-0.130 plg-lb (2.3-3.3 mm) de sellador líquido en las superficies de unión de las cubiertas del tensor de la cadena de sincronización y de la bomba de agua.

23. Instalar las cubiertas del tensor de la cadena de sincronización y de la bomba de agua en el bloque de cilindros. Apretar los tornillos de montaje de las cubiertas a 84-108 plg-lb (10-13 Nm).

24. Instalar las correas propulsoras y el soporte de la polea tensora.

25. Instalar el soporte de montaje del lado derecho del motor y el montaje del motor.

26. Sacar el gato de debajo del motor e instalar los tapones de drenaje en el bloque de cilindros.

27. Conectar el cable negativo de la batería y llenar el sistema de refrigeración.

28. Arrancar el motor, sangrar el sistema de refrigeración y comprobar si hay fugas.

CULATA DE CILINDROS

DESMONTAJE E INSTALACIÓN

Motor 1.6L

▼ PRECAUCIÓN ▼

Después de APAGAR el motor, el sistema de inyección de combustible permanece bajo presión. Antes de desconectar cualquier línea de combustible, descargar correctamente la presión del combustible. En caso contrario puede producirse un incendio o daños personales.

1. Desconectar el cable negativo de la batería, drenar el sistema de refrigeración y descargar la presión del sistema de combustible.

2. Sacar todas las correas propulsoras del motor.

3. Sacar la cubierta de la culata de cilindros y cualquier componente relacionado.

4. Sacar el distribuidor y los cables de bujías.

5. Sacar las bujías.

6. Sacar el múltiple de admisión y todos los componentes relacionados.

7. Sacar la polea tensora, el engranaje del árbol de levas y las cadenas de sincronización.

8. Sacar los árboles de levas.

9. Aflojar los tornillos de la culata de cilindros, en 2-3 pasos, en el orden inverso a la secuencia de apriete, para evitar que el conjunto de la culata de cilindros se agriete o deforme.

10. Sacar con cuidado la culata de cilindros del bloque, tirando de la culata hacia arriba de manera uniforme desde ambos extremos. Si la culata parece pegada, no hacer palanca para sacarla. Golpear ligeramente alrededor del perímetro inferior de la culata con una maza de goma para ayudar a romper el sello. La culata de cilindros y los múltiples de admisión y de escape se sacan juntos. Sacar la junta de culata de cilindros.

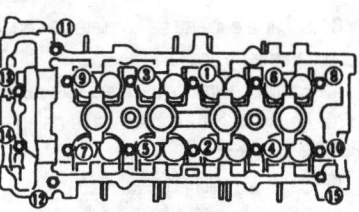

Apretar en orden numérico

⚠ Asegurarse de apretar los tornillos de culata de cilindros de acuerdo con la secuencia que se muestra – Motor 1.6L

Para instalar:

11. Limpiar a fondo las superficies de unión del bloque de cilindros y de la culata. Evitar que cualquiera de las dos superficies se raye.

12. Cubrir las roscas y la superficie de asiento de los tornillos de la culata con aceite de motor limpio. Instalar el conjunto de la culata de cilindros (sustituir siempre la junta de culata). Instalar los tornillos de culata (con arandelas) en sus posiciones correctas y apretar en secuencia como sigue:

    a. Apretar los tornillos N° 1 hasta el 10, en secuencia, a 22 pie-lb (29 Nm).

    b. Apretar los tornillos N° 1 hasta el 10, en secuencia, a 43 pie-lb (59 Nm).

    c. Aflojar completamente los tornillos.

    d. Apretar los tornillos N° 1 hasta el 10, en secuencia, a 22 pie-lb (29 Nm).

    e. Apretar los tornillos N° 1 hasta el 10, en secuencia, a 50-55 grados en el sentido de las agujas del reloj o bien, si no se dispone de una llave de tuercas de ángulos, apretar los tornillos a 40-47 pie-lb (54-64 Nm), en secuencia.

    f. Finalmente, apretar los tornillos N° 11 hasta el 15 a 56-73 plg-lb (6.3-8.3 Nm).

13. Instalar los árboles de levas.

14. Instalar la polea tensora, los engranajes de los árboles de levas y las cadenas de sincronización.

15. Instalar los componentes restantes en el orden inverso al de desmontaje. Llenar y comprobar los niveles de todos los fluidos.

16. Conectar el cable negativo de la batería.

17. Arrancar el motor, comprobar si hay fugas y ajustar la sincronización del encendido a las especificaciones.

18. Probar el vehículo en carretera para comprobar si su funcionamiento es correcto.

Motor 2.0L

1. Descargar la presión del combustible. Desconectar el cable negativo de la batería.

2. Drenar el sistema de refrigeración. Sacar el conjunto del radiador.

3. Sacar la cubierta de la culata de cilindros y el separador de aceite.

4. En algunos modelos, puede ser necesario desconectar el tubo de escape delantero, del múltiple de escape.

5. Sacar el múltiple de admisión.

6. Sacar el conjunto del distribuidor.

7. Sacar la cadena de sincronización, el tensor, la guía de la cadena y los engranajes de los árboles de levas.

8. Sacar los árboles de levas.

9. Sacar la manguera de agua del bloque de cilindros y la manguera de agua del calefactor.

10. Sacar el motor de arranque. Sacar el tornillo del tubo del agua.

11. Sacar el conector del cableado del sensor de detonación y sacar el tubo de RGE.

12. Sacar los tornillos exteriores de la culata de cilindros. Sacar los tornillos de la culata de cilindros en dos o tres pasos. Sacar la culata de cilindros completa con los múltiples acoplados.

Para instalar:

13. Comprobar si alguno de los componentes está gastado. Si es necesario, reemplazar. Limpiar todas las superficies de unión y reemplazar la junta de la culata de cilindros.

➡ Si la longitud de alguno de los tornillos de la culata de cilindros excede las 6.228 plg (158.2 mm), reemplazar el tornillo.

14. Instalar la culata de cilindros. Apretar la culata de cilindros en la secuencia siguiente:

a. Apretar todos los tornillos en secuencia a 29 pie-lb (39 Nm).

b. Apretar todos los tornillos en secuencia a 58 pie-lb (78 Nm).

c. Aflojar completamente todos los tornillos, en secuencia.

d. Apretar todos los tornillos en secuencia a 25-33 pie-lb (34-44 Nm).

e. Apretar todos los tornillos, en secuencia, 90-100 grados en el sentido de las agujas del reloj.

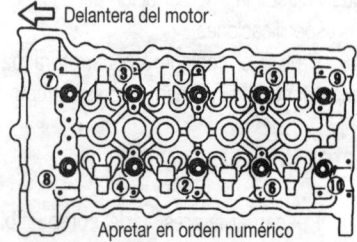

Los tornillos de culata de cilindros deben apretarse en secuencia para evitar fugas – Motores 2.0L

f. Apretar todos los tornillos, en secuencia, 90-100 grados adicionales en el sentido de las agujas del reloj. No girar ningún tornillo 180-200 grados en el sentido de las agujas del reloj, en un solo paso.

15. Instalar el motor de arranque y conectar el cableado.

16. Instalar los componentes restantes en el orden opuesto al que se han desmontado.

17. Instalar y conectar la manguera del aire de admisión.

18. Conectar el cable negativo de la batería.

19. Llenar y comprobar los niveles de todos los fluidos. Probar el vehículo en carretera para comprobar si su funcionamiento es correcto.

Motor 2.4L

1. Desconectar el cable negativo de la batería.

2. Drenar el fluido refrigerante del motor y del radiador.

3. Descargar la presión del sistema de combustible.

▼ PRECAUCIÓN ▼

Después de APAGAR el motor, el sistema de inyección de combustible permanece bajo presión. Antes de desconectar cualquier línea de combustible, descargar correctamente la presión del combustible. En caso contrario, puede producirse un incendio o daños personales.

4. Sacar el colector del múltiple de admisión, el múltiple de escape y todos los componentes relacionados.

5. Sacar el conjunto del distribuidor.

6. Utilizando un bloque de madera, colocar un gato debajo del depósito de aceite de aluminio y sacar el montaje delantero del motor.

7. Sacar la cubierta de la culata de cilindros.

8. Sacar la cadena de sincronización y los engranajes de los árboles de levas.

9. Sacar los árboles de levas.

Secuencia de apriete de los tornillos de culata de cilindros – Motor 2.4L

➡ Los componentes del tren de válvulas deben reensamblarse en sus posiciones originales.

10. Aflojar los tornillos de la culata de cilindros en el orden inverso al de apriete.

➡ Aflojarlos en un orden incorrecto podría causar grietas o deformación en la culata de cilindros. Los tornillos de la culata de cilindros deben aflojarse en dos o tres pasos.

11. Sacar la culata de cilindros y el múltiple de admisión. Sacar la junta de culata de cilindros. La cadena inferior de sincronización no se desengranará del engranaje del árbol de levas.

Para instalar:

12. Limpiar las superficies de junta.

13. Instalar la nueva junta de culata de cilindros.

14. Instalar la culata de cilindros y apretar los tornillos de culata de cilindros de manera provisional. Esto es necesario para evitar que se dañe la junta de la culata de cilindros. Asegurarse de instalar arandelas entre los tornillos y la culata de cilindros.

15. Instalar el conjunto del eje loco.

16. Instalar la cadena de sincronización superior y la cubierta.

17. Apretar los tornillos de culata de cilindros en la secuencia siguiente:

a. Apretar todos los tornillos a 22 pie-lb (29 Nm).

b. Apretar todos los tornillos a 59 pie-lb (79 Nm).

c. Aflojar completamente todos los tornillos.

d. Apretar todos los tornillos a 18-25 pie-lb (25-34 Nm).

e. Girar todos los tornillos 86-91 grados en el sentido de las agujas del reloj.

18. Instalar los árboles de levas.

19. Instalar las cadenas de sincronización, el tensor de la cadena y los engranajes de los árboles de levas.

20. El resto de la instalación es la inversa del procedimiento de desmontaje.

21. Llenar el fluido refrigerante del motor.

22. Conectar el cable negativo de la batería.

23. Arrancar el motor y realizar los ajustes necesarios. Comprobar si el funcionamiento es correcto y si hay fugas.

Motores 3.0L (VG30DE y VG30DETT)

▼ AVISO ▼

Después de sacar la correa de sincronización, NO girar el cigüeñal o los árboles de levas por separado. Las válvulas y los pistones harían contacto y causarían graves daños en el motor.

▼ PRECAUCIÓN ▼

Después de APAGAR el motor, el sistema de inyección de combustible permanece bajo presión. Antes de desconectar cualquier línea de combustible, descargar correctamente la presión del combustible. En caso contrario, podría producirse un incendio o daños personales.

1. Descargar la presión del sistema de combustible y desconectar el cable negativo de la batería.

2. Sacar el colector del múltiple de admisión y todos los componentes relacionados.

➡ Después de sacar el colector del múltiple de admisión, cubrir las aberturas del múltiple de admisión para evitar que entren objetos extraños en la cámara de combustión.

3. Sacar el raíl de combustible y los inyectores.

4. Sacar las cubiertas de las culatas de cilindros.

5. Sacar las correas propulsoras auxiliares.

6. Sacar el radiador y los ventiladores de refrigeración.

7. Sacar los conjuntos de la correa de sincronización, del tensor automático y de la polea tensora.

8. Sacar el conjunto del múltiple de admisión.

9. Desconectar el tubo de escape del múltiple de escape.

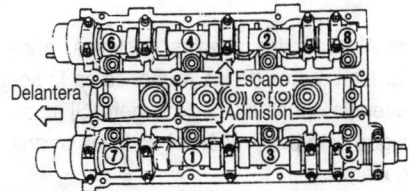

▲ Secuencia de apriete de los tornillos de la culata de cilindros derecha – Motores 3.0L (VG30DE y VG30DETT)

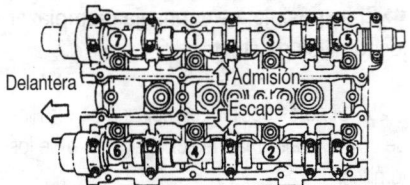

▲ Secuencia de apriete de los tornillos de la culata de cilindros izquierda – Motores 3.0L (VG30DE y VG30DETT)

10. Aflojar los tornillos de la culata de cilindros (en el orden inverso al de la secuencia de instalación), en 2-3 etapas. Elevar la culata de cilindros fuera del bloque de cilindros con los múltiples de escape acoplados. Puede ser necesario golpear ligeramente la culata con una maza de plástico para aflojarla.

Para instalar:

11. Limpiar a fondo las superficies del bloque de cilindros y de la culata de cilindros.

12. Asegurarse de que el cilindro N° 1 está puesto en el PMS en su carrera de compresión, como sigue:

   a. Alinear la marca de sincronización del cigüeñal con la marca en el cuerpo de la bomba de aceite.

   b. Alinear la marca de sincronización del engranaje del árbol de levas con la marca en la cubierta trasera de la correa de sincronización.

13. Instalar la culata de cilindros con una junta nueva. Aplicar aceite de motor limpio en las roscas y asientos de los tornillos e instalar los tornillos con arandelas en la posición correcta. Asegurarse de colocar las arandelas de los tornillos de culata con el lado plano hacia la culata de cilindros.

➡ Hay un tornillo especial de 6 mm por cada culata de cilindros. Seguir las especificaciones correctas de apriete para estos tornillos.

14. Apretar los tornillos en la secuencia correcta, como sigue:

   a. Apretar todos los tornillos, en secuencia, a 29 pie-lb (39 Nm).

   b. Apretar todos los tornillos, en secuencia, a 90 pie-lb (123 Nm).

   c. Aflojar completamente todos los tornillos.

   d. Apretar todos los tornillos, en secuencia, a 25-33 pie-lb (34-44 Nm).

   e. Apretar todos los tornillos, en secuencia, a 90 pie-lb (123 Nm). Si se utiliza una llave de tuercas de ángulos, apretarlos a 70 grados antes de hacerlo a 90 pie-lb (123 Nm).

   f. Apretar los tornillos especialidades X de 6 mm a 7-9 pie-lb (10-12 Nm). Hay uno de estos tornillos por cada culata.

15. Instalar los componentes restantes en el orden opuesto con el que se han desmontado.

16. Llenar el sistema de refrigeración al nivel correcto y conectar el cable negativo de la batería.

17. Rodar el motor y realizar los ajustes de motor necesarios.

18. Probar el vehículo en carretera para comprobar si su funcionamiento es correcto.

Motor 3.0L (VQ30DE)

1. Descargar la presión del sistema de combustible.

▼ PRECAUCIÓN ▼

Después de APAGAR el motor, el sistema de inyección de combustible permanece bajo presión. Antes de desconectar cualquier línea de combustible, descargar correctamente la presión del combustible. En caso contrario, puede producirse un incendio o daños personales.

2. Desconectar el cable negativo de la batería.

3. Drenar el aceite del motor y el sistema de refrigeración. Asegurarse de drenar el bloque de cilindros y el radiador.

➡ Antes de separar cualquier manguera o conector, anotar sus localizaciones para el reensamblaje.

4. Sacar el colector del múltiple de admisión.

5. Sacar el tubo del combustible.

6. Sacar el múltiple de admisión.

7. Sacar las cubiertas de la culata de cilindros.

8. Sacar las correas propulsoras y la polea tensora.

9. Sacar los depósitos de aceite, de acero (inferior) y de aluminio (superior).

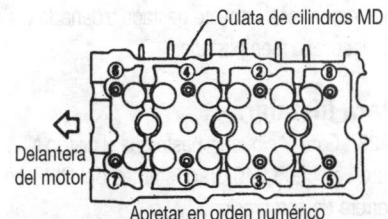

▲ Secuencia de apriete de los tornillos de la culata de cilindros derecha – Motor 3.0L (VQ30DE)

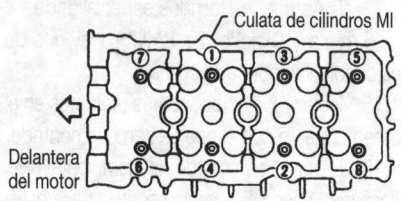

Culata de cilindros MI

⇦ Delantera del motor

Apretar en orden numérico

▲ **Secuencia de apriete de los tornillos de la culata de cilindros izquierda – Motor 3.0L (VQ30DE)**

10. Sacar la cubierta de la bomba de agua.

11. Sacar la cubierta de la caja de la cadena de sincronización.

12. Sacar las cadenas de sincronización, engranajes de árboles de levas y componentes relacionados.

13. Sacar el engranaje del árbol de levas.

14. Aflojar los tornillos que aseguran la caja de la cadena sincronización trasera. Los tornillos deben aflojarse en el orden inverso a la secuencia de instalación.

15. Utilizando una herramienta de corte de sellos, sacar la cubierta trasera de la caja de la sincronización.

➡ **Sacar las juntas tóricas de la parte delantera del bloque de cilindros.**

16. Sacar los árboles de levas.

17. Sacar los tornillos de culata de cilindros en el orden inverso al de apriete. Los tornillos deben aflojarse en 2-3 pasos.

➡ **Si se sacan los tornillos en orden incorrecto, la culata de cilindros podría deformarse o agrietarse.**

18. Sacar las culatas de cilindros del vehículo.

19. Sacar y desechar las juntas de culata.

20. Sacar todos los restos de junta líquida de la caja de la cadena de sincronización y de las cubiertas de la bomba de agua.

21. Sacar todos los restos de junta líquida del bloque de cilindros.

22. Inspeccionar si la cadena de sincronización está excesivamente gastada o dañada y, si es necesario reemplazarla.

Para instalar:

23. Girar el cigüeñal hasta que el pistón N° 1 esté colocado 240 grados antes del PMS en carrera de compresión.

24. Utilizando juntas de culata nuevas, instalar las culatas de cilindros.

➡ **Si es posible, se aconseja reemplazar los tornillos de culata.**

25. Si no es posible reemplazar los tornillos de culata, realizar la medición siguiente de los tornillos:

a. Medir el diámetro del tornillo de culata de 0.43 plg (11 mm) desde la parte inferior del tornillo.

b. Medir el diámetro del tornillo de culata de 1.89 plg (48 mm) desde la parte inferior del tornillo.

c. Siempre que la diferencia del tamaño entre las dos mediciones exceda las 0.0043 plg (0.11 mm), los tornillos de culata deben reemplazarse.

26. Instalar los tornillos de culata de cilindros y apretar en secuencia, como sigue:

a. Apretar todos los tornillos en secuencia a 72 pie-lb (98 Nm).

b. Aflojar completamente todos los tornillos.

c. Apretar todos los tornillos en secuencia a 25-33 pie-lb (24-44 Nm).

d. Girar todos los tornillos, en secuencia, 90-95 grados en el sentido de las agujas del reloj.

e. Girar todos los tornillos, en secuencia, 90-95 grados en el sentido de las agujas del reloj.

27. Instalar los árboles de levas y componentes relacionados.

28. Instalar juntas tóricas nuevas en la parte delantera del bloque de cilindros.

29. Aplicar selladora a la parte tramada de la caja trasera de la cadena de sincronización.

30. Alinear la caja trasera de la cadena de sincronización con las clavijas de centrado e instalar sobre las culatas de cilindros y el bloque de cilindros.

31. Apretar los tornillos de montaje de la caja trasera de la cadena de sincronización, en secuencia, a 105-121 plg-lb (11.8-13.7 Nm).

32. Los componentes restantes se instalan en el orden inverso al que se ha desmontado.

33. Conectar el cable negativo de la batería.

34. Arrancar el motor y acelerar el motor a 3000 rpm bajo condición sin carga para purgar el aire de la cámara de alta presión. El motor puede producir un ruido de traqueteo. Esto indica que todavía hay aire en la cámara y no tiene importancia.

35. Verificar que no hay fugas.

BALANCINES

DESMONTAJE E INSTALACIÓN

Excepto motor 2.0L

Los motores Nissan, excepto el motor 2.0L, no utilizan balancines. Las válvulas son accionadas directamente por los árboles de levas.

Motor 2.0L

1. Descargar la presión del combustible siguiendo el procedimiento correcto.

2. Desconectar el cable negativo de la batería.

3. Sacar la cubierta de balancines, la junta y el separador de aceite.

4. Sacar los soportes del múltiple de admisión, el soporte del filtro de aceite y la bomba de la dirección asistida.

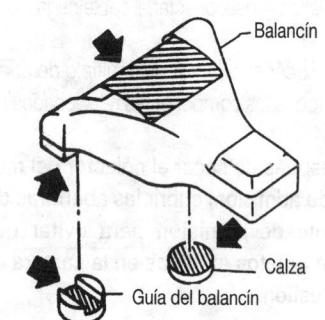

Balancín

Calza

Guía del balancín

▲ **Balancín, guía y calza – Motor 2.0L**

5. Colocar el cilindro N° 1 en el PMS, en la carrera de compresión.

6. Sacar el tensor de la cadena de sincronización del lateral de la culata.

7. Marcar la posición del rotor y del cuerpo y sacar el distribuidor.

8. Sacar la guía de la cadena de sincronización. Sacar los engranajes de los árboles de levas mientras el árbol de levas se sujeta inmóvil con una llave grande. Asegurar la cadena de sincronización con alambre de manera que no se pierda la sincronización. Si se pierde la sincronización de la cadena, tendrá que sacarse la cubierta delantera.

➡ **Al sacar los árboles de levas, aflojar las tapetas de los muñones en la secuencia opuesta a la de apriete. Si no se sigue este paso, el árbol de levas podría dañarse.**

9. Sacar los árboles de levas, los soportes, los tubos de aceite y la placa difusora. Etiquetar todos los componentes para su correcta instalación.

➡ Es esencial que todas las piezas se guarden en el mismo orden y orientación para reinstalarlas. Asegurarse de marcar y separar las piezas para que no se confundan. Esto ayudará en el ensamblaje.

10. Sacar los balancines, los calzos de ajuste, las guías de balancines y los ajustadores de holgura hidráulicos. Etiquetar todos los componentes para su correcta instalación.

➡ Los levantaválvulas deben almacenarse en posición vertical o sumergidos en aceite limpio para evitar que entre aire en los levantaválvulas.

11. Inspeccionar las superficies de los balancines y reemplazarlos si hay alguna señal de daños.

Para instalar:

12. Lubricar los balancines, las calzas, las guías de balancines y los ajustadores hidráulicos de holgura. Instalarlos en sus posiciones originales.

13. Instalar los árboles de levas, los soportes, los tubos de aceite y la placa difusora en sus posiciones correctas.

14. Apretar los tornillos, en secuencia, como sigue:

a. Apretar los tornillos N° 9 y N° 10 del árbol de levas derecho a 17 plg-lb (2 Nm).

b. Apretar los tornillos N° 1 a N° 8 del árbol de levas derecho a 17 plg-lb (2 Nm).

c. Apretar los tornillos N° 11 y N° 12 del árbol de levas izquierdo a 17 plg-lb (2 Nm).

d. Apretar los tornillos N° 1 a N° 10 a 17 plg-lb (2 Nm).

e. Apretar todos los tornillos de los árboles de levas, en secuencia numérica, a 52 plg-lb (6 Nm).

f. Apretar todos los tornillos de los árboles de levas, en secuencia numérica, a 87-104 plg-lb (10-11 Nm).

g. Apretar los dos tornillos traseros del árbol de levas MI a 13-19 pie-lb (18-25 Nm).

15. Instalar los engranajes de los árboles de levas mientras el árbol de levas se sujeta inmóvil con una llave grande.

16. Los componentes restantes se instalan en el orden inverso al que se han desmontado.

17. Conectar el cable negativo de la batería.

18. Comprobar y ajustar la sincronización del encendido y de las válvulas. Si hay aire en los levantadores, purgar el aire poniendo el motor a 1000 rpm durante 10 minutos.

TURBOALIMENTADOR

DESMONTAJE E INSTALACIÓN

Lado derecho

1. Sacar el lado derecho del panel del capó y sacar la batería.

2. Sacar las mangueras y los tubos de entrada del aire del turboalimentador.

3. Desconectar el tubo inferior del turboalimentador.

4. Sacar el soporte del control automático de velocidad con el motor del limpiaparabrisas y las válvulas solenoide.

5. Separar el conector del cableado del sensor de oxígeno.

6. Desconectar los tubos de agua y la entrada aceite del turboalimentador. Tapar los tubos para evitar que entren contaminantes en el sistema.

7. Sacar el tubo de escape delantero y el conjunto del catalizador de tres vías.

8. Sacar el interruptor de presión de aceite.

9. Sacar el filtro de aceite.

10. Sacar el tubo de retorno de aceite del turboalimentador. Tapar el tubo para evitar que entren contaminantes en el aceite.

11. Desconectar la manguera de aceite del soporte del filtro de aceite.

12. Sacar el pasador de barra del accionador de la válvula compuerta de desagüe (aliviadero).

13. Sacar el soporte del filtro de aceite.

14. Enderezar las placas de seguridad de las tuercas de sujeción del turboalimentador.

15. Sacar las tuercas de sujeción del turboalimentador y sacar el turboalimentador del vehículo.

Para instalar:

16. Utilizando juntas nuevas, instalar la unidad del turboalimentador. Apretar las tuercas de sujeción del turboalimentador a 20-23 pie-lb (27-31 Nm).

17. Doblar las lengüetas de seguridad alrededor de las tuercas que fijan el turboalimentador.

18. Reconectar el soporte del filtro de aceite. Apretar los tornillos de sujeción del soporte a 12-15 pie-lb (16-21 Nm).

19. Instalar el pasador de barra del accionador de la válvula compuerta de desagüe (aliviadero).

20. Utilizando juntas nuevas, reconectar la manguera de aceite en el turboalimentador.

21. Utilizando juntas nuevas, reconectar las mangueras de retorno de aceite y de retorno de agua. Apretar los tornillos y tuercas de sujeción de los tubos a 12-15 pie-lb (16-21 Nm).

22. Instalar un filtro de aceite nuevo.

23. Instalar el interruptor de presión de aceite.

24. Utilizando una junta nueva, instalar el tubo de escape delantero y el conjunto del catalizador de tres vías. Apretar los tornillos del catalizador al turboalimentador a 18-22 pie-lb (25-29 Nm).

25. Utilizando juntas nuevas, instalar los tubos de entrada de agua y aceite. Apretar las tuercas a 11-14 pie-lb (15-20 Nm).

26. El resto de la instalación es inversa al procedimiento de desmontaje.

27. Comprobar los niveles del aceite y del fluido refrigerante; si es necesario, añadir aceite o fluido refrigerante.

28. Arrancar el motor y comprobar si el funcionamiento del turboalimentador es correcto.

Lado izquierdo

1. Sacar el cilindro principal y el reforzador del servofreno.

2. Separar el conector eléctrico del sensor de oxígeno.

3. Sacar la manguera y el tubo de entrada del aire.

4. Desconectar el tubo inferior del turboalimentador.

5. Desconectar los tubos de agua y el tubo de entrada de aceite del turboalimentador. Tapar el tubo para evitar que entren contaminantes en el aceite.

6. Sacar el conjunto del tubo de escape delantero y del catalizador de tres vías.

7. Desconectar la junta inferior de la dirección.

8. Desconectar el tubo de retorno de aceite del turboalimentador. Tapar el tubo para prevenir que entren contaminantes en el aceite.

9. Desconectar la manguera de RGE y el soporte del accionador de la válvula compuerta aliviadero del turboalimentador.

10. Sacar el protector térmico del múltiple de escape.

11. Sacar las tuercas de sujeción del múltiple de escape del lado izquierdo.

12. Sacar el múltiple de escape y el turboalimentador del lado izquierdo como un conjunto.

Para instalar:

13. Utilizando juntas nuevas, instalar el conjunto del múltiple de escape y turboalimentador

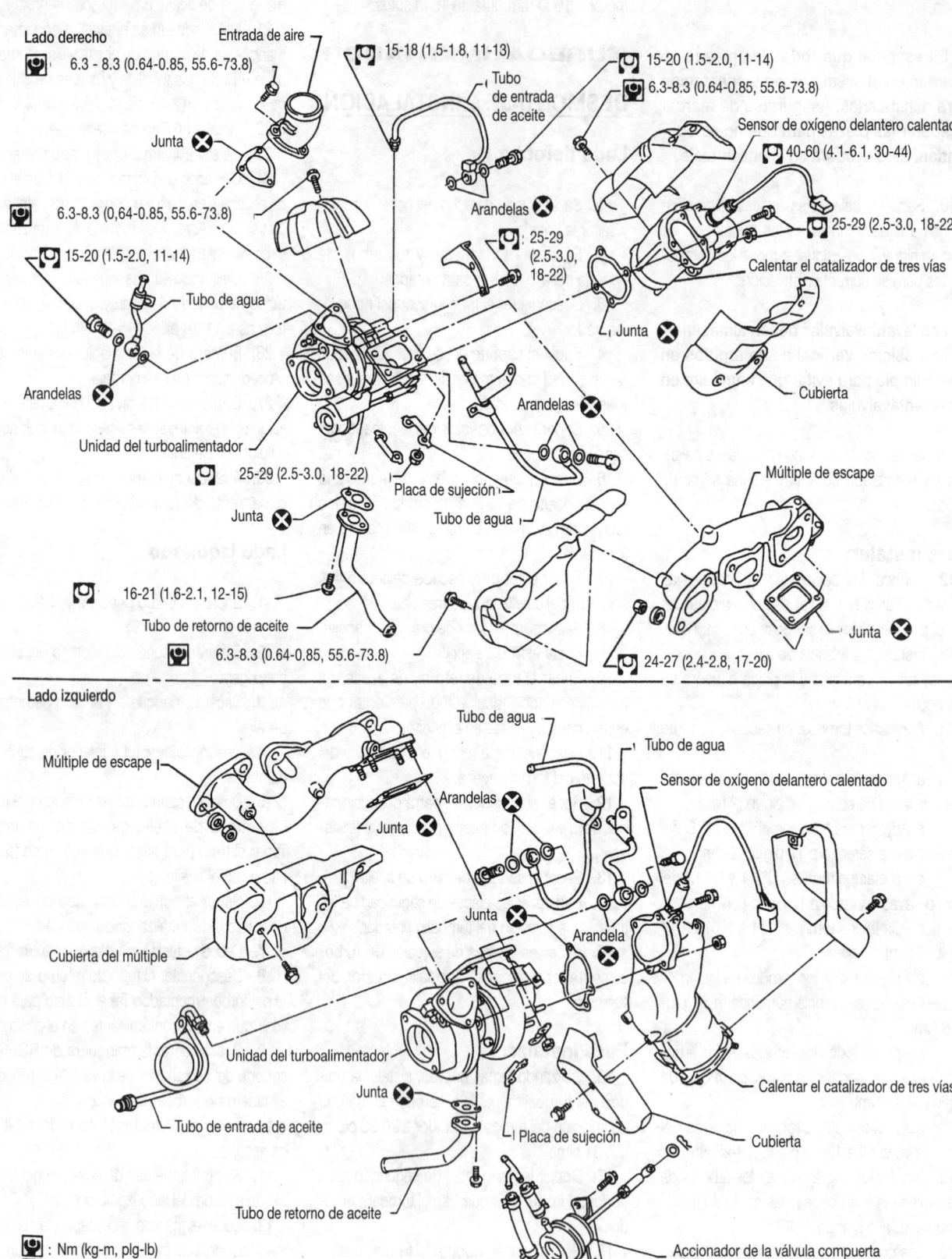

Lado derecho

6.3 - 8.3 (0.64-0.85, 55.6-73.8)

Entrada de aire

15-18 (1.5-1.8, 11-13)

15-20 (1.5-2.0, 11-14)

6.3-8.3 (0.64-0.85, 55.6-73.8)

Tubo de entrada de aceite

Junta

Sensor de oxígeno delantero calentado

40-60 (4.1-6.1, 30-44)

6.3-8.3 (0,64-0.85, 55.6-73.8)

25-29 (2.5-3.0, 18-22)

15-20 (1.5-2.0, 11-14)

Arandelas

Tubo de agua

25-29 (2.5-3.0, 18-22)

Calentar el catalizador de tres vías

Arandelas

Junta

Arandelas

Cubierta

Unidad del turboalimentador

Múltiple de escape

25-29 (2.5-3.0, 18-22)

Placa de sujeción

Junta

Tubo de agua

16-21 (1.6-2.1, 12-15)

Tubo de retorno de aceite

Junta

6.3-8.3 (0.64-0.85, 55.6-73.8)

24-27 (2.4-2.8, 17-20)

Lado izquierdo

Tubo de agua

Tubo de agua

Múltiple de escape

Sensor de oxígeno delantero calentado

Arandelas

Junta

Junta

Arandela

Cubierta del múltiple

Calentar el catalizador de tres vías

Unidad del turboalimentador

Junta

Placa de sujeción

Cubierta

Tubo de entrada de aceite

Tubo de retorno de aceite

Accionador de la válvula compuerta de desagüe (aliviadero)

: Nm (kg-m, plg-lb)
: Nm (kg-m, plg-lb)

▲ **Despiece del montaje del turboalimentador – Motor 3.0L (VG30DETT)**

del lado izquierdo. Apretar los tornillos del múltiple de escape a 17-20 pie-lb (24-27 Nm).

14. Instalar el protector térmico del múltiple de escape.

15. Reconectar la manguera de RGE y el soporte del accionador de la válvula compuerta aliviadero del turboalimentador.

16. Utilizando juntas nuevas, reconectar el tubo de retorno de aceite. Apretar los tornillos de sujeción del tubo a 12-15 pie-lb (16-21 Nm).

17. Reconectar la junta inferior de la dirección.

18. Utilizando juntas nuevas, instalar el conjunto del tubo de escape delantero y el catalizador de tres vías. Apretar los tornillos del catalizador al turboalimentador a 18-22 pie-lb (25-29 Nm).

19. Utilizando juntas nuevas, reconectar los tubos de agua y el tubo de entrada de aceite en el turboalimentador. Apretar las tuercas a 11-14 pie-lb (15-20 Nm).

20. Instalar los componentes restantes en el orden inverso al de desmontaje.

21. Arrancar el motor y comprobar si el funcionamiento del turboalimentador es correcto.

MÚLTIPLE DE ADMISIÓN

DESMONTAJE E INSTALACIÓN

Motor 1.6L

MODELOS 1995

▼ PRECAUCIÓN ▼

Después de APAGAR el motor, el sistema de inyección de combustible permanece bajo presión. Antes de desconectar cualquier línea de combustible, descargar correctamente la presión del combustible. En caso contrario, puede producirse un incendio o daños personales.

1. Descargar la presión del sistema de combustible, desconectar el cable negativo de la batería y drenar el sistema de refrigeración.

2. Sacar el conjunto del filtro de aire.

3. Desconectar y etiquetar el varillaje del ahogador, las conexiones eléctricas y las líneas de combustible y de vacío del cuerpo del ahogador o de la cámara del ahogador.

4. El cuerpo del ahogador/cámara del ahogador puede sacarse del múltiple en este punto o sacarse como un conjunto con el múltiple de admisión.

5. Sacar los tornillos que sujetan la parte superior de la admisión a la parte inferior. Sacar los tornillos en el orden inverso a la secuencia de apriete.

6. Sacar la parte superior de la admisión.

7. Aflojar los tornillos de retención del múltiple de admisión, en la secuencia correcta, y separar el múltiple de la culata de cilindros. Sacar los tornillos en el orden inverso a la secuencia de apriete.

8. Sacar la junta del múltiple de admisión y limpiar a fondo todas las superficies de contacto de junta, con un rascador de juntas y disolvente adecuado. Deben sacarse todos los restos de material de junta para asegurar que la estanqueidad sea correcta. Inspeccionar si en el múltiple de admisión hay grietas. Comprobar con una regla metálica, si la superficie del múltiple de admisión está deformada.

Para instalar:

9. Colocar la junta nueva del múltiple de admisión sobre la culata de cilindros y situar el múltiple de admisión inferior sobre los espárragos de montaje y sobre la junta. Instalar las tuercas de montaje y apretarlas a 12-15 pie-lb (16-21 Nm), en secuencia.

10. Utilizando una junta nueva, instalar la parte superior del múltiple de admisión y apretar los tornillos a 12-15 pie-lb (16-21 Nm), en secuencia.

11. Si se ha sacado, instalar el cuerpo del ahogador, o la cámara del ahogador, y apretar los tornillos de montaje, siguiendo una pauta entrelazada. Apretar los tornillos en dos pasos progresivos a 15 pie-lb (21 Nm).

➡ **Asegurarse de que todas las juntas del cuerpo del ahogador están colocadas correctamente.**

12. Instalar los componentes restantes en el orden opuesto al que se han desmontado.

13. Llenar el sistema de refrigeración, hasta el nivel correcto y conectar el cable negativo de la batería.

14. Arrancar el motor, sangrar el sistema de refrigeración y comprobar si hay fugas.

15. Probar el vehículo en carretera para comprobar si su funcionamiento es correcto.

MODELOS 1996-99

▼ PRECAUCIÓN ▼

Después de APAGAR el motor, el sistema de inyección de combustible permanece bajo presión. Antes de desconectar cualquier línea de combustible, descargar correctamente la presión del combustible. En caso contrario, podría producirse un incendio o daños personales.

1. Descargar la presión del sistema de combustible, desconectar el cable negativo de la batería y drenar el sistema de refrigeración.

2. Sacar el conjunto del filtro de aire.

3. Desconectar y etiquetar el varillaje del ahogador, conexiones eléctricas y líneas de vacío del cuerpo del ahogador.

4. Sacar los soportes de montaje del colector del múltiple de admisión.

5. El cuerpo del ahogador puede sacarse del múltiple en este punto o bien puede sacarse como un conjunto con el múltiple de admisión.

6. Sacar los tornillos que sujetan la parte superior de la admisión a la parte inferior. Sacar los tornillos en el orden inverso a la secuencia de apriete.

7. Sacar la parte superior de la admisión.

8. Separar los conectores del cableado de los inyectores de combustible y la línea de vacío del regulador de presión de combustible.

9. Desconectar las mangueras de combustible del conjunto del raíl de combustible.

10. Sacar los tornillos que aseguran el raíl de combustible en la admisión.

11. Sacar los inyectores con el conjunto del raíl de combustible.

12. Aflojar los tornillos de retención del múltiple de admisión, en la secuencia correcta, y separar el múltiple de la culata de cilindros. Sacar los tornillos en el orden inverso a la secuencia de apriete.

13. Sacar la junta del múltiple de admisión y limpiar a fondo todas las superficies de contacto de junta con un rascador de juntas y disolvente adecuado. Deben sacarse todos los restos de material de junta para asegurar que la estanqueidad sea correcta. Inspeccionar si el múltiple de admisión está agrietado. Utilizando una regla metálica, comprobar si la superficie del múltiple de admisión está deformada.

Para instalar:

14. Colocar la junta nueva del múltiple de admisión sobre la culata de cilindros y situar el múltiple de admisión inferior sobre los espárragos de montaje y sobre la junta. Instalar las tuercas y tornillos de montaje; apretarlos a 13-15 pie-lb (18-21 Nm), en secuencia.

15. Instalar los inyectores con el conjunto del raíl de combustible. Asegurarse de instalar los aisladores del raíl de combustible.

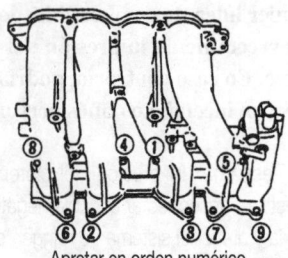

Apretar en orden numérico

▲ **Apretar los tornillos del múltiple de admisión inferior en el orden que se muestra – Motor 1.6L**

16. Instalar los tornillos que aseguran el raíl de combustible en la admisión. Apretar los tornillos en dos pasos a 13-15 pie-lb (18-21 Nm).

17. Conectar los conectores del cableado de los inyectores de combustible y la línea de vacío del regulador de presión de combustible.

18. Utilizando abrazaderas para mangueras nuevas, conectar las mangueras de combustible del conjunto del raíl de combustible.

19. Utilizando una junta nueva, instalar la parte superior del múltiple de admisión y apretar los tornillos a 13-15 pie-lb (18-21 Nm), en secuencia.

20. Si se han sacado, instalar el cuerpo del ahogador, o la cámara del ahogador, y apretar los tornillos de montaje, siguiendo una pauta entrelazada. Apretar los tornillos en dos pasos progresivos a 13-16 pie-lb (18-22 Nm).

➡ **Asegurarse de situar correctamente la junta del cuerpo del ahogador, con el recorte mirando hacia abajo.**

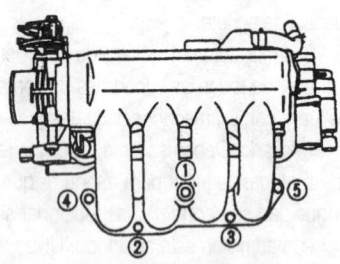

Apretar en orden numérico

▲ **Para evitar fugas o que se dañe el múltiple, apretar los tornillos del múltiple de admisión superior en el orden que se muestra – Motor 1.6L**

21. Instalar los soportes de montaje del colector del múltiple de admisión.

22. Conectar el varillaje del ahogador, las conexiones eléctricas y las líneas de vacío.

23. Instalar el filtro de aire.

24. Llenar el sistema de refrigeración al nivel correcto y conectar el cable negativo de la batería.

25. Arrancar el motor, sangrar el sistema de refrigeración y comprobar si hay fugas.

26. Probar el vehículo en carretera para comprobar si su funcionamiento es correcto.

Motor 2.0L

▼ PRECAUCIÓN ▼

Después de APAGAR el motor, el sistema de inyección de combustible permanece bajo presión. Antes de desconectar cualquier línea de fluido, descargar correctamente la presión del combustible. En caso contrario, puede producirse un incendio o daños personales.

1. Descargar la presión del sistema de combustible, desconectar el cable negativo de la batería y drenar el sistema de refrigeración.

2. Sacar el conjunto del filtro de aire.

3. Desconectar los soportes de montaje del múltiple.

4. Separar el varillaje del ahogador, las conexiones eléctricas y las líneas de vacío del cuerpo del ahogador. Asegurarse de anotar las localizaciones de todas las conexiones.

5. Sacar el tubo de RGE del múltiple.

6. Desatornillar y sacar el conjunto del raíl de combustible.

7. Sacar las correas propulsoras y la polea de la bomba de agua.

8. Sacar el alternador y la bomba de la dirección asistida.

9. Sacar el soporte del filtro de aceite y el soporte de la dirección asistida.

10. Aflojar los tornillos de retención del colector del múltiple de admisión en el orden inverso a la secuencia de instalación y separar el colector del múltiple.

11. Aflojar los tornillos de retención del conjunto del múltiple de admisión en el orden inverso a la secuencia de apriete y separar el múltiple de la culata de cilindros.

12. Sacar todo el material de junta y limpiar a fondo todas las superficies de contacto de junta con un rascador de juntas y disolvente adecuado. Deben sacarse todos los restos de material de junta para asegurar que la estanqueidad sea correcta. Inspeccionar si en el múltiple de admisión hay grietas. Utilizando una regla metálica, comprobar si la superficie del múltiple de admisión está deformada.

Para instalar:

13. Utilizando juntas nuevas, instalar el conjunto del múltiple de admisión en la culata de cilindros y apretar los tornillos de montaje, en secuencia, a 13-15 pie-lb (18-21 Nm).

14. Utilizando juntas nuevas, instalar el colector del múltiple de admisión en el conjunto del múltiple de admisión y apretar los tornillos y tuercas de montaje a 13-15 pie-lb (18-21 Nm), en secuencia.

15. Instalar los componentes restantes en el orden inverso al de desmontaje.

16. Llenar el sistema de refrigeración al nivel correcto y conectar el cable negativo de la batería.

17. Sangrar el sistema de refrigeración y probar el vehículo en carretera para comprobar si su funcionamiento es correcto.

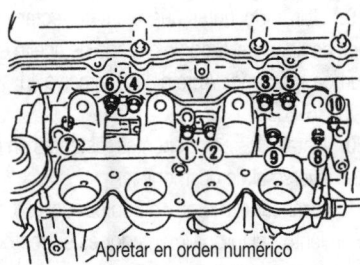

Apretar en orden numérico

▲ **Apretar los tornillos del múltiple de admisión inferior en la secuencia que se muestra – 200SX con motor 2.0L**

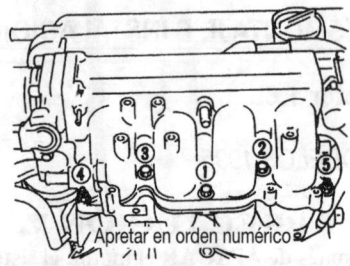

Apretar en orden numérico

▲ **Los tornillos del colector del múltiple de admisión superior deben apretarse en la secuencia correcta – 200SX con motor 2.0L**

Motor 2.4L

1. Descargar la presión del sistema de combustible, desconectar el cable negativo de la batería y drenar el sistema de refrigeración.

▼ PRECAUCIÓN ▼

Después de APAGAR el motor, el sistema de inyección de combustible permanece bajo presión. Antes de desconectar las líneas de combustible, descargar correctamente la presión del combustible. En caso contrario, puede producirse un incendio o daños personales.

2. Sacar el conducto del aire entre el medidor del flujo de aire y el cuerpo del ahogador.

3. Desconectar el cable del ahogador y el cable de control de velocidad de crucero, si está equipado.

4. Desconectar las líneas de suministro y de retorno de combustible del conjunto de inyectores de combustible. Tapar las líneas para evitar fugas.

5. Separar y etiquetar los conectores eléctricos y mangueras de vacío del cuerpo del ahogador y del conjunto colector/múltiple de admisión.

6. Sacar los cables de bujías, de las bujías.

7. Sacar el conjunto del cuerpo del ahogador, del múltiple de admisión.

8. Desconectar el tubo de la válvula de RGE, del múltiple de escape.

9. Sacar los soportes de montaje del múltiple de admisión.

10. Sacar los tornillos/tuercas del colector del múltiple de admisión en el múltiple de admisión, en el orden inverso al procedimiento de apriete, y separar el múltiple de admisión, del colector del múltiple de admisión.

11. Sacar los tornillos que fijan el múltiple de admisión en la culata de cilindros y sacar el múltiple. Asegurarse de aflojar los tornillos en la secuencia inversa al procedimiento de apriete.

12. Utilizando una espátula para masilla, o equivalente, limpiar las superficies de montaje de junta. Comprobar si en el múltiple de admisión/colector hay grietas o está deformado.

Para instalar:

13. Utilizando juntas nuevas, instalar el múltiple de admisión en la culata de cilindros y apretar los tornillos de montaje, en secuencia, a 12-14 pie-lb (16-19 Nm).

14. Utilizando nuevas juntas, instalar el colector del múltiple de admisión en el múltiple de admisión y apretar los tornillos/tuercas de montaje, en secuencia, a 12-14 pie-lb (16-19 Nm).

15. Instalar los soportes de montaje del múltiple de admisión.

16. Conectar el tubo de la válvula de RGE en el múltiple de escape.

17. Utilizando una junta nueva, instalar el cuerpo del ahogador y apretar los tornillos de montaje, siguiendo una pauta entrelazada, a 13-16 pie-lb (18-22 Nm). Asegurarse de apretar los tornillos en dos pasos progresivos.

18. El resto de la instalación es inverso al procedimiento de desmontaje.

19. Llenar el sistema de refrigeración al nivel correcto y conectar el cable negativo de la batería.

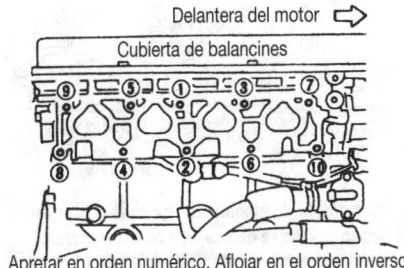

Delantera del motor ⇨
Cubierta de balancines

Apretar en orden numérico. Aflojar en el orden inverso

▲ **Asegurarse de apretar los tornillos del múltiple de admisión en el orden que se muestra – Motor 2.4L**

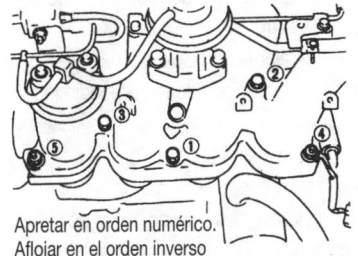

Apretar en orden numérico. Aflojar en el orden inverso

▲ **Apretar los tornillos de montaje del colector del múltiple de admisión en la secuencia correcta – Motor 2.4L**

20. Realizar todos los ajustes del motor necesarios. Probar el vehículo en carretera para ver si su funcionamiento es correcto.

Motores 3.0L (VG30DE y VG30DETT)

1. Desconectar el cable negativo de la batería, drenar el sistema de refrigeración y descargar la presión del sistema de combustible.

2. Separar los conectores eléctricos del sensor de posición del ahogador, del sensor de temperatura del gas de escape, del sensor de temperatura del fluido refrigerante, etc.

3. Etiquetar y desconectar las mangueras del cuerpo del ahogador, de la válvula de RGE, de la válvula de solenoide de control de RGE, del colector del múltiple de admisión, de la válvula de solenoide de control de la transmisión y del accionador de la válvula de la transmisión (si está equipado con transmisión manual).

4. Desconectar el cable del acelerador del cuerpo del ahogador.

5. Sacar los tornillos del colector del múltiple de admisión en el múltiple de admisión y sacar el colector del múltiple de admisión.

6. Separar los conectores eléctricos de las bobinas de encendido.

7. Separar el conector eléctrico del sensor de ángulo del cigüeñal y del transistor de potencia.

8. Separar los conectores eléctricos de los inyectores de combustible.

9. Desconectar el conjunto de los inyectores de combustible de las líneas de combustible.

10. Sacar los tornillos del raíl de combustible a la culata de cilindros.

11. Sacar del motor, el conjunto del raíl de combustible.

12. Sacar los tornillos del múltiple de admisión al motor, en secuencia, invirtiendo la secuencia de apriete.

13. Elevar el múltiple de admisión del motor y desechar la junta.

Para instalar:

14. Limpiar las superficies de montaje de junta.

15. Instalar el múltiple de admisión y apretar los tornillos y tuercas del múltiple de admisión en el motor, en secuencia.

16. Apretar los tornillos y las tuercas del múltiple de admisión, en dos pasos, como sigue:

a. Apretar todas las combinaciones de tornillo/tuerca a 26-43 plg-lb (3-5 Nm).

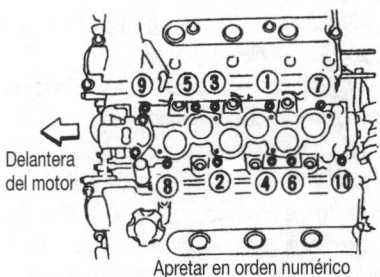

Delantera del motor

Apretar en orden numérico

▲ **Secuencia de apriete de los tornillos del múltiple de admisión – Motor 3.0L (VG30DE y VG30DETT)**

b. Apretar todos los tornillos a 12-14 pie-lb (16-20 Nm).

c. Apretar todas las tuercas a 17-20 pie-lb (24-27 Nm).

17. El resto de la instalación es la inversa del procedimiento de desmontaje.

18. Utilizando una junta nueva, instalar el colector del múltiple de admisión y apretar los tornillos del colector del múltiple de admisión en el múltiple de admisión, a 12-15 pie-lb (16-21 Nm).

19. Reconectar el cable negativo de la batería.

20. Llenar el sistema de refrigeración.

21. Arrancar el motor y comprobar si hay fugas.

Motor 3.0L (VQ30DE)

1. Desconectar el cable negativo de la batería y drenar el sistema de refrigeración.

2. Descargar la presión del sistema de combustible.

Después de APAGAR el motor, el sistema de inyección de combustible permanece bajo presión. Antes de desconectar cualquier línea de combustible, descargar correctamente la presión del combustible. En caso contrario, puede producirse un incendio o daños personales.

3. Sacar las mangueras de fluido refrigerante del cuerpo del ahogador.

4. Etiquetar y separar los conectores eléctricos del sensor de posición del ahogador.

5. Etiquetar y desconectar las mangueras del cuerpo del ahogador, la válvula de RGE, el colector del múltiple de admisión, la válvula de IAC y el regulador de la presión de combustible.

6. Desconectar la manguera de purga del bote de carbón y la manguera de fuga.

7. Desconectar el tubo guía de RGE.

8. Desconectar el cable del acelerador del cuerpo del ahogador.

9. Sacar los soportes de montaje del colector del múltiple de escape.

10. Separar de las bobinas de encendido los conectores eléctricos del lado derecho.

11. Si es necesario, separar el conector eléctrico del sensor de ángulo del cigüeñal y el transistor de potencia.

12. Sacar los tornillos/tuercas del colector del múltiple de admisión en el múltiple de admisión y sacar el colector del múltiple de admisión.

13. Sacar el conjunto de inyectores de combustible realizando los procedimientos siguientes:

a. Separar los conectores eléctricos de los inyectores de combustible.

b. Desconectar las líneas de combustible del conjunto de inyectores de combustible.

c. Sacar los tornillos del raíl de combustible en la culata de cilindros.

d. Sacar del motor, el conjunto del raíl de combustible.

14. Sacar los tornillos/tuercas del múltiple de admisión en la secuencia inversa a la de instalación.

15. Sacar el múltiple de admisión del motor y desechar las juntas.

16. Limpiar todas las superficies de montaje de juntas.

Para instalar:

17. Utilizando juntas nuevas, instalar el múltiple de admisión en el motor.

18. Apretar los tornillos/tuercas en secuencia, como sigue:

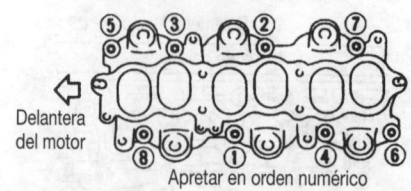

Delantera del motor

Apretar en orden numérico

▲ **Los tornillos de montaje del múltiple de admisión deben apretarse de acuerdo con la secuencia que se muestra – Motor 3.0L (VQ30DE)**

a. Apretar tuercas y tornillos a 44-86 plg-lb (5-10 Nm).

b. Apretar tuercas y tornillos a 20-23 pie-lb (26-31 Nm).

19. Instalar el conjunto de los inyectores de combustible, realizando los procedimientos siguientes:

a. Instalar el conjunto del raíl de combustible en el motor.

b. Instalar los tornillos del raíl de combustible en la culata de cilindros y apretar los tornillos a 15-20 pie-lb (21-26 Nm), en dos pasos progresivos.

c. Conectar las líneas de combustible en el conjunto de inyectores de combustible.

d. Conectar los conectores eléctricos en los inyectores de combustible.

20. Instalar los componentes restantes en el orden inverso al de desmontaje.

21. Llenar el sistema de refrigeración y conectar el cable negativo de la batería.

22. Arrancar el motor, sangrar el sistema de refrigeración y comprobar si hay fugas.

MÚLTIPLE DE ESCAPE

DESMONTAJE E INSTALACIÓN

Motores 1.6L y 2.0L

1. Desconectar el cable negativo de la batería. Levantar y soportar con seguridad el vehículo.

2. Sacar las subcubiertas del motor.

3. Sacar el conjunto del filtro de aire o del colector.

4. Sacar los protectores térmicos del múltiple y tubo de escape delantero.

5. Desconectar el tubo de escape delantero del múltiple de escape.

6. Sacar o desconectar, del múltiple, los sensores de temperatura, los sensores de oxígeno y los tubos de admisión de aire.

7. Sacar los soportes de montaje del múltiple.

8. Aflojar y sacar las tuercas de sujeción del múltiple de escape y sacar el múltiple del bloque. Desechar las juntas del múltiple de escape.

9. Limpiar las superficies de junta y comprobar si el múltiple está agrietado o deformado.

Para instalar:

10. Instalar el múltiple de escape con una junta nueva. Apretar las sujeciones del múltiple, desde el centro hacia fuera en varios pasos, tal como sigue:

a. Motores GA16DE – Apretar las tuercas de montaje con arandelas a 12-15 pie-lb (16-21 Nm).

b. Motores SR20DE – Apretar las tuercas de montaje con arandelas a 27-35 pie-lb (37-48 Nm).

11. Instalar o conectar los sensores de temperatura, sensores de oxígeno, y tubos de admisión de aire.

12. Instalar los soportes de montaje del múltiple.

13. Conectar el tubo de escape en el múltiple, utilizando una junta nueva. Apretar las juntas del múltiple a 21-25 pie-lb (28-33 Nm) para los modelos con motor GA16DE, o a 32-37 pie-lb (43-50 Nm) para los modelos de motor SR20DE.

14. Instalar los protectores térmicos.

15. Instalar el conjunto de filtro de aire o del colector.

16. Instalar las subcubiertas del motor.

17. Conectar el cable negativo de la batería.

18. Arrancar el motor y comprobar si hay fugas.

Motor 2.4L

1. Desconectar el cable negativo de la batería.

2. Levantar y soportar con seguridad el vehículo.

➡ **Antes de aflojar las tuercas o tornillos de retención del tubo de escape, impregnar las tuercas o tornillos de retención, con aceite penetrante.**

3. Desconectar el tubo de escape del múltiple de escape.

➡ **En los modelos California equipados con T/A, y en todos los modelos equipados con T/M, desconectar el tubo de escape del colector del múltiple de escape.**

4. Separar el conector eléctrico del sensor de oxígeno.

5. Sacar la cubierta del múltiple de escape.

6. Sacar el tubo de RGE del múltiple de escape.

7. Sacar los tornillos y tuercas del múltiple de escape en el motor y desechar las juntas. Sacar los tornillos y tuercas de retención en la secuencia inversa a la de instalación.

8. Sacar el múltiple de escape del vehículo.

Para instalar:

9. Limpiar todas las superficies de montaje de junta e instalar juntas nuevas.

10. Instalar el múltiple de escape en el motor y apretar las tuercas nuevas a 27-35 pie-lb (37-48 Nm). Apretar los tornillos y las tuercas, de manera uniforme, en secuencia hasta que ajusten; después apretar los tornillos y las tuercas, en secuencia, a las especificaciones.

11. Instalar el tubo de RGE en el múltiple de escape; apretar las tuercas del tubo de RGE a 29-36 pie-lb (39-49 Nm).

▲ Secuencia de apriete de los tornillos del múltiple de escape – Motor 2.4L (excepto los modelos California)

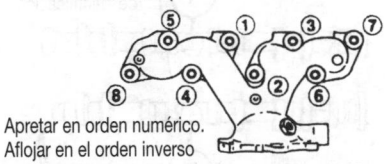

Apretar en orden numérico.
Aflojar en el orden inverso

▲ Secuencia de apriete de los tornillos del múltiple de escape – Motor 2.4L (modelos California)

12. Instalar la cubierta del múltiple de escape.

13. Apretar los tornillos de la cubierta del múltiple de escape a 46-57 plg-lb (5-7 Nm).

14. Conectar el conector eléctrico del sensor de oxígeno.

15. Utilizando una junta nueva, conectar el tubo de escape en el múltiple de escape y apretar las tuercas/tornillos de montaje a 33-44 pie-lb (45-60 Nm).

16. Conectar el cable negativo de la batería.

17. Arrancar el motor y comprobar si hay fugas de escape.

Motores 3.0L (VG30DE y VG30DETT)

1. Desconectar el cable negativo de la batería.

2. Levantar y soportar con seguridad el vehículo.

3. Desconectar los múltiples de escape del tubo de escape.

4. Separar las conexiones eléctricas del/los sensor/es de oxígeno.

5. Si está equipado, sacar el conjunto del turboalimentador y el catalizador de tres vías del múltiple de escape.

6. Sacar la/s cubierta/s del múltiple de escape.

7. Si se saca el múltiple de escape del lado izquierdo, sacar el tubo de RGE.

➡ Antes de aflojar las tuercas de retención del múltiple de escape, impregnar las tuercas de retención con aceite penetrante.

8. Sacar las tuercas de retención del múltiple de escape. Aflojar todas las tuercas de retención, de manera uniforme.

9. Sacar el múltiple del vehículo.

Para instalar:

10. Limpiar todas las superficies de montaje de junta e instalar juntas nuevas.

11. Instalar el múltiple de escape en el motor y apretar las tuercas de retención del múltiple de escape en el motor a 17-20 pie-lb (24-27 Nm) en los motores sin turbo, y apretar las tuercas de retención a 20-23 pie-lb (27-31 Nm) en los motores turbo.

12. Si está equipado, instalar el conjunto del turboalimentador y del catalizador de tres vías en el múltiple de escape.

13. Apretar los tornillos del turboalimentador a 32-40 pie-lb (43-54 Nm). Apretar los tornillos y las tuercas del catalizador de tres vías a 18-22 pie-lb (25-29 Nm).

14. Reconectar los conectores eléctricos del/los sensor/es de oxígeno.

15. Si se han sacado, reconectar el tubo de RGE en la válvula de RGE y múltiple de escape del lado izquierdo. Apretar el tubo de RGE en la tuerca de la válvula de RGE a 25-33 pie-lb (34-44 Nm).

16. Instalar las cubiertas del múltiple de escape.

17. Reconectar el tubo de escape en el múltiple.

18. Bajar el vehículo.

19. Conectar el cable negativo de la batería.

20. Arrancar el motor y comprobar si hay fugas de escape.

Motor 3.0L (VQ30DE)

1. Desconectar el cable negativo de la batería.

2. Levantar y soportar con seguridad el vehículo.

➡ Si es necesario, impregnar las tuercas de retención del tubo de escape con aceite penetrante para aflojarlas.

3. Desconectar los múltiples de escape de los tubos de escape.

4. Sacar las cubiertas protectoras de los múltiples.

5. Sacar las tuercas de montaje del múltiple de escape en el motor. Sacar el múltiple del motor y desechar las juntas.

Para instalar:

6. Limpiar todas las superficies de montaje de junta. Instalar juntas nuevas.

7. Instalar el múltiple de escape en el motor y apretar las tuercas de montaje, en dos pasos progresivos, a 22-24 pie-lb (30-32 Nm).

8. Instalar las pantallas protectoras y apretar los tornillos de montaje, en dos pasos progresivos, a 46-57 plg-lb (5-7 Nm).

9. Instalar los múltiples de escape en los tubos de escape y apretar las tuercas de montaje a 32-37 pie-lb (43-50 Nm).

10. Conectar el cable negativo de la batería, arrancar el motor y comprobar si hay fugas de escape.

SELLO DE ACEITE DELANTERO DEL CIGÜEÑAL

DESMONTAJE E INSTALACIÓN

➡ El procedimiento para el sello de aceite delantero del cigüeñal sólo es aplicable a los motores equipados con correa de sincronización. Para los motores equipados

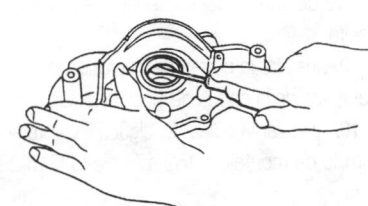

▲ Con cuidado, hacer palanca sobre el sello del cigüeñal, desde el agujero en la bomba de aceite – Motores 3.0L (VG30DE y VG30DETT)

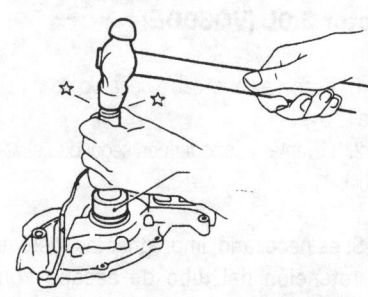

▲ Utilizar un instalador de sellos adecuado, como el KV3800300, para instalar el sello en la bomba de aceite – Motores 3.0L (VG30DE y VG30DETT)

con cadenas de sincronización, remitirse a la cadena de sincronización, engranajes, cubierta delantera y procedimiento que se explica más adelante en esta sección.

Motores 3.0L (VG30DE y VG30DETT)

1. Desconectar el cable negativo de la batería.

2. Colocar el motor en el PMS de la carrera de compresión.

3. Sacar la subcubierta del motor.

4. Sacar todas las correas propulsoras de accesorios y sacar el alternador del vehículo.

5. Sacar el tornillo del amortiguador del cigüeñal en el cigüeñal y sacar el amortiguador.

6. Sacar las cubiertas de la correa de sincronización y sacar la correa de sincronización.

7. Utilizando una herramienta adecuada para hacer palanca, sacar el sello de aceite del cuerpo delantero de la bomba de aceite.

▼ AVISO ▼

Al hacer palanca sobre el sello de aceite delantero de la cubierta delantera, ir con cuidado de manera que no se dañe la cubierta o el cigüeñal.

Para instalar:

8. Utilizando una herramienta introductora de sellos de aceite adecuada, instalar el sello de aceite delantero del cigüeñal a la bomba de aceite.

9. Instalar la correa de sincronización y las cubiertas de la correa de sincronización.

10. Instalar la polea del cigüeñal y apretar el tornillo de montaje a 159-174 pie-lb (216-235 Nm).

11. Instalar el conjunto del alternador e instalar las correas propulsoras del motor.

12. Instalar la subcubierta del motor.

13. Conectar el cable negativo de la batería y comprobar los niveles de todos los fluidos.

14. Arrancar el motor, comprobar la sincronización del encendido y comprobar si hay fugas de aceite.

ÁRBOL DE LEVAS Y LEVANTAVÁLVULAS

DESMONTAJE E INSTALACIÓN

Motor 1.6L

▼ PRECAUCIÓN ▼

Después de APAGAR el motor, el sistema de inyección de combustible permanece bajo presión. Antes de desconectar cualquier línea de combustible, descargar correctamente la presión del combustible. En caso contrario, puede producirse un incendio o daños personales.

▲ Asegurarse de instalar las tapas de los cojinetes en sus posiciones originales – Motor 1.6L

1. Desconectar el cable negativo de la batería, drenar el sistema de refrigeración y descargar la presión del sistema de combustible.

2. Sacar todas las correas propulsoras del motor. Desconectar el tubo de escape del múltiple de escape.

3. Sacar la polea y bomba de la dirección asistida con el soporte de montaje.

4. Sacar la cubierta de la culata de cilindros.

5. Sacar el conjunto del distribuidor.

6. Sacar los tensores de la cadena de sincronización y el engranaje del árbol de levas.

➡ **Antes de sacar los árboles de levas de la culata de cilindros, anotar las posiciones de los pasadores en los extremos de los árboles de levas, para su posterior reensamblaje.**

7. Sacar las tapas de los cojinetes de árbol de levas, en secuencia, y sacar los árboles de

levas de la culata de cilindros. Sacar el tornillo del engranaje tensor. Estas piezas deben reensamblarse en su posición original.

8. Sacar los calzos de la parte superior de los levantaválvulas. Asegurarse de anotar la posición de cada calzo.

9. Sacar los levantaválvulas de los agujeros (alojamientos) en la culata de cilindros. Anotar la posición de los levantaválvulas para su reensamblaje.

10. Medir el diámetro de los levantaválvulas. El diámetro debe ser de 1.1795-1.1801 plg (29.960-29.975 mm).

11. Medir el diámetro de los agujeros (ánimas-alojamientos) de los levantaválvulas. El diámetro debe ser de 1.1811-1.1819 plg (30.000-30.021 mm).

12. La holgura entre el levantaválvulas y el agujero debe ser de 0.0010-0.0024 plg (0.025-0.061 mm).

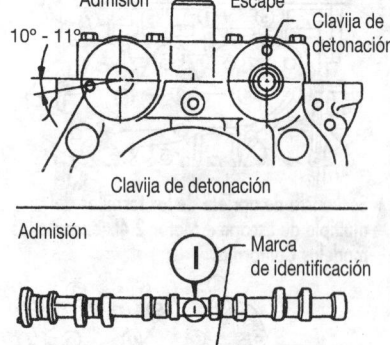

▲ Colocación e identificación de los árboles de levas – Motor 1.6L

Para instalar:

13. Instalar los levantaválvulas y calzos en la culata de cilindros, en las localizaciones correctas que se han anotado durante el desmontaje.

➡ **Los árboles de levas de escape y de admisión están marcados con señales de identificación estampadas (E para el de escape e I para el de admisión).**

14. Instalar los árboles de levas en la culata de cilindros y situar la clavija de detonación en la posición de las 9 en punto y el árbol de levas de escape en la posición de las 12 en punto.

15. Instalar las tapas de cojinetes de árbol de levas y apretar los tornillos de montaje como sigue:

a. Apretar los tornillos 11 al 15, después los tornillos 1 al 10, a 18 plg-lb (2 Nm).

b. Apretar los tornillos 1 al 15 a 53 plg-lb (6 Nm).

c. Apretar los tornillos 1 al 14 a 87-105 plg-lb (10-12 Nm).

d. Apretar el tornillo 15 a 56-73 plg-lb (7-8 Nm).

➡ Si se ha reemplazado alguna pieza del tren de válvulas, debe comprobarse el ajuste de válvulas. NO ajustar las válvulas o girar los árboles de levas, pues en este punto, podrían producirse daños internos en el motor.

16. Instalar los engranajes de los árboles de levas con las cadenas de sincronización.

17. Instalar el conjunto del distribuidor.

18. Comprobar y ajustar la holgura de válvulas.

19. Instalar la cubierta de culata de cilindros.

20. Instalar los componentes restantes. Llenar y comprobar los niveles de todos los fluidos.

21. Conectar el cable negativo de la batería.

22. Arrancar el motor, comprobar si hay fugas y ajustar la sincronización del encendido, según las especificaciones.

23. Probar el vehículo en carretera para ver si su funcionamiento es correcto.

Motor 2.0L

SENTRA

1. Desconectar el cable negativo de la batería. Sacar la cubierta de balancines y el separador de aceite.

2. Girar el cigüeñal hasta que el pistón N° 1 esté en el PMS, en la carrera de compresión. Después, girar el cigüeñal hasta que las marcas de coincidencia en los engranajes de los árboles de levas estén alineadas con las marcas de coincidencia en la cadena de sincronización.

3. Sacar el tensor de la cadena de sincronización.

4. Sacar el distribuidor.

5. Sacar la guía de la cadena de sincronización.

6. Sacar los engranajes de árboles de levas. Utilizar una llave de tuercas para sujetar el árbol de levas, mientras se afloja el tornillo del engranaje.

7. Aflojar los tornillos del soporte del árbol de levas, en el orden opuesto a la secuencia de apriete.

8. Sacar el árbol de levas.

Para instalar:

9. Limpiar el soporte del extremo del árbol de levas de mano izquierda (MI) y cubrir la superficie de contacto con junta líquida. Instalar los árboles de levas, los soportes de árboles de levas, tubos de aceite y placa difusora. Asegurarse de que la chaveta del árbol de levas izquierdo está en las 12 en punto y de que la chaveta del árbol de levas derecho está en las 10 en punto.

10. El procedimiento para apretar los tornillos de los árboles de levas debe seguirse exactamente para prevenir que los árboles de levas se dañen. Apretar los tornillos como sigue:

a. Apretar los tornillos 9 y 10 (en este orden) del árbol de levas derecho a 1.5 pie-lb (2 Nm), después apretar los tornillos 1-8 (en este orden) a la misma especificación.

b. Apretar los tornillos 11 y 12 (en este orden) del árbol de levas izquierdo a 1.5 pie-lb (2 Nm), después apretar los tornillos 1-10 (en este orden) a la misma especificación.

c. Apretar todos los tornillos, en secuencia, a 4.5 pie-lb (6 Nm).

d. Apretar todos los tornillos, en secuencia, a 6.5-8.5 pie-lb (9-12 Nm) para los tornillos tipo A, B y C, y a 13-19 pie-lb (18-25 Nm) para los tornillos tipo D.

11. Alinear las marcas de coincidencia en la cadena de sincronización y los engranajes de los árboles de levas e instalar los engranajes. Apretar los tornillos de los engranajes a 101-116 pie-lb (137-157 Nm).

12. Los componentes restantes se instalan en el orden inverso al que se han desmontado.

13. Conectar el cable negativo de la batería. Llenar los niveles de todos los fluidos. Probar el vehículo en carretera, para ver si su funcionamiento es correcto.

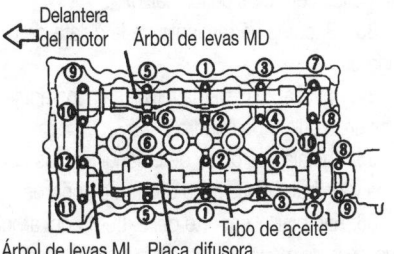

Delantera del motor ⬅   Árbol de levas MD

Tubo de aceite

Árbol de levas MI   Placa difusora

⚠ **Para evitar que se dañen los árboles de levas, apretar las tapas de los cojinetes en la secuencia que se muestra – Motores 2.0L**

200SX

▼ PRECAUCIÓN ▼

Después de APAGAR el motor, el sistema de inyección de combustible permanece bajo presión. Antes de desconectar cualquier línea de combustible, descargar correctamente la presión del combustible. En caso contrario, puede producirse un incendio o daños personales.

1. Descargar la presión del sistema de combustible y desconectar el cable negativo de la batería.

2. Levantar y soportar con seguridad el vehículo. Sacar las subcubiertas del motor.

3. Sacar la rueda delantera derecha y la cubierta lateral del motor.

4. Drenar el sistema de refrigeración y sacar el conjunto del radiador.

5. Sacar el conducto de aire del múltiple de admisión.

6. Sacar las correas propulsoras y la polea de la bomba de agua.

7. Sacar el alternador y la bomba de la dirección asistida, del motor.

8. Anotar las localizaciones para el reensamblaje y sacar las mangueras de vacío, mangueras de combustible, cables y las conexiones eléctricas.

9. Sacar la tapa del distribuidor y los cables de encendido del motor.

10. Sacar todas las bujías.

11. Sacar las tuercas de la cubierta de balancines, en secuencia.

12. Sacar la cubierta de balancines y el separador de aceite.

13. Sacar los soportes del múltiple de admisión, soporte del filtro de aceite y el soporte de la dirección asistida.

14. Girar el motor y colocar el pistón N° 1 en el PMS en la carrera de compresión. Girar el cigüeñal hasta que las marcas de coincidencia en los engranajes de los árboles de levas estén en la posición correcta.

15. Sacar el tensor de la cadena de sincronización.

16. Marcar la posición del rotor y del cuerpo del distribuidor en el bloque de cilindros para su posterior reinstalación. Desatornillar y sacar el conjunto del distribuidor.

17. Sacar la guía de la cadena de sincronización.

➡ Atar con un alambre los engranajes de árboles de levas a la cadena de sincronización, para mantener correcta la posición de la cadena de sincronización.

18. Sujetando los planos de los engranajes de árboles de levas, sacar los tornillos de mon-

taje. Sacar los engranajes de los árboles de levas.

➡ **Anotar la posición de los pasadores (clavijas) en el extremo de los árboles de levas para su posterior instalación.**

19. Sacar los tubos de aceite, placa difusora, soportes de árboles de levas y los árboles de levas. Es importante que todas las piezas se guarden en orden para su correcta instalación.

➡ **Es esencial que los componentes del tren de válvulas se guarden en el orden especificado para su reensamblaje.**

20. Sacar los balancines, calzos, guías de balancines y los ajustadores hidráulicos de holgura.

➡ **Cuando se saquen los levantaválvulas, guardarlos cara arriba o sumergidos en aceite de motor limpio para evitar que les entre aire.**

21. Medir el diámetro de los levantaválvulas. El diámetro debe ser de 0.6685-0.6690 plg (16.980-16.993 mm).

22. Medir el diámetro de los agujeros de los levantaválvulas. El diámetro debe ser de 0.6693-0.6701 plg (17.000-17.020 mm).

23. La holgura estándar entre el ajustador de holgura y el agujero de la guía debe ser de 0.0003-0.0016 plg (0.007-0.040 mm).

Para instalar:

➡ **Debe purgarse el aire de los levantaválvulas hidráulicos. En esta clase de levantaválvulas, el aire no puede purgarse rodando el motor.**

24. Sangrar los levantaválvulas como sigue:
   a. Sumergir el levantaválvulas en un recipiente con aceite de motor limpio.
   b. Mientras se empuja el émbolo, insertar una varilla delgada dentro de la bola de la válvula antirretorno y empujar ligeramente la bola de la válvula.
   c. El aire está purgado completamente cuando el émbolo ya no se mueve.

25. Comprobar el desgaste de todos los componentes, reemplazarlos si es necesario y limpiar todas las superficies de unión.

➡ **Antes de la instalación, aplicar aceite de motor limpio a todos los componentes.**

Reemplazar siempre la guía del balancín por una nueva.

26. Al llegar a este punto es necesario realizar el ajuste de válvulas. Ajustar las válvulas como sigue:

➡ **Será necesario determinar la medida correcta del calzo (calza) cuando se reemplace la válvula, la culata de cilindros, el calzo, la guía del balancín o el asiento de válvula.**

27. Insertar una herramienta KV10115700 (J-38957) con el indicador de esfera en el agujero del levantaválvulas.

28. Antes de realizar las mediciones, asegurarse de que las piezas siguientes están instaladas en la culata de cilindros.
   • Válvula.
   • Resorte de válvula.
   • Anillo metálico.
   • Retenedor.
   • Guía de balancines (excepto el calzo).

29. Sobre el lado del calzo, medir la diferencia entre las superficies de contacto de la guía de balancines y el extremo del vástago de válvula.

➡ **Al realizar las mediciones, tirar ligeramente de la barra (palpador) del indicador de esfera hacia uno mismo, para eliminar el juego de la herramienta.**

30. Utilizando esta lectura, seleccionar el tamaño correcto del calzo.

31. Los ajustes están disponibles en grosores de 0.1102-0.1260 plg (2.800-3.200 mm) en pasos de 0.0010 plg (0.025 mm).

32. Medir todas las válvulas y seleccionar los tamaños correctos de los calzos.

33. Sacar la herramienta de la culata de cilindros.

34. Instalar los levantaválvulas en los agujeros en la culata de cilindros.

35. Instalar las guías de balancines, los calzos y los balancines en la culata de cilindros.

36. Limpiar el soporte del extremo del árbol de levas de mano izquierda y cubrir la superficie de contacto con junta líquida. Instalar los árboles de levas, los soportes de árboles de levas, los tubos de aceite y la placa difusora.

▼ AVISO ▼
Asegurarse de que la chaveta del árbol de levas izquierdo está en la posición de las 12 en punto y de que la chaveta

del árbol de levas derecho está también en posición de las 12 en punto.

37. El procedimiento para apretar los tornillos de los árboles de levas debe seguirse exactamente para prevenir que los árboles de levas se dañen. Apretar los tornillos como sigue:
   a. Apretar los tornillos N° 9 y 10 del árbol de levas derecho (en este orden) a 18 plg-lb (2 Nm), después apretar los tornillos 1-8 (en este orden) a la misma especificación.
   b. Apretar los tornillos N° 11 y 12 del árbol de levas izquierdo (en este orden) a 18 plg-lb (2 Nm), después apretar los tornillos 1-10 (en este orden) a la misma especificación.
   c. Apretar todos los tornillos, en secuencia, a 51 plg-lb (6 Nm).
   d. Apretar todos los tornillos, en secuencia, a 78-102 plg-lb (9-12 Nm), después apretar los dos tornillos que aseguran la tapa del cuerpo del distribuidor a 13-19 pie-lb (18-25 Nm).

38. Alinear las marcas de unión en la cadena de sincronización y los engranajes de los árboles de levas e instalar la cadena de sincronización y los engranajes. Apretar los tornillos de los engranajes a 101-116 pie-lb (137-157 Nm). Al apretar los tornillos de los engranajes, asegurarse de sujetar los planos de los árboles de levas.

39. El resto de la instalación es la inversa del procedimiento de desmontaje.

40. Rodar el motor y reajustar la sincronización del encendido.

41. Probar el vehículo en carretera para ver si su funcionamiento es correcto.

Motor 2.4L

ALTIMA

1. Descargar la presión del sistema de combustible.

▼ PRECAUCIÓN ▼
Después de APAGAR el motor, el sistema de inyección de combustible permanece bajo presión. Antes de desconectar cualquier línea de combustible, descargar correctamente la presión del combustible. En caso contrario, puede producirse un incendio o daños personales.

2. Desconectar el cable negativo de la batería.

3. Drenar el fluido refrigerante del motor y el radiador.

4. Sacar los conductos de admisión de aire y el conjunto del filtro de aire.

5. Sacar las mangueras de vacío, las mangueras de combustible, los cables, el cableado y los conectores que sean necesarios, para desmontar la cubierta de balancines.

6. Sacar el alternador y el soporte de montaje.

7. Sacar la manguera superior del radiador y el ventilador de refrigeración.

8. Colocar el pistón N° 1 en el PMS en su carrera de compresión.

9. Desconectar de las bujías los cables de bujías.

10. Marcar y anotar la posición del rotor y el cuerpo del distribuidor en el bloque de cilindros.

11. Sacar el conjunto del distribuidor.

12. Sacar la cubierta de balancines aflojando los tornillos en el orden inverso al de instalación.

13. Atar con un alambre la cadena al engranaje, de manera que la cadena no se caiga durante el desmontaje del engranaje. Sujetar los planos del árbol de levas con una llave, justo detrás de la primera tapa del cojinete del árbol de levas. Aflojar los tornillos y sacar los engranajes.

14. Sacar los engranajes de los árboles de levas.

➡ **Los obturadores en las cubiertas de los árboles de levas previenen que la cadena superior de sincronización se desacople del engranaje tensor. También, después del desmontaje de los engranajes de los árboles de levas, anotar la posición de los pasadores en el extremo de los árboles de levas para su posterior reinstalación.**

15. Sacar las tapas de los cojinetes de los árboles de levas en el orden inverso al de la instalación, después sacar los árboles de levas. Los soportes de los árboles de levas deben aflojarse en la secuencia correcta para evitar que los árboles de levas se dañen.

➡ **Todos los componentes del tren de válvulas deben reensamblarse en sus posiciones originales.**

16. Sacar los calzos de los levantaválvulas de la parte superior de los levantaválvulas. Asegurarse de anotar la localización y posición de cada calzo.

17. Sacar los levantaválvulas de los agujeros en las culatas de cilindros. Asegurarse de anotar la localización y posición de cada levantaválvulas.

18. Comprobar el diámetro del levantaválvulas y del agujero del levantaválvulas y compararlo con las especificaciones siguientes.

19. El diámetro del levantaválvulas debe ser de 1.3370-1.3376 plg (33.960-33.975 mm).

20. El diámetro del agujero de la guía del levantaválvulas debe ser de 1.3386-1.3394 plg (33.960-33.975 mm).

21. La holgura del levantaválvulas al agujero de la guía del levantaválvulas debe ser de 0.0010-0.0024 plg (0.025-0.061 mm).

Para instalar:

➡ **Al instalar los componentes de las válvulas, aplicar una capa de aceite de motor limpio a cada componente.**

22. Instalar los levantaválvulas en los agujeros de los levantaválvulas de los cuales se han sacado.

23. Instalar los calzos de las válvulas en los levantaválvulas de los cuales se han extraído.

24. Instalar los árboles de levas en la misma posición que se anotó durante el desmontaje y las tapas de los cojinetes de los árboles de levas; apretar los tornillos de las tapas, en la secuencia correcta, como sigue:

a. Apretar todos los tornillos a 17 plg-lb (2 Nm).

b. Apretar todos los tornillos a 81-104 plg-lb (9-12 Nm).

➡ **Al instalar la cadena de sincronización y los engranajes, alinear las marcas en los engranajes con los eslabones coloreados de la cadena.**

25. Instalar los engranajes de los árboles de levas con la cadena de sincronización y apretar los tornillos de los engranajes a 123-130 pie-lb (167-177 Nm). Instalar la guía de la cadena entre ambos engranajes de los árboles de levas. Las marcas de alineación en la parte superior de la

cadena de sincronización deben ser alineadas ahora con las marcas en los engranajes.

26. Instalar los componentes restantes en el orden inverso al de desmontaje.

27. Llenar el fluido refrigerante del motor y comprobar el nivel de aceite del motor.

28. Conectar el cable negativo de la batería.

29. Arrancar el motor y realizar los ajustes necesarios. Comprobar si el funcionamiento es correcto y si hay fugas.

240SX

1. Desconectar el cable negativo de la batería.

2. Descargar la presión del sistema de combustible.

▼ PRECAUCIÓN ▼

Después de APAGAR el motor, el sistema de inyección de combustible permanece bajo presión. Antes de desconectar cualquier línea de combustible, descargar correctamente la presión del combustible. En caso contrario, puede producirse un incendio o daños personales.

3. Sacar los conductos de admisión del aire y el conjunto del filtro de aire.

4. Sacar y etiquetar las mangueras de vacío de la cubierta de válvulas. Para acceder a las tuercas de la cubierta de válvulas, puede ser necesario sacar el raíl de combustible.

5. Sacar el ventilador de refrigeración y el recubrimiento del ventilador del radiador.

6. Sacar los cables de bujías.

7. Sacar la cubierta de válvulas y girar el cigüeñal para alinear las marcas de sincronización en el PMS en el cilindro N° 1.

8. Marcar la posición del rotor del distribuidor y el distribuidor. Sacar el conjunto del distribuidor del vehículo.

9. Sacar la cubierta de la cadena de sincronización superior.

10. Sacar la guía y el tensor de la cadena de sincronización superior.

11. Atar con un alambre la cadena al engranaje de manera que la cadena no se caiga durante el desmontaje del engranaje. Sujetar los planos de los árboles de levas con una herramienta justo detrás de la primera tapa de cojinetes de árbol de levas. Aflojar los tornillos y sacar los engranajes.

➡ **Los obturadores de las cubiertas de los árboles de levas evitan que la cadena**

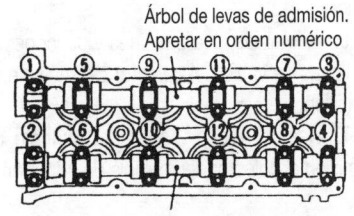

Árbol de levas de admisión.
Apretar en orden numérico

⇦ Delantera del motor

Árbol de levas de escape. Apretar el soporte del árbol de levas de escape con el mismo procedimiento

▲ **Apretar las tapas de cojinetes de árbol de levas, en secuencia para evitar que los árboles de levas y la culata de cilindros se dañen – Motor 2.4L**

de sincronización superior se desacople del engranaje tensor.

➡ **Después de desmontar los engranajes de los árboles de levas, anotar la posición de los pasadores en el extremo de los árboles de levas para su posterior reinstalación.**

12. Sacar las tapas de los cojinetes de leva, en el orden inverso a la secuencia de apriete, y sacar los árboles de levas. Los soportes de los árboles de levas deben aflojarse en la secuencia correcta para evitar que el árbol de levas se dañe.

➡ **Estas piezas deben reensamblarse en sus posiciones originales. Los tornillos deben aflojarse en 2-3 pasos (aflojar todos los tornillos en el orden inverso al de apriete).**

13. Sacar los calzos de ajuste de levantaválvulas, de las partes superiores de los levantaválvulas.

14. Sacar los levantaválvulas de los agujeros en las culatas de cilindros.

15. Comprobar el diámetro del levantaválvulas y del agujero del levantaválvulas y compararlo con las siguientes especificaciones.

16. El diámetro del levantaválvulas debe ser de 1.3370-1.3376 plg (33.960-33.975 mm).

17. El diámetro del agujero de la guía del levantaválvulas debe ser de 1.3386-1.3394 plg (33.960-33.975 mm).

18. La holgura entre el levantaválvulas y el agujero de la guía del levantaválvulas debe ser de 0.0010-0.0024 plg (0.025-0.061 mm).

Para instalar:

➡ **Aplicar una capa de aceite de motor limpio a los componentes del tren de válvulas.**

19. Instalar los levantaválvulas en los agujeros de los levantaválvulas de los cuales se han sacado.

20. Instalar los calzos de las válvulas en los levantaválvulas de los cuales se han extraído.

21. Instalar los árboles de levas en la misma posición que se anotó durante el desmontaje e instalar las tapas de los cojinetes de los árboles de levas.

22. Apretar los tornillos de las tapas de los cojinetes, en la secuencia correcta, como sigue:

a. Apretar todos los tornillos a 17 plg-lb (2 Nm).

b. Apretar todos los tornillos a 81-104 plg-lb (9-12 Nm).

➡ **Al instalar la cadena y engranajes de sincronización, alinear las marcas en los engranajes con los eslabones coloreados de la cadena.**

23. Instalar los engranajes de los árboles de levas y apretar los tornillos a 123-130 pie-lb (167-177 Nm).

24. Instalar la cadena de sincronización, después instalar los componentes restantes en el orden opuesto al que se han desmontado.

25. Conectar el cable negativo de la batería.

26. Arrancar el motor y realizar los ajustes necesarios. Comprobar si el funcionamiento es correcto y si hay fugas.

Motores 3.0L (VG30DE y VG30DETT)

▼ PRECAUCIÓN ▼

Una vez que se haya sacado la correa de sincronización, NO girar el cigüeñal o los árboles de levas. Las válvulas y los pistones harán contacto y por lo tanto se causarán graves daños en el motor.

1. Colocar el motor de manera que el pistón N° 1 esté en el PMS de la carrera de compresión.

2. Descargar la presión del sistema de combustible y desconectar el cable negativo de la batería.

3. Drenar el sistema de refrigeración. Asegurarse de drenar el bloque de cilindros.

4. Desconectar el cable del acelerador del varillaje del cuerpo del ahogador.

5. Desconectar el cable de control de velocidad de crucero del varillaje del cuerpo del ahogador.

6. Anotar las localizaciones y desconectar las líneas de vacío del colector del múltiple de admisión.

7. Desatornillar y sacar del múltiple de admisión el colector del múltiple de admisión.

➡ **Después de sacar el colector del múltiple de admisión, cubrir las aberturas del múltiple de admisión para evitar que entren objetos extraños en la cámara de combustión.**

8. Anotar las localizaciones y desconectar el cableado eléctrico del múltiple de admisión y del cableado del motor.

9. Sacar las bobinas de encendido y las bujías del motor.

10. Sacar los tornillos de montaje del raíl de combustible y sacar el tubo de los inyectores de combustible con los inyectores, del conjunto de la admisión.

11. Sacar las cubiertas de válvulas.

12. Sacar el radiador.

13. Sacar las correas propulsoras. Marcar las correas propulsoras para su posterior reinstalación.

14. Sacar el ventilador de refrigeración y el embrague del ventilador de refrigeración.

15. Marcar el sensor de posición de árbol de levas en el soporte de montaje del sensor y desatornillar el sensor.

16. Sacar el motor de arranque y bloquear el engranaje anular (corona dentada) del volante (motor) con un mecanismo de bloqueo adecuado.

17. Sacar el tornillo de la polea del cigüeñal.

➡ **El motor se bloquea para evitar que el engranaje del cigüeñal gire durante el desmontaje y la instalación. Sacar el bloqueo durante la parte de sincronización del motor de este procedimiento.**

18. Sacar la polea del cigüeñal utilizando un extractor adecuado.

19. Sacar los cuerpos de entrada y salida del agua.

20. Sacar las cubiertas y las juntas de la correa de sincronización.

21. Sacar el soporte de montaje del sensor de ángulo del cigüeñal.

22. Instalar un tornillo obturador adecuado de 6 mm en el brazo tensor del tensor automático, de manera que la longitud del empujador no varíe.

➡ **Marcar la dirección de rotación de la correa de sincronización para su posterior reinstalación.**

23. Sacar el tensor automático y la correa de sincronización.

24. Comprobar el tensor automático para saber si hay fugas de aceite en la barra empujadora y el diafragma. Si el aceite es evidente, reemplazar el conjunto del tensor automático.

25. Examinar si los dientes de los engranajes de sincronización están gastados y si los

engranajes presentan señales de desgaste deben reemplazarse.

26. Sacar la tuerca de montaje de la polea tensora, sacar la polea tensora y sacar el espárrago de la polea tensora.

27. Desatornillar y sacar el conjunto del múltiple de admisión.

28. Desconectar el tubo de escape del múltiple de escape.

29. Aflojar los tornillos de culata de cilindros (en el orden inverso a la secuencia de instalación), en 2-3 pasos. Levantar la culata de cilindros fuera del bloque de cilindros con los múltiples de escape acoplados. Puede ser necesario golpear ligeramente la culata con una maza de goma (hule) para aflojarla.

30. Colocar la culata de cilindros sobre bloques de madera, para proteger la superficie de la culata y proteger las válvulas que pueden sobresalir por debajo de la superficie de la culata de cilindros.

31. Sacar el múltiple de escape de la culata de cilindros.

32. Mientras se sujetan los planos del árbol de levas en posición con una llave, sacar los tornillos de montaje de los engranajes de árbol de levas.

➡ **Sacar el plato delantero, la junta tórica y el resorte del árbol de levas derecho (admisión) para mejorar el acceso al tornillo del engranaje. El engranaje del árbol de levas izquierdo se sujeta en su sitio con el plato y cuatro tornillos.**

33. Anotar la posición de los engranajes en los árboles y sacar los engranajes de los árboles de levas.

34. Para sacar el árbol de levas se necesitará sacar la cubierta trasera de la correa de sincronización, que será accesible después de sacarse los engranajes de los árboles de levas.

35. Montar un indicador de esfera y colocar el palpador del indicador sobre el extremo del árbol de levas. Poner el indicador a cero y medir el juego axial del árbol de levas, moviendo el árbol de levas para adelante y para atrás. El juego axial debe estar entre 0.0012-0.0031 plg (0.03-0.08 mm).

36. Sacar las tapas de los cojinetes de los árboles de levas. Aflojar los tornillos en la secuencia correcta (inversa a la secuencia de instalación), gradualmente en 2-3 pasos.

37. Hacer palanca suavemente sobre los sellos de aceite de los árboles de levas sacándolos de la culata de cilindros.

38. Sacar las válvulas de solenoide de control de la sincronización.

39. Sacar los árboles de levas de la culata de cilindros.

➡ **Asegurarse de anotar las posiciones de los árboles de levas de escape y de admisión antes de sacarlos.**

Para instalar:

40. Instalar los árboles de levas de manera que los pasadores de detonación estén alineados correctamente. El árbol de levas del lado de escape (lado izquierdo) tiene una estría que admite el sensor del ángulo del cigüeñal.

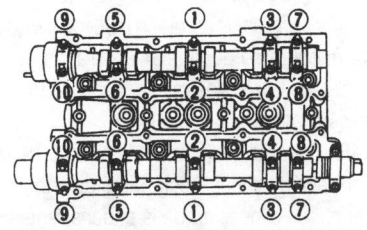

▲ Secuencia de apriete de los tornillos de las tapas de cojinetes de los árboles de levas – Motores 3.0L (VG30DE y VG30DETT)

41. Instalar las válvulas de solenoide de control de la sincronización. Apretar los tornillos de soporte a 12-18 pie-lb (16-25 Nm). Antes de la instalación, aplicar junta líquida a la superficie de asiento de la válvula.

42. Instalar las tapas de los cojinetes de los árboles de levas. Apretar los tornillos de soporte, en secuencia, a 7-9 pie-lb (9-12 Nm). Apretar los tornillos gradualmente en 2-3 pasos. Al instalar los soportes delanteros de los árboles de levas, aplicar junta líquida en la superficie de asiento del soporte.

43. Cubrir los labios de los nuevos sellos de aceite de los árboles de levas con aceite de motor limpio, e instalar los sellos en la culata de cilindros.

44. Instalar las cubiertas traseras de la correa de sincronización. Apretar los tornillos de las cubiertas a 5-6 pie-lb (6-8 Nm).

45. Instalar los engranajes de los árboles de levas.

46. Instalar la culata de cilindros con una junta nueva.

47. Conectar el tubo de escape en el múltiple de escape.

48. Instalar los componentes restantes en el orden inverso al de desmontaje.

49. Llenar el sistema de refrigeración al nivel correcto y conectar el cable negativo de la batería.

50. Rodar el motor y realizar todos los ajustes del motor necesarios.

51. Probar el vehículo en carretera para ver si su funcionamiento es correcto.

Motor 3.0L (VQ30DE)

1. Descargar la presión del sistema de combustible.

▼ PRECAUCIÓN ▼

Después de APAGAR el motor, el sistema de inyección de combustible permanece bajo presión. Antes de desconectar cualquier línea de combustible, descargar correctamente la presión del combustible. En caso contrario, puede producirse un incendio o daños personales.

2. Desconectar el cable negativo de la batería.

3. Drenar el aceite del motor y el sistema de refrigeración. Asegurarse de drenar el bloque de cilindros y el radiador.

4. Sacar el adorno de la cubierta de balancines del lado izquierdo.

➡ **Antes de desacoplar cualquier manguera o conector, anotar las posiciones para su reensamblaje.**

5. Sacar la manguera del conducto de aire al múltiple de admisión, la manguera del colector, la manguera de fuga y las mangueras de vacío.

6. Sacar las mangueras de combustible y separar las conexiones del cableado.

7. Desconectar las mangueras de purga del recipiente.

8. Sacar las mangueras de agua de la culata de cilindros y del múltiple de admisión.

9. Desconectar y sacar las seis bobinas de encendido de las bujías.

10. Sacar las bujías.

11. Sacar los tornillos que fijan el tubo de RGE y sacar el tubo.

12. Sacar los soportes del colector del múltiple de admisión y sacar el colector.

13. Sacar los tornillos que fijan el tubo de combustible y sacar el tubo de combustible del vehículo.

14. Sacar los tornillos que fijan el múltiple de admisión en el bloque de cilindros y sacar el múltiple. Aflojar los tornillos en la secuencia inversa al procedimiento de apriete.

15. Sacar las cubiertas de los balancines de MI y de MD, de la culata de cilindros.

16. Sacar las subcubiertas del motor.

17. Sacar la rueda delantera derecha y las cubiertas laterales del motor.

18. Sacar las correas propulsoras y la polea tensora.

19. Sacar la correa de la bomba de aceite de la dirección asistida y sacar el conjunto de la bomba de aceite de la dirección asistida.

20. Sacar el sensor de posición del árbol de levas (PHASE) y los sensores de posición del cigüeñal (REF)/(POS).

21. Colocar el pistón N° 1 en el PMS de la carrera de compresión, girando el cigüeñal.

22. Sacar el plato de acceso de la cubierta del engranaje anular (corona dentada).

23. Aflojar el tornillo de la polea del cigüeñal mientras se fija el engranaje anular para que el cigüeñal no pueda girar.

➡ **Ir con cuidado de no dañar los dientes del engranaje anular.**

24. Utilizando un extractor adecuado, sacar la polea del cigüeñal.

25. Saca el compresor del A/A y el soporte.

26. Sacar el tubo de escape delantero y su soporte.

27. Colgar el motor por las eslingas de motor derecha e izquierda, con un elevador adecuado.

28. Soportar la transmisión con un gato.

29. Sacar el montaje lateral derecho del motor, el soporte de montaje y las tuercas.

30. Sacar el conjunto del travesaño central.

31. Sacar los tornillos del depósito de aceite de acero (inferior) en el orden inverso a la secuencia de instalación.

32. Insertar un cortador de sellos entre los depósitos de aceite de aluminio y de acero.

33. Golpeando el cortador con un martillo, deslizarlo alrededor de todo el borde del depósito de aceite. Ir con cuidado de no dañar la superficie de unión de aluminio del depósito de aceite superior.

34. Sacar el depósito de aceite de acero y el colador de aceite.

35. Sacar los tornillos del depósito de aceite de aluminio (superior) en el orden inverso a la secuencia de instalación.

36. Sacar los tornillos de la transmisión que fijan el depósito de aceite.

37. Insertar un cortador de sellos entre el depósito de aceite de aluminio y el bloque de cilindros.

38. Golpeando el cortador con un martillo, deslizarlo alrededor de todo el borde del depó-

sito de aceite. Ir con cuidado de no dañar las superficies de unión del depósito de aceite o del bloque de cilindros.

39. Sacar el depósito de aceite del vehículo.

40. Sacar la cubierta de la bomba de agua y sacar los tornillos que fijan la cubierta delantera de la caja de la cadena de sincronización.

41. Utilizando un cortador de sellos, sacar la cubierta de la caja de la cadena de sincronización.

42. Sacar la guía interna de la cadena de sincronización y la guía superior de la cadena.

43. Sacar el tensor de la cadena de sincronización y holgar la guía lateral de la cadena.

44. Primero sacar los engranajes de los árboles de levas de admisión derecho e izquierdo. Asegurarse de sujetar los planos de los árboles de levas mientras se sacan los tornillos de los engranajes.

45. Sacar el conjunto de la cadena de sincronización inferior. Asegurarse de anotar las marcas de alineación de la cadena, antes de desmontarla.

46. Insertar un pasador obturador adecuado para los tensores de los árboles de levas derecho e izquierdo.

47. Sacar los tornillos de los engranajes de los árboles de levas de escape derecho e izquierdo. Asegurarse de sujetar los planos de los árboles de levas mientras se sacan los tornillos de los engranajes.

48. Sacar el conjunto de la cadena de sincronización superior. Asegurarse de anotar las marcas de alineación de la cadena, antes de desmontarla.

49. Sacar la guía de la cadena de sincronización inferior.

50. Sacar los engranajes de los árboles de levas.

51. Aflojar los tornillos que fijan la caja trasera de la cadena de sincronización.

52. Utilizando una herramienta cortadora de sellos, sacar la cubierta de la caja trasera de la sincronización.

➡ **Sacar las juntas tóricas de la parte delantera del bloque de cilindros.**

53. Aflojar las tapas de los cojinetes en varios pasos. Las tapas de cojinetes DEBEN aflojarse en secuencia.

➡ **Guardar todas las tapas de cojinetes y árboles de levas en el orden correcto para su reinstalación.**

54. Sacar los tensores de los árboles de levas de MI y MD de la culata de cilindros.

55. Sacar los árboles de levas de la culata de cilindros.

➡ **Los levantaválvulas tienen un calzo reemplazable sobre la parte superior del levantaválvulas. Anotar las posiciones correctas de cada calzo y sacar los calzos de los levantaválvulas.**

56. Utilizando un imán, sacar el calzo del ajuste de válvula del levantaválvulas.

57. Sacar los conjuntos de los levantaválvulas de los agujeros. Asegurarse de anotar las posiciones de donde se han quitado.

58. Comprobar el diámetro del levantaválvulas y del agujero de guía del levantaválvulas.

59. El diámetro del levantaválvulas debe ser de 1.3764-1.3770 plg (34.960-34.975 mm) y el diámetro del agujero debe ser de 1.3780-1.3788 plg (35.000-35.021 mm).

60. Sacar todo resto de junta líquida de la caja de la cadena de sincronización y de las cubiertas de la bomba de agua.

61. Sacar todo resto de junta líquida de la culata de cilindros.

62. Inspeccionar si los árboles de levas están excesivamente gastados o dañados y, si es necesario, reemplazarlos.

Para instalar:

63. Lubricar los levantaválvulas con aceite de motor limpio e instalar los levantaválvulas en el agujero del que se han extraído.

64. Lubricar los ajustes de los levantaválvulas con aceite de motor limpio e instalar los ajustes dentro del levantaválvulas del que se extrajeron.

65. Girar el cigüeñal en el sentido de las agujas del reloj, hasta que el pistón N° 1 se coloque 240 grados antes del PMS en la carrera de compresión.

66. Instalar los tensores de los árboles de levas en ambos lados de las culatas de cilin-

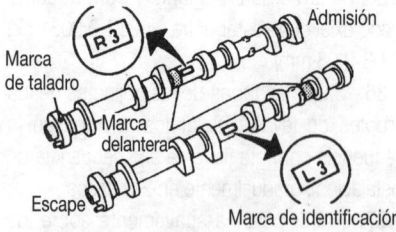

▲ **Marcas de identificación de los árboles de levas – Motor 3.0L (VQ30DE)**

dros. Apretar los tornillos de montaje de los tensores a 75-96 plg-lb (8.4-10.8 Nm).

➡ **Los árboles de levas pueden identificarse por las marcas de pinturas. Los árboles de levas de la culata de cilindros izquierda tienen una marca de pintura AMARILLA y los árboles de levas de la culata de cilindros derecha tienen una marca de pintura BLANCA.**

67. Instalar los árboles de levas de escape y de admisión e instalar las tapas de cojinetes. Antes de instalar la tapa del cojinete N° 1, aplicar junta líquida en las esquinas de la tapa.

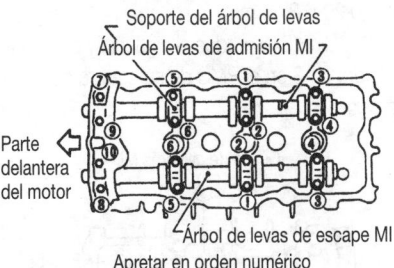

Árbol de levas de escape MD

Delantera del motor

Árbol de levas de admisión MD

Soporte del árbol de levas

Apretar en orden numérico

▲ **Secuencia de apriete de las tapas de cojinetes de árboles de levas de la culata de cilindros derecha – Motor 3.0L (VQ30DE)**

Soporte del árbol de levas

Árbol de levas de admisión MI

Parte delantera del motor

Árbol de levas de escape MI

Apretar en orden numérico

▲ **Secuencia de apriete de las tapas de cojinetes de árboles de levas de la culata de cilindros izquierda – Motor 3.0L (VQ30DE)**

➡ **Al instalar los árboles de levas, colocar las chavetas de los árboles de levas en la posición de las 12 en punto respecto a la culata de cilindros.**

68. Apretar las tapas de los cojinetes de los árboles de levas como sigue:

a. Apretar los tornillos N° 7-10 a 17 plg-lb (2 Nm).

b. Apretar los tornillos N° 1-6 a 17 plg-lb (2 Nm).

c. Apretar los tornillos N° 1-10 a 52 plg-lb (6 Nm).

d. Apretar los tornillos N° 1-10 a 81-104 plg-lb (9-11 Nm).

69. Instalar juntas tóricas nuevas en la parte delantera del bloque de cilindros.

70. Aplicar selladora a la parte tramada de la caja trasera de la cadena de sincronización.

71. Alinear la caja trasera de la cadena de sincronización con las clavijas de centrado e instalar sobre las culatas de cilindros y el bloque de cilindros.

72. Apretar los tornillos de montaje de la caja trasera de la cadena de sincronización a 105-121 plg-lb (11.8-13.7 Nm).

73. Instalar el engranaje del cigüeñal con la marca de unión mirando hacia afuera.

74. Girar el cigüeñal en el sentido de las agujas del reloj y colocar el cigüeñal en el PMS de la carrera de compresión y alinear las clavijas de centrado de los engranajes de árbol de levas en la posición de las 12 en punto respecto a la culata de cilindros.

75. Instalar la guía inferior de la cadena sobre la clavija de centrado con la marca delantera en la guía mirando hacia arriba.

76. Sobre un banco de trabajo, alinear las marcas sobre los engranajes de los árboles de levas de admisión y de escape, con las marcas de la cadena.

77. Colocar los engranajes de árbol de levas de escape sobre la clavija de centrado y apretar los tornillos de montaje a 88-95 pie-lb (119-128 Nm). Asegurarse de sujetar los árboles de levas mientras se aprieten los tornillos.

78. Instalar las cadenas de sincronización, engranajes y componentes relacionados.

79. Instalar los tornillos de la transmisión que sujetan el depósito de aceite.

80. Instalar el colador del depósito de aceite y apretar los tornillos de montaje a 12-14 pie-lb (16-19 Nm).

81. Aplicar un cordón continuo de junta líquida de 0.177-0.217 plg (4.5-5.5 mm) en la superficie de unión del depósito de aceite inferior e instalar el depósito de aceite. Apretar los tornillos de montaje, en secuencia, a 57-66 plg-lbs (6.4-7.5 Nm).

82. Apretar el tapón de drenaje del depósito de aceite a 22-29 pie-lb (29-39 Nm).

83. Instalar el conjunto del travesaño central.

84. Instalar el soporte de montaje y el conjunto de montaje del lado derecho del motor.

85. Sacar el conjunto de eslingas del motor.

86. Instalar el tubo de escape delantero y su soporte.

87. Instalar el compresor del A/A y soporte.

88. Instalar la polea del cigüeñal en el cigüeñal e instalar el tornillo de montaje.

89. Apretar el tornillo de montaje a 14-22 pie-lb (20-29 Nm). Apretar el tornillo del cigüeñal 60-66 grados adicionales, en el sentido de las agujas del reloj. Éste es aproximadamente el ángulo de una esquina de la cabeza hexagonal del tornillo a otra.

90. Instalar los componentes restantes en el orden opuesto al que se sacaron.

91. Llenar el aceite de motor y el fluido refrigerante con el tipo y la cantidad adecuada de fluido.

92. Conectar el cable negativo de la batería.

93. Arrancar el motor y ponerlo a 3000 rpm, bajo condición sin carga, para purgar el aire de la cámara de alta presión. El motor puede producir un ruido de traqueteo. Esto indica que todavía hay aire en la cámara y no tiene importancia.

HOLGURA DE VÁLVULAS

AJUSTE

Motores 1.6L y 2.4L

COMPROBACIÓN DE LA HOLGURA DE VÁLVULAS

1. Hacer marchar el motor hasta que alcance la temperatura normal de funcionamiento y pararlo.

2. Sacar la cubierta de culata de cilindros y todas las bujías.

3. Colocar el cilindro N° 1 en el PMS, en su carrera de compresión. Alinear el indicador con la marca del PMS en la polea del cigüeñal. Comprobar que los levantaválvulas en el cilindro N° 1 están flojos y que los levantaválvulas en el cilindro N° 4 están apretados. Si no es así, girar una vuelta el cigüeñal (360 grados) y alinear el indicador con la marca del PMS en la polea del cigüeñal.

4. Comprobar las válvulas siguientes:

a. Ambas válvulas N° 1 de admisión.

b. Ambas válvulas N° 1 de escape.

c. Ambas válvulas N° 2 de admisión.

d. Ambas válvulas N° 3 de escape.

5. Utilizando una galga para huelgos, medir la holgura entre el levantaválvulas y el árbol de levas. Registrar toda medida de holgura de válvula que esté fuera de especificaciones.

6. Girar una vuelta el cigüeñal (360 grados) y alinear la marca en la polea del cigüeñal con el indicador. Comprobar las válvulas siguientes:

a. Ambas válvulas N° 2 de escape.

b. Ambas válvulas N° 3 de admisión.

c. Ambas válvulas N° 4 de admisión.

d. Ambas válvulas N° 4 de escape.

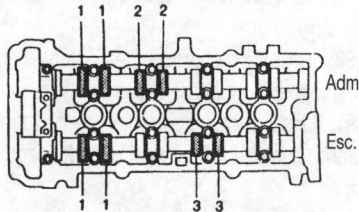

▲ Medir la holgura de las válvulas indicadas cuando el pistón N° 1 esté en el PMS de compresión – Motores 1.6L y 2.4L

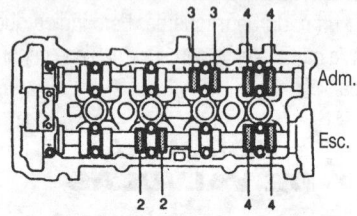

▲ Medir la holgura de las válvulas indicadas cuando el pistón N° 4 esté en el PMS de compresión – Motores 1.6L y 2.4L

7. Utilizando una galga para huelgos, medir la holgura entre el levantaválvulas y el árbol de levas. Registrar toda medida de holgura de válvula que esté fuera de especificaciones.

8. Si todas las holguras de las válvulas están dentro de las especificaciones, instalar la cubierta de culata de cilindros y las bujías.

AJUSTE DE LA HOLGURA DE VÁLVULAS

1. Si es necesario el ajuste, ajustar la holgura de las válvulas, mientras el motor esté frío, sacando el calzo. El calzo puede sacarse utilizando el procedimiento siguiente:

a. Girar el cigüeñal de manera que el lóbulo del árbol de levas de la válvula que debe ajustarse esté apuntando hacia arriba.

b. Girar el levantaválvulas de manera que la ranura esté apuntando hacia el centro de la culata de cilindros; esto facilitará el proceso de extracción del calzo.

c. Utilizando una herramienta para presionar, apretar el levantaválvulas e instalar una herramienta de seguro en el borde del levantaválvulas para mantenerlo en posición hundida.

d. Sacar la herramienta para presionar y sacar el calzo con un imán.

2. Determinar la medida del calzo de reemplazo utilizando el procedimiento y la fórmula siguientes:

a. Determinar con un micrómetro el grosor del calzo extraído.

b. Calcular el grosor de un nuevo calzo de manera que la holgura de la válvula esté entre los valores especificados.

c. R = grosor del calzo extraído.

d. N = grosor del calzo nuevo.

e. M = medida de la holgura de la válvula.

• Motor 1.6L – Fórmula de determinación del calzo de admisión: N = R + (M – 0.0146 plg o 0.37 mm).

• Motor 1.6L – Fórmula de determinación del calzo de escape: N = R + (M – 0.0157 plg o 0.40 mm).

• Motor 2.4L – Fórmula de determinación del calzo de admisión: N = R + (M – 0.0138 plg o 0.35 mm).

• Motor 2.4L – Fórmula de determinación del calzo de escape: N = R + (M – 0.0146 plg o 0.37 mm).

3. Los calzos (suplementos) están disponibles en diferentes medidas, desde 0.0772 hasta 0.1055 plg (1.96-2.68 mm), en incrementos de 0.0008 plg (0.02 mm). El grosor está estampado en el calzo; esta cara siempre se instala mirando hacia abajo. Seleccionar los ajustes (calzos) nuevos con el grosor lo más cerca posible al de la válvula calculada e instalarlos en los levantaválvulas.

4. Instalar el calzo nuevo en el levantaválvulas.

5. Hundir el levantaválvulas y sacar la herramienta de seguro para mantenerlo hundido. Sacar la herramienta para hundirlo y volver a comprobar la holgura de la válvula. Repetir este procedimiento para cada una de las válvulas que requiera ser ajustada.

6. Cuando se hayan concluido todos los ajustes de las válvulas, instalar la cubierta de la culata de cilindros y las bujías.

Motores 3.0L (VG30DE y VG30DETT)

El motor está equipado con Ajustadores de Holgura Hidráulicos. La holgura de las válvulas no es ajustable. Si las válvulas hacen ruido, comprobar si la culata de cilindros tiene algún daño mecánico, o bien si los árboles de levas o los ajustadores de holgura están excesivamente gastados.

Motor 3.0L (VQ30DE)

➡ Comprobar y ajustar las holguras de las válvulas mientras el motor está frío y apagado.

COMPROBACIÓN DE LA HOLGURA DE VÁLVULAS

1. Sacar el colector del múltiple de admisión.

2. Sacar las cubiertas izquierda y derecha de balancines.

3. Sacar las bujías.

4. Colocar el cilindro N° 1 en el PMS en su carrera de compresión. Alinear el indicador con la marca del PMS en la polea del cigüeñal. Comprobar que los levantaválvulas en el cilindro N° 1 estén flojos y los levantaválvulas en el cilindro N° 4 estén apretados. Si no es así, girar una vuelta el cigüeñal (360 grados) y alinear el indicador con la marca del PMS en la polea del cigüeñal.

5. Comprobar las válvulas siguientes:

a. Ambas válvulas N° 1 de admisión.

b. Ambas válvulas N° 2 de escape.

c. Ambas válvulas N° 3 de escape.

d. Ambas válvulas N° 6 de admisión.

6. Utilizando una galga para huelgos, medir la holgura entre el levantaválvulas y el árbol de levas. Registrar toda medida de holgura de válvulas que esté fuera de especificaciones. La holgura de las válvulas de admisión (frío) es de 0.010-0.013 plg (0.26-0.34 mm) y la holgura de las válvulas de escape (frío) es de 0.011-0.015 plg (0.29-0.37 mm).

7. Girar 240 grados el cigüeñal y colocar el cilindro N° 3 en el PMS de su carrera de compresión.

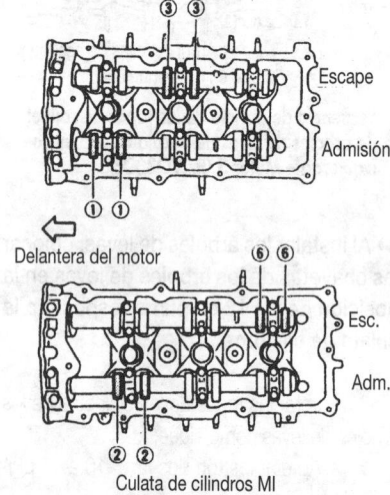

▲ Medir las válvulas indicadas mientras el pistón N° 1 está en el PMS en la carrera de compresión – Motor 3.0L (VQ30DE)

8. Comprobar las válvulas siguientes:

a. Ambas válvulas N° 2 de admisión.

b. Ambas válvulas N° 3 de admisión.

c. Ambas válvulas N° 4 de escape.

d. Ambas válvulas N° 5 de escape.

9. Utilizando una galga para huelgos, medir la holgura entre el levantaválvulas y el árbol de levas. Registrar toda medida de holgura de válvulas que esté fuera de especificaciones. La holgura de las válvulas de admisión (frío) es de 0.010-0.013 plg (0.26-0.34 mm) y la holgura de las válvulas de escape (frío) es de 0.011-0.015 plg (0.29-0.37 mm).

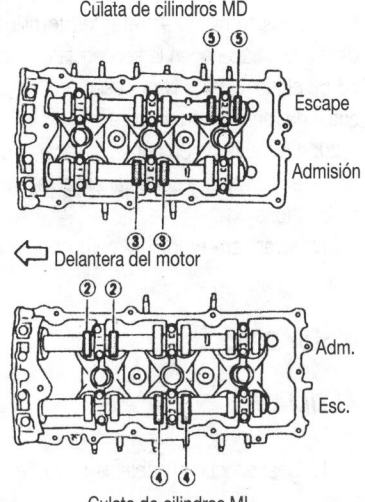

▲ Medir las válvulas indicadas mientras el pistón N° 3 está en el PMS en la carrera de compresión – Motor 3.0L (VQ30DE)

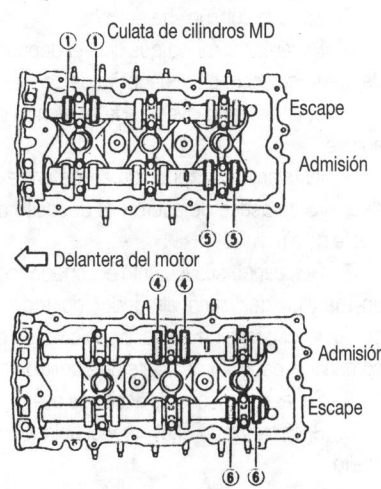

▲ Medir las válvulas indicadas mientras el pistón N° 5 está en el PMS en la carrera de compresión – Motor 3.0L (VQ30DE)

10. Girar 240 grados el cigüeñal y colocar el cilindro N° 5 en el PMS de su carrera de compresión.

11. Comprobar las válvulas siguientes:

a. Ambas válvulas N° 1 de escape.

b. Ambas válvulas N° 4 de admisión.

c. Ambas válvulas N° 5 de admisión.

d. Ambas válvulas N° 6 de escape.

12. Utilizando una galga para huelgos, medir la holgura entre el levantaválvulas y el árbol de levas. Registrar toda medida de holgura de válvulas que esté fuera de especificaciones. La holgura de las válvulas de admisión (frío) es de 0.010-0.013 plg (0.26-0.34 mm) y la holgura de las válvulas de escape (frío) es de 0.011-0.015 plg (0.29-0.37 mm).

13. Si todas las holguras de válvulas están dentro de las especificaciones, instalar la cubierta de la culata de cilindros, las bujías y el colector del múltiple de admisión.

AJUSTE DE LA HOLGURA DE VÁLVULAS

1. Si el ajuste es necesario, ajustar la holgura de las válvulas, mientras el motor esté frío, sacando el calzo. El calzo puede sacarse utilizando los procedimientos siguientes:

a. Girar el cigüeñal de manera que el lóbulo del árbol de levas de la válvula que se ha de ajustar esté apuntando hacia arriba.

b. Girar el levantaválvulas de manera que la ranura esté apuntando hacia el centro de la culata de cilindros; esto facilitará el proceso de extracción del calzo.

c. Utilizando la herramienta para presionar KV10115110 o una equivalente, hundir el levantaválvulas e insertar una herramienta de seguro en el borde del levantaválvulas para mantener el levantaválvulas en posición hundida.

d. Sacar la herramienta para presionar y sacar el calzo con un imán.

➡ **Para separar el calzo del levantaválvulas, puede soplarse aire comprimido en el agujero del levantaválvulas.**

2. Determinar la medida del calzo de reemplazo siguiendo el procedimiento y la fórmula siguientes:

a. Determinar el grosor del calzo extraído, con un micrómetro.

b. Calcular el grosor del nuevo calzo de manera que la holgura de la válvula esté dentro de los valores especificados.

c. R = grosor del calzo extraído.

d. N = grosor del calzo nuevo.

e. M = medida de la holgura de la válvula.

• Fórmula de determinación del calzo de admisión: $N = R + (M - 0.0118 \text{ plg o } 0.30 \text{ mm})$.

• Fórmula de determinación del calzo de escape: $N = R + (M - 0.0130 \text{ plg o } 0.33 \text{ mm})$.

3. Los calzos están disponibles en 64 tamaños desde de 0.913-0.1161 plg (2.32-2.95 mm) en pasos de 0.004 plg (0.01 mm). El grosor está estampado sobre el calzo; esta cara siempre está instalada mirando hacia abajo. Seleccionar los calzos nuevos con el grosor lo más cercano posible a la válvula calculada e instalarlo en el levantaválvulas.

4. Instalar el calzo nuevo en el levantaválvulas.

5. Hundir el levantaválvulas y sacar la herramienta de seguro para mantenerlo hundido. Sacar la herramienta para hundirlo y volver a comprobar la holgura. Repetir este procedimiento para cada una de las otras válvulas que requiera ser ajustada.

6. Cuando se hayan concluido todos los ajustes de las válvulas, instalar la cubierta de la culata de cilindros, las bujías y el colector del múltiple de admisión.

DEPÓSITO DE ACEITE

DESMONTAJE E INSTALACIÓN

Motor 1.6L

1. Desconectar el cable negativo de la batería.

2. Levantar y soportar con seguridad el vehículo.

3. Sacar las subcubiertas.

4. Sacar el tapón del depósito de aceite y drenar el aceite en un recipiente.

5. Sacar el tubo de escape delantero.

6. Sacar el conjunto del travesaño central.

7. Sacar los soportes de montaje de los laterales del depósito de aceite.

8. Sacar los tornillos de montaje del depósito de aceite. Utilizando la herramienta de corte de sellos de depósito de aceite KV10111100 o una equivalente, separar el depósito de aceite del motor.

▼ AVISO ▼

No golpear el cortador de sellos dentro de la bomba de aceite o en la parte del retén trasero del sello de aceite, dado que las superficies de unión de aluminio se dañarán. No utilizar una barra para hacer palanca y sacar el depósito de aceite; la pestaña o reborde se deformará.

9. Limpiar todas las superficies de sellado.

Para instalar:

10. Aplicar selladora al retén del sello de aceite trasero.

11. Aplicar un cordón continuo de junta líquida de 0.128-0.177 plg (3.5-4.5 mm) en la superficie de unión del depósito de aceite.

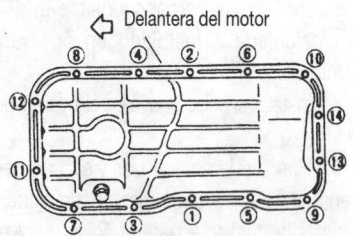

⬆ Delantera del motor

▲ **Apretar los tornillos del depósito de aceite en la secuencia correcta para evitar fugas de aceite – Motor 1.6L**

12. Instalar el depósito de aceite y apretar los tornillos/tuercas de montaje del depósito de aceite, en secuencia, a 56-73 plg-lb (6.3-8.3 Nm).

13. Instalar los soportes de montaje del depósito de aceite.

14. Instalar el travesaño central.

15. Instalar el tubo de escape delantero.

16. Instalar las subcubiertas.

17. Utilizando una junta nueva, instalar el tapón del depósito de aceite y apretar el tapón a 21-28 pie-lb (7-8 Nm).

18. Después de 30 minutos de tiempo de endurecimiento de la junta, llenar el depósito de aceite con la cantidad especificada de aceite limpio. Hacer funcionar el motor y comprobar si hay fugas.

19. Conectar el cable negativo de la batería.

Motor 2.0L

1. Desconectar el cable negativo de la batería.

2. Levantar y soportar con seguridad el vehículo.

3. Sacar la subcubierta del motor y drenar el aceite.

4. Sacar los tornillos del depósito de aceite de acero inferior en la secuencia inversa a la de instalación. Sacar el depósito de aceite de acero. Insertar la herramienta KV10111100 o una equivalente, entre el depósito de aceite de acero y el depósito de aceite de aluminio. Golpear despacio la herramienta alrededor del perímetro del depósito para cortar el material de la junta.

5. Sacar los tornillos del difusor de aceite y el difusor de aceite. Sacar el tubo de escape delantero.

6. Colocar un gato adecuado debajo de la transmisión y levantar el motor.

7. Sacar el travesaño central del vehículo.

8. Si está equipado con transmisión automática, sacar el cable del control del cambio de la transmisión.

9. Sacar las escuadras y las cubiertas protectoras traseras del compresor.

10. Sacar los tornillos del depósito de aceite de aluminio. Aflojar los tornillos del depósito de aceite de aluminio en el orden inverso a la secuencia de apriete.

11. Sacar los dos tornillos de montaje de la transmisión y volver a colocarlos en los agujeros vacíos de la parte inferior del depósito de aceite. Utilizar la herramienta KV10111100 o una equivalente, para cortar el material de junta.

12. Sacar los dos tornillos de montaje de la transmisión que se han vuelto a colocar y sacar el depósito del vehículo.

Para instalar:

13. Limpiar el raíl del depósito de aceite de toda junta líquida y aplicar un nuevo cordón de $5/32$ plg (4.5 mm) de grosor en el raíl del depósito de aceite de aluminio.

14. Instalar el depósito de aceite de aluminio y apretar los tornillos N° 1-16 a 12-14 pie-lb (16-19 Nm) y los tornillos N° 17-18 a 5-6 pie-lb (6-8 Nm), en el sentido inverso al de desmontaje.

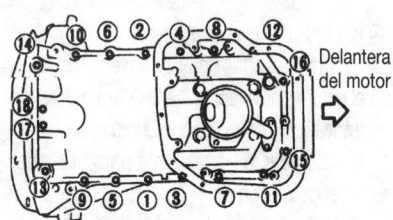

Delantera del motor ➡

Apretar en orden numérico

▲ **Secuencia de apriete de los tornillos del depósito de aceite de aluminio – Motor 2.0L**

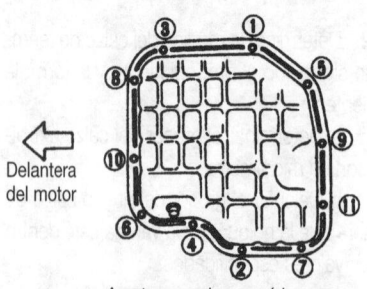

⬅ Delantera del motor

Apretar en orden numérico

▲ **Secuencia de apriete de los tornillos del depósito de aceite de acero – Motor 2.0L**

15. Instalar los dos tornillos de montaje de la transmisión, la cubierta protectora trasera y las escuadras del compresor.

16. Instalar el cable de control del cambio de la transmisión automática (si está equipado).

17. Instalar la pieza del travesaño central, el tubo de escape delantero y la placa difusora. Apretar los tornillos de montaje de la placa difusora a 56-66 plg-lb (6.4-7.5 Nm).

18. Limpiar el raíl del depósito de aceite de acero de toda la junta líquida y aplicar un nuevo cordón de $5/32$ plg (4.5 mm) de grosor en el raíl del depósito de aceite de acero.

19. Instalar el depósito de aceite de acero e instalar los tornillos. Apretar los tornillos del depósito de aceite, en la secuencia correcta, a 56-66 plg-lb (6.4-7.5 Nm) y esperar 30 minutos antes de llenar el cárter con aceite.

20. Después de 30 minutos, llenar el cárter con aceite y volver a conectar el cable negativo de la batería.

21. Arrancar el motor y comprobar si hay fugas.

Motor 2.4L

ALTIMA

1. Desconectar el cable negativo de la batería.

2. Levantar la parte delantera del vehículo y soportarla con seguridad.

3. Drenar el aceite del depósito de aceite.

4. Sacar la subcubierta del motor.

5. Sacar los tornillos que fijan el depósito de aceite de acero en el depósito de aceite de aluminio, en el orden inverso a la secuencia de apriete.

6. Instalar un cortador de sellos entre el depósito de aceite de acero y el depósito de aceite de aluminio.

7. Golpeando suavemente el cortador con un martillo, deslizarlo alrededor de todo el borde del depósito de aceite. Ir con cuidado de no dañar el depósito de aceite de aluminio.

8. Sacar el depósito de aceite de acero.

9. Sacar la placa difusora y el colador de aceite.

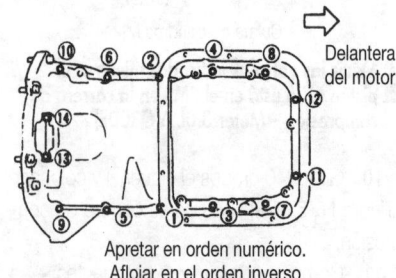

Delantera del motor ➡

Apretar en orden numérico.
Aflojar en el orden inverso

▲ **Secuencia de aflojado y de apriete de los tornillos del depósito de aceite – Motor 2.4L**

10. Sacar la viga de la suspensión delantera.

11. Sacar las escuadras del compresor del A/A.

12. Sacar la placa cubierta protectora trasera.

13. Sacar los tornillos de retención del depósito de aceite de aluminio, en el orden inverso a la secuencia de apriete.

14. Insertar un cortador de sellos entre el depósito de aceite y el bloque de cilindros.

15. Golpeando suavemente el cortador con un martillo, deslizarlo alrededor de todo el borde del depósito de aceite. Ir con cuidado de no dañar el depósito de aceite de aluminio.

16. Bajar el depósito de aceite del bloque de cilindros y sacarlo del motor.

Para instalar:

17. Con cuidado, quitar raspando el material de la junta vieja de las superficies de montaje del depósito y del bloque de cilindros, después aplicar un cordón continuo de junta líquida (3.5-4.5 mm) alrededor del depósito de aceite. Instalar el depósito dentro de los cinco minutos siguientes, pues en caso contrario este paso deberá repetirse.

18. Instalar el depósito de aceite de aluminio y apretar los tornillos de montaje, en secuencia, a 13 pie-lb (17.5 Nm).

19. Instalar la placa difusora.

20. Instalar el depósito de aceite de acero y apretar, en secuencia, a 61 plg-lb (7 Nm).

21. Esperar 30 minutos antes de llenar el cárter, para permitir que la selladora se endurezca correctamente.

22. Instalar la cubierta protectora trasera.

23. Instalar la viga de la suspensión delantera.

24. Instalar las escuadras del compresor del A/A.

25. Instalar la viga de la suspensión delantera.

26. Instalar las subcubiertas del motor.

27. Bajar el vehículo.

28. Llenar el cárter al nivel correcto.

29. Conectar el cable negativo de la batería. Arrancar el motor y comprobar si hay fugas.

240SX

1. Desconectar el cable negativo de la batería.

2. Levantar la parte delantera del vehículo y soportarla con seguridad.

3. Colocar un elevador en el motor y soportar el motor.

4. Drenar el depósito de aceite.

5. Desconectar los tornillos de la barra tensora al eslabón transversal.

6. Separar la barra estabilizadora delantera de la viga lateral.

7. Sacar los tornillos de montaje derechos e izquierdos del motor.

8. Desconectar la junta inferior de la dirección.

9. Desconectar el soporte del tubo de la dirección asistida y la barra tensora izquierda.

10. Sacar los tornillos y bajar la viga de la suspensión delantera mientras se sujeta con un gato. Esto sólo es necesario para bajar la viga de la suspensión 2.36 plg (60 mm).

11. Sacar los tornillos de retención del depósito de aceite.

12. Insertar un cortador de sellos entre el depósito de aceite y el bloque de cilindros.

13. Golpeando suavemente el cortador con un martillo, deslizarlo alrededor de todo el borde del depósito de aceite. No introducir el cortador de sellos dentro de la bomba de aceite o en la parte trasera del retén del sello, pues de hacerlo la superficie de aluminio se deformará.

14. Bajar el depósito de aceite del bloque de cilindros y sacarlo de la delantera del motor.

Para instalar:

15. Quitar raspando con cuidado el material de la junta vieja de las superficies de montaje del depósito y del bloque de cilindros. Después, aplicar un cordón continuo de junta líquida de 0.138-0.177 plg (3.5-4.5 mm) alrededor del depósito de aceite. Instalar el depósito dentro de los cinco minutos siguientes o, en caso contrario, este paso deberá repetirse.

16. Instalar el depósito de aceite y apretar los tornillos de montaje. Empezar apretando los tornillos del centro y trabajar hacia los extremos.

17. Apretar los tornillos del depósito de aceite a 12-14 pie-lb (16-19 Nm). Esperar 30 minutos antes de llenar el cárter, para permitir que la selladora se endurezca correctamente.

18. Los componentes restantes se instalan en el orden inverso al que se han desmontado.

19. Llenar el cárter al nivel correcto.

20. Conectar el cable negativo de la batería. Arrancar el motor y comprobar si hay fugas.

21. Volver a comprobar el nivel de aceite.

MOTORES 3.0L (VG30DE Y VG30DETT)

1. Levantar y soportar con seguridad el vehículo.

2. Sacar el tapón del depósito de aceite y drenar el aceite dentro de un recipiente.

3. Sacar la subcubierta del motor.

4. Sacar el conjunto del filtro de aceite y cuerpo del filtro de aceite del motor.

5. Desconectar las abrazaderas del tubo del A/A.

6. Sacar los tornillos que sujetan la barra tensora en ambos lados y aflojar los tornillos del eslabón transversal en ambos lados.

7. Desconectar la junta inferior de la columna de la dirección.

8. Desconectar los montajes del motor y levantar el motor utilizando un mecanismo de elevación adecuado.

9. Sacar el soporte del engranaje de la dirección asistida del travesaño de la suspensión.

10. Soportar el travesaño y sacar los pernos de sujeción del travesaño.

11. Sacar los tubos de la dirección asistida del travesaño.

12. Bajar el travesaño.

13. Sacar los tornillos del depósito de aceite, en secuencia.

14. Utilizando la herramienta de desmontaje de depósito de aceite KV10111100 o una equivalente, separar el depósito de aceite del motor.

▼ AVISO ▼

No introducir el cortador de sellos dentro de la bomba de aceite o de la parte del retén trasero del sello de aceite, dado que las superficies de unión de aluminio se dañarán. No utilizar una barra para hacer palanca y sacar el depósito de aceite; la pestaña o reborde se deformará.

15. Sacar el depósito de aceite.

16. Limpiar todas las superficies de sellado.

Para instalar:

17. Aplicar selladora en la junta de la bomba de aceite y en el retén trasero del sello de aceite.

18. Instalar una junta de depósito de aceite nueva. Utilizar un cordón continuo de junta líquida de 0.138-0.177 plg (3.5-4.5 mm). Si se usa una junta líquida, permitir que la junta se endurezca durante cinco minutos antes del ensamblaje.

19. Instalar el depósito de aceite y apretar los tornillos, en secuencia, como sigue:

    a. Apretar los tornillos M6 a 55-73 plg-lb (6.3-8.3 Nm).

    b. Apretar los tornillos M8 a 12-15 pie-lb (16-21 Nm).

20. Levantar el travesaño central. Apretar las tuercas/pernos de fijación del travesaño central a 29-36 pie-lb (39-49 Nm).

21. Reconectar las líneas del A/A y los tubos de la dirección asistida en el travesaño.

22. Reconectar el soporte de la dirección asistida en el travesaño de la suspensión.

23. Bajar el motor y conectar los montajes del motor.

24. Utilizando una arandela nueva, instalar el tapón de drenaje del depósito de aceite y apretar el tapón a 22-29 pie-lb (29-39 Nm).

25. Instalar los tornillos de la barra tensora en ambos lados y apretar el tornillo pasante de montaje a 80-100 pie-lb (108-135 Nm).

26. Conectar la barra tensora en el brazo de control inferior y apretar las tuercas de montaje como sigue:

    a. Modelos convertibles: 69-83 pie-lb (93-113 Nm).

    b. Modelos no convertibles: 80-94 pie-lb (108-127 Nm).

27. Conectar los eslabones estabilizadores y apretar las tuercas de montaje a 41-47 pie-lb (56-64 Nm).

28. Reconectar la junta inferior de la columna de la dirección y apretar el tornillo de constricción inferior a 17-22 pie-lb (24-29 Nm).

29. Utilizando una junta nueva, instalar el conjunto del filtro de aceite y del cuerpo del filtro de aceite. Apretar los tornillos del cuerpo del filtro de aceite a 12-15 pie-lb (16-21 Nm).

30. Instalar la subcubierta del motor.

31. Bajar el vehículo.

32. Llenar el depósito de aceite con la cantidad especificada de aceite limpio.

➡ **Si se ha usado junta líquida, antes de llenar el motor con aceite esperar 30 minutos como mínimo para que el material se endurezca.**

33. Arrancar el motor y comprobar si hay fugas.

Motor 3.0L (VQ30DE)

1. Desconectar el cable negativo de la batería.

2. Drenar el aceite del motor y sacar las subcubiertas del motor.

3. Sacar los tornillos del depósito de aceite de acero (inferior) en la secuencia inversa a la de instalación.

4. Insertar un cortador de sellos entre los depósitos de aceite de acero y de aluminio.

5. Golpeando suavemente el cortador con un martillo, deslizarlo alrededor de todo el borde del depósito de aceite. Ir con cuidado de no dañar la superficie de unión de aluminio del depósito de aceite superior.

6. Sacar el depósito de aceite de acero y el colador de aceite.

7. Sacar el tubo de escape delantero y su soporte.

8. Colgar el motor de las eslingas de motor del lado derecho e izquierdo con un elevador adecuado.

9. Colocar un gato adecuado debajo de la transmisión.

10. Sacar los sensores de posición del cigüeñal (REFERENCIA y POSICIÓN) del depósito de aceite.

11. Sacar las tuercas y los tornillos de montaje delanteros y traseros del motor.

12. Sacar el conjunto del travesaño central.

13. Sacar las correas propulsoras del motor.

14. Sacar el compresor del aire acondicionado y el soporte de montaje del compresor.

15. Sacar la cubierta protectora trasera y los tornillos inferiores de la transmisión.

16. Sacar los tornillos del depósito de aceite de aluminio (superior) en la secuencia inversa a la de instalación.

17. Insertar un cortador de sellos entre el depósito de aceite de aluminio y el bloque de cilindros.

18. Golpeando suavemente el cortador con un martillo, deslizarlo alrededor de todo el borde del depósito de aceite. Ir con cuidado de no dañar las superficies de unión del depósito de aceite o del bloque de cilindros.

19. Sacar el conjunto del depósito de aceite.

20. Sacar los tornillos que fijan la placa difusora y sacar la placa difusora.

21. Sacar las juntas tóricas del bloque de cilindros y del cuerpo de la bomba de aceite.

Para instalar:

22. Instalar la placa difusora en el depósito de aceite y apretar los tornillos de montaje a 22-27 plg-lb (2.5-3.1 Nm).

23. Aplicar selladora a los sellos de aceite delantero y trasero del depósito de aceite.

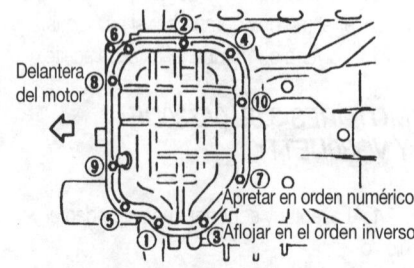

▲ Secuencia de apriete de los tornillos para el depósito de aceite de acero – Motor 3.0L (VQ30DE)

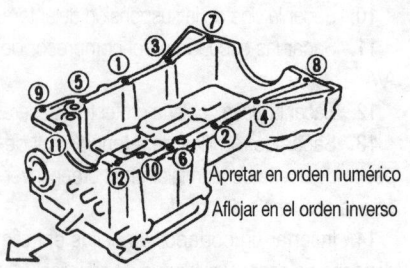

Delantera del motor

▲ **Para evitar que el depósito se deforme, apretar los tornillos en la secuencia que se muestra – Motor 3.0L (VQ30DE)**

24. Instalar juntas tóricas nuevas en el bloque de cilindros y en el cuerpo de la bomba de aceite.

25. Aplicar un cordón continuo de junta líquida de 0.177-0.217 plg (4.5-5.5 mm) en la superficie de unión del depósito de aceite superior e instalar el depósito de aceite. Apretar los tornillos de montaje, en secuencia, a 12-14 pie-lb (16-19 Nm).

26. Instalar el colador del depósito de aceite y apretar los tornillos de montaje a 12-14 pie-lb (16-19 Nm).

27. El resto de la instalación es la inversa del procedimiento de desmontaje.

28. Aplicar un cordón continuo de junta líquida de 0.177-0.217 plg (4.5-5.5 mm) en la superficie de unión del depósito de aceite inferior, e instalar el depósito de aceite. Apretar los tornillos de montaje, en secuencia, a 57-66 plg-lb (6.4-7.5 Nm).

➡ **Antes de llenar el aceite del motor, esperar como mínimo 30 minutos.**

29. Apretar el tapón de drenaje del depósito de aceite a 22-29 pie-lb (29-39 Nm).

30. Instalar las subcubiertas del motor.

31. Llenar el aceite del motor con el tipo y la cantidad adecuada de fluido.

32. Arrancar el motor y comprobar si hay fugas.

SELLO DE ACEITE PRINCIPAL TRASERO

DESMONTAJE E INSTALACIÓN

Motores 1.6L, 2.0L y 3.0L

1. Sacar la transmisión.

2. Sacar el plato propulsor/volante.

3. Con cuidado, hacer palanca para sacar el sello de aceite del retén. Asegurarse de que

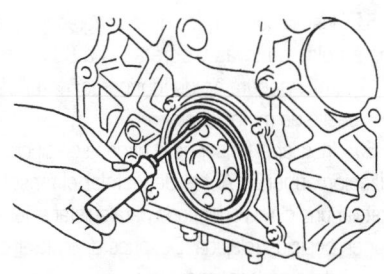

▲ Con cuidado, hacer palanca para sacar el sello de aceite principal trasero fuera del retén sobre la parte trasera del motor – Motores 1.6L y 2.0L

no se raye la superficie de sellado del cigüeñal o el agujero-alojamiento del sello de aceite.

Para instalar:

4. Aplicar aceite de motor limpio al nuevo sello de aceite. Colocar el sello en la parte trasera del motor en la dirección correcta.

5. Utilizando una herramienta de introducción de sellos adecuada, golpear suavemente el sello dentro de su posición en el retén de sello.

6. Instalar el volante/plato propulsor.

7. Instalar el conjunto de la transmisión.

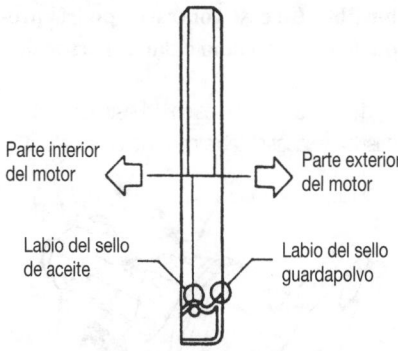

Parte interior del motor ⇐   ⇒ Parte exterior del motor

Labio del sello de aceite   Labio del sello guardapolvo

▲ Asegurarse de instalar el sello de aceite en la orientación correcta – Motores 1.6L y 2.0L

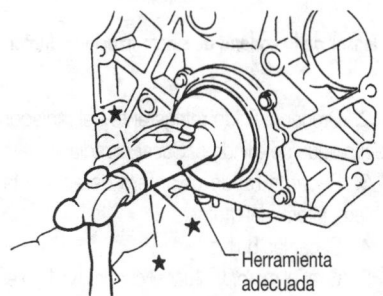

Herramienta adecuada

▲ Con cuidado, hacer palanca para sacar el sello de aceite principal trasero fuera del retén de la parte trasera del motor – Motores 1.6L y 2.0L

Motor 2.4L

1. Sacar la transmisión.

2. Sacar el plato propulsor/volante.

3. Sacar el retén del sello de aceite trasero con el sello de aceite.

4. Sacar el sello de aceite fuera del retén dando golpecitos con un martillo y un botador.

Para instalar:

5. Aplicar aceite de motor limpio al sello nuevo.

6. Instalar el sello nuevo dentro del retén con un instalador de sellos adecuado.

7. Aplicar un cordón continuo de selladora de silicona RTV de 0.079-0.118 plg (2-3 mm) de anchura en el retén del sello de aceite. Asegurarse de aplicar también alrededor del lado interior de los agujeros de los tornillos.

8. Utilizando una herramienta instaladora de sellos adecuada, golpear con suavidad el sello dentro de su posición, en el retén del sello.

9. Instalar el retén del sello de aceite. Apretar los tornillos a 11 pie-lb (15 Nm).

10. Instalar el volante/plato flexible.

11. Instalar la transmisión.

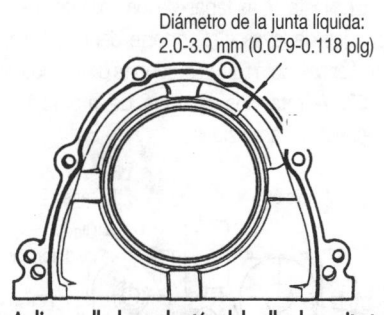

Diámetro de la junta líquida: 2.0-3.0 mm (0.079-0.118 plg)

▲ Aplicar selladora al retén del sello de aceite tal como se muestra – Motor 2.4L

CADENA DE SINCRONIZACIÓN, ENGRANAJES, CUBIERTA DELANTERA Y SELLO DE ACEITE

DESMONTAJE E INSTALACIÓN

Motor 1.6L

1. Desconectar el cable negativo de la batería. Descargar la presión del combustible.

2. Drenar el fluido refrigerante del radiador y del bloque de cilindros.

3. Sacar del motor la manguera superior del radiador.

4. Sacar las correas propulsoras del motor.

5. Sacar la polea de la dirección asistida y sacar la bomba con el soporte.

6. Sacar el conducto del aire del colector del múltiple de admisión.

7. Desconectar las mangueras de vacío, el cableado y los conectores del cableado.

8. Sacar la rueda delantera derecha y sacar las cubiertas interiores de la rueda.

9. Sacar las subcubiertas del motor.

10. Sacar el tubo de escape delantero.

11. Sacar el soporte de montaje delantero de la culata de cilindros.

12. Sacar la cubierta de la culata de cilindros del motor.

13. Sacar el distribuidor.

14. Sacar de la bomba de agua la polea de la bomba de agua.

15. Sacar el conjunto completo de la caja del termostato del motor.

16. Sacar el tensor de la cadena de sincronización inferior.

17. Sacar el tensor de la cadena de sincronización superior y aflojar la guía lateral de la cadena de sincronización.

18. Aflojar el tornillo del engranaje tensor.

19. Sacar los tornillos de los engranajes de árboles de levas y sacar los engranajes de los árboles de levas. Asegurarse de marcar los engranajes para su correcta instalación.

20. Sacar los sombreretes de montaje de los árboles de levas aflojando los tornillos en dos o tres pasos. Sacar los árboles de levas del motor.

21. Sacar el tornillo del engranaje tensor.

22. Sacar la culata de cilindros con los múltiples.

23. Sacar el eje del engranaje tensor del lado trasero.

24. Sacar la cadena de sincronización superior.

25. Soportar el conjunto del motor y sacar el travesaño central.

26. Sacar el conjunto del depósito de aceite y el colador.

27. Sacar la polea del cigüeñal.

28. Sacar el montaje delantero del motor.

29. Sacar el soporte del montaje delantero del motor.

30. Sacar los tornillos que fijan la cubierta de la sincronización delantera y sacar la cubierta del motor. Una vez sacada la cubierta de la cadena de sincronización, extraer el sello de aceite viejo.

31. Sacar el engranaje tensor y sacar la cadena de sincronización inferior.

32. Sacar el separador de propulsión de la bomba de aceite y sacar el engranaje del cigüeñal.

33. Sacar la guía de la cadena de sincronización.

Para instalar:

34. Introducir un sello de aceite nuevo en la cubierta delantera. Lubricar el labio del sello de aceite con aceite de motor limpio.

35. Confirmar que el pistón N° 1 está colocado en el PMS, en la carrera de compresión.

36. Instalar el engranaje del cigüeñal con las marcas del engranaje mirando hacia la delantera del motor.

37. Instalar el separador de la bomba de aceite e instalar la guía de la cadena.

38. Instalar la cadena de sincronización inferior. Colocar la cadena alineando su marca de unión con la que está en el engranaje del cigüeñal. Asegurarse de que la marca de unión del engranaje mira hacia la delantera del motor.

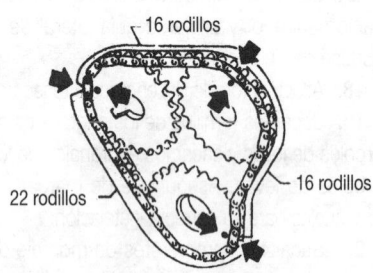

: Marca de unión (color diferente)

▲ Asegurarse de alinear los engranajes de los árboles de levas con la cadena de sincronización – Motor 1.6L

➡ El número de eslabones de cadena entre las marcas de alineación es el mismo para el lado derecho y el izquierdo.

39. Instalar el engranaje del cigüeñal y la cadena de sincronización inferior. Colocar la cadena de sincronización alineando su marca de unión con la que está en el engranaje del cigüeñal. Asegurarse de que la marca de unión del engranaje mira hacia la parte delantera del motor. El número de eslabones entre las marcas de alineación es el mismo para el lado derecho y el izquierdo.

40. Utilizando junta líquida, instalar el conjunto de la cubierta delantera.

41. Instalar el soporte de montaje delantero del motor e instalar el montaje del motor.

42. Instalar el colador de aceite, el conjunto del depósito de aceite y la polea del cigüeñal.

43. Instalar el travesaño central.

44. Colocar el engranaje tensor alineando la marca de unión en el engranaje más grande con la marca de unión plateada en la cadena de sincronización inferior.

45. Instalar la cadena de sincronización superior y colocarla alineando la marca de unión en el engranaje pequeño con las marcas de unión plateadas en la cadena de sincronización superior. Asegurarse de que las marcas del engranaje miran hacia la parte delantera del motor.

46. Instalar el eje del engranaje tensor del lado trasero.

47. Instalar el conjunto de la culata de cilindros.

48. Instalar el tornillo del engranaje tensor. Asegurarse de lubricar el tornillo con aceite de motor limpio.

49. Instalar los árboles de levas de escape y de admisión. Los árboles están marcados con una I para el de admisión y con una E para el de escape.

50. Colocar la clavija de detonación del árbol de levas de admisión en la posición de las 9 en punto y la clavija de detonación del árbol de levas de escape en la posición de las 12 en punto.

51. Instalar las tapas de los cojinetes de los árboles de levas y el soporte del distribuidor. Aplicar selladora líquida al soporte del distribuidor.

52. Apretar los tornillos de montaje, en secuencia, como sigue:

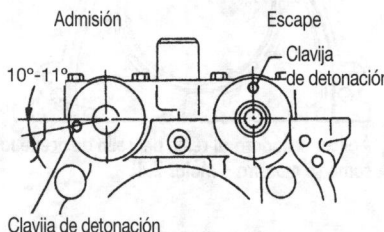

▲ Colocación de las clavijas de detonación durante el ensamblaje – Motor 1.6L

   a. Apretar los tornillos 11-15, después los tornillos 1-10, a 18 plg-lb (2.0 Nm).

   b. Apretar los tornillos 1-15 a 52 plg-lb (5.9 Nm).

   c. Apretar los tornillos 1-14 a 81-104 plg-lb (11 Nm).

   d. Apretar el tornillo 15 a 55-73 plg-lb (11 Nm).

53. Instalar los engranajes de los árboles de levas con la cadena de sincronización. Colocar los engranajes de los árboles de levas alineando las marcas de unión de la cadena de sincronización con las marcas en los engranajes de los árboles de levas.

54. Instalar los tornillos de los engranajes de los árboles de levas y apretarlos a 86 pie-lb (117 Nm). Asegurarse de lubricar los tornillos con aceite de motor limpio.

55. Instalar el tensor de la cadena de sincronización superior. Antes de instalar el tensor, instalar una clavija adecuada para sujetar el tensor en posición relajada. Después de instalar el tensor de la cadena, sacar la clavija.

56. Instalar el tensor de la cadena de sincronización inferior. Asegurarse de que la muesca de la junta está situada abajo.

57. Instalar los componentes restantes en el orden opuesto al que se han desmontado.

58. Conectar el cable negativo de la batería. Llenar los niveles de todos los fluidos. Probar el vehículo en carretera para ver si su funcionamiento es correcto.

Motor 2.0L

▼ PRECAUCIÓN ▼

Después de APAGAR el motor, el sistema de inyección de combustible permanece bajo presión. Antes de desconectar cualquier línea de combustible, descargar correctamente la presión del combustible. En caso contrario, podría producirse un incendio o daños personales.

1. Descargar la presión del sistema de combustible y sacar el cable negativo de la batería.

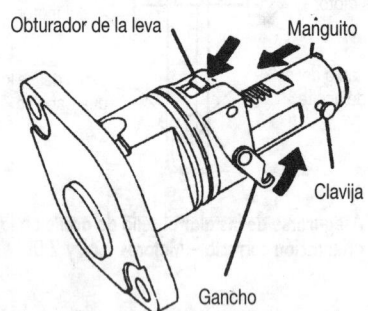

▲ Tensor de la cadena de sincronización – Motor 2.0L

2. Drenar el fluido refrigerante del radiador y del bloque de cilindros. Sacar el radiador.

3. Sacar la rueda delantera derecha y la cubierta lateral del motor.

4. Sacar las bujías.

5. Girar el motor y situar el cilindro N° 1 en el PMS.

6. Sacar el conducto de aire del múltiple de admisión.

7. Sacar las correas propulsoras y la polea de la bomba de agua.

8. Sacar el alternador y la bomba de la dirección asistida del motor.

9. Etiquetar y sacar las mangueras de vacío, las mangueras de combustible y los conectores del cableado.

10. Sacar la cubierta de la culata de cilindros.

11. Sacar los soportes del múltiple de admisión.

12. Desatornillar y sacar el soporte del filtro de aceite y el soporte de la bomba de la dirección asistida.

13. Sacar el tensor de la cadena de sincronización.

14. Sacar el distribuidor.

15. Sacar la guía de la cadena de sincronización.

16. Sujetando los planos de los engranajes de los árboles de levas, sacar los tornillos que fijan los engranajes.

17. Sacar los engranajes de la cadena de sincronización, de los árboles de levas.

18. Sacar los tubos de aceite, la placa difusora y los soportes de los árboles de levas y sacar los árboles de levas de la culata de cilindros.

19. Sacar el motor de arranque.

20. Sacar las mangueras de fluido refrigerante del bloque de cilindros.

21. Sacar el conector del cableado del sensor de detonación.

22. Sacar el tubo de RGE.

23. Sacar el conjunto de la culata de cilindros.

24. Levantar y soportar con seguridad el vehículo.

25. Sacar el depósito de aceite, el colador de aceite y la placa difusora.

26. Sacar la polea del árbol de levas utilizando un extractor adecuado.

27. Sacar el montaje delantero del motor.

28. Sacar la cubierta delantera y el separador de propulsión de la bomba de aceite.

29. Sacar las guías de la cadena de sincronización y la cadena de sincronización. Comprobar si la cadena de sincronización está excesivamente gastada en los eslabones de rodillos. Si es necesario, reemplazar cadena.

Para instalar:

30. Limpiar todas las superficies de unión de la junta.

31. Instalar el engranaje del cigüeñal. Situar el cigüeñal de manera que el pistón N° 1 esté colocado en el PMS (chavetero en la posición de las 12 en punto, marca de unión en la posición de las 4 en punto). Adaptar la cadena de sincronización al engranaje del cigüeñal de manera que la marca de unión esté en línea con

la marca de unión en el engranaje del cigüeñal. Las marcas de unión en la cadena de sincronización para los engranajes de los árboles de levas deben ser plateadas. La marca de unión en la cadena de sincronización para el engranaje del cigüeñal debe ser dorada.

32. Instalar la cadena de sincronización en el engranaje del cigüeñal e instalar las guías de la cadena de sincronización. Apretar las guías de la cadena de sincronización a 9-14 pie-lb (13-19 Nm). Poner la cadena de sincronización sobre la guía izquierda de la cadena.

33. Instalar el separador de mando de la bomba de aceite en el cigüeñal.

34. Aplicar un cordón continuo de selladora líquida en la cubierta delantera de sincronización e instalar la cubierta. Apretar los tornillos de montaje de la cubierta delantera a 57-66 plg-lb (6.4-7.5 Nm).

35. Instalar el montaje delantero derecho del motor.

36. Instalar la polea del cigüeñal y apretar el tornillo de montaje a 105-112 pie-lb (142-152 Nm). Asegurarse de que el pistón N° 1 esté en el PMS.

37. Instalar el filtro de aceite, la placa difusora y el conjunto del depósito de aceite.

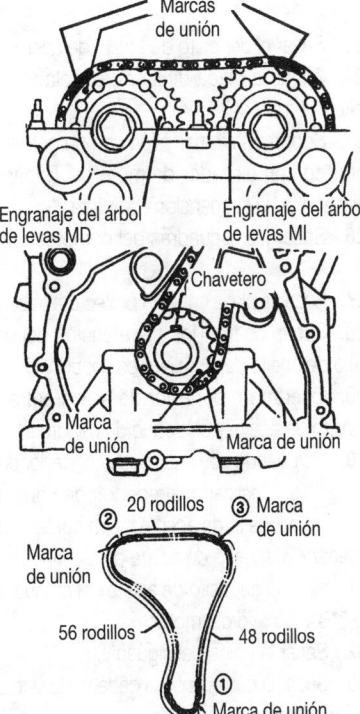

Color de las marcas de unión de la cadena de sincronización (1) dorada, (2) y (3) plateada

▲ **Marcas de alineación del engranaje de la cadena de sincronización – Motor 2.0L (SR20DE)**

38. Instalar el conjunto de la culata de cilindros. Asegurarse de aplicar un cordón de selladora en la junta del bloque y en la cubierta delantera de sincronización.

39. Instalar el tubo de RGE.

40. Instalar el conector del cableado del sensor de detonación.

41. Utilizando abrazaderas nuevas para las mangueras, instalar las mangueras de fluido refrigerante en el bloque de cilindros.

42. Instalar el motor de arranque.

43. Instalar los árboles de levas, las tapas de los cojinetes de los árboles de levas, los tubos de aceite y la placa difusora.

➡ **Al instalar los árboles de levas, asegurarse de colocar las chavetas de los árboles de MD y de MI en la posición de las 12 en punto. Asegurarse también de que los soportes de los árboles de levas estén mirando hacia la dirección correcta.**

44. Instalar los engranajes de los árboles de levas alineando las marcas de unión en la cadena de sincronización con las marcas de unión en los engranajes de los árboles de levas. Apretar los tornillos de los engranajes de los árboles de levas a 101-116 pie-lb (137-157 Nm).

45. Instalar la guía de la cadena de sincronización y el distribuidor.

46. Instalar el tensor de la cadena. Empujar el obturador de la leva hacia abajo y meter a presión el manguito hasta que el gancho pueda acoplarse en la clavija. Cuando el tensor se atornille en su sitio el gancho se soltará automáticamente.

➡ **Asegurarse de que la flecha de la cara externa del tensor mira hacia la parte delantera del motor.**

47. Instalar los componentes restantes en el orden inverso al de desmontaje.

48. Conectar el cable negativo de la batería. Llenar los niveles de los fluidos, arrancar el motor y sangrar el sistema de refrigeración. Comprobar si hay fugas y probar el vehículo en carretera, para ver si su funcionamiento es correcto.

Motor 2.4L

ALTIMA

1. Desconectar el cable negativo de la batería.

2. Drenar el fluido refrigerante del motor y del radiador.

3. Drenar el aceite del motor.

4. Sacar la subcubierta del motor.

▼ PRECAUCIÓN ▼

Después de APAGAR el motor, el sistema de inyección de combustible permanece bajo presión. Antes de desconectar cualquier línea de combustible, descargar correctamente la presión del combustible. En caso contrario, podría producirse un incendio o daños personales.

5. Sacar las mangueras de vacío, las mangueras de combustible, el cableado y los conectores.

6. Sacar el alternador y el soporte, la manguera superior del radiador, el conducto de aire y el tubo de escape delantero.

7. Sacar los soportes del colector del múltiple de admisión, el colector del múltiple de admisión y el múltiple de escape.

8. Colocar el pistón N° 1 en el PMS en su carrera de compresión.

9. Sacar el distribuidor.

10. Utilizando un bloque de madera, colocar un gato de transmisión debajo del depósito de aceite de aluminio y sacar el montaje delantero del motor.

11. Sacar la cubierta de los balancines. Sacar los tornillos de la cubierta de los balancines en la secuencia correcta.

12. Sacar los engranajes de los árboles de levas.

➡ Los obturadores en las cubiertas de los árboles de levas evitan que la cadena de sincronización superior se desengrane del engranaje tensor.

13. Sacar las tapas de los cojinetes de levas en secuencia y sacar los árboles de levas. Los engranajes de los árboles de levas deben aflojarse en el orden inverso al de apriete para evitar que los árboles de levas se dañen.

➡ Estas piezas deben reensamblarse en sus posiciones originales.

14. Aflojar los tornillos de la culata de cilindros en el orden inverso al de instalación.

➡ Si se aflojan en orden incorrecto la culata de cilindros podría deformarse o agrietarse.

15. Sacar la cubierta del engranaje de levas.

16. Sacar el tensor de la cadena superior y las guías de la cadena superior.

17. Sacar la cadena de sincronización superior.

18. Sacar el tornillo del engranaje tensor.

19. Sacar la culata de cilindros y el múltiple de escape. Sacar la junta de la culata de cilindros. La cadena de sincronización inferior no se desengranará del engranaje del cigüeñal.

➡ La parte de la pieza fundida de la cubierta delantera se sitúa en el lado inferior del engranaje del cigüeñal, de manera que la cadena de sincronización inferior no necesita desengranarse del engranaje tensor.

20. Sacar los tornillos del depósito de aceite de acero en el orden inverso al procedimiento de apriete.

21. Instalar un cortador de sellos entre el depósito de aceite de acero y el depósito de aceite de aluminio.

22. Golpeando con suavidad el cortador con un martillo, deslizarlo alrededor de todo el borde del depósito de aceite. Ir con cuidado de no dañar el depósito de aceite del aluminio.

23. Sacar el depósito de aceite de acero.

24. Sacar la placa difusora, el colador de aceite y el tubo delantero.

25. Soportar la transmisión con un gato y el motor con un elevador de motores. Sacar el travesaño de la suspensión delantera.

26. Sacar las escuadras del compresor del A/A.

27. Sacar la placa cubierta protectora trasera.

28. Sacar los tornillos de retención del depósito de aceite de aluminio, en secuencia.

29. Insertar un cortador de sellos entre el depósito de aceite y el bloque de cilindros.

30. Golpeando con suavidad el cortador con un martillo, deslizarlo alrededor de todo el borde del depósito de aceite. Ir con cuidado de no dañar el depósito de aceite de aluminio.

31. Bajar el depósito de aceite del bloque de cilindros y sacarlo del motor.

32. Sacar la polea del cigüeñal.

33. Sacar la cubierta de la cadena de sincronización delantera.

34. Sacar el separador de propulsión de la bomba de aceite.

35. Sacar el tensor de la cadena de sincronización inferior, el brazo tensor y la guía de la cadena de sincronización inferior.

36. Sacar la cadena de sincronización inferior y el engranaje tensor.

Para instalar:

37. Instalar el engranaje del cigüeñal y el separador de propulsión de la bomba de aceite.

38. Instalar el engranaje tensor y la cadena de sincronización inferior.

39. Colocar la cadena de sincronización inferior en los engranajes, alineando las marcas de unión. Las marcas de unión en el conjunto de la cadena de sincronización son plateadas.

40. Instalar el brazo tensor de la cadena y la guía de la cadena.

41. Instalar el tensor de la cadena de sincronización inferior.

42. Aplicar un cordón continuo de junta líquida en la cubierta delantera e instalar la cubierta delantera. Instalar un sello de aceite nuevo.

43. Instalar la polea del cigüeñal y apretar el tornillo a 105-112 pie-lb (142-152 Nm).

44. Con cuidado, rascar para sacar el material de la junta vieja de las superficies de montaje del depósito y del bloque de cilindros. Después, aplicar un cordón continuo de junta líquida (3.5-4.5 mm) alrededor del depósito de aceite y del bloque de cilindros.

45. Instalar el depósito de aceite de aluminio y apretar los tornillos de montaje, en secuencia, a 13 pie-lb (17.5 Nm).

46. Instalar la placa difusora, el colador de aceite y el tubo delantero.

47. Instalar el depósito de aceite de acero y apretar los tornillos, en secuencia, a 61 plg-lb (7 Nm).

48. Reinstalar la placa cubierta protectora trasera.

49. Instalar las escuadras del compresor del A/A.

50. Reinstalar el travesaño de la suspensión delantera.

51. Instalar el montaje delantero del motor.

52. Sacar el elevador del motor y el soporte de la transmisión.

53. Instalar una junta nueva de culata de cilindros.

54. Reinstalar la culata de cilindros y, al instalar la cubierta delantera, apretar provisionalmente los tornillos de la culata de cilindros. Esto es necesario para evitar que la junta de la culata de cilindros se dañe. Asegurarse de instalar arandelas entre los tornillos y la culata de cilindros.

55. Instalar la cadena de sincronización superior, el tensor de la cadena y la guía de la cadena.

56. Colocar la cadena de sincronización superior sobre los engranajes tensores, alineando las marcas de unión.

57. Instalar la cubierta del engranaje del árbol de levas. Aplicar un cordón continuo de junta líquida en la cubierta delantera. Ir con cuidado de no dañar la junta de la culata de cilindros. Al instalar la cubierta del engranaje del árbol de levas, ir con cuidado con que la cadena de sincronización superior no se deslice o salte.

58. Apretar los tornillos de la culata de cilindros.

59. Instalar los árboles de levas y las tapas de los cojinetes de los árboles de levas.

60. Instalar los engranajes de los árboles de levas, después apretar los tornillos de los engranajes a 123-130 pie-lb (167-176 Nm). Instalar la guía de la cadena entre ambos engranajes de los árboles de levas. Las marcas de alineación en la parte superior de la cadena de sincronización deben ser alineadas ahora.

61. El resto de la instalación es la inversa del procedimiento de desmontaje.

62. Conectar el cable negativo de la batería.

63. Arrancar el motor y realizar los ajustes necesarios. Comprobar si el funcionamiento es correcto y si hay fugas.

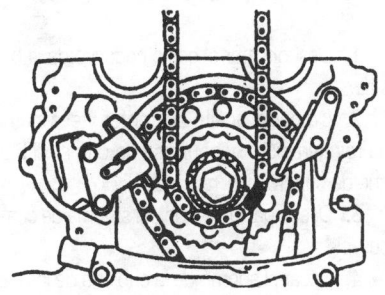

▲ Asegurarse de alinear la marca en el engranaje tensor con la marca en la cadena superior – Motor 2.4L

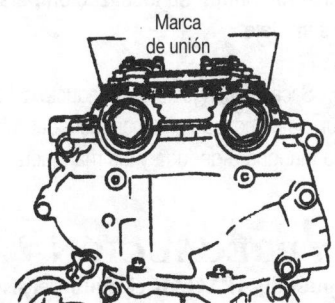

▲ Alinear las marcas en los engranajes de los árboles de levas con la parte superior de la cadena de sincronización superior y las marcas de unión – Motor 2.4L

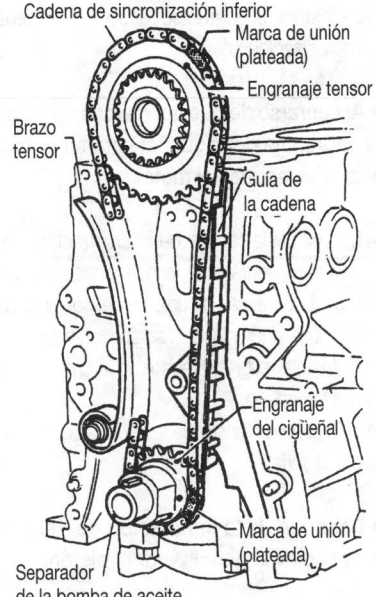

▲ Marcas de alineación de la cadena de sincronización inferior – Motor 2.4L

240SX

1. Desconectar el cable negativo de la batería.

2. Descargar la presión del sistema de combustible.

3. Drenar el fluido refrigerante del motor y del radiador.

4. Drenar el aceite del motor.

5. Sacar la subcubierta del motor.

6. Sacar el conjunto del conducto de aire.

7. Sacar el recubrimiento del ventilador y el ventilador de refrigeración.

8. Sacar la cubierta del múltiple de escape.

9. Sacar el tubo de escape delantero y, si está equipado, el tubo A.I.V.

▼ PRECAUCIÓN ▼

Después de APAGAR el motor, el sistema de inyección de combustible permanece bajo presión. Antes de desconectar cualquier línea de combustible, descar-

gar correctamente la presión del combustible. En caso contrario, puede producirse un incendio o daños personales.

10. Desconectar y etiquetar todas las mangueras de vacío, las líneas de combustible y las conexiones eléctricas.

11. Sacar todas las bujías.

12. Sacar la tapa del distribuidor con los cables de las bujías conectados.

13. Sacar el conjunto de los tubos de los inyectores con los inyectores.

14. Sacar los tornillos de la cubierta de los balancines, en el orden inverso al de instalación.

15. Colocar el pistón N° 1 en el PMS (Punto Muerto Superior) en su carrera de compresión.

16. Sacar el distribuidor. Asegurarse de anotar la posición del rotor del distribuidor antes de sacar el distribuidor.

17. Sacar los engranajes de los árboles de levas. Al sacar los tornillos de los engranajes, asegurarse de sujetar los planos de los árboles de levas.

➡ **Los obturadores en la cara interior de las cubiertas de los árboles de levas evitan que la cadena de sincronización superior se desacople del engranaje tensor.**

18. Sacar las tapas de los cojinetes de los árboles de levas en el orden inverso al de instalación, después sacar ambos árboles de levas.

➡ **Las tapas de los cojinetes de los árboles de levas y los árboles de levas deben mantenerse en sus posiciones originales para el reensamblaje.**

19. Aflojar los tornillos de la culata de cilindros en el orden inverso al de instalación.

➡ **Si los tornillos de la culata se sacan en orden incorrecto, la culata puede defor-**

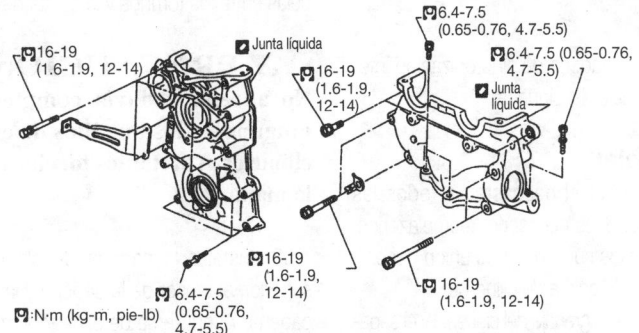

▲ Despiece de las cubiertas delanteras de la cadena de sincronización – Motor 2.4L

marse o agrietarse. Los tornillos de la culata de cilindros deben aflojarse en dos o tres pasos.

20. Sacar la cubierta de los engranajes de los árboles de levas.

21. Sacar el tensor de la cadena superior y las guías de la cadena superior.

➡ **Comprimir el pistón del tensor e insertar una clavija adecuada en el agujero de la clavija.**

22. Sacar la cadena de sincronización superior.

23. Sacar el tornillo del engranaje tensor.

24. Sacar la culata de cilindros con el conjunto del múltiple de admisión y del múltiple de escape.

25. Sacar la junta de la culata de cilindros.

26. Sacar los tornillos del depósito de aceite.

27. Instalar un cortador de sellos entre el depósito de aceite y el bloque de cilindros.

28. Golpeando con suavidad el cortador con un martillo, deslizarlo alrededor de todo el borde del depósito de aceite. Ir con cuidado de no dañar el depósito de aceite.

29. Sacar el conjunto del depósito de aceite.

30. Sacar la placa difusora, el colador de aceite y el tubo delantero.

31. Sacar las correas propulsoras del motor.

32. Sacar la polea tensora del compresor del A/A.

33. Sacar la polea del cigüeñal.

34. Sacar la cubierta delantera de la cadena de sincronización.

35. Sacar el separador propulsor de la bomba de aceite.

36. Sacar el tensor de la cadena de sincronización inferior, el brazo tensor y la guía de la cadena de sincronización inferior.

➡ **Comprimir el pistón del tensor e insertar una clavija adecuada en el agujero de la clavija.**

37. Sacar la cadena de sincronización inferior y el engranaje del cigüeñal.

Para instalar:

38. Comprobar el desgaste de todos los componentes. Si es necesario, reemplazarlos. Limpiar todas las superficies de unión y reemplazar la junta de culata de cilindros.

39. Instalar el engranaje del cigüeñal y el separador de propulsión de la bomba de aceite.

40. Instalar el engranaje tensor y la cadena de sincronización inferior.

➡ **Asegurarse de que las marcas de unión del engranaje del cigüeñal están mirando hacia la delantera del motor.**

41. Colocar la cadena de sincronización inferior sobre los engranajes, alineando las marcas de unión. Las marcas de unión en el conjunto de la cadena de sincronización serán plateadas.

42. Instalar el brazo tensor de la cadena y la guía de la cadena.

43. Instalar el tensor de la cadena de sincronización inferior.

➡ **Después de la instalación del tensor, sacar la clavija para liberar el pistón.**

44. Aplicar un cordón continuo de junta líquida en la cubierta delantera e instalar la cubierta delantera. Instalar un sello de aceite nuevo.

45. Instalar la polea del cigüeñal y apretar el tornillo a 105-112 pie-lb (142-152 Nm).

46. Con cuidado, rascar para sacar el material de la junta vieja de las superficies de montaje del depósito y del bloque de cilindros, después aplicar un cordón continuo de junta líquida (3.5-4.5 mm) alrededor del depósito de aceite y del bloque de cilindros.

47. Instalar la placa difusora, el filtro de aceite y el tubo delantero.

48. Instalar el depósito de aceite y apretar los tornillos de montaje, en secuencia, a 57-66 plg-lb (6.4-7.5 Nm).

49. Instalar la polea tensora del compresor del A/A.

50. Instalar una junta de culata de cilindros nueva e instalar el eje tensor.

51. Instalar la culata de cilindros y, al instalar la cubierta delantera, apretar provisionalmente los tornillos de la culata de cilindros. Esto es necesario para evitar que la junta de culata de cilindros se dañe. Asegurarse de instalar arandelas entre los tornillos y la culata de cilindros.

▼ PRECAUCIÓN ▼

No apretar todavía completamente ninguno de los tornillos de culata de cilindros. Apretar los tornillos sólo con la mano.

52. Instalar la cadena de sincronización superior, el tensor de la cadena y la guía de la cadena. Asegurarse de alinear la marca en la cadena de sincronización con el tensor.

➡ **Después de instalar el tensor, sacar la clavija para liberar el pistón.**

53. Aplicar un cordón continuo de selladora líquida e instalar la cubierta de los engranajes de los árboles de levas. Apretar los tornillos de montaje a las especificaciones.

54. Apretar los tornillos de la culata de cilindros.

55. Instalar los árboles de levas y las tapas de los cojinetes de los árboles de levas.

56. Instalar los engranajes de los árboles de levas y apretar los tornillos de los engranajes a 123-130 pie-lb (167-176 Nm). Instalar la guía de la cadena entre ambos engranajes de los árboles de levas. Las marcas de alineación en la parte superior de la cadena de sincronización deben alinearse ahora.

57. Los componentes restantes se instalan en el orden inverso al que se han desmontado.

58. Comprobar y ajustar la holgura de válvulas.

59. Conectar el cable negativo de la batería.

60. Arrancar el motor y comprobar si hay fugas. Sangrar el sistema de refrigeración.

61. Instalar la subcubierta del motor.

62. Comprobar la sincronización del encendido; si es necesario, ajustar la sincronización.

Motor 3.0L (VQ30DE)

1. Desconectar el cable negativo de la batería.

2. Drenar el aceite del motor y el sistema de refrigeración. Asegurarse de drenar el bloque de cilindros y el radiador.

3. Descargar la presión del sistema de combustible.

4. Sacar el adorno de la cubierta de los balancines del lado izquierdo.

➡ **Antes de separar cualquier manguera o conector, anotar su localización para el reensamblaje.**

5. Sacar la manguera del conducto del aire al múltiple de admisión, la manguera del colector, la manguera de fuga y las mangueras de vacío.

▼ PRECAUCIÓN ▼

Después de APAGAR el motor, el sistema de inyección de combustible permanece bajo presión. Antes de desconectar cualquier línea de combustible, descargar correctamente la presión del com-

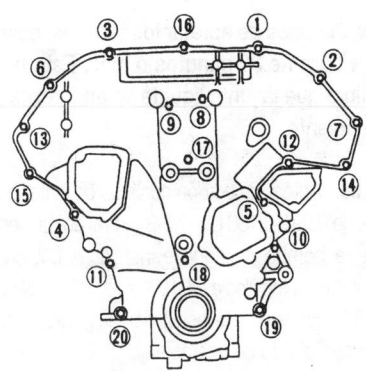

▲ **Sacar los tornillos de montaje de la caja de la cadena de sincronización delantera en la secuencia que se muestra – Motor 3.0L (VQ30DE)**

bustible. En caso contrario, puede producirse un incendio o daños personales.

6. Sacar las mangueras de combustible y separar las conexiones del cableado.

7. Desconectar las mangueras de purga del recipiente del carbón activo.

8. Sacar las mangueras de agua de la culata de cilindros y del múltiple de admisión.

9. Desconectar y sacar las seis bobinas de encendido de las bujías.

10. Sacar las bujías.

11. Sacar los tornillos que fijan el tubo de RGE y sacar el tubo.

12. Sacar los soportes del colector del múltiple de admisión y sacar el colector.

13. Sacar los tornillos que fijan el tubo de combustible y sacar el tubo de combustible del vehículo.

14. Sacar los tornillos que fijan el múltiple de admisión en el bloque de cilindros y sacar el múltiple. Aflojar los tornillos en la secuencia inversa al procedimiento de apriete.

15. Sacar las cubiertas de MD y de MI de los balancines de la culata de cilindros.

16. Sacar las subcubiertas del motor.

17. Sacar la rueda delantera derecha y las cubiertas laterales del motor.

18. Sacar las correas propulsoras y la polea tensora.

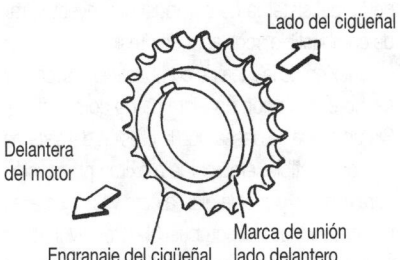

▲ **Engranaje del cigüeñal con las marcas de unión – Motor 3.0L (VQ30DE)**

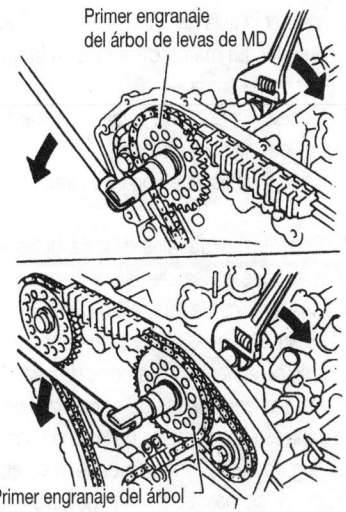

Primer engranaje del árbol de levas de MD

Primer engranaje del árbol de levas de MI

▲ **Sujetar el árbol de levas con una llave, mientras se sacan los tornillos de los engranajes – Motor 3.0L (VQ30DE)**

19. Sacar la correa de la bomba de aceite de la dirección asistida y sacar el conjunto de la bomba de aceite de la dirección asistida.

20. Sacar el sensor de posición de los árboles de levas (PHASE) y los sensores de posición del cigüeñal (REF)/(POS).

21. Colocar el pistón N° 1 en el PMS de su carrera de compresión, girando el cigüeñal.

22. Sacar la placa de acceso a la cubierta del engranaje anular (corona dentada).

23. Aflojar el tornillo de la polea del cigüeñal que asegura el engranaje anular, de manera que el cigüeñal no pueda girar.

➡ **Ir con cuidado de no dañar los dientes del engranaje anular.**

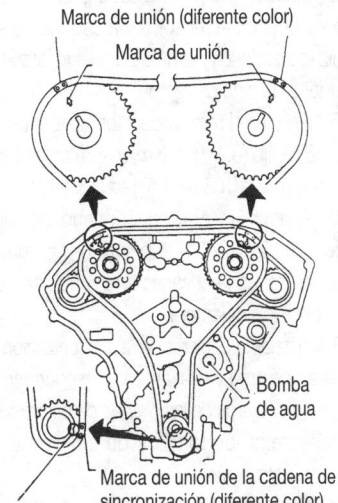

Marca de unión (diferente color)
Marca de unión

Bomba de agua

Marca de unión de la cadena de sincronización (diferente color)

Marca de unión del engranaje del cigüeñal

▲ **Marcas de alineación de la cadena de sincronización – Motor 3.0L (VQ30DE)**

24. Utilizando un extractor adecuado, sacar la polea del cigüeñal.

25. Sacar el compresor del A/A y el soporte.

26. Sacar el tubo de escape delantero y su soporte.

27. Colgar el motor en los ganchos de eslingas del motor del lado derecho e izquierdo con un elevador adecuado.

28. Soportar la transmisión con un gato.

29. Sacar el montaje lateral derecho del motor, el soporte de montaje y las tuercas.

30. Sacar el conjunto del travesaño central.

31. Sacar los tornillos del depósito de aceite de acero (inferior) en la secuencia inversa a la de instalación.

32. Insertar un cortador de sellos entre los depósitos de aceite de acero y de aluminio.

33. Golpeando con suavidad el cortador con un martillo, deslizarlo alrededor de todo el borde del depósito de aceite. Ir con cuidado de no dañar la superficie de unión de aluminio del depósito de aceite superior.

34. Sacar el depósito de aceite de acero y el colador de aceite.

35. Sacar los tornillos del depósito de aceite de aluminio (superior) en la secuencia inversa a la de instalación.

36. Sacar los tornillos de la transmisión que fijan el depósito de aceite.

37. Insertar un cortador de sellos entre el depósito de aceite de aluminio y el bloque de cilindros.

38. Golpeando con suavidad el cortador con un martillo, deslizarlo alrededor de todo el borde del depósito de aceite. Ir con cuidado de no dañar las superficies de unión del depósito de aceite o del bloque de cilindros.

39. Sacar el depósito de aceite del vehículo.

40. Sacar la cubierta de la bomba de agua y sacar los tornillos que fijan la caja de la cadena de sincronización delantera.

41. Utilizando un cortador de sellos, sacar la cubierta de la caja de la cadena de sincronización.

42. Sacar la guía de la cadena de sincronización interna y la guía de la cadena superior.

43. Sacar el tensor de la cadena de sincronización y la guía de huelgo lateral de la cadena.

44. Sacar primero los engranajes de los árboles de levas de admisión derecho e izquierdo. Mientras se sacan los tornillos de los engranajes, asegurarse de sujetar los planos de los árboles de levas.

45. Sacar el conjunto de la cadena de sincronización inferior. Antes de sacarla, asegurarse de anotar las marcas de alineación de la cadena.

46. Insertar una clavija obturadora adecuada en los tensores de los árboles de levas derecho e izquierdo.

47. Sacar los tornillos de los engranajes de los árboles de levas de escape derecho e izquierdo. Mientras se sacan los tornillos de los engranajes, asegurarse de sujetar los planos de los árboles de levas.

48. Sacar el conjunto de la cadena de sincronización superior. Antes de sacarla, asegurarse de anotar las marcas de alineación de la cadena.

49. Sacar la guía de la cadena de sincronización inferior.

50. Sacar el engranaje del cigüeñal.

51. Sacar todos los restos de junta líquida de la caja de la cadena de sincronización delantera y de la bomba de agua.

52. Examinar si la cadena de sincronización está excesivamente gastada o dañada y, si es necesario, reemplazarla.

Para instalar:

53. Instalar el engranaje del cigüeñal con la marca de unión mirando hacia fuera.

54. Situar el cigüeñal en el PMS de su carrera de compresión y alinear las clavijas de los engranajes de los árboles de levas en la posición de las 12 en punto respecto a la culata de cilindros.

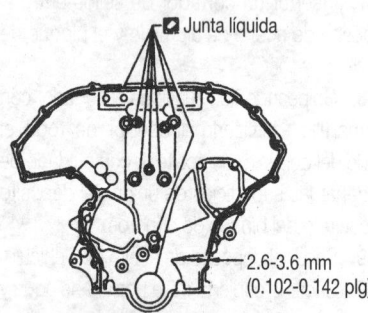

Aplicación de junta líquida en la caja de la sincronización delantera – Motor 3.0L (VQ30DE)

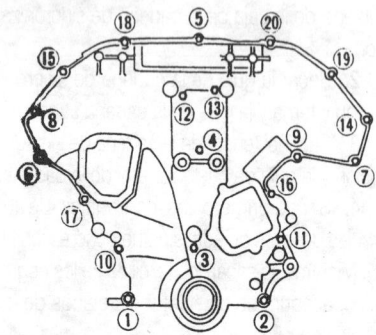

Apretar los tornillos de la caja de la cadena de sincronización delantera de acuerdo con la secuencia que se muestra – Motor 3.0L (VQ30DE)

55. Instalar la guía de la cadena de sincronización inferior. La marca delantera en la guía debe mirar hacia arriba.

56. Sobre un banco de trabajo, alinear las marcas en los engranajes de los árboles de levas de admisión y de escape con las marcas de la cadena.

57. Poner los engranajes de los árboles de levas de escape en las clavijas de centrado y apretar los tornillos de montaje a 88-95 pie-lb (119-128 Nm). Mientras se aprietan los tornillos, asegurarse de aguantar los árboles de levas.

58. Instalar las cadenas de sincronización y los engranajes en los árboles de levas de admisión. Asegurarse de alinear la cadena de sincronización y las marcas de unión de los engranajes.

59. Sacar las clavijas obturadoras de los tensores de los árboles de levas derecho e izquierdo.

60. Alinear la marca de unión en el cigüeñal con la marca (enlace dorado) en la cadena de sincronización inferior.

61. Acoplar la cadena de sincronización inferior al engranaje de la bomba de agua.

62. Trabajando en el sentido contrario al de las agujas del reloj, instalar los engranajes de los árboles de levas de la cadena de sincronización inferior. Durante la instalación, asegurarse de alinear las marcas de los engranajes con los enlaces azules de la cadena de sincronización.

63. Instalar los tornillos de los engranajes de admisión y apretarlos a 88-95 pie-lb (119-128 Nm). Mientras se aprietan los tornillos, asegurarse de fijar los árboles de levas.

64. Instalar la guía de la cadena de sincronización interna, la guía de la cadena de sincronización superior, el tensor de la cadena de sincronización inferior y la guía de huelgo lateral de la cadena de sincronización.

65. Apretar el tornillo de montaje del tensor a 75-96 plg-lb (8.4-10.8 Nm) y apretar los tornillos de la guía a 108-168 plg-lb (13-19 Nm).

66. Aplicar un cordón continuo de junta líquida de 0.102-0.142 plg (2.6-3.6 mm) a todas las zonas necesarias en la cubierta de la sincronización delantera.

67. Instalar la cubierta de la sincronización de manera uniforme y suavemente. Asegurarse de alinear los agujeros de las clavijas de centrado.

68. Apretar los tornillos de montaje en la secuencia siguiente:

    a. Tornillos N° 1 y 2 – Apretar a 19-23 pie-lb (26-31 Nm).

    b. Tornillos N° 3-20 – Apretar a 105-121 plg-lb (11.8-13.7 Nm).

➡ Después de apretar los tornillos, dejarlos durante 30 minutos o más. Esto permitirá que la junta líquida se endurezca lo suficiente.

69. Aplicar un cordón continuo de junta líquida de 0.091-0.130 plg (2.3-3.3 mm) a la cubierta de la bomba de agua e instalar la cubierta. Apretar los tornillos a 84-108 plg-lb (10-13 Nm).

70. El resto de la instalación es la inversa del procedimiento de desmontaje.

71. Conectar el cable negativo de la batería.

72. Arrancar el motor y ponerlo a 3000 rpm, bajo condición sin carga, para purgar el aire de la cámara de alta presión. El motor puede producir un ruido de traqueteo. Esto indica que en la cámara todavía hay aire, y no tiene importancia.

SISTEMA DE COMBUSTIBLE

PRECAUCIONES DE MANTENIMIENTO DEL SISTEMA DE COMBUSTIBLE

Cuando se realiza cualquier tipo de mantenimiento, no sólo el mantenimiento del sistema de combustible, la seguridad es el factor más importante. Si el mantenimiento y la reparación no se realizan de manera segura pueden producirse graves daños personales o incluso la muerte. El mantenimiento y la comprobación de los componentes del sistema de combustible del vehículo pueden cumplirse con seguridad y efectividad cumpliendo las siguientes reglas y directrices:

• Para evitar la posibilidad de que se produzca un incendio y daños personales, desconectar siempre el cable negativo de la batería, excepto en las reparaciones o los procedimientos de comprobación que requieran que el voltaje de la batería esté aplicado.

• Antes de desconectar cualquier componente del sistema de combustible (inyector, raíl de combustible, regulador de presión, etc.), rácor o conexión de la línea de combustible, descargar siempre la presión del sistema de combustible. Siempre que se descargue la presión del sistema de combustible, emplear la máxima precaución para evitar exponer la piel, la cara y los ojos a las pulverizaciones del combustible. Por favor, tener en cuenta que el combustible bajo presión puede penetrar en la piel o en cualquier parte del cuerpo con la que entre en contacto.

• Antes de aflojar los rácores o las conexiones, colocar siempre una toalla o un trapo a su alrededor para que absorba cualquier derrame de combustible que se produzca por un escape. Asegurarse de que cualquier vertido de combustible (es posible que ocurra) se saca rápidamente de las superficies del motor. Asegurarse de que todos los trapos o las toallas empapados de combustible se depositan dentro de un recipiente de desperdicios adecuado.

• Mantener siempre un extintor de incendios de polvo seco (clase B) cerca de la zona de trabajo.

• No permitir que las pulverizaciones o los vapores de combustible entren en contacto con una chispa o con una llama.

• Al aflojar y al apretar los rácores de conexión de las líneas de combustible, utilizar siempre una llave de tuercas de apoyo. Esto evitará un esfuerzo y torsión innecesarios de las tuberías de las líneas de combustible. Seguir siempre las especificaciones de torsión correctas.

• Reemplazar siempre las juntas tóricas de los rácores de combustible por nuevas. No sustituir por mangueras de combustible, o equivalentes, donde esté instalado un tubo de combustible.

PRESIÓN DEL SISTEMA DE COMBUSTIBLE

DESCARGA

Excepto 300ZX

El fusible de la bomba de combustible está situado en la caja de fusibles del tablero de instrumentos, o en la caja de fusibles del compartimiento del motor. Comprobar la tapa de la caja de fusibles para localizarla con exactitud.

1. Sacar el fusible de la bomba de combustible.

2. Arrancar el motor y mantenerlo en marcha hasta que el motor se pare.

3. Una vez que se haya parado el motor, probar de volver a arrancarlo; si el motor no arranca, la presión del combustible ha sido descargada.

4. APAGAR el interruptor del encendido. Reinstalar el fusible de la bomba de combustible en el portafusibles.

➡ Después de haber reinstalado el fusible de la bomba de combustible, no dar vueltas al motor o encender el interruptor del encendido, porque de lo contrario se restablecerá la presión del combustible.

300ZX

El relé de la bomba de combustible está situado en el panel reposapiés del lado conductor, cerca de la caja de fusibles.

1. Sacar el relé de la bomba de combustible.

2. Arrancar el motor.

3. El motor debe ponerse en marcha; después, cuando el combustible de las líneas se haya acabado, el motor se parará. Cuando el motor pare, dar vueltas al motor de arranque unas cuantas veces, durante cinco segundos aproximadamente, para asegurarse de que toda la presión de las líneas de combustible se haya descargado.

4. APAGAR el interruptor del encendido y reinstalar el relé de la bomba de combustible.

➡ Después de reinstalar el relé NO dar vueltas al motor o ENCENDER el interruptor del encendido, porque de lo contrario se restablecerá la presión del combustible.

5. En algunos modelos, la Luz de Comprobación del Motor permanecerá encendida después de completar la comprobación. Esto es causado por el ordenador que detecta un circuito de la bomba de combustible abierto. Debe borrarse el código de la memoria de la unidad de control. Para borrar el código, desconectar el cable de la batería durante 30 segundos, después volver a conectar el cable.

FILTRO DE COMBUSTIBLE

DESMONTAJE E INSTALACIÓN

Todos los modelos

▼ PRECAUCIÓN ▼

Antes de reemplazar el filtro de combustible, asegurarse de descargar la presión del sistema de combustible, en los motores por inyección de combustible.

1. Descargar correctamente la presión del sistema de combustible.

2. Desconectar el cable negativo de la batería.

3. Aflojar las abrazaderas de la manguera de combustible y desconectar las mangueras del filtro de combustible.

4. Sacar el tornillo que fija el filtro en el soporte o bien sacar el filtro de las abrazaderas de soporte.

5. Sacar el filtro.

Para instalar:

6. Instalar el nuevo filtro y asegurar el filtro en el soporte.

7. Si es necesario, reemplazar las mangueras de la línea de combustible y las abrazaderas de las mangueras. Reconectar las mangueras de combustible y apretar las abrazaderas.

8. Reconectar el cable negativo de la batería.

9. Instalar el fusible de la bomba de combustible.

10. Arrancar el motor y comprobar si hay fugas.

BOMBA DE COMBUSTIBLE

DESMONTAJE E INSTALACIÓN

Sentra y 200SX

En todos los vehículos, la bomba de combustible está situada dentro del depósito de combustible. La parte interior del depósito es accesible levantando el asiento trasero para poder acceder a la cubierta de inspección.

1. Descargar la presión del sistema de combustible.

2. Desconectar el cable negativo de la batería.

3. Sacar el asiento trasero del vehículo.

4. Sacar la cubierta de inspección que está situada bajo el asiento trasero.

5. Desconectar las líneas de entrada y de salida de combustible del conjunto de la bomba de combustible.

6. Desconectar la bomba de combustible y las conexiones del cableado del indicador.

7. Sacar los seis tornillos de montaje que fijan el conjunto de la bomba de combustible en la parte superior de depósito del combustible.

8. Levantar el conjunto de la bomba de combustible y separar los tubos y el conector de combustible. Sacar el conjunto del indicador de combustible.

9. Sacar la bomba de combustible con la cámara de combustible.

10. Tirar de la parte delantera de la cámara de la bomba de combustible hacia arriba y deslizar la cámara hacia delante.

11. Sacar la bomba de combustible de la cámara.

12. Desechar el empaque o la junta tórica.

Para instalar:

13. Instalar la bomba de combustible en la cámara de la bomba de combustible y deslizar la cámara hacia atrás.

14. Instalar la bomba de combustible con la cámara de la bomba de combustible.

15. Utilizando una junta tórica nueva, instalar el conjunto del indicador de combustible y conectar los tubos y el conector de combustible. Utilizar mangueras y abrazaderas nuevas.

16. Instalar los seis tornillos de montaje en la parte superior de la unidad del indicador de combustible. Apretar los tornillos a 28-37 plg-lb (3-4 Nm).

17. Conectar la bomba de combustible y las conexiones del cableado del indicador.

18. Utilizando mangueras y abrazaderas nuevas, conectar las líneas de entrada y de salida de combustible en el conjunto de la bomba de combustible.

19. Instalar la cubierta de inspección e instalar el asiento trasero.

20. Conectar el cable negativo de la batería, arrancar el motor y comprobar si hay fugas.

➡ **En algunos modelos, la Luz de Comprobación del Motor seguirá encendida después de completar la reparación. Esto es debido a un circuito abierto de la bomba de combustible, al descargar la presión de la bomba de combustible. El código de memoria en el ECU debe borrarse. Para borrar el código, desconectar los cables de la batería durante un minuto, después reconectarlos.**

Altima

1. Descargar la presión del sistema de combustible.

2. Desconectar el cable negativo de la batería.

3. Sacar el asiento trasero y sacar la cubierta de acceso.

4. Soltar el conector eléctrico de la bomba de combustible.

5. Desconectar las líneas de combustible de conjunto de la bomba de combustible.

6. Sacar el aro de bloqueo, utilizando la herramienta especial J-38879, o una equivalente.

7. Sacar el conjunto del indicador de combustible; soltar el tubo y el conector de combustible del indicador de combustible.

➡ **Cuando se necesite sacar la unidad emisora de combustible, tirar de la lengüeta hacia arriba. La lengüeta está localizada en la unidad emisora, opuesta al extremo de la boya. Después de tirar de la lengüeta, la unidad emisora se sacará del soporte del depósito.**

8. Sacar la bomba del combustible apretando juntas las dos lengüetas de bloqueo. Sacar el conjunto de la bomba de combustible hacia arriba y fuera del depósito de combustible.

9. Sacar la junta tórica y desecharla. Colocar un trapo limpio en el agujero para no dejar que entre suciedad.

Para instalar:

10. Sacar el trapo e instalar una junta tórica nueva.

11. Instalar la bomba de combustible.

12. Conectar la conexión eléctrica y el tubo de combustible en la unidad emisora del indicador de combustible.

13. Instalar la unidad emisora de combustible en el depósito.

➡ **Al instalar la bomba y la unidad emisora del indicador de combustible, verificar que las marcas en el depósito de combustible y en los componentes están alineadas.**

14. Instalar el aro de bloqueo y apretar el aro a 22-26 pie-lb (30-35 Nm).

15. Conectar las líneas de combustible y el conector eléctrico de la bomba de combustible. Instalar siempre abrazaderas nuevas en las líneas de combustible.

16. Instalar la cubierta de acceso de la bomba de combustible.

17. Instalar el asiento trasero.

18. Conectar el cable negativo de la batería.

19. Arrancar el motor y comprobar si hay fugas.

Maxima 300ZX y 240SX

1. Descargar la presión del sistema de combustible.

2. Desconectar el cable negativo de la batería.

3. Sacar el asiento trasero o abrir el panel de acceso en el maletero.

4. Soltar el conector eléctrico del indicador de combustible y el conector eléctrico de la bomba.

5. Desconectar la salida de combustible y las mangueras de retorno de combustible. Si es necesario, sacar el depósito de combustible.

6. En algunos modelos 240SX, es necesario sacar los tornillos del conjunto de la bomba del combustible en el depósito de combustible y levantar el conjunto de la bomba de combustible del depósito de combustible.

7. En otros modelos, es necesario sacar el aro de bloqueo con la herramienta SST J-8879-A, o una equivalente, y levantar la bomba de combustible del depósito. Mientras se levanta la bomba, desconectar el tubo de alimentación.

8. Desechar la junta tórica. Taponar la abertura del depósito de combustible con un trapo limpio, para evitar que la suciedad entre en el sistema.

➡ **Al sacar o instalar el conjunto de la bomba de combustible, ir con cuidado de no dañarlo o deformarlo, e instalar siempre una junta tórica nueva.**

Para instalar:

9. Sacar el trapo; utilizando una junta tórica nueva, instalar el conjunto de la bomba de combustible en el depósito de combustible.

10. Instalar los tornillos del conjunto de la bomba de combustible en el depósito de combustible y apretar los tornillos a 17-22 plg-lb (2.0-2.5 Nm).

11. Instalar el conjunto del aro de bloqueo y apretar.

12. Si se ha sacado, instalar el conjunto del depósito de combustible.

13. Conectar las líneas de combustible y los conectores eléctricos. Al reconectar las mangueras de las líneas de combustible, utilizar siempre abrazaderas nuevas.

➡ **Al instalar el plato superior, asegurarse de alinear la marca con las marcas centrales en el depósito de combustible.**

14. Instalar la cubierta de acceso a la bomba de combustible.

15. Conectar el cable negativo de la batería.

16. Arrancar el motor y comprobar si hay fugas de combustible.

➡ **En algunos modelos, la Luz de Comprobación del Motor estará ENCENDIDA después de que la instalación esté comple-**

ta. Debe borrarse el código de memoria en la unidad de control. Este código registra un circuito abierto de la bomba de combustible, a causa de la descarga de la presión del combustible. Para borrar el código, desconectar el cable de la batería durante 10 segundos, después reconectarlo una vez que se haya instalado la bomba de combustible.

TREN DE TRANSMISIÓN

CONJUNTO DE TRANSMISIÓN

DESMONTAJE E INSTALACIÓN

240SX

1. Desconectar el cable negativo de la batería.

2. Levantar y soportar con seguridad el vehículo.

3. En las transmisiones automáticas, drenar el fluido y desconectar las líneas del refrigerador; después taponar las aberturas.

➡ Después de bajar un poco la transmisión, puede ser necesario desconectar la línea del refrigerador del lado izquierdo.

4. En las transmisiones manuales, colocar la palanca del cambio en la posición N y desconectar la palanca del cambiador de la transmisión. Sacar de la transmisión la palanca del cambiador con el cuerpo de control. En las transmisiones automáticas, desconectar el varillaje del cambio en la transmisión.

5. Si está equipado, sacar el sensor de posición del cigüeñal, de la parte superior del cuerpo de la transmisión.

6. En las transmisiones manuales, sacar el cilindro de funcionamiento del embrague (cilindro auxiliar) del cuerpo del embrague.

7. Soltar las conexiones del cableado eléctrico de la transmisión y soltar la conexión trasera del sensor calentado de oxígeno.

8. Marcar y después desatornillar el eje de transmisión en la parte trasera, y sacarlo. Si está equipado con un cojinete central, desatornillarlo del travesaño. Taponar el extremo de la extensión de la transmisión para evitar fugas.

9. Soportar el motor con un bloque de madera grande y un gato debajo del depósito de aceite. No colocar el gato debajo del tapón de drenaje del depósito de aceite.

10. Desatornillar la transmisión del travesaño. Soportar la transmisión con un gato y sacar el travesaño.

11. En las transmisiones automáticas, marcar la relación entre el convertidor de par y el plato propulsor. Sacar los tornillos que fijan el convertidor de par en el plato propulsor. Para aumentar el acceso a los tornillos, girar el tornillo delantero del cigüeñal.

12. Bajar la parte trasera del motor para permitir más holgura.

13. Desconectar el cableado en el motor de arranque y sacar el motor de arranque de la transmisión.

14. Sacar el soporte de montaje del tubo de escape de la transmisión.

15. Desatornillar el conjunto de la transmisión del motor. Bajarlo y moverlo hacia atrás.

➡ Para asegurar que son instalados en sus posiciones originales, etiquetar los tornillos de diferentes longitudes de la transmisión durante el desmontaje.

Para instalar:

16. Limpiar las superficies de unión del motor y de la transmisión.

17. En las transmisiones manuales, lubricar ligeramente con aceite las estrías del disco de embrague y las estrías del engranaje accionado principal. También lubricar con grasa las superficies de deslizamiento de la palanca de control.

18. Soportar correctamente la transmisión e instalar la transmisión en la parte trasera del motor.

19. Para las transmisiones manuales, utilizar las especificaciones de torsión siguientes, para atornillar la transmisión en el motor:

   a. Apretar los tornillos N° 1 y 2 a 29-36 pie-lb (39-49 Nm).

   b. Apretar los tornillos N° 3, 4 y 5 a 22-29 pie-lb (29-39 Nm).

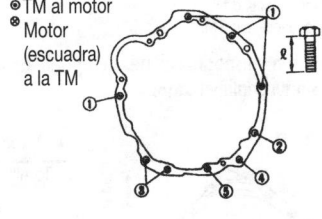

Tornillo núm.	Par de apriete Nm (kg-m, pie-lb)
①	39 - 49 (4.0 - 5.0, 29 - 36)
②	39 - 49 (4.0 - 5.0, 29 - 36)
③*	29 - 39 (3.0 - 4.0, 22 - 29)
④*	29 - 39 (3.0 - 4.0, 22 - 29)
⑤	29 - 39 (3.0 - 4.0, 22 - 29)
Escuadra al motor	29 - 39 (3.0 - 4.0, 22 - 29)

*: Con tuerca

▲ Especificaciones de apriete de los tornillos de la transmisión – 240SX con transmisión manual

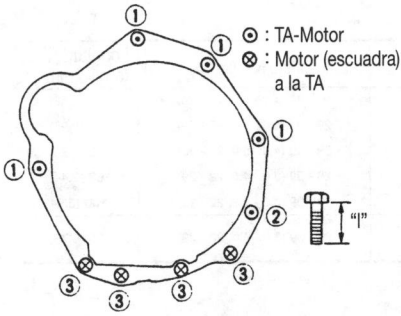

Tornillo núm.	Par de apriete Nm (kg-m, pie-lb)	Longitud "l" del tornillo mm (plg)
①	39 - 49 (4.0 - 5.0, 29 - 36)	40 (1.57)
②	39 - 49 (4.0 - 5.0, 29 - 36)	50 (1.97)
③	29 - 39 (3.0 - 4.0, 22 - 29)	25 (0.98)
Escuadra al motor (4 tornillos)	29 - 39 (3.0 - 4.0, 22 - 29)	20 (0.79)

▲ Especificaciones de apriete de los tornillos de la transmisión – 240SX con transmisión automática

20. Para las transmisiones automáticas, apretar los tornillos de montaje de la transmisión como sigue:

    a. Apretar los tornillos N° 1 y 2 a 29-36 pie-lb (39-49 Nm).

    b. Apretar el tornillo N° 3 a 22-29 pie-lb (29-39 Nm).

    c. Apretar los tornillos de montaje de las escuadras a 22-29 pie-lb (29-39 Nm).

21. Instalar el soporte de montaje del tubo de escape en la transmisión.

22. Instalar el conjunto del motor de arranque.

23. Levantar la parte trasera del motor hasta su posición original.

24. Atornillar el travesaño en su sitio y sacar el gato.

25. Instalar los componentes restantes en el orden inverso al de desmontaje.

26. Conectar el cable negativo de la batería y comprobar el nivel del fluido de la transmisión.

27. Bajar el vehículo y probar el vehículo en carretera para ver si su funcionamiento es correcto.

300ZX

1. Desconectar el cable negativo de la batería.

2. Levantar y soportar con seguridad el vehículo.

3. Sacar la sección del tubo de escape del múltiple y sacar el soporte del montaje, de la transmisión.

4. Marcar el eje de transmisión y desatornillar el eje del cuerpo trasero. Desatornillar el eje de transmisión del cojinete central y sacar el eje de la parte trasera de la transmisión. Instalar un tapón sellador en el extremo del cuerpo de extensión de la transmisión para evitar fugas.

5. Desconectar el cable (chicote) accionador del velocímetro de la transmisión.

6. En las transmisiones manuales, desconectar la barra de control de la palanca. En las automáticas, desconectar el varillaje del cambio.

7. En las transmisiones manuales, sacar el cilindro de funcionamiento del embrague del cuerpo del embrague y colocarlo a un lado, sin desconectar la línea hidráulica.

8. Soportar el motor con un bloque de madera grande y un gato situado bajo el depósito de aceite. No colocar el gato debajo del tapón de drenaje del depósito de aceite.

9. Desatornillar la transmisión del travesaño. Soportar la transmisión con un gato y sacar el travesaño.

10. En las transmisiones automáticas, sacar los tornillos del plato flexible al convertidor de par.

11. Bajar la parte trasera del motor para tener más holgura.

12. Desconectar los conectores de los interruptores de la luz de marcha atrás, neutral y superdirecta.

13. Desatornillar la transmisión. Bajar y sacarla hacia la parte trasera.

➡ **Los tornillos de la transmisión tienen diferentes longitudes. Etiquetar los tornillos de la transmisión al motor, durante el desmontaje; facilitará la colocación correcta durante la instalación.**

Para instalar:

14. Lubricar el eje motor (de salida) de la transmisión con grasa de alta temperatura.

15. Levantar la transmisión sobre el motor e instalar los tornillos de montaje. Apretar los tornillos a la especificación de apriete correcta.

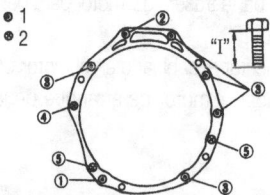

Tornillo núm.	Apriete Nm (kg-m, pie-lb)	"I" mm (plg)
①	39 - 49 (4.0 - 5.0, 29 - 36)	100 (3.94)
②	39 - 49 (4.0 - 5.0, 29 - 36)	65 (2.56)
③	39 - 49 (4.0 - 5.0, 29 - 36)	60 (2.36)
④	29 - 39 (3.0 - 4.0, 22 - 29)	55 (2.17)
⑤	29 - 39 (3.0 - 4.0, 22 - 29)	25 (0.98)

1.- TM al motor (escuadra)
2.- Motor (escuadra) a la TM

▲ **Identificación y especificaciones de apriete de los tornillos de montaje de la transmisión manual – 300ZX sin turboalimentador**

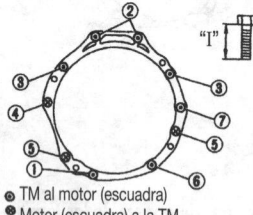

● Apretar todos los tornillos de la transmisión

Tornillo núm.	Par de apriete Nm (kg-m, pie-lb)	"I" mm (plg)
①	39 - 49 (4.0 - 5.0, 29 - 36)	100 (3.94)
②	39 - 49 (4.0 - 5.0, 29 - 36)	55 (2.17)
③	39 - 49 (4.0 - 5.0, 29 - 36)	60 (2.36)
④	29 - 39 (3.0 - 4.0, 22 - 29)	55 (2.17)
⑤	29 - 39 (3.0 - 4.0, 22 - 29)	25 (0.98)
⑥	29 - 39 (3.0 - 4.0, 22 - 29)	60 (2.36)
⑦	39 - 49 (4.0 - 5.0, 29 - 36)	65 (2.56)

● TM al motor (escuadra)
● Motor (escuadra) a la TM

▲ **Identificación y especificaciones de apriete de los tornillos de montaje de la transmisión manual – 300ZX con turboalimentador**

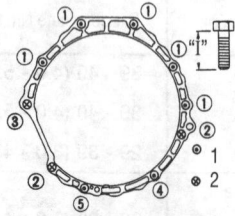

Tornillo núm.	Par de apriete Nm (kg-m, pie-lb)	Longitud "I" del tornillo mm (plg)
①	39 - 49 (4.0 - 5.0, 29 - 36)	65 (2.56)
②	29 - 39 (3.0 - 4.0, 22 - 29)	25 (0.98)
③	39 - 49 (4.0 - 5.0, 29 - 36)	58 (2.28)
④	29 - 39 (3.0 - 4.0, 22 - 29)	62 (2.44)
⑤	29 - 39 (3.0 - 4.0, 22 - 29)	100 (3.94)
Escuadra al motor	29 - 39 (3.0 - 4.0, 22 - 29)	20 (0.79)

1.- TA al motor (escuadra)
2.- Motor (escuadra) a la TA

▲ **Identificación y especificaciones de torsión de los tornillos de montaje de la transmisión automática – 300ZX con transmisión RE4R01A**

➡ **Los tornillos que fijan la transmisión en el motor, son de longitudes diferentes y requieren aprietes distintos. Asegurarse de colocar todos los tornillos correctamente.**

16. En las transmisiones automáticas, instalar los tornillos del plato flexible al convertidor de par. Apretar los tornillos a 33-43 pie-lb (45-58 Nm).

17. Conectar los conectores de los interruptores de la luz de marcha atrás, neutral y superdirecta.

18. Instalar el travesaño.

19. Instalar el cilindro auxiliar del embrague y apretar los tornillos de montaje a 22-30 pie-lb (30-40 Nm).

20. En las transmisiones manuales, instalar la barra de control en la palanca. En las transmisiones automáticas, conectar el varillaje del cambio en la transmisión.

21. Conectar el cable accionador del velocímetro.

22. Instalar el eje de transmisión. Apretar los tornillos con brida a 41-48 pie-lb (55-65 Nm) en los modelos sin turbo, o a 47-54 pie-lb (64-74

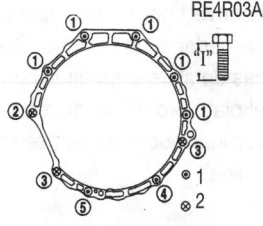

RE4R03A

Tornillo núm.	Apriete Nm (kg-m, pie-lb)	Longitud "I" del tornillo mm (plg)
①	39 - 49 (4.0 - 5.0, 29 - 36)	47.5 (1.870)
②	39 - 49 (4.0 - 5.0, 29 - 36)	58 (2.28)
③	29 - 39 (3.0 - 4.0, 22 - 29)	25 (0.98)
④	29 - 39 (3.0 - 4.0, 22 - 29)	60 (2.36)
⑤	29 - 39 (3.0 - 4.0, 22 - 29)	65 (2.56)
Escuadra al motor	29 - 39 (3.0 - 4.0, 22 - 29)	20 (0.79)

1.- TA al motor (escuadra)
2.- Motor (escuadra) a la TA

▲ **Identificación y especificaciones de torsión de los tornillos de montaje de la transmisión automática – 300ZX con transmisión RE4R03A**

Nm) en los modelos con turbo. Apretar los tornillos de montaje del soporte del cojinete central a 43-58 pie-lb (59-78 Nm).

23. Conectar la sección del tubo de escape en los múltiples y acoplar el soporte de montaje en la transmisión.

24. Sacar el gato de debajo del motor.

25. Bajar el vehículo y conectar el cable negativo de la batería.

26. En las transmisiones automáticas, comprobar el nivel de los fluidos y, si es necesario, añadir.

27. Probar el vehículo en carretera para ver si su funcionamiento es correcto.

CONJUNTO DE TRANSEJE

DESMONTAJE E INSTALACIÓN

Sentra y 200SX

1. Desconectar los cables negativo y positivo de la batería.

2. Sacar la batería y el soporte, del motor.

3. En los transejes (transmisiones) manuales, sacar el varillaje del cambiador de la transmisión.

4. Sacar el conducto del aire entre el cuerpo del ahogador y el filtro de aire.

5. Etiquetar y separar todos los conectores eléctricos de la transmisión.

6. Sacar el sensor de posición del cigüeñal de la transmisión.

7. Drenar el fluido de la transmisión.

8. Desconectar el cable de control de la transmisión.

9. Si está equipado, desconectar las líneas del refrigerador de aceite de la transmisión.

10. Sacar los semiejes de la transmisión.

11. Sacar los soportes de montaje del múltiple de admisión.

12. Sacar el motor de arranque de la transmisión.

13. Sacar los tornillos superiores que fijan la transmisión en el motor.

14. Utilizando un bloque de madera, soportar la transmisión con un gato.

15. Sacar el travesaño central.

16. Si está equipado, sacar las escuadras delanteras y traseras.

17. Sacar la cubierta de la placa trasera.

18. En las transmisiones (transejes) manuales, sacar los tornillos de montaje del convertidor de par. Para aumentar el acceso a todos los tornillos, será necesario girar el motor con la mano.

19. Sacar el soporte trasero de la transmisión en el motor.

20. Sacar el montaje trasero de la transmisión.

21. Sacar los tornillos inferiores de montaje de la transmisión en el motor.

22. Deslizar la transmisión fuera del motor y bajar el conjunto de la transmisión.

Para instalar:

Al conectar el convertidor de par en el transeje o transmisión, asegurarse de medir la distancia entre la orejeta de montaje del convertidor y el borde delantero de la transmisión.

23. La distancia medida entre el convertidor y la parte delantera de la transmisión, debe ser:
   a. En los vehículos con motor GA16DE 0.831 plg (21.1 mm) o más.
   b. En los vehículos con motor SR20DE 0.626 plg (15.9 mm) o más.

24. Levantar la transmisión e instalar el plato propulsor del motor.

25. Instalar los tornillos de montaje de la transmisión en la posición correcta, tal como se anotó durante el desmontaje. En los motores 1.6L, apretar los dos tornillos de la parte inferior a 12-15 pie-lb (16-21 Nm) y apretar el resto de los tornillos a 22-30 pie-lb (30-40 Nm). En los motores 2.0L, apretar los dos tornillos de la parte inferior a 23-31 pie-lb (31-42 Nm).

26. El resto de los componentes se instalan en el orden inverso al que se han desmontado.

27. En los transejes automáticos, apretar los tornillos de montaje del convertidor de par a 33-43 pie-lb (44-59 Nm).

28. Llenar la transmisión hasta el nivel correcto, arrancar el motor y volver a comprobar el nivel del fluido.

29. Probar el vehículo en carretera y verificar el funcionamiento correcto.

Altima

1. Desconectar el terminal negativo de la batería, el terminal positivo y sacar la batería del vehículo.

2. Sacar la bandeja de la batería.

3. Sacar la caja del filtro de aire con el sensor de flujo de la masa de aire.

4. Sacar el conducto de aire y desconectar el varillaje del cambiador.

5. Sacar las ruedas delanteras.

6. Levantar y soportar con seguridad el vehículo de manera que haya espacio para sacar la transmisión de debajo. Soportar con seguridad el motor con un gato. Colocar un bloque de madera entre el gato y el depósito de aceite. Esto protegerá el depósito de aceite de posibles daños.

7. Drenar el fluido de la transmisión.

8. Separar todos los conectores del cableado de la transmisión.

9. Sacar el sensor de posición del cigüeñal de la transmisión.

10. Sacar el soporte de montaje de mano izquierda de la transmisión y de la carrocería.

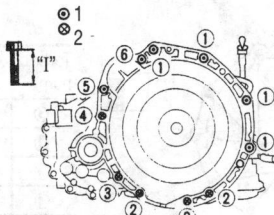

1.- TA al motor
2.- Motor a la TA

Tornillo núm.	Par de apriete Nm (kg-m, pie-lb)	"I" mm (plg)
①	39 - 49 (4.0 - 5.0, 29 - 36)	45 (1.77)
②	30 - 36 (3.1 - 3.7, 22 - 27)	30 (1.18)
③	30 - 36 (3.1 - 3.7, 22 - 27)	40 (1.57)
④	74 - 83 (7.5 - 8.5, 54 - 61)	45 (1.77)
⑤	30 - 36 (3.1 - 3.7, 22 - 27)	80 (3.15)
⑥	30 - 36 (3.1 - 3.7, 22 - 27)	65 (2.56)

▲ **Asegurarse de instalar los tornillos en la situación correcta y apretarlos a las especificaciones – Altima con transeje (transmisión) automático**

11. Desconectar el cable de control del lateral de la transmisión.

12. Sacar ambos semiejes del conjunto de la transmisión. Soportar con seguridad la transmisión con otro gato.

➡ Al sacar el convertidor de par, girar el cigüeñal para acceder a los tornillos. Colocar las marcas de alineación en el convertidor y el plato propulsor de manera que el convertidor pueda instalarse en su posición original.

13. Sacar los tornillos de montaje de la transmisión, separar la transmisión del motor y bajarla del vehículo.

14. En las transmisiones automáticas, desconectar las líneas del refrigerador de aceite y sacar los tornillos del plato flexible al convertidor de par.

15. Sacar el motor de arranque de la transmisión.

16. Sacar el travesaño central del vehículo.

➡ Los tornillos de montaje de la transmisión tienen longitudes diferentes. Etiquetar los tornillos durante el desmontaje facilitará su montaje correcto durante la instalación.

Para instalar:

➡ Al instalar el convertidor de par en la transmisión, medir la profundidad del convertidor para asegurar la instalación correcta.

17. Utilizando una regla cruzada de un lado al otro de la brida de montaje, medir la profundidad del convertidor. La medida es hasta la brida de montaje de los tornillos del convertidor.

18. La medida de la profundidad del convertidor debe ser de 0.75 plg (19 mm) o más.

➡ Los tornillos de montaje de la transmisión son de diferentes longitudes y requieren especificaciones de apriete especiales. Prestar atención al instalar y apretar estos tornillos.

19. Instalar el conjunto de la transmisión en el vehículo. En las transmisiones normales, apretar los cuatro tornillos inferiores de montaje a 22-30 pie-lb (30-40 Nm) y los tornillos restantes a 29-36 pie-lb (39-49 Nm). Para las especificaciones de apriete de los tornillos de montaje de la transmisión, remitirse al diagrama-ilustración.

20. En los transmisiones automáticas, apretar los tornillos que sujetan el convertidor en el plato flexible a 33-43 pie-lb (44-59 Nm).

21. Instalar los componentes restantes en el orden opuesto al que se han desmontado.

22. Conectar el terminal positivo de la batería y después el negativo.

23. Llenar la transmisión con el tipo y la cantidad correcta de fluido.

24. Probar el vehículo en carretera para comprobar si su funcionamiento es correcto y volver a comprobar el nivel del fluido.

Maxima

1. Desconectar los cables negativo y positivo de la batería.

2. Sacar la batería y la bandeja de la batería.

3. Sacar el filtro de aire y el resonador.

4. Levantar y soportar con seguridad el vehículo de manera que haya espacio para sacar la transmisión de debajo. Soportar con seguridad el motor por el depósito de aceite utilizando un bloque de madera acolchado y un gato.

5. Separar los conectores eléctricos de la transmisión.

6. Sacar el sensor de posición del cigüeñal (POS) de la transmisión.

7. Sacar el soporte de montaje de MI de la transmisión y de la carrocería.

8. Desconectar el cable de control en el lado de la transmisión.

9. Drenar el fluido de la transmisión.

10. Sacar ambos ejes de transmisión del conjunto de la transmisión.

11. Si está equipado, desconectar y tapar las líneas del refrigerador de aceite.

12. Sacar el motor de arranque de la transmisión.

13. Soportar la transmisión con un gato de seguridad adecuado.

14. Sacar el conjunto del travesaño central.

15. Sacar la cubierta trasera o el plato de acceso.

16. En las transmisiones automáticas, sacar los tornillos que fijan el volante al convertidor de par. Girar el volante para mejorar el acceso a los tres tornillos de montaje del convertidor.

➡ Al sacar el convertidor de par, girar el cigüeñal para acceder a los tornillos. Colocar las marcas de alineación en el convertidor y en el plato propulsor, de manera que el convertidor pueda instalarse en su posición original.

17. Sacar los tornillos que fijan la transmisión en el bloque de cilindros.

➡ Los tornillos de la transmisión son de longitudes diferentes; asegurarse de anotar la localización de los tornillos para el reensamblaje.

18. Bajar la transmisión mientras se soporta con un gato. Asegurarse de que el convertidor de par sigue con la transmisión.

Para instalar:

19. En las transmisiones automáticas, si se ha sacado, instalar el convertidor de par. Asegurarse de que está totalmente asentado en la transmisión.

20. Instalar el conjunto de la transmisión en el bloque de cilindros mientras se alinea el convertidor de par. Apretar los tornillos de la transmisión a lo especificado.

21. En las transmisiones automáticas, instalar los tornillos de montaje del convertidor y apretar los tornillos a 33-43 pie-lb (44-59 Nm).

22. Si está equipado, instalar el plato protector trasero de acceso a la transmisión.

23. Instalar el conjunto del travesaño central y apretar los tornillos de montaje a 57-72 pie-lb (77-98 Nm).

24. Instalar el montaje de MI del motor y apretar el tornillo pasante a 32-41 pie-lb (43-55 Nm).

25. Instalar los componentes restantes en el orden inverso al de desmontaje.

26. Bajar el vehículo.

27. Llenar la transmisión con el tipo y la cantidad correcta de fluido.

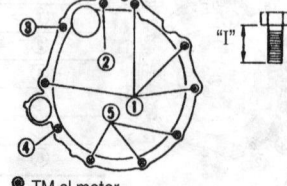

Tornillo núm.	Apriete Nm (kg-m, pie-lb)	"I" mm (plg)
①	70 - 79 (7.1 - 8.1, 51 - 59)	52 (2.05)
②	70 - 79 (7.1 - 8.1, 51 - 59)	65 (2.56)
③	70 - 79 (7.1 - 8.1, 51 - 59)	124 (4.88)
④	35.1 - 47.1 (3.58 - 4.80, 25.89 - 34.74)	40 (1.57)
⑤	35.1 - 47.1 (3.58 - 4.80, 25.89 - 34.74)	40 (1.57)

● TM al motor
⊗ Motor a la TM

③ Con motor de arranque
④ Sin soporte de barra de apoyo

▲ **Especificaciones de apriete y localización de los tornillos del transeje – Maxima**

EMBRAGUE

DESMONTAJE E INSTALACIÓN

1. Sacar el conjunto de la transmisión.

2. Insertar la herramienta de centrado de discos de embrague KV3010100 o una equivalente, en el cubo del disco del embrague para soporte.

3. Aflojar los tornillos del plato de presión, de manera uniforme en el orden inverso a la secuencia de apriete, un poco cada vez para evitar la deformación.

4. Sacar el conjunto del embrague.

5. Sacar el cojinete de desembrague de la palanca de embrague.

Para instalar:

6. Aplicar una ligera capa de lubricante en las estrías del disco de embrague, en el eje de entrada y en el cojinete guía. Utilizar una herramienta de centrado de discos para ayudar en la instalación. Apretar los tornillos del plato de presión, siguiendo una pauta entrelazada y en varios pasos, a 16-22 pie-lb (20-26 Nm).

7. Instalar un cojinete de desembrague nuevo en la palanca de desembrague. Sacar la herramienta de centrado de discos de embrague.

8. Instalar la transmisión en el vehículo. Si las superficies de unión no se juntan, no forzarlas. Sacar la transmisión y volver a comprobar si el disco está centrado.

➡ **NO introducir la transmisión en el motor con los tornillos. Esto podría dañar el embrague y/o la transmisión. También, ir con cuidado, al instalar la transmisión, de no mover el cojinete de desembrague.**

9. Una vez instalada la transmisión, conectar el cable de embrague, y comprobar el funcionamiento antes de completar el reensamblaje.

10. Ajustar el pedal del embrague como sea necesario.

SISTEMA DE EMBRAGUE HIDRÁULICO

SANGRADO

El sangrado es necesario para sacar el aire atrapado en el sistema hidráulico. El tornillo de sangrado está localizado en el cilindro auxiliar (de funcionamiento) del embrague.

Algunos modelos también están equipados con un mecanismo amortiguador del embrague. El mecanismo amortiguador del embrague se sangra exactamente de la misma manera que el cilindro de funcionamiento. Debe sangrarse junto con el cilindro de funcionamiento.

1. Sacar la tapa guardapolvo del tornillo de sangrado.

2. Conectar un tubo de vinilo transparente en el tornillo de sangrado, sumergiendo el extremo libre en un recipiente limpio de fluido de frenos limpio.

3. Llenar el cilindro principal con el fluido correcto.

4. Abrir el tornillo de sangrado aproximadamente $^3/_4$ de vuelta.

5. Hundir rápidamente el pedal de embrague. Sujetarlo abajo. Hacer que un ayudante apriete el tornillo de sangrado. Dejar que el pedal suba lentamente.

6. Repetir el procedimiento anterior hasta que ya no se vean burbujas de aire en el recipiente del fluido.

7. Sacar el tubo de sangrado.

8. Volver a colocar la tapa guardapolvo y llenar el cilindro principal.

9. Si está equipado, sangrar el amortiguador del embrague.

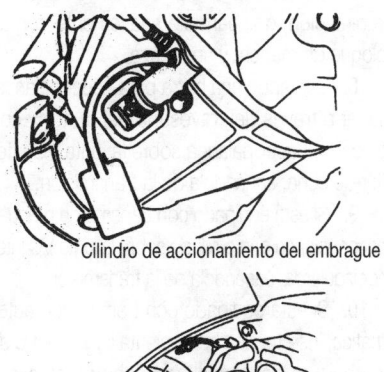

Cilindro de accionamiento del embrague

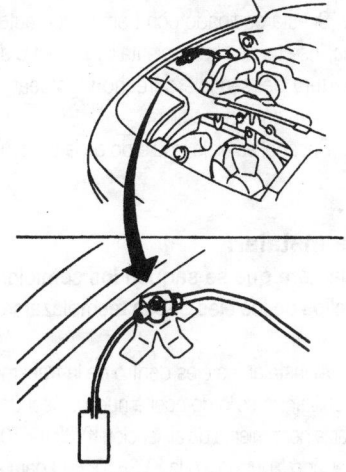

▲ **Puntos de sangrado del sistema de embrague – Altima, Maxima, 240SX y 300ZX**

SEMIEJES

DESMONTAJE E INSTALACIÓN

Sentra y 200SX

➡ **Los semiejes requieren una herramienta especial para la alineación de las estrías de sus extremos dentro de la caja de la transmisión. No realizar este procedimiento sin tener esta herramienta. El número de la herramienta Kent Moore es el J-34296 y el J-34297.**

1. Levantar la parte delantera del vehículo y soportarla con caballetes, después sacar el conjunto de la rueda y la llanta.

2. Utilizando una barra para sujetar la rueda y que no gire, aflojar y sacar la tuerca del cubo.

3. Sacar el anillo y separar la manguera del freno del poste.

4. Sacar el conjunto de la mordaza y soportarla con un alambre. No permitir que la mordaza cuelgue de la manguera del freno.

5. Sacar los tornillos que fijan el poste a la articulación de la dirección.

➡ **Cubrir las fundas del semieje con toallas para protegerlas durante el desmontaje del eje.**

6. Separar el semieje de la articulación golpeándolo ligeramente con un martillo. Si es difícil de sacar, utilizar un extractor.

7. Sacar el semieje de la transmisión como sigue:

   a. Modelos sin cojinete de soporte: hacer palanca en el semieje sacándolo de la transmisión.

   b. Modelos con cojinete de soporte: sacar los tornillos del cojinete de soporte y sacar el semieje de la transmisión.

➡ **Al sacar el semieje de la transmisión, no tirar del semieje. El eje se separaría en la junta deslizante (dañando la funda). Utilizar una pequeña barra para hacer palanca y sacarlo de la transmisión. Asegurarse de reemplazar el sello de aceite en la transmisión.**

8. Sacar el semieje del vehículo.

Para instalar:

9. Utilizar un anillo de seguridad nuevo en el semieje e instalar un sello de aceite nuevo en la transmisión.

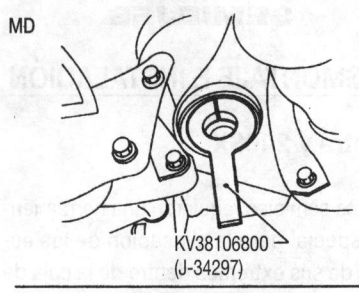

MD

KV38106800
(J-34297)

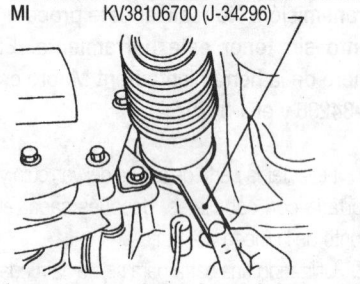

MI   KV38106700 (J-34296)

Herramientas de instalación de los semiejes – Sentra y 200SX

➡ Al instalar el semieje en la transmisión, utilizar la herramienta protectora de sellos de aceite KV38106700 (J-34296) para el lado izquierdo, o la herramienta KV38106800 (J-34297) para el lado derecho, para proteger el sello de aceite de cualquier daño; después de la instalación del eje, sacar la herramienta.

10. Instalar el conjunto del semieje dentro de la transmisión.

➡ Después de la instalación del semieje, con la mano, intentar tirar de la brida hacia fuera. Si sale, el anillo de seguridad no está bloqueado dentro de la transmisión.

11. Si se han sacado, instalar los tornillos de soporte del cojinete de apoyo y apretar los tornillos de montaje a 19-26 pie-lb (25-35 Nm).

12. Lubricar con aceite las estrías del semieje e introducir el eje a través de la articulación de la dirección.

13. Alinear la articulación de la dirección con el montaje inferior del poste e instalar los tornillos de montaje. Apretar los tornillos de montaje a 68-82 pie-lb (92-111 Nm).

14. Instalar la mordaza del freno de disco y conectar la manguera del freno en el poste con la abrazadera.

15. Instalar la arandela y la tuerca del cubo en el semieje. Apretar la tuerca del cubo a 145-202 pie-lb (197-274 Nm).

16. Instalar la tapa de ajuste y un pasador de retención nuevo en el eje de transmisión.

17. Instalar el conjunto de la rueda y la llanta y bajar el vehículo.

18. Probar el vehículo en carretera para ver si su funcionamiento es correcto.

Altima

1. Levantar y soportar con seguridad el vehículo con las ruedas delanteras colgando libres.

2. Sacar las ruedas delanteras del vehículo.

➡ La mordaza del freno no necesita ser desconectada de la articulación.

3. Sacar fuera el pasador de retención de la tuerca de torreta del cubo de la rueda, después sacar la contratuerca del cojinete de la rueda.

➡ Cubrir las fundas de las juntas VC con una toalla o un trapo de desecho, de manera que no se dañen al sacar el semieje.

4. Sacar el pasador de retención y la tuerca de torreta de la rótula esférica inferior.

5. Golpear la articulación con un martillo y tirar hacia abajo el enlace transversal para separar la rótula esférica inferior de la articulación.

6. Desconectar el extremo de la barra de conexión de la articulación de la dirección.

7. Separar el semieje de la articulación de la dirección, golpeándolo suavemente con un bloque de madera y una maza.

8. Utilizando una barra para hacer palanca, llegar a través del travesaño del motor y con cuidado, hacer palanca sobre la junta VC interior derecha, sacándola de la transmisión.

9. Si está equipado con transmisión manual, hacer palanca con cuidado sobre la junta VC interior izquierda, sacándola de la transmisión.

10. Si está equipado con transmisión automática, insertar una herramienta larga dentro de la abertura del semieje derecho y golpear la herramienta con un martillo.

11. Sacar el semieje izquierdo de la transmisión.

Para instalar:

➡ Siempre que se saquen los semiejes, los sellos de los ejes deben reemplazarse.

12. Al instalar los ejes dentro de la transmisión, utilizar un sello de aceite nuevo. Después instalar la herramienta de alineación KV38106700 para el lado izquierdo, o la KV38106800 para el lado derecho, a lo largo de la circunferencia interior del sello de aceite.

13. Insertar el semieje dentro de la transmisión, alinear los bordes dentados y después sacar la herramienta de alineación.

14. Empujar el semieje, después presionar el anillo de seguridad para encajar el eje dentro de la ranura del anillo, en el engranaje lateral.

➡ Después de la inserción, intentar sacar la brida de la junta lateral para asegurarse de que el anillo de seguridad está correctamente asentado en el engranaje lateral y de que no se saldrá.

15. Insertar el semieje dentro de la articulación de la dirección.

16. Conectar la rótula esférica inferior y el extremo de la barra de conexión en la posición correcta. Apretar las tuercas de la rótula esférica inferior en el brazo de control a 52-64 pie-lb (71-86 Nm) y la tuerca del extremo de la barra de conexión en la articulación de la dirección a 22-29 pie-lb (29-39 Nm). Instalar pasadores de retención nuevos en las tuercas de torreta.

17. Instalar la tuerca del eje y apretar la contratuerca a 174-231 pie-lb (235-314 Nm).

18. Instalar un pasador de retención nuevo en el cubo de la rueda e instalar la rueda.

19. Instalar las ruedas delanteras en el vehículo.

20. Probar el vehículo en carretera para ver si su funcionamiento es correcto.

21. Comprobar el nivel del fluido de la transmisión y, si es necesario, añadir.

Maxima

1. Levantar y soportar con seguridad la parte delantera del vehículo y sacar las ruedas.

2. Sacar el sensor del ABS de las ruedas y apartarlo a un lado.

3. Sacar la manguera del freno del poste.

4. Sacar la contratuerca del cojinete de rueda.

5. Marcar y sacar los tornillos que acoplan la articulación de la dirección en el poste.

➡ Cubrir las fundas de los ejes con un trapo usado, o algo equivalente, de manera que al sacar los semiejes no se dañen las fundas.

6. Separar el semieje de la articulación, golpeándolo ligeramente.

7. Aflojar los tornillos que acoplan el cojinete de soporte en el soporte del cojinete de apoyo.

8. Si está equipado con transmisión manual, hacer palanca sobre el semieje sacándolo de la transmisión, con una herramienta de hoja plana.

9. Si está equipado con transmisión automática, realizar lo siguiente:

a. Sacar el semieje derecho del vehículo.

b. Insertar una herramienta de hoja plana dentro de la transmisión donde estaba el semieje derecho, colocar el extremo de la herramienta sobre el semieje, después introducir el eje izquierdo del engranaje lateral del piñón.

10. Sacar los tornillos del cojinete de soporte y sacar el semieje del vehículo.

11. Sacar y desechar el anillo de seguridad en el extremo del semieje. Sacar el sello de la transmisión.

Para instalar:

12. Instalar un sello de aceite nuevo en la transmisión e instalar la herramienta de alineación de semiejes KV38106700 en el sello de la transmisión.

13. Insertar un anillo de seguridad nuevo en el semieje, después insertar el semieje en la transmisión.

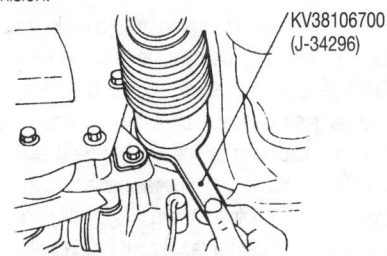

KV38106700
(J-34296)

▲ **Herramienta de alineación del semieje**
▲ **izquierdo – Maxima**

14. Cuando los dientes estén alineados, sacar la herramienta de alineación.

15. Empujar el semieje totalmente dentro de la transmisión para asentar el anillo de seguridad. Con la mano, intentar tirar del semieje desde la transmisión para verificar que el anillo de seguridad está correctamente asentado.

16. Instalar los tornillos del cojinete de soporte y apretar los tornillos a 9-14 pie-lb (13-19 Nm).

17. Insertar el semieje en la articulación de la dirección e instalar la contratuerca del cubo; no apretar todavía la tuerca del cubo.

18. Conectar la articulación de la dirección en el poste.

19. Instalar los tornillos de montaje del poste y alinear las marcas. Apretar los tornillos a 103-117 pie-lb (140-159 Nm).

20. Instalar la manguera del freno en el poste.

21. Instalar el sensor de las ruedas del ABS y apretar el tornillo de sujeción a 13-17 pie-lb (18-24 Nm).

22. Instalar las ruedas delanteras, bajar el vehículo y apretar la contratuerca del cubo a 174-231 pie-lb (235-314 Nm).

23. Comprobar y/o ajustar la alineación de las ruedas, según sea necesario.

240SX

1. Levantar y soportar con seguridad el vehículo.

2. Sacar la/s rueda/s trasera/s.

3. Aflojar la contratuerca del cojinete de la rueda y golpear ligeramente sobre el eje de transmisión para soltarlo de la articulación de la dirección. Sacar la tuerca del eje de transmisión.

4. Sacar el conjunto de la mordaza del freno.

➡ **Soportar la mordaza del freno, no permitir que la mordaza cuelgue de la manguera del freno.**

5. Sacar el sensor del ABS de la articulación de la dirección.

6. Desconectar y separar la rótula esférica inferior.

7. Tirar del conjunto del cubo hacia fuera.

8. Sacar el eje del conjunto del cubo.

9. Desatornillar y sacar el eje de transmisión del diferencial.

Para instalar:

10. Reconectar el eje en el diferencial y apretar los tornillos de montaje a 25-33 pie-lb (34-44 Nm).

11. Insertar el eje dentro del conjunto del cubo.

12. Reconectar el brazo de control inferior y la rótula esférica inferior. Apretar la tuerca de montaje a 52-64 pie-lb (71-86 Nm) e instalar un pasador de retención nuevo.

13. Reemplazar la tuerca del cojinete de rueda y apretarla a 152-202 pie-lb (206-274 Nm).

14. Instalar el sensor del ABS en la articulación de la dirección y apretar el tornillo de montaje a 13-17 pie-lb (18-24 Nm).

15. Reinstalar el conjunto de la mordaza de freno. Si la línea del freno se ha desconectado, sangrar el sistema de freno.

16. Instalar el conjunto de la rueda, bajar el vehículo y realizar la prueba en carretera.

300ZX

➡ **Al sacar el conjunto del eje de transmisión, desconectar el sensor de la rueda del ABS para evitar que el sensor de la**

rueda se dañe. Al sacar el eje de transmisión, cubrir las fundas del eje con una toalla para protegerlas.

1. Levantar y soportar con seguridad el vehículo.

2. Sacar la/s rueda/s trasera/s.

3. Desatornillar el semieje de la brida en el cuerpo trasero.

4. Sacar el pasador de retención, la tapa de ajuste, el aislador, la contratuerca y la arandela del cojinete de rueda.

5. Sacar el eje de transmisión golpeándolo ligeramente con un martillo de cobre.

▼ AVISO ▼

Para evitar que se dañen las roscas del eje de transmisión, instalar la tuerca del eje para proteger las roscas.

6. Sacar el eje del conjunto del cubo.

Para instalar:

7. Insertar el eje dentro del conjunto del cubo.

8. Instalar la arandela y la tuerca del cubo, pero no apretarla todavía.

9. Reconectar el eje en el diferencial.

10. Apretar los tornillos y tuercas de montaje con arandelas a:

a. 51-58 pie-lb (69-78 Nm) para los modelos turbo.

b. 47-58 pie-lb (64-78 Nm) para los modelos sin turbo.

11. Reemplazar la tuerca del cojinete de rueda y apretarla a 152-203 pie-lb (206-275 Nm).

12. Instalar el aislador, la tapa de ajuste e instalar un pasador de retención nuevo.

13. Instalar el conjunto de la rueda y bajar el vehículo.

DIRECCIÓN Y SUSPENSIÓN

AIR BAG (BOLSA DE AIRE)

▼ PRECAUCIÓN ▼

Algunos vehículos están equipados con un sistema de air bag (bolsa de aire), también conocido como Sistema Restringido de Hinchado Suplementario (SIR) o Sistema Restringido Suplementario (SRS). El sistema debe

desactivarse antes de realizar la reparación en o alrededor de los componentes del sistema, la columna de la dirección, los componentes del panel de instrumentos, el cableado y los sensores. Si no se siguen estos procedimientos de seguridad y desactivación podría producirse un despliegue accidental del air bag, posibles daños personales e innecesarias reparaciones del sistema.

PRECAUCIONES

Al manejar el módulo hinchable deben seguirse diversas precauciones para evitar un despliegue accidental y posibles daños personales.

• No transportar nunca el módulo hinchable sujeto por los cables o los conectores de la parte inferior del módulo.

• Al transportar un módulo hinchable activado, sujetarlo firmemente con ambas manos y asegurarse de que la cubierta tapizada y la bolsa están apuntando hacia arriba.

• Colocar el módulo hinchable en un banco u otra superficie con la cubierta tapizada y la bolsa mirando hacia arriba.

• Con el módulo hinchable en el banco, no colocar nunca nada sobre el módulo o cerca de él, que pueda ser lanzado en caso de un despliegue accidental.

DESARME

➡ Todos los cableados y los conectores eléctricos del SRS están cubiertos con aislantes exteriores AMARILLOS. No utilizar equipos de comprobación eléctrica en ningún circuito relacionado con los sensores del SRS (air bag). Al instalar los componentes del SRS, hacerlo siempre con las marcas de flecha mirando hacia la parte delantera del vehículo.

Para desarmar el sistema SRS, APAGAR el interruptor del encendido. Después, desconectar ambos cables de la batería, empezando primero con el cable negativo, y una vez desconectados esperar como mínimo 10 minutos. Asegurarse de aislar los extremos de los terminales de la batería.

REARME

Para armar el sistema SRS, APAGAR el interruptor del encendido. Conectar ambos cables de la batería, empezando primero con el cable positivo.

➡ El SRS, o sistema de air bag, está equipado con una operación de auto-diagnóstico. Después de girar la llave de encendido a "ON" o a "START", la lámpara de aviso del AIR BAG se encenderá durante 7 segundos. Después de los 7 segundos, la lámpara del AIR BAG se apagará, en caso de que no se haya detectado ninguna disfunción. Si la lámpara del AIR BAG no se apaga pasados 7 segundos, comprobar si hay alguna disfunción en el sistema de auto-diagnóstico del SRS.

DIRECCIÓN DE CREMALLERA Y PIÑÓN

DESMONTAJE E INSTALACIÓN

Manual

SENTRA Y 200SX

1. Levantar y soportar con seguridad el vehículo sobre caballetes.

2. Sacar las ruedas delanteras.

3. Sacar los dos extremos de la barra de conexión de las articulaciones de la dirección.

4. Marcar el eje de la columna de la dirección en la junta inferior y sacar el tornillo de constricción de la junta.

5. Aflojar y sacar los tornillos de montaje del mecanismo de la dirección.

6. Sacar las abrazaderas de montaje del mecanismo de la dirección y sacar el mecanismo de la dirección deslizándolo fuera del eje de la dirección.

7. Sacar el mecanismo de la dirección del vehículo.

Para instalar:

8. Instalar el conjunto del mecanismo de la dirección en el vehículo. Asegurarse de alinear las marcas de la cremallera con las marcas en el eje de la dirección.

9. Instalar las abrazaderas de montaje del mecanismo de la dirección y apretar los tornillos a 58 pie-lb (78 Nm).

10. Instalar el tornillo de constricción de la junta inferior en la columna de la dirección y apretar a 22 pie-lb (29 Nm).

11. Conectar el extremo de la barra de conexión en la articulación de la dirección e instalar la tuerca de torreta. Apretar la tuerca a 29 pie-lb (39 Nm) e instalar un pasador de retención nuevo.

➡ Si se instala un conjunto de cremallera y piñón nuevo, antes de la instalación traspasar la junta inferior de la dirección a la cremallera y el piñón nuevos. Al instalar la junta inferior de la dirección en el mecanismo de la dirección, asegurarse de que las ruedas estén alineadas con el vehículo (posición recta al frente).

12. Para centrar el mecanismo de la dirección, girarlo del todo hacia la posición de bloqueo de un lado. Después, contar el número de vueltas que da hasta la posición de bloqueo del lado opuesto. Girar el mecanismo de dirección la mitad del número de vueltas hacia la posición de comienzo original. Ahora la cremallera de la dirección está centrada. Al conectar la junta de la dirección en el eje de la columna de la dirección, asegurarse de alinear las marcas hechas durante el desensamblaje.

13. Instalar las ruedas delanteras, sacar los caballetes y bajar el vehículo.

14. Comprobar la alineación del vehículo.

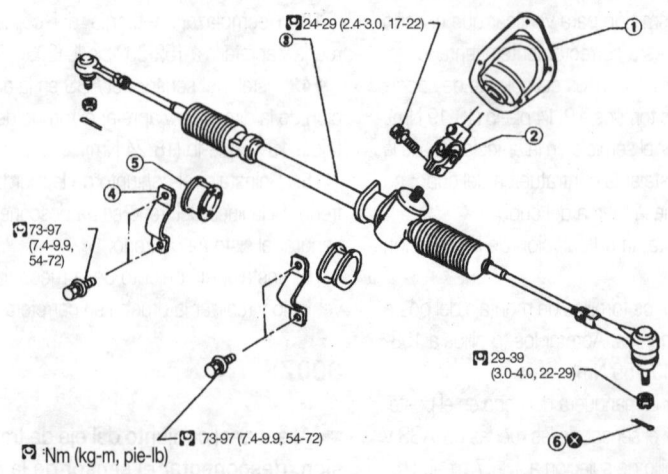

24-29 (2.4-3.0, 17-22)

73-97 (7.4-9.9, 54-72)

29-39 (3.0-4.0, 22-29)

73-97 (7.4-9.9, 54-72)

Nm (kg-m, pie-lb)

▲ Despiece del montaje del mecanismo (caja) de la dirección de cremallera y piñón – Sentra y 200SX

Asistida

SENTRA Y 200SX

1. Levantar y soportar con seguridad el vehículo.

2. Desconectar la abrazadera de la manguera de baja presión y sacar la manguera de baja presión en el mecanismo de la dirección. Asegurarse de utilizar un depósito para recoger el fluido.

3. Desconectar la tuerca de antorcha y el tubo de alta presión en el mecanismo de la dirección, después drenar el fluido del mecanismo.

4. Sacar los extremos de la barra de conexión de la articulación de la dirección.

5. Colocar un gato de suelo debajo de la transmisión y soportarla.

6. Sacar el tubo de escape delantero y sacar el montaje trasero del motor.

7. Colocar las ruedas delanteras de manera que estén rectas al frente.

8. Marcar la junta inferior de la columna de la dirección en el mecanismo de la dirección.

➡ **Las estrías del mecanismo de la dirección tienen una parte plana o un chavetero. Asegurarse de observarlos durante el desmontaje.**

9. Sacar el tornillo que fija la junta inferior de la columna de la dirección.

10. Desatornillar y sacar la unidad del mecanismo de la dirección y el varillaje.

Para instalar:

11. Instalar el conjunto del mecanismo de la dirección asistida en el vehículo. Alinear en el mecanismo de la dirección la columna de la dirección.

➡ **Asegurarse de alinear la parte plana o el chavetero durante la instalación.**

12. Instalar los montajes del mecanismo de la dirección y apretar los tornillos de montaje, en secuencia, a 54-72 pie-lb (73-97 Nm).

13. Instalar el tornillo de constricción de la columna de la dirección en la conexión del mecanismo y apretar el tornillo a 17-22 pie-lb (24-29 Nm).

14. Conectar los extremos de la barra de conexión en la articulación de la dirección y apretar la tuerca de montaje a 22-29 pie-lb (29-39 Nm).

15. Apretar la tuerca de montaje de la barra de conexión un poco más, de manera que la ranura en la tuerca se alinee con el primer agujero del pasador de retención. Instalar un pasador de retención nuevo.

16. Conectar la manguera de baja presión de la dirección asistida en el mecanismo de la dirección y apretar el rácor a 20-29 pie-lb (27-39 Nm).

17. Conectar la manguera de alta presión de la dirección asistida en el mecanismo de la dirección y apretar el rácor a 11-18 pie-lb (15-25 Nm).

18. Instalar el montaje trasero del motor y sacar el gato de suelo.

19. Utilizando juntas nuevas, instalar el conjunto del tubo de escape delantero.

20. Llenar el sistema de la dirección asistida y arrancar el motor.

21. Sangrar el sistema de la dirección asistida y comprobar la alineación de las ruedas.

ALTIMA Y 240SX

▼ PRECAUCIÓN ▼

Antes de sacar la cremallera y el piñón, debe desarmarse el sistema del air bag. En caso contrario, podría producirse un despliegue accidental, daños materiales o lesiones personales.

1. Desconectar el cable negativo de la batería y desarmar el air bag.

2. Levantar y soportar con seguridad el vehículo como sea necesario.

3. Sacar el tornillo que fija el eje inferior de la columna de la dirección en el conjunto del mecanismo de la dirección asistida. Asegurarse de marcar el eje desde el mecanismo de la dirección hasta la junta de la columna de la dirección para su correcta instalación.

4. Desconectar las mangueras del mecanismo de la dirección asistida y tapar las mangueras para evitar fugas.

5. Sacar los pasadores de retención y las tuercas de torreta de los extremos de la barra de conexión.

6. Utilizando una herramienta separadora de rótulas esféricas, sacar los extremos de la barra de conexión, de la articulación de la dirección.

7. Sacar las tuercas y tornillos de montaje del tubo de escape delantero. Sacar el tubo de escape delantero del vehículo.

8. Si es necesario, desconectar el cable o varillaje de control de la transmisión y colocarlo fuera del paso.

9. Sacar los tornillos o las tuercas de montaje del mecanismo de la dirección asistida.

10. Sacar el mecanismo de la dirección del vehículo. Ir con cuidado al separar la junta de la columna de la dirección.

11. Inspeccionar los protectores del montaje del mecanismo de la dirección y, si es necesario, reemplazarlos.

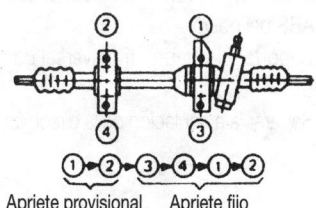

Apriete provisional · Apriete fijo

▲ **Apretar los tornillos de montaje de acuerdo con la secuencia que se muestra – Sentra y 200SX**

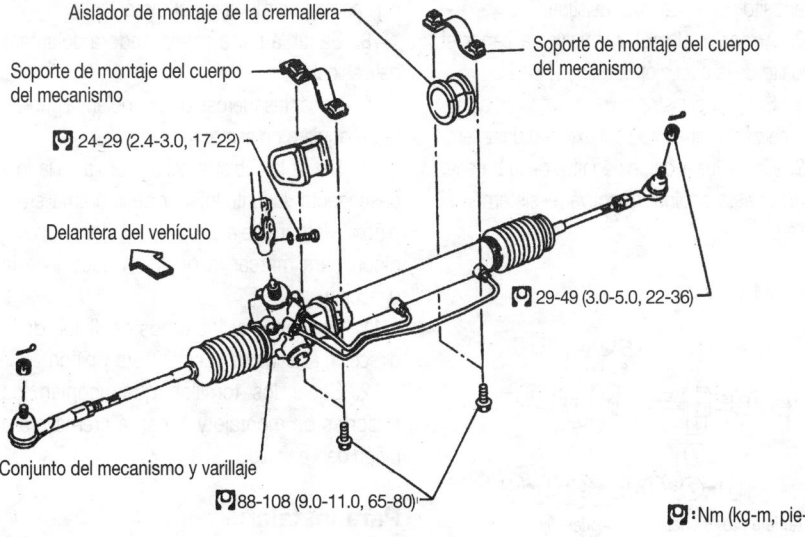

Aislador de montaje de la cremallera

Soporte de montaje del cuerpo del mecanismo

Soporte de montaje del cuerpo del mecanismo

🔧 24-29 (2.4-3.0, 17-22)

Delantera del vehículo

🔧 29-49 (3.0-5.0, 22-36)

Conjunto del mecanismo y varillaje

🔧 88-108 (9.0-11.0, 65-80)

🔧 :Nm (kg-m, pie-lb)

▲ **Despiece del montaje del mecanismo de la dirección asistida – 240SX**

Para instalar:

12. Alinear la marca de la columna de la dirección con el mecanismo de la dirección e instalar el mecanismo de la dirección en el vehículo. Asegurarse de instalar correctamente los bujes protectores del montaje y apretar con la mano las tuercas o tornillos de montaje.

➡ Al instalar la junta inferior de la dirección en el mecanismo de la dirección, asegurarse de que las ruedas están alineadas rectas y de que la ranura de la junta de la dirección está alineada.

13. Apretar los montajes del mecanismo de la dirección como sigue:

    a. 240SX – 65-80 pie-lb (88-108 Nm).

    b. Altima 1995-96 – 54-72 pie-lb (73-97 Nm).

14. Instalar el tornillo de constricción que fija el eje inferior de la columna de la dirección en el conjunto del mecanismo de la dirección asistida. Apretar el tornillo de constricción a 17-22 pie-lb (24-29 Nm).

15. Instalar el extremo de la barra de conexión en la articulación de la dirección y apretar la tuerca de torreta a 22-29 pie-lb (29-39 Nm).

16. Apretar la tuerca de torreta un poco más para alinear la ranura en la tuerca de torreta con el agujero del pasador de retención e instalar un pasador de retención nuevo.

17. Si se ha sacado, conectar el cable o el varillaje de control en la transmisión.

18. Utilizando juntas nuevas, instalar el conjunto del tubo de escape delantero.

19. Conectar las mangueras de la dirección asistida en el mecanismo de la dirección y llenar el depósito de la dirección asistida.

20. Arrancar el motor y volver a llenar el depósito de la dirección asistida.

21. Sangrar el sistema de la dirección asistida y realizar la alineación del extremo delantero.

22. Conectar el cable negativo de la batería.

23. Si está equipado, activar el sistema del air bag.

MAXIMA

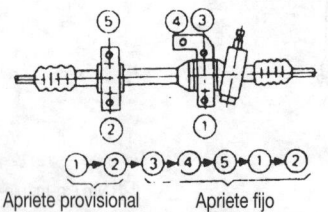

Apriete provisional   Apriete fijo

▲ **Apretar los tornillos de montaje utilizando el procedimiento ilustrado – Maxima**

1. Desconectar ambos cables de la batería y esperar como mínimo 10 minutos una vez que se hayan desconectado los cables de la batería. Esto desarmará el sistema del air bag, de manera que el volante de la dirección pueda sacarse.

2. Apuntar las llantas delanteras rectas y bloquear la dirección en esta posición.

▼ AVISO ▼

Una vez que se haya sacado la junta inferior de la columna de la dirección, no girar el volante o la columna de la dirección. En caso contrario, el cable espiral se dañaría.

3. Sacar el volante de la dirección.

▼ PRECAUCIÓN ▼

El sistema del air bag debe desarmarse antes de sacar el volante de la dirección. En caso contrario podría provocarse un despliegue accidental, daños materiales o lesiones personales.

➡ El volante de la dirección debe sacarse antes de desconectar la junta inferior de la columna de la dirección para evitar que el cable espiral del SRS se dañe.

4. Levantar y soportar con seguridad el vehículo y sacar las ruedas delanteras.

5. Desconectar los extremos de la barra de conexión de las articulaciones de la dirección.

6. Sacar la lata de carbón del vehículo.

7. Soportar el motor, después sacar los tornillos que acoplan los montajes del motor en la viga central de montaje del motor. Sacar la viga central de montaje del motor.

8. Sacar la barra estabilizadora delantera del vehículo.

9. Sacar las tuercas que acoplan la cubierta del agujero en el mamparo.

10. Mover la cubierta del agujero a un lado y desconectar la junta inferior de la cremallera y piñón. Marcar el eje del piñón y el cuerpo del piñón para marcar la posición neutra de la dirección.

11. Desconectar los tubos del fluido de la dirección asistida de la cremallera y piñón.

12. Sacar los tornillos que acoplan los soportes de montaje y sacar la cremallera y piñón del vehículo.

Para instalar:

13. Colocar la cremallera y piñón en el vehículo e instalar los soportes de montaje.

Apretar las tuercas y tornillos de montaje en la secuencia correcta a 54-72 pie-lb (73-97 Nm).

14. Instalar juntas tóricas nuevas en los tubos del fluido de la dirección asistida y conectarlos en la cremallera y piñón. Apretar la línea de baja presión a 20-29 pie-lb (27-39 Nm). Apretar la línea de alta presión a 11-18 pie-lb (15-25 Nm).

15. Alinear la junta inferior de la dirección en el eje del piñón e instalar la junta sobre el eje del piñón. Instalar el tornillo y apretarlo a 17-22 pie-lb (24-29 Nm).

16. Colocar correctamente la cubierta del agujero e instalar las tuercas de sujeción, apretar las tuercas a 2.9-3.6 pie-lb (4-5 Nm).

17. Instalar el estabilizador delantero.

18. Instalar la viga central de montaje del motor y apretar los tornillos de sujeción a 57-72 pie-lb (77-98 Nm). Acoplar los montajes del motor en la viga central y apretar los tornillos a 57-72 pie-lb (77-98 Nm). Sacar el soporte del motor.

19. Instalar los componentes restantes en el orden inverso al de desmontaje.

20. Apretar las tuercas del extremo de la barra de conexión a 46-61 pie-lb (63-82 Nm), después instalar un pasador de retención nuevo.

21. Llenar el depósito de la dirección asistida con fluido y sangrar el aire del sistema de la dirección asistida.

22. Comprobar la alineación del extremo delantero del vehículo y ajustar si es necesario.

POSTE Y RESORTE

DESMONTAJE E INSTALACIÓN

Delantero

SENTRA Y 200SX

1. Levantar y soportar con seguridad el vehículo sobre caballetes.

2. Sacar la rueda.

3. Separar el tubo del freno del poste. Si está equipado con ABS, desconectar el cableado del ABS del poste.

4. Soportar el eslabón transversal con un caballete.

5. Separar la articulación de la dirección del poste.

➡ Anotar la posición de la marca de alineación del poste para su posterior reensamblaje.

6. Soportar el poste y sacar las tres tuercas de sujeción superiores. Sacar el poste del vehículo.

▼ PRECAUCIÓN ▼

No aflojar nunca la tuerca de retención del resorte central hasta que el resorte esté comprimido o podrían producirse graves daños en el vehículo.

7. Colocar el conjunto del poste en un tornillo de banco con la herramienta especial de sujeción ST35652000, o en un compresor de resortes.

8. Aflojar la contratuerca de la barra del pistón.

9. Comprimir el resorte con el compresor de resortes, después sacar la contratuerca de la barra del pistón.

➡ **Antes de sacar el poste del resorte, anotar la posición del poste en relación con el resorte para su reensamblaje.**

10. Sacar el soporte aislador del montaje del poste, el cojinete de montaje del poste, el asiento superior del resorte y el asiento de goma superior del resorte.

11. Sacar el poste, manteniendo el resorte comprimido.

12. Sacar la funda del pistón y el parachoques de rebote del poste.

Para instalar:

13. Instalar el parachoques de rebote y la funda en el pistón del poste.

14. Instalar el poste dentro del resorte, asegurarse de que el poste y el resorte están correctamente colocados.

15. Instalar el asiento de goma superior del resorte, el asiento superior del resorte, el cojinete de montaje del poste y el soporte aislador del montaje del poste. Asegurarse de que la marca del asiento superior del resorte está mirando hacia la parte exterior del vehículo.

16. Instalar la contratuerca de la barra del pistón, después sacar el compresor de resortes.

17. Apretar la contratuerca de la barra del pistón a 43-54 pie-lb (59-74 Nm).

➡ **Al instalar el poste, asegurarse de colocar la marca de alineación hacia la parte exterior del vehículo.**

18. Colocar el poste en el vehículo e instalar las tres tuercas superiores de sujeción. Apretar

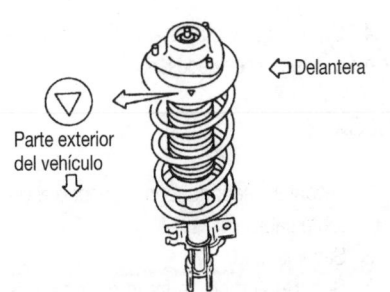

⬅Delantera

Parte exterior del vehículo ⬇

⚠ Durante el ensamblaje, asegurarse de situar la marca de alineación hacia la parte exterior del vehículo – Sentra y 200SX

las tuercas superiores de montaje a 18-22 pie-lb (25-29 Nm).

19. Conectar la dirección de la articulación en el poste y apretar las tuercas de montaje de los tornillos de montaje a 68-82 pie-lb (92-111 Nm).

20. Conectar el tubo del freno en el poste y conectar el cableado del ABS en el poste, si se ha sacado.

21. Sangrar el sistema del freno e instalar la rueda.

22. Realizar la alineación del extremo delantero.

ALTIMA

1. Levantar y soportar con seguridad el vehículo sobre caballetes.

2. Sacar la rueda.

3. Separar el tubo del freno del poste. Si está equipado con ABS, desconectar el cableado del ABS del poste.

4. Soportar el enlace transversal con un caballete.

5. Separar la articulación de la dirección del poste.

6. Soportar el poste y sacar las tres tuercas superiores de sujeción. Sacar el poste del vehículo.

▼ AVISO ▼

No aflojar nunca la tuerca de retención del resorte central hasta que el resorte esté comprimido o podrían producirse graves daños en el vehículo.

Para instalar:

➡ **Al instalar el poste, asegurarse de colocar la marca de alineación hacia la parte exterior del vehículo.**

7. Colocar el poste en el vehículo e instalar las tres tuercas superiores de sujeción. Apretar las tuercas de montaje superiores a 29-40 pie-lb (39-54 Nm).

Parte exterior ➡

Marca recortada

⚠ Colocar la marca recortada de alineación hacia la parte exterior del vehículo – Altima

8. Conectar la articulación de la dirección en el poste y apretar las tuercas de montaje a 87-108 pie-lb (118-147 Nm).

9. Conectar el tubo del freno en el poste y conectar el cableado del ABS en el poste, si se ha sacado.

10. Sangrar el sistema del freno e instalar la rueda.

11. Bajar el vehículo y realizar la alineación del extremo delantero.

MAXIMA

1. Levantar y soportar con seguridad el vehículo.

2. Sacar la rueda. Marcar la posición de la colocación del poste en la articulación de la dirección.

3. Desconectar la manguera de freno del poste.

4. Sacar el sensor del ABS de la rueda y moverlo fuera del paso.

5. Marcar y sacar los tornillos que acoplan la articulación de la dirección en el poste.

6. Abrir el capó y sacar las tuercas de sujeción del poste mientras se sujeta el poste.

▼ PRECAUCIÓN ▼

No sacar la contratuerca central del conjunto del poste hasta que el poste esté comprimido con seguridad.

7. Sacar el poste del vehículo.

8. Colocar el conjunto del poste en un tornillo de banco con la herramienta especial de sujeción ST35652000, o en un compresor de resortes.

9. Aflojar la contratuerca de la barra del pistón.

▼ PRECAUCIÓN ▼

No sacar la contratuerca de la barra del pistón, el resorte está bajo tensión y puede producir graves lesiones personales.

10. Comprimir el resorte con el compresor de resortes, después sacar la contratuerca de la barra del pistón.

➡ Antes de sacar el poste del resorte, anotar la posición del poste en relación con el resorte para el reensamblaje.

11. Sacar el soporte aislador del montaje del poste, el cojinete de montaje del resorte, el asiento superior del resorte y el asiento de goma superior del resorte.

12. Sacar el poste, manteniendo el resorte comprimido.

13. Sacar la funda del pistón y el parachoques de rebote del poste.

Para instalar:

14. Instalar el parachoques de rebote y la funda en el pistón del poste.

15. Instalar el poste dentro del resorte, asegurarse de que el poste y el resorte están correctamente colocados.

16. Instalar el asiento de goma superior del resorte, el asiento superior del resorte, el cojinete de montaje del poste y el soporte aislador del montaje del poste. Asegurarse de que la marca en el asiento superior del resorte está mirando hacia la parte exterior del vehículo.

17. Instalar la contratuerca de la barra del pistón, después sacar el compresor de resortes.

18. Apretar la contratuerca de la barra del pistón a 43-58 pie-lb (59-76 Nm).

19. Instalar el poste dentro de la torre del poste e instalar tuercas de sujeción nuevas. Apretar las tuercas a 29-40 pie-lb (39-54 Nm).

20. Instalar los tornillos que acoplan la articulación de la dirección en el poste y alinear las marcas. Apretar los tornillos a 103-117 pie-lb (140-159 Nm).

21. Instalar el sensor del ABS de la rueda y apretar el tornillo de sujeción a 13-17 pie-lb (18-24 Nm).

22. Instalar la manguera del freno en el poste.

23. Instalar las ruedas delanteras y bajar el vehículo.

24. Comprobar y/o ajustar la alineación de las ruedas según sea necesario.

240SX

1. Levantar y soportar con seguridad el vehículo sobre caballetes.

2. Sacar la rueda.

3. Separar el tubo de freno del poste. Si está equipado con ABS, desconectar el cableado del ABS del poste.

4. Soportar el eslabón transversal con un caballete.

5. Separar la articulación de la dirección del poste sacando los dos tornillos pasantes.

6. Soportar el poste y sacar las tres tuercas de sujeción superiores. Sacar el poste del vehículo.

▼ AVISO ▼

No aflojar nunca la tuerca de retención del resorte central hasta que el resorte esté comprimido, o podrían producirse graves daños en el vehículo.

7. Comprimir el resorte del poste con un compresor de resortes.

▼ PRECAUCIÓN ▼

Si el resorte no está comprimido correctamente, podrían producirse graves daños.

8. Sacar la contratuerca central del conjunto del poste.

➡ Antes de sacar el poste del resorte, anotar la posición del poste en relación con el resorte, para el reensamblaje.

9. Separar el poste del resorte. Mantener el resorte comprimido.

Para instalar:

10. Instalar el poste dentro del resorte.

11. Instalar y apretar la contratuerca central a 43-58 pie-lb (59-78 Nm).

➡ Al instalar el poste, asegurarse de colocar la marca de alineación hacia la parte interior del vehículo.

12. Colocar el poste en el vehículo e instalar las tres tuercas superiores de sujeción. Apretar las tuercas de montaje superiores a 29-40 pie-lb (39-54 Nm).

13. Conectar la articulación de la dirección en el poste y apretar los tornillos de montaje pasantes a 90-112 pie-lb (123-152 Nm).

14. Conectar el tubo del freno en el poste y, si se ha sacado, conectar el cableado del ABS en el poste.

15. Sangrar el sistema del freno e instalar las ruedas.

16. Realizar la alineación del extremo delantero.

300ZX

1. Levantar y soportar con seguridad el vehículo.

2. Sacar las ruedas delanteras.

3. Elevar ligeramente con un gato debajo del brazo inferior para descargar la suspensión.

4. Sacar la tuerca que conecta la parte inferior del poste en el tercer eslabón.

5. Sacar las dos tuercas de debajo del capó que sujetan la parte superior del poste en el bastidor.

▼ PRECAUCIÓN ▼

No sacar la tuerca central del pistón del poste. La tuerca central retiene el resorte, que contiene una presión considerable. La reparación incorrecta puede producir graves lesiones.

6. Si está equipado con amortiguadores de suspensión ajustable o Sonar, desconectar los conductores eléctricos de la unidad accionadora.

7. Bajar el gato lentamente y con precaución, hasta que el conjunto del poste pueda sacarse.

Para instalar:

➡ En los vehículos con suspensión Sonar, antes de instalar el accionador, asegurarse de que el eje de salida de la unidad accionadora está alineado con la

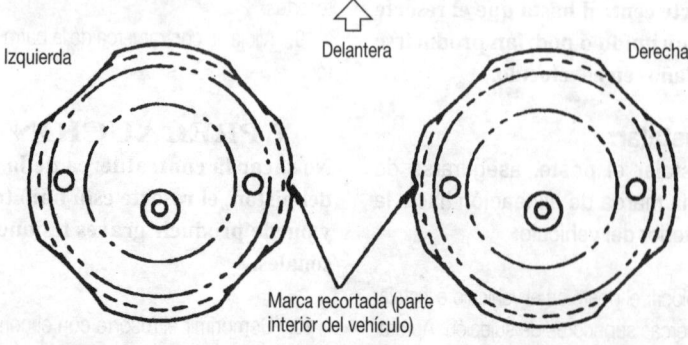

Izquierda   Delantera   Derecha

Marca recortada (parte interior del vehículo)

Asiento superior

▲ Durante el ensamblaje, colocar las marcas de alineación hacia la parte interior del vehículo – 240SX

barra de control del amortiguador. Si no es así, el accionador se dañará.

8. Colocar el poste en el vehículo y, utilizando dos tuercas autobloqueantes nuevas, apretar las tuercas que sujetan la parte superior del poste a 25-33 pie-lb (34-44 Nm).

9. Si está equipado con amortiguadores de suspensión ajustable o Sonar, conectar los conectores eléctricos en la unidad accionadora.

10. Conectar el conjunto del poste en el brazo de la articulación y apretar la tuerca de montaje a 72-87 pie-lb (98-118 Nm).

11. Instalar la rueda delantera y bajar el vehículo.

12. Comprobar la alineación de las ruedas delanteras y, si es necesario, ajustar.

Trasero

SENTRA Y 200SX

1. Levantar y soportar el vehículo con seguridad.

2. Sacar la rueda trasera.

3. Sacar el panel de guarnición del maletero para conseguir el acceso a las tuercas del montaje superior del poste.

4. Sacar la tapa protectora de la parte superior del poste.

5. Colocar un gato de suelo debajo del eje trasero para soportarlo.

➡ Anotar y marcar la posición de la placa superior del poste en la carrocería del vehículo.

▼ PRECAUCIÓN ▼

No sacar nunca la tuerca central del poste hasta que el poste no se haya sacado del vehículo y el resorte esté comprimido con seguridad.

6. Sacar el tornillo pasante del montaje inferior del poste.

7. Sacar las dos tuercas de montaje superior y sacar el poste del vehículo.

8. Colocar el conjunto del poste en un tornillo de banco con la herramienta especial de sujeción ST35652000, o en un compresor de resortes.

9. Aflojar la contratuerca de la barra del pistón.

10. Comprimir el resorte con el compresor de resortes, después sacar la contratuerca de la barra del pistón.

➡ Antes de sacar el poste del resorte, anotar la posición del poste en relación con el resorte para el reensamblaje.

11. Sacar el soporte aislador de montaje del poste, el cojinete de montaje del poste, el asiento superior del resorte y el asiento de goma superior del resorte.

12. Sacar el poste, manteniendo el resorte comprimido.

13. Sacar la funda del pistón y el parachoques de rebote, del poste.

Para instalar:

14. Instalar el parachoques de rebote y la funda en el pistón del poste.

15. Instalar el poste dentro del resorte; asegurarse de que el poste y el resorte están colocados correctamente.

16. Instalar el asiento de goma superior del resorte, el asiento superior del resorte, el cojinete de montaje del poste y el soporte aislador del montaje del poste. Asegurarse de que la marca de recorte en el asiento superior del resorte está mirando hacia la parte exterior del vehículo.

17. Instalar la contratuerca de la barra del pistón y apretar la contratuerca de la barra del pistón a 13-17 pie-lb (18-24 Nm).

18. Sacar el compresor de resortes, del resorte.

19. Instalar el poste en el vehículo y apretar las dos tuercas del montaje superior a 12-14 pie-lb (16-19 Nm).

20. Instalar la tapa protectora del montaje superior.

21. Instalar el tornillo pasante en el montaje inferior del poste. Apretar el tornillos inferiores del poste a 72-87 pie-lb (98-118 Nm).

22. Instalar el panel de guarnición del maletero.

23. Instalar la rueda trasera.

24. Bajar el vehículo y realizar una alineación.

ALTIMA

1. Levantar y soportar con seguridad el vehículo.

2. Sacar las ruedas traseras del vehículo.

3. Soportar el eje trasero con un gato.

4. Sacar los tornillos pasantes del montaje inferior del poste.

➡ Asegurarse de anotar la posición de la placa superior del poste en el vehículo para la reinstalación.

5. Sacar las dos tuercas de la parte superior del poste y sacar el poste como un conjunto.

▼ PRECAUCIÓN ▼

No sacar la contratuerca central del conjunto del poste hasta que el poste esté comprimido con seguridad.

6. Comprimir el resorte del poste con un compresor de resortes.

7. Sacar la contratuerca central del conjunto del poste.

➡ Antes de sacar el poste del resorte, anotar la posición del poste en relación con el resorte para el reensamblaje.

8. Sacar el poste manteniendo el resorte comprimido.

➡ Marcar la posición del resorte en el conjunto del poste para su reinstalación.

9. Para sacar el resorte del conjunto del poste, realizar los siguientes pasos:

   a. Comprimir el resorte con una herramienta de compresión adecuada.

   b. Sacar la tuerca de central de retención que sujeta el aislador de montaje del poste.

   c. Descomprimir lentamente el resorte.

   d. Sacar el aislador de montaje del poste.

   e. Sacar el resorte.

Para instalar:

10. Instalar el resorte en el conjunto del poste. Asegurarse de alinear las marcas hechas durante el procedimiento de desmontaje.

11. Instalar el aislador de montaje del poste.

12. Comprimir el conjunto del resorte.

➡ Será necesario utilizar una contratuerca nueva para la tuerca central de retención del resorte.

13. Instalar la tuerca central de retención y apretar la tuerca a 43-58 pie-lb (59-78 Nm). Asegurarse de que el resorte está asentado correctamente sobre el poste y en el aislador de montaje.

14. Sacar lentamente la herramienta de compresión de resortes.

15. Instalar el conjunto del poste en el vehículo.

16. Apretar las tuercas del montaje superior del poste a 31-40 pie-lb (42-54 Nm).

17. Apretar los tornillos pasantes inferiores del poste a 87-108 pie-lb (118-147 Nm).

➡ Asegurarse de sujetar el tornillo pasante y de apretar las tuercas.

18. Instalar las ruedas, bajar el vehículo y realizar la alineación del extremo delantero.

MAXIMA

1. Levantar y soportar con seguridad el vehículo.

2. Sacar las ruedas traseras.

3. Soportar el conjunto de la viga de torsión trasera con un gato.

4. Abrir el maletero y sacar las dos tuercas que acoplan el poste en el vehículo.

▼ PRECAUCIÓN ▼

No sacar la contratuerca central del conjunto del poste hasta que el poste esté comprimido con seguridad.

5. Sacar el tornillo que acopla el poste en el conjunto de la viga de torsión trasera y sacar el poste.

6. Colocar el conjunto del poste en un tornillo de banco con la herramienta especial de sujeción HT71780000, o en un compresor de resortes.

7. Aflojar la contratuerca de la barra del pistón.

▼ PRECAUCIÓN ▼

No sacar la contratuerca de la barra del pistón, el resorte está bajo presión y podría provocar graves lesiones personales.

8. Comprimir el resorte con el compresor de resortes, después sacar la contratuerca de la barra del pistón.

➡ Antes de sacar el poste del resorte, anotar la posición del poste en relación con el resorte para el reensamblaje.

9. Sacar el buje protector, el soporte de montaje del poste y la goma del asiento superior del resorte.

10. Sacar el poste, manteniendo el resorte comprimido.

11. Sacar el protector, la cubierta del parachoques de rebote y el parachoques de rebote.

Para instalar:

12. Instalar el parachoques de rebote y la cubierta, y el buje protector del parachoques de rebote.

13. Instalar el poste dentro del resorte, asegurarse de que el poste y el resorte están colocados correctamente.

14. Instalar la goma del asiento superior del resorte, el soporte de montaje del poste y el protector. Asegurarse de que el soporte de montaje del poste está colocado correctamente.

15. Instalar la contratuerca del pistón, después sacar el compresor de resortes.

16. Apretar la contratuerca de la barra del pistón a 13-17 pie-lb (18-24 Nm).

17. Instalar el poste en el vehículo e instalar tuercas de sujeción nuevas. Apretar las tuercas a 12-14 pie-lb (16-19 Nm).

18. Colocar el poste en la viga de torsión trasera e instalar el tornillo. Apretar el tornillo que acopla el poste en el conjunto de la viga de torsión a 72-87 pie-lb (98-118 Nm).

19. Sacar el soporte de la viga de torsión trasera.

20. Instalar las ruedas traseras y bajar el vehículo.

21. Comprobar la alineación del vehículo y ajustar como sea necesario.

240SX

1. Levantar y soportar con seguridad el vehículo.

2. Sacar las ruedas traseras del vehículo.

3. Soportar el brazo de control trasero con un gato.

4. Sacar el tornillo del montaje inferior del poste.

5. Marcar la placa superior del resorte en el vehículo para la reinstalación.

6. Sacar las dos tuercas del montaje superior del poste.

▼ AVISO ▼

No sacar la contratuerca central del pistón hasta que el resorte haya sido comprimido.

7. Sacar el poste del vehículo.

8. Marcar la posición del resorte en el conjunto del poste.

9. Utilizando un compresor de resortes, comprimir el resorte.

▼ PRECAUCIÓN ▼

Si el resorte no está comprimido correctamente, podrían producirse graves lesiones.

10. Sacar la contratuerca central del conjunto del poste.

➡ Antes de sacar el poste del resorte, anotar la posición del poste en relación con el resorte para el reensamblaje.

11. Sacar la placa superior del poste.

12. Sacar el poste manteniendo el resorte comprimido.

13. Anotar la posición del resorte y descargar lentamente el compresor de resortes. Sacar el conjunto del resorte.

Para instalar:

14. Colocar y comprimir correctamente el resorte.

15. Instalar el poste en el resorte.

16. Instalar la placa superior del poste y apretar la contratuerca central a 13-17 pie-lb (18-24 Nm). Verificar que el resorte esté correctamente asentado sobre el poste.

17. Sacar el compresor de resortes.

18. Instalar el conjunto del poste en el vehículo.

19. Utilizando tuercas de bloqueo nuevas, instalar las tuercas de montaje de la parte superior y apretar a 12-14 pie-lb (16-19 Nm).

➡ Asegurarse de que el apriete final se hace con todo el peso del vehículo sobre el suelo.

Centro del buje protector inferior del amortiguador

Delantera

12.8°

Posición del extremo inferior del resorte

Posición del extremo inferior del resorte

MI

MD

▲ Colocación de los soportes de montaje del poste – Maxima

Precaución: no alzar con un gato el enlace inferior. Al instalar las piezas de goma, el apriete final debe llevarse a cabo bajo condición sin carga* con las llantas en el suelo.

*Combustible, fluido refrigerante del radiador y aceite del motor llenos. Neumático de repuesto, gato, herramientas manuales y alfombrillas en las posiciones designadas.

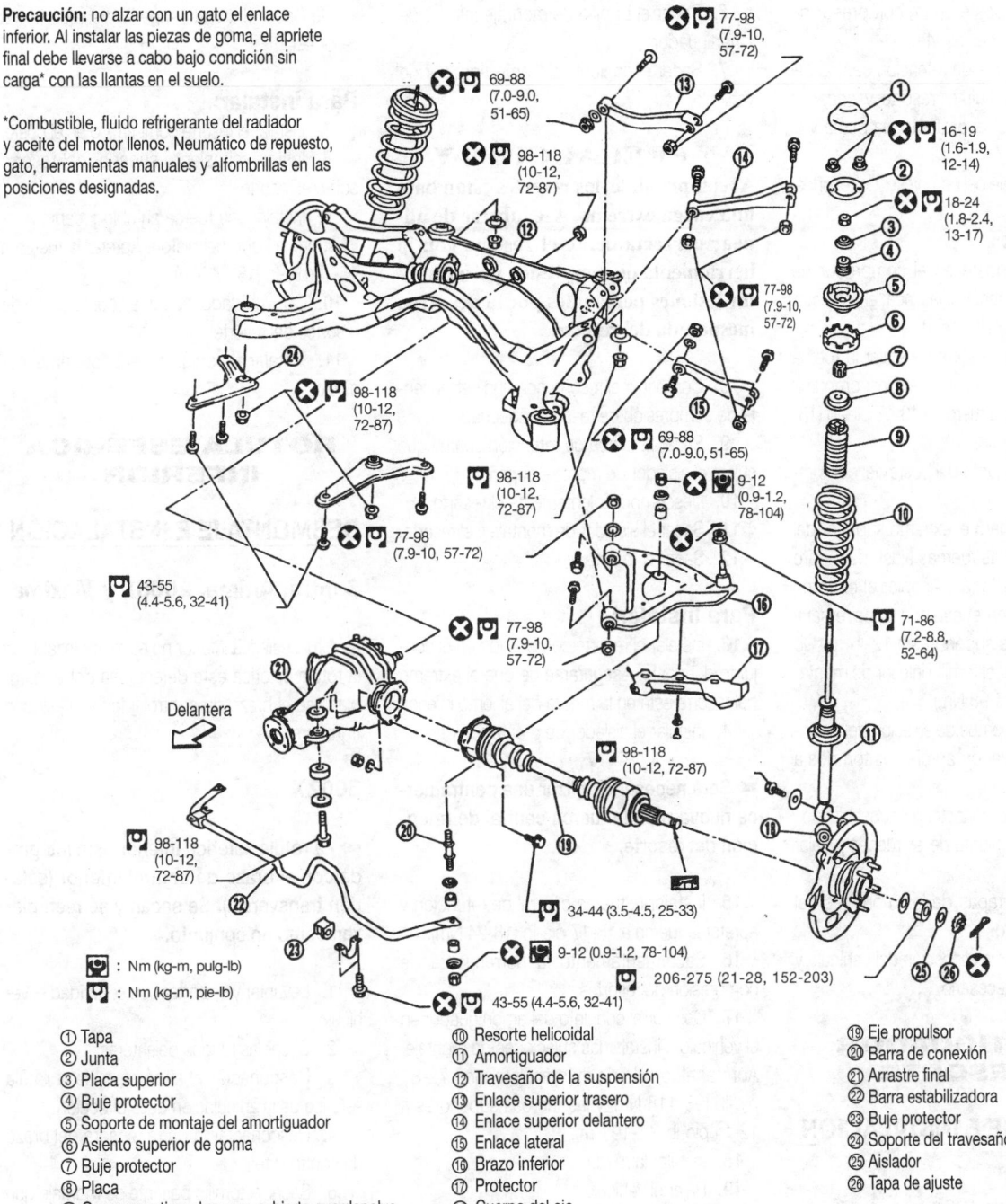

77-98 (7.9-10, 57-72)

69-88 (7.0-9.0, 51-65)

98-118 (10-12, 72-87)

16-19 (1.6-1.9, 12-14)

18-24 (1.8-2.4, 13-17)

77-98 (7.9-10, 57-72)

98-118 (10-12, 72-87)

69-88 (7.0-9.0, 51-65)

98-118 (10-12, 72-87)

9-12 (0.9-1.2, 78-104)

77-98 (7.9-10, 57-72)

43-55 (4.4-5.6, 32-41)

71-86 (7.2-8.8, 52-64)

77-98 (7.9-10, 57-72)

Delantera

98-118 (10-12, 72-87)

98-118 (10-12, 72-87)

34-44 (3.5-4.5, 25-33)

: Nm (kg-m, pulg-lb)

: Nm (kg-m, pie-lb)

9-12 (0.9-1.2, 78-104)

206-275 (21-28, 152-203)

43-55 (4.4-5.6, 32-41)

① Tapa
② Junta
③ Placa superior
④ Buje protector
⑤ Soporte de montaje del amortiguador
⑥ Asiento superior de goma
⑦ Buje protector
⑧ Placa
⑨ Goma amortiguadora con cubierta guardapolvo

⑩ Resorte helicoidal
⑪ Amortiguador
⑫ Travesaño de la suspensión
⑬ Enlace superior trasero
⑭ Enlace superior delantero
⑮ Enlace lateral
⑯ Brazo inferior
⑰ Protector
⑱ Cuerpo del eje

⑲ Eje propulsor
⑳ Barra de conexión
㉑ Arrastre final
㉒ Barra estabilizadora
㉓ Buje protector
㉔ Soporte del travesaño
㉕ Aislador
㉖ Tapa de ajuste

▲ **Despiece de la suspensión trasera-240SX**

20. Instalar el tornillo de montaje inferior y apretar a 72-87 pie-lb (98-118 Nm).

21. Instalar las ruedas traseras.

22. Comprobar la alineación del vehículo y ajustarla como sea necesario.

300ZX

1. Bloquear las ruedas delanteras.

2. Levantar y soportar con seguridad el vehículo. Sacar la/s rueda/s trasera/s.

➡ El vehículo debe estar suficientemente lejos del suelo como para que el resorte trasero no soporte ningún peso.

3. Trabajando dentro del maletero girar y sacar las tapas de encima de los montajes del poste.

4. Separar el conector del subcableado del accionador del amortiguador.

5. Sacar los pernos de sujeción del accionador.

6. Sacar las tuercas de montaje del poste.

▼ AVISO ▼

No sacar la tuerca de retención central del poste hasta que el resorte esté comprimido o podrían producirse graves lesiones personales.

7. Sacar el tornillo de montaje del poste en el brazo inferior (eslabón transversal), después sacar el poste.

8. Colocar el poste en un compresor de resortes y comprimir el resorte.

9. Sacar la tuerca de retención central del resorte. Descomprimir el resorte y sacar el asiento del resorte, el protector, la placa y el resorte.

10. Sacar el poste del compresor de resortes.

Para instalar:

11. Instalar el poste en el compresor de resortes. Instalar el resorte, la placa, el protector y el asiento superior del resorte.

12. Comprimir el resorte e instalar la tuerca de retención central del resorte. Descomprimir el resorte y apretar la tuerca a 13-17 pie-lb (18-24 Nm).

13. Sacar el conjunto del poste del compresor de resortes.

14. Instalar primero el extremo superior del poste y fijarlo con las tuercas ajustadas, pero no totalmente apretadas. Acoplar el extremo inferior del poste en el eslabón transversal y apretar las tuercas superiores a 12-14 pie-lb (16-19 Nm). Apretar el tornillo inferior de montaje a 57-72 pie-lb (77-98 Nm).

15. Instalar los pernos de sujeción del accionador del amortiguador; apretar los tornillos a 26-34 plg-lb (3-4 Nm).

16. Reconectar el conector del subcableado.

17. Instalar el conjunto de las ruedas y bajar el vehículo.

18. Instalar las tapas de los montajes del poste en el maletero.

19. Inspeccionar la alineación del vehículo y ajustar como sea necesario.

AMORTIGUADOR Y RESORTE

DESMONTAJE E INSTALACIÓN

240SX

Los modelos 240SX utilizan un conjunto de resorte sobre amortiguador que se parece mucho a un poste MacPherson. Se saca, se instala y se repara casi de la misma manera.

1. Sacar el asiento trasero y la bandeja portapaquetes para conseguir el acceso a las tuercas superiores de sujeción del amortiguador.

2. Sacar las tuercas de sujeción superiores.

3. Levantar y soportar con seguridad el vehículo.

4. Sacar la rueda trasera.

5. Soportar el brazo de control inferior con un gato.

6. Sacar el tornillo de montaje inferior del amortiguador.

7. Sacar el conjunto del amortiguador del vehículo.

▼ PRECAUCIÓN ▼

Al comprimirse, los resortes están bajo una carga extrema. Asegurarse de alinear correctamente el resorte con la herramienta de compresión para prevenir lesiones personales por la descarga inesperada del resorte.

8. Comprimir el resorte con una herramienta de compresión de resortes adecuada.

9. Sacar la tuerca de retención central que sujeta el aislador de montaje superior.

10. Descomprimir lentamente el resorte.

11. Sacar el aislador de montaje y el resorte.

12. Sacar el resorte.

Para instalar:

13. Instalar el resorte comprimido en el conjunto del poste. Asegurarse de que el extremo del resorte está en la ranura del asiento inferior.

14. Instalar el aislador de montaje superior.

➡ Será necesario utilizar una contratuerca nueva para la tuerca central de retención del resorte.

15. Instalar la tuerca central de retención y apretar la tuerca a 13-17 pie-lb (18-24 Nm).

16. Sacar lentamente la herramienta de compresión de resortes.

17. Colocar el conjunto del amortiguador en el vehículo e instalar las sujeciones de montaje. Apretar el tornillo de montaje inferior a 72-87 pie-lb (98-118 Nm) y las tuercas superiores a 12-14 pie-lb (16-19 Nm).

18. Instalar la rueda.

19. Bajar el vehículo.

300ZX

1. Sacar el poste del vehículo.

2. Utilizar el dispositivo de sujeción de postes y montar el poste en un tornillo de banco.

3. AFLOJAR, pero no sacar, la contratuerca de la barra del pistón.

4. Utilizar un compresor de resortes y comprimir el resorte hasta que el asiento superior del resorte pueda girarse con la mano.

5. Sacar la contratuerca de la barra del pistón.

6. Sacar el asiento superior del resorte y el resorte.

Para instalar:

7. Instalar el resorte comprimido en el poste.

8. Instalar el asiento superior del resorte sobre el resorte.

9. Instalar una tuerca autobloqueante nueva sobre la barra del pistón. Apretar la tuerca a 13-17 pie-lb (18-24 Nm).

10. Con cuidado sacar el compresor de resortes del resorte.

11. Instalar el conjunto del poste en el vehículo.

RÓTULA ESFÉRICA INFERIOR

DESMONTAJE E INSTALACIÓN

Sentra, Altima, 200SX y Maxima

La rótula esférica inferior no es reemplazable; si la rótula esférica está defectuosa debe reemplazarse el brazo de control inferior o eslabón transversal.

300ZX

➡ La rótula esférica inferior está integrada con el brazo de control inferior (eslabón transversal). Se sacan y se reemplazan como un conjunto.

1. Levantar y soportar con seguridad el vehículo.

2. Sacar las ruedas delanteras.

3. Desconectar el espárrago de la rótula esférica de la articulación de la dirección.

4. Desconectar la barra tensora del brazo de control inferior.

5. Sacar el tornillo pasante de montaje que conecta el brazo de control inferior en el travesaño de la suspensión.

➡ Puede ser necesario girar el volante de la dirección para mover de la dirección de cremallera y sacar el tornillo pasante.

Para instalar:

➡ Al instalar el brazo de control, apretar provisionalmente las tuercas y/o tornillos que fijan el brazo de control en el travesaño de la suspensión. Apretarlos totalmente sólo después de que el peso del vehículo esté apoyado sobre las ruedas.

6. Instalar el brazo de control inferior e instalar el tornillo pasante que fija la tuerca. En este momento sólo ajustar la tuerca de montaje.

7. Conectar el espárrago de la rótula esférica en la articulación y apretar la tuerca a 65-80 pie-lb (88-108 Nm). Instalar un pasador de retención nuevo.

8. Conectar la barra tensora en el brazo de control y apretar las tuercas como sigue:
   a. Modelos convertibles: 69-83 pie-lb (93-113 Nm).
   b. Modelos no convertibles: 80-94 pie-lb (108-127 Nm).

9. Instalar las ruedas y bajar el vehículo al suelo.

10. Una vez todo el peso del vehículo esté sobre la suspensión, apretar la tuerca del tornillo de montaje interior del brazo inferior a 80-94 pie-lb (108-127 Nm).

COJINETES DE RUEDA

AJUSTE

Delanteros

SENTRA, 200SX, ALTIMA Y MAXIMA

➡ **Siempre que se saquen los conjuntos de cubo o de cojinete, debe reemplazarse el cojinete de la rueda. No reutilizar nunca el conjunto de cojinete viejo.**

Los cojinetes de rueda están sellados y no son ajustables. Si son defectuosos, la única opción es reemplazarlos.

240SX

1. Levantar y soportar con seguridad las ruedas delanteras.

2. Sacar las ruedas delanteras.

3. Sacar la tapa del cubo y el pasador de retención de la tuerca del cojinete de rueda.

4. Apretar la contratuerca del cojinete de rueda a 151-210 pie-lb (206-284 Nm).

5. Comprobar que los cojinetes de rueda funcionan con suavidad.

6. Comprobar el juego axial. El juego axial debe ser de 0.0020 plg (0.05 mm) o menos. Si el juego axial no está dentro de la especificación o bien, si el cojinete de la rueda no gira suavemente, reemplazar el conjunto de cojinete de rueda.

7. Reemplazar el pasador de retención de la contratuerca del cojinete de rueda y reinstalar la tapa del cubo.

8. Instalar las ruedas y bajar el vehículo con seguridad.

300ZX

El cojinete de la rueda delantera no es ajustable. Si durante el funcionamiento se emite un ruido de gruñido o bien, si el cojinete se mueve muy despacio o gira duramente, reemplazar el conjunto del cojinete.

Traseros

En los modelos 240SX y 300ZX, los cojinetes de rueda traseros no son ajustables. Si durante el funcionamiento se emite un ruido de gruñido o bien si, el cojinete se mueve muy despacio o gira duramente, reemplazar el conjunto del cojinete.

SENTRA, 200SX, ALTIMA Y MAXIMA

Si el conjunto del cojinete del cubo se ha sacado, debe reemplazarse.

➡ **El conjunto del cojinete del cubo de la rueda no es reparable; cuando es defectuoso, debe reemplazarse.**

1. Apretar la contratuerca del cojinete de rueda a 138-188 pie-lb (187-255 Nm).

2. Verificar que los cojinetes de las ruedas funcionan con suavidad.

3. Instalar un pasador de retención nuevo en la mangueta para sujetar la contratuerca del cojinete de la rueda.

4. Instalar un indicador de esfera en el conjunto del cojinete del cubo de rueda trasero y comprobar el juego axial; debe ser inferior a 0.0020 plg (0.05 mm).

5. Instalar el tapón de grasa.

6. Si el juego axial excede las especificaciones, el cojinete de rueda debe reemplazarse.

DESMONTAJE E INSTALACIÓN

Delanteros

SENTRA Y 200SX

➡ **Siempre que se saque el conjunto del cubo o del cojinete, debe reemplazarse el** conjunto del cojinete de rueda. No reutilizar nunca el conjunto viejo del cojinete.

1. Levantar el vehículo y soportarlo con seguridad. Sacar la rueda delantera.

2. Sacar la contratuerca del cojinete de rueda/eje de transmisión mientras se hunde el pedal del freno.

3. Sacar la mordaza del freno y soportarla con un trozo de alambre. No es necesario desconectar la línea del freno de la mordaza.

4. Sacar el sensor del ABS de la articulación de la dirección.

➡ **No hundir el pedal del freno o retorcer la línea del freno.**

5. Sacar el extremo de la barra de conexión utilizando la herramienta de desmontaje de barras de conexión J-25730-A, o una equivalente.

6. Separar el semieje de la articulación golpeando suavemente con un martillo blando. Colocar la tuerca del eje de transmisión sobre las roscas del eje para protegerlas cuando se golpee ligeramente.

7. Aflojar la tuerca de la rótula esférica inferior y separarla con el separador de rótulas esféricas J-25730-A o uno equivalente.

8. Sacar los dos tornillos de retención del poste en la articulación y separarlos.

9. Sacar la articulación de la dirección del vehículo.

10. Colocar el conjunto en un tornillo de banco. Sacar el cubo con la pista interior, de la articulación, con una herramienta adecuada. Sacar los sellos de grasa interior y exterior.

11. Sacar del cubo la pista interior del cojinete y el sello de grasa exterior.

12. Sacar el anillo de resorte y presionar la pista exterior del cojinete para sacar el cojinete de la articulación de la dirección.

Para instalar:

13. Presionar un cojinete de rueda nuevo dentro del conjunto de la articulación sin exceder 3.3 ton (3000 kg) de presión.

14. Instalar el anillo de resorte y llenar los labios del sello de grasa con grasa de chasis.

15. Instalar los sellos de grasa interior y exterior.

16. Presionar el cojinete de rueda dentro de la articulación sin exceder 3.3 ton (3000 kg) de presión.

17. Comprobar el funcionamiento del cojinete y aplicando 3.9-5.5 ton de presión al conjun-

to del cubo. Hacer girar varias veces el cubo en ambas direcciones.

18. Asegurarse de que los cojinetes giran libremente. Si los cojinetes no giran libremente, reemplazar los cojinetes.

19. Instalar el conjunto de la articulación y el del cubo de rueda.

20. Instalar la rótula esférica inferior y apretar la tuerca a 43-54 pie-lb (59-74 Nm). Instalar un pasador de retención nuevo.

21. Instalar los tornillos del poste y apretarlos a 84-98 pie-lb (114-133 Nm) para los vehículos de 1991-94 o a 68-82 pie-lb (92-118 Nm) para los vehículos de 1995-96.

22. Conectar el extremo de conexión y apretar la tuerca a 22-29 pie-lb (29-39 Nm). Instalar un pasador de retención nuevo.

23. Instalar la mordaza del freno de disco.

24. Instalar y apretar la contratuerca del cojinete de rueda a 145-203 pie-lb (196-275 Nm). Instalar un pasador de retención nuevo.

25. Instalar las ruedas delanteras y bajar el vehículo.

26. Comprobar la alineación del vehículo.

27. Probar el vehículo en carretera y verificar si el funcionamiento es correcto.

MAXIMA Y ALTIMA

➡ **Siempre que se saque el conjunto del cubo o del cojinete, debe reemplazarse el conjunto del cojinete de rueda. No reutilizar nunca un conjunto de cojinete viejo.**

1. Sacar el conjunto de la articulación, del vehículo.

2. Utilizando una prensa de husillo y una herramienta adecuada, presionar sacando el cubo con la pista interior fuera de la articulación de la dirección.

3. Utilizando una prensa de husillo y una herramienta adecuada, presionar sacando la pista interior del cojinete fuera del cubo y sacar el sello de grasa exterior.

4. Utilizando una barra para hacer palanca, sacar el sello de grasa interior, de la articulación de la dirección.

5. Utilizando unos alicates para anillos de resorte; sacar los anillos de resorte interior y exterior, de la articulación de la dirección.

6. Utilizando una prensa de husillo y una herramienta adecuada, sacar el conjunto sellado del cojinete, de la articulación de la dirección.

7. Inspeccionar si el cubo, la articulación de la dirección y los anillos de resorte están

agrietados y/o gastados; si es necesario, reemplazar la/s pieza/s dañada/s.

Para instalar:

8. Instalar el anillo de resorte interior en la ranura de la articulación de la dirección.

9. Utilizando una prensa de husillo y una herramienta adecuada, meter el conjunto del cojinete de rueda nuevo dentro de la articulación de la dirección, hasta que se asiente, utilizando una presión máxima de tres toneladas.

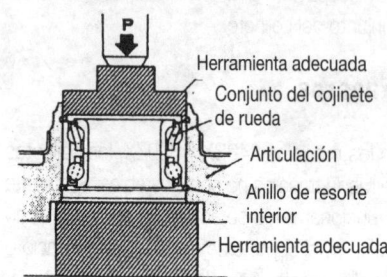

▲ **Método clásico de instalación del cojinete de rueda**

10. Instalar el anillo de resorte exterior.

11. Llenar los labios del sello de grasa con grasa universal.

12. Utilizando una prensa de husillo y una herramienta adecuada, introducir el nuevo sello de grasa exterior dentro de la articulación de la dirección.

13. Utilizando una prensa de husillo y una herramienta adecuada, introducir presión el cubo dentro de la articulación de la dirección, hasta que se asiente, utilizando una presión máxima de 5.5 toneladas. Ir con cuidado de no dañar el sello de grasa.

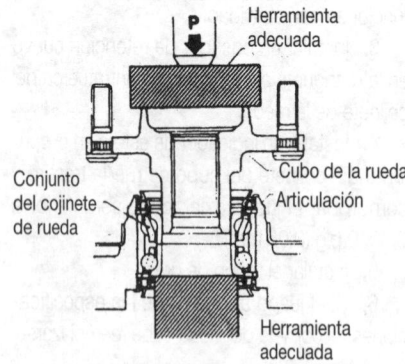

▲ **Utilizar una prensa para instalar el cubo (maza) dentro del conjunto de la articulación**

14. Para comprobar el funcionamiento del cojinete, realizar los procedimientos siguientes:

a. Aumentar la presión de la prensa a 3.5-5.0 toneladas.

b. Girar la articulación de la dirección, varias vueltas, en ambas direcciones.

c. Asegurarse de que los cojinetes de rueda funcionan con suavidad.

15. Si los cojinetes de rueda no funcionan con suavidad, reemplazar el conjunto del cojinete de rueda.

16. Instalar el conjunto de la articulación.

17. Instalar el semieje dentro del cubo y apretar la contratuerca a 174-231 pie-lb (235-314 Nm).

18. Instalar el conjunto de la rueda y bajar el vehículo.

19. Probar el vehículo en carretera y verificar que su funcionamiento es correcto.

240SX Y 300ZX

➡ **Si el conjunto del cojinete de rueda es defectuoso, sólo puede repararse reemplazando el cubo.**

1. Levantar y soportar con seguridad la parte delantera del vehículo y sacar las ruedas.

2. Sacar el conjunto de la mordaza del freno. Asegurarse de no retorcer la manguera del freno.

➡ **Al sacar la mordaza del freno no es necesario desconectar la manguera del freno. Asegurarse de soportar la mordaza del freno antes del desmontaje.**

3. Si es aplicable, sacar el sensor del ABS del freno, de la articulación de la dirección.

4. Sacar el rotor del freno.

5. Sacar la tapa guardapolvo del cojinete de rueda.

6. Sacar la tuerca de bloqueo.

7. Sacar la contratuerca y la arandela del cojinete de rueda.

➡ **El cojinete del cubo es del tipo sellado y debe sacarse con el conjunto del cubo.**

8. Tirar del conjunto del cubo hacia uno mismo para sacar el conjunto del cubo de la mangueta.

9. Sacar la junta de la barra de conexión y la rótula esférica inferior.

10. Desconectar la articulación del poste.

Para instalar:

11. Conectar la articulación en el poste.

12. Instalar la junta de la barra de conexión y la rótula esférica inferior.

13. Lubricar la mangueta y deslizar el conjunto del cubo sobre la mangueta.

14. Instalar la arandela y la contratuerca del cojinete de rueda.

15. Apretar la contratuerca del cojinete de rueda a 152-210 pie-lb (206-284 Nm).

16. Girar varias veces el conjunto del cubo en ambas direcciones, para asentar el cubo.

17. Medir el juego axial del cojinete de rueda.

a. Juego axial – 0.0020 plg (0.05 mm) o menos.

18. Asegurar la tuerca de bloqueo con un martillo y un cincel.

19. Instalar una tapa guardapolvo nueva.

20. Instalar el sensor del ABS y apretar el tornillo de montaje a 96-144 plg-lb (11-16 Nm).

21. Instalar el rotor del freno y el conjunto de la mordaza.

22. Instalar las ruedas delanteras.

23. Si se desconecta la línea del freno, sangrar el sistema de freno.

Traseros

SENTRA, 200SX, ALTIMA Y MAXIMA

Si se ha sacado el conjunto del cojinete del cubo de rueda, éste debe reemplazarse.

➡ **Si el vehículo está equipado con ABS, debe sacarse el sensor para proteger el sensor y su cableado.**

1. Levantar y soportar con seguridad el vehículo. Sacar la/s rueda/s trasera/s.

2. Si está equipado con frenos de disco, realizar los procedimientos siguientes:

a. Sacar la mordaza del freno y colgarla con un trozo de alambre.

b. Sacar el soporte de la mordaza del freno.

c. Sacar las zapatas y forros del freno de disco.

d. Sacar el disco del freno.

3. Si está equipado con frenos de tambor, realizar los procedimientos siguientes:

a. Sacar el tambor del freno.

b. Si es necesario, sacar el conjunto de la zapata del freno.

4. Sacar la tapa de grasa.

5. Sacar el pasador de retención, la contratuerca del cojinete de rueda, la arandela y el conjunto del cojinete del cubo de la rueda. Puede ser necesario un martillo de deslizamiento para sacar el conjunto del cojinete del cubo.

➡ **El conjunto del cojinete del cubo de rueda no es reparable; cuando está defectuoso debe reemplazarse.**

Para instalar:

➡ **Si el vehículo está equipado con ABS, debe sacarse el anillo sensor e instalarlo en el cubo nuevo.**

6. Instalar el conjunto del cojinete del cubo de rueda, la arandela y la contratuerca del cojinete de rueda. Apretar la contratuerca del cojinete de rueda a 138-188 pie-lb (187-255 Nm).

7. Verificar que los cojinetes de rueda funcionan con suavidad.

8. Instalar un pasador de retención nuevo en la mangueta para sujetar la contratuerca del cojinete de rueda.

9. Instalar un micrómetro de esfera en el conjunto trasero del cojinete del cubo de la rueda y comprobar el juego axial; debe ser inferior a 0.0020 plg (0.05 mm).

10. Instalar la tapa de grasa.

11. Si se ha sacado, instalar el sensor del ABS y su cableado.

12. Instalar el conjunto del freno y las ruedas.

240SX Y 300ZX

1. Levantar y soportar la parte trasera del vehículo y sacar las ruedas traseras. Sacar el pasador de retención, la tapa de ajuste y el aislador.

2. Poner el freno de mano firmemente para sujetar el semieje trasero, mientras se saca la contratuerca del cojinete de rueda. Sacar la contratuerca del cojinete de rueda.

3. Desatornillar la mordaza y moverla a un lado. No desconectar la manguera de la mordaza. No permitir que la mordaza cuelgue de la manguera; soportar la mordaza con un alambre largo o apoyarla en el travesaño de la suspensión.

4. Separar el semieje del cuerpo del eje golpeándolo ligeramente. Cubrir las fundas del eje propulsor con una toalla para evitar daños.

5. Sacar los cuatro tornillos de la parte trasera del cuerpo del eje que sujetan el cojinete

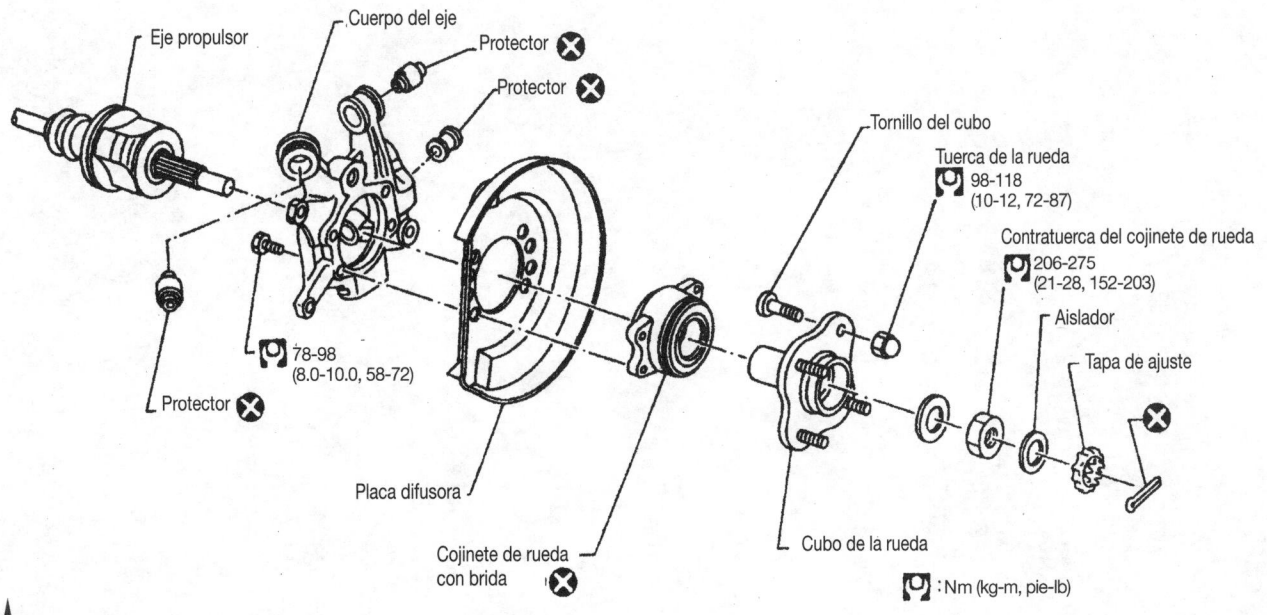

▲ **Despiece del conjunto del cojinete de rueda trasero – 240SX**

de rueda, la brida y el cubo en el cuerpo del eje. Sacar el cojinete de rueda, la brida y el conjunto del cubo.

6. Sacar el cojinete de rueda del cubo del eje.

7. Montar el cubo en un tornillo de banco y sacar la pista interior, utilizando la herramienta extractora de cojinetes ST30031000, o una equivalente. Desechar la pista interior y los sellos de grasa.

8. Limpiar todas las piezas en un disolvente adecuado. Comprobar si el cubo de la rueda y el cuerpo del eje están agrietados, utilizando preferentemente un método detector de tinta penetrante. Comprobar si la superficie del asiento del cojinete de rueda tiene asperezas, agarrotamientos u otros daños que puedan interferir con la función correcta del cojinete. Comprobar si el buje protector de goma está gastado.

Para instalar:

9. Colocar el cubo sobre un bloque de madera y asentar la pista interior utilizando un botador adecuado. Durante la instalación de la pista interior, ir con cuidado de no dañar los sellos de grasa.

10. Meter el cojinete dentro del cubo utilizando un botador adecuado.

11. Montar el conjunto de cojinete/cubo dentro del cuerpo del eje y apretar los tornillos de montaje a 58-72 pie-lb (78-98 Nm).

12. Lubricar con aceite las estrías del semieje. Alinear correctamente las estrías e insertar el semieje dentro del cubo de rueda.

13. Instalar la contratuerca del cojinete de rueda y apretar la tuerca a 152-203 pie-lb (206-275 Nm). Instalar el aislador y adaptar la tapa de ajuste. Instalar un pasador de retención nuevo.

14. Antes de montar las ruedas traseras, comprobar el juego axial como sigue. Montar un indicador de esfera de manera que el palpador del indicador descanse sobre la cara del cubo y comprobar el juego axial del cojinete de rueda intentando mover el cubo de la rueda hacia adentro y afuera. El juego axial debe ser de 0.0020 plg (0.05 mm) o menos.

15. Instalar el rotor y el conjunto de la mordaza.

16. Montar las ruedas traseras y bajar el vehículo.

ESPECIFICACIONES **710**

REPARACIÓN DEL MOTOR **714**

Distribuidor 714
Sincronización del encendido 715
Conjunto motor 715
Bomba de agua 724
Culata de cilindros 726
Balancines y ejes de balancines 730
Múltiple de admisión 732
Múltiple de escape 733
Sello de aceite delantero del cigüeñal 735
Árbol de levas y levantaválvulas 735
Holgura de válvulas 738
Depósito de aceite 739
Bomba de aceite 741
Sello principal trasero 743
Cadena de sincronización, ruedas dentadas,
  tapa delantera y sello 744

SISTEMA DE COMBUSTIBLE **747**

Precauciones en el servicio
  del sistema de combustible 747

Presión del sistema de combustible 747
Filtro de combustible 747
Bomba de combustible 748

TREN DE TRANSMISIÓN **749**

Conjunto de transmisión manual 749
Conjunto de transmisión automática 753
Embrague 757
Sistema de embrague hidráulico 758
Conjunto de la caja de transferencia 758
Semiejes 759
Cubos de cierre 761

DIRECCIÓN Y SUSPENSIÓN **761**

Air bag 761
Mecanismo de la dirección asistida
  de engranaje de recirculación de bolas 761
Poste 762
Amortiguadores 763
Resorte helicoidal 764
Rótula superior 765
Rótula inferior 765
Cojinetes de rueda 765

ESPECIFICACIONES
NISSAN/INFINITY FULL SIZE

Nissan Frontier - Pathfinder
- Pick-Up - Quest - Infinity QX4

TABLA DE IDENTIFICACIÓN DEL VEHÍCULO

Clave del motor						Año-Modelo	
Clave	Litros	Plg³ (cc)	Cil.	Sist. comb.	Fabr. motor	Clave	Año
KA24E	2.4	146 (2389)	4	MFI	Nissan	S	1995
KA24DE	2.4	146 (2389)	4	MFI	Nissan	T	1996
VG30E	3.0	181 (2960)	6	MFI	Nissan	V	1997
VG33E	3.3	199 (3277)	6	MFI	Nissan	W	1998
						X	1999

MFI: Inyección multipunto.

IDENTIFICACIÓN DEL MOTOR

Año	Modelo	Cilindrada del motor litros (cc)	Serie del motor (ID/VIN)	Sistema de combustible	N° de cilindros	Tipo de motor
1995	Pick-up	2.4 (2389)	KA24E (S)	MFI	4	SOHC
	Pick-up	3.0 (2960)	VG30E (H)	MFI	6	SOHC
	Quest	3.0 (2960)	VG30E (W)	MFI	6	SOHC
	Pathfinder	3.0 (2960)	VG30E (H)	MFI	6	SOHC
1996	Pick-up	2.4 (2389)	KA24E (S)	MFI	4	SOHC
	Pick-up	3.0 (2960)	VG30E (H)	MFI	6	SOHC
	Quest	3.0 (2960)	VG30E (W)	MFI	6	SOHC
	Pathfinder	3.3 (3277)	VG33E	MFI	6	SOHC
1997	Pathfinder	3.3 (3277)	VG33E	MFI	6	SOHC
	Pick-up	2.4 (2389)	KA24E (S)	MFI	4	SOHC
	Pick-up	3.0 (2960)	VG30E (H)	MFI	6	SOHC
	Quest	3.0 (2960)	VG30E (W)	MFI	6	SOHC
	QX4	3.3 (3277)	VG33E	MFI	6	SOHC
1998-99	Frontier	2.4 (2389)	KA24DE	MFI	4	DOHC
	Pathfinder	3.3 (3277)	VG33E	MFI	6	SOHC
	Quest	3.0 (2960)	VG30E	MFI	6	SOHC
	QX4	3.3 (3277)	VG33E	MFI	6	SOHC

MFI: Inyección multipunto.
SOHC: Árbol de levas simple en culata.
DOHC: Doble árbol de levas en culata.

ESPECIFICACIONES GENERALES DEL MOTOR

Año	Motor (ID/VIN)	Cilindrada del motor litros (cc)	Sistema de combustible	Caballaje neto @ rpm	Torsión neta @ rpm (pie-lb)	Diámetro x carrera (plg)	Relación de compresión	Presión de aceite @ rpm
1995	KA24E	2.4 (2389)	MFI	134@5200	154@3600	3.50X3.78	8.6:1	60@3000
	VG30E	3.0 (2960)	MFI	153@4800	180@4000	3.43X3.27	9.0:1	53@3200
1996	KA24E	2.4 (2389)	MFI	134@5200	154@3600	3.50x3.78	8.6:1	60@3000
	VG30E	3.0 (2960)	MFI	①	②	3.43x3.27	9.0:1	53@3200
	VG33E	3.3 (3277)	MFI	168@4800	196@2800	3.60X3.27	8.9:1	53@3200
1997	KA24E	2.4 (2389)	MFI	134@5200	154@3600	3.50x3.78	8.6:1	60@3000
	VG30E	3.0 (2960)	MFI	①	②	3.43x3.27	9.0:1	53@3200
	VG33E	3.3 (3277)	MFI	168@4800	196@2800	3.60X3.27	8.9:1	53@3200
1998-99	KA24DE	2.4 (2389)	MFI	143@5200	154@4000	3.50x3.78	9.2:1	60-70@3000
	VG30E	3.0 (2960)	MFI	151@4800	174@4400	3.43x3.27	9.0:1	57-70@3200
	VG33E	3.3 (3277)	MFI	168@4800	196@2800	3.60X3.27	8.9:1	60-65@2000

MFI: Inyección multipunto.

NA: No disponible.

① Quest: 151 @ 4800.
   Pick-up y Pathfinder: 153 @ 4800.

② Quest: 174 @ 4400.
   Pick-up y Pathfinder: 180 @ 4000.

ESPECIFICACIONES PARA AFINACIÓN DE MOTORES DE GASOLINA

Año	Motor (ID/VIN)	Cilindrada del motor litros (cc)	Bujías Abertura (plg)	Sincronización ignición (grados) TM	Sincronización ignición (grados) TA	Bomba de combustible (lb/plg²)	Marcha mínima (rpm) TM	Marcha mínima (rpm) TA	Holgura válvulas Admision	Holgura válvulas Escape
1995	KA24E	2.4 (2389)	0.033	10B	10B	36 ①	800	800 ②	HYD	HYD
	VG30E	3.0 (2960)	③	15B	15B	34 ①	750	750 ②	HYD	HYD
1996	KA24E	2.4 (2389)	0.033	10B	10B	36 ①	800	800 ②	HYD	HYD
	VG30E	3.0 (2960)	③	15B	15B	34 ①	700	700 ②	HYD	HYD
	VG33E	3.3 (3277)	0.041	15B	15B	34 ①	750	750 ②	HYD	HYD
1997	KA24E	2.4 (2389)	0.033	10B	10B	36 ①	800	800 ②	HYD	HYD
	VG30E	3.0 (2960)	③	15B	15B	34 ①	700	700 ②	HYD	HYD
	VG33E	3.3 (3277)	0.041	15B	15B	34 ①	750	750 ②	HYD	HYD
1998-99	KA24DE	2.4 (2389)	0.039-0.043	18-22B	18-22B	34 ①	750-850	750-850 ②	HYD	HYD
	VG30E	3.0 (2960)	0.031-0.035	—	13-17B	34 ①	—	700-800 ②	HYD	HYD
	VG33E	3.3 (3277)	0.039-0.043	13-17B	13-17B	34 ①	700-800	700-800 ②	HYD	HYD

Nota: la etiqueta de información del control de emisiones del vehículo, a menudo refleja los cambios de especificaciones que hay durante la producción. Deben utilizarse las cifras de la etiqueta, si difieren de las de esta tabla.

B - Antes del PMS.

HYD - Hidráulico.

① La presión del sistema en marcha mínima, con la manguera de vacío conectada.
   Debe incrementarse en 43 lb/plg² cuando se desconecta.

② Transmisión automática en posición neutra.
   Quest: 0.033.
   Pick-up y Pathfinder: 0.041.

ESPECIFICACIONES DE VÁLVULAS

Año	Motor (ID/VIN)	Cilindrada del motor litros (cc)	Ángulo de asiento (grados)	Ángulo de cara (grados)	Presión de prueba del resorte (lb @ plg)	Altura resorte instalado (plg)	Holgura entre vástago y guía (plg)		Diámetro del vástago (plg)	
							Admisión	Escape	Admisión	Escape
1995	KA24E	2.4 (2389)	45	45.5	①	NA	0.0008-0.0021	0.0016-0.0028	0.2742-0.2748	0.3129-0.3134
	VG30E	3.0 (2960)	45	45.25-45.75	②	NA	0.0008-0.0021	0.0016-0.0029	0.2742-0.2748	0.3136-0.3138
1996	KA24E	2.4 (2389)	45	45.5	①	NA	0.0008-0.0021	0.0016-0.0029	0.2742-0.2748	0.3129-0.3134
	VG30E	3.0 (2960)	45	45.25-45.75	②	NA	0.0008-0.0021	0.0016-0.0029	0.2742-0.2748	0.3136-0.3138
	VG33E	3.3 (3277)	45	45.25-46.75	②	NA	0.0008-0.0021	0.0016-0.0029	0.2742-0.2748	0.3136-0.3138
1997	KA24E	2.4 (2389)	45	45.5	①	NA	0.0008-0.0021	0.0016-0.0029	0.2742-0.2748	0.3129-0.3134
	VG30E	3.0 (2960)	45	45.25-45.75	②	NA	0.0008-0.0021	0.0016-0.0029	0.2742-0.2748	0.3136-0.3138
	VG33E	3.3 (3277)	45	45.25-46.75	②	NA	0.0008-0.0021	0.0016-0.0029	0.2742-0.2748	0.3136-0.3138
1998-99	KA24DE	2.4 (2389)	45	45.5	93.9@1.15	NA	0.0008-0.0021	0.0016-0.0029	0.2742-0.2748	0.2734-0.2740
	VG30E	3.0 (2960)	45	45.25-45.75	②	NA	0.0008-0.0021	0.0016-0.0029	0.2742-0.2748	0.3136-0.3138
	VG33E	3.3 (3277)	45	45.25-46.75	②	NA	0.0008-0.0021	0.0016-0.0029	0.2742-0.2748	0.3135-0.3138

NA - No disponible.

① Admisión:
   Interior: 63.9 @ 1.28.
   Exterior: 135.2 @ 1.48.
   Escape:
   Interior: 74 @ 1.15.
   Exterior: 144 @ 1.34.
② Interior: 57.3 @ 0.984.
   Exterior: 117.7 @ 1.181.

ESPECIFICACIONES DE TORSIÓN

Todas las medidas están en pie-lb

Año	Motor (ID/VIN)	Cilindrada del motor litros (cc)	Tornillos culata de cilindros	Tornillos cojinete principal	Tornillos cojinete biela	Tornillos amortiguador cigüeñal	Tornillos volante	Múltiple		Bujías	Tuerca de orejas
								Admisión	Escape		
1995	KA24E	2.4 (2389)	①	34-38	②	87-116	③	14	14	18	④
	VG30E	3.0 (2960)	⑤	67-74	②	90-98	72-80	⑥	15	18	④
1996	KA24E	2.4 (2389)	①	34-38	②	87-116	③	14	14	18	④
	VG30E	3.0 (2960)	⑤	67-74	②	90-98	72-80	⑥	15	18	④
	VG33E	3.3 (3277)	⑤	67-74	②	141-156	61-69	⑥	21-25	18	④
1997	KA24E	2.4 (2389)	①	34-38	②	87-116	③	14	14	18	④
	VG30E	3.0 (2960)	⑤	67-74	②	90-98	72-80	⑥	15	18	④
	VG33E	3.3 (3277)	⑤	67-74	②	141-156	61-69	⑥	21-25	18	④
1998-99	KA24DE	2.4 (2389)	①	34-41	②	105-112	105-112	⑥	27-35	14-22	87-108
	VG30E	3.0 (2960)	⑤	67-74	②	141-156	61-69	⑥	13-16	14-22	72-87
	VG33E	3.3 (3277)	⑤	67-74	②	141-156	61-69	⑥	21-25	14-22	87-108

① Paso 1: 22 pie-lb.
  Paso 2: 58 pie-lb.
  Paso 3: aflojar completamente y reapretar a 22 pie-lb.
  Paso 4: 58 pie-lb, o 80-85 grados adicionales.
② 10-12 pie-lb más 60-65 grados, o 28-33 pie-lb.
③ Transmisión manual: 105-112 pie-lb.
  Transmisión automática: 69-76 pie-lb.
④ Quest: 80 pie-lb.
  Pick-up con ruedas simples: 87-108 pie-lb.
  Pick-up con ruedas dobles: 166-203 pie-lb.
⑤ Paso 1: 22 pie-lb.
  Paso 2: 43 pie-lb.
  Paso 3: aflojar completamente, y reapretar a 22 pie-lb.
  Paso 4: 40-47 pie-lb o 60-65 grados adicionales.
⑥ Paso 1: apretar tuercas y tornillos a 3 pie-lb.
  Paso 2: apretar tornillos a 12-14 pie-lb; tuercas a 17-20 pie-lb.
  Paso 3: repetir paso 2.

REPARACIÓN DEL MOTOR

➡ La desconexión del cable negativo de la batería puede interferir, en algunos vehículos, con las funciones de la computadora de a bordo, y puede requerir el proceso de reprogramación de la computadora, cuando el cable negativo se conecte de nuevo.

DISTRIBUIDOR

DESMONTAJE

1. Desconectar el cable negativo de la batería.

2. Desconectar y desmontar la tapa del distribuidor con los cables de bujías conectados.

3. Utilizando un trozo de tiza, realizar marcas de alineación, en los lugares apropiados del distribuidor-motor y rotor-distribuidor; las marcas de alineación se utilizarán en el montaje posterior.

4. Desconectar el conector del cableado eléctrico del distribuidor.

5. Desmontar el/los tornillo/s de sujeción del distribuidor y sacar el conjunto del distribuidor, del motor.

INSTALACIÓN

1. Si la sincronización del motor no ha sido alterada, instalar el distribuidor, alinear las marcas de alineación y realizar en orden inverso las operaciones de desmontaje. Arrancar el motor; comprobar y/o ajustar la sincronización del encendido.

2. Si el cigüeñal ha sido girado, la sincronización del encendido ha sido alterada de cualquier manera (mientras el distribuidor estaba desmontado), o las marcas de alineación no fueron trazadas, realizar los siguientes pasos:

a. Desmontar la bujía del cilindro N° 1.

b. Girar el cigüeñal hasta que el pistón N° 1 se sitúe en el Punto Muerto Superior (PMS) de la carrera de compresión.

➡ Para determinar el PMS de la carrera de compresión, colocar el dedo pulgar encima del agujero de la bujía y notar que el aire es forzado por el cilindro. Parar el giro del cigüeñal cuando las marcas de

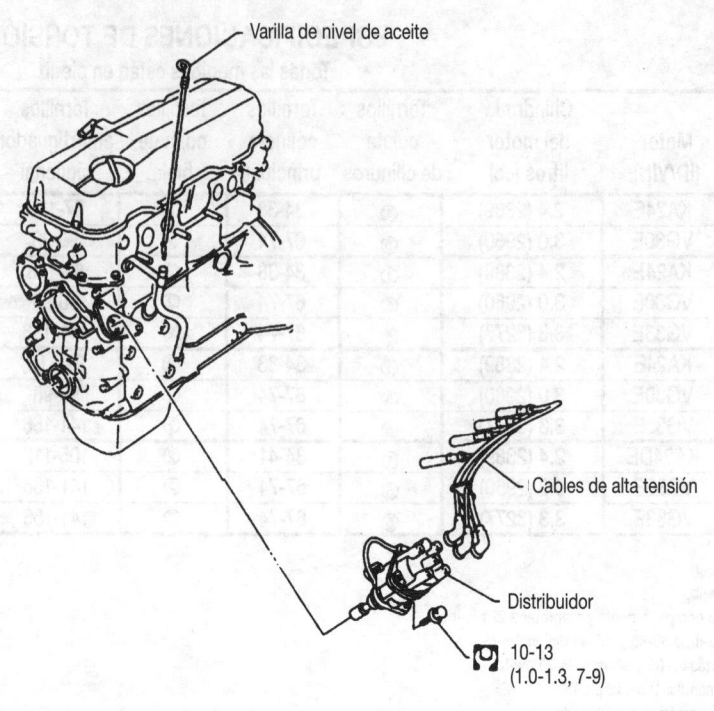

Varilla de nivel de aceite

Cables de alta tensión

Distribuidor

10-13
(1.0-1.3, 7-9)

Nm (kg-m, pie-lb)

Aplicar junta líquida

▲ Conjunto distribuidor y componentes relacionados – Motor 2.4L

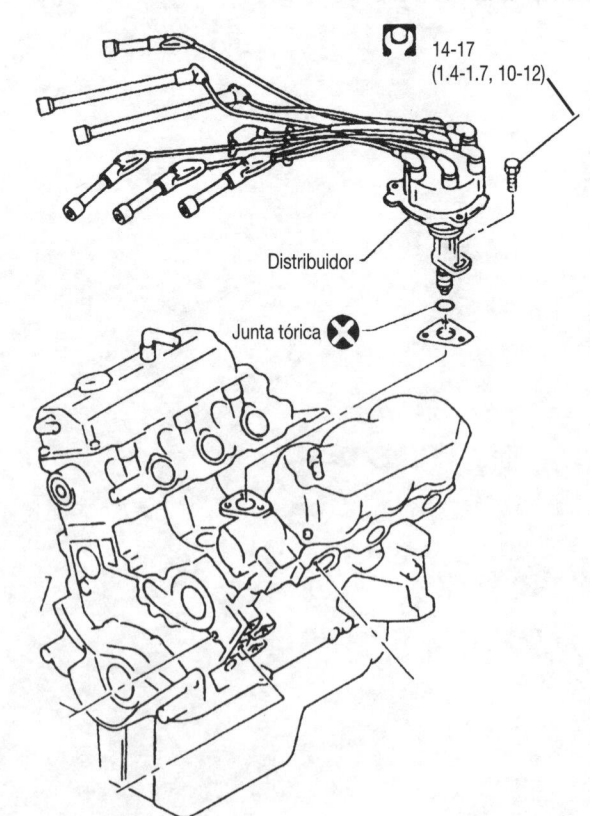

14-17
(1.4-1.7, 10-12)

Distribuidor

Junta tórica ⊗

▲ Conjunto distribuidor y componentes relacionados – Motores 3.0L y 3.3L sincronización, utilizadas para sincronizar el motor, estén alineadas.

c. Engrasar la superficie entre la carcasa del distribuidor y bloque de cilindros.

d. Instalar el distribuidor de manera que el rotor apunte hacia la torre del terminal de la bujía N°1 sobre la tapa del distribuidor (cuando esté instalado).

e. Cuando el eje del distribuidor alcance el fondo del agujero, mover el rotor hacia atrás y adelante hasta que la lengüeta de arrastre, sobre el extremo del eje del distribuidor, entre en la ranura en el extremo del eje de la bomba de aceite, y el conjunto del distribuidor se deslice hacia abajo, dentro de su sitio.

3. Instalar la tapa del distribuidor.

4. Apretar el/los tornillos de sujeción del distribuidor.

5. Conectar el cable negativo de la batería.

6. Arrancar el motor; comprobar y/o ajustar la sincronización de la ignición.

SINCRONIZACIÓN DEL ENCENDIDO

AJUSTE

1. Inspeccionar visualmente:

a. Que el filtro de aire no esté obstruido.

b. Comprobar que las mangueras / tuberías no presenten fugas.

c. Comprobar el funcionamiento de la válvula EGR.

d. Comprobar todos los conectores eléctricos.

e. Comprobar todas las juntas.

f. Comprobar la válvula del estrangulador y el sensor de funcionamiento del estrangulador.

2. Localizar las marcas de sincronización en la polea del cigüeñal y en la delantera del motor.

3. Limpiar las marcas de sincronización.

4. Utilizando una tiza, o pintura blanca, colorear la marca de la polea del cigüeñal y la marca en la escala, que nos va a indicar la sincronización correcta, cuando la alineemos con la muesca en la polea del cigüeñal.

5. Conectar un tacómetro en el motor.

6. Conectar una lámpara de sincronización en el cable del encendido del cilindro N° 1.

7. Comprobar que todos los cables permanezcan lejos del ventilador; arrancar, entonces, el motor, y dejar que alcance la temperatura normal de funcionamiento.

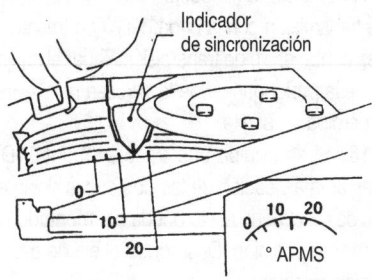

▲ **Marcas de sincronización – Motores 2.4L, 3.0L y 3.3L de 1995-97**

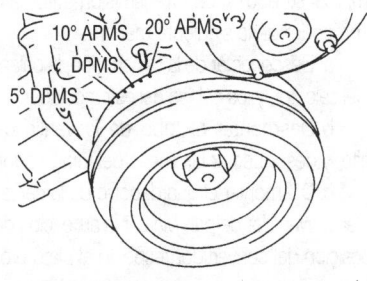

▲ **Marcas de sincronización – Motor 2.4L de 1998-99**

8. Bloquear las ruedas delanteras y aplicar el freno de aparcamiento. Colocar el cambio de marchas en punto muerto (o neutro); no permanecer delante del vehículo mientras se realicen los ajustes.

9. Seguir el siguiente procedimiento:

a. Acelerar hasta las 2000 rpm durante unos 2 minutos, en vacío (sin carga para el motor); asegurarse de que todos los accesorios están desconectados.

b. Realizar los diagnósticos de a bordo del motor, y reparar cualquier código de fallo.

c. Acelerar el motor 2-3 veces en vacío (sin carga), entonces dejar el motor durante un minuto en marcha mínima.

d. Parar el motor y desconectar el sensor de posición del acelerador.

e. Acelerar hasta las 2000 rpm durante unos 2 minutos en vacío (sin carga para el motor); asegurarse de que todos los accesorios están desconectados.

f. Dejar el motor en marcha mínima.

10. Apuntar la luz de sincronización hacia las marcas de sincronizado. Si las marcas en la polea y el motor están alineadas cuando la lámpara emite destellos, la sincronización es

correcta. Parar el motor y desmontar el tacómetro y la lámpara de sincronización. Si las marcas no están alineadas proceder según los siguientes pasos:

11. Parar el motor.

12. Aflojar los tornillos lo suficiente hasta estar seguros de que el distribuidor se puede girar.

13. Arrancar el motor. Mantener los cables de la lámpara de sincronización lejos del ventilador de refrigeración.

14. Con la luz de sincronización apuntando hacia la polea y sobre las marcas del motor, girar el distribuidor para el ajuste correcto. La especificación de sincronización del encendido es 13-17° APMS (Antes del Punto Muerto Superior) en el motor 3.3L 8-12° APMS en el motor de 2.4L de 1995-97, y 18-22° APMS en el motor 2.4L de 1998-99.

15. Acelerar el motor 2-3 veces en vacío, después dejar el motor en marcha mínima.

16. Apuntar la luz de sincronización hacia las marcas de sincronización. Si las marcas de sincronización están alineadas cuando la luz emite destellos, la sincronización es correcta.

17. Apretar el tornillo que asegura el distribuidor, y volver a comprobar la sincronización.

18. Parar el motor, y desmontar el tacómetro y la luz de sincronización.

19. Conectar el sensor de posición del estrangulador.

CONJUNTO MOTOR

DESMONTAJE E INSTALACIÓN

Motor 2.4L

▼ PRECAUCIÓN ▼

El sistema de inyección de combustible permanece bajo presión después de parar el motor. Descargar adecuadamente la presión de combustible antes de desconectar cualquier línea de combustible. No realizar esta operación puede ocasionar un incendio o daños personales.

1. Descargar la presión del sistema de combustible.

2. Desconectar los cables de la batería, luego desmontar la batería.

3. Marcar la posición de las bisagras del capó y desmontar el capó.

4. Desmontar el conjunto del filtro de aire.

5. Envolver la salida del filtro de combustible con un trapo y desconectar la manguera.

Desconectar, asimismo la manguera de retorno de combustible.

6. Elevar y soportar con seguridad el vehículo. Desmontar el protector contra salpicaduras de debajo del motor, si el vehículo lo equipa.

7. Vaciar el aceite de motor y el sistema de refrigeración, incluyendo el vaciado del bloque de cilindros. Deshacerse de los fluidos viejos de forma adecuada, sin contaminar el medio ambiente.

8. Desmontar las mangueras superior e inferior del radiador.

9. Desmontar el radiador.

10. Si se equipa con aire acondicionado, aflojar la tensión de la correa y desmontar la correa. Desconectar el cableado, desmontar el compresor y colocarlo seguro a un lado. No desconectar las mangueras de presión.

11. Si se equipa con dirección asistida, desmontar la correa de transmisión y la bomba de la dirección asistida, y colocarla segura a un lado. No desconectar las mangueras de presión.

12. Etiquetar y desconectar todo el cableado y mangueras de vacío.

13. Desconectar las mangueras del calefactor, del motor, y el cable del estrangulador.

14. Desmontar el motor de arranque.

15. Marcar la alineación de la brida del eje de transmisión con la brida del piñón trasero, y desmontar el eje de transmisión. Tapar el agujero de la prolongación de la carcasa para evitar la pérdida de aceite.

16. Si se equipa una tracción 4x4 (4WD), marcar la alineación de las dos bridas delanteras de modo que el eje pueda ser montado en la misma posición. Desmontar el eje de transmisión delantero.

17. Desconectar el tubo de escape del múltiple y del catalizador, y desmontar el tubo de escape.

18. Desconectar el cable (chicote) y el cableado del velocímetro, de la transmisión.

19. Si se equipa con transmisión automática, proceder de la siguiente manera:

a. Desconectar de la transmisión, la palanca del selector, y los cables del estrangulador.

b. Desmontar el tubo de la varilla de aceite, y desconectar las líneas del refrigerador.

c. Desmontar el guardapolvo de la carcasa del convertidor de par. Marcar la alineación de la posición del convertidor respecto al plato propulsor para el posterior montaje; éstos han sido equilibrados juntos en la fábrica. Desmontar los

tornillos de unión del convertidor de par y plato propulsor (volante). Utilizando una llave sobre el tornillo de la polea del cigüeñal, hacer girar el cigüeñal, para exponer los tornillos ocultos del convertido de par.

20. Si equipa una caja de cambios manual, proceder de la siguiente manera:

a. Desmontar el pomo del selector de marchas, y la funda-fuelle, y sacar la arandela elástica de retención, para sacar la palanca del selector de marchas de la transmisión. Rellenar con un trapo la abertura para evitar que entre suciedad en la transmisión.

b. Sin desconectar la manguera hidráulica, desmontar el cilindro auxiliar de embrague, y colocarlo seguro a un lado.

21. Si equipa 4WD, proceder de la siguiente manera:

a. Desmontar las barras de torsión y el segundo travesaño.

b. Desmontar el conjunto de la palanca de cambios, de la caja de transferencia.

22. Utilizando un elevador de cadena, fijarlo al motor y elevar el motor ligeramente para descargar el peso de los soportes. Utilizando un gato de transmisiones adecuado, soportar

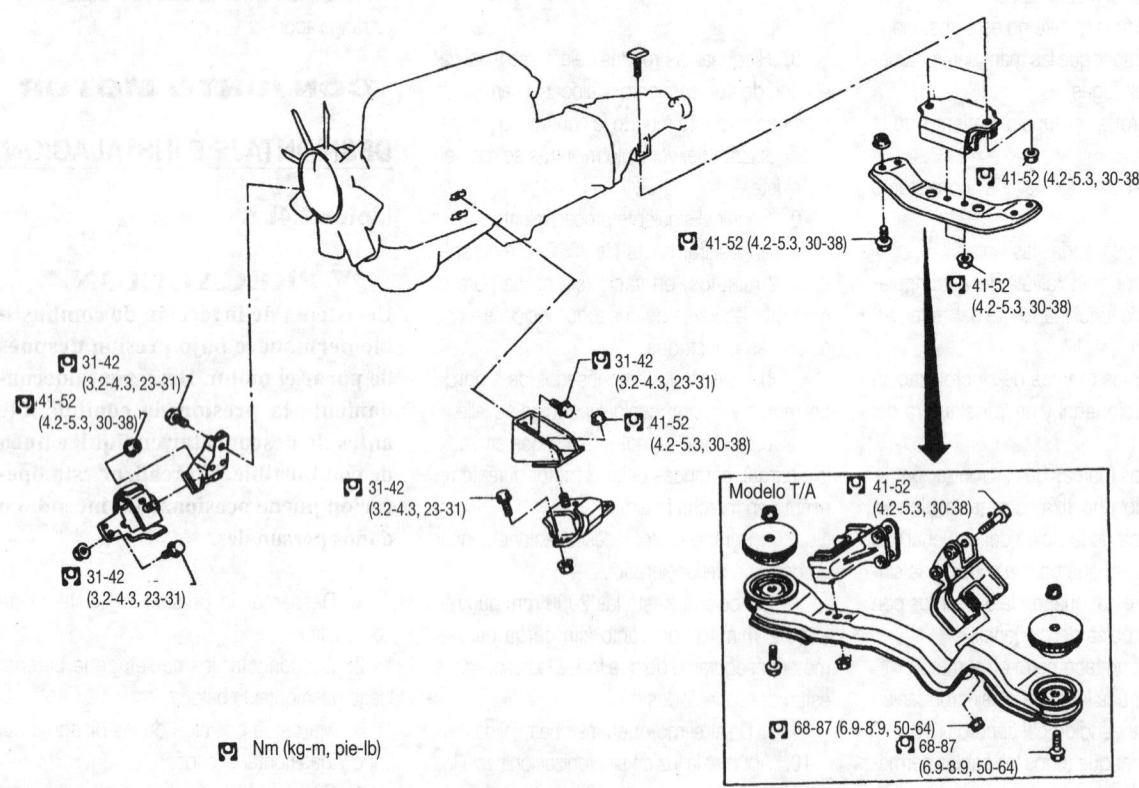

▲ **El motor está fijado al bastidor en tres puntos, tal como se muestra – Motor 2.4L**

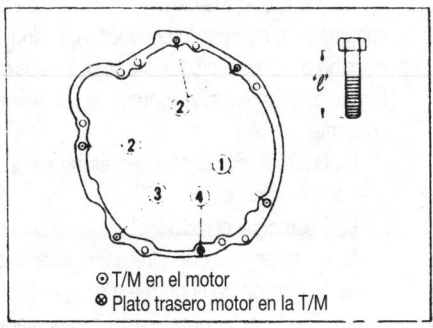

⊙ T/M en el motor
⊗ Plato trasero motor en la T/M

N° Tornillo	Par de apriete Nm (kg-m, pie-lb)	"ℓ" mm (plg)
1	39 - 49 (4.0 - 5.0, 29 - 36)	65 (2.56)
2	39 - 49 (4.0 - 5.0, 29 - 36)	60 (2.36)
3*	19 - 25 (1.9 - 2.5, 14 - 18)	25 (0.98)
4	19 - 25 (1.9 - 2.5, 14 - 18)	16 (0.63)

* : Con tuerca

▲ **Especificaciones de los tornillos de la transmisión manual – Motor 2.4L**

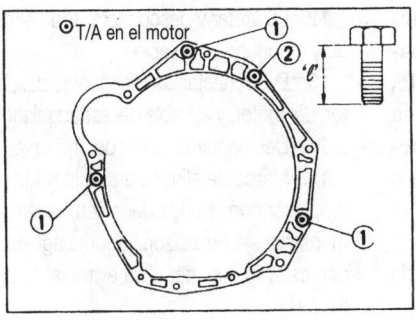

⊙ T/A en el motor

Par de apriete Nm (kg-m, pie-lb)	Longitud del tornillo "ℓ" mm (plg)
① 39 - 49 (4.0 - 5.0, 29 - 36)	45 (1.77)
② 39 - 49 (4.0 - 5.0, 29 - 36)	40 (1.57)

▲ **Especificaciones de los tornillos de la transmisión automática – Motor 2.4L**

apropiadamente la transmisión y la caja de transferencia, si equipa. Desmontar los montajes y el travesaño de la transmisión.

23. Desmontar los tornillos que aseguran la transmisión en el motor, y hacer retroceder la transmisión del motor. Si equipa una transmisión automática, fijar el convertidor de par en la transmisión. Bajar la transmisión, del vehículo.

➡ **Cuando se desmonten los montajes del motor, no aflojar las 4 tuercas cubiertas del montaje. El montaje está lleno de fluido y no realizará su función correctamente si existen fugas de fluido.**

24. Asegurarse de que todos los cables y mangueras han sido desconectados. Desmontar los tornillos de los soportes delanteros del motor, y sacar el motor con cuidado.

Para instalar:

25. Guiar con cuidado el motor dentro de su sitio, e iniciar los tornillos de montaje. Apretar los tornillos temporalmente.

26. Si equipa una transmisión manual, seguir los siguientes pasos:

a. Engrasar ligeramente el estriado del eje de entrada. En 4WD, aplicar un sellante de silicona en el bloque de cilindros y plato trasero para sellar el motor en la transmisión.

b. Encajar la transmisión dentro de su sitio, e iniciar los tornillos que fijan el motor en la transmisión. Asegurarse de que el eje de entrada encaja apropiadamente dentro del disco de embrague y cojinete piloto.

c. Apretar los tornillos a lo especificado.

27. Si equipa una transmisión automática, seguir los siguientes pasos:

a. Utilizar un reloj comparador (de esfera), para comprobar el descentraje del plato propulsor, mientras se gira el cigüeñal. El máximo descentraje admisible es de 0.020 plg (0.5 mm); si está más allá de lo especificado, reemplazar el plato propulsor.

b. Medir y ajustar lo hundido que está el convertidor de par dentro de la carcasa de la transmisión. La distancia entre la superficie del soporte de montaje delantero de la transmisión

y la protuberancia del tornillo del convertidor de par-plato propulsor, debe ser como mínimo de 1.024 plg (26 mm).

c. Instalar la transmisión e iniciar los tornillos que fijan la transmisión en el motor. Apretar los tornillos de fijación de la transmisión a lo especificado.

28. Si equipa una transmisión automática, alinear las marcas de alineación sobre el plato propulsor y el convertidor de par; instalar los tornillos y apretarlos a 33-43 pie-lb (44-59 Nm). Girar el cigüeñal después de apretar los tornillos para asegurarse de que el plato propulsor no está agarrotado.

29. Instalar el travesaño de la transmisión y el montaje de la transmisión.

30. Aflojar los tornillos de montaje del motor, apretar los tornillos de montaje de la transmisión, y luego apretar los tornillos de montaje del motor.

31. Si equipa una transmisión manual, seguir los siguientes pasos:

a. Instalar el cilindro auxiliar de embrague y apretar los tornillos a 22-30 pie-lb (30-40 Nm).

b. Quitar el trapo de la transmisión e instalar la palanca de cambios, montar a continuación el anillo de retención, para sujetar la palanca de cambios en su posición.

c. Instalar el fuelle de la palanca de cambios y el pomo.

32. Si equipa transmisión automática, realizar lo siguiente:

a. Instalar la cubierta guardapolvo hermética de la carcasa del convertidor.

b. Instalar el tubo de la varilla de aceite y conectar los conductos del refrigerador.

c. Conectar en la transmisión, la palanca selectora y los cables del estrangulador.

33. Si se han desmontado las barras de torsión, instalarlas en su posición original. Asegurarse de que las estrías están en su posición original, y graduar el ajuste en su posición original.

34. Al instalar los ejes propulsores, asegurarse de que se alinean las marcas de alineación. Apretar los tornillos del árbol propulsor delantero (4WD) a 29-33 pie-lb (39-44 Nm). Si equipa un árbol propulsor de una sola pieza, apretar los tornillos de la brida a 58-65 pie-lb (78-88 Nm). Si se equipa con un eje propulsor de dos piezas, apretar los tornillos de las bridas a 29-33 pie-lb (39-44), y apretar los tornillos de soporte del cojinete central a 12-16 pie-lb (16-22 Nm).

35. Al instalar el tubo de escape, utilizar juntas nuevas y apretar los tornillos de las bridas a 20-27 pie-lb (26-36 Nm). Apretar los tornillos que fijan el tubo de escape en el catalizador a 23-31 pie-lb (31-42 Nm).

36. Conectar el cable (chicote) del velocímetro. Conectar los cables eléctricos en la transmisión.

37. Instalar el motor de arranque y conectar el cableado.

38. Conectar el cable del estrangulador y las mangueras del calefactor en el motor.

39. Conectar el cableado y las mangueras.

40. Instalar la bomba de la dirección asistida y su soporte si lo lleva; asegurarse de conectar la banda metálica de conexión de masa en el soporte.

41. Instalar el compresor del aire acondicionado y su correa propulsora.

42. Ajustar las correas propulsoras.

43. Instalar el radiador y el canalizador. Si equipa una transmisión automática, destapar los tubos del refrigerador de aceite y conectarlos al radiador.

44. Instalar las mangueras superior e inferior del radiador.

45. Instalar el protector contra salpicaduras del depósito de aceite, si se lo equipa.

46. Conectar la manguera de retorno de combustible y la manguera en la salida del filtro.

47. Instalar el conjunto del filtro de aire.

48. Llenar la transmisión, y si se equipa, la caja de transferencia.

49. Llenar el motor con aceite nuevo.

50. Instalar y ajustar el capó. Instalar la cubierta inferior.

51. Conectar el cable negativo de la batería, arrancar el motor, dejarlo alcanzar la temperatura de funcionamiento normal y comprobar las fugas.

Motor 3.0L

▼ PRECAUCIÓN ▼

El sistema de inyección de combustible permanece bajo presión después de parar el motor. Descargar adecuadamente la presión de combustible, antes de desconectar cualquier línea de combustible. No realizar esta operación puede ocasionar un incendio o daños personales.

1. Descargar la presión del sistema de combustible.

2. Desconectar los cables de la batería, luego desmontar la batería.

3. Marcar la posición de las bisagras del capó y desmontar el capó.

4. Desmontar el conjunto del filtro de aire.

5. Envolver la salida del filtro de combustible con un trapo, y desconectar la manguera. Desconectar, asimismo la manguera de retorno de combustible.

6. Elevar y asegurar el vehículo. Desmontar el protector contra salpicaduras del depósito de aceite de debajo del motor, si el vehículo lo equipa.

▼ PRECAUCIÓN ▼

La autoridad sanitaria advierte que el contacto prolongado con aceite de motor usado puede ocasionar diversos trastornos en la piel, e incluso cáncer. Por ello se debe intentar reducir al mínimo su contacto con el aceite de motor usado. Se deben utilizar guantes protectores cuando se cambie el aceite. Lavar las manos o áreas de la piel expuestas al aceite, tan pronto como sea posible, después de su exposición al aceite de motor usado. Debe usarse jabón y agua, o un limpiador de manos seco.

7. Vaciar el aceite del motor y el sistema de refrigeración, incluyendo el vaciado del bloque de cilindros. Deshacerse de los fluidos viejos de forma adecuada, sin contaminar el medio ambiente.

8. Desmontar las mangueras superior e inferior del radiador.

9. Desmontar el radiador.

10. Si se equipa con aire acondicionado, aflojar la tensión de la correa y desmontar la correa. Desconectar el cableado, desmontar el compresor y colocarlo a un lado. No desconectar las mangueras de presión.

11. Si equipa dirección asistida, desmontar la correa propulsora y la bomba de la dirección asistida, y colocarla segura a un lado. No desconectar las mangueras de presión.

12. Etiquetar y desconectar todo el cableado y mangueras de vacío.

13. Desconectar las mangueras del calefactor, del motor, y el cable del estrangulador.

14. Desmontar el motor de arranque.

15. Marcar la alineación de la brida del eje propulsor con la brida del piñón trasero y desmontar el eje propulsor. Tapar el agujero de la carcasa prolongada, para evitar la pérdida de aceite.

16. Si equipa una tracción 4x4 (4WD), marcar la alineación de las dos bridas delanteras del eje propulsor delantero, de modo que el eje pueda ser montado en la misma posición. Desmontar el eje propulsor delantero.

17. Desconectar el tubo de escape del múltiple y del catalizador, y desmontar el tubo.

18. Desconectar el cable del velocímetro y el cableado, de la transmisión.

19. Desmontar el soporte que asegura la transmisión en el motor.

20. Si equipa una transmisión automática, proceder de la siguiente manera:

a. Desconectar de la transmisión, la palanca selectora y los cables del estrangulador.

b. Desmontar el tubo de la varilla de aceite y desconectar las líneas del refrigerador.

c. Desmontar la cubierta guardapolvo de la carcasa del convertidor de par. Marcar la posición del convertidor respecto al plato propulsor para el posterior montaje; éstos han sido equilibrados juntos en la fábrica. Desmontar los tornillos de unión entre convertidor de par y plato propulsor (volante). Utilizando una llave sobre el tornillo de la polea del cigüeñal, girar el cigüeñal para exponer los tornillos ocultos del convertidor de par.

21. Si equipa caja de cambios manual, proceder de la siguiente manera:

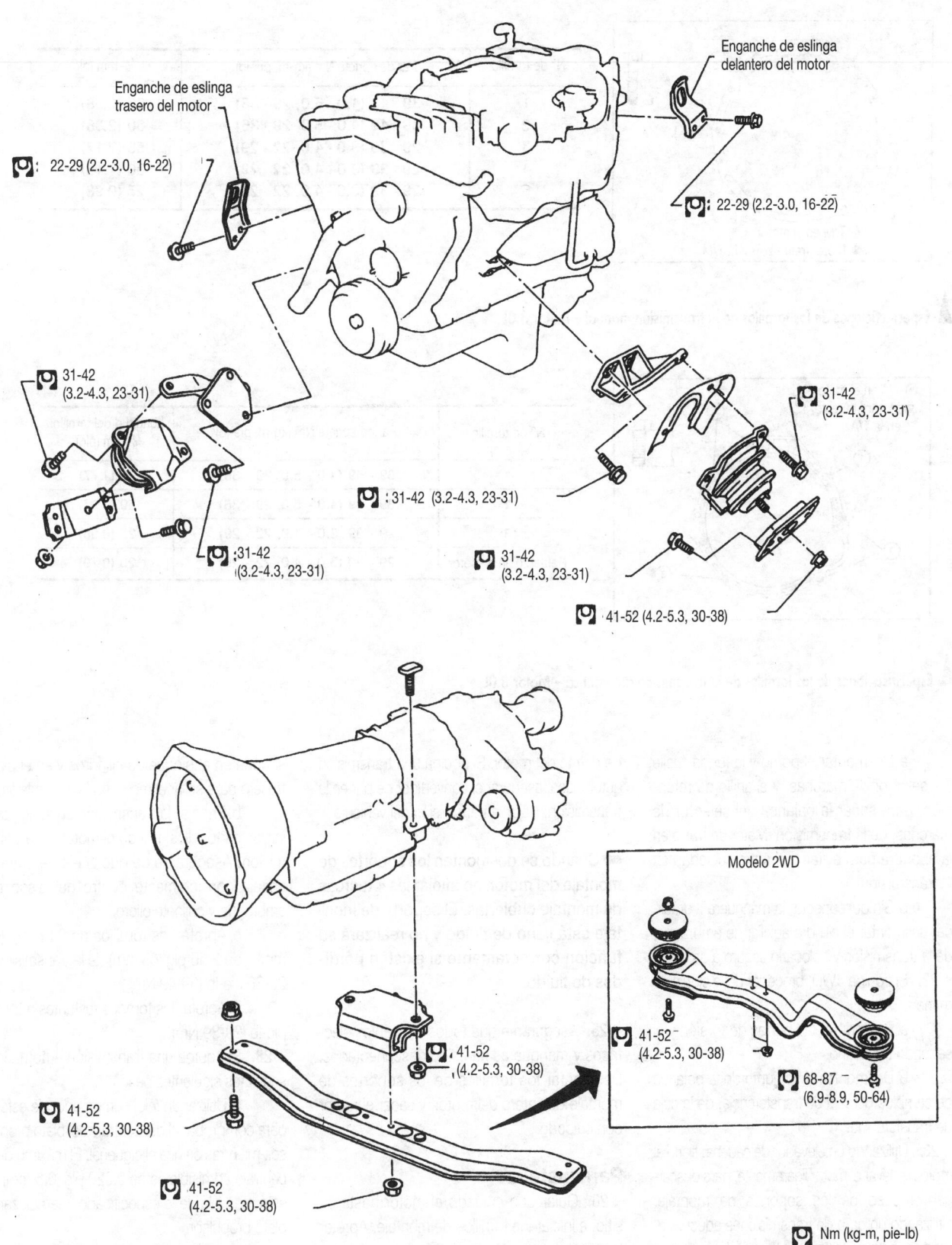

Enganche de eslinga
delantero del motor

Enganche de eslinga
trasero del motor

⌷ : 22-29 (2.2-3.0, 16-22)

⌷ : 22-29 (2.2-3.0, 16-22)

⌷ 31-42
(3.2-4.3, 23-31)

⌷ 31-42
(3.2-4.3, 23-31)

⌷ : 31-42 (3.2-4.3, 23-31)

⌷ ;31-42
(3.2-4.3, 23-31)

⌷ 31-42
(3.2-4.3, 23-31)

⌷ 41-52 (4.2-5.3, 30-38)

Modelo 2WD

⌷ 41-52
(4.2-5.3, 30-38)

⌷ 41-52
(4.2-5.3, 30-38)

⌷ 68-87
(6.9-8.9, 50-64)

⌷ 41-52
(4.2-5.3, 30-38)

⌷ 41-52
(4.2-5.3, 30-38)

⌷ Nm (kg-m, pie-lb)

▲ **Montajes del motor y componentes relacionados – Motor 3.0L**

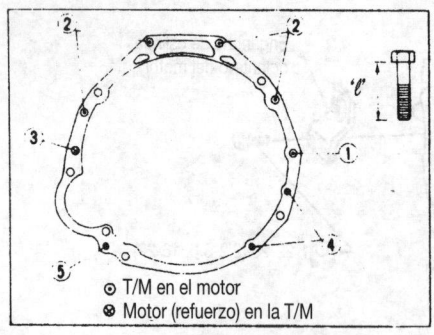

N° de tornillo	Par de apriete Nm (kg-m, pie-lb)	'ℓ' mm (plg)
1	39 - 49 (4.0 - 5.0, 29 - 36)	65 (2.56)
2	39 - 49 (4.0 - 5.0, 29 - 36)	60 (2.36)
3	29 - 39 (3.0 - 4.0, 22 - 29)	55 (2.17)
4	29 - 39 (3.0 - 4.0, 22 - 29)	30 (1.18)
5	29 - 39 (3.0 - 4.0, 22 - 29)	25 (0.98)

⊙ T/M en el motor
⊗ Motor (refuerzo) en la T/M

▲ Especificaciones de los tornillos de la transmisión manual – Motor 3.0L

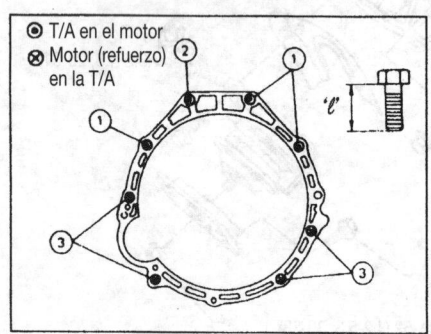

⊙ T/A en el motor
⊗ Motor (refuerzo) en la T/A

N° de tornillo	Par de apriete Nm (kg-m, pie-lb)	Longitud del tornillo 'ℓ' mm (plg)
1	39 - 49 (4.0 - 5.0, 29 - 36)	45 (1.77)
2	39 - 49 (4.0 - 5.0, 29 - 36)	50 (1.97)
3	29 - 39 (3.0 - 4.0, 22 - 29)	25 (0.98)
Refuerzo en el motor	29 - 39 (3.0 - 4.0, 22 - 29)	20 (0.79)

▲ Especificaciones de los tornillos de la transmisión automática – Motor 3.0L

a. Desmontar el pomo y la funda-fuelle del selector de marchas, y el anillo de retención, para sacar la palanca del selector de marchas, de la transmisión. Meter un trapo en la abertura para evitar que entre suciedad en la transmisión.

b. Sin desconectar la manguera hidráulica, desmontar el cilindro auxiliar de embrague, de la transmisión y colocarlo seguro a un lado.

22. Si equipa 4WD, proceder de la siguiente manera:

a. Desmontar las barras de torsión y el segundo travesaño.

b. Desmontar el conjunto de la palanca de cambios de caja de transferencia, de la caja de transferencia.

23. Utilizando un elevador de cadena, fijarlo al motor, y elevar el motor ligeramente, para descargar el peso de los soportes de montaje. Utilizando un gato de transmisiones adecuado, soportar apropiadamente la transmisión y caja de transferencia, si se equipa. Desmontar los soportes de montaje de la transmisión y el travesaño.

24. Desmontar los tornillos que aseguran la transmisión en el motor, y retirar la transmisión

de detrás del motor. Si equipa una transmisión automática, asegurar el convertidor de par en la transmisión. Bajar la transmisión del vehículo.

➡ Cuando se desmonten los soportes de montaje del motor, no aflojar las 4 tuercas de montaje cubiertas. El soporte de montaje está lleno de fluido y no realizará su función correctamente si existen pérdidas de fluido.

25. Asegurarse que todos los cables eléctricos y mangueras han sido desconectados. Desmontar los tornillos de los soportes de montaje delantero del motor, y sacar el motor con cuidado.

Para instalar:

26. Guiar con cuidado el motor hasta su sitio, e iniciar los tornillos de montaje. Apretar los tornillos temporalmente.

27. Si equipa transmisión manual, seguir los siguientes pasos:

a. Engrasar ligeramente el estriado del eje de entrada. En 4WD, aplicar un sellante de

silicona en el bloque de cilindros y en el plato trasero para sellar el motor en la transmisión.

b. Encajar la transmisión en su lugar, e iniciar los tornillos, fijando el motor en la transmisión. Asegurarse de que el eje de entrada encaja correctamente dentro del disco del embrague y cojinete piloto.

c. Apretar los tornillos de 2.36 plg (60 mm) y de 2.56 plg (65 mm) de la transmisión a 29-36 pie-lb (39-49 Nm).

d. Apretar los tornillos restantes a 22-29 pie-lb (29-39 Nm).

28. Si equipa una transmisión automática, seguir los siguientes pasos:

a. Utilizar un reloj comparador de esfera, para comprobar el descentraje del plato propulsor, mientras se gira el cigüeñal. El máximo descentraje admisible es de 0.020 plg (0.5 mm); si está más allá de lo especificado, reemplazar el plato propulsor.

b. Medir y ajustar la profundidad del convertidor de par dentro de la carcasa de la transmisión. La distancia entre la superficie del soporte de montaje delantero de la transmisión y la protuberancia del tornillo del convertidor de par-plato propulsor debe ser como mínimo de 1.024 plg (26 mm).

c. Instalar la transmisión. Instalar los tornillos de fijación de la transmisión y apretar los de 1.77 plg (45 mm) y los de 1.97 plg (50 mm) a 29-36 pie-lb (39-49 Nm), y apretar los tornillos de 0.98 plg (25 mm) a 22-29 pie-lb (29-39 Nm).

29. Si equipa una transmisión automática, alinear las marcas de alineación sobre el plato propulsor y el convertidor de par, instalar los tornillos y apretarlos a 33-43 pie-lb (44-59 Nm). Girar el cigüeñal después de apretar los tornillos para asegurarse de que el plato propulsor no está agarrotado.

30. Instalar el soporte de fijación de la transmisión en el vehículo y apretar los pernos de fijación a 22-29 pie-lb (29-39 Nm).

31. Instalar el travesaño de la transmisión y el montaje de la transmisión.

32. Aflojar los tornillos de montaje del motor, apretar los tornillos de montaje de la transmisión, apretar después los tornillos de montaje del motor.

33. Si equipa una transmisión manual, seguir los siguientes pasos:

a. Instalar el cilindro auxiliar de embrague y apretar los tornillos a 22-30 pie-lb (30-40 Nm).

b. Quitar el trapo de la transmisión, e instalar la palanca de cambios, montar a continuación el anillo de retención para sujetar la palanca de cambios en su posición.

c. Instalar el fuelle de la palanca de cambios y el pomo.

34. Si se equipa con transmisión automática, realizar lo siguiente:

a. Instalar la cubierta guardapolvo de la carcasa del convertidor de par.

b. Instalar el tubo de la varilla de aceite y conectar los conductos del refrigerador.

c. Conectar en la transmisión, la palanca selectora y los cables (chicotes) del estrangulador.

35. Si se han desmontado las barras de torsión, instalarlas en su posición original. Asegurarse de que las estrías están en su posición original, y graduar el ajuste en su posición original.

36. Cuando se instalen los ejes propulsores, asegurarse de que se alinean las marcas de alineación. Apretar los tornillos del eje propulsor delantero (4WD) a 29-33 pie-lb (39-44 Nm). En el eje de transmisión o propulsor trasero, apretar los tornillos a 58-65 pie-lb (78-88 Nm). Si se equipa con un soporte de cojinete central, apretar los tornillos a 12-16 pie-lb (16-22 Nm).

37. Al instalar el tubo de escape, utilizar juntas nuevas y apretar los tornillos de las bridas a 20-27 pie-lb (26-36 Nm). Apretar los tornillos que fijan el tubo de escape en el catalizador a 32-41 pie-lb (43-55 Nm).

38. Conectar el cable del velocímetro. Conectar los cables eléctricos en la transmisión.

39. Instalar el motor de arranque y conectar el cableado del motor de arranque.

40. Conectar el cable del estrangulador y las mangueras del calefactor en el motor.

41. Conectar el cableado y las mangueras.

42. Instalar la bomba de la dirección asistida y su soporte, si la lleva; asegurarse de conectar la banda metálica de masa en el soporte.

43. Instalar el compresor del aire acondicionado y su correa de transmisión.

44. Ajustar las correas de transmisión.

45. Instalar el radiador y el canalizador. Si equipa una transmisión automática, destapar los tubos del refrigerador de aceite y conectarlos en el radiador.

46. Instalar las mangueras superior e inferior del radiador.

47. Instalar el protector contra salpicaduras, si se equipa.

48. Conectar la manguera de retorno de combustible y la manguera en la salida del filtro.

49. Instalar el conjunto del filtro de aire.

50. Llenar la transmisión, y si se equipa, la caja de transferencia.

51. Llenar el motor con aceite nuevo.

52. Instalar y ajustar el capó. Instalar la cubierta inferior.

53. Conectar el cable negativo de la batería, arrancar el motor, dejarlo alcanzar la temperatura de funcionamiento normal y comprobar las fugas.

Motor 3.3L

▼ PRECAUCIÓN ▼

El sistema de inyección de combustible permanece bajo presión, después de parar el motor. Descargar adecuadamente la presión de combustible, antes de desconectar cualquier línea de combustible. No realizar esta operación puede ocasionar un incendio o daños personales.

1. Descargar la presión del sistema de combustible.

2. Desconectar los cables de la batería, luego desmontar la batería.

3. Marcar la posición de las bisagras del capó y desmontar el capó.

4. Desmontar el conjunto del filtro de aire.

5. Elevar y asegurar con soportes el vehículo. Desmontar el protector contra salpicaduras de debajo del motor, si el vehículo lo equipa.

6. Vaciar el aceite del motor y el sistema de refrigeración, incluyendo el vaciado del bloque de cilindros. Deshacerse de los fluidos viejos, de forma adecuada, sin contaminar el medio ambiente.

7. Desmontar las mangueras superior e inferior del radiador.

8. Desmontar el radiador, canalizador y ventilador de refrigeración.

9. Si se equipa con aire acondicionado, aflojar la tensión de la correa y desmontar la correa. Desconectar el cableado, desmontar el compresor y colocarlo seguro a un lado. No desconectar las mangueras de presión.

10. Si se equipa con dirección asistida, desmontar la correa de transmisión y la bomba de la dirección asistida y colocarla a un lado. No desconectar las mangueras de presión.

11. Etiquetar y desconectar todo el cableado y mangueras de vacío.

12. Desconectar las mangueras del calefactor, del motor, y el cable del estrangulador.

13. Desmontar el motor de arranque.

14. Marcar la brida del eje propulsor con la brida del piñón trasero, y desmontar el eje propulsor. Tapar el agujero de la carcasa prolongada para evitar el vaciado de aceite.

15. Si se equipa con 4WD, marcar la alineación de las dos bridas delanteras del eje propulsor de modo que el eje pueda ser montado en la misma posición. Desmontar el eje propulsor delantero.

16. Desconectar el tubo de escape de los múltiples y del catalizador, y desmontar el tubo de escape.

17. Desconectar el cable del velocímetro y el cableado, de la transmisión.

18. Desmontar el soporte que fija la transmisión en el motor.

19. Si se equipa con una transmisión automática, proceder de la siguiente manera:

a. Desconectar de la transmisión, la palanca del selector y los cables del estrangulador.

b. Desmontar el tubo de la varilla de aceite y desconectar las líneas del refrigerador.

c. Desmontar la cubierta guardapolvo de la carcasa del convertidor de par. Marcar la posición del convertidor respecto al plato propulsor para el posterior montaje; éstos están equilibrados juntos en la fábrica. Desmontar los tornillos de unión entre convertidor y plato propulsor (volante). Utilizando una llave en el tornillo de la polea del cigüeñal, girar el cigüeñal

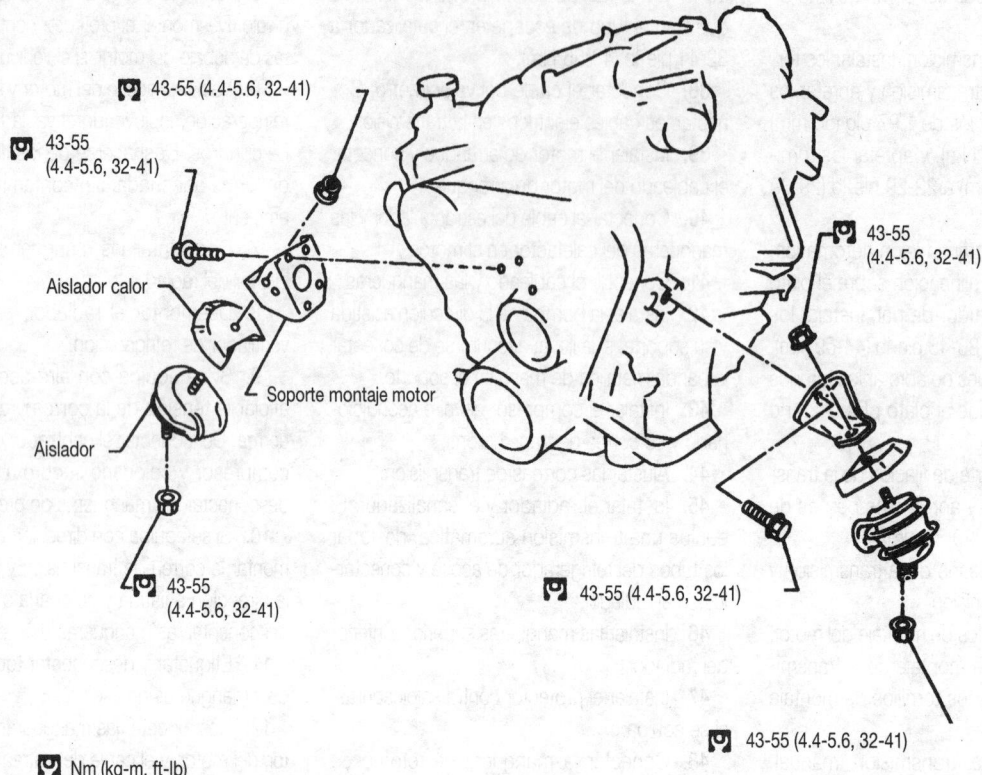

43-55 (4.4-5.6, 32-41)

43-55 (4.4-5.6, 32-41)

43-55 (4.4-5.6, 32-41)

Aislador calor

Soporte montaje motor

Aislador

43-55 (4.4-5.6, 32-41)

43-55 (4.4-5.6, 32-41)

43-55 (4.4-5.6, 32-41)

Nm (kg-m, ft-lb)

▲ **Montajes del motor y elementos relacionados – Motor 3.0L**

para exponer los tornillos ocultos del converti-dor de par.

20. Si equipa caja de cambios manual, pro-ceder de la siguiente manera:

a. Desmontar el pomo y la funda fuelle del selector de marchas, y el anillo de retención para sacar la palanca del selector de marchas, de la transmisión. Meter un trapo en la abertura para evitar que entre suciedad en la transmi-sión.

b. Sin desconectar la manguera hidráuli-ca, desmontar el cilindro auxiliar de embrague, y colocarlo seguro a un lado.

21. Si equipa 4WD, proceder de la siguiente manera:

a. Desmontar las barras de torsión y el segundo travesaño.

b. Desmontar el conjunto de palanca de cambios de caja de transferencia, de la caja de transferencia.

22. Fijar unas eslingas para la elevación de motores, en el motor.

23. Utilizando un elevador de cadena, fijar-lo al motor, y elevar el motor ligeramente para descargar el peso de los montajes. Utilizando un gato de transmisiones adecuado, soportar apropiadamente la transmisión y caja de transferencia, si se equipa. Desmontar los soportes de montaje de la transmisión y el travesaño.

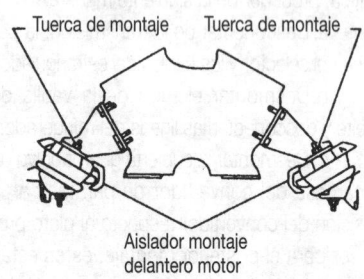

Tuerca de montaje   Tuerca de montaje

Aislador montaje delantero motor

▲ **Tuercas de montaje del motor – Motor 3.3L**

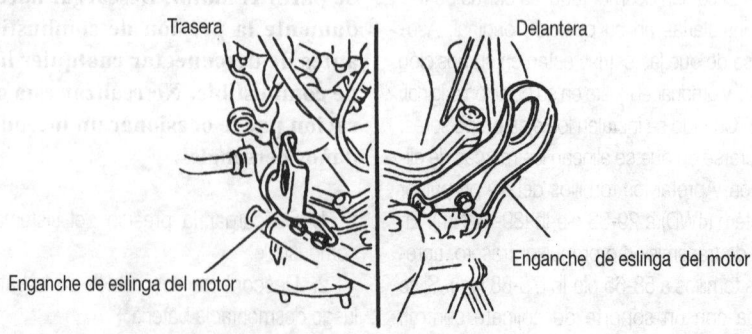

Trasera   Delantera

Enganche de eslinga del motor   Enganche de eslinga del motor

▲ **Enganches de eslinga del motor, instaladas – Motor 3.3L**

24. Desmontar los tornillos que aseguran la transmisión en el motor y retirar la transmisión de detrás del motor. Si equipa una transmisión automática, fijar el convertidor de par en la transmisión. Bajar la transmisión del vehículo.

➡ **Cuando se desmonten los soportes del motor, no aflojar las 4 tuercas de montaje cubiertas. El soporte está lleno de fluido y no realizará su función correctamente si existen pérdidas de fluido.**

25. Asegurarse de que todos los cables y mangueras han sido desconectados. Desmontar los tornillos de los soportes de montaje delantero del motor, y sacar el motor con cuidado.

Para instalar:

26. Guiar con cuidado el motor hasta su sitio, e iniciar los tornillos de montaje. Apretar los tornillos temporalmente.

27. Si se equipa con transmisión manual, seguir los siguientes pasos:

a. Engrasar ligeramente el estriado del eje de entrada. En 4WD, aplicar un sellante de silicona en el bloque de cilindros y en el plato trasero, para sellar el motor en la transmisión.

b. Encajar la transmisión en su lugar, e iniciar los tornillos que fijan el motor en la transmisión. Asegurarse de que el eje de entrada encaja apropiadamente dentro del disco del embrague y cojinete piloto.

c. Apretar los tornillos de 2.56 plg (65 mm) y de 2.28 plg (58 mm) a 29-36 pie-lb (39-49 Nm).

d. Apretar los tornillos restantes a 22-29 pie-lb (29-39 Nm).

28. Si equipa una transmisión automática, seguir los siguientes pasos:

a. Utilizar un reloj comparador de esfera, para comprobar el descentraje del plato propulsor, mientras se gira el cigüeñal. El máximo descentraje admisible es de 0.020 plg (0.5 mm); si está más allá de la especificación, reemplazar el plato propulsor.

b. Medir y ajustar la profundidad del convertidor de par en la carcasa de la transmisión. La distancia entre la superficie del soporte delantero de la transmisión y la protuberancia del tornillo del convertidor de par-plato propulsor, debe ser como mínimo de 1.024 plg (26 mm).

c. Instalar la transmisión. Instalar los tornillos de fijación de la transmisión y apretar, los de 2.283 plg (58 mm) y los de 1.87 plg (47.5 mm) a 29-36 pie-lb (39-49 Nm), y apretar los de 0.98 plg (25 mm) a 22-29 pie-lb (29-39 Nm).

29. Si equipa una transmisión automática, alinear las marcas sobre el plato propulsor y el convertidor de par, instalar los tornillos y apretarlos a 33-43 pie-lb (44-59 Nm). Girar el cigüeñal, después de apretar los tornillos, para asegurarse de que el plato propulsor no está agarrotado.

30. Instalar el soporte de fijación de la transmisión en el motor, y apretar los tornillos de fijación a 22-29 pie-lb (29-39 Nm).

31. Instalar el travesaño de la transmisión y el soporte de montaje de la transmisión.

32. Aflojar los tornillos de montaje del motor, apretar los tornillos del montaje de la transmisión, apretar después los tornillos de montaje del motor. Apretar las tuercas de montaje del motor a 32-41 pie-lb (43-55 Nm).

33. Si equipa una transmisión manual, seguir los siguientes pasos:

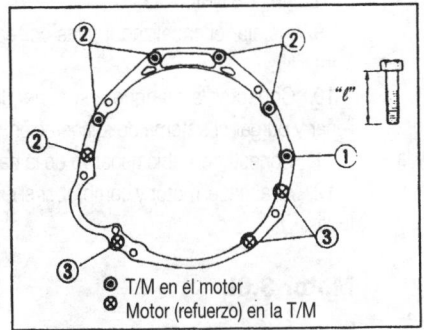

N° tornillo	Par de apriete Nm (kg-m, pie-lb)	"ℓ" mm (plg)
①	39 - 49 (4.0 - 5.0, 29 - 36)	65 (2.56)
②	39 - 49 (4.0 - 5.0, 29 - 36)	58 (2.28)
③	29 - 39 (3.0 - 4.0, 22 - 29)	25 (0.98)
Refuerzo en el motor	29 - 39 (3.0 - 4.0, 22 - 29)	20 (0.79)

▲ **Especificaciones de los tornillos de la transmisión manual – Motor 3.3L con 2WD**

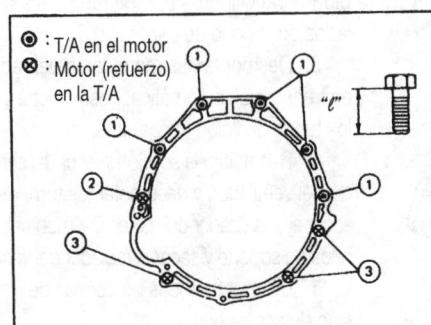

N° tornillo	Par de apriete Nm (kg-m, pie-lb)	Longitud del tornillo "ℓ" mm (plg)
①	39 - 49 (4.0 - 5.0, 29 - 36)	47.5 (1.870)
②	39 - 49 (4.0 - 5.0, 29 - 36)	58.0 (2.283)
③	29 - 39 (3.0 - 4.0, 22 - 29)	25.0 (0.984)
Refuerzo en el motor	29 - 39 (3.0 - 4.0, 22 - 29)	20.0 (0.787)

▲ **Especificaciones de los tornillos de la transmisión automática – Motor 3.3L con 2WD**

a. Instalar el cilindro auxiliar de embrague y apretar los tornillos a 22-30 pie-lb (30-40 Nm).

b. Quitar el trapo de la transmisión, e instalar la palanca de cambios, montar a continuación el anillo de retención para sujetar la palanca de cambios en su posición.

c. Instalar el fuelle de la palanca de cambios y el pomo.

34. Si equipa transmisión automática, realizar lo siguiente:

a. Instalar la cubierta guardapolvo de la carcasa del convertidor.

b. Instalar el tubo de la varilla de aceite, y conectar los conductos del refrigerador.

c. Conectar en la transmisión, la palanca selectora y los cables del estrangulador.

35. Si se han desmontado las barras de torsión, instalarlas en su posición original. Asegurarse de que las estrías están montadas en su posición original, y graduar el ajuste en su posición original.

36. Al instalar los ejes de transmisión, asegurarse de que se alinean las marcas de alineación. Apretar los tornillos del eje motriz delantero (4WD) a 29-33 pie-lb (39-44 Nm). En el eje de transmisión (propulsor o motriz) trasero, apretar los tornillos a 58-65 pie-lb (78-88 Nm). Si se equipa con un soporte de cojinete central, apretar los tornillos a 12-16 pie-lb (16-22 Nm).

37. Al instalar el tubo de escape, utilizar juntas nuevas y apretar los tornillos de las bridas a 20-27 pie-lb (26-36 Nm). Apretar los tornillos fijando el tubo de escape en el catalizador a 32-41 pie-lb (43-55 Nm).

38. Conectar el cable del velocímetro. Conectar los cables eléctricos en la transmisión.

39. Instalar el motor de arranque y conectar el cableado del motor de arranque.

40. Conectar el cable del estrangulador, y las mangueras del calefactor en el motor.

41. Conectar el cableado y las mangueras.

42. Instalar la bomba de la dirección asistida y su soporte, si lo lleva; asegurarse de conectar la banda metálica de conexión de masa en el soporte.

43. Instalar el compresor del aire acondicionado, y su correa de transmisión.

44. Ajustar las correas de transmisión.

45. Instalar el radiador y el canalizador. Si equipa una transmisión automática, destapar los tubos del refrigerador de aceite y conectarlos en el radiador.

46. Instalar las mangueras superior e inferior del radiador.

47. Instalar el protector contra salpicaduras, si se equipa.

48. Conectar la manguera de retorno de combustible y la manguera en la salida del filtro.

49. Instalar el conjunto del filtro de aire.

50. Llenar la transmisión, y si se equipa, la caja de transferencia.

51. Llenar el motor con aceite nuevo y llenar el sistema de refrigeración con la mezcla adecuada de refrigerante/agua.

52. Instalar y ajustar el capó. Instalar la cubierta inferior.

53. Conectar el cable negativo de la batería, arrancar el motor, dejarle alcanzar la temperatura de funcionamiento normal y comprobar las fugas. Realizar los ajustes necesarios.

BOMBA DE AGUA

DESMONTAJE E INSTALACIÓN

Motor 2.4L

1. Desconectar el cable negativo de la batería.

2. Vaciar el sistema de refrigeración y el bloque de cilindros, utilizando el drenaje del bloque de cilindros.

3. Desmontar la manguera superior del radiador para tener suficiente espacio de trabajo, y desmontar la/s correa/s de transmisión de las poleas.

4. Desmontar los tornillos de retención, y sacar el canalizador del motor.

5. Mientras se sujeta inmóvil la polea, desmontar las tuercas que unen el ventilador y la polea en la bomba de agua.

6. Desmontar los tornillos de montaje y sacar la bomba de agua del motor.

➡ **Los tornillos de montaje son de diferentes tamaños, y deben ser reinstalados en el sitio correcto, por lo tanto, es una buena idea colocar los tornillos de forma**

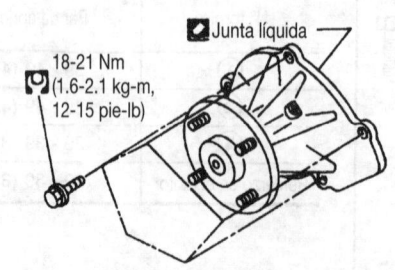
Junta líquida
18-21 Nm
(1.6-2.1 kg-m, 12-15 pie-lb)

▲ **Conjunto de la bomba de agua – Motor 2.4L**

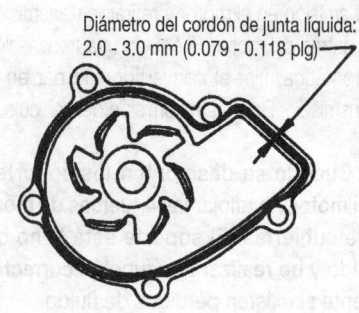
Diámetro del cordón de junta líquida: 2.0 - 3.0 mm (0.079 - 0.118 plg)

▲ **Asegurarse de aplicar la junta líquida en el conjunto de la bomba antes de instalarla – Motor 2.4L**

que puedan ser fácilmente identificables durante su instalación.

Para instalar:

7. Asegurarse de que todas las superficies de las juntas están limpias, y aplicar adecuadamente un sellante de silicona en la bomba. Instalar la bomba en el motor, y apretar los tornillos a 12-15 pie-lb (16-21 Nm).

8. Instalar el embrague del ventilador, ventilador y polea, y apretar las tuercas o tornillos a 5-6 pie-lb (7-8 Nm).

9. Instalar el canalizador y las correas de transmisión.

10. Conectar la manguera superior, luego llenar y purgar el sistema de refrigeración.

11. Conectar el cable negativo de la batería.

12. Arrancar el motor y comprobar si existen fugas.

Motor 3.0L

1. Desconectar el cable negativo de la batería.

2. Vaciar el refrigerante del radiador y del bloque de cilindros por los tapones a ambos lados del bloque de cilindros.

3. Desmontar las mangueras del radiador, en transmisión automática, desconectar y tapar los tubos de fluido refrigerante.

4. Desmontar la sección inferior del canalizado del ventilador, y desmontar los tornillos para sacar el canalizador del motor. Desmontar los tornillos de soporte y sacar el radiador del vehículo.

5. Desmontar todas las correas de transmisión de accesorios.

6. Sujetar inmóvil la polea y desmontar las tuercas para desmontar el ventilador y la polea, de la bomba de agua.

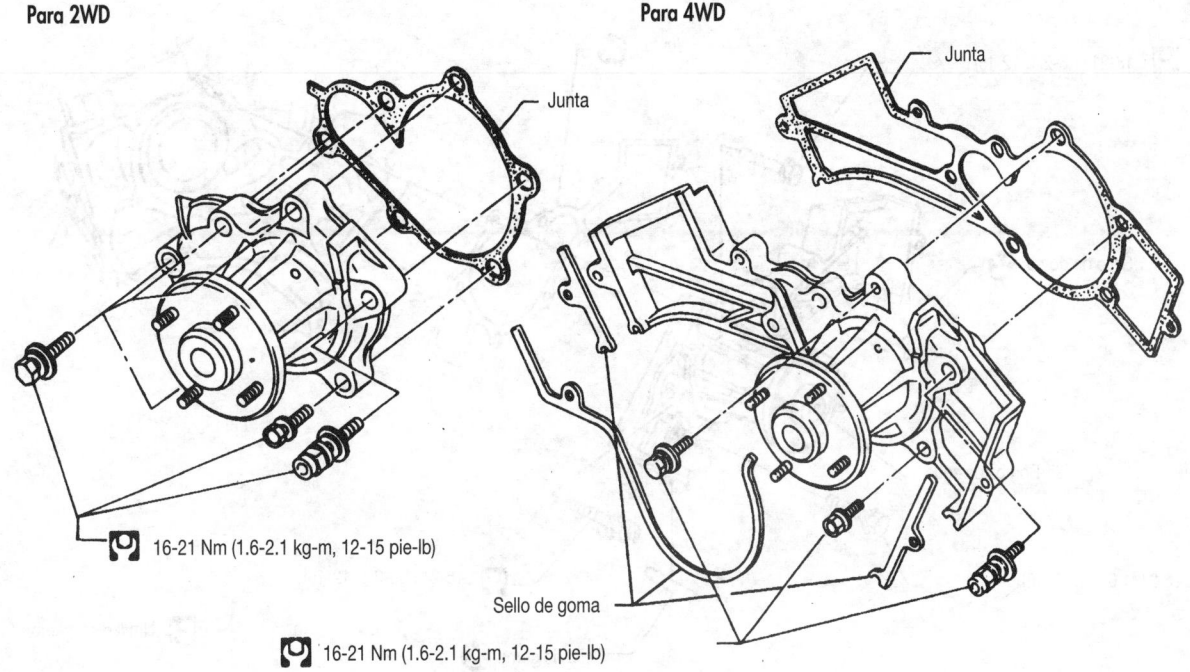

Para 2WD

Para 4WD

Junta

Junta

16-21 Nm (1.6-2.1 kg-m, 12-15 pie-lb)

Sello de goma

16-21 Nm (1.6-2.1 kg-m, 12-15 pie-lb)

▲ Conjunto de la bomba de agua – Motor 3.0L

Lado derecho

Tapón de vaciado

Lado izquierdo

Tapón de vaciado

▲ Desmontar los tapones para vaciar el refrigerante del bloque de cilindros – Motor de 6 cilindros

7. Desmontar las cubiertas de la correa de sincronización.

8. Desatornillar los tornillos para desmontar la bomba de agua del motor.

➡ **Los tornillos de montaje de la bomba de agua son de diferentes tamaños y deben ser reinstalados en sus posiciones originales.**

Para instalar:

9. Asegurarse de que todas las superficies de junta están limpias, y usar una junta nueva o aplicar adecuadamente un sellante de silicona en la bomba. Instalar la bomba en el motor y apretar los tornillos a 15 pie-lb (21 Nm).

10. Instalar las cubiertas de las correas de sincronización. En los modelos 4WD, asegurarse de que las superficies de sellado están limpias e instalar con cuidado el sello de goma al montar la cubierta. La correa de sincronización debe ser protegida de forma adecuada contra la suciedad y el aceite.

11. Instalar la polea, embrague del ventilador, y el ventilador.

12. Instalar las correas de transmisión de accesorios y ajustar la tensión.

13. Instalar el radiador y el canalizador; conectar las mangueras del sistema de refrigeración.

14. Si equipa una transmisión automática, conectar los tubos del refrigerador de aceite de la transmisión automática (T/A).

15. Conectar el cable negativo de la batería.

16. Llenar y purgar el sistema de refrigeración y comprobar si existen fugas.

Motor 3.3L

1. Desconectar el cable negativo de la batería.

▼ PRECAUCIÓN ▼

No abrir nunca, reparar o vaciar el radiador, o el sistema de refrigeración, cuando esté caliente; se pueden producir serias quemaduras a causa del vapor y del refrigerante caliente. También, cuando se vacíe el refrigerante del motor, tener presente que los perros y los gatos son atraídos por el etilenglicol del anticongelante y pueden beberlo, si se deja en un recipiente destapado, o en charcos en el suelo. Esto les puede resultar perjudicial en cantidades suficientes. Vaciar siempre el refrigerante en un recipiente que se pueda tapar. El refrigerante puede ser reutilizado hasta que esté contaminado o tenga varios años de servicio.

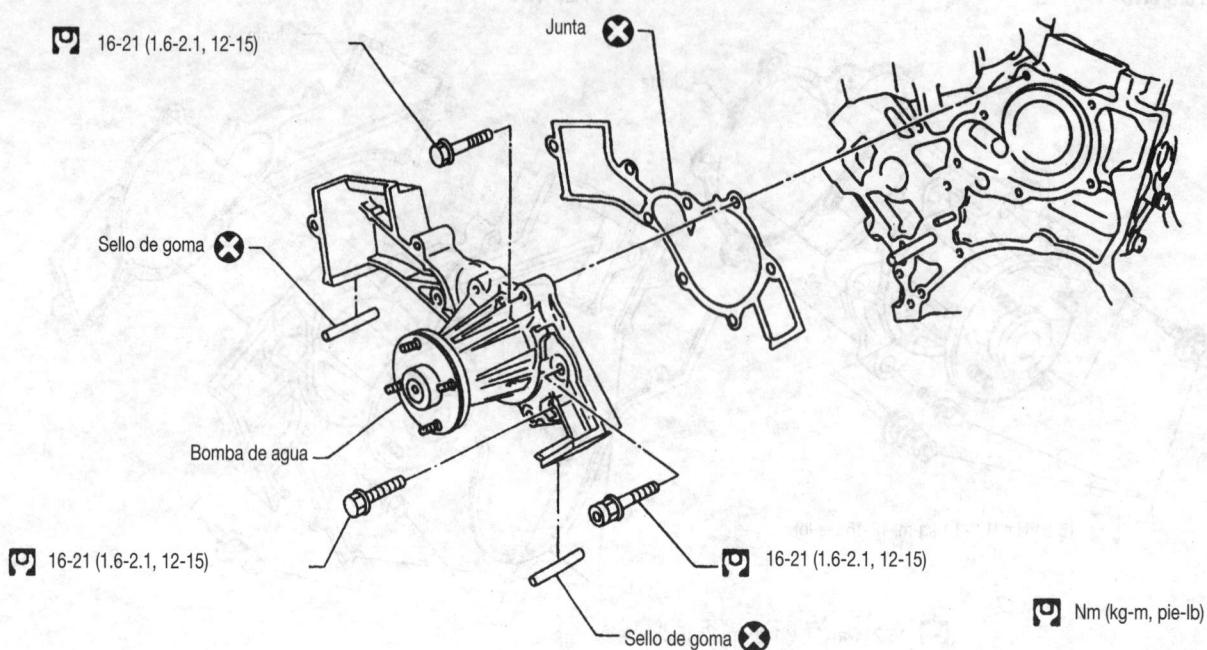

16-21 (1.6-2.1, 12-15)

Junta

Sello de goma

Bomba de agua

16-21 (1.6-2.1, 12-15)

16-21 (1.6-2.1, 12-15)

Nm (kg-m, pie-lb)

Sello de goma

▲ Conjunto de la bomba de agua – Motor 3.3L

2. Vaciar el refrigerante del radiador y del bloque de cilindros por los tapones de drenaje a ambos lados del bloque de cilindros.

3. Desmontar las mangueras superior e inferior del radiador.

4. Desmontar el canalizador del ventilador.

5. Desmontar las correas de transmisión.

6. Desmontar el ventilador de la refrigeración, y la polea de la bomba de agua.

7. Desmontar la polea del cigüeñal.

8. Desmontar las cubiertas superior e inferior de la correa de sincronización.

➡ **Los tornillos de montaje de la bomba de agua son de tamaños diferentes y deben ser reinstalados en sus posiciones originales.**

9. Desmontar la bomba de agua. No permitir que el refrigerante entre en contacto con la correa de sincronización.

Para instalar:

10. Limpiar las superficies de contacto entre la bomba de agua y el bloque de cilindros.

11. Utilizando una junta nueva, instalar la bomba de agua. Apretar los tornillos de montaje a 12-15 pie-lb (16-21 Nm).

12. Instalar las cubiertas de la correa de sincronización.

13. Instalar la polea del cigüeñal.

14. Instalar la polea de la bomba de agua y el ventilador de la refrigeración.

15. Instalar las correas de transmisión.

16. Instalar el canalizador y las mangueras del radiador.

17. Conectar el cable negativo de la batería.

18. Llenar el motor con refrigerante y purgar el sistema. Comprobar si hay fugas.

CULATA DE CILINDROS

DESMONTAJE E INSTALACIÓN

Motor 2.4L

▼ PRECAUCIÓN ▼

El sistema de inyección de combustible permanece bajo presión después de parar el motor. Descargar adecuadamente la presión de combustible antes de desconectar cualquier línea de combustible. No realizar esta operación puede ocasionar un incendio o daños personales.

➡ **Después de completar este procedimiento, dejar que los tapones de goma de la tapa de balancines a la culata de cilindros se sequen durante 30 minutos antes de arrancar el motor. Esto permitirá que el sellante de junta líquida, fragüe correctamente.**

1. Descargar la presión del sistema de combustible.

2. Desconectar el cable negativo de la batería.

3. Vaciar el sistema de refrigeración dentro de un recipiente que se pueda tapar.

4. Desmontar el conjunto del filtro de aire.

5. Desmontar la correa de transmisión de la bomba de la dirección asistida, la bomba de la dirección asistida, la polea tensora, y los soportes de la bomba de la dirección asistida.

6. Etiquetar y desconectar todas las mangueras de vacío, de agua, tubos de combustible, y cableados necesarios, para mejorar el acceso a la culata de cilindros.

7. Desmontar el soporte del acelerador. Si es necesario, marcar la posición y desmontar el extremo del alambre del cable del acelerador, del tambor del estrangulador.

8. Etiquetar y desconectar los cables de alta tensión, de las bujías, sobre el lado de escape del motor.

9. Desconectar el conector eléctrico del sensor de oxígeno, entonces desmontar la cubierta del múltiple de escape.

10. Desconectar el tubo del EGR, del múltiple de escape.

11. Desmontar las tuercas y tornillos del múltiple de escape; desmontar el múltiple de escape, de la culata de cilindros. Desechar las juntas.

12. Desmontar el múltiple de admisión.

13. Desmontar la tapa de balancines. Si la tapa está adherida a la culata, golpearla suavemente con un martillo de goma. Tener cuidado de no dañar los balancines al desmontar la tapa de balancines.

14. Desmontar las bujías para protegerlas de cualquier daño.

15. Situar el pistón N° 1 en el PMS, de su carrera de compresión. El N° 1 estará en el PMS cuando el indicador de sincronización esté alineado con la marca roja de sincronización sobre la polea del cigüeñal.

16. Marcar la relación entre la rueda dentada del árbol de levas y la cadena de sincronización con pintura o tiza. Si se hace esto, no es necesario localizar las marcas de sincronización de fábrica. Antes de desmontar el engranaje (rueda dentada) del árbol de levas, será necesario poner cuñas a la cadena inmovilizándola en su sitio, de modo que no se caiga dentro de la tapa delantera, utilizando la herramienta especial KV-10105800, o equivalente.

17. Desmontar el tornillo de la rueda dentada del árbol de levas y desmontar con cuidado la rueda dentada del árbol de levas.

18. Desmontar los tornillos que aseguran la culata de cilindros en el conjunto de la tapa delantera.

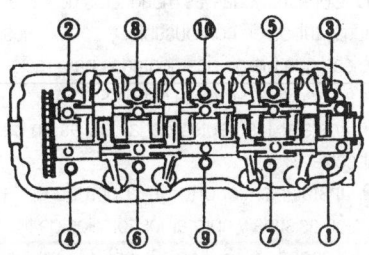

▲ Desmontar los tornillos de la culata de cilindros en la secuencia mostrada, para evitar dañar la culata – Motor 2.4L

19. Desmontar los tornillos de la culata de cilindros en la secuencia correcta. Despegar la culata de cilindros del bloque de cilindros. Puede ser necesario golpear la culata ligeramente con una maza de goma para aflojarla.

➡ **Los tornillos de la culata de cilindros deben ser aflojados en dos o tres pasos, en el orden correcto, para evitar la deformación o rotura de la culata.**

Para instalar:

20. Limpiar a fondo las superficies del bloque de cilindros y de la culata y comprobar que no estén deformadas.

21. Colocar la nueva junta de culata. No utilizar sellante. Asegurarse de que no hay válvulas abiertas en el camino de pistones ascendentes, y no girar NUNCA el cigüeñal o el árbol de levas por separado, para evitar posibles daños en las válvulas y/o pistones al golpear las válvulas las cabezas de los pistones.

22. Confirmar que el pistón N° 1 está en el PMS, en su carrera de compresión, de la siguiente manera: alinear la marca de sincroni-

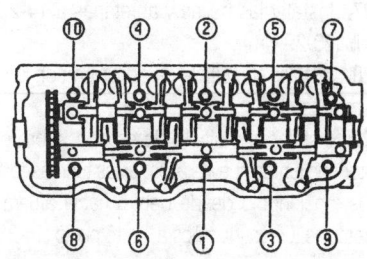

▲ Apretar los tornillos de la culata de cilindros en la secuencia apropiada, para ayudar a evitar fugas – Motor 2.4L

zación con la marca roja (0 grados) de la polea del cigüeñal. Asegurarse de que la cabeza del rotor del distribuidor está ajustada en el N° 1 sobre la tapa del distribuidor. Confirmar que el pasador de detonación del árbol de levas, está puesto en la posición superior.

23. Instalar la culata de cilindros y apretar los tornillos de culata en secuencia, utilizando el siguiente procedimiento de 5 pasos:

　a. Apretar todos los tornillos a 22 pie-lb (29 Nm).

　b. Apretar todos los tornillos a 58 pie-lb (78 Nm).

　c. Aflojar completamente todos los tornillos.

　d. Apretar todos los tornillos a 22 pie-lb (29 Nm).

　e. Apretar todos los tornillos a 54-61 pie-lb (74-83 Nm), o si se utiliza una llave de medir ángulos, girar todos los tornillos 80-85 grados en sentido de las agujas del reloj.

▼ AVISO ▼

No girar cigüeñal y el árbol de levas por separado, porque las válvulas podrían golpear la cabeza de los pistones, dañándose ambos.

24. Instalar los tornillos que aseguran la culata de cilindros en el conjunto de la tapa delantera.

25. Colocar la cadena de sincronización sobre la rueda dentada del árbol de levas, alineando cada marca de alineación. Instalar la rueda dentada del árbol de levas en el árbol de levas, desmontando la cuña de la cadena de sincronización.

26. Mantener inmovilizada la rueda dentada del árbol de levas, y apretar el tornillo de la rueda dentada a 87-116 pie-lb (118-157 Nm).

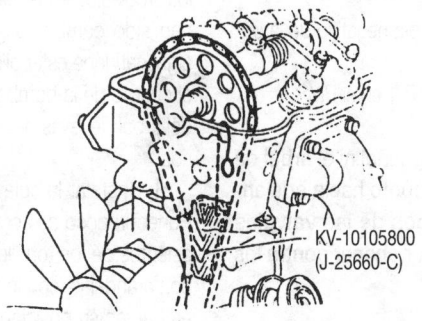

KV-10105800
(J-25660-C)

▲ Poner cuñas a la cadena inmovilizándola en su sitio, para que no se caiga dentro de la tapa delantera

27. Instalar las bujías y apretarlas a 14-22 pie-lb (20-29 Nm).

28. Instalar el múltiple de admisión con juntas nuevas.

29. Instalar el múltiple de escape sobre el motor con juntas nuevas. Apretar las tuercas/tornillos, haciéndolo desde dentro hacia afuera. Apretar las tuercas/tornillos a 12-15 pie-lb (16-21 Nm).

30. Instalar el tubo de EGR en el múltiple de escape.

31. Instalar la tapa del múltiple de escape y apretar los tornillos a 3-4 pie-lb (4-5 Nm), entonces conectar el conector eléctrico del sensor de oxígeno.

32. Aplicar sellador de junta líquida en los tapones de goma, e instalar los tapones de goma en el lugar correcto, en la culata de cilindros. La superficie de asiento de los tapones de goma debe estar limpia y seca. Los tapones de goma deben ser instalados antes de que transcurran los 5 minutos, después de aplicar el sellante. Después de aplicar el sellante y colocar los tapones en su lugar, mover los tapones adelante y atrás, unas cuantas veces, para distribuir el sellante con uniformidad. Limpiar el exceso de sellante de la culata de cilindros, con un trapo limpio.

33. Comprobar cada levantaválvulas en su posición libre, empujando con toda la fuerza con el dedo. Si el levantaválvulas se mueve más de 0.04 plg (1 mm) puede haber aire en su interior.

34. Colocar la tapa de balancines e instalar dos de los tornillos de fijación sobre lados opuestos de la tapa. Apretar los dos tornillos a 2 pie-lb (3 Nm).

35. Apretar los tornillos de la tapa de balancines, en la secuencia apropiada, a 5-8 pie-lb (7-11 Nm).

36. Conectar el soporte y cable del acelerador.

37. Conectar todas las mangueras de vacío, de agua, tubos de combustible, y conexiones eléctricas que fueron desmontadas para mejorar el acceso a la culata de cilindros.

38. Instalar los cables de las bujías en su lugar correcto.

39. Instalar el soporte de la bomba de la dirección asistida y apretar los tornillos de fijación del soporte a 16-22 pie-lb (22-29 Nm).

40. Instalar la polea tensora y la bomba de la dirección asistida.

41. Instalar y ajustar las correas de transmisión.

42. Vaciar el aceite del motor dentro de un contenedor hermético, luego llenar el motor con aceite nuevo.

43. Llenar y purgar el sistema de refrigeración.

44. Instalar el conjunto del filtro de aire.

45. Conectar el cable negativo de la batería.

46. Hacer funcionar el motor a 1000 rpm en vacío, aproximadamente durante 20 minutos, para purgar el aire de los levantaválvulas. Si los levantaválvulas continúan haciendo ruido, necesitan ser cambiados.

47. Comprobar el motor, por si tiene fugas.

48. Comprobar y ajustar la sincronización de la ignición.

Motores 3.0L y 3.3L

1. Descargar la presión de combustible.

▼ PRECAUCIÓN ▼

El sistema de inyección de combustible permanece bajo presión, después de parar el motor. Descargar adecuadamente la presión de combustible, antes de desconectar cualquier línea de combustible. No realizar esta operación puede ocasionar un incendio o daños personales.

2. Desconectar el cable negativo de la batería.

3. Colocar el pistón N° 1 en el PMS.

➡ No hacer girar el cigüeñal ni el árbol de levas a partir de este punto hacia adelante, porque los vástagos de las válvulas pueden ser torcidos por chocar contra los pistones.

4. Vaciar el refrigerante del motor.

5. Desmontar la manguera de conducción de aire.

6. Etiquetar y separar el ASCD y el cable del control del acelerador del colector del múltiple de admisión.

7. Desmontar el conjunto del colector de admisión y el múltiple de admisión.

8. Desmontar las tapas de la correa de sincronización y la correa de sincronización.

9. Desmontar las poleas de los árboles de levas y la tapa trasera de la correa de sincronización.

10. Etiquetar y luego desconectar, de las bujías, los cables del encendido. Desconectar el cable del encendido, de la bobina de encendido.

11. Marcar la posición de alineación del distribuidor, luego desmontar el tornillo de fijación del distribuidor, y el distribuidor.

12. Desmontar la abrazadera del cableado del lado derecho de la tapa de culata de cilindros.

13. Destornillar el tubo de escape delantero del múltiple y ponerlo a un lado.

14. Desmontar las correas de transmisión, el compresor del A/A y el alternador. Desmontar los cinco tornillos de montaje, luego desmontar el soporte del compresor.

15. Desmontar las tapas de las culatas de cilindros.

16. Aflojar los tornillos de culata de cilindros, siguiendo la secuencia apropiada, en tres pasos.

17. Desmontar la culata de cilindros, con el múltiple de escape acoplado.

18. Desmontar el múltiple de escape de la culata de cilindros, si es necesario.

Para instalar:

19. Instalar el múltiple de escape en la culata de cilindros, si ha sido desmontado previamente.

20. Comprobar las posiciones de las marcas de sincronización y de las ruedas dentadas de los árboles de levas, para asegurarse de que no han sido cambiados de sitio. La marca del cigüeñal debe estar alineada con la que hay en el cuerpo de la bomba de aceite, y el pasador del árbol de levas debe estar en la parte superior.

21. Instalar la culata con una junta nueva. Poner un poco de aceite limpio en las roscas y asientos de los tornillos, e instalar los tornillos con arandelas (con los bordes biselados hacia arriba), en su posición correcta. Observar que los tornillos 4, 5, 12 y 13 son más largos que los otros, 5.00 plg (127 mm). Los otros son de 4.17 plg (10.6 cm).

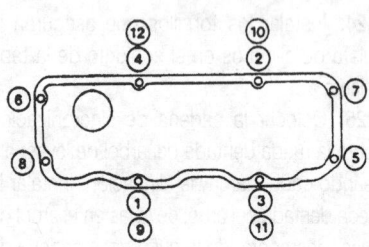

▲ Apretar los tornillos de la tapa de balancines en la secuencia mostrada – Motor 2.4L

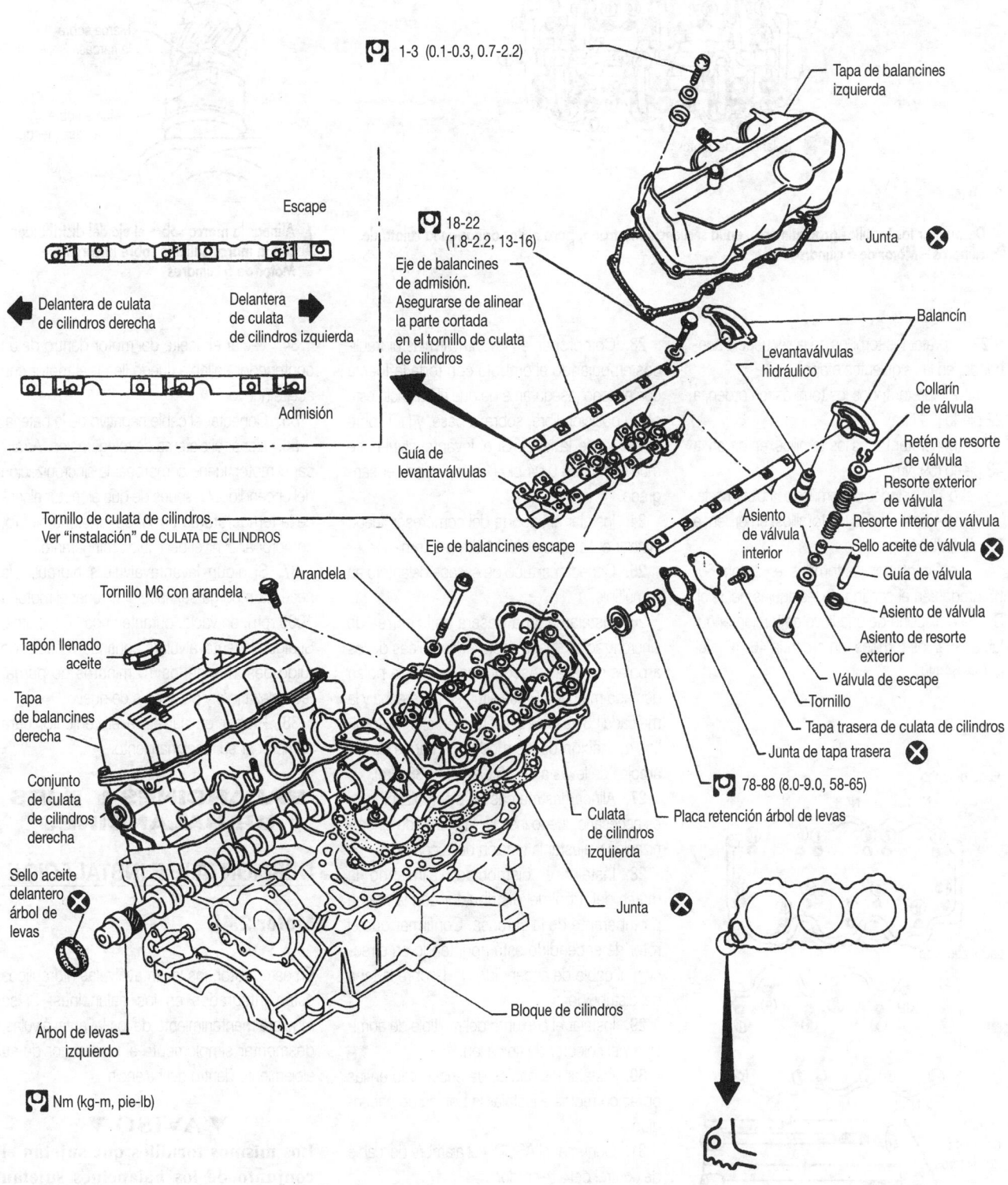

1-3 (0.1-0.3, 0.7-2.2)

Tapa de balancines izquierda

Escape

18-22 (1.8-2.2, 13-16)

Eje de balancines de admisión. Asegurarse de alinear la parte cortada en el tornillo de culata de cilindros

Junta

Delantera de culata de cilindros derecha

Delantera de culata de cilindros izquierda

Balancín

Levantaválvulas hidráulico

Collarín de válvula

Admisión

Retén de resorte de válvula

Resorte exterior de válvula

Guía de levantaválvulas

Resorte interior de válvula

Tornillo de culata de cilindros. Ver "instalación" de CULATA DE CILINDROS

Eje de balancines escape

Asiento de válvula interior

Sello aceite de válvula

Guía de válvula

Arandela

Asiento de válvula

Tornillo M6 con arandela

Asiento de resorte exterior

Tapón llenado aceite

Válvula de escape

Tornillo

Tapa de balancines derecha

Tapa trasera de culata de cilindros

Junta de tapa trasera

Conjunto de culata de cilindros derecha

78-88 (8.0-9.0, 58-65)

Culata de cilindros izquierda

Placa retención árbol de levas

Sello aceite delantero árbol de levas

Junta

Bloque de cilindros

Árbol de levas izquierdo

Nm (kg-m, pie-lb)

▲ **Conjunto de la culata de cilindros – Motor de 6 cilindros**

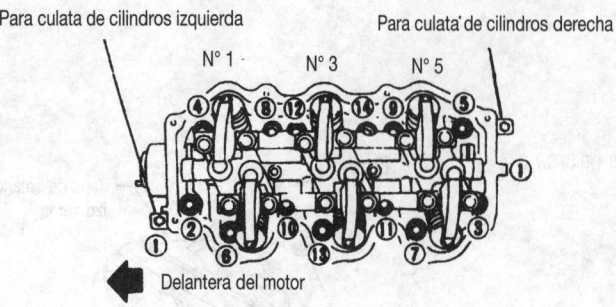

Para culata de cilindros izquierda

Para culata de cilindros derecha

N° 1   N° 3   N° 5

Delantera del motor

▲ Desmontar los tornillos gradualmente, en la secuencia mostrada, para evitar daños en la culata de cilindros – Motor de 6 cilindros

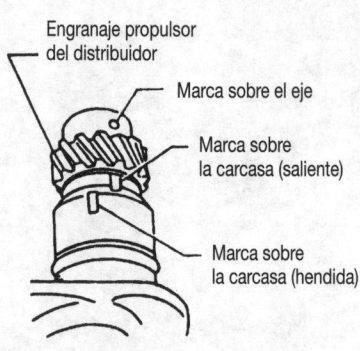

Engranaje propulsor del distribuidor

Marca sobre el eje

Marca sobre la carcasa (saliente)

Marca sobre la carcasa (hendida)

▲ Alinear la marca sobre el eje del distribuidor con la marca saliente sobre la carcasa – Motor de 6 cilindros

22. Apretar los tornillos en la secuencia adecuada, en las siguientes etapas:

a. Apretar todos los tornillos, en orden, a 22 pie-lb (29 Nm).

b. Apretar todos los tornillos, en orden, a 43 pie-lb (59 Nm).

c. Aflojar todos los tornillos completamente.

d. Apretar todos los tornillos, en orden, a 22 pie-lb (29 Nm).

e. Girar todos los tornillos, en orden, 60-65 grados en el sentido de las agujas del reloj. Si no se dispone de una llave de torsión angular, apretar los tornillos, en orden, a 40- 47 pie-lb (54-64 Nm).

Lado derecho

N° 1   N° 3   N° 5

Lado izquierdo

N° 2   N° 4   N° 6

Tornillo de culata de cilindros

L_1

L_1

▲ Instalar y apretar los tornillos en la secuencia correcta, para asegurar la estanqueidad de los cilindros – Motor de 6 cilindros

23. Comprobar los levantaválvulas hidráulicos empujando el émbolo con toda la fuerza con el dedo (asegurarse de que el balancín está en su posición libre, sobre la base, y NO sobre el lóbulo de la leva). Si el levantaválvulas se mueve más de 0.04 plg (1 mm), debe ser sangrado.

24. Instalar el soporte del compresor, luego instalar el compresor del A/A y el alternador.

25. Conectar el tubo de escape delantero en el múltiple.

26. Instalar la tapa trasera de la correa de sincronización, luego, instalar las poleas de los árboles de levas. Asegurarse de que la polea dentada marcada R3 se sitúa en la derecha y la marcada L3 va en la izquierda. Apretar los tornillos de fijación de las ruedas dentadas de los árboles de levas a 58-65 pie-lb (78-88 Nm).

27. Alinear las marcas de sincronización, si es necesario, luego instalar la correa de sincronización y ajustar la tensión de la correa.

28. Instalar el distribuidor, alineando la marca del árbol del distribuidor con la marca protuberante de la carcasa. Confirmar que el rotor de encendido está apuntando en dirección al cable de encendido N° 1 sobre la tapa del distribuidor.

29. Instalar el conjunto del múltiple de admisión y el colector de admisión.

30. Instalar los cables de encendido en las bujías correctas e instalar la bobina de encendido.

31. Conectar el ASCD y el alambre del cable de control del acelerador.

32. Conectar todas las mangueras de vacío y mangueras de agua en el colector de admisión.

33. Instalar la manguera del conducto de aire.

34. Vaciar el aceite del motor dentro de un contenedor sellable, luego llenar el motor con aceite nuevo.

35. Conectar el cable negativo de la batería.

36. Llenar el sistema de refrigeración. Arrancar el motor, luego comprobar la sincronización del encendido. Después de que el motor alcance la temperatura normal de funcionamiento, comprobar el nivel del líquido refrigerante.

37. Si algún levantaválvula/s hidráulico/s necesita/n purgarse, hacer funcionar el motor a 1000 rpm, en vacío, durante unos 10 minutos. Si algún levantaválvula/s continúa/n haciendo ruido después de los 10 minutos de purga, reemplazarlo/s y purgarlo/s de nuevo.

38. Probar en carretera el vehículo, para comprobar su funcionamiento.

BALANCINES Y EJES DE BALANCINES

DESMONTAJE E INSTALACIÓN

Motor 2.4L

En este motor, los levantaválvulas hidráulicos están integrados en los balancines. Si se requiere mantenimiento de los levantaválvulas, desmontar simplemente el levantador de su alojamiento dentro del balancín.

▼ AVISO ▼

Los mismos tornillos que sujetan el conjunto de los balancines sujetan también las tapas de los cojinetes del árbol de levas. Para evitar cualquier daño en las superficies de los cojinetes, la rueda dentada del árbol de levas debe ser desmontada.

▼ PRECAUCIÓN ▼

Observar todas las precauciones aplicables de seguridad cuando se trabaje con combustible. Cuando se repare el sistema de combustible, trabajar siempre en una área bien ventilada. No dejar que el combustible pulverizado, o vapores, entren en contacto con una chispa o llama. Mantener un extintor de incendios químico seco cerca del área de trabajo. Guardar siempre el combustible en un contenedor diseñado específicamente para almacenar combustible; sellar también apropiadamente, los contenedores de combustible, para evitar la posibilidad de un incendio o explosión.

1. Descargar la presión del sistema de combustible, y desconectar el cable negativo de la batería.

2. Desmontar la tapa de balancines, y hacer girar el cigüeñal para alinear las marcas de sincronización en el PMS del cilindro N° 1.

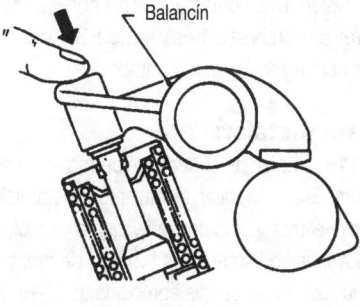

Apretar sobre el lado de la válvula del balancín, para comprobar el funcionamiento del levantaválvulas hidráulico (ajustador de holgura) – Motor 2.4L

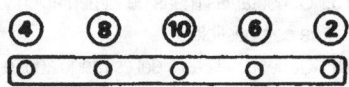

Aflojar los tornillos del árbol de levas de acuerdo con la secuencia mostrada – Motor 2.4L

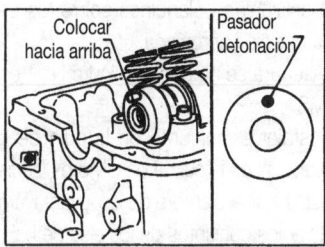

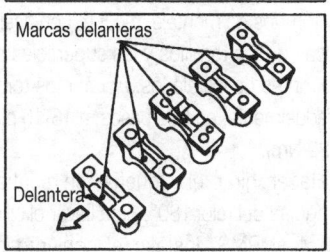

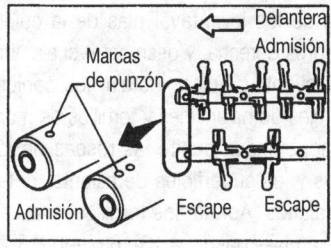

Marcas de identificación del eje de balancines – Motor 2.4L

3. Utilizar un alambre para asegurar la cadena de distribución atada a la rueda dentada del árbol de levas. Utilizar la herramienta especial KV-10105800, para sujetar la cadena de sincronización.

4. Sujetar la rueda dentada del árbol de levas para aflojar el tornillo y desmontar la rueda dentada. Asegurar la rueda dentada de manera que la cadena no se desprenda de la rueda dentada del cigüeñal.

5. Aflojar cada tornillo del eje de balancines, una vuelta por vez, en la secuencia apropiada, para evitar que se doblen los ejes.

6. Cuando todos los tornillos estén aflojados, desmontar los ejes de balancines, con los tornillos aún en los ejes. Esto sujetará el conjunto unido.

7. Si los balancines deben ser desmontados de los ejes, se deben marcar, para que puedan ser montados en su posición original. Desmontar los tornillos del conjunto del eje y desmontar las piezas.

➡ No permitir que los balancines se coloquen de lado porque podrían acumular aire. Mantener los balancines verticales o colocarlos sumergidos dentro de un recipiente con aceite de motor nuevo.

Para instalar:

8. Lubricar los ejes con aceite de motor y montarlos con las marcas de punzón mirando hacia arriba. Utilizar los tornillos para sujetar el conjunto unido. Asegurarse de que las superficies del árbol de levas y de los cojinetes están en buenas condiciones y lubricarlas con aceite de motor. Asegurarse de que el pasador sobre el extremo de la rueda dentada del árbol de levas está arriba.

➡ Realizar marcas con un punzón en la delantera de cada eje que nos dirán cuál es el del lado de admisión y cuál es el del lado de escape. Esto es importante para el engrase correcto de los balancines.

9. Instalar los ejes de balancines y apretar los tornillos en la secuencia apropiada, una vuelta cada vez, para introducir los ejes uniformemente venciendo los resortes de las válvulas sin doblar los árboles de levas. Apretar los tornillos en el orden inverso de la secuencia de aflojado, apretar los tornillos desde dentro hacia afuera. Apretar los tornillos a 27-30 pie-lb (37-41 Nm).

10. Instalar la rueda dentada del árbol de levas y desmontar el amarre del alambre que asegura la cadena. Instalar el tornillo de la rueda dentada, pero sin apretarlo todavía. Hacer rodar el cigüeñal dos vueltas completas, para asegurarse de que las marcas de sincronización coinciden. Una vez que la sincronización de las válvulas sea correcta, apretar el tornillo de la rueda dentada a 87-116 pie-lb (118-157 Nm).

11. Utilizar un sellante de silicona sobre los tapones de goma de los extremos, e instalar la tapa de balancines con una junta nueva.

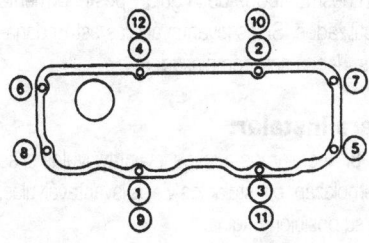

Apretar los tornillos de la tapa de balancines en la secuencia mostrada, para evitar fugas de aceite

Instalar dos tornillos de fijación en lados opuestos de la tapa de balancines, y apretarlos a 2 pie-lb (3 Nm).

12. Apretar los tornillos de la tapa de balancines, en la secuencia apropiada, a 5-8 pie-lb (7-11 Nm).

13. Conectar el cable negativo de la batería.

14. Cuando el motor se arranca por primera vez, los levantaválvulas hidráulicos pueden ser ruidosos. Hacer funcionar el motor durante 20 minutos a 1000 rpm aproximadamente. Si el ruido no ha desaparecido, el levantaválvulas probablemente nunca se llenará de aceite bombeado y deberá ser reemplazado.

Motores 3.0L y 3.3L

1. Desconectar el cable negativo de la batería.

2. Alinear las marcas de sincronización para llevar el cilindro N° 1 al PMS.

3. Desmontar las tapas de las válvulas.

4. Aflojar los tornillos de los ejes de balancines en dos o tres etapas, luego desmontar los ejes de balancines, con los balancines, como un conjunto.

5. Separar los balancines del eje.

➡ Cuando se separan los balancines de los ejes de balancines, asegurarse de mantener las piezas en orden, para su posterior reinstalación.

6. Comprobar los balancines y los ejes, por si hubieran daños. Si es necesario, reemplazar los componentes dañados.

7. Atar un alambre en la parte superior de los levantaválvulas, de modo que no puedan caerse las guías de los levantaválvulas. Desmontar con cuidado las guías de los levantaválvulas y los levantaválvulas de la culata de cilindros. Colocar una marca identificativa en los levantaválvulas para evitar que se mezclen si son desmontados de la guía y posteriormente reutilizados. Si los levantaválvulas están dañados, deben ser reemplazados.

Para instalar:

8. Instalar los nuevos levantaválvulas si se reemplazan, o instalar los viejos levantaválvulas, en su posición original.

▼ PRECAUCIÓN ▼
Cuando se instalen los ejes de balancines, asegurarse de que son instalados en su posición original.

9. Deslizar de balancines sobre los ejes hasta su posición apropiada.

10. Asegurarse de que el cilindro N° 1 está en el PMS.

11. Instalar el conjunto de la guía de los levantaválvulas de la culata de cilindros izquierda y desmontar el alambre de los levantaválvulas. Instalar los conjuntos de los ejes de balancines y tornillos de montaje, recubrir con aceite las roscas de los tornillos y las superficies de asiento, antes de instalarlos. Apretar los tornillos, gradualmente, en tres pasos, a 13-16 pie-lb (18-22 Nm).

12. Hacer girar el cigüeñal en sentido de las agujas del reloj 180°, para llevar el cilindro N° 4 al PMS. Instalar el conjunto de la guía de los levantaválvulas de la culata de cilindros derecha, y desmontar el alambre de los levantaválvulas. Instalar los conjuntos de ejes de balancines y tornillos de montaje, recubrir con aceite las roscas de los tornillos y las superficies de asiento, antes de instalarlos. Apretar los tornillos, gradualmente, en tres pasos, a 13-16 pie-lb (18-22 Nm).

13. Instalar las tapas de balancines con juntas nuevas, apretar los tornillos de las tapas de balancines a 9-26 plg-lb (1-3 Nm).

14. Instalar la tapa de válvulas.

15. Conectar el cable negativo de la batería.

MÚLTIPLE DE ADMISIÓN

DESMONTAJE E INSTALACIÓN

Motor 2.4L

▼ PRECAUCIÓN ▼
El sistema de inyección de combustible permanece bajo presión después de parar el motor. Descargar adecuadamente la presión de combustible antes de desconectar cualquier línea de combustible. No realizar esta operación puede ocasionar un incendio o daños personales.

1. Siguiendo el procedimiento adecuado, descargar la presión del sistema de combustible.

▼ PRECAUCIÓN ▼
No abrir nunca, reparar o vaciar el radiador, o sistema de refrigeración, cuando esté caliente; se pueden producir serias quemaduras a causa del vapor y del refrigerante caliente. El refrigerante debe ser reutilizado a menos que esté contaminado, o tenga varios años de servicio.

2. Vaciar el refrigerante dentro de un recipiente sellable.

3. Desconectar el cable negativo de la batería.

4. Desmontar el filtro de aire y desconectar las mangueras.

5. Desconectar las mangueras del sistema de refrigeración, del múltiple.

6. Desmontar el cable del estrangulador y desconectar las líneas de alimentación de combustible y retorno de combustible. Taponar las líneas de combustible para evitar que el combustible se derrame.

7. Etiquetar, y luego desconectar los conectores eléctricos del cuerpo del estrangulador y del múltiple de admisión.

8. Desmontar los tubos de EGR y PCV, de detrás del múltiple de admisión.

9. Desmontar el tirante (Soporte de apoyo) del múltiple de admisión.

10. Desatornillar y desmontar el múltiple de admisión. Desmontar el múltiple con los inyectores de combustible, válvula del EGR, y cuerpo del estrangulador, aún montados.

Para instalar:

11. Limpiar las superficies de montaje de la junta, luego instalar el múltiple de admisión sobre el motor, con una nueva junta de múltiple de admisión. Apretar los tornillos de montaje, siguiendo la secuencia apropiada, a 12-15 pie-lb (16-21 Nm). Los tornillos deben apretarse del centro hacia los extremos.

12. Instalar el tirante del múltiple de admisión.

13. Conectar los tubos de EGR y PCV detrás del múltiple de admisión.

14. Conectar las conexiones eléctricas en el cuerpo del estrangulador y múltiple de admisión.

15. Conectar las líneas de alimentación y retorno de combustible.

16. Conectar el cable del estrangulador en el cuerpo del estrangulador.

17. Conectar las mangueras del sistema de refrigeración en el múltiple de admisión.

18. Instalar el filtro de aire y las mangueras del filtro de aire.

19. Llenar y purgar el aire, del sistema de refrigeración.

20. Conectar el cable negativo de la batería.

21. Arrancar el motor, y comprobar si hay fugas.

Motores 3.0L y 3.3L

▼ PRECAUCIÓN ▼

El sistema de inyección de combustible permanece bajo presión, después de parar el motor. Descargar adecuadamente la presión de combustible, antes de desconectar cualquier línea de combustible. No realizar esta operación puede ocasionar un incendio o daños personales.

1. Descargar la presión del sistema de combustible y desconectar los cables de la batería.

▼ PRECAUCIÓN ▼

No abrir nunca, reparar o vaciar el radiador, o sistema de refrigeración, cuando esté caliente; se pueden producir serias quemaduras a causa del vapor y del refrigerante caliente. El refrigerante debe ser reutilizado a menos que esté contaminado, o tenga varios años de servicio.

2. Vaciar el refrigerante en un recipiente sellable.

3. Desmontar la manguera del conducto de aire.

4. Etiquetar y luego desconectar los cables de bujías, de las bujías.

5. Desconectar el ASCD y el alambre del cable de control del acelerador del cuerpo del estrangulador.

6. Desconectar todos los conectores eléctricos y el cable de masa del múltiple de admisión y del colector (cámara de sobrepresión del múltiple de admisión).

7. Desconectar las mangueras del refrigerante, del múltiple de admisión y del colector.

8. Desmontar la manguera del PCV, de la tapa de balancines derecha.

9. Etiquetar y luego desconectar las mangueras de vacío de la lata de carbón, el reforzador del servofreno (freno hidráulico o freno asistido), y el regulador de presión de combustible.

10. Desconectar la manguera de purga, de la lata o bote, de carbón activo.

11. Desconectar el tubo de EGR, del colector.

12. Desmontar los tornillos de fijación del colector.

13. Desconectar la líneas de alimentación y retorno del conjunto, del conjunto de tubos de los inyectores de combustible.

▼ PRECAUCIÓN ▼

No permitir que el combustible en forma pulverizada, o vaporizado, entre en contacto con una chispa o llama abierta. Mantener cerca un extintor de incendios químico seco. No almacenar nunca combustible en un contenedor abierto, debido al alto riesgo de incendio o explosión.

14. Desconectar todos los conectores eléctricos del cableado de los inyectores de combustible.

15. Desmontar el conjunto de tubos de los inyectores de combustible.

16. Etiquetar y desconectar el conector del cableado del interruptor de temperatura del motor, y el conector del cableado del transmisor térmico. Desmontar la manguera de refrigeración de la carcasa del termostato.

17. Desmontar el múltiple de admisión. Aflojar los tornillos del múltiple de admisión, en la secuencia apropiada.

Para instalar:

18. Instalar el múltiple de admisión con una nueva junta en el motor. Apretar los tornillos y tuercas del múltiple, en dos etapas, hasta alcanzar un par de torsión (apriete) total de 12-14 pie-lb (16-20 Nm) en todos los tornillos y de 17-20 pie-lb (24-27 Nm), en todas las tuercas. En los modelos de 1996, apretar las tuercas y tornillos, en secuencia, a 2.2-3.6 pie-lb (3-5 Nm); apretarlos luego a 13-16 pie-lb (18-22 Nm).

19. Conectar el conector del cableado del interruptor de la temperatura del motor y el conector del cableado del transmisor térmico. Instalar la manguera del refrigerante en la carcasa del termostato.

20. Instalar el conjunto de los tubos de los inyectores de combustible.

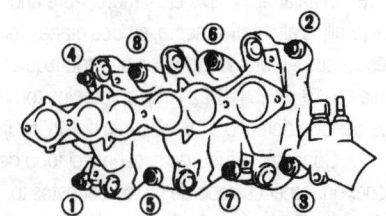

Aflojar los tornillos
en el orden numérico

▲ Desmontar los tornillos en la secuencia mostrada, para evitar la deformación o rotura del múltiple – Motor V6

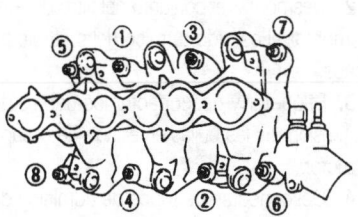

Apretar los tornillos
en el orden numérico

▲ Asegurarse de que los tornillos se aprietan en la secuencia mostrada – Motor V6

21. Conectar todos los conectores del cableado de los inyectores de combustible.

22. Conectar las líneas de alimentación y retorno de combustible, del conjunto de los tubos de los inyectores de combustible.

23. Instalar el colector con juntas nuevas. Apretar los tornillos de montaje, en dos etapas, a 13-16 pie-lb (18-22 Nm).

24. Conectar el tubo de EGR en el colector.

25. Conectar la manguera de purga en la lata o bote.

26. Conectar las mangueras de vacío de la lata, reforzador del servofreno, y el regulador de presión de combustible.

27. Instalar la manguera del PCV, en la tapa de balancines derecha.

28. Conectar las mangueras del refrigerante en el múltiple de admisión, y en el colector.

29. Conectar los conectores eléctricos y el cable de masa en el múltiple de admisión y en el colector.

30. Conectar y ajustar el ASCD y el cable de control del acelerador en el cuerpo del estrangulador.

31. Conectar los cables de bujías, en las bujías correctas.

32. Instalar la manguera del conducto de aire.

33. Llenar y purgar el aire del sistema de refrigeración.

34. Conectar los cables de la batería.

35. Comprobar los niveles de fluidos, arrancar el motor, y comprobar que no existen fugas.

MÚLTIPLE DE ESCAPE

DESMONTAJE E INSTALACIÓN

Motor 2.4L

1. Desconectar el cable negativo de la batería.

2. Desmontar el conjunto del filtro de aire. Desmontar el escudo térmico del múltiple de escape.

3. Etiquetar y desconectar los cables de alta tensión, de las bujías en el lado de escape del motor.

4. Desconectar los tubos de admisión de aire y/o del EGR, del múltiple de escape.

5. Desconectar el conector eléctrico del sensor de oxígeno.

6. Desconectar el tubo de escape delantero del múltiple de escape.

➡ **Empapar con aceite penetrante los tornillos de retención del tubo de escape, si es necesario, para aflojarlos.**

7. Desmontar las tuercas de montaje del múltiple de escape, luego desmontar el múltiple de escape, de la culata de cilindros.

Para instalar:

8. Utilizando un rascador de juntas, limpiar las superficies de montaje de junta.

9. Instalar el múltiple en el motor con juntas nuevas. Apretar los tornillos/tuercas trabajando desde el centro hacia afuera; apretar los tornillos/tuercas del múltiple escape a 12-15 pie-lb (16-21 Nm).

10. Instalar los tubos de admisión de aire y/o del EGR en el múltiple de escape.

11. Conectar el conector eléctrico del sensor de oxígeno.

12. Conectar el tubo de escape en el múltiple.

13. Conectar los cables de bujías, el filtro de aire y todas las mangueras relacionadas.

14. Conectar el cable negativo de la batería.

15. Arrancar el motor y comprobar que no existen fugas de escape.

Motor 3.0L

1. Desconectar el cable negativo de la batería.

2. Desmontar la cubierta inferior del múltiple de escape y la cubierta del múltiple.

3. Desmontar el tubo del EGR, del lado derecho del múltiple de escape.

4. Desmontar el tirante del múltiple de escape.

5. Desconectar el múltiple de escape del lado izquierdo en el tubo de escape, desmontando las tuercas de retención; luego desconectar el múltiple del lado derecho, del tubo de conexión.

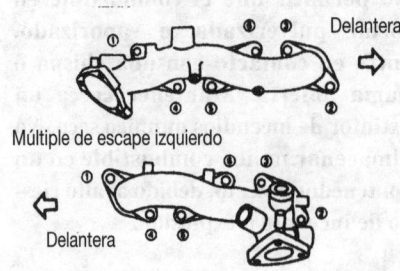

Múltiple de escape derecho — Delantera

Múltiple de escape izquierdo — Delantera

▲ **Desmontar los tornillos de cada múltiple en el orden mostrado – Motor 3.0L**

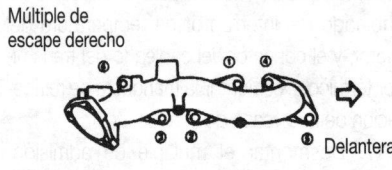

Múltiple de escape derecho — Delantera

Múltiple de escape izquierdo — Delantera

▲ **Apretar los tornillos de cada múltiple en el orden mostrado, para asegurar la adecuada estanqueidad – Motor 3.0L**

➡ **Empapar con aceite penetrante los tornillos de retención del tubo de escape, si es necesario, para aflojarlos.**

6. Desmontar los tornillos de cada múltiple, en el orden mostrado en las ilustraciones.

Para instalar:

7. Limpiar todas las superficies de montaje de junta. Instalar juntas nuevas.

8. Instalar el múltiple en el motor apretando los tornillos alternativamente, en dos etapas, en secuencia. Apretar los tornillos del lado izquierdo a 13-16 pie-lb (18-22 Nm); apretar los tornillos del lado derecho a 16-20 pie-lb (22-27 Nm).

9. Conectar el tubo de escape y el tubo de conexión. Tener cuidado de no romper estos tornillos.

10. Instalar el tirante del múltiple de escape y el tubo del EGR en el lado derecho del múltiple.

11. Instalar cubiertas del múltiple de escape.

12. Conectar el cable negativo de la batería.

13. Arrancar el motor, y comprobar si existen fugas de escape.

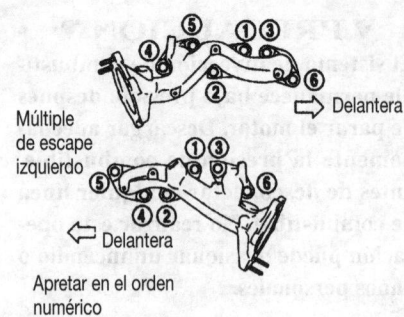

Múltiple de escape derecho — Delantera

Múltiple de escape izquierdo — Delantera

Apretar en el orden numérico

▲ **Apretar los tornillos de cada múltiple en el orden mostrado, para asegurar la adecuada estanqueidad – Motor 3.3L**

Motor 3.3L

1. Desconectar el cable negativo de la batería.

2. Desmontar la cubierta del múltiple de escape.

3. Desmontar el tubo del EGR del lado izquierdo del múltiple de escape.

4. Desmontar el tirante del múltiple de escape.

5. Desconectar los tubos de escape izquierdo y derecho, de los catalizadores.

➡ **Empapar con aceite penetrante los tornillos de retención del tubo de escape, si es necesario, para aflojarlos.**

6. Desmontar las tuercas de cada múltiple. Desmontar primero las tuercas exteriores y por último las tuercas centrales.

7. Desmontar el múltiple con el catalizador acoplado.

Para instalar:

8. Limpiar todas las superficies de junta. Instalar juntas nuevas.

9. Instalar el múltiple y el catalizador, en el motor, apretando las tuercas de montaje, en dos etapas, en secuencia. Apretar las tuercas a 21-25 pie-lb (28-33 Nm).

10. Conectar el tubo de escape en el catalizador. Tener cuidoso de no romper estos espárragos.

11. Instalar el tubo del EGR, en el lado izquierdo del múltiple. Apretar la tuerca del tubo a 29-36 pie-lb (39-49 Nm).

12. Instalar las cubiertas del múltiple de escape.

13. Conectar el cable negativo de la batería.

14. Arrancar el motor y comprobar si existen fugas de escape.

SELLO DE ACEITE DELANTERO DEL CIGÜEÑAL

DESMONTAJE E INSTALACIÓN

➡ Los procedimientos del sello de aceite delantero del cigüeñal se aplican sólo a los motores equipados con correas de sincronización. Para los motores con cadena o engranajes de sincronización, consultar por favor, los procedimientos pertinentes, que se describen más adelante.

Motores 3.0L y 3.3L

➡ El sello de aceite delantero forma parte de la carcasa de la bomba de aceite.

1. Desconectar el cable negativo de la batería.

2. Desmontar la correa de sincronización y la rueda dentada del cigüeñal.

3. Desmontar el conjunto de la bomba de aceite.

4. Desmontar el sello de aceite de la carcasa de la bomba de aceite, utilizando una herramienta de palanca. Tener cuidado de no dañar la carcasa de la bomba de aceite durante el desmontaje del sello.

Para instalar:

5. Aplicar aceite limpio de motor en el nuevo sello de aceite. Instalar el sello utilizando un insertador de tamaño adecuado.

6. Instalar el conjunto de la bomba de aceite en el motor.

7. Instalar los componentes restantes en orden inverso al desmontaje.

8. Conectar el cable negativo de la batería.

ÁRBOL DE LEVAS Y LEVANTAVÁLVULAS

DESMONTAJE E INSTALACIÓN

Motor 2.4L

MODELOS 1995-97

Los mismos tornillos que sujetan el conjunto de los balancines, sujetan también las tapas de cojinetes de árbol de levas. Los levantaválvulas hidráulicos están incorporados dentro de los balancines. Si los ejes de los balancines son desmontados, no dejar los balancines puestos de lado porque podrían acumular aire. Mantener los balancines verticales o colocarlos sumergidos dentro de un recipiente con aceite de motor nuevo.

▼ PRECAUCIÓN ▼

Observar todas las precauciones de seguridad pertinentes, cuando se trabaje con combustible. Siempre que se revise el sistema de combustible, trabajar en una área bien ventilada. No permitir que el combustible pulverizado, o vaporizado, entre en contacto con una chispa o llama. Mantener un extintor de incendios químico seco, cerca del área de trabajo. Mantener siempre el combustible en un contenedor diseñado específicamente para almacenar combustible; también siempre sellar, apro-

piadamente, los contenedores de combustible, para evitar la posibilidad de un incendio o explosión.

1. Descargar la presión del sistema de combustible, y desconectar el cable negativo de la batería.

2. Desmontar la tapa de balancines, y hacer girar el cigüeñal para alinear las marcas de sincronización en el PMS del cilindro N° 1.

3. Si no se desmonta la cadena de sincronización, utilizar un alambre para sujetar la cadena de distribución en la rueda dentada del árbol de levas. Usar la herramienta especial KV-10105800 para sujetar la cadena de sincronización en su posición.

4. Sujetar la rueda dentada del árbol de levas, para aflojar el tornillo y desmontar la rueda dentada. Asegurar la rueda dentada de manera que la cadena no se salga de la rueda dentada del cigüeñal.

5. Aflojar todos los tornillos de los ejes de balancines, una vuelta cada vez, en la secuencia apropiada, para evitar que se doblen los ejes.

6. Cuando todos los tornillos estén aflojados, desmontar los ejes de balancines con los tornillos aún en los ejes. Esto mantendrá el conjunto unido.

7. Si no están ya identificadas, marcar las tapas de cojinetes, para que puedan volver a ser instaladas en su posición original, mirando en la misma dirección. Extraer las tapas y sacar el árbol de levas.

Para instalar:

8. Inspeccionar el árbol de levas y los cojinetes.

    a. Asegurarse de que el árbol de levas y las superficies de cojinete están en buen estado.

    b. Instalar las tapas de cojinetes sin el árbol de levas, apretar los tornillos de los ejes de balancines a lo especificado, y medir el diámetro interior del círculo del cojinete.

    c. Medir el diámetro de los cojinetes del árbol de levas.

    d. La diferencia entre las medidas es la holgura del gorrón o muñón del árbol de levas; no debe ser más de 0.0047 plg (0.12 mm).

    e. Instalar el árbol de levas sin los balancines y apretar los tornillos a lo especificado. El juego axial del árbol de levas no debe superar las 0.008 plg (0.2 mm).

9. Lubricar el árbol de levas con aceite de motor y colocarlo en su lugar. Asegurarse de

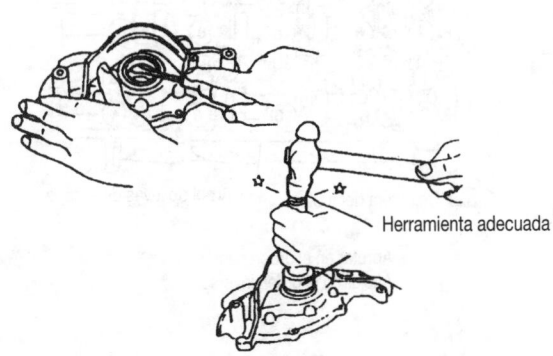

Herramienta adecuada

▲ Desmontaje y montaje del sello de aceite delantero del cigüeñal – Motor de 6 cilindros

que el pasador sobre el extremo de la rueda dentada está arriba.

10. Instalar los ejes de balancines y apretar los tornillos, en la secuencia apropiada, una vuelta cada vez, para introducir los ejes venciendo los resortes de las válvulas, sin doblar los ejes. Apretar los tornillos a 27-30 pie-lb (37-41 Nm).

11. Instalar la rueda dentada del árbol de levas, y desmontar el atado que asegura la cadena. Instalar el tornillo de la rueda dentada, pero sin apretarlo. Hacer rodar el cigüeñal dos vueltas completas, para asegurarse de que las marcas de sincronización se alinean. Cuando la sincronización de las válvulas sea correcta, apretar el tornillo de la rueda dentada a 87-116 pie-lb (118-157 Nm).

12. Utilizar un sellante de silicona sobre los tapones de goma del extremo e instalar la tapa de balancines con una junta nueva. Instalar dos de los tornillos de fijación y apretar los dos tornillos a 2 pie-lb (3 Nm).

13. Apretar los tornillos de la tapa de balancines, en la secuencia apropiada, a 5-8 pie-lb (7-11 Nm).

14. Vaciar el aceite del motor y llenar con aceite de motor nuevo.

15. Conectar el cable negativo de la batería.

16. Cuando el motor se arranca por primera vez, los levantaválvulas hidráulicos pueden ser ruidosos. Hacer funcionar el motor durante 20 minutos a 1000 rpm aproximadamente. Si el ruido no ha desaparecido, el levantaválvulas probablemente nunca se llenará de aceite bombeando, y deberá ser reemplazado.

MODELOS 1998-99

La cadena inferior de sincronización está montada de la misma forma que la cadena de sincronización en el motor 2.4L de 1995-97.

1. Desconectar el cable negativo de la batería.

▼ PRECAUCIÓN ▼

Nunca abrir, revisar o vaciar el radiador o sistema de refrigeración, cuando esté caliente; se pueden producir serias quemaduras a causa del vapor y del refrigerante caliente. El refrigerante debe ser reutilizado a menos que esté contaminado, o tenga varios años de servicio.

2. Vaciar el refrigerante del motor.

▼ PRECAUCIÓN ▼

Observar todas las precauciones de seguridad pertinentes, cuando se trabaje con combustible. Cuando se revise el sistema de combustible, trabajar siempre en una área bien ventilada. No permitir que el combustible pulverizado o vaporizado, entre en contacto con una chispa o llama. Tener un extintor de incendios químico seco, cerca del área de trabajo. Tener siempre el combustible en un contenedor diseñado específicamente para almacenar combustible; sellar también adecuadamente, los contenedores de combustible para evitar la posibilidad de un incendio o explosión.

3. Desconectar todas las mangueras de vacío, líneas de combustible y alambres que puedan interferir en el desmontaje del múltiple de escape y la tapa de la cadena de sincronización.

4. Desmontar el escudo térmico del múltiple de escape y el tubo de escape delantero.

5. Desmontar el múltiple de escape.

6. Desmontar el conducto de admisión de aire, ventilador de refrigeración con el embrague y el canalizador del radiador.

7. Desconectar los conectores de los inyectores de combustible y desmontar el raíl de combustible con los inyectores.

8. Colocar el cilindro N° 1 en el PMS, luego desmontar el distribuidor.

9. Desmontar la tapa de balancines.

10. Marcar la posición de la cadena en relación con la rueda dentada, con pintura.

11. Desmontar los tapones de goma de la tapa de la rueda dentada.

12. Desmontar las ruedas dentadas de los árboles de levas.

13. Apartar la cadena y desmontar los tornillos de las tapas de cojinetes de árbol de levas, en la secuencia mostrada. Mantener las tapas de cojinetes en orden, ya que deben ser instaladas en su posición original.

14. Desmontar los árboles de levas.

Para instalar:

15. Lubricar los árboles de levas y colocarlos sobre la culata de cilindros.

16. Instalar las tapas de cojinetes. Apretar los tornillos en dos etapas, en la secuencia correcta, primero a 17 plg-lb (2 Nm), luego a 80-104 plg-lb (9-12 Nm).

17. Instalar las ruedas dentadas sobre los árboles de levas. Apretar los tornillos a 123-130 pie-lb (167-177 Nm).

18. Aplicar un sellante RTV en los tapones de goma e instalarlos sobre la tapa de la rueda dentada al mismo nivel que la superficie de la culata de cilindros.

19. Instalar la tapa de balancines.

20. Instalar el distribuidor.

21. Instalar el conjunto del raíl con los inyectores, y conectarlos al cableado.

22. Instalar el canalizador del radiador, ventilador con embrague y conducto de admisión de aire.

23. Instalar el múltiple de escape, tubo de escape y escudo térmico.

24. Conectar las líneas de combustible, mangueras de vacío y cableado eléctrico.

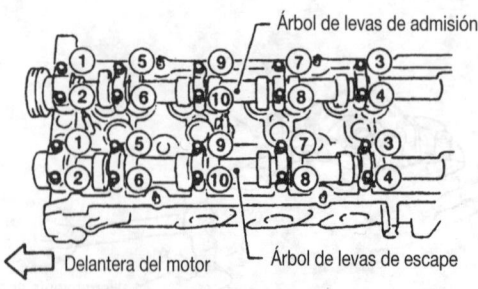

Árbol de levas de admisión

Delantera del motor

Árbol de levas de escape

Apretar en el orden numérico
Aflojar en el orden inverso

▲ Apretar los tornillos de las tapas de cojinete, en la secuencia correcta – Motor 2.4L (DOHC) de 1998-99

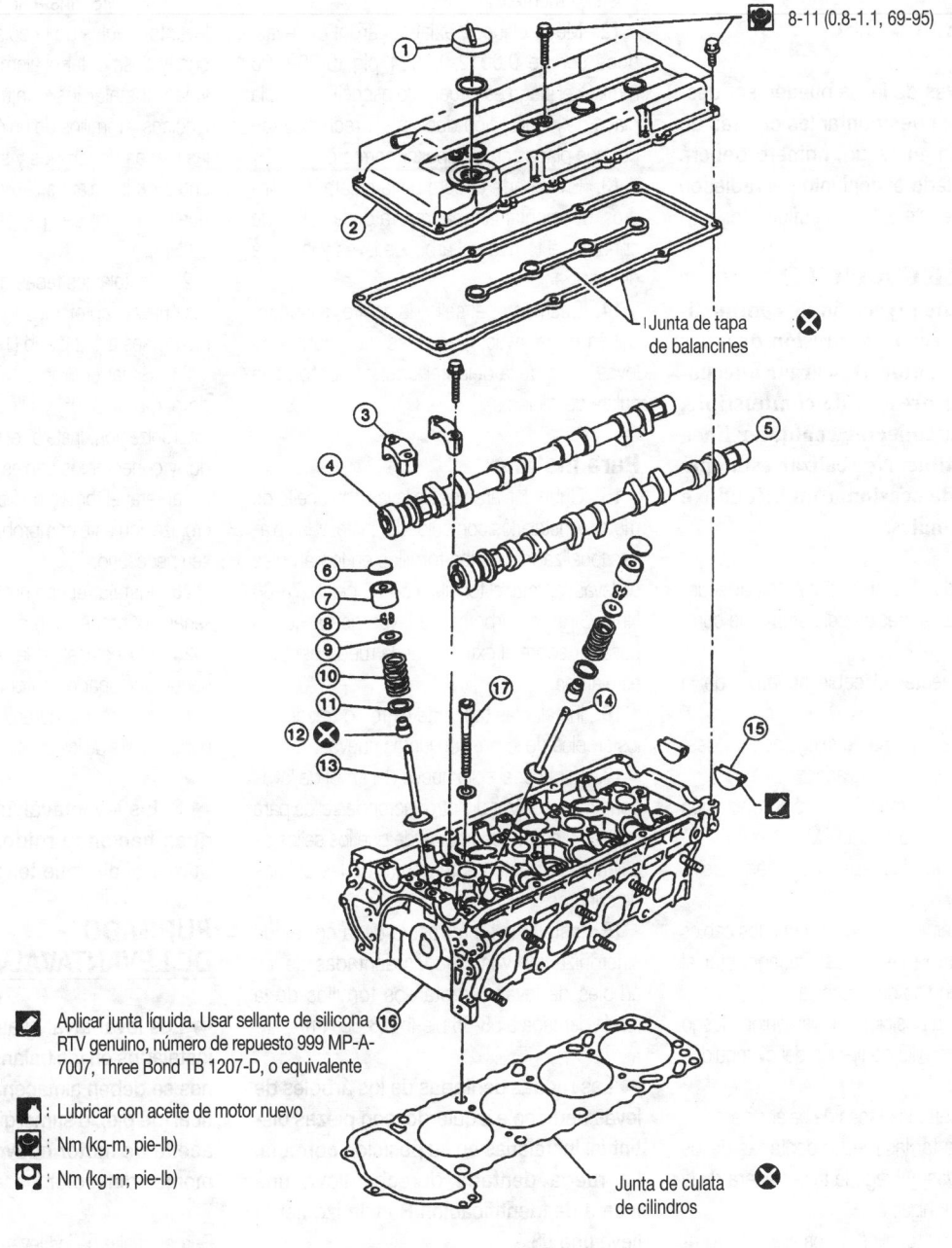

8-11 (0.8-1.1, 69-95)

Junta de tapa
de balancines

Aplicar junta líquida. Usar sellante de silicona
RTV genuino, número de repuesto 999 MP-A-
7007, Three Bond TB 1207-D, o equivalente

: Lubricar con aceite de motor nuevo

: Nm (kg-m, pie-lb)

: Nm (kg-m, pie-lb)

Junta de culata
de cilindros

① Tapón de llenado de aceite	⑦ Levantaválvulas	⑬ Válvula de admisión
② Tapa de balancines	⑧ Collarín de válvula	⑭ Válvula de escape
③ Soporte del árbol de levas	⑨ Retenedor de resorte	⑮ Tapón de goma
④ Árbol de levas de admisión	⑩ Resorte de válvula	⑯ Culata de cilindros
⑤ Árbol de levas de escape	⑪ Asiento de resorte	⑰ Tornillo de culata de cilindros
⑥ Calce	⑫ Sello aceite de válvula	

▲ **Conjunto de los árboles de levas y componentes relacionados – Motor 2.4L (DOHC) de 1998-99**

25. Llenar el motor con refrigerante y conectar el cable negativo de la batería.

Motores 3.0L y 3.3L

➡ **Los árboles de levas pueden ser desmontados sin desmontar las culatas de cilindros; sin embargo, primero deberá ser desmontado el conjunto del radiador, para disponer de espacio suficiente.**

▼ PRECAUCIÓN ▼

El sistema de inyección de combustible permanece bajo presión después de parar el motor. Descargar adecuadamente la presión de combustible, antes de desconectar cualquier línea de combustible. No realizar esta operación puede ocasionar un incendio o daños personales.

1. Siguiendo los procedimientos adecuados, descargar la presión del sistema de combustible.

2. Desconectar el cable negativo de la batería.

3. Vaciar el sistema de refrigeración y desmontar el conjunto del radiador.

4. Alinear las marcas de sincronización para llevar el cilindro N° 1 al PMS.

5. Desmontar las tapas y correas de sincronización.

6. Etiquetar y luego desconectar los cables de encendido de las bujías. Desconectar el cable de encendido de la bobina.

7. Marcar la posición del distribuidor, luego desmontar el tornillo de fijación del distribuidor, y el distribuidor.

8. Desmontar las tapas de balancines.

9. Desmontar las ruedas dentadas de los árboles de levas, y luego la tapa trasera de la correa de sincronización.

10. Aflojar los tornillos de los ejes de balancines, en dos o tres etapas, luego desmontar los ejes de balancines, con los balancines como un conjunto. Si los balancines deben ser desmontados de los ejes para una revisión, debe anotarse la posición en que están los componentes de modo que puedan montarse en su misma posición original.

11. Atar un alambre en la parte superior de los levantaválvulas, para que no puedan caerse de la guía de los levantaválvulas. Desmontar con cuidado la guía de los levantaválvulas y los levantaválvulas, de la culata de cilindros. Colocar una marca identificativa en los levantaválvulas, para evitar que se confundan, si se desmontan de la guía, y se utilizan posteriormente.

12. Medir el juego axial del árbol de levas, debe ser de 0.0012-0.0024 plg (0.03-0.06 mm). Si el juego esta fuera de especificación, la placa de localización deberá ser reemplazada por una placa con el espesor correcto.

13. En la parte trasera de la culata de cilindros, desmontar la tapa trasera de la culata de cilindros, el tornillo del árbol de levas y la placa de localización.

14. Desmontar el sello de aceite delantero, del árbol de levas, luego deslizar el árbol de levas fuera de la delantera del conjunto de la culata de cilindros.

Para instalar:

15. Cubrir los árboles de levas con aceite de motor e instalarlos con cuidado. Instalar las placas localizadoras y los tornillos en los árboles de levas, apretar el tornillo a 58-65 pie-lb (78-88 Nm). Girar los árboles de levas hasta que el pasador sobre el extremo de la rueda dentada esté arriba.

16. Instalar las tapas de extremo trasero de los árboles de levas, con juntas nuevas.

17. Lubricar el sello nuevo del árbol de levas con grasa y utilizar un introductor de sellos para instalar el sello. Asegurarse de que los sellos se asienten correctamente dentro de las culatas de cilindros.

18. Instalar la tapa trasera de la correa de sincronización y las ruedas dentadas de los árboles de levas. Apretar los tornillos de la rueda dentada a 58-65 pie-lb (78-88 Nm).

➡ **Las ruedas dentadas de los árboles de levas derecho e izquierdo, son piezas distintas. Instalarlas en su posición correcta. La rueda dentada derecha lleva una marca de identificación R3 y la izquierda lleva una L3.**

19. Instalar y ajustar la correa de sincronización, luego instalar las tapas de las correas de sincronización.

20. Ajustar el cilindro N° 1 en su PMS.

21. Instalar el conjunto guía de levantaválvulas de la culata de cilindros izquierda, y desmontar el alambre de los levantaválvulas. Instalar los conjuntos de ejes de balancines y tornillos de unión, y cubrir con aceite las roscas de tornillos y superficies de asiento, antes de instalarlos. Apretar los tornillos, gradualmente, en tres pasos, a 13-16 pie-lb (18-22 Nm).

22. Hacer girar el cigüeñal 360° en el sentido de las agujas del reloj, para llevar el cilindro N° 4 al PMS. Instalar el conjunto guía de levantaválvulas de la culata de cilindros derecha, y desmontar el alambre de los levantaválvulas. Instalar los conjuntos de ejes de balancines y tornillos de unión, y cubrir con aceite las roscas de tornillos y superficies de asiento, antes de instalarlos. Apretar los tornillos, gradualmente, en tres pasos, a 13-16 pie-lb (18-22 Nm).

23. Instalar las tapas de balancines con juntas nuevas, apretar los tornillos de las tapas de balancines a 1-2 pie-lb (1-3 Nm).

24. Situar el cilindro N° 1 en su PMS, girando el motor 360°, y alineando las marcas de sincronización. Instalar el conjunto del distribuidor y conectar los cables en su lugar correcto. No apretar el tornillo de fijación hasta que la sincronización esté comprobada y ajustada, según sea necesario.

25. Instalar el conjunto del radiador, luego llenar y purgar el sistema de refrigeración.

26. Conectar el cable negativo de la batería, y hacer funcionar el motor a 1000 rpm en vacío, aproximadamente durante 10-20 minutos, para purgar el aire de los conjuntos de levantaválvulas.

➡ **Si los levantaválvulas hidráulicos siguen haciendo ruido, reemplazarlos y purgar el aire que tengan.**

PURGADO DE LEVANTAVÁLVULAS

➡ **Los levantaválvulas hidráulicos están instalados en los balancines. Los balancines se deben almacenar en posición vertical (de pie), o sumergidos en un baño de aceite de motor nuevo, cuando se desmonten del motor.**

Purgar el aire de los levantaválvulas hidráulicos (ajustadores de holgura) haciendo funcionar el motor, sin carga, a 1000 rpm durante 10 minutos (motores de 6 cilindros), o 20 minutos (motores de 4 cilindros). Si algún levantaválvulas permanece aún ruidoso, reemplazarlo.

HOLGURA DE VÁLVULAS

AJUSTE

Todos los motores de esta sección utilizan levantaválvulas hidráulicos (ajustadores de holgura) que no requieren un ajuste periódico. Si alguna válvula permanece ruidosa, después del procedimiento de purga, reemplazar el levanta-válvulas. Si la válvula es aún ruidosa, inspeccionar el árbol de levas, balancines y válvula, en busca de un desgaste excesivo. Reemplazar todos los componentes desgastados.

DEPÓSITO DE ACEITE

DESMONTAJE E INSTALACIÓN

Motor 2.4L

1. Desconectar el cable negativo de la batería.

2. Elevar la delantera del vehículo y soportarla mediante caballetes de seguridad.

3. Vaciar el aceite del motor en un contenedor adecuado.

▼ PRECAUCIÓN ▼

La autoridad sanitaria advierte que el contacto prolongado con aceite de motor usado puede ocasionar algunos trastornos en la piel, e incluso cáncer. Por ello se deberá intentar reducir al mínimo el contacto con el aceite de motor usado.

4. Desmontar las tuercas y tornillos de montaje de la barra estabilizadora delantera, de la viga lateral.

5. Desmontar las tuercas de los soportes del motor, y elevar el motor.

6. Aflojar los tornillos del depósito de aceite, en la secuencia apropiada. Insertar una cuchilla de corte de sellos entre el bloque de cilindros y el depósito de aceite, y con pequeños golpes, con la ayuda de un martillo, cortar alrededor del perímetro del depósito de aceite. Desmontar el depósito de aceite, sacándolo por la parte delantera.

➡ **Tener cuidado de no introducir la cuchilla en el retenedor del sello de aceite trasero de la bomba de aceite, ya que se dañará la superficie de contacto de aluminio.**

Para instalar:

7. Eliminar todo resto de junta de las superficies de contacto del depósito y del bloque.

8. Aplicar un cordón continuo de sellante de 0.138-0.177 plg (3.5-4.5 mm) en la superficie de contacto del depósito de aceite. Ase-

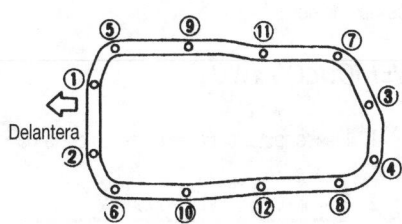

Aflojar los tornillos en el orden inverso

▲ **Desmontar los tornillos del depósito de aceite en la secuencia correcta – Motor 2.4L**

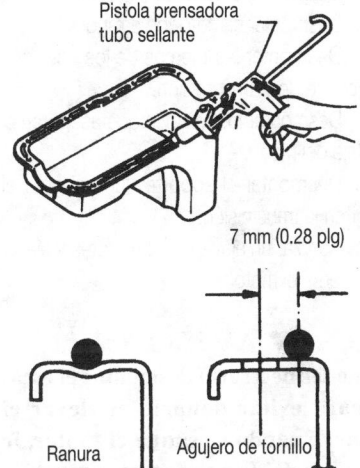

Pistola prensadora tubo sellante

7 mm (0.28 plg)

Ranura   Agujero de tornillo

▲ **Aplicar sellante en el depósito de aceite, tal como se muestra – Motor 2.4L y otros motores similares**

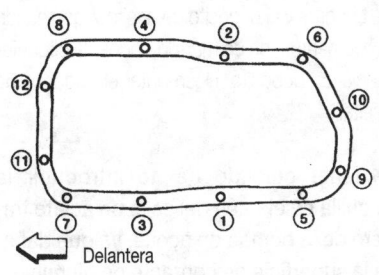

Delantera

Apretar en el orden numérico

▲ **Secuencia de instalación de los tornillos del depósito de aceite – Motor 2.4L**

gurarse de trazar el cordón de sellante hasta el interior de los agujeros de los tornillos donde no hay ranura.

9. Instalar el depósito dentro de los cinco minutos, y apretar todos los tornillos, en la secuencia apropiada. Apretar los tornillos a 5-6 pie-lb (7-8 Nm).

10. Bajar el motor e instalar las tuercas de montaje del motor. Apretar las tuercas a 30-38 pie-lb (41-52 Nm).

11. Conectar la barra estabilizadora.

12. Bajar el vehículo.

13. Conectar el cable negativo de la batería.

14. Esperar como mínimo 30 minutos, luego llenar el motor con aceite nuevo. Hacer funcionar el motor hasta que alcance la temperatura de funcionamiento normal, luego comprobar las posibles fugas.

Motor 3.0L

▼ PRECAUCIÓN ▼

La autoridad sanitaria advierte que el contacto prolongado con aceite de motor usado, puede ocasionar algunos trastornos en la piel, e incluso cáncer. Por ello se deberá intentar reducir al mínimo el contacto con el aceite de motor usado. Se deben utilizar guantes protectores cuando se cambie el aceite. Lavar las manos o áreas de la piel, expuestas al aceite, tan pronto como sea posible, después de su exposición al aceite de motor usado. Debe usarse jabón y agua, o un limpiador de manos seco.

VEHÍCULOS 2WD

1. Desconectar el cable negativo de la batería.

2. Elevar el vehículo y soportarlo de forma segura.

3. Desmontar la cubierta inferior del motor y vaciar el aceite del motor en un contenedor sellable. Instalar el tapón de vaciado y apretarlo a 22-29 pie-lb (29-39 Nm).

4. Desmontar los tornillos que fijan la barra estabilizadora en el travesaño.

5. Desmontar el travesaño delantero.

6. Desmontar el brazo intermedio.

7. Desmontar el motor de arranque.

8. Desmontar el soporte que asegura el motor en la transmisión.

9. Desmontar los tornillos del depósito de aceite en la secuencia apropiada. Insertar una

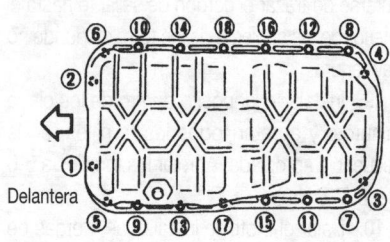

Delantera

Aflojar en el orden numérico

▲ Desmontar los tornillos del depósito de aceite en la secuencia correcta, para evitar deformarlo – Motor 3.0L con 2WD

herramienta de corte de sellos entre el bloque de cilindros y el depósito de aceite y golpearla suavemente con la ayuda de un martillo rodeando las circunferencia del depósito. Desmontar el depósito de aceite.

➡ Tener cuidado de no introducir el cortador de sellos en el retén del sello de aceite trasero de la bomba de aceite, ya que se dañará la superficie de contacto de aluminio.

Para instalar:

10. Retirar todo resto de junta de las superficies de contacto del depósito y del bloque.

11. Aplicar sellante en la junta de la bomba de aceite y en la junta del retén del sello de aceite.

12. Aplicar un cordón continuo de sellante de 0.138-0.177 plg. (3.5-4.5 mm) en la superficie de contacto del depósito de aceite. Asegurarse de trazar el cordón de sellante hasta el interior de los agujeros de los tornillos donde no hay ranura.

13. Instalar el depósito dentro de los cinco minutos, y apretar todos los tornillos en el orden inverso al de desmontaje. Apretar los tornillos a 5 pie-lb (7 Nm).

14. Instalar el soporte que asegura el motor en la transmisión.

15. Instalar el motor de arranque.

16. Instalar el brazo intermedio.

17. Instalar el travesaño delantero.

18. Unir la barra estabilizadora al travesaño.

19. Instalar la cubierta inferior del motor y luego bajar el vehículo.

20. Conectar el cable negativo de la batería.

21. Esperar como mínimo 30 minutos, luego llenar el motor con aceite nuevo. Hacer funcionar el motor hasta que alcance la temperatura

de funcionamiento normal, comprobar entonces las posibles fugas.

VEHÍCULOS 4WD

1. Desconectar el cable negativo de la batería.

2. Elevar el vehículo y soportarlo de forma segura.

3. Desmontar la cubierta inferior del motor y vaciar el aceite del motor en un contenedor sellable. Instalar el tapón de vaciado, y apretarlo a 22-29 pie-lb (29-39 Nm).

4. Desmontar el eje de transmisión delantero.

5. Desmontar los semiejes delanteros del vehículo.

6. Desmontar el brazo intermedio.

7. Desmontar el motor de arranque.

8. Desmontar las tuercas de los soportes de montaje de la transmisión.

9. Desmontar los tornillos que aseguran el montaje del motor.

10. Desmontar el soporte que asegura el motor en la transmisión.

11. Acoplar un elevador de motores y elevar ligeramente el motor.

▼ AVISO ▼

Puede ser necesario desmontar el escape para evitar dañarlo al elevar el motor. Cuando se saque el motor, ir con cuidado de no contactar con ninguna parte adyacente, especialmente con el extremo de la funda del cable del acelerador, tubos de freno y el cilindro principal de frenos.

12. Sacar los tornillos del depósito de aceite, en la secuencia apropiada. Insertar una herramienta de corte de sellos entre el bloque de cilindros y el depósito de aceite y, golpeando suavemente, con un martillo, rodear la circunferencia del depósito. Desmontar el depósito de aceite.

➡ Tener cuidado de no introducir la cuchilla en el retén del sello de aceite trasero de la bomba de aceite, ya que dañará la superficie de contacto de aluminio.

Para instalar:

13. Eliminar todo resto de junta, de las superficies de contacto del depósito y del bloque.

14. Aplicar sellante en la junta de la bomba de aceite y en la junta del retén del sello de aceite.

15. Aplicar un cordón continuo de sellante de 0.138-0.177 plg (3.5-4.5 mm) en la superficie de contacto del depósito de aceite. Asegurarse de trazar el cordón de sellante hasta el interior de los agujeros de los tornillos donde no hay ranura.

16. Instalar el depósito dentro de los cinco minutos, y apretar todos los tornillos en el orden inverso al de desmontaje. Apretar los tornillos a 5 pie-lb (7 Nm).

17. Instalar el soporte que asegura el motor en la transmisión.

18. Instalar los tornillos de montaje del motor, y apretarlos a 23-31 pie-lb (31-42 Nm).

19. Instalar las tuercas del soporte de montaje de la transmisión, y apretarlas a 30-38 pie-lb (41-52 Nm).

20. Instalar el motor de arranque.

21. Instalar el brazo intermedio.

22. Instalar los semiejes delanteros.

23. Instalar el eje de transmisión delantero.

24. Instalar la cubierta inferior del motor, y bajar el vehículo.

25. Conectar el cable negativo de la batería.

26. Esperar como mínimo 30 minutos, luego llenar el motor con aceite. Hacer funcionar el motor hasta que alcance la temperatura de funcionamiento normal, luego comprobar las posibles fugas.

Motor 3.3L

MODELOS 2WD

1. Desconectar el cable negativo de la batería.

2. Elevar el vehículo y soportarlo de forma segura.

3. Desmontar la cubierta inferior del motor y vaciar el aceite del motor en un contenedor sellable. Instalar el tapón de vaciado y apretarlo a 22-29 pie-lb (29-39 Nm).

4. Desmontar los tornillos que fijan la barra estabilizadora en el travesaño.

5. Desmontar el travesaño delantero.

6. Desmontar el motor de arranque.

7. Desmontar las tuercas que fijan el montaje de la transmisión en el travesaño.

8. Desmontar las tuercas y tornillos de los montajes derecho e izquierdo del motor.

9. Desmontar los soportes de montaje derecho e izquierdo, de la bomba de la dirección asistida.

10. Elevar y soportar con seguridad el motor. Desmontar los tubos de escape delanteros, si es necesario.

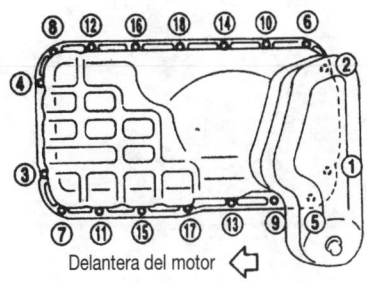

▲ **Secuencia de desmontaje de los tornillos del depósito de aceite – Motor 3.3L con 2WD**

11. Desmontar los tornillos de montaje del depósito de aceite, en la secuencia apropiada. Insertar una herramienta de corte de sellos entre el bloque de cilindros y el depósito de aceite y, golpeando despacio con un martillo, rodear la circunferencia del depósito. Desmontar el depósito de aceite.

➡ **Tener cuidado de no introducir el cortador en el retén del sello de aceite trasero de la bomba de aceite, ya que dañará la superficie de contacto de aluminio.**

Para instalar:

12. Eliminar todo resto de junta, de las superficies de contacto del depósito y del bloque.

13. Aplicar sellante en la junta de la bomba de aceite y en la junta del retén del sello de aceite.

14. Aplicar un cordón continuo de sellante de 0.138-0.177 plg (3.5-4.5 mm) en la superficie de contacto del depósito de aceite. Asegurarse de trazar el cordón de sellante hasta el interior de los agujeros de los tornillos donde no hay ranura.

15. Instalar el depósito dentro de los cinco minutos, y apretar todos los tornillos, en el orden inverso al de desmontaje. Apretar los tornillos a 5 pie-lb (7 Nm).

16. Bajar el motor e instalar los tornillos y tuercas de montaje. Conectar los tubos de escape delanteros, si se han desmontado.

17. Instalar los soportes de montaje de la bomba de la dirección asistida.

18. Instalar el motor de arranque.

19. Instalar el travesaño delantero.

20. Fijar la barra estabilizadora en el travesaño.

21. Instalar la cubierta inferior del motor, y bajar el vehículo.

22. Conectar el cable negativo de la batería.

23. Esperar como mínimo 30 minutos para que fragüe el sellante, luego llenar el motor con aceite. Hacer funcionar el motor hasta que alcance la temperatura de funcionamiento normal, luego comprobar las posibles fugas.

MODELOS 4WD

1. Desconectar el cable negativo de la batería.

2. Elevar el vehículo y soportarlo de forma segura.

3. Desmontar la cubierta inferior del motor y vaciar el aceite del motor en un contenedor sellable. Instalar el tapón de vaciado y apretarlo a 22-29 pie-lb (29-39 Nm).

4. Desmontar los tornillos que fijan la barra estabilizadora en el travesaño.

5. Desmontar el eje de transmisión delantero.

6. Desmontar los semiejes delanteros (ejes propulsores).

7. Desconectar la manguera de ventilación, del diferencial.

8. Desmontar el travesaño delantero.

9. Desmontar el conjunto del diferencial.

10. Desmontar el motor de arranque.

11. Desmontar las tuercas de fijación del montaje de la transmisión en el travesaño.

12. Desmontar los tornillos y las tuercas de los montajes derecho e izquierdo del motor.

13. Desmontar los soportes izquierdo y derecho de la bomba de la dirección asistida.

14. Elevar el motor y soportarlo de forma segura. Desconectar los tubos de escape delanteros, si es necesario.

15. Aflojar los tornillos del depósito de aceite, en la secuencia apropiada. Insertar una cuchilla de juntas entre el bloque de cilindros y el depósito de aceite y, golpeando suave con un martillo, rodear la circunferencia del depósito. Desmontar el depósito de aceite.

➡ **Tener cuidado de no introducir la cuchilla en el retén del sello de aceite trasero de la bomba de aceite, ya que dañará la superficie de contacto de aluminio.**

Para instalar:

16. Eliminar todo resto de junta, de las superficies de contacto del depósito y del bloque.

17. Aplicar sellante en la junta de la bomba de aceite y en la junta del retén del sello de aceite.

18. Aplicar un cordón continuo de sellante de 0.138-0.177 plg (3.5-4.5 mm) en la superfi-

cie de contacto del depósito de aceite. Asegurarse de trazar el cordón de sellante hasta el interior de los agujeros de los tornillos donde no hay ranura.

19. Instalar el depósito dentro de los cinco minutos y apretar todos los tornillos en el orden inverso al de desmontaje. Apretar los tornillos a 5 pie-lb (7 Nm).

20. Bajar el motor e instalar los tornillos y tuercas de montaje. Conectar los tubos de escape delanteros, si se han desmontado.

21. Instalar los soportes de la bomba de la dirección asistida.

22. Instalar el motor de arranque.

23. Instalar el soporte del montaje del conjunto del diferencial.

24. Instalar el conjunto del diferencial.

25. Conectar la manguera de ventilación del diferencial.

26. Instalar los semiejes delanteros.

27. Instalar el travesaño delantero.

28. Instalar el eje de transmisión.

29. Fijar la barra estabilizadora en el travesaño.

30. Instalar la cubierta inferior del motor, luego bajar el vehículo.

31. Conectar el cable negativo de la batería.

32. Esperar como mínimo 30 minutos, luego llenar el motor con aceite. Arrancar y hacer funcionar el motor hasta que alcance la temperatura de funcionamiento normal, luego comprobar si hay fugas.

BOMBA DE ACEITE

DESMONTAJE E INSTALACIÓN

Motor 2.4L

La bomba de aceite está montada en la parte exterior del motor, eliminando la necesidad de

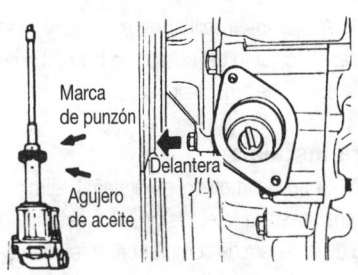

▲ **Alinear las marcas de punzón con el agujero de aceite, antes de la instalación de la bomba de aceite – Motor 2.4L**

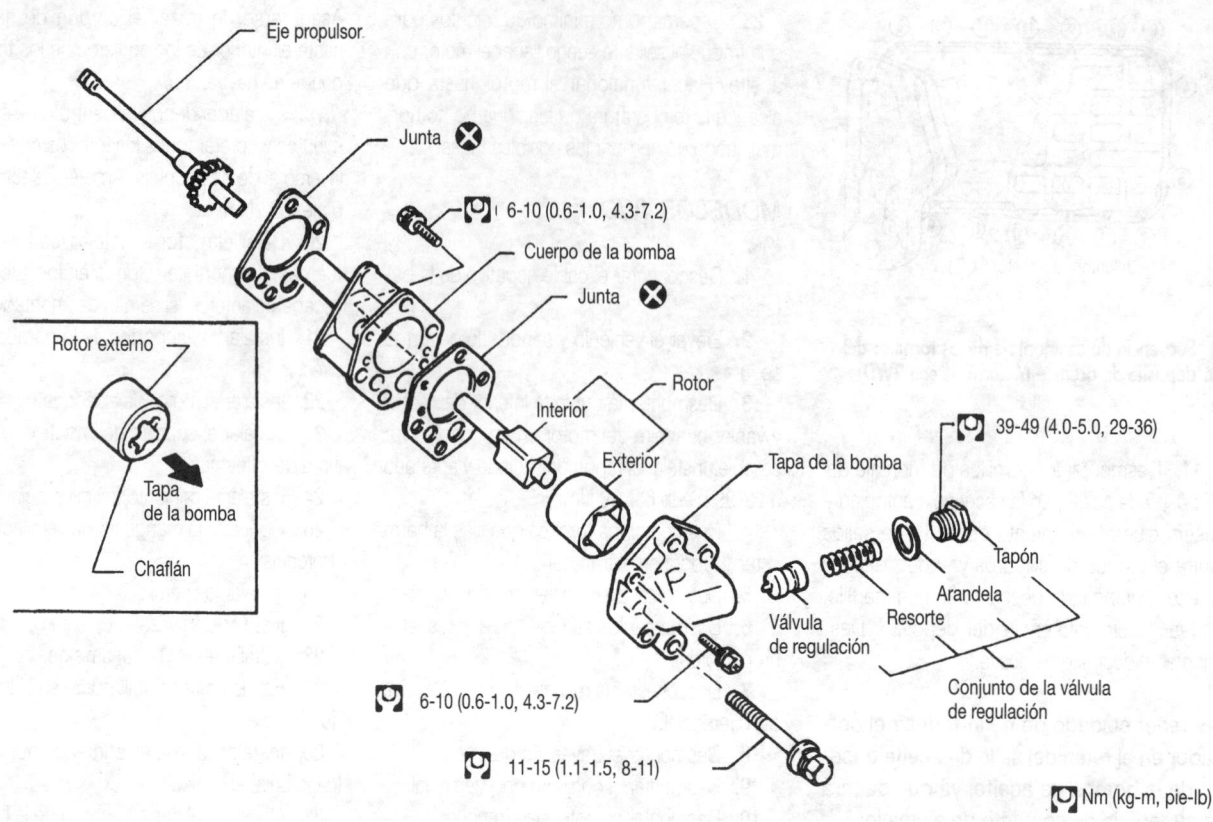

Eje propulsor

Junta ⊗

⊗ 6-10 (0.6-1.0, 4.3-7.2)

Cuerpo de la bomba

Junta ⊗

Rotor externo

Rotor

Interior

Exterior

Tapa
de la bomba

Chaflán

Tapa de la bomba

39-49 (4.0-5.0, 29-36)

Tapón

Arandela

Válvula
de regulación

Resorte

Conjunto de la válvula
de regulación

6-10 (0.6-1.0, 4.3-7.2)

11-15 (1.1-1.5, 8-11)

Nm (kg-m, pie-lb)

▲ **Conjunto de la bomba de aceite – Motor 2.4L**

desmontar el depósito de aceite, para desmontar la bomba de aceite.

1. Girar el motor hasta el PMS. Marcar la posición del distribuidor, y desmontar el distribuidor.

2. Desconectar el cable negativo de la batería.

3. Vaciar el aceite del motor.

4. Desmontar la barra estabilizadora delantera.

5. Desmontar el protector contra salpicaduras.

6. Aflojar los tornillos de montaje y desmontar el conjunto del cuerpo de la bomba de aceite con el eje propulsor.

Para instalar:

7. Si se ha movido el cigüeñal, girar el cigüeñal hasta que el pistón N° 1 esté en el PMS de la carrera de compresión, antes de instalar la bomba de aceite en el motor.

8. Llenar la carcasa de la bomba con aceite de motor, luego alinear la marca de punzón sobre el eje con el agujero en la bomba de aceite.

9. Con una junta nueva colocada encima del eje propulsor, instalar la bomba de aceite y el conjunto del eje propulsor de forma que la proyección sobre la parte superior del eje propulsor esté localizada en la posición de las 11 en punto.

10. Alinear las marcas de alineación e instalar el distribuidor con el extremo metálico del rotor apuntando a la torre de la bujía del cilindro N° 1 en la tapa del distribuidor.

11. Instalar el protector contra salpicaduras y la barra estabilizadora delantera.

12. Llenar el motor con aceite.

13. Conectar el cable negativo de la batería.

14. Arrancar el motor, asegurar la presión adecuada de aceite y comprobar si existen fugas.

15. Comprobar la sincronización del encendido.

Motor 3.0L

1. Desconectar el cable negativo de la batería.

2. Vaciar el depósito de aceite.

3. Desmontar la tapa de la correa de sincronización, y la correa de sincronización.

4. Desmontar la rueda dentada de sincronización del cigüeñal (puede ser necesario utilizar un extractor), y la placa de la correa de sincronización.

5. Desmontar el filtro de aceite y el tubo de aspiración, de la bomba de aceite.

6. Aflojar los tornillos de retención de la bomba de aceite, luego desmontar la bomba de aceite.

Para instalar:

7. Utilizar juntas nuevas e instalar un nuevo sello de aceite. Apretar los tornillos de 6 mm a 4-6 pie-lb (6-8 Nm) y los tornillos de 8 mm a 16-22 pie-lb (22-39 Nm).

➡ **Antes de instalar la bomba de aceite, asegurarse de rellenar la cavidad de la bomba con gelatina de petróleo, luego asegurarse de que la junta tórica está ajustada correctamente.**

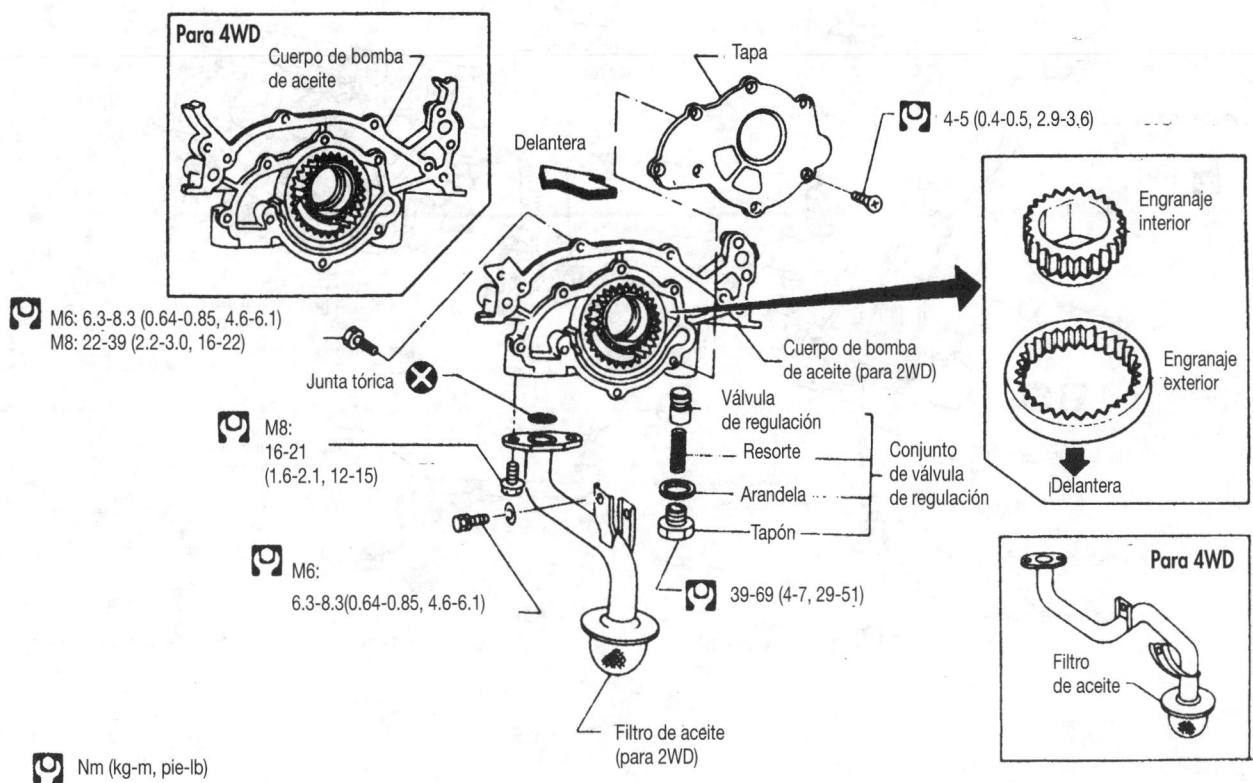

Para 4WD
Cuerpo de bomba
de aceite

Tapa

Delantera

4-5 (0.4-0.5, 2.9-3.6)

Engranaje
interior

Engranaje
exterior

Delantera

M6: 6.3-8.3 (0.64-0.85, 4.6-6.1)
M8: 22-39 (2.2-3.0, 16-22)

Junta tórica

Cuerpo de bomba
de aceite (para 2WD)

M8:
16-21
(1.6-2.1, 12-15)

Válvula
de regulación

Resorte

Arandela

Tapón

Conjunto
de válvula
de regulación

M6:
6.3-8.3(0.64-0.85, 4.6-6.1)

39-69 (4-7, 29-51)

Para 4WD

Filtro
de aceite

Filtro de aceite
(para 2WD)

Nm (kg-m, pie-lb)

▲ Conjunto de la bomba de aceite – Motor 3.0L

8. Conectar el filtro de aceite y el tubo de aspiración en el cuerpo de la bomba.

9. Limpiar las superficies de junta e instalar el depósito de aceite.

10. Instalar la placa de la correa de sincronización y la rueda dentada del cigüeñal.

11. Instalar la correa de sincronización y la tapa delantera.

12. Conectar el cable negativo de la batería.

13. Llenar el motor con aceite, arrancar el motor y comprobar la existencia de fugas.

Motor 3.3L

1. Desconectar el cable negativo de la batería.

2. Vaciar el aceite del motor y el refrigerante del radiador. Guardar el refrigerante, para que pueda ser reutilizado.

3. Desmontar el conducto de aire entre el sensor de flujo de la masa de aire y el cuerpo del estrangulador.

4. Desmontar el ventilador de refrigeración.

5. Desmontar las mangueras superior e inferior del radiador y el canalizador de aire del ventilador.

6. Desmontar las correas de transmisión.

7. Desmontar la polea del cigüeñal.

8. Desmontar las tapas superior e inferior de la correa de sincronización.

9. Desmontar el depósito de aceite.

10. Desmontar el filtro de aceite (aspiración).

11. Desmontar los tornillos de montaje de la bomba de aceite y la bomba de aceite.

Para instalar:

12. Reemplazar el sello de aceite en la bomba.

13. Utilizando una junta nueva, instalar la bomba de aceite. Apretar los tornillos de montaje a 12-15 pie-lb (16-21 Nm).

14. Instalar el filtro de aceite y el depósito de aceite.

15. Instalar las tapas de las correas de sincronización y la polea del cigüeñal.

16. Instalar las correas de transmisión.

17. Instalar el canalizador del ventilador y las mangueras del radiador.

18. Instalar el ventilador de refrigeración.

19. Instalar el conducto de aire entre el sensor del flujo de la masa de aire y el cuerpo del estrangulador.

20. Llenar el radiador con el refrigerante que fue vaciado, a menos que deba ser cambiado.

21. Rellenar el motor con la cantidad adecuada de aceite nuevo.

22. Conectar el cable negativo de la batería, arrancar el motor y comprobar la existencia de fugas.

SELLO PRINCIPAL TRASERO

DESMONTAJE E INSTALACIÓN

1. Desmontar la transmisión.

2. Desmontar el volante/plato flexible.

3. Desmontar el retén del sello, luego desmontar el sello del retén.

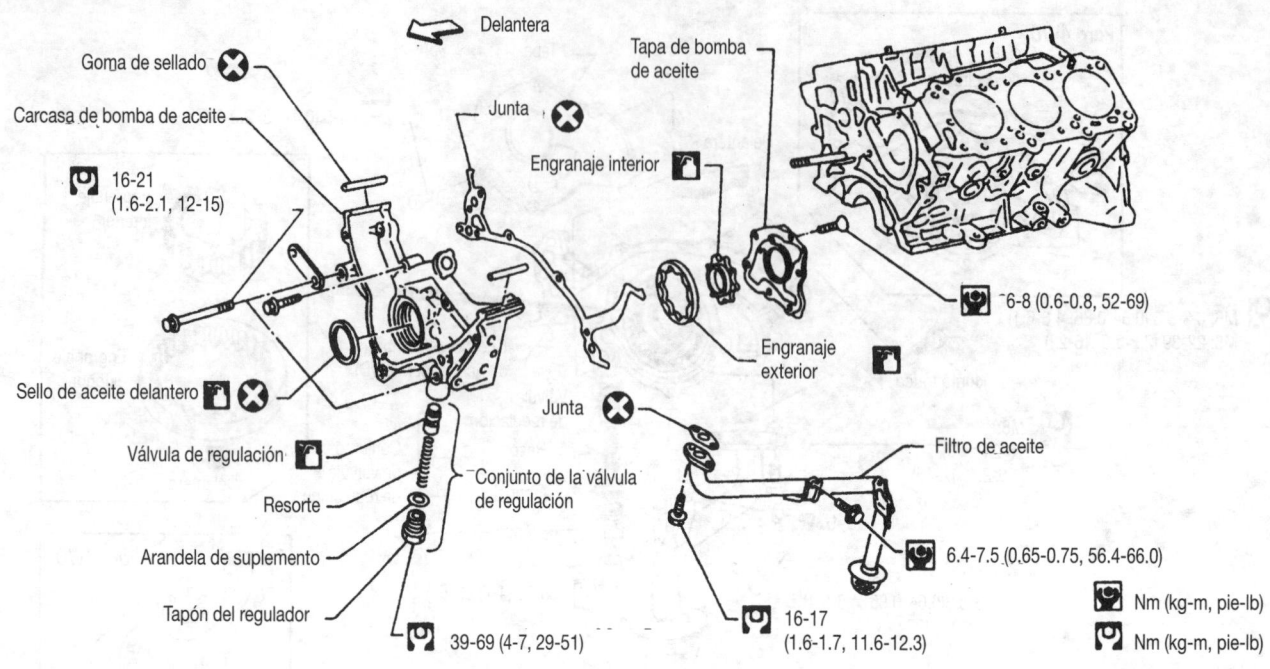

← Delantera

Goma de sellado ❌

Carcasa de bomba de aceite

🔧 16-21
(1.6-2.1, 12-15)

Sello de aceite delantero 🔧❌

Válvula de regulación 🔧

Resorte

Arandela de suplemento

Tapón del regulador

Junta ❌

Engranaje interior 🔧

Tapa de bomba de aceite

Conjunto de la válvula de regulación

Junta ❌

Engranaje exterior

Filtro de aceite

🔧 6-8 (0.6-0.8, 52-69)

🔧 6.4-7.5 (0.65-0.75, 56.4-66.0)

🔧 39-69 (4-7, 29-51)

🔧 16-17 (1.6-1.7, 11.6-12.3)

🔧 Nm (kg-m, pie-lb)
🔧 Nm (kg-m, pie-lb)

▲ Conjunto de la bomba de aceite – Motor 3.3L

Para instalar:

4. Instalar un sello nuevo en el retén.

5. Aplicar aceite limpio de motor, en el labio del sello.

6. Utilizando una junta nueva, instalar el retén del sello en el motor.

7. Instalar el volante/plato flexible.

8. Instalar la transmisión.

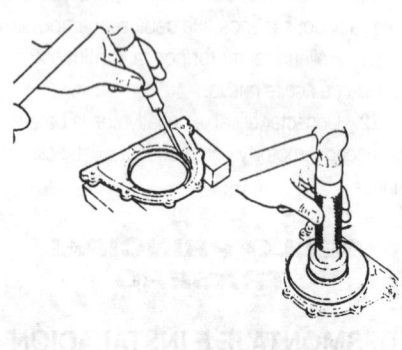

Herramienta adecuada

▲ Extraer golpeando suavemente el sello viejo, por la parte trasera del sello, e instalar el sello nuevo por la parte delantera

CADENA DE SINCRONIZACIÓN, RUEDAS DENTADAS, TAPA DELANTERA Y SELLO

DESMONTAJE E INSTALACIÓN

Motor 2.4L

MODELOS 1995-97

1. Desconectar el cable negativo de la batería.

2. Vaciar el sistema de refrigeración dentro de un contenedor sellable, luego desmontar el radiador junto con las mangueras superior e inferior del radiador.

3. Desmontar el ventilador de refrigeración.

4. Desmontar las correas de transmisión.

5. Desmontar todas las bujías, luego situar el cilindro N° 1 en el PMS de su carrera de compresión.

6. Desmontar la bomba de la dirección asistida y los soportes de montaje del motor.

7. Desmontar la polea loca del compresor del A/A.

8. Desmontar el tornillo de la polea del cigüeñal, luego desmontar la polea del cigüeñal.

9. Desmontar el distribuidor.

10. Desmontar los tornillos de fijación de la bomba de aceite y sacar la bomba y su eje de propulsión.

11. Desmontar la tapa de balancines.

12. Desmontar el depósito de aceite.

13. Desmontar los tornillos que sujetan la tapa delantera en la delantera del bloque de cilindros; luego con cuidado, haciendo palanca, sacar la tapa delantera de la delantera del bloque de cilindros.

14. Con el pistón N° 1 en el PMS, las marcas de sincronización sobre la rueda dentada del árbol de levas y la cadena de sincronización deben ser visibles. Si las marcas sobre la cadena o en la rueda dentada de sincronización no son visibles marcar la cadena y la rueda dentada con pintura, si la cadena va a ser reutilizada.

15. Con las marcas de sincronización de las ruedas dentadas de los árboles de levas localizadas, ajustar las marcas de sincronización en la rueda dentada del cigüeñal. Si las marcas en la cadena o en la rueda dentada de sincronización no son visibles, marcar la cadena y la rueda dentada con pintura, si la cadena va a ser reutilizada.

16. Desmontar, con cuidado, el tensor. El tensor está cargado con un resorte.

17. Desmontar las guías de la cadena de sincronización.

18. Desmontar el tornillo de fijación de la rueda dentada del árbol de levas; luego, con cuidado, desmontar la rueda dentada y la cadena de sincronización.

▼ AVISO ▼

Después de desmontar la cadena de sincronización, no girar el cigüeñal o el árbol de levas, por separado, pues, de hacerlo los pistones golpearán contra las válvulas.

19. La rueda dentada de la cadena de sincronización puede ser desmontada del cigüeñal, después de desmontar el anillo de lubricación y el engranaje propulsor de la bomba de aceite. Puede ser necesario utilizar un extractor para desmontar el engranaje propulsor de la bomba de aceite y la rueda dentada de la cadena de sincronización, del cigüeñal. No perder las chavetas del cigüeñal, cuando se desmonte el anillo de lubricación, el engranaje propulsor de la bomba de aceite, y la rueda dentada de la cadena de sincronización.

Para instalar:

20. Si se han desmontado, instalar la rueda dentada del cigüeñal, el engranaje propulsor de la bomba de aceite y el anillo de lubricación.

21. Colocar la cadena de sincronización, primero mediante la alineación de las marcas de coincidencia con las de la rueda dentada del cigüeñal, luego con las de la rueda dentada del árbol de levas. Si se va a instalar una cadena nueva, la cadena ya lleva unos eslabones marcados, y deben ser utilizados para la alineación de la cadena de sincronización. La rueda dentada del árbol de levas debe ser instalada mediante el encaje del pasador de detonación dentro del agujero de la rueda dentada del árbol de levas.

22. Instalar el tornillo de la rueda dentada del árbol de levas y apretarlo a 101-116 pie-lb (137-157 Nm).

23. Instalar la guía de la cadena y apretar los tornillos a 9-14 pie-lb (13-19 Nm).

24. Instalar la guía tensora y apretar el tornillo a 9-14 pie-lb (13-19 Nm).

25. Instalar con cuidado el tensor y apretar los tornillos de montaje a 5-6 pie-lb (7-8 Nm).

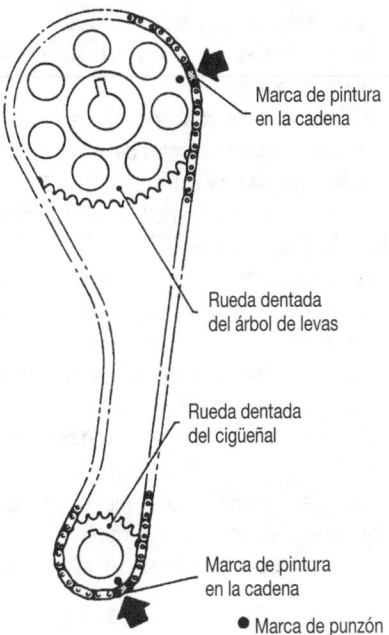

▲ **Alinear las marcas de pintura sobre la cadena con las marcas sobre las ruedas dentadas – Motor 2.4L de 1995-97**

26. Instalar y aceitar ligeramente el nuevo sello delantero.

27. Aplicar sellante a todas las juntas y colocarlas en el motor, en sus lugares correspondientes.

28. Aplicar un ligero recubrimiento de aceite en el sello de aceite del cigüeñal y montarlo, con cuidado, en la tapa delantera en la parte delantera del motor, e instalar todos los tornillos de montaje. Apretar los tornillos de sujeción de la tapa a 5-6 pie-lb (7-8 Nm).

▼ AVISO ▼

Cuando se instale la tapa, tener cuidado de no dañar la junta de la culata.

29. Instalar el depósito de aceite.

30. Instalar la tapa de balancines (tal como se ha descrito en el procedimiento del Eje de Balancines).

31. Antes de instalar la bomba de aceite, colocar la junta encima del eje y asegurarse de que la marca sobre el eje (mango) propulsor se encara (alinea) con el agujero de la bomba de aceite. Instalar la bomba de forma que la proyección de la parte superior del eje propulsor esté en la posición exacta de su desmonta-

je (o apuntando justo más allá de las posiciones de las 11 y las 5 en punto, cuando el pistón N° 1 esté en el PMS de su carrera de compresión, si el motor se ha alterado desde su desmontaje). Apretar los tornillos de fijación de la bomba de aceite a 8-10 pie-lb (11-15 Nm).

32. Instalar el distribuidor en la posición correcta.

33. Instalar la polea del cigüeñal y tornillo. Apretar el tornillo a 87-116 pie-lb (118-157 Nm).

34. Instalar la polea loca del compresor del A/A.

35. Instalar los soportes de montaje de la bomba de la dirección asistida y la bomba.

36. Instalar la polea del ventilador y el ventilador de refrigeración.

37. Instalar y ajustar las correas de transmisión.

38. Instalar las bujías y apretarlas a 14-22 pie-lb (20-29 Nm).

39. Instalar el radiador; conectar las mangueras superior e inferior.

40. Llenar y purgar el aire del sistema de refrigeración.

41. Conectar el cable negativo de la batería.

42. Arrancar el motor, comprobar la sincronización del encendido, y comprobar si hay fugas.

MODELOS 2.4L DE 1998-99

1. Desconectar de la batería el cable negativo.

2. Vaciar el sistema de refrigeración dentro de un contenedor sellable, luego desmontar el radiador junto con las mangueras superior e inferior del radiador.

3. Desmontar el ventilador de la refrigeración.

4. Desmontar las correas de transmisión.

5. Desmontar todas las bujías, luego colocar el cilindro N° 1 en el PMS de su carrera de compresión.

6. Desmontar del motor la bomba de la dirección asistida y los soportes de montaje.

7. Desmontar la polea loca del compresor del A/A.

8. Desmontar el tornillo de la polea del cigüeñal, luego desmontar la polea del cigüeñal.

9. Desmontar el distribuidor.

10. Desmontar los tornillos de fijación de la bomba de aceite y sacar la bomba y su eje de propulsión.

11. Desmontar la tapa de balancines.

12. Desmontar el depósito de aceite.

13. Desmontar los tornillos que sujetan la tapa delantera en la delantera del bloque de cilindros, luego con cuidado, apalancar la tapa delantera para extraerla de la delantera del bloque de cilindros.

14. Desmontar el protector térmico del múltiple de escape y el tubo de escape delantero.

15. Desmontar el múltiple de escape.

16. Desmontar el conducto de admisión de aire, ventilador de la refrigeración con el embrague y el canalizador del ventilador.

17. Desenchufar los conectores de los inyectores de combustible y desmontar el raíl de combustible con los inyectores.

18. Situar el pistón N° 1 en su PMS, luego desmontar el distribuidor.

19. Desmontar la tapa de balancines.

20. Marcar con pintura la posición de la cadena en relación con la rueda dentada.

21. Desmontar la tapa de las ruedas dentadas de los árboles de levas.

22. Desmontar las ruedas dentadas de los árboles de levas.

23. Empujar el tensor de la cadena e instalar un pasador adecuado a través del tensor, para retenerlo.

24. Pintar una marca de coincidencia sobre la cadena y rueda dentada, antes de desmontar la cadena.

25. Desmontar la cadena de sincronización superior de la rueda dentada intermedia.

26. Vaciar el aceite del motor y desmontar el depósito de aceite.

27. Desmontar el colador de aceite.

28. Desmontar las correas de transmisión y la polea intermedia del compresor del A/A.

29. Desmontar la polea del cigüeñal, bomba de aceite y tapa delantera.

30. Empujar el tensor de la cadena e insertar un pasador adecuado a través del agujero, para retener el tensor.

31. Desmontar el brazo del tensor de la cadena y la guía inferior de la cadena.

32. Desmontar la cadena, de la rueda dentada.

33. Si es necesario, desmontar el anillo de lubricación, el engranaje propulsor de la bomba de aceite y la rueda dentada, del cigüeñal.

Para instalar:

34. Si se ha desmontado, instalar la rueda dentada, el engranaje propulsor de la bomba de aceite y el anillo de lubricación en el cigüeñal.

35. Alinear el eslabón plateado sobre la cadena, con la marca sobre la rueda dentada, e instalar la cadena sobre las ruedas dentadas.

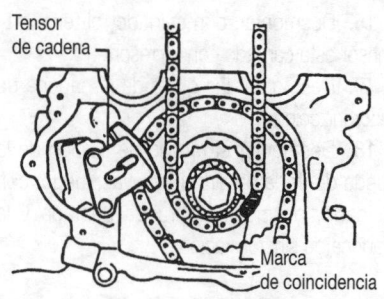

▲ Alinear las marcas de coincidencia y colocar la cadena superior sobre la rueda dentada intermedia – Motor 2.4L de 1998-99

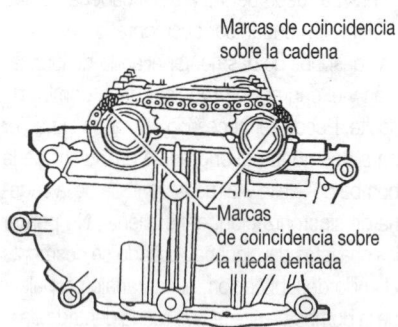

▲ Alinear las marcas de pintura sobre la cadena superior con las marcas sobre la rueda dentada del árbol de levas – Motor 2.4L de 1998-99

36. Instalar el brazo tensor de la cadena y la guía inferior de la cadena.

37. Sacar el pasador del tensor.

38. Instalar la tapa delantera, de la siguiente manera:

a. Aplicar sellante en todas las juntas y colocarlas sobre el motor, en sus lugares correspondientes.

b. Aplicar un ligero recubrimiento de aceite en el sello de aceite del cigüeñal, y montarlo con cuidado, dentro de la tapa delantera en la parte delantera del motor, e instalar todos los tornillos de montaje. Apretar los tornillos de sujeción de la tapa a 5-6 pie-lb (7-8 Nm).

▼ AVISO▼

Cuando se instale la tapa, tener cuidado de no dañar la junta de la culata.

39. Instalar el depósito de aceite.

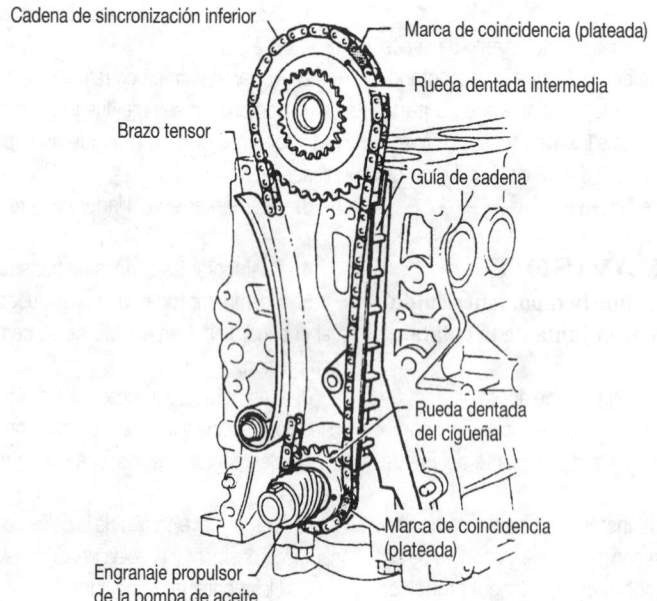

Cadena de sincronización inferior — Marca de coincidencia (plateada)

Brazo tensor

Rueda dentada intermedia

Guía de cadena

Rueda dentada del cigüeñal

Marca de coincidencia (plateada)

Engranaje propulsor de la bomba de aceite

▲ Alinear los eslabones plateados sobre la cadena con las marcas sobre las ruedas dentadas – Motor 2.4L de 1998-99

40. Instalar la tapa de balancines (tal como se ha descrito en el procedimiento de Balancines).

41. Antes de instalar la bomba de aceite, situar la junta encima del eje y asegurarse de que la marca del eje propulsor encara (se alinea con) el agujero de la bomba de aceite. Instalar la bomba de forma que la proyección de la parte superior del eje propulsor esté localizada en la posición exacta de su desmontaje (o apuntando justo más allá de la posición de las 11 y las 5 en punto, cuando el pistón N° 1 esté en el PMS de su carrera de compresión, si el motor se ha alterado después de su desmontaje). Apretar los tornillos de fijación de la bomba de aceite a 8-10 pie-lb (11-15 Nm).

42. Instalar el distribuidor en la posición correcta.

43. Instalar la polea del cigüeñal y su tornillo. Apretar el tornillo a 87-116 pie-lb (118-157 Nm).

44. Instalar la polea intermedia del compresor del A/A.

45. Instalar la polea del cigüeñal, colador de aceite y depósito, polea intermedia del compresor del A/A y bomba de aceite.

46. Alinear las marcas de montaje y colocar la cadena superior en la rueda dentada intermedia.

47. Sacar el pasador, del tensor.

48. Aplicar un sellante de silicona en la tapa de las ruedas dentadas de los árboles de levas e instalar la tapa. Apretar los tornillos verticales (grandes) a 12-14 pie-lb (16-19 Nm), y los tornillos horizontales (pequeños) a 56-66 plg-lb (6.4-7.5 Nm).

49. Alinear las marcas de montaje e instalar la cadena sobre las ruedas dentadas de los árboles de levas.

50. Instalar las ruedas dentadas en los árboles de levas. Apretar los tornillos a 123-130 pie-lb (167-177 Nm).

51. Instalar la tapa de balancines.

52. Instalar el distribuidor.

53. Instalar el conjunto del raíl de combustible/inyectores y conectarlo en el cableado.

54. Instalar el canalizador del radiador, ventilador con embrague y conducto de admisión de aire.

55. Instalar el múltiple de escape, tubo de escape y protector térmico.

56. Conectar las líneas de combustible, mangueras de vacío y cableado eléctrico.

57. Llenar el motor con refrigerante y conectar el cable negativo de la batería.

SISTEMA DE COMBUSTIBLE

PRECAUCIONES EN EL SERVICIO DEL SISTEMA DE COMBUSTIBLE

La seguridad es el factor más importante, cuando se lleva a cabo, no sólo el mantenimiento del sistema de combustible, sino cualquier tipo de mantenimiento. Dejar de llevar a cabo de forma segura, el mantenimiento y las reparaciones puede resultar en serios daños personales e incluso la muerte. El mantenimiento y prueba de los componentes del sistema de combustible del vehículo, puede llevarse a cabo de forma segura y efectiva, aplicando las siguientes reglas y pautas.

• Para evitar cualquier posibilidad de incendio o lesiones personales, desconectar siempre el cable negativo de la batería, a menos que el procedimiento de reparación o prueba requiera la aplicación del voltaje de la batería.

• Descargar siempre la presión del sistema de combustible, antes de desconectar cualquier componente del sistema de combustible (inyector, raíl de combustible, regulador de presión, etc.), conexión o conector de líneas de combustible. Tener la máxima precaución, siempre que se descargue la presión del sistema de combustible, de evitar la exposición de la piel, cara y ojos al combustible pulverizado. No se puede ignorar que el combustible bajo presión puede atravesar la piel o penetrar en cualquier parte del cuerpo con la que entre en contacto.

• Colocar siempre un trapo o toalla de taller alrededor de las conexiones, antes de aflojarlas, para absorber todo exceso de combustible debido al derrame. Asegurarse de que todo derrame de combustible (debe ocurrir) es eliminado rápidamente de las superficies del motor. Asegurarse de que todos los trapos o toallas empapados de combustible son depositados en un contenedor de basura adecuado.

• Mantener siempre, cerca del área de trabajo, un extintor de incendios químico seco (clase B).

• No permitir que combustible pulverizado, o vapores de combustible, entren en contacto con una chispa o llama abierta.

• Utilizar siempre una llave de apoyo sobre la tuerca fija cuando con otra llave se aflojen y aprieten rácores de conexión de tuberías de combustible. Esto evitará una tensión y torsión innecesaria en las tuberías de combustible. Seguir siempre las especificaciones de apriete apropiadas.

• Reemplazar siempre las juntas tóricas gastadas de los rácores de combustible por juntas nuevas. No sustituir con una manguera flexible de combustible, o equivalente, donde esté instalado un tubo rígido de combustible.

PRESIÓN DEL SISTEMA DE COMBUSTIBLE

DESCARGA

1. Sacar el fusible de la bomba de combustible, del panel de fusibles, en el vehículo.

2. Arrancar el motor y dejarlo en funcionamiento hasta que se pare, por falta de combustible.

3. Después de que se haya parado el motor, intentar volver a ponerlo en marcha; si el motor no arranca, la presión del combustible ha sido descargada.

4. Girar el interruptor de arranque a su posición de apagado (OFF). Instalar en el panel el fusible de la bomba de combustible.

➡ **No girar el motor, o girar el interruptor de arranque a su posición de encendido (ON) después de que haya sido instalado el fusible de la bomba de combustible porque volverá a restablecerse la presión de combustible.**

FILTRO DE COMBUSTIBLE

DESMONTAJE E INSTALACIÓN

▼ PRECAUCIÓN ▼

El sistema de inyección de combustible permanece bajo presión después de parar el motor. Descargar adecuadamente la presión de combustible, antes de desconectar cualquier línea de combustible. Dejar de realizar esta operación puede ocasionar un incendio o daños personales.

1. Descargar la presión del sistema de combustible.

2. Localizar el filtro de combustible.

3. Aflojar las abrazaderas de las mangueras de combustible en la entrada y salida de las

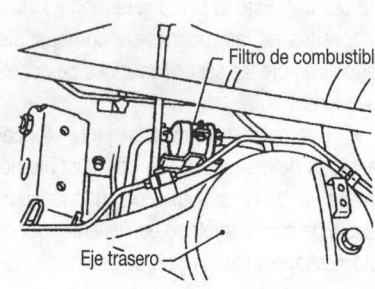

▲ El filtro de combustible se localiza cerca del eje trasero – Pathfinder y QX4 con el motor 3.3L

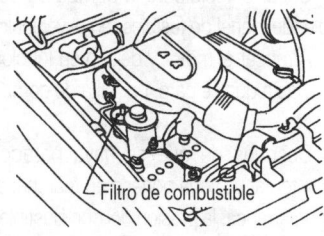

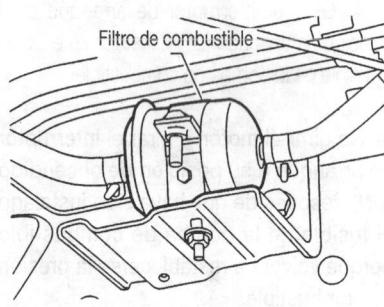

▲ El filtro de combustible se localiza en el compartimiento del motor – Vehículos Pick-up con el motor 2.4L

líneas de combustible, y sacar cada manguera de las boquillas de conexión del filtro.

4. Desmontar el filtro de combustible del soporte de montaje.

Para instalar:

5. Montar el filtro en el soporte de montaje y asegurarlo.

➡ Utilizar siempre un filtro de combustible del tipo de alta presión.

6. Conectar las mangueras de las líneas de combustible y asegurarlas con abrazaderas nuevas.

---

7. Arrancar el motor y comprobar que no existen fugas de combustible.

BOMBA DE COMBUSTIBLE

DESMONTAJE E INSTALACIÓN

Pick-Up y Frontier

▼ PRECAUCIÓN ▼

El sistema de inyección de combustible permanece bajo presión después de parar el motor. Descargar adecuadamente la presión de combustible, antes de desconectar cualquier línea de combustible. Dejar de realizar esta operación, puede ocasionar un incendio o daños personales.

La bomba de combustible, equipada con un amortiguador, está localizada en el depósito de combustible.

1. Descargar adecuadamente la presión del sistema de combustible y desconectar el cable negativo de la batería.

2. Desconectar el conector eléctrico del indicador de combustible.

3. Desconectar las mangueras de salida y retorno de combustible.

4. Desmontar el conjunto del depósito de combustible.

5. Desmontar los tornillos de retención del anillo y la junta tórica; luego sacar el conjunto de la bomba de combustible, del depósito de combustible. Tapar la abertura con un trapo limpio, para evitar la entrada de suciedad en el sistema.

➡ Cuando se desmonte, o instale, el conjunto de la bomba de combustible, tener cuidado de no dañarlo o deformarlo, e instalar siempre una junta tórica nueva.

Para instalar:

6. Retirar el trapo, e instalar el conjunto de la bomba de combustible, en el depósito de combustible; acordarse de utilizar una junta tórica NUEVA. Instalar los tornillos de retención del anillo.

7. Instalar el conjunto del depósito de combustible.

8. Conectar las mangueras de combustible y las conexiones eléctricas.

9. Conectar el cable negativo de la batería.

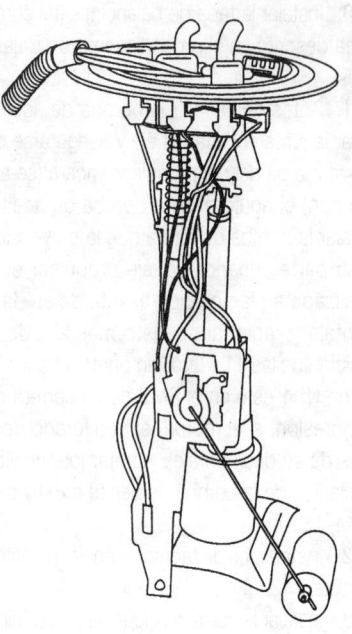

▲ Conjunto de bomba de combustible – Se muestra el vehículo Pick-up de 1998

10. Arrancar el motor, y comprobar que no existen fugas de combustible.

➡ En algunos modelos, la Luz de Comprobación de Motor puede quedar encendida después de completar la instalación. El código de la memoria en la unidad de control, debe borrarse. Para borrar el código, desconectar el cable de la batería, unos 10 segundos, luego volver a conectarlo.

Pathfinder 1995

La bomba de combustible, equipada con un amortiguador, está en el depósito de combustible.

1. Descargar adecuadamente la presión del sistema de combustible, y desconectar el cable negativo de la batería.

2. Desconectar el conector eléctrico del indicador de combustible, y desmontar la tapa de inspección del depósito de combustible.

▼ PRECAUCIÓN ▼

El sistema de inyección de combustible permanece bajo presión después de parar el motor. Descargar adecuadamente la presión de combusti-

ble, antes de desconectar cualquier línea de combustible. Dejar de realizar esta operación, puede ocasionar un incendio, o daños personales.

3. Desconectar las mangueras de salida y retorno de combustible.

4. Soportar y bajar el depósito de combustible. Bajar el depósito sólo lo suficiente, para desmontar la bomba de combustible.

5. Desmontar los tornillos de retención del anillo, y la junta tórica, luego sacar el conjunto de la bomba de combustible, del depósito de combustible. Tapar la abertura con un trapo limpio, para evitar la entrada de suciedad en el sistema.

➡ Al desmontar o instalar el conjunto de la bomba de combustible, tener cuidado de no dañarlo o deformarlo, e instalar siempre una junta tórica nueva.

Para instalar:

6. Retirar el trapo, e instalar el conjunto de la bomba de combustible dentro del depósito de combustible; acordarse de utilizar una junta tórica NUEVA.

7. Instalar los tornillos de retención del anillo.

8. Conectar las mangueras de combustible y las conexiones eléctricas.

9. Elevar el depósito y asegurarlo en el vehículo.

10. Instalar la tapa de inspección.

11. Conectar el cable negativo de la batería.

12. Arrancar el motor y comprobar que no existen fugas de combustible.

➡ En algunos modelos, la Luz de Comprobación del Motor puede quedar encendida después de completar la instalación. El código de la memoria en la unidad de control, debe borrarse. Para borrar el código, desconectar el cable de la batería unos 10 segundos, luego, volver a conectarlo.

Pathfinder y QX4 1996-99

▼ PRECAUCIÓN ▼

El sistema de inyección de combustible permanece bajo presión después de parar el motor. Descargar adecuadamente la presión de combustible, antes de desconectar cualquier línea de combustible. Dejar de realizar esta

operación, puede ocasionar un incendio, o daños personales.

1. Descargar la presión del sistema de combustible.

2. Desconectar el cable negativo de la batería.

3. Desmontar la tapa del agujero de inspección localizado detrás del asiento trasero.

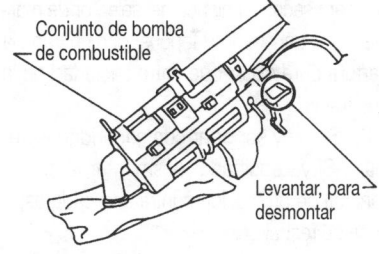

Conjunto de bomba de combustible

Levantar, para desmontar

▲ Desmontar la bomba de combustible con el soporte, mientras se levanta hacia arriba la uña de retenida del soporte de la bomba – Pathfinder y QX4 de 1996-99

4. Desconectar los conectores del cableado y los tubos del combustible de la placa superior del indicador de nivel de combustible.

5. Desmontar el retén del indicador de nivel de combustible y el indicador de nivel.

6. Desmontar la bomba de combustible con su soporte mientras se levanta hacia arriba el fiador del soporte de la bomba.

7. Separar la bomba del suministrador, si es necesario.

Para instalar:

8. Conectar la bomba en el suministrador, si se ha desmontado.

9. Instalar el conjunto de la bomba de combustible en el depósito.

10. Instalar el retén del indicador de nivel de combustible.

11. Conectar el conector del cableado y los tubos de combustible.

12. Instalar la tapa del agujero de inspección.

13. Conectar el cable negativo de la batería. Arrancar el motor y comprobar que no existen fugas de combustible.

TREN DE TRANSMISIÓN

CONJUNTO DE TRANSMISIÓN MANUAL

DESMONTAJE E INSTALACIÓN

Excepto Pathfinder 1996-99

MODELOS 2WD

1. Desconectar el cable negativo de la batería.

2. Desmontar el pomo y la funda del selector de marchas, luego desmontar el anillo elástico de retención, para sacar el selector de marchas de la transmisión. Taponar con un trapo la abertura para evitar que entre suciedad en la transmisión.

3. Elevar y soportar con seguridad el vehículo. Si va equipado, desmontar la plancha de protección contra salpicaduras o chapa de resbale.

4. Si el vehículo va equipado con un motor V6, desconectar el tubo de escape de los múltiples y del catalizador. Retirar el tubo de escape.

5. Desmontar el motor de arranque y vaciar el aceite de la transmisión.

6. Si se equipa, desmontar el sensor de posición del cigüeñal de la parte superior de la transmisión.

7. Marcar la alineación de la brida del árbol de transmisión en la brida del piñón trasero y desmontar el árbol de transmisión. Tapar la abertura de la carcasa de extensión para evitar la entrada de suciedad.

8. Desconectar el cable (chicote) del velocímetro y el cableado eléctrico, de la transmisión.

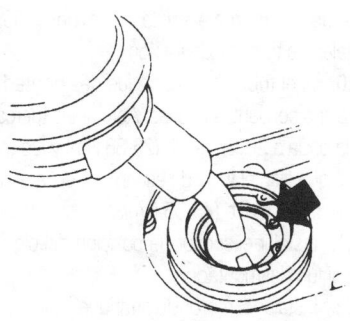

▲ Desmontar el anillo de seguridad, para liberar la palanca de cambios, de la transmisión – Modelo 2WD

9. Sin desconectar la manguera hidráulica, desmontar el cilindro auxiliar del embrague y asegurarlo apartado a un lado.

10. Soportar el motor colocando un gato debajo del depósito de aceite; no colocar el gato debajo del tapón de vaciado de aceite.

11. Utilizando un gato para transmisiones apropiado, soportar de forma adecuada la transmisión, y desmontar el montaje de la transmisión y el travesaño.

12. Desmontar los tornillos de montaje de la transmisión y retirar la transmisión hacia atrás, separándola del motor. Bajar la transmisión con cuidado, del vehículo.

➡ **Mantener los tornillos de montaje de la transmisión en orden porque son de diferentes tamaños. Esto va a facilitar el proceso de instalación.**

Para instalar:

13. Engrasar ligeramente las estrías del eje de entrada. Ajustar la transmisión dentro de su sitio, e iniciar todos los tornillos de montaje de la transmisión. Asegurarse de que el eje de entrada ajusta correctamente en el disco de embrague y cojinete piloto. Apretar los tornillos del eje de transmisión, según la especificación.

14. Instalar el travesaño y apretar los tornillos de montaje del travesaño a 30-38 pie-lb (41-52 Nm).

15. Instalar el montaje de la transmisión y apretar las tuercas a 30-38 pie-lb (41-52 Nm).

16. Retirar el gato de transmisiones de la transmisión, y el gato de debajo del depósito de aceite.

17. Instalar el cilindro auxiliar de embrague, y apretar los tornillos de montaje a 22-30 pie-lb (30-40 Nm).

18. Conectar el cableado y el chicote del velocímetro en la transmisión.

19. Instalar el eje de transmisión y alinear las marcas de montaje en la brida del piñón. Instalar los tornillos de fijación.

20. Si el tubo de escape fue desmontado, instalarlo con juntas nuevas. Apretar las tuercas de la brida a 20-27 pie-lb (26-36 Nm) y los tornillos que fijan el tubo de escape en el catalizador a 32-41 pie-lb (43-55 Nm).

21. Instalar el sensor de posición del cigüeñal, si fue desmontado.

22. Instalar el motor de arranque.

23. Instalar el protector contra salpicaduras del cárter o la chapa de resbale, si fue desmontado.

24. Llenar la transmisión con aceite, y bajar el vehículo.

25. Instalar la palanca de cambios en la transmisión, e instalar el anillo de seguridad. Instalar el fuelle y el pomo del selector de marchas.

26. Conectar el cable negativo de la batería.

MODELOS 4WD

1. Desconectar el cable negativo de la batería.

2. Desmontar el pomo del selector de marchas, la funda fuelle y el anillo elástico de retención, para sacar la palanca del selector de marchas, de la transmisión. Taponar con un trapo la abertura para evitar que entre suciedad en la transmisión.

3. Elevar y soportar con seguridad el vehículo. Si va equipado, desmontar la clinola (plancha) de protección contra salpicaduras, o chapa de resbale.

4. Desmontar el motor de arranque.

5. Desmontar el sensor de posición del cigüeñal del lado superior de la transmisión.

6. Vaciar el aceite de la transmisión y de la caja de transferencia.

7. Si el vehículo va equipado con un motor V6, desconectar el tubo de escape de los múltiples y del catalizador. Retirar el tubo de escape.

8. Marcar la alineación de la brida del eje de transmisión en la brida del piñón trasero y desmontar el eje de transmisión. Tapar la abertura de la carcasa de extensión, para evitar la entrada de suciedad.

9. Marcar la alineación de las dos bridas de los ejes de transmisión delanteros de modo que el eje se pueda instalar en la misma posición. Desmontar los ejes de transmisión.

10. Desconectar el chicote del velocímetro de la caja de transferencia y el cableado de la transmisión.

11. Sin desconectar la manguera hidráulica, retirar el cilindro auxiliar, de la transmisión y asegurarlo apartado a un lado.

12. Desmontar las barras de torsión del vehículo.

13. Desmontar la palanca de cambios de la caja de transferencia.

14. Soportar el motor colocando un gato debajo del depósito de aceite; no colocar el gato debajo del tapón de vaciado de aceite.

15. Utilizando un gato de transmisiones apropiado, soportar de forma adecuada la transmisión y caja de transferencia, luego desmontar el montaje de la transmisión y el travesaño.

16. Desmontar los tornillos de montaje de la transmisión y retroceder la transmisión aleján-dola del motor. Bajar la transmisión con cuidado desde el vehículo.

➡ **Mantener los tornillos de montaje de la transmisión en orden porque son de diferentes tamaños. Esto va a facilitar el proceso de instalación.**

Para instalar:
➡ **Aplicar un sellante de silicona en el bloque de cilindros, o en la placa trasera, para sellar el motor en la transmisión.**

17. Engrasar ligeramente las estrías del eje de entrada. Encajar la transmisión dentro de su sitio, e iniciar todos los tornillos de montaje de la transmisión. Asegurarse de que el eje de entrada encaja correctamente dentro del disco de embrague y cojinete piloto. Apretar los tornillos de la transmisión según la especificación.

18. Instalar el travesaño y apretar los tornillos de montaje del travesaño a 30-38 pie-lb (41-52 Nm).

19. Instalar los tornillos del montaje trasero de la transmisión y apretar las tuercas a 30-38 pie-lb (41-52 Nm).

20. Retirar el gato de transmisiones de la transmisión, y el gato de debajo del depósito de aceite.

21. Instalar la palanca del selector de cambios de la caja de transferencia.

22. Instalar las barras de torsión en su posición original. Asegurarse de que las estrías están en su posición original y realizar el ajuste a su posición original.

23. Instalar el cilindro auxiliar de embrague y apretar los tornillos de montaje a 22-30 pie-lb (30-40 Nm).

24. Conectar el cableado en la transmisión y el chicote del velocímetro en la caja de transferencia.

25. Instalar los ejes de transmisión, asegurarse de alinear las marcas de montaje.

26. Si el tubo de escape fue desmontado, instalarlo con juntas nuevas. Apretar las tuercas de la brida a 20-27 pie-lb (26-36 Nm) y los tornillos que fijan el tubo de escape en el catalizador a 32-41 pie-lb (43-55 Nm).

27. Instalar el sensor de posición del cigüeñal, si fue desmontado.

28. Instalar el motor de arranque.

29. Llenar la transmisión y la caja de transferencia.

30. Instalar el protector de salpicaduras o chapa de resbale, luego bajar el vehículo.

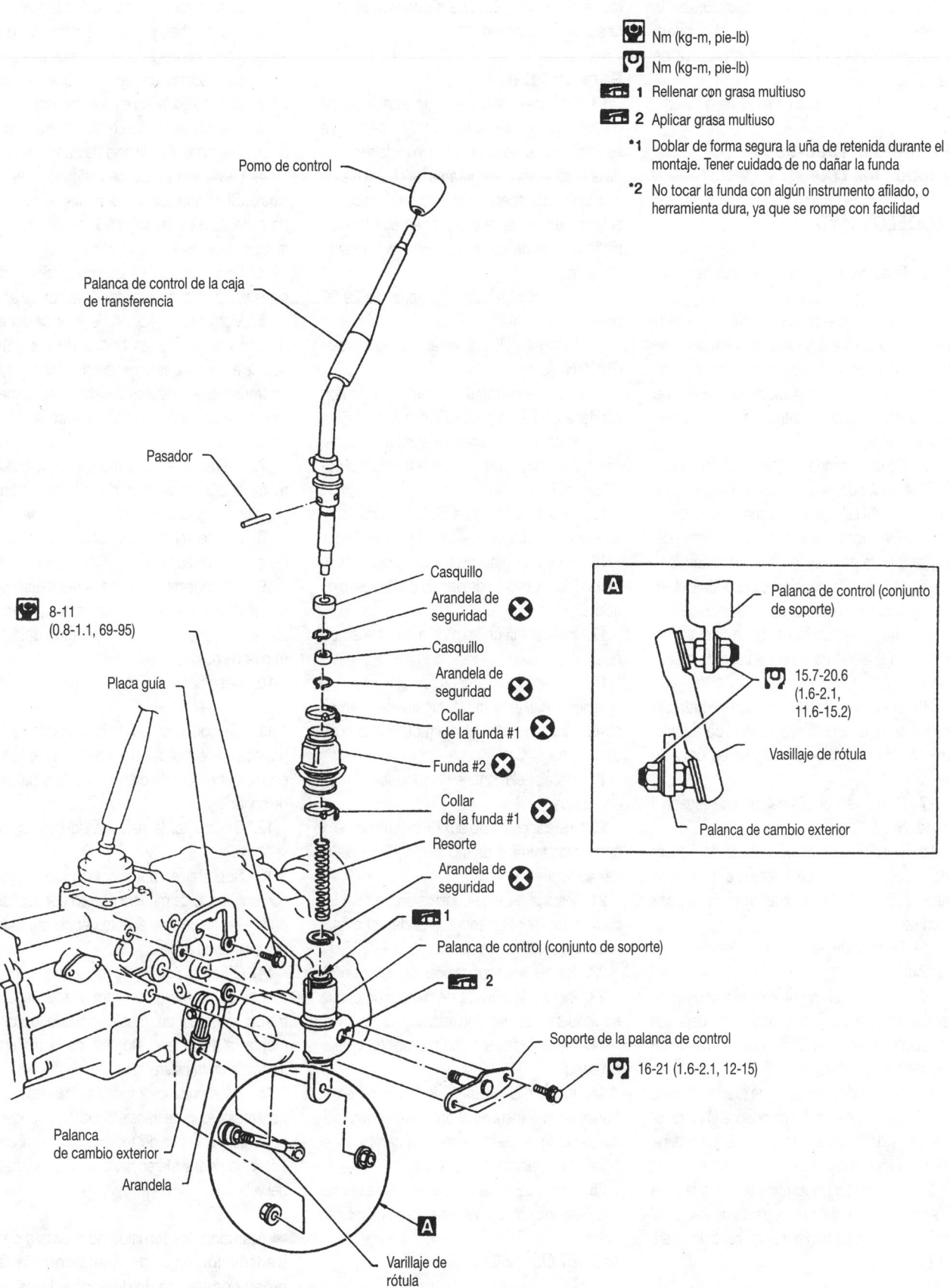

Nm (kg-m, pie-lb)

Nm (kg-m, pie-lb)

1 Rellenar con grasa multiuso

2 Aplicar grasa multiuso

*1 Doblar de forma segura la uña de retenida durante el montaje. Tener cuidado de no dañar la funda

*2 No tocar la funda con algún instrumento afilado, o herramienta dura, ya que se rompe con facilidad

Pomo de control

Palanca de control de la caja de transferencia

Pasador

Casquillo

Arandela de seguridad

Casquillo

Arandela de seguridad

Collar de la funda #1

Funda #2

Collar de la funda #1

Resorte

Arandela de seguridad

8-11 (0.8-1.1, 69-95)

Placa guía

1

Palanca de control (conjunto de soporte)

2

Soporte de la palanca de control

16-21 (1.6-2.1, 12-15)

Palanca de cambio exterior

Arandela

Varillaje de rótula

A

Palanca de control (conjunto de soporte)

15.7-20.6 (1.6-2.1, 11.6-15.2)

Vasillaje de rótula

Palanca de cambio exterior

▲ **Conjunto de la palanca de cambios de la caja de transferencia y componentes relacionados – Pathfinder con 4WD de 1996-99**

31. Instalar la palanca de cambios en la transmisión e instalar el anillo de seguridad. Instalar el fuelle y el pomo de la palanca de cambios.

32. Conectar el cable negativo de la batería.

Pathfinder 1996-99 y todos los QX4

MODELOS 2WD

1. Desconectar el cable negativo de la batería.

2. Desmontar el pomo del selector de marchas y la funda fuelle, y luego desmontar el anillo de retención para sacar el selector de marchas de la transmisión. Colocar un trapo en la abertura para evitar la entrada de suciedad en la transmisión.

3. Elevar y soportar con seguridad el vehículo. Si va equipado, desmontar la plancha de protección contra salpicaduras o chapa de resbale.

4. Desmontar el sensor de posición del cigüeñal de la parte superior de la transmisión.

5. Marcar la alineación de la brida del eje de transmisión en la brida del piñón trasero, y desmontar el eje de transmisión. Instalar un tapón en la abertura de la carcasa de extensión.

6. Sin desconectar la manguera hidráulica, desmontar el cilindro auxiliar de embrague, de la transmisión y guardarlo seguro a un lado.

7. Retirar el montaje del tubo de escape y soportes.

8. Desconectar los conectores del sensor de velocidad del vehículo, lámpara de marcha atrás y del cableado del interruptor de la posición neutra.

9. Desmontar el conjunto del motor de arranque.

10. Soportar el motor colocando un gato con un bloque de madera debajo del depósito de aceite. NO colocar el gato debajo del tapón de vaciado de aceite.

11. Utilizando un gato de transmisiones apropiado, sujetar de forma adecuada la transmisión, y desmontar el montaje de la transmisión y el travesaño.

12. Desmontar los tornillos de montaje de la transmisión y retirar la transmisión lejos del motor. Bajar la transmisión, con cuidado, fuera del vehículo.

➡ Mantener los tornillos de montaje de la transmisión en orden porque son de diferentes tamaños. Esto va a acelerar el proceso de instalación.

Para instalar:

13. Engrasar ligeramente las estrías del eje de entrada. Ajustar la transmisión dentro de su sitio e iniciar todos los tornillos de montaje de la transmisión. Asegurarse de que el eje de entrada ajusta adecuadamente en el disco del embrague y el cojinete piloto. Apretar los tornillos del eje de transmisión de la siguiente manera:

   a. Tornillos N° 1 y N° 2 apretar a 29-39 pie-lb (39-49 Nm).

   b. Tornillo N° 3 apretar a 22-29 pie-lb (29-39 Nm).

   c. Los tornillos de la cartela al motor, apretar a 22-29 pie-lb (29-39 Nm).

14. Instalar el travesaño y apretar los tornillos que unen el travesaño en el bastidor a 55-77 pie-lb (77-105 Nm).

15. Instalar el montaje de la transmisión y apretar las tuercas a 32-41 pie-lb (43-55 Nm).

16. Retirar el gato de transmisiones de la transmisión, y el gato de debajo del depósito de aceite.

17. Instalar el conjunto de motor de arranque.

18. Conectar los conectores del sensor de velocidad del vehículo, lámpara de marcha atrás y del cableado del interruptor de la posición neutra.

19. Instalar el montaje y soportes del tubo de escape.

20. Instalar el cilindro auxiliar de embrague, y apretar los tornillos de montaje a 22-30 pie-lb (30-40 Nm).

21. Instalar el eje de transmisión y alinear las marcas de montaje sobre la brida del piñón. Instalar los tornillos de fijación.

22. Instalar el sensor de posición del cigüeñal.

23. Instalar la plancha de protección contra salpicaduras, o chapa de resbale.

24. Llenar la transmisión con aceite, y bajar el vehículo.

25. Instalar la palanca de cambios en la transmisión e instalar el anillo de seguridad. Instalar el fuelle de la palanca de cambios y el pomo de la palanca de cambios.

26. Conectar el cable negativo de la batería y realizar una prueba del vehículo en carretera.

MODELOS 4WD

1. Desconectar el cable negativo de la batería.

2. Desmontar el pomo y la funda fuelle del selector de marchas, y el anillo de retención, para sacar la palanca del selector de marchas de la transmisión. Colocar un trapo en la abertura para evitar que entre suciedad en la transmisión.

3. Desmontar el pomo de control, de la palanca de control de la caja de transferencia.

4. Elevar y soportar con seguridad el vehículo. Si va equipado, desmontar la plancha de protección contra salpicaduras, o chapa de resbale.

5. Desmontar el sensor de posición del cigüeñal, de la parte superior de la transmisión.

6. Marcar la alineación de la brida del eje de transmisión en las bridas de los piñones delantero y trasero, y desmontar los ejes de transmisión. Instalar un tapón en la abertura de la carcasa de extensión de la transmisión.

7. Sin desconectar la manguera hidráulica, retirar el cilindro auxiliar, de la transmisión y guardarlo seguro a un lado.

8. Desmontar los tubos delantero y trasero del sistema de escape.

9. Desconectar los conectores del sensor de velocidad del vehículo, lámpara de marcha atrás, interruptor 4WD y el cableado del interruptor de posición neutra.

10. Desmontar el conjunto del motor de arranque.

11. Desconectar las articulaciones de la palanca de control de la caja de transferencia, y desmontar el soporte de montaje de la palanca de control.

12. Desmontar la palanca de control, del vehículo.

13. Soportar el motor colocando un gato con un bloque de madera debajo del depósito de aceite; no colocar el gato debajo del tapón de vaciado de aceite.

14. Utilizando un gato de transmisiones apropiado, soportar de forma adecuada la transmisión/caja de transferencia, luego desmontar el travesaño montaje de la transmisión/caja de transferencia.

15. Desmontar los tornillos de montaje de la transmisión/caja de transferencia y retroceder el conjunto retirándolo del motor. Bajar la transmisión/caja de transferencia, con cuidado, fuera del vehículo.

➡ Mantener los tornillos de montaje de la transmisión/caja de transferencia en orden porque son de diferentes tamaños. Esto va a facilitar el proceso de instalación.

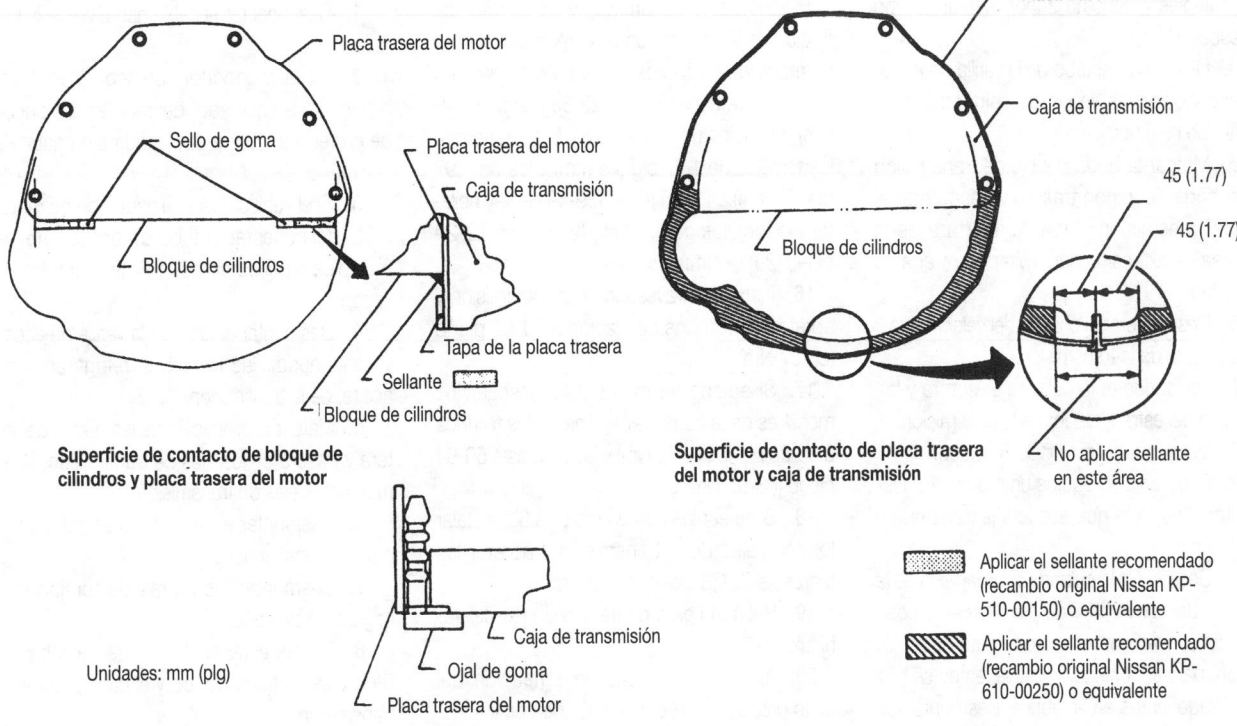

Superficie de contacto de bloque de cilindros y placa trasera del motor

Placa trasera del motor
Sello de goma
Bloque de cilindros
Placa trasera del motor
Caja de transmisión
Tapa de la placa trasera
Sellante
Bloque de cilindros

Unidades: mm (plg)

Caja de transmisión
Ojal de goma
Placa trasera del motor

Placa trasera del motor
Caja de transmisión
Bloque de cilindros
45 (1.77)
45 (1.77)

Superficie de contacto de placa trasera del motor y caja de transmisión

No aplicar sellante en este área

Aplicar el sellante recomendado (recambio original Nissan KP-510-00150) o equivalente

Aplicar el sellante recomendado (recambio original Nissan KP-610-00250) o equivalente

▲ Aplicar sellante en las áreas indicadas, sobre la trasera del bloque de cilindros – Motor 3.3L

Para instalar:

➡ **Aplicar un sellante de silicona en la placa trasera del bloque del motor, antes de la instalación de la transmisión/caja de transferencia.**

16. Engrasar ligeramente las estrías del eje de entrada. Ajustar la transmisión/caja de transferencia en su sitio, e iniciar todos los tornillos de montaje de la transmisión. Asegurarse de que el eje de entrada ajusta adecuadamente en el disco de embrague y cojinete piloto. Apretar los tornillos del eje de transmisión, de la siguiente manera:

a. Tornillos N° 1 y N° 2 apretar a 29-39 pie-lb (39-49 Nm).

b. Tornillo N° 3 apretar a 22-29 pie-lb (29-39 Nm).

c. Tornillos de la cartela en el motor apretar a 22-29 pie-lb (29-39 Nm).

17. Instalar el travesaño y apretar los tornillos que unen el travesaño en el bastidor a 55-77 pie-lb (77-105 Nm).

18. Instalar el montaje de la transmisión y apretar las tuercas a 32-41 pie-lb (43-55 Nm).

19. Retirar el gato de transmisiones de la transmisión y el gato de debajo del depósito de aceite.

20. Instalar la palanca de control de la caja de transferencia y apretar los tornillos de fijación del soporte de montaje de la palanca a 12-15 pie-lb (16-20 Nm).

21. Instalar las articulaciones de la palanca de control de la caja de transferencia, y apretar las tuercas de montaje a 12-15 pie-lb (16-20 Nm).

22. Instalar el conjunto del motor de arranque.

23. Conectar los conectores del sensor de velocidad del vehículo, lámpara de marcha atrás, interruptor de 4WD y cableado del interruptor de posición neutra.

24. Instalar y conectar los tubos de escape delantero y trasero y los soportes de montaje.

25. Instalar el cilindro auxiliar de embrague y apretar los tornillos de montaje a 22-30 pie-lb (30-40 Nm).

26. Instalar los ejes de transmisión y alinear las marcas de alineación sobre las bridas de los piñones. Instalar los tornillos de fijación.

27. Instalar el sensor de posición del cigüeñal.

28. Instalar la plancha protectora contra salpicaduras, o chapa de resbale, si ha sido desmontada.

29. Llenar la transmisión con aceite y bajar el vehículo.

30. Instalar la palanca de cambios dentro de la transmisión, e instalar el anillo de seguridad. Instalar el fuelle y el pomo de la palanca de cambios.

31. Instalar el pomo de la palanca selectora de la caja de transferencia.

32. Conectar el cable negativo de la batería y realizar una prueba en carretera del vehículo.

CONJUNTO DE TRANSMISIÓN AUTOMÁTICA

DESMONTAJE E INSTALACIÓN

Excepto Pathfinder 1996-99

VEHÍCULOS 2WD

1. Desconectar el cable negativo de la batería.

2. Elevar y soportar con seguridad el vehículo. Si va equipado, desmontar la plancha de protección contra salpicaduras, o chapa de resbale.

3. Si el vehículo va equipado con un motor V6, desconectar el tubo de escape de los múltiples y del catalizador. Retirar el tubo de escape.

4. Desmontar el tubo de la varilla de aceite y desconectar las líneas del refrigerador de aceite, de la transmisión.

5. Marcar la brida del eje de transmisión en la brida del piñón trasero y desmontar el eje de transmisión. Tapar la abertura de la carcasa de extensión para evitar la entrada de suciedad.

6. Desconectar el chicote del velocímetro y el cableado, de la transmisión.

7. Desconectar la palanca selectora y los chicotes del estrangulador de la transmisión.

8. Desmontar el motor de arranque.

9. Si el vehículo equipa un motor V6, desmontar el soporte que asegura la transmisión en el motor.

10. Desmontar la cubierta guardapolvo de la carcasa del convertidor de par. Marcar la posición del convertidor respecto al plato de transmisión, para el posterior montaje; éstos se han equilibrado juntos en la fábrica. Desmontar los tornillos de unión entre convertidor y plato de transmisión (volante). Utilizar una llave sobre el tornillo de la polea del cigüeñal para girar el cigüeñal y exponer los tornillos ocultos del convertidor de par.

11. Utilizando un gato de transmisiones apropiado, soportar de forma adecuada la transmisión, y desmontar el montaje de la transmisión y el travesaño.

12. Desmontar los tornillos que unen la transmisión en el motor y retirar la transmisión alejándola del motor. Asegurar el convertidor de par en la transmisión para evitar su posible caída.

13. Inclinar y bajar luego con cuidado, la transmisión del vehículo.

Para instalar:

14. Antes de instalar la transmisión llevar a cabo los siguientes pasos de comprobación:

a. Utilizar un comparador de esfera para comprobar el descentraje del plato propulsor, mientras se gira el cigüeñal. El máximo descentraje admisible es de 0.020 plg (0.5 mm); si está más allá de la especificación, reemplazar el plato propulsor.

b. Medir y ajustar la profundidad del convertidor de par dentro de la carcasa de la transmisión. La distancia entre la superficie del soporte delantero de la transmisión y la protuberancia del tornillo del convertidor de par-plato

propulsor, debe ser como mínimo de 1.024 plg (26 mm).

15. Instalar la transmisión y los tornillos de fijación de la transmisión en el motor. Si equipa un motor de 4 cilindros, apretar los tornillos de fijación de la transmisión a 29-36 pie-lb (39-49 Nm). Si equipa un motor de 6 cilindros, apretar los tornillos de 1.77 plg (45 mm) y los de 1.97 plg (50 mm) a 29-36 pie-lb (39-49 Nm), y apretar los tornillos de 0.98 plg (25 mm) a 22-29 pie-lb (29-39 Nm).

16. Instalar el travesaño de la transmisión y apretar los tornillos de fijación a 50-64 pie-lb (68-87 Nm).

17. Si equipa un motor 2.4L, instalar los montajes de la transmisión. Apretar los tornillos a 30-38 pie-lb (41-52 Nm) y las tuercas a 50-64 pie-lb (68-87 Nm).

18. Si se equipa con un motor 3.0L, instalar los montajes de la transmisión y apretar las tuercas a 30-38 pie-lb (41-52 Nm).

19. Retirar el gato de transmisiones del vehículo.

20. Alinear las marcas de alineación del plato propulsor y el convertidor de par, instalar los tornillos y apretarlos a 33-43 pie-lb (44-59 Nm). Girar el cigüeñal después de apretar los tornillos, para asegurarse de que el plato propulsor no está agarrotado.

21. Si se equipa con un motor 3.0L, instalar los soportes que aseguran la transmisión en el motor y apretar los tornillos de fijación a 22-29 pie-lb (29-39 Nm).

22. Instalar el motor de arranque.

23. Conectar la palanca selectora y los cables del estrangulador (ahogador) en la transmisión.

24. Conectar el cableado en la transmisión y el cable (chicote) del velocímetro.

25. Instalar los ejes de transmisión y alinear las marcas de alineación sobre la brida del piñón. Instalar los tornillos de fijación.

26. Conectar las líneas del refrigerador de aceite en la transmisión, e instalar el tubo de la varilla de aceite.

27. Si el tubo de escape ha sido desmontado, instalarlo con juntas nuevas. Apretar las tuercas de la brida a 20-27 pie-lb (26-36 Nm) y los tornillos de fijación del tubo de escape en el catalizador a 32-41 pie-lb (43-55 Nm).

28. Instalar el protector contra salpicaduras o chapa de resbale, si ha sido desmontado.

29. Bajar el vehículo.

30. Conectar el cable negativo de la batería.

31. Llenar la transmisión con fluido y ajustarla convenientemente.

VEHÍCULOS 4WD

1. Desconectar el cable negativo de la batería.

2. Elevar y soportar con seguridad el vehículo. Si va equipado, desmontar la plancha de protección contra salpicaduras o chapa de resbale.

3. Si el vehículo va equipado con un motor 3.0L, desconectar el tubo de escape de los múltiples y del catalizador. Retirar el tubo de escape.

4. Desmontar el tubo de la varilla de aceite y desconectar las líneas del refrigerador de aceite, de la transmisión.

5. Marcar la alineación de las bridas delantera y trasera de los ejes de transmisión. Desmontar los ejes de transmisión.

6. Desmontar el varillaje del selector de la caja de transferencia.

7. Desmontar las barras de torsión y el segundo travesaño.

8. Desconectar el chicote del velocímetro de la caja de transferencia y el cableado, de la transmisión.

9. Desconectar el cable selector y los cables del estrangulador (ahogador), de la transmisión.

10. Desmontar el motor de arranque.

11. Si el vehículo equipa un motor 3.0L, desmontar el soporte que asegura la transmisión en el motor.

12. Desmontar el guardapolvo de la carcasa del convertidor de par. Marcar la posición del convertidor de par con el plato de transmisión, para el posterior montaje; éstos han sido equilibrados juntos en la fábrica. Desmontar los tornillos de unión entre convertidor y plato de transmisión (volante). Utilizar una llave sobre el tornillo de la polea del cigüeñal, para girar el cigüeñal y exponer los tornillos ocultos del convertido de par.

13. Utilizando un gato de transmisiones apropiado, soportar de forma adecuada la transmisión, y la caja de transferencia y desmontar el montaje de la transmisión y el travesaño.

14. Desmontar los tornillos que unen la transmisión en el motor y extraer la transmisión y la caja de transferencia, del vehículo.

Para instalar:

15. Antes de instalar la transmisión, ejecute los siguientes pasos de comprobación:

a. Utilizar un comparador de esfera para comprobar el descentraje del plato propulsor mientras se gira el cigüeñal. El máximo descentraje admisible es de 0.020 plg (0.5 mm); si está más allá de la especificación, reemplazar el plato propulsor.

b. Medir y ajustar la profundidad del convertidor de par dentro de la carcasa de la transmisión. La distancia entre la superficie del soporte delantero de la transmisión y la protuberancia del tornillo del convertidor de par-plato propulsor, debe ser como mínimo de 1.024 plg (26 mm).

16. Instalar la transmisión y los tornillos de fijación de la transmisión en el motor. Si se equipa con un motor de 2.4L, apretar los tornillos de fijación a 29-36 pie-lb (39-49 Nm). Si se equipa con un motor de 3.0L, apretar los tornillos de 1.77 plg (45 mm) y los de 1.97 plg (50 mm) a 29-36 pie-lb (39-49 Nm), y apretar los tornillos de 0.98 plg (25 mm) a 22-29 pie-lb (29-39 Nm).

17. Instalar el travesaño de la transmisión. Si se equipa un motor 2.4L apretar los tornillos de fijación a 50-64 pie-lb (68-87 Nm). Si se equipa con un motor de 3.0L, apretar los tornillos de fijación a 30-38 pie-lb (41-52 Nm).

18. Si equipa un motor 2.4L, instalar los montajes de la transmisión. Apretar los tornillos a 30-38 pie-lb (41-52 Nm) y las tuercas a 50-64 pie-lb (68-87 Nm).

19. Si equipa un motor 3.0L, instalar los montajes de la transmisión y apretar las tuercas a 30-38 pie-lb (41-52 Nm).

20. Retirar el gato de la transmisión del vehículo.

21. Alinear las marcas de montaje del plato propulsor y el convertidor de par, instalar los tornillos y apretarlos a 33-43 pie-lb (44-59 Nm). Girar el cigüeñal después de apretar los tornillos, para asegurarse de que el plato propulsor no está agarrotado.

22. Si se equipa con un motor de 3.0L, instalar los soportes que aseguran la transmisión en el motor, y apretar los tornillos de fijación a 22-29 pie-lb (29-39 Nm).

23. Conectar el cable del selector y los cables del estrangulador (ahogador) en la transmisión.

24. Conectar el cable del velocímetro en la caja de transferencia y el cableado en la transmisión.

25. Instalar el segundo travesaño dentro del vehículo.

26. Instalar las barras de torsión en su posición original. Asegurarse de que las estrías están en su posición original y realizar el ajuste hasta su posición original.

27. Instalar la palanca selectora de la caja de transferencia.

28. Instalar los ejes de transmisión delantero y trasero, asegurándose de alinear las marcas de montaje.

29. Conectar las líneas del refrigerador de aceite en la transmisión, e instalar el tubo de la varilla de aceite.

30. Si el tubo de escape ha sido desmontado, instalarlo con juntas nuevas. Apretar las tuercas de la brida a 20-27 pie-lb (26-36 Nm), y los tornillos de fijación del tubo de escape en el catalizador a 32-41 pie-lb (43-55 Nm).

31. Instalar el protector contra salpicaduras, o chapa de resbale, si ha sido desmontado.

32. Bajar el vehículo.

33. Conectar el cable negativo de la batería.

34. Llenar la transmisión con fluido y ajustarla convenientemente.

Pathfinder 1996-99

VEHÍCULOS 2WD

1. Desconectar el cable negativo de la batería.

2. Elevar y soportar con seguridad el vehículo. Si va equipado, desmontar la plancha de protección contra salpicaduras, o chapa de resbale.

3. Desmontar el tubo de la varilla de aceite y desconectar las líneas del refrigerador de aceite de la transmisión. Asegurarse de tapar las aberturas de las tuberías de fluido.

4. Marcar la posición de la brida del eje de transmisión en la brida del piñón trasero, y desmontar el eje de transmisión. Tapar la abertura de la carcasa de extensión para evitar la pérdida de fluido.

5. Desconectar el cable del velocímetro y el cableado de la transmisión.

6. Desconectar al palanca selectora y los cables del estrangulador (ahogador) de la transmisión.

7. Desmontar el motor de arranque.

8. Desmontar la tapa de acceso de la carcasa del convertidor de par.

9. Marcar la posición del convertidor con el plato de transmisión, para el posterior montaje; éstos han sido equilibrados juntos en la fábrica.

10. Desmontar los tornillos de unión entre convertidor de par y plato de transmisión (volante). Utilizar una llave sobre el tornillo de la polea del cigüeñal para girar el cigüeñal y exponer los tornillos ocultos del convertidor de par.

11. Utilizando un gato de transmisiones apropiado, sujetar de forma adecuada la transmisión y desmontar el montaje de la transmisión y el travesaño.

➡ **Los tornillos que aseguran la transmisión son de longitudes diferentes. Asegurarse de que se anota la posición correcta para el posterior montaje.**

12. Desmontar los tornillos que unen la transmisión en el motor y retirar la transmisión separándola del motor.

▼ PRECAUCIÓN ▼
Asegurar el convertidor de par en la transmisión para evitar su caída.

13. Inclinar y bajar con cuidado la transmisión del vehículo.

Para instalar:

14. Antes de instalar la transmisión, ejecutar los siguientes pasos de comprobación:

a. Utilizar un comparador de esfera para comprobar el descentraje del plato propulsor, mientras se gira el cigüeñal. El máximo descentraje admisible es de 0.020 plg (0.5 mm); si está más allá de la especificación, reemplazar el plato propulsor.

b. Medir y ajustar la profundidad del convertidor de par en la carcasa de la transmisión. La distancia entre la superficie del soporte delantero de la transmisión y la protuberancia del tornillo del convertidor de par-plato impulsor debe ser como mínimo de 1.024 plg (26 mm).

15. Instalar la transmisión y los tornillos de fijación de la transmisión en el motor.

16. Apretar los tornillos como sigue:

a. Apretar los tornillos N° 1 y N° 2 a 29-36 pie-lb (39-49 Nm).

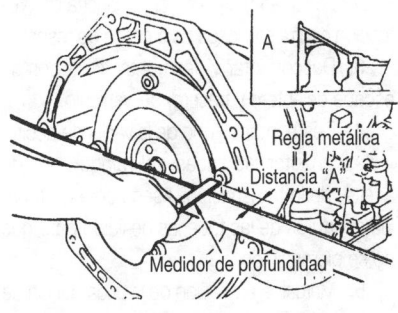

▲ Medir la profundidad del convertidor de par, para asegurarse de que está completamente asentado – Pathfinder de 1996-99 con 2WD

b. Apretar el tornillo N° 3 a 22-29 pie-lb (29-39 Nm).

c. Apretar los tornillos de la cartela en el motor a 22-29 pie-lb (29-39 Nm).

17. Instalar el travesaño de la transmisión, y apretar los tornillos que unen el travesaño en el bastidor a 57-77 pie-lb (77-105 Nm). Apretar las tuercas que aseguran la transmisión al travesaño a 32-41 pie-lb (43-55 Nm).

18. Retirar el gato de transmisiones, del vehículo.

19. Alinear las marcas de alineación sobre el plato propulsor y el convertidor de par, luego instalar los tornillos, y apretarlos a 33-43 pie-lb (44-59 Nm). Girar el cigüeñal, después de apretar los tornillos, para asegurarse de que el plato propulsor no está agarrotado.

20. Instalar la tapa de acceso del convertidor de par.

21. Instalar el motor de arranque.

22. Conectar la palanca selectora y los cables del estrangulador (ahogador) en la transmisión.

23. Conectar el cableado en la transmisión y el cable del velocímetro.

24. Instalar el eje de transmisión y alinear las marcas de alineación sobre la brida del piñón. Instalar los tornillos de fijación.

25. Conectar las líneas del refrigerador de aceite en la transmisión, e instalar el tubo de la varilla de aceite.

26. Instalar el protector contra salpicaduras, o chapa de resbale, si ha sido desmontado.

27. Bajar el vehículo.

28. Conectar el cable negativo de la batería.

29. Llenar la transmisión con fluido y realizar un recorrido de prueba.

VEHÍCULOS 4WD

1. Desconectar el cable negativo de la batería.

2. Elevar y soportar con seguridad el vehículo. Si va equipado, desmontar la plancha de protección contra salpicaduras o chapa de resbale.

3. Desconectar y desmontar los tubos de escape delantero y trasero, del vehículo.

4. Desmontar el tubo de la varilla de aceite, y desconectar las líneas del refrigerador de aceite, de la transmisión. Asegurarse de tapar las aberturas de las tuberías de fluido para que no se pierda fluido.

5. Marcar la alineación de la brida del eje de transmisión en la brida del piñón trasero, y desmontar el eje de transmisión. Tapar la abertura de la carcasa de extensión, para evitar la pérdida de fluido.

6. Marcar la alineación de la brida del eje de transmisión en la brida del piñón delantero, y desmontar el eje de transmisión.

7. Desconectar las articulaciones del selector de control, de la caja de transferencia.

8. Desconectar el cable del velocímetro y el cableado, de la transmisión.

9. Desconectar los cables de la palanca selectora y del estrangulador (ahogador), de la transmisión.

10. Desmontar el motor de arranque.

11. Desmontar la tapa de acceso de la carcasa del convertidor.

12. Marcar la alineación del convertidor de par con el plato de transmisión, para el posterior montaje; éstos han sido equilibrados juntos en la fábrica.

13. Desmontar los tornillos de unión entre convertidor de par y plato de transmisión (volante). Utilizar una llave sobre el tornillo de la polea del cigüeñal para girar el cigüeñal y exponer los tornillos ocultos del convertidor de par.

14. Utilizando un gato de transmisión apropiado, soportar de forma adecuada la transmisión y caja de transferencia.

15. Desmontar el montaje de la transmisión y el travesaño.

➡ **Los tornillos que aseguran la transmisión son de longitudes diferentes. Asegurarse de que se anota bien la posición para el montaje posterior.**

16. Desmontar los tornillos que unen la transmisión y caja de transferencia en el motor, y retroceder la transmisión separándola del motor.

▼ PRECAUCIÓN ▼
Asegurar el convertidor de par en la transmisión para evitar su caída de la transmisión.

17. Inclinar, luego bajar con cuidado, la transmisión fuera del vehículo.

Para instalar:

18. Antes de instalar la transmisión, siga los siguientes pasos de comprobación:

a. Utilizar un comparador de esfera, para comprobar el descentraje del plato propulsor, mientras se gira el cigüeñal. El máximo descentraje admisible es de 0.020 plg (0.5 mm); si está más allá de la especificación, reemplazar el plato propulsor.

b. Medir y ajustar la profundidad del convertidor de par dentro de la carcasa de la transmisión. La distancia entre la superficie del montaje delantero de la transmisión y la protuberancia del tornillo del convertidor de par-plato propulsor de transmisión, debe ser como mínimo de 1.024 plg (26 mm).

19. Instalar la transmisión y los tornillos de fijación de la transmisión en el motor.

20. Apretar los tornillos como sigue:

a. Apretar los tornillos N° 1 y N° 2 a 29-36 pie-lb (39-49 Nm).

b. Apretar el tornillo N° 3 a 22-29 pie-lb (29-39 Nm).

c. Apretar los tornillos de la cartela en el motor a 22-29 pie-lb (29-39 Nm).

21. Instalar el travesaño de la transmisión, y apretar los tornillos que unen el travesaño en el bastidor a 55-77 pie-lb (77-105 Nm). Apretar las tuercas que aseguran la transmisión en el travesaño a 32-41 pie-lb (43-55 Nm).

22. Retirar el gato de transmisiones del vehículo.

23. Alinear las marcas de alineación sobre el plato propulsor y el convertidor de par, luego instalar los tornillos y apretarlos a 33-43 pie-lb (44-59 Nm). Girar el cigüeñal, después de apretar los tornillos, para asegurarse que el plato impulsor no está agarrotado.

24. Instalar la tapa de acceso del convertidor de par.

25. Instalar el conjunto del motor de arranque.

26. Conectar la palanca selectora y los cables del estrangulador (ahogador) en la transmisión.

27. Conectar el cableado en la transmisión y el cable del velocímetro.

28. Conectar articulaciones del selector de control en la caja de transferencia.

29. Instalar los ejes de transmisión y alinear las marcas de alineación sobre las bridas de los piñones. Instalar los tornillos de unión.

30. Conectar las líneas del refrigerador de aceite en la transmisión, e instalar el tubo de la varilla de aceite.

31. Utilizando juntas nuevas, instalar los tubos de escape.

32. Instalar el protector contra salpicaduras, o chapa de resbale, si ha sido desmontado.

33. Bajar el vehículo.

34. Conectar el cable negativo de la batería.

35. Llenar la transmisión con fluido, y realizar un recorrido de prueba.

EMBRAGUE

DESMONTAJE E INSTALACIÓN

1. Desconectar el cable negativo de la batería; elevar y soportar con caballetes de seguridad el vehículo.

2. Desmontar la transmisión.

3. Utilizando un trozo de tiza o un punzón de centros, marcar pintando o con el punzón, la relación del conjunto del embrague con el volante, de manera que pueda volver a montarse en la misma posición de la que es desmontado.

4. Utilizando una herramienta de alineación de embragues, insertarla en el cubo del disco de embrague.

5. Aflojar los tornillos que fijan la tapa del embrague en el volante, una vuelta cada vez, en una secuencia alternativa, hasta que la tensión del resorte esté descargada, para evitar la deformación o el doblado de la tapa del embrague. Desmontar el conjunto del embrague.

6. Inspeccionar si en el volante hay rayas, rugosidades o signos de sobrecalentamiento. El rayado ligero puede eliminarse mediante tela de esmeril, pero cualquier estría profunda o sobrecalentamiento (marcas azules) justifica el reemplazo o la rectificación de la superficie del volante. Si las guarniciones del embrague o del volante están aceitosas, inspeccionar el sello de aceite de la tapa delantera de la transmisión, los sellos del buje piloto y trasero del motor, etc. en busca de fugas; reemplazar cualquier sello con pérdidas, antes de reemplazar el embrague.

7. Si el buje piloto del cigüeñal está gastado, reemplazarlo. Instalarlo utilizando un martillo blando. Las piezas suministradas por la fábrica no deben estar aceitadas, pero se han de comprobar si se usan, piezas de posventa. Inspeccionar la cubierta del embrague en busca de desgastes o rayados, y reemplazarla en caso de que sea necesario.

➡ **El plato de presión y el resorte no se pueden desmontar; reemplazar la tapa de embrague, como un conjunto.**

Para instalar:

8. Inspeccionar el cojinete de desembrague. Si está rugoso o hace ruido, debe ser reemplazado. El cojinete puede ser desmontado del buje con un extractor; esto requiere una prensa para instalar el nuevo cojinete. Después de la instalación, cubrir con una ligera capa de grasa la ranura del buje, las superficies de contacto de la palanca de desembrague, el pasador de pivote/buje y las superficies de contacto del cojinete de desembrague a la transmisión/transeje. Tener cuidado de no usar demasiada grasa, ya que va a funcionar a altas temperaturas y puede llegar hasta las superficies de embrague. Volver a instalar el cojinete de empuje sobre la palanca.

9. Aplicar una fina capa de grasa en el anillo de alambre del plato de presión, resortes del diafragma, estriado de la tapa de embrague y en los tetones propulsores del plato de presión.

10. Aplicar una capa delgada de Lubriplate® en las estrías del plato propulsor. Deslizar el disco de embrague en el estriado y

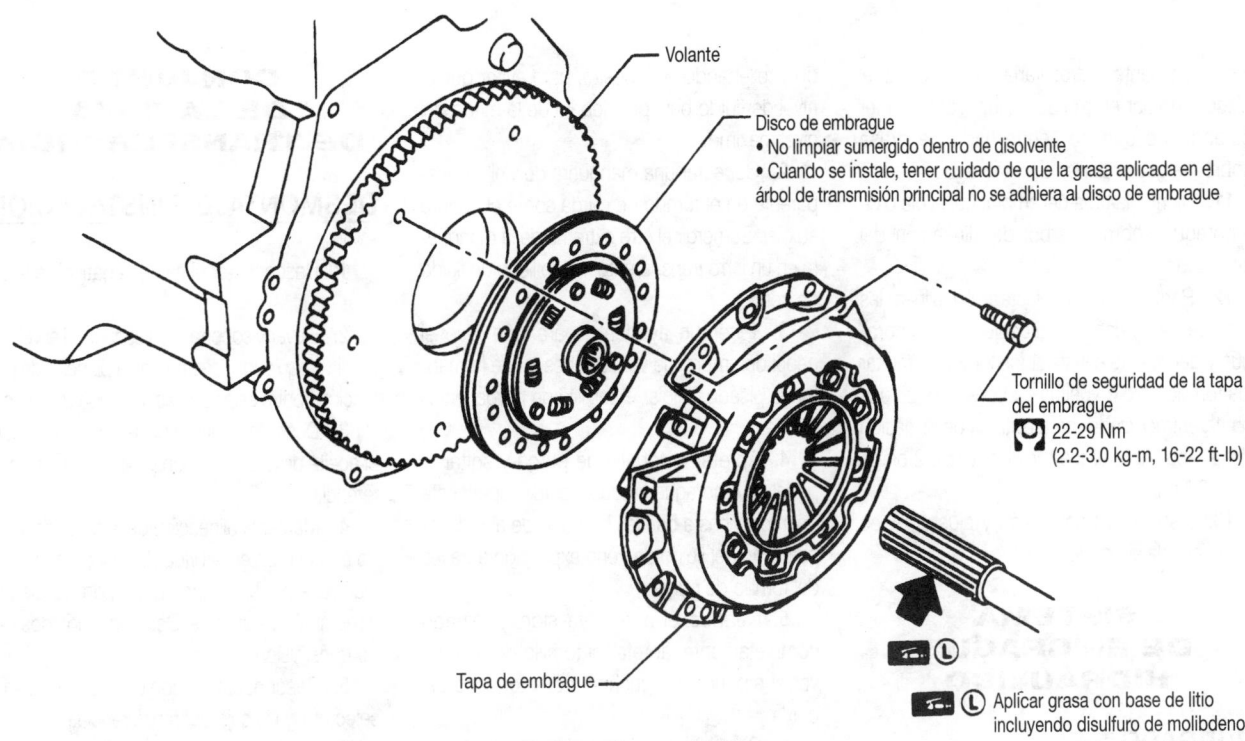

Volante

Disco de embrague
• No limpiar sumergido dentro de disolvente
• Cuando se instale, tener cuidado de que la grasa aplicada en el árbol de transmisión principal no se adhiera al disco de embrague

Tornillo de seguridad de la tapa del embrague
22-29 Nm
(2.2-3.0 kg-m, 16-22 ft-lb)

Tapa de embrague

Aplicar grasa con base de litio incluyendo disulfuro de molibdeno

▲ Conjunto del plato de presión, disco de embrague y componentes relacionados – Todos los modelos

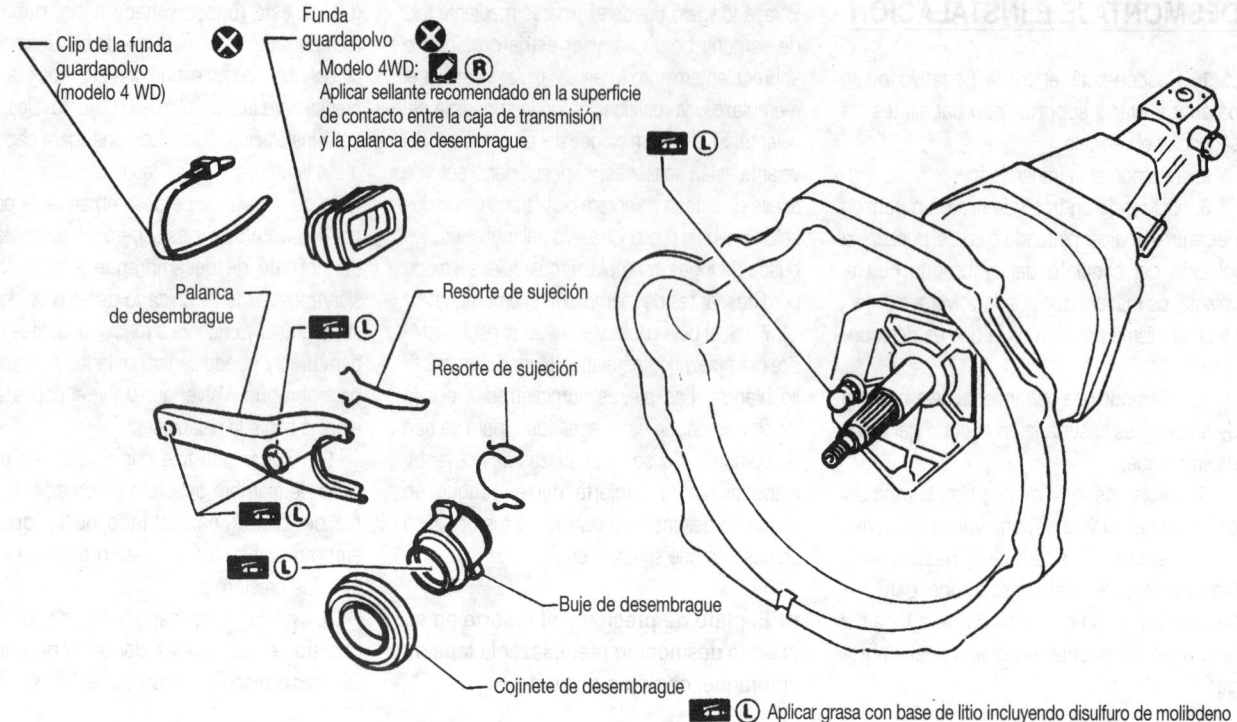

Clip de la funda guardapolvo (modelo 4 WD) ✕

Funda guardapolvo ✕
Modelo 4WD: 🔲 Ⓡ
Aplicar sellante recomendado en la superficie de contacto entre la caja de transmisión y la palanca de desembrague

Palanca de desembrague

Resorte de sujeción

Resorte de sujeción

Buje de desembrague

Cojinete de desembrague

Ⓛ Aplicar grasa con base de litio incluyendo disulfuro de molibdeno

▲ Conjunto del mecanismo de desembrague – Todos los modelos

moverlo delante y atrás varias veces. Sacar el disco y limpiar el exceso de lubricante. Tener cuidado de que no llegue nada de grasa sobre las guarniciones del embrague.

11. Montar la tapa del embrague, el plato de embrague sobre el árbol de alineación del embrague.

12. Para completar la instalación, alinear las marcas de alineación del conjunto de embrague y del volante e instalar los tornillos. Apretar los tornillos 1 o 2 vueltas cada vez, según una pauta entrecruzada, para evitar la deformación de la tapa. Apretar los tornillos a 16-22 pie-lb (22-29 Nm).

13. Instalar la transmisión y ajustar, si es necesario, la altura del pedal.

SISTEMA DE EMBRAGUE HIDRÁULICO

PURGADO

1. Comprobar y rellenar el depósito de fluido hasta la marca de llenado máximo. Durante el proceso de purgado, continuar comproban-

do y rellenando el depósito, para evitar que el nivel de fluido baje por debajo de la mitad del nivel máximo.

2. Conectar una manguera de vinilo transparente en el tornillo de purga sobre el cilindro auxiliar. Sumergir el otro extremo de la manguera en un jarro transparente medio lleno de fluido de freno.

3. Tener un ayudante para que pise el pedal de embrague varias veces y que lo mantenga pisado. Aflojar el tornillo de purga lentamente.

4. Apretar el tornillo de purga y soltar el pedal de embrague gradualmente. Repetir esta operación hasta que las burbujas de aire desaparezcan del fluido de freno expulsado a través del tornillo de purga.

5. Cuando el aire haya sido eliminado completamente, apretar el tornillo de purga y volver a poner el capuchón protector contra el polvo.

6. Comprobar y llenar, si es necesario, el depósito del cilindro principal.

7. Pisar varias veces el pedal del embrague para comprobar el funcionamiento del embrague, y comprobar la existencia de fugas.

CONJUNTO DE LA CAJA DE TRANSFERENCIA

DESMONTAJE E INSTALACIÓN

1. Desconectar el cable negativo de la batería.

2. Elevar y soportar con seguridad el vehículo. Si va equipado, desmontar la plancha de protección contra salpicaduras, o chapa de resbale.

3. Desmontar el motor de arranque. Vaciar el aceite de la transmisión y de la caja de transferencia.

4. Marcar la alineación de la brida del árbol de transmisión en la brida del piñón del diferencial trasero y en las dos bridas de los ejes de transmisión delanteros. Desmontar los dos ejes de transmisión.

5. Desconectar el conjunto de la palanca selectora de la caja de transferencia.

6. Las barras de torsión deben ser desmontadas:

    a. Trabajando debajo del vehículo, medir y anotar la longitud de los hilos de rosca sobre el ajuste de las barras de torsión.

b. En la delantera de la barra, echar hacia atrás la funda y marcar la alineación de la barra en el plato de montaje. El estriado de la barra debe ser reinstalado en la misma posición sobre el plato.

c. Desmontar la contratuerca y la tuerca de ajuste, y desmontar las 3 tuercas en el plato de montaje, para desmontar cada barra. Marcar las barras izquierda y derecha, para su instalación correcta.

7. Utilizando un gato de transmisiones apropiado, soportar de forma adecuada la transmisión y desmontar el montaje de la transmisión y el travesaño.

8. Desmontar los tornillos de montaje de la transmisión en la caja de transferencia y retroceder la caja de transferencia retirándola de la transmisión.

➡ Los tornillos de montaje son de longitud diferente en los modelos con transmisión manual.

Para instalar:

9. Limpiar las superficies de contacto y aplicar un cordón de sellante de silicona en la brida de montaje de la caja de transferencia.

10. Ajustar, con cuidado, la caja dentro de su sitio, e iniciar los tornillos de montaje. Apretar los tornillos a 23-30 pie-lb (31-41 Nm).

11. Instalar el travesaño y apretar los tornillos del travesaño a 58 pie-lb (78 Nm). Instalar los tornillos de montaje y apretarlos a 38 pie-lb (52 Nm).

12. Instalar los ejes de transmisión, y asegurarse de que se alinean las marcas de alineación:

a. En el eje de transmisión delantero, apretar los tornillos a 33 pie-lb (44 Nm).

b. En los ejes de transmisión de dos piezas, apretar los tornillos de las bridas a 33 pie-lb (44 Nm) y los tornillos del soporte del cojinete central a 16 pie-lb (22 Nm).

c. En los ejes de transmisión de una sola pieza, apretar los tornillos de las bridas a 65 pie-lb (88 Nm).

13. Instalar el conjunto de la palanca selectora.

14. Instalar las barras de torsión en su posición original. Asegurarse de que las estrías están en su posición original, y realizar el ajuste hasta su posición original.

15. Instalar el resto de componentes, y llenar la caja de transferencia y la transmisión, con aceite. Comprobar y ajustar la altura de la suspensión delantera.

SEMIEJES

DESMONTAJE E INSTALACIÓN

Excepto Pathfinder 1996-99

1. Elevar y soportar con seguridad la delantera del vehículo.

2. Desmontar la rueda.

3. Desmontar los tornillos que fijan el eje de transmisión en el diferencial, mientras se mantiene apretado el pedal del freno.

4. Desmontar el conjunto del cubo de rueda libre, con el pedal del freno apretado.

5. Desmontar el conjunto de la mordaza de freno sin desconectar la línea hidráulica del freno. Soportar o colgar la mordaza de freno con un alambre para evitar dañar la manguera.

6. Desmontar el rotor de freno.

7. Desmontar la rótula de la barra de conexión de la articulación de la dirección.

8. Soportar el eslabón inferior con un gato, y desmontar las tuercas que fijan la rótula esférica inferior en el eslabón inferior.

9. Desmontar los tornillos de fijación de la rótula esférica superior.

10. Desmontar el tornillo de fijación inferior del amortiguador.

11. Tapar la funda del eje de transmisión, con un protector adecuado, luego desmontar el eje de transmisión, con la articulación de la dirección aún montada.

12. Separar el eje de transmisión, de la articulación, golpeando ligeramente con un martillo de goma.

Para instalar:

13. Instalar el distanciador del cojinete en el eje de transmisión, asegurándose de que el distanciador del cojinete está mirando en la dirección correcta, luego instalar el eje de transmisión dentro de la articulación.

14. Instalar el eje de transmisión y el conjunto de la articulación de la dirección.

15. Conectar el amortiguador, y apretar el tornillo a 87-108 pie-lb (118-147 Nm).

16. Conectar la rótula esférica superior, y apretar los tornillos a 12-15 pie-lb (16-21 Nm).

17. Conectar la rótula esférica inferior en el eslabón inferior, y apretar las tuercas a 35-45 pie-lb (47-61 Nm).

18. Conectar la rótula de la barra de conexión, en la articulación de la dirección.

19. Instalar el rotor de freno y la mordaza.

20. Instalar de modo temporal, un nuevo anillo elástico de seguridad, sobre el eje de transmisión, del mismo espesor que el que fue desmontado; medir entonces el juego axial del eje de transmisión con comparador de esfera. El juego axial debe estar entre 0.1-0.3 mm. Seleccionar otro anillo de seguridad, si no se cumple la especificación.

21. Instalar el cubo, luego conectar el eje de transmisión en el diferencial, y apretar los tornillos a 25-33 pie-lb (34-44 Nm).

22. Instalar la rueda y bajar el vehículo.

Pathfinder 1996-99

1. Elevar y soportar con seguridad la delantera del vehículo.

2. Desmontar la rueda.

▼ ATENCIÓN ▼

Antes de desmontar el eje de transmisión, desconectar el sensor del ABS de la rueda y apartarlo a un lado. No hacer esto puede significar dañar los cables del sensor, lo que haría el sensor inoperativo.

3. Desmontar el conjunto de la mordaza de freno, sin desconectar la manguera hidráulica del circuito de freno. Soportar o colgar la mordaza de freno con un alambre, para evitar dañar la manguera.

4. Desmontar la tapa del cubo y el anillo de seguridad.

5. Desmontar los tornillos que fijan el eje de transmisión en la transmisión final.

6. Desmontar los tornillos y tuercas que fijan el brazo de control inferior (eslabón transversal).

7. Separar el eje de transmisión de la articulación, golpeando ligeramente con un martillo de cobre.

➡ Tapar los fuelles de la junta VC con una toalla, para evitar dañarlos cuando se desmonta el eje de transmisión.

Para instalar:

8. Aplicar grasa multiuso en la abertura de la articulación.

9. Instalar una arandela de empuje en el extremo del eje de transmisión. Asegurarse de que la arandela de empuje esta mirando en la dirección apropiada, luego aplicar grasa multiuso.

10. Insertar el extremo lateral de rueda del eje de transmisión dentro de la articulación.

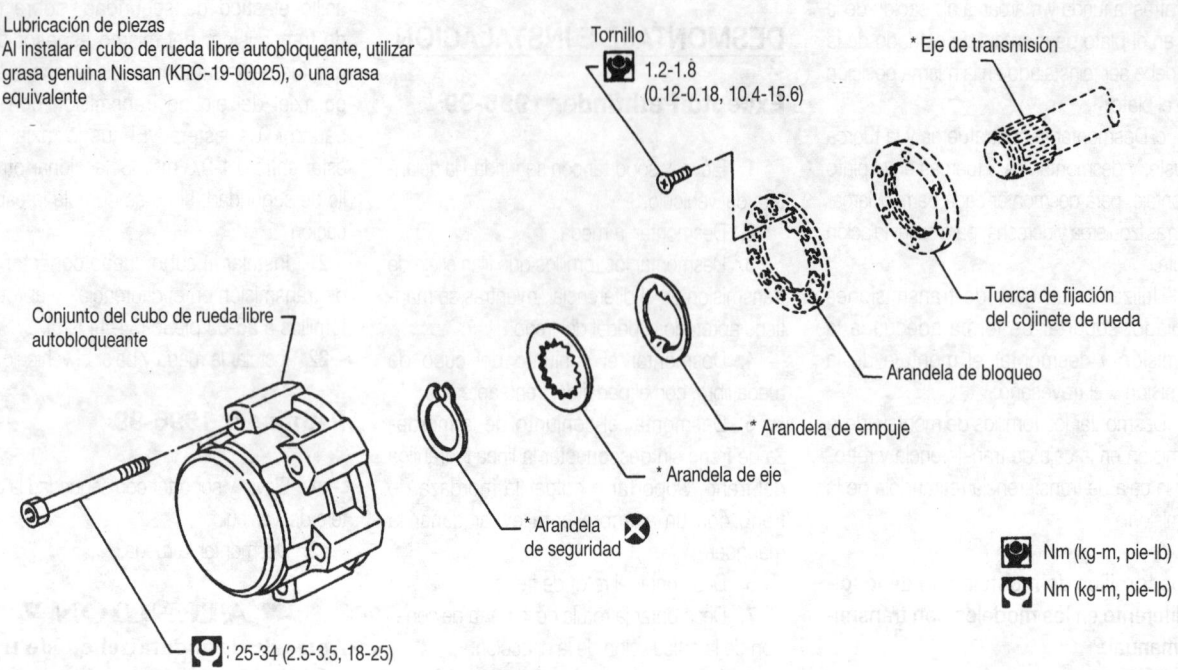

*: Lubricación de piezas
Al instalar el cubo de rueda libre autobloqueante, utilizar grasa genuina Nissan (KRC-19-00025), o una grasa equivalente

Tornillo
1.2-1.8 (0.12-0.18, 10.4-15.6)

* Eje de transmisión

Conjunto del cubo de rueda libre autobloqueante

Tuerca de fijación del cojinete de rueda

Arandela de bloqueo

* Arandela de empuje

* Arandela de eje

* Arandela de seguridad ⊗

: 25-34 (2.5-3.5, 18-25)

Nm (kg-m, pie-lb)
Nm (kg-m, pie-lb)

▲ Conjunto del cubo de rueda libre autobloqueante – Se muestran los Pathfinder y QX4

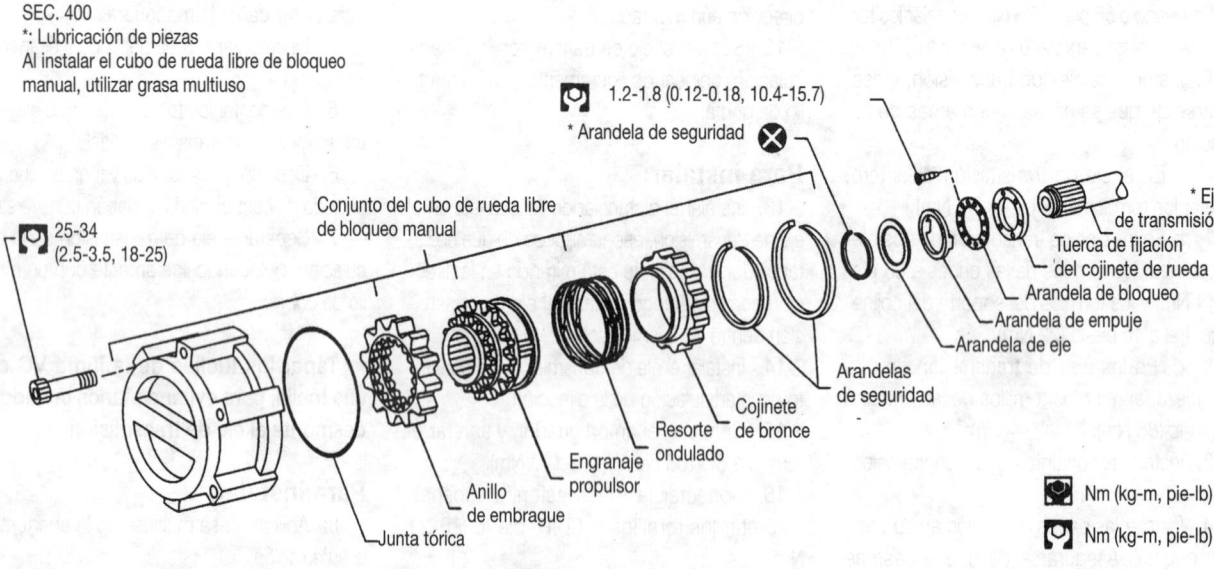

SEC. 400
*: Lubricación de piezas
Al instalar el cubo de rueda libre de bloqueo manual, utilizar grasa multiuso

1.2-1.8 (0.12-0.18, 10.4-15.7)
* Arandela de seguridad ⊗

Conjunto del cubo de rueda libre de bloqueo manual

* Eje de transmisión

Tuerca de fijación del cojinete de rueda

Arandela de bloqueo

Arandela de empuje

Arandela de eje

25-34 (2.5-3.5, 18-25)

Arandelas de seguridad

Cojinete de bronce

Resorte ondulado

Engranaje propulsor

Anillo de embrague

Junta tórica

Nm (kg-m, pie-lb)
Nm (kg-m, pie-lb)

▲ Conjunto del cubo de rueda libre de cierre manual – Se muestran los Pathfinder y QX4

Luego alinear y colocar el otro extremo del eje con la transmisión final.

11. Instalar los tornillos y tuercas que fijan el eslabón transversal.

12. Instalar los tornillos que fijan el eje de transmisión en la transmisión final.

13. Ajustar el juego axial del eje, seleccionando el anillo elástico de seguridad adecuado, de la siguiente manera:

a. Instalar temporalmente un nuevo anillo de seguridad (del mismo espesor que el que fue desmontado) sobre el extremo del eje de transmisión.

➡ No volver a usar el anillo de seguridad viejo.

b. Fijar un comparador de esfera en el extremo del eje de transmisión.

c. Medir el juego axial. Si no es 0.0177 plg (0.45 mm) o menos, seleccionar otro anillo de seguridad más grueso.

14. Instalar la tapa del cubo.

15. Instalar la mordaza de freno y el sensor de rueda del ABS.

16. Instalar la rueda, y bajar el vehículo.

CUBOS DE CIERRE

DESMONTAJE E INSTALACIÓN

Cubo de rueda libre de cierre autobloqueante

1. Poner la rueda libre autobloqueante en la posición de libre.

2. Desmontar los seis tornillos y el conjunto del cubo.

3. Desmontar el anillo de seguridad, la arandela de mangueta y la arandela de empuje.

Para instalar:

4. Lubricar las estrías del eje con grasa de cojinetes.

5. Instalar las arandelas de empuje y de mangueta, luego instalar el anillo de seguridad.

6. Instalar el conjunto del cubo. Apretar los tornillos a 18-25 pie-lb (25-34 Nm).

Cubo de rueda libre de cierre manual

1. Poner la rueda libre de cierre manual en la posición de libre.

2. Desmontar los seis tornillos y el conjunto del cubo.

Para instalar:

3. Lubricar las estrías del eje, con grasa de cojinetes.

4. Instalar el conjunto del cubo. Apretar los tornillos a 18-25 pie-lb (25-34 Nm).

DIRECCIÓN Y SUSPENSIÓN

AIR BAG

▼ PRECAUCIÓN ▼

Algunos vehículos están equipados con un sistema de air bag (saco o bolsa de aire), también conocido como sistema restringido de hinchado (inflado) suplementario (SIR) o sistema restringido suplementario (SRS). El sistema debe ser desactivado antes de proceder a la reparación o mantenimiento de los sistemas de su entorno, columna de la dirección, componentes del panel de instrumentos, cableado y sensores. Dejar de seguir los procedimientos de seguridad y desactivación puede tener como resultado un inflado accidental del air bag, daños personales y reparaciones innecesarias del sistema.

PRECAUCIONES

Se deben de observar varias precauciones, cuando se manipule el módulo de inflado, para evitar un inflado accidental y posibles daños personales.

• No llevar nunca el módulo de inflado sujetado por los cables o el conector que está en el lado inferior del módulo.

• Cuando se transporte un módulo activado, sujetarlo con seguridad, con ambas manos, y asegurarse de que el saco (bolsa) y la tapa de guarnición están apuntando hacia afuera.

• Colocar el modulo de inflado sobre un banco u otra superficie, con el saco y la tapa de guarnición mirando hacia arriba.

• Con el módulo de inflado sobre el banco, no poner nunca nada encima, o cerca del módulo, que pueda ser proyectado violentamente en caso de un inflado accidental.

DESARMADO

▼ PRECAUCIÓN ▼

Para evitar convertir el SRS en inoperativo, lo cual puede conducir a lesiones personales o incluso la muerte, en el caso de un choque frontal violento, extremar las precauciones cuando se reparen los sistemas eléctricos relacionados con el SRS.

➡ Todos los conectores y cableados eléctricos del SRS están recubiertos con un aislante exterior AMARILLO. No usar equipo de pruebas eléctricas en ningún circuito relacionado con los sensores del SRS (air bag). Cuando se instalen los componentes del SRS, hacerlo siempre con las flechas mirando hacia la delantera del vehículo.

Para desarmar el sistema del SRS girar la llave de la ignición hacia la posición de OFF (paro). Luego, desconectar los dos cables de la batería, empezando por el cable negativo, y esperar como mínimo 10 minutos después de que los cables hayan sido desconectados. Asegurarse de aislar los extremos de los terminales de la batería.

Para volver a armar (activar) el sistema del SRS, girar la llave de la ignición hacia la posición de OFF (paro). Conectar los dos cables de la batería, empezando por el cable positivo.

➡ El sistema SRS o sistema de air bag, está equipado con un circuito de auto-diagnosis. Después de girar la llave de la ignición a la posición de ON (conectado) o START (arranque), la lámpara piloto del air bag se encenderá durante unos 7 segundos. Después de 7 segundos la lámpara piloto se apagará si no se detecta algún funcionamiento defectuoso. Si después de 7 segundos la lámpara piloto no se apaga, comprobar el sistema de auto-diagnosis del SRS en busca del funcionamiento defectuoso correspondiente.

MECANISMO DE LA DIRECCIÓN ASISTIDA DE ENGRANAJE DE RECIRCULACIÓN DE BOLAS

DESMONTAJE E INSTALACIÓN

1. Elevar y soportar con seguridad el vehículo.

2. Desmontar el tornillo de fijación entre el eje del tornillo sin fin y el acoplamiento de goma.

3. Marcar la posición entre el brazo Pitman y el eje de sector, con las ruedas en la posición recta al frente, desmontar la tuerca de unión entre el brazo Pitman y el eje de sector.

4. Desconectar los tubos de fluido del mecanismo de la dirección, tapar los tubos y aberturas del mecanismo.

5. Utilizando el extractor de brazos de mecanismo de la dirección, extraer el brazo del mecanismo, de la articulación de la dirección.

6. Desmontar los tornillos de fijación del mecanismo de la dirección en el chasis, y retirar el mecanismo de la dirección, del vehículo.

7. Para instalar, realizar el procedimiento inverso al desmontaje. Apretar como sigue:

• Tornillo de acople del mecanismo de la dirección: 17-22 pie-lb (49-51 Nm).

• Tuerca del mecanismo de la dirección al brazo Pitman: 101-130 pie-lb (137-177 Nm).

• Tornillos de fijación del mecanismo de la dirección al bastidor: 62-71 pie-lb (84-96 Nm).

8. Llenar el depósito de la bomba de la dirección asistida y purgar el sistema.

POSTE

DESMONTAJE E INSTALACIÓN

Delantero

PATHFINDER 1996-99 Y QX4

1. Elevar y soportar con seguridad el vehículo.

2. Desmontar la rueda delantera.

3. Desconectar el tubo de freno, del poste.

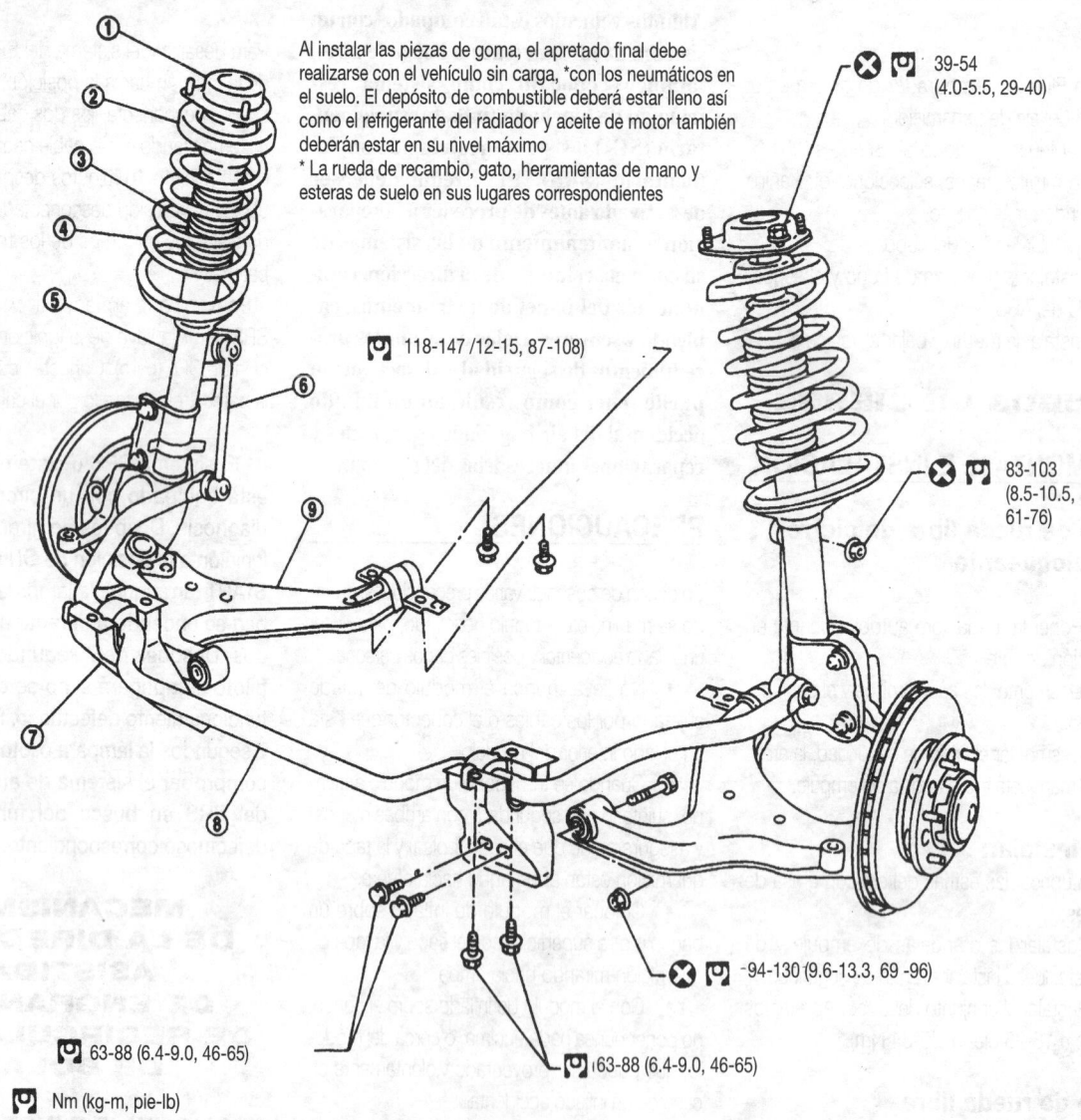

Al instalar las piezas de goma, el apretado final debe realizarse con el vehículo sin carga, *con los neumáticos en el suelo. El depósito de combustible deberá estar lleno así como el refrigerante del radiador y aceite de motor también deberán estar en su nivel máximo

* La rueda de recambio, gato, herramientas de mano y esteras de suelo en sus lugares correspondientes

39-54 (4.0-5.5, 29-40)

118-147 /12-15, 87-108)

83-103 (8.5-10.5, 61-76)

-94-130 (9.6-13.3, 69 -96)

63-88 (6.4-9.0, 46-65)

63-88 (6.4-9.0, 46-65)

Nm (kg-m, pie-lb)

① Aislante de montaje del poste
② Asiento superior del resorte
③ Parachoques de rebote
④ Resorte helicoidal
⑤ Conjunto poste
⑥ Barra de conexión estabilizadora
⑦ Soporte
⑧ Barra estabilizadora
⑨ Eslabón transversal

▲ Conjunto de la suspensión delantera – Pathfinder 2WD de 1996-99; los 4WD, similares

4. Desconectar el cableado del ABS, del poste.

5. Desconectar el eslabón de la barra estabilizadora del poste.

6. Soportar el eslabón transversal con un caballete de seguridad.

7. Desmontar los dos tornillos pasantes y desconectar la articulación de la dirección del poste.

➡ Anotar la posición de la marca de alineación (recorte) del poste para poder volver a instalarlo correctamente.

8. Soportar el poste y desmontar los tres tornillos superiores de fijación. Desmontar el poste del vehículo.

▼ PRECAUCIÓN ▼

No aflojar nunca la tuerca central de fijación del resorte hasta que el resorte helicoidal este comprimido, pues, de lo contrario, pueden provocarse graves lesiones o daños en el vehículo.

9. Colocar el conjunto del poste en un tornillo de banco sujetado con la herramienta especial (N° de pieza ST-35652000), o en un compresor de resortes.

10. Aflojar pero sin desmontar la contratuerca del vástago del pistón.

11. Comprimir el resorte con un compresor de resortes, luego desmontar el pistón y la contratuerca.

➡ Antes de desmontar el poste del vehículo, anotar la posición del poste respecto al resorte helicoidal para reinstalarlo.

12. Desmontar el soporte del aislador del montaje del poste, cojinete de montaje del poste y asiento superior del resorte.

13. Desmontar el poste, dejando el resorte helicoidal comprimido.

14. Desmontar la funda fuelle del pistón y el tope elástico de rebote, del poste.

Para instalar:

15. Instalar el tope elástico de rebote y la funda fuelle en el pistón del poste.

16. Instalar el poste dentro del resorte helicoidal, asegurarse de que el poste y el resorte helicoidal están colocados correctamente.

17. Instalar el asiento superior del resorte, cojinete de montaje del poste y el soporte del aislador de montaje del poste. Asegurarse de que el recorte en el asiento superior del resorte, está mirando hacia el interior del vehículo.

18. Instalar la contratuerca del vástago del pistón, luego desmontar el compresor del resorte.

19. Apretar la contratuerca a 30-39 pie-lb (41-53 Nm).

➡ Cuando se instale el poste, asegurarse de colocar la marca de alineación hacia la parte interior del vehículo.

20. Posicionar el poste en el vehículo, e instalar las 3 tuercas de la fijación superior. Apretar las 3 tuercas del montaje superior a 29-40 pie-lb (39-54 Nm).

21. Conectar la articulación de la dirección en el poste y apretar las tuercas de montaje de los tornillos de montaje a 111-122 pie-lb (151-165 Nm).

22. Conectar el eslabón de la barra estabilizadora en el poste, y apretar la tuerca de montaje nueva a 61-76 pie-lb (83-103 Nm).

23. Conectar el tubo de freno en el poste y montar el cableado del ABS en el poste.

24. Purgar el sistema de frenos e instalar la rueda.

25. Realizar una alineación del extremo delantero.

AMORTIGUADORES

DESMONTAJE E INSTALACIÓN

Delanteros

EXCEPTO PATHFINDER 1996-99 Y QX4

1. Elevar y soportar con seguridad el vehículo. Desmontar el conjunto de la rueda.

2. Mientras se sujeta el vástago superior del amortiguador, desmontar la tuerca de fijación del amortiguador, arandela y casquillo de goma.

3. Desmontar el tornillo que fija el amortiguador en el brazo de control inferior, y desmontar el amortiguador del vehículo.

Para instalar:

4. Instalar el amortiguador con un casquillo nuevo sobre el espárrago de montaje superior del amortiguador.

5. Con el espárrago superior del amortiguador colocado en el bastidor, instalar el tornillo de fijación inferior. En los vehículos 2WD, apretar el tornillo inferior a 65 pie-lb (88 Nm). En los vehícu-

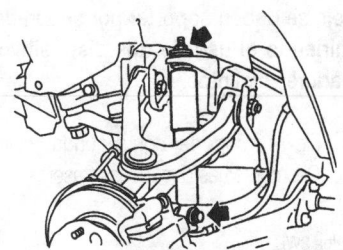

▲ Puntos de montaje del amortiguador delantero

los 4WD, apretar el tornillo inferior a 108 pie-lb (147 Nm).

6. Instalar el casquillo, arandela y tuerca de fijación al espárrago del amortiguador. Apretar la tuerca a 16 pie-lb (22 Nm).

7. Instalar las ruedas delanteras y bajar el vehículo.

Traseros

PATHFINDER Y QX4

➡ Para el cambio del amortiguador trasero, el peso del chasis del vehículo y el del eje deben ser soportados por separado, requiriendo el uso de dos dispositivos elevadores distintos.

1. Elevar y soportar con seguridad el vehículo. Desmontar las dos ruedas traseras.

2. Si se equipa, desenchufar el conector eléctrico del amortiguador.

3. Trabajando sobre un lado cada vez, elevar con el gato un lado del eje trasero y desmontar las tuercas de fijación superior e inferior. Mientras se soporta la parte trasera, desmontar el amortiguador.

Para instalar:

4. Alinear el amortiguador e instalar las dos tuercas de fijación. No apretar las tuercas completamente hasta que todo el peso del vehículo descanse sobre el suelo.

5. Si se equipa, enchufar el conector eléctrico en el amortiguador.

6. Instalar las ruedas, retirar el gato de debajo del eje trasero, y bajar el vehículo.

7. Para los modelos 1994-95, apretar las tuercas de montaje a 22-30 pie-lb (30-40 Nm), o para los modelos 1996, apretar las tuercas a 36-49 pie-lb (49-67 Nm).

PICK-UP Y FRONTIER

➡ Para el cambio del amortiguador trasero, el peso del chasis del vehículo y el del eje se deben soportar por separado, requiriendo el uso de dos dispositivos elevadores distintos.

1. Elevar y soportar con seguridad el vehículo. Desmontar las dos ruedas traseras.

Modelos 2WD

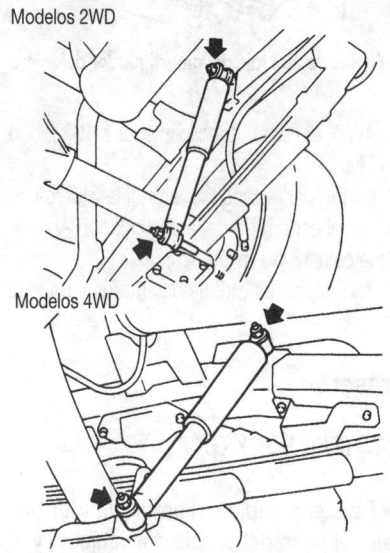

Modelos 4WD

▲ **Puntos de montaje del amortiguador trasero – Se muestra el Pick-up**

2. Trabajando sobre un lado cada vez, elevar con el gato un lado del eje trasero y desmontar las tuercas de fijación superior e inferior. Mientras se soporta la parte trasera, desmontar el amortiguador.

Para instalar:

3. Alinear amortiguador e instalar las dos tuercas de fijación. No apretar las tuercas completamente hasta que todo el peso del vehículo descanse sobre el suelo.

4. Instalar las ruedas, retirar el gato de debajo del eje trasero, y bajar el vehículo.

5. Para todos los modelos, apretar las tuercas de montaje a 22-30 pie-lb (30-40 Nm).

RESORTE HELICOIDAL

DESMONTAJE E INSTALACIÓN

Delantero

PATHFINDER 1996-99 Y QX4

Para información sobre el desmontaje del resorte helicoidal, véase el procedimiento de desmontaje e instalación del poste.

Trasero

El procedimiento de desmontaje del resorte para los modelos 2WD y 4WD, es el mismo para los dos vehículos.

➡ **El resorte helicoidal es un componente que soporta carga, por lo que el peso del chasis del vehículo y el del eje deben ser soportados por separado, requiriendo el uso de dos dispositivos elevadores distintos.**

1. Elevar el vehículo y soportarlo de forma segura.

2. Usando el equipo adecuado, soportar el peso del eje trasero.

3. Desconectar la barra Panhard en el conjunto del eje y asegurarla atada en la carrocería.

➡ **Trabajando sobre un lado cada vez, realizar los siguientes pasos, para desmontar e instalar el resorte helicoidal:**

4. Desmontar la tuerca que fija el amortiguador en el soporte de montaje inferior.

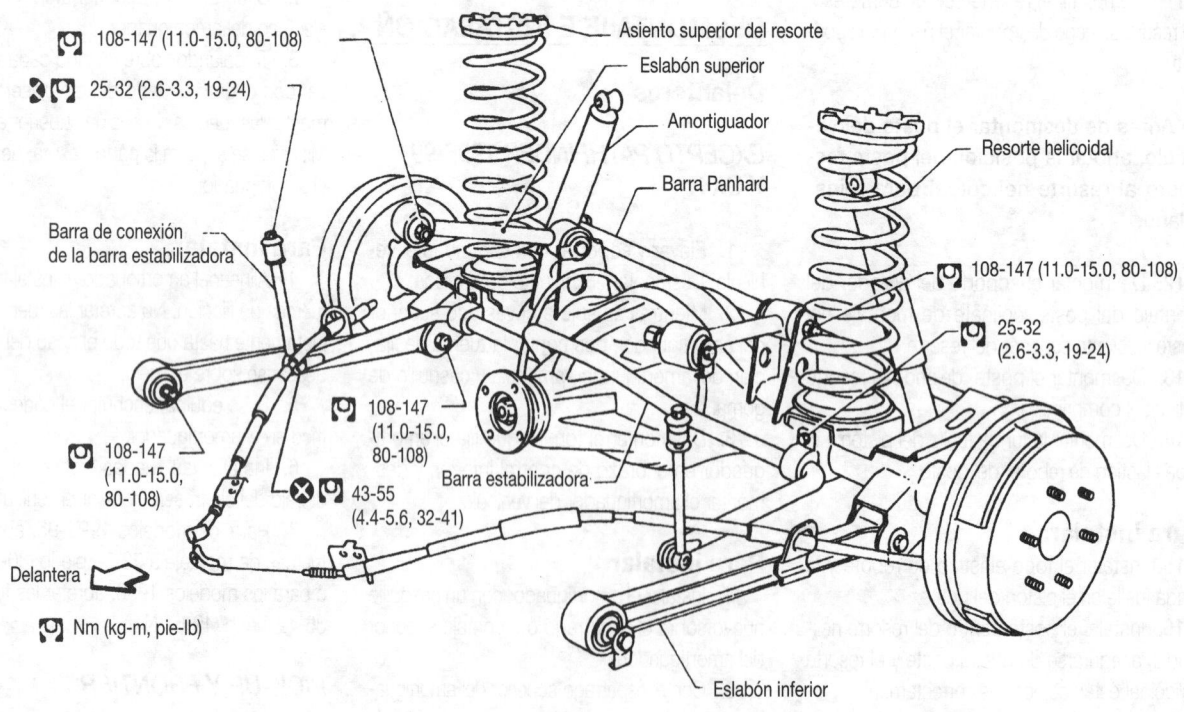

▲ **Identificación de los componentes de la suspensión trasera – Pathfinder**

➡ Marcar la dirección de instalación del resorte para el momento de volverlo a montar.

5. Bajar el conjunto del eje hasta que el resorte y el aislador superior, puedan ser desmontados. Desmontar el resorte helicoidal y el aislador inferior.

▼ AVISO ▼
No tensar la manguera del freno o el cable del freno de aparcamiento.

Para instalar:
➡ Comprobar las marcas de identificación del resorte y alinearlas de forma adecuada.

6. Colocar el aislador e instalar el resorte.

7. Elevar el eje y fijar a mano la tuerca de montaje inferior del amortiguador.

8. Fijar a mano la barra Panhard en el montaje.

9. Retirar el soporte del eje trasero y bajar el vehículo.

10. Con la suspensión soportando el peso del vehículo, apretar la tuerca de retención inferior del amortiguador. En los vehículos de 1995 apretar la tuerca a 22-30 pie-lb (30-40 Nm), en los vehículos de 1996, apretar la tuerca a 49-65 pie-lb (67-88 Nm).

RÓTULA SUPERIOR

DESMONTAJE E INSTALACIÓN

Excepto Pathfinder 1996-99 y QX4

1. Elevar el vehículo y soportarlo de forma segura.

2. Desmontar el conjunto rueda/neumático.

3. Colocar un gato de suelo debajo de articulación de la dirección y soportarla.

4. Desmontar y desechar el pasador de seguridad (partido) del espárrago de la rótula, y luego aflojar la tuerca. Utilizando la herramienta de desmontaje de rótulas, presionar a la rótula superior sacándola de la articulación de la dirección. Desmontar la tuerca de la rótula superior.

5. Desmontar los tornillos de fijación de la rótula superior en el brazo de control superior y retirar la rótula del vehículo.

Para instalar:
6. Instalar una nueva rótula y apretar los tornillos de fijación de la rótula en el brazo de control superior a 12-17 pie-lb (16-23 Nm).

7. Instalar la rótula dentro de la articulación de la dirección y apretar la tuerca a 58-108 pie-lb (78-147 Nm). Instalar un nuevo pasador de seguridad (partido), para asegurar la tuerca.

8. Retirar el gato de debajo de la articulación de la dirección.

9. Instalar el conjunto de la rueda/neumático, y bajar el vehículo.

10. Comprobar y/o ajustar la altura de marcha (conducción) y la alineación del extremo delantero.

RÓTULA INFERIOR

DESMONTAJE E INSTALACIÓN

Excepto Pathfinder 1996-99 y QX4

➡ La rótula inferior en los modelos 2WD, está integrada con el brazo de control inferior. Ambas se desmontan y reemplazan como un conjunto.

1. Elevar y asegurar el vehículo, soportando la parte delantera del vehículo por debajo de los largueros del chasis.

2. Desmontar las ruedas delanteras.

3. Realizar marcas de alineación sobre el travesaño del brazo del anclaje, cuando se afloje la tuerca de ajuste, hasta que no exista tensión sobre la barra de torsión. Desmontar el conjunto de la barra de torsión.

4. Desatornillar el amortiguador, del brazo inferior.

5. Desmontar la tuerca de la rótula.

6. Utilizando un separador de rótulas, desmontar la rótula de la articulación.

7. Desatornillar la rótula del brazo inferior.

Para instalar:
8. Instalar la rótula en el brazo inferior y apretar las tuercas a 45 pie-lb (61 Nm).

9. Presionar el espárrago de rótula dentro de la articulación y apretar la tuerca a 87-141 pie-lb (118-191 Nm). Asegurase de utilizar un nuevo pasador de seguridad (partido).

10. Conectar el extremo inferior del amortiguador.

11. Instalar la barra de torsión en el brazo inferior, y alinear las marcas de alineación realizadas durante el desmontaje.

12. Instalar las ruedas, y bajar el vehículo.

13. Comprobar la alineación del extremo delantero.

Pathfinder 1996-99 y QX4

1. Elevar y asegurar el vehículo, soportando la parte delantera del vehículo por debajo de los largueros del chasis.

2. Desmontar las ruedas delanteras.

3. Desmontar el pasador de seguridad, de la tuerca almenada de la rótula inferior.

4. Desmontar la tuerca de rótula.

5. Utilizando un separador de rótulas, desmontar la rótula de la articulación.

6. Desatornillar la rótula, del brazo inferior, y desmontar la rótula.

Para instalar:
7. Instalar la rótula en el brazo de control inferior, y apretar los tornillos y tuercas a 76-94 pie-lb (103-127 Nm).

8. Instalar el espárrago de la rótula en la articulación, y apretar la tuerca a 87-123 pie-lb (118-167 Nm). Asegurarse de instalar un nuevo pasador de seguridad.

9. Instalar las ruedas y bajar el vehículo.

10. Comprobar la alineación del extremo delantero.

COJINETES DE RUEDA

AJUSTE

Delanteros

MODELOS 2WD

➡ Ajustar el cojinete de rueda después de que el cojinete haya sido cambiado, o el eje delantero haya sido vuelto a montar.

1. Elevar la/s rueda/s delantera/s, y soportar con seguridad el vehículo.

2. Desmontar la/s rueda/s delantera/s.

3. Utilizando una herramienta adecuada, expandir las zapatas de freno para reducir la resistencia sobre el rotor de freno.

4. Desmontar la tapa de cojinetes y el pasador de seguridad.

5. Apretar la contratuerca a 25-29 pie-lb (34-39 Nm).

6. Hacer girar el conjunto del cubo de rueda varias veces, en las dos direcciones, para asentar los cojinetes.

7. Apretar otra vez la contratuerca a 25-29 pie-lb (34-39 Nm). Girar la contratuerca en el sentido contrario a las agujas del reloj, 45°. Instalar la tapa de bloqueo (tuerca almenada) y un nuevo pasador de seguridad (partido). Si no se puede instalar el pasador de seguridad, apretar la tuerca almenada o tapa no más de 15°, e instalar el pasador de seguridad.

8. Medir el apriete de giro, utilizando una balanza (dinamómetro de resorte) enganchada en un tornillo del cubo. El apriete de giro debe ser 2.2-6.4 lb (9.8-28.4 N) con un sello de grasa nuevo, o 2.2-5.3 lb. (9.8-23.5 N) con un sello de grasa usado.

9. Repetir el procedimiento hasta que se alcance la especificación correcta.

10. Instalar la/s rueda/s y bajar el vehículo al suelo.

▼ PRECAUCIÓN ▼

Pisar bombeando los frenos (varias veces) para volver a asentar las zapatas contra el rotor, antes de mover el vehículo.

MODELOS 4WD

➡ Ajustar el cojinete de rueda, después de que el cojinete haya sido cambiado, o el eje delantero haya sido vuelto a montar.

1. Elevar la/s rueda/s delantera/s y soportar con seguridad el vehículo.

2. Desmontar la/s rueda/s delantera/s.

3. Utilizando una herramienta adecuada, expandir la zapata de freno, para reducir la resistencia sobre el rotor de freno.

4. Desmontar la tapa de cojinetes (tuerca almenada) y el pasador de seguridad.

5. Apretar la contratuerca, con una llave de apriete (dinamométrica) y la herramienta especial KV-40105400, o equivalente, a 58-72 pie-lb (78-98 Nm).

6. Girar el conjunto del cubo varias veces en las dos direcciones, para asentar los cojinetes.

7. Aflojar la contratuerca completamente.

8. Apretar la contratuerca con la herramienta especial a 0.4-1.1 pie-lb (0.5-1.5 Nm).

9. Girar el conjunto del cubo varias veces en las dos direcciones, para asentar los cojinetes.

10. Apretar otra vez la contratuerca con la herramienta especial a 0.4-1.1 pie-lb (0.5-1.5 Nm).

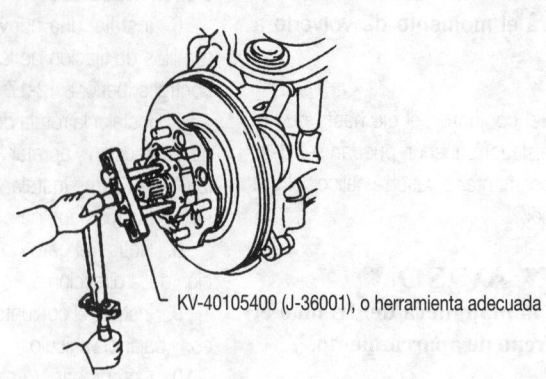
KV-40105400 (J-36001), o herramienta adecuada

▲ **Apretar la contratuerca con la herramienta especial – Cojinetes de rueda delantera en los modelos 4WD**

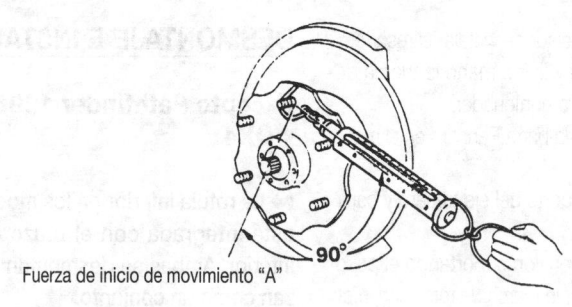
Fuerza de inicio de movimiento "A"

▲ **Utilizar una balanza o dinamómetro de resorte para medir la fuerza de arranque "A" – Cojinetes de rueda delantera en los modelos 4WD**

11. Medir la fuerza de arranque A, con una balanza de resorte enganchada en un tornillo del cubo, y anotar la lectura.

12. Instalar la arandela de seguridad apretando la contratuerca 15-30°. Girar el conjunto del cubo varias veces en las dos direcciones, para asentar los cojinetes.

13. Medir la fuerza de arranque con una balanza de resorte enganchada en un tornillo del cubo después de que la arandela de seguridad haya sido instalada, y anotar la lectura. A esta medida le llamaremos B.

14. Calcular la precarga C del cojinete de rueda, utilizando la ecuación C = B – A. La precarga C debe ser 1.59-4.72 lb (7.06-20.99 N).

15. Repetir el procedimiento hasta que se alcance la especificación correcta.

16. Instalar la/s rueda/s y bajar el vehículo al suelo.

▼ PRECAUCIÓN ▼

Pisar bombeando los frenos para volver a poner las zapatas contra el rotor, antes de mover el vehículo.

Traseros

No es posible realizar ningún ajuste en los cojinetes de rueda (eje) traseros. Si se aflojan o hacen ruido, deben ser reemplazados.

DESMONTAJE E INSTALACIÓN

Delanteros

PATHFINDER 1995

1. Elevar y soportar con seguridad el vehículo, y desmontar las ruedas delanteras.

2. En los modelos 4WD, pedir a un ayudante que tenga apretado el pedal del freno, y aflojar los tornillos del cuerpo del cubo de cierre delantero. Desmontar el cuerpo del conjunto del cubo, la arandela de seguridad y el conjunto del cubo.

3. Sin desconectar la manguera hidráulica desmontar la mordaza de freno y colgarla con alambre de la carrocería. No permitir que la mordaza cuelgue de la manguera.

4. Desmontar el tornillo de bloqueo y desmontar la arandela de seguridad. Utilizar una llave de clavija para aflojar la contratuerca del cojinete de rueda. El par de apriete puede ser realmente alto; NO UTILIZAR un martillo y punzón botador de clavijas.

5. Desmontar la contratuerca y extraer el cubo de la mangueta con los cojinetes.

➡ **En los modelos 4WD, utilizar un bloque de madera y un martillo para golpear suavemente sobre el extremo del semieje y soltarlo de las estrías del cubo.**

6. Extraer haciendo palanca, el sello interior de grasa para desmontar el cojinete interior. Desechar el sello.

7. Limpiar e inspeccionar los cojinetes de rueda y reemplazarlos si están desgastados o dañados por efecto del calor.

➡ **Reemplazar siempre los cojinetes de rueda y los anillos de rodadura (pistas, o tazas), como conjuntos.**

8. Utilizando un martillo y un punzón, extraer los anillos de rodadura, del cubo.

Para instalar:

9. Instalar con cuidado los nuevos anillos de rodadura, utilizando la herramienta de introducción del tamaño adecuado, asegurándose de que están asentados completamente en el cubo.

10. Rellenar los cojinetes con grasa nueva y meter grasa dentro del cubo. Instalar el rodamiento interior e instalar un sello nuevo interior dentro del cubo.

11. Deslizar el conjunto del cubo en la mangueta e instalar el cojinete exterior. Instalar el semieje y engrasar la contratuerca. Enroscar la contratuerca dentro de su sitio.

12. Para ajustar la precarga del cojinete, seguir los siguientes pasos:

a. Utilizando una llave de clavijas apretar la contratuerca de fijación a 58-72 pie-lb (78-98 Nm). Girar el cubo en las dos direcciones, varias veces, mientras se aprieta la tuerca.

b. Aflojar la contratuerca, y apretarla otra vez a 13 plg-lb (1.5 Nm).

c. Girar el cubo varias veces y comprobar el par de apriete de la tuerca otra vez.

d. Instalar la arandela de seguridad. Cuando se instale el tornillo, asegurarse de que la contratuerca no gira más de 30° en cada dirección.

e. Cuando esté ajustada la adecuada precarga del cojinete, no habrá juego en el cubo y no necesitará más de 4.7 lb de esfuerzo en el espárrago de rueda, para girar el cubo.

13. En los modelos 4WD, instalar el cubo de cierre, y apretar los tornillos del cubo a 25 pie-lb (34 Nm).

14. Instalar la mordaza de freno, las zapatas de freno de disco y el conjunto de la rueda.

15. Bajar el vehículo, y bombear los frenos hasta que el pedal esté firme.

PATHFINDER 1996-99 Y QX4

1. Elevar y soportar con seguridad el vehículo, y desmontar las ruedas delanteras.

2. Desmontar el sensor del ABS de la articulación de la dirección/mangueta.

3. Sin desconectar la manguera hidráulica desmontar la mordaza de freno y colgarla con alambre de la carrocería. No dejar que la mordaza cuelgue por la manguera.

4. Desmontar la taza (tuerca almenada) del cubo, utilizando una herramienta adecuada.

5. En los modelos 4WD, desmontar la arandela de seguridad y la junta tórica.

6. En los modelos 4WD, desmontar las tuercas que aseguran la brida propulsora, y desmontar el conjunto de la brida.

7. Desmontar el tornillo que asegura la arandela de seguridad, y desmontar la arandela de seguridad.

8. Utilizando una llave de clavija, aflojar la contratuerca del cojinete de rueda. El par puede ser realmente alto; NO UTILIZAR un martillo y punzón botador de clavijas.

9. Desmontar la contratuerca y extraer el cubo de la mangueta, con los cojinetes.

➡ **En los modelos 4WD, utilizar un bloque de madera y un martillo para golpear suavemente el extremo del semieje y soltarlo de las estrías del cubo.**

10. Haciendo palanca, extraer el sello de grasa interior, para desmontar el cojinete interior. Desechar el sello.

11. Limpiar e inspeccionar los cojinetes de rueda y reemplazarlos si están desgastados o dañados por efectos del calor.

➡ **Reemplazar siempre los cojinetes de rueda y los anillos de rodadura (pistas o tazas), como conjuntos.**

12. Utilizando un martillo y un punzón, extraer los anillos de rodadura, del cubo.

Para instalar:

13. Instalar con cuidado los nuevos anillos de rodadura, utilizando la herramienta de introducción del tamaño adecuado, asegurándose de que están asentados completamente en el cubo.

14. Rellenar los cojinetes con grasa nueva, y meter grasa dentro del cubo. Instalar el cojinete interior y meter un nuevo sello interior dentro del cubo.

15. Deslizar el conjunto del cubo en la mangueta, e instalar el cojinete exterior.

16. Instalar la contratuerca del cojinete de rueda. Utilizar una herramienta especial tal como la KV-40105400, para apretar la contratuerca. El par de apriete puede ser bastante alto; NO UTILIZAR un martillo y un punzón botador de clavijas.

17. Para ajustar la precarga del cojinete, seguir los siguientes pasos:

a. Utilizando una llave de clavija, apretar la contratuerca a 58-72 pie-lb (78-98 Nm). Girar el cubo en las dos direcciones, varias veces, mientras se aprieta la tuerca.

b. Aflojar la contratuerca, y apretarla otra vez a 4.3-13 plg-lb (0.5-1.5 Nm).

c. Girar el cubo varias veces, y comprobar el par de apriete de la tuerca, otra vez.

d. Instalar la arandela de seguridad. Cuando se instale el tornillo, asegurarse de que la contratuerca no gira más de 30° en cada dirección.

e. Apretar el tornillo de montaje de la arandela de seguridad a 11-15 plg-lb (1.2-1.8 Nm).

f. Cuando esté ajustada la adecuada precarga del cojinete, no habrá juego en el cubo y no necesitará más de 4.7 lb de esfuerzo en el espárrago de rueda, para girar el cubo.

18. En los modelos 4WD, instalar la brida de transmisión (propulsora) y apretar las tuercas de montaje a 18-26 pie-lb (25-35 Nm). Asegurarse de que se instalan juntas tóricas nuevas y se llenan de grasa las estrías de la brida. Aplicar grasa, también, a las juntas tóricas.

19. En los modelos 4WD, instalar el anillo elástico de seguridad.

20. Utilizando una nueva taza de cubo (tuerca almenada), instalar la taza utilizando la herramienta adecuada.

21. Instalar el conjunto de la mordaza de freno.

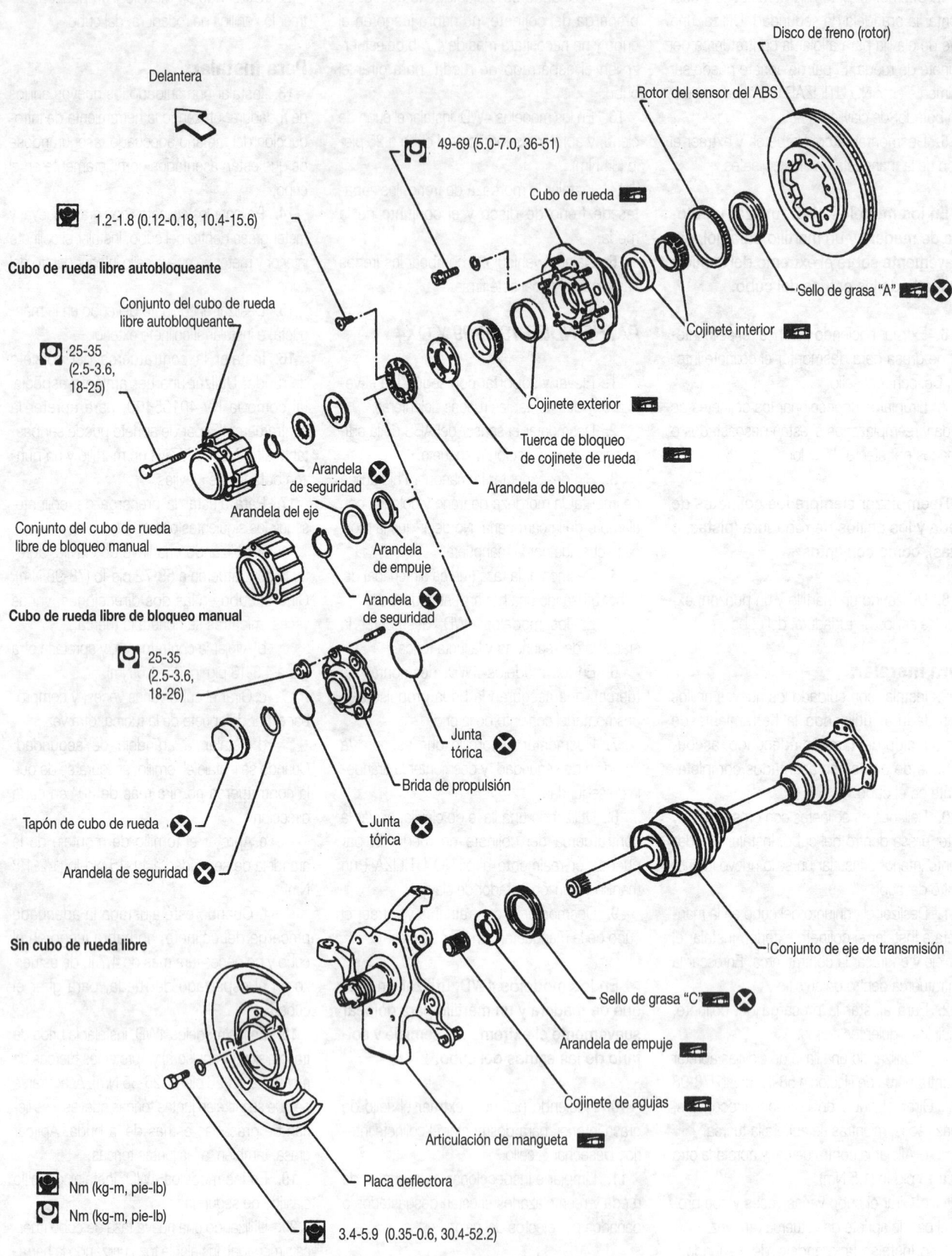

Delantera

49-69 (5.0-7.0, 36-51)

1.2-1.8 (0.12-0.18, 10.4-15.6)

Cubo de rueda libre autobloqueante

Conjunto del cubo de rueda libre autobloqueante

25-35 (2.5-3.6, 18-25)

Conjunto del cubo de rueda libre de bloqueo manual

Cubo de rueda libre de bloqueo manual

25-35 (2.5-3.6, 18-26)

Tapón de cubo de rueda

Arandela de seguridad

Sin cubo de rueda libre

Nm (kg-m, pie-lb)

Nm (kg-m, pie-lb)

3.4-5.9 (0.35-0.6, 30.4-52.2)

Disco de freno (rotor)

Rotor del sensor del ABS

Cubo de rueda

Sello de grasa "A"

Cojinete interior

Cojinete exterior

Tuerca de bloqueo de cojinete de rueda

Arandela de bloqueo

Arandela de seguridad

Arandela del eje

Arandela de empuje

Arandela de seguridad

Junta tórica

Brida de propulsión

Junta tórica

Conjunto de eje de transmisión

Sello de grasa "C"

Arandela de empuje

Cojinete de agujas

Articulación de mangueta

Placa deflectora

▲ Conjunto de los cojinetes de rueda en los vehículos 4WD – Pathfinder y QX4 de 1996-99

22. Instalar el sensor del ABS en la articulación de la dirección/mangueta y apretar el tornillo de montaje a 13-17 pie-lb (18-24 Nm).

23. Instalar el conjunto de la rueda.

24. Bajar el vehículo, y bombear los frenos hasta que el pedal esté firme.

PICK-UP Y FRONTIER CON 2WD

1. Elevar y soportar con seguridad el vehículo, y desmontar las ruedas delanteras.

2. Sin desmontar la manguera hidráulica, desmontar la mordaza de freno y colgarla con un alambre de la carrocería. No dejar que la mordaza cuelgue por la manguera.

3. Desmontar la taza del cubo de rueda, el pasador de seguridad, la tapa de ajuste y la tuerca del cubo.

4. Desmontar el conjunto del cubo de rueda y freno de disco. Tener cuidado de que no se caiga el cojinete de rueda exterior.

5. Desmontar el cojinete interior, haciendo palanca extraer el sello de grasa. Desechar el sello.

6. Limpiar e inspeccionar los cojinetes de rueda, y reemplazarlos si están desgastados o dañados por efectos del calor.

➡ **Reemplazar siempre los cojinetes de rueda y los anillos de rodadura (pistas, o tazas) como conjuntos.**

7. Utilizando un martillo y un punzón, extraer los anillos de rodadura del cubo.

Para instalar:

8. Instalar con cuidado los nuevos anillos de rodadura, utilizando la herramienta de introducción del tamaño adecuado, asegurándose de que están asentados completamente en el cubo.

9. Rellenar los cojinetes con grasa nueva, y meter grasa dentro del cubo. Instalar el cojinete interior y meter un nuevo sello interior dentro del cubo.

10. Deslizar el conjunto del cubo en la mangueta, e instalar el cojinete exterior. Engrasar la contratuerca, enroscar la contratuerca dentro de su sitio.

11. Para ajustar la precarga de cojinetes, seguir los siguientes pasos:

a. Instalar la tuerca y apretarla a 25-29 pie-lb (34-39 Nm).

b. Hacer girar el cubo varias veces, en las dos direcciones, luego apretar la tuerca a 25-29 pie-lb (34-39 Nm).

c. Aflojar la tuerca 45°. Instalar la tapa contratuerca (almenada) y un nuevo pasador de seguridad (partido).

12. Instalar la mordaza de freno y el conjunto de la rueda.

13. Bajar el vehículo, y bombear los frenos, hasta que el pedal esté firme.

PICK-UP Y FRONTIER CON 4WD

1. Elevar y soportar con seguridad el vehículo, y desmontar las ruedas delanteras.

2. Tener un ayudante que aguante apretado el pedal de freno, y aflojar los tornillos del cuerpo cubo de cierre delantero. Desmontar la carcasa del conjunto del cubo, el anillo elástico de seguridad y el conjunto del cubo.

3. Sin desconectar la manguera hidráulica desmontar la mordaza de freno y colgarla de la carrocería atada con alambre. No dejar que la mordaza cuelgue por la manguera.

4. Desmontar el tornillo de bloqueo y desmontar la arandela de seguridad. Utilizar una llave de clavija para aflojar la contratuerca del cojinete de rueda. El par de apriete puede ser realmente alto; NO utilizar un martillo y un punzón botador de clavijas.

5. Desmontar la contratuerca, y extraer el cubo de la mangueta con los cojinetes. Haciendo palanca, extraer el sello de grasa interior, para desmontar el cojinete interior. Desechar el sello.

➡ **Utilizar un bloque de madera y un martillo para golpear suavemente el extremo del semieje y soltarlo de las estrías del cubo.**

6. Limpiar e inspeccionar los cojinetes de rueda y reemplazarlos si están desgastados o dañados por efecto del calor.

➡ **Reemplazar siempre los cojinetes de ruedas y los anillos de rodadura (pistas, o tazas), como conjuntos.**

7. Utilizando un martillo y un punzón, extraer los anillos de rodadura del cubo.

Para instalar:

8. Instalar con cuidado los nuevos anillos de rodadura, utilizando la herramienta de introducción de tamaño adecuado, asegurándose de que están asentados totalmente dentro del cubo.

9. Rellenar los cojinetes con grasa nueva, y meter grasa dentro del cubo. Instalar el cojinete

interior y meter un nuevo sello interior dentro del cubo.

10. Deslizar el conjunto del cubo sobre la mangueta, e instalar el semieje. Instalar el cojinete exterior, y engrasar la contratuerca. Enroscar la contratuerca dentro de su sitio.

11. Para ajustar la precarga del cojinete, seguir los siguientes pasos:

a. Utilizando una llave especial tal como la KV-40105400, apretar la contratuerca a 58-72 pie-lb (78-98 Nm). Girar el cubo en las dos direcciones, varias veces, mientras se aprieta la tuerca.

b. Aflojar la contratuerca, y apretarla otra vez a 13 plg-lb (1.5 Nm).

c. Girar el cubo varias veces, y comprobar el apriete de la tuerca, otra vez.

d. Instalar la arandela de seguridad. Cuando se instale el tornillo, asegurarse de que la contratuerca no gira más de 30°, en cada dirección.

e. Cuando la precarga del cojinete esté correctamente ajustada, no habrá juego axial en el cubo, y no serán necesarias más de 4.7 lb de esfuerzo, en el espárrago de rueda, para girar el cubo.

12. Instalar el cubo de cierre y apretar los tornillos del cubo a 18-25 pie-lb (25-34 Nm).

13. Instalar la mordaza de freno, las zapatas de freno y el conjunto de la rueda.

14. Bajar el vehículo y bombear los frenos hasta que el pedal esté firme.

Traseros

TODOS LOS MODELOS

1. Elevar y soportar de forma segura el vehículo.

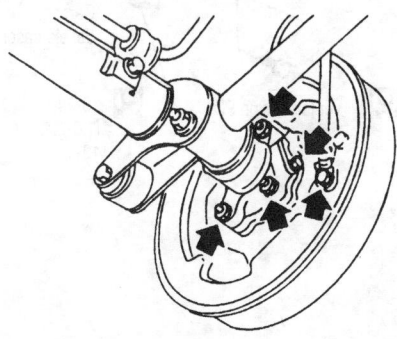

▲ **Desmontar las cuatro tuercas, cable del freno de aparcamiento y línea hidráulica**

769

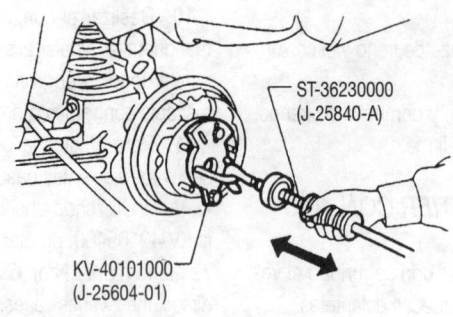

ST-36230000
(J-25840-A)

KV-40101000
(J-25604-01)

▲ Desmontar el conjunto de eje y cojinetes con un martillo de percusión (deslizante)

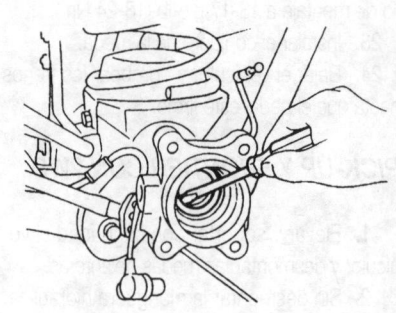

▲ Desmontar el sello del alojamiento del eje

Sec. 380·430·431

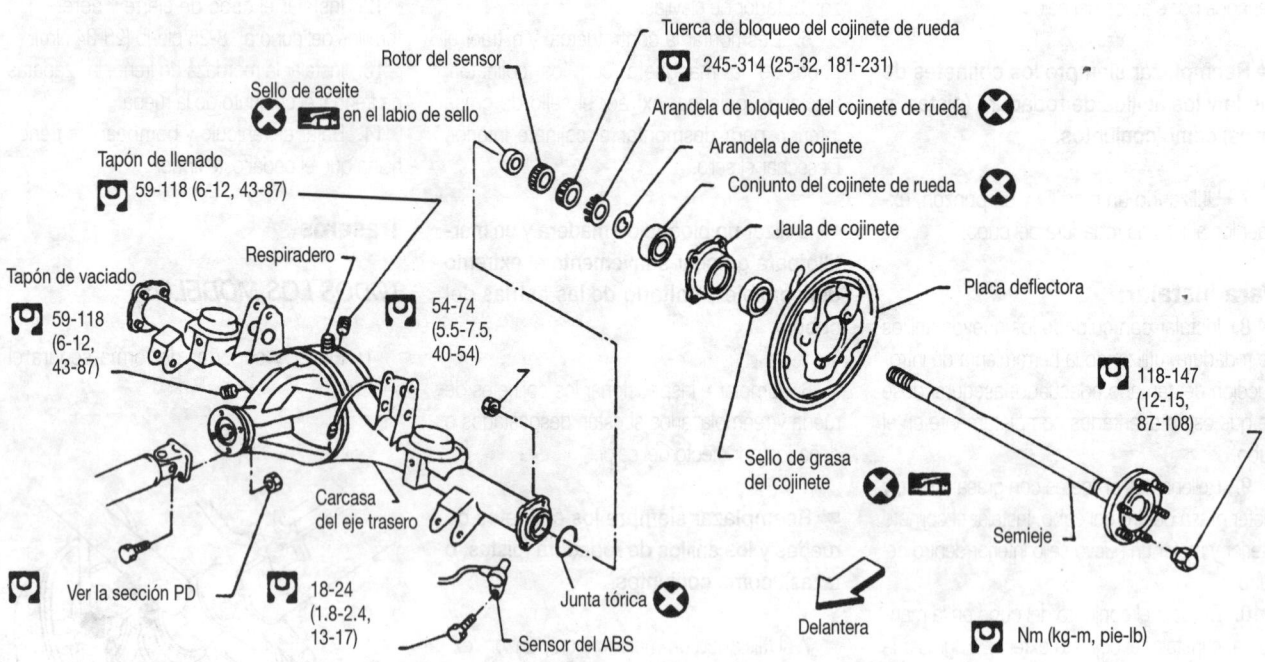

Rotor del sensor

Tuerca de bloqueo del cojinete de rueda
245-314 (25-32, 181-231)

Sello de aceite
❌ 🔧 en el labio de sello

Arandela de bloqueo del cojinete de rueda ❌

Tapón de llenado
59-118 (6-12, 43-87)

Arandela de cojinete

Conjunto del cojinete de rueda ❌

Respiradero

Jaula de cojinete

Tapón de vaciado
59-118
(6-12,
43-87)

54-74
(5.5-7.5,
40-54)

Placa deflectora

118-147
(12-15,
87-108)

Carcasa
del eje trasero

Sello de grasa
del cojinete ❌ 🔧

Semieje

Ver la sección PD

18-24
(1.8-2.4,
13-17)

Junta tórica ❌

Delantera

Nm (kg-m, pie-lb)

Sensor del ABS

▲ Conjunto del cojinete del eje trasero y componentes relacionados – Se muestra 4WD y QX4, los otros son similares

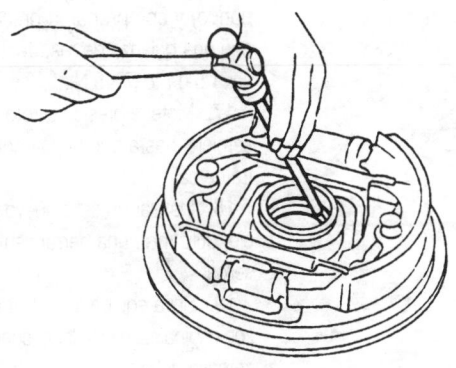

▲ Desmontar el sello de la jaula del cojinete, con un martillo y un punzón botador

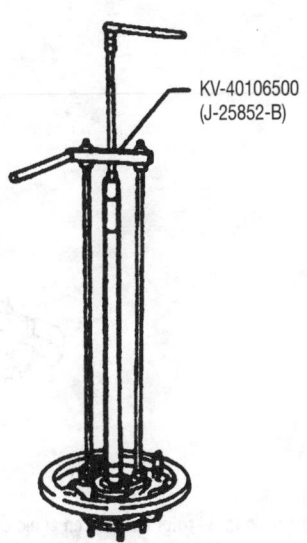

KV-40106500
(J-25852-B)

Presionar

Útil adecuado

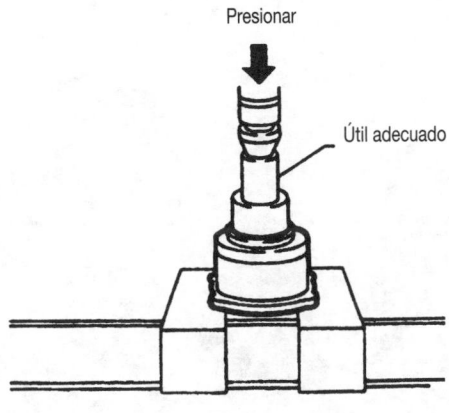

▲ Desmontar el cojinete de rueda de la jaula

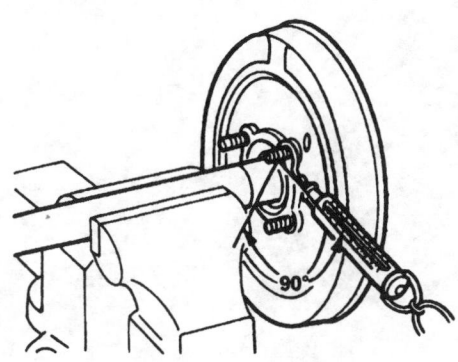

90°

▲ Medir la precarga de cojinete utilizando un dinamómetro (balanza de resorte)

▲ **Extraer el eje de transmisión del conjunto del cojinete**

2. Desmontar la rueda trasera.

3. Desconectar el cable del freno de aparcamiento y la manguera hidráulica de freno, del conjunto del freno.

4. Desmontar las cuatro tuercas que aseguran el conjunto del eje en la carcasa del eje.

5. Utilizando un martillo de percusión (deslizante), extraer el conjunto del eje de la carcasa.

6. Utilizando un extractor con los adaptadores apropiados, desmontar el rotor del ABS.

7. Enderezar las orejas de la arandela de seguridad y desmontar la tuerca del cojinete.

8. Utilizando un extractor con los adaptadores apropiados, extraer el semieje fuera del conjunto del cojinete.

9. Desmontar el sello de grasa con un martillo y un punzón.

10. Extraer el conjunto del cojinete fuera de la jaula del cojinete.

11. Desmontar el sello viejo, de la carcasa del eje, con una herramienta adecuada.

Para instalar:

12. Meter a presión el cojinete nuevo dentro de la jaula, hasta que haga tope en el fondo.

13. Meter a presión un sello nuevo de grasa en el conjunto de la jaula y el cojinete.

14. Meter a presión el semieje dentro del conjunto del cojinete.

15. Instalar la arandela plana, la arandela de seguridad y tuerca en el semieje. Apretar la tuerca a 181-217 pie-lb (245-294 Nm).

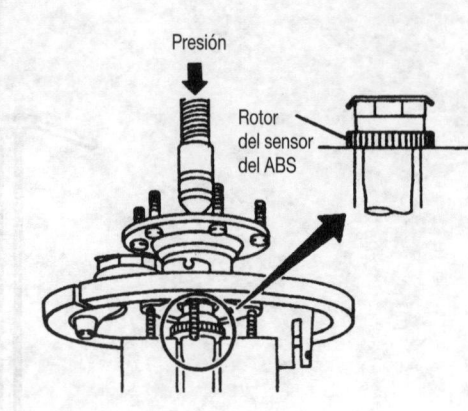

Presión

Rotor del sensor del ABS

▲ Presionar el rotor del ABS en el eje de transmisión, hasta que contacte con la tuerca de fijación

16. Sujetar el semieje en un tornillo de banco, y comprobar la precarga del cojinete con una balanza de resorte. La precarga debe ser 1.5-11 lb (7-48 N).

17. Meter a presión el rotor del ABS sobre el semieje, hasta que haga contacto con la contratuerca.

18. Instalar un sello nuevo en la carcasa del eje, utilizando una herramienta para introducir sellos.

19. Si va equipado, volver a colocar los calzos originales, e instalar el conjunto dentro de la carcasa del eje.

20. Conectar el cable del freno de aparcamiento y la línea hidráulica de freno.

21. Montar los componentes restantes y bajar el vehículo al suelo.

TOYOTA
Avalon - Camry - Celica - Corolla - MR2 - Paseo - Supra - Tercel

15

ESPECIFICACIONES	**774**

REPARACIÓN DEL MOTOR **783**

Distribuidor	783
Sincronización del encendido	783
Conjunto motor	784
Bomba de agua	794
Culata de cilindros	797
Turbocompresor	811
Múltiple de admisión	814
Múltiple de escape	822
Sello de aceite delantero del cigüeñal	827
Árbol de levas	828
Holgura de válvulas	836
Depósito de aceite	840
Bomba de aceite	844
Cadena de sincronización, engranajes, cubierta delantera y sello	850

SISTEMA DE COMBUSTIBLE **851**

Precauciones en la reparación del sistema de combustible	851

Presión del sistema de combustible	852
Filtro de combustible	852
Bomba de combustible	853

TREN DE TRANSMISIÓN **854**

Conjunto de transmisión	854
Conjunto de la caja de cambios	856
Embrague	866
Sistema de embrague hidráulico	867
Semieje	867

DIRECCIÓN Y SUSPENSIÓN **870**

Air bag (bolsa de aire)	870
Mecanismo de la dirección de cremallera y piñón	870
Poste y resorte helicoidal	874
Rótula esférica superior	876
Brazo de control superior	877
Rótula esférica inferior	877
Cojinetes de rueda	878

ESPECIFICACIONES
TOYOTA

Avalon - Camry - Celica - Corolla - MR2 - Paseo - Supra - Tercel

TABLA DE IDENTIFICACIÓN DEL VEHÍCULO

Clave del motor					
Clave	Litros	Plg³ (cc)	Cil.	Sist. combustible	Fabr. motor
1MZ-FE	3.0	180 (2952)	6	EFI	Toyota
2JZ-GE	3.0	183 (2997)	6	EFI	Toyota
5S-FE	2.2	138 (2264)	4	EFI	Toyota
7A-FE	1.8	107 (1762)	4	EFI	Toyota
2JZ-GTE	3.0	183 (2997)	6	EFI	Toyota
3E-E	1.5	89 (1456)	4	EFI	Toyota
3S-GTE	2.0	122 (1998)	4	EFI	Toyota
4A-FE	1.6	96 (1587)	4	EFI	Toyota
5E-FE	1.5	91 (1495)	4	EFI	Toyota
1ZZ-FE	1.8	109 (1794)	4	EFI	Toyota
1MZ-FE	3.0	183 (2995)	6	EFI	Toyota

Año-Modelo	
Clave	Año
S	1995
T	1996
V	1997
W	1998
X	1999

IDENTIFICACIÓN DEL MOTOR

Año	Modelo	Cilindrada del motor litros (cc)		Serie del motor (ID/VIN)	Sistema combustible	N° de cilindros	Tipo de motor
1995	Avalon	3.0 (2995)		1MZ-FE	EFI	6	DOHC
	Camry	2.2 (2164)		5S-FE	EFI	4	DOHC
	Camry	3.0 (2952)		1MZ-FE	EFI	6	DOHC
	Celica	1.8 (1762)		7A-FE	EFI	4	DOHC
	Celica	2.2 (2164)		5S-FE	EFI	4	DOHC
	Corolla	1.6 (1587)		4A-FE	EFI	4	DOHC
	Corolla	1.8 (1762)		7A-FE	EFI	4	DOHC
	MR2	2.0 (1998)	①	3S-GTE	EFI	4	DOHC
	MR2	2.2 (2164)		5S-FE	EFI	4	DOHC
	Paseo	1.5 (1495)		5E-FE	EFI	4	DOHC
	Supra	3.0 (2997)		2JZ-GE	EFI	6	DOHC
	Supra	3.0 (2997)	②	2JZ-GTE	EFI	6	DOHC
	Tercel	1.5 (1457)		3E-E	EFI	4	SOHC
1996	Avalon	3.0 (2995)		1MZ-FE	EFI	6	DOHC
	Camry	2.2 (2164)		5S-FE	EFI	4	DOHC
	Camry	3.0 (2995)		1MZ-FE	EFI	6	DOHC
	Celica	1.8 (1762)		7A-FE	EFI	4	DOHC
	Celica	2.2 (2164)		5S-FE	EFI	4	DOHC
	Corolla	1.6 (1587)		4A-FE	EFI	4	DOHC
	Corolla	1.8 (1762)		7A-FE	EFI	4	DOHC
	Paseo	1.5 (1497)		5E-FE	EFI	4	DOHC
	Supra	3.0 (2997)		2JZ-GE	EFI	6	DOHC
	Supra	3.0 (2997)	②	2JZ-GTE	EFI	6	DOHC
	Tercel	1.5 (1497)		5E-FE	EFI	4	DOHC
1997	Avalon	3.0 (2995)		1MZ-FE	EFI	6	DOHC
	Camry	2.2 (2164)		5S-FE	EFI	4	DOHC
	Camry	3.0 (2995)		1MZ-FE	EFI	6	DOHC
	Celica	1.8 (1762)		7A-FE	EFI	4	DOHC
	Celica	2.2 (2164)		5S-FE	EFI	4	DOHC
	Corolla	1.6 (1587)		4A-FE	EFI	4	DOHC
	Corolla	1.8 (1762)		7A-FE	EFI	4	DOHC
	Paseo	1.5 (1497)		5E-FE	EFI	4	DOHC
	Supra	3.0 (2997)		2JZ-GE	EFI	6	DOHC
	Supra	3.0 (2997)	②	2JZ-GTE	EFI	6	DOHC
	Tercel	1.5 (1497)		5E-FE	EFI	4	DOHC
1998-99	Avalon	3.0 (2995)		1MZ-FE	EFI	6	DOHC
	Camry	2.2 (2164)		5S-FE	EFI	4	DOHC
	Camry	3.0 (2995)		1MZ-FE	EFI	6	DOHC
	Celica	2.2 (2164)		5S-FE	EFI	4	DOHC
	Corolla	1.8 (1794)		1ZZ-FE	EFI	4	DOHC
	Supra	3.0 (2997)		2JZ-GE	EFI	6	DOHC
	Supra	3.0 (2997)	②	2JZ-GTE	EFI	6	DOHC
	Tercel	1.5 (1497)		5E-FE	EFI	4	DOHC

EFI-Inyección de combustible electrónica.
SOHC-Árbol de levas sobre culata simple.
DOHC-Árbol de levas sobre culata doble.
① Sobrealimentado doble.
② Sobrealimentado.

ESPECIFICACIONES GENERALES DEL MOTOR

Año	Motor ID/VIN	Cilindrada del motor litros (cc)	Sistema de combustible	Caballaje neto @ rpm	Torsión neta @ rpm (pie-lb)	Diámetro x carrera (plg)	Relación de compresión	Presión de aceite @ marcha mínima
1995	1MZ-FE	3.0 (2952)	EFI	185@5200	195@4400	3.45x3.45	9.6:1	4.3
	2JZ-GE	3.0 (2997)	EFI	220@5800	210@4800	3.39x3.39	10.0:1	7
	2JZ-GTE	3.0 (2997)	EFI	320@5600	315@4000	3.39x3.39	8.5:1	7
	3E-E	1.5 (1456)	EFI	82@5200	89@4400	2.87x3.43	9.3:1	4.3
	3S-GTE	2.0 (1998)	EFI	200@6000	200@3200	3.39x3.39	8.8:1	4.3
	4A-FE	1.6 (1587)	EFI	102@5800	101@4800	3.19x3.03	9.5:1	4.3
	5E-FE	1.5 (1495)	EFI	100@6400	91@3200	2.91x3.43	9.4:1	4.3
	5S-FE	2.2 (2164)	EFI	135@5400	145@4400	3.43x3.58	9.5:1	4.3
	7A-FE	1.8 (1762)	EFI	115@5600	115@2800	3.19x3.37	9.5:1	4.3
1996	1MZ-FE	3.0 (2995)	EFI	192@5200	210@4400	3.44x3.27	10.5:1	4.3
	2JZ-GE	3.0 (2997)	EFI	220@5800	210@4800	3.39x3.39	10.0:1	7
	2JZ-GTE	3.0 (2997)	EFI	320@5600	315@4000	3.39x3.39	8.5:1	7
	4A-FE	1.6 (1587)	EFI	100@5600	105@4400	3.19x3.03	9.5:1	4.3
	5E-FE	1.5 (1497)	EFI	93@5400	100@4400	2.91x3.43	9.4:1	4.3
	5S-FE	2.2 (2164)	EFI	130@5400	145@4400	3.43x3.58	9.5:1	4.3
	7A-FE	1.8 (1762)	EFI	105@5600	117@2800	3.19x3.37	9.5:1	4.3
1997	1MZ-FE	3.0 (2995)	EFI	192@5200	210@4400	3.44x3.27	10.5:1	4.3
	2JZ-GE	3.0 (2997)	EFI	220@5800	210@4800	3.39x3.39	10.0:1	7
	2JZ-GTE	3.0 (2997)	EFI	320@5600	315@4000	3.39x3.39	8.5:1	7
	4A-FE	1.6 (1587)	EFI	100@5600	105@4400	3.19x3.03	9.5:1	4.3
	5E-FE	1.5 (1497)	EFI	93@5400	100@4400	2.91x3.43	9.4:1	4.3
	5S-FE	2.2 (2164)	EFI	130@5400	145@4400	3.43x3.58	9.5:1	4.3
	7A-FE	1.8 (1762)	EFI	105@5600	117@2800	3.19x3.37	9.5:1	4.3
1998-99	1MZ-FE	3.0 (2995)	EFI	192@5200	210@4400	3.44x3.27	10.5:1	4.3
	1ZZ-FE	1.8 (1794)	EFI	120@5600	122@4400	3.11x3.60	10.0:1	4.3
	2JZ-GE	3.0 (2997)	EFI	220@5800	210@4800	3.39x3.39	10.0:1	7
	2JZ-GTE	3.0 (2997)	EFI	320@5600	315@4000	3.39x3.39	8.5:1	7
	5E-FE	1.5 (1497)	EFI	93@5400	100@4400	2.91x3.43	9.4:1	4.3
	5S-FE	2.2 (2164)	EFI	130@5400	145@4400	3.43x3.58	9.5:1	4.3

EFI-Inyección de combustible electrónica.

ESPECIFICACIONES PARA AFINACIÓN DE MOTORES DE GASOLINA

Año	Motor ID/VIN	Cilindrada del motor litros (cc)	Bujías abertura (plg)	Sincronización ignición (grados)		Bomba de combustible (lb-plg³)	Marcha mínima (rpm)		Holgura válvulas	
				TM	TA		TM	TA	Admisión	Escape
1995	3E-E	1.5 (1456)	0.043	10B	10B	41-45	750	800	0.008	0.008
	5E-FE	1.5 (1495)	0.043	10B	10B	41-42	750	750	0.012-0.010	0.012-0.016
	4A-FE	1.6 (1587)	0.031	10B	10B	38-44	①	①	0.006-0.010	0.008-0.012
	7A-FE	1.8 (1762)	0.031	10B	10B	38-44	800	800	0.006-0.010	0.008-0.012
	3S-GTE	2.0 (1998)	0.031	10B	10B	33-38	750-850	750-850	0.006-0.010	④
	5S-FE	2.2 (2164)	0.043	10B	10B	38-44	②	③	0.007-0.011	0.011-0.015
	2JZ-GE	3.0 (2997)	0.043	⑤	⑤	38-44	650-750	650-750	0.006-0.010	0.010-0.014
	2JZ-GTE	3.0 (2997)	0.043	⑤	⑤	33-40	600-700	600-700	0.006-0.010	0.010-0.014
	1MZ-FE	3.0 (2952)	0.043	⑤	⑤	38-44	650-750	650-750	0.006-0.010	0.010-0.014
1996	5E-FE	1.5 (1497)	0.043	⑤	⑤	41-42	700-800	700-800	0.006-0.010	0.012-0.016
	4A-FE	1.6 (1587)	0.031	⑤	⑤	38-44	650-750	650-750	0.006-0.010	0.010-0.014
	7A-FE	1.8 (1762)	0.031	⑤	⑤	38-44	650-750	650-750	0.006-0.010	0.010-0.014
	5S-FE	2.2 (2164)	0.043	⑤	⑤	38-44	700-800	700-800	0.007-0.011	0.011-0.015
	1MZ-FE	3.0 (2952)	0.043	⑤	⑤	38-44	650-750	650-750	0.006-0.010	0.010-0.014
	2JZ-GE	3.0 (2997)	0.043	⑤	⑤	38-44	650-750	650-750	0.006-0.010	0.010-0.014
	2JZ-GTE	3.0 (2997)	0.043	⑤	⑤	33-40	600-700	600-700	0.006-0.010	0.010-0.014
1997	5E-FE	1.5 (1497)	0.043	⑤	⑤	41-42	700-800	700-800	0.006-0.010	0.012-0.016
	4A-FE	1.6 (1587)	0.031	⑤	⑤	38-44	650-750	650-750	0.006-0.010	0.010-0.014
	7A-FE	1.8 (1762)	0.031	⑤	⑤	38-44	650-750	650-750	0.006-0.010	0.010-0.014
	5S-FE	2.2 (2164)	0.043	⑤	⑤	38-44	600-700	700-800	0.007-0.011	0.011-0.015
	1MZ-FE	3.0 (2952)	0.043	⑤	⑤	38-44	650-750	650-750	0.006-0.010	0.010-0.014
	2JZ-GE	3.0 (2997)	0.043	⑤	⑤	38-44	650-750	650-750	0.006-0.010	0.010-0.014
	2JZ-GTE	3.0 (2997)	0.043	⑤	⑤	33-40	600-700	600-700	0.006-0.010	0.010-0.014
1998-99	5E-FE	1.5 (1497)	0.043	⑤	⑤	41-42	700-800	700-800	0.006-0.010	0.012-0.016
	1ZZ-FE	1.8 (1794)	0.043	⑤	⑤	44-50	650-750	650-750	0.006-0.010	0.010-0.014

ESPECIFICACIONES PARA AFINACIÓN DE MOTORES DE GASOLINA

Año	Motor ID/VIN	Cilindrada del motor litros (cc)	Bujías abertura (plg)	Sincronización ignición (grados)		Bomba de combustible (lb-plg³)	Marcha mínima (rpm)		Holgura válvulas	
				TM	TA		TM	TA	Admisión	Escape
1998-99	5S-FE	2.2 (2164)	0.043	⑤	⑤	44-50	700-800	700-800	0.007-0.011	0.011-0.015
	1MZ-FE	3.0 (2952)	0.043	⑤	⑤	44-50	650-750	650-750	0.006-0.010	0.010-0.014
	2JZ-GE	3.0 (2997)	0.043	⑤	⑤	44-50	650-750	650-750	0.006-0.010	0.010-0.014
	2JZ-GTE	3.0 (2997)	0.043	⑤	⑤	33-40	600-700	600-700	0.006-0.010	0.010-0.014

NOTA: la etiqueta de Información del Control de Emisiones del Vehículo a menudo refleja los cambios de especificaciones hechos durante la producción. Se han de utilizar las cifras de las etiquetas si difieren de las que hay en esta tabla.

B-Antes del Punto Muerto Superior.

① Tracción a 2 ruedas Federal y Canadá: 700.
  Tracción a 2 ruedas California y tracción a 4 ruedas: 800.

② USA: 750
  Canadá: 850.

③ USA: 700.
  Canadá: 750.

④ MR2: 0.008-0.012
  Celica: 0.011-0.015.

⑤ 10B a marcha mínima, con los terminales TE1 y E1 del DLC1 conectado.

CAPACIDADES

Año	Modelo	Motor ID/VIN	Cilindrada del motor litros (cc)	Aceite del motor con filtro	Transmisión (pts)			Caja de transferencia (pts)	Eje motriz		Depósito combustible (gal)	Sistema enfriamiento (qts)
					4 Vel.	5 Vel.	Aut.		Del. (pts)	Tras. (pts)		
1995	Avalon	1MZ-FE	3.0 (2952)	5.0	-	-	7.4	-	1.8	-	18.5	9.8
	Camry	1MZ-FE	3.0 (2952)	4.5	-	8.8	6.2	-	3.4	-	18.5	9.0
	Camry	5S-FE	2.2 (2164)	4.3	-	5.4	5.2	-	3.4	-	18.5	6.7
	Celica	4AFE	1.6 (1587)	3.4	-	5.4	5.2	-	3.4	-	⑥	③
	Celica	5S-FE	2.2 (2164)	①	-	11.0	-	-	3.4	-	15.9	6.9
	Corolla	4A-FE	1.6 (1587)	3.4	-	5.4	5.2	-	-	-	13.2	6.5
	Corolla	7A-FE	1.8 (1762)	3.4	-	5.4	5.2	-	-	-	13.2	6.6
	MR2	3S-GTE	2.0 (1998)	4.1	-	8.8	7.0	-	-	3.4	14.3	14.4
	MR2	5S-FE	2.2 (2164)	4.5	-	5.4	7.0	-	-	3.4	14.3	13.7
	Paseo	5E-FE	1.5 (1495)	3.4	-	5.0	6.6	-	3.0	-	11.9	⑤
	Supra	2JZ-GE	3.0 (2997)	5.5	-	5.4	15.2	-	-	2.9	18.5	⑦
	Supra	2JZ-GTE	3.0 (2997)	5.3	-	5.4	17.4	-	-	2.9	18.5	⑧
	Tercel	3E-E	1.5 (1457)	3.4	5.0	5.0	5.2	-	3.0	-	11.9	②
1996	Avalon	1MZ-FE	3.0 (2995)	5.0	-	-	7.4	-	1.8	-	18.5	9.8
	Camry	1MZ-FE	3.0 (2995)	5.0	-	-	7.4	-	1.8	-	18.5	9.8
	Camry	5S-FE	2.2 (2164)	3.8	-	5.4	5.2	-	3.4	-	18.5	6.7
	Celica	5S-FE	2.2 (2164)	4.1	-	5.4	5.2	-	3.4	-	15.9	⑫
	Celica	7A-FE	1.8 (1762)	3.9	-	4.0	6.6	-	-	-	15.9	⑬
	Corolla	4A-FE	1.6 (1587)	3.2	-	4.0	5.2	-	3.0	-	13.2	⑪
	Corolla	7A-FE	1.8 (1762)	3.9	-	4.0	6.6	-	-	-	13.2	⑨
	Paseo	5E-FE	1.5 (1497)	3.0	-	4.0	6.6	-	-	-	11.9	⑤
	Supra	2JZ-GE	3.0 (2997)	5.5	-	5.4	3.4	-	-	2.9	18.5	⑦
	Supra	2JZ-GTE	3.0 (2997)	5.3	-	3.8	4.0	-	-	2.9	18.5	⑧
	Tercel	5E-FE	1.5 (1497)	3.0	5.0	5.0	⑨	-	3.0 ⑩	-	11.9	②
1997	Avalon	1MZ-FE	3.0 (2995)	5.0	-	-	7.4	-	1.8	-	18.5	9.8
	Camry	1MZ-FE	3.0 (2995)	5.0	-	-	7.4	-	1.8	-	18.5	9.8
	Camry	5S-FE	2.2 (2164)	3.8	-	5.4	5.2	-	3.4	-	18.5	6.7
	Celica	5S-FE	2.2 (2164)	4.1	-	5.4	5.2	-	3.4	-	15.9	⑫
	Celica	7A-FE	1.8 (1762)	3.9	-	4.0	6.6	-	-	-	15.9	⑬
	Corolla	4A-FE	1.6 (1587)	3.2	-	4.0	5.2	-	3.0	-	13.2	⑪
	Corolla	7A-FE	1.8 (1762)	3.9	-	4.0	6.6	-	-	-	13.2	⑭
	Paseo	5E-FE	1.5 (1497)	3.0	-	4.0	6.6	-	-	-	11.9	⑤
	Supra	2JZ-GE	3.0 (2997)	5.5	-	5.4	3.4	-	-	2.9	18.5	⑦
	Supra	2JZ-GTE	3.0 (2997)	5.3	-	3.8	4.0	-	-	2.9	18.5	⑧
	Tercel	5E-FE	1.5 (1497)	3.0	5.0	5.0	⑨	-	3.0 ⑩	-	11.9	②
1998-99	Avalon	1MZ-FE	3.0 (2995)	5.0	-	-	7.4	-	1.8	-	18.5	9.8
	Camry	1MZ-FE	3.0 (2995)	5.0	-	9.8	7.4	-	1.8	-	18.5	9.6
	Camry	5S-FE	2.2 (2164)	3.8	-	4.6	5.2	-	3.4	-	18.5	7.3
	Celica	5S-FE	2.2 (2164)	4.1	-	5.4	5.2	-	3.4	-	15.9	⑬
	Corolla	1ZZ-FE	1.8 (1794)	3.2	-	4.0	5.2	-	3.0	-	13.2	⑪
	Supra	2JZ-GE	3.0 (2997)	5.5	-	-	3.4	-	-	2.9	18.5	8.5
	Supra	2JZ-GTE	3.0 (2997)	5.3	-	3.8	4.0	-	-	2.9	18.5	④
	Tercel	5E-FE	1.5 (1497)	3.0	5.0	5.0	⑨	-	3.0 ⑩	-	11.9	②

Nota: todas las capacidades son aproximadas. Añadir el fluido gradualmente y asegurarse de que se obtiene el nivel de fluido correcto.

① Con refrigerador de aceite: 4.4.
　Sin refrigerador de aceite: 4.3.
② Transmisión manual: 5.2.
　Transmisión automática: 5.7.
③ Transmisión manual: 5.5.
　Transmisión automática: 5.8.
④ Transmisión manual: 9.4.
　Transmisión automática: 9.3.

⑤ Transmisión manual: 5.3.
　Transmisión automática: 5.7.
⑥ Transmisión manual: 15.9.
　Tracción a 2 ruedas: 15.9.
　Tracción a 4 ruedas: 18.0.
⑦ Transmisión manual: 7.7.
　Transmisión automática: 8.8.
⑧ Transmisión manual: 10.0.
　Transmisión automática: 9.9.

⑨ Transmisión A132L: 5.2.
　Transmisión A242L: 6.6.
⑩ Transmisión A132L.
⑪ TM con radiador Nippodenso: 5.6.
　TA con radiador Nippodenso: 6.2.
　TM con radiador Harrison: 6.3.
　TA con radiador Harrison: 6.2.

⑫ Transmisión manual: 7.1.
　Transmisión automática: 7.5.
⑬ Transmisión manual: 6.4.
　Transmisión automática: 7.0.
⑭ TM con radiador Nippodenso: 5.8.
　TA con radiador Nippodenso: 6.2.
　TM con radiador Harrison: 6.6.
　TA con radiador Harrison: 6.4.

ESPECIFICACIONES DE VÁLVULAS

Año	Motor ID/VIN	Cilindrada del motor litros (cc)	Ángulo de asiento (grados)	Ángulo de cara (grados)	Presión de prueba del resorte (lb@plg)	Altura resorte instalado (plg)	Holgura entre vástago y guía (plg)		Diámetro del vástago (plg)	
							Admisión	Escape	Admisión	Escape
1995	3E-E	1.5 (1456)	45	44.5	35.1	1.384	0.0010- . 0.0024	0.0012- 0.0026	0.2350- 0.2356	0.2348- 0.2354
	5E-FE	1.5 (1495)	45	44.5	37-37	1.252	0.0010- 0.0024	0.0012- 0.0026	0.2350- 0.2356	0.2348- 0.2354
	4A-FE	1.6 (1587)	45	44.5	37.3	1.248	0.0010- 0.0024	0.0012- 0.0026	0.2350- 0.2356	0.2348- 0.2354
	7A-FE	1.8 (1762)	45	44.5	37.3	1.248	0.0010- 0.0023	0.0012- 0.0025	0.2346- 0.2352	0.2344- 0.2350
	3S-GTE	2.0 (1998)	45	45.5	53.1	1.354	0.0010- 0.0023	0.0012- 0.0025	0.2346- 0.2352	0.2344- 0.2350
	5S-FE	2.2 (2164)	45	45.5	42.5	1.366	0.0010- 0.0024	0.0012- 0.0026	0.2350- 0.2356	0.2348- 0.2354
	1MZ-FE	3.0 (2952)	45	44.5	42-46	1.331	0.0010- 0.0024	0.0012- 0.0026	0.2154- 0.2159	0.2152- 0.2157
	2JZ-GE	3.0 (2997)	45	44.5	42-46@ 1.358	1.358	0.0010- 0.0024	0.0012- 0.0026	0.2350- 0.2356	0.2348- 0.2358
	2JZ-GTE	3.0 (2997)	45	44.5	42-46@ 1.358	1.358	0.0010- 0.0024	0.0012- 0.0026	0.2350- 0.2356	0.2348- 0.2358
1996	5E-FE	1.5 (1497)	45	44.5	33.3-36.8@ 1.252	1.252	0.0010- 0.0024	0.0012- 0.0026	0.2350- 0.2356	0.2348- 0.2354
	4A-FE	1.6 (1587)	45	44.5	35.5-39.0@ 1.248	1.248	0.0010- 0.0024	0.0012- 0.0026	0.2350- 0.2356	0.2348- 0.2354
	7A-FE	1.8 (1762)	45	44.5	35.5-39.0@ 1.248	1.248	0.0010- 0.0024	0.0012- 0.0025	0.2346- 0.2352	0.2344- 0.2350
	5S-FE	2.2 (2164)	45	44.5	36.8-42.5@ 1.366	1.366	0.0010- 0.0024	0.0012- 0.0026	0.2350- 0.2356	0.2348- 0.2354
	1MZ-FE	3.0 (2995)	45	44.5	41.9-46.3@ 1.331	1.331	0.0010- 0.0024	0.0012- 0.0026	0.2154- 0.2159	0.2152- 0.2157
	2JZ-GE	3.0 (2997)	45	44.5	42-46@ 1.358	1.358	0.0010- 0.0024	0.0012- 0.0026	0.2350- 0.2356	0.2348- 0.2358
	2JZ-GTE	3.0 (2997)	45	44.5	42-46@ 1.358	1.358	0.0010- 0.0024	0.0012- 0.0026	0.2350- 0.2356	0.2348- 0.2358
1997	5E-FE	1.5 (1497)	45	44.5	33.3-36.8@ 1.252	1.252	0.0010- 0.0024	0.0012- 0.0026	0.2350- 0.2356	0.2348- 0.2354
	4A-FE	1.6 (1587)	45	44.5	35.5-39.0@ 1.248	1.248	0.0010- 0.0024	0.0012- 0.0026	0.2350- 0.2356	0.2348- 0.2354
	7A-FE	1.8 (1762)	45	44.5	35.5-39.0@ 1.248	1.248	0.0010- 0.0024	0.0012- 0.0025	0.2346- 0.2352	0.2344- 0.2350
	5S-FE	2.2 (2164)	45	44.5	36.8-42.5@ 1.366	1.366	0.0010- 0.0024	0.0012- 0.0026	0.2350- 0.2356	0.2348- 0.2354
	1MZ-FE	3.0 (2995)	45	44.5	41.9-46.3@ 1.331	1.331	0.0010- 0.0024	0.0012- 0.0026	0.2154- 0.2159	0.2152- 0.2157
	2JZ-GE	3.0 (2997)	45	44.5	42-46@ 1.358	1.358	0.0010- 0.0024	0.0012- 0.0026	0.2350- 0.2356	0.2348- 0.2358
	2JZ-GTE	3.0 (2997)	45	44.5	42-46@ 1.358	1.358	0.0010- 0.0024	0.0012- 0.0026	0.2350- 0.2356	0.2348- 0.2358
1998-99	5E-FE	1.5 (1497)	45	44.5	33.3-36.8@ 1.252	1.252	0.0010- 0.0024	0.0012- 0.0026	0.2350- 0.2356	0.2348- 0.2354
	1ZZ-FE	1.8 (1794)	45	44.5	31.3-34.8@ 1.323	1.323	0.0010- 0.0024	0.0012- 0.0026	0.2154- 0.2159	0.2152- 0.2157

ESPECIFICACIONES DE VÁLVULAS

Año	Motor ID/VIN	Cilindrada del motor litros (cc)	Ángulo de asiento (grados)	Ángulo de cara (grados)	Presión de prueba del resorte (lb@plg)	Altura resorte instalado (plg)	Holgura entre vástago y guía (plg)		Diámetro del vástago (plg)	
							Admisión	Escape	Admisión	Escape
1998-99	5S-FE	2.2 (2164)	45	44.5	36.8-42.5@ 1.366	1.366	0.0010- 0.0024	0.0012- 0.0026	0.2350- 0.2356	0.2348- 0.2354
	1MZ-FE	3.0 (2995)	45	44.5	41.9-46.3@ 1.331	1.331	0.0010- 0.0024	0.0012- 0.0026	0.2154- 0.2159	0.2152- 0.2157
	2JZ-GE	3.0 (2997)	45	44.5	42-46@ 1.358	1.358	0.0010- 0.0024	0.0012- 0.0026	0.2350- 0.2356	0.2348- 0.2358
	2JZ-GTE	3.0 (2997)	45	44.5	42-46@ 1.358	1.358	0.0010- 0.0024	0.0012- 0.0026	0.2350- 0.2356	0.2348- 0.2358

ESPECIFICACIONES DE TORSIÓN
Todas las medidas están en pie-lb

Año	Motor ID/VIN	Cilindrada del motor litros (cc)	Tornillos culata de cilindros	Tornillos cojinete principal	Tornillos cojinete biela	Tornillos amortiguador cigüeñal	Tornillos volante	Múltiple Admisión	Escape	Bujías	Tuerca orejas
1995	1MZ-FE	3.0 (2952)	①	⑤	⑧	159	30	14	36	13	76
	2JZ-GE	3.0 (2997)	②	⑥	⑨	239	⑪	20	29	13	76
	2JZ-GTE	3.0 (2997)	②	⑥	⑨	239	⑪	20	29	13	76
	3E-E	1.5 (1456)	③	⑥	29	112	88	14	38	13	76
	3S-GTE	2.0 (1998)	④	43	49	80	80	14	38	13	76
	4A-FE	1.6 (1587)	44	44	36	87	58	14	18	13	76
	5E-FE	1.5 (1495)	④	42	29	112	65	14	35	13	76
	5S-FE	2.2 (2164)	④	43	⑧	80	⑬	14	36	13	76
	7A-FE	1.8 (1762)	⑦	44	⑨	87	⑭	14	29	13	76
1996	1MZ-FE	3.0 (2995)	①	⑩	⑧	159	61	11	36	13	76
	2JZ-GE	3.0 (2997)	②	⑥	⑨	239	⑪	20	29	13	76
	2JZ-GTE	3.0 (2997)	②	⑥	⑨	239	⑪	20	29	13	76
	4A-FE	1.6 (1587)	⑦	44	⑨	87	⑭	14	25	14	76
	5E-FE	1.5 (1497)	⑥	42	29	112	65	14	35	13	76
	5S-FE	2.2 (2164)	④	43	⑧	80	⑬	14	36	13	76
	7A-FE	1.8 (1762)	⑦	44	⑧	87	⑭	14	25	14	76
1997	1MZ-FE	3.0 (2995)	①	⑩	⑧	159	61	11	36	13	76
	2JZ-GE	3.0 (2997)	②	⑥	⑨	239	④	20	29	13	76
	2JZ-GTE	3.0 (2997)	②	⑥	⑨	239	④	20	29	13	76
	4A-FE	1.6 (1587)	⑦	44	⑨	87	⑭	14	25	14	76
	5E-FE	1.5 (1497)	⑥	42	29	112	65	14	35	13	76
	5S-FE	2.2 (2164)	④	43	⑧	80	⑬	14	36	13	76
	7A-FE	1.8 (1762)	⑦	44	⑧	87	⑭	14	25	14	76
1998-99	1MZ-FE	3.0 (2995)	①	⑩	⑧	159	61	11	36	13	76
	1ZZ-FE	1.8 (1794)	④	⑫	⑪	102	④	14	27	13	76
	2JZ-GE	3.0 (2997)	②	⑥	⑨	243	–	21	30	13	76
	2JZ-GTE	3.0 (2997)	②	⑥	⑨	243	④	21	30	13	76
	5E-FE	1.5 (1497)	⑥	42	29	112	65	14	35	13	76
	5S-FE	2.2 (2164)	④	43	⑧	80	⑬	14	36	13	76

① Paso 1: 40 pie-lb.
Paso 2: girar 90 grados.
Tornillo de cabeza ahuecada (Allen): 13 pie-lb.

② Paso 1: 25 pie-lb.
Paso 2: girar 90 grados.
Paso 3: girar 90 grados.
Tornillo de cabeza ahuecada: 13 pie-lb.

③ Paso 1: 22 pie-lb.
Paso 2: 36 pie-lb.
Paso 3: girar 90 grados.

④ Paso 1: 36 pie-lb.
Paso 2: girar 90 grados.

⑤ Paso 1: 16 pie-lb.
Paso 2: girar 90 grados.
Tornillo de cabeza ahuecada: 20 pie-lb.

⑥ Paso 1: 33 pie-lb.
Paso 2: girar 90 grados.

⑦ Paso 1: 22 pie-lb.
Paso 2: girar 90 grados.
Paso 3: girar 90 grados.

⑧ Paso 1: 18 pie-lb.
Paso 2: girar 90 grados.

⑨ Paso 1: 22 pie-lb.
Paso 2: girar 90 grados.

⑩ Cabeza con 12 puntas: 16 pie-lb + 90 grados.
Cabeza con 6 puntas: 20 pie-lb.

⑪ Paso 1: 15 pie-lb.
Paso 2: girar 90 grados.

⑫ Paso 1: 16 pie-lb.
Paso 2: 32 pie-lb.
Paso 3 y 4: girar 45 grados.

⑬ Transmisión manual: 65 pie-lb.
Transmisión automática: 61 pie-lb.

⑭ Transmisión manual: 58 pie-lb.
Transmisión automática: 47 pie-lb.

REPARACIÓN DEL MOTOR

➡ Desconectar el cable negativo de la batería en algunos vehículos puede interferir con las funciones de los sistemas de la computadora de a bordo, y puede que sea necesario someter la computadora a un proceso de reinicio una vez se vuelva a conectar el cable negativo de la batería.

DISTRIBUIDOR

DESMONTAJE

1. Desconectar el cable negativo de la batería. En los vehículos equipados con air bag (bolsa de aire) esperar al menos 90 segundos antes de proceder.

2. Si lo tiene, desconectar el enchufe eléctrico del fluxómetro (medidor de caudal MAF) de aire. Desconectar, del cuerpo de la válvula de estrangulación, la manguera del filtro de aire, y retirar la cubierta del filtro de aire, el fluxómetro de aire, y los conductos de aire como un todo.

3. Si la tiene, quitar la admisión de aire para tener más espacio.

4. Si lo tiene, quitar el intercooler para disponer de más espacio. Desconectar el sensor de la temperatura del aire, el cable de mando de control de crucero, y la manguera del filtro de aire, si es que se necesita más espacio.

5. Desconectar los cables de las bujías de la tapa del distribuidor. Tener cuidado de tirar de los cables de las bujías por el capuchón, y no del cable como tal. Levantar la uña de fijación con una herramienta adecuada, y desconectar el sostén de la tapa del distribuidor.

6. Desconectar el enchufe del distribuidor.

7. Sacar los tornillos de sujeción del distribuidor y extraer el distribuidor.

➡ Las marcas en el engrane de accionamiento y en el cuerpo del distribuidor deben estar alineadas. Si las marcas no están alineadas, marcar la posición del rotor con respecto al cuerpo.

8. Quitar el sello de anillo del cuerpo o carcasa del distribuidor.

INSTALACIÓN

Motor alterado

1. En el motor 2JZ-GE, retirar la cubierta N° 3 de la correa de sincronización.

2. Girar el cigüeñal en sentido horario, y colocar la hendidura del árbol de levas de admisión, en la posición necesaria llevar al pistón N° 1 al PMS de la carrera de compresión.

3. Aplicar una capa ligera de aceite al nuevo sello de anillo, e instalar en la cubierta del distribuidor.

4. Alinear la parte recortada del acoplamiento con la ranura de la carcasa. Insertar el distribuidor, alineando el orificio del tornillo de la brida con el orificio del tornillo en la culata de cilindros. Apretar los tornillos de sujeción.

5. Si se quitó, instalar el enfriador intermedio (intercooler) o la admisión de aire y sus piezas asociadas.

6. Instalar los cables de las bujías en la tapa del distribuidor, asegurándose de que el orden de encendido es el correcto.

7. En el motor 2JZ-GE, instalar la cubierta de la correa de sincronización N° 3.

8. Instalar el fluxómetro de aire, la manguera de aire, y la cubierta del filtro de aire; si se habían quitado.

9. Conectar y los conectores del distribuidor y del fluxómetro de aire.

10. Conectar el cable negativo de la batería.

11. Arrancar el motor y comprobar la sincronización del encendido.

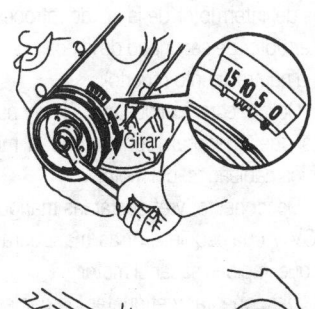

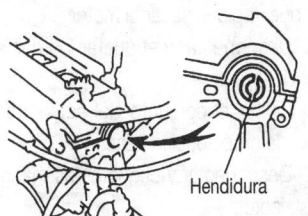

▲ **Método usual para la colocación correcta del mecanismo propulsor del distribuidor en el PMS**

Motor no alterado

1. Aplicar una capa ligera de aceite al nuevo sello de anillo, e instalar en la cubierta del distribuidor.

2. Alinear la parte recortada del acoplamiento con la ranura de la carcasa. Insertar el distribuidor, alineando el orificio del tornillo de la brida con el orificio del tornillo en la cabeza del cilindro. Apretar los tornillos de sujeción.

3. Asegurarse de que la marca en el motor está alineada con la marca que se hizo en el distribuidor durante el desmontaje. Asegurarse también de que el motor está en la misma posición en que se desmontó.

4. Si se quitó, instalar el enfriador intermedio o la admisión de aire y sus piezas asociadas.

5. Instalar la tapa del distribuidor.

6. Reinstalar los cables de las bujías en la tapa del distribuidor, asegurándose de que el orden de encendido es el correcto.

7. Instalar el fluxómetro de aire, la manguera de aire, y la cubierta del filtro de aire; si se habían quitado.

8. Conectar los conectores y del distribuidor del fluxómetro.

9. Conectar el cable negativo de la batería.

10. Arrancar el motor, y comprobar la sincronización del encendido.

SINCRONIZACIÓN DEL ENCENDIDO

AJUSTE

➡ La sincronización en motores equipados con Sistemas de Encendido Sin Distribuidor (DIS) no es ajustable.

1. Arrancar el motor, y dejarlo que marche en vacío hasta que alcance la temperatura normal de funcionamiento. Retirar la tapa del conector de comprobación (DLC1), que usualmente está en el compartimiento del motor.

2. Conectar al motor el tacómetro y la luz de sincronización. Conectar el terminal de prueba del tacómetro al terminal IG del DLC1 (conector de Enlace de Diagnosis).

➡ Nunca permitir que el terminal de prueba del tacómetro toque tierra, pues podría dañar al sistema de encendido y/o la bobina.

➡ No todos los tacómetros son compatibles con este sistema. Asegurarse de

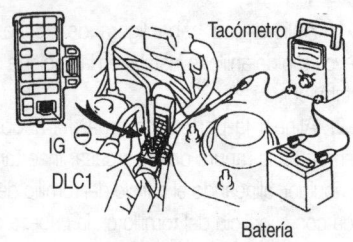

Acoplar la sonda de prueba del tacómetro en el terminal IG del conector de enlace de datos

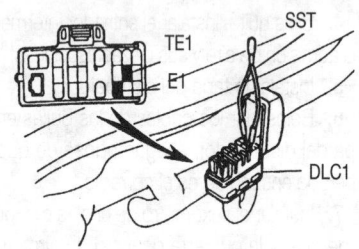

Para conectar los terminales TE1 y E1 del DLC se utiliza un puente de alambre

confirmar su compatibilidad, antes de utilizarlo.

3. Conectar los terminales TE1 y E1, del DLC1, con un conector de puente.

4. Comprobar la velocidad de marcha mínima.

5. Apuntar con la luz de sincronización al indicador de sincronización, y comprobar la sincronización de encendido. La sincronización debe estar a 10° APMS (antes del PMS) con la marcha mínima.

6. Si hay que hacer algún ajuste, aflojar los tornillos de sujeción del distribuidor y girarlo, para hacer el ajuste. Apretar los tornillos de sujeción, y volver a comprobar la sincronización.

7. Quitar el conector de puente. Comprobar el avance de la sincronización de encendido.

8. Desconectar el tacómetro y la lámpara de sincronización del motor.

CONJUNTO MOTOR

DESMONTAJE E INSTALACIÓN

Motor 1.5L (5E-FE)

1. Desconectar el cable negativo de la batería. En los vehículos que estén equipados con air bag (saco o bolsa de aire) esperar al menos 90 segundos antes de continuar.

2. Sacar el capó del vehículo.

3. Quitar las cubiertas inferiores del vehículo.

4. Drenar el sistema de enfriamiento, y sacar el radiador.

5. Si tiene caja de transmisión automática, desconectar y taponar las tuberías de fluido de la caja, y desconectar el cable del acelerador.

6. Desconectar el cable de la válvula de estrangulación.

7. Drenar el fluido de la caja de transmisión y el aceite del motor.

8. Retirar el conjunto del filtro de aire y el soporte.

9. Quitar la lata de carbón activo.

▼ PRECAUCIÓN ▼

Para evitar daños personales, descargar adecuadamente la presión del combustible de todo modelo que tenga inyección de combustible, antes de desconectar cualquier tubería de combustible.

10. Desconectar las mangueras de entrada y retorno de combustible.

11. Desconectar el cable del velocímetro.

12. Desconectar las mangueras de aire de marcha mínima acelerada, de la válvula de control de aire, de la dirección asistida.

13. Desconectar y etiquetar el cable del sensor de oxígeno, el enchufe del cable del interruptor de la presión de aceite, el cable del interruptor del ventilador de enfriamiento, el cable del medidor de la temperatura del agua, los cables del interruptor de la luz de retroceso, y del interruptor de seguridad de la posición de la marcha neutral (punto muerto).

14. Desconectar y etiquetar cualquier haz de cables que quedaran conectados al motor. Sacar los cableados, del motor.

15. Desconectar y etiquetar las mangueras de PCV y cualesquiera otras mangueras de vacío que impidan sacar el motor.

16. Desconectar y etiquetar los cables del motor de arranque.

17. Quitar el conjunto del accionador del control de crucero, si lo tiene.

18. Desconectar y etiquetar las mangueras del calefactor.

19. Si tiene caja de transmisión de cambio manual, quitar el cilindro del desembrague.

20. Quitar las presillas y las arandelas, y luego desconectar los cables de control de la caja de cambios.

21. Si está equipado con dirección asistida, quitar la bomba de la dirección asistida, y ponerla a un lado. No desconectar las mangueras de la dirección asistida.

22. Si está equipado con aire acondicionado, quitar el compresor de aire acondicionado, y ponerlo a un lado. Dejar las tuberías del refrigerante conectadas.

23. Desconectar la parte delantera del tubo de escape.

24. Sacar los semiejes.

25. Soportar adecuadamente el conjunto motor/transmisión.

26. Acoplar un medio de izaje adecuado a los ganchos de izaje del motor.

27. Si está equipado con caja de cambio manual, sacar el tornillo pasante del montaje trasero y el conjunto del montaje trasero. Si está equipado con caja de cambio automática, sacar el tornillo pasante del montaje delantero y el conjunto del montaje delantero.

28. Quitar los tornillos y soportes de montaje de los lados izquierdo y derecho.

29. Levantar cuidadosamente el conjunto motor/transmisión, y sacarlo del vehículo.

30. Desconectar el motor de arranque del conjunto motor/transmisión, para lo cual se han de quitar el soporte puntal y luego los dos tornillos del motor de arranque.

31. Para transmisiones automáticas, desenroscar los tornillos de sujeción del embrague convertidor de par.

32. Separar el motor de la transmisión desenroscando los tornillos.

Para instalar:

33. Acoplar la transmisión al motor, y enroscar los tornillos. Si la caja de cambios (transmisión) es automática, instalar el embrague convertidor de par y los tornillos de sujeción. Enroscar primero el tornillo gris, y luego enroscar los otros cinco tornillos. Apretar los tornillos a 20 pie-lb (27 Nm).

34. Instalar el motor de arranque con los dos tornillos, y apretar a 29 pie-lb (39 Nm).

35. Acoplar una eslinga a los izajes del motor, e introducir el conjunto motor/transmisión en el vehículo.

36. Inclinar la transmisión hacia abajo, bajar el motor, y pasarlo sin rozar el montaje del lado izquierdo.

37. Mantener el motor nivelado, y alinear los montajes de los lados izquierdo y derecho con los soportes de la carrocería.

38. Acoplar el aislador de montaje del lado derecho al soporte de montaje y a la carrocería,

e instalar temporalmente el tornillo pasante, los dos tornillos y la tuerca.

39. Acoplar el soporte de montaje del lado izquierdo de suspensión a la transmisión y al aislador de montaje con los cinco tornillos, y apretar los tornillos. Apretar los tornillos que sujetan el soporte a la transmisión, y que tienen la cabeza marcada con (NT), a 47 pie-lb (64 Nm), y los tornillos que sujetan el soporte al aislador, y que tienen la cabeza marcada con (7T), a 35 pie-lb (48 Nm).

40. Conectar la cinta metálica de tierra. Apretar la cinta metálica de tierra a 35 pie-lb (49 Nm).

41. Instalar el soporte del montaje trasero a la transmisión con los tres tornillos (transmisión manual) o dos tornillos (transmisión automática), y apretar a 35 pie-lb (48 Nm).

42. Instalar y apretar el tornillo pasante del aislador trasero a 47 pie-lb (64 Nm).

43. Instalar los semiejes.

44. Retirar la eslinga de motores, del motor.

45. Instalar los dos tornillos, la tuerca, y el tornillo pasante del aislador del montaje del lado derecho. Apretar los dos tornillos y la tuerca a 47 pie-lb (64 Nm), y el tornillo pasante a 54 pie-lb (73 Nm).

46. Conectar el tubo de escape delantero.

47. Si está equipado con aire acondicionado, instalar el compresor del aire acondicionado.

48. Si está equipado con dirección asistida, instalar la bomba de la dirección asistida en el motor.

49. Instalar los cables de control de la transmisión con las arandelas y las presillas.

50. Si está equipado con transmisión manual, instalar el cilindro de desembrague. Apretar los tornillos a 9 pie-lb (12 Nm).

51. Conectar las mangueras de la marcha en vacío acelerada en la válvula de control de aire de la dirección asistida.

52. Conectar el cable del velocímetro en la transmisión.

53. Conectar las mangueras del calefactor.

54. Si está equipado con control de crucero, conectar el conjunto del accionador.

55. Conectar los cables del motor de arranque, y enroscar la tuerca.

56. Conectar las mangueras de vacío en el motor.

57. Conectar el cable del sensor de oxígeno, el interruptor de la presión de aceite, el interruptor del ventilador del enfriador, los cables del indicador de temperatura del agua, el interruptor de la luz de retroceso, y los cables del interruptor del indicador de seguridad de la posición neutral (punto muerto).

58. Conectar cualquier otro cableado al motor.

59. Conectar las mangueras de las tuberías de combustible.

60. Conectar la lata de carbón activo.

61. Instalar el conjunto del filtro de aire y soporte.

62. Instalar el radiador. Conectar las mangueras del enfriador y, en vehículos equipados con transmisión automática, conectar las tuberías de enfriamiento.

63. Llenar todos los fluidos según las especificaciones.

64. Instalar las cubiertas inferiores del motor.

65. Instalar el capó.

66. Conectar el cable negativo de la batería.

67. Arrancar el motor, y comprobar si hay fugas.

Motores 1.6L (4A-FE) y 1.8L (7A-FE y 1ZZ-FE)

COROLLA

1. Descargar la presión del sistema de combustible.

2. Desconectar el cable negativo de la batería. En vehículos que estén equipados con air bag (bolsa de aire) esperar al menos 90 segundos antes de continuar.

3. Quitar la batería.

4. Quitar el capó.

5. Quitar la cubierta inferior del motor, y luego drenar el refrigerante y el aceite del motor.

6. Drenar el conjunto de la transmisión.

7. Desconectar el cable del acelerador del soporte del acelerador.

8. Si está equipado con transmisión automática; desconectar el cable de la válvula de estrangulación, del cable del acelerador.

9. Sacar el conjunto del radiador con el ventilador de enfriamiento.

10. Sacar el conjunto del filtro de aire.

11. Quitar los dos tornillos y el tirante del tanque del depósito de refrigerante.

12. Desconectar el enchufe eléctrico, la manguera, el tornillo de sujeción, y quitar el depósito depurador.

13. En los modelos con control de crucero, quitar la cubierta del mando, desenchufar el conector, quitar los tres tornillos. Luego desconectar el mando con el soporte.

14. Desconectar o quitar los componentes siguientes:

a. La manguera de vacío del sensor MAP del filtro de gas, del múltiple de admisión.

b. La manguera de vacío del reforzador de frenado, del múltiple de admisión.

c. Con aire acondicionado: la manguera de vacío, del mando del aire acondicionado.

d. Con dirección asistida: la manguera de aire, de la tubería de aire.

e. Con aire acondicionado: el enchufe del mando del aire acondicionado.

15. Desconectar los cables y enchufes siguientes del delantal superior derecho del guardabarros.

a. La cinta metálica de conexión a tierra.

b. El enchufe del sensor de MAP.

c. Con aire acondicionado: el interruptor de presión del aire acondicionado.

d. El aparejo de cables del motor, del delantal del guardabarros.

16. Desconectar el conector DLC1 y la cinta de conexión a tierra del delantal izquierdo del guardabarros.

17. Quitar los dos tornillos y quitar la caja del relevador del motor.

18. Desconectar los cuatro conectores de la caja de relevadores del motor.

19. Desconectar la manguera de la lata de carbón, y quitar la lata del soporte.

20. Desconectar las dos mangueras del calefactor del cuerpo de entrada del agua.

▼ PRECAUCIÓN ▼

Los sistemas de inyección de combustible mantienen la presión después de que se haya apagado el motor. Descargar adecuadamente la presión, antes de desconectar cualquier tubería de combustible. De no hacerlo, se pueden causar un incendio o lesiones personales.

21. Desconectar las mangueras de entrada y retorno de combustible.

22. En el modelo con transmisión manual, quitar los tres tornillos y extraer el cilindro de desembrague, sin desconectar la tubería.

23. Desconectar el(los) cable(s) de control de la transmisión, en la transmisión.

24. Para desconectar el aparejo de cables del motor, desconectar y quitar los componentes siguientes:

a. Las placas arrastrapiés de las puertas delanteras izquierda y derecha.

b. El panel de acabado inferior.

c. El panel inferior con la guantera.

d. El panel de acabado del radio y los elementos del centro.

e. La caja de la consola trasera.

f. Transmisión manual: la perilla de la palanca de cambios, y en transmisión automática: el bisel agujereado del cambiador.

g. El panel de acabado del conjunto central inferior.

h. El soporte de la alfombra del piso.

i. Los tres conectores del ECM y el enchufe de los cables del cubretablero.

25. Tirar del aparejo de cables, y sacarlos del cubretablero.

26. Si está equipado con aire acondicionado, desconectar el enchufe del compresor de aire acondicionado. Quitar la correa motriz, y quitar los cuatro tornillos de sujeción y el compresor de aire acondicionado. Colgar, con cuidado, el compresor aparte.

27. Desconectar el extremo delantero del tubo de escape, del múltiple de escape.

28. Quitar los semiejes de la transmisión.

29. Si está equipado con dirección asistida, quitar la correa motriz y quitar los dos tornillos de sujeción y la bomba de la dirección asistida. Colgar, con cuidado, la bomba aparte.

30. Quitar el travesaño de montaje del motor.

31. Quitar el tornillo pasante y la tuerca que sostiene el aislador en el soporte de montaje.

32. Extraer el conjunto motor/transmisión del vehículo.

33. Levantar el conjunto motor/transmisión del vehículo despacio y con cuidado.

34. Quitar los dos tornillos y el soporte de montaje delantero del motor.

35. Quitar los tres tornillos (excepto en el modelo A131L de transmisión automática), o los dos tornillos en el modelo A131L de transmisión automática. Quitar el soporte de montaje.

36. Quitar el motor de arranque, y separar la transmisión del motor.

Para instalar:

37. Acoplar el motor a la transmisión.

38. Instalar el motor de arranque.

39. Instalar el soporte de montaje trasero del motor con dos tornillos en el modelo A131L de transmisión automática, o tres tornillos (excepto en el modelo A131L de transmisión automática). Los tornillos se aprietan a 57 pie-lb (77 Nm).

40. Instalar el soporte de montaje delantero del motor a la transmisión, y apretar los tornillos a 57 pie-lb (77 Nm).

41. Instalar el conjunto motor/transmisión en el vehículo.

42. Instalar el travesaño de montaje del motor.

43. Apretar el tornillo pasante y la tuerca que sujetan el aislador de montaje delantero del motor al soporte de montaje. Apretar el tornillo a 64 pie-lb (87 Nm).

44. Instalar los semiejes.

45. Instalar la parte delantera del tubo de escape.

46. Si está equipado con dirección asistida, instalar la bomba con los dos tornillos de sujeción, y apretar los tornillos a 29 pie-lb (39 Nm). Instalar la correa propulsora.

47. Si está equipado con aire acondicionado, instalar el compresor con los cuatro tornillos de sujeción, y apretar los tornillos a 18 pie-lb (25 Nm). Instalar la correa propulsora y volver a conectar el enchufe.

48. Para instalar y conectar el aparejo de cables del motor hacer lo siguiente:

a. Empujar los cables a través del cubretablero.

b. Conectar los tres conectores ECM.

c. Acoplar el conector de los cables del cubretablero.

d. Instalar el soporte de la alfombra del piso.

e. Instalar el panel de acabado central inferior.

f. Con transmisión automática: instalar el bisel agujereado del cambiador. Con transmisión manual: instalar la perilla de la palanca de cambios.

g. Instalar la caja de la consola trasera.

h. Instalar el panel de acabado del conjunto central y la radio.

i. Instalar el panel inferior con la puerta de la guantera.

j. Las placas arrastrapiés de las puertas izquierda y derecha.

k. Instalar el panel de acabado inferior.

49. Si está equipado con transmisión manual, instalar el cilindro de desembrague con el tubo y los tres tornillos.

50. Conectar el(los) cable(s) de control en la transmisión.

51. Conectar las mangueras de entrada y retorno de combustible. Apretar los tornillos a 22 pie-lb (29 Nm).

52. Conectar las dos mangueras del calefactor en el cuerpo de entrada del agua.

53. Conectar la manguera a la lata de carbón activo, e instalar la lata en el soporte.

54. Conectar los cables y enchufes siguientes sobre el delantal del guardabarros izquierdo.

a. Los cuatro conectores de la caja de relevadores del motor.

b. Instalar la caja de relevadores del motor con los dos tornillos.

c. El conector DLC1.

d. El conector del delantal del guardabarros.

e. La cinta de conexión a tierra del delantal del guardabarros.

55. Conectar los cables y enchufes siguientes del delantal del guardabarros derecho.

a. El enchufe de la cinta de tierra.

b. El enchufe del sensor de MAP.

c. Con aire acondicionado: el interruptor de presión del aire acondicionado.

d. El cable del motor del delantal del guardabarros.

56. Conectar las siguientes mangueras y enchufes:

a. Con aire acondicionado: el enchufe del accionador del aire acondicionado.

b. Con dirección asistida: las mangueras de aire en la tubería de aire.

c. La manguera de vacío desde el sensor MAP al filtro de gasolina y a la cámara de admisión.

d. La manguera de vacío del reforzador de frenos a la cámara de admisión.

e. Con aire acondicionado: la manguera de vacío del accionador.

57. Si está equipado con control de crucero, instalar el accionador y el soporte con los tres tornillos. Conectar el enchufe; conectar el cable del accionador en el accionador, e instalador la cubierta.

58. Instalar el enchufe y la manguera de vinilo. Instalar el depósito depurador con el tornillo.

59. Instalar el tirante del depósito de refrigerante.

60. Instalar el conjunto del filtro de aire.

61. Instalar el radiador con el ventilador de enfriamiento.

62. Si está equipado con transmisión automática, conectar el cable de la válvula de estrangulación, y ajustarlo.

63. Instalar el cable del acelerador, y ajustarlo.

64. Llenar el radiador con refrigerante para motor.

65. Llenar el motor con aceite.

66. Llenar el conjunto de la transmisión con aceite.

67. Conectar el cable negativo de la batería, arrancar el motor, y comprobar que no hayan fugas.

68. Hacer los ajustes del motor, instalar las cubiertas inferiores en el motor, e instalar el capó.

69. Probar en carretera, que el vehículo funciona adecuadamente.

70. Volver a comprobar todos los niveles de los fluidos.

CELICA

1. Descargar la presión del sistema de combustible.

2. Desconectar el cable negativo de la batería. En vehículos que estén equipados con air bag, esperar al menos 90 segundos, antes de continuar.

3. Quitar la batería.

4. Quitar el capó.

5. Quitar la cubierta inferior del motor, y luego drenar el refrigerante y el aceite del motor.

6. Drenar el aceite de la transmisión.

7. Desconectar el cable del acelerador del cuerpo de la válvula de estrangulación, el soporte del cable, y las abrazaderas.

8. Sacar el conjunto del filtro de aire.

9. Desconectar el cable del accionador del control de crucero, de las abrazaderas.

10. Sacar el conjunto del radiador.

▼ PRECAUCIÓN ▼

Los sistemas de inyección de combustible mantienen la presión después de que se haya apagado el motor. Descargar adecuadamente la presión, antes de desconectar cualquier tubería de combustible. Dejar de hacerlo puede causar un incendio o daños personales.

11. Desconectar o quitar los componentes siguientes:

• La manguera de vacío del sensor MAP del filtro de gas, en el múltiple de admisión.

• La manguera de aire de la dirección asistida, del múltiple de admisión.

• La manguera de aire de la dirección asistida, de la tubería de aire.

• La manguera de vacío del reforzador de freno, del múltiple de admisión.

• La válvula de marcha mínima acelerada, del aire acondicionado.

• La manguera de la válvula de marcha mínima acelerada del aire acondicionado, del múltiple de admisión.

• La manguera de la válvula de marcha mínima acelerada del aire acondicionado, de la tubería de aire.

• El DLC1, del soporte.

• El aparejo de cables del motor, del soporte.

• El cable a tierra, de la carrocería, y la cinta de conexión a tierra, de la carrocería.

• Las dos mangueras del calefactor, de la salida de agua.

• La manguera del calefactor, de la derivación de la tubería de agua.

• La manguera de entrada de combustible, del filtro de combustible, y la manguera de retorno de combustible, de la tubería de retorno.

• La manguera EVAP, de la lata de carbón.

12. Desconectar los dos conectores; sacar las dos cubiertas de la caja de relevadores, y desconectar el aparejo de cables de la caja de relevadores del compartimiento del motor.

13. Para sacar el aparejo de cables del motor de la cabina del vehículo, quitar o desconectar lo siguiente:

• La placa arrastrapiés.

• La cubierta lateral del cubretablero.

• El panel de acabado de la parte inferior del tablero de instrumentos.

• Quitar la parte delantera de la alfombra del piso.

• El aparejo de cables de la abrazadera del soporte del ECM.

• El enchufe del relevador de apertura del circuito.

• Los tres conectores de enchufes que están en el soporte.

• El enchufe del amplificador de aire acondicionado.

• El enchufe del sensor de MAP.

• El cable del sensor de MAP de la abrazadera que está en el soporte.

• La abrazadera del cable, del soporte.

• Las dos tuercas que sostienen el aparejo de cables del motor en el capó.

14. Quitar el tubo de escape delantero.

15. Quitar los semiejes.

16. Sacar la correa motriz del alternador.

17. Quitar la correa motriz del aire acondicionado; desconectar el enchufe del compresor del aire acondicionado; quitar los cuatro tornillos, y el compresor del aire acondicionado. No desconectar las tuberías del aire acondicionado, y asegurar el compresor a un lado.

18. Quitar la correa motriz, y quitar los cuatro tornillos que aseguran la bomba de la dirección asistida. Colgar la bomba en un sitio seguro, sin desconectar las tuberías.

19. Quitar los dos tornillos, y desconectar la caja de relevadores del aire acondicionado de la carrocería.

20. En vehículos equipados con transmisión manual, quitar el tornillo y el soporte de la transmisión. Quitar los dos tornillos de sujeción y el cilindro de desembrague, de la transmisión.

21. Desconectar el(los) cable(s) de control de la transmisión, en la transmisión.

22. En vehículos equipados con transmisión automática, quitar los dos tornillos y desconectar el cable de control de la transmisión, del travesaño central de montaje del motor.

23. Quitar el soporte que sostiene el tubo de escape.

24. Quitar los siguientes componentes para quitar el travesaño central de montaje del motor:

• Las dos cubiertas para el polvo de la parte trasera del travesaño.

• La tubería de aire acondicionado, del soporte.

• El tornillo y la tuerca que sujetan el soporte del montaje delantero del motor en el aislador de montaje.

• El tornillo que sujeta el soporte del montaje trasero del motor en el aislador de montaje.

• El tornillo y las dos tuercas que sujetan el aislador de montaje trasero del motor en el travesaño de suspensión delantera.

• Los dos tornillos y el soporte de montaje trasero del motor, y el travesaño central con el aislador de montaje trasero.

25. Acoplar a las argollas del motor una grúa de cadena para motores u otro elemento de izaje adecuado. Quitar los dos tornillos y la tuerca y desconectar el soporte de montaje izquierdo del motor, del aislador de montaje.

26. Quitar el tornillo pasante y el aislador de montaje izquierdo.

27. Desconectar la cinta de conexión a tierra.

28. Quitar el tornillo, las dos tuercas y el soporte de montaje derecho del motor, del aislador de montaje.

29. Levantar el conjunto motor/transmisión, del vehículo despacio y con cuidado; asegurarse de que ya no tiene conectado ningún cableado, cables ni mangueras.

30. Separar la transmisión del conjunto motor.

Para instalar:

31. Acoplar la transmisión al conjunto motor.

32. Sostener el motor con una grúa de cadena para motores por los elementos de izaje, e introducir lentamente el motor en su compartimiento. Inclinar la transmisión hacia abajo; bajar el motor, y pasar sin rozar el montaje izquierdo de la carrocería.

33. Mantener el motor nivelado y alinear los montajes derecho e izquierdo con los soportes de la carrocería; acoplar el soporte de montaje derecho del motor en el aislador de montaje. Instalar temporalmente las tres tuercas.

34. Instalar temporalmente el aislador izquierdo del motor en la carrocería con el tornillo pasante. Acoplar el soporte izquierdo del motor en el aislador de montaje, e instalar los dos tornillos y la tuerca. Apretar los tornillos y la tuerca a 47 pie-lb (64 Nm).

35. Apretar el tornillo pasante del montaje izquierdo del motor en la carrocería. Apretarlo a 54 pie-lb (73 Nm). Apretar las tres tuercas que sujetan el soporte del montaje derecho en el aislador. Apretar la tuerca de 12 mm a 21 pie-lb (28 Nm), y la tuerca de 14 mm a 38 pie-lb (52 Nm).

36. Conectar el conector de la cinta de conexión a tierra, y quitar el izaje del motor.

37. Para instalar el miembro central de montaje, hacer lo siguiente:

• Acoplar el miembro central, junto con el aislador de montaje trasero del motor, en el miembro de la suspensión delantera.

• Instalar temporalmente los dos tornillos y la tuerca para sujetar el miembro central en la carrocería.

• Instalar el soporte de montaje trasero del motor con los dos tornillos. Apretar los tornillos a 58 pie-lb (78 Nm).

• Instalar temporalmente el tornillo y las dos tuercas que sujetan el aislador de montaje trasero en el miembro de suspensión delantera.

• Instalar temporalmente el tornillo que sujeta el soporte de montaje trasero del motor en el aislador.

• Instalar temporalmente el tornillo y la tuerca que sujeta el soporte de montaje delantero del motor en el aislador.

• Apretar los dos tornillos que sujetan el miembro central en la carrocería a 26 pie-lb (35 Nm).

• Apretar el tornillo y las dos tuercas que sujetan el aislador de montaje trasero en el miembro de la suspensión delantera a 59 pie-lb (80 Nm).

• Apretar el tornillo que sujeta el soporte de montaje trasero del motor en el aislador a 65 pie-lb (88 Nm).

• Apretar el tornillo y la tuerca que sujetan el soporte de montaje delantero del motor en el aislador a 65 pie-lb (88 Nm).

• Instalar la tubería del aire acondicionado en el soporte, e instalar las dos cubiertas guardapolvo en el miembro central.

38. Instalar la repisa que soporta el tubo de escape con los dos tornillos y la tuerca. Apretar los tornillos a 14 pie-lb (19 Nm).

39. Conectar el(los) cable(s) de control de la transmisión.

40. En vehículos equipados con transmisión automática; instalar el cable de control de la transmisión en el miembro central de montaje del motor, con las dos abrazaderas y dos tornillos.

41. En vehículos con transmisión manual, instalar el cilindro de desembrague. Apretar los tornillos a 9 pie-lb (12 Nm), y luego acoplar el soporte con el tornillo.

42. Conectar la caja de relevadores del A/A, en la carrocería.

43. Instalar la bomba de la dirección asistida con los cuatro tornillos. Apretar los tornillos de 12 mm a 14 pie-lb (19 Nm), y apretar los tornillos de 14 mm a 29 pie-lb (39 Nm). Instalar la correa motriz, y apretar el tornillo de ajuste a 29 pie-lb (39 Nm).

44. Instalar el compresor del aire acondicionado con los cuatro tornillos, y apretarlos a 18 pie-lb (25 Nm). Instalar la correa motriz del aire acondicionado con el tornillo de ajuste, y apretar la contratuerca de la polea loca a 29 pie-lb (39 Nm). Conectar el enchufe.

45. Instalar la correa motriz del alternador.

46. Instalar los semiejes.

47. Instalar el tubo de escape delantero.

48. Para instalar el aparejo de cables en la cabina del vehículo, hacer lo siguiente:

• Empujar el aparejo a través del panel del cubretablero, instalar el retén en el cubretablero con las dos tuercas, e instalar la abrazaderas de cables en el soporte.

• Conectar el aparejo en la abrazadera sobre el ECM.

• Conectar los tres conectores del ECM y el enchufe del relevador de apertura del circuito.

• Conectar los tres enchufes en los conectores del soporte.

• Conectar el enchufe del amplificador del aire acondicionado.

• Colocar la alfombra del piso, el panel de acabado de la parte inferior del tablero de instrumentos, el panel tapizado lateral del cubretablero, y la placa arrastrapiés.

49. Conectar el aparejo de cables con los dos enchufes a la caja de relevadores del compartimiento del motor, e instalar las cubiertas de las cajas de relevadores.

50. Instalar y/o conectar lo siguiente:

• El enchufe del sensor de MAP.

• El cable del sensor de MAP a la abrazadera que está en el soporte.

• La manguera de vacío del sensor de MAP al filtro de gas en el múltiple de admisión.

• La manguera del reforzador de freno a la toma del múltiple de admisión.

• El enchufe de la válvula de marcha mínima acelerada del aire acondicionado.

• La manguera de la válvula de marcha mínima acelerada del A/A al múltiple de admisión.

• La manguera de la válvula de marcha mínima acelerada del aire acondicionado a la tubería de aire.

• El DLC1 en el soporte.

• El protector del aparejo de cables del motor en el soporte.

• El cable de tierra, y la cinta de tierra, en la carrocería.

• La manguera del calefactor a la derivación de la tubería de agua.

• Conectar la manguera de entrada de combustible, en el filtro de combustible.

• Conectar la manguera de entrada de combustible con dos nuevas juntas y el tornillo de unión, apretando el tornillo de unión a 22 pie-lb (30 Nm).

• Conectar la manguera de retorno de combustible de la tubería de retorno, y conectar la manguera EVAP a la lata de carbón.

• Conectar las mangueras de aire de la dirección asistida a la toma del múltiple de admisión y a la tubería de aire.

51. Instalar el conjunto del radiador.

52. En los modelos equipados con control de crucero, colocar las abrazaderas en el cable del accionador.

53. Conectar el cable del acelerador en el cuerpo de la válvula de estrangulación, el soporte del cable, y las abrazaderas.

54. Colocar el conjunto del filtro de aire.

55. Instalar la bandeja de la batería, y la batería.

56. Colocar el capó.

57. Llenar el conjunto de la transmisión.

58. Llenar el motor con aceite y refrigerante. Conectar el cable negativo de la batería, arrancar el motor, sangrar el sistema de enfriamiento, y comprobar que no hayan fugas.

59. Colocar la cubierta inferior del motor.

60. Probar el vehículo en carretera, para detectar cualquier ruido anormal, y comprobar que funciona correctamente.

Motor 2.2L (5S-FE)

CAMRY

1. Desconectar el cable negativo de la batería. En vehículos equipados con air bag (bolsa o saco de aire), esperar al menos 90 segundos, antes de continuar.

2. Quitar la batería y la bandeja de la batería.

3. Quitar el capó.

4. Quitar la cubierta inferior del motor, y luego drenar el refrigerante y el aceite del motor.

5. Desconectar el cable del acelerador del cuerpo del estrangulador. En los modelos que estén equipados con transmisión automática, desconectar el cable de la válvula de estrangulación.

6. Sacar el conjunto del filtro de aire, el resonador y la manguera de la admisión de aire.

7. En los modelos con control de crucero, quitar la cubierta del accionador, desenchufar el conector, quitar los tres tornillos. Luego desconectar el accionador con la cubierta.

8. Desconectar la cinta de conexión a tierra en la bandeja de la batería.

9. Sacar el radiador, y luego desconectar la manguera del depósito de refrigerante.

10. Quitar el tanque depurador y desconectar el conductor eléctrico y la manguera.

11. Desconectar y marcar los componentes siguientes:

　　a. Los cinco enchufes a la caja de relevadores del motor.

　　b. El enchufe del sistema de encendido.

　　c. El enchufe del filtro de ruido.

　　d. El enchufe el delantal izquierdo del guardabarros.

　　e. Las dos cintas de conexión a tierra de los delantales izquierdo y derecho de los guardabarros.

　　f. El enchufe para el acceso a datos (DLC1).

　　g. El enchufe del sensor del MAP.

12. Dentro del vehículo, quitar la cubierta inferior del panel de instrumentos, la puerta de la guantera, la guantera, desconectar los enchufes del aparejo de cables, y los dos enchufes del ECM.

▼ PRECAUCIÓN ▼

Los sistemas de inyección de combustible mantienen la presión después de que se haya apagado el motor. Descargar adecuadamente la presión, antes de desconectar cualquier tubería de combustible. De no hacerlo, se pueden causar un incendio o daños personales.

13. Desconectar las mangueras del calefactor, la manguera de retorno de combustible, y la manguera de entrada de combustible.

14. En los modelos que tienen transmisión manual, quitar el motor de arranque y el cilindro de desembrague. No desconectar la tubería hidráulica, sólo colgar a un lado el cilindro.

15. Desconectar los cables de control de la transmisión, en la transmisión.

16. Marcar y desconectar todas las mangueras de vacío y los enchufes.

17. Quitar las dos tuercas, y extraer el cable del motor del panel del cubretablero.

18. Sin desconectar las tuberías del refrigerante, quitar el compresor del aire acondicionado, y apartarlo a un lado cuidadosamente.

19. Aflojar los dos tornillos, y desconectar el soporte del tubo de escape delantero. Utilizar una llave de tubo para profundidad, de 14 mm, y quitar las tres tuercas que unen el tubo delantero al múltiple. Desconectar el tubo delantero del múltiple de escape.

20. Quitar los semiejes.

21. Sin quitar las tuberías hidráulicas desmontar la bomba de la dirección asistida, y colocarla apartada con cuidado.

22. Quitar los tres tornillos (T/M) o los cuatro tornillos (T/A), luego desconectar el aislador de montaje izquierdo del motor. Quitar los tapones de acceso, quitar las tres tuercas, luego quitar el aislador del montaje trasero derecho del motor. Quitar los tres tornillos, y quitar el aislador del montaje delantero derecho del motor.

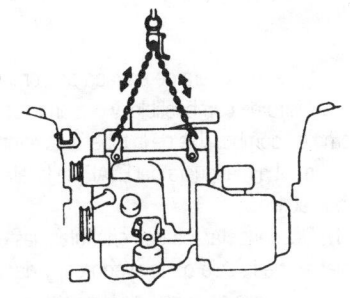

▲ **Para sacar el conjunto motor utilizar un elevador – Motor 5S-FE Camry**

23. Acoplar un dispositivo de izaje en los ganchos de izaje. Quitar los tres tornillos, y desconectar la barra de control. Extraer el conjunto motor/transmisión del compartimiento del motor, con cuidado y lentamente.

24. Si está equipado con transmisión automática quitar el motor de arranque. Separar el conjunto motor de la transmisión.

Para instalar:

25. Acoplar el conjunto motor a la transmisión. En los vehículos equipados con transmisión automática, instalar el motor de arranque.

26. Introducir con cuidado el conjunto motor y transmisión en el compartimiento del motor. Instalar la barra de control del motor con el motor nivelado y todos los montaje alineados con sus soportes. Apretar los tres tornillos consecutivamente a 47 pie-lb (64 Nm).

27. Colocar el montaje delantero derecho, y apretar los tornillos a 59 pie-lb (80 Nm). Colocar el montaje trasero, y apretar las tuercas a 48 pie-lb (66 Nm). No olvidar los tapones de acceso.

28. Colocar el montaje izquierdo, y apretar los tornillos (3 o 4) a 47 pie-lb (64 Nm).

29. Colocar la bomba de la dirección asistida, y apretar los tornillos a 31 pie-lb (43 Nm). Instalar la correa motriz, y conectar las dos mangueras de aire a la tubería de aire.

30. Instalar los semiejes.

31. Conectar la parte delantera del tubo de escape al múltiple, y apretar las tuercas nuevas a 46 pie-lb (62 Nm).

32. Colocar el compresor del aire acondicionado, y apretar los tornillos a 20 pie-lb (27 Nm).

33. Introducir el haz de cables del motor a través del cubretablero, y colocar la abrazadera en el cubretablero. Hacer las conexiones siguientes:

　　a. Los dos conectores del ECM.

　　b. Los dos enchufes de los cables del cubretablero.

　　c. Colocar la guantera y su puerta.

　　d. Colocar el panel de instrumentos inferior y la cubierta inferior.

34. Conectar las mangueras de vacío y los cables de control de la transmisión.

35. En vehículos con transmisión manual, instalar el cilindro de desembrague y el motor de arranque.

36. Conectar la manguera de entrada de combustible, y apretar a 22 pie-lb (29 Nm). Conectar la manguera de retorno y las dos mangueras del calefactor.

37. Conectar lo siguiente:

　　a. Acoplar los cinco conectores a la caja de relevadores.

　　b. Los enchufes del delantal izquierdo del guardabarros.

　　c. Instalar la caja de relevadores del motor.

　　d. El enchufe del sistema de encendido.

　　e. En los modelos California, el enchufe de la bobina de encendido.

　　f. El enchufe del filtro de ruido.

　　g. Las dos cintas a tierra de los delantales derecho e izquierdo de los guardabarros.

　　h. El enchufe del acceso a datos (DLC1).

　　i. El enchufe del sensor del MAP.

38. Instalar el tanque depurador, y conectar el conductor eléctrico y la manguera.

39. Colocar la manguera del depósito de refrigerante y el radiador.

40. Si está equipado con control de crucero, instalar el accionador y el soporte con los tres tornillos. Conectar el enchufe del accionador, e instalar la cubierta.

41. Conectar la cinta de conexión a tierra en la bandeja de la batería.

42. Colocar el conjunto del filtro de aire.

43. En los modelos California, conectar la manguera de aire en el conjunto del filtro de aire, y conectar el enchufe del sensor de temperatura del aire de admisión.

44. En vehículos equipados con transmisión automática, conectar y ajustar el cable de la válvula de estrangulación.

45. Conectar y ajustar el cable del acelerador.

46. Instalar la bandeja de la batería y la batería.

47. Instalar el capó.

48. Llenar el motor con aceite y refrigerante. Conectar el cable negativo de la batería, arrancar el motor, sangrar el sistema de enfriamiento, y comprobar si hay fugas.

49. Colocar la cubierta inferior del motor.

50. Probar el vehículo en carretera para detectar cualquier ruido anormal, y comprobar que funciona correctamente.

CELICA

1. Descargar la presión del sistema de combustible.

2. Desconectar el cable negativo de la batería. En vehículos equipados con air bag, esperar al menos 90 segundos, antes de continuar.

3. Quitar la batería.

4. Quitar el capó.

5. Quitar la cubierta inferior del motor, y luego drenar el refrigerante y el aceite del motor.

6. Desconectar el cable del acelerador del cuerpo de la válvula de estrangulación, el soporte del cable y abrazaderas.

7. Sacar el conjunto del filtro de aire.

8. En los modelos con control de crucero, quitar la cubierta del accionador; desenchufar el accionador y quitar los tres tornillos. Luego desmontar el accionador del soporte.

9. Sacar el conjunto del radiador.

10. Desconectar los siguientes enchufes, aparejos de cables, cables, y mangueras:

　a. El enchufe del sensor del MAP.

　b. El cable del sensor del MAP, de la abrazadera.

　c. La manguera de vacío del sensor del MAP, del filtro de gas en el múltiple de admisión.

　d. La manguera de vacío del reforzador de freno del múltiple de admisión.

　e. El DLC1 del soporte.

　f. El enchufe del sistema de encendido.

　g. En los modelos California, el enchufe de la bobina de encendido.

　h. En los modelos California, el cable de alta tensión de la bobina de encendido, el filtro de ruido, la abrazadera del cable, del soporte, la bobina de encendido y el conjunto del sistema de encendido, y quitar el cable del soporte.

　i. El cable a tierra de la carrocería.

　j. La cinta de conexión a tierra de la carrocería.

　k. La manguera del calefactor de la tubería de salida de agua y de la tubería de derivación.

▼ PRECAUCIÓN ▼

Los sistemas de inyección de combustible mantienen la presión después de que se haya apagado el motor. Descargar adecuadamente la presión antes de desconectar cualquier tubería de combustible. De no hacerlo así, se pueden causar un incendio o daños personales.

　l. La manguera de entrada de combustible del filtro de combustible, y la manguera de retorno de combustible de la tubería de retorno.

　m. La manguera del EVAP de la lata de carbón activo.

11. Desconectar los dos enchufes, las dos cubiertas de la caja de relevadores, y desconectar el aparejo de cables de la caja de relevadores en el compartimiento del motor.

12. Para extraer el aparejo de cables del motor de la cabina del vehículo, quitar o desconectar lo siguiente:

　a. La placa arrastrapiés.

　b. La cubierta lateral del cubretablero.

　c. El panel de acabado de la parte inferior del tablero de instrumentos.

　d. La parte delantera de la alfombra del piso.

　e. El aparejo de cables de la abrazadera del soporte del ECM.

　f. Los tres conectores del ECM.

　g. El enchufe del relevador de apertura del circuito.

　h. Los tres conectores de enchufes sobre el soporte.

　i. El enchufe del reforzador de aire acondicionado.

　j. La abrazadera para los cables que está en el soporte.

　k. Las dos tuercas que sostienen el aparejo de cables del motor en el cubretablero.

13. Quitar el tubo de escape delantero.

14. Sacar los semiejes.

15. Quitar la correa motriz del alternador.

16. Desconectar el enchufe del compresor del aire acondicionado; quitar los tres tornillos; quitar el compresor de aire acondicionado, y apartarlo a un lugar seguro.

17. Desconectar las dos mangueras de aire de la tubería de aire; quitar la correa motriz, y quitar los cuatro tornillos y la bomba de la dirección asistida. Colgar la bomba en un lugar seguro.

18. En el modelo con transmisión manual, quitar el motor de arranque.

19. En el modelo con transmisión manual, quitar el cilindro de desembrague y los componentes asociados.

20. Desconectar el(los) cable(s) de control de la transmisión en la transmisión.

21. En el modelo con transmisión automática, quitar los dos tornillos, y desconectar el cable de control de la transmisión del miembro central de montaje del motor.

22. Quitar el soporte de montaje del tubo de escape.

23. Para quitar el miembro central de montaje del motor, quitar los componentes siguientes:

　a. Las dos cubiertas guardapolvo, de la parte trasera del miembro.

　b. La tubería de aire acondicionado, del soporte.

　c. El tornillo y la tuerca que sujetan el soporte de montaje delantero del motor en el aislador de montaje.

　d. El tornillo que sujeta el soporte de montaje trasero del motor en el aislador de montaje.

　e. El tornillo y las dos tuercas que sujetan el aislador de montaje trasero en el miembro de la suspensión delantera.

　f. Los dos tornillos (en modelos con transmisión automática), o los tres tornillos (en modelos con transmisión manual), y el soporte de montaje trasero del motor. Quitar el miembro central con el aislador de montaje trasero.

24. Acoplar al motor una grúa de cadena u otro elemento de izaje adecuado. Quitar las dos tuercas y el tornillo (en modelos con transmisión manual), o los dos tornillos (en modelos con transmisión automática), y desconectar el soporte de montaje izquierdo del motor, del aislador de montaje.

25. Quitar el tornillo pasante y el aislador de montaje superior izquierdo.

26. Desconectar la cinta de conexión a tierra.

27. Quitar el tornillo, las dos tuercas, y el soporte de montaje derecho del motor, del aislador de montaje.

28. Quitar el soporte de cojinete del semieje.

29. Levantar el conjunto motor/transmisión del vehículo, despacio y con cuidado; asegurarse de que ya no tiene conectado ningún cable ni manguera. Separar la transmisión del conjunto motor.

Para instalar:

30. Acoplar la transmisión en el conjunto motor, y volver a colocar el soporte de cojinete del semieje, con los tres tornillos. Apretar los tornillos a 47 pie-lb (64 Nm).

31. Sostener el motor con una grúa de cadena por los elementos de izaje, e introducir lentamente el motor en su compartimiento. Inclinar la transmisión hacia abajo; bajar el motor, y sortear el montaje izquierdo de la carrocería.

32. Mantener el motor nivelado, y alinear los soportes derecho e izquierdo con los soportes de la carrocería; acoplar el soporte derecho en el aislador, e instalar temporalmente el tornillo y las dos tuercas.

33. Instalar temporalmente el aislador de montaje izquierdo del motor en la carrocería con el tornillo pasante. Acoplar el soporte izquierdo en el aislador, e instalar los dos tornillos y la tuerca (en modelos con transmisión manual), o los dos tornillos (en modelos con transmisión automática). Apretar los tornillos y tuercas a 47 pie-lb (64 Nm).

34. Apretar el tornillo pasante del montaje izquierdo del motor a la carrocería. Apretarlo a 54 pie-lb (73 Nm). Apretar el tornillo y las dos tuercas que sostienen el soporte de montaje derecho en el aislador. Apretar el tornillo a 27 pie-lb (37 Nm), y la tuerca a 38 pie-lb (52 Nm).

35. Conectar el enchufe de la cinta de conexión a tierra y quitar el izaje.

36. Para instalar el miembro central de montaje del motor, hacer lo siguiente:

a. Acoplar el miembro central, junto con el aislador de montaje trasero del motor, en el miembro de suspensión delantero.

b. Instalar temporalmente los dos tornillos que sujetan el miembro central en la carrocería.

c. Instalar el soporte de montaje trasero del motor con los dos tornillos (en modelos con transmisión automática), o los tres tornillos (en

modelos con transmisión manual). Apretar los tornillos a 58 pie-lb (79 Nm).

d. Instalar temporalmente el tornillo y las dos tuercas que sujetan el aislador trasero en el miembro de suspensión delantero.

e. Instalar temporalmente el tornillo que sujeta el soporte de montaje trasero del motor en el aislador.

f. Instalar temporalmente el tornillo y la tuerca que sujetan el soporte de montaje delantero del motor en el aislador.

g. Apretar los dos tornillos que sujetan el miembro central en la carrocería a 26 pie-lb (35 Nm).

h. Apretar el tornillo y las dos tuercas que sujetan el aislador de montaje trasero en el miembro central delantero a 59 pie-lb (80 Nm).

i. Apretar el tornillo que sujeta el soporte de montaje trasero del motor en el aislador a 65 pie-lb (88 Nm).

j. Apretar el tornillo y la tuerca que sujetan el soporte de montaje delantero del motor en el aislador a 65 pie-lb (88 Nm).

k. Instalar la tubería de aire acondicionado en el soporte, e instalar las dos cubiertas guardapolvo, en el miembro central.

37. Instalar el soporte que sujeta el tubo de escape con los dos tornillos y la tuerca. Apretar los tornillos a 14 pie-lb (19 Nm).

38. Conectar el(los) cable(s) de control de la transmisión en la transmisión.

39. En vehículos con transmisión automática, instalar el cable de control de la transmisión en el miembro central de montaje con las dos abrazaderas y dos tornillos.

40. Solamente en vehículos con transmisión manual, instalar o conectar lo siguiente:

a. El cilindro de desembrague. Apretar los tornillos a 9 pie-lb (12 Nm).

b. El soporte con el tornillo, y el tubo en el soporte con la abrazadera.

c. El tubo con la abrazadera y el tornillo.

d. El conector del interruptor de la luz de reversa (marcha atrás).

41. Solamente en vehículos con transmisión manual, instalar el motor de arranque, conectar el alambre y el cable del motor de arranque con la tuerca, y conectar el enchufe del motor de arranque.

42. Instalar temporalmente la bomba de la dirección asistida con los cuatro tornillos. Apretar los tres tornillos (excepto el tornillo de pivotaje). Apretar los tornillos a 32 pie-lb (44 Nm). Instalar la correa motriz, y apretar el tornillo de ajuste a 29 pie-lb (39 Nm), y el tornillo pivote a 32 pie-lb (44 Nm). Conectar las dos mangueras en la tubería de aire.

43. Instalar el compresor del aire acondicionado con los tres tornillos, y apretarlos a 18 pie-lb (25 Nm), y conectar el enchufe.

44. Instalar la correa motriz del alternador.

45. Instalar los semiejes.

46. Instalar el tubo de escape delantero.

47. Para instalar el aparejo de cables en la cabina del vehículo, hacer lo siguiente:

a. Empujar el aparejo a través del panel del cubretablero, instalar el retén en el cubretablero con las dos tuercas, e instalar la abrazadera del alambre en el soporte.

b. Poner el aparejo de cables en la abrazadera sobre el ECM.

c. Conectar los tres conectores del ECM y el enchufe del relevador de apertura del circuito.

d. Conectar los tres enchufes en los conectores del soporte.

e. Conectar el enchufe del amplificador del aire acondicionado.

f. Colocar la alfombra del piso, el panel de acabado inferior del tablero de instrumentos, el panel tapizado lateral del cubretablero, y la placa arrastrapiés.

48. Conectar el aparejo de cables del motor con los dos enchufes en la caja de relevadores del compartimiento del motor, e instalar las cubiertas de la caja de relevadores.

49. Instalar y/o conectar lo siguiente:

a. El enchufe del sensor del MAP.

b. El cable del sensor del MAP en las abrazaderas sobre el soporte.

c. La manguera de vacío del sensor del MAP en el filtro de gas sobre el múltiple de admisión.

d. La manguera del reforzador de freno en el múltiple de admisión.

e. El DLC1 en el soporte.

f. El protector del aparejo del motor en el soporte.

g. En el modelo California, la abrazadera del aparejo de cables del motor en el soporte, y el conjunto de la bobina y el sistema de encendido, con los tres tornillos, e instalar el aparejo en el soporte.

h. El enchufe el sistema de encendido (sin distribuidor).

i. En el modelo California, el enchufe de la bobina de encendido; el cable de alta tensión en la bobina, y el filtro de ruido.

j. El cable a tierra, y la cinta a tierra, en la carrocería.

k. La manguera del calefactor en la derivación de la tubería de agua.

l. Conectar la manguera de entrada de combustible, en el filtro de combustible.

m. Conectar la manguera de entrada de combustible, con los dos empaques nuevos y el tornillo de unión, y apretar el tornillo de unión a 22 pie-lb (30 Nm).

n. Conectar la manguera de retorno de combustible, en la tubería de retorno, y conectar la manguera del EVAP en la lata de carbón.

50. Instalar el conjunto del radiador.

51. En los modelos equipados con control de crucero, instalar el accionador con los tres tornillos, y conectar el enchufe.

52. Conectar el cable del acelerador en el cuerpo de la válvula de estrangulación, el soporte del cable, y las abrazaderas.

53. Colocar el conjunto del filtro de aire.

54. Instalar la bandeja de la batería, y la batería.

55. Colocar el capó.

56. Llenar el motor con aceite y refrigerante. Conectar el cable negativo de la batería; arrancar el motor, sangrar el sistema de enfriamiento, y comprobar que no hayan fugas.

57. Colocar la cubierta inferior del motor.

58. Poner en marcha el vehículo y probarlo en carretera para detectar cualquier ruido anormal, y comprobar que funciona correctamente.

Motor 3.0L (1MZ-FE)

CAMRY Y AVALON

1. Descargar la presión del sistema de combustible.

2. Poner el conmutador de encendido en la posición de OFF (apagado). Desconectar los cables de la batería, el cable negativo primero. En los vehículos equipados con air bag, esperar al menos 90 segundos antes de continuar.

3. Hacer contramarcas en las bisagras del capó, y quitar el capó. Quitar la bandeja de la batería y la batería.

4. Drenar el aceite del motor y el refrigerante del sistema de enfriamiento.

5. Desconectar los cables del acelerador y de la válvula de estrangulación. Quitar el accionador de control de crucero, si lo tiene.

6. Quitar el conjunto del filtro de aire, el medidor de flujo de la masa de aire, y la manguera del filtro de aire.

7. Quitar el radiador.

8. Quitar los dos tornillos, y desconectar la caja de relevadores del motor. Desconectar los cinco enchufes de la caja de relevadores del motor.

9. Desconectar los enchufes siguientes:

a. Los dos enchufes del sistema de encendido.

b. El enchufe del filtro de ruido.

c. El enchufe del delantal del guardabarros izquierdo.

d. Desconectar las dos cintas a tierra y cualquier otra conexión eléctrica, sin sacarlas.

10. Desconectar todas las mangueras de vacío del motor.

PRECAUCIÓN

Los sistemas de inyección de combustible mantienen la presión después de que se haya apagado el motor. Descargar adecuadamente la presión, antes de desconectar cualquier tubería de combustible. De no hacerlo así, se pueden producir daños personales o causar un incendio.

11. Desconectar las mangueras de entrada y retorno del combustible.

12. Desconectar las mangueras del calefactor.

13. Desconectar el cable de control de la transmisión en la transmisión.

14. Quitar la cubierta inferior del panel de instrumentos, el panel de instrumentos inferior, y el conjunto de la guantera.

15. Desconectar los tres enchufes del ECM, los cinco conectores de cables del cubretablero, y el enchufe del ventilador de enfriamiento del ECM. Extraer los cables del motor a través del panel del cubretablero.

16. Quitar el tubo de escape delantero.

17. Quitar los semiejes del vehículo.

18. Desconectar el tubo de presión de la dirección asistida.

19. Quitar la bomba de la dirección asistida.

20. Quitar el compresor del aire acondicionado sin desconectar las mangueras.

21. Quitar el aislador de montaje izquierdo del motor, sacando los cuatro tornillos.

22. Quitar el aislador de montaje derecho del motor, sacando los tapones y luego quitando las cuatro tuercas.

23. Quitar los cuatro tornillos del amortiguador de montaje del motor y después sacar el amortiguador.

24. Quitar el aislador de montaje delantero derecho del motor, sacando los tres tornillos.

25. Acoplar una grúa de cadena para motores, en las argollas del motor.

26. Desconectar la manguera del depósito del enfriador y desmontar el depósito.

27. Quitar el soporte del tirante del montaje derecho del motor. Desmontar el conjunto de barra de control y soporte del motor.

➡ Asegurarse de que todos los alambres eléctricos, conectores y mangueras se han quitado del motor.

28. Con una grúa de motores, levantar y sacar del vehículo, con cuidado, el conjunto motor/transmisión.

Para instalar:

29. Bajar con cuidado el motor hasta su sitio. Mantener nivelado el motor mientras se alinean los montajes.

30. Instalar la barra de control y soporte del motor. Apretar a 47 pie-lb (64 Nm).

31. Instalar el soporte del tirante del montaje derecho del motor. Apretar a 23 pie-lb (31 Nm).

32. Conectar las bandas metálicas de tierra del motor. Instalar el depósito del enfriador.

33. Instalar el aislador delantero del motor. Apretar a 48 pie-lb (66 Nm).

34. Instalar el amortiguador de montaje del motor. Apretar a 35 pie-lb (48 Nm).

35. Instalar los montajes izquierdo y derecho del motor. Apretar a 48 pie-lb (66 Nm).

36. Instalar la bomba de la dirección asistida y el compresor del acondicionador de aire.

37. Conectar el tubo de presión de la dirección asistida.

38. Instalar los semiejes y el tubo de escape delantero.

39. Pasar los alambres eléctricos a través del panel del cubretablero y conectar todos los alambres y conectores.

40. Conectar el cable de control de la transmisión en la transmisión.

41. Conectar las mangueras de combustible y del calefactor.

42. Conectar todas las mangueras de vacío, alambres eléctricos y conectores.

43. Instalar el radiador.

44. Instalar el accionador del control de crucero, si lo lleva. Conectar el cable del estrangulador y del acelerador.

45. Instalar el medidor de flujo de la masa de aire (MAF), el conjunto del filtro de aire y manguera del filtro de aire.

46. Llenar el sistema de enfriamiento con la mezcla adecuada de enfriador/agua. Llenar el motor con aceite de motor.

47. Instalar la bandeja de la batería y la batería. Conectar los cables de la batería; por último el cable negativo.

48. Alinear las marcas y montar el capó.

49. Poner en marcha el motor y comprobar si hay fugas.

50. Realizar una prueba en carretera.
51. Volver a revisar los niveles de fluidos.

Motores 3.0L (2JZ-GE y 2JZ-GTE)

▼ PRECAUCIÓN ▼

El Sistema de Bolsa de Aire (air bag), debe ser desactivado antes de llevar a cabo este procedimiento. Dejar de hacerlo puede ser la causa de un despliegue accidental de la bolsa de aire, con el resultado de reparaciones innecesarias del sistema y/o lesiones personales.

1. Girar el interruptor de ignición a OFF (apagado). Desconectar el cable negativo de la batería. No iniciar aún ningún trabajo hasta después de al menos 90 segundos, para evitar un despliegue accidental de la bolsa.
2. Quitar el capó.
3. Quitar el conjunto del radiador del vehículo.
4. Descargar la presión de combustible de las líneas de combustible.

▼ PRECÁUCIÓN ▼

El sistema de inyección de combustible se mantiene bajo presión incluso después de haber apagado el motor (OFF). La presión del sistema de combustible se debe descargar antes de desconectar cualquier línea de combustible. Dejar de hacerlo puede causar un incendio y/o daños personales.

5. Drenar el aceite del motor.
6. Desconectar el cable del acelerador y el accionador del control de crucero.
7. Quitar el conjunto del filtro de aire, medidor de flujo del volumen de aire y la manguera de admisión de aire.
8. Quitar la banda impulsora girando el tensor en el sentido del reloj.
9. Quitar el ventilador, embrague del ventilador y polea de la bomba de agua, quitando las cuatro tuercas.
10. Quitar el depósito de carbón activo.
11. Desconectar las mangueras de agua del calefactor.
12. Desconectar la manguera de vacío del reforzador de freno.
13. Desconectar la manguera del EVAP.
14. Desconectar los conectores y cables siguientes:

• Conector del filtro de ruido.
• Conector de la bobina de ignición.
• Alambres eléctricos del motor, de la abrazadera de alambres.
• Tapa de goma, tuerca y cable del alternador.
• Cable principal del espacio del motor.
• Conector del sistema de ignición sin distribuidor (ignitor).
• Conector de la bocina disuasoria de ladrones.
• Alambre del motor de las abrazaderas de dos alambres.
• Abrazadera de alambres y conector de la válvula solenoide de la dirección asistida.
• Banda metálica de tierra del bloque de cilindros, quitando el tornillo.
• Tapa de goma, tuerca y cable del motor de arranque.

15. Desconectar la manguera de la entrada de combustible del motor, sacando el tornillo de unión y las dos juntas. Suspender cara arriba la unión de la manguera.
16. Quitar la manguera de retorno de combustible, de la guía de retorno de combustible.
17. Desconectar la manguera de retorno de combustible, de la manguera de retorno de combustible. Taponar el extremo de la maguera.
18. Quitar el tornillo y soporte, y desconectar los alambres del motor del tirante, del múltiple de admisión.
19. Desconectar la bomba de la dirección asistida (D/A).
20. Desconectar el tubo de presión de la bomba de la D/A del motor, quitando los dos tornillos.
21. Desconectar el compresor del A/A sin desconectar las mangueras.
22. Desconectar el cable del motor del panel del cubretablero.
23. Desconectar el cable del motor de la cabina, como sigue:
a. Quitar la chapa arrastrapiés de la puerta derecha.
b. Levantar el lado derecho de la alfombrilla del piso.
c. Quitar las dos tuercas y el protector del ECM.
d. Quitar la tuerca y desconectar el ECM, del panel del piso.
e. Desconectar los conectores del ECM.
f. Desconectar el conector del cable del panel de instrumentos.
g. Desconectar el conector del cassette conector.
h. Sacar el cable del motor de la cabina.

24. Para vehículos equipados con transmisión manual, quitar el panel superior de la consola, fundas de la palanca de cambio y tornillos de sujeción.
25. Si está equipado con transmisión manual, desconectar el cilindro de desembrague y la banda metálica de tierra, de la transmisión.
26. Quitar el tubo de escape delantero N° 2 del motor.
27. Quitar el aislador del calor del tubo de escape.
28. Quitar el eje motriz.
29. Para vehículos con transmisión automática, desconectar la barra de control de la palanca de cambio quitando la tuerca.
30. Soportar la transmisión con un gato.
31. Quitar el miembro de soporte trasero, sacando los ocho tornillos.
32. Acoplar al motor la grúa de motores y levantar ligeramente el motor.
33. Quitar las dos tuercas que sujetan los aisladores de los montajes delanteros del motor en el travesaño de suspensión delantera.
34. Sacar el motor del vehículo. Mientras se eleva el motor, asegurarse de que el motor está libre de todos los alambres eléctricos, mangueras y cables.
35. Quitar la guía del tubo medidor de aceite, de la transmisión.
36. Desconectar los alambres eléctricos del motor, de la transmisión.
37. Desconectar el conector del motor de arranque, dos tornillos, soporte de los alambres del motor y el motor de arranque.
38. Para vehículos con transmisiones automáticas, quitar los tubos del enfriador del aceite, de la transmisión.
39. Para vehículos con transmisiones automáticas, quitar los tornillos de montaje del embrague, del convertidor de par.
40. Quitar los seis tornillos de la transmisión y sacar la transmisión, del motor.

Para instalar:

41. Montar el motor y la transmisión, instalando los seis tornillos. Apretar los tornillos como sigue:
• 14 mm - 29 pie-lb (39 Nm).
• 17 mm - 43 pie-lb (72 Nm).
42. Si está equipado con transmisión automática, instalar los tornillos de montaje del convertidor de par, montando primero los tornillos grises; luego, instalar los otros cinco. Apretar los tornillos a 25 pie-lb (33 Nm).
43. Si está equipado con transmisión automática, instalar los tubos del enfriador del acei-

te en la transmisión. Apretar las tuercas de unión a 25 pie-lb (33 Nm).

44. Instalar el motor de arranque.

45. Conectar los alambres eléctricos del motor en la transmisión.

46. Si está equipado con transmisión automática, instalar la guía de la varilla del nivel de aceite y varilla de la transmisión.

47. Instalar como un conjunto el motor y transmisión en el vehículo. Mantener una ligera tensión sobre el motor hasta que los tornillos y tuercas de montaje estén instalados.

48. Instalar las dos tuercas que sujetan los aisladores del montaje delantero del motor en el travesaño delantero de suspensión. Apretar las tuercas a 43 pie-lb (59 Nm).

49. Instalar los cuatro tornillos que sujetan el miembro de soporte en la carrocería. Apretar los tornillos a 19 pie-lb (25 Nm).

50. Instalar las cuatro tuercas que sujetan el miembro de soporte en el aislador del montaje trasero del motor. Apretar las tuercas a 10 pie-lb (13 Nm).

51. Quitar, del motor, la grúa para motores.

52. Instalar el eje motriz.

53. Para vehículos equipados con transmisión automática, conectar la barra de control de la transmisión, como sigue:

a. Poner la palanca de cambio en la posición N (neutral).

b. Retroceder del todo la palanca del eje de control y volver dos muescas. El eje de control está ahora en la posición de neutral.

c. Conectar la barra de control en la palanca de cambios, con la tuerca. Apretar la tuerca a 9 pie-lb (13 Nm).

54. Instalar el aislador térmico del tubo de escape.

55. Instalar el tubo de escape delantero N° 2.

56. Para vehículos con transmisión manual, instalar el cilindro de desembrague y la banda de conexión a tierra. Apretar los tornillos del cilindro de desembrague a 9 pie-lb (13 Nm) y el tornillo de la banda metálica a tierra a 27 pie-lb (37 Nm).

57. Para vehículos con transmisión manual, instalar el panel superior de la consola, fundas de la palanca de cambios y tornillos de sujeción.

58. Conectar los alambres eléctricos del motor en la cabina como sigue:

a. Pasar los alambres del motor a través del panel del cubretablero.

b. Conectar el conector en el cassette conector.

c. Conectar el conector en el conector de alambres del panel de instrumentos.

d. Conectar los dos conectores en el ECM.

e. Insertar el soporte del ECM dentro del tirante sobre el panel del piso.

f. Instalar el ECM con la tuerca.

g. Instalar el protector del ECM con las dos tuercas.

h. Instalar la alfombra del piso.

i. Instalar la plancha arrastrapiés.

59. Conectar el alambre del motor en el panel del cubretablero.

60. Instalar el compresor del A/A en el motor.

61. Instalar el tubo de la D/A con los dos tornillos abrazadera.

62. Instalar la bomba de la D/A, como sigue:

a. Instalar el soporte de la bomba con los dos tornillos. Apretar el tornillo inferior a 43 pie-lb (58 Nm) y el superior a 29 pie-lb (39 Nm).

b. Instalar el tirante trasero de la bomba con los dos tornillos. Apretar los dos tornillos a 29 pie-lb (39 Nm).

c. Instalar el cuerpo de la bomba en el soporte de la bomba.

d. Conectar la manguera de aire en la cubierta N° 4 de la banda de sincronización.

e. Conectar la manguera de aire en la cámara del aire de admisión y asegurar la manguera sobre la cubierta N° 4 de la banda de sincronización.

f. Instalar el soporte delantero de la bomba con los dos tornillos. Apretar los tornillos a 43 pie-lb (58 Nm).

g. Instalar la arandela plana y el tornillo en la bomba del fluido de la D/A.

63. Instalar el soporte de los alambres del motor.

64. Conectar la manguera de retorno de combustible en la tubería de retorno de combustible.

65. Instalar la manguera de retorno de combustible en la abrazadera de la guía de la varilla medidora de aceite.

66. Instalar la manguera de entrada de combustible con las dos juntas nuevas y el tornillo de unión. Apretar el tornillo a 22 pie-lb (29 Nm).

67. Conectar los alambres y conectores.

68. Conectar la manguera del EVAP.

69. Conectar la manguera de vacío del reforzador de freno.

70. Conectar las mangueras del calefactor.

71. Instalar el bote de carbón activo.

72. Instala la polea de la bomba de agua, ventilador y embrague del ventilador.

73. Instalar la banda impulsora en el motor.

74. Instalar el filtro de aire, medidor del VAF, y conjunto del tubo conector del aire de admisión.

75. Conectar los cables de control en el cuerpo del estrangulador.

76. Llenar el motor con aceite.

77. Instalar el conjunto del radiador.

78. Conectar en la batería, el cable negativo de la batería.

79. Arrancar el motor, sangrar el sistema de enfriamiento, y comprobar si hay fugas.

80. Instalar el capó.

81. Probar el vehículo en carretera y comprobar todos los fluidos.

BOMBA DE AGUA

DESMONTAJE E INSTALACIÓN

Motor 1.5L (5E-FE)

1. Desconectar el cable negativo de la batería. En vehículos equipados con bolsa de aire (air bag), esperar al menos 90 segundos antes de proceder.

2. Drenar el líquido enfriante del motor.

3. Quitar el alternador.

4. Para motores con ignición sin distribuidor, quitar el soporte del tirante del múltiple de admisión, sacando las abrazaderas de los alambres y desmontando las dos tuercas.

5. Para motores con ignición por distribuidor, quitar el soporte del tirante del múltiple de admisión, sacando los dos tornillos y las dos tuercas.

6. Desmontar el tubo de entrada de agua, como sigue:

a. Desconectar la manguera de entrada de agua.

b. Desconectar la manguera del calefactor.

c. Desconectar la manguera de desvío.

d. Quitar el tornillo, tubo de entrada de agua y sello anular.

7. Quitar la guía de la varilla medidora de aceite.

8. Quitar la barra de ajuste del alternador.

9. Quitar los tornillos y tuercas de unión de la bomba de agua. Sacar el conjunto de la bomba de agua.

Para instalar:

10. Limpiar rascando todo resto de material de empaque de la superficie de junta de la bomba. Aplicar un cordón de 2-3 mm (0.08-0.12 plg) de sellador en la ranura de la bomba.

11. Sustituir el sello anular en el tubo de entrada del agua y lubricar el sello anular con un poco de jabón y agua. Instalar el conjunto de la bomba. Apretar los tornillos a 13 pie-lb (17 Nm).

12. Sustituir el sello anular de la guía de la varilla medidora de aceite y montar el conjunto. Instalar la barra de ajuste del alternador y el tornillo abrazadera de la guía de la varilla medidora de aceite.

13. Conectar el tubo de entrada de agua en la culata de cilindros, con un tornillo. Apretar el tornillo a 65 plg-lb (7.5 Nm).

14. Conectar las mangueras de desvío de agua, entrada del calefactor y entrada de agua.

15. Para motores con ignición sin distribuidor, instalar el soporte del múltiple de admisión, montando los dos tornillos y la abrazadera de alambres. Apretar los tornillos a 15 pie-lb (20 Nm).

16. Para ignición con distribuidor, instalar el soporte del múltiple de admisión, montando los dos tornillos. Apretar los tornillos a 15 pie-lb (20 Nm).

17. Instalar el alternador y banda.

18. Llenar el motor con líquido enfriante.

19. Conectar el cable negativo de la batería, y arrancar el motor.

20. Comprobar si hay fugas de líquido enfriante.

Motores 1.6L (4A-FE) y 1.8L (7A-FE)

1. Desconectar el cable negativo de la batería. En vehículos equipados con bolsa de aire, esperar al menos 90 segundos antes de proceder.

2. Drenar el líquido enfriante del motor en un recipiente adecuado.

3. Quitar el aislador de montaje del lado derecho del motor.

4. Quitar las cubiertas N° 2 y N° 3 de la banda de sincronización.

5. Si lleva D/A, levantar y soportar con seguridad el motor. Desmontar la cubierta del orificio y quitar los dos tornillos de sujeción del aislador del montaje delantero del motor. Sacar la tuerca y el tornillo pasante y desmontar el aislador.

6. Si lleva D/A, quitar el ventilador eléctrico de enfriamiento.

7. Quitar el tornillo y dos tuercas y desmontar los alambres eléctricos del motor.

8. En el motor 74-FE, desconectar de la guía del medidor de aceite el conector del sensor de posición del cigüeñal.

9. Quitar el tornillo de montaje y sacar la guía del medidor de aceite y el medidor.

10. Desconectar el conector del transmisor del indicador de temperatura del agua.

11. Quitar las dos tuercas y la entrada de agua N° 2 de la manguera de entrada de agua.

12. Quitar los tres tornillos de la bomba de agua, la bomba de agua, y el sello anular del bloque de cilindros.

Para instalar:

13. Instalar un nuevo sello en el bloque de cilindros, y montar la bomba de agua con los tres tornillos. Apretar los tornillos a 10 pie-lb (14 Nm).

14. Conectar la manguera de entrada en la bomba de agua y montar la entrada de agua N° 2 en la culata de cilindros con las dos tuercas. Apretar las tuercas a 11 pie-lb (15 Nm).

15. Conectar el conector del transmisor del indicador de temperatura del agua.

16. Después de aplicar una pequeña cantidad de aceite al sello anular, instalar el nuevo sello anular en la guía del medidor de aceite. Instalar el tornillo de montaje de la guía y apretarlo a 82 plg-lb (9 Nm).

17. En el motor 7A-FE, conectar el conector del sensor de posición del cigüeñal.

18. Conectar los alambres del motor con las dos tuercas y el tornillo.

19. Si lleva D/A, instalar el ventilador eléctrico de enfriamiento.

20. Si lleva D/A, instalar el tornillo pasante y tuerca del aislador del montaje delantero. Apretar la tuerca a 64 pie-lb (87 Nm).

21. Instalar los tornillos de montaje de los aisladores del motor y apretar los tornillos a 47 pie-lb (64 Nm). Instalar la cubierta del orificio y bajar con seguridad el motor.

22. Instalar las cubiertas N° 2 y N° 3 de la banda de sincronización.

23. Instalar el aislador del montaje derecho del motor.

24. Llenar el sistema de enfriamiento con líquido enfriador y conectar el cable negativo de la batería. Arrancar el motor y sangrar el sistema de enfriamiento. Comprobar si hay fugas en el sistema de enfriamiento y si el sistema funciona correctamente.

Motor 1.8L (1ZZ-FE)

1. Quitar la cubierta inferior derecha del motor.

2. Drenar el líquido enfriador del motor.

3. Girar en el sentido del reloj, el tornillo del tensor, para aflojar la tensión de la banda y desmontar la banda. Soltar despacio el tensor.

4. Quitar los tornillos de montaje de la bomba de agua y luego, sacar la bomba.

Para instalar:

5. Colocar un sello anular nuevo en la cubierta de la banda de sincronización y montar la bomba de agua. Apretar los tornillos marcados A (cortos) a 80 plg-lb (9 Nm) y los tornillos marcados B (largos) a 8 pie-lb (11 Nm).

6. Montar la banda impulsora.

7. Instalar la cubierta inferior derecha del motor.

8. Llenar el motor con líquido enfriante.

9. Arrancar el motor y comprobar si hay fugas.

10. Dejar enfriar el motor y comprobar el nivel del líquido enfriante.

Motor 2.2L (5S-FE)

1. Desconectar el cable negativo de la batería. En vehículos equipados con bolsa de aire, esperar al menos 90 segundos, antes de proceder.

2. Levantar y soportar con seguridad el vehículo.

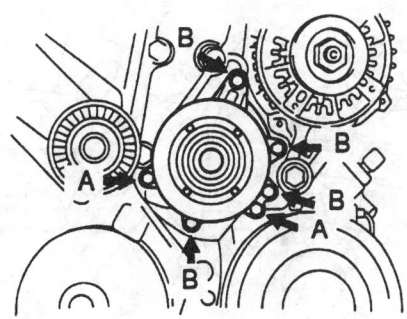

▲ **Identificación de los tornillos de la bomba de agua – Motor 1.8L (1ZZ-FE)**

3. Quitar la cubierta inferior derecha del motor.

4. Drenar el líquido enfriante del motor en un recipiente adecuado. Desconectar de la salida de agua, la manguera inferior del radiador.

5. Quitar la banda de sincronización, resorte tensor de la banda de sincronización, y polea loca (tensora) N° 2.

6. Quitar el alternador, banda impulsora y barra de ajuste, si es necesario.

7. Quitar las dos tuercas que sujetan la bomba de agua en el tubo de desvío de agua, y sacar los tres tornillos en secuencia.

8. Desconectar la cubierta de la bomba de agua del tubo de desvío de agua y desmontar el conjunto de la cubierta de la bomba de agua.

9. Desmontar el empaque y dos sellos anulares de la bomba de agua y el tubo de desvío.

10. Desmontar la bomba de agua de la cubierta de la bomba de agua sacando los tres tornillos en secuencia.

Para instalar:

11. Limpiar las superficies de contacto de empaque.

12. Instalar un nuevo empaque y montar la bomba de agua en la cubierta de la bomba de agua. Apretar los tornillos a 78 plg-lb (9 Nm) en la secuencia correcta.

13. Instalar un nuevo sello anular y un nuevo empaque en la cubierta de la bomba y montar un nuevo sello anular en el tubo de desvío de agua. Conectar la cubierta de la bomba en el tubo de desvío de agua, pero no instalar aún las tuercas.

14. Instalar la bomba de agua y apretar los tres tornillos en secuencia. Apretar los tornillos a 78 plg-lb (9 Nm). Instalar las dos tuercas que sujetan la cubierta de la bomba de agua en el tubo de desvío, y apretarlas a 82 plg-lb (9 Nm).

15. Instalar la barra de ajuste de la banda impulsora del alternador con el tornillo, y apretar el tornillo a 13 pie-lb (18 Nm).

16. Instalar la polea loca N° 2 y el resorte tensor de la banda de sincronización.

17. Conectar la manguera inferior del radiador.

18. Instalar la banda de sincronización.

19. Instalar la cubierta inferior derecha y bajar con seguridad el vehículo.

20. Llenar con líquido enfriante el sistema de enfriamiento y conectar el cable negativo de la batería. Arrancar el motor y sangrar el sistema de enfriamiento. Comprobar si hay fugas en el sistema de enfriamiento y si el motor funciona correctamente.

Motor 3.0L (1MZ-FE)

1. Desconectar en la batería el cable negativo de la batería. En vehículos equipados con bolsa de aire, esperar al menos 90 segundos antes de proceder.

2. Drenar el líquido enfriante del motor.

3. Quitar la banda de sincronización.

4. Marcar las poleas de los árboles de levas derecho e izquierdo con un toque de pintura. Utilizando las herramientas SST 09249-63010 y 09960-10000, o equivalentes, quitar los tornillos de las poleas de los árboles de levas izquierdo y derecho. Sacar las poleas del motor. Asegurarse de no confundir las poleas.

5. Quitar la polea loca N° 2 sacando el tornillo.

6. Desconectar las tres abrazaderas y los alambres del motor de la cubierta trasera de la banda de sincronización.

7. Quitar los seis tornillos que sujetan la cubierta trasera de la banda de sincronización en el bloque de cilindros.

8. Quitar los cuatro tornillos y dos tuercas en la bomba de agua.

9. Desmontar la bomba de agua y el empaque del motor.

Para instalar:

10. Comprobar que la bomba de agua gira con suavidad. Comprobar también el agujero de aire para la fuga de líquido enfriante.

11. Usando un nuevo empaque, aplicar sellador líquido al empaque, bomba de agua y bloque de cilindros.

12. Instalar el empaque y la bomba en el motor y montar los cuatro tornillos y dos tuercas. Apretar las tuercas y tornillos a 53 plg-lb (6 Nm).

13. Instalar la cubierta trasera de la banda de sincronización y apretar los seis tornillos a 74 plg-lb (9 Nm).

14. Conectar los alambres del motor con la tres abrazaderas en la cubierta trasera de la banda de sincronización.

15. Instalar la polea loca N° 2 con el tornillo. Apretar el tornillo a 32 pie-lb (43 Nm). Después de apretar el tornillo, asegurarse de que la polea loca se mueve con suavidad.

16. Con el lado de la brida HACIA AFUERA, instalar en el motor la polea del árbol de levas del lado derecho. Asegurarse de alinear el agujero de la clavija de detonación en la polea del árbol de levas, con la clavija de detonación del árbol de levas. Con las mismas herramientas del desmontaje, apretar los tornillos del árbol de levas a 65 pie-lb (88 Nm).

17. Con el lado de la brida HACIA ADENTRO, instalar la polea del árbol de levas del lado izquierdo en el motor. Asegurarse de alinear el agujero de la clavija de detonación en la polea del árbol de levas con la clavija de detonación en el árbol de levas. Usando las mismas herramientas del desmontaje, apretar el tornillo del árbol de levas a 94 pie-lb (125 Nm).

18. Instalar la banda de sincronización en el motor.

19. Llenar el líquido enfriante del motor.

20. Conectar el cable negativo de la batería en la batería y arrancar el motor.

21. Llenar hasta su máximo nivel el líquido enfriante del motor y comprobar si hay fugas.

Motores 3.0L (2JZ-GE y 2JZ-GTE)

1. Desconectar en la batería, el cable negativo de la batería. En vehículos equipados con bolsa de aire, esperar al menos 90 segundos antes de proceder.

2. Quitar el conjunto de filtro de aire y medidor MAF.

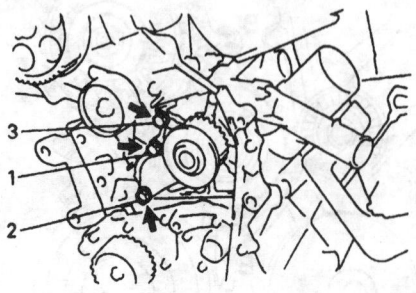

Instalar los tres tornillos de la bomba de agua en esta secuencia – Motor 2.2L (5S-FE)

3. Quitar el conjunto del radiador del vehículo.

4. Si está equipado con una transmisión manual, sacar el amortiguador del tensor de la banda impulsora, quitando las dos tuercas.

5. Aflojar las cuatro tuercas que sujetan el embrague del ventilador en la bomba de agua.

6. Aflojar la tensión de la banda impulsora, girando en el sentido del reloj, el tensor de la banda impulsora. Sacar la banda impulsora del motor.

7. Quitar las cuatro tuercas, el ventilador, embrague del ventilador y la polea de la bomba de agua.

8. Quitar juntos la entrada de agua y manguera inferior del radiador, y el termostato.

9. Quitar la banda de sincronización.

10. Quitar el alternador del motor.

11. En los modelos con turbo, desconectar de la salida de agua, las mangueras de agua del turbo.

12. Excepto en vehículos para California, quitar el aislador del calor del múltiple de escape.

13. Quitar la salida de agua y el tubo de desvío de agua N° 1.

14. Desconectar de la bomba de agua, el desvío de agua N° 2, sacando las dos tuercas.

15. Desconectar de la bomba de agua, la manguera de agua N° 3 del turbo.

16. Quitar los seis tornillos que aseguran la bomba de agua y sacar del motor la bomba de agua. Asegurarse de volver a poner cada tornillo en su sitio original.

17. Limpiar la superficie del motor y quitar el sello anular del bloque de cilindros.

Para instalar:

18. Instalar el sello anular en el bloque de cilindros.

19. Aplicar una capa delgada de líquido sellador en el motor y en la bomba de agua. Instalar un nuevo empaque en la bomba de agua.

20. Conectar la bomba de agua en el tubo de desvío de agua. No instalar la tuerca en este momento.

21. Instalar la bomba de agua con los seis tornillos. Asegurarse de poner los tornillos en sus sitios originales. Apretar los tornillos a 15 pie-lb (21 Nm).

22. Instalar en la bomba de agua las dos tuercas que sujetan el tubo de desvío del agua N° 2. Apretar las tuercas a 15 pie-lb (21 Nm).

23. Conectar la manguera de agua N° 3 del turbo, en la bomba de agua.

24. Instalar la salida de desvío de agua y el tubo de desvío de agua N° 1.

25. Conectar en la salida de agua las mangueras de agua del turbo.

26. Montar el alternador en el motor.

27. Excepto en vehículos para California, instalar el aislador del calor del múltiple de escape.

28. Instalar el soporte de los alambres del motor con el tornillo.

29. Instalar la banda de sincronización.

30. Instalar el conjunto de termostato, entrada de agua, y manguera inferior del radiador.

31. Instalar el conjunto de la polea de agua, ventilador, embrague fluido, y la banda impulsora. Apretar las tuercas del ventilador a 12 pie-lb (16 Nm).

32. Si está equipado con transmisión manual, montar el amortiguador del tensor de la banda impulsora.

33. Instalar el conjunto del radiador en el vehículo.

34. Instalar el conjunto del filtro de aire y medidor MAF.

35. Instalar la manguera de aire N° 1.

36. Conectar en la batería, el cable negativo de la batería.

37. Llenar y purgar el sistema de enfriamiento.

38. Arrancar el motor y comprobar si hay fugas.

CULATA DE CILINDROS

DESMONTAJE E INSTALACIÓN

Motor 1.5L (5E-FE)

1. Desconectar el cable negativo de la batería. En vehículos equipados con bolsa de aire, esperar al menos 90 segundos antes de proceder.

2. Descargar la presión de combustible.

3. Quitar la cubierta inferior derecha del motor.

4. Drenar el sistema de enfriamiento.

5. Desconectar el tubo de escape delantero del múltiple de escape, quitando los dos tornillos y dos resortes de compresión.

6. Desconectar el cable del acelerador y, en vehículos equipados con transmisión automática, desconectar el cable del estrangulador.

7. Quitar juntos el filtro de aire y el colector de admisión de aire.

8. Desconectar las mangueras de entrada y retorno de combustible, del tubo de distribu-

ción. Taponar las mangueras para evitar pérdidas de combustible.

9. Si va equipado con D/A, quitar la bomba de la D/A y el soporte. No desconectar las mangueras de la bomba de la dirección asistida.

10. Quitar las bobinas de ignición, cables de bujías, y bujías. Asegurarse de marcar los cables de las bujías.

11. Etiquetar y desconectar todos los alambres eléctricos y mangueras de vacío que interfieran en el desmontaje de la culata de cilindros.

12. Quitar el tubo del EGR, válvula EGR, y modulador de vacío.

13. Desconectar las mangueras del radiador, de entrada de agua y del calefactor.

14. Quitar el cuerpo de entrada y salida de agua.

15. Quitar el conjunto del cuerpo del estrangulador.

16. Quitar el múltiple de escape.

17. Quitar el conjunto del distribuidor e inyectores de combustible.

18. Quitar el múltiple de admisión.

19. Quitar la cubierta de válvulas.

20. Quitar la cubierta N° 2 de la banda de sincronización, sacando los cuatro tornillos.

21. Quitar la banda del alternador, y luego la cubierta N° 3 de la banda de sincronización de la cubierta N° 1 de la banda de sincronización.

22. Girar la polea del cigüeñal y alinear su ranura con la marca de sincronización O en la cubierta N° 1 de la banda de sincronización.

23. Comprobar que el agujero de la polea de sincronización del árbol de levas sobre el lado con la marca 5E-FE, está alineado con la marca de sincronización sobre la tapa del cojinete N° 1. Si las marcas no se alinean, girar la polea del cigüeñal una (1) revolución y comprobar las marcas.

24. Colocar marcas de alineación en la banda de sincronización, aflojar la polea loca N° 1 y quitar con cuidado la banda.

25. Quitar la polea loca N° 2.

➡ **Mantener tensión sobre la banda de manera que no cambie o salte de posición, y no dejar que gire el cigüeñal. Esto incluye dejar que el vehículo ruede con una marcha. No dejar que caiga nada dentro de la cubierta de la banda, incluyendo suciedad. La banda puede dañarse. No dejar que la banda entre en contacto con agua, aceite o grasa.**

26. Quitar las poleas de sincronización de los árboles de levas.

27. Quitar los árboles de levas siguiendo las secuencias y procedimientos adecuados.

28. Aflojar los tornillos de la culata de cilindros en varios pasos y en el orden inverso al de la secuencia de montaje.

29. Quitar del motor la culata de cilindros. Hay dos diferentes longitudes de tornillos. Tomar nota de sus posiciones y volver a poner los tornillos en sus posiciones originales.

▼ AVISO ▼

Dejar de aflojar los tornillos tal como se describe puede ser la causa de deformaciones o de rotura de la culata de cilindros.

Para instalar:

30. Limpiar las superficies de contacto de empaque, poniendo atención en no dañar los componentes de aluminio, sustituir el empaque, luego bajar la culata de cilindros sobre el motor. Asegurarse de que las clavijas de centrado están alineadas y de que no hay mangueras ni alambres entre la culata y el bloque de cilindros.

➡ **Los tornillos de culata se estiran y se deben sustituir una vez desmontados.**

31. Lubricar ligeramente con aceite y colocar los tornillos de culata de dos tamaños diferentes en sus posiciones correctas, y apretarlos en varios pases en la secuencia correcta, de

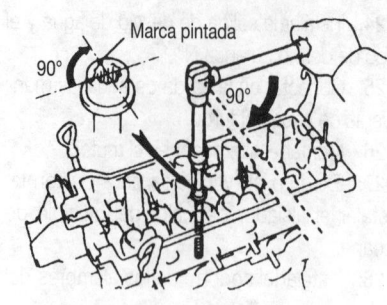

Marca pintada
90°   90°

▲ **Girar cada tornillo 90° adicionales en la secuencia correcta – Motor 1.5L (5E-FE)**

modo uniforme, hasta alcanzar un apriete de 33 pie-lb (44 Nm).

32. Marcar cada tornillo con un marca de referencia y apretar cada tornillo en secuencia 90 grados más.

33. Instalar los árboles de levas siguiendo las secuencias y procedimientos adecuados.

34. Instalar las poleas de sincronización de los árboles de levas en sus posiciones originales y apretar el tornillo a 37 pie-lb (50 Nm).

35. Instalar la polea loca N° 2, apretando el tornillo a 20 pie-lb (27 Nm).

36. Instalar la banda de sincronización sobre las marcas de alineación y tensarla correctamente.

37. Instalar la cubierta N° 3 de la banda de sincronización, la banda del alternador y la cubierta N° 2 de la banda de sincronización con sus empaques y cuatro tornillos.

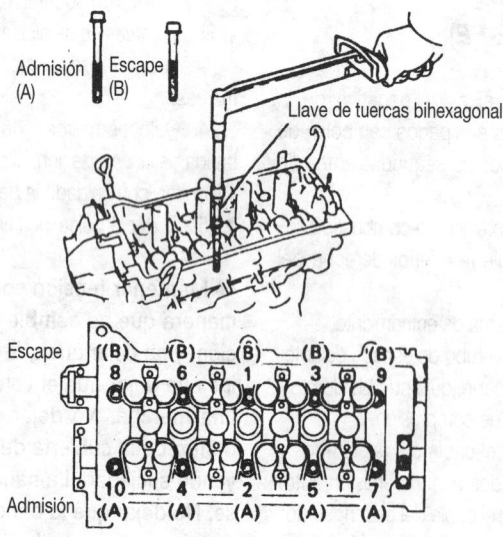

Admisión (A)   Escape (B)
Llave de tuercas bihexagonal

Escape (B) (B) (B) (B) (B)
8   6   1   3   9
10   4   2   5   7
Admisión (A) (A) (A) (A) (A)

▲ **Secuencia de apriete e identificación de los tornillos de la culata de cilindros – Motor 1.5L (5E-FE)**

38. Instalar la cubierta de válvulas con el empaque y sellador adecuados, y apretar las tuercas a 61 plg-lb (7 Nm).

39. Instalar el múltiple de admisión y apretar las tuercas y tornillos de modo uniforme, a 14 pie-lb (19 Nm).

40. Instalar el tirante del múltiple de admisión con el tornillo y tuerca. Apretar la tuerca y tornillo a 15 pie-lb (20 Nm).

41. Instalar el tubo de vacío del sensor MAP y el reforzador de freno.

42. Instalar el conjunto del distribuidor de inyectores de combustible, usando nuevos ojales de goma y sellos anulares. Lubricar un poco los sellos anulares con gasolina y comprobar que los inyectores pueden girar suavemente una vez introducidos a presión.

43. Con una junta nueva, instalar el múltiple de admisión en el motor. Apretar las tuercas de modo regular, en varios pases, y luego apretar cada tuerca a 35 pie-lb (48 Nm).

44. Colocar el tirante del múltiple de escape sobre el motor y el múltiple de escape. Apretar el tornillo y luego las dos (2) tuercas a 29 pie-lb (40 Nm).

45. Instalar el aislador térmico del múltiple de escape con los tres tornillos y apretar a 69 plg-lb (8 Nm).

46. Instalar los cuerpos de entrada y salida de agua.

47. Conectar las mangueras del radiador, calefactor y entrada de agua.

48. Instalar la válvula del EGR, y el modulador de vacío. Apretar los tornillos del EGR a 13 pie-lb (18 Nm).

49. Instalar el tubo del EGR y apretar la tuerca de unión a 29 pie-lb (40 Nm) y las dos tuercas a 22 pie-lb (30 Nm).

50. Instalar el cuerpo del estrangulador.

51. Volver a conectar todo lo que resta eléctricamente y los rácores de las mangueras de vacío.

52. Instalar las bobinas de ignición y bujías.

53. Instalar el soporte de la bomba de la dirección asistida. Apretar los tres tornillos a 32 pie-lb (43 Nm). Instalar la banda de la dirección asistida y ajustar la banda.

54. Conectar la manguera de retorno de combustible y el tornillo de unión de la manguera de entrada de combustible. Apretar el tornillo de unión a 22 pie-lb (29 Nm).

55. Instalar el conjunto del filtro de aire con el conector de admisión de aire.

56. Instalar y ajustar el cable del acelerador.

57. Si va equipado con T/A, instalar y ajustar el cable del estrangulador.

58. Con un empaque nuevo, instalar el tubo de escape, usando los dos resortes y dos tornillos. Apretar los tornillos a 46 pie-lb (62 Nm).

59. Instalar la cubierta inferior derecha del motor.

60. Conectar el cable de la batería, llenar todos los fluidos y arrancar el motor. Comprobar la sincronización de la ignición, y si el motor tiene fugas.

Motores 1.6L (4A-FE) y 1.8L (7A-FE)

COROLLA

1. Descargar la presión del sistema de combustible.

2. Desconectar el cable negativo de la batería. En vehículos equipados con bolsa de aire, esperar al menos 90 segundos antes de proceder.

3. Drenar el líquido enfriante del motor en un recipiente adecuado.

4. Quitar el conjunto de filtro de aire y tapa.

5. Desconectar el soporte del cable del acelerador del cuerpo del estrangulador.

6. Desmontar el alternador.

7. Desconectar los cables de bujías y quitar el conjunto del distribuidor.

8. Desconectar el conector del sensor de oxígeno y desconectar el tubo de escape delantero.

9. Quitar el múltiple de escape.

10. Desconectar la manguera de entrada del radiador y quitar la salida de agua.

11. Desconectar los conectores eléctricos y mangueras de la entrada de agua y el cuerpo de entrada de agua y quitar el cuerpo.

12. Desconectar el conector de la banda metálica de tierra.

13. Desconectar todas las mangueras de la cámara de aire.

14. Si va equipado con EGR, desmontar la VSV del EGR y quitar el tirante del múltiple de admisión.

15. Quitar el tubo de aire.

16. Quitar el conjunto del cuerpo del estrangulador y sacar la cámara de admisión de aire.

▼ PRECAUCIÓN ▼

El sistema de inyección de combustible permanece bajo presión después de haber sido desconectado (OFF) el motor. Antes de desacoplar cualquier línea de combustible se tiene que descargar correctamente la presión del combustible. Dejar de hacer esto puede ser la causa de un incendio o de lesiones personales.

17. Quitar el tubo de suministro de combustible y los inyectores de combustible.

18. Desconectar los alambres eléctricos del motor, y si está equipado con A/A, desconectar el conector del compresor del A/A. Desconectar el conector del sensor de posición del cigüeñal.

19. Quitar el múltiple de admisión.

20. Soportar con seguridad el conjunto del motor y levantar el motor para quitar el aislador de montaje derecho del motor.

21. Quitar la tapa de la culata de cilindros y las bujías.

22. Quitar las cubiertas N° 3 y N° 2 de la banda de sincronización.

23. Poner el cilindro N° 1 en el PMS de la carrera de compresión.

24. Colocar marcas de alineación en la polea del árbol de levas y la banda de sincronización. Quitar el tapón de la cubierta N° 1 de la banda de sincronización, aflojar la polea loca y empujar la polea alejándola hacia la izquierda todo lo posible. Quitar la banda de sincronización, de la polea de sincronización del árbol de levas.

25. Quitar la polea de sincronización del árbol de levas.

26. Quitar el soporte del alternador.

27. Quitar la guía del medidor de aceite y el medidor de aceite.

28. Quitar la entrada de agua N° 2.

29. Quitar los árboles de levas de admisión y escape siguiendo las secuencias y procedimientos correctos.

30. Con una herramienta SST 09205-16010, o equivalente, aflojar, con uniformidad, los tornillos en el orden inverso de la secuencia de montaje. Quitar los 10 tornillos de culata de cilindros en varios pases y en secuencia.

➡ **Si se hace en un orden incorrecto, se puede causar la deformación o la rotura de la culata de cilindros.**

31. Levantar el conjunto de la culata de cilindros sacándola de las clavijas de centrado del bloque de cilindros, y quitar la culata de cilindros.

Para instalar:

32. Limpiar las superficies de contacto de empaque, poniendo atención en no dañar los componentes de aluminio, sustituir el empaque, y luego bajar la culata de cilindros sobre el motor. Asegurarse de que las clavijas de centrado están alineadas, y de que no hay mangueras ni alambres entre la culata y el bloque de cilindros.

33. Los tornillos de culata de cilindros se aprietan en tres etapas progresivas. Aplicar una ligera capa de aceite de motor, a los tornillos de culata de cilindros. Apretar con regularidad los 10 tornillos de culata de cilindros, en varios pases y en secuencia.

➡ **Los tornillos de culata de cilindros son de unas longitudes de 3.54 plg (90 mm) y 4.25 plg (108 mm). Los tornillos (A) de 3.54 plg (90 mm) se han de montar en el lado de admisión de la culata de cilindros. Los tornillos (B) de 4.25 plg (108 mm) se han de montar en el lado del múltiple de escape de la culata de cilindros.**

34. Marcar con pintura la delantera de los tornillos de culata de cilindros. Apretar los tornillos de culata de cilindros 90 grados en secuencia. Apretar otros 90 grados más y asegurarse de que la marca de pintura ahora está colocada hacia la trasera.

35. Instalar los árboles de levas de admisión y escape siguiendo las secuencias y procedimientos adecuados.

36. Comprobar y ajustar la holgura de válvulas.

37. Instalar la entrada de agua N° 2 y conectar la manguera de entrada de agua.

38. Instalar la guía del medidor de aceite y el medidor.

39. Instalar el soporte del alternador.

40. Instalar la polea de sincronización del árbol de levas.

41. Instalar la banda de sincronización en la polea de sincronización del árbol de levas, alineando las contramarcas y tensando la banda correctamente con la polea tensora. Aflojar el tornillo de la polea 1/2 vuelta y girar el cigüeñal en el sentido del reloj dos vueltas. Asegurarse de que cada polea se alinea con las marcas de sincronización.

42. Instalar las cubiertas N° 2 y N° 3 de la banda de sincronización.

43. Montar las bujías.

44. Montar el tapón semicircular con sellador en la culata de cilindros y montar la cubierta de la culata de cilindros con un nuevo empaque en la culata de cilindros.

45. Instalar el aislador de montaje derecho del motor y bajar con seguridad el motor.

46. Instalar el múltiple de admisión y la banda metálica de tierra.

47. Conectar el aparejo de alambres del motor en la cubierta de la culata de cilindros, y si lleva A/A, conectar el conector del compresor. Acoplar también el conector del interruptor de aceite y el conector del sensor de posición del cigüeñal.

48. Instalar los inyectores y el tubo de suministro de combustible.

49. Instalar la cámara de admisión de aire.

50. Instalar el conjunto del cuerpo del estrangulador.

51. Instalar el tubo de aire.

52. Instalar el tirante del múltiple de admisión, y si lleva EGR, instalar la VSV del EGR.

53. Conectar todas las mangueras en la cámara de admisión de aire.

54. Conectar el conector de la banda metálica de tierra.

55. Instalar la entrada de agua y el cuerpo de la entrada de agua, y conectar todas las mangueras y conectores.

56. Instalar la salida de agua.

57. Instalar el múltiple de escape.

58. Instalar el tubo de escape delantero y conectar los conectores del sensor de oxígeno.

59. Instalar el distribuidor y conectar los cables de bujías.

60. Montar el alternador.

61. Conectar el soporte del cable del acelerador en el cuerpo del estrangulador.

62. Montar el conjunto de filtro de aire y tapa.

63. Conectar el cable negativo de la batería, llenar el motor con líquido enfriante, arrancar el motor, calentarlo, y comprobar las fugas.

64. Instalar la cubierta inferior derecha del motor, comprobar la sincronización de la ignición, y probar en carretera el funcionamiento correcto.

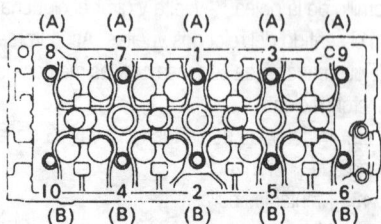

▲ Colocación y secuencia de apriete de los tornillos de la culata de cilindros – Motores 1.6L (4A-FE) y 1.8L (7A-FE)

CELICA

1. Descargar la presión del sistema de combustible.

2. Desconectar el cable negativo de la batería. En vehículos equipados con bolsa de aire, esperar al menos 90 segundos antes de proceder.

3. Drenar el líquido enfriante dentro de un recipiente adecuado.

4. Quitar el conjunto de filtro de aire y tapa.

5. Desconectar el soporte del cable del acelerador, del cuerpo del estrangulador. Desconectar el cable del estrangulador, si lleva T/A.

6. Quitar el alternador.

7. Si lleva A/A, quitar la banda impulsora del A/A y la polea loca.

8. Desmontar el soporte de ajuste de la bomba de la D/A y la banda impulsora.

9. Desconectar los cables de bujías y quitar el conjunto del distribuidor.

10. Quitar el TWC delantero.

11. Quitar el múltiple de escape.

12. Desconectar la manguera de entrada del radiador y quitar la salida de agua.

13. Desconectar los conectores eléctricos y mangueras de la entrada de agua y del cuerpo de la entrada de agua y sacar el cuerpo.

14. Desconectar todas las mangueras de la cámara de aire.

15. Si se equipa con un EGR, quitar la VSV del EGR y desmontar el tirante del múltiple de admisión.

16. Quitar el tubo de aire.

17. Quitar el conjunto del cuerpo del estrangulador y desmontar la cámara de admisión de aire.

▼ PRECAUCIÓN ▼

El sistema de inyección de combustible permanece bajo presión después de haber sido desconectado (OFF) el motor. Antes de desacoplar cualquier línea de combustible se tiene que descargar correctamente la presión del combustible. Dejar de hacer esto puede ser la causa de un incendio o de lesiones personales.

18. Quitar el tubo de suministro de combustible y los inyectores de combustible.

19. Desconectar el aparejo de alambres eléctricos del motor; si se equipa con A/A, desconectar el conector del compresor. Desconectar el sensor de posición del cigüeñal.

20. Quitar el múltiple de admisión.

21. Quitar el tornillo que sujeta la guía del medidor de aceite y el soporte del aparejo de alambres del motor.

22. Quitar la entrada de agua N° 2.

23. Quitar la cubierta de la culata de cilindros y las bujías.

24. Quitar las cubiertas N° 2 y N° 3 de la banda de sincronización.

25. Poner el cilindro N° 1 en el PMS/compresión.

26. Colocar marcas de coincidencia sobre la polea de sincronización del árbol de levas y banda de sincronización. Quitar el tapón de la cubierta N° 1 de la banda de sincronización, aflojando la polea loca y empujando la polea hacia la izquierda lo más posible. Quitar la banda de sincronización de la polea de sincronización del árbol de levas.

27. Quitar la polea de sincronización del árbol de levas.

28. Quitar el soporte del alternador.

29. Quitar los árboles de levas siguiendo las secuencias y procedimientos adecuados.

30. Con una herramienta SST 09205-16010, o equivalente, aflojar de modo uniforme, los tornillos en el orden inverso a la secuencia de instalación. Desmontar los 10 tornillos de culata de cilindros en varios pases y en secuencia.

➡ **Si se hace en un orden incorrecto, se puede causar la deformación o rotura de la culata de cilindros.**

31. Levantar el conjunto de la culata de cilindros sacándolo de las clavijas de centrado del bloque de cilindros, y quitar la culata de cilindros.

Para instalar:

32. Limpiar las superficies de contacto de empaque, procurando no dañar los componentes de aluminio, sustituir el empaque, y luego bajar sobre el motor la culata de cilindros. Asegurarse de que las clavijas de centrado están alineadas y de que no hay mangueras ni alambres entre la culata y el bloque de cilindros.

33. Los tornillos de culata de cilindros se aprietan en tres etapas progresivas. Aplicar una ligera capa de aceite de motor a los tornillos de culata de cilindros. Apretar de modo uniforme los 10 tornillos de culata de cilindros en varios pases y en secuencia, a 22 pie-lb (29 Nm).

➡ **Los tornillos de culata de cilindros son de unas longitudes de 3.54 plg (90 mm) y 4.25 plg (108 mm). Los tornillos (A) de**

3.54 plg (90 mm) se han de montar en el lado de admisión de la culata de cilindros. Los tornillos (B) de 4.25 plg (108 mm) se han de montar en el lado del múltiple de escape de la culata de cilindros.

34. Marcar con pintura la delantera de los tornillos de culata de cilindros. Apretar los tornillos de culata de cilindros 90 grados en secuencia. Apretar otros 90 grados más y asegurarse de que la marca de pintura ahora está colocada hacia la trasera.

35. Instalar los árboles de levas de admisión y escape siguiendo las secuencias y procedimientos adecuados.

36. Comprobar y ajustar la holguras de válvulas.

37. Instalar la entrada de agua N° 2 y conectar la manguera de entrada de agua.

38. Instalar la guía del medidor de aceite y el medidor.

39. Instalar el soporte del alternador.

40. Instalar la polea de sincronización del árbol de levas.

41. Instalar la banda de sincronización en la polea de sincronización del árbol de levas, alineando las marcas de alineación y tensando la banda correctamente con la polea tensora. Aflojar el tornillo de la polea 1/2 vuelta y girar el cigüeñal en el sentido del reloj dos vueltas. Asegurarse de que cada polea se alinea con las marcas de sincronización.

42. Instalar las cubiertas N° 2 y N° 3 de la banda de sincronización.

43. Montar las bujías.

44. Montar el tapón semicircular con sellador en la culata de cilindros y montar la cubierta de la culata de cilindros con un nuevo empaque en la culata de cilindros.

45. Montar el múltiple de admisión y la banda metálica de tierra. Apretar los siete tornillos y dos tuercas a 14 pie-lb (19 Nm).

46. Montar el tirante del múltiple de admisión y conectar el aparejo de alambres del motor.

47. Montar los inyectores y el tubo de suministro de combustible.

48. Montar la cámara de admisión de aire.

49. Instalar el conjunto del cuerpo del estrangulador.

50. Instalar el tubo de aire.

51. Instalar el tirante del múltiple de admisión, y si equipa un EGR, instalar la VSV del EGR.

52. Conectar todas las mangueras en la cámara de admisión de aire.

53. Instalar la entrada de agua y el cuerpo de la entrada de agua y volver a conectar todas las mangueras y conectores.

54. Instalar la salida de agua.

55. Instalar el múltiple de escape.

56. Instalar el TWC delantero.

57. Instalar el tubo de escape delantero.

58. Instalar el distribuidor y volver a conectar los cables de bujías.

59. Montar temporalmente la polea de la bomba de agua.

60. Montar el soporte de ajuste de la bomba de la D/A y la banda impulsora.

61. Si se equipa con A/A, instalar la polea loca del A/A y la banda impulsora.

62. Montar el alternador y la banda impulsora.

63. Apretar los tornillos de la polea de la bomba de agua.

64. Volver a conectar el soporte del cable del acelerador en el cuerpo del estrangulador. Si se equipa con T/A, volver a conectar el cable del estrangulador. Si se equipa con control de crucero, instalar el cable del accionador del control de crucero.

65. Instalar el conjunto de filtro de aire y tapa.

66. Volver a conectar el cable negativo de la batería, llenar el motor con líquido enfriante, arrancar el motor, calentarlo y comprobar si hay fugas.

67. Instalar la cubierta inferior derecha del motor, comprobar la sincronización de la ignición, y probar en carretera su buen funcionamiento.

Motor 1.8L (1ZZ-FE)

1. Desconectar el cable negativo de la batería.

2. Drenar el líquido enfriante del motor.

3. Quitar la banda impulsora y el alternador.

4. Quitar el ducto de admisión de aire.

5. Desconectar el cable del acelerador.

6. Desconectar el tubo de escape del múltiple.

7. Quitar el soporte del apoyo del múltiple de escape.

8. Quitar el múltiple de escape.

9. Quitar los cables de bujías, y luego las bobinas de ignición. Etiquetar los cables de modo que se puedan volver a montar en sus posiciones originales.

10. Quitar las bujías.

11. Quitar las mangueras del PCV.

12. Quitar el conjunto del cuerpo del estrangulador.

13. Quitar los dos tornillos que aseguran el protector del aparejo de alambres en los soportes sobre el múltiple de admisión.

14. Desconectar los conectores de cables y desmontar los cables de tierra, de la culata de cilindros.

15. Quitar el múltiple de admisión.

16. Quitar los ganchos del motor, sensor de posición del árbol de levas, y el sensor del ECT.

17. Quitar la válvula PCV y el ojete.

18. Quitar el tapón de llenado de aceite.

19. Quitar la banda de sincronización y las ruedas dentadas del árbol de levas.

20. Quitar los árboles de levas.

21. Desconectar las mangueras de la unión de la manguera de agua.

22. Quitar el tornillo que une el tubo de desvío de agua a la culata de cilindros.

23. Desmontar gradualmente los tornillos de culata, en secuencia, usando una llave de tuercas bihexagonal. Para evitar daños a la culata de cilindros, aflojar cada tornillo como un 1/4 de vuelta durante cada pase, hasta que los tornillos estén flojos.

24. Quitar la culata de cilindros del motor y colocarla sobre bloques de madera en un banco de trabajo.

Para instalar:

25. Limpiar y desengrasar la superficie del bloque de cilindros.

26. Colocar un nuevo empaque sobre el bloque de cilindros con el estampado Lod No. cara arriba.

27. Colocar con cuidado la culata de cilindros sobre el motor. Procurar no dañar el empaque.

28. Aplicar una ligera capa de aceite a los hilos de rosca y debajo de las cabezas de los tornillos de culata de cilindros. Sustituir todo tornillo que aparezca deformado (estirado).

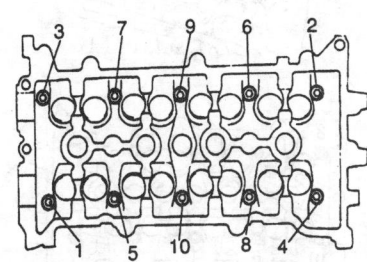

▲ Asegurarse de sacar los tornillos de la culata de cilindros en la secuencia que se muestra – Motor 1.8L (1ZZ-FE)

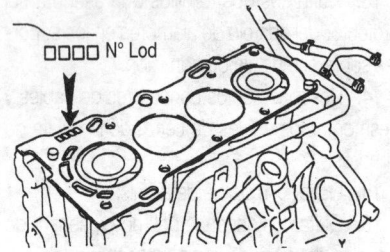

▲ **Colocar correctamente la junta de culata en la culata de cilindros – Motor 1.8L (1ZZ-FE)**

29. Apretar los tornillos de culata de cilindros en secuencia a 36 pie-lb (49 Nm).

30. Marcar la delantera de cada tornillo con un punto de pintura blanca.

31. Apretar cada tornillo en secuencia otros 90° más. Asegurarse de que cada marca de pintura está ahora encarada a 90° de la delantera del motor.

32. Instalar el tubo de desvío del agua en la culata de cilindros. Apretar el tornillo a 80 plg-lb (9 Nm). Conectar las mangueras al tubo.

33. Instalar los árboles de levas.

34. Comprobar y ajustar la holgura de válvulas.

35. Instalar las ruedas dentadas de sincronización de árboles de levas.

36. Instalar el tapón de llenado de aceite.

37. Instalar el ojete de goma y la válvula PCV.

38. Instalar el ECT y los sensores de posición de árboles de levas.

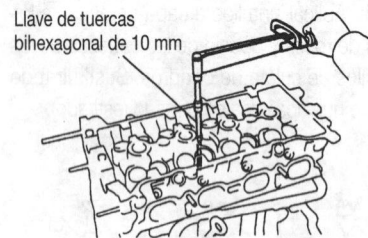

Llave de tuercas bihexagonal de 10 mm

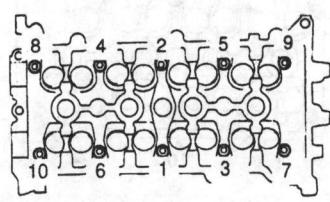

▲ **Asegurarse de apretar los tornillos de la culata de cilindros en la secuencia que se muestra – Motor 1.8L (1ZZ-FE)**

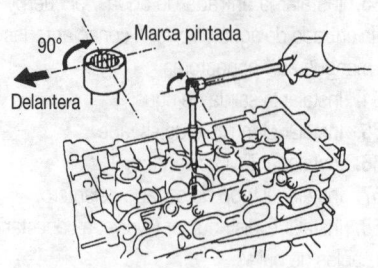

▲ **Apretar cada tornillo 90° adicionales, después de hacer una marca de pintura en la parte delantera – Motor 1.8L (1ZZ-FE)**

39. Instalar los soportes del motor. Apretar el tornillo a 28 pie-lb (38 Nm).

40. Instalar el múltiple de admisión.

41. Volver a conectar el aparejo de cables en la culata de cilindros y montar el protector del aparejo con los dos tornillos.

42. Instalar los inyectores de combustible, cuerpo del estrangulador y mangueras del PCV.

43. Instalar las bujías y las bobinas de ignición. Apretar las dos tuercas y dos tornillos a 80 plg-lb (9 Nm).

44. Instalar el múltiple de escape.

45. Instalar el soporte de apoyo del múltiple de escape. Apretar los tornillos de modo alternativo, a 37 pie-lb (49 Nm).

46. Conectar el tubo de escape delantero en el múltiple. Apretar los tornillos a 46 pie-lb (62 Nm).

47. Usando un empaque nuevo y dos tuercas nuevas, instalar el sensor de oxígeno. Apretar las tuercas a 14 pie-lb (20 Nm).

48. Conectar el cable del acelerador y el ducto del aire de admisión.

49. Instalar el alternador y banda impulsora.

50. Llenar con líquido enfriante el sistema de enfriamiento.

51. Conectar el cable negativo de la batería.

52. Arrancar el motor y comprobar si hay fugas.

53. Volver a comprobar los niveles de líquido enfriante y de aceite, tras haberse enfriado el motor.

Motor 2.2L (5S-FE)

CELICA

▼ PRECAUCIÓN ▼

El sistema de inyección de combustible permanece bajo presión después de haber sido desconectado (OFF) el motor. Antes de desacoplar cualquier línea de combustible se tiene que descargar correctamente la presión del combustible. Dejar de hacer esto puede ser la causa de un incendio o de lesiones personales.

1. Desconectar el cable negativo de la batería. En vehículos con bolsa de aire, esperar al menos 90 segundos antes de proceder.

2. Quitar la cubierta inferior derecha del motor.

3. Drenar el líquido enfriante del motor dentro de un recipiente adecuado.

4. Desmontar el conjunto de filtro de aire y tapa.

5. Quitar los cables de bujías y el conjunto del distribuidor.

6. Quitar el alternador.

7. Desconectar los conectores del sensor de oxígeno secundario (sub) y de oxígeno principal, y sacar el tubo de escape delantero, el TWC delantero, y el múltiple de escape.

8. Desconectar el conector del interruptor de presión de aceite.

9. Desconectar los conectores de sensores y mangueras, de la salida de agua. Quitar las dos tuercas y el empaque; quitar la salida de agua.

10. Desconectar las mangueras; quitar el protector térmico y el tubo de desvío de agua.

11. Desmontar el conjunto del cuerpo del estrangulador.

12. Desconectar las mangueras de vacío del múltiple de admisión y quitar la válvula de marcha mínima acelerada del A/A.

13. Quitar la válvula EGR, modulador de vacío, mangueras de vacío y empaque.

14. Quitar el tirante del múltiple de admisión y desconectar el cable de control del estrangulador de T/A.

15. Quitar las mangueras de aire del tubo de aire y sacar el conjunto del tubo de aire.

16. Excepto en vehículos para California, desconectar las mangueras de sensores y quitar el tubo de vacío.

17. Desconectar el sensor de detonación, quitar el tornillo y el cable de tierra del múltiple de admisión.

18. En vehículos para California, desmontar la VSV del control de presión de combustible y el EGR. En todos los vehículos (excepto para California), quitar la VSV del EGR.

19. Desconectar la manguera del PCV del múltiple de admisión y desconectar el cable de control del estrangulador de T/A y el soporte del múltiple de admisión.

20. Desconectar el aparejo de alambres del motor, del soporte del motor de arranque. Desconectar el conector del sensor VSS y el protector del aparejo de alambres del lado izquierdo del múltiple.

21. Desconectar la manguera de entrada de combustible del tubo de suministro y desconectar la manguera de retorno del tubo de retorno.

22. Quitar los seis tornillos, dos tuercas, y el múltiple de admisión y empaque.

23. En vehículos para California, quitar la manguera de aire del sistema de aire auxiliar.

24. Quitar el tubo de suministro de combustible y los inyectores.

25. Quitar la banda de sincronización de la polea de sincronización del árbol de levas y sacar la polea de sincronización del árbol de levas.

26. Quitar la polea loca N° 1 y resorte tensor.

27. Quitar los cuatro tornillos y cubierta N° 3 de la banda de sincronización.

➡ **Sujetar la banda de sincronización de modo que no cambien de posición el engrane de la polea dentada de sincronización del cigüeñal y la banda de sincronización. Tener cuidado de que no caiga nada en el interior de la cubierta de banda de sincronización.**

28. Quitar los soportes de izaje del motor y el soporte del alternador.

29. Quitar el interruptor de presión de aceite.

30. Quitar la tapa de culata de cilindros. Quitar la abrazadera de cables de bujías, válvula PCV y mangueras de la tapa de culata de cilindros.

31. Quitar los árboles de levas siguiendo las secuencias y procedimientos correctos.

32. Aflojar con uniformidad y quitar los tornillos de culata, en varios pases y en el orden inverso al de la secuencia de montaje. Levantar y sacar la culata de cilindros del bloque de cilindros, desacoplando la culata de cilindros de las clavijas de centrado del bloque de cilindros.

Para instalar:

33. Limpiar las superficies de contacto de empaque, poniendo atención en no dañar los componentes de aluminio, sustituyendo el empaque, y luego bajar la culata de cilindros sobre el motor. Asegurarse de que las clavijas de centrado están alineadas y que no hay mangueras ni cables entre la culata y bloque de cilindros.

34. Los tornillos de culata de cilindros se aprietan en dos etapas progresivas. Aplicar una ligera capa de aceite de motor a los tornillos de culata de cilindros. Apretar con uniformidad los 10 tornillos de culata de cilindros, en varios pases y en secuencia, a 36 pie-lb. Marcar con pintura la delantera de los tornillos de culata de cilindros. Apretar los tornillos de culata de cilindros 90°, en secuencia. Apretar otros 90° más y asegurarse de que la marca de pintura ahora está colocada hacia la trasera.

35. Instalar los árboles de levas siguiendo las secuencias y procedimientos correctos.

36. Comprobar y ajustar la holgura de válvulas.

37. Aplicar sellador a los dos sellos (tapones) semicirculares nuevos y montar los sellos en la culata de cilindros.

38. Instalar la válvula y mangueras del PCV y la abrazadera de cables de bujías en la cubierta de culata de cilindros.

39. Instalar la cubierta de culata de cilindros con un empaque nuevo, los cuatro ojetes de goma y tuercas y apretar con uniformidad las tuercas en varios pases. Apretar las tuercas a 17 pie-lb (23 Nm).

40. Instalar el interruptor de presión de aceite.

41. Instalar el soporte del alternador y los soportes de izaje del motor.

42. Instalar la cubierta N° 3 de la banda de sincronización, y temporalmente, instalar la polea loca N° 1 y el resorte tensor.

43. Instalar la polea de sincronización del árbol de levas y montar la banda de sincronización en la polea dentada. Tensar correctamente la banda de sincronización y asegurarse de que la sincronización de la banda es correcta.

44. Instalar los inyectores de combustible y el tubo de suministro.

45. En los coches para California, instalar la manguera de aire para el sistema de ayuda de aire.

46. Instalar el múltiple de admisión e instalar el aparejo de alambres del motor entre la culata y el múltiple de admisión; instalar un nuevo empaque, los seis tornillos y dos tuercas, y apretar el múltiple de admisión a 25 pie-lb (34 Nm).

47. Conectar las mangueras de entrada y retorno de combustible en los tubos de suministro y retorno.

48. Instalar el protector y el aparejo de alambres del motor en el múltiple de admisión y conectar los cuatro conectores de los inyectores de combustible. Conectar el conector del VSS.

49. Instalar el soporte del cable en el múltiple de admisión y montar los chicotes (cables) y soportes del acelerador y de control de T/A.

50. Conectar la manguera del PCV en el múltiple de admisión.

51. En vehículos para California, instalar el conjunto de la VSV del control de presión de combustible y EGR.

52. Excepto en vehículos para California, montar la VSV del EGR.

53. Conectar el sensor de detonación, y montar el cable de tierra con el tornillo.

54. Excepto en vehículos para California, montar las mangueras de sensores y el tubo de vacío, y montar el tubo con el tornillo.

55. Instalar el tubo de aire y el soporte del EGR. Conectar las mangueras en el tubo de aire.

56. Instalar el cable de control del estrangulador de T/A en la abrazadera sobre la trasera del múltiple de admisión. Montar el tirante del múltiple de admisión, y apretar el tornillo a 15 pie-lb (21 Nm), y la tuerca a 32 pie-lb (44 Nm).

57. Instalar la válvula del EGR y el modulador de vacío usando una junta nueva, conectar las dos mangueras de vacío en la VSV para el EGR, y conectar el conector del sensor de temperatura del gas del EGR. Acoplar la manguera del EVAP en el bote de carbón activo.

58. Instalar la manguera del sensor de vacío en el filtro de gas y la manguera de vacío del reforzador de freno en el múltiple de admisión.

59. Instalar la válvula de marcha mínima acelerada para el A/A.

60. Instalar el cuerpo del estrangulador.

61. Conectar el tubo de desvío de agua en al cubierta de la bomba de agua; instalar el tubo de desvío de agua y conectar las mangueras en el tubo de desvío de agua.

62. Instalar la salida de agua con una junta nueva y las dos tuercas, y montar las mangueras de agua, mangueras de vacío, y conectar los conectores de sensores.

63. Conectar el conector del sensor del interruptor de presión de aceite.

64. Acoplar el TWC en el múltiple de escape y montar el sensor de oxígeno principal en el múltiple de escape. Montar el sensor de oxígeno secundario (sub) en el TWC.

65. Instalar el múltiple de escape en la culata de cilindros y conectar los conectores de los sensores de oxígeno.

66. Instalar el tubo de escape delantero y montar el alternador con la banda impulsora.

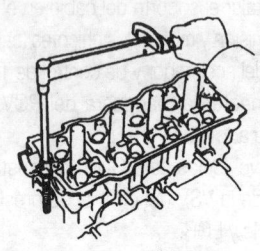

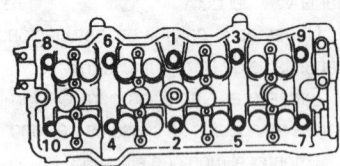

▲ **Apretar los tornillos de la culata de cilindros en la secuencia que se muestra – Motor 2.2L (5S-FE)**

67. Instalar el conjunto del distribuidor y conectar los cables de bujías.

68. Instalar el conjunto de filtro de aire y tapa.

69. Conectar el cable negativo de la batería, llenar el motor con líquido enfriante, arrancar el motor, calentarlo, y comprobar las fugas. Sangrar el sistema de enfriamiento y llenar a tope el líquido enfriante si es necesario.

70. Instalar la cubierta inferior derecha del motor, comprobar la sincronización de la ignición, y probar en carretera el funcionamiento correcto del vehículo.

CAMRY

1. Descargar la presión del sistema de combustible.

2. Desconectar el cable negativo de la batería. En vehículos equipados con una bolsa de aire, esperar al menos 90 segundos antes de proceder.

3. Drenar el líquido enfriante del motor en un recipiente idóneo.

4. Desconectar el cable de control del estrangulador de T/A y el cable del acelerador.

5. Quitar el conjunto de filtro de aire y tapa.

6. Quitar el alternador.

7. Quitar los cables de bujías y el conjunto del distribuidor.

8. Desconectar los conectores de los sensores de oxígeno secundario (sub) y principal, y quitar el tubo de escape delantero, el TWC delantero, y el múltiple de escape.

9. Desconectar el conector del interruptor de presión de aceite.

10. Desconectar los conectores de sensores y mangueras de la salida de agua.

11. Quitar las dos tuercas, salida de agua y empaque.

12. Desconectar las mangueras y quitar el tubo de desvío de agua.

13. Quitar el conjunto del cuerpo del estrangulador.

14. Quitar las válvula del EGR, modulador de vacío, conjunto de mangueras de vacío, y el empaque.

15. Desconectar la manguera del PCV del múltiple de admisión.

16. Quitar las mangueras de aire del tubo de aire y sacar el conjunto del tubo de aire.

17. Quitar el tubo de aire como sigue:

a. Quitar las dos mangueras de la D/A del tubo de aire.

b. Quitar la manguera de aire de la D/A del múltiple de admisión.

c. Quitar la manguera de aire, del regulador de presión de combustible.

d. Quitar los tres tornillos y tubo de aire. Desconectar el cable de tierra y soporte abrazadera del múltiple de admisión.

18. Quitar el tornillo y desconectar el cable de tierra, del múltiple de admisión.

19. Desconectar el conector del sensor de detonación.

20. Quitar el tornillo y desconectar el protector de los alambres eléctricos del motor, del lado izquierdo del múltiple de admisión.

21. Desconectar los cuatro conectores de inyectores de combustible.

22. Desconectar el protector de alambres, del motor, de los dos soportes en el lado delantero del múltiple de admisión.

23. Desconectar el protector de alambres del motor, de los dos tornillos de montaje de la cubierta N° 2 de la banda de sincronización.

24. Quitar los cuatro tornillos, soporte de alambres, cámara de admisión de aire N° 1, y tirantes del múltiple de admisión.

25. Quitar los seis tornillos y dos tuercas y desmontar el múltiple de admisión y la junta.

▼ PRECAUCIÓN ▼

El sistema de inyección de combustible permanece bajo presión después de haber sido desconectado (OFF) el motor. Antes de desacoplar cualquier línea de combustible se tiene que descargar correctamente la presión del combustible. Dejar de hacer esto puede ser la causa de un incendio o de lesiones personales.

26. Quitar el tubo de suministro de combustible y los inyectores.

27. Quitar la banda de sincronización de la polea de sincronización del árbol de levas. Sacar la polea de sincronización del árbol de levas.

➡ **Mantener tensión sobre la banda, de manera que no cambie o salte de posición y no dejar que gire el cigüeñal. Esto incluye permitir que el vehículo ruede con una marcha. No dejar que caiga nada dentro de la cubierta de la banda, incluso suciedad. La banda puede dañarse. No dejar que la banda entre en contacto con agua, aceite o grasa.**

28. Quitar la polea loca N° 1 y resorte tensor.

29. Quitar los cuatro tornillos y la cubierta N° 3 de la banda de sincronización.

30. Quitar los soportes de izaje del motor y el soporte del alternador.

31. Quitar el interruptor de presión de aceite.

32. Quitar la cubierta de culata de cilindros.

33. Quitar los árboles de levas siguiendo las secuencias y procedimientos correctos.

34. Aflojar de modo uniforme y desmontar los tornillos de culata de cilindros en varios pases y en el orden inverso a la secuencia de instalación. Levantar sacando la culata de cilindros del bloque de cilindros, desacoplándola de las clavijas de centrado del bloque.

Para instalar:

35. Limpiar las superficies de contacto de empaque, pero prestando atención en no dañar los componentes de aluminio, sustituir el empaque, y luego bajar la culata de cilindros sobre el motor. Asegurarse de que las clavijas de centrado están alineadas, y de que no hay mangueras ni alambres entre la culata y el bloque de cilindros.

36. Los tornillos de culata de cilindros se aprietan en dos etapas progresivas. Aplicar una ligera capa de aceite de motor a los tornillos de culata de cilindros. Apretar con uniformidad los 10 tornillos de culata, en varios pases y en secuencia, a 36 pie-lb (49 Nm). Marcar con pintura la delantera de los tornillos de culata. Apretar los tornillos de culata otros 90° más en la secuencia correcta. Ahora la marca de pintura debe estar a 90° de la delantera.

37. Instalar los árboles de levas siguiendo las secuencias y procedimientos correctos.

38. Comprobar y ajustar la holgura de válvulas.

39. Aplicar sellador a los dos sellos semicirculares y montar los sellos en la culata de cilindros.

40. Instalar la cubierta de culata de cilindros con un nuevo empaque, los cuatro ojetes de goma y tuercas, y apretar las tuercas a 17 pie-lb (23 Nm).

41. Instalar el interruptor de presión de aceite.

42. Instalar el soporte del alternador y los soportes de izaje del motor.

43. Instalar la cubierta N° 3 de la banda de sincronización y montar temporalmente la polea loca N° 1 y resorte tensor.

44. Instalar la polea de sincronización del árbol de levas y montar la banda de sincronización en la polea. Tensar correctamente la banda de sincronización y asegurarse de que la sincronización de la banda es correcta.

45. Montar los inyectores de combustible y el tubo de suministro.

46. Montar el múltiple de admisión.

47. Montar el protector y el aparejo de alambres del motor en el múltiple de admisión, y conectar los cuatro conectores de inyectores de combustible.

48. Montar el tubo de aire.

49. Conectar la manguera del PVC en el múltiple de admisión.

50. Montar la válvula del EGR y el modulador de vacío usando una junta nueva, conectar las dos mangueras de vacío en la VSV del EGR, y conectar el conector del sensor de temperatura del gas del EGR.

51. Montar el cuerpo del estrangulador.

52. Conectar el tubo de desvío de agua en la cubierta de la bomba de agua, montar el tubo de desvío de agua y volver a conectar las mangueras del tubo de desvío de agua.

53. Instalar la salida de agua con una junta nueva y las dos tuercas. Apretar las tuercas a 11 pie-lb (15 Nm). Instalar las mangueras de agua, mangueras de vacío, y volver a conectar los conectores de sensores.

54. Conectar el conector del interruptor de presión de aceite.

55. Montar el múltiple de escape en la culata de cilindros. Apretar de modo uniforme las tuercas en varios pases, a 36 pie-lb (49 Nm).

56. Montar el tirante del múltiple con el tornillo y tuerca. Apretar el tornillo y tuerca a 31 pie-lb (42 Nm).

57. Montar el tirante N° 1 del múltiple con el tornillo y tuerca. Apretar el tornillo y tuerca a 31 pie-lb (42 Nm).

58. Montar el aislador térmico superior del múltiple con cuatro tornillos.

59. Montar el sensor de oxígeno principal en el múltiple de escape. Instalar el sensor de oxígeno secundario (sub) en el TWC.

60. Montar el tubo de escape delantero en el convertidor catalítico y apretar las tuercas a 46 pie-lb (62 Nm).

61. Montar el alternador y la banda impulsora.

62. Montar el conjunto del distribuidor y volver a conectar los cables de bujías.

63. Montar el conjunto del filtro de aire y tapa.

64. Para vehículos con T/A, conectar y ajustar el cable (chicote) del estrangulador y el cable del acelerador.

65. Llenar el motor con líquido enfriante.

66. Comprobar todos los fluidos.

67. Conectar en la batería, el cable negativo de la batería.

68. Arrancar el motor y comprobar si hay fugas.

Motor 3.0L (2JZ-GTE)

▼ PRECAUCIÓN ▼

El sistema de inyección de combustible permanece bajo presión después de haber sido desconectado (OFF) el motor. Antes de desacoplar cualquier línea de combustible se tiene que descargar correctamente la presión del combustible. Dejar de hacer esto puede ser la causa de un incendio o de lesiones personales.

1. Descargar la presión de combustible en la línea de combustible antes de desconectar cualquier línea de combustible.

2. Desconectar en la batería, el cable negativo de la batería. En vehículos equipados con una bolsa de aire, esperar al menos 90 segundos antes de proceder.

3. Drenar el líquido enfriante del motor y radiador.

4. Quitar el turbocompresor del motor.

5. Quitar el múltiple de escape sacando las 12 tuercas y dos empaques.

6. Si lleva T/M, desmontar el amortiguador del tensor de la banda impulsora quitando las dos tuercas.

7. Quitar la banda impulsora girando el tensor en el sentido del reloj.

8. Quitar la salida de agua y el tubo de desvío de agua N° 1.

9. Desconectar la bomba de la D/A sin desconectar las mangueras, como sigue:

a. Desconectar la manguera de aire del cuerpo del estrangulador.

b. Desconectar la manguera de aire de la cámara de admisión de aire.

c. Quitar el cuerpo de la bomba de la D/A del soporte de la bomba quitando los dos tornillos.

d. Suspender el cuerpo de la bomba sin desconectar las mangueras.

10. Desconectar la manguera de retorno de combustible del tubo de retorno de combustible. Taponar el extremo de la manguera.

11. Quitar el conjunto de la cámara de admisión de aire.

12. Desconectar los seis conectores de los inyectores.

13. Desconectar los conectores de los sensores de posición de los dos árboles de levas.

14. Desconectar de los portainyectores, las tres abrazaderas de alambres eléctricos del motor.

15. Desconectar el conector de la VSV para el EVAP.

16. Quitar las bandas de tierra del múltiple de admisión sacando los dos tornillos.

17. Desconectar el protector de alambres eléctricos del motor del múltiple de admisión quitando la tuerca.

18. Quitar el motor de arranque.

19. Quitar el conjunto del tanque de presión y la VSV.

▼ PRECAUCIÓN ▼

El sistema de inyección de combustible permanece bajo presión después de haber sido desconectado (OFF) el motor. Antes de desacoplar cualquier línea de combustible se tiene que descargar correctamente la presión del combustible. Dejar de hacer esto puede ser la causa de un incendio o de lesiones personales.

20. Quitar el amortiguador de pulsaciones de la presión de combustible.

21. Quitar el tubo de entrada de combustible desconectando el tornillo de unión y tornillo abrazadera.

22. Quitar el conjunto del múltiple de admisión y tubo de suministro sacando los cuatro tornillos y dos tuercas.

23. Quitar las dos cubiertas superiores de la banda de sincronización (N° 2 y N° 3).

24. Quitar el tensor de la banda impulsora.

25. Poner el cilindro N° 1 en el PMS/compresión. Girar la polea del cigüeñal como el reloj para alinear la ranura con la marca O sobre la cubierta inferior (N° 1) de la banda de sincronización. Comprobar que las marcas de sincronización sobre las poleas de los árboles de levas están alineadas con las marcas sobre la cubierta trasera de la banda. Si las marcas no se alinean, girar el cigüeñal otros 360 grados.

26. Aflojar alternativamente los dos tornillos que sujetan el tensor de la banda de sincronización. Quitar los tornillos y quitar el tensor.

27. Quitar la banda de sincronización de las poleas de árboles de levas. Si la banda se va a volver a usar, colocar marcas de montaje en la banda y los engranes, antes de desmontar la banda. Marcar la banda con una flecha para indicar la dirección de rotación.

28. Quitar las bobinas de ignición.

29. Quitar las bujías.

30. Quitar las cubiertas de culata de cilindros.

31. Mientras se sujeta el árbol de levas con una llave de tuercas, quitar los tornillos y desmontar los engranes del árbol de levas.

32. Quitar los cuatro tornillos y sacar la cubierta N° 4 (interior) de la banda de sincronización.

33. Quitar los árboles de levas siguiendo las secuencias y procedimientos correctos.

34. Quitar la culata de cilindros del bloque de cilindros como sigue:

a. Usando una llave de tuercas bihexagonal de 10 mm, aflojar de modo uniforme y quitar los 14 tornillos de culata de cilindros. Aflojar los tornillos en varios pases y en el orden inverso de la secuencia de instalación.

b. Quitar las 14 arandelas planas.

c. Levantar la culata de cilindros, sacándola de las clavijas de centrado en el bloque de cilindros.

d. Colocar la culata encima de un banco de trabajo, sobre bloques de madera.

35. Quitar los soportes de izaje del motor y la banda de tierra.

36. Quitar los sensores de posición de los árboles de levas.

37. Quitar el enfriador del EGR.

38. Quitar los levantadores de válvulas y calzas de ajuste. Asegurarse de tomar nota de las posiciones de los levantadores de válvulas y de las calzas de ajuste. Al volver a instalar los levantadores de válvulas y calzas de ajuste, hacerlo en las mismas posiciones de las que se desmontaron.

39. Usando la herramienta SST 09202-70010, o equivalente, comprimir el resorte de válvula y quitar los dos seguros de válvula.

40. Quitar el retenedor de resorte, resorte de válvula, válvula, y asiento de resorte.

41. Usando unos alicates de nariz de aguja, quitar el sello de aceite.

Para instalar:

42. Instalar sellos nuevos de aceite de válvula y montar la culata de cilindros.

43. Instalar los soportes de izaje del motor y la banda de tierra. Apretar los tornillos de montaje a 29 pie-lb (39 Nm).

44. Instalar los sensores de posición de árboles de levas y el enfriador del EGR. Apretar los tornillos de montaje del enfriador y sensores a 78 plg-lb (9 Nm).

45. Instalar la culata de cilindros como sigue:

a. Limpiar la culata y el bloque de cilindros.

b. Colocar un empaque de culata de cilindros nuevo en posición sobre el bloque de cilindros.

c. Colocar la culata de cilindros en posición sobre el empaque del bloque de cilindros.

d. Cubrir ligeramente con aceite de motor las roscas de los tornillos de culata y arandelas planas. Montar en la culata las arandelas planas y tornillos.

e. Apretar con uniformidad los tornillos de culata en varios pases, en el orden correcto. Apretar los tornillos a 25 pie-lb (34 Nm).

f. Marcar la delantera (hacia la delantera del motor) de cada tornillo con un punto de pintura. Siguiendo el orden correcto, apretar cada tornillo 90° más. Una vez acabado, las marcas de pintura se deben encarar hacia el lado del motor.

g. Siguiendo el orden correcto otra vez, apretar los tornillos otros 90° de rotación. Una vez finalizado el apriete, las marcas de pintura deben quedar encaradas hacia la trasera del motor, exactamente a 180° del punto de partida original.

➡ **El par de apriete correcto del tornillo se debe alcanzar en tres etapas; no intentar abreviar el procedimiento mediante la combinación de las dos etapas de 90°.**

46. Montar las cubiertas de culata de cilindros.

47. Montar las bujías.

48. Montar las bobinas de ignición.

49. Montar la banda de sincronización.

50. Montar el conjunto de múltiple de admisión y tubo de entrega, instalando un empaque nuevo, los alambres eléctricos del motor, y los cuatro tornillos y dos tuercas. Apretar las tuercas y tornillos a 20 pie-lb (27 Nm).

51. Instalar el tubo de entrada de combustible montando un empaque nuevo y el tornillo de unión. Apretar el tornillo de unión a 30 pie-lb (42 Nm). Montar el tornillo abrazadera del tubo de entrada de combustible en el múltiple de admisión.

52. Montar el amortiguador de pulsaciones de la presión de combustible.

53. Montar el conjunto del tanque de presión y VSV.

54. Montar el motor de arranque.

55. Conectar los alambres eléctricos del motor como sigue:

a. Montar el protector de los alambres del motor en el múltiple de admisión con una tuerca.

b. Montar las dos bandas metálicas de tierra en el múltiple de admisión con los tornillos.

c. Conectar los conectores y abrazaderas siguientes:

- Conector VSV para el EVAP.
- Seis conectores de inyectores.
- Dos conectores de sensores de posición de árbol de levas.
- Tres abrazaderas de alambres eléctricos del motor en los portainyectores.

56. Instalar el conjunto de la cámara de admisión de aire.

57. Conectar la manguera de retorno de combustible.

58. Instalar la bomba de la D/A. Apretar los tornillos a 43 pie-lb (58 Nm).

59. Instalar la salida de agua y el tubo de desvío de agua N° 1 como sigue:

a. Instalar los dos sellos anulares en el tubo de desvío de agua N° 1.

b. Aplicar agua jabonosa a los sellos anulares.

Llave de tuercas
bihexagonal de 10 mm

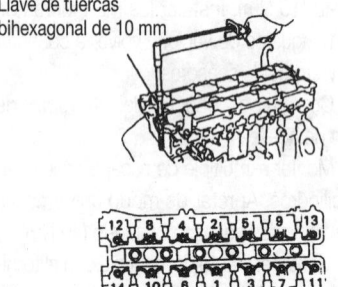

▲ **Para evitar fugas y daños en la culata de cilindros, apretar los tornillos en la secuencia que se muestra – Motor 3.0L (2JZ-GE y 2JZ-GTE)**

c. Instalar el tubo de desvío de agua N° 1 en la bomba de agua.

d. Instalar un empaque nuevo y la salida de agua con los dos tornillos. Apretar los tornillos a 15 pie-lb (21 Nm).

e. Conectar los conectores del sensor ECT y del transmisor del indicador.

f. Conectar la manguera superior del radiador en la salida de agua.

60. Instalar la banda impulsora.

61. Si lleva T/M, instalar el amortiguador del tensor de la banda impulsora. Apretar las dos tuercas a 14 pie-lb (20 Nm).

62. Colocar dos empaques nuevos en la culata de cilindros.

63. Instalar el múltiple de admisión con 12 tuercas nuevas y apretar las tuercas en varios pases. Apretar las tuercas a 29 pie-lb (39 Nm).

64. Montar el turbocompresor.

65. Llenar el motor con líquido enfriante.

66. Conectar en la batería, el cable negativo de la batería.

67. Arrancar el motor y comprobar si hay fugas.

Motor 3.0L (2JZ-GE)

1. Descargar la presión en las líneas de combustible.

▼ PRECAUCIÓN ▼

El sistema de inyección de combustible permanece bajo presión después de haber sido desconectado (OFF) el motor. Antes de desacoplar cualquier línea de combustible se tiene que descargar correctamente la presión del combustible. Dejar de hacer esto puede ser la causa de un incendio o de lesiones personales.

2. Desconectar el cable negativo de la batería. Esperar al menos 90 segundos, antes de efectuar otro trabajo.

3. Drenar el líquido enfriante del motor.

4. Quitar las cubiertas inferiores del vehículo.

5. Desconectar los cables del acelerador, control del estrangulador (sólo en T/A), y control de crucero, del cuerpo del estrangulador.

6. Quitar el ducto del filtro de aire.

7. Quitar el filtro de aire, medidor de flujo de aire y tubo de entrada de aire de admisión.

8. Quitar la banda impulsora, el ventilador y embrague de fluido, y la polea de la bomba de agua.

9. Quitar el tubo de escape delantero.

10. Excepto en vehículos para California, quitar las cuatro tuercas y el aislador térmico del múltiple de escape.

11. Quitar el (los) conector(es) del sensor de oxígeno.

12. Quitar los múltiples de escape y empaques, sacando los ocho tornillos.

13. Quitar la bomba de la D/A, sin sacar las mangueras, como sigue:

a. Desconectar la manguera de aire de la cubierta N° 4 de la banda de sincronización.

b. Desconectar la manguera de aire de la cámara de admisión.

c. Desconectar el cuerpo de la bomba de la D/A del soporte de la bomba, quitando los dos tornillos.

d. Quitar los dos tornillos y el tirante trasero de la bomba.

14. Desconectar la manguera de vacío del reforzador de freno.

15. Desconectar la manguera del EVAP.

16. Quitar el conjunto del cuerpo del estrangulador y conector del aire de admisión.

17. Quitar los tirantes de la cámara de admisión de aire, sacando la tuerca y tornillo de cada tirante.

18. Quitar el conjunto del tubo de vacío N° 2 y VSV.

19. Quitar la cubierta N° 3 de la banda de sincronización sacando la tapa de llenado de aceite y seis tornillos.

20. Quitar la cubierta trasera de la culata de cilindros sacando los cuatro tornillos.

21. Desconectar los cables de bujías de las cubiertas de culata de cilindros.

22. Quitar el distribuidor y alambres eléctricos del motor.

23. Quitar las bujías.

24. Quitar la banda de sincronización.

25. Quitar la salida del desvío de agua y el tubo de desvío N° 1.

26. Desconectar la manguera de retorno de combustible del tubo de retorno de combustible.

27. Desconectar la manguera de retorno de combustible de la guía del medidor de aceite.

28. Quitar el soporte de alambres del motor del múltiple de admisión, sacando el tornillo.

29. Quitar del motor el medidor de aceite y guía.

30. Quitar el motor de arranque.

31. Quitar la cámara de admisión de aire, como sigue:

a. Excepto en vehículos para California, desconectar la manguera del sensor de vacío, del regulador de presión de combustible.

b. Quitar el tornillo que sujeta el protector de los alambres eléctricos del motor en la cámara de admisión de aire.

c. Quitar los cinco tornillos, tuerca, cámara de admisión y el empaque.

32. Quitar el conjunto de la válvula de control de vacío desconectando el conector de la VSV, y luego sacando las dos tuercas.

33. Desconectar los alambres del motor del múltiple de admisión, como sigue:

a. Quitar el tornillo y sacar el soporte de alambres del motor, de la bomba de agua.

b. Quitar los dos tornillos y desconectar las dos bandas metálicas de tierra, del múltiple de admisión.

c. Quitar los dos tornillos y desconectar las dos abrazaderas de alambres del motor, del múltiple de admisión.

d. Desconectar los conectores siguientes:

• Seis conectores de inyectores.

• Conector del sensor del ECT.

• Conector del indicador de la transmisión del ECT.

e. Desconectar el protector de alambres del motor, del múltiple de admisión, sacando las tres tuercas.

34. Quitar el conjunto de la salida de agua y manguera de desvío N° 1, sacando el tornillo y dos tuercas.

35. Quitar el tirante de múltiple de admisión sacando los dos tornillos.

36. Quitar el amortiguador de pulsaciones de la presión de combustible.

37. Quitar el tubo de entrada de combustible.

38. Quitar las dos tuercas y seis tornillos del múltiple de admisión.

39. Quitar el múltiple de admisión y empaques.

40. Quitar las cubiertas de culata de cilindros (cubiertas de válvulas).

41. Quitar las poleas de sincronización de árboles de levas. Sujetar la parte hexagonal del árbol de levas con una llave de tuercas y quitar el tornillo de montaje de la polea y la polea del árbol de levas.

42. Quitar la cubierta N° 4 de la banda de sincronización.

43. Quitar los árboles de levas, siguiendo las secuencias y procedimientos correctos.

44. Aflojar con uniformidad los tornillos de culata de cilindros, en varios pases y en el orden inverso de la secuencia de montaje.

▼ AVISO ▼

La culata de cilindros se puede romper o deformar alabeándose, si no se sigue el orden correcto.

45. Quitar la culata del motor. Si se necesita hacer palanca, usar una rasqueta protegida; tener mucho cuidado en no dañar las superficies de contacto de la culata y bloque.

46. Limpiar la culata y bloque de todo material de empaque. Cuidar mucho de no arrancar material o arañar las superficies de contacto.

Para instalar:

47. Colocar un empaque nuevo en el bloque de cilindros. Asegurar su correcta colocación. Instalar la culata de cilindros en su posición.

48. Cubrir ligeramente con aceite de motor las roscas de los tornillos y arandelas planas. Montar las arandelas planas y tornillos en la culata.

49. Apretar con uniformidad los tornillos de culata en varios pases, en el orden correcto. Apretar los tornillos a 25 pie-lb (34 Nm).

50. Marcar la delantera (hacia la delantera del motor) de cada tornillo con un punto de pintura. Seguir el orden correcto y apretar cada tornillo, otros 90° más. Una vez acabado, todas las marcas de pintura deben encararse hacia el lado del motor.

51. Otra vez, y siguiendo el orden correcto, apretar los tornillos otros 90° más de rotación. Una vez acabado, las marcas de pintura deben encararse hacia la trasera del motor, exactamente a 180° del punto de partida original.

➡ **El par de apriete correcto del tornillo se debe alcanzar en tres etapas; no intentar abreviar el procedimiento mediante la combinación de las dos etapas de 90°.**

52. Cubrir el árbol de levas con aceite de motor, luego colocarlo en su sitio sobre la culata de cilindros con los lóbulos de las levas y las clavijas de detonación en la posición correcta.

53. Colocar las tapas de los cojinetes N° 3 y N° 7 en su sitio, cubrir con aceite las roscas de los tornillos, y luego, con uniformidad y de modo alternativo, apretarlos temporalmente.

54. Cubrir los sellos de aceite nuevos con grasa todo uso, y luego deslizarlos sobre los árboles de levas.

55. Limpiar las superficies de la tapa del cojinete N° 1 y culata de cilindros con limpiador. Aplicar empaque de sellado a la tapa del cojinete N° 1.

56. Montar los árboles de levas siguiendo las secuencias y procedimientos correctos.

57. Usando la herramienta SST 09316-60010, o equivalente, introducir a presión los dos sellos de aceite, tanto como se pueda.

58. Girar cada árbol de levas hasta que la clavija de detonación, que está dirigida hacia adelante, esté dirigida hacia arriba. Aflojar los tornillos de las tapas de cojinete N° 1, N° 2, y N° 6 de escape, hasta que se puedan girar a mano; apretar en varios pases, a 14 pie-lb (20 Nm). Aflojar los de admisión N° 1, N° 2 y N° 5 y apretar, en varios pases, a 14 pie-lb (20 Nm).

59. Girar cada árbol de levas $1/3$ de revolución (120 grados). Aflojar los tornillos de las tapas de cojinete N° 4 y N° 7 de escape; apretar en varios pases a 14 pie-lb (20 Nm). Aflojar los de admisión N° 4 y N° 6 y apretar en varios pases, a 14 pie-lb (20 Nm).

60. Girar cada árbol de levas $1/3$ de revolución adicional (120 grados), aflojar los tornillos de las tapas de cojinete de escape N° 3 y N° 5, luego apretarlos en varios pases, a 14 pie-lb (20 Nm). Aflojar los tornillos de las tapas de cojinete de admisión N° 3 y N° 7, luego apretarlos en varios pases a 14 pie-lb (20 Nm).

61. Comprobar y ajustar la holgura de válvulas.

62. Instalar la cubierta N° 4 de la banda de sincronización. Apretar los tornillos a 78 plg-lb (9 Nm).

63. Instalar las poleas de sincronización de los árboles de levas. Alinear el pasador del árbol de levas con la ranura de la polea y deslizar encima la polea. Instalar el tornillo temporalmente. Sujetar la parte hexagonal del árbol de levas con una llave de tuercas y apretar el tornillo de la polea a 59 pie-lb (79 Nm).

64. Montar las cubiertas de culata de cilindros.

65. Montar el múltiple de admisión con un empaque nuevo. Apretar los tornillos a 20 pie-lb (27 Nm).

66. Instalar los inyectores y el tubo de suministro. Apretar los tornillos que sujetan el tubo en el múltiple a 20 pie-lb (27 Nm).

67. Instalar el tubo de entrada de combustible con dos empaques nuevos y apretar el tornillo de unión. Apretar el tornillo de unión a 30 pie-lb (42 Nm). Instalar el tornillo de presión en el múltiple de admisión.

68. Montar el amortiguador de pulsaciones de la presión de combustible.

69. Montar el tirante del múltiple de admisión y apretar los tornillos a 29 pie-lb (39 Nm).

70. Montar el conjunto de salida de agua y la manguera de desvío N° 1.

71. Conectar los alambres eléctricos del motor como sigue:

a. Montar el protector de los alambres eléctricos del motor en el múltiple de admisión con tres tuercas.

b. Conectar los seis conectores de inyectores.

c. Conectar el conector del sensor de ECT.

d. Conectar el conector del indicador de transmisión del ECT.

e. Montar las dos abrazaderas de alambres eléctricos en el múltiple de admisión con los tornillos.

f. Montar las dos bandas de tierra en el múltiple de admisión con los tornillos.

g. Montar el soporte de alambres del motor en la bomba de agua con el tornillo.

72. Montar el grupo de la válvula de control de vacío. Apretar los tornillos a 15 pie-lb (21 Nm). Conectar el conector de la VSV.

73. Instalar la cámara de admisión de aire como sigue:

a. Montar un empaque nuevo y la cámara de admisión, con la tuerca y cinco tornillos. Apretar los tornillos y tuerca a 20 pie-lb (27 Nm).

b. Montar el tornillo que sujeta el protector de alambres eléctricos del motor en la cámara de admisión de aire.

c. Excepto en vehículos para California, conectar la manguera del sensor de vacío en el regulador de presión de combustible.

74. Instalar el motor de arranque.

75. Instalar los tubos de medición del aceite y de la transmisión. Usar siempre un sello anular nuevo en cada tubo.

76. Instalar el soporte de alambres eléctricos del motor.

77. Conectar la manguera de retorno de combustible.

78. Montar la salida de desvío de agua y el tubo de desvío de agua N° 1.

79. Instalar la banda de sincronización como sigue:

a. Girar la polea del cigüeñal y alinear las ranuras con la marca de sincronización O sobre la cubierta N° 1 de la banda de sincronización.

b. Alinear las marcas de sincronización en los engranes de sincronización de los árboles de levas y la cubierta N° 4 de la banda de sincronización.

c. Instalar la banda de sincronización.

d. Duplicar la comprobación de que todas las marcas de sincronización de la polea del cigüeñal y de los engranes de los árboles de levas, están alineadas tal como lo estaban durante el desmontaje.

e. Colocar el tensor de la banda de sincronización:

• Usar una prensa para introducir despacio la varilla de empuje sobre el tensor. Esto requiere entre 220 y 2200 libras de presión.

• Alinear los agujeros de la varilla de empuje y del cuerpo. Colocar una llave hexagonal de 1.5 mm (Allen), a través de los agujeros, para mantener retraída la varilla de empuje.

• Retirar la prensa y montar el fuelle guardapolvo sobre el tensor.

f. Instalar el tensor; apretar los tornillos, de modo alternativo, a 20 pie-lb (26 Nm).

g. Con unos alicates, quitar del tensor la llave hexagonal.

h. Girar la polea del cigüeñal dos vueltas completas en el sentido del reloj. Comprobar que cada marca de sincronización de las poleas se alinea correctamente después de las dos vueltas. Si no se alinea ninguna marca, quitar la banda de sincronización y volver a instalarla.

80. Montar el tensor de la banda de sincronización instalando los tres tornillos. Apretar los tornillos a 15 pie-lb (21 Nm).

81. Montar la cubierta N° 2 de la banda de sincronización.

82. Montar las bujías.

83. Montar en el motor el distribuidor y los cables de bujías.

84. Conectar los cables de bujías en las cubiertas de culatas de cilindros.

85. Montar la cubierta N° 3 de la banda de sincronización.

86. Montar la cubierta trasera de la culata de cilindros.

87. Montar el conjunto del tubo de vacío N° 2 y la VSV.

88. Montar los tirantes de la cámara de admisión de aire con la tuerca y el tornillo para cada tirante. Apretar el tornillo y la tuerca a 13 pie-lb (18 Nm).

89. Instalar el conjunto del cuerpo del estrangulador y el conector del aire de admisión.

90. Conectar la manguera del EVAP.

91. Conectar la manguera de vacío del reforzador de freno.

92. Instalar la bomba de la D/A.

93. Instalar los múltiples de escape.

94. Instalar el tubo de escape delantero N° 2.

95. Instalar la polea de la bomba de agua, ventilador, conjunto del acoplamiento de fluido, y la banda impulsora. Apretar los cuatro tornillos de la polea a 12 pie-lb (16 Nm).

96. Montar el conjunto del filtro de aire, medidor VAF, y el tubo conector del aire de admisión.

97. Montar el ducto del filtro de aire.

98. Conectar el cable del control de crucero, control del estrangulador, y cables del acelerador en el cuerpo del estrangulador.

99. Llenar el motor con líquido enfriante.

100. Conectar en la batería, el cable negativo de la batería.

101. Arrancar el motor y comprobar si hay fugas.

102. Comprobar la sincronización de la ignición.

103. Montar la cubierta inferior del motor.

104. Efectuar una prueba en carretera.

Motor 3.0L (1MZ-FE)

▼ PRECAUCIÓN ▼

El sistema de inyección de combustible permanece bajo presión después de haber sido desconectado (OFF) el motor. Antes de desacoplar cualquier línea de combustible se tiene que descargar correctamente la presión del combustible. Dejar de hacer esto puede ser la causa de un incendio o de lesiones personales.

1. Descargar la presión de combustible.

2. Desconectar el cable negativo de la batería. En los vehículos con bolsa de aire, esperar al menos 90 segundos antes de proceder.

3. Drenar el sistema de enfriamiento.

4. Desconectar el cable del acelerador y el cable del estrangulador, en vehículos con T/A (transmisión automática).

5. Quitar la cubierta del filtro de aire, medidor de flujo de aire, y ducto de aire.

6. Quitar, si lo lleva, el accionador del control de crucero y soporte.

7. Desconectar las dos bandas de tierra del motor.

8. Quitar el soporte de montaje derecho del motor.

9. Desconectar las mangueras del radiador.

10. Desconectar las dos mangueras del calefactor.

11. Desconectar y taponar las mangueras de alimentación y retorno de combustible del conjunto del distribuidor de combustible.

12. Desconectar y taponar la manguera de presión del motor hidráulico.

13. Quitar la cubierta de la bancada en V.

14. Desconectar las siguientes mangueras de vacío:

a. De la VSV de control de presión de combustible.

b. Del regulador de presión de combustible.

c. De la placa trasera de la culata de cilindros.

d. De la VSV de la válvula de control del aire de admisión.

e. Del modulador de vacío del EGR.

f. De la válvula EGR.

15. Desconectar los siguientes conectores:

a. De la válvula de control del aire de admisión.

b. Del regulador de presión de combustible.

c. De la VSV del EGR.

16. Quitar las dos tuercas y el grupo de la válvula del control de emisiones.

17. Desconectar las siguientes mangueras:

a. Manguera de vacío del reforzador de freno.

b. Manguera del PCV.

c. Manguera de vacío de la válvula de control del aire de admisión.

18. Quitar el conector de transmisión de datos del soporte de montaje.

19. Quitar las dos bandas de tierra de la cámara de admisión.

20. Quitar la manguera de presión del motor hidráulico, de la cámara de admisión.

21. Quitar el conector del sensor de oxígeno derecho, del tubo de presión de la bomba de la D/A.

22. Quitar las dos tuercas y el tubo de presión de la D/A, de la cámara de admisión.

23. Desconectar las mangueras de aire de la D/A.

24. Quitar el soporte de izaje y el apoyo de la cámara de admisión.

25. Quitar el tubo y empaques del EGR.

26. Desconectar los conectores siguientes:

a. Conector del sensor de posición del estrangulador.

b. Conector de la válvula IAC.

c. Conector de temperatura del gas del EGR.

d. Conector de la marcha mínima acelerada del A/A.

27. Desconectar las mangueras de vacío siguientes:

a. Dos mangueras de vacío de TVV.

b. Manguera de vacío de la placa trasera de la culata de cilindros.

c. Manguera de vacío del bote de carbón activo.

28. Desconectar la manguera de ayuda de aire y las mangueras de desvío de agua.

29. Quitar la cámara de admisión de aire.

30. Desconectar el aparejo de alambres eléctricos de la izquierda del motor y ponerlos apartados a un lado.

31. Quitar el aparejo de alambres eléctricos de la trasera del motor.

32. Desconectar el aparejo de alambres eléctricos de la derecha del motor y situarlos apartados a un lado.

33. Quitar las bobinas de ignición y las bujías.

34. Quitar la banda de sincronización.

35. Quitar las poleas de los árboles de levas y la cubierta trasera de la banda de sincronización.

36. Quitar la placa trasera de la culata de cilindros.

37. Quitar el tubo de entrada de agua.

38. Quitar la manguera de aire auxiliar (de ayuda), y la manguera de vacío.

39. Quitar el conjunto del múltiple de admisión y distribuidor de combustible.

40. Quitar la salida de agua.

41. Quitar el tubo del EGR del múltiple de admisión derecho.

42. Quitar los múltiples de escape.

43. Quitar el conjunto medidor de aceite y el soporte de la bomba de la D/A.

44. Quitar las cubiertas de válvulas y el sensor de posición del árbol de levas.

45. Quitar los árboles de levas siguiendo las secuencias y procedimientos correctos.

46. Asegurarse de que el motor está a la temperatura ambiente, o cerca de ella, y quitar los dos (uno en cada culata) tornillos Allen (de cabeza hundida hexagonal) de 8 mm. Aflojar y quitar de modo uniforme los ocho tornillos de culata, en tres pases, en el orden inverso de la secuencia de montaje. Levantar con cuidado, sacando la culata del motor, procurando no dañar las superficies de contacto. Colocar la culata sobre bloques de madera en una zona de trabajo limpia.

➡ **Si los tornillos de culata se aflojan sin seguir la secuencia, se pueden producir deformaciones o incluso la rotura.**

47. Quitar el empaque de la culata de cilindros. Con un rascador de empaques, quitar con cuidado todo resto de material de empaque de las superficies de la culata de cilindros y del bloque de cilindros.

Para instalar:

48. Colocar el empaque nuevo sobre el bloque de cilindros. Colocar la culata de cilindros sobre el empaque.

49. Cubrir las roscas de los tornillos de culata de cilindros (de 12 lados o bihexagonales)

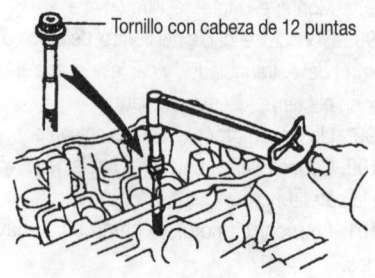

Tornillo con cabeza de 12 puntas

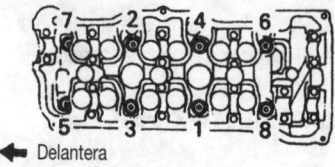

◀ Delantera

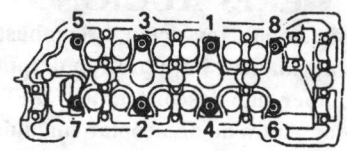

▲ **Secuencia de apriete de la culata de cilindros – Motor 3.0L (1MZ-FE)**

con aceite de motor limpio, y montar los tornillos en la culata de cilindros. Apretar los tornillos de modo regular, en secuencia, en tres etapas hasta un último apriete de 40 pie-lb (54 Nm), usando la secuencia correcta.

50. Marcar con pintura el borde delantero de cada tornillo, luego apretar cada tornillo, en la secuencia correcta, otros 90 grados más. Comprobar que cada marca de pintura está ahora a un ángulo de 90 grados de la delantera. La marca de pintura se ha aplicado a las 9 en punto y ahora debe estar en la posición de las 12 en punto.

51. Cubrir las roscas de los dos restantes tornillos de 8 mm con aceite de motor y montarlos. Apretar a 13 pie-lb (18 Nm).

52. Montar los árboles de levas siguiendo las secuencias y procedimientos correctos.

53. Comprobar y ajustar las válvulas.

54. Aplicar sellador a las culatas de cilindros, en los sitios donde los soportes de los árboles de levas contactan con las culatas de cilindros.

55. Usar nuevos empaques y montar las cubiertas de culatas de cilindros.

56. Montar el medidor de aceite y soporte de la bomba de la D/A.

57. Montar los múltiples de escape. Apretar las tuercas a 36 pie-lb (49 Nm).

58. Montar el tubo del EGR en el múltiple de escape derecho.

59. Montar la salida de agua.

60. Montar el múltiple de admisión y el conjunto del distribuidor de combustible. Apretar las tuercas y tornillos del múltiple de admisión a 11 pie-lb (15 Nm).

61. Instalar la manguera de aire auxiliar y las dos mangueras de desvío de agua.

62. Instalar el tubo de salida de agua y la placa trasera de la culata de cilindros.

63. Instalar la cubierta trasera de la banda de sincronización y las poleas de los árboles de levas.

64. Instalar la banda de sincronización.

65. Instalar las bujías y las bobinas de ignición.

66. Instalar el aparejo de alambres eléctricos de la derecha del motor.

67. Instalar el aparejo de alambres eléctricos en la trasera del motor.

68. Instalar el aparejo de alambres eléctricos de la izquierda del motor.

69. Instalar la cámara de admisión de aire.

70. Usar empaques nuevos y montar el tubo del EGR.

71. Conectar las mangueras de vacío siguientes:

a. Las dos mangueras de vacío del TVV.

b. La manguera de vacío en la placa trasera de la culata de cilindros.

c. La manguera de vacío del bote de carbón activo.

72. Conectar los conectores eléctricos siguientes:

a. Conector del sensor de posición del estrangulador.

b. Conector de la válvula del IAC.

c. Conector de la temperatura del gas del EGR.

d. Conector de la marcha mínima acelerada del A/A.

73. Montar el soporte de izaje y el apoyo de la cámara de admisión.

74. Conectar las dos mangueras de aire de la D/A.

75. Montar el tubo de presión de la D/A en la cámara de admisión.

76. Montar el conector del sensor de oxígeno en el tubo de presión.

77. Montar las dos bandas de tierra en la cámara de admisión.

78. Montar el conector de transmisión de datos en el soporte.

79. Conectar las mangueras siguientes:

a. Manguera de vacío del reforzador de freno.

b. Manguera del PCV.

c. Manguera de vacío del IAC.

80. Montar el grupo de la válvula del control de emisiones y mangueras de vacío y conectores relacionados.

81. Montar la cubierta de la bancada en V.

82. Conectar la manguera de presión en el motor hidráulico.

83. Conectar las líneas de combustible en el conjunto distribuidor de combustible.

84. Conectar las mangueras del radiador y calefactor.

85. Instalar el soporte de montaje derecho del motor.

86. Conectar las dos bandas de tierra del motor.

87. Montar el accionador del control de crucero y soporte.

88. Montar el conjunto del filtro de aire, medidor del flujo de aire y ducto de aire.

89. Conectar el cable del acelerador y el cable del estrangulador en vehículos equipados con transmisión automática (T/A).

90. Llenar el sistema de enfriamiento con líquido enfriante hasta el nivel correcto.

91. Conectar el cable negativo de la batería.

92. Arrancar el motor y comprobar si hay fugas. Sangrar el aire del sistema de enfriamiento.

93. Ajustar la sincronización de la ignición.

94. Probar el vehículo en carretera y comprobar anomalías acerca de ruidos anormales, amortiguación, resbalamiento, puntos de cambio correctos, y funcionamiento suave.

95. Volver a comprobar los niveles de aceite del motor y líquido enfriante.

TURBOCOMPRESOR

DESMONTAJE E INSTALACIÓN

Motor 3.0L (2JZ-GTE)

1. Desconectar en la batería, el cable negativo de la batería.

2. Drenar el líquido enfriante, del motor.

3. Desconectar el cable del accionador del control de crucero, del cuerpo del estrangulador.

4. Quitar la manguera de aire N° 1.

5. Quitar el conjunto del filtro de aire y medidor MAF, como sigue:

a. Quitar los tres tornillos del conjunto de aire.

b. Aflojar la abrazadera de la manguera y desconectar la manguera de aire del conector del aire de admisión.

c. Desconectar el alambre del medidor MAF, de la abrazadera en la caja del filtro de aire.

d. Desconectar el conector del medidor MAF y quitar el conjunto del filtro de aire y medidor MAF.

6. Desconectar de la carrocería la bocina disuasoria de ladrones.

7. Levantar y soportar con seguridad el vehículo.

8. Quitar el tirante del soporte del brazo inferior delantero, quitando los dos tornillos, tuerca y arandela plana.

9. Quitar la extensión del travesaño superior delantero, sacando los dos tornillos y dos tuercas.

10. Quitar el tubo de escape delantero N° 2, como sigue:

a. Quitar el tubo de escape delantero en el tubo de escape delantero N° 2, quitando los dos tornillos y tuercas.

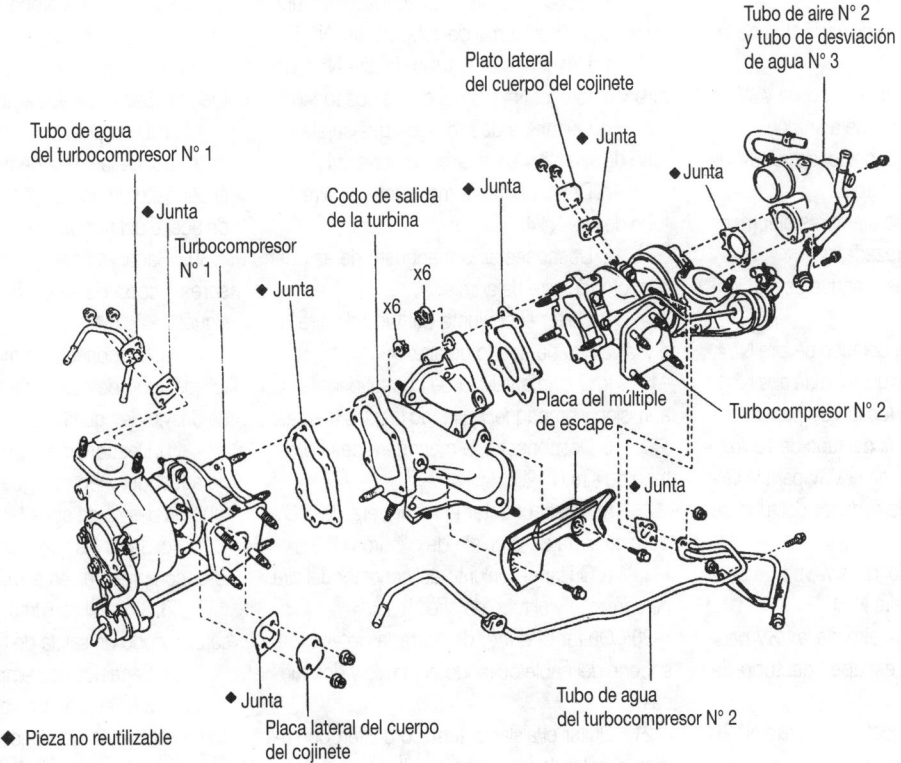

▲ Despiece del conjunto de los componentes del turbocompresor – Supra con Motor 3.0L (2JZ-GTE)

b. Quitar el soporte del apoyo del tubo quitando los dos tornillos y tuercas.

c. Desconectar el tubo de escape delantero del tubo de escape N° 2 y quitar el empaque.

d. Quitar las tres tuercas, luego quitar el tubo de escape delantero N° 2 y el empaque.

11. Quitar el aislador térmico para el tubo de escape delantero N° 2, quitando los dos tornillos y dos tuercas.

12. Si va equipado con T/A, desconectar del motor, los tubos del enfriador de aceite de la T/A.

13. Desconectar de la carrocería el protector de los alambres eléctricos del motor, quitando los dos tornillos.

14. Desconectar la manguera del calefactor, del tubo de desvío de agua N° 3.

15. Desconectar la manguera del EVAP, del tubo de vacío N° 1.

16. Desconectar el tubo de la válvula IAC del tubo de aire N° 2, como sigue:

a. Desconectar de la brazadera, los alambres eléctricos del motor.

b. Desconectar del tubo de la válvula IAC, la manguera de aire (del tubo de vacío N° 1).

c. Desconectar la manguera de aire del tubo de aire N° 2.

d. Desconectar el tubo de la válvula IAC de la abrazadera.

17. Desconectar el tubo de vacío N° 1 de los tubos de aire, como sigue:

a. Desconectar el conector de la VSV, de la válvula de control del aire de admisión.

b. Desconectar el conector de la VSV, de la válvula de desvío del escape.

c. Desconectar los alambres eléctricos del motor, de las tres abrazaderas.

d. Desconectar las mangueras siguientes:

- Manguera de aire, del tubo de aire N° 4.
- Manguera de aire, del tubo de aire N° 1.
- Manguera de aire (de la VSV para la válvula compuerta-aliviadero), del tubo de vacío.
- Manguera de aire (de la VSV para la válvula de control del gas de escape), del tubo de vacío.
- Manguera de vacío (de la válvula de desvío de aire), del tubo de aire N° 1.
- Dos mangueras de aire (de la VSV para la válvula de desvío de escape), del tubo de vacío.
- Manguera de aire (del tubo de aire N° 2), del tubo de vacío.
- Dos mangueras de aire (del tanque de presión), del tubo de vacío.

e. Quitar los tres tornillos y desconectar el tubo de vacío, de los tubos de aire.

18. Quitar el conjunto de la VSV, como sigue:

a. Desconectar la manguera de aire, del accionador para la válvula compuerta-aliviadero.

b. Desconectar la manguera de aire, del accionador para la válvula de control del gas de escape.

c. Desconectar la manguera de aire, de la abrazadera de manguera.

d. Desconectar los alambres eléctricos del motor, de la abrazadera de alambres.

e. Quitar los dos tornillos y desconectar los 2 conectores de la VSV.

f. Quitar el conjunto de la VSV.

19. Quitar los tubos de aire y el conector del aire de admisión como sigue:

a. Desconectar el conector del sensor de posición del cigüeñal de la abrazadera.

b. Desconectar la manguera de desvío de agua (de la bomba de agua) del tubo de agua N° 1 del turbo.

c. Desconectar la manguera de desvío de agua (de la salida de agua) del tubo de agua N° 1 del turbo.

d. Desconectar la manguera de desvío de agua (de la salida de agua) del tubo de agua N° 2 del turbo.

e. Quitar el tornillo y desconectar el tubo de agua N° 2 del turbo del tubo de aire N° 4.

f. Desconectar el tubo de aire N° 1 del turbocompresor N° 1 quitando los dos tornillos.

g. Quitar los dos tornillos que sujetan el tubo de aire N° 4 en el turbocompresor N° 1.

h. Desconectar la manguera de aire del tubo de aire N° 4.

i. Desconectar la manguera de aire del conector del aire de admisión.

j. Quitar el conjunto del tubo de aire N° 4 y la válvula de desvío de aire.

k. Quitar la válvula de control del aire de admisión y empaque, quitando las dos tuercas.

l. Desconectar la manguera de aire del tubo de aire N° 2.

m. Desconectar la manguera del PCV de la cubierta de la culata de cilindros N° 2.

n. Quitar el conjunto del conector del aire de admisión y el tubo de aire N° 1.

20. Quitar el ducto de entrada de aire y el soporte del cable quitando el tornillo y dos tuecas.

21. Quitar el aislador térmico del turbocompresor quitando los cuatro tornillos.

22. Quitar el tubo de desvío del escape y el empaque quitando las cuatro tuercas.

23. Quitar el tirante de la válvula de control del gas de escape quitando la tuerca y el tornillo.

24. Quitar el sensor calentado de oxígeno principal desconectando el conector eléctrico y dos tuercas.

25. Quitar la válvula de control del gas de escape quitando las tres tuercas.

26. Quitar el tirante del turbocompresor N° 1 quitando la tuerca y tornillo.

27. Quitar el tirante del turbocompresor N° 2 quitando la tuerca y tornillo.

28. Quitar el tubo de aceite del turbo N° 1 como sigue:

a. Quitar del turbocompresor el tornillo de unión que sujeta el tubo de aceite del turbo en la culata de cilindros. Quitar los dos empaques.

b. Quitar las dos tuercas y desconectar el tubo de aceite del turbo, del turbocompresor. Quitar los empaques.

c. Quitar la manguera de aceite del turbo de la salida de aceite del turbo sobre el depósito de aceite N° 1. Quitar el tubo de aceite del turbo.

29. Quitar el tubo de aceite del turbo N° 2, como sigue:

a. Quitar el tornillo de unión que sujeta el tubo de aceite del turbo en el bloque de cilindros. Sacar los dos empaques.

b. Desconectar el tubo de aceite del turbo del turbocompresor, quitando las dos tuercas. Sacar los dos empaques.

c. Desconectar la manguera de aceite del turbo, de la salida de aceite del turbo sobre el depósito de aceite N° 1, y desmontar el tubo de aceite del turbo.

30. Sacar el conjunto de los turbocompresores y codo de salida de las turbinas, como sigue:

a. Desconectar la manguera del calefactor (del tubo de desvío de agua N° 3), del tubo de desvío de agua N° 2.

b. Desconectar la manguera de desvío de agua (del tubo de agua del turbo N° 2), del tubo de desvío de agua N° 2.

c. Sacar las ocho tuercas que sujetan los turbocompresores en el múltiple de escape.

d. Sacar el conjunto de los turbocompresores y codo de salida de turbina.

e. Sacar los dos empaques.

31. Sacar el tubo de vacío N° 1 del turbocompresor N° 2, desconectando las dos mangueras de aire del accionador.

32. Sacar el conjunto del tubo de aire N° 2 y el tubo de desvío de agua N° 3 del turbocompresor N° 2, quitando los dos tornillos y el tubo de aire.

33. Sacar la placa del múltiple de escape del codo de salida de la turbina.

34. Sacar el tubo de agua del turbo N° 2 del turbocompresor N° 2, quitando las dos tuercas.

35. Sacar la placa lateral del cuerpo del cojinete del turbocompresor N° 1, quitando las dos tuercas.

36. Sacar el tubo de agua del turbo N° 1 del turbocompresor N° 1, quitando las dos tuercas.

37. Sacar la placa lateral del cuerpo del cojinete del turbocompresor N° 2, quitando las dos tuercas.

38. Sacar el turbocompresor N° 1 del codo de salida de la turbina, quitando los seis tuercas.

39. Sacar el turbocompresor N° 2 del codo de salida de la turbina, quitando las seis tuercas.

Para instalar:

40. Instalar el turbocompresor N° 2 en el codo de salida de la turbina, montando un empaque nuevo y seis tuercas nuevas. Apretar las tuercas a 18 pie-lb (25 Nm).

41. Montar el turbocompresor N° 1 en el codo de salida de la turbina, instalando un empaque nuevo y seis tuercas nuevas. Apretar las tuercas a 18 pie-lb (25 Nm).

42. Montar la placa lateral del cuerpo del cojinete en el turbocompresor N° 2, instalando un empaque nuevo y dos tuercas. Apretar las dos tuercas a 78 plg-lb (9 Nm).

43. Montar el tubo de agua del turbo N° 1 en el turbocompresor N° 1, montando un empaque nuevo y dos tuercas. Apretar a 78 plg-lb (9 Nm).

44. Instalar la placa lateral del cuerpo del cojinete en el turbocompresor N° 1, montando un nuevo empaque y dos tuercas. Apretar las tuercas a 78 plg-lb (9 Nm).

45. Instalar el tubo de agua del turbo N° 2 en el turbocompresor N° 2, montando un empaque nuevo y dos tuercas. Apretar las dos tuercas a 78 plg-lb (9 Nm).

46. Instalar la placa del múltiple de escape en el codo de salida de la turbina y montar los dos tornillos.

47. Instalar el conjunto de tubo de aire N° 2 y tubo de desvío de agua N° 3 en el turbocompresor N° 2, y montar el empaque y dos tornillos. Apretar los tornillos a 15 pie-lb (21 Nm).

48. Instalar el tubo de vacío N° 1 en el turbocompresor N° 2, montando las dos mangueras.

49. Instalar el conjunto de los turbocompresores y el codo de salida de la turbina, como sigue:

a. Instalar dos empaques nuevos.

b. Instalar en el múltiple de escape, los turbocompresores y codo de salida de turbina.

c. Instalar ocho tuercas nuevas y apretar las tuercas con uniformidad en varios pases. Apretar las tuercas a 40 pie-lb (54 Nm).

d. Conectar la manguera de desvío de agua (del tubo de agua del turbo N° 2), en el tubo de desvío de agua N° 2.

e. Conectar la manguera del calefactor (del tubo de desvío de agua N° 3), en el tubo de desvío de agua N° 2.

50. Instalar el tubo de aceite del turbo N° 2, como sigue:

a. Instalar el tubo de aceite del turbo y conectar la manguera de aceite del turbo en la salida de aceite del turbo sobre el depósito de aceite N° 1.

b. Usando un empaque nuevo, instalar el tubo de aceite del turbo en el turbocompresor instalando las dos tuercas. Apretar las tuercas a 15 pie-lb (21 Nm). Asegurarse de que los orificios de aceite del empaque y del cuerpo del turbocompresor están alineados.

c. Usando dos empaques nuevos, conectar el tornillo de unión que sujeta el tubo de aceite del turbo en el bloque de cilindros. Apretar el tornillo de unión a 29 pie-lb (39 Nm).

51. Instalar el tubo de aceite del turbo N° 1, como sigue:

a. Instalar el tubo de aceite del turbo y conectar la manguera de aceite del turbo en la salida de aceite del turbo sobre el depósito de aceite N° 1.

b. Usando un empaque nuevo, instalar el tubo de aceite del turbo en el turbocompresor, montando las dos tuercas. Apretar las tuercas a 15 pie-lb (21 Nm). Asegurarse de que los agujeros de aceite del empaque y del cuerpo del turbocompresor, están alineados.

c. Usando dos empaques nuevos, conectar el tornillo de unión que sujeta el tubo de aceite del turbo en el bloque de cilindros. Apretar el tornillo de unión a 29 pie-lb (39 Nm).

52. Instalar el tirante del turbocompresor N° 2, montando la tuerca y tornillo. Apretar la tuerca y tornillo a 32 pie-lb (43 Nm).

53. Instalar el tirante del turbocompresor N° 1, montando la tuerca y tornillo. Apretar la tuerca y tornillo a 32 pie-lb (43 Nm).

54. Montar la válvula de control del gas de escape, montando dos nuevos empaques y las tres tuercas. Apretar las tres tuercas a 51 pie-lb (69 Nm).

55. Montar el sensor calentado de oxígeno principal, conectando el conector eléctrico y montando las dos tuercas. Apretar las tuercas a 14 pie-lb (20 Nm).

56. Instalar el tirante de la válvula de control del gas de escape, montando el tornillo y tuerca. Apretar el tornillo y tuerca a 32 pie-lb (43 Nm).

57. Instalar el tubo de desvío de escape, montando dos nuevos empaques y cuatro tuercas nuevas. Apretar las tuercas a 18 pie-lb (25 Nm).

58. Instalar el aislador térmico del turbocompresor montando los cuatro tornillos.

59. Instalar el ducto de aire, montando el soporte del cable, tornillo y dos tuercas.

60. Conectar los tubos de aire y el conector del aire de admisión, como sigue:

a. Instalar el conjunto del conector del aire de admisión y tubo de aire N° 1.

b. Conectar la manguera del PCV en la cubierta N° 2 de la culata de cilindros.

c. Conectar la manguera de aire en el tubo de aire N° 2.

d. Instalar la válvula de control del aire de admisión y empaque, montando las dos tuercas. Apretar las tuercas a 15 pie-lb (21 Nm).

e. Instalar el conjunto del tubo de aire N° 4 y la válvula de desvío de aire.

f. Conectar la manguera de aire en el conector del aire de admisión.

g. Conectar la manguera de aire en el tubo de aire N° 4.

h. Instalar los dos tornillos que sujetan el tubo de aire N° 4 en el turbocompresor N° 1. Apretar los tornillos a 15 pie-lb (21 Nm).

i. Conectar el tubo de aire N° 1 en el turbocompresor N° 1, montando los dos tornillos. Apretar los tornillos a 15 pie-lb (21 Nm).

j. Instalar el tubo de agua del turbo N° 2 en el tubo de aire N° 4, montando el tornillo.

k. Conectar la manguera de desvío de agua (de la salida de agua) en el tubo de agua del turbo N° 2.

l. Conectar la manguera de agua (de la salida de agua) en el tubo de agua del turbo N° 1.

m. Conectar la manguera de desvío de agua (de la bomba de agua), en el tubo de agua del turbo N° 1.

n. Conectar en la abrazadera el conector del sensor de posición del cigüeñal.

61. Instalar el conjunto de la VSV, como sigue:

a. Conectar el conjunto de la VSV y conectar los dos conectores de la VSV.

b. Montar los dos tornillos.

813

c. Conectar los alambres eléctricos del motor en la abrazadera de alambres.

d. Conectar la manguera de aire en la abrazadera de manguera.

e. Conectar la manguera de aire en el accionador de la válvula de control del gas de escape.

f. Conectar la manguera de aire en el accionador de la válvula compuerta-aliviadero.

62. Conectar el tubo de vacío N° 1 en los tubos de aire, como sigue:

a. Instalar el tubo de vacío en los tubos de aire y montar los tres tornillos.

b. Conectar las dos mangueras de aire (del tanque de presión de vacío), en el tubo de vacío.

c. Conectar las dos mangueras de aire en la VSV, de la válvula de control del aire de admisión.

d. Conectar la manguera de aire (del tubo de aire N° 2) en el tubo de vacío.

e. Conectar las dos mangueras de aire (de la válvula de desvío de aire) en el tubo de aire N° 1.

f. Conectar la manguera de vacío (de la válvula de desvío de aire) en el tubo de aire N° 1.

g. Conectar la manguera de aire (de la VSV de la válvula de control del gas de escape) en el tubo de vacío.

h. Conectar la manguera de aire (de la VSV de la válvula compuerta-aliviadero) en el tubo de vacío.

i. Conectar la manguera de aire en el tubo de aire N° 1.

j. Conectar la manguera de aire en el tubo de aire N° 4.

k. Conectar los alambres eléctricos del motor en las tres abrazaderas.

l. Conectar el conector de la VSV de la válvula de desvío del escape.

m. Conectar el conector de la VSV de la válvula de control del aire de admisión.

63. Conectar el tubo de la válvula IAC en el tubo de aire N° 2, como sigue:

a. Conectar el tubo de la válvula IAC en la abrazadera.

b. Conectar la manguera de aire en el tubo de aire N° 2.

c. Conectar la manguera de aire (del tubo de vacío N° 1), en el tubo de la válvula IAC.

d. Conectar en la abrazadera los alambres eléctricos del motor.

64. Conectar la manguera del EVAP en el tubo de vacío N° 1.

65. Conectar la manguera del calefactor en el tubo de desvío de agua N° 3.

66. Conectar el protector de los alambres eléctricos del motor en la carrocería, montando los dos tornillos.

67. Conectar los tubos del enfriador de aceite de la T/A en el motor.

68. Instalar el aislador térmico del tubo de escape delantero N° 2, montando los dos tornillos y dos tuercas.

69. Instalar el tubo de escape delantero N° 2, como sigue:

a. Usando un empaque nuevo, instalar el tubo de escape delantero N° 2, y montar las tres tuercas. Apretar las tuercas a 46 pie-lb (62 Nm).

b. Conectar el tubo de escape delantero en el tubo de escape N° 2.

c. Instalar el soporte del apoyo del tubo y montar los dos tornillos. Apretar los tornillos a 32 pie-lb (43 Nm).

d. Instalar los dos tornillos y tuercas para sujetar el tubo de escape delantero en el tubo de escape delantero N° 2. Apretar los tornillos y tuercas a 43 pie-lb (58 Nm).

70. Instalar la extensión superior del travesaño delantero, montando los dos tornillos y dos tuercas. Apretar los tornillos a 22 pie-lb (29 Nm), y las tuercas a 25 pie-lb (33 Nm).

71. Instalar el tirante del soporte del brazo delantero inferior, montando la arandela plana, tuerca y dos tornillos. Apretar los tornillos a 33 pie-lb (44 Nm) y la tuerca a 43 pie-lb (59 Nm).

72. Conectar en la carrocería la bocina de alarma disuasoria de ladrones.

73. Conectar el conjunto del filtro de aire y medidor MAF, como sigue:

a. Instalar el conjunto medidor MAF y filtro de aire. Conectar el conector del medidor MAF.

b. Conectar los alambres eléctricos del medidor MAF en la abrazadera sobre la caja del filtro de aire.

c. Conectar la manguera de aire en el conector del aire de admisión y apretar la abrazadera.

d. Instalar los tres tornillos.

74. Instalar el ducto del filtro de aire.

75. Instalar la manguera de aire N° 1.

76. Instalar el cable del accionador del control de crucero en el cuerpo del estrangulador.

77. Instalar la cubierta inferior del motor.

78. Llenar el motor de líquido enfriante.

79. Comprobar todos los fluidos.

80. Conectar en la batería el cable negativo de la batería.

MÚLTIPLE DE ADMISIÓN

DESMONTAJE E INSTALACIÓN

Motor 1.5L (5E-FE)

1. Desconectar el cable negativo de la batería. En vehículos equipados con una bolsa de aire, esperar al menos 90 segundos antes de proceder.

2. Drenar el sistema de enfriamiento.

3. Desconectar el cable del acelerador y, si está equipado con T/A, desconectar el cable del estrangulador.

4. Sacar la manguera del PCV.

5. Sacar la manguera que va desde el filtro de aire al cuerpo del estrangulador.

6. Etiquetar y desconectar todos los cables eléctricos y mangueras de vacío que interfieren en el desmontaje del múltiple de admisión.

7. Sacar el tubo del EGR del múltiple de admisión y válvula EGR.

8. Sacar el conjunto del cuerpo del estrangulador.

9. Desconectar el tirante de la cámara de admisión de aire, quitando el tornillo y tuerca.

10. Para vehículos con ignición por distribuidor, desconectar el tubo de aire quitando los dos tornillos.

11. Desconectar las abrazaderas de alambres eléctricos del motor del tirante del múltiple de admisión.

12. Sacar el(los) tornillo(s) y tuerca(s) del tirante del múltiple de admisión. Sacar del motor el tirante del múltiple de admisión.

13. Sacar el múltiple de admisión quitando dos tornillos y tres tuercas. Sacar el empaque del múltiple de admisión.

Para instalar:

14. Asegurarse de que la superficie del múltiple de admisión está limpia.

15. Usando un empaque nuevo, instalar el múltiple de admisión y apretar las tuercas y tornillos con uniformidad a 14 pie-lb (19 Nm).

16. Instalar el tirante del múltiple de admisión y apretar el(los) tornillo(s) y tuerca(s) a 15 pie-lb (20 Nm).

17. Para vehículos con ignición por distribuidor, instalar las mangueras de vacío y luego instalar el tubo de aire. Apretar los tornillos a 48 plg-lb (6 Nm).

18. Instalar el tirante de la cámara de aire, montando el tornillo y tuerca.

19. Instalar el cuerpo del estrangulador, usando un nuevo empaque y apretando las tuercas y tornillos con uniformidad, a 9 pie-lb (13 Nm). Instalar todos los componentes en el cuerpo del estrangulador.

20. Conectar el tubo del EGR en el múltiple de admisión y válvula EGR.

21. Conectar todos los alambres eléctricos y mangueras de vacío sacados del múltiple de admisión.

22. Instalar la manguera del filtro de aire en el cuerpo del estrangulador.

23. Llenar todos los fluidos.

24. Conectar el cable negativo de la batería, arrancar el motor, y comprobar la sincronización de la ignición. Comprobar las fugas de líquido enfriante.

Motores 1.6L (4A-FE) y 1.8L (7A-FE)

1. Desconectar el cable negativo de la batería. En vehículos equipados con una bolsa de aire, esperar al menos 90 segundos antes de proceder.

▼ PRECAUCIÓN ▼
El sistema de inyección de combustible permanece bajo presión después de haber sido desconectado (OFF) el motor. Antes de desacoplar cualquier línea de combustible se tiene que descargar correctamente la presión del combustible. Dejar de hacer esto puede ser la causa de un incendio o de lesiones personales.

2. Drenar el líquido enfriante del motor dentro de un recipiente adecuado.

3. Desconectar el cuerpo del estrangulador de la cámara de admisión de aire.

4. Desconectar el conector de la banda de tierra.

5. Etiquetar y desconectar las mangueras de la cámara de admisión.

6. En vehículos con A/A, sacar la manguera de la válvula de la marcha mínima acelerada.

7. En vehículos con D/S, desconectar la manguera de aire del tubo de aire.

8. Usando una llave hexagonal de 6 mm (Allen), sacar los tres tornillos, dos tuercas y la cubierta y empaque de la cámara de aire.

9. Si está equipado con EGR, sacar la VSV del EGR.

10. Sacar el tirante del múltiple de admisión.

11. Sacar el tubo de aire.

12. Desconectar los conectores de los inyectores de combustible.

13. Desconectar el tornillo de unión y dos empaques, y desconectar la manguera de entrada de combustible del tubo de distribución. Colocar una toalla de taller bajo la conexión para absorber el combustible derramado.

14. Desconectar la manguera de retorno de combustible del regulador de presión de combustible, y la manguera de aire de la válvula del IAC en el tubo de aire.

15. Sacar los dos tornillos y el tubo de distribución junto con los cuatro inyectores.

16. Sacar los siete tornillos, cuatro tuercas, banda de tierra, múltiple de admisión y los dos empaques.

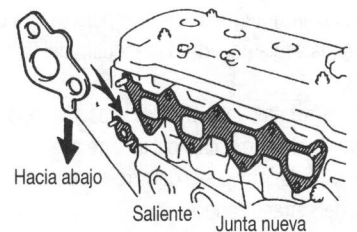

▲ Instalación de las juntas del EGR y del múltiple de escape – Motores 1.6L (4A-FE) y 1.8L (7A-FE)

Para instalar:

17. Colocar un empaque nuevo de múltiple de admisión en la culata de cilindros. Colocar un empaque nuevo de EGR en la culata de cilindros, con el saliente hacia abajo.

18. Instalar el múltiple de admisión, con siete tornillos, cuatro tuercas, y la banda de tierra. Apretar con uniformidad los tornillos y tuercas en varios pases. Apretar las tuercas A a 9 pie-lb (13 Nm). Apretar todos los demás tornillos y tuercas a 14 pie-lb (19 Nm).

19. Instalar los inyectores y el tubo de distribución.

20. Si va equipado con EGR, instalar la VSV del EGR.

21. Instalar la cubierta de la cámara de admisión de aire con un empaque nuevo.

22. Instalar el cuerpo del estrangulador.

23. Instalar el tubo de aire y la manguera de entrada de combustible con los dos tornillos y tuerca. Instalar un empaque nuevo sobre la manguera de entrada de combustible y asegurar la abrazadera de la manguera de entrada en el múltiple de admisión.

24. Conectar la manguera de retorno de combustible en el regulador de presión y la manguera de aire de la válvula del IAC en el tubo de aire.

25. Instalar el tirante del múltiple de admisión. Apretar el tornillo de cabeza de 12 mm a 14 pie-lb (19 Nm) y el tornillo de cabeza de 14 mm a 29 pie-lb (39 Nm).

26. Conectar las mangueras en la cámara de admisión.

27. Si lo lleva como equipo, instalar las mangueras de la válvula de marcha mínima acelerada y el tubo de aire.

28. Conectar el conector de la banda de tierra y conectar los conectores de los inyectores de combustible.

29. Llenar el sistema de enfriamiento con líquido enfriante y conectar el cable negativo de la batería. Arrancar el motor, comprobar las fugas, y probar el correcto funcionamiento del vehículo en carretera.

Motor 1.8L (1ZZ-FE)

1. Desconectar el cable negativo de la batería.

2. Drenar el líquido enfriante del motor.

3. Sacar la banda impulsora y el alternador.

4. Sacar el ducto de admisión de aire.

5. Desconectar el cable del acelerador.

6. Desconectar el tubo de escape del múltiple.

7. Sacar el soporte del apoyo del múltiple de escape.

8. Sacar los cables de bujías, luego quitar las bobinas de ignición. Etiquetar los cables de modo que sean devueltos a sus posiciones originales.

9. Sacar las bujías.

10. Sacar las mangueras del PCV.

11. Sacar el conjunto del cuerpo del estrangulador.

12. Sacar los dos tornillos que aseguran el protector de los alambres eléctricos sobre los soportes del múltiple de admisión.

13. Desconectar los conectores de alambres eléctricos y desmontar los cables de tierra de la culata de cilindros.

14. Sacar los dos tornillos y el soporte del apoyo del múltiple de admisión.

15. Sacar los dos tornillos de montaje, dos tuercas y soportes de montaje, luego quitar el múltiple de admisión y empaque.

Para instalar:

16. Colocar un empaque nuevo de múltiple de admisión sobre la culata de cilindros.

17. Instalar las tuercas, tornillos, y soportes. Apretar con uniformidad las sujeciones (tornillos y tuercas), en varios pases, a 14 pie-lb (18.5 Nm).

18. Volver a conectar el aparejo de alambres en la culata de cilindros y montar el protector del aparejo con los dos tornillos.

19. Instalar los inyectores de combustible, cuerpo del estrangulador, y mangueras del PCV.

20. Instalar las bujías y bobinas de ignición. Apretar las dos tuercas y dos tornillos a 80 plg-lb (9 Nm).

21. Instalar el múltiple de escape y soporte del apoyo. Apretar los tornillos de modo alternativo a 37 pie-lb (49 Nm).

22. Conectar el tubo de escape delantero en el múltiple. Apretar los tornillos a 46 pie-lb (62 Nm).

23. Usando un empaque nuevo y dos tuercas nuevas, instalar el sensor de oxígeno. Apretar las tuercas a 14 pie-lb (20 Nm).

24. Conectar el cable del acelerador y ducto de admisión de aire.

26. Llenar el sistema de enfriamiento con líquido enfriante.

27. Conectar el cable negativo de la batería.

28. Arrancar el motor y comprobar si hay fugas.

29. Volver a comprobar los niveles de líquido enfriante y aceite.

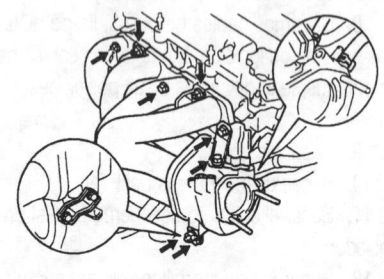

▲ Localización de las sujeciones (espárragos y tornillos de montaje) del múltiple de admisión – Motor 1.8L (1ZZ-FE)

Motor 2.2L (5S-FE)

CELICA

1. Descargar la presión del sistema de combustible.

2. Desconectar el cable negativo de la batería. En vehículos equipados con una bolsa de aire, esperar al menos 90 segundos antes de proceder.

3. Drenar el líquido enfriante del motor dentro de un recipiente adecuado.

4. Desconectar y/o sacar los componentes siguientes:

a. El conector del sensor del IAT.

b. Los cables de alta tensión de las bujías, de la manguera del filtro de aire.

c. El cable del acelerador, de la abrazadera, y el cable del accionador del control de crucero de las abrazaderas.

d. En vehículos para California, desconectar la manguera de aire para la marcha mínima acelerada, de la manguera del filtro de aire.

e. Las cuatro abrazaderas y la tapa del filtro de aire, de la caja del filtro de aire.

f. La manguera del filtro de aire del cuerpo del estrangulador.

g. El conjunto de tapa y manguera del filtro de aire.

5. Sacar el cuerpo del estrangulador.

6. Desconectar la manguera del sensor de vacío del filtro de gas sobre el múltiple de admisión.

7. Sacar el tubo de vacío del reforzador de freno, del múltiple de admisión.

8. Si lleva A/A, sacar la válvula de la marcha mínima acelerada del A/A.

9. Desconectar el conector del sensor de temperatura del EGR, del soporte sobre el múltiple de admisión, y desconectar del conector de alambres eléctricos, el conector del sensor. Desconectar la manguera del EVAP de la lata de carbón activo y desconectar la abrazadera de manguera del soporte sobre el tubo de aire.

10. Desconectar las dos mangueras de vacío de la VSV del EGR. Desconectar el modulador de vacío de la abrazadera sobre el múltiple de admisión.

11. Aflojar la tuerca de unión del tubo del EGR, y quitar las dos tuercas, la válvula EGR, modulador de vacío, conjunto de mangueras de vacío, y empaque.

12. Sacar el tornillo, tuerca y el tirante del múltiple de admisión.

13. Desconectar el cable de control del estrangulador de la T/A, de la abrazadera en el lado trasero del múltiple de admisión.

14. Sacar las mangueras suguientes:

• Dos manguera(s) de aire de la D/A, del tubo de aire y del múltiple de admisión.

• Manguera de aire del regulador de presión de combustible.

15. Sacar los dos tornillos, soporte de manguera (del EGR), y el tubo de aire.

16. Sacar el tornillo y tubo de vacío.

17. Desconectar el conector del sensor de detonación. Sacar el tornillo y desconectar los cables de tierra del múltiple de admisión.

18. Sacar el conjunto de la VSV del control de la presión de combustible y EGR.

19. Desconectar la manguera del PCV, cables de control del acelerador, estrangulador de la T/A, y soporte, del múltiple de admisión.

20. Desconectar el protector del aparejo de alambres eléctricos del motor, del soporte sobre el motor de arranque. Desconectar el conector del sensor de velocidad del vehículo (VSS), sacar el tornillo y desconectar el protector térmico del aparejo de alambres eléctricos del motor, del lado izquierdo del múltiple de admisión.

21. Desconectar los cuatro conectores de los inyectores de combustible, y desconectar el protector del aparejo de alambres del motor, de los dos soportes en el lado delantero del múltiple de admisión.

22. Desconectar el protector de alambres eléctricos del motor, de los dos tornillos de montaje de la cubierta N° 2 de la banda de sincronización, en secuencia.

▼ PRECAUCIÓN ▼

El sistema de inyección de combustible permanece bajo presión después de haber sido desconectado (OFF) el motor. Antes de desacoplar cualquier línea de combustible se tiene que descargar correctamente la presión del combustible. Dejar de hacer esto puede ser la causa de un incendio o de lesiones personales.

23. Sacar el tornillo de unión y dos empaques y desconectar la manguera de entrada de combustible del tubo de distribución de combustible. Desconectar la manguera de retorno de combustible, del tubo de retorno.

24. Sacar los seis tornillos y dos tuercas, y desconectar el aparejo de alambres eléctricos del motor, entre el múltiple de admisión y la culata de cilindros. Sacar el múltiple de admisión y empaque.

Para instalar:

25. Insertar el múltiple de admisión entre la culata de cilindros y el tabique cortafuegos. Insertar el aparejo de alambres eléctricos del motor entre el múltiple de admisión y la culata de cilindros.

26. Instalar un nuevo empaque y el múltiple de admisión con los seis tornillos y dos tuercas. Apretar con uniformidad los tornillos y tuercas en varios pases. Apretarlos a 14 pie-lb (19 Nm).

27. Conectar el tubo de entrada en la manguera de distribución de combustible, usando dos nuevos empaques y el tornillo de unión. Apretar el tornillo de unión a 25 pie-lb (34 Nm). Conectar la manguera de retorno de combustible en el tubo de retorno.

28. Instalar el protector del aparejo de alambres eléctricos del motor en los dos tornillos de montaje de la cubierta N° 2 de la banda de sincronización, a la inversa de la secuencia de desmontaje. Montar el protector del aparejo en los dos soportes sobre el lado delantero del múltiple de admisión.

29. Conectar los conectores de los inyectores de combustible. Los conectores de los inyectores de combustible N° 1 y N° 3 son marrones; los conectores N° 2 y N° 4 son grises.

30. Montar el protector del aparejo de alambres eléctricos del motor en el lado izquierdo del múltiple de admisión con el tornillo, y conectar el conector del sensor del VSS.

31. Volver a montar el protector del aparejo de alambres eléctricos del motor en el soporte del motor de arranque.

32. Montar el soporte del cable en el múltiple de admisión con los dos tornillos, y montar los cables del acelerador y de control del estrangulador de la T/A, en las cuatro abrazaderas.

33. Conectar la manguera del PCV en el múltiple de admisión.

34. Montar la VSV del control de presión de combustible y EGR.

35. Conectar el conector del sensor de detonación y montar el cable de tierra en el múltiple de admisión con el tornillo.

36. Instalar el tubo de aire y soporte de la manguera (del EGR), con los dos tornillos, y conectar estas mangueras:

• La(s) manguera(s) de aire de la D/A, en el tubo de aire y múltiple de admisión.

• La manguera del sensor de vacío en el regulador de presión de combustible.

37. Instalar el cable de control del estrangulador de la T/A, en la abrazadera sobre el lado trasero del múltiple de admisión.

38. Instalar el tirante del múltiple de admisión, con el tornillo y la tuerca. Apretar el tornillo a 15 pie-lb (21 Nm) y la tuerca a 32 pie-lb (44 Nm).

39. Montar con un empaque nuevo la válvula EGR, con el tornillo y dos tuercas de unión. Apretar el tornillo de unión a 43 pie-lb (59 Nm) y las tuercas de unión a 9 pie-lb (13 Nm). Montar el modulador de vacío en la abrazadera sobre el múltiple de admisión.

40. Conectar las mangueras de vacío en la VSV del EGR, y montar la abrazadera de manguera en el soporte sobre el tubo de aire.

41. Si se equipa con A/A, instalar la válvula de marcha mínima acelerada del A/A.

42. Conectar el conector del sensor de temperatura del gas de EGR, y montar el conector del sensor en el soporte sobre el múltiple de admisión. Conectar la manguera del EVAP en la lata de carbón activo.

43. Montar la manguera del sensor de vacío en el filtro de gas sobre el múltiple de admisión, y montar la manguera de vacío del reforzador de freno.

44. Montar el conjunto del cuerpo del estrangulador.

45. Montar el filtro de aire, conjunto de tapa de filtro de aire y manguera, la manguera del filtro de aire en el cuerpo del estrangulador, y asegurar la tapa de filtro de aire con las cuatro abrazaderas.

46. Instalar en las abrazaderas, los cables del acelerador y de control de crucero. Conectar los cables de alta tensión de las bujías en la manguera del filtro de aire.

47. Conectar el conector del sensor del IAT.

48. Llenar el sistema de enfriamiento y conectar el cable negativo de la batería. Arrancar el motor, comprobar si hay fugas, y probar el vehículo en carretera para ver su funcionamiento correcto.

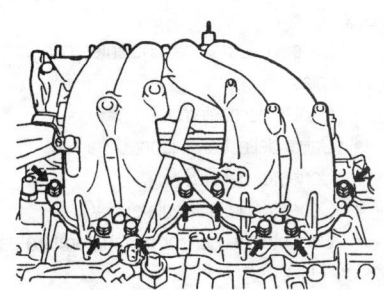

▲ **Localización de las sujeciones de montaje del múltiple de admisión – Motor 2.2L (5S-FE)**

CAMRY

1. Desconectar el cable negativo de la batería. En vehículos equipados con bolsa de aire, esperar al menos 90 segundos antes de proceder.

▼ PRECAUCIÓN ▼

El sistema de inyección de combustible permanece bajo presión después de haber sido desconectado (OFF) el motor. Antes de desacoplar cualquier línea de combustible se tiene que descargar correctamente la presión del combustible. Dejar de hacer esto puede ser la causa de un incendio o de lesiones personales.

2. Drenar el líquido enfriante dentro de un recipiente adecuado.

3. Desconectar el cable del acelerador del cuerpo del estrangulador. Si se equipa con T/A, desconectar el cable del estrangulador del cuerpo del estrangulador.

4. Desconectar el conector del sensor de temperatura del aire de admisión.

5. En modelos para California, desconectar la manguera para el filtro de aire.

6. Aflojar el tornillo de presión de la manguera del filtro de aire, desconectar las cuatro abrazaderas de la tapa del filtro de aire, desconectar la manguera del filtro de aire del cuerpo del estrangualdor, y sacar la tapa del filtro de aire junto con el resonador y la manguera del filtro de aire.

7. Etiquetar y sacar las conexiones eléctricas y mangueras del cuerpo del estrangulador.

8. Sacar el cuerpo del estrangulador. Los cuerpos de estrangulador de tipo A, están asegurados con cuatro tornillos y los de tipo B lo están con dos tornillos y dos tuercas.

9. Sacar el soporte de la manguera de vacío y el aparejo de alambres del motor, del múltiple de admisión.

10. Sacar la válvula EGR.

11. Sacar los cuatro tornillos, el soporte de los alambres eléctricos, la cámara de admisión de aire N° 1, y los tirantes del múltiple. Sacar los seis tornillos, dos tuercas, y el múltiple de admisión y el empaque.

Para instalar:

12. Instalar el múltiple de admisión en la culata de cilindros con un empaque nuevo. Apretar los seis tornillos y dos tuercas en varios pases, a 14 pie-lb (19 Nm). Montar las dos abrazaderas de los alambres eléctricos en los soportes para alambres eléctricos sobre el múltiple de admisión.

13. Instalar el soporte de la manguera de vacío y el aparejo de alambres eléctricos del motor.

14. Instalar la cámara de admisión de aire N° 1 y tirantes del múltiple, con los cuatro tornillos. Apretar los tornillos de 14 mm a 31 pie-lb (42 Nm) y apretar los tornillos de 12 mm a 16 pie-lb (22 Nm).

15. Montar la válvula EGR.

16. Montar el cuerpo del estrangulador con un nuevo empaque en la cámara de admisión. Conectar las mangueras y conexiones eléctricas en el cuerpo del estrangulador.

➡ **El saliente sobre el empaque debe estar cara abajo y las conexiones de la manguera de agua sobre el cuerpo del estrangulador también deben estar cara abajo.**

17. En el cuerpo del estrangulador de tipo A, apretar los cuatro tornillos a 14 pie-lb (19 Nm). El tornillo A es de 45 mm de largo y el B de 55 mm.

18. Sobre el cuerpo del estrangulador de tipo B, apretar los dos tornillos y las dos tuercas a 14 pie-lb (19 Nm).

19. Hacer las siguientes conexiones en el cuerpo del estrangulador:

- La manguera del PCV.
- Las dos mangueras de vacío del modulador del EGR.
- La manguera de vacío desde la TVV (del EVAP).
- El conector de la válvula IAC.
- El conector del sensor de posición del estrangulador.

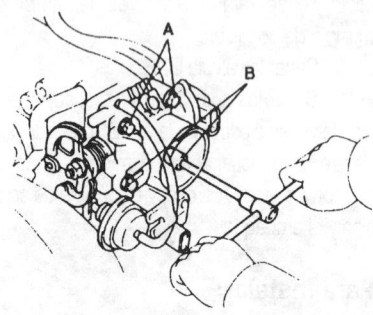

▲ **Identificación de la longitud del tornillo de montaje del cuerpo del ahogador – Motor 2.2L (5S-FE)**

20. Conectar la manguera del filtro de aire en el cuerpo del estrangulador, y montar la tapa del filtro de aire junto con el resonador y la manguera del filtro de aire. Conectar el conector del sensor de temperatura del aire de admisión.

21. En los modelos para California, conectar la manguera de aire en la manguera del filtro de aire.

22. Si va equipado con T/A, conectar y ajustar el cable del estrangulador. Conectar el cable del acelerador.

23. Llenar el sistema de enfriamiento con líquido enfriante, y conectar el cable negativo de la batería. Arrancar el motor, comprobar si hay fugas, y probar en carretera el correcto funcionamiento del vehículo.

Motor 3.0L (1MZ-FE)

▼ PRECAUCIÓN ▼

El sistema de inyección de combustible permanece bajo presión después de haber sido desconectado (OFF) el motor. Antes de desacoplar cualquier línea de combustible se tiene que descargar correctamente la presión del combustible. Dejar de hacer esto puede ser la causa de un incendio o de lesiones personales.

1. Descargar la presión de combustible de las líneas de combustible.

2. Con el interruptor de ignición en posición de cerrado (LOCK), desconectar el terminal de la batería. Si se equipa con una bolsa de aire, esperar al menos 90 segundos antes de realizar cualquier trabajo.

3. Sacar la manguera del filtro de aire del compartimiento del motor.

4. Sacar la tapa de la bancada en V, del motor.

5. Sacar el conjunto de la cámara del filtro de aire como sigue:

a. Drenar del vehículo el enfriante del motor.

b. Desconectar los siguientes conectores y cables.

- Cables del acelerador.
- Cable del estrangulador de la T/A.
- Conector del TPS.
- Conector de la válvula del IAC.
- Conector del sensor de temperatura del gas del EGR.
- Conector de la válvula de marcha mínima acelerada del A/A.
- Conector de la VSV para el ACIS.

- Conector de la VSV para el control de presión de combustible.
- Desconectar la VSV del EVAP.
- Conector de la VSV del EGR.
- DCL1 del soporte sobre la válvula de control del aire de admisión.

c. Sacar el tubo de presión de la D/A del soporte de izaje N° 1 del motor, quitando los dos tornillos.

d. Desconectar las siguientes mangueras, abrazaderas y cables eléctricos:

- Manguera de vacío del reforzador de freno, de la válvula de control del aire de admisión del ACIS.
- Manguera PCV de la válvula PCV sobre la derecha de la culata de cilindros.
- Banda de tierra y cable de la válvula de control del aire de admisión desde el ACIS.
- Cable de tierra de la cámara de admisión de aire.
- Abrazadera de manguera de vacío del tubo de combustible.
- Dos mangueras de desvío del cuerpo del estrangulador.
- Dos mangueras de aire de la D/A en la cámara de admisión de aire.
- Manguera de aire auxiliar del cuerpo del estrangulador.
- Sacar la manguera del EVAP del tubo sobre el equipo de la válvula del control de emisiones.
- Dos mangueras de vacío de los tubos sobre la placa trasera de la culata de cilindros.
- Manguera del sensor de vacío del regulador de presión de combustible.
- Abrazadera de alambres eléctricos del motor del equipo de la válvula del control de emisiones.

e. Quitar los dos tornillos y el soporte de izaje N° 1 del motor.

f. Quitar los dos tornillos y el tirante de la cámara de admisión de aire.

g. Sacar el tubo y dos empaques del EGR N° 2, quitando las cuatro tuercas.

h. Desconectar la manguera de la VSV del EVAP.

i. Con una llave hexagonal (Allen) de 8 mm, sacar los dos tornillos. Sacar las dos tuercas, el conjunto de la cámara de admisión de aire y empaque.

6. Desconectar los conectores de los inyectores de combustible.

7. Sacar las mangueras y tubos del aire auxiliar.

8. Desconectar la manguera de retorno de combustible del tubo N° 1 de combustible.

9. Desconectar la manguera de entrada de combustible del filtro de combustible. Recoger con un trapo de taller todo el combustible que se derrame del filtro. Deshacerse con seguridad del trapo empapado de combustible.

10. Sacar del motor los tubos de suministro e inyectores, como sigue:

   a. aflojar los dos tornillos de unión que sujetan el tubo de combustible N° 2 en los tubos de distribución.

   b. Desconectar la manguera de retorno de combustible, del regulador de presión de combustible.

   c. Sacar el tornillo de unión y dos empaques del tubo de distribución de la derecha.

   d. Sacar como un conjunto, los dos tornillos en el tubo de distribución de la izquierda, tres inyectores, y el tubo de combustible N° 2.

   e. Sacar el tornillo de unión y dos empaques del tubo de distribución de la izquierda. Desconectar el tubo de combustible N° 2 del tubo de distribución de la izquierda.

   f. Sacar el tubo de distribución de la izquierda, sacando los tres tornillos. Sacar como un conjunto el tubo de distribución, inyectores, y la manguera de entrada de combustible.

   g. Sacar los cuatro espaciadores del múltiple de admisión.

   h. Sacar los seis inyectores de los tubos de distribución.

   i. Sacar los dos sellos anulares y dos ojetes de goma de cada inyector.

11. Sacar las mangueras del calefactor, del múltiple de admisión.

12. Sacar los nueve tornillos, dos tuercas, y dos arandelas planas. Sacar el múltiple de admisión.

Para instalar:

13. Limpiar a fondo las superficies del múltiple de admisión y culata de cilindros.

14. Usando empaques nuevos, montar el múltiple de admisión con las dos arandelas planas, nueve tornillos y dos tuercas. Apretar las tuercas y tornillos a 11 pie-lb (15 Nm).

15. Montar las mangueras del calefactor en el múltiple de admisión.

16. Montar los inyectores como sigue:

   a. Instalar dos ojetes nuevos en cada inyector.

   b. Aplicar una ligera capa de aceite de mangueta o gasolina a los dos sellos anulares y montarlos en cada inyector.

   c. Instalar el inyector dentro del tubo de distribución por medio del giro hacia atrás y adelante. Montar todos los inyectores dentro de los tubos de distribución. Asegurarse de colocar el conector eléctrico del inyector hacia afuera.

   d. Colocar los cuatro espaciadores en sus posiciones sobre el múltiple de admisión.

   e. Colocar el tubo de distribución de la derecha y el tubo de combustible N° 1 junto con los tres inyectores dentro de su posición sobre el múltiple de admisión.

   f. Montar de modo provisional los dos tornillos que sujetan el tubo de distribución de la derecha en el múltiple de admisión.

   g. Montar de modo provisional el tornillo que sujeta el tubo de combustible N° 1 en el múltiple de admisión.

   h. Colocar en posición el tubo de distribución de la izquierda y el tubo de combustible N° 2 junto con los tres inyectores.

   i. Conectar la manguera de retorno de combustible en el regulador de presión de combustible.

   j. Montar de forma provisional los dos tornillos que sujetan el tubo de distribución de la izquierda en el múltiple de admisión.

   k. Montar de forma provisional el tubo de combustible N° 2 y los tubos de distribución de la izquierda y derecha con los tornillos de unión y dos empaques nuevos.

   l. Comprobar que los inyectores giran con suavidad. Si los inyectores no giran suavemente, la causa probable es un montaje incorrecto de los sellos anulares. Sustituir los sellos de anillo.

   m. Apretar los cuatro tornillos que sujetan los tubos de distribución en el múltiple de admisión. Apretar los tornillos a 7 pie-lb (10 Nm).

   n. Apretar el tornillo que sujeta el tubo de combustible N° 1 en el múltiple de admisión. Apretar los tornillos a 14 pie-lb (20 Nm).

   o. Apretar los dos tornillos de unión que sujetan el tubo de combustible N° 2 en los tubos de distribución. Apretar los tornillos a 24 pie-lb (33 Nm).

17. Conectar la manguera de entrada de combustible en el filtro de combustible, montando un tornillo de unión. Al instalar el tornillo de unión usar dos empaques nuevos.

18. Conectar la manguera de retorno de combustible en el tubo de combustible N° 1. Al encaminar la manguera de combustible, pasarla bajo las mangueras del calefactor.

19. Conectar las mangueras del aire auxiliar en el múltiple de admisión, luego montar el tubo de aire auxiliar en el soporte sobre el tubo de combustible N° 1.

20. Conectar los conectores de inyectores.

21. Montar el conjunto de la cámara de admisión de aire, como sigue:

   a. Usando una llave hexagonal (Allen) de 8 mm, montar la cámara de admisión de aire con un empaque nuevo. Montar los dos tornillos y dos tuercas. Apretar con regularidad los tornillos y tuercas en varios pases, luego apretar los tornillos y tuercas a 32 pie-lb (43 Nm).

   b. Conectar la manguera en la VSV para el sistema EVAP.

   c. Montar los dos empaques nuevos y el tubo del EGR N° 2 con las cuatro tuercas. Apretar las tuercas a 9 pie-lb (12 Nm).

   d. Montar el soporte de izaje N° 1 del motor con los dos tornillos. Apretar los tornillos a 19 pie-lb (39 Nm).

   e. Montar el tirante de la cámara de admisión de aire con los dos tornillos. Apretar los tornillos a 14 pie-lb (20 Nm).

   f. Conectar las mangueras, abrazaderas, y cables como sigue:
   • Manguera de vacío del reforzador de freno en la válvula de control del aire de admisión del ACIS.
   • Manguera del PCV en la válvula del PCV sobre la culata de cilindros derecha.
   • La banda y cable de tierra en la válvula de control del aire de admisión del ACIS.
   • Conectar el cable y la banda de tierra con la tuerca. Apretar la tuerca a 10 pie-lb (15 Nm).
   • El cable de tierra en la cámara de admisión de aire.
   • La abrazadera de manguera de vacío en el tubo de combustible.
   • Las dos mangueras de desvío de agua en el cuerpo del estrangulador.
   • La manguera del aire auxiliar en el cuerpo del estrangulador.
   • Las dos mangueras de aire de la D/A en la cámara de admisión de aire.
   • Conectar la manguera del EVAP en el tubo sobre el equipo de la válvula del control de emisiones.
   • Las dos mangueras de vacío en los tubos sobre la placa trasera de la culata de cilindros.
   • La manguera del sensor de vacío en el regulador de presión de combustible.
   • La abrazadera del aparejo de alambres del motor en el equipo de la válvula del control de emisiones.

22. Montar el tubo de presión de la D/A con las dos tuercas.

23. Conectar los conectores y cables siguientes:

- Conector del sensor del TPS.
- Conector de la válvula del IAC.
- Conector del sensor de temperatura del gas del EGR.
- Conector de la válvula de marcha mínima acelerada del A/A.
- Conector de la VSV del ACIS.
- Conector de la VSV del control de presión de combustible.
- En vehículos para California, montar el conector de la VSV del EVAP.
- Conector de la VSV del EGR.
- DCL1 en el soporte sobre la válvula de control del aire de admisión.
- Cable del acelerador.
- Cable del estrangulador de la T/A.

24. Montar la cubierta de la bancada en V.

25. Montar en el motor la manguera del filtro de aire.

26. Llenar el motor con líquido enfriante.

27. Conectar en la batería el cable negativo de la batería y arrancar el motor.

28. Comprobar el nivel del líquido enfriante del motor y ver si hay fugas.

Motor 3.0L (2JZ-GE)

1. Desconectar el cable negativo de la batería. Esperar al menos 90 segundos antes de proceder con cualquier trabajo.

2. Drenar el líquido enfriante del motor.

3. Sacar el conector de la VSV.

4. Sacar la manguera del sensor de vacío del control de presión del combustible y de la cámara de admisión de aire.

5. Para vehículos con T/A, sacar de la transmisión el medidor de aceite y guía.

6. Sacar el tubo del EGR.

7. Desconectar del tubo de vacío N° 2 y conector de cables, el conector del sensor de temperatura del gas del EGR.

8. Desconectar el tubo de vacío N° 2 de la cámara de admisión de aire y del múltiple de admisión, sacando las dos tuercas.

9. Sacar la cámara de admisión de aire como sigue:

a. Sacar las dos tuercas que sujetan el soporte del cuerpo del estrangulador en la culata de cilindros.

b. Sacar el conector del aire de admisión de la cámara de admisión de aire, desmontando los cuatro tornillos y dos tuercas.

c. Sacar el tornillo y desconectar el protector de alambres del motor, de la cámara de admisión de aire.

d. Desconectar lo que sigue:

- Tres mangueras de vacío del tubo de vacío N° 1.
- Manguera de vacío de la cámara de admisión de aire.
- Manguera de aire de la D/A, de la cámara de admisión de aire.
- Manguera de vacío del reforzador de freno, de la cámara de admisión de aire, sacando el tornillo de unión y dos empaques.
- Manguera de vacío (del accionador para el ACIS), del tubo de vacío N° 1.
- Excepto vehículos para California, desconectar la manguera del sensor de vacío (del regulador de presión de combustible), de la cámara de admisión de aire.

e. Aflojar las dos tuercas que sujetan los tirantes de la cámara de admisión de aire en la culata de cilindros.

f. Sacar los dos tornillos y desconectar de la cámara de admisión de aire, los dos tirantes de la cámara de admisión de aire.

g. Sacar la cámara de admisión de aire quitando la tuerca y cinco tornillos. Sacar los empaques.

10. Aliviar la presión de combustible en las líneas de combustible antes de desconectar cualquier línea de combustible.

▼ PRECAUCIÓN ▼

El sistema de inyección de combustible permanece bajo presión después de haber sido desconectado (OFF) el motor. Antes de desacoplar cualquier línea de combustible se tiene que descargar correctamente la presión del combustible. Dejar de hacer esto puede ser la causa de un incendio o de lesiones personales.

11. Desconectar la manguera de retorno de combustible.

12. Sacar del motor el medidor de aceite y guía.

13. Desconectar los alambres eléctricos del motor, del múltiple de admisión como sigue:

a. Sacar el tornillo y desconectar de la bomba de agua el soporte de los alambres eléctricos del motor.

b. Sacar los dos tornillos y desconectar del múltiple de admisión, las dos bandas de tierra.

c. Sacar los dos tornillos y desconectar las dos abrazaderas de alambres eléctricos del motor, del múltiple de admisión.

d. Desconectar los siguientes conectores:

- Seis conectores de inyectores.
- Conectores del sensor del ECT y de la transmisión del indicador del ECT.

e. Desconectar el protector de alambres eléctricos del motor del múltiple de admisión, sacando las tres tuercas.

14. Sacar el tirante del múltiple de admisión quitando los dos tornillos.

15. Sacar el tubo de entrada de combustible como sigue:

a. Sacar el tornillo de presión del múltiple de admisión.

b. Sacar el tornillo de unión y desconectar el tubo de entrada de combustible.

16. Sacar las dos tuercas y seis tornillos del múltiple de admisión.

17. Sacar el múltiple de admisión y empaques.

Para instalar:

18. Inspeccionar las superficies de contacto de culata y múltiple. Quitar toda traza de material de empaque. Montar un empaque nuevo, luego instalar el múltiple de admisión. Apretar los tornillos y tuercas a 20 pie-lb (27 Nm).

19. Instalar el tubo de combustible como sigue:

a. Poner el tubo de entrada con un empaque nuevo. Apretar el tornillo de unión a 30 pie-lb (42 Nm).

b. Instalar el tornillo de presión en el múltiple de admisión.

20. Instalar el tirante del múltiple de admisión y apretar los tornillos a 29 pie-lb (39 Nm).

21. Conectar los alambres del motor como sigue:

a. Instalar el protector de alambres del motor en el múltiple de admisión con las tres tuercas.

b. Conectar los siguientes conectores:

- Seis conectores de inyectores.
- Conectores de la transmisión del indicador del ECT y el indicador del ECT.

c. Montar las dos abrazaderas de los alambres en el múltiple de admisión, con los tornillos.

d. Instalar las dos bandas de tierra en el múltiple de admisión, con los tornillos.

e. Instalar el soporte de los alambres del motor en la bomba de agua, con el tornillo.

22. Instalar la cámara de admisión de aire como sigue:

a. Instalar un nuevo empaque en la cámara de admisión de aire, encarando el saliente del empaque hacia atrás.

b. Montar la cámara de admisión de aire e instalar la tuerca y cinco tornillos.

c. Instalar los dos tirantes de la cámara de admisión de aire en la cámara de admisión de aire y montar los dos tornillos. Apretar los tornillos a 13 pie-lb (18 Nm).

d. Apretar las dos tuercas que sujetan la cámara de admisión de aire en la culata de cilindros. Apretar las tuercas a 13 pie-lb (18 Nm).

e. Conectar las mangueras siguientes:

• Excepto en vehículos para California, conectar la manguera sensora de vacío (del regulador de presión de combustible) en la cámara de admisión de aire.

• Manguera de vacío (del accionador del ACIS), en el tubo de vacío N° 1.

• Manguera de vacío del reforzador de freno en la cámara de admisión de aire. Apretar el tornillo de unión a 22 pie-lb (29 Nm).

• Manguera de aire de la D/A en la cámara de admisión de aire.

• Manguera de vacío (del tubo de vacío N° 2), en la cámara de admisión de aire.

• Tres mangueras de vacío (del tubo de vacío N° 2), en el tubo de vacío N° 1.

f. Instalar el protector de alambres del motor en la cámara de admisión de aire y montar el tornillo.

g. Instalar los cuatro tornillos y dos tuercas que sujetan el conector del aire de admisión en la cámara de admisión de aire.

h. Colocar el soporte del cuerpo del estrangulador en la culata de cilindros e instalar las dos tuercas. Apretar las tuercas a 15 pie-lb (21 Nm).

23. Conectar el tubo de vacío N° 2 en la cámara de admisión de aire y en el múltiple de admisión. Apretar las dos tuercas a 20 pie-lb (27 Nm).

24. Conectar el conector del sensor de temperatura del gas del EGR.

25. Instalar el tubo del EGR. Apretar la tuerca de unión a 47 pie-lb (64 Nm) y los dos tornillos a 20 pie-lb (27 Nm).

26. Instalar la guía del medidor de aceite, y medidor.

27. Conectar la manguera de retorno de combustible.

28. Si se equipa con T/A, instalar la guía del medidor de aceite y medidor de la transmisión.

29. Instalar la VSV del control de presión de combustible.

30. Conectar el cable negativo de la batería en la batería.

31. Llenar el sistema de enfriamiento con líquido enfriante. Arrancar el motor, y comprobar si hay fugas. Sangrar el sistema de enfriamiento.

32. Probar en carretera el correcto funcionamiento del vehículo.

Motor 3.0L (2JZE-GTE)

▼ PRECAUCIÓN ▼

El sistema de inyección de combustible permanece bajo presión después de haber sido desconectado (OFF) el motor. Antes de desacoplar cualquier línea de combustible se tiene que descargar correctamente la presión del combustible. Dejar de hacer esto puede ser la causa de un incendio o de lesiones personales.

1. Aliviar la presión del sistema.

2. Desconectar en la batería el cable negativo de la batería. En vehículos equipados con bolsa de aire, esperar al menos 90 segundos antes de proceder.

3. Sacar la cubierta inferior del motor.

4. Sacar el cuerpo del estrangulador como sigue:

a. Drenar del motor y radiador, el líquido enfriante del motor.

b. Desconectar los siguientes conectores, chicotes (cables), y mangueras, del cuerpo del estrangulador:

• Manguera de aire.

• Cables del acelerador y del accionador del control de crucero.

• Conector del sensor de posición del estrangulador.

• Conector del sensor de posición del subestrangulador.

• Conector del accionador del subestrangulador.

c. Desconectar el cuerpo del estrangulador de la cámara de admisión de aire, sacando los dos tornillos y tuercas.

d. Sacar el empaque del cuerpo del estrangulador.

e. Desconectar las mangueras siguientes, del cuerpo del estrangulador y quitar el cuerpo del estrangulador del motor:

• Manguera del EVAP.

• Manguera de desvío de agua, del tubo de desvío de agua N° 4.

• Manguera de aire de la D/A.

5. Para vehículos con T/A, sacar de la transmisión el medidor de aceite y guía.

6. Sacar el medidor de aceite y guía del motor.

7. Sacar el tirante de la cámara de admisión de aire quitando los tornillos y tuercas.

8. Desconectar el soporte del cable de control, de la cámara de admisión de aire, quitando los dos tornillos.

9. Desconectar los conectores y mangueras siguientes:

• Conector de la válvula del IAC.

• Conector del sensor de presión del turbo.

• Conector de la VSV del control de presión de combustible.

• Conector de la VSV de la válvula del EGR.

10. Sacar el tornillo y desconectar de la carrocería el protector de alambres del motor.

11. Desconectar las mangueras siguientes:

• Desconectar el tubo de la válvula del IAC de la abrazadera en la cubierta de la culata de cilindros, y desconectar la manguera de aire de la válvula del IAC.

• Desconectar la manguera de aire (de la cámara de admisión de aire) del tubo de vacío sobre el tubo de la válvula del IAC.

• Manguera de aire para el EGR del tubo de la válvula.

• Manguera del PCV, de la válvula del PCV.

• Manguera del sensor de vacío, del regulador de presión de combustible.

• Manguera de desvío de agua (de la válvula del IAC) del tubo de desvío de agua N° 4.

• Manguera del EVAP (de la cámara de admisión de aire), del tubo de vacío sobre el tirante del múltiple.

• Manguera del EVAP (del tubo de vacío sobre el tubo de desvío de agua N° 4), del tubo de vacío N° 2.

• Manguera del EVAP (de la lata de carbón activo), del tubo de vacío N° 2.

• Manguera de aire de la D/A, de la cámara de admisión de aire.

• Manguera de vacío del reforzador de freno, de la unión sobre la cámara de admisión de aire.

12. Desconectar el conector del sensor de temperatura del gas del EGR, del tubo de vacío N° 2 y del conector de alambres del motor.

13. Sacar el tubo del EGR.

14. Sacar el tubo de desvío de agua N° 4 quitando los dos tornillos.

15. Sacar el tirante del múltiple de admisión quitando los dos tornillos.

16. Sacar el conjunto de la cámara de admisión de aire, como sigue:

a. Desconectar el cable de tierra del múltiple de admisión quitando el tornillo.

b. Quitar los dos tornillos que sujetan el protector de alambres del motor en el múltiple de admisión.

c. Desconectar de los soportes, las dos abrazaderas del protector de alambres del motor.

d. Sacar los cinco tornillos, dos tuercas, y el soporte de los alambres del motor.

e. Desconectar del múltiple de admisión, el conjunto de la cámara de admisión de aire.

f. Desconectar de la válvula del IAC, la manguera de desvío de agua.

g. Quitar el empaque.

17. Desconectar los seis conectores de los inyectores.

18. Desconectar los dos conectores de los sensores de posición de árbol de levas.

19. Desconectar de los portainyectores, las tres abrazaderas de alambres del motor.

20. Desconectar el tubo de entrada de combustible del distribuidor de combustible.

21. Desconectar el tubo de retorno de combustible del regulador de presión de combustible.

22. Sacar el conjunto del múltiple de admisión y tubo de distribución quitando los cuatro tornillos y dos tuercas.

Para instalar:

23. Montar con un empaque nuevo el conjunto de múltiple de admisión y tubo de distribución con los cuatro tornillos y dos tuercas. Apretar los seis tornillos y dos tuercas a 20 pie-lb (27 Nm).

24. Conectar el tubo de retorno de combustible en el regulador de presión de combustible y apretar los tornillos de unión a 20 pie-lb (27 Nm).

25. Conectar el tubo de entrada de combustible en el tubo de distribución y apretar el tornillo de unión a 30 pie-lb (41 Nm).

26. Conectar las abrazaderas de alambres del motor en los portainyectores.

27. Instalar los dos conectores de los sensores de posición de árbol de levas.

28. Instalar los seis conectores de los inyectores. Los conectores de los inyectores N° 1, N° 3 y N° 5 son de color gris oscuro; los conectores de los inyectores N° 2, N° 4 y N° 6 son de color gris.

29. Instalar el conjunto de la cámara de admisión de aire como sigue:

a. Instalar el empaque.

b. Conectar la manguera de desvío de agua en la válvula del IAC.

c. Conectar el conjunto de la cámara de admisión de aire en el múltiple de admisión y montar los cinco tornillos y dos tuercas. Apretar las tuercas y tornillos, en varios pases, a 20 pie-lb (27 Nm).

d. Conectar las dos abrazaderas del protector de alambres del motor en los soportes.

e. Instalar los dos tornillos que sujetan el protector de alambres del motor en el múltiple de admisión.

f. Conectar el cable de tierra en el múltiple de admisión instalando un tornillo.

30. Instalar el tirante del múltiple de admisión y montar los dos tornillos. Apretar los tornillos a 29 pie-lb (39 Nm).

31. Instalar el tubo de desvío de agua N° 4 con los dos tornillos.

32. Instalar el tubo del EGR como sigue:

a. Instalar el tubo del EGR y empaque con los dos tornillos. Apretar los tornillos a 20 pie-lb (27 Nm).

b. Instalar el tornillo de unión que sujeta el tubo del EGR en la válvula del EGR y apretar el tornillo de unión a 47 pie-lb (64 Nm).

33. Conectar el conector del sensor de temperatura del gas del EGR.

34. Instalar las mangueras siguientes:

• Manguera de vacío del reforzador de freno en la unión sobre la cámara de admisión de aire.

• Manguera de aire de la D/A en la cámara de admisión de aire.

• Manguera del EVAP (de la lata de carbón activo), en el tubo de vacío N° 2.

• Manguera del EVAP (del tubo de vacío sobre el tubo de desvío de agua N° 4), en el tubo de vacío N° 2.

• Manguera del EVAP (de la cámara de admisión de aire), en el tubo de vacío sobre el tirante del múltiple.

• Manguera de desvío de agua (de la válvula del IAC), en el tubo de desvío de agua N° 4.

• Manguera sensora de vacío en el regulador de presión de combustible.

• Manguera del PCV en la válvula del PCV.

• Manguera de aire del EGR en el tubo de la válvula.

• Manguera de aire (de la cámara de admisión de aire), en el tubo de vacío sobre el tubo de la válvula del IAC.

• Conectar el tubo de la válvula del IAC en la abrazadera sobre la tapa de culata de cilindros.

• Conectar la manguera de aire en la válvula del IAC.

35. Conectar el protector de los alambres del motor en la carrocería del vehículo con el tornillo.

36. Conectar los siguientes conectores:

• Conector de la VSV de la válvula del EGR y el control de presión de combustible.

• Conectores del sensor de presión del turbo y válvula del IAC.

37. Conectar el soporte del cable de control en la cámara de admisión de aire instalando los dos tornillos. Apretar los tornillos a 14 pie-lb (19 Nm).

38. Instalar el tirante de la cámara de admisión de aire instalando el tornillo y tuerca. Apretar el tornillo y tuerca a 14 pie-lb (19 Nm).

39. Instalar en el motor el medidor de aceite y guía. Usar para la guía, un sello anular nuevo.

40. Instalar en la transmisión la guía del medidor de aceite y el medidor de aceite de la transmisión. Usar un sello anular nuevo para la guía.

41. Instalar el cuerpo del estrangulador y montar las mangueras siguientes:

• Manguera de aire de la D/A.

• Manguera de desvío de agua (de la culata de cilindros).

• Manguera de desvío de agua (del tubo de desvío de agua N° 4).

• Manguera del EVAP.

42. Instalar el empaque y cuerpo del estrangulador en la cámara de admisión de aire y montar los dos tornillos y dos tuercas. Apretar las tuercas y tornillos a 15 pie-lb (21 Nm).

43. Instalar los siguientes conectores, cables y mangueras en el cuerpo del estrangulador:

• Conector del accionador del subestrangulador.

• Conector del sensor de posición del subestrangulador.

• Conector del sensor de posición del estrangulador.

• Cables del accionador del control de crucero y del acelerador.

• Manguera de aire.

44. Llenar de líquido enfriante e instalar la cubierta inferior del motor.

45. Conectar en la batería, el cable negativo de la batería.

MÚLTIPLE DE ESCAPE

DESMONTAJE E INSTALACIÓN

Motor 1.5L (5E-FE)

PASEO Y TERCEL

1. Desconectar de la batería, el cable negativo de la batería. En vehículos equipados con una bolsa de aire, esperar al menos 90 segundos antes de proceder.

2. Etiquetar y desconectar todos los alambre eléctricos y mangueras de vacío que interfieran en el desmontaje del múltiple de escape.

3. Quitar los tres tornillos del aislador térmico del escape, luego sacar el aislador del motor.

4. Quitar el tirante del tubo de escape, sacando el tornillo y tuerca.

5. Desconectar el tubo de escape del múltiple, quitando los dos tornillos y dos resortes de compresión.

6. Quitar las seis tuercas en el múltiple de escape, luego sacar el múltiple de escape.

Para instalar:

7. Limpiar las superficies de empaque y montar el múltiple de escape, apretando los seis tornillos a 35 pie-lb (47 Nm).

8. Instalar el tirante de escape en el motor y múltiple de escape. Apretar el tornillo y dos tuercas a 29 pie-lb (40 Nm).

9. Volver a conectar el aislador térmico del múltiple de escape con los tres tornillos. Apretar los tornillos a 69 plg-lb (8 Nm).

10. Conectar el tubo de escape en el múltiple de escape con los dos resortes de compresión y dos tornillos. Apretar los tornillos a 46 pie-lb (62 Nm).

11. Conectar todos los alambres eléctricos y mangueras de vacío que fueron desconectados para sacar el múltiple de escape.

12. Conectar el cable de la batería, arrancar el motor y comprobar si hay fugas.

Motores 1.6L (4A-FE) y 1.8L (7A-FE)

1. Desconectar el cable negativo de la batería. En vehículos equipados con una bolsa de aire, esperar al menos 90 segundos antes de proceder.

2. Levantar y soportar con seguridad el vehículo.

3. Trabajando bajo el vehículo, sacar los tornillos que sujetan el tubo de escape delantero en el soporte de montaje.

4. Usando una llave de tubo profunda de 14 mm, sacar las tuercas y el empaque, y desconectar del múltiple el tubo de escape delantero.

5. Sacar el conector de sensor de oxígeno principal.

6. Sacar los tornillos y el aislador térmico superior.

7. Sacar las tuercas, el múltiple de escape y el empaque.

8. Sacar los tornillos y el aislador térmico inferior del múltiple de escape.

Para instalar:

9. Instalar el aislador térmico inferior en el múltiple de escape con los tornillos.

10. Instalar un empaque nuevo y el múltiple de escape con las tuercas. De modo uniforme, apretar las tuercas en varios pases. Apretar las tuercas a 25 pie-lb (34 Nm).

11. Instalar el aislador térmico superior con los tornillos.

12. Instalar el tubo de escape delantero con un empaque nuevo en el múltiple de escape. Instalar las tuercas usando una llave de tubo profunda de 14 mm. Apretar las tuercas a 46 pie-lb (62 Nm).

13. Asegurar el tubo de escape delantero en el soporte del tubo de escape con los tornillos.

14. Conectar el conector del sensor de oxígeno principal.

15. Bajar el vehículo con seguridad y volver a conectar el cable negativo de la batería.

16. Arrancar el motor y asegurarse de que no hay fugas de escape.

Motor 1.8L (1ZZ-FE)

1. Desconectar el cable negativo de la batería.

2. Drenar el líquido enfriante del motor.

3. Sacar la banda impulsora y alternador.

4. Sacar el ducto de admisión de aire.

5. Desconectar el cable (chicote) del acelerador.

6. Desconectar el tubo de escape del múltiple.

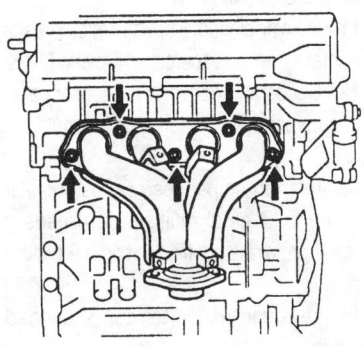

▲ **Localización de las tuercas de montaje del múltiple de escape – Motor 1.8L (1ZZ-FE)**

7. Sacar el soporte del apoyo del múltiple de escape.

8. Sacar el aislador térmico del panel de instrumentos.

9. Sacar el aislador térmico superior.

10. Sacar las cinco tuercas de montaje y el múltiple de escape.

11. Si es necesario, sacar el aislador térmico inferior del múltiple de escape.

Para instalar:

12. Si se desmontó, instalar el aislador térmico inferior sobre el múltiple de escape. Apretar los tres tornillos a 9 pie-lb (12 Nm).

13. Instalar el múltiple de escape usando un empaque nuevo. Apretar las tuercas en varios pases a 27 pie-lb (37 Nm).

14. Instalar el aislador térmico superior. Apretar los seis tornillos a 9 pie-lb (12 Nm).

15. Instalar el aislador térmico sobre el panel de instrumentos.

16. Instalar el múltiple de escape y soporte del apoyo. Apretar los tornillos de modo alternativo a 37 pie-lb (49 Nm).

17. Conectar en el múltiple el tubo de escape delantero. Apretar los tornillos a 46 pie-lb (62 Nm).

18. Usando un empaque nuevo y dos tuercas nuevas, instalar el sensor de oxígeno. Apretar las tuercas a 14 pie-lb (20 Nm).

19. Conectar el cable del acelerador y ducto de aire.

20. Instalar el alternador y banda impulsora.

21. Llenar el sistema de enfriamiento con líquido enfriante.

22. Conectar el cable negativo de la batería.

23. Arrancar el motor y comprobar si hay fugas.

24. Después de que se haya enfriado el motor, volver a comprobar los niveles del líquido enfriante y de aceite.

Motor 2.2L (5S-FE)

1. Desconectar el cable negativo de la batería. En los vehículos equipados con bolsa de aire, esperar al menos 90 segundos antes de proceder.

2. Elevar y soportar con seguridad el vehículo.

3. Trabajando bajo el vehículo, sacar los tornillos que sujetan el tubo de escape delantero en el soporte de montaje.

4. Usando una llave de tubo profunda de 14 mm, sacar las tuercas y el empaque, y desconectar el tubo de escape delantero del múltiple de escape.

5. Desconectar el conector del sensor de oxígeno principal y el conector del sensor de oxígeno secundario (sub).

6. Sacar el tornillo y tuerca, y quitar el tirante izquierdo del múltiple de escape.

7. Quitar los tornillos y el aislador térmico del múltiple superior.

8. Sacar los tornillos, tuercas, y el tirante derecho del múltiple de escape.

9. Sacar las tuercas, el múltiple de escape, y el conjunto del convertidor catalítico de tres vías.

10. Sacar las tuercas, sensor de oxígeno y empaque del múltiple de escape.

11. Sacar el sensor de oxígeno secundario (sub) del convertidor catalítico de tres vías.

12. Sacar los tornillos y el aislador térmico inferior del múltiple de escape.

13. Sacar los tornillos y el aislador del convertidor catalítico de tres vías (TWC).

14. Sacar los tornillos, tuercas, TWC, empaque, retenedor y almohadilla, del múltiple de escape.

Para instalar:

15. Colocar la almohadilla, retención, y un empaque nuevo sobre el TWC y volver a instalar el múltiple de escape con los tornillos y las tuercas. Apretar los tornillos y tuercas a 22 pie-lb (30 Nm).

16. Instalar con los tornillos, el aislador térmico inferior del múltiple, y montar con los tornillos, los aisladores térmicos del TWC.

17. Instalar en el múltiple de escape, el sensor de oxígeno principal con un empaque nuevo y tuercas nuevas. Apretar las tuercas a 14 pie-lb (19 Nm).

18. Instalar el sensor de oxígeno auxiliar (sub) en el TWC delantero, y apretar a 33 pie-lb (45 Nm).

19. Instalar un empaque nuevo, el conjunto de múltiple de escape y TWC delantero en el motor con las tuercas. Apretar las tuercas, de modo uniforme, en varios pases, a 36 pie-lb (49 Nm).

20. Instalar el tirante derecho del múltiple de escape con tornillos y tuercas nuevos. Apretar los tornillos y tuercas a 31 pie-lb (42 Nm).

21. Instalar el aislador térmico superior con los tornillos.

22. Instalar el tirante izquierdo del múltiple de escape con el tornillo y tuerca. Apretar el tornillo a 29 pie-lb (39 Nm) y la tuerca a 31 pie-lb (42 Nm).

23. Conectar los conectores de oxígeno principal y secundario (sub).

24. Instalar en el TWC, el tubo de escape delantero con un empaque nuevo. Montar las tuercas usando una llave de tubo profunda de 14 mm. Apretar las tuercas a 46 pie-lb (62 Nm).

25. Asegurar el tubo de escape delantero en el soporte del tubo de escape con los tornillos. Apretar los tornillos a 14 pie-lb (19 Nm).

26. Bajar el vehículo con seguridad, y volver a conectar el cable negativo de la batería.

27. Arrancar el motor y asegurarse de que no hay fugas de escape.

Motor 3.0L (1MZ-FE)

1. Desconectar el cable negativo de la batería, en la batería.

2. Levantar y soportar con seguridad el vehículo.

3. Quitar del vehículo las cubiertas inferiores del motor.

4. Desde debajo del vehículo, desconectar del múltiple el tubo de escape delantero, quitando las dos tuercas.

5. Si es necesario, bajar el vehículo para acceder a la parte superior del motor.

6. Quitar del múltiple de escape el tubo del EGR, sacando las cuatro tuercas.

7. Desconectar el conector del sensor calentado de oxígeno, de la derecha del múltiple de escape.

8. Sacar el tirante del múltiple de escape quitando el tornillo y tuerca.

9. Sacar en el múltiple de escape las seis tuercas y quitar del motor el múltiple de escape.

Para instalar:

10. Usando un empaque nuevo, instalar en el motor el múltiple, y montar las seis tuercas. Apretar de modo uniforme, luego apretar las tuercas a 36 pie-lb (49 Nm).

11. Instalar el tirante del múltiple de escape y montar el tornillo y tuerca a 15 pie-lb (20 Nm).

12. Conectar el conector del sensor calentado de oxígeno, en la derecha del múltiple de escape.

13. Usando empaques nuevos, instalar el tubo de EGR en el múltiple de escape y el motor. Apretar las cuatro tuercas a 9 pie-lb (12 Nm).

14. Levantar y soportar con seguridad el vehículo.

15. Conectar el tubo de escape delantero en el múltiple de escape. Usar un empaque nuevo y apretar las dos tuercas a 46 pie-lb (62 Nm).

16. Instalar en el vehículo las cubiertas inferiores del motor.

17. Bajar el vehículo.

18. Conectar el cable negativo de la batería, en la batería.

Motor 3.0L (2JZ-GTE)

1. Desconectar el cable negativo de la batería, en la batería. En vehículos equipados con una bolsa de aire, esperar al menos 90 segundos antes de proceder.

2. Drenar del motor el líquido enfriante.

3. Desconectar el cable accionador del control de crucero del cuerpo del estrangulador.

4. Quitar la manguera de aire N° 1.

5. Quitar el conjunto del filtro de aire y medidor MAF, como sigue:

a. Quitar los tres tornillos en el conjunto del filtro de aire.

b. Aflojar la abrazadera de manguera y desconectar la manguera de aire del conector del aire de admisión.

c. Desconectar el cable del medidor MAF de la abrazadera sobre la caja del filtro de aire.

d. Desconectar el conector del medidor MAF y quitar el conjunto del filtro de aire y medidor MAF.

6. Desconectar de la carrocería, la bocina de alarma disuasoria de ladrones.

7. Levantar y soportar con seguridad el vehículo.

8. Quitar la cubierta inferior del motor.

9. Quitar el tirante del soporte del brazo delantero inferior, sacando los dos tornillos, tuerca y arandela plana.

10. Quitar la extensión del travesaño delantero superior, sacando los dos tornillos y dos tuercas.

11. Sacar el tubo de escape delantero N° 2.

12. Sacar el aislador térmico del tubo de escape N° 2, quitando los dos tornillos y dos tuercas.

13. Si va equipado con T/A, desconectar del motor los tubos del enfriador de aceite de la T/A.

14. Desconectar el protector de alambres del motor, de la carrocería, sacando los dos tornillos.

15. Desconectar la manguera del calefactor del tubo de desvío de agua N° 3.

16. Desconectar la manguera del EVAP del tubo de vacío N° 1.

17. Desconectar el tubo de la válvula IAC, del tubo de aire N° 2, como sigue:

a. Desconectar de la abrazadera los cables eléctricos del motor.

b. Desconectar la manguera de aire (del tubo de vacío N° 1), del tubo de la válvula IAC.

c. Desconectar la manguera de aire del tubo de aire N° 2.

d. Desconectar el tubo de la válvula IAC de la abrazadera.

18. Desconectar el tubo de vacío N° 1 de los tubos de aire, como sigue:

a. Desconectar el conector de la VSV de la válvula de control del aire de admisión.

b. Desconectar el conector de la VSV de la válvula de desvío del escape.

c. Desconectar de las tres abrazaderas los alambres del motor.

d. Desconectar las mangueras siguientes:

- Manguera de aire del tubo de aire N° 4.
- Manguera de aire del tubo de aire N° 1.
- Manguera de aire (de la VSV de la válvula compuerta de descarga-aliviadero) del tubo de vacío.
- Manguera de aire (de la VSV de la válvula de control del gas de escape), del tubo de vacío.
- Manguera de vacío (de la válvula de desvío de aire), del tubo de aire N° 1.
- Dos mangueras de aire (de la VSV de la válvula de desvío del escape), del tubo de vacío.
- Manguera de aire (del tubo de aire N° 2), del tubo de vacío.
- Dos mangueras de aire (del tanque de presión), del tubo de vacío.

e. Quitar los tres tornillos y desconectar el tubo de vacío de los tubos de aire.

19. Quitar el conjunto de la VSV, como sigue:

a. Desconectar la manguera de aire del accionador de la válvula compuerta de descarga-aliviadero.

b. Desconectar la manguera de aire del accionador de la válvula de control del gas de escape.

c. Desconectar la manguera de aire de la abrazadera de manguera.

d. Desconectar los alambres del motor de la abrazadera de alambres.

e. Sacar los dos tornillos y desconectar los dos conectores de la VSV.

f. Sacar el conjunto de la VSV.

20. Sacar los tubos de aire y el conector del aire de admisión como sigue:

a. Desconectar el conector del sensor de posición del cigüeñal, de la abrazadera.

b. Desconectar la manguera de desvío de agua (de la bomba de agua), del tubo de agua del turbo N° 1.

c. Desconectar la manguera de desvío de agua (de la salida de agua), del tubo de agua del turbo N° 1.

d. Desconectar la manguera de desvío de agua (de la salida de agua), del tubo de agua del turbo N° 2.

e. Sacar el tornillo y desconectar el tubo de agua del turbo N° 2, del tubo de aire N° 4.

f. Desconectar el tubo de aire N° 1, del turbocompresor N° 1, quitando los dos tornillos.

g. Sacar los dos tornillos que sujetan el tubo de aire N° 4 en el turbocompresor N° 1.

h. Desconectar la manguera de aire, del tubo de aire N° 4.

i. Desconectar la manguera de aire del conector de aire de admisión.

j. Sacar el conjunto del tubo de aire N° 4 y la válvula de desvío de aire.

k. Sacar la válvula de control del aire de admisión y empaque quitando las dos tuercas.

l. Desconectar la manguera de aire del tubo de aire N° 2.

m. Desconectar la manguera del PCV de la cubierta de la culata de cilindros N° 2.

n. Sacar el conjunto del conector del aire de admisión y tubo de aire N° 1.

21. Sacar el ducto de entrada de aire y soporte del cable quitando el tornillo y dos tuercas.

22. Sacar el aislador térmico del turbocompresor quitando los cuatro tornillos.

23. Sacar el tubo de desvío del escape y empaque quitando las cuatro tuercas.

24. Quitar el tirante de la válvula de control del gas de escape quitando la tuerca y el tornillo.

25. Sacar el sensor calentado de oxígeno principal, desconectando el conector eléctrico y dos tuercas.

26. Sacar la válvula de control del gas de escape quitando las tres tuercas.

27. Sacar el tirante del turbocompresor N° 1 quitando la tuerca y tornillo.

28. Sacar el tirante del turbocompresor N° 2 quitando la tuerca y tornillo.

29. Sacar el tubo de aceite del turbo N° 1 como sigue:

a. Sacar el tornillo de unión que sujeta el tubo de aceite del turbo en la culata de cilindros. Sacar los dos empaques.

b. Sacar las dos tuercas y desconectar del turbocompresor, el tubo de aceite del turbo. Sacar los empaques.

c. Desconectar la manguera de aceite del turbo de la salida de aceite del turbo, sobre el depósito de aceite N° 1. Sacar el tubo de aceite del turbo.

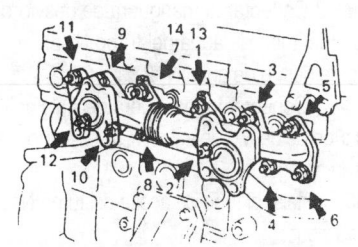

▲ Secuencia de instalación de los tornillos del múltiple de escape – Motor 3.0L (2JZ-GTE)

30. Sacar el tubo de aceite del turbo N° 2 como sigue:

a. Sacar el tornillo de unión que sujeta el tubo de aceite del turbo en la culata de cilindros. Sacar los dos empaques.

b. Desconectar del turbocompresor el tubo de aceite del turbo quitando las dos tuercas. Quitar los dos empaques.

c. Desconectar el tubo de aceite del turbo de la salida de aceite del turbo, sobre el depósito de aceite N° 1, y quitar el tubo de aceite del turbo.

31. Sacar el conjunto de los turbocompresores y codo de salida de turbina, como sigue:

a. Desconectar la manguera del calefactor (del tubo de desvío de agua N° 3), del tubo de desvío de agua N° 2.

b. Desconectar la manguera de desvío de agua (del tubo de agua del turbo N° 2), del tubo de desvío de agua N° 2.

c. Sacar las ocho tuercas que sujetan los turbocompresores en el múltiple de escape.

d. Sacar el conjunto de los dos turbocompresores y codo de salida de turbina.

e. Sacar los dos empaques.

32. Sacar el múltiple de escape quitando las 12 tuercas y dos empaques.

Para instalar:

33. Instalar el múltiple de escape con dos empaques nuevos y montar las tuercas. Apretar las tuercas en varios pases y en secuencia, a 29 pie-lb (39 Nm).

34. Instalar el conjunto de los turbocompresores y codo de salida de turbina, como sigue:

a. Montar dos empaques nuevos.

b. Instalar el conjunto de los turbocompresores y codo de salida de turbina en el múltiple de escape.

c. Instalar ocho tuercas nuevas y, de modo uniforme, apretar las tuercas en varios pases. Apretar las tuercas a 40 pie-lb (54 Nm).

d. Conectar la manguera de desvío de agua (del tubo de agua del turbo N° 2), en el tubo de desvío de agua N° 2.

e. Conectar la manguera del calefactor (del tubo de desvío de agua N° 3), en el tubo de desvío de agua N° 2.

35. Instalar el tubo de aceite del turbo N° 2, como sigue:

a. Instalar el tubo de aceite del turbo y conectar la manguera de aceite del turbo en la salida de aceite del turbo sobre el depósito de aceite N° 1.

b. Usando un empaque nuevo, instalar el tubo de aceite del turbo en el turbocompresor montando las dos tuercas. Apretar las tuercas a 15 pie-lb (21 Nm). Asegurarse de alinear los orificios de aceite del empaque y cuerpo del turbocompresor.

c. Usando dos nuevos empaques, conectar el tornillo de unión que sujeta el tubo de aceite del turbo en el bloque de cilindros. Apretar los tornillos de unión a 29 pie-lb (39 Nm).

36. Instalar el tubo de aceite del turbo N° 1 como sigue:

a. Instalar el tubo de aceite del turbo y conectar la manguera de aceite del turbo en la salida de aceite del turbo, sobre el depósito de aceite N° 1.

b. Usando un nuevo empaque, instalar el tubo de aceite del turbo en el turbocompresor, montando las dos tuercas. Apretar las tuercas a 15 pie-lb (21 Nm). Asegurarse de alinear los orificios de paso de aceite del empaque y cuerpo del turbocompresor.

c. Usando dos nuevos empaques, conectar el tornillo de unión que sujeta el tubo de aceite del turbo en el bloque de cilindros. Apretar los tornillos a 29 pie-lb (39 Nm).

37. Instalar el tirante del turbocompresor N° 2, montando la tuerca y tornillo. Apretar la tuerca y tornillo a 32 pie-lb (43 Nm).

38. Instalar el tirante del turbocompresor N° 1, montando la tuerca y tornillo. Apretar la tuerca y tornillo a 32 pie-lb (43 Nm).

39. Instalar la válvula de control del gas de escape, montando dos empaques y las tres tuercas. Apretar las tres tuercas a 51 pie-lb (69 Nm).

40. Instalar el sensor caliente de oxígeno principal, conectando el conector eléctrico y montando las dos tuercas. Apretar las tuercas a 14 pie-lb (20 Nm).

41. Instalar el tirante de la válvula de control del gas de escape, montando el tornillo y tuerca. Apretar el tornillo y tuerca a 32 pie-lb (43 Nm).

42. Instalar el tubo de desvío del escape, montando dos empaques nuevos y cuatro tuercas nuevas. Apretar las tuercas a 18 pie-lb (25 Nm).

43. Instalar el aislador térmico del turbocompresor, montando los cuatro tornillos.

44. Instalar el ducto de entrada de aire, montando el soporte del cable, tornillo, y dos tuercas.

45. Conectar los tubos de aire y conector del aire de admisión como sigue:

a. Instalar el conjunto del aire de admisión y tubo de aire N° 1.

b. Conectar la manguera del PCV en la cubierta de la culata de cilindros N° 2.

c. Conectar la manguera de aire en el tubo de aire N° 2.

d. Instalar la válvula de control del aire de admisión y empaque, montando las dos tuercas. Apretar las tuercas a 15 pie-lb (21 Nm).

e. Instalar el conjunto del tubo de aire N° 4 y válvula de desvío de aire.

f. Conectar la manguera de aire en el conector del aire de admisión.

g. Conectar la manguera de aire en el tubo de aire N° 4.

h. Instalar los dos tornillos que sujetan el tubo de aire N° 4 en el turbocompresor N° 1. Apretar los tornillos a 15 pie-lb (21 Nm).

i. Conectar el tubo de aire N° 1 en el turbocompresor N° 1 y montar los dos tornillos. Apretar los tornillos a 15 pie-lb (21 Nm).

j. Instalar el tubo de agua del turbo N° 2 en el tubo de aire N° 4, montando el tornillo.

k. Conectar la manguera de desvío de agua (de la salida de agua), en el tubo de agua del turbo N° 2.

l. Conectar la manguera de agua (de la salida de agua) en el tubo de agua del turbo N° 1.

m. Conectar la manguera de desvío de agua (de la bomba de agua), en el tubo de agua del turbo N° 1.

n. Conectar en la abrazadera el conector del sensor de posición del cigüeñal.

46. Conectar el conjunto de la VSV como sigue:

a. Conectar el conjunto de la VSV y conectar los dos conectores de la VSV.

b. Instalar los dos tornillos.

c. Conectar los alambres del motor en las abrazaderas de alambres.

d. Conectar la manguera de aire en la abrazadera de manguera.

e. Conectar la manguera de aire en el accionador de la válvula de control del gas de escape.

f. Conectar la manguera de aire en el accionador de la válvula de la compuerta descarga-aliviadero.

47. Conectar el tubo de vacío N° 1 en los tubos de aire como sigue:

a. Instalar el tubo de vacío en los tubos de aire y montar los tres tornillos.

b. Conectar las dos mangueras de aire (del tanque de presión de vacío), en el tubo de vacío.

c. Conectar la manguera de aire en la VSV de la válvula de control del aire de admisión.

d. Conectar la manguera de aire (del tubo de aire N° 2), del tubo de vacío.

e. Conectar las dos mangueras de aire (de la VSV de la válvula de desvío del gas de escape), en el tubo de vacío.

f. Conectar la manguera de vacío (de la válvula de desvío de aire), en el tubo de aire N° 1.

g. Conectar la manguera de aire (de la VSV de la válvula de control del gas de escape), en el tubo de vacío.

h. Conectar la manguera de aire (de la VSV de la válvula compuerta de descarga-aliviadero), en el tubo de vacío.

i. Conectar la manguera de aire en el tubo de aire N° 1.

j. Conectar la manguera de aire en el tubo de aire N° 4.

k. Conectar los alambres eléctricos del motor en las tres abrazaderas.

l. Conectar el conector de la VSV de la válvula de desvío del escape.

m. Conectar el conector de la VSV de la válvula de control del aire de admisión.

48. Conectar el tubo de la válvula del IAC en el tubo de aire N° 2 como sigue:

a. Conectar el tubo de la válvula del IAC en la abrazadera.

b. Conectar la manguera de aire en el tubo de aire N° 2.

c. Conectar la manguera de aire (del tubo de vacío N° 1), en el tubo de la válvula del IAC.

d. Conectar los alambres del motor en la abrazadera.

49. Conectar la manguera del EVAP en el tubo de vacío N° 1.

50. Conectar la manguera del calefactor en el tubo de desvío de agua N° 3.

51. Conectar el protector de alambres del motor en la carrocería montando los dos tornillos.

52. Conectar en el motor los tubos del enfriador del aceite de la T/A.

53. Instalar el aislador térmico para el tubo de escape delantero N° 2, montando los dos tornillos y dos tuercas.

54. Con un empaque nuevo, instalar el tubo de escape delantero N° 2 y montar las tres tuercas. Apretar las tuercas a 46 pie-lb (62 Nm).

55. Conectar el tubo de escape delantero en el tubo de escape N° 2, e instalar el soporte de apoyo y montar los dos tornillos.

56. Instalar los dos tornillos y tuercas que sujetan el tubo de escape delantero en el tubo de escape delantero N° 2. Apretar los tornillos y tuercas a 43 pie-lb (58 Nm).

57. Instalar la extensión del travesaño delantero superior, montando los dos tornillos y dos tuercas. Apretar los tornillos a 22 pie-lb (29 Nm) y las tuercas a 25 pie-lb (33 Nm).

58. Instalar el tirante del soporte del brazo inferior delantero, montando la arandela plana, tuerca y dos tornillos. Apretar los tornillos a 33 pie-lb (44 Nm) y la tuerca a 43 pie-lb (59 Nm).

59. Bajar con seguridad el vehículo.

60. Conectar la bocina de alarma disuasoria de ladrones, en la carrocería.

61. Conectar el conjunto del filtro de aire y medidor MAF como sigue:

a. Instalar el conjunto medidor MAF y filtro de aire. Conectar el conector del medidor MAF.

b. Conectar los alambres del medidor MAF en la abrazadera sobre la caja del filtro de aire.

c. Conectar la manguera de aire en el conector del aire de admisión y apretar la abrazadera.

d. Instalar los tres tornillos.

62. Instalar el ducto del filtro de aire.

63. Instalar la manguera de aire N° 1.

64. Instalar el cable (chicote) del accionador del control de crucero en el cuerpo del estrangulador.

65. Instalar la cubierta inferior del motor.

66. Llenar el líquido enfriante de motor.

67. Comprobar los niveles de fluidos.

68. Conectar en la batería, el cable negativo de la batería.

69. Arrancar el motor, sangrar el sistema de enfriamiento, y comprobar las fugas de escape.

Motores 3.0L (2JZ-GE)

1. Desconectar el cable negativo de la batería. Esperar al menos 90 segundos antes de ejecutar cualquier trabajo.

2. Levantar y soportar con seguridad el vehículo.

3. Desconectar los dos sensores de oxígeno en los múltiples de escape.

4. Si lo lleva, quitar las cuatro tuercas de montaje y sacar el aislador térmico exterior.

5. Sacar las cuatro tuercas y desconectar el múltiple de escape del tubo de escape delantero. Aflojar las tuercas de montaje en los múltiples de escape y quitar los dos múltiples y los empaques.

Para instalar:

6. Limpiar las superficies de contacto, rascando todo material de empaque viejo.

7. Instalar los múltiples con unos empaques nuevos. Apretar las tuercas a 29 pie-lb (39 Nm).

8. Usar un empaque nuevo y montar el tubo de escape delantero en los múltiples de escape. Apretar las tuercas a 46 pie-lb (62 Nm).

9. Si lo lleva, instalar el aislador exterior y apretar las tuercas a 13 pie-lb (18 Nm).

10. Conectar los sensores de O_2 (oxígeno).

11. Instalar las cubiertas inferiores.

12. Bajar el vehículo.

13. Conectar el cable negativo de la batería.

14. Arrancar el motor y comprobar si hay fugas de escape.

SELLO DE ACEITE DELANTERO DEL CIGÜEÑAL

DESMONTAJE E INSTALACIÓN

Motor 1.5L (5E-FE)

PASEO Y TERCEL

➡ **El sello de aceite delantero se puede desmontar del motor sin quitar la bomba de aceite.**

1. Desconectar de la batería, el cable negativo de la batería. En vehículos equipados con una bolsa de aire, esperar al menos 90 segundos antes de proceder.

2. Quitar las cubiertas delanteras y la banda de sincronización.

3. Quitar el engrane de la banda de sincronización del cigüeñal.

▼ AVISO ▼

Cuando se saca el sello de aceite delantero, tener mucho cuidado con no dañar el cigüeñal.

4. Con una cuchilla, cortar el labio del sello de aceite.

5. Encintar el extremo de una herramienta de hoja plana para evitar dañar el cigüeñal. Haciendo palanca, sacar el sello de aceite utilizando el extremo encintado de la herramienta.

6. Inspeccionar la superficie de sellado (movimiento) del sello de aceite sobre el cigüeñal para ver si presenta signos de desgaste o daños.

Para instalar:

7. Limpiar con un trapo limpio el alojamiento del sello.

8. Aplicar grasa todo uso en el labio de un sello nuevo de aceite.

9. Introducir el sello nuevo de aceite dentro de su alojamiento, usando una herramienta SST 09309-37010, o una equivalente, de instalar sellos. Asegurarse de que la superficie del sello está enrasada con el borde de la caja de la bomba de aceite. Trabajar desde la delantera de la cubierta. Ser extremadamente cuidadosos para no dañar el sello.

10. Instalar el engrane del cigüeñal sin alterar la chaveta de media luna (Woodruff).

11. Instalar la banda de sincronización y las cubiertas delanteras.

12. Conectar el cable negativo de la batería, en la batería.

13. Arrancar el motor y comprobar si hay fugas.

Motores 1.6L (4A-FE) y 1.8L (7A-FE y 1ZZ-FE)

1. Desconectar el cable negativo de la batería. En vehículos equipados con una bolsa de aire, esperar al menos 90 segundos antes de proceder.

2. Quitar la banda de sincronización y engrane del cigüeñal.

3. Usando una herramienta de corte, cortar el labio del sello de aceite.

▼ AVISO ▼

Cuando se saca el sello de aceite delantero, tener mucho cuidado con no dañar el cigüeñal o el alojamiento de la bomba de aceite.

4. Haciendo palanca con cuidado, sacar el sello de aceite del alojamiento de la bomba de aceite.

Para instalar:

5. Aplicar aceite de motor limpio en el sello de aceite nuevo.

6. Cubrir el interior del sello de aceite nuevo con grasa todo uso.

7. Instalar el sello de aceite nuevo en la bomba de aceite usando un introductor de sellos adecuado.

8. Instalar la banda de sincronización y engrane del cigüeñal.

9. Conectar el cable negativo de la batería. Comprobar el nivel de aceite del motor.

10. Arrancar el motor y comprobar si hay fugas.

Motores 2.2L (5S-FE)

1. Desconectar el cable negativo de la batería. En vehículos equipados con una bolsa de aire, esperar al menos 90 segundos antes de proceder.

➡ **El sello de aceite delantero se puede sacar del motor sin quitar la bomba de aceite.**

2. Sacar del motor las cubiertas de la banda de sincronización y la banda de sincronización.

3. Usando la herramienta SST 09950-50010, o una equivalente (extractor para poleas dentadas o engranes del cigüeñal), sacar del cigüeñal el engrane delantero del cigüeñal. Asegurarse de no dañar cualquier parte del cigüeñal.

4. Usando una cuchilla (cutter), cortar el labio del sello de aceite.

5. Usando una herramienta adecuada, sacar haciendo palanca, el sello de aceite. Envolver la herramienta con cinta adhesiva o un trapo, para evitar que se dañe el cigüeñal. Tener cuidado en no dañar el cigüeñal.

Para instalar:

6. Usando un sello nuevo, aplicar una capa fina de líquido sellador en el exterior del sello.

7. Aplicar grasa todo uso en el labio del sello de aceite nuevo.

8. Usando la herramienta SST 09223-00010, o equivalente (instalador de sellos de aceite), y un martillo, clavar el sello de aceite dando golpecitos, hasta que su superficie esté enrasada con el borde del cuerpo de la bomba de aceite.

9. Instalar la banda de sincronización y las cubiertas de la banda de sincronización.

10. Instalar todos los demás componentes; luego conectar en la batería, el cable negativo de la batería.

11. Arrancar el motor y comprobar si hay fugas.

Motor 3.0L (1MZ-FE)

AVALON Y CAMRY

1. Con el interruptor de la ignición en posición de cerrado (LOCK), desconectar el terminal negativo de la batería. Si está equipado con una bolsa de aire, esperar al menos 90 segundos antes de efectuar cualquier otro trabajo.

2. Sacar la banda de sincronización.

3. Sacar el engranaje de sincronización del cigüeñal.

4. Cortar la porción de labio del sello de aceite.

5. Encintar el extremo de una palanca adecuada para proteger el cigüeñal y sacar con cuidado el sello de aceite.

▼ AVISO ▼

Tener cuidado en no dañar la superficie de sellado del cigüeñal.

Para instalar:

6. Aplicar grasa todo uso en el labio de un sello de aceite nuevo. Aplicar también una ligera capa de líquido sellador en el exterior del sello de aceite.

7. Golpear suavemente el sello de aceite con un martillo y el instalador 09309-37010, o equivalente, hasta que su superficie enrase con el borde de la caja de la bomba de aceite.

8. Instalar el engrane de sincronización del cigüeñal.

9. Instalar la banda de sincronización del cigüeñal.

10. Volver a conectar el cable negativo de la batería.

Motores 3.0L (2JZ-GE y 2JZ-GTE)

1. Sacar la banda de sincronización.

2. Sacar la polea de sincronización del cigüeñal.

3. Cortar el labio del sello de aceite.

4. Encintar el extremo de un destornillador pequeño y sacar el sello de aceite.

▼ AVISO ▼

Tener cuidado en no dañar el cigüeñal.

Para instalar:

5. Aplicar grasa todo uso en el labio de un nuevo sello de aceite.

6. Golpear suavemente el sello de aceite con un martillo y el instalador 09316-60010, o

equivalente, hasta que su superficie enrase con el borde de la caja de la bomba de aceite.

7. Instalar la polea de sincronización del cigüeñal.

8. Instalar la banda de sincronización.

9. Arrancar el motor y comprobar si hay fugas.

ÁRBOL DE LEVAS

DESMONTAJE E INSTALACIÓN

Motor 1.5L (5E-FE)

1. Desconectar el cable negativo de la batería en la batería. En vehículos equipados con una bolsa de aire, esperar al menos 90 segundos antes de proceder.

2. Sacar la cubierta de válvulas.

3. Sacar el conjunto de la banda de sincronización.

4. Sacar el engrane de sincronización del árbol de levas.

➡ **Debido al relativamente pequeño huelgo de empuje del árbol de levas, el árbol de levas debe mantenerse nivelado durante el desmontaje. Si el árbol de levas no está nivelado en el desmontaje, la parte de la culata que recibe el empuje se puede romper o dañar.**

5. Colocar el árbol de levas de admisión de modo que los orificios de los tornillos de servicio de los engranes de los árboles de levas estén justo arriba.

6. Sacar todas las tapas de los cojinetes delanteros de los árboles de levas de admisión y escape.

7. Asegurar el subengrane del árbol de levas de admisión en el engrane principal con un tornillo de 6 mm de diámetro, de 16 a 20 mm de largo, y un paso de rosca de 1.0 mm. Asegurarse de que el esfuerzo de torsión del resorte del subengrane se ha eliminado con la operación anterior.

8. En la secuencia correcta, aflojar y quitar los ocho tornillos de las cuatro tapas de cojinete del árbol de levas de escape y sacar el árbol de levas de escape. Si el árbol de levas no sale en seguida, volver a montar la tapa del cojinete central y aflojarla con uniformidad para mantener derecho el árbol de levas.

9. En el orden inverso a la secuencia de montaje, aflojar y sacar los ocho tornillos de las cuatro tapas de cojinete del árbol de levas de

admisión, y quitar el árbol de levas de admisión. Si el árbol no sale en seguida, volver a montar la tapa del cojinete central y aflojarla con uniformidad, para mantener derecho el árbol de levas.

10. Usando un destornillador pequeño y un dedo magnético, sacar la calza de ajuste.

Para instalar:

11. Instalar la calza de ajuste en el motor.

12. Aplicar aceite de motor sobre la superficie del árbol de levas de admisión.

13. Colocar el árbol de levas de admisión en la culata de cilindros de modo que los tornillos de servicio apunten justo hacia arriba.

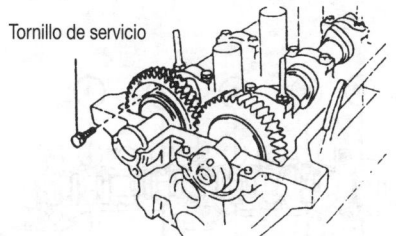

Tornillo de servicio

▲ **Asegurar el subengranaje en el engranaje principal – Motor 1.5L (5E-FE)**

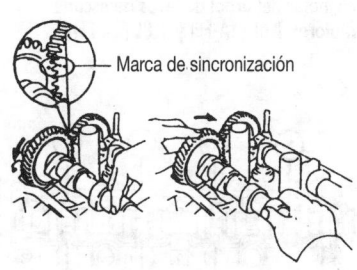

Marca de sincronización

▲ **Marcas de sincronización de los engranajes del árbol de levas de escape y de admisión – Motor 1.5L (5E-FE)**

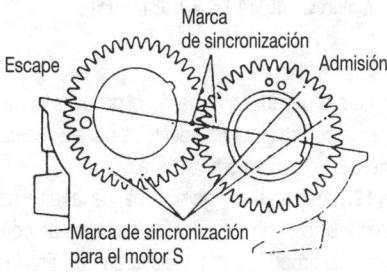

Marca de sincronización

Escape — Admisión

Marca de sincronización para el motor S

▲ **Alineación correcta de las marcas de sincronización de los engranajes de los árboles de levas de escape y de admisión – Motor 1.5L (5E-FE)**

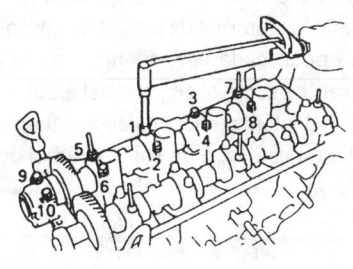

▲ **Apretar los tornillos de las tapas de los cojinetes del árbol de levas de admisión en secuencia – Motor 1.5L (5E-FE)**

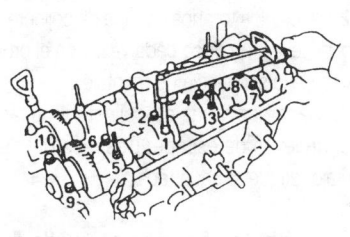

▲ **Apretar los tornillos de las tapas de los cojinetes del escape, de acuerdo con la secuencia que se muestra – Motor 1.5L (5E-FE)**

14. Instalar las cuatro tapas de los cojinetes traseros en su orden original, y apretarlos provisionalmente con uniformidad. No apretar los tornillos en este momento.

15. Aplicar aceite de motor en la porción del árbol de levas de escape.

16. Engranar el engrane del árbol de levas de escape en el engrane del árbol de levas de admisión, haciendo coincidir las marcas de sincronización sobre cada engrane.

17. Bajar rodando el árbol de levas de escape sobre las muñoneras de los cojinetes mientras siguen engranados los cojinetes entre sí.

➡ **Para el motor "S" hay además otras marcas. No usar estas marcas.**

18. Instalar las cuatro tapas de los cojinetes de admisión traseros, en su orden original, y apretarlos de modo regular. No apretar los tornillos en este momento.

19. Sacar el tornillo de servicio.

20. Limpiar las superficies de contacto de la tapa del cojinete N° 2, y aplicar selladora. Instalar y apretar provisionalmente los tornillos. Instalar el tapón del cuerpo del árbol de levas.

21. Ahora, apretar los tornillos de las tapas del árbol de levas de admisión a 9 pie-lb (13 Nm), de modo uniforme y en la secuencia correcta.

22. Aplicar grasa al labio de un sello de aceite nuevo de árbol de levas, y montarlo hasta la parte más profunda de la culata de cilindros.

23. Instalar la tapa del cojinete N° 1 y apretar los tornillos provisionalmente.

24. Apretar ahora los tornillos de las tapas de cojinete de árbol de levas de escape a 9 pie-lb (13 Nm), con regularidad y en la secuencia correcta.

25. Girar una revolución el árbol de levas y comprobar que las marcas de sincronización de los engranes de árbol de levas están alineadas.

26. Comprobar y ajustar las holguras de válvula. Montar la cubierta de válvulas.

27. Instalar el engrane de sincronización del árbol de levas y apretar el tornillo a 37 pie-lb (50 Nm).

28. Instalar la banda de sincronización, y arrancar el motor y comprobar si hay fugas.

29. Conectar en la batería el cable negativo de la batería.

Motores 1.6L (4A-FE) y 1.8L (7A-FE)

1. Desconectar el cable negativo de la batería. En vehículos equipados con una bolsa de aire, esperar al menos 90 segundos, antes de proceder.

2. Desconectar los cables de bujías, de las bujías. Asgurarse de tomar nota del orden de ignición correcto, para facilitar el montaje.

3. Sacar la cubierta de válvulas.

4. Sacar las cubiertas de la banda de sincronización.

5. Sacar la banda de sincronización y la polea loca.

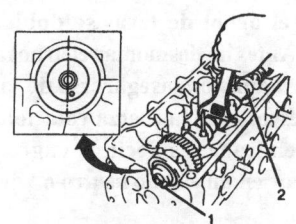

1. Chaveta (cuña) del árbol de levas de escape
2. Árbol de levas de escape

▲ **Colocación del árbol de levas de escape para el desmontaje – Motores 1.6L (4A-FE) y 1.8L (7A-FE)**

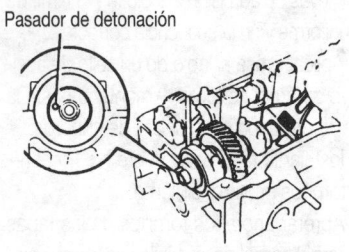

▲ Ajuste del pasador de detonación para sacar el árbol de levas de admisión – Motor 1.6L (4A-FE)

6. Colocar el árbol de levas de escape de modo que el pasador de detonación esté ligeramente por encima de la culata de cilindros. Este ángulo permitirá que los lóbulos de las levas de los cilindros N° 1 y N° 3, del árbol de levas de admisión, empujen sus levantadores de válvulas de modo uniforme.

7. Sacar los dos tornillos y la tapa del cojinete delantero del árbol de levas de admisión.

8. Asegurar el engrane del extremo del árbol de levas de admisión en el subengrane, con un tornillo de servicio. El tornillo de servicio deberá cumplir las especificaciones siguientes:

- Diámetro roscado: 6.0 mm.
- Paso de rosca: 1.0 mm.
- Longitud del tornillo: 16 mm.

9. Aflojar de modo uniforme todos los tornillos de tapa de cojinete del árbol de levas de admisión, en varios pases, en el orden inverso a la secuencia de montaje.

▼ AVISO ▼

El árbol de levas debe sujetarse nivelado mientras se desmonta. Si el árbol de levas no se mantiene nivelado, la porción de la culata de cilindros que recibe el empuje puede romperse o dañarse. A su vez, esto puede ser causa de que el árbol de levas se doble o rompa. Antes de desmontar el árbol de levas de admisión, asegurarse de que se ha descargado la fuerza rotacional del subengrane; es decir, el engrane debe estar en un estado neutro o "descargado".

10. Sacar las cuatro tapas de cojinete y quitar el árbol de levas de admisión.

➡ Si el árbol de levas no se puede desmontar recto y nivelado, instalar y apretar

la tapa del cojinete N° 3. Aflojar alternativamente los tornillos de la tapa de cojinete, un poco cada vez, mientras se tira hacia arriba sobre el engrane del árbol de levas. NO intentar hacer palanca o fuerza con herramientas, para soltar el árbol de levas.

11. Con el árbol de levas de admisión desmontado, girar el árbol de levas de escape unos 105°, de modo que el pasador guía en el extremo, se halle justo pasada la posición de las 5 en punto del reloj. Este ángulo permite que los lóbulos de las levas de los cilindros N° 1 y N° 3 del árbol de levas de escape empujen de modo uniforme sus levantaválvulas.

12. Aflojar los tornillos de tapa de cojinete de árbol de levas, un poco cada vez, y en el orden inverso de la secuencia de montaje.

13. Sacar las tapas de cojinete y quitar el árbol de levas de escape. Después del desmontaje, etiquetar cada tapa.

➡ Si el árbol de levas no se puede desmontar recto y nivelado, instalar y apretar la tapa del cojinete N° 3. Aflojar alternativamente los tornillos de la tapa de cojinete, un poco cada vez, mientras se tira hacia arriba sobre el engrane del árbol de levas. NO intentar hacer palanca o fuerza con herramientas, para soltar el árbol de levas.

14. Sacar las calzas de los levantaválvulas y empujadores hidráulicos. Identificar cada levantador y calza a medida que se van desmontando, de modo que se puedan volver a montar en la misma posición. Si los empujadores se van a volver a usar, guardarlos con la parte de arriba boca abajo, en un contenedor cerrado.

Para instalar:

15. Instalar los levantaválvulas en sus posiciones de origen y montar las calzas. Comprobar las holguras de válvula y, si es necesario, sustituir las calzas.

16. Al volver a instalar, recordar que los árboles de levas se deben manejar con sumo cuidado y mantenerlos rectos y nivelados para evitar daños.

17. Aplicar grasa todo uso en la porción del árbol de levas.

18. Colocar el árbol de levas de escape sobre la culata de cilindros, de modo que los lóbulos de leva presionen de modo uniforme sobre los levantadores de los cilindros N° 1 y N° 3. Esto

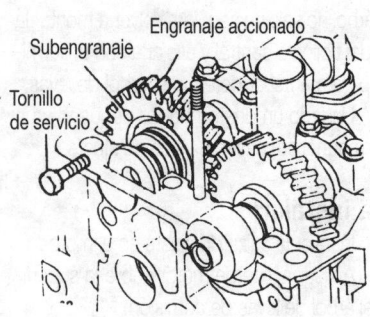

▲ Asegurar el subengranaje del árbol de levas de admisión en el engranaje accionado – Motor 1.6L (4A-FE)

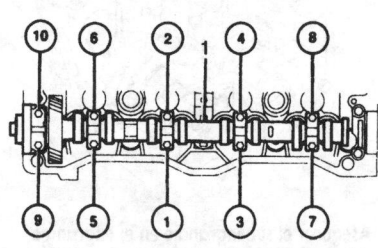

1. Árbol de levas de escape

▲ Secuencia de apriete de las tapas de los cojinetes del árbol de levas de escape – Motores 1.6L (4A-FE) y 1.8L (7A-FE)

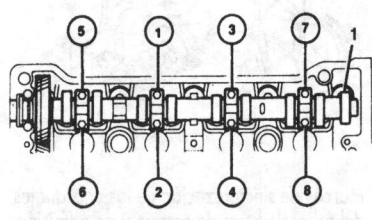

1. Árbol de levas de admisión

▲ Secuencia de apriete de las tapas de los cojinetes del árbol de levas de admisión – Motores 1.6L (4A-FE) y 1.8L (7A-FE)

situará el pasador guía del árbol de levas ligeramente contra el sentido del reloj, del eje vertical (cerca de las 5 en punto del reloj).

19. Aplicar una ligera capa de aceite de motor limpio a los tornillos de las tapas de cojinete del árbol de levas. Instalar en posición las cinco tapas de cojinete, de acuerdo con el número de fundición dentro de la tapa. La flecha debe apuntar hacia el extremo de la polea (delantera) del motor.

20. Apretar los tornillos de tapa de cojinete, de modo uniforme y en varios pases, en la secuencia correcta a 9 pie-lb (13 Nm).

21. Aplicar grasa todo uso a un sello de aceite nuevo de árbol de levas de escape.

22. Instalar el sello de aceite de árbol de levas de escape usando un introductor de sellos. Cuidar de no montar el sello inclinado o dejar que se incline durante el montaje.

23. Colocar el árbol de levas de escape de modo que el pasador guía esté ligeramente por encima de la culata de cilindros.

24. Aplicar grasa todo uso en la porción del árbol de levas de admisión.

25. Sujetar el árbol de levas de admisión próximo al árbol de levas de escape, y engranar los engranes haciendo coincidir las marcas de instalación sobre cada engrane.

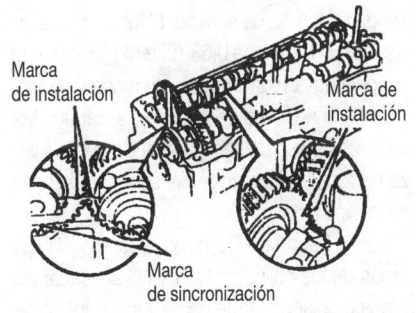

Marca de instalación

Marca de instalación

Marca de sincronización

▲ **Engrane del engranaje del árbol de levas de admisión en el engranaje del árbol de levas de escape, igualando las marcas de instalación – Motor 1.6L (4A-FE)**

➡ **NO usar las marcas de sincronización del PMS de la banda de sincronización.**

26. Mantener los engranes engranados, rodar engranado el árbol de levas de admisión hacia abajo, y hasta dentro de sus muñoneras de cojinete. Este ángulo permite que los lóbulos de leva de los cilindros N° 1 y N° 3 del árbol de admisión empujen de modo uniforme a sus levantaválvulas.

27. Aplicar una ligera capa de aceite de motor limpio a los tornillos de tapa de cojinete del árbol de levas y montar las cuatro tapas de cojinete. Observar los números de cada tapa y comprobar que las flechas apunten hacia el extremo de la polea (delantera) del motor.

28. Apretar de modo uniforme cada uno de los ocho tornillos de tapa de cojinete, en varios pases, en la secuencia correcta. Apretar a 9 pie-lb (13 Nm).

29. Sacar todos los pasadores o tornillos de retención dentro de los engranes del árbol de levas de admisión.

30. Aplicar una ligera capa de aceite de motor limpio a los tornillos de tapa de cojinete de árbol de levas y montar la tapa del conjinete N° 1 del árbol de levas de admisión. Apretar los tornillos de tapa de cojinete a 9 pie-lb (13 Nm).

➡ **Si la tapa del cojinete N° 1 no encaja correctamente, empujar el engrane del árbol de levas hacia atrás, separando la culata de cilindros y el engrane del árbol de levas, haciendo palanca con una herramienta adecuada.**

31. Girar el árbol de levas de escape en el sentido del reloj, y ponerlo con el pasador guía cara arriba. Comprobar que las marcas de sincronización de los engranes del árbol de levas están alineadas. Las marcas de instalación del conjunto del árbol de levas deben estar ahora en la posición de las 12 en punto del reloj.

32. Asegurar el árbol de levas de escape e instalar la polea de la correa de sincronización. Apretar el tornillo a 43 pie-lb (59 Nm).

33. Comprobar y ajustar la holgura de las válvulas.

34. Asegurarse de que las posiciones del cigüeñal y del árbol de levas están colocadas correctamente, asegurándose de que ambas están ajustadas en el PMS/compresión para el cilindro N° 1.

35. Instalar la correa de sincronización.

36. Instalar las cubiertas de la correa de sincronización y la cubierta de válvulas.

37. Instalar los cables de las bujías y conectar el cable negativo de la batería.

38. Arrancar el motor, comprobar si hay fugas, y comprobar la sincronización del encendido.

39. Probar el vehículo en carretera, para comprobar si el funcionamiento es correcto.

Motor 1.8L (1ZZ-FE)

1. Desconectar el cable negativo de la batería.

2. Sacar la cubierta de la culata de cilindros.

3. Girar el cigüeñal de manera que el pistón N° 1 esté en el PMS de la carrera de compresión. Comprobar, mirando, que las marcas indi-

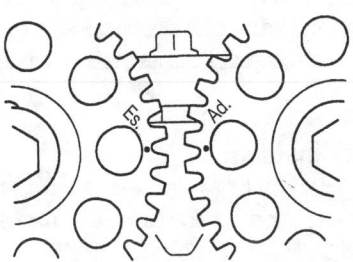

Es. Ad.

▲ **Las marcas de los engranajes se alinearán cuando el pistón N° 1 esté en el PMS de la carrera de compresión – Motor 1.8L (1ZZ-FE)**

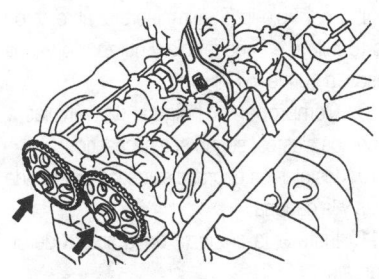

▲ **Sujetar el árbol de levas con una llave de tuercas, mientras se saca el tornillo del engranaje – Motor 1.8L (1ZZ-FE)**

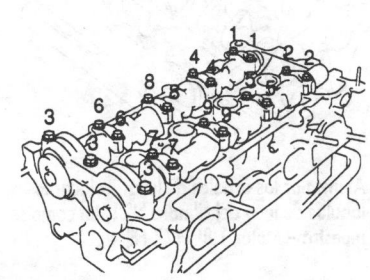

▲ **Secuencia de desmontaje de los tornillos de las tapas de los cojinetes de los árboles de levas – Motor 1.8L (1ZZ-FE)**

cadoras de los engranajes de los árboles de levas están mirándose la una a la otra; si no es así, girar el cigüeñal una vuelta completa.

4. Atar la cadena de sincronización a cada engranaje, con un cordel o un alambre, para mantener correcta la sincronización de las válvulas.

5. Sujetar los árboles de levas con una llave de tuercas, y sacar los tornillos que aseguran los engranajes en los árboles de levas.

6. Utilizando varios pasos, sacar gradualmente los tornillos de la tapa de cojinetes, en la secuencia correcta. Después, sacar los árboles de levas.

Para instalar:

7. Lubricar los árboles de levas con aceite de motor limpio y colocarlos sobre la culata de cilindros. Asegurarse de colocar los lóbulos de leva del cilindro N° 1 tal como muestra la ilustración.

8. Instalar las tapas de cojinetes en sus posiciones originales. Aplicar aceite de motor limpio a las roscas y debajo de las cabezas de los tornillos de las tapas de cojinetes. Después de apretar los tornillos sobre la tapa del cojinete N° 1 a 17 pie-lb (23 Nm), apretar el resto de los tornillos, en secuencia y utilizando varios pasos, a 10 pie-lb (13 Nm).

9. Comprobar la holgura de válvulas y hacer los ajustes, según sea necesario.

10. Instalar los engranajes de los árboles de levas y la cadena.

11. Instalar la cubierta de la culata de cilindros.

Motor 2.2L (5S-FE)

1. Desconectar el cable negativo de la batería. En los vehículos equipados con air bag (saco de aire), esperar como mínimo 90 segundos, antes de proceder.

2. Desconectar los cables de bujías, de las bujías. Tomar nota del orden de encendido correcto, para la instalación.

3. Sacar la correa de sincronización, los engranajes y las cubiertas.

4. Sacar, o desconectar, todo conector de cables, abrazaderas, cables o componentes que sea necesario, para sacar la cubierta de la culata de cilindros.

5. Sacar las cuatro tuercas, los ojales, la cubierta de la culata y la junta.

6. Poner el cilindro N° 1 en el PMS. Girar la polea del cigüeñal y alinear su ranura con la marca de sincronización 0 de la cubierta N° 1 de la correa de sincronización. Comprobar que los levantaválvulas sobre el cilindro N° 1 estén flojos y que los levantaválvulas sobre el cilindro N° 4 estén tirantes. Si no es así, girar el cigüeñal 360°.

➡ Dado que la holgura de empuje en el árbol de levas de admisión y en el de escape es pequeña, durante el desmontaje los árboles de levas deben mantenerse nivelados. Si los árboles de levas se sacan sin mantenerlos a nivel, el árbol de levas puede dañar la superficie de contacto, provocando que el árbol de levas se agarrote durante el funcionamiento del motor.

7. Para sacar el árbol de levas de escape, proceder como sigue:

a. Ajustar el pasador de detonación del árbol de levas de admisión a 10-45° antes del PMS del ángulo del árbol de levas sobre la culata de cilindros. Este ángulo ayudará a levantar el árbol de levas de escape nivelado y uniforme, empujando los lóbulos de levas de escape de los cilindros N° 2 y N° 4 del árbol de levas de escape hacia sus levantaválvulas.

b. Asegurar el subengranaje del árbol de levas de escape en el engranaje principal, utilizando un tornillo de servicio. El fabricante recomienda un tornillo de 0.63-0.79 plg (16-20 mm) de longitud con un diámetro de rosca de 6 mm y un paso de rosca de 1 mm. Al sacar el árbol de levas de escape, asegurarse de que la fuerza de torsión del resorte del subengranaje, se haya eliminado.

c. Sacar los tornillos traseros de las tapas de los cojinetes N° 1 y N° 2 y sacar las tapas. Aflojar uniformemente y sacar los tornillos de la tapa de los cojinetes en las tapas de los cojinetes N° 1, N° 2 y N° 4, en varios pasos y en el orden inverso a la secuencia de instalación. No sacar todavía los tornillos de tapa de cojinetes en la tapa del cojinete N° 3. Sacar las tapas de los cojinetes N° 1, N° 2 y N° 4.

d. Aflojar alternativamente y sacar los tornillos de tapa de cojinetes en la tapa del cojinete N° 3. Una vez se hayan aflojado estos tornillos, comprobar, mirándolo, que el árbol de levas se saca recto y nivelado.

➡ Si el árbol de levas no sale recto y nivelado, apretar los tornillos de la tapa del cojinete N° 3. Invertir el orden los pasos 7c hasta 7a y volver a ajustar el pasador de detonación del árbol de levas de admisión a 10-45° antes del PMS, después repetir los pasos 7a hasta 7c. No intentar hacer palanca sobre el árbol de levas, para sacarlo de su montaje.

e. Sacar la tapa del cojinete N° 3 y el árbol de levas de escape del motor.

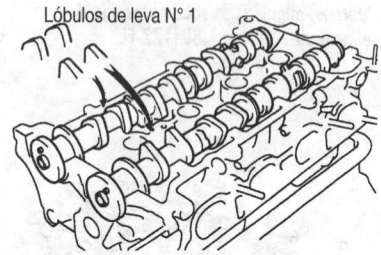

▲ **Al instalar los árboles de levas, colocar los lóbulos de leva del cilindro N° 1, tal como se muestra – Motor 1.8L (1ZZ-FE)**

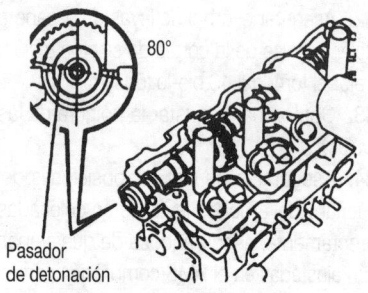

▲ **Colocación para el desmontaje y la instalación del árbol de levas de admisión – Motor 2.2L (5S-FE)**

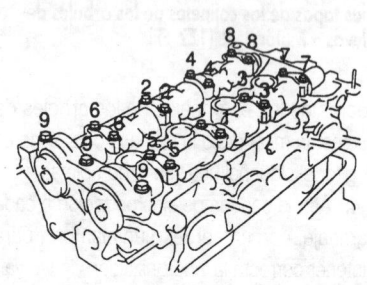

▲ **Secuencia de apriete de los tornillos de las tapas de los cojinetes de los árboles de levas – Motor 1.8L (1ZZ-FE)**

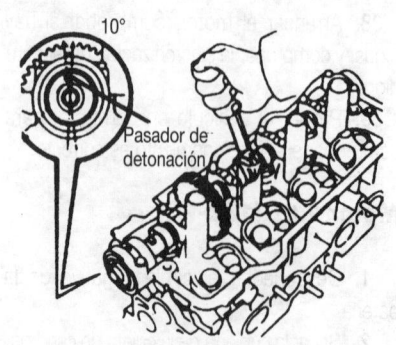

▲ **Colocación para el desmontaje y la instalación, del árbol de levas de escape – Motor 2.2L (5S-FE)**

8. Para sacar el árbol de levas de admisión, proceder como sigue:

a. Poner el pasador de detonación del árbol de levas de admisión a 80-115° antes del PMS del ángulo del árbol de levas sobre la culata de cilindros. Este ángulo ayudará a levantar el árbol de levas de admisión nivelado y uniforme, empujando los lóbulos de levas de los cilindros N° 1 y N° 3 del árbol de levas de admisión, hacia sus levantaválvulas.

b. Sacar los dos tornillos de la tapa del cojinete delantero y sacar la tapa del cojinete delantero y el sello de aceite. Si la tapa no puede separarse fácilmente, mantenerla en su sitio sin los tornillos.

c. Aflojar uniformemente y sacar los tornillos de tapa de cojinete de las tapas de los cojinetes N° 1, N° 3 y N° 4, en varios pasos y en el orden inverso a la secuencia de instalación. No sacar todavía los tornillos de tapa de cojinete de la tapa del cojinete N° 2. Sacar las tapas de los cojinetes N° 1, N° 3 y N° 4.

d. Aflojar alternativamente y sacar los tornillos de tapa de cojinete de la tapa del cojinete N° 2. Una vez se hayan aflojado estos tornillos, y después de romper la adherencia de la tapa del cojinete delantero, comprobar, mirándolo, si el árbol de levas se levanta recto y nivelado.

➡ **Si el árbol de levas no se levanta y nivelado, apretar los tornillos de la tapa del cojinete N° 2. Invertir los pasos 8b hasta 8d, después volver a empezar desde el paso 8b. No intentar hacer palanca sobre el árbol de levas para sacarlo de su montaje.**

e. Sacar la tapa del cojinete N° 2 con el árbol de levas de admisión, del motor.

9. Sacar los calzos y los elevadores hidráulicos de los levantaválvulas. Identificar cada elevador y cada calzo que se haya sacado, de manera que puedan volver a instalarse en la misma posición. Si los empujadores se reutilizan, guardarlos al revés (cabeza abajo) en un recipiente hermético.

Para instalar:

10. Instalar los levantaválvulas en sus posiciones originales e instalar los calzos.

11. Antes de instalar el árbol de levas de admisión, aplicar grasa universal en el árbol de levas.

12. Para instalar el árbol de levas de admisión, proceder como sigue:

a. Colocar el árbol de levas a 80-115° antes del PMS de ángulo del árbol de levas sobre la culata de cilindros.

b. Aplicar selladora en la tapa delantera de los cojinetes.

c. Cubrir los tornillos de tapa de cojinetes con aceite de motor nuevo.

d. Apretar uniformemente las tapas de cojinetes de árbol de levas, en secuencia y en varios pasos, a 14 pie-lb (19 Nm).

e. Aplicar grasa universal al labio del sello de aceite nuevo y, utilizando una herramienta adecuada, introducir, golpeando ligeramente, un sello de aceite nuevo, en su sitio.

13. Para instalar el árbol de levas de escape, proceder como sigue:

a. Ajustar el pasador de detonación del árbol de levas a 10-45° antes del PMS de ángulo del árbol de levas sobre la culata de cilindros.

b. Aplicar grasa universal al árbol de levas.

c. Colocar el engranaje del árbol de levas de escape con el engranaje del árbol de levas de admisión de manera que las dos marcas de

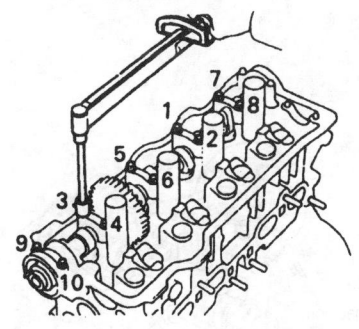

▲ **Secuencia de apriete de los tornillos de las tapas de los cojinetes del árbol de levas de admisión – Motor 2.2L (5S-FE)**

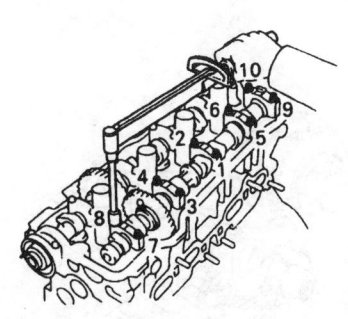

▲ **Secuencia de apriete de los tornillos de las tapas de los cojinetes del árbol de levas de escape – Motor 2.2L (5S-FE)**

alineación estén alineadas entre sí. Asegurarse de utilizar las marcas de alineación correctas sobre los engranajes. No utilizar las marcas de referencia del conjunto.

d. Poco a poco girar el árbol de levas de admisión en el sentido de las agujas del reloj, o en el sentido contrario al de las agujas del reloj, hasta que el árbol de levas de escape se asiente uniformemente en los muñones de los cojinetes sin balancearse el árbol de levas sobre los muñones de los cojinetes.

e. Cubrir los tornillos de tapa de cojinetes, con aceite de motor nuevo.

f. Apretar uniformemente las tapas de cojinetes de árbol de levas, en secuencia y en varios pasos, a 14 pie-lb (19 Nm). Sacar el tornillo de servicio del conjunto.

14. Comprobar y ajustar las holguras de válvulas.

15. Instalar la cubierta de la culata de cilindros con los ojales y las cuatro tuercas.

16. Instalar la correa de sincronización y los componentes relacionados.

17. Conectar los conectores eléctricos, los cables, los soportes y los componentes acoplados a la cubierta de la culata de cilindros.

18. Instalar los cables de las bujías y conectar el cable negativo de la batería. Arrancar el motor, comprobar si hay fugas, y probar el vehículo en carretera para comprobar si su funcionamiento es correcto.

Motor 3.0L (1MZ-FE)

1. Sacar la correa de sincronización y la polea tensora.

2. Sacar las poleas de sincronización de árbol de levas.

3. Sacar las cubiertas de culata de cilindros.

➡ **La holgura de empuje en los árboles de levas de admisión y de escape es muy pequeña; durante el desmontaje los árboles de escape deben mantenerse nivelados. Si los árboles de levas se sacan sin mantenerse nivelados, el árbol de levas puede quedar sujeto en la culata de cilindros, provocando la rotura de la culata o el agarrote del árbol de levas.**

4. Para sacar los árboles de levas de escape y de admisión de la culata de cilindros del lado derecho:

a. Girar el árbol de levas con una llave de tuercas hasta que las 2 marcas indicadoras de los engranajes accionador y accionado estén alineadas. (Los engranajes de los árboles de levas derechos tienen 2 marcas cada uno; los engranajes de los árboles de levas izquierdos tienen una marca cada uno.)

b. Asegurar el subengranaje del árbol de levas de escape en el engranaje principal, utilizando un tornillo de servicio. Se recomienda un tornillo de 0.63-0.79 plg (16-20 mm) de longitud, con un diámetro de rosca de 6 mm, y un paso de rosca de 1 mm. Al sacar el árbol de levas de escape, asegurarse de que el subengranaje no está cargado; toda la fuerza debe ser eliminada.

c. Aflojar uniformemente y sacar los tornillos de las tapas de cojinetes del árbol de levas de escape, en varios pasos y en la secuencia correcta. Sacar los ocho tornillos de las tapas de cojinetes y sacar las tapas, manteniéndolas en el orden correcto.

d. Sacar el árbol de levas de escape, del motor.

e. Aflojar uniformemente y sacar los 10 tornillos de las tapas de los cojinetes en varios pasos, en la secuencia correcta. Sacar las tapas de los cojinetes, manteniéndolas en orden; sacar el sello de aceite, después sacar el árbol de levas de admisión.

5. Para sacar los árboles de levas de escape y de admisión de la culata de cilindros del lado izquierdo:

a. Girar el árbol de levas con una llave de tuercas, hasta que las marcas indicadoras sobre los engranajes accionador y accionado estén alineadas. (Los engranajes de los árboles de levas derechos tienen 2 marcas cada uno; los engranajes de los árboles de levas izquierdos tienen una marca cada uno.)

b. Asegurar el subengranaje del árbol de levas de escape en el engranaje principal, utilizando un tornillo de servicio. Se recomienda un tornillo de 0.63-0.79 plg (16-20 mm) de longitud, con un diámetro de rosca de 6 mm y un paso de rosca de 1 mm. Al sacar el árbol de levas de escape, asegurarse de que el subengranaje no está cargado; toda la fuerza debe ser eliminada.

c. Aflojar uniformemente y sacar los tornillos de las tapas de los cojinetes del árbol de levas de escape, en varios pasos y en la secuencia correcta. Sacar los ocho tornillos de las tapas de cojinetes y sacar las tapas, manteniéndolas en el orden correcto.

d. Sacar el árbol de levas de escape, del motor.

e. Aflojar uniformemente y sacar los 10 tornillos de las tapas de los cojinetes del árbol

de levas de admisión en varios pasos, en el orden inverso a la secuencia de instalación. Sacar las tapas de los cojinetes, manteniéndolas en orden, sacar el sello de aceite, después sacar el árbol de levas de admisión.

6. Sacar los calzos de los levantaválvulas y los empujadores hidráulicos. Identificar cada empujador y cada calzo según se hayan sacado de manera que puedan reinstalarse en la misma posición. Si los empujadores se reutilizan, guardarlos al revés en un recipiente hermético.

Para instalar:

7. Instalar los levantaválvulas en sus posiciones originales e instalar los calzos. Comprobar las holguras de válvulas y reemplazar los calzos, según sea necesario.

8. Al instalar, recordar que los árboles de levas deben manipularse con cuidado y mantenerse rectos y nivelados para evitar daños.

9. Antes de instalar los árboles de levas en ambas culatas de cilindros, aplicar grasa universal a cada uno de los árboles de levas.

10. Para instalar los árboles de levas derechos:

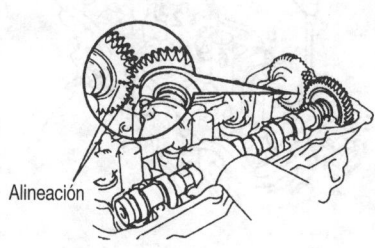

Alineación

Alineación de las marcas de sincronización de los engranajes de los árboles de levas para los árboles de levas derechos – Motor 3.0L (1MZ-FE)

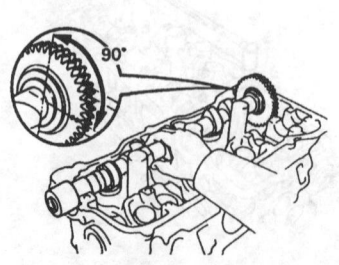

Instalación de árbol de levas para el árbol de levas de escape derecho – Motor 3.0L (1MZ-FE)

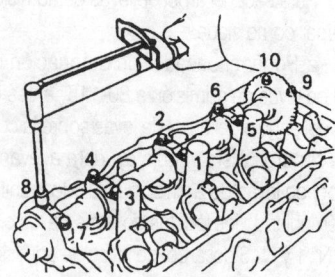

Secuencia de apriete de los tornillos de las tapas de los cojinetes para el árbol de levas de escape derecho – Motor 3.0L (1MZ-FE)

Secuencia de apriete de los tornillos de las tapas de los cojinetes para el árbol de levas de admisión derecho – Motor 3.0L (1MZ-FE)

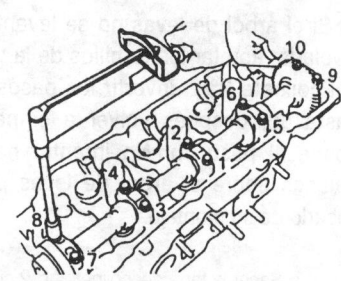

Secuencia de apriete de los tornillos de las tapas de los cojinetes para el árbol de levas de escape izquierdo – Motor 3.0L (1MZ-FE)

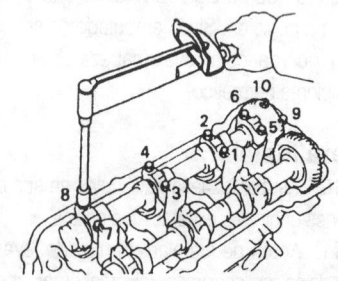

Secuencia de apriete de los tornillos de las tapas de los cojinetes para el árbol de levas de admisión izquierdo – Motor 3.0L (1MZ-FE)

a. Colocar el árbol de levas de admisión sobre la culata, de manera que las marcas de alineación estén en un ángulo de 90° con la vertical. La marca debe estar en la posición de las 3 en punto.

b. Aplicar selladora en la tapa del cojinete N° 1.

c. Aplicar una ligera capa de aceite de motor limpio en las roscas de los tornillos y bajo la cabeza de los tornillos. Instalar las tapas de los cojinetes en sus posiciones correctas. Apretar los tornillos, de manera uniforme, y en varios pasos, a 12 pie-lb (16 Nm), en la secuencia correcta.

d. Colocar el árbol de levas de escape sobre la culata, de manera que las marcas de alineación estén en un ángulo de 90° con la vertical. La marca debe estar en la posición de las 9 en punto, y debe alinearse con las marcas del otro engranaje.

e. Aplicar una ligera capa de aceite de motor limpio en las roscas de los tornillos y debajo de la cabeza de los tornillos. Instalar las tapas de los cojinetes en sus posiciones correctas. Apretar los tornillos, de manera uniforme y en varios pasos, a 12 pie-lb (16 Nm), en la secuencia correcta.

f. Sacar el tornillo de servicio.

11. Para instalar los árboles de levas izquierdos:

a. Colocar el árbol de levas de admisión sobre la culata, de manera que la marca de alineación esté en un ángulo de 90° con la vertical. La marca debe estar en la posición de las 9 en punto.

b. Aplicar selladora en la tapa del cojinete N° 1.

c. Aplicar una ligera capa de aceite de motor limpio en las roscas de los tornillos y debajo de la cabeza de los tornillos. Instalar las tapas de los cojinetes en sus posiciones correctas. Apretar los tornillos, de manera uniforme y en varios pasos, a 12 pie-lb (16 Nm), en la secuencia correcta.

d. Colocar el árbol de levas de escape sobre la culata de manera que las marcas de alineación estén en un ángulo de 90° con la vertical. La marca debe estar en la posición de las 3 en punto y debe alinearse con las marcas del otro engranaje.

e. Aplicar una ligera capa de aceite de motor limpio en las roscas de los tornillos y debajo de la cabeza de los tornillos. Instalar las tapas de los cojinetes en sus posiciones correctas. Apretar los tornillos, de manera uniforme y en varios pasos, a 12 pie-lb (16 Nm), en la secuencia correcta.

f. Sacar el tornillo de servicio.

12. Aplicar grasa universal a los sellos de aceite nuevos de los árboles de levas. Instalar los sellos.

13. Instalar la cubierta N° 3 (trasera) de la correa de sincronización.

14. Instalar los engranajes de sincronización de los árboles de levas.

15. Instalar la polea tensora, la correa de sincronización y las cubiertas.

16. Comprobar y ajustar las holguras de válvulas.

17. Instalar las cubiertas de culata de cilindros (de válvulas).

18. Arrancar el motor. Comprobar la sincronización del encendido.

19. Probar conduciendo el vehículo.

20. Comprobar los niveles de todos los fluidos.

Motores 3.0L (2JZ-GTE y 2JZ-GE)

1. Desconectar el cable negativo de la batería. En los vehículos equipados con air bag (saco o bolsa de aire), esperar como mínimo 90 segundos, antes de proceder.

2. Sacar la correa de sincronización del motor.

3. Sacar las cubiertas de las culatas de cilindros.

4. Mientras se sujeta cada árbol de levas con una llave de tuercas, aflojar el tornillo del engranaje del árbol de levas y sacar el engranaje.

5. Sacar los cuatro tornillos y sacar, la cubierta N° 4 (interior) de la correa de sincronización.

6. Aflojar uniformemente, después sacar los cuatro tornillos de las tapas de los cojinetes N° 1 de los árboles de levas. Éstos son los tornillos que están directamente detrás de los engranajes. Sacar las tapas de los cojinetes.

7. Uniformemente, y en el orden inverso al de la secuencia de instalación, aflojar y sacar los tornillos restantes de tapa de cojinetes. Tener en cuenta que hay secuencias distintas para los árboles de levas de escape y de admisión. Sacar las 12 tapas de los cojinetes.

8. Sacar los árboles de levas de escape y de admisión.

9. Sacar los calzos de los levantaválvulas y los empujadores hidráulicos. Identificar cada empujador y cada calzo según se hayan sacado, de manera que puedan reinstalarse en la misma posición. Si los empujadores se reutilizan, guardarlos al revés en un recipiente hermético.

Para instalar:

10. Instalar los levantaválvulas en sus posiciones originales e instalar los calzos. Comprobar la holgura de válvulas y reemplazar los calzos según sea necesario.

11. Al reinstalar, recordar que los árboles de levas deben manipularse con cuidado y mantenerse rectos y nivelados, para evitar daños.

12. Cubrir cada árbol de levas con aceite de motor limpio, después colocarlos en la culata de cilindros, con los lóbulos de las levas y los pasadores de detonación en la posición correcta.

13. Colocar las tapas de los cojinetes N° 3 y N° 7 en su sitio, cubrir las roscas de los tornillos con aceite y después apretarlos provisionalmente.

14. Cubrir los sellos de aceite nuevos con grasa universal, después deslizarlos sobre los árboles de levas.

15. Limpiar las superficies de unión de las dos tapas de los cojinetes N° 1, después aplicar un poco de selladora. Instalar los tornillos.

16. Instalar todas las tapas de los cojinetes restantes, cubrir las roscas de cada tornillo con

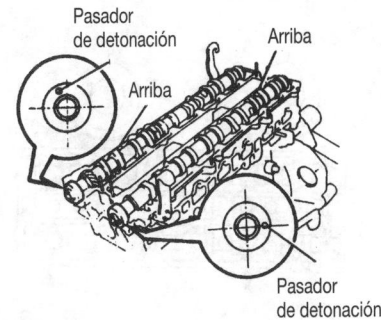

▲ Durante la instalación, colocar los pasadores de detonación, según se muestra – Motores 3.0L (2JZ-GE y 2JZ-GTE)

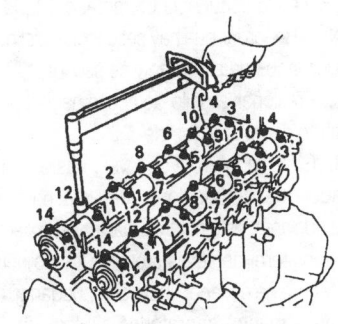

▲ Secuencia de apriete de los tornillos de las tapas de los cojinetes de los árboles de levas – Motores 3.0L (2JZ-GE y 2JZ-GTE)

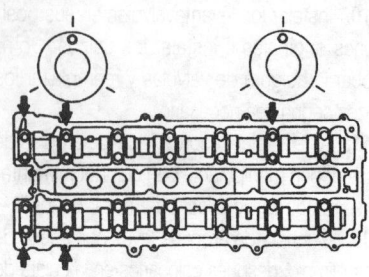

Reapriete de los árboles de levas (paso 1) – Motores 3.0L (2JZ-GE y 2JZ-GTE)

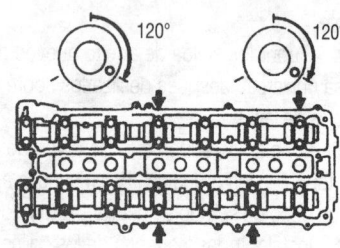

Reapriete de los árboles de levas (paso 2) – Motores 3.0L (2JZ-GE y 2JZ-GTE)

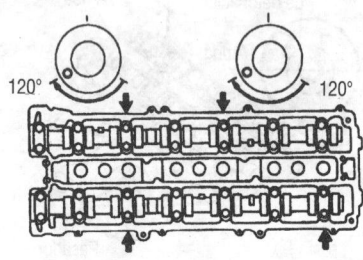

Reapriete de los árboles de levas (paso 3) – Motores 3.0L (2JZ-GE y 2JZ-TGE)

aceite nuevo, después apretarlos, en varios pasos y en la secuencia correcta, a 14 pie-lb (20 Nm). Recordar que hay secuencias distintas para los lados de admisión y de escape.

17. Presionar el sello de aceite hacia adentro, tanto como sea posible.

18. Girar cada árbol de levas, hasta que el pasador (de detonación) que está mirando hacia adelante, esté mirando hacia arriba, recto. Aflojar los tornillos de las tapas de los cojinetes N° 1 y N° 2 de escape, hasta que puedan girarse con la mano; reapretarlos a 14 pie-lb (20 Nm). Aflojar los tornillos de las tapas de los cojinetes N° 1 y N° 2 de admisión, y reapretarlos a 14 pie-lb (20 Nm).

19. Girar cada árbol de levas ¹/₄ de vuelta (120 grados). Aflojar los tornillos de las tapas de los cojinetes N° 4 y N° 7 de escape; apretarlos a 14 pie-lb (20 Nm). Aflojar los tornillos de las tapas de los cojinetes N° 4 y N° 6 de admisión; apretarlos a 14 pie-lb (20 Nm).

20. Girar cada árbol de levas ¹/₄ de vuelta adicional, aflojar los tornillos de las tapas de los cojinetes N° 3 y N° 5 de escape, después apretarlos a 14 pie-lb (20 Nm). Aflojar los tornillos de las tapas de los cojinetes N° 3 y N° 7 de admisión, después apretarlos a 14 pie-lb (20 Nm).

21. Comprobar y ajustar la holgura de válvulas.

22. Instalar la cubierta N° 4 interior de la correa de sincronización y las poleas de los árboles de levas. Alinear el pasador del eje con la ranura de la polea y deslizar la polea en el eje. Instalar provisionalmente el tornillo. Sujetar la parte hexagonal del árbol de levas con una llave de tuercas; apretar el tornillo de la polea a 59 pie-lb (79 Nm).

23. Instalar las cubiertas de las culatas de cilindros.

24. Instalar la correa de sincronización en el motor.

25. Conectar el cable negativo de la batería, en la batería.

26. Comprobar y/o ajustar la sincronización del encendido, según sea necesario.

HOLGURA DE VÁLVULAS

AJUSTE

Motor 1.5L (5E-FE)

➡ Ajustar la holgura de válvulas cuando el motor esté frío.

1. Desconectar el cable negativo de la batería. En los vehículos equipados con air bag (saco de aire) esperar como mínimo 90 segundos antes de proceder.

2. Sacar las cubiertas de las culatas de cilindros.

3. Girar la polea del cigüeñal y alinear su ranura con la marca de sincronización 0 de la cubierta N° 1 de la sincronización.

4. Comprobar que las marcas de sincronización de los engranajes de los árboles de levas estén alineadas con las marcas de la cubierta N° 4 de la sincronización. Si no es así, girar el cigüeñal una vuelta completa (360° grados).

5. Medir la holgura entre el levantaválvulas y el árbol de levas. Anotar las medidas en las válvulas de admisión N° 1 y N° 2. Medir las válvulas de escape N° 1 y N° 3.

   a. La holgura de las válvulas de admisión en frío es de 0.006-0.010 plg (0.15-0.25 mm).

Tabla de selección de los calzos de ajuste

Grosor del calzo nuevo				mm (plg)	
N° calzo	Grosor		N° calzo	Grosor	
1	2.500 (0.0984)		10	2.950 (0.1161)	
2	2.550 (0.1004)		11	3.000 (0.1181)	
3	2.600 (0.1024)		12	3.050 (0.1201)	
4	2.650 (0.1043)		13	3.100 (0.1220)	
5	2.700 (0.1063)		14	3.150 (0.1240)	
6	2.750 (0.1083)		15	3.200 (0.1260)	
7	2.800 (0.1102)		16	3.250 (0.1280)	
8	2.850 (0.1122)		17	3.300 (0.1299)	
9	2.900 (0.1142)				

Consejo: los calzos nuevos tienen impreso en la cara el grosor en milímetros

Tabla de los calzos de ajustes (admisión y escape) – Motor 1.6L (4A-FE), 1.8L (7A-FE), 2.2L (5S-FE), 3.0L (1MZ-FE) y 3.0L (2JZ-GE y 2JZ-GTE)

Tabla de selección de los calzos de ajuste

Grosor del calzo nuevo   mm (plg)

N° calzo	Grosor	N° calzo	Grosor
02	2.500 (0.0984)	20	2.950 (0.1161)
04	2.550 (0.1004)	22	3.000 (0.1181)
06	2.600 (0.1024)	24	3.050 (0.1201)
08	2.650 (0.1043)	26	3.100 (0.1220)
10	2.700 (0.1063)	28	3.150 (0.1240)
12	2.750 (0.1083)	30	3.200 (0.1260)
14	2.800 (0.1102)	32	3.250 (0.1280)
16	2.850 (0.1122)	34	3.300 (0.1299)
18	2.900 (0.1142)		

▲ Tabla de los calzos de ajustes (admisión y escape) – Motor 1.5L (5E-FE)

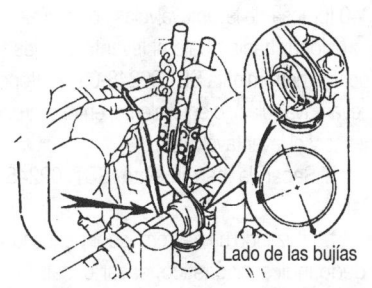

▲ Método usual de desmontaje de los calzos de las válvulas

b. La holgura de las válvulas de escape en frío es de 0.012-0.016 plg (0.31-0.41 mm).

6. Girar la polea del cigüeñal una vuelta (360°) y alinear la ranura con la marca de sincronización 0 de la cubierta N° 1 de la correa de sincronización.

7. Medir la holgura entre los levantaválvulas y el árbol de levas. Registrar las medidas de las válvulas de admisión N° 3 y N° 4. Medir las válvulas de escape N° 2 y N° 4.

a. La holgura de las válvulas de admisión en frío es de 0.006-0.010 plg (0.15-0.25 mm).

b. La holgura de las válvulas de escape en frío es de 0.012-0.016 plg (0.31-0.41 mm).

8. Para ajustar la holgura de las válvulas:

a. Sacar el calzo de ajuste y girar el cigüeñal para colocar hacia arriba el lóbulo de leva del árbol de levas, sobre la válvula que se ha de ajustar.

b. Girar el levantaválvulas de manera que la ranura esté perpendicular al árbol de levas y mirando hacia el lado de las bujías.

c. Utilizando la herramienta SST 09248-55040 (prensa de levantaválvulas), o equivalente, sujetar el árbol de levas en su sitio.

d. Utilizando la herramienta SST 09248-55040 (prensa de levantaválvulas), o equivalente, presionar el levantaválvulas hacia abajo y

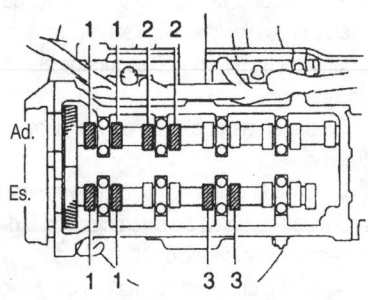

▲ Válvulas de admisión (1 y 2) y válvulas de escape (1 y 3) – Motor 5E-FE

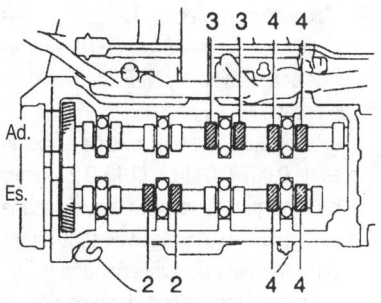

▲ Válvulas de admisión (3 y 4) y válvulas de escape (2 y 4) – Motor 5E-FE

colocar la herramienta SST 09248-05420 (tope de levantaválvulas), o equivalente, entre el árbol de levas y el levantaválvulas.

e. Sacar la herramienta SST 09248-44040.

f. Utilizando un destornillador pequeño y un dedo índice magnético, sacar el calzo de ajuste.

9. Determinar la medida del calzo de ajuste de repuesto, utilizando la tabla o la fórmula siguiente:

- Admisión: N=T+A(–)0.008 plg (0.20 mm).
- Escape: N=T+A(–)0.014 plg (0.36 mm).
- T=grosor del calzo de ajuste que se ha sacado.
- A=medida de la holgura de la válvula.
- N=grosor del calzo de ajuste nuevo.

10. Instalar un calzo de ajuste nuevo.

11. Volver a comprobar la holgura de válvula.

12. Instalar las cubiertas de las culatas de cilindros.

13. Conectar el cable negativo de la batería.

Motores 1.6L (4A-FE) y 1.8L (7A-FE y 1ZZ-FE)

➡ **Ajustar la holgura de las válvulas cuando el motor esté frío.**

1. Desconectar el cable negativo de la batería.

2. Sacar las cubiertas de las culatas de cilindros.

3. Girar la polea del cigüeñal y alinear su ranura con la marca de sincronización 0 de la cubierta N° 1 de la sincronización.

4. Comprobar que las marcas de sincronización de los engranajes de los árboles de levas estén alineadas con las marcas en la cubierta N° 4 de la sincronización. Si no es así, girar el cigüeñal una vuelta completa (360°).

5. Medir la holgura entre el levantaválvulas y el árbol de levas. Registrar las medidas de las válvulas N° 1 y N° 2 de admisión. Medir las válvulas N° 1 y N° 3 de escape.

a. La holgura de las válvulas de admisión en frío es de 0.006-0.010 plg (0.15-0.25 mm).

b. La holgura de las válvulas de escape en frío es de 0.010-0.014 plg (0.25-0.35 mm).

6. Girar la polea del cigüeñal una vuelta (360°) y alinear la ranura con la marca de sincronización 0 de la cubierta N° 1 de la correa de sincronización.

7. Medir la holgura entre el levantaválvulas y el árbol de levas. Anotar las medidas de las válvulas de admisión N° 3 y N° 4. Medir las válvulas de escape N° 2 y N° 4.

a. La holgura de las válvulas de admisión en frío es de 0.006-0.010 plg (0.15-0.25 mm).

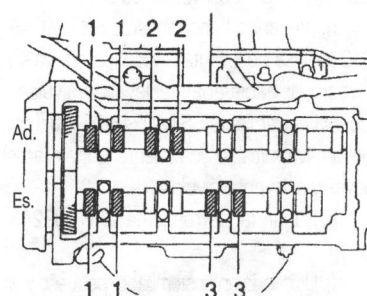

▲ Válvulas de admisión (1 y 2) y válvulas de escape (1 y 3) – Motores 1.6L (4A-FE) y 1.8L (7A-FE y 1ZZ-FE)

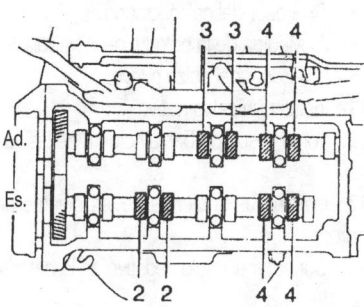

▲ Válvulas de admisión (3 y 4) y válvulas de escape (2 y 4) – Motores 1.6L (4A-FE) y 1.8L (7A-FE y 1ZZ-FE)

b. La holgura de las válvulas de escape en frío es de 0.010-0.014 plg (0.25-0.35 mm).

8. Para ajustar la holgura de las válvulas de admisión:

a. Sacar el árbol de levas de admisión.

b. Utilizando un destornillador pequeño y un dedo índice magnético, sacar el calzo de ajuste.

c. Determinar la medida del calzo de ajuste de repuesto, utilizando la tabla o la fórmula siguiente:

- Admisión: $N=T+A-0.008$ plg (0.20 mm).
- T=Grosor del calzo sacado.
- A=Medida de la holgura de la válvula.
- N=Grosor del calzo nuevo.

d. Instalar un calzo nuevo.

e. Instalar el árbol de levas de admisión.

f. Volver a comprobar la holgura de las válvulas.

9. Para ajustar la holgura de las válvulas de escape:

a. Girar el cigüeñal para colocar hacia arriba el lóbulo de leva del árbol de levas, sobre la válvula que se ha de ajustar.

b. Girar el levantaválvulas de manera que la ranura esté perpendicular al árbol de levas y mirando hacia el lado de las bujías.

c. Utilizando la herramienta SST 09248-55040 (prensa de levantaválvulas), o equivalente, sujetar el árbol de levas en su sitio.

d. Utilizando la herramienta SST 09248-55040 (prensa de levantaválvulas), o equivalente, presionar hacia abajo el levantaválvulas y colocar la herramienta SST 09248-05420 (tope del levantaválvulas), o equivalente, entre el árbol de levas y el levantaválvulas.

e. Sacar la herramienta SST 09248-44040.

f. Utilizando un destornillador pequeño y un deda índice magnético, sacar el calzo de ajuste.

10. Determinar la medida del calzo de ajuste de repuesto, utilizando la tabla o la fórmula siguiente:

- Escape: $N=T+A-0.014$ plg (0.36 mm).
- T=Grosor del calzo sacado.
- A=Medida de la holgura de la válvula.
- N=Grosor del calzo nuevo.

11. Instalar un calzo nuevo.

12. Volver a comprobar la holgura de las válvulas.

13. Instalar las cubiertas de las culatas de cilindros.

14. Conectar el cable negativo de la batería.

Motor 2.2L (5S-FE)

➡ **Ajustar la holgura de las válvulas cuando el motor esté frío.**

1. Desconectar el cable negativo de la batería. En los vehículos equipados con air bag, esperar como mínimo 90 segundos antes de proceder.

2. Sacar las cubiertas de las culatas de cilindros.

3. Girar la polea del cigüeñal y alinear su ranura con la marca de sincronización 0 de la cubierta de sincronización N° 1.

4. Comprobar que las marcas de sincronización de los engranajes de los árboles de levas estén alineadas con las marcas de la cubierta N° 4 de la sincronización. Si no es así, girar el cigüeñal una vuelta completa (360°).

5. Medir la holgura entre el levantaválvulas y el árbol de levas. Registrar las medidas de las válvulas de admisión N° 1 y N° 2. Medir las válvulas de escape N° 1 y N° 3.

a. La holgura de las válvulas de admisión en frío es de 0.007-0.011 plg (0.19-0.29 mm).

b. La holgura de las válvulas de escape en frío es de 0.011-0.015 plg (0.28-0.38 mm).

6. Girar la polea del cigüeñal una vuelta (360°) y alinear la ranura con la marca de sincronización 0 de la cubierta N° 1 de la correa de sincronización.

7. Medir la holgura entre el levantaválvulas y el árbol de levas. Anotar las medidas de las válvulas de admisión N° 3 y N° 4. Medir las válvulas de escape N° 2 y N° 4.

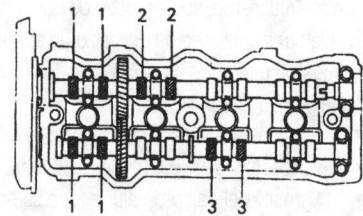

▲ **Válvulas de admisión (1 y 2) y válvulas de escape (1 y 3) – Motor 2.2L (5S-FE)**

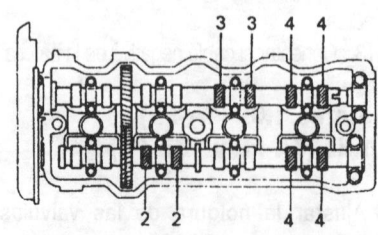

▲ **Válvulas de admisión (3 y 4) y válvulas de escape (2 y 4) – Motor 2.2L (5S-FE)**

a. La holgura de las válvulas de admisión en frío es de 0.007-0.011 plg (0.19-0.29 mm).

b. La holgura de las válvulas de escape en frío es de 0.011-0.015 plg (0.29-0.38 mm).

8. Para ajustar la holgura de las válvulas:

a. Girar el cigüeñal hasta colocar hacia arriba el lóbulo de leva del árbol de levas, sobre la válvula que se ha de ajustar.

b. Girar el levantaválvulas de manera que la ranura esté perpendicular al árbol de levas y mirando hacia el lado de las bujías.

c. Utilizando la herramienta SST 09248-55040 (prensa de levantaválvulas), o equivalente, sujetar el árbol de levas en su sitio.

d. Utilizando la herramienta SST 09248-55040 (prensa de levantaválvulas), o equivalente, presionar hacia abajo el levantaválvulas y colocar la herramienta SST 09248-05420 (tope del levantaválvulas), o equivalente, entre el árbol de levas y el levantaválvulas.

e. Sacar la herramienta SST 09248-44040.

f. Utilizando un destornillador pequeño y un dedo índice magnético, sacar el calzo de ajuste.

9. Determinar la medida del calzo de ajuste de repuesto, utilizando la tabla o la fórmula siguiente:

- Admisión: $N=T+A(-)0.009$ plg (0.24 mm).
- Escape: $N=T+A(-)0.013$ plg (0.33 mm).
- T=Grosor del calzo de sacado.
- A=Medida de la holgura de la válvula.
- N=Grosor del calzo nuevo.

10. Instalar un calzo nuevo.

11. Volver a comprobar la holgura de las válvulas.

12. Instalar las cubiertas de las culatas de cilindros.

13. Conectar el cable negativo de la batería.

Motor 3.0L (1MZ-FE)

➡ **Ajustar la holgura de las válvulas cuando el motor esté frío.**

1. Con el interruptor de encendido en posición LOCK (bloqueado), desconectar el terminal negativo de la batería. Si está equipado con sistema de air bag, esperar como mínimo 90 segundos, o más, antes de realizar cualquier otro trabajo.

2. Desconectar el cable del acelerador/ahogador del varillaje del ahogador.

3. Sacar la cubierta del filtro de aire, el medidor del flujo de aire y el conjunto del conducto de aire.

4. Sacar la cubierta del banco en V.

5. Sacar el juego de válvulas del control de emisiones.

6. Sacar la cámara de admisión de aire.

7. Desconectar el cableado del motor de los inyectores y de las bobinas de encendido.

8. Sacar las bobinas de encendido y mantenerlas en orden para su reensamblaje.

9. Sacar las bujías.

10. Sacar las cubiertas de las culatas de cilindros.

11. Girar la polea del cigüeñal y alinear su ranura con la marca de sincronización 0 de la cubierta N° 1 de la sincronización.

12. Comprobar que los levantaválvulas de la admisión N° 1 estén flojos y que los del escape N° 1 estén tirantes. Si no es así, girar el cigüeñal una vuelta completa (360°).

➡ **Todas las medidas deben apuntarse. Estas medidas registradas necesitarán utilizarse junto con la fórmula matemática para determinar el grosor de los calzos de repuesto.**

13. Medir la holgura entre los levantaválvulas y el árbol de levas. Registrar las medidas en las válvulas N° 1 y N° 6 de admisión y en las N° 2 y N° 3 de escape.

    a. La holgura de las válvulas de admisión en frío es de 0.006-0.010 plg (0.15-0.15 mm).

    b. La holgura de las válvulas de escape en frío es de 0.010-0.014 plg (0.25-0.35 mm).

14. Girar el cigüeñal $^2/_3$ de vuelta (240°). Registrar las medidas en las válvulas N° 2 y N° 3 de admisión y en las N° 4 y N° 5 de escape.

15. Girar otra vez el cigüeñal $^2/_3$ de vuelta. Registrar las medidas en las válvulas N° 4 y N° 5 de admisión y en las N° 1 y N° 6 de escape.

16. Sacar el calzo de ajuste girando el cigüeñal para colocar el lóbulo de leva del árbol de levas en posición vertical sobre la válvula que se ha de ajustar. Utilizando una pequeña herramienta de hoja plana y delgada, girar el levantaválvulas de manera que las ranuras estén perpendiculares al árbol de levas. Presionar el levantaválvulas hacia abajo con la pieza A SST 09248-55010, o equivalente. Colocar la pieza B SST 09248-55010 entre el árbol de levas y el levantaválvulas; sacar la pieza A.

17. Sacar el calzo de ajuste con un imán y un destornillador pequeño.

18. Determinar la medida del calzo de ajuste de repuesto, utilizando las tablas, o las fórmulas siguientes:

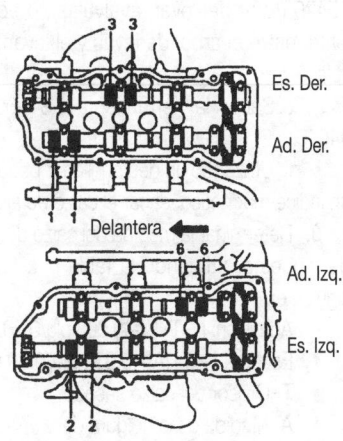

▲ **Ajustar estas válvulas durante el primer paso – Motor 3.0L (1MZ-FE)**

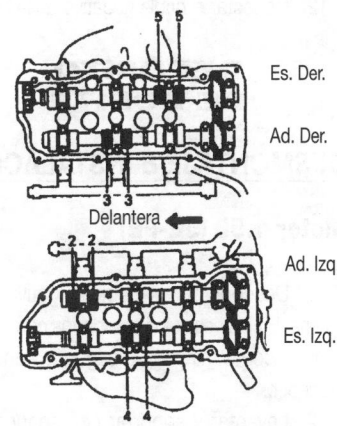

▲ **Ajustar estas válvulas durante el segundo paso – Motor 3.0L (1MZ-FE)**

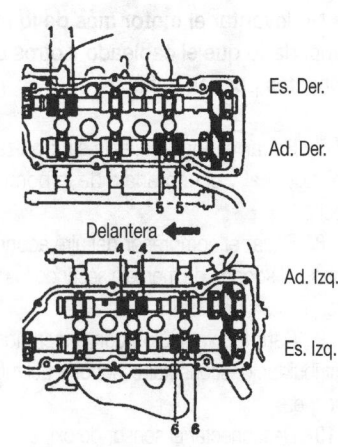

▲ **Ajustar estas válvulas durante el tercer paso – Motor 3.0L (1MZ-FE)**

- Admisión: N=T+(A(–)0.008 plg/0.20 mm).
- Escape: N=T+(A(–)0.012 plg/0.30 mm).
- T=Grosor del calzo sacado.
- A=Medida de la holgura de la válvula.
- N=Grosor del calzo nuevo.

19. Seleccionar un calzo nuevo con un grosor tan cercano como sea posible al valor calculado. Instalar el calzo de repuesto.

➡ **Los calzos están disponibles en 17 medidas, en incrementos de 0.0020 plg (0.050 mm), desde 0.0984 plg (2.500 mm) hasta 0.1299 plg (3.300 mm).**

20. Volver a comprobar la holgura de las válvulas.

21. Instalar las cubiertas de las culatas de cilindros.

22. Instalar las bujías y las bobinas de encendido.

23. Conectar el cableado del motor en los inyectores y en las bobinas.

24. Instalar la cámara de admisión.

25. Instalar el juego de válvulas del control de emisiones.

26. Instalar la cubierta del banco en V.

27. Instalar el medidor del flujo de aire, el conducto de aire y la cubierta del filtro de aire.

28. Conectar el cable negativo de la batería.

Motores 3.0L (2JZ-GE y 2JZ-GTE)

➡ **Ajustar la holgura de las válvulas cuando el motor esté frío.**

1. Desconectar el cable negativo de la batería. En los vehículos equipados con air bag, esperar como mínimo 90 segundos, antes de proceder.

2. Sacar las cubiertas de las culatas de cilindros.

3. Girar la polea del cigüeñal y alinear su ranura con la marca de sincronización 0 de la cubierta de sincronización N° 1.

4. Comprobar que las marcas de sincronización de los engranajes de los árboles de levas estén alineadas con las marcas en la cubierta N° 4 de la sincronización. Si no es así, girar el cigüeñal una vuelta completa (360°).

5. Medir la holgura entre el levantaválvulas y el árbol de levas. Registrar las medidas en las válvulas N° 1, N° 2 y N° 4 de admisión. Medir las válvulas N° 1, N° 3 y N° 5 de escape.

    a. La holgura de las válvulas de admisión en frío es de 0.006-0.010 plg (0.15-0.25 mm).

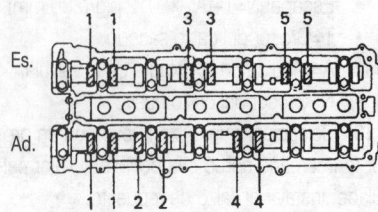

▲ Inspección de la holgura de las válvulas (después de girar el cigüeñal 360°) – Motores 2JZ-GE y 2JZ-GTE

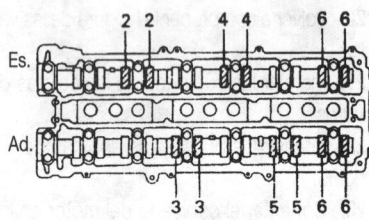

▲ Inspección de la holgura de las válvulas (antes de girar el cigüeñal 360°) – Motores 2JZ-GE y 2JZ-GTE

b. La holgura de las válvulas de escape en frío es de 0.010-0.014 plg (0.25-0.35 mm).

6. Girar la polea del cigüeñal una vuelta (360°) y alinear su ranura con la marca de sincronización 0 de la cubierta de la correa de sincronización N° 1.

7. Medir la holgura entre el levantaválvulas y el árbol de levas. Registrar las medidas en las válvulas de admisión N° 3, N° 5 y N° 6. Medir las válvulas de escape N° 2, N° 4 y N° 6.

a. La holgura de las válvulas de admisión en frío es de 0.006-0.010 plg (0.15-0.25 mm).

b. La holgura de las válvulas de escape en frío es de 0.010-0.014 plg (0.25-0.35 mm).

8. Para ajustar la holgura de las válvulas:

a. Sacar el calzo de ajuste y girar el cigüeñal para colocar hacia arriba el lóbulo de la leva del árbol de levas sobre la válvula que se ha de ajustar.

b. Girar el levantaválvulas de manera que las ranuras estén perpendiculares al árbol de levas.

c. Utilizando la herramienta SST 09248-55040 (prensa de levantaválvulas), o equivalente, sujetar el árbol de levas en su sitio.

d. Utilizando la herramienta SST 09248-55040 (prensa de levantaválvulas), o equivalente, presionar el levantaválvulas hacia abajo y colocar la herramienta SST 09248-

05420 (tope del levantaválvulas), o equivalente, entre el árbol de levas y el levantaválvulas.

e. Sacar la herramienta SST 09248-44040.

f. Utilizando un destornillador pequeño y un índice magnético, sacar el calzo de ajuste.

9. Determinar la medida del calzo de ajuste de repuesto, utilizando la tabla o la fórmula siguiente:

- Admisión: $N = T + (A-)0.008$ plg/0.20 mm).
- Escape: $N = T + (A-)0.012$ plg/0.30 mm).
- T = Grosor del calzo sacado.
- A = Medida de la holgura de la válvula.
- N = Grosor del calzo nuevo.

10. Volver a comprobar la holgura de las válvulas.

11. Instalar las cubiertas de la culata de cilindros.

12. Conectar el cable negativo de la batería.

DEPÓSITO DE ACEITE

DESMONTAJE E INSTALACIÓN

Motor 1.5L (5E-FE)

1. Desconectar el cable negativo de la batería. En los vehículos equipados con air bag, esperar como mínimo 90 segundos antes de proceder.

2. Levantar y soportar con seguridad el vehículo, después drenar el aceite.

3. Sacar el capó.

4. Sacar la varilla medidora del aceite.

5. Sacar la correa de sincronización.

6. Suspender el motor con un elevador.

➡ **No levantar el motor más de lo necesario, dado que el cableado y otros componentes pueden dañarse.**

7. Sacar el engranaje de sincronización del cigüeñal y el engranaje de la bomba de aceite.

8. Sacar el compresor del aire acondicionado y el soporte de montaje sacando los tornillos.

9. Para los vehículos con encendido por distribuidor, desconectar el soporte del tubo de escape.

10. Desconectar el sensor de oxígeno.

11. Desconectar el tubo de escape delantero sacando los dos tornillos y los dos resortes de compresión.

12. Sacar los diez tornillos del depósito de aceite, después sacar el depósito de aceite.

Para instalar:

13. Limpiar todas las superficies de unión de la junta.

14. Utilizando una junta nueva y selladora, instalar el depósito de aceite. Apretar los tornillos a 9.7-10 pie-lb (13 Nm).

15. Conectar el tubo de escape delantero, utilizando una junta nueva. Apretar los dos tornillos a 46 pie-lb (62 Nm).

16. Conectar el conector del sensor de oxígeno.

17. Instalar el tirante del tubo de escape, si se ha sacado. Apretar los tornillos a 14 pie-lb (19 Nm).

18. Instalar el soporte de montaje del compresor del A/A y apretar los tornillos a 20 pie-lb (27 Nm).

19. Conectar el compresor del A/A en el soporte utilizando los cuatro tornillos. Apretar los tornillos a 18 pie-lb (25 Nm).

20. Instalar los engranajes de sincronización del cigüeñal y de la bomba de aceite.

21. Instalar la correa de sincronización.

22. Instalar la varilla medidora del aceite.

23. Llenar el motor con aceite.

24. Conectar el cable negativo de la batería, en la batería.

25. Instalar el capó.

26. Arrancar el motor y comprobar si hay fugas.

Motor 1.6L (4A-FE)

COROLLA

1. Desconectar el cable negativo de la batería. En los vehículos equipados con air bag, esperar como mínimo 90 segundos antes de proceder.

2. Levantar y soportar con seguridad el vehículo.

3. Sacar las subcubiertas del vehículo.

4. Drenar el aceite del motor.

5. Sacar el tubo de escape delantero.

6. En el Celica, sacar las piezas siguientes:

- Travesaño inferior de la suspensión.
- Montaje central del motor.
- Indicador del nivel de aceite.

7. Sacar los cinco pernos de presión y sacar la placa de refuerzo.

8. Sacar los 19 tornillos y las dos tuercas que sujetan el depósito de aceite.

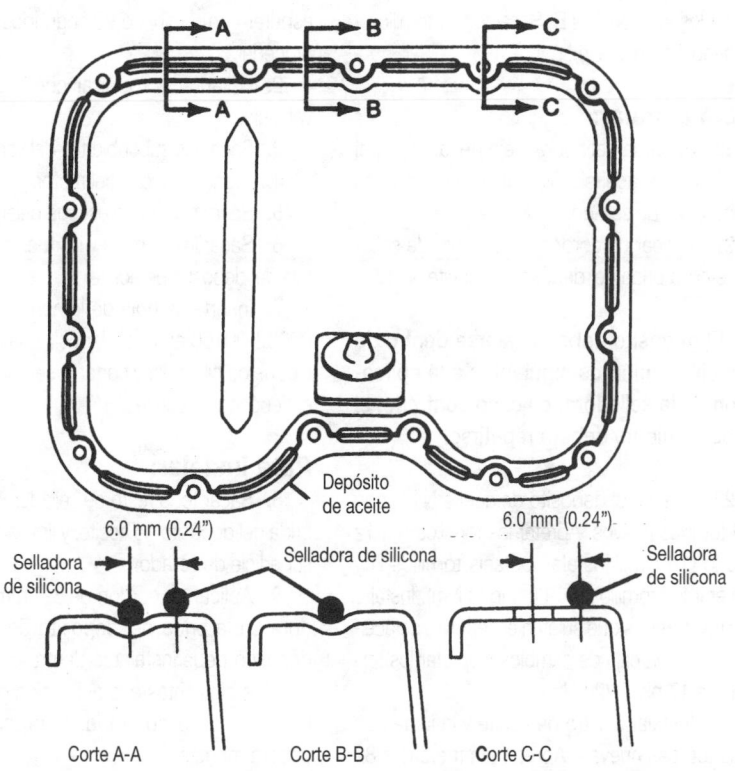

▲ **Pauta de aplicación de la selladora del depósito de aceite – Motores 1.6L (4A-FE) y 1.8L (7A-FE)**

9. Insertar la hoja de la herramienta SST 09032-00100 entre el depósito de aceite y el bloque de cilindros; cortar la selladora y sacar el depósito de aceite.

➡ **No utilizar la herramienta para el lado del cuerpo de la bomba de aceite y para el retén del sello de aceite trasero.**

Para instalar:

10. Sacar toda la selladora vieja de la brida del depósito de aceite y limpiar a fondo ambas superficies de sellado.

11. Aplicar un cordón de 3-5 mm de selladora en la brida del depósito N° 1.

➡ **El depósito debe instalarse dentro de los cinco minutos siguientes a la aplicación de la selladora; en caso contrario, el procedimiento deberá repetirse.**

12. Instalar el depósito de aceite en el bloque de cilindros con los 19 tornillos y las dos tuercas. Apretar los tornillos y las tuercas a 43 plg-lb (5 Nm).

13. Instalar provisionalmente la placa de refuerzo con el tornillo N° 1 y apretar el resto de los tornillos a 17 pie-lb (23 Nm).

14. En el Celica, instalar el travesaño inferior de la suspensión, el montaje central del motor y el indicador del nivel de aceite.

15. Instalar el tubo de escape delantero.

16. Bajar con seguridad el vehículo.

17. Llenar el motor con aceite y conectar el cable negativo de la batería. Arrancar el motor y comprobar si hay fugas.

18. Instalar las subcubiertas del motor.

Motor 1.8L (7A-FE)

COROLLA

1. Desconectar el cable negativo de la batería. En los vehículos equipados con air bag, esperar como mínimo 90 segundos antes de proceder.

2. Sacar el capó.

3. Levantar y soportar el vehículo con seguridad.

4. Sacar las subcubiertas del motor.

5. Drenar el aceite del motor.

6. Sacar el tubo de escape delantero.

7. Sacar los 13 tornillos y las 2 tuercas y sacar el depósito de aceite N° 2.

8. Insertar la hoja de la herramienta SST 09032-00100 entre el depósito de aceite y el bloque de cilindros, y cortar la selladora y sacar el depósito de aceite.

➡ **No utilizar la herramienta para el lado del cuerpo de la bomba de aceite y para el retén del sello de aceite trasero.**

9. Sacar los tres tornillos que sujetan el depósito de aceite N° 1 en la caja de cambios, sacar los seis tornillos y, utilizando una llave de tuercas hexagonal de 5 mm, sacar los 14 tornillos y el depósito de aceite N° 1.

Para instalar:

10. Sacar todo resto de selladora vieja de la brida del depósito de aceite y limpiar a fondo ambas superficies de sellado.

11. Aplicar un cordón de 3-5 mm de selladora en la brida del depósito de aceite N° 1. El depósito debe instalarse dentro de los cinco minutos siguientes a la aplicación de la selladora; en caso contrario, el procedimiento deberá repetirse.

12. Utilizando una llave de tuercas hexagonal de 5 mm, instalar el depósito de aceite N° 1 con 14 tornillos nuevos. Apretar el tornillo A a 12 pie-lb (16 Nm). Instalar los seis tornillos y apretar el tornillo B a 69 plg-lb (8Nm). Reinstalar los tres tornillos que sujetan el depósito de aceite N° 1 en la transmisión y apretar los tornillos a 17 pie-lb (23 Nm).

13. Aplicar un cordón de 3-5 mm de selladora en la brida del depósito de aceite N° 2. El depósito debe instalarse dentro de los cinco minutos siguientes a la aplicación de la selladora; en caso contrario, el procedimiento deberá repetirse.

14. Instalar el depósito de aceite N° 2 con los 13 tornillos y las 2 tuercas. Apretar los tornillos y las tuercas a 43 plg-lb (5 Nm).

15. Instalar el tubo de escape delantero.

16. Bajar con seguridad el vehículo.

17. Volver a instalar el capó.

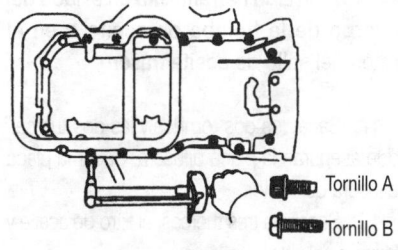

▲ **Tornillos de montaje A y B de los depósitos de aceite – Motor 1.8L (7A-FE)**

18. Llenar el motor con aceite, reconectar el cable negativo de la batería, arrancar el motor y comprobar si hay fugas.

19. Volver a instalar las subcubiertas del motor.

CELICA

1. Desconectar el cable negativo de la batería. En los vehículos equipados con air bag, esperar como mínimo 90 segundos antes de proceder.

2. Sacar el capó.

3. Levantar y soportar con seguridad el vehículo.

4. Sacar la rueda delantera de mano derecha.

5. Sacar las subcubiertas del vehículo.

6. Drenar el aceite del motor.

7. Sacar el tubo de escape delantero.

8. Si está equipado con T/A, desconectar el cable del control de la caja de cambios del travesaño central de montaje del motor.

9. Si está equipado con A/A, desconectar el tubo de presión del A/A del travesaño central de montaje del motor.

10. Sacar el soporte de montaje del tubo de escape delantero.

11. Levantar y soportar con seguridad el conjunto motor.

12. Sacar el aislante del montaje trasero del motor y el travesaño central de montaje del motor.

13. Instalar un colgador de motores y suspender el motor con un dispositivo de eslinga de motores, o equivalente.

14. Sacar la guía de la varilla medidora del aceite, y la varilla medidora.

15. Sacar los 13 tornillos y las dos (2) tuercas y sacar el depósito de aceite N° 2.

16. Insertar la hoja de la herramienta SST 09032-00100, o equivalente, entre el depósito de aceite y el bloque de cilindros; cortar la selladora y sacar el depósito de aceite.

➡ **No utilizar la herramienta en el lado del cuerpo de la bomba de aceite o en el retén del sello de aceite trasero.**

17. Sacar los dos tornillos y las dos tuercas que aseguran la placa difusora. Sacar la placa difusora del motor.

18. Sacar las tres tuercas, el filtro de aceite y la junta del filtro.

19. Sacar los tres tornillos que sujetan el depósito de aceite N° 1 en la transmisión y

sacar los seis tornillos B. Sacar los 14 tornillos y el depósito de aceite N° 1.

Para instalar:

20. Sacar la selladora vieja de la brida del depósito de aceite y limpiar a fondo ambas superficies de sellado.

21. Aplicar un cordón de 3-5 mm de selladora en la brida del depósito de aceite N° 1.

➡ **El depósito debe instalarse dentro de los cinco minutos siguientes a la aplicación de la selladora; en caso contrario, el procedimiento deberá repetirse.**

22. Instalar el depósito de aceite N° 1, con 14 tornillos nuevos. Apretar los tornillos A a 12 pie-lb (16 Nm). Instalar los seis tornillos B y apretar los tornillos a 69 plg-lb (8 Nm). Instalar los tres tornillos que sujetan el depósito de aceite N° 1 en la caja de cambios y apretar los tornillos a 17 pie-lb (23 Nm).

23. Instalar el filtro de aceite y la junta con tres tuercas nuevas. Apretar las tuercas a 82 plg-lb (9 Nm).

24. Instalar la placa difusora del depósito de aceite. Apretar los dos tornillos y las dos tuercas a 69 plg-lb (8 Nm).

25. Aplicar un cordón de 3-5 mm de selladora en la brida del depósito de aceite N° 2.

➡ **El depósito debe instalarse dentro de los cinco minutos siguientes a la aplicación de la selladora; en caso contrario, el procedimiento deberá repetirse.**

26. Instalar el depósito de aceite N° 2 con los 13 tornillos y las dos (2) tuercas. Apretar los tornillos y las tuercas a 43 plg-lb (5 Nm).

27. Sacar el dispositivo de eslinga de motores, bajar con seguridad el vehículo, sacar el colgador, e instalar el aislante del montaje trasero del motor y el travesaño central de montaje del motor.

28. Instalar los componentes restantes en el orden inverso al que se han sacado.

29. Llenar el motor con aceite y conectar el cable negativo de la batería. Arrancar el motor y comprobar si hay fugas.

30. Instalar las subcubiertas del motor.

Motor 1.8L (1ZZ-FE)

1. Desconectar el cable negativo de la batería. En los vehículos equipados con air bag,

esperar como mínimo 90 segundos, antes de proceder.

2. Levantar y soportar con seguridad el vehículo.

3. Sacar las subcubiertas del vehículo.

4. Drenar el aceite del motor.

5. Sacar el tubo de escape delantero.

6. Sacar los tornillos y las tuercas de montaje del depósito de aceite.

7. Insertar la hoja de la herramienta SST 09032-00100 entre el depósito de aceite y el bloque de cilindros, y cortar la selladora y sacar el depósito de aceite.

Para instalar:

8. Sacar todo resto de selladora vieja de la brida del depósito de aceite, y limpiar a fondo la superficie de sellado.

9. Aplicar un cordón de 3-5 mm de selladora en la brida del depósito de aceite. El depósito debe instalarse dentro de los cinco minutos siguientes a la aplicación de la selladora; en caso contrario, el procedimiento deberá repetirse.

10. Apretar los 14 tornillos y las 2 tuercas, en varios pasos, a 80 plg-lb (9 Nm).

11. Instalar el tubo de escape delantero.

12. Bajar con seguridad el vehículo.

13. Llenar el motor con aceite, reconectar el cable negativo de la batería, arrancar el motor y comprobar si hay fugas.

14. Volver a instalar las subcubiertas del motor.

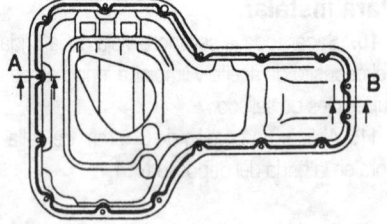

Anchura de sellado
4-5 mm

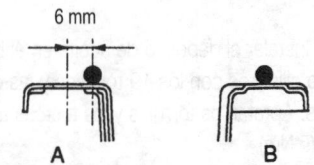

▲ **Aplicar selladora en el depósito de aceite, tal como se muestra – Motor 1.8L (1ZZ-FE)**

Motor 2.2L (5S-FE)

1. Desconectar el cable negativo de la batería. En los vehículos equipados con air bag, esperar como mínimo 90 segundos, antes de proceder.

2. Levantar y soportar con seguridad el vehículo.

3. Drenar el aceite del motor, y sacar las subcubiertas del motor.

4. Sacar el tubo de escape delantero.

5. Soportar con seguridad el conjunto motor y sacar el travesaño central de montaje del motor.

6. En el Celica, sacar el TWC como sigue:

a. Desconectar el conector del sensor de oxígeno secundario.

b. Sacar el soporte del múltiple de escape de mano derecha.

c. Sacar los tres tornillos, las dos tuercas, el TWC con junta, el retén y la almohadilla.

7. Sacar la placa de refuerzo del extremo trasero.

8. Sacar la varilla medidora del aceite y sacar los 17 tornillos y dos tuercas que acoplan el depósito de aceite en el motor.

9. Insertar la hoja de la herramienta SST 09032-00100, o equivalente, entre el depósito de aceite y el bloque de cilindros; cortar la selladora y sacar el depósito de aceite.

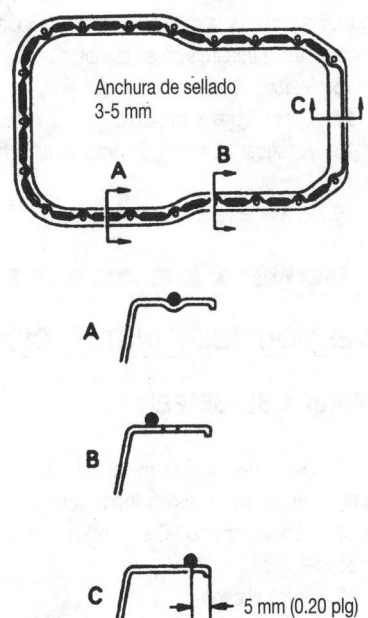

Diagrama de sellado del depósito de aceite – Motor 2.2L (5S-FE)

➡ No utilizar la herramienta en el lado del cuerpo de la bomba de aceite o en el retén del sello de aceite trasero.

Para instalar:

10. Sacar la selladora vieja de la brida del depósito de aceite y limpiar a fondo ambas superficies de sellado.

11. Aplicar un cordón de 3-5 mm de selladora en la brida del depósito de aceite.

➡ El depósito debe instalarse dentro de los cinco minutos siguiente a la aplicación de la selladora; en caso contrario, el procedimiento deberá repetirse.

12. Instalar el depósito de aceite con los 17 tornillos y dos tuercas. Apretar uniformemente los tornillos y las tuercas, en varios pasos. Apretar los tornillos y las tuercas a 48 plg-lb (5.4 Nm), e instalar la varilla medidora del aceite.

13. Instalar la placa de refuerzo del extremo trasero.

14. En el Celica, instalar el TWC.

15. Instalar el travesaño central de montaje del motor, y bajar con seguridad el motor.

16. Instalar el tubo de escape delantero.

17. Llenar el motor con aceite, y conectar el cable negativo de la batería. Arrancar el motor y comprobar si hay fugas.

18. Volver a comprobar el nivel de aceite del motor, y volver a instalar las subcubiertas del motor.

Motor 3.0L (1MZ-FE)

1. Desconectar el cable negativo en la batería, de la batería. En los vehículos equipados con air bag, esperar como mínimo 90 segundos, antes de proceder.

2. Levantar y soportar con seguridad la parte delantera del vehículo.

3. Sacar la rueda delantera derecha.

4. Sacar el sello de la cubierta de protección del guardabarros.

5. Sacar la subcubierta del motor.

6. Drenar del motor el aceite de motor.

7. Sacar el tubo de escape delantero.

8. Sacar el soporte del tubo de escape delantero del depósito de aceite N° 1.

9. Sacar la subcubierta del cuerpo del volante.

10. Sacar los diez tornillos y dos tuercas del depósito de aceite N° 2.

11. Insertar la hoja de la herramienta SST 09032-00100, o equivalente, entre los depósi-

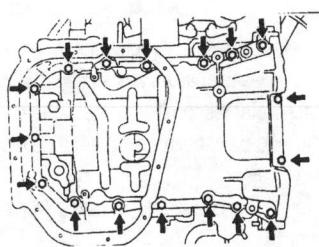

Localización de los tornillos de montaje del depósito de aceite N° 1 – Motor 3.0L (1MZ-FE)

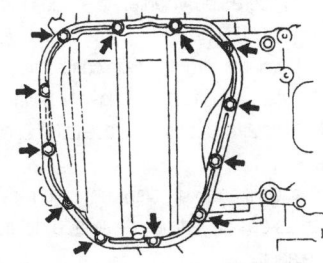

Localización de los tornillos de montaje del depósito de aceite N° 2 – Motor 3.0L (1MZ-FE)

tos de aceite N° 1 y N° 2. Limpiar las superficies de los depósitos de aceite.

12. Sacar el filtro de aceite y la junta del motor, sacando las tres tuercas.

13. Sacar el depósito de aceite N° 1 como sigue:

a. Sacar los dos tornillos de la subcubierta del cuerpo del volante. Sacar la subcubierta del volante.

b. Sacar los 17 tornillos y 2 tuercas del depósito de aceite N° 1. Tomar nota de la posición de cada tornillo. Al volver a colocar los tornillos en el depósito de aceite, colocar cada tornillo en la posición de la que se ha sacado.

c. Sacar el depósito de aceite haciendo palanca entre el bloque de cilindros y el depósito de aceite. Ir con cuidado de no dañar las superficies de contacto.

14. Sacar la placa difusora del depósito de aceite N° 1.

Para instalar:

15. Limpiar todas las superficies de unión de los depósitos de aceite.

16. Instalar la placa difusora en el depósito de aceite N° 1 y apretar a 69 plg-lb (8 Nm).

17. Instalar el depósito de aceite N° 1 como sigue:

a. Utilizando un disolvente sin residuo, limpiar ambas superficies de sellado en el depósito de aceite.

b. Aplicar selladora líquida en el depósito de aceite y en el bloque de cilindros.

c. Instalar el depósito de aceite con los 17 tornillos y las 2 tuercas. Apretar uniformemente los tornillos y las tuercas en varios pasos.

d. Apretar los tornillos como sigue:

- Tornillo de cabeza de 10 mm a 69 plg-lb (8 Nm).

- Tornillo de cabeza de 12 mm a 14 pie-lb (19.5 Nm).

- Tornillo de cabeza de 14 mm a 27 pie-lb (37.2 Nm).

e. Instalar con los dos tornillos la subcubierta del cuerpo del volante. Apretar los tornillos a 69 plg-lb (7.8 Nm).

18. Instalar el filtro de aceite con las tres tuercas. Apretar las tuercas a 69 plg-lb (7.8 Nm).

19. Instalar el depósito de aceite N° 2, como sigue:

a. Utilizando un disolvente sin residuo, limpiar las dos superficies de sellado del depósito de aceite.

b. Aplicar selladora líquida en el depósito de aceite y en el bloque de cilindros.

c. Instalar el depósito de aceite N° 2, con los diez tornillos y dos tuercas. Apretar uniformemente los tornillos y las tuercas en varios pasos. Apretar los tornillos a 69 plg-lb (7.8 Nm).

20. Instalar la subcubierta del cuerpo del volante.

21. Instalar el soporte del tubo de escape delantero en el depósito de aceite N° 1. Apretar los tornillos a 15 pie-lb (21 Nm).

22. Instalar el tubo de escape delantero como sigue:

a. Instalar provisionalmente las tres juntas nuevas y el tubo de escape delantero con los dos tornillos y las seis tuercas.

b. Apretar las cuatro tuercas que sujetan los múltiples de escape en el tubo de escape delantero. Apretar las cuatro tuercas a 46 pie-lb (62 Nm).

c. Apretar los dos tornillos y las dos tuercas que sujetan el tubo de escape delantero en el tubo de escape central. Apretar los tornillos y las tuercas a 41 pie-lb (56 Nm).

d. Instalar el soporte con los dos tornillos y apretar a 14 pie-lb (19 Nm).

e. Instalar el tirante de montaje con los dos tornillos y apretar a 22 pie-lb (29 Nm).

23. Instalar la subcubierta del motor.

24. Instalar el sello de la cubierta de protección del guardabarros.

25. Instalar la rueda delantera derecha y bajar el vehículo.

26. Llenar el motor con aceite.

27. Arrancar el motor y comprobar si hay fugas.

Motores 3.0L (2JZ-GE y 2JZ-GTE)

➡ El depósito de aceite N° 1 no puede sacarse con el motor en el vehículo. El conjunto motor/transmisión debe sacarse. Si sólo se ha de reparar el depósito de aceite N° 2, el conjunto motor/transmisión puede permanecer en el vehículo.

1. Sacar el conjunto motor/transmisión, después separar la transmisión del motor.

2. Con el motor sobre un soporte, sacar la correa de sincronización, la polea tensora y la polea de sincronización del cigüeñal.

3. Sacar la varilla medidora del aceite y la guía.

4. Desconectar el conductor del sensor de aceite, sacar los cuatro tornillos de sujeción y sacar el sensor del nivel de aceite. Ir con cuidado de que no se caiga este tensor.

5. Sacar los 14 tornillos y las dos tuercas, y hacer palanca para sacar el depósito de aceite inferior (N° 2). Ir con cuidado de no dañar el depósito N° 1, mientras se realiza este procedimiento.

6. Sacar el tornillo y las dos tuercas, y bajar el filtro de aceite y la junta.

7. Sacar los cinco tornillos y las dos tuercas y bajar la placa difusora.

8. En los motores turboalimentados, desconectar el tubo de salida de aceite del turbo, como sigue:

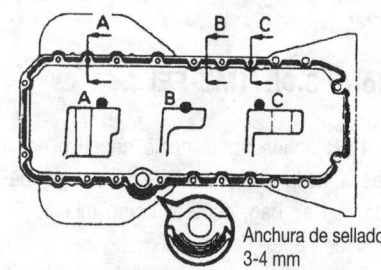

Anchura de sellado 3-4 mm

Aplicación de la selladora en el depósito de aceite superior – Motores 3.0L (2JZ-GE y 2JZ-GTE)

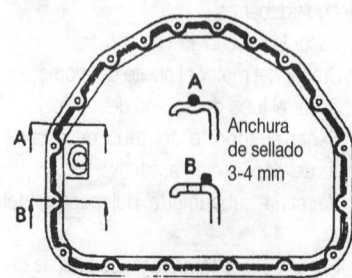

Anchura de sellado 3-4 mm

Aplicación de la selladora en el depósito de aceite inferior – Motores 3.0L (2JZ-GE y 2JZ-GTE)

a. Desconectar las dos mangueras de salida de aceite del turbo.

b. Sacar las dos tuercas, el tubo de salida de aceite y la junta.

9. Sacar los veintidós tornillos y con cuidado hacer palanca para sacar el depósito de aceite superior (N° 1). Sacar la junta tórica del bloque de cilindros.

Para instalar:

10. Colocar una junta tórica nueva en el bloque y rascar sacando toda la selladora vieja. Aplicar selladora en la superficie de unión del depósito, con un cordón de 1/8 plg (3-4 mm). Instalar el depósito superior y apretar los tornillos de 12 mm a 15 pie-lb (21 Nm) y los tornillos de 14 mm a 29 pie-lb (39 Nm).

11. En los motores turboalimentados, instalar el tubo de salida de aceite del turbo, como sigue:

a. Instalar el tubo de salida de aceite y la junta, con las dos tuercas. Apretar las tuercas a 20 pie-lb (27 Nm).

b. Instalar las dos mangueras de salida de aceite del turbo.

12. Instalar la placa difusora y el filtro de aceite. Apretarlos ambos a 78 plg-lb (9 Nm).

13. Instalar el depósito inferior de la misma manera que el depósito superior y apretar los tornillos a 78 plg-lb (9 Nm).

14. Utilizando una junta nueva, instalar el sensor del nivel de aceite y apretarlo a 48 plg-lb (5.4 Nm).

15. Instalar la varilla medidora de aceite y la guía, las poleas y la correa de sincronización, y reconectar la transmisión en el motor.

16. Instalar el motor y la transmisión.

17. Llenar todos los fluidos.

18. Arrancar el motor y comprobar si hay fugas.

19. Probar el vehículo en carretera.

BOMBA DE ACEITE

DESMONTAJE E INSTALACIÓN

Motor 1.5L (5E-FE)

1. Desconectar el terminal negativo de la batería. En los vehículos equipados con air bag, esperar como mínimo 90 segundos, antes de proceder.

2. Sacar el capó.

3. Levantar y soportar con seguridad el vehículo.

4. Sacar la varilla medidora de aceite.

5. Sacar la correa de sincronización.

6. Suspender el motor con un elevador.

▼ AVISO ▼

No levantar el motor más de lo necesario, dado que el cableado y otros componentes pueden dañarse.

7. Sacar las piezas necesarias para el acceso, después sacar el depósito de aceite.

8. Sacar los tres tornillos y el filtro de aceite, con la junta tórica.

9. Sacar la válvula reguladora de presión.

10. Sacar la bomba de aceite, sacando los nueve tornillos y el soporte del resorte tensor. Utilizar un martillo blando para sacar la bomba de aceite.

11. Utilizando un tornillo de banco, sacar la tuerca y la polea de la bomba de aceite.

Para instalar:

12. Limpiar todas las superficies de unión de junta.

13. Instalar la polea de la bomba de aceite, colocando primero los rotores conducidos dentro del cuerpo de la bomba con las marcas mirando hacia delante.

14. Alinear la polea y el eje propulsor de la bomba de aceite.

15. Utilizando un tornillo de banco, instalar la polea de la bomba de aceite y la tuerca. Apretar la tuerca a 27 pie-lb (37 Nm).

16. Instalar la válvula reguladora de presión y apretar a 22 pie-lb (30 Nm).

17. Utilizando una junta tórica nueva, instalar el filtro de aceite con los tres tornillos. Apretar los tornillos a 7 pie-lb (10 Nm).

18. Utilizando una junta nueva y selladora, instalar el depósito de aceite.

19. Instalar los componentes restantes, en el orden inverso al que se han sacado.

20. Llenar el motor con aceite.

21. Conectar el cable negativo de la batería, en la batería.

22. Instalar el capó.

23. Arrancar el motor y comprobar si hay fugas.

Motor 1.6L (4A-FE)

COROLLA

1. Desconectar el cable negativo de la batería. En los vehículos equipados con air bag, esperar como mínimo 90 segundos, antes de proceder.

2. Sacar el capó.

3. Levantar y soportar con seguridad el vehículo.

4. Sacar las subcubiertas del vehículo.

5. Drenar el aceite del motor.

6. Sacar el tubo de escape delantero

7. Sacar la correa de sincronización.

8. Sacar el tornillo y sacar la polea tensora y el resorte tensor.

9. Utilizando una herramienta adecuada, sacar la polea de sincronización del cigüeñal.

10. Sacar la guía de la varilla medidora de aceite, la varilla medidora y el depósito de aceite.

11. Sacar los dos tornillos y las tuercas, el filtro de aceite y la junta.

12. Sacar los siete tornillos de montaje, la bomba de aceite y la junta.

Para instalar:

13. Colocar una junta nueva en el bloque de cilindros, engranar los dientes estriados del rotor propulsado de la bomba de aceite con los dientes grandes del cigüeñal, y deslizar la bomba de aceite hasta su posición.

14. Instalar los siete tornillos de montaje y apretarlos a 16 pie-lb (21 Nm). Los tornillos largos tienen 1.38 plg y los tornillos cortos tienen 0.98 plg.

15. Instalar una junta nueva y el filtro de aceite con los 2 tornillos y las tuercas. Apretar a 82 plg-lb (9 Nm).

16. Instalar el depósito de aceite.

17. Instalar la polea tensora y el resorte tensor.

18. Instalar la correa de sincronización.

19. Instalar el tubo de escape delantero.

20. Bajar con seguridad el vehículo.

21. Instalar la guía de la varilla medidora de aceite y la varilla medidora.

22. Instalar la polea de sincronización del cigüeñal. Alinear la chaveta (cuña) de inmovilización de la polea de sincronización con la ranura de la polea. Asegurarse de que el lado de la brida de la polea mire hacia adentro.

23. Instalar el capó.

24. Llenar el motor con aceite, reconectar el cable negativo de la batería, arrancar el motor y comprobar si hay fugas.

25. Instalar las subcubiertas del motor.

Motor 1.8L (7A-FE)

COROLLA

1. Desconectar el cable negativo de la batería. En los vehículos equipados con air bag, esperar como mínimo 90 segundos, antes de proceder.

2. Sacar el capó.

3. Levantar y soportar con seguridad el vehículo.

4. Sacar las subcubiertas del vehículo.

5. Drenar el aceite del motor.

6. Sacar la correa de sincronización.

7. Sacar el tornillo y sacar la polea tensora y el resorte tensor.

8. Utilizando una herramienta adecuada, sacar la polea de sincronización del cigüeñal.

9. Sacar la guía de la varilla medidora de aceite, el sensor de posición del cigüeñal y la varilla medidora.

10. Sacar el tubo de escape delantero.

11. Sacar el depósito de aceite N° 2, la placa difusora, el filtro de aceite y el depósito de aceite N° 1.

➡ Ir con cuidado de no dañar las superficies de contacto del bloque de cilindros y el depósito de aceite N° 1.

12. Sacar el tornillo y el sensor de posición del cigüeñal.

13. Sacar los siete tornillos y la bomba de aceite.

Para instalar:

14. Para instalar la bomba de aceite, colocar una junta nueva en el bloque de cilindros. Engranar los dientes estriados del rotor propulsado de la bomba de aceite, con los dientes grandes del cigüeñal, y deslizar la bomba de aceite hacia adentro.

15. Instalar los siete tornillos de montaje de la bomba de aceite y apretarlos a 16 pie-lb (21 Nm). Los tornillos largos tienen 1.38 plg y los tornillos cortos tienen 0.98 plg.

16. Instalar el sensor de posición del cigüeñal.

17. Instalar el depósito de aceite N° 1, el filtro, la placa difusora y el depósito de aceite N° 2.

18. Instalar una junta tórica nueva en la guía de la varilla medidora, empujar hacia adentro la guía de la varilla medidora y la varilla medidora juntas y acoplar el sensor de posición del cigüeñal en el tornillo de montaje de la guía de la varilla medidora. Apretar el tornillo a 82 plg-lb (9 Nm).

19. Instalar la polea tensora y el resorte tensor con el tornillo de montaje, no apretar el tornillo, pero empujar la polea hacia la izquierda tanto como sea posible.

20. Alinear la chaveta o cuña de inmovilización de la polea de sincronización con la ranura o cuñero de la polea y deslizar la polea hacia adelante con la brida mirando hacia adentro.

21. Instalar la polea tensora y el resorte tensor con el tornillo de montaje, no apretar el tor-

nillo, pero empujar la polea tensora hacia la izquierda tanto como sea posible.

22. Instalar la correa de sincronización.

23. Instalar el tubo de escape delantero.

24. Bajar con seguridad el vehículo.

25. Volver a instalar el capó.

26. Llenar el motor con aceite, volver a conectar el cable negativo de la batería, arrancar el motor y comprobar si hay fugas.

27. Volver a instalar las subcubiertas del motor.

CELICA

1. Desconectar el cable negativo de la batería. En los vehículos equipados con air bag, esperar como mínimo 90 segundos, antes de proceder.

2. Sacar el capó.

3. Levantar y soportar con seguridad el vehículo.

4. Sacar la rueda delantera derecha.

5. Sacar las subcubiertas del vehículo.

6. Drenar el aceite del motor.

7. Sacar el tubo de escape delantero.

8. Si está equipado con T/A, desconectar el cable de control de la transmisión, del travesaño central de montaje del motor.

9. Si está equipado con A/A, desconectar el tubo de la presión del A/A del travesaño central de montaje del motor.

10. Sacar el soporte de montaje del tubo de escape delantero.

11. Levantar y soportar con seguridad el conjunto motor.

12. Sacar el aislador del montaje trasero del motor, y el travesaño central de montaje del motor.

13. Instalar un colgador de motores y suspender el motor con un dispositivo de eslinga de motores, o equivalente.

14. Sacar la correa de sincronización.

15. Sacar el tornillo y sacar la polea tensora y el resorte tensor.

16. Utilizando una herramienta adecuada, sacar la polea de sincronización del cigüeñal.

17. Sacar la guía de la varilla medidora de aceite y la varilla medidora.

18. Sacar el depósito de aceite N° 2, la placa difusora, el filtro de aceite y el depósito de aceite N° 1.

19. Sacar los siete tornillos de sujeción de la bomba de aceite y, golpeando suavemente, con cuidado, el cuerpo de la bomba de aceite, con un martillo de plástico, sacar la bomba de aceite y la junta.

Para instalar:

20. Colocar una junta nueva en el bloque de cilindros, engranar los dientes estriados del rotor propulsado de la bomba de aceite con los dientes grandes del cigüeñal, y deslizar la bomba de aceite hacia adelante.

21. Instalar los siete tornillos de montaje de la bomba de aceite y apretarlos a 16 pie-lb (21 Nm). Los tornillos largos tienen 1.38 plg y los tornillos cortos tienen 0.98 plg de longitud.

22. Instalar el depósito de aceite N° 1, el filtro de aceite, la placa difusora y el depósito de aceite N° 2.

23. Instalar la correa de sincronización.

24. Sacar el dispositivo de eslinga de motores, bajar con seguridad el motor, sacar el colgador, e instalar el aislador de montaje trasero del motor y el travesaño central de montaje del motor.

25. Instalar el soporte de montaje del tubo de escape delantero.

26. Si está equipado con A/A, conectar el tubo de presión del A/A en la abrazadera del travesaño central de montaje del motor.

27. Si está equipado con T/A, conectar el cable de control de la transmisión en el travesaño central de montaje del motor.

28. Instalar el tubo de escape delantero.

29. Instalar la rueda delantera derecha, y bajar con seguridad el vehículo.

30. Instalar el capó.

31. Llenar el motor con aceite, conectar el cable negativo de la batería, arrancar el motor y comprobar si hay fugas.

32. Volver a comprobar el nivel de aceite del motor e instalar las subcubiertas del motor.

Motor 1.8L (1ZZ-FE)

COROLLA

1. Desconectar el cable negativo de la batería.

2. Drenar el aceite del motor.

3. Sacar la cadena de sincronización y el engranaje del cigüeñal.

4. Sacar los cinco tornillos de montaje, la bomba de aceite y la junta.

Para instalar:

5. Limpiar la superficie de montaje.

6. Instalar la bomba de aceite utilizando una junta nueva. Apretar los tornillos a 80 plg-lb (9 Nm).

7. Instalar el engranaje del cigüeñal y la cadena de sincronización.

▼ AVISO ▼

Hacer funcionar el motor sin la cantidad y el tipo correcto de aceite de motor provocará daños en el motor.

8. Llenar el motor con la cantidad correcta de aceite.

9. Conectar el cable negativo de la batería.

10. Arrancar el motor y comprobar si hay fugas.

Motor 2.2L (5S-FE)

CELICA

1. Desconectar el cable negativo de la batería. En los vehículos equipados con air bag, esperar como mínimo 90 segundos, antes de proceder.

2. Levantar y soportar con seguridad el vehículo.

3. Drenar el aceite del motor y sacar las subcubiertas del motor.

4. Sacar el tubo de escape delantero.

5. Soportar con seguridad el conjunto motor y sacar el travesaño central de montaje del motor.

6. Desconectar el cableado del sensor de oxígeno secundario. Sacar el tirante del múltiple de escape de mano derecha, el TWC con junta, el retén y la almohadilla.

7. Sacar la placa de refuerzo del extremo trasero.

8. Sacar la varilla medidora de aceite y el depósito de aceite.

9. Insertar la hoja de la herramienta SST 09032-00100 entre el depósito de aceite y el bloque de cilindros; cortar la selladora y sacar el depósito de aceite.

➡ **No utilizar la herramienta para el lado del cuerpo de la bomba de aceite o el retén del sello de aceite trasero.**

10. Sacar el filtro de aceite, la placa difusora y la junta.

11. Soportar con seguridad el vehículo con una eslinga de motores, o equivalente.

12. Sacar la correa de sincronización.

13. Sacar la polea tensora N° 2 y la polea de sincronización del cigüeñal.

14. Utilizando una herramienta adecuada, sacar la polea de la bomba de aceite.

15. Sacar los 12 tornillos y sacar la bomba de aceite y la junta.

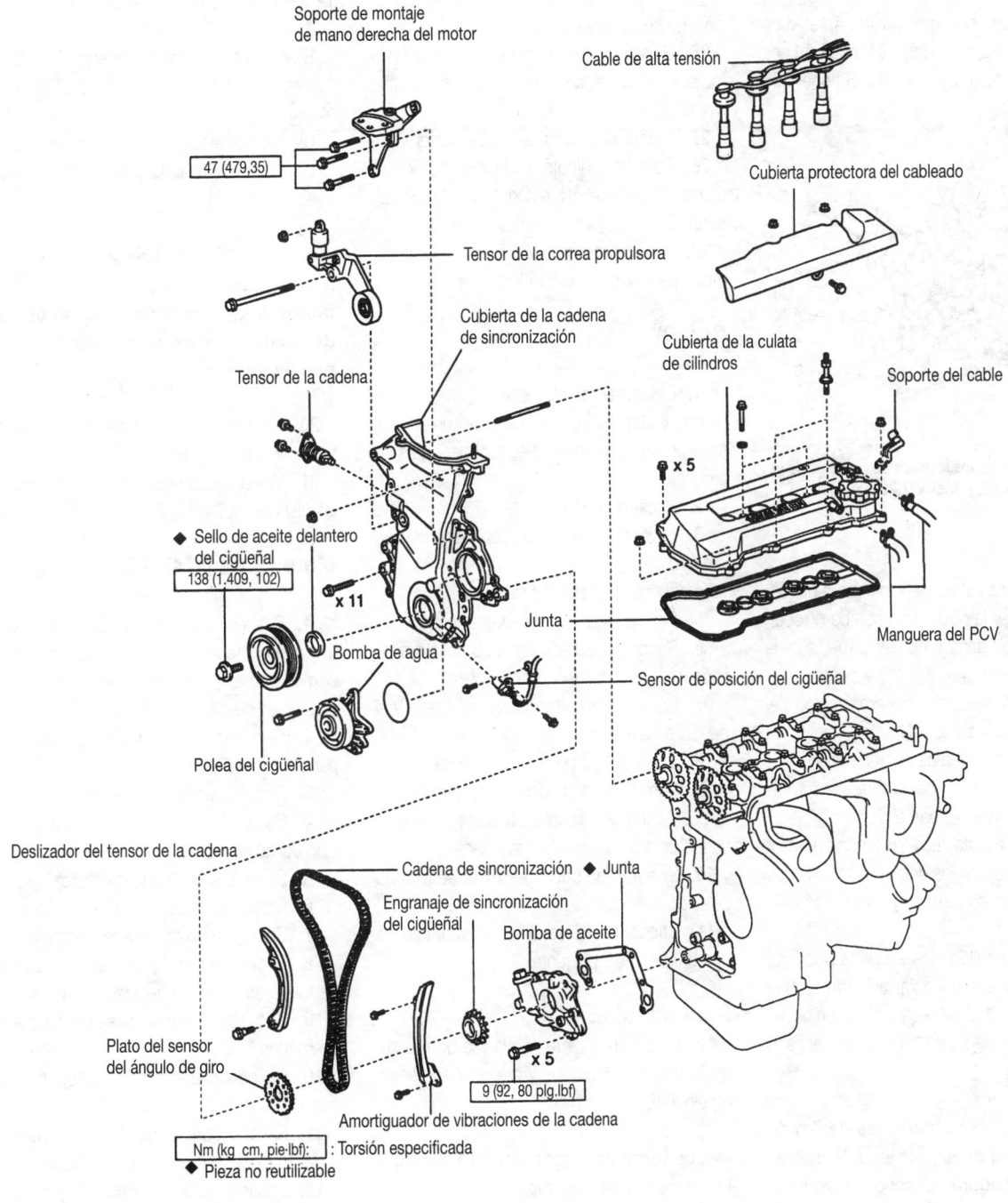

Soporte de montaje
de mano derecha del motor

47 (479,35)

Cable de alta tensión

Cubierta protectora del cableado

Tensor de la correa propulsora

Cubierta de la cadena
de sincronización

Cubierta de la culata
de cilindros

Soporte del cable

Tensor de la cadena

x 5

◆ Sello de aceite delantero
del cigüeñal
138 (1.409, 102)

x 11

Junta

Manguera del PCV

Bomba de agua

Sensor de posición del cigüeñal

Polea del cigüeñal

Deslizador del tensor de la cadena

Cadena de sincronización ◆ Junta

Engranaje de sincronización
del cigüeñal

Bomba de aceite

Plato del sensor
del ángulo de giro

x 5

9 (92, 80 plg.lbf)

Amortiguador de vibraciones de la cadena

Nm (kg cm, pie·lbf): : Torsión especificada
◆ Pieza no reutilizable

Despiece del montaje de la bomba de aceite – Motor 1.8L (1ZZ-FE)

Para instalar:

16. Instalar la bomba de aceite con una junta nueva y los 12 tornillos de montaje. Apretar uniformemente los tornillos de la bomba de aceite en varios pasos. Apretar los tornillos a 78 plg-lb (9 Nm). El tornillo A tiene 0.98 plg de longitud y el tornillo B tiene 1.38 plg de longitud.

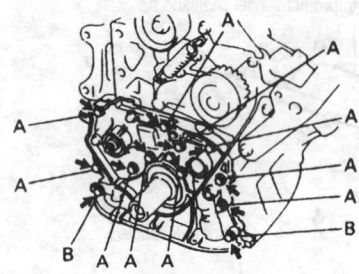

▲ Identificación de los tornillos de montaje de la bomba de aceite – Motor 2.2L (5S-FE)

17. Alinear las estrias dentadas de la polea y del eje y deslizar la polea de la bomba de aceite sobre él hacia dentro. Apretar la tuerca de la polea a 18 pie-lb (24 Nm).

18. Instalar la polea de sincronización del cigüeñal y la polea tensora N° 2.

19. Instalar la correa de sincronización.

20. Sacar la eslinga de motores, o equivalente, y bajar con seguridad el motor.

21. Instalar la junta nueva, el filtro de aceite y la placa difusora con los dos tornillos y las dos tuercas. Apretar los tornillos y las tuercas a 48 plg-lb (5 Nm).

22. Sacar la selladora vieja de la brida del depósito de aceite y limpiar a fondo ambas superficies de sellado. Aplicar un cordón nuevo (3-5 mm) de selladora en la brida del depósito de aceite.

➡ **El depósito debe instalarse dentro de los cinco minutos siguientes a la aplicación de la selladora; en caso contrario, el procedimiento deberá repetirse.**

23. Instalar el depósito de aceite y la varilla medidora.

24. Instalar la placa de refuerzo del extremo trasero.

25. Instalar la almohadilla, el retén y una junta nueva en el TWC delantero. Instalar el TWC con tres tornillos y dos tuercas. Apretar los tornillos y las tuercas a 21 pie-lb (29 Nm).

Instalar el tirante derecho del múltiple de escape con los dos tornillos y las dos tuercas nuevas. Apretar los tornillos y las tuercas a 31 pie-lb (42 Nm) y conectar el conector del sensor de oxígeno secundario.

26. Soportar con seguridad el conjunto motor e instalar el travesaño central de montaje del motor.

27. Instalar el tubo de escape delantero.

28. Bajar el vehículo y llenar el motor con aceite. Conectar el cable negativo de la batería, arrancar el motor y comprobar las fugas.

29. Volver a comprobar el nivel de aceite del motor e instalar las subcubiertas del motor.

CAMRY

1. Desconectar el cable negativo de la batería. En los vehículos equipados con air bag, esperar como mínimo 90 segundos, antes de proceder.

2. Sacar el capó.

3. Levantar y soportar con seguridad el vehículo.

4. Drenar el aceite del motor.

5. Sacar el tubo de escape delantero.

6. Sacar la placa de refuerzo del extremo trasero.

7. Sacar la varilla medidora del aceite y el depósito de aceite.

8. Sacar el filtro de aceite y la junta.

9. Suspender con cuidado el motor con un dispositivo de eslinga, o equivalente, y sacar la correa de sincronización y las poleas.

10. Si está equipado, sacar el sensor de posición del cigüeñal.

11. Sacar los 12 tornillos de montaje, la bomba de aceite y la junta.

Para instalar:

12. Instalar una junta nueva y la bomba de aceite con los 12 tornillos. Apretar los tornillos a 82 plg-lb (9 Nm).

➡ **Los tornillos largos tienen 1.38 plg y los otros tienen 0.98 plg.**

13. Instalar el sensor de posición del cigüeñal, si se ha sacado.

14. Instalar la correa de sincronización y las poleas, sacar el dispositivo de eslingas de motores y bajar con seguridad el motor.

15. Instalar el filtro de aceite con una junta nueva, después apretar a 48 plg-lb (5 Nm).

16. Instalar el depósito de aceite y la varilla medidora.

➡ **El depósito debe instalarse dentro de los cinco minutos siguientes a la aplicación de la selladora; en caso contrario, el procedimiento deberá repetirse.**

17. Instalar la placa de refuerzo del extremo trasero y apretar los tres tornillos a 27 pie-lb (37 Nm).

18. Instalar el tubo de escape delantero.

19. Bajar el vehículo y llenar el motor con aceite.

▼ AVISO ▼

Antes de arrancar por primera vez el motor, asegurarse de cebar la bomba de aceite; en caso contrario, el motor podría dañarse.

20. Conectar el cable negativo de la batería, arrancar el motor y comprobar si hay fugas.

21. Volver a comprobar el nivel del aceite e instalar al capó.

Motor 3.0L (1MZ-FE)

1. Desconectar de la batería el cable negativo de la batería. En los vehículos equipados con air bag, esperar como mínimo 90 segundos, antes de proceder.

2. Levantar y soportar con seguridad la parte delantera del vehículo.

3. Sacar la rueda delantera derecha.

4. Sacar el sello de la cubierta de protección del guardabarros.

5. Sacar la subcubierta del motor.

6. Drenar del motor el aceite del motor.

7. Sacar el tubo de escape delantero.

8. Sacar el soporte del tubo de escape delantero del depósito de aceite N° 1.

9. Sacar del motor la correa propulsora del alternador.

10. Desconectar el compresor del A/A, del motor.

11. Sacar la correa propulsora de la bomba de la dirección asistida y el tirante de ajuste.

12. Sacar la correa de sincronización y las poleas de la correa, del motor.

13. Sacar la cubierta trasera de la correa de sincronización, del motor, sacando las abrazaderas de alambres (cables) y los seis tornillos.

14. Sacar el soporte del cuerpo del compresor del A/A, sacando los tres tornillos.

15. Sacar el depósito de aceite N° 2, el filtro de aceite, el depósito de aceite N° 1 y la placa difusora.

16. Sacar el sensor de posición del cigüeñal, sacando el conector y el tornillo.

17. Sacar la bomba de aceite, como sigue:

a. Sacar los nueve tornillos. Tomar nota de la posición de cada tornillo. Al volver a colocar los tornillos en el cuerpo de la bomba de aceite, colocar cada tornillo en la posición de la que se ha sacado.

b. Sacar el cuerpo de la bomba de aceite, haciendo palanca entre la bomba de aceite y la tapa del cojinete principal.

c. Sacar la junta tórica, del bloque de cilindros.

d. Sacar la tapa, la junta, el resorte y la válvula de seguridad del cuerpo de la bomba de aceite.

e. Sacar los nueve tornillos, la cubierta del cuerpo de la bomba y los rotores conducido, y conductor.

Para instalar:

18. Para instalar la bomba de aceite:

a. Instalar los rotores conducidos, y conductor, la cubierta del cuerpo de la bomba y, después, los nueve tornillos.

b. Instalar la válvula de seguridad, el resorte, la junta y la tapa del cuerpo de la bomba de aceite.

c. Colocar una junta tórica nueva en el bloque de cilindros.

d. Utilizando un disolvente sin residuo, limpiar las dos superficies de sellado de la bomba de aceite.

e. Aplicar selladora líquida en la bomba de aceite y en el bloque de cilindros.

f. Instalar la bomba de aceite en el bloque de cilindros. Asegurarse de engranar los dientes estriados del engranaje accionado de la bomba de aceite con los dientes grandes del cigüeñal.

g. Instalar los nueve tornillos en la bomba de aceite y, uniformemente, apretar los tornillos en varios pasos. Apretar los tornillos como sigue:

- Cabeza de 10 mm a 69 plg-lb (8 Nm).
- Cabeza de 12 mm a 14 pie-lb (20 Nm).

19. Instalar el sensor de posición del cigüeñal e instalar el tornillo. Apretar el tornillo a 69 plg-lb (8 Nm).

20. Instalar la placa difusora en el depósito de aceite N° 1 y apretar a 69 plg-lb (8 Nm).

21. Instalar el depósito de aceite N° 1, el filtro de aceite y el depósito de aceite N° 2.

22. Instalar el soporte del cuerpo del compresor del A/A y los tres tornillos. Apretar los tres tornillos a 18 pie-lb (25 Nm).

23. Instalar la cubierta trasera de la correa de sincronización con los seis tornillos y las tres abrazaderas de alambres (cables). Apretar los tornillos a 74 plg-lb (9 Nm).

24. Instalar las poleas de la correa de sincronización.

25. Instalar la correa de sincronización.

26. Instalar el tirante de ajuste y la correa propulsora de la dirección asistida, como sigue:

a. Instalar provisionalmente el tirante de ajuste, con el tornillo y la tuerca.

b. Instalar la correa propulsora, después instalar los tornillos pivote y de ajuste. Apretar el tornillo y la tuerca a 32 pie-lb (43 Nm).

27. Instalar el compresor del A/A.

28. Instalar la correa propulsora del alternador.

29. Instalar el soporte del tubo de escape delantero en el depósito de aceite N° 1. Apretar los tornillos a 15 pie-lb (21 Nm).

30. Instalar el tubo de escape delantero.

31. Instalar la subcubierta del motor.

32. Instalar el sello de la cubierta de protección del guardabarros.

33. Instalar la rueda delantera derecha y bajar el vehículo.

34. Llenar el motor con aceite.

35. Conectar el cable negativo de la batería, en la batería.

36. Arrancar el motor y comprobar si hay fugas.

37. Volver a comprobar el aceite del motor.

Motores 3.0L (2JZ-GE y 2JZ-GTE)

1. Desconectar el cable negativo de la batería. En los vehículos equipados con air bag, esperar como mínimo 90 segundos, antes de proceder.

2. Sacar el motor y la transmisión.

3. Separar la transmisión del motor, y montar el motor en un soporte de servicio.

4. Sacar la correa de sincronización.

5. Sacar la polea tensora.

6. Sacar la polea de sincronización del cigüeñal.

7. Sacar la varilla medidora del aceite y el tubo, el sensor del nivel de aceite, el depósito de aceite N° 2 (inferior), el filtro de aceite y la placa difusora de aceite.

8. Si el motor es turboalimentado, sacar el tubo de salida de aceite del turbo, desconectando las dos mangueras de aceite del turbo y las dos tuercas.

9. Sacar el depósito de aceite N° 1 (superior).

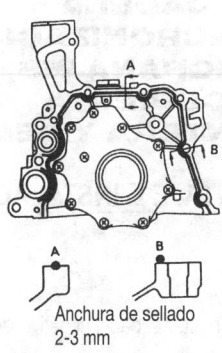

Anchura de sellado 2-3 mm

▲ **Aplicación de selladora en la bomba de aceite – Motores 3.0L (2JZ-GE y 2JZ-GTE)**

10. Sacar los nueve tornillos de montaje, del cuerpo de la bomba de aceite. Con cuidado, sacar la bomba del bloque de cilindros, utilizando un botador o punzón de latón. Sacar las dos juntas tóricas.

Para instalar:

11. Colocar dos juntas tóricas nuevas en el bloque de cilindros. Rascar toda la selladora vieja de las superficies de unión. Colocar un cordón de $1/8$ plg (3-4 mm) de selladora alrededor de la superficie de unión de la bomba, yendo con mucho cuidado alrededor de los conductos de aceite. Instalar la bomba y apretar los tornillos a 15 pie-lb (21 Nm).

12. Colocar una junta tórica nueva en el bloque. Sacar toda la selladora vieja del bloque y del depósito de aceite N° 1. Aplicar un cordón de selladora alrededor del depósito de aceite N° 1. Evitar una aplicación excesiva de selladora. Instalar el depósito de aceite N° 1 y apretar los tornillos con cabeza de 12 mm a 15 pie-lb (21 Nm). Apretar los tornillos con cabeza de 14 mm a 29 pie-lb (39 Nm).

13. Si se ha sacado, instalar el tubo de salida de aceite del turbo, instalando los dos tornillos y las dos mangueras. Apretar los tornillos a 20 pie-lb (27 Nm).

14. Instalar la placa difusora de aceite, el filtro de aceite, el depósito de aceite N° 2, el sensor del nivel de aceite y la varilla medidora de aceite, con una junta tórica nueva.

15. Instalar el cigüeñal y la polea tensora.

16. Instalar la correa de sincronización.

17. Conectar el motor y la transmisión.

18. Instalar el motor y la transmisión.

19. Llenar todos los fluidos.

20. Conectar el cable negativo de la batería.

21. Arrancar el motor y comprobar si hay fugas.

CADENA DE SINCRONIZACIÓN, ENGRANAJES, CUBIERTA DELANTERA Y SELLO

DESMONTAJE E INSTALACIÓN

Corolla

1. Desconectar el cable negativo de la batería.

2. Drenar el fluido refrigerante del motor.

3. Sacar la rueda delantera derecha y la cubierta derecha del motor.

4. Sacar la correa propulsora auxiliar y el generador.

5. Sacar la bomba de la dirección asistida, del motor, y colocarla a un lado sin desconectar las mangueras.

6. Levantar un poco el motor, utilizando un gato con un bloque de madera. Sacar el montaje derecho del motor.

7. Sacar la cubierta de la culata de cilindros.

8. Girar el cigüeñal de manera que el pistón N° 1 esté en el PMS, en la carrera de compresión.

9. Sacar la polea del cigüeñal, utilizando un extractor adecuado.

10. Sacar el sensor de posición del cigüeñal, de la cubierta de la cadena de sincronización.

11. Sacar el tensor de la correa propulsora auxiliar.

12. Sacar el soporte de montaje derecho del motor.

13. Sacar los dos tornillos y el tensor de la cadena.

14. Sacar la bomba de agua.

15. Sacar la cubierta de la cadena de sincronización.

16. Sacar el plato del sensor de ángulo del cigüeñal.

17. Sacar el deslizador del tensor de la cadena de sincronización.

18. Sacar la cadena de sincronización y el engranaje de sincronización del cigüeñal.

Para instalar:

19. Instalar el engranaje del cigüeñal con la cadena de sincronización. Asegurarse de alinear la marca del eslabón N° 1 con la marca en el engranaje.

20. Instalar la cadena de sincronización sobre los engranajes de los árboles de levas.

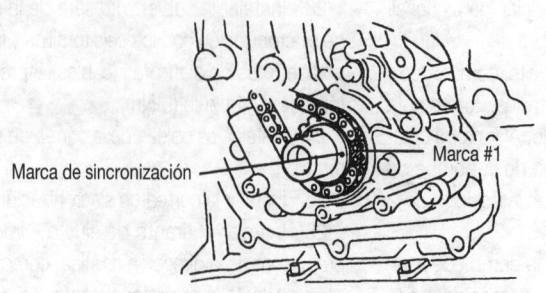

▲ Alinear la marca del eslabón N° 1 con la marca en el engranaje del cigüeñal – Motor 1.8L (1ZZ-FE)

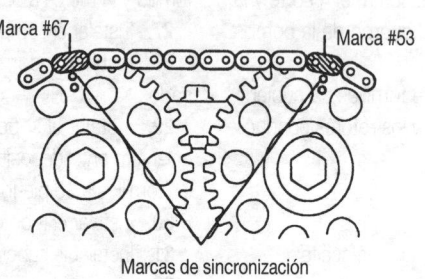

▲ Alinear las marcas de los eslabones N° 53 y N° 67 con las marcas en los engranajes de los árboles de levas, como se muestra – Motor 1.8L (1ZZ-FE)

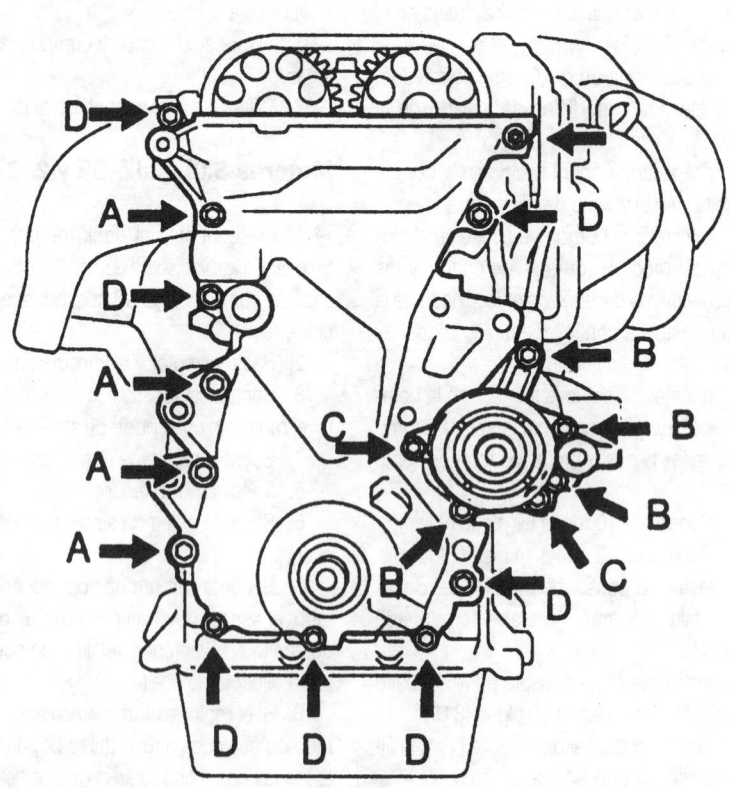

▲ Identificación de los tornillos de la cubierta de la cadena de sincronización – Motor 1.8L (1ZZ-FE)

Alinear las marcas de los eslabones N° 53 y N° 67, con las marcas en los engranajes de los árboles de levas.

21. Instalar el deslizador tensor de la cadena de sincronización. Apretar el tornillo a 14 pie-lb (18.5 Nm).

22. Instalar el plato del sensor de ángulo del cigüeñal, en el cigüeñal.

23. Instalar un sello nuevo en la cubierta delantera, y lubricar el labio del sello con aceite de motor.

24. Limpiar las superficies de montaje del motor y de la cubierta de la cadena de sincronización. Aplicar selladora de silicona en la cubierta, tal como se ilustra, e instalar la cubierta de la cadena de sincronización y la bomba de agua. Apretar los tornillos marcados con una "C" a 80 plg-lb (9 Nm) y apretar los tornillos restantes a 14 pie-lb (18.5 Nm). Asegurarse de instalar los tornillos en sus posiciones originales. Las longitudes de los tornillos son:

- A-1.77 plg (45 mm).
- B-1.38 plg (35 mm).
- C-1.18 plg (30 mm).
- D-0.98 plg (25 mm).

25. Aplicar selladora en las roscas de los tornillos, después instalar el soporte de montaje derecho del motor. No aplicar selladora cerca de la punta de los tornillos. Apretar los tornillos a 35 pie-lb (47 Nm).

26. Inspeccionar el tensor de la correa propulsora. Si está dañado o presenta grietas, cambiarlo.

27. Instalar el tensor de la correa propulsora. Apretar el tornillo a 51 pie-lb (69 Nm) y la tuerca a 21 pie-lb (29 Nm).

28. Instalar el sensor de posición del cigüeñal. Apretar a 80 plg-lb (9 Nm).

29. Instalar la polea del cigüeñal. Apretar el tornillo a 102 pie-lb (138 Nm).

30. Soltar la retenida (gancho) del trinquete y comprimir el tensor de la cadena. Colocar el gancho (retenida) en la clavija para mantener comprimido el tensor.

31. Instalar el tensor utilizando una junta tórica nueva. Apretar los tornillos a 80 plg-lb (9 Nm).

32. Girar el cigüeñal en el sentido contrario al de las agujas del reloj y soltar el gancho de la clavija. Girar el cigüeñal en el sentido de las agujas del reloj y asegurarse de que el deslizador es empujado por el émbolo.

33. Comprobar la sincronización de válvulas, girando el cigüeñal en el sentido de las agujas del reloj hasta que la marca de la polea se alinee con la marca en la cubierta de la cadena de sincronización. Las marcas en los engranajes de los árboles de levas deben mirarse la una a la otra, tal como se muestra.

34. Aplicar selladora de silicona en las dos zonas donde la cubierta de la cadena de sincronización se encuentra con la culata de cilindros.

35. Instalar la cubierta de la culata de cilindros. Apretar los tornillos con arandelas, en la secuencia mostrada, a 80 plg-lb (9 Nm) y sin arandelas a 8 pie-lb (11 Nm).

36. Instalar el montaje derecho del motor. Apretar los tornillos marcados con una A a 47 pie-lb (64 Nm), los marcados con una B a 19 pie-lb (26 Nm), y apretar la tuerca a 38 pie-lb (52 Nm).

37. Instalar la bomba de la dirección asistida, el generador y la correa propulsora.

38. Instalar la cubierta derecha de debajo del motor, y la rueda delantera.

39. Conectar el cable negativo de la batería.

40. Instalar el depósito limpiador y rellenar el motor, con fluido refrigerante.

41. Arrancar el motor y comprobar si hay fugas.

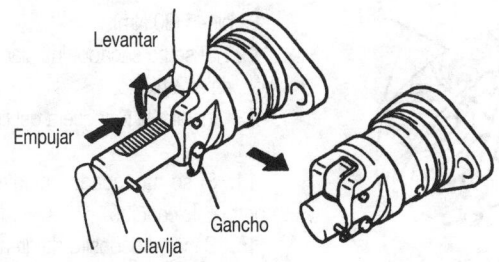

Comprimir el tensor de la cadena de sincronización y colocar el gancho sobre la clavija – Motor 1.8L (1ZZ-FE)

SISTEMA DE COMBUSTIBLE

PRECAUCIONES EN LA REPARACIÓN DEL SISTEMA DE COMBUSTIBLE

La seguridad es el factor más importante al realizar, no sólo el mantenimiento del sistema de combustible, sino cualquier tipo de mantenimiento. Un comportamiento poco seguro durante el mantenimiento y la reparación puede causar daños personales graves, e incluso la muerte. El mantenimiento y la prueba de los componentes del sistema de combustible del vehículo, pueden realizarse de manera segura y efectiva cumpliendo las reglas y directrices siguientes.

- Para evitar la posibilidad de que se produzca un incendio y daños personales, desconectar siempre el cable negativo de la batería, excepto en las reparaciones o los procedimientos de prueba que requieran la aplicación del voltaje de la batería.

- Descargar siempre la presión del sistema de combustible, antes de desconectar cualquier componente (inyector, raíl de combustible, regulador de presión, etc.), rácor o conexión de línea de combustible. Siempre que se descargue la presión del sistema de combustible, extremar las precauciones con el objeto de evitar exponer la piel, la cara y los ojos a las pulverizaciones de combustible. El combustible bajo presión, puede penetrar en la piel o en cualquier parte del cuerpo que toque.

- Colocar siempre una toalla de taller o un trapo alrededor del rácor o conexión, antes de aflojarlos, para absorber cualquier exceso de combustible debido a un vertido. Asegurarse de que todo el combustible derramado (tiene que ocurrir) se saque rápidamente de las superficies del motor. Asegurarse de que todos los trapos y toallas empapados de combustible se depositen en un recipiente de desechos adecuado.

- Mantener siempre un extintor de incendios de polvo seco (clase B) cerca de la zona de trabajo.

- No permitir que pulverizaciones o vapores de combustible entren en contacto con una chispa o una llama.

- Al aflojar y al apretar los rácores de conexión de las líneas de combustible, utilizar siempre una llave de tuercas de apoyo. Esto evitará tensiones y torsiones innecesarias de la canalizaciones de las líneas de combustible. Seguir siempre las especificaciones correctas de apriete.

• Reemplazar siempre por nuevas las juntas tóricas gastadas de los rácores de combustible. No sustituir por mangueras de combustible, o equivalentes, donde estén instalados tubos rígidos de combustible.

PRESIÓN DEL SISTEMA DE COMBUSTIBLE

DESCARGA

▼ PRECAUCIÓN ▼

No descargar la presión del sistema de combustible antes de la reparación o el desensamblaje, puede provocar graves lesiones personales y/o daños materiales. La presión del combustible se mantiene dentro de las líneas de combustible, incluso si el motor está APAGADO, o no ha funcionado durante un período de tiempo. Esta presión debe descargarse con seguridad, antes de aflojar o sacar cualquier línea o componente que lleve combustible. En los vehículos equipados con sistemas de limitación hinchable o air bag (saco de aire), esperar como mínimo 90 segundos, una vez desconectado el cable de la batería, antes de realizar cualquier otro trabajo. La fuente de alimentación de reserva mantendrá el sistema de limitación cargado durante un cierto período de tiempo, después de que se haya desconectado la batería.

1. Sacar el fusible de la bomba de combustible.

2. Arrancar el motor hasta que el motor se pare por falta de combustible.

3. Desconectar el terminal negativo de la batería.

4. Colocar un depósito de recogida debajo de la junta que se haya de desconectar. Al abrir la junta se puede derramar una gran cantidad de combustible.

5. Colocarse una protección en los ojos o en toda la cara.

6. Colocar una toalla de taller sobre la zona y soltar lentamente la junta, utilizando una llave de tuercas de la medida correcta.

7. Dejar que todo el combustible que queda en la línea se sangre lentamente, antes de desconectar del todo la junta.

8. Tapar inmediatamente las líneas abiertas para evitar derrame de combustible o entrada de suciedad.

9. Deshacerse correctamente del combustible descargado.

10. Después de conectar las líneas de combustible, instalar el fusible de la bomba de combustible y arrancar el motor.

11. Comprobar si hay fugas y repararlas, según sea necesario.

FILTRO DE COMBUSTIBLE

DESMONTAJE E INSTALACIÓN

Todos los modelos

1. Desconectar el cable negativo de la batería. En los vehículos equipados con air bag (saco de aire), esperar como mínimo 90 segundos, antes de proceder.

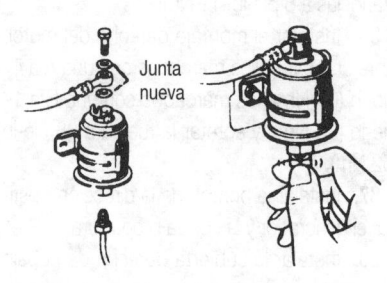

▲ **Al volver a colocar un filtro de combustible, utilizar siempre juntas nuevas – Se muestra el modelo Tercel**

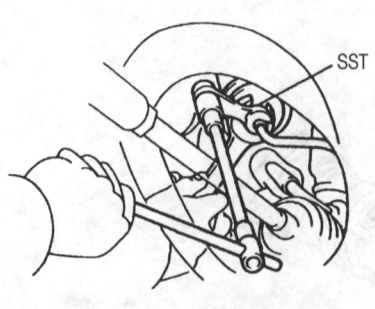

▲ **Para aflojar la línea de entrada del filtro puede ser necesaria una llave de línea con una extensión – Corolla 1995-99**

2. Desatornillar los tornillos de retención y sacar el protector contra salpicaduras del filtro de combustible, si está equipado.

▼ PRECAUCIÓN ▼

Después de apagar el motor, el sistema de inyección de combustible permanece bajo presión. Antes de desconectar cualquier línea de combustible, descargar correctamente la presión del combustible. En caso contrario, pueden producirse un incendio o daños personales.

3. Colocar un depósito de drenaje o un recipiente de plástico debajo del filtro de combustible.

4. Si es necesario, sacar la manguera y la tapa del filtro de aire.

5. Si es necesario, sacar la lata de carbón.

6. Aflojar lentamente el rácor inferior de tuerca de antorcha, hasta que toda la presión esté descargada y todo el fluido recogido.

7. Aflojar el tornillo de unión de la parte superior del filtro y sacar el rácor del tornillo banjo (tornillo hueco de unión) y las dos juntas de metal. Desechar las juntas.

8. Aflojar el tornillo del soporte del filtro de combustible, sacar la línea de combustible con la tuerca de antorcha del filtro de combustible, y sacar el filtro del soporte de montaje.

Para instalar:

9. Instalar un filtro de combustible nuevo y apretar el tornillo del soporte.

10. Instalar el rácor del tornillo hueco de unión (banjo) con una junta de metal nueva en cada lado e instalar el tornillo hueco de unión. Apretar el tornillo hueco de unión a 22 pie-lb (30 Nm).

11. Conectar la tuerca de antorcha en la conexión inferior. Apretar la tuerca de antorcha a 22 pie-lb (30 Nm).

12. Si se ha sacado, instalar la lata de carbón, en el vehículo.

13. Instalar la manguera del filtro de aire y la tapa.

14. Si se ha sacado, instalar el protector contra salpicaduras.

15. Sacar el depósito de drenaje y/o los trapos, y conectar el cable negativo de la batería.

16. Arrancar el motor e inspeccionar visualmente si en las conexiones superior e inferior hay fugas.

BOMBA DE COMBUSTIBLE

DESMONTAJE E INSTALACIÓN

▼ PRECAUCIÓN ▼

El sistema de combustible está bajo presión. Descargar lentamente la presión y contener el vertido. Seguir las precauciones de no fumar/no aplicar llamas. Tener un extintor de incendios de clase B-C (polvo seco) al alcance de la mano todo el tiempo.

Celica, Corolla, Paseo y Tercel

1. Descargar la presión del sistema de combustible.

2. Desconectar el cable negativo de la batería. En los vehículos equipados con air bag, esperar como mínimo 90 segundos, antes de proceder.

3. Sacar los tornillos de la placa de acceso al depósito de combustible, después sacar el conjunto placa/bomba de combustible.

4. En todos los otros motores, sacar la almohadilla del asiento trasero y sacar los cuatro tornillos y la cubierta del agujero de servicio del suelo.

    a. Desconectar el transmisor de la bomba de combustible y el conector de la bomba de combustible.

    b. Desconectar el tubo de salida del soporte de la bomba de combustible y desconectar la manguera de retorno del soporte de la bomba.

    c. Sacar los ocho tornillos y sacar el conjunto del soporte de la bomba de combustible, del depósito de combustible.

5. Separar la bomba de combustible del soporte de la bomba de combustible, como sigue:

    a. Sacar el lado inferior de la bomba de combustible del soporte de la bomba.

    b. Desconectar el conector de la bomba de combustible.

    c. Desconectar la manguera de la bomba de combustible y sacar la almohadilla de goma de la bomba.

    d. Sacar el filtro de combustible de la bomba, sacando la grapa pequeña.

Para instalar:

6. Instalar una almohadilla nueva en la bomba de combustible. Instalar un filtro de combustible nuevo y una grapa nueva en la bomba de combustible. Conectar la manguera de combustible en la bomba de combustible; conectar el conector de la bomba de combustible e instalar la bomba de combustible en el soporte.

7. Instalar el conjunto del soporte de la bomba de combustible en el depósito de combustible, utilizando una junta nueva y los ocho tornillos. Apretar los tornillos a 30 plg-lb (3 Nm).

8. Conectar la manguera de retorno del combustible y el tubo de salida del combustible en el soporte de la bomba de combustible.

9. Conectar el conector de la bomba de combustible y el conector del transmisor de la bomba de combustible.

10. En los motores 3S-GTE, instalar el depósito de combustible.

11. Conectar el cable negativo de la batería, arrancar el motor y comprobar si hay fugas, y si el funcionamiento es correcto.

12. Instalar la cubierta del agujero de servicio del suelo, con los cuatro tornillos e instalar la almohadilla del asiento trasero.

Avalon y Camry

1. Descargar la presión del sistema de combustible.

2. Desconectar el cable negativo de la batería. En los vehículos equipados con air bag, esperar como mínimo 90 segundos antes de proceder.

3. Colocar un recipiente de desechos adecuado, debajo del depósito de combustible, y drenar el combustible del depósito. Después, sacar el depósito de combustible.

4. En algunos modelos será necesario sacar la almohadilla del asiento trasero.

5. Sacar la cubierta del agujero de servicio del suelo, sacando los tornillos de retención.

6. Desconectar el conector eléctrico en el conjunto de la bomba de combustible.

7. Desconectar el tubo de salida del combustible, del soporte de la bomba de combustible.

8. Desconectar la manguera de retorno, del soporte de la bomba de combustible.

9. Desconectar el conjunto del soporte de la bomba de combustible, del depósito de combustible, sacando los tornillos.

10. Sacar el conjunto del soporte, de la bomba.

11. Sacar la bomba de combustible, del soporte.

Para instalar:

12. Conectar la bomba de combustible en el soporte.

13. Instalar el conjunto del soporte de la bomba.

14. Conectar la bomba de combustible en el depósito de combustible, instalando los tornillos. Apretar los tornillos a 35 plg-lb (4 Nm).

15. Conectar la manguera de retorno en el soporte de la bomba de combustible.

16. Conectar el tubo de salida en el soporte de la bomba de combustible. Apretar a 21 pie-lb (28 Nm).

17. Instalar la cubierta del agujero de servicio en el depósito de combustible e instalar los tornillos.

18. Conectar el conector de la bomba de combustible.

19. Instalar la almohadilla del asiento trasero.

20. Instalar el depósito de combustible.

21. Llenar el depósito de combustible y comprobar si hay fugas.

22. Conectar el cable negativo de la batería.

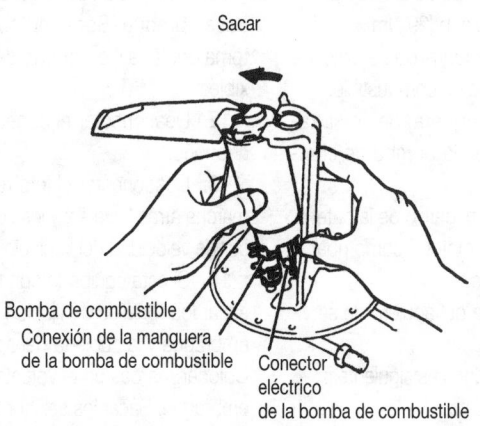

Sacar

Bomba de combustible
Conexión de la manguera de la bomba de combustible
Conector eléctrico de la bomba de combustible

▲ Sacar la bomba de la unidad transmisora; el filtro está todavía acoplado a la bomba

23. Comprobar si el funcionamiento de la bomba de combustible es correcto, y si hay fugas.

Supra

1. Antes de desconectar cualquier línea de combustible, descargar la presión del combustible en la línea de combustible.

▼ PRECAUCIÓN ▼

Incluso después de haber APAGADO el motor, el sistema de inyección de combustible se mantiene bajo presión. Antes de desconectar cualquier línea de combustible, descargar correctamente la presión del combustible. En caso contrario, pueden producirse un incendio o daños personales.

2. Desconectar el cable negativo de la batería, en la batería. Esperar como mínimo 90 segundos, antes de seguir con ningún otro trabajo.

3. Abrir el portón trasero y sacar los componentes siguientes:

    a. Alfombra del suelo.

    b. Cubierta de la rueda de recambio.

    c. Rueda de recambio.

    d. Cubierta del agujero de servicio sacando las seis tuercas.

4. Desconectar el conector eléctrico de la bomba de combustible, de la bomba de combustible.

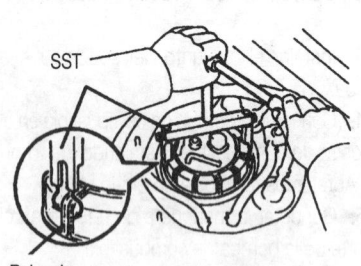

SST

Reborde

Área

▲ Apretar el retén de la bomba de combustible hasta que la marca de flecha en el retén esté entre las líneas del depósito de combustible – Supra

5. Desconectar la manguera de salida de la bomba de combustible, sacando el tornillo de unión y las dos juntas.

6. Desconectar la manguera de retorno de combustible, de la bomba de combustible.

7. Desconectar la abrazadera del respiradero de combustible.

8. Utilizando la herramienta SST 09808-14010, o equivalente, aflojar el retén de la bomba de combustible.

9. Desconectar la manguera de retorno de combustible de la lumbrera de retorno, del soporte de la bomba de combustible.

10. Sacar el retén, la bomba de combustible, el conjunto transmisión del indicador y la junta, como una unidad.

Para instalar:

11. Instalar una junta nueva en la bomba de combustible.

12. Insertar la bomba de combustible y el conjunto de transmisión del indicador, dentro del depósito de combustible.

13. Alinear las marcas de flechas del soporte de la bomba de combustible y del depósito de combustible.

14. Utilizando la misma herramienta que para el desmontaje, instalar y apretar el retén de la bomba de combustible hasta que la marca de flecha en el retén esté entre las líneas del depósito de combustible.

15. Comprobar que las marcas de flecha del soporte de la bomba de combustible y del depósito de combustible están alineadas.

16. Instalar la abrazadera de retención en la bomba de combustible.

17. Conectar el conector eléctrico de la bomba de combustible, en la bomba de combustible.

18. Conectar la manguera de salida, con dos juntas nuevas y el tornillo de unión. Apretar el tornillo de unión a 22 pie-lb (29 Nm).

19. Conectar la manguera de retorno de combustible, en la bomba de combustible.

20. Conectar la manguera del respiradero del combustible, en la bomba de combustible.

21. Conectar el cable negativo de la batería, en la batería. Arrancar el motor y comprobar si hay fugas de combustible.

22. Instalar la cubierta del agujero de servicio, con las seis tuercas.

23. Instalar los componentes siguientes:

    a. Rueda de repuesto.

    b. Cubierta de la rueda de repuesto.

    c. Alfombra del suelo.

TREN DE TRANSMISIÓN

CONJUNTO DE TRANSMISIÓN

DESMONTAJE E INSTALACIÓN

Supra

MANUAL

1. Desconectar el cable negativo de la batería. En los vehículos equipados con air bag, esperar como mínimo 90 segundos, antes de proceder.

2. Sacar los siete tornillos del recubrimiento del ventilador.

3. Sacar el pomo de la palanca de cambio. Utilizando una herramienta de hoja plana, hacer palanca para sacar el panel superior de la consola. Sacar los cuatro tornillos de montaje. Sacar las fundas N° 1 y N° 2 de las palancas de cambio y selectora. Sacar los cuatro tornillos de montaje.

4. Levantar y soportar el vehículo.

5. Drenar el fluido de la transmisión.

6. Sacar el sensor de oxígeno, el tubo de escape delantero y el soporte de apoyo del tubo.

7. Sacar el tubo de escape central. Sacar el aislante térmico.

8. Sacar el puntal central del travesaño del suelo.

9. Marcar y sacar los ejes motrices. Tapar los extremos de la transmisión para evitar fugas.

10. Sacar el tornillo y tuerca de la palanca de la transmisión, sacar la palanca de cambio.

11. Sacar los dos tornillos y el cilindro de desembrague. Sacar el tornillo, el cable de toma de tierra y el soporte de la manguera flexible.

12. Desconectar el conector del motor de arranque.

13. Desconectar el interruptor de la luz de marcha atrás (reversa) y los conectores del sensor de velocidad del vehículo.

14. Si está equipado con transmisión V160, sacar los tornillos de fijación de la cubierta del embrague y la cubierta del agujero de servicio. Colocar marcas en el volante y la cubierta del embrague. Sacar los seis tornillos.

15. Levantar un poco la transmisión con un gato.

16. Sacar la viga del montaje trasero del motor.

17. Bajar el lado trasero del motor y sacar los dos tornillos del motor de arranque y sacar el motor de arranque.

18. Sacar los tornillos de montaje restantes de la transmisión. Bajar el lado trasero del motor y sacar la transmisión del motor.

19. Si está equipado con una transmisión V160, sacar los cuatro tornillos y el retén de la palanca de cambio, de la transmisión.

20. Sacar el montaje trasero del motor, de la transmisión.

Para instalar:

21. Instalar el montaje trasero del motor en la transmisión, apretar los tornillos a 18 pie-lb (25 Nm).

22. Si está equipado con una transmisión V160, instalar el retén de la palanca de cambio. Apretar los tornillos a 14 pie-lb (19 Nm). Apretar el tornillo pasante y la tuerca a 18 pie-lb (25 Nm).

23. Levantar el lado delantero del motor, alinear las estrías de entrada con el disco de embrague e instalar la transmisión en el motor. Apretar los tornillos de montaje a 53 pie-lb (72 Nm).

24. Instalar el motor de arranque, apretar los tornillos a 29 pie-lb (39 Nm).

25. Instalar la viga de montaje trasero del motor, apretar las tuercas a 10 pie-lb (13 Nm) y los tornillos a 19 pie-lb (25 Nm).

26. Si está equipado con una transmisión V160, alinear las marcas, después instalar los tornillos de fijación de la cubierta del embrague; apretar a 14 pie-lb (19 Nm). Instalar la cubierta del agujero del servicio y apretar los tornillos a 9 pie-lb (12 Nm).

27. Conectar el sensor de velocidad de vehículo y los conectores del interruptor de la luz de marcha atrás.

28. Conectar el conector del cable del motor de arranque.

29. Instalar el cilindro de desembrague, apretar los tornillos a 9 pie-lb (12 Nm). Instalar y apretar el tornillo con la abrazadera y el cable de toma de tierra, a 53 pie-lb (72 Nm).

30. Instalar la palanca de cambio de la transmisión, apretar los tornillos a 14 pie-lb (19 Nm).

31. Aplicar grasa a los bujes protectores de centrado de los acoplamientos flexibles. Instalar los ejes motrices.

32. Inspeccionar el ángulo de la junta de los ejes motrices.

33. Instalar el puntal central del travesaño del suelo, apretar los tornillos a 9 pie-lb (13 Nm).

34. Instalar el aislante térmico, apretar los tornillos a 48 plg-lb (5 Nm).

35. Utilizando juntas nuevas, instalar el tubo central. Apretar los tornillos a 14 pie-lb (19 Nm).

36. Utilizando juntas nuevas, instalar el tubo delantero. Apretar los tornillos a 43 pie-lb (58 Nm).

37. Instalar el soporte de apoyo del tubo de escape y apretar los tornillos a 27 pie-lb (37 Nm).

38. Instalar los siete tornillos y tuercas del tubo de escape delantero, apretar a 32 pie-lb (43 Nm).

39. Instalar el sensor de oxígeno y la cubierta, utilizando una junta nueva. Apretar a 13 pie-lb (18 Nm).

40. Llenar la transmisión con el aceite de engranajes correcto. Bajar el vehículo.

41. Instalar los tornillos de montaje de la palanca de cambio, apretar a 69 plg-lb (8 Nm). Instalar las fundas N° 1 y N° 2 de las palancas de cambio y selectora. Instalar los tornillos de montaje.

42. Acoplar el panel superior de la consola en la caja de la consola, con las cuatro grapas.

43. Instalar el pomo de la palanca de cambio.

44. Instalar los tornillos de la protección del ventilador.

45. Instalar el cable negativo de la batería.

AUTOMÁTICO

1. Desconectar el cable negativo de la batería, en la batería. En los vehículos equipados con air bag, esperar como mínimo 90 segundos, antes de proceder.

2. Sacar el indicador del nivel de aceite de la transmisión y el tubo de llenado.

3. Levantar y soportar con seguridad el vehículo.

4. Sacar la subcubierta del motor.

5. Desconectar el sensor de oxígeno, del escape, sacando las dos tuercas.

6. Sacar el tubo de escape.

7. Sacar el aislante térmico, sacando los cuatro tornillos (techo normal) o los seis tornillos (techo deportivo).

8. Sacar el puntal trasero del travesaño central del suelo.

9. Sacar el eje motriz.

10. Desconectar la barra de control, de la palanca de cambio, sacando la tuerca.

11. Sacar la barra de control de cambio, del interruptor de posición park (estacionamiento)/neutral sacando la tuerca.

12. Desconectar lo siguiente:

- Sensor N° 1 de velocidad del vehículo.
- Sensor N° 2 de velocidad del vehículo.
- Cable de solenoide.
- Interruptor de posición park/neutral.
- Sensor de temperatura del fluido de la T/A.
- Si está equipado, sensor de velocidad del embrague directo O/D.

13. Sacar el conector eléctrico del motor de arranque, en el motor de arranque, después sacar la tuerca y el cable, del motor de arranque.

14. Sacar los tubos del refrigerador de aceite de la transmisión, como sigue:

a. Aflojar las dos tuercas de unión del refrigerador de aceite.

b. Sacar los soportes central y trasero de los tubos del refrigerador de aceite, delante y detrás del brazo de control inferior.

c. Sacar el soporte delantero del tubo del refrigerador del aceite, cerca de la polea del cigüeñal.

d. Desconectar los dos tubos del refrigerador de aceite.

15. En los modelos turboalimentados, sacar el tubo del intercambiador, aflojando las dos abrazaderas y sacando los dos tornillos.

16. Sacar los tornillos de montaje del embrague del convertidor de par.

17. Soportar la transmisión con un gato.

18. Sacar el montaje trasero, sacando los cuatro tornillos exteriores.

19. Bajar la transmisión y sacar las cuatro abrazaderas del cableado, del retenedor.

20. Sacar los tornillos de fijación del motor de arranque y la transmisión.

21. Sacar la transmisión del motor y del vehículo.

Para instalar:

22. Instalar la transmisión y el motor de arranque e instalar los nueve tornillos. Apretar los tornillos como sigue:

- Tornillos de cabeza de 14 mm a 27 pie-lb (37 Nm).
- Tornillos de cabeza de 17 mm a 53 pie-lb (72 Nm).

23. Instalar el cable y la tuerca del motor de arranque, después instalar el conector eléctrico en el motor de arranque.

24. Instalar las cuatro abrazaderas del cableado en el retenedor.

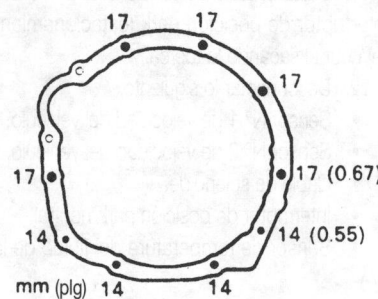

▲ **Identificación de los tornillos de la transmisión – Supra**

25. Instalar los tornillos de montaje traseros y apretar los tornillos a 19 pie-lb (25 Nm).

26. Instalar los tornillos de montaje del embrague del convertidor de par.

27. En los modelos turboalimentados, instalar el tubo del intercambiador, instalando los dos tornillos y apretando las dos abrazaderas.

28. Conectar los tubos del refrigerador de aceite de la transmisión, como sigue:

a. Instalar y conectar los dos tubos del refrigerador de aceite. Conectar las dos tuercas de unión del refrigerador de aceite y apretar a 25 pie-lb (34 Nm).

b. Instalar el soporte del tubo del refrigerador de aceite, cerca de la polea del cigüeñal. Apretar el tornillo a 7 pie-lb (10 Nm).

c. Conectar los soportes central y trasero de los tubos del refrigerador de aceite y apretar los tornillos a 7 pie-lb (34 Nm).

29. Conectar lo siguiente:
- Sensor de temperatura del fluido de la T/A.
- Interruptor de posición park/neutral.
- Cable de solenoide.
- Sensor N° 2 de velocidad del vehículo.
- Sensor N° 1 de velocidad del vehículo.
- Sensor de velocidad del embrague directo O/D.

30. Conectar la barra de control del cambio en el interruptor de posición park/neutral y apretar la tuerca a 12 pie-lb (16 Nm).

31. Conectar la barra de control del cambio en la palanca de cambio. Apretar la tuerca a 9 pie-lb (13 Nm). Inspeccionar y ajustar el interruptor de posición park/neutral, según sea necesario.

32. Instalar el eje motriz.

33. Instalar el puntal trasero del travesaño central del suelo y apretar los tornillos a 9 pie-lb (13 Nm).

34. Instalar el aislante térmico con los tornillos y apretar a 48 plg-lb (5.4 Nm).

35. Instalar el tubo de escape. Apretar los tornillos como sigue:
- Soporte en el cuerpo de la transmisión a 27 pie-lb (37 Nm).
- Tubo de escape N° 2 en el tubo de escape central a 43 pie-lb (58 Nm).

36. Conectar el sensor de oxígeno con las dos tuercas.

37. Instalar la subcubierta del motor.

38. Instalar el tubo de llenado de la transmisión y el indicador de nivel.

39. Conectar el cable negativo de la batería, en la batería.

40. Comprobar todos los fluidos.

CONJUNTO DE LA CAJA DE CAMBIOS

DESMONTAJE E INSTALACIÓN

Manual

TERCEL

1. Desconectar el cable negativo de la batería, después el positivo. En los vehículos equipados con air bag, esperar como mínimo 90, segundos antes de proceder.

2. Sacar la batería.

3. Sacar el conjunto de la caja del filtro de aire con la manguera del aire.

4. Sacar el cilindro del desembrague y la abrazadera del tubo.

5. Sacar los dos tornillos y el cable de toma de tierra, del lado de la caja de cambios y del lado del soporte de montaje izquierdo del motor.

6. Desconectar el conector eléctrico del interruptor de la luz de marcha atrás.

7. Sacar las grapas y arandelas que conectan los cables de control del cambio en la caja de cambios.

8. Sacar los retenes que fijan los cables de control del cambio en la caja de cambios, y colocar los cables fuera de la zona de trabajo.

9. Sacar los tornillos de sujeción de la caja de cambios superior.

10. Levantar y soportar con seguridad el vehículo.

11. Sacar las ruedas delanteras.

12. Sacar las subcubiertas del motor, si está equipado.

13. Drenar el aceite de la caja de cambios.

14. Sacar los semiejes derecho e izquierdo.

15. Sacar el tubo de escape delantero, si es necesario.

16. Desconectar el cable del velocímetro de la caja de cambios.

17. Sacar los conectores eléctricos y los tornillos de montaje del motor de arranque. Sacar el motor de arranque, del motor del vehículo.

18. Sacar el aislante y el soporte de montaje trasero del motor.

19. Utilizando un bloque de madera y un gato de suelo, colocarlo debajo del depósito de aceite del motor y soportarlo.

20. Utilizando un gato de suelo, colocarlo debajo de la caja de cambios y soportar su peso.

21. Sacar el montaje izquierdo del motor.

22. Sacar los tornillos de sujeción de la caja de cambios, del motor.

23. Bajar el lado izquierdo del motor y sacar la caja de cambios del vehículo.

Para instalar:

24. Alinear las estrías del eje de entrada con el disco del embrague e instalar la caja de cambios en el motor. Instalar los tornillos de sujeción de la caja de cambios y apretar los tornillos a los valores especificados.

25. Instalar el soporte de montaje izquierdo del motor con los dos tornillos. Apretar los tornillos a 36 pie-lb (48 Nm).

26. Instalar el aislante del montaje trasero con los seis tornillos. Apretar los tornillos como sigue:
- A: Tornillo del lado de la carrocería a través de los soportes, a 58 pie-lb (78 Nm).
- B: Tornillo pasante a 47 pie-lb (64 Nm).
- C: Tornillo del lado de la carrocería a través del aislante, a 67 pie-lb (90 Nm).

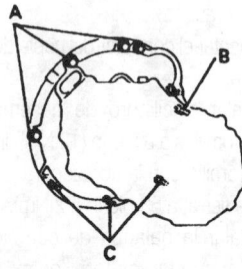

A: 64 Nm (650 kg.cm, 47 pie-lb)
B: 46 Nm (470 kg.cm, 34 pie-lb)
C: 7 Nm (75 kg.cm, 65 plg-lb)

▲ **Apretar los tornillos de montaje de la caja de cambios a los valores especificados – Tercel**

27. Sacar los gatos de debajo de la caja de cambios y del motor.

28. Instalar el motor de arranque y los conectores eléctricos. Apretar los tornillos del motor de arranque a 29 pie-lb (39 Nm).

29. Conectar el velocímetro en la caja de cambios.

30. Instalar el tubo de escape delantero, si se ha sacado.

31. Instalar los semiejes derecho e izquierdo.

32. Llenar la caja de cambios con aceite de engranajes 75W-90 u 80W-90.

33. Instalar las subcubiertas, si se han sacado.

34. Instalar las ruedas.

35. Bajar el vehículo.

36. Colocar los cables de control del cambio e instalar los retenes, las arandelas y las grapas.

37. Conectar el conector eléctrico del interruptor de la luz de marcha atrás.

38. Instalar el cilindro de desembrague y la abrazadera del tubo.

39. Instalar el conjunto del filtro de aire con la manguera de aire.

40. Conectar los dos cables de toma de tierra en la caja de cambios.

41. Instalar la batería.

42. Probar el vehículo en carretera.

PASEO

1. Desconectar el cable negativo de la batería. En los vehículos equipados con air bag, esperar como mínimo 90 segundos, antes de proceder.

2. Sacar el conjunto de la caja del filtro de aire con la manguera del aire.

3. Sacar el cilindro de desembrague y la abrazadera del tubo.

4. Desconectar el conector eléctrico del interruptor de la luz de marcha atrás.

5. Sacar las grapas y las arandelas del extremo del cable de control de la caja de cambios, después sacar las grapas de retención de

los cables. Sacar los cables de control del cambio de la caja de cambios, en la caja de cambios.

6. Sacar el soporte del cilindro de desembrague y el cable de toma de tierra.

7. Sacar los tornillos del montaje superior de la caja de cambios.

8. Levantar y soportar el vehículo con seguridad.

9. Sacar las subcubiertas del motor y drenar el fluido de la caja de cambios.

10. Desconectar el cable del velocímetro de la caja de cambios.

11. Desconectar ambos semiejes de la caja de cambios.

12. Sacar el soporte de montaje trasero del motor.

13. Sacar el conjunto del motor de arranque.

14. Soportar el conjunto del motor y caja de cambios, utilizando el equipo correcto.

15. Desconectar el montaje izquierdo del motor.

16. Sacar los tornillos de montaje de la caja de cambios en el motor.

17. Con cuidado, sacar el conjunto de la caja de cambios, del vehículo. Bajar el lado izquierdo del motor, para ayudar en el desmontaje de la caja de cambios.

Para instalar:

18. Alinear las estrías del eje de entrada con el disco de embrague e instalar la caja de cambios en el motor. Apretar los tornillos a las especificaciones siguientes:

- Tornillo A: 47 pie-lb (64 Nm).
- Tornillo B: 34 pie-lb (46 Nm).
- Tornillo C: 65 plg-lb (7 Nm).
- Tornillo D: 17 pie-lb (24 Nm).

19. Instalar los soportes de montaje traseros del motor. Apretar los tornillos como sigue:

- Tornillo A: 67 pie-lb (90 Nm).
- Tornillo B: 58 pie-lb (78 Nm).
- Tornillo C: 47 pie-lb (64 Nm).

20. Instalar el montaje izquierdo del motor y apretar los tornillos a 35 pie-lb (48 Nm).

21. Instalar el motor de arranque y los conectores eléctricos. Apretar los tornillos a 29 pie-lb (39 Nm).

22. Conectar el cable del velocímetro en la caja de cambios.

23. Instalar el tirante del múltiple de admisión. Apretar los tornillos a 14 pie-lb (20 Nm).

24. Instalar la barra oscilante y apretar los tornillos de soporte a 14 pie-lb (20 Nm).

25. Instalar el tubo de escape delantero.

26. Conectar los semiejes en la caja de cambios.

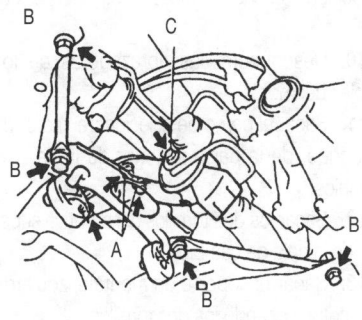

▲ **Identificación de los tornillos de montaje traseros del motor – Paseo**

27. Llenar la caja de cambios con aceite de engranajes.

28. Instalar las subcubiertas.

29. Bajar el vehículo.

30. Conectar los dos cables de toma de tierra, con los dos tornillos.

31. Conectar los cables de control del cambio de la caja de cambios, e instalar los retenes en los cables. Conectar los cables en el varillaje de cambio, con las arandelas y grapas.

32. Conectar el conector eléctrico del interruptor de la luz de marcha atrás.

33. Instalar el cilindro de desembrague y la abrazadera del tubo.

34. Instalar el conjunto del filtro de aire con la manguera de aire.

35. Conectar el cable negativo de la batería.

36. Ajustar el embrague y realizar una prueba del vehículo en carretera.

COROLLA

1. Desconectar el cable negativo de la batería. En los vehículos equipados con air bag, esperar como mínimo 90 segundos, antes de proceder.

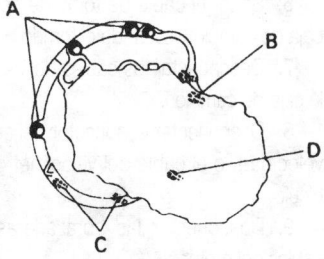

A: 64 Nm (650 kg·cm, 47 pie-lb)
B: 46 Nm (470 kg·cm, 34 pie-lb)
C: 7 Nm (75 kg·cm, 65 plg-lb)
D: 24 Nm (240 kg·cm, 17 pie-lb)

▲ **Especificaciones de apriete para montar la caja de cambios en el motor – Paseo**

2. Sacar el conjunto de la caja del filtro de aire con la manguera.

3. Si es necesario, sacar el depósito de fluido refrigerante.

4. Sacar el soporte del tubo del cilindro de desembrague, sacando el tornillo.

5. Sacar el cilindro de desembrague, sacando los dos tornillos.

6. Desconectar el conector del interruptor de la luz de marcha atrás.

7. Sacar el cable de toma de tierra.

8. Desconectar los cables del cambio, de la caja de cambios.

9. Desconectar el conector del sensor de velocidad o el cable del velocímetro del vehículo.

10. Desconectar las abrazaderas de los cables del motor.

11. Sacar el perno de sujeción del motor de arranque, de la parte superior de la caja de cambios.

12. Sacar los dos tornillos del montaje superior de la caja de cambios.

13. Sacar el soporte de montaje izquierdo del motor, sacando los dos tornillos.

14. Sacar el perno de sujeción del montaje izquierdo del motor, de la parte trasera.

15. Instalar el montaje de soporte del motor. Levantar y soportar con seguridad el vehículo.

16. Sacar las ruedas delanteras. Sacar las subcubiertas del vehículo.

17. Drenar el aceite de la caja de cambios.

18. Desconectar la rótula esférica inferior del brazo inferior, sacando el tornillo y las dos tuercas.

19. Sacar los semiejes.

20. Sacar el tubo de escape delantero.

21. Sacar la cubierta del agujero.

22. Sacar los pernos de sujeción del montaje delantero del motor.

23. Desconectar el montaje trasero del motor sacando las tres tuercas de sujeción.

24. Colocar un gato debajo de la viga central de soporte del motor.

25. Sacar la viga central de soporte del motor, sacando los ocho tornillos.

26. Sacar el motor de arranque, desconectando los conductores eléctricos, y sacando el tornillo inferior.

27. Para el motor 1.6L, sacar la placa de refuerzo.

28. Levantar un poco la caja de cambios y el motor con un gato.

29. Para el motor 1.8L, sacar los tornillos de montaje de la caja de cambios, del lado de la placa en el extremo trasero del motor.

30. Sacar los pernos de sujeción del montaje izquierdo del motor, de la parte delantera.

31. Sacar los tornillos de montaje de la caja de cambios, del lado delantero del motor. Sacar los tornillos de montaje de la caja de cambios, del lado trasero del motor. Bajar el lado izquierdo del motor y sacar la caja de cambios, del motor.

Para instalar:

32. Alinear el eje de entrada con el disco de embrague, e instalar la caja de cambios en el motor. Apretar los tornillos del motor a la caja de cambios, a 47 pie-lb (64 Nm) para los tornillos de 12 mm y a 34 pie-lb (46 Nm) para los tornillos de 10 mm.

33. Levantar un poco la caja de cambios y el motor e instalar el montaje izquierdo del motor. Instalar los tornillos del montaje izquierdo del motor a la caja de cambios. Apretar los tornillos a 41 pie-lb (56 Nm).

34. Para el motor 1.8L, instalar los tornillos de montaje de la caja de cambios al lado de la placa del extremo trasero del motor. Apretar los tornillos a 17 pie-lb (23 Nm).

35. Para el motor 1.6L, instalar la placa de refuerzo y apretar los tornillos a 17 pie-lb (23 Nm).

36. Instalar el motor de arranque y el tornillo inferior, y conectar el conector eléctrico en el motor de arranque. Apretar el tornillo a 29 pie-lb (39 Nm).

37. Instalar la viga central de soporte del motor y apretar los tornillos de la viga de soporte en el soporte del radiador a 45 pie-lb (61 Nm). Apretar los tornillos de la viga de soporte al bastidor a 152 pie-lb (206 Nm).

38. Conectar el montaje trasero del motor y apretar los tornillos a 35 pie-lb (48 Nm).

39. Conectar el montaje delantero del motor y apretar los tornillos a 47 pie-lb (64 Nm). Instalar las cubiertas de los agujeros.

40. Instalar el tubo de escape delantero.

41. Instalar los semiejes.

42. Conectar la rótula esférica inferior en el brazo inferior. Apretar el tornillo y las tuercas a 105 pie-lb (142 Nm).

43. Llenar la caja de cambios con el aceite de engranajes correcto.

44. Instalar las subcubiertas.

45. Sacar el montaje de soporte del motor.

46. Instalar las ruedas delanteras y bajar el vehículo.

47. Instalar el perno de sujección del montaje izquierdo del motor, en la parte trasera. Apretar el tornillo a 41 pie-lb (56 Nm).

48. Instalar el soporte de montaje izquierdo del motor. Apretar el tornillo a 15 pie-lb (21 Nm).

49. Instalar los dos tornillos de montaje superiores de la caja de cambios y apretar a 29 pie-lb (39 Nm).

50. Instalar el perno de sujeción del motor de arranque, en el lado superior de la caja de cambios. Apretar el tornillo a 29 pie-lb (39 Nm).

51. Conectar las abrazaderas de los cables del motor.

52. Conectar el conector del sensor de velocidad, o el cable del velocímetro del vehículo.

53. Conectar los cables del cambio de la caja de cambios, e instalar el cable de toma de tierra.

54. Conectar el conector del interruptor de la luz de marcha atrás.

55. Instalar el cilindro de desembrague, y el soporte de tubo del cilindro del desembrague. Apretar los tornillos a 9 pie-lb (12 Nm).

56. Si se ha sacado, instalar el depósito de fluido refrigerante.

57. Instalar el conjunto de la caja del filtro de aire.

58. Conectar el cable negativo de la batería y comprobar la alineación de las ruedas delanteras.

59. Probar el vehículo en carretera y comprobar si hay algún ruido anormal, así como la suavidad de cambio.

CELICA

1. Desconectar el cable negativo de la batería, en la batería. En los vehículos equipados con air bag, esperar como mínimo 90 segundos, antes de proceder.

2. Sacar el conjunto de la caja del filtro de aire con la manguera.

3. Sacar el soporte del tubo de cilindro del desembrague, sacando el tornillo.

4. Sacar el cilindro de desembrague, sacando los dos tornillos.

5. Desconectar el conector del interruptor de la luz de marcha atrás.

6. Sacar el cable de toma de tierra de la caja de cambios, sacando el tornillo.

7. Desconectar los cables del cambio, de la caja de cambios.

8. Desconectar el conector del sensor de velocidad, o el cable del velocímetro del vehículo.

9. Desconectar las abrazaderas de los cables del motor.

10. Sacar el perno de sujeción del motor de arranque, del lado superior de la caja de cambios.

11. Instalar un montaje de soporte de motores. Levantar y soportar con seguridad el vehículo.

12. Sacar las ruedas delanteras.

13. Sacar las subcubiertas del vehículo.

14. Drenar el aceite de la caja de cambios.

15. Sacar los semiejes.

16. Sacar el tubo de escape delantero y el soporte de montaje.

17. Sacar el motor de arranque.

18. Colocar un gato debajo de la viga de soporte central del motor.

19. Sacar la viga de soporte central del motor.

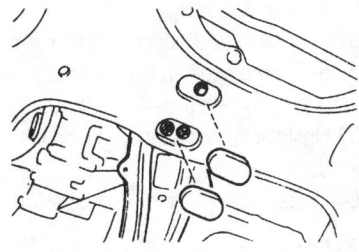

▲ **Localización de los pernos de fijación del aislador del montaje trasero – Celica**

20. Desconectar el montaje trasero del motor, sacando las tres tuercas de sujeción.

21. Sacar el soporte de montaje delantero y el aislante del motor, sacando el tornillo pasante y los dos pernos de sujeción.

22. Levantar un poco la caja de cambios y el motor, con un gato.

23. Sacar el soporte de montaje izquierdo del motor, sacando los tres pernos de sujeción.

24. Sacar los tornillos de montaje de la caja de cambios, del lado de la placa del extremo trasero del motor.

25. Sacar el protector del cuerpo de la caja de cambios, sacando los dos tornillos.

26. Bajar el lado izquierdo del motor y sacar los tres tornillos superiores de la caja de cambios.

27. Sacar la caja de cambios del motor.

Para instalar:

28. Conectar la caja de cambios en el motor y levantar el lado derecho del motor. Alinear el eje de entrada con el disco del embrague e instalar la caja de cambios en el motor. Apretar los tres tornillos superiores de la caja de cambios a 47 pie-lb (64 Nm).

29. Instalar el protector del cuerpo de la caja de cambios y apretar los dos tornillos a 9 pie-lb (13 Nm).

30. Instalar y apretar los cuatro tornillos inferiores de la caja de cambios, como sigue:

• Tornillo A: 17 pie-lb (23 Nm).
• Tornillo B: 34 pie-lb (46 Nm).

31. Levantar un poco la caja de cambios y el motor. Instalar el soporte de montaje izquierdo del motor en el aislante del montaje izquierdo del motor. Instalar los tres pernos de sujeción y apretar a 47 pie-lb (64 Nm).

32. Instalar el soporte y el aislante del montaje delantero del motor y apretar los dos tornillos del soporte a 57 pie-lb (77 Nm). Apretar el tornillo pasante a 64 pie-lb (87 Nm).

33. Instalar el soporte y el aislante de montaje trasero del motor y apretar los tornillos del soporte a 57 pie-lb (77 Nm). Apretar el tornillo pasante a 64 pie-lb (87 Nm).

34. Instalar la viga de soporte central del motor.

35. Instalar el motor de arranque.

36. Instalar el soporte de montaje del tubo de escape delantero.

37. Instalar los semiejes.

38. Llenar la caja de cambios con el aceite de engranajes correcto.

39. Instalar las subcubiertas.

40. Sacar el montaje de soporte de motores.

41. Instalar las ruedas delanteras y bajar el vehículo.

42. Instalar el perno de sujeción del motor de arranque en el lado superior de la caja de cambios. Apretar el tornillo a 29 pie-lb (39 Nm).

43. Conectar las abrazaderas de los cables del motor.

44. Conectar el conector del sensor de velocidad o el cable del velocímetro del vehículo.

45. Conectar los cables del cambio de la caja de cambios e instalar el cable de toma de tierra.

46. Conectar el conector del interruptor de la luz de marcha atrás.

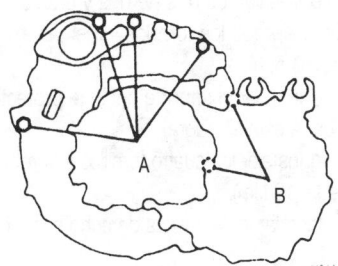

▲ **Localización de los tornillos del montaje superior de la caja de cambios – Celica**

47. Instalar el cilindro de desembrague.

48. Instalar el conjunto de la caja del filtro de aire.

49. Conectar el cable negativo de la batería y comprobar la alineación de las ruedas delanteras.

50. Probar el vehículo en carretera y comprobar si hay algún ruido anormal, así como la suavidad del cambio.

CAMRY

1. Desconectar el cable negativo de la batería. En los vehículos equipados con air bag, esperar como mínimo 90 segundos, antes de proceder.

2. Sacar el conjunto del filtro de aire.

3. Si está equipado con control de velocidad de crucero, sacar el accionador del control de velocidad de crucero.

4. Sacar el cilindro y la abrazadera del tubo de desembrague.

5. Sacar el motor de arranque.

6. Desconectar el conector del interruptor de la luz de la marcha atrás y la conexión de toma de tierra.

7. Desconectar la abrazadera de los cables.

8. Sacar las grapas y las arandelas que sujetan los cables de control de la caja de cambios en las palancas de control. Sacar las grapas de retención y desconectar los cables de control de la caja de cambios.

9. Desconectar el conector del sensor de velocidad.

10. Instalar un montaje de soporte de motores.

11. Atar el cuerpo del mecanismo de la dirección en el montaje de soporte del motor, con una cuerda.

12. Levantar y soportar el vehículo con seguridad.

13. Sacar las subcubiertas del motor y las ruedas delanteras.

14. Drenar el fluido de la caja de cambios.

15. Sacar los semiejes derecho e izquierdo.

16. Desconectar el cuerpo del mecanismo de la dirección, de la viga de suspensión delantero, como sigue:

    a. Sacar los cuatro tornillos.

    b. Sacar el soporte del buje protector de la barra estabilizadora.

    c. Sacar los dos pernos y tuercas de sujeción.

    d. Desconectar la caja del mecanismo de la dirección, de la viga de suspensión y suspenderla con seguridad.

17. Sacar el tubo de escape.

18. Sacar la placa de refuerzo.

19. Desconectar el montaje delantero del motor de la viga de la suspensión, sacando los dos tornillos.

20. Desconectar el montaje trasero del motor de la viga de la suspensión delantera, sacando los dos ojales y las tres tuercas.

21. Con un gato para cajas de cambios y un bloque de madera, levantar un poco la caja de cambios y el motor, y desconectar el montaje izquierdo del motor.

22. Desconectar el tubo del refrigerador de la dirección, de la viga de la suspensión.

23. Sacar los dos pernos de sujeción del forro protector del guardabarros.

24. Desconectar la viga de la suspensión delantero como sigue:

a. Sacar los dos tornillos y las cuatro tuercas situadas en la parte exterior de los soportes.

b. Sacar los cuatro tornillos grandes que sujetan la viga de la suspensión en la carrocería del vehículo.

c. Sacar los dos tirantes inferiores delanteros, los tirantes traseros y la viga de la suspensión delantera.

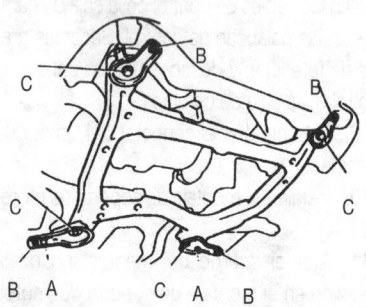

▲ Localización de la viga y las sujeciones de la suspensión delantera – Camry

25. Sacar del motor los seis tornillos de montaje de la caja de cambios.

26. Bajar el lado izquierdo del motor y sacar la caja de cambios.

27. Limpiar las superficies de unión, de toda grasa y suciedad, para prepararlas para la reinstalación.

Para instalar:

28. Meter la caja de cambios dentro de su posición, de manera que la estría del eje de entrada se alinee con el disco del embrague.

29. Instalar la caja de cambios dentro del motor y asegurarla con los tornillos de montaje inferiores. Apretar los tornillos de montaje de 10 mm a 47 pie-lb (64 Nm) y los tornillos de 12 mm a 34 pie-lb (46 Nm).

30. Instalar la viga de la suspensión delantera en el vehículo e instalar los dos puntales inferiores delanteros y los inferiores traseros. Instalar los cuatro tornillos grandes que sujetan la viga de la suspensión en el vehículo. Apretar los tornillos a 134 pie-lb (181 Nm).

31. Instalar los dos tornillos exteriores y las cuatro tuercas exteriores. Apretar los tornillos a 24 pie-lb (32 Nm).

32. Instalar los dos pernos de sujeción del forro protector del guardabarro.

33. Conectar el tubo del refrigerador de la dirección en la viga de la suspensión.

34. Levantar un poco la caja de cambios y el motor, con un gato y un bloque de madera.

35. Instalar el montaje izquierdo del motor, como sigue:

a. Instalar el montaje izquierdo del motor, después instalar los tres tornillos. Apretar los tornillos a 38 pie-lb (52 Nm).

b. Instalar las dos tuercas y los dos ojales. Apretar las tuercas a 59 pie-lb (80 Nm).

36. Instalar el montaje trasero del motor en la viga de la suspensión delantera, instalando las tres tuercas y los dos ojales. Apretar las tuercas a 59 pie-lb (80 Nm).

37. Instalar el montaje delantero del motor en la viga de la suspensión e instalar la tuerca y los dos tornillos. Apretar el tornillo a 59 pie-lb (80 Nm).

38. Instalar la placa de refuerzo y apretar los tornillos a 27 pie-lb (37 Nm).

39. Instalar el tubo de escape.

40. Instalar el cuerpo del mecanismo de la dirección en la viga de la suspensión delantera, como sigue:

a. Bajar el cuerpo del mecanismo de la dirección sobre la viga de la suspensión.

b. Instalar los dos pernos y tuercas de sujeción. Apretar los tornillos y tuercas a 134 pie-lb (181 Nm).

c. Instalar el soporte del buje protector de la barra estabilizadora.

d. Instalar los cuatro tornillos y apretar a 14 pie-lb (19 Nm).

41. Instalar los semiejes derecho e izquierdo.

42. Instalar las subcubiertas del motor.

43. Instalar las ruedas y bajar el vehículo.

44. Llenar la caja de cambios con fluido de cajas de cambios.

45. Desatar el cuerpo del mecanismo de la dirección, del montaje de soporte del motor.

46. Sacar el montaje de soporte del motor fuera del vehículo.

47. Conectar el sensor de velocidad del vehículo.

48. Conectar los cables de control, instalando las arandelas y grapas.

49. Conectar la abrazadera que retiene los cables en la caja de cambios.

50. Conectar el conector del interruptor de la luz de marcha atrás y los cables de toma de tierra.

51. Instalar el motor de arranque en el vehículo e instalar los dos tornillos. Apretar los tornillos a 29 pie-lb (39 Nm).

52. Instalar la abrazadera del tubo y el cilindro de desembrague en la caja de cambios. Apretar los tornillos a 9 pie-lb (13 Nm).

53. Instalar el accionador del control de velocidad de crucero.

54. Instalar el conjunto de la caja del filtro de aire.

55. Conectar el cable negativo de la batería, en la batería.

Automático

TERCEL

1. Desconectar el cable negativo de la batería. En los vehículos equipados con air bag (saco de aire), esperar como mínimo 90 segundos, antes de proceder.

2. Sacar el cable positivo de la batería, la sujeción de la batería y la batería.

3. Sacar el conjunto del filtro de aire.

4. Sacar el cable del ahogador, del varillaje del ahogador.

5. Sacar el cable de toma de tierra y el soporte, en la caja de cambios.

6. Sacar los tornillos de montaje del lado superior, en la caja de cambios.

7. Desconectar el cableado del motor de arranque.

8. Instalar un mecanismo de soporte de motores.

9. Levantar y soportar con seguridad el vehículo.

10. Sacar las subcubiertas del vehículo.

11. Drenar el fluido del conjunto de la caja de cambios y del diferencial.

12. Desconectar los semiejes derecho e izquierdo, de la caja de cambios.

13. Desconectar el cable del velocímetro, de la caja de cambios.

14. Sacar la grapa que sujeta el cable de control del cambio en la carrocería.

15. Desconectar el cable de control del cambio, de la palanca de control, sacando la tuerca.

16. Desconectar el conector eléctrico del interruptor de la posición park/neutral.

17. Desconectar el conector del solenoide de O/D, si está equipado.

18. Desconectar la manguera del refrigerador de aceite, de la caja de cambios.

19. Sacar el conjunto del motor de arranque.

20. Sacar el tubo de escape delantero.

21. Sacar la cubierta del convertidor de la caja de cambios, y girar el cigüeñal para mejorar el acceso a cada tornillo del convertidor.

22. Sujetar la tuerca de polea del cigüeñal, con una llave de tubo y una barra palanca, y sacar los seis tornillos del convertidor.

23. Soportar el motor y la caja de cambios con dos gatos, o con una cadena articulada y un gato. Sacar los dos tornillos que sujetan el soporte de montaje izquierdo del motor en la carrocería.

24. Sacar el tornillo pasante del aislador del montaje trasero.

25. Sacar los cinco tornillos y el aislador del montaje trasero.

26. Sacar los tornillos de montaje inferiores de la caja de cambios y sacar la caja de cambios del motor. La caja de cambios se saca por la parte inferior del vehículo.

27. Sacar el convertidor de par, de la caja de cambios.

Para instalar:

28. Instalar el convertidor de par en la caja de cambios. Si el convertidor de par se ha drenado y limpiado, llenarlo con ATF.

➡ Tipo de fluido: ATF Dexron® II.

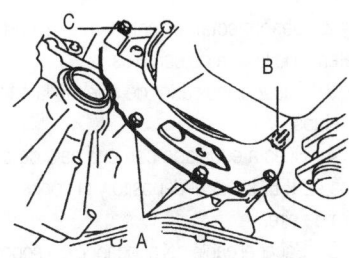

▲ Apretar los tornillos de montaje inferiores de la caja de cambios a la especificación correcta – Tercel

29. Utilizando un gato adecuado, instalar el conjunto de la caja de cambios en el motor, alineando los dos pasadores de detonación del bloque de cilindros con el cuerpo del convertidor. Instalar dos tornillos, sin apretarlos todavía.

30. Instalar los tornillos de montaje de la caja de cambios restantes, y apretar los tornillos a los valores especificados.

31. Instalar el soporte de montaje izquierdo del motor y apretar los dos tornillos a 35 pie-lb (48 Nm).

32. Instalar el soporte de montaje trasero del motor y apretar los cinco tornillos, como sigue:

• Tornillos pasantes exteriores de los soportes a 58 pie-lb (78 Nm).

• Tornillos pasantes interiores del montaje trasero a 69 pie-lb (92 Nm).

33. Instalar el tornillo pasante del aislador del montaje trasero y apretar el tornillo a 47 pie-lb (64 Nm).

34. Instalar los seis tornillos de montaje del convertidor de par. Apretar los tornillos a 20 pie-lb (27 Nm).

35. Sacar los gatos que soportan la caja de cambios e instalar la cubierta del convertidor de par.

36. Instalar el tubo de escape delantero.

37. Instalar el conjunto del motor de arranque.

38. Conectar la manguera del refrigerador de aceite en la caja de cambios.

39. Si está equipado, conectar el conector del solenoide de O/D.

40. Conectar el conector eléctrico del interruptor park/neutral.

41. Instalar el cable de control del cambio en la palanca y asegurarlo con la tuerca.

42. Conectar el cable de control del cambio en la carrocería, instalando la grapa.

43. Conectar el cable del velocímetro en la caja de cambios.

44. Instalar los semiejes izquierdo y derecho.

45. Instalar las subcubiertas del motor.

46. Bajar el vehículo con seguridad.

47. Sacar el soporte del motor.

48. Instalar el cable de toma de tierra y soporte, en la caja de cambios.

49. Instalar el tornillo superior del motor de arranque. Apretar el tornillo a 29 pie-lb (39 Nm).

50. Instalar los tornillos de montaje del lado superior de la caja de cambios y apretar los tornillos a 47 pie-lb (64 Nm).

51. Instalar y ajustar el cable del ahogador.

52. Instalar el conjunto del filtro de aire.

53. Instalar la batería con la sujeción. Conectar los cables de la batería.

54. Llenar la transmisión y el diferencial.

➡ Utilizar ATF Dexron® II.

55. Probar el vehículo en carretera para verificar si el funcionamiento es correcto, y si hay fugas.

PASEO

1. Desconectar el cable negativo de la batería, en la batería. En vehículos equipados con air bag, esperar como mínimo 90 segundos, antes de proceder.

2. Sacar el conector eléctrico del indicador de nivel de aceite.

3. Sacar el conducto de aire (que conduce desde el compartimento delantero del motor el filtro de aire) sacando los dos (2) pernos, tuercas y tornillos.

4. Sacar la cubierta superior del filtro de aire, el filtro de aire y el conjunto inferior de la caja.

5. Sacar el cable del ahogador, del motor.

6. Sacar todas las conexiones eléctricas de la parte superior de la caja de cambios y sacar el cableado.

7. Sacar el tornillo del lado superior del motor de arranque y los dos (2) tornillos de montaje del lado superior.

8. Acoplar un elevador de cadena de motores, en los colgadores del motor.

9. Levantar y soportar con seguridad el vehículo.

10. Sacar las subcubiertas del motor, del vehículo.

11. Drenar el fluido de la caja de cambios y del diferencial, sacando los tapones de drenaje.

12. Sacar el semieje.

13. Desconectar el extremo de la barra de conexión, de la articulación de la dirección.

14. Desconectar la rótula esférica inferior, del brazo de control inferior.

15. Utilizando una maza de goma, desconectar el semieje, de la rótula de la dirección.

16. Utilizando una barra y un martillo de latón, sacar el semieje, de la caja de cambios.

17. Sacar los anillos de resorte de las juntas interiores de los semiejes.

18. Sacar la grapa del cable del cambio.

19. Desconectar el conector del solenoide, de la caja de cambios.

20. Sacar la contratuerca y desconectar el cable del cambio, de la palanca de control.

21. Desconectar el conector del interruptor de posición park/neutral.

22. Utilizando una llave de tuercas para líneas, aflojar las tuercas de los rácores que conectan los tubos del refrigerador de aceite en la caja de cambios. Sacar las líneas del refrigerador de aceite, de la caja de cambios.

23. Sacar los dos (2) tornillos y las (2) abrazaderas del tubo del refrigerador de aceite, después sacar el refrigerador de aceite.

24. Si está equipado, sacar el cable de toma de tierra, de la caja de cambios.

25. Sacar los dos (2) tornillos, del soporte de montaje izquierdo del motor.

26. Sacar el motor de arranque sacando las dos (2) tuercas, las líneas eléctricas y el tornillo inferior del motor de arranque.

27. Sacar el cable del velocímetro, de la caja de cambios.

28. Desconectar el sensor N° 2 de velocidad del vehículo.

29. Levantar la caja de cambios y sujetar la caja de cambios con un gato para cajas de cambios.

30. Sacar el tornillo pasante, del soporte de montaje trasero.

31. Sacar el tapón del agujero y los tres (3) tornillos de la placa cubierta.

32. Girar el cigüeñal para mejorar el acceso a cada tornillo del convertidor de par.

33. Sujetar la tuerca de la polea del cigüeñal con una llave de tuercas y sacar los seis (6) tornillos del convertidor.

34. Sacar los tornillos de montaje del cuerpo de la caja de cambios.

35. Sacar la caja de cambios, del motor. Bajar un poco la parte trasera del motor para ayudar en el desmontaje de la caja de cambios.

36. Sacar el embrague del convertidor de par, de la caja de cambios.

Para instalar:

37. Instalar el embrague del convertidor de par en la caja de cambios.

➡ **Si el embrague del convertidor de par se ha drenado y lavado, llenarlo con fluido ATF nuevo.**

38. Utilizando un gato para cajas de cambios, instalar la caja de cambios en el motor. Asegurarse de alinear los dos (2) pasadores de detonación del bloque de cilindros con los agujeros del cuerpo de la caja de cambios. Dejar el gato soportando la caja de cambios hasta que los montajes estén instalados.

39. Instalar los tornillos de montaje del cuerpo de la caja de cambios y apretar los tornillos, como se muestra:

- Tornillo A a 34 pie-lb (46 Nm).
- Tornillo B a 66 plg-lb (8.0 Nm).

Vista del lado derecho

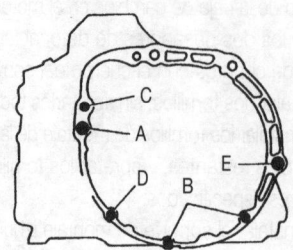

▲ **Localización de los tornillos de montaje de la caja de cambios – Paseo**

- Tornillo C a 29 pie-lb (39 Nm).
- Tornillo D a 18 pie-lb (25 Nm).
- Tornillo E a 47 pie-lb (64 Nm).

40. Instalar todos los tornillos del embrague del convertidor de par. Apretar los tornillos a 13 pie-lb (18 Nm).

41. Instalar el tapón del agujero y los tres tornillos de la placa cubierta.

42. Instalar el tornillo pasante en el soporte de montaje trasero.

43. Descargar el gato de la caja de cambios.

44. Conectar el sensor de velocidad del vehículo.

45. Instalar el cable del velocímetro en la caja de cambios.

46. Instalar el motor de arranque, después apretar el tornillo a 29 pie-lb (39 Nm).

47. Instalar los dos tornillos en el soporte del montaje lateral izquierdo del motor. Apretar los dos tornillos a 32 pie-lb (43 Nm).

48. Si se ha sacado, instalar el cable de toma de tierra de la caja de cambios con el tornillo. Apretar el tornillo a 32 pie-lb (43 Nm).

49. Instalar los tubos del refrigerador de aceite en la caja de cambios.

50. Conectar el conector eléctrico en el interruptor de posición park/neutral.

51. Instalar el cable del cambio en la palanca de cambio e instalar la contratuerca.

52. Instalar la grapa que mantiene el cable del cambio en la carrocería del vehículo.

53. Conectar el conector del solenoide.

54. Instalar anillos de resorte nuevos en las juntas interiores de los semiejes.

55. Instalar los semiejes en la caja de cambios.

56. Conectar el semieje en el cubo del eje.

57. Conectar la rótula esférica inferior en el brazo de control inferior, instalando el tornillo y las dos tuercas. Apretar el tornillo y las tuercas a 59 pie-lb (80 Nm).

58. Conectar el extremo de la barra de conexión en la articulación de la dirección. Instalar la tuerca y apretar a 36 pie-lb (49 Nm). Instalar un pasador de retención nuevo. Si el pasador de retención no está alineado con el agujero, apretar la tuerca, lo menos posible, e instalar el pasador.

59. Instalar la contratuerca del semieje y apretar a 159 pie-lb (216 Nm).

60. Instalar la tapa de bloqueo y un pasador de retención nuevo.

61. Instalar las subcubiertas del motor.

62. Instalar las ruedas delanteras y las tuercas de orejas. Bajar el vehículo.

63. Desacoplar el elevador de cadena de motores de los colgadores del motor.

64. Instalar el tornillo superior en el motor de arranque y los dos tornillos del montaje superior. Apretar el tornillo del motor de arranque a 29 pie-lb (39 Nm) y los tornillos del montaje superior a 47 pie-lb (64 Nm).

65. Instalar el cableado.

66. Conectar todos los conectores eléctricos en la parte superior de la caja de cambios.

67. Instalar y ajustar el cable del ahogador.

68. Instalar la caja inferior del filtro de aire, el elemento del filtro de aire y la cubierta superior.

69. Instalar el conducto de aire, instalando los dos pernos, las tuercas y el tornillo.

70. Instalar el conector eléctrico del indicador de nivel de aceite.

71. Instalar el tapón de drenaje del diferencial y el tapón de drenaje de la caja de cambios.

72. Llenar la caja de cambios.

73. Conectar el cable negativo de la batería y arrancar el motor.

74. Comprobar si hay fugas, después comprobar el nivel del fluido.

COROLLA

1. Desconectar el cable negativo de la batería. En los vehículos equipados con air bag, esperar como mínimo 90 segundos, antes de proceder.

2. Desconectar el cable negativo de la batería, de la caja de cambios.

3. Sacar el indicador de nivel de la caja de cambios.

4. Si está equipado con una caja de cambios A245E, sacar el depósito y el conjunto del filtro de aire.

5. Sacar el cable del ahogador, del soporte.

6. Sacar los tornillos superiores del montaje izquierdo del motor.

7. Sacar el tirante del montaje izquierdo del motor.

8. Sacar el cable de toma de tierra, de la caja de cambios.

9. Desconectar la abrazadera del cableado y la abrazadera del cable del ahogador.

10. Si está equipado con una caja de cambios A245E, sacar el tornillo del montaje superior del motor de arranque y los dos tornillos de montaje de la caja de cambios, del lado de la caja de cambios.

11. Levantar y soportar con seguridad el vehículo.

12. Sacar las subcubiertas del vehículo.

13. Sacar los semiejes izquierdo y derecho.

14. Soportar la caja de cambios con un gato.

15. Sacar el tubo de escape delantero.

16. Instalar un montaje de soporte de motores.

17. Sacar la viga de la suspensión, sacando el ojal, los 14 tornillos y las tres tuercas.

18. Sacar el motor de arranque.

19. Desconectar el conector del sensor de velocidad del vehículo.

20. Desconectar el conector del solenoide y el conector del interruptor de posición park/neutral. Sacar las abrazaderas del cableado.

21. Sacar la tuerca de la palanca del cambio manual, después desconectar el cable de control, del soporte, sacando la grapa.

22. Aflojar las dos grapas abrazaderas y desconectar las dos mangueras del refrigerador de aceite.

23. Sacar el tubo de llenado de la caja de cambios.

24. Si está equipado con una caja de cambios A131L, sacar la placa de refuerzo.

25. Si está equipado con una caja de cambios A245E, sacar la cubierta del convertidor.

26. Girar el cigüeñal, para mejorar el acceso a los tornillos del convertidor de par.

27. Sacar los seis tornillos del convertidor de par.

28. Sacar los cinco (A245E), o cuatro (A131L), tornillos de montaje de la caja de cambios.

29. Desconectar la caja de cambios del motor y bajar la caja de cambios al suelo.

Para instalar:

30. Levantar la caja de cambios hasta su posición.

31. En los vehículos equipados con una caja de cambios A245E, instalar los cinco tornillos inferiores de la caja de cambios. Apretar los tornillos como sigue:

- Tornillo A: 17 pie-lb (23 Nm).
- Tornillo B: 18 pie-lb (25 Nm).
- Tornillo C: 34 pie-lb (46 Nm).

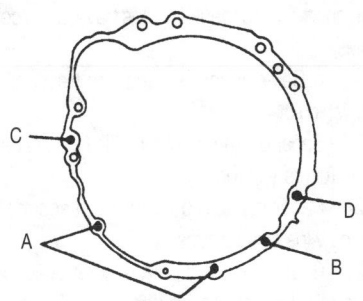

▲ **Especificaciones de torsión de los tornillos de montaje de la caja de cambios – Caja de cambios A245E del Corolla**

- Tornillo D: 47 pie-lb (64 Nm).

32. En los vehículos equipados con una caja de cambios A131L, instalar los cuatro tornillos inferiores de la caja de cambios. Apretar los tornillos a 47 pie-lb (64 Nm).

33. Instalar los tornillos del convertidor de par en la caja de cambios, e instalar los seis tornillos. Apretar los tornillos a 18 pie-lb (25 Nm).

34. En los vehículos equipados con una caja de cambios A131L, instalar la placa de refuerzo y apretar los tornillos de montaje a 13 pie-lb (18 Nm).

35. En los vehículos equipados con una caja de cambios A245E, instalar la cubierta del convertidor de par.

36. Instalar el tubo de llenado de la caja de cambios.

37. Conectar las dos mangueras del refrigerador de aceite y colocar las grapas abrazaderas en sus posiciones originales.

38. Conectar el cable de control de la caja de cambios en el soporte, e instalar la grapa. Conectar el cable de control en la palanca del cambio manual, instalando la tuerca.

39. Conectar el conector del solenoide y el conector del interruptor de posición park/neutral. Conectar el cableado en las abrazaderas.

40. Conectar el cableado del sensor de velocidad del vehículo.

41. Instalar el motor de arranque, instalando el tornillo inferior y el conector eléctrico. Apretar el tornillo inferior a 29 pie-lb (39 Nm).

42. Instalar la viga de la suspensión con los 14 tornillos y las tres tuercas. Apretar los tornillos y las tuercas como sigue:

- Tornillo A: 45 pie-lb (61 Nm).
- Tornillo B: 47 pie-lb (64 Nm).
- Tornillo C: 152 pie-lb (206 Nm).
- Tornillo D: 152 pie-lb (206 Nm).
- Tuercas: 42 pie-lb (57 Nm).

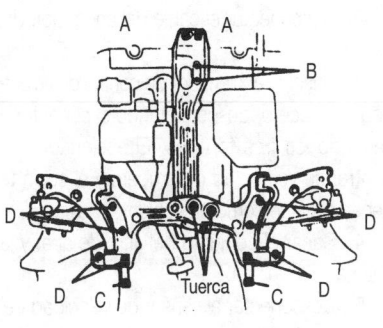

▲ **Identificación de las sujeciones de la viga de la suspensión – Corolla**

43. Una vez que la viga de la suspensión esté en su sitio, sacar el montaje de soporte del motor.

44. Instalar el tubo de escape delantero.

45. Sacar el gato de la caja de cambios.

46. Instalar los semiejes izquierdo y derecho.

47. Instalar las subcubiertas del motor.

48. Bajar el vehículo.

49. Instalar los dos tornillos de montaje de la caja de cambios, en el lado de la caja de cambios.

50. Instalar el tornillo de montaje superior del motor de arranque. Apretar el tornillo a 29 pie-lb (39 Nm).

51. Conectar la abrazadera del cableado y la abrazadera del cable (chicote) del ahogador.

52. Instalar el cable de toma de tierra y apretar el tornillo a 13 pie-lb (18 Nm).

53. Instalar el soporte de montaje izquierdo del motor y apretar los tornillos a 15 pie-lb (21 Nm).

54. Instalar los tornillos del lado superior del montaje izquierdo del motor y apretar los tornillos a 38 pie-lb (52 Nm).

55. Instalar el cable del ahogador.

56. Instalar el filtro de aire y el depósito, si se ha sacado.

57. Instalar el indicador de nivel de la caja de cambios.

58. Llenar la caja de cambios con fluido y ajustar el cable del ahogador, el cable del cambio y el interruptor de posición park/neutral.

59. Conectar el cable negativo de la batería, en la batería.

CELICA

1. Desconectar los cables negativo y positivo de la batería, en la batería. En los vehículos equipados con air bag, esperar como mínimo 90 segundos, antes de proceder.

2. Desconectar el cable del ahogador, del motor.

3. Sacar el accionador de control de velocidad de crucero, desconectando el conector y sacando los tres tornillos. El accionador de control de velocidad de crucero y el soporte deben sacarse como un conjunto.

4. Sacar el conjunto del filtro de aire, y la batería.

5. Desconectar el sensor de velocidad del vehículo, y la toma de tierra de la caja de cambios.

6. Sacar el tornillo del lado superior del montaje izquierdo del motor.

7. Desconectar el cableado y sacar el conjunto del motor de arranque, sacando los dos tornillos.

8. Desconectar el conector del interruptor de posición park/neutral.

9. Desconectar los dos conectores del solenoide.

10. Sacar los tres tornillos de retención superiores de la caja de cambios.

11. Desconectar las mangueras del refrigerador de aceite de la caja de cambios, aflojando las dos grapas.

12. Instalar un montaje de soporte de motores.

13. Levantar y soportar con seguridad el vehículo.

14. Sacar la rueda delantera.

15. Sacar la subcubierta del motor.

16. Drenar el fluido de la caja de cambios.

17. Desconectar los dos semiejes.

18. Soportar la caja de cambios con un gato.

19. Desconectar el cable de control del cambio, de la palanca del eje de control, y del soporte de la carrocería.

20. Sacar el tornillo pasante del montaje trasero del motor.

21. Sacar el tubo de escape delantero.

22. Sacar la suspensión y las vigas centrales, como sigue:

a. Sujetar la suspensión y las vigas centrales, con un gato.

b. Desconectar el soporte del tubo del acondicionador del aire, sacando el tornillo.

c. Sacar los dos tornillos de montaje del cable del cambio, y desconectar el cable, de la viga de la suspensión.

d. Sacar los dos pernos y tuercas de sujeción del conjunto del mecasnimo de la dirección asistida.

e. Sacar los tres ojales del travesaño central.

f. Sacar los 13 tornillos y las 2 tuercas que sujetan la suspensión y los travesaños centrales.

g. Bajar el gato y sacar los travesaños del vehículo.

23. Sacar el tirante del múltiple N° 1, sacando la tuerca y el tornillo.

24. Sacar la placa de refuerzo, sacando la tuerca y los seis tornillos.

25. Girar el cigüeñal para mejorar el acceso a los tornillos del convertidor de par. Sacar los seis tornillos, del convertidor de par.

26. Sacar los tres tornillos, de la caja de cambios, y bajar la caja de cambios, del motor.

Para instalar:

27. Levantar y conectar la caja de cambios en el motor.

28. Instalar los tres tornillos de la caja de cambios en el motor y apretar como sigue:

- Tornillo de 10 mm a 34 pie-lb (46 Nm).
- Tornillo de 12 mm a 47 pie-lb (64 Nm).

29. Aplicar silicona a los tornillos del convertidor de par de la caja de cambios.

30. Girar la caja de cambios para instalar los seis tornillos del convertidor de par. Apretar los tornillos a 18 pie-lb (25 Nm).

31. Instalar la placa de refuerzo, e instalar los seis tornillos. Apretar alternativamente los seis tornillos, como sigue:

- Tornillos de 12 mm a 15 pie-lb (21 Nm).
- Tornillos de 14 mm a 32 pie-lb (43 Nm).

32. Instalar el tirante del múltiple N° 1, con la tuerca y el tornillo. Apretar el tornillo a 15 pie-lb (21 Nm) y la tuerca a 32 pie-lb (43 Nm).

33. Instalar la viga de la suspensión y la viga central, como sigue:

a. Subir la viga de la suspensión dentro de su posición e instalar los dos tornillos para sujetar la suspensión en la carrocería. Apretar los tornillos a 94 pie-lb (127 Nm).

b. Instalar los tres tornillos que sujetan la parte trasera de los brazos de control inferiores en el bastidor y en la carrocería. Apretar el tornillo que va a través del brazo de control a 123 pie-lb (167 Nm) y los otros dos tornillos a 130 pie-lb (175 Nm). Instalar los tornillos en ambos lados.

c. Instalar la viga central.

d. Instalar el montaje trasero y el soporte del motor, instalando el tornillo y las dos tuercas. Apretar las sujeciones como sigue:

- Dos tuercas a 59 pie-lb (80 Nm).
- Tornillo a 65 pie-lb (88 Nm).

e. Instalar el montaje delantero del motor, instalando los dos tornillos. Apretar los tornillos a 59 pie-lb (80 Nm).

f. Instalar los dos tornillos delanteros para conectar el montaje central en el soporte del radiador. Apretar los tornillos a 26 pie-lb (35 Nm).

g. Instalar los ojales en la viga central.

h. Instalar los dos pernos y tuercas de sujeción del conjunto del mecanismo de la dirección asistida. Apretar las tuercas y tornillos a 94 pie-lb (127 Nm).

i. Instalar los dos tornillos de montaje del cable del cambio.

j. Conectar el soporte del tubo del acondicionador del aire.

34. Instalar el tubo de escape delantero.

35. Instalar el tornillo del montaje trasero del motor. Apretar el tornillo a 64 pie-lb (8 Nm).

36. Conectar el cable de control del cambio en la palanca del eje de control y en el soporte de la carrocería. Instalar las grapas.

37. Sacar el gato que sostiene la caja de cambios.

38. Instalar los semiejes izquierdo y derecho.

39. Instalar las subcubiertas del motor.

40. Instalar la rueda delantera y bajar el vehículo.

41. Sacar el montaje de soporte del motor.

42. Conectar las dos mangueras del refrigerador de aceite con las dos grapas abrazaderas.

43. Instalar los tres tornillos de montaje superiores de la caja de cambios. Apretar los tornillos a 47 pie-lb (64 Nm).

44. Conectar los dos conectores del solenoide.

45. Conectar el conector del interruptor de posición park/neutral.

46. Conectar el conector del sensor de velocidad del vehículo y el cable de toma de tierra en la caja de cambios.

47. Instalar el motor de arranque, con los dos tornillos. Apretar los tornillos a 29 pie-lb (39 Nm). Conectar los conectores eléctricos del motor de arranque.

48. Instalar el tornillo del lado superior del montaje izquierdo y apretar el tornillo a 47 pie-lb (64 Nm).

49. Instalar el conjunto del filtro de aire.

50. Instalar el accionador del control de velocidad de crucero.

51. Instalar la batería.

52. Instalar y ajustar el cable del ahogador.

53. Ajustar el cable de control del cambio.

54. Ajustar el interruptor de posición park/neutral.

55. Llenar la caja de cambios con fluido.

56. Comprobar los niveles de todos los fluidos.

57. Comprobar la alineación de las ruedas delanteras y la señal del sensor de velocidad del ABS.

58. Conectar los cables positivo y negativo de la batería.

CAMRY Y AVALON

1. Girar el interruptor de encendido hasta la posición LOCK (bloqueado), y desconectar el cable negativo de la batería. Esperar como mínimo 90 segundos, o más, antes de hacer ninguna otra operación en el vehículo.

2. Sacar la batería.

3. Sacar el conjunto del filtro de aire.

4. Desconectar el cable del ahogador, del cuerpo del ahogador.

5. Sacar la cubierta del accionador del control de velocidad de crucero y desconectar el conector, si está equipado.

6. Sacar el cable de toma de tierra.

7. Sacar el motor de arranque.

8. Desconectar, de la caja de cambios, el conector del sensor de velocidad, el sensor de velocidad del embrague directo y el conector del interruptor de posición park/neutral.

9. Desconectar de la caja de cambios el conector del solenoide.

10. Desconectar el cable de control del cambio.

11. Desconectar las mangueras del refrigerador de aceite.

12. Sacar los dos tornillos de montaje del lado delantero de la caja de cambios.

13. Sacar los dos tornillos del montaje delantero del motor.

14. Sacar los tornillos de montaje de la línea del refrigerador de aceite, del bastidor delantero.

15. Sacar los tres tornillos de montaje superiores de la caja de cambios en el motor.

16. Instalar un mecanismo de soporte de motores. Atar el cuerpo del mecanismo de la dirección en el mecanismo de soporte de motores.

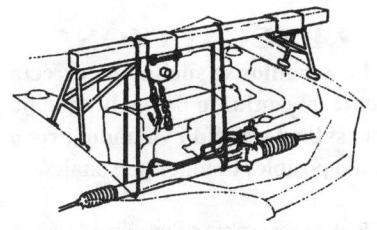

▲ Atar la cremallera de la dirección en los componentes del dispositivo de soporte de motores, como se muestra – Avalon y Camry

17. Levantar y soportar con seguridad el vehículo.

18. Drenar el fluido de la caja de cambios/diferencial.

19. Sacar las ruedas delanteras.

20. Sacar el tubo de escape delantero.

21. Sacar las cubiertas laterales y las subcubiertas del motor.

22. Desconectar los dos semiejes.

23. Sacar la tuerca de montaje de la parte delantera del motor.

24. Sacar los tornillos de montaje de la parte trasera del motor (sacar los tapones de los agujeros).

25. Sacar los cuatro tornillos de montaje del lado izquierdo de la caja de cambios.

26. Sacar el cuerpo del mecanismo de la dirección.

27. Sacar el conjunto del bastidor delantero.

28. Soportar correctamente el conjunto de la caja de cambios.

29. Sacar los tornillos de montaje de la placa del extremo trasero.

30. Sacar la cubierta del convertidor de par.

31. Sacar los tornillos de retención del convertidor de par.

32. Sacar los tornillos de montaje restantes de la caja de cambios.

33. Con cuidado sacar el conjunto de la caja de cambios del vehículo.

Para instalar:

34. Instalar la caja de cambios alineando las clavijas de centrado en el bloque con el cuerpo del convertidor. Apretar los tornillos como sigue:
- Tornillos de 10 mm-34 pie-lb (46 Nm).
- Tornillos de 12 mm-47 pie-lb (64 Nm).

35. Cubrir las roscas de los tornillos del convertidor de par con selladora. Instalar los tornillos, empezando con el tornillo verde y siguiendo por el resto, y apretarlos uniformemente a 20 pie-lb (27 Nm).

36. Instalar la placa del extremo trasero y apretar los tornillos a 27 pie-lb (37 Nm).

37. Instalar el conjunto del bastidor delantero y apretar las sujeciones como sigue:
- Tornillos de 12 mm-24 pie-lb (32 Nm).
- Tornillos de 19 mm-134 pie-lb (181 Nm).
- Tuerca-27 pie-lb (36 Nm).

38. Instalar los dos pernos de sujeción del protector del guardabarros.

39. Conectar el mecanismo de la dirección en el bastidor y apretar los tornillos y tuercas a 134 pie-lb (181 Nm).

40. Conectar los soportes de la barra oscilante y apretar los tornillos a 14 pie-lb (19 Nm).

41. Instalar los tornillos de montaje izquierdos de la caja de cambios y apretarlos a 38 pie-lb (52 Nm).

42. Instalar los tornillos y las tuercas de montaje del lado trasero y apretarlos a 48 pie-lb (66 Nm). Instalar los tapones.

43. Instalar la tuerca de montaje del lado delantero del motor y apretarla a 59 pie-lb (80 Nm).

44. Instalar los semiejes.

45. Instalar las cubiertas del lado derecho e izquierdo del motor.

46. Instalar la cubierta inferior del motor.

47. Llenar la caja de cambios/diferencial con el nivel correcto de Dexron II®, o equivalente.

48. Instalar el tubo de escape y apretar las tuercas a 46 pie-lb (62 Nm). Conectar el tubo de escape en el convertidor y apretar las tuercas y los tornillos a 32 pie-lb (43 Nm). Utilizar siempre juntas nuevas.

49. Instalar la rueda.

50. Bajar el vehículo.

51. Sacar el soporte del motor.

52. Instalar los cuatro tornillos de montaje superiores de la caja de cambios y apretarlos a 47 pie-lb (64 Nm).

53. Instalar los pernos de apriete del refrigerador de aceite en el bastidor delantero.

54. Instalar los dos tornillos de montaje del lado delantero del motor y apretarlos a 59 pie-lb (80 Nm).

55. Instalar los dos tornillos de montaje del lado delantero de la caja de cambios y apretarlos a 59 pie-lb (80 Nm).

56. Conectar las mangueras del refrigerador de aceite.

57. Conectar y ajustar el cable de control del cambio.

58. Conectar el conector eléctrico del solenoide.

59. Conectar el conector eléctrico del interruptor park/neutral.

60. Conectar los conectores del sensor de velocidad y del sensor de velocidad del embrague directo.

61. Instalar el motor de arranque.

62. Conectar la toma de tierra.

63. Si está equipado, instalar el accionador del control de velocidad de crucero y la cubierta.

64. Conectar el cable del ahogador en el motor y apretar las tuercas a 11 pie-lb (15 Nm).

65. Instalar el filtro de aire.

66. Instalar la batería y conectar los cables de la batería.

67. Comprobar el nivel del fluido de la caja de cambios/diferencial.

68. Comprobar la alineación de las ruedas delanteras.

EMBRAGUE

AJUSTES

Los sistemas de accionamiento del embrague hidráulico utilizados en los vehículos Toyota no necesitan ajustarse.

DESMONTAJE E INSTALACIÓN

Paseo, Tercel, Supra y Camry

1. Desconectar el cable negativo de la batería, en la batería. En los vehículos equipados con air bag, esperar como mínimo 90 segundos, antes de proceder.

2. Levantar y soportar con seguridad el vehículo.

3. Sacar el conjunto de la caja de cambios, del vehículo.

4. Marcar la cubierta del embrague en el volante.

5. Aflojar todo los pernos de sujeción, una vuelta cada vez, hasta que la presión del resorte esté descargada.

6. Una vez descargada la tensión de los resortes, sacar los tornillos de retención del plato de presión del embrague.

7. Sacar la cubierta de embrague.

8. Sacar el disco de embrague.

9. Sacar el anillo de retención y retirar el cojinete de desembrague de la caja de cambios.

10. Sacar el conjunto de la horquilla de desembrague y funda.

Para instalar:

11. Utilizando una herramienta de alinear embragues adecuada, instalar el disco de embrague en el volante.

12. Colocar la cubierta del embrague en el volante y alinear las marcas.

13. Instalar los tornillos de retención de la cubierta del embrague. Apretar los tornillos, siguiendo una pauta entrecruzada, a 14 pie-lb (19 Nm).

14. Lubricar los puntos de contacto del pivote de la horquilla de desembrague y del cojinete de desembrague, y las superficies del cubo del cojinete y de las estrías del eje de entrada con una grasa de base de litio y disulfuro de molibdeno, o bien una grasa universal.

15. Instalar los conjuntos de la funda, horquilla de desembrague, cubo y cojinete.

16. Instalar la caja de cambios en el vehículo.

17. Bajar el vehículo y comprobar si el embrague funciona correctamente.

18. Conectar el cable negativo de la batería, en la batería.

Corolla y Celica

➡ **No permitir que llegue grasa o suciedad sobre cualquier parte de las superficies del disco, del plato de presión o del volante.**

1. Desconectar el cable negativo de la batería. En los vehículos equipados con air bag, esperar como mínimo 90 segundos, antes de proceder.

2. Levantar y soportar con seguridad el vehículo.

3. Sacar la caja de cambios.

4. Hacer marcas en la cubierta del embrague (plato de presión) y en el volante de mane-

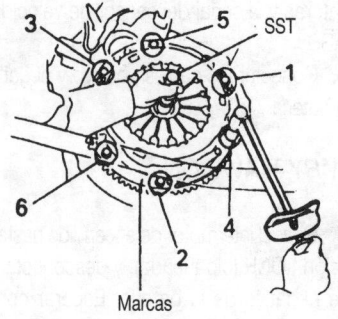

▲ Apretar los tornillos del plato de presión de acuerdo con la secuencia que se muestra – Camry

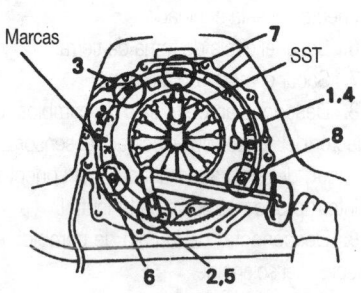

▲ Asegurarse de apretar los tornillos del plato de presión en el orden correcto – Supra

ra que, durante la instalación, el plato de presión pueda volverse a su posición original.

5. Soltar los anillos de retención del cojinete de la horquilla de desembrague. Retirar el cubo del cojinete de desembrague, completo con el cojinete de desembrague.

6. Sacar la horquilla de desembrague y soportarla.

7. Soltar lentamente los tornillos que sujetan el plato de presión. Aflojar cada tornillo una vuelta cada vez, hasta que la tensión del resorte esté descargada.

▼ PRECAUCIÓN ▼
Si los tornillos se sueltan incorrectamente, el conjunto del embrague podría salir despedido volando, provocando posibles lesiones personales.

8. Separar el plato de presión del conjunto cubierta del embrague/resorte.

9. Utilizando un calibre para medir la profundidad y la anchura, y un indicador de esfera

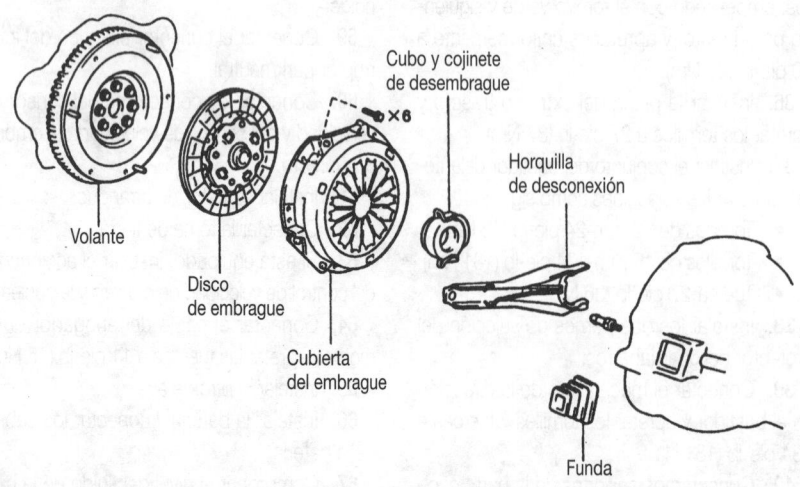

▲ Conjunto de los componentes del embrague – Se muestra el Camry, los otros son similares

Volante

Disco de embrague

Cubierta del embrague

Cubo y cojinete de desembrague

Horquilla de desconexión

Funda

para medir la desviación, inspeccionar si el disco, el plato de presión y el volante están dañados o gastados.

 a. La profundidad mínima de la cabeza del remache del disco de embrague es de 0.012 plg (0.3 mm).

 b. La desviación máxima del disco de embrague es de 0.031 plg (0.8 mm).

 c. La profundidad máxima del resorte del plato de presión es de 0.024 plg (0.6 mm).

 d. La anchura máxima del resorte del plato de presión es de 0.197 plg (5.0 mm).

 e. La desviación máxima del volante es de 0.004 plg (0.1 mm).

10. Reemplazar o reparar las piezas, según sea necesario.

Para instalar:

11. Al volver a montar, aplicar una fina capa de grasa universal en los puntos de contacto del cubo del cojinete de desembrague y de la horquilla de desembrague. También, llenar la ranura interior del cubo del embrague con grasa universal y lubricar los puntos de pivote de la horquilla de desembrague.

12. Alinear las marcas de la cubierta del embrague y de volante que se han hecho durante el desmontaje. Instalar el conjunto de disco de embrague y plato de presión, y apretar los tornillos de retención con la mano.

13. Centrar el disco de embrague utilizando una herramienta guía para embragues, o un eje de entrada viejo. Insertar la guía dentro del extremo del cojinete delantero del eje de entrada, moverlo suavemente para alinear el disco de embrague y el plato de presión, y apretar los tornillos de retención. Los tornillos deben apretarse en 2 ó 3 etapas, gradual y uniformemente. La torsión final de los tornillos es de 14 pie-lb (19 Nm).

14. Instalar el cojinete de desembrague, la horquilla y la funda.

15. Instalar la caja de cambios y conectar el cable negativo de la batería.

16. Probar el vehículo en carretera y comprobar si el funcionamiento del embrague es correcto.

SISTEMA DE EMBRAGUE HIDRÁULICO

SANGRADO

➡ Si se ha realizado algún mantenimiento en el sistema de embrague, o si se sospecha que el sistema contiene aire, sangrar el sistema. Ir con cuidado; el líquido de frenos estropeará la pintura de cualquier superficie. Si el líquido de frenos se derrama sobre una superficie pintada, lavarla inmediatamente con agua y jabón.

1. Llenar el depósito del embrague con líquido de frenos. Comprobar el nivel del depósito con frecuencia y añadir líquido, según sea necesario.

2. Conectar un extremo de un tubo de vinilo en el tapón de sangrado del cilindro auxiliar y sumergir el otro extremo dentro de un recipiente transparente medio lleno con líquido de frenos.

3. Bombear lentamente el pedal del embrague varias veces.

4. Con un ayudante, sujetar abajo el pedal del embrague, y aflojar el tapón de sangrado hasta que el líquido y/o el aire, empiece a salir por el tapón de sangrado. Cerrar el tapón de sangrado mientras el pedal del embrague sigue sujetado en el suelo.

➡ No dejar que se levante el pedal mientras el tapón de sangrado esté todavía abierto. Si esto sucede, se dejará que el aire vuelva a entrar en el cilindro auxiliar y provocará que el sistema de embrague no funcione correctamente.

5. Repetir los pasos 2 y 3 hasta que todas las burbujas de aire se hayan eliminado del sistema.

6. Cuando haya salido todo el aire, apretar el tapón de sangrado.

7. Llenar el cilindro principal hasta el nivel adecuado necesario.

8. Comprobar si el sistema tiene fugas.

SEMIEJE

DESMONTAJE E INSTALACIÓN

Paseo y Tercel

1. Desconectar el cable negativo de la batería, en la batería. En los vehículos equipados con air bag, esperar como mínimo 90 segundos, antes de proceder.

2. Levantar y soportar con seguridad el vehículo.

3. Sacar la subcubierta izquierda del motor y drenar la caja de cambios.

4. Si está equipado con frenos ABS, desconectar el sensor de velocidad del ABS, sacando el tornillo.

5. Sacar el pasador de retención y la tapa de bloqueo del semieje.

6. Aplicar el freno y sacar la tuerca del cubo.

7. Desconectar la barra de conexión de la articulación de la dirección.

8. Desconectar la rótula esférica inferior del brazo de control inferior, sacando el tornillo y las dos tuercas.

9. Utilizando un martillo de plástico, desconectar el semieje del cubo del eje.

10. Utilizando una barra de latón y un martillo, golpear ligeramente la junta interior para sacarla de la caja de cambios, y sacar el semieje.

Para instalar:

11. Utilizando un anillo de resorte nuevo, empujar el semieje dentro de la caja de cambios hasta que encaje en su posición con un click. Tirar de la junta interior para asegurarse de que está totalmente instalado.

12. Empujar la junta exterior dentro del cubo del eje.

13. Conectar la rótula esférica inferior en el brazo inferior y apretar el tornillo y las dos tuercas a 59 pie-lb (80 Nm).

14. Conectar la barra de conexión en la articulación y apretar la tuerca a 36 pie-lb (49 Nm). Si no puede instalarse el pasador de retención, apretar hasta el siguiente agujero. No aflojar nunca la tuerca.

15. Instalar la tuerca del cubo y apretar a 152 pie-lb (206 Nm). Instalar un pasador de retención nuevo.

16. Llenar la caja de cambios. Instalar la subcubierta y la rueda.

17. Comprobar la alineación de las ruedas delanteras.

18. Conectar el cable negativo de la batería, en la batería.

Corolla

➡ Si el cojinete del cubo está sometido a todo el peso del vehículo, podría dañarse, lo mismo que si se mueve el vehículo sin los semiejes. Si es absolutamente necesario colocar todo el peso del vehículo sobre el cojinete del cubo, soportar primero el cojinete con una herramienta SST N° 09608-16041, o equivalente.

1. Desconectar el cable negativo de la batería. En los vehículos equipados con air bag, esperar como mínimo 90 segundos, antes de proceder.

2. Sacar la cubierta (tapa cubos) de la rueda.

3. Sacar el pasador de retención, la tapa de la contratuerca y la contratuerca del cojinete.

4. Aflojar las tuercas de rueda.

5. Levantar y soportar con seguridad el vehículo. Sacar las subcubiertas del motor y drenar el aceite de engranajes, o fluido de la caja de cambios.

6. Sacar la rueda.

7. Si está equipado con ABS, sacar el tornillo y el sensor de velocidad.

8. Separar la rótula esférica de barra de conexión, de la articulación de la dirección.

9. Desconectar la rótula esférica inferior, del brazo de suspensión inferior.

10. Utilizando un martillo de plástico, o equivalente, extraer el semieje, de la articulación.

➡ **El semieje puede separarse de la articulación utilizando un martillo de latón o de plástico; algunos pueden necesitar el uso de un extractor. Ir con cuidado de no dañar el sello de aceite interior, el rotor del sensor del ABS, o el semieje.**

11. Utilizando una herramienta adecuada de palanca, sacar, haciendo palanca, el semieje de la caja de cambios. Sacar el semieje del vehículo.

Para instalar:

12. Cubrir la tulipa de la junta interior, con aceite de engranajes, y colocar el lado abierto del anillo de resorte, mirando hacia abajo.

13. Instalar el semieje dentro de la caja de cambios. Después de instalar el semieje en la caja de cambios, comprobar que haya 0.08-0.12 plg (2-3 mm) de juego axial. Comprobar que el semieje está en contacto con el eje del piñón y que el semieje no puede sacarse.

14. Instalar el semieje dentro de la articulación.

15. Instalar el brazo de suspensión inferior en la articulación de la dirección. Apretar las tuercas y los tornillos a 105 pie-lb (142 Nm).

16. Instalar el extremo de la barra de conexión en la articulación de la dirección y apretar la tuerca a 36 pie-lb (49 Nm).

17. Instalar el sensor de velocidad del ABS con el tornillo de sujeción, si se ha sacado.

18. Instalar la rueda.

19. Instalar la contratuerca y la arandela del cubo.

20. Bajar el vehículo al suelo.

21. Conectar el cable negativo de la batería.

22. Apretar las tuercas de orejas de la rueda a 76 pie-lb (103 Nm). Apretar la contratuerca del cubo a 159 pie-lb (216 Nm).

23. Instalar la tapa de la contratuerca y un pasador de retención NUEVO. Llenar la caja de cambios con aceite de engranajes o fluido de caja cambios, si es necesario.

24. Instalar la cubierta del motor. Comprobar la alineación de las ruedas delanteras y comprobar la señal del sensor de velocidad del ABS.

Celica

➡ **Si el cojinete del cubo está sometido a todo el peso del vehículo podría dañarse, lo mismo que si se mueve el vehículo sin los semiejes. Si es absolutamente necesario colocar todo el peso del vehículo sobre el cojinete del cubo, soportar primero el cojinete con una herramienta SST N° 09608-16041, o equivalente.**

1. Desconectar el cable negativo de la batería. En los vehículos equipados con air bag, esperar como mínimo 90 segundos, antes de proceder.

2. Sacar la cubierta de la rueda.

3. Sacar el pasador de retención, la tapa de la contratuerca y la contratuerca del cojinete.

4. Aflojar las tuercas de orejas de la rueda.

5. Levantar y soportar con seguridad el vehículo. Sacar las subcubiertas del motor y drenar el aceite de engranajes o el fluido de la caja de cambios.

6. Sacar la rueda.

7. Separar la rótula esférica de la barra de conexión, de la articulación de la dirección.

8. Desconectar el enlace de la barra estabilizadora, del brazo de suspensión inferior.

9. Desconectar la rótula esférica inferior, del brazo de suspensión inferior.

10. Utilizando un martillo de plástico, o equivalente, golpear ligeramente para sacar el semieje de la articulación.

➡ **Ir con cuidado de no dañar el sello de aceite interior, o el rotor del sensor del ABS, sobre el semieje.**

11. Para sacar el semieje del lado izquierdo, utilizar una herramienta adecuada como palanca, y separar el semieje de la caja de cambios. Sacar el semieje del vehículo.

12. Para sacar el semieje del lado derecho, realizar los pasos siguientes:

　a. Sacar los dos tornillos del soporte del cojinete central.

　b. Extraer el semieje junto con la caja del cojinete central y el semieje central.

　c. Sacar el eje central con el semieje de mano derecha, de la caja de cambios a través del soporte del cojinete.

➡ **No dañar el labio del sello de aceite.**

Para instalar:

13. Cubrir la tulipa de la junta interior con aceite de engranajes y colocar el lado abierto del anillo de resorte mirando hacia abajo.

14. Para instalar el semieje del lado izquierdo, simplemente insertar el semieje dentro de la caja de cambios.

15. Para instalar el semieje del lado derecho, insertar el semieje, con la caja del cojinete y el eje central, dentro de la caja de cambios. Acoplar la caja del cojinete central y apretar los dos tornillos a 47 pie-lb (64 Nm).

16. Después de instalar los dos semiejes, comprobar que haya 0.08-0.12 plg (2-3) de juego axial. Comprobar que el semieje hace contacto con el eje del piñón y que el semieje no puede sacarse.

17. Instalar el semieje dentro de la articulación.

18. Conectar el brazo de suspensión inferior y la rótula esférica inferior. Apretar el tornillo y las tuercas de la rótula esférica a 94 pie-lb (127 Nm).

19. Conectar el extremo de la barra de conexión en la articulación de la dirección y apretar la tuerca a 36 pie-lb (49 Nm).

20. Instalar el eslabón de la barra estabilizadora en el brazo de suspensión inferior. Apretar las tuercas a 33 pie-lb (44 Nm).

21. Instalar la rueda y apretar las tuercas de orejas de la rueda a 76 pie-lb (103 Nm).

22. Instalar la contratuerca y la arandela. Apretar la contratuerca a 159 pie-lb (216 Nm).

23. Bajar el vehículo al suelo.

24. Conectar el cable negativo de la batería.

25. Instalar la tapa de la contratuerca y un pasador de retención nuevo. Llenar la caja de cambios con aceite de engranajes o fluido de caja de cambios, si es necesario.

26. Instalar la cubierta del motor, comprobar la alineación de las ruedas delanteras y comprobar la señal del sensor de velocidad del ABS.

Camry y Avalon

1. Desconectar en la batería, el cable negativo de la batería. En los vehículos equipados con air bag, esperar como mínimo 90 segundos, antes de proceder.

2. Levantar y soportar con seguridad el vehículo.

3. Sacar la/s rueda/s delantera/s.

4. Sacar el sello de la cubierta de protección del guardabarros delantero.

5. Drenar la caja de cambios.

6. Desconectar el extremo de la barra de conexión, de la articulación de la dirección, sacando el pasador de retención y la tuerca. Utilizando una herramienta SST 09628-62011, o equivalente, separar la barra de conexión, de la articulación de la dirección.

7. Desconectar el eslabón de la barra estabilizadora, del brazo de control inferior. Anotar las posiciones de las arandelas y las almohadillas.

8. Desconectar la rótula esférica inferior, de la articulación de la dirección, sacando el tornillo y las dos tuercas. Empujar hacia abajo el brazo de control inferior y separar la articulación de la dirección, de la rótula esférica.

9. Sacar el pasador de retención, la tapa de la contratuerca y la contratuerca que sujeta el semieje en la articulación de la dirección.

10. Utilizando un martillo de plástico, desconectar el semieje, de la articulación de la dirección.

11. Sacar el semieje izquierdo, de la caja de cambios, como sigue:

a. Utilizar una barra de latón y un martillo para golpear ligeramente sacando la junta interior, de la caja de cambios.

b. Sacar el semieje.

c. Una vez que el semieje se haya sacado del vehículo, sacar el anillo de resorte del semieje.

12. Sacar el semieje derecho de la caja de cambios, como sigue:

a. Sacar el perno de retención del cojinete. El perno de retención está situado en el centro del semieje, cerca del amortiguador.

b. Utilizando alicates para anillos de resorte, sacar el anillo de resorte y sacar el semieje de la caja de cambios.

Para instalar:

13. Para instalar el semieje derecho en la caja de cambios:

a. Cubrir la superficie de deslizamiento del eje del engranaje lateral y de la caja del diferencial, con aceite de engranajes.

b. Utilizando alicates para anillos de resorte, instalar el anillo de resorte en el semieje.

c. Instalar el semieje y el perno de retención del cojinete. Apretar el perno de retención a 24 pie-lb (32 Nm).

14. Para instalar el semieje izquierdo en la caja de cambios:

a. Instalar un anillo de resorte nuevo en la ranura interior del semieje.

b. Cubrir con aceite de engranajes la superficie de deslizamiento del eje del engranaje lateral y de la caja del diferencial.

c. Instalar el semieje en la caja de cambios, con la abertura del anillo de resorte mirando hacia abajo. Cuando se instala, el semieje debe encajar en su posición haciendo click.

d. Después de instalar el semieje, comprobar que el semieje no puede sacarse con la mano.

15. Conectar el semieje en la articulación de la dirección, después instalar la contratuerca. Apretar la contratuerca a 217 pie-lb (294 Nm).

16. Instalar en el semieje la tapa de la contratuerca y un pasador de retención nuevo.

17. Conectar la articulación de la dirección en la rótula esférica inferior. Instalar las dos tuercas y el tornillo. Apretar las tuercas y el tornillo a 94 pie-lb (127 Nm).

18. Conectar el eslabón de la barra estabilizadora en el brazo de control inferior. Apretar la tuerca a 29 pie-lb (39 Nm).

19. Conectar la barra de conexión en la articulación de la dirección y apretar la tuerca a 36 pie-lb (49 Nm). Instalar un pasador de retención nuevo en el extremo de la barra de conexión.

20. Instalar el sello de la cubierta de protección del guardabarros delantero.

21. Instalar la/s rueda/s y bajar el vehículo. Apretar las tuercas de orejas a 76 pie-lb (103 Nm).

22. Llenar la caja de cambios y comprobar si hay fugas.

23. Conectar el cable negativo de la batería, en la batería.

Supra

1. Desconectar el cable negativo de la batería. En los vehículos equipados con air bag, esperar como mínimo 90 segundos, antes de proceder.

2. Levantar y soportar con seguridad el vehículo.

3. Sacar el conjunto de las llantas y ruedas traseras.

4. Sacar el conjunto de escape trasero.

5. Sacar el pasador de retención, la tapa de la contratuerca y la contratuerca que sujeta el semieje en el soporte del eje trasero.

6. Sacar el tirante del brazo de suspensión inferior sacando los cuatro tornillos.

7. Colocar marcas sobre el semieje y el eje del engranaje lateral del diferencial. Sacar los tornillos hexagonales y arandelas, con la herramienta adecuada.

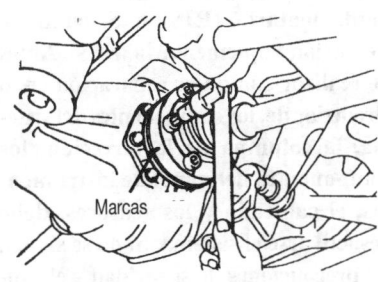

Marcas

▲ **Siempre que se saque el semieje, asegurarse de marcarlo en el engranaje lateral del diferencial – Supra**

8. Sujetar el lado de la junta interior del semieje de manera que el lado de la junta exterior no se doble demasiado. Golpear ligeramente el extremo del semieje con una maza de goma y desencajar el semieje del soporte del eje.

9. Sacar el semieje.

Para instalar:

10. Insertar el lado de la junta exterior del semieje, y alinear las marcas del eje del engranaje lateral y del semieje.

11. Cubrir las roscas con aceite limpio e instalar los tornillos hexagonales. Apretar los tornillos a 61 pie-lb (83 Nm).

12. Instalar el tirante del brazo de suspensión inferior, y apretar los cuatro tornillos a 13 pie-lb (18 Nm).

13. Instalar la contratuerca del cojinete y apretar la contratuerca a 213 pie-lb (289 Nm).

14. Instalar la tapa de la contratuerca e instalar un pasador de retención nuevo.

15. Instalar el conjunto de escape trasero.

16. Colocar el conjunto de las llantas y ruedas traseras.

17. Bajar el vehículo.

18. Conectar el cable negativo de la batería.

DIRECCIÓN Y SUSPENSIÓN

AIR BAG (BOLSA DE AIRE)

▼ PRECAUCIÓN ▼

Algunos vehículos están equipados con un sistema de air bag, también conocido como Sistema de Retención Inflable Suplementario (RIS) o Sistema de Retención Suplementaria (SRS). Antes de realizar cualquier reparación en, o alrededor de, los componentes del sistema, la columna de la dirección, los componentes del panel de instrumentos, el cableado y los sensores, debe desactivarse el sistema. Si no se siguen las precauciones de seguridad y el procedimiento de activado, podría producirse un despliegue accidental del air bag, posibles daños personales y reparaciones innecesarias del sistema.

PRECAUCIONES

Al manejar el módulo hinchable deben seguirse varias precauciones, para evitar un despliegue accidental y posibles daños personales.

• No llevar nunca el módulo hinchable sujeto por los cables o el conector de la parte inferior del módulo.

• Al sujetar un módulo hinchable activado, hacerlo firmemente con las dos manos y asegurarse de que la bolsa (saco) y la cubierta de guarnición, están apuntando hacia fuera.

• Colocar el módulo hinchable sobre un banco, u otra superficie, con la bolsa y la cubierta de guarnición mirando hacia arriba.

• Con el módulo hinchable en el banco, no colocar nunca nada sobre el módulo, o cerca de él, que pueda ser lanzado violentamente en caso de un despliegue accidental.

DESARME

Para evitar daños personales, al trabajar en vehículos equipados con air bag, debe desconectarse el cable negativo de la batería y esperar como mínimo 90 segundos, antes de trabajar en el sistema. En caso contrario, podría producirse un despliegue accidental del air bag.

REARME

Una vez completada la reparación del vehículo, para rearmar el sistema del air bag, volver a conectar los cables de la batería (¡primero el cable positivo!).

MECANISMO DE LA DIRECCIÓN DE CREMALLERA Y PIÑÓN

DESMONTAJE E INSTALACIÓN

Manual

1. Colocar las ruedas delanteras mirando rectas al frente.

2. Desconectar el cable negativo de la batería. En los vehículos equipados con air bag, esperar como mínimo 90 segundos, antes de proceder.

3. Si está equipado con air bag, desarmar el sistema y asegurar el volante de la dirección.

4. Sacar la horquilla deslizante del conjunto de cremallera y piñón.

5. Levantar y soportar con seguridad el vehículo.

6. Sacar las ruedas delanteras.

7. Desconectar los extremos de la barra de conexión.

8. En el Corolla, sacar el aislador del montaje trasero del motor, sacando el tornillo y las tres tuercas. Sacar el soporte del montaje trasero del motor, sacando los tres tornillos.

9. Sacar los tornillos del soporte del conjunto de cremallera y piñón, y el conjunto de cremallera y piñón, del vehículo.

Para instalar:

10. Instalar el conjunto de cremallera y piñón dentro del vehículo, con los tornillos de sujeción. Apretar los tornillos a 43 pie-lb (58 Nm).

11. En el Corolla, instalar el soporte del montaje trasero del motor e instalar los tres tornillos. Apretar los tornillos a 57 pie-lb (77 Nm). Instalar el aislador del montaje trasero del motor, instalando el tornillo y las tres tuercas. Apretar el tornillo a 64 pie-lb (87 Nm) y las tuercas a 35 pie-lb (48 Nm).

12. Conectar los extremos de la barra de conexión en los brazos de la articulación.

13. Conectar la horquilla deslizante dentro del conjunto de cremallera y piñón. En el Tercel, apretar los tornillos a 19 pie-lb (26 Nm). En el

Corolla, apretar el tornillo inferior a 26 pie-lb (35 Nm) y el tornillo superior a 20 pie-lb (27 Nm).

14. Instalar las ruedas delanteras.

15. Bajar con seguridad el vehículo.

16. Conectar el cable negativo de la batería.

17. Comprobar la alineación del extremo delantero. El ajuste de la convergencia de las ruedas delanteras puede reajustarse.

Asistida

TERCEL Y PASEO

1. Colocar las ruedas delanteras mirando rectas al frente.

2. Desconectar el cable negativo de la batería. En los vehículos equipados con air bag, esperar como mínimo 90 segundos, antes de proceder.

3. Si está equipado con air bag, desarmar el sistema y asegurar el volante de la dirección.

4. Desconectar los extremos de la barra de conexión, del brazo de la articulación, utilizando un separador de barras de conexión, o equivalente.

5. Sacar la cubierta del agujero de la columna. Marcar la horquilla de deslizamiento, y el eje de la válvula de control, para su instalación.

6. Aflojar el tornillo superior y desconectar el tornillo inferior del eje de la válvula de control. Deslizar hacia arriba el eje y desconectar el eje de la válvula de control, de la cremallera de la dirección.

7. Desconectar el sensor de oxígeno y el tubo de escape.

8. Si es necesario, para un mayor acceso, sacar la barra estabilizadora.

9. Sacar los tornillos del aislador del montaje trasero del motor.

10. Desconectar las dos mangueras de vacío.

11. Si está equipado con cambio manual, desconectar los cables de control de la transmisión.

12. Desconectar las mangueras de la dirección asistida y drenar el fluido dentro de un recipiente.

13. Desconectar la abrazadera del tubo.

14. Sacar los dos soportes y ojales.

15. Sacar los tornillos de retención del cuerpo en el bastidor y sacar el conjunto. Deslizar el cuerpo fuera del lado izquierdo del vehículo.

Para instalar:

16. Alinear las estrías de la dirección, después instalar la unidad.

17. Instalar los dos ojales y soportes. Apretar los dos tornillos y tuercas a 43 pie-lb (58 Nm).

18. Conectar los tubos de suministro de presión y de retorno, y apretar a 26 pie-lb (36 Nm).

19. Conectar la abrazadera del tubo y apretar el tornillo a 9 pie-lb (13 Nm).

20. Conectar las dos mangueras de vacío.

21. Instalar los soportes traseros y apretar los tornillos a 35 pie-lb (48 Nm).

22. Instalar el aislador del montaje trasero del motor. Apretar el tornillo pasante a 47 pie-lb (64 Nm) y los tornillos del soporte de montaje a 58 pie-lb (78 Nm).

23. Si es aplicable, instalar la barra estabilizadora en el vehículo.

24. Conectar la horquilla de deslizamiento en el eje de la válvula de control. Apretar los tornillos a 21 pie-lb (28 Nm).

25. Instalar la cubierta del agujero de la columna con las tres tuercas, y apretar las tuercas a 43 plg-lb (5 Nm).

26. Conectar los extremos derecho e izquierdo de la barra de conexión.

27. Instalar las ruedas en el vehículo y bajar el vehículo.

28. Conectar el cable negativo de la batería, en la batería.

29. Llenar el depósito de la dirección asistida según las especificaciones, y sangrar el sistema.

30. Comprobar la alineación del extremo delantero. El ajuste de la convergencia de las ruedas delanteras, puede reajustarse.

COROLLA

1. Colocar las ruedas delanteras mirando rectas al frente.

2. Desconectar el cable negativo de la batería.

3. Si está equipado con air bag, desarmar el sistema y asegurar el volante de la dirección.

4. Colocar un depósito de drenaje debajo de la cremallera de la dirección.

5. Sacar la cubierta del agujero de la columna de la dirección, sacando los cinco tornillos.

6. Aflojar el tornillo de constricción (de presión) superior de la horquilla de deslizamiento. Sacar el tornillo de constricción del eje del piñón.

7. Aflojar las tuercas de orejas de las ruedas.

8. Levantar y soportar con seguridad el vehículo.

9. Sacar las dos ruedas delanteras.

10. Sacar las subcubiertas izquierda y derecha del motor.

11. Desconectar los extremos izquierdo y derecho de la barra de conexión.

12. Instalar un soporte para motores y tensarlo para soportar el motor sin levantarlo.

▼ PRECAUCIÓN ▼

Ahora el elevador de cadena está en posición y bajo tensión. Al recolocar el vehículo, ir con cuidado y hacer los ajustes necesarios en el soporte del motor.

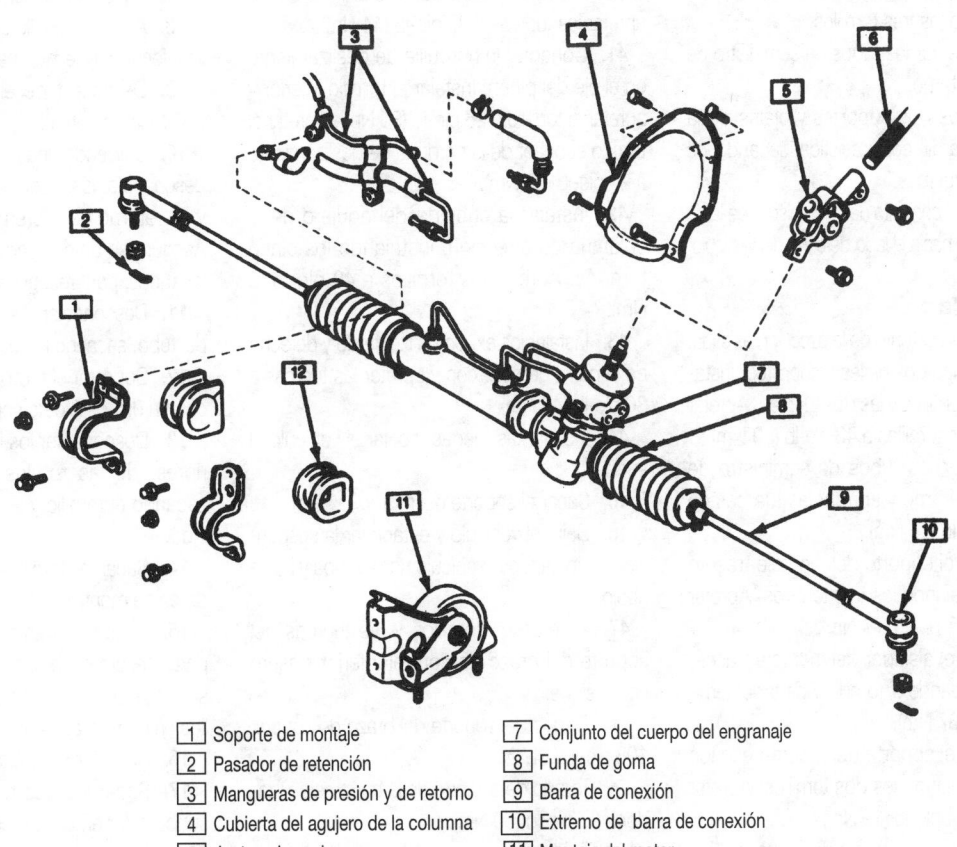

1 Soporte de montaje	**7** Conjunto del cuerpo del engranaje
2 Pasador de retención	**8** Funda de goma
3 Mangueras de presión y de retorno	**9** Barra de conexión
4 Cubierta del agujero de la columna	**10** Extremo de barra de conexión
5 Junta universal	**11** Montaje del motor
6 Eje intermedio	**12** Ojal

▲ Despiece de una unidad típica de mecanismo de la dirección asistida de cremallera y piñón

13. Desconectar los brazos de control inferiores de las rótulas esféricas.

14. Si está equipado con una barra estabilizadora, desconectar los enlaces de la barra estabilizadora, de ambos brazos de control inferiores.

15. Sacar la tuerca y los tres tornillos y sacar el soporte de retención del buje protector del brazo de control derecho trasero. Hacer lo mismo para ambos brazos de control inferiores.

16. Sacar la barra estabilizadora, del vehículo.

17. Sacar el ojal del travesaño.

18. Sacar el tornillo y las cuatro tuercas que sujetan el centro del travesaño.

19. Soportar el travesaño de la suspensión con un gato.

20. Sacar los seis tornillos del lado exterior del travesaño de la suspensión.

21. Sacar el travesaño de la suspensión con los brazos de suspensión inferiores.

22. Sacar el soporte del tubo delantero de escape, sacando los dos tornillos.

23. Sacar el aislador del montaje trasero del motor, sacando el tornillo.

24. Sacar el soporte del montaje trasero del motor, sacando los tres tornillos.

25. Desconectar los tubos de suministro de presión y de retorno.

26. Sacar los dos soportes y ojales de la cremallera de la dirección asistida, sacando los dos tornillos y tuercas.

27. Deslizar el conjunto del mecanismo de la dirección asistida, hacia el lado derecho del vehículo.

Para instalar:

28. Instalar el conjunto de la dirección asistida.

29. Instalar los dos ojales y soportes, instalando los dos tornillos y las dos tuercas. Apretar las tuercas y los tornillos a 43 pie-lb (59 Nm).

30. Conectar los tubos de suministro de presión y de retorno y apretar las tuercas de unión a 26 pie-lb (36 Nm).

31. Instalar el soporte del montaje trasero del motor, instalando los tres tornillos. Apretar los tornillos a 57 pie-lb (77 Nm).

32. Instalar el aislador del montaje trasero del motor, instalando el tornillo. Apretar el tornillo a 64 pie-lb (87 Nm).

33. Instalar el soporte del tubo de escape delantero, instalando los dos tornillos. Apretar los tornillos a 14 pie-lb (19 Nm).

34. Levantar el travesaño de la suspensión con los brazos de control inferiores. Instalar los seis tornillos exteriores para sujetar el travesaño en el vehículo. Apretar los tornillos a 152 pie-lb (206 Nm).

35. Instalar los siguientes tornillos y apretar como sigue:

- Tornillos del travesaño central al soporte del radiador: 45 pie-lb (61 Nm).
- Tornillos del bastidor inferior A al centro: 161 pie-lb (218 Nm).
- Tornillos del bastidor inferior A al exterior: 109 pie-lb (147 Nm).
- Tornillos del montaje delantero, central y trasero: 45 pie-lb (61 Nm).

36. Instalar el ojal en el travesaño.

37. Instalar la barra estabilizadora en el vehículo.

38. Instalar el soporte de retención del buje protector del brazo de control inferior e instalar la tuerca y los tres tornillos. No apretar todavía los tornillos o la tuerca.

39. Conectar el brazo de control inferior en la rótula esférica inferior, instalando el tornillo y las dos tuercas. Apretar el tornillo y las tuercas a 105 pie-lb (142 Nm). Conectar ambos brazos de control inferiores en las rótulas esféricas.

40. Conectar los enlaces de la barra estabilizadora en los brazos de control inferiores y apretar las tuercas a 33 pie-lb (44 Nm).

41. Conectar la horquilla de deslizamiento en el eje del piñón. Instalar el tornillo inferior y apretar el tornillo a 26 pie-lb (35 Nm). Apretar el tornillo superior de la horquilla de deslizamiento a 20 pie-lb (27 Nm).

42. Instalar la cubierta del agujero de la columna de dirección, instalando los cinco tornillos. Apretar los tornillos a 43 plg-lb (5 Nm).

43. Instalar los extremos izquierdo y derecho de la barra de conexión y apretar las tuercas a 36 pie-lb (49 Nm).

44. Instalar las ruedas y bajar el vehículo al suelo.

45. Sacar el soporte del motor.

46. Bajar el vehículo y estabilizar la suspensión, empujando el vehículo hacia arriba y hacia abajo.

47. Apretar los tornillos y las tuercas del soporte del brazo de control inferior trasero como sigue:

- Tornillo del soporte del brazo de control: 108 pie-lb (147 Nm).
- Tornillo del soporte de la barra estabilizadora: 37 pie-lb (50 Nm).
- Tuerca del soporte: 14 pie-lb (19 Nm).

48. Conectar el cable negativo de la batería, en la batería.

49. Llenar el depósito de la dirección asistida, según las especificaciones, y sangrar el sistema.

50. Comprobar la alineación del extremo delantero. El ajuste de la convergencia de las ruedas delanteras puede tener que ser reajustada.

CELICA

1. Desconectar el cable negativo de la batería. En los vehículos equipados con air bag, esperar como mínimo 90 segundos, antes de proceder.

2. Levantar y soportar con seguridad la parte delantera del vehículo.

3. Sacar las subcubiertas de la derecha e izquierda del motor.

4. Desconectar los extremos de la izquierda y derecha de la barra de conexión sacando los pasadores de retención y las tuercas. Separar la barra de conexión utilizando un extractor.

5. Sacar el sensor de oxígeno.

6. Sacar el tubo de escape delantero y los soportes.

7. Colocar marcas en el eje intermedio de la columna de dirección y en el eje de la válvula de control del mecanismo de la dirección.

8. Aflojar el tornillo superior y sacar el tornillo inferior del eje intermedio.

9. Desconectar el eje intermedio del eje de la válvula de control.

10. Utilizando una llave de tuercas de línea, desconectar los tubos de suministro de presión y de retorno de la cremallera de la dirección. Asegurarse de colocar un depósito debajo de los tubos, para recoger el fluido.

11. Desconectar el soporte de la abrazadera del tubo, sacando los dos tornillos.

12. Soportar el motor y la caja de cambios con un dispositivo de soporte.

13. Desconectar los brazos de control inferiores, de las rótulas esféricas inferiores, sacando el tornillo y las dos tuercas de cada lado.

14. Sacar los tornillos pasantes de los aisladores de montaje delantero y trasero.

15. Sacar los tres tornillos que sujetan la parte trasera del brazo de control inferior en el subbastidor y en la carrocería. Sacar los tornillos en ambos lados del subbastidor.

16. Soportar el subbastidor con un gato.

17. Sacar los dos tornillos que sujetan el subbastidor en la carrocería. Bajar el subbastidor delantero con los brazos de suspensión inferiores y el mecanismo de la dirección.

18. Sacar el conjunto del mecanismo de la dirección asistida, sacando los pernos de sujeción y las tuercas del subbastidor.

Para instalar:

19. Instalar el conjunto del mecanismo de la dirección asistida en el subbastidor, instalando los dos tornillos y las dos tuercas. Apretar a 94 pie-lb (127 Nm).

20. Levantar el subbastidor hasta su posición e instalar los dos tornillos que sujetan el subbastidor en la carrocería. Apretar los tornillos a 94 pie-lb (127 Nm).

21. Instalar los tres tornillos que sujetan la parte trasera de los brazos de control inferior en el subbastidor y en la carrocería. Apretar el tornillo que va a través del brazo de control inferior a 123 pie-lb (167 Nm) y los otros dos tornillos a 130 pie-lb (175 Nm). Instalar los tornillos en ambos lados.

22. Conectar los dos tornillos pasantes en los aisladores de montaje delantero y trasero, y apretar a 64 pie-lb (88 Nm).

23. Conectar los brazos de control inferiores en las rótulas esféricas inferiores, instalando el tornillo y las dos tuercas en cada lado. Apretar las tuercas y los tornillos a 94 pie-lb (127 Nm).

24. Sacar el soporte de debajo del motor y de la caja de cambios.

25. Conectar los tubos de suministro de presión y de retorno en la cremallera de la dirección. Apretar los tubos a 26 pie-lb (36 Nm).

26. Conectar el soporte de la abrazadera del tubo y apretar los dos tornillos a 9 pie-lb (13 Nm).

27. Para el eje intermedio en la columna de dirección, alinear las marcas sobre el eje intermedio y el eje de la válvula de control.

28. Instalar el tornillo inferior y apretar los tornillos superior e inferior a 26 pie-lb (35 Nm).

29. Instalar el tubo de escape delantero.

30. Instalar el sensor de oxígeno.

31. Conectar los extremos de la barra de conexión en las articulaciones de la dirección, e instalar las tuercas.

32. Instalar las subcubiertas de mano derecha e izquierda del motor, instalando los tornillos.

33. Bajar el vehículo.

34. Conectar el cable negativo de la batería, en la batería.

35. Llenar el depósito de la dirección asistida, según las especificaciones, y sangrar el sistema.

36. Comprobar la alineación del extremo delantero. El ajuste de la convergencia de las ruedas delanteras puede tener que ser reajustado.

CAMRY Y AVALON

1. Colocar las ruedas delanteras rectas hacia el frente.

2. Desconectar el cable negativo de la batería. En los vehículos equipados con air bag, esperar como mínimo 90 segundos, antes de proceder.

3. Si está equipado con air bag, desarmar el sistema y fijar el volante de la dirección.

4. Levantar y soportar con seguridad el vehículo. Sacar las ruedas delanteras.

5. Sacar los sellos de la cubierta de protección del guardabarros delantero, sacando los dos tornillos.

6. Sacar el pasador de retención y la tuerca que sujeta la articulación de la dirección en el extremo de la barra de conexión. Utilizando un extractor de barras de conexión, desconectar el extremo de la barra de conexión, de la articulación de la dirección.

7. Colocar marcas sobre el eje intermedio y el eje de la válvula de control.

8. Aflojar el tornillo superior y sacar el tornillo inferior que sujeta el eje de la válvula de control en el eje intermedio. Desconectar el eje intermedio, del cuerpo de la cremallera de la dirección.

9. Sacar la tuerca de la abrazadera del tubo. Sacar la abrazadera, del vehículo.

10. Desconectar la línea de retorno y la línea de presión del cuerpo de la válvula de control. Utilizar un recipiente de plástico pequeño para recoger el fluido.

11. Sacar los cuatro tornillos y las dos tuercas de la barra estabilizadora. Colocar la barra estabilizadora fuera de la zona de trabajo. No sacar la barra del vehículo.

12. Si es necesario, sacar el montaje y el soporte traseros del motor, para tener más espacio.

13. En los motores V6, sacar el sensor de oxígeno.

14. Sacar los dos tornillos y tuercas de montaje del mecanismo de la dirección. Sacar el mecanismo de la dirección.

Para instalar:

15. Colocar el mecanismo de la dirección en el vehículo, e instalar los dos tornillos y tuercas de montaje. Apretar las tuercas y los tornillos a 134 pie-lb (181 Nm).

16. En los motores V6, instalar el sensor de oxígeno.

17. Si es aplicable, instalar el montaje del soporte trasero del motor, y apretar los tornillos de retención a 38 pie-lb (52 Nm).

18. Instalar los tornillos y tuercas de la barra estabilizadora.

19. Conectar la abrazadera del tubo y apretar la tuerca a 7 pie-lb (10 Nm).

20. Instalar el eje intermedio en la cremallera de la dirección y apretar los tornillos de retención a 26 pie-lb (35 Nm).

21. Conectar las barras de conexión en las articulaciones de la dirección, con las tuercas de torreta o almenadas.

22. Instalar los sellos de la cubierta de protección del guardabarros delantero, instalando los dos tornillos.

23. Instalar las ruedas delanteras y bajar el vehículo.

24. Conectar el cable negativo de la batería, en la batería.

25. Llenar el depósito de la dirección asistida, según las especificaciones, y sangrar el sistema.

26. Comprobar la alineación del extremo delantero. El ajuste de la convergencia de las ruedas delanteras puede tener que ser reajustada.

SUPRA

1. Colocar las ruedas delanteras rectas al frente.

2. Desconectar el cable negativo de la batería. En los vehículos equipados con air bag, esperar como mínimo 90 segundos, antes de proceder.

3. Si está equipado con air bag, desarmar el sistema y fijar el volante de la dirección.

4. Levantar y soportar con seguridad el vehículo. Sacar las ruedas delanteras.

5. Sacar las subcubiertas del motor y la protección de la viga de la suspensión delantera.

6. Colocar marcas sobre la junta universal y el eje de la válvula de control.

7. Aflojar el tornillo de la parte superior del eje intermedio.

8. Sacar el tornillo del lado inferior del eje intermedio y desconectar la junta universal de la cremallera de la dirección.

9. Desconectar y tapar las líneas hidráulicas del conjunto de la cremallera, sacando los pernos de unión y juntas.

10. Desconectar los extremos de la barra de conexión, de las articulaciones de la dirección.

11. Desconectar el cableado del solenoide de la unidad de la cremallera y piñón.

12. Sacar los tornillos y los soportes que sujetan la cremallera de la dirección en el bastidor.

13. Sacar el conjunto de cremallera.

Para instalar:

14. Instalar la cremallera. Apretar los tornillos del soporte de montaje a 55 pie-lb (75 Nm).

15. Conectar el cableado del solenoide.

16. Conectar los extremos de la barra de conexión en las articulaciones de la dirección.

17. Conectar las líneas de fluido en la cremallera y piñón con arandelas nuevas. Apretar los pernos de unión a 36 pie-lb (49 Nm).

18. Alinear las marcas de la junta universal y del eje de la válvula de control. Apretar los tornillos superior e inferior a 26 pie-lb (35 Nm).

19. Instalar la protección de la viga de la suspensión delantera y las subcubiertas del motor.

20. Instalar las ruedas delanteras en el vehículo, y bajar el vehículo al suelo.

21. Conectar el cable negativo de la batería, en la batería.

22. Llenar el depósito de la dirección asistida, según las especificaciones, y sangrar el sistema.

23. Comprobar la alineación del extremo delantero. El ajuste de la convergencia de las ruedas delanteras puede tener que ser reajustada.

POSTE Y RESORTE HELICOIDAL

DESMONTAJE E INSTALACIÓN

Delantero

EXCEPTO SUPRA

1. Desconectar el cable negativo de la batería. En los vehículos equipados con air bag, esperar como mínimo 90 segundos, antes de proceder.

2. Aflojar las tuercas de orejas.

3. Levantar y soportar con seguridad el vehículo.

▼ **AVISO** ▼

No soportar el peso del vehículo sobre el brazo de suspensión; bajo este peso, el brazo se deformará.

4. Soltar las tuercas de orejas y sacar la rueda.

5. Sacar el tornillo y desconectar la manguera, del soporte del poste.

6. Si está equipado con frenos ABS, desconectar el cableado, del poste.

7. Sacar los tornillos y desconectar el poste, de la articulación de la dirección.

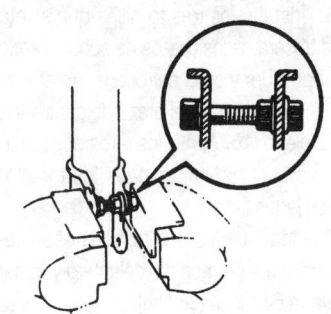

▲ **Método correcto de soporte del poste en un tornillo de banco**

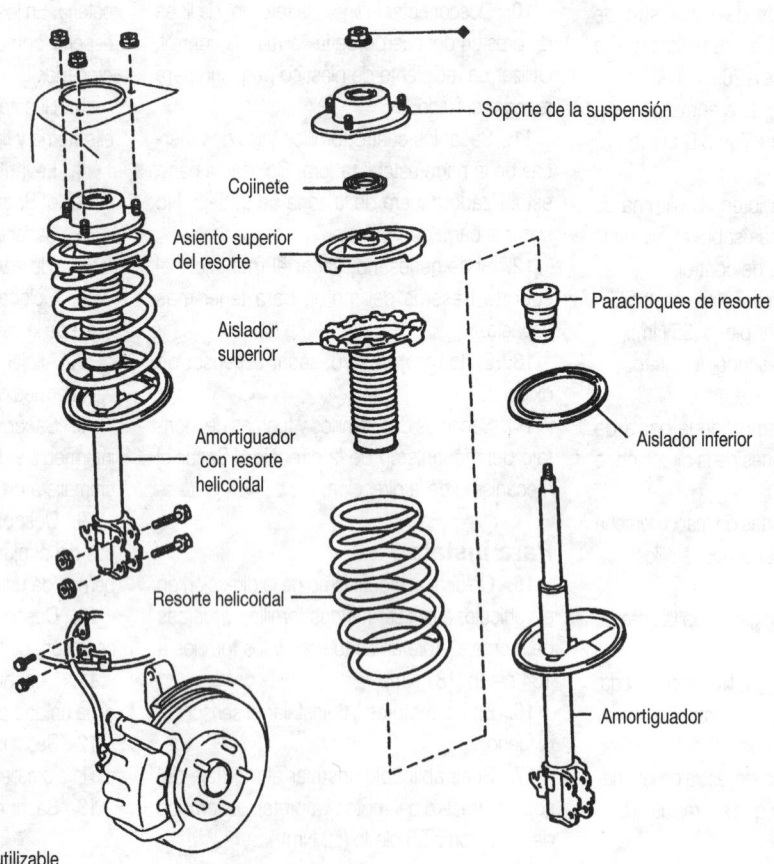

Soporte de la suspensión

Cojinete

Asiento superior del resorte

Parachoques de resorte

Aislador superior

Amortiguador con resorte helicoidal

Aislador inferior

Resorte helicoidal

Amortiguador

◆ Pieza no reutilizable

▲ **Conjunto usual de los componentes de resorte helicoidal y del poste – Excepto Supra**

8. Sacar el poste de la carrocería.

9. Instalar un tornillo y dos tuercas en el soporte, en la parte inferior del cuerpo del poste, y asegurarlo en un tornillo de banco.

10. Utilizando la herramienta compresora de resortes SST 09727-30020, o equivalente, comprimir el resorte helicoidal.

▼ PRECAUCIÓN ▼

Este procedimiento requiere el uso de un compresor de resortes; sin él no puede realizarse. Si no se tiene acceso a esta herramienta especial, no intente desarmar el poste. El resorte helicoidal está bajo una considerable presión. ¡Puede ejercer fuerza suficiente como para producir lesiones graves! Al desarmar el poste, extremar las precauciones.

11. Sacar la cubierta guardapolvo y sujetar el asiento del resorte de manera que no gire. Sacar la tuerca de la parte superior del poste.

12. Sacar el soporte de la suspensión, el cojinete, el sello guardapolvo, el asiento del resorte, el resorte, los aislantes y el tope paragolpes.

Para instalar:

13. Para montar el poste:

a. Instalar el tope paragolpes del resorte, en el pistón.

b. Utilizando un compresor de resortes, comprimir el resorte.

c. Instalar el resorte helicoidal en el poste. Sujetar el extremo inferior del resorte helicoidal dentro del hueco del asiento inferior.

d. Instalar el asiento del resorte con el aislador.

e. Instalar el sello guardapolvo sobre el asiento del resorte.

f. Instalar el soporte de la suspensión y apretar la tuerca nueva a 35 pie-lb (47 Nm). Después de apretar la tuerca, aflojar la tensión del compresor de resortes.

g. Llenar el interior del soporte de la suspensión con grasa universal. Instalar la cubierta guardapolvo.

➡ **Para apretar la tuerca, no utilizar una llave de tuercas de impacto. Comprobar también que el cojinete se ajusta (encaja) dentro del hueco en el soporte de la suspensión.**

14. Instalar las tuercas que sujetan el poste en la torre del poste. Apretar las tuercas a 29 pie-lb (39 Nm), excepto en el Avalon, el Camry y el Celica. En el Avalon, el Camry y el Celica, apretar las tuercas a 59 pie-lb (80 Nm).

15. Conectar la articulación de la dirección en el soporte inferior del poste.

16. Insertar los dos tornillos de la parte trasera, y apretar los tornillos del poste al brazo de la articulación de la dirección. Apretar como sigue:

- Tercel y Paseo-166 pie-lb (226 Nm).
- Corolla-203 pie-lb (275 Nm).
- Celica-113 pie-lb (153 Nm).
- Avalon y Camry-156 pie-lb (211 Nm).

17. Fijar la línea del freno en la articulación de la dirección.

18. Si está equipado con ABS, fijar el cableado.

19. Instalar la rueda y bajar el vehículo.

20. Conectar el cable negativo de la batería.

21. Comprobar la alineación de las ruedas delanteras.

SUPRA

1. Desconectar el cable negativo de la batería. En los vehículos equipados con air bag, esperar como mínimo 90 segundos, antes de proceder.

2. Levantar y soportar con seguridad el vehículo.

3. Sacar el conjunto de rueda y llanta.

4. Sacar el soporte de montaje de la mordaza de freno, sacando los dos tornillos. Suspenderlo con un trozo de alambre.

5. Sacar la cubierta de protección del guardabarros, la subcubierta del motor y la pieza moldeada de la abertura de rueda del guardabarros delantero.

6. Si se saca el poste del lado izquierdo, desconectar el depósito del limpiaparabrisas.

7. Sacar el tornillo y desconectar el sensor de velocidad del ABS en la articulación de la dirección. Sacar los tres tornillos, después desconectar la abrazadera del cableado, para evitar que se dañe el cableado al sacar el tornillo pasante.

8. Sacar el tapón del montaje superior del poste. No sacar el tornillo central.

PRECAUCIÓN

No sacar el tornillo central del poste ahora. El resorte del poste está bajo presión y puede provocar lesiones graves o dañar el vehículo.

9. Desconectar el tornillo pasante del brazo de control inferior, del subbastidor. Desconectar el brazo de control superior y dar la vuelta completamente al brazo de control. No es necesario sacar la rótula esférica superior.

10. Desconectar el poste del brazo de control inferior, sacando la tuerca y el tornillo.

11. Sacar las tres tuercas de montaje superiores y sacar el conjunto del poste con el resorte helicoidal, del vehículo.

12. Utilizando el compresor 09727-30020, o equivalente, comprimir el resorte helicoidal.

13. Sacar la contratuerca de la barra del pistón.

14. Sacar el soporte de la suspensión, el resorte helicoidal y el tope paragolpes.

Para instalar:

15. Emparejar el tornillo del soporte de la suspensión con la parte recortada del aislador.

16. Instalar el tope paragolpes del resorte.

17. Instalar el resorte helicoidal comprimido. Emparejar el extremo del resorte dentro del hueco del asiento del resorte en el poste.

18. Instalar el soporte de la suspensión en la barra, e instalar una tuerca nueva de manera provisional.

19. Girar el soporte de la suspensión, de manera que uno de los tornillos del soporte mire hacia la misma dirección que muestra la ilustración.

➡ **Alinear el tornillo como una línea trazada entre la barra y el tornillo que estuviera a 90° de la dirección del buje protector inferior.**

20. Sacar el compresor de resortes.

21. Instalar el poste y apretar las tres tuercas del montaje superior del poste a 26 pie-lb (35 Nm). Apretar la tuerca del centro a 22 pie-lb (29 Nm), e instalar el tapón.

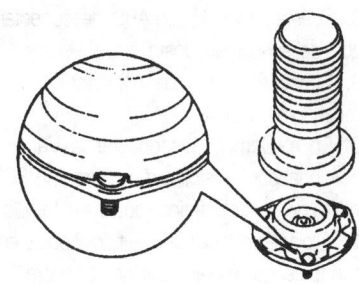

▲ Alinear el aislador con el soporte – Supra

22. Conectar el extremo inferior del poste en el brazo de control inferior. No apretar el tornillo ahora.

23. Instalar el brazo de control superior e instalar el tornillo pasante y la tuerca. No apretar el tornillo ahora.

24. Conectar el sensor de velocidad, el cableado y el depósito del limpiaparabrisas.

25. Instalar la cubierta de protección del guardabarros y la subcubierta del motor.

26. Instalar el soporte de montaje de la mordaza y apretar los tornillos a 87 pie-lb (118 Nm).

27. Instalar el conjunto de rueda y llanta.

28. Bajar el vehículo.

29. Sacudir el vehículo unas cuantas veces para estabilizar la suspensión, después apretar el tornillo del poste al brazo inferior a 106 pie-lb (143 Nm). Apretar el brazo superior a 121 pie-lb (164 Nm).

30. Conectar el cable negativo de la batería.

31. Comprobar la alineación del extremo delantero.

Trasero

1. Desconectar el cable negativo de la batería, en la batería. En los vehículos equipados con air bag, esperar como mínimo 90 segundos, antes de proceder.

2. Sacar la almohadilla del asiento trasero y toda guarnición que sea necesario, para acceder a las torres de los postes.

3. Aflojar las tuercas de orejas de la rueda del lado que se ha de serviciar.

4. Levantar y soportar con seguridad el vehículo. Colocar caballetes bajo el bastidor del vehículo.

5. Soportar la viga del eje, con un gato.

6. Sacar la rueda del lado que se ha de serviciar.

7. En el Supra, sacar el soporte de montaje de la mordaza del freno sacando los dos tornillos. Dejar la línea del freno conectada y colocar la mordaza a un lado.

8. Si está equipado con ABS, desconectar el cable del sensor, del poste.

9. Si está equipado, desconectar la barra estabilizadora del poste.

10. En el Camry, desconectar la Válvula Proporcional por Sensibilidad de Carga (VPSC) del brazo de control inferior, sacando el tornillo.

11. Aflojar las sujeciones que fijan el poste en el soporte del eje. No sacar los tornillos ahora.

12. Apoyar el soporte del eje con un gato.

13. Desconectar el poste de la torre del poste, por las tuercas.

▼ PRECAUCIÓN ▼

No aflojar la tuerca central de la parte superior del pistón del poste.

14. Sacar el poste del vehículo.

15. Para desarmar, proceder como sigue:

▼ PRECAUCIÓN ▼

Este procedimiento requiere el uso de un compresor de resortes; ¡sin él no puede realizarse! Si no se tiene acceso a esta herramienta especial, no intente desarmar el poste. Los resortes helicoidales están sometidos a una considerable presión. ¡Puede ejercer fuerza suficiente como para producir lesiones graves! Al desmontar el poste, extremar las precauciones.

a. Colocar el conjunto del poste en un tornillo de banco para tubos, o en un tornillo de banco para postes.

➡ No intentar fijar el conjunto del poste en un tornillo de banco de quijadas planas, pues con ello se dañará el tubo del poste.

b. Acoplar un compresor de resortes y comprimir el resorte hasta que el soporte de la suspensión superior esté libre de la tensión del resorte. No comprimir demasiado el resorte.

c. Sujetar el soporte superior, después sacar la tuerca del extremo de la barra del pistón del amortiguador.

d. Sacar el soporte, el resorte helicoidal, el aislador y el tope paragolpes.

16. Inspeccionar el poste como sigue:

a. Comprobar el amortiguador moviendo el eje del pistón a lo largo de todo su recorrido. Debe moverse suavemente y de manera uniforme durante todo el recorrido, sin ningún asomo de adherencias o muescas.

b. Utilizar una regla pequeña para comprobar si el eje del pistón está doblado o deformado.

c. Inspeccionar si en el resorte hay alguna señal de deterioro o grietas. La capa impermeable de los resortes debe estar intacta para evitar su oxidación.

Para instalar:

➡ No reutilizar nunca una tuerca autobloqueante. Reemplazar siempre las tuercas autobloqueantes y los pasadores de retención, según sea el caso.

17. Montar el poste como sigue:

a. Montar holgadamente todos los componentes sobre el conjunto del poste. Asegurarse de que el extremo del resorte se alinea con el hueco en el asiento trasero.

b. Alinear el soporte superior de la suspensión con la barra del pistón e instalar el soporte.

c. Alinear el soporte de la suspensión con el soporte inferior del poste. Esto asegura que el resorte se asentará correctamente por la parte superior y la inferior.

d. Comprimir el resorte para dejar a la vista las roscas de la barra del pistón del poste.

e. Instalar una tuerca nueva en el pistón del poste y apretar como sigue: Tercel y Paseo a 25 pie-lb (34 Nm), Corolla, Celica, Camry y Avalon a 36 pie-lb (49 Nm) y Supra a 20 pie-lb (27 Nm).

f. Sacar el compresor de resortes. Asegurarse de que la marca pintada en el soporte superior mire hacia la parte exterior del poste.

18. Colocar el poste en el vehículo e instalar las tuercas para sujetar el poste en la torre del poste. Apretar las tuercas a 29 pie-lb (39 Nm), excepto en los modelos Supra. En los modelos Supra, apretar a 19 pie-lb (26 Nm).

19. Conectar el poste en el soporte del eje e instalar la tuerca y el tornillo. No apretar ahora.

20. Conectar el eslabón del estabilizador en el poste.

21. En el Camry, conectar la válvula proporcional por sensibilidad de carga en el brazo de control. Apretar a 94 pie-lb (130 Nm).

22. En el Supra, instalar la mordaza del freno.

23. Instalar la rueda y sacar los caballetes. Hacer botar el vehículo arriba y abajo, para estabilizar la suspensión.

24. Con el peso del vehículo sobre la suspensión, apretar el tornillo que sujeta el poste en el soporte del eje, como sigue: Tercel y Paseo a 50 pie-lb (68 Nm), Corolla a 105 pie-lb (142 Nm), Celica, Camry y Avalon a 188 pie-lb (255 Nm) y Supra a 106 pie-lb (143 Nm).

25. Instalar la almohadilla del asiento trasero y toda guarnición aplicable.

26. Conectar el cable negativo de la batería, en la batería.

RÓTULA ESFÉRICA SUPERIOR

DESMONTAJE E INSTALACIÓN

La rótula esférica superior (utilizada sólo en el Supra) es una parte integrante del brazo superior y no se puede reemplazar por separado. La sustitución de la rótula esférica superior debe realizarse reemplazando el brazo superior, como sigue:

BRAZO DE CONTROL SUPERIOR

DESMONTAJE E INSTALACIÓN

Este procedimiento sólo es aplicable al Supra.

1. Desconectar el cable negativo de la batería. En los vehículos equipados con air bag, esperar como mínimo 90 segundos, antes de proceder.

2. Levantar la parte delantera del vehículo y soportarla con apoyos de seguridad.

3. Sacar la rueda.

4. Sacar el soporte de montaje de la mordaza sacando los dos tornillos. Dejar conectada la línea del freno y suspender la mordaza a un lado.

5. Sacar el rotor.

6. Sacar el protector contra salpicaduras del guardabarros delantero, el forro del guardabarros y el moldeado de la abertura de la rueda.

7. Si se ha sacado el brazo del lado izquierdo, sacar el depósito del limpiaparabrisas.

8. Sacar el tornillo y desconectar el sensor de velocidad del ABS, de la articulación de la dirección. Sacar los tres tornillos y desconectar la abrazadera del cableado.

9. Sacar el pasador de retención y la tuerca de la rótula esférica superior; sacar a presión la rótula esférica superior, de la articulación.

10. Sacar el tornillo pasante, la tuerca y el brazo de control superior.

Para instalar:

11. Instalar el brazo de control superior. Conectar el brazo de control superior en el subbastidor, e instalar el tornillo pasante. No apretar el tornillo ahora.

➡ **Los tornillos de montaje del brazo de control superior no se aprietan hasta que la suspensión se haya montado y el vehículo esté en el suelo.**

12. Instalar la rótula esférica en la articulación y apretar la tuerca a 76 pie-lb (103 Nm). Instalar un pasador de retención nuevo.

13. Conectar el cableado y el sensor de velocidad del ABS.

14. Instalar el depósito del limpiaparabrisas, el forro del guardabarros, el protector contra salpicaduras y el moldeado.

15. Instalar el rotor.

16. Instalar el soporte de montaje de la mordaza y apretar los tornillos a 87 pie-lb (118 Nm).

17. Instalar la rueda.

18. Bajar el vehículo.

19. Hacer botar varias veces la suspensión, para ajustarla.

20. Soportar el brazo inferior y apretar el tornillo pasante y tuerca del brazo de control superior a 121 pie-lb (164 Nm).

21. Conectar el cable negativo de la batería.

22. Comprobar la alineación de las ruedas delanteras.

RÓTULA ESFÉRICA INFERIOR

DESMONTAJE E INSTALACIÓN

Todos los modelos

➡ **En el Supra, la rótula esférica inferior no es sustituible. Si la rótula esférica inferior es defectuosa, reemplazar el brazo y la rótula esférica inferior como un conjunto.**

1. Desconectar el cable negativo de la batería. En los vehículos equipados con air bag, esperar como mínimo 90 segundos, antes de proceder.

2. Levantar y soportar el vehículo con seguridad. Sacar las ruedas delanteras.

3. Sacar el pasador de retención de la tapa contratuerca del cojinete, después sacar la tapa.

4. Hundir el pedal del freno y aflojar la tuerca del eje.

5. Sacar los elementos de sujeción de la mordaza del freno, apartar la mordaza a un lado, con la línea hidráulica acoplada todavía, y suspenderla con un alambre.

6. Sacar el sensor de velocidad del ABS, si está equipado.

7. Sacar el rotor del freno.

8. Aflojar las dos tuercas que sujetan el poste en el conjunto de la articulación de la dirección. No sacarlo ahora.

9. Sacar el pasador de retención y tuerca, del extremo de la barra de conexión. Utilizando una herramienta para el desmontaje de extremos de barra de conexión, separar el extremo de la barra de conexión de la articulación de la dirección.

10. Sacar el tornillo y las dos tuercas de la rótula esférica, para desconectar la articulación de la dirección, del brazo inferior.

11. Sacar las dos tuercas y el tornillo que sujeta el poste en la articulación de la dirección, y separar la articulación, del conjunto del poste.

12. Sacar la tuerca del eje y sujetar con firmeza el conjunto del cubo y la articulación. Con un martillo de plástico, golpear ligeramente el eje de transmisión para sacar la articulación y el cubo.

➡ **Cubrir la funda del semieje con un trapo para protegerla de cualquier daño.**

13. Sujetar la articulación de la dirección en un tornillo de banco y sacar el deflector de polvo. Sacar la tuerca que sujeta la articulación de la dirección en la rótula esférica. Sacar a presión la rótula esférica de la articulación de la dirección.

Para instalar:

14. Acoplar la rótula esférica en la articulación de la dirección. Apretar la tuerca de la rótula esférica en la articulación de la dirección a 72

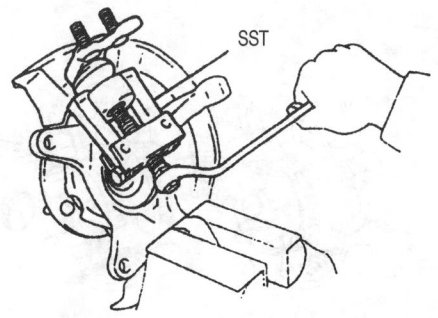

SST

▲ Sacar la rótula esférica de la articulación

pie-lb (97 Nm) en el Tercel y el Paseo, a 87 pie-lb (118 Nm) en el Celica y el Corolla, o a 90 pie-lb (123 Nm) en el Avalon y el Camry. Instalar un pasador de retención nuevo. Meter el deflector de polvo sobre la articulación.

15. Instalar el conjunto de la articulación y cubo en el eje, y apretar la tuerca del eje de manera provisional.

16. Conectar el conjunto de la articulación en el soporte inferior del poste. Insertar provisionalmente los tornillos de montaje de la parte trasera e instalar las tuercas.

17. Conectar la rótula esférica inferior en el brazo inferior y apretar las sujeciones a 59 pie-lb (79 Nm) en el Tercel y el Paseo, o a 94 pie-lb (127 Nm) en el Celica, el Corolla, el Avalon y el Camry.

18. Conectar el extremo de la barra de conexión en la articulación.

19. Apretar los tornillos en el lado inferior del conjunto del poste.

20. Si está equipado, instalar el sensor de velocidad del ABS.

21. Instalar el disco y la mordaza de freno.

22. Apretar la tuerca del eje.

23. Conectar el cable negativo de la batería.

24. Comprobar la alineación del extremo delantero.

COJINETES DE RUEDA

AJUSTE

Delanteros

Todos los modelos utilizan cojinetes de rueda no ajustables. Para determinar el estado del cojinete de rueda, comprobar el juego del cojinete en la dirección del eje, y la desviación del cubo del eje. El juego máximo debe ser el siguiente:

• Corolla, Supra, Avalon y Camry-0.0020 plg (0.05 mm).

• Celica 1995-97-0.0031 plg (0.08 mm).

La desviación máxima del cubo del eje es de:

• Corolla-0.0028 plg (0.07 mm).

• Celica 1994-97-0.0028 plg (0.07 mm).

• Supra, Avalon y Camry-0.0020 plg (0.05 mm).

Si el cojinete de rueda está fuera de las especificaciones, reemplazar el cojinete de rueda.

Traseros

PASEO Y TERCEL

1. Desconectar el cable negativo de la batería. En los vehículos equipados con air bag, esperar como mínimo 90 segundos, antes de proceder.

2. Levantar y soportar con seguridad el vehículo.

3. Sacar las ruedas traseras.

4. Sacar la tapa de la contratuerca y el pasador de retención. Sacar la contratuerca.

5. Instalar la contratuerca del cojinete y apretarla a 22 pie-lb (29 Nm), mientras se hace girar el tambor.

6. Hacer girar el tambor de freno varias veces para preparar el cojinete; después aflojar la contratuerca del cojinete, hasta que pueda girarse con la mano.

➡ **En este momento no debe haber absolutamente ninguna resistencia del freno.**

7. Reapretar la contratuerca del cojinete hasta que haya una precarga del cojinete de 0.9-2.2 lb (3.2-9.8 N), mientras se gira la rueda. Medir la precarga con una balanza o dinamómetro de resorte enganchado en uno de los espárragos de rueda.

8. Instalar el cierre de la contratuerca, un pasador de retención nuevo y la tapa. Si el agujero del pasador de retención no se alinea correctamente, alinear los agujeros apretando la tuerca hasta el agujero siguiente. No aflojar la tuerca.

9. Instalar la rueda trasera y bajar el vehículo.

10. Conectar el cable negativo de la batería.

EXCEPTO PASEO Y TERCEL

Comprobar la holgura (juego) del cojinete en la dirección del eje y la desviación del cubo del eje. El juego máximo debe ser de 0.0020 plg (0.05 mm). La desviación máxima del cubo del eje es de 0.0028 plg (0.07 mm), excepto en el Supra que es de 0.020 plg (0.05 mm).

➡ **El cojinete de rueda no es ajustable. Si el cojinete de rueda está fuera de las especificaciones, reemplazar el cojinete de rueda.**

DESMONTAJE E INSTALACIÓN

Delanteros

EXCEPTO SUPRA

1. Desconectar el cable negativo de la batería, en la batería. En los vehículos equipados con air bag, esperar como mínimo 90 segundos, antes de proceder.

2. Levantar y soportar con seguridad el vehículo. Sacar las ruedas delanteras.

3. Sacar el pasador de retención de la tapa de la tuerca del eje, después sacar la tapa.

4. Hundir el pedal del freno y aflojar la tuerca del eje.

5. Sacar los elementos de sujeción de la mordaza de freno, apartar la mordaza a un lado, con la línea hidráulica conectada todavía, y suspenderla con un alambre.

6. Sacar el sensor de velocidad del ABS, si está equipado.

7. Sacar el rotor de freno.

8. Aflojar las tuercas del lado inferior del conjunto del poste. No sacar ahora.

9. Sacar el pasador de retención y la tuerca del extremo de la barra de conexión. Utilizando una herramienta de desmontaje de extremos de barras de conexión, separar el extremo de la barra de conexión, de la articulación de la dirección.

10. Colocar marcas sobre el soporte de montaje inferior del conjunto del poste y la leva de ajuste de la inclinación de ruedas.

11. Sacar el tornillo y dos tuercas de la rótula esférica, y desconectar la articulación de la dirección, del brazo de control inferior.

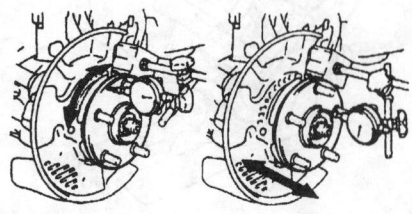

▲ Comprobar la desviación y el juego axial de los cojinetes de rueda

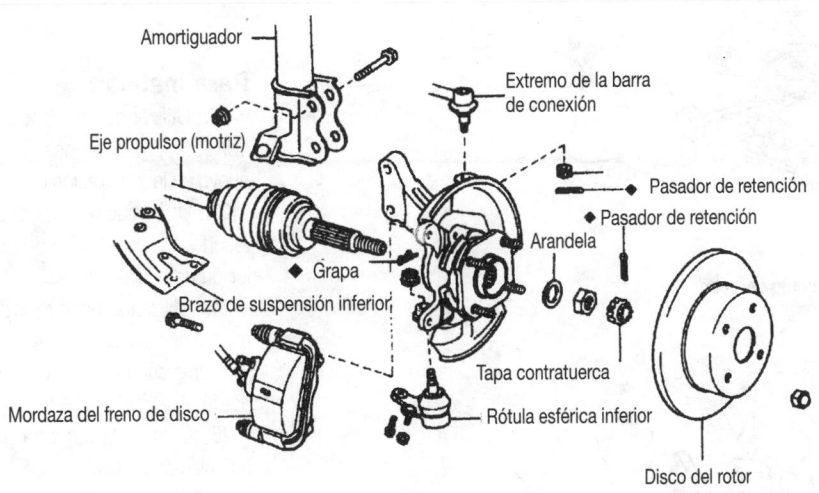

Amortiguador

Extremo de la barra
de conexión

Eje propulsor (motriz)

◆ Pasador de retención

◆ Pasador de retención

Arandela

◆ Grapa

Brazo de suspensión inferior

Tapa contratuerca

Mordaza del freno de disco

Rótula esférica inferior

Disco del rotor

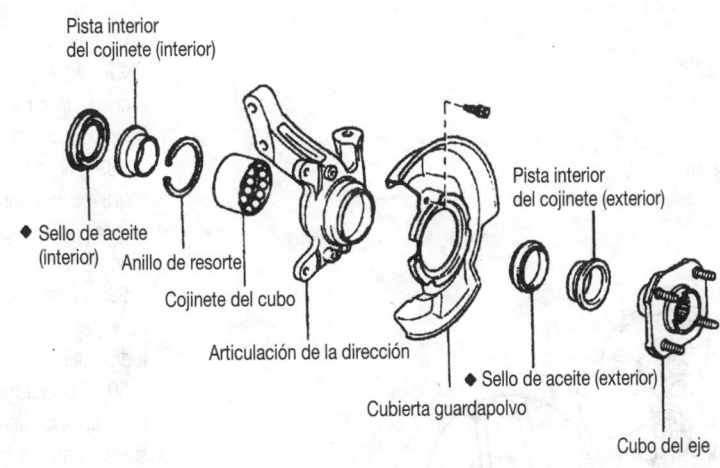

Pista interior
del cojinete (interior)

Pista interior
del cojinete (exterior)

◆ Sello de aceite
(interior)

Anillo de resorte

Cojinete del cubo

Articulación de la dirección

◆ Sello de aceite (exterior)

Cubierta guardapolvo

Cubo del eje

◆ Pieza no reutilizable

▲ Conjunto de articulación de la dirección y cubo – Excepto Supra

12. Sacar las dos tuercas y tornillos del lado inferior del montaje del poste, y separar la articulación, del conjunto del poste.

13. Sacar la tuerca del eje y sujetar con firmeza el conjunto del cubo y la articulación. Con un martillo de plástico, golpear ligeramente el eje de transmisión para sacar la articulación y el cubo.

➡ **Cubrir la funda del semieje con un trapo para protegerla de cualquier daño.**

14. Sujetar la articulación de la dirección en un tornillo de banco y sacar el deflector de polvo. Sacar la tuerca que sujeta la articulación de la dirección en la rótula esférica. Sacar a presión la rótula esférica, de la articulación de la dirección.

15. Sacar el sello interior del eje.

16. Utilizando una llave Torx®, sacar los tornillos que fijan la cubierta guardapolvo.

17. Utilizando un extractor de cubos, sacar el cubo y el plato de anclaje de la articulación de la dirección.

18. Utilizando un introductor de la medida correcta y una prensa, sacar la pista interior del cubo, del cubo del eje.

19. Utilizando una herramienta de desmontaje de sellos, sacar el sello exterior del eje.

20. Utilizando alicates para anillos de resorte, sacar el anillo de resorte del lado interior de la dirección de la articulación.

21. Utilizando un introductor de la medida correcta y una prensa, sacar el cojinete de la articulación de la dirección. El cojinete se pre-

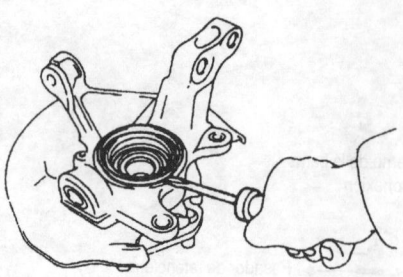

▲ Sacar el sello del eje interior, del conjunto del cubo

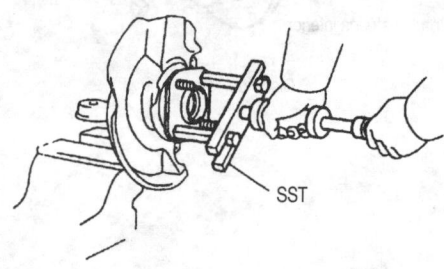

SST

▲ Sacar el cubo del eje, de la articulación

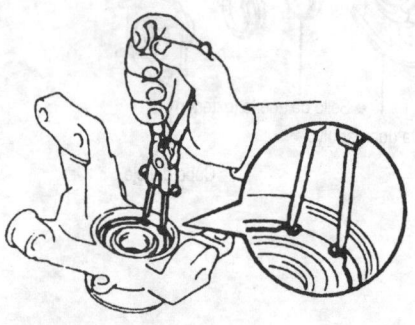

▲ Antes de sacar a presión el cojinete, desmontar de la articulación el anillo de resorte

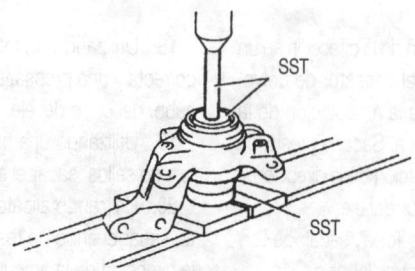

SST

SST

▲ Sacar el cojinete, de la articulación de dirección, utilizando una prensa

siona desde la parte delantera de la articulación de la dirección y se saca a través de la parte trasera de la articulación de la dirección.

Para instalar:

22. Utilizando un introductor de la medida correcta y una prensa, instalar un cojinete nuevo en la articulación de la dirección.

23. Utilizando unos alicates para anillos de resorte, instalar el anillo de resorte en la articulación de la dirección.

24. Utilizando un introductor de sellos y un martillo, instalar un sello de aceite exterior nuevo. Aplicar grasa universal en el labio del sello de aceite.

25. Colocar la cubierta guardapolvo en la articulación de la dirección, y apretar los tornillos a 78 plg-lb (9 Nm).

26. Utilizando una prensa y un introductor de la medida adecuada, instalar el cubo del eje en la articulación de la dirección.

27. Acoplar la rótula esférica en la articulación de la dirección. Instalar un pasador de retención nuevo.

28. Utilizando un introductor de sellos y un martillo, instalar un sello de aceite interior nuevo. Aplicar grasa universal en el labio del sello de aceite.

29. Instalar el conjunto de la articulación y el cubo, en el eje, y apretar provisionalmente la tuerca del eje.

30. Conectar el conjunto de la articulación en el soporte inferior del poste. Insertar provisionalmente los tornillos de montaje de la parte trasera e instalar las tuercas, asegurándose de que las marcas hechas anteriormente están alineadas.

31. Conectar la rótula esférica inferior en el brazo inferior.

32. Conectar el extremo de la barra de conexión en la articulación.

33. Apretar el lado inferior del conjunto del poste.

34. Si está equipado, instalar el sensor de velocidad del ABS.

35. Instalar el disco y la mordaza de freno.

36. Apretar la tuerca del eje, mientras alguien hunde el pedal del freno. Instalar la tapa de la tuerca de ajuste, e insertar un pasador de retención nuevo.

37. Instalar las ruedas en el vehículo. Verificar que las ruedas giran libremente.

38. Bajar el vehículo. Conectar el cable negativo de la batería, en la batería.

39. Comprobar la alineación de las ruedas.

SUPRA

1. Desconectar el cable negativo de la batería. En los vehículos equipados con air bag, esperar como mínimo 90 segundos, antes de proceder.

2. Levantar y soportar con seguridad el vehículo.

3. Sacar el conjunto de las ruedas y llantas delanteras.

4. Sacar el soporte de montaje de la mordaza de freno, dejando la línea del freno conectada, y soportándola con un trozo de alambre.

5. Sacar el rotor, sacando los dos tornillos.

6. Desconectar el sensor de velocidad del ABS.

7. Sacar el pasador de retención y tuerca, y desconectar la barra de conexión, de la articulación de la dirección.

8. Sacar el pasador de retención y tuerca, y desconectar la articulación de la dirección, del brazo de control superior.

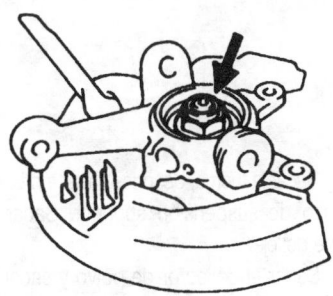

▲ **Localización de la contratuerca del cubo del eje – Supra**

9. Sacar la grapa y la tuerca y sacar a presión la articulación, del brazo de control inferior.

10. Sacar la articulación de la dirección, del vehículo.

11. Haciendo palanca, sacar la tapa del cojinete del cubo, de la articulación de la dirección. Utilizando un martillo y un cincel, soltar la parte remachada de la tuerca del cubo, y sacarla.

12. Sacar el rotor del sensor del ABS.

13. Sacar los cuatro tornillos y mover la protección guardapolvo del freno, hacia el cubo (exterior).

14. Utilizando un extractor de dos brazos, sacar de la articulación, el cubo del eje.

15. Con un extractor, sacar la pista interior del cojinete, del cubo del eje. Haciendo palanca, sacar el sello de aceite.

16. Sacar el anillo de resorte del cojinete, después colocar la pista interior encima del coji-

nete sobre el lado interior. Sacar a presión el cojinete.

Para instalar:

17. Meter a presión el cojinete dentro de la articulación. Si la pista interior y las bolas se sueltan de la pista exterior, asegurarse de instalarlas sobre el mismo lado de antes.

18. Instalar el anillo de resorte y la pista interior, después meter, golpeándolo ligeramente, un sello de aceite nuevo, hasta que se nivele con la superficie del extremo de la articulación.

19. Instalar la cubierta guardapolvo del freno y apretar los tornillos a 74 plg-lb (9 Nm).

20. Meter a presión el cubo, dentro de la articulación, e instalar el sensor de velocidad.

21. Instalar una contratuerca nueva y apretarla a 147 pie-lb (199 Nm). Remachar parte de la tuerca con un cincel. Golpear ligeramente la tapa del cojinete metiéndola en su sitio.

22. Conectar la articulación en el brazo de control superior, y apretar la tuerca a 76 pie-lb (103 Nm). Instalar un pasador de retención nuevo.

23. Conectar la articulación en el brazo de control inferior, y apretar la tuerca a 92 pie-lb (125 Nm). Instalar una grapa nueva.

24. Conectar el extremo de la barra de conexión en la articulación de la dirección, con la tuerca.

25. Instalar el rotor montando los dos tornillos.

26. Instalar el soporte de montaje de la mordaza.

27. Conectar el sensor de velocidad en la articulación.

28. Instalar las ruedas delanteras y bajar el vehículo.

29. Conectar el cable negativo de la batería.

30. Comprobar la alineación del extremo delantero.

Traseros

PASEO Y TERCEL

1. Desconectar el cable negativo de la batería. En los vehículos equipados con air bag, esperar como mínimo 90 segundos, antes de proceder.

2. Levantar y soportar el vehículo con seguridad.

3. Sacar las ruedas traseras.

4. Sacar la tapa de la contratuerca y el pasador de retención. Sacar la contratuerca.

5. Con cuidado, sacar el tambor de freno junto con el cojinete de rueda exterior y la arandela de empuje. No dejar caer el cojinete.

6. Haciendo palanca sobre el sello de aceite del cojinete interior, sacarlo del conjunto del tambor de freno; después sacar el cojinete interior.

7. Sacar las pistas del cojinete, según sea necesario.

Para instalar:

8. Meter a presión las pistas del cojinete exterior dentro del tambor de freno, y añadir una cantidad generosa de grasa de cojinetes, en el interior del cubo y de la tapa del cojinete.

9. Limpiar los cojinetes y llenarlos de grasa.

10. Colocar el cojinete interior dentro del tambor de freno, después introducir un sello de aceite nuevo en la posición original. Cubrir ligeramente el sello con grasa.

11. Colocar el tambor de freno sobre el eje de transmisión. Instalar el cojinete exterior y colocar la arandela de empuje. Instalar la contratuerca del cojinete y apretarla a 22 pie-lb (29 Nm), mientras se hace girar el tambor.

12. Hacer girar varias veces el tambor de freno, para preparar el cojinete, después aflojar la contratuerca del cojinete hasta que se pueda girar con la mano.

➡ **En este momento no debe haber absolutamente ninguna resistencia del freno.**

13. Reapretar la contratuerca del cojinete hasta que haya una precarga del cojinete de 0.9-2.2 lb (3.2-9.8 N) mientras se gira la rueda. Medir la precarga con una balanza o peso de resorte enganchada en uno de los espárragos de rueda.

14. Instalar el bloqueo de la contratuerca, un pasador de retención nuevo y la tapa. Si el agujero del pasador de retención no se alinea correctamente, alinear los agujeros apretando la tuerca hasta el agujero siguiente. No aflojar la tuerca.

15. Instalar las ruedas traseras y bajar el vehículo.

16. Conectar el cable negativo de la batería.

CELICA, COROLLA, CAMRY Y AVALON

1. Desconectar el cable negativo de la batería. En los vehículos equipados con air bag,

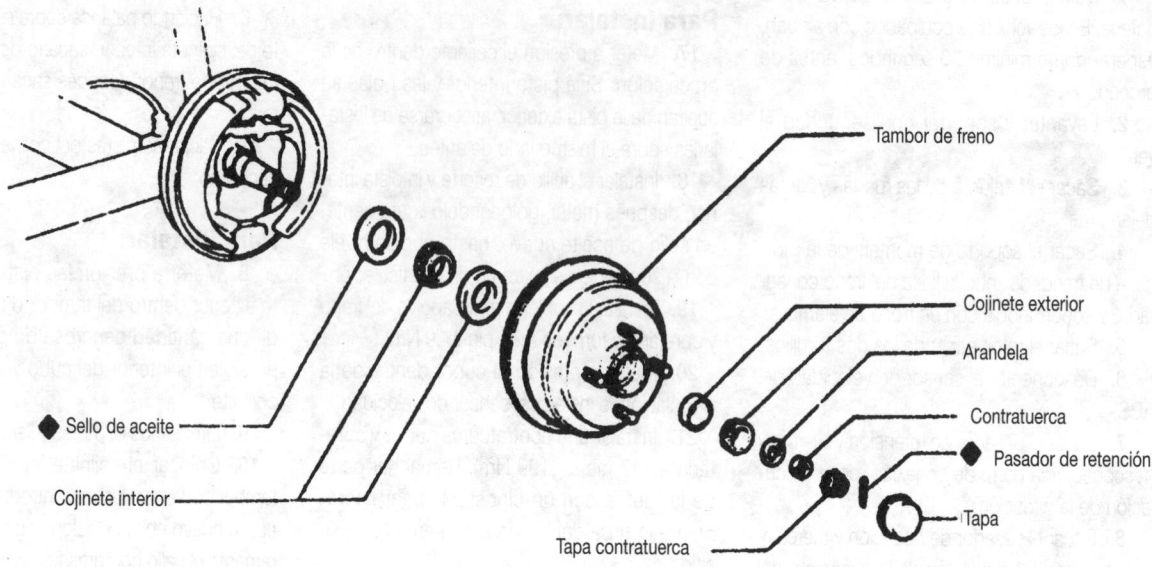

◆ Sello de aceite

Cojinete interior

Tambor de freno

Cojinete exterior

Arandela

Contratuerca

◆ Pasador de retención

Tapa

Tapa contratuerca

Despiece del cubo del eje trasero – Tercel

▲ **Despiece del conjunto del cojinete de las ruedas traseras – Se muestra el del Tercel, el del Paseo es similar**

esperar como mínimo 90 segundos, antes de proceder.

2. Levantar y soportar con seguridad el vehículo.

3. Sacar la rueda.

4. Sacar el tambor o el rotor, de freno.

5. Si está equipado con frenos ABS, desconectar y sacar el sensor de velocidad del ABS de rueda.

6. Sacar los cuatro tornillos que fijan el cubo en la articulación y sacar el cubo.

7. Sacar la junta tórica del plato de anclaje.

Para instalar:

8. Instalar una junta tórica nueva en el plato de anclaje. Cubrir la junta tórica con grasa universal.

9. Instalar el cubo en la articulación con los tornillos de montaje y apretar a 59 pie-lb (80 Nm).

10. Si está equipado con frenos ABS, instalar el sensor de velocidad de rueda del ABS.

11. Instalar el tambor o rotor, de freno.

12. Instalar la rueda y bajar el vehículo.

13. Conectar el cable negativo de la batería.

14. Comprobar la alineación de las ruedas.

SUPRA

1. Desconectar el cable negativo de la batería. En los vehículos equipados con air bag, esperar como mínimo 90 segundos, antes de proceder.

2. Levantar y soportar con seguridad el vehículo. Sacar el conjunto de las ruedas y llantas traseras.

3. Desconectar el soporte de montaje de la mordaza de freno, del soporte del eje trasero, y soportarlo con un trozo de alambre.

4. Colocar marcas sobre el rotor de freno de disco y el cubo del eje. Sacar el rotor de freno.

5. Sacar el sensor de velocidad.

6. Sacar el semieje trasero.

7. Sacar las zapatas del freno de mano.

8. Sacar los dos tornillos del cable del freno de mano. Sacar los dos tornillos del cubo y el tornillo hexagonal. Deslizar el plato de anclaje hacia afuera, y desconectar el cable del freno de mano.

9. Desconectar la barra del poste del soporte del eje.

10. Sacar la tuerca, después sacar a presión el brazo de suspensión inferior N° 1.

11. Sacar la tuerca, después sacar a presión el brazo de suspensión inferior N° 2.

12. Sacar la tuerca, después sacar a presión el brazo de suspensión superior. Sacar el soporte del eje.

13. Sacar el deflector de polvo y sacar el sello de aceite.

14. Utilizando un extractor de dos brazos, sacar del soporte, el cubo del eje.

15. Sacar el plato de anclaje.

16. Sacar a presión la pista interior (exterior), del cubo. Después, sacar el sello de aceite y el anillo de resorte.

17. Colocar la pista interior (exterior) sobre el cojinete y golpearla ligeramente sacando el cojinete y la pista interior (interior).

Para instalar:

18. Instalar el cojinete en el soporte del eje.

➡ **Si la pista interior se suelta de la pista exterior del cojinete, asegurarse de instalarlas en el mismo lado de antes.**

19. Instalar el anillo de resorte, la pista interior (exterior), y un sello de aceite nuevo.

20. Instalar el plato de anclaje. Instalar la pista interior (interior) y meterla a presión en el cubo del eje con las herramientas adecuadas.

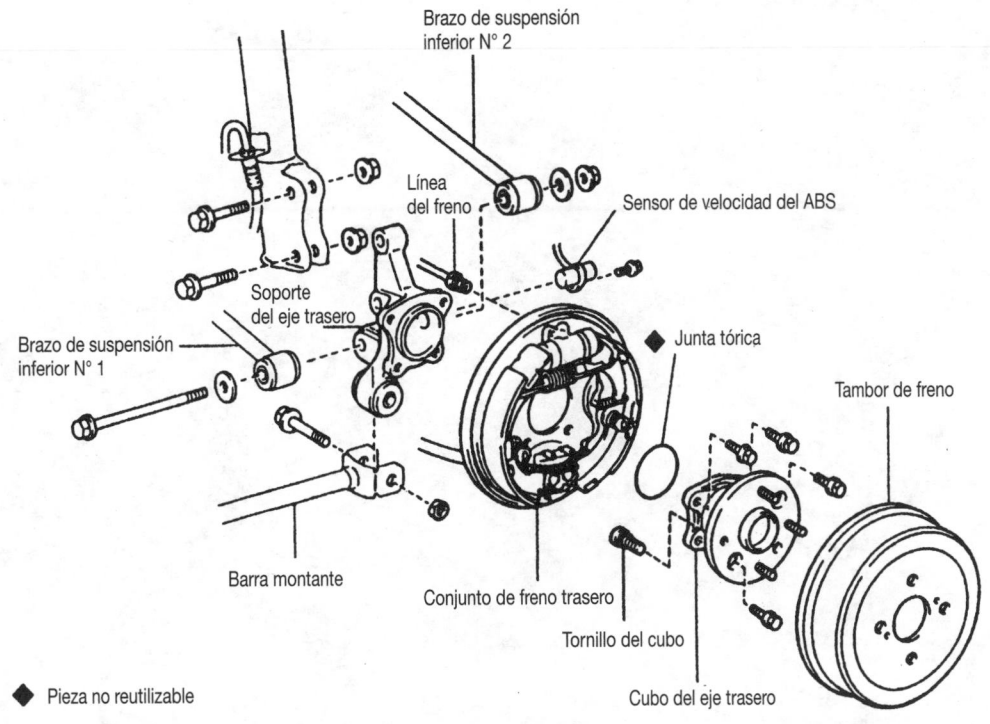

Brazo de suspensión inferior N° 2

Línea del freno

Sensor de velocidad del ABS

Soporte del eje trasero

Brazo de suspensión inferior N° 1

◆ Junta tórica

Tambor de freno

Barra montante

Conjunto de freno trasero

Tornillo del cubo

Cubo del eje trasero

◆ Pieza no reutilizable

▲ Despiece del conjunto del cubo y cojinete de rueda – Se muestra el del Corolla, el del Celica es similar

21. Instalar el sello de aceite interior. Alinear los agujeros del sensor de velocidad en el deflector de polvo, y en el soporte del eje. Instalar el deflector de polvo.

22. Instalar el brazo superior en el soporte del eje. Apretar la tuerca y el tornillo a 80 pie-lb (109 Nm).

23. Conectar el brazo inferior N° 2 en el soporte y apretar la tuerca nueva a 110 pie-lb (150 Nm).

24. Conectar el brazo inferior N° 1 en el soporte, y apretar la tuerca nueva a 43 pie-lb (59 Nm).

25. Conectar la barra del poste en el soporte. No apretar el tornillo ahora.

26. Conectar el cable del freno de mano y deslizar el plato de anclaje hacia el interior. Instalar el tornillo hexagonal y apretarlo a 132 pie-lb (180 Nm). Instalar los dos tornillos del cubo, y apretarlos a 19 pie-lb (26 Nm).

27. Instalar los dos tornillos del cable del freno de mano, y apretarlos a 69 plg-lb (8 Nm). Instalar las zapatas del freno de mano, y el sensor del ABS.

28. Instalar los semiejes. Apretar la contra-tuerca a 213 pie-lb (289 Nm).

29. Instalar el rotor de freno.

30. Conectar la mordaza de freno en el soporte del eje trasero, instalando los dos tornillos. Apretar los tornillos a 77 pie-lb (104 Nm).

31. Colocar el conjunto de la llanta y la rueda. Bajar el vehículo y hacerlo botar unas cuantas veces, para estabilizar (asentar) la suspensión. Levantar el vehículo otra vez, apoyar el soporte del eje, y apretar la barra del poste a 136 pie-lb (184 Nm).

32. Conectar el cable negativo de la batería.

HONDA
Accord - Civic - Del Sol - Prelude

16

ESPECIFICACIONES **886**

REPARACIÓN DEL MOTOR **898**

Distribuidor 898
Sincronización del encendido 898
Conjunto motor. 900
Bomba de agua 911
Culata de cilindros 912
Balancines y ejes 924
Múltiple de admisión 936
Múltiple de escape 940
Sello de aceite delantero del cigüeñal. 942
Árbol de levas. 943
Holgura de válvulas 951
Depósito de aceite 953
Bomba de aceite. 955
Sello de aceite principal trasero 961

SISTEMA DE COMBUSTIBLE **961**

Precauciones para la reparación
del sistema de combustible 961

Presión del sistema de combustible 961
Filtro de combustible 962
Bomba de combustible 963

TREN DE TRANSMISIÓN **964**

Conjunto de la caja
de cambios (transeje) 964
Embrague 976
Sistema de embrague hidráulico 977
Semieje 977

DIRECCIÓN Y SUSPENSIÓN **977**

Air bag (bolsa de aire) 977
Dirección de cremallera y piñón 978
Poste 984
Resortes 987
Rótula esférica superior 989
Brazo de control superior. 990
Rótula esférica inferior 992
Cojinetes de rueda 993

ESPECIFICACIONES
HONDA

Accord - Civic - Del Sol - Prelude

TABLA DE IDENTIFICACIÓN DEL VEHÍCULO

Clave del motor						Año del modelo	
Clave	Litros	Plg³ (cc)	Cilindros	Sist. combustible	Fabr. motor	Clave	Año
B16A2	1.6	97 (1595)	4	PGM-FI	Honda	S	1995
B16A3	1.6	97 (1595)	4	PGM-FI	Honda	T	1996
C27A4	2.7	157 (2675)	6	PGM-FI	Honda	V	1997
D15B7	1.5	95 (1493)	4	PGM-FI	Honda	W	1998
D15B8	1.5	95 (1493)	4	PGM-FI	Honda	X	1999
D15Z1	1.5	95 (1493)	4	PGM-FI	Honda		
D16Y5	1.6	97 (1590)	4	PGM-FI	Honda		
D16Y7	1.6	97 (1590)	4	PGM-FI	Honda		
D16Y8	1.6	97 (1590)	4	PGM-FI	Honda		
D16Z6	1.6	97 (1590)	4	PGM-FI	Honda		
F22A1	2.2	132 (2156)	4	PGM-FI	Honda		
F22B1	2.2	132 (2156)	4	PGM-FI	Honda		
F22B2	2.2	132 (2156)	4	PGM-FI	Honda		
F23A1	2.3	137 (2254)	4	PGM-FI	Honda		
F23A4	2.3	137 (2254)	4	PGM-FI	Honda		
F23A5	2.3	137 (2254)	4	PGM-FI	Honda		
H22A1	2.2	132 (2157)	4	PGM-FI	Honda		
H22A4	2.2	132 (2157)	4	PGM-FI	Honda		
H23A1	2.3	132 (2259)	4	PGM-FI	Honda		
J30A1	3.0	183 (2997)	6	PGM-FI	Honda		

PGM-FI-Inyección de Combustible Programada.

IDENTIFICACIÓN DEL MOTOR

Año	Modelo	Cilindrada del motor litros (cc)	Serie del motor (ID/VIN)	Sistema de combustible	N° de cilindros	Tipo de motor
1995	Accord DX/LX	2.2 (2156)	F22B2	PGM-FI	4	SOHC 16V
	Accord EX	2.2 (2156)	F22B1	PGM-FI	4	SOHC 8V
	Accord V-6	2.7 (2675)	C27A4	PGM-FI	4	SOHC 16V
	Civic	1.5 (1493)	D15B7	PGM-FI	4	SOHC 16V
	Civic	1.5 (1493)	D15B8	PGM-FI	4	SOHC 16V
	Civic	1.5 (1493)	D15Z1	PGM-FI	4	SOHC 16V
	Civic	1.6 (1590)	D16Z6	PGM-FI	4	DOHC 16V
	del Sol	1.6 (1595)	B16A3	PGM-FI	4	SOHC 16V
	del Sol	1.5 (1493)	D15B7	PGM-FI	4	SOHC 16V
	del Sol	1.6 (1590)	D16Z6	PGM-FI	6	SOHC 24V
	Prelude Si VTEC	2.2 (2157)	H22A1	PGM-FI	4	SOHC 16V
	Prelude S	2.2 (2156)	F22A1	PGM-FI	4	DOHC 16V
	Prelude Si	2.3 (2259)	H23A1	PGM-FI	4	DOHC 16V
1996	Accord DX/LX	2.2 (2156)	F22B2	PGM-FI	4	SOHC 16V
	Accord EX	2.2 (2156)	F22B1	PGM-FI	4	SOHC 16V
	Accord V-6	2.7 (2675)	C27A4	PGM-FI	6	SOHC 24V
	Civic	1.6 (1590)	D16Y5	PGM-FI	4	SOHC 16V
	Civic	1.6 (1590)	D16Y7	PGM-FI	4	SOHC 16V
	Civic	1.6 (1590)	D16Y8	PGM-FI	4	SOHC 8V
	del Sol	1.6 (1595)	B16A2	PGM-FI	4	DOHC 16V
	del Sol	1.6 (1590)	D16Y7	PGM-FI	4	SOHC 16V
	del Sol	1.6 (1590)	D16Y8	PGM-FI	4	SOHC 16V
	Prelude S	2.2 (2156)	F22A1	PGM-FI	4	SOHC 16V
	Prelude Si	2.3 (2259)	H23A1	PGM-FI	4	DOHC 16V
	Prelude Si VTEC	2.2 (2157)	H22A1	PGM-FI	4	DOHC 16V
1997	Accord Coupe	2.2 (2156)	F22B1	PGM-FI	4	SOHC 16V
	Accord Coupe	2.2 (2156)	F22B2	PGM-FI	4	SOHC 16V
	Accord Sedan	2.7 (2675)	C27A4	PGM-FI	6	SOHC 24V
	Accord Sedan	2.2 (2156)	F22B1	PGM-FI	4	SOHC 16V
	Accord Sedan	2.2 (2156)	F22B2	PGM-FI	4	SOHC 16V
	Accord Wagon	2.2 (2156)	F22B1	PGM-FI	4	SOHC 16V
	Accord Wagon	2.2 (2156)	F22B2	PGM-FI	4	SOHC 16V
	Civic	1.6 (1590)	D16Y5	PGM-FI	4	SOHC 16V
	Civic	1.6 (1590)	D16Y7	PGM-FI	4	SOHC 16V
	Civic	1.6 (1590)	D16Y8	PGM-FI	N°	SOHC 8V
	del Sol	1.6 (1595)	B16A2	PGM-FI	4	DOHC 16V
	del Sol	1.6 (1590)	D16Y7	PGM-FI	4	SOHC 16V
	del Sol	1.6 (1590)	D16Y8	PGM-FI	4	SOHC 16V
	Prelude	2.2 (2156)	H22A4	PGM-FI	4	DOHC 16V
	Prelude SH	2.2 (2156)	H22A4	PGM-FI	4	DOHC 16V
1998-99	Accord Coupe (EX, LX)	2.3 (2254)	F23A1	PGM-FI	4	SOHC 16V
	Accord Coupe (EX, LX)	2.3 (2254)	F23A4	PGM-FI	4	SOHC 16V
	Accord Coupe (EX, LX)	3.0 (2997)	J30A1	PGM-FI	6	SOHC 24V
	Accord Sedan (DX)	2.3 (2254)	F23A5	PGM-FI	4	SOHC 16V
	Accord Sedan (EX, LX)	2.3 (2254)	F23A1	PGM-FI	4	SOHC 16V
	Accord Sedan (EX, LX)	2.3 (2254)	F23A4	PGM-FI	4	SOHC 16V
	Accord Sedan(EX, LX)	3.0 (2997)	J30A1	PGM-FI	6	SOHC 24V

IDENTIFICACIÓN DEL MOTOR

Año	Modelo	Cilindrada del motor litros (cc)	Serie del motor (ID/VIN)	Sistema de combustible	N° de cilindros	Tipo de motor
1998-99 (cont.)	Civic	1.6 (1590)	D16Y5	PGM-FI	4	SOHC 16V
	Civic	1.6 (1590)	D16Y7	PGM-FI	4	SOHC 16V
	Civic	1.6 (1590)	D16Y8	PGM-FI	4	SOHC 8V
	Prelude	2.2 (2156)	H22A4	PGM-FI	4	DOHC 16V
	Prelude SH	2.2 (2156)	H22A4	PGM-FI	4	DOHC 16V

PGM-FI-Inyección de Combustible Programada.
SOHC-Árbol de levas simple sobre culata.
DOHC-Árbol de levas doble sobre culata.

ESPECIFICACIONES GENERALES DEL MOTOR

Año	Motor ID/VIN	Cilindrada del motor litros (cc)	Sistema de combustible	Caballaje neto @ rpm	Torsión neta @ rpm (pie-lb)	Diámetro x carrera (plg)	Relación de compresión	Presión de aceite @ rpm
1995	B16A3	1.6 (1595)	PGM-FI	160@7600	111@7000	3.19x3.05	10.2:1	50@3000
	C27A4	2.7 (2675)	PGM-FI	170@5600	165@4500	3.43x2.95	9.0:1	63@3000
	D15B7	1.5 (1493)	PGM-FI	102@5900	98@5000	2.95x3.33	9.2:1	50@3000
	D15B8	1.5 (1493)	PGM-FI	70@5000	91@2000	2.95x3.33	9.1:1	50@3000
	D15Z1	1.5 (1493)	PGM-FI	92@5500	97@4500	2.95x3.33	9.3:1	50@3000
	D16Z6	1.6 (1590)	PGM-FI	125@6600	106@5200	2.95x3.54	9.2:1	50@3000
	F22A1	2.2 (2156)	PGM-FI	135@5200	142@4000	3.35x3.74	8.8:1	50@3000
	F22B1	2.2 (2156)	PGM-FI	145@5500	147@4500	3.35x3.74	8.8:1	50@3000
	F22B2	2.2 (2156)	PGM-FI	130@5300	139@4200	3.35x3.74	8.8:1	50@3000
	H22A1	2.2 (2157)	PGM-FI	190@6800	158@5500	3.43x3.57	10.0:1	50@3000
	H23A1	2.3 (2259)	PGM-FI	160@5800	156@4500	3.43x3.74	9.8:1	50@3000
1996	B16A2	1.6 (1595)	PGM-FI	160@7600	111@7000	3.19x3.05	10.2:1	50@3000
	C27A4	2.7 (2675)	PGM-FI	170@5600	165@4500	3.43x2.95	9.0:1	63@3000
	D16Y5	1.6 (1590)	PGM-FI	115@6300	104@5400	2.95x3.54	9.6:1	50@3000
	D16Y7	1.6 (1590)	PGM-FI	106@6200	103@4600	2.95x3.54	9.4:1	50@3000
	D16Y8	1.6 (1590)	PGM-FI	127@6600	107@5500	2.95x3.54	9.4:1	50@3000
	F22A1	2.2 (2156)	PGM-FI	135@5200	142@4000	3.35x3.74	8.8:1	50@3000
	F22B1	2.2 (2156)	PGM-FI	145@5500	147@4500	3.35x3.74	8.8:1	50@3000
	F22B2	2.2 (2156)	PGM-FI	130@5300	139@4200	3.35x3.74	8.8:1	50@3000
	H22A1	2.2 (2157)	PGM-FI	190@6800	158@5500	3.43x3.57	10.0:1	50@3000
	H23A1	2.3 (2259)	PGM-FI	160@5800	156@4500	3.43x3.74	9.8:1	50@3000
1997	B16A2	1.6 (1595)	PGM-FI	160@7600	111@7000	3.19x3.05	10.2:1	50@3000
	C27A4	2.7 (2675)	PGM-FI	170@5600	165@4500	3.43x2.95	9.0:1	63@3000
	D16Y5	1.6 (1590)	PGM-FI	115@6300	104@5400	2.95x3.54	9.6:1	50@3000
	D16Y7	1.6 (1590)	PGM-FI	106@6200	103@4600	2.95x3.54	9.4:1	50@3000
	D16Y8	1.6 (1590)	PGM-FI	127@6600	107@5500	2.95x3.54	9.4:1	50@3000
	F22B1	2.2 (2156)	PGM-FI	145@5500	147@4500	3.35x3.74	8.8:1	50@3000
	F22B2	2.2 (2156)	PGM-FI	130@5300	139@4200	3.35x3.74	8.8:1	50@3000
	H22A4	2.2 (2157)	PGM-FI	190@6800	158@5500	3.43x3.57	10.0:1	50@3000
1998-99	D16Y5	1.6 (1590)	PGM-FI	115@6300	104@5400	2.95x3.54	9.6:1	50@3000
	D16Y7	1.6 (1590)	PGM-FI	106@6200	103@4600	2.95x3.54	9.4:1	50@3000
	D16Y8	1.6 (1590)	PGM-FI	127@6600	107@5500	2.95x3.54	9.4:1	50@3000
	F23A1	2.3 (2254)	PGM-FI	150@5700	152@4900	3.39x3.82	9.3:1	50@3000
	F23A4	2.3 (2254)	PGM-FI	150@5700	152@4900	3.39x3.82	9.3:1	50@3000
	F23A5	2.3 (2254)	PGM-FI	150@5700	152@4900	3.39x3.82	9.3:1	50@3000
	H22A4	2.2 (2157)	PGM-FI	①	158@5500	3.43x3.57	10.0:1	50@3000
	J30A1	3.0 (2997)	PGM-FI	200@5500	195@4700	3.39x3.39	9.4:1	50@3000

PGM-FI-Inyección de Combustible Programada.
① Cambio manual: 195@7000.
 Cambio Automático: 190@6600.

ESPECIFICACIONES PARA LA AFINACIÓN DEL MOTOR DE GASOLINA

Año	Motor ID/VIN	Cilindrada del motor litros (cc)	Bujías Abertura (plg)	Sincronización del encendido (grados)		Bomba de combustible (lb/plg²)	Marcha mínima (rpm)		Holgura válvulas	
				TM	TA		TM	TA	Admisión	Escape
1995	B16A3	1.6 (1595)	0.047-0.051	16B	—	31-38	650-750	—	0.006-0.007	0.007-0.008
	C27A4	2.7 (2675)	0.039-0.043	—	15B	30-37	—	650-750	0.009-0.011	0.011-0.013
	D15B7	1.5 (1493)	0.039-0.043	16B	16B	31-38	620-720	650-750	0.007-0.009	0.009-0.011
	D15B8	1.5 (1493)	0.039-0.043	12B	—	31-38	620-720	650-750	0.007-0.009	0.009-0.011
	D15Z1	1.5 (1493)	0.039-0.043	16B	—	31-38	550-650	—	0.007-0.009	0.009-0.011
	D16Z6	1.6 (1590)	0.039-0.043	16B	16B	31-38	620-720	650-750	0.007-0.009	0.009-0.011
	F22A1	2.2 (2156)	0.039-0.043	15B	15B	28-35	650-750	650-750	0.009-0.011	0.011-0.013
	F22B1	2.2 (2156)	0.039-0.043	15B	15B	30-37	650-750	650-750	0.009-0.011	0.011-0.013
	F22B2	2.2 (2156)	0.039-0.043	15B	15B	30-37	650-750	650-750	0.009-0.011	0.011-0.013
	H22A1	2.2 (2157)	0.039-0.043	15B	—	24-31	650-750	—	0.006-0.007	0.007-0.008
	H23A1	2.3 (2259)	0.039-0.043	15B	15B	28-35	650-750	650-750	0.003-0.004	0.006-0.007
1996	B16A2	1.6 (1595)	0.047-0.051	16B	—	31-38	650-750	—	0.006-0.007	0.007-0.008
	C27A4	2.7 (2675)	0.039-0.043	—	15B	30-37	—	650-750	0.009-0.011	0.011-0.013
	D16Y5	1.6 (1590)	0.039-0.043	12B	12B	28-36	620-720	650-750	0.007-0.009	0.009-0.011
	D16Y7	1.6 (1590)	0.039-0.043	12B	12B	28-36	620-720	650-750	0.007-0.009	0.009-0.011
	D16Y8	1.6 (1590)	0.039-0.043	12B	12B	28-36	620-720	650-750	0.007-0.009	0.009-0.011
	F22A1	2.2 (2156)	0.039-0.043	15B	15B	28-35	650-750	650-750	0.009-0.011	0.011-0.013
	F22B1	2.2 (2156)	0.039-0.043	15B	15B	30-37	650-750	650-750	0.009-0.011	0.011-0.013
	F22B2	2.2 (2156)	0.039-0.043	15B	15B	30-37	650-750	650-750	0.009-0.011	0.011-0.013
	H22A1	2.2 (2157)	0.039-0.043	15B	—	24-31	650-750	—	0.006-0.007	0.007-0.008
	H23A1	2.3 (2259)	0.039-0.043	15B	15B	28-35	650-750	650-750	0.003-0.004	0.006-0.007

ESPECIFICACIONES PARA LA AFINACIÓN DEL MOTOR DE GASOLINA

Año	Motor ID/VIN	Cilindrada del motor litros (cc)	Bujías Abertura (plg)	Sincronización del encendido (grados) TM	TA	Bomba de combustible (lb/plg²)	Marcha mínima (rpm) TM	TA	Holgura válvulas Admisión	Escape
1997	B16A2	1.6 (1595)	0.047-0.051	16B	—	31-38	650-750	—	0.006-0.007	0.007-0.008
	C27A4	2.7 (2675)	0.039-0.043	—	15B	30-37	—	650-750	0.009-0.011	0.011-0.013
	D16Y5	1.6 (1590)	0.039-0.043	12B	12B	28-36	620-720	650-750	0.007-0.009	0.009-0.011
	D16Y7	1.6 (1590)	0.039-0.043	12B	12B	28-36	620-720	650-750	0.007-0.009	0.009-0.011
	D16Y8	1.6 (1590)	0.039-0.043	12B	12B	28-36	620-720	650-750	0.007-0.009	0.009-0.011
	F22A1	2.2 (2156)	0.039-0.043	15B	15B	28-35	650-750	650-750	0.009-0.011	0.011-0.013
	F22B1	2.2 (2156)	0.039-0.043	15B	15B	30-37	650-750	650-750	0.009-0.011	0.011-0.013
	F22B2	2.2 (2156)	0.039-0.043	15B	15B	30-37	650-750	650-750	0.009-0.011	0.011-0.013
	H22A4	2.2 (2157)	0.039-0.043	15B	15B	47-54	650-750	650-750	0.006-0.007	0.007-0.008
1998-99	D16Y5	1.6 (1590)	0.039-0.043	12B	12B	28-36	620-720	650-750	0.007-0.009	0.009-0.011
	D16Y7	1.6 (1590)	0.039-0.043	12B	12B	28-36	620-720	650-750	0.007-0.009	0.009-0.011
	D16Y8	1.6 (1590)	0.039-0.043	12B	12B	28-36	620-720	650-750	0.007-0.009	0.009-0.011
	F23A1	2.3 (2254)	0.039-0.0043	12B	12B	40-47	650-750	650-750	0.009-0.011	0.011-0.013
	F23A4	2.3 (2254)	0.039-0.0043	12B	12B	40-47	650-750	650-750	0.009-0.011	0.011-0.013
	F23A5	2.3 (2254)	0.039-0.0043	12B	12B	40-47	650-750	650-750	0.009-0.011	0.011-0.013
	H22A4	2.2 (2157)	0.039-0.043	15B	15B	47-54	650-750	650-750	0.006-0.007	0.007-0.008
	J30A1	3.0 (2997)	0.039-0.043	—	10B	41-48	—	630-730	0.008-0.009	0.011-0.013

Nota: la etiqueta de Información del Control de Emisiones del Vehículo a menudo refleja los cambios de especificaciones hechos durante la producción. Las cifras de las etiquetas se han de utilizar si difieren de aquéllas en esta tabla.
B-Antes del Punto Muerto Superior.

CAPACIDADES

Año	Modelo	Motor ID/VIN	Cilindrada del motor litros (cc)	Aceite del motor con filtro	Transmisión (pts)			Caja de transferencia (pts)	Eje motriz		Tanque de combustible (gal)	Sistema de enfriamiento (qts)
					4 vel.	5 vel.	auto.		Del. (pts)	Tras. (pts)		
1995	Accord DX/LX	F22B2	2.2 (2156)	4.0	—	4.0	5.0	—	—	—	17.0	①
	Accord EX	F22B1	2.2 (2156)	4.5	—	4.0	5.0	—	—	—	17.0	①
	Accord V-6	C27A4	2.7 (2675)	4.6	—	—	6.2	—	—	—	17.0	7.2
	Civic	D15B7	1.5 (1493)	3.5	—	3.8	5.8	—	—	—	11.9	②
	Civic	D15B8	1.5 (1493)	3.5	—	3.8	—	—	—	—	11.9	3.8
	Civic	D15Z1	1.5 (1493)	3.5	—	3.8	—	—	—	—	11.9	3.7
	Civic	D16Z6	1.6 (1590)	3.5	—	3.8	5.8	—	—	—	11.9	②
	del Sol	B16A3	1.6 (1595)	4.2	—	4.8	—	—	—	—	11.9	4.1
	del Sol	D15B7	1.5 (1493)	3.5	—	4.0	5.6	—	—	—	11.9	②
	del Sol	D16Z6	1.6 (1590)	3.5	—	4.0	5.6	—	—	—	11.9	②
	Prelude S	F22A1	2.2 (2156)	4.0	—	4.0	5.0	—	—	—	15.9	②
	Prelude Si	H23A1	2.3 (2259)	4.5	—	4.0	5.0	—	—	—	15.9	②
	Prelude Si VTEC	H22A1	2.2 (2157)	5.1	—	4.0	—	—	—	—	15.9	4.6
1996	Accord DX/LX	F22B2	2.2 (2156)	4.0	—	4.0	5.0	—	—	—	17.0	①
	Accord EX	F22B1	2.2 (2156)	4.5	—	4.0	5.0	—	—	—	17.0	①
	Accord V-6	C27A4	2.7 (2675)	4.6	—	—	6.2	—	—	—	17.0	7.2
	Civic	D16Y5	1.6 (1590)	3.5	—	3.8	5.8	—	—	—	11.9	4.5
	Civic	D16Y7	1.6 (1590)	3.5	—	3.8	5.8	—	—	—	11.9	4.4
	Civic	D16Y8	1.6 (1590)	3.5	—	3.8	5.8	—	—	—	11.9	4.3
	del Sol	D16Y7	1.6 (1590)	3.5	—	4.0	5.6	—	—	—	11.9	①
	del Sol	D16Y8	1.6 (1590)	3.5	—	4.0	5.6	—	—	—	11.9	8.2
	del Sol	B16A2	1.6 (1595)	4.2	—	4.8	—	—	—	—	11.9	4.1
	Prelude S	F22A1	2.2 (2156)	4.0	—	4.0	5.0	—	—	—	15.9	②
	Prelude Si	H23A1	2.3 (2259)	4.5	—	4.0	5.0	—	—	—	15.9	②
	Prelude Si VTEC	H22A1	2.2 (2157)	5.1	—	4.0	—	—	—	—	15.9	4.6
1997	Accord Coupe	F22B1	2.2 (2156)	4.5	—	4.0	5.0	—	—	—	17.0	①
	Accord Coupe	F22B2	2.2 (2156)	4.0	—	4.0	5.0	—	—	—	17.0	①
	Accord Sedan	C27A4	2.7 (2675)	4.6	—	—	6.2	—	—	—	17.0	7.2
	Accord Sedan	F22B1	2.2 (2156)	4.5	—	4.0	5.0	—	—	—	17.0	①
	Accord Sedan	F22B2	2.2 (2156)	4.0	—	4.0	5.0	—	—	—	17.0	①
	Accord Wagon	F22B1	2.2 (2156)	4.5	—	4.0	5.0	—	—	—	17.0	①
	Accord Wagon	F22B2	2.2 (2156)	4.0	—	4.0	5.0	—	—	—	17.0	①
	Civic	D16Y5	1.6 (1590)	3.5	—	3.8	5.8	—	—	—	11.9	4.5
	Civic	D16Y7	1.6 (1590)	3.5	—	3.8	5.8	—	—	—	11.9	4.4
	Civic	D16Y8	1.6 (1590)	3.5	—	3.8	5.8	—	—	—	11.9	4.3
	del Sol	B16A2	1.6 (1595)	4.2	—	4.8	—	—	—	—	11.9	4.1
	del Sol	D16Y7	1.6 (1590)	3.5	—	4.0	5.6	—	—	—	11.9	①
	del Sol	D16Y8	1.6 (1590)	3.5	—	4.0	5.6	—	—	—	11.9	8.2
	Prelude	H22A4	2.2 (2156)	5.1	—	4.0	5.0	—	—	—	15.9	4.6
	Prelude SH	H22A4	2.2 (2156)	5.1	—	4.0	—	—	—	—	15.9	4.6

CAPACIDADES

Año	Modelo	Motor ID/VIN	Cilindrada del motor litros (cc)	Aceite del motor con filtro	Transmisión (pts)			Caja de transferencia (pts)	Eje motriz		Tanque de combustible (gal)	Sistema de enfriamiento (qts)
					4 vel.	5 vel.	auto.		Del. (pts)	Tras. (pts)		
1998-99	Accord Coupe (EX, LX)	F23A1	2.3 (2254)	4.0	—	4.0	5.0	—	—	—	17.0	③
	Accord Coupe (EX, LX)	F23A4	2.3 (2254)	4.5	—	4.0	5.0	—	—	—	17.0	③
	Accord Coupe (EX, LX)	J30A1	3.0 (2997)	4.6	—	—	6.2	—	—	—	17.1	5.9
	Accord Sedan (DX)	F23A5	2.3 (2254)	4.5	—	4.0	5.2	—	—	—	17.0	③
	Accord Sedan (EX, LX)	F23A1	2.3 (2254)	4.0	—	4.0	5.0	—	—	—	17.0	③
	Accord Sedan (EX, LX)	F23A4	2.3 (2254)	4.5	—	4.0	5.2	—	—	—	17.0	③
	Accord Sedan (EX, LX)	J30A1	3.0 (2997)	4.6	—	—	6.2	—	—	—	17.1	5.9
	Civic	D16Y5	1.6 (1590)	3.5	—	3.8	5.8	—	—	—	11.9	4.5
	Civic	D16Y7	1.6 (1590)	3.5	—	3.8	5.8	—	—	—	11.9	4.4
	Civic	D16Y8	1.6 (1590)	3.5	—	3.8	5.8	—	—	—	11.9	4.3
	Prelude	H22A4	2.2 (2156)	5.1	—	4.0	—	—	—	—	15.9	4.6
	Prelude SH	H22A4	2.2 (2156)	5.1	—	4.0	—	—	—	—	15.9	4.6

Nota: todas las capacidades son aproximadas. Añadir el fluido gradualmente y asegurarse de que se obtiene el nivel de fluido correcto.

Nota: las capacidades dadas son capacidades de mantenimiento, no de reparación.

① Cambio automático: 5.6.
  Cambio manual: 5.7.

① Cambio automático: 4.0.
  Cambio manual: 3.8.

① Cambio automático: 5.7.
  Cambio manual: 5.8.

ESPECIFICACIONES DE VÁLVULAS

Año	Motor ID/VIN	Cilindrada del motor litros (cc)	Ángulo de asiento (grados)	Ángulo de cara (grados)	Tensión de prueba del resorte (lb@plg)	Altura resorte instalado (plg)	Holgura entre vástago y guía (plg)		Diámetro del vástago (plg)	
							Admisión	Escape	Admisión	Escape
1995	B16A3	1.6 (1595)	45	45	NA	NA	0.0010-0.0030	0.0020-0.0040	0.2144-0.2459	0.2134-0.2150
	C27A4	2.7 (2675)	45	45	NA	NA	0.0008-0.0030	0.0020-0.0040	0.2580-0.2594	0.2570-0.2583
	D15B7	1.5 (1493)	45	45	NA	NA	0.0010-0.0030	0.0020-0.0040	0.2150-0.2160	0.2130-0.2150
	D15B8	1.5 (1493)	45	45	NA	NA	0.0010-0.0030	0.0020-0.0040	0.2150-0.2160	0.2130-0.2150
	D15Z1	1.5 (1493)	45	45	NA	NA	0.0010-0.0030	0.0020-0.0050	0.2150-0.2160	0.2130-0.2150
	D16Z6	1.6 (1590)	45	45	NA	NA	0.0010-0.0030	0.0020-0.0050	0.2150-0.2160	0.2130-0.2150
	F22A1	2.2 (2156)	45	45	NA	NA	0.0008-0.0030	0.0022-0.0050	0.2148-0.2163	0.2134-0.2150
	F22B1	2.2 (2156)	45	45	NA	NA	0.0008-0.0030	0.0022-0.0050	0.2148-0.2163	0.2134-0.2150
	F22B2	2.2 (2156)	45	45	NA	NA	0.0008-0.0030	0.0022-0.0050	0.2148-0.2163	0.2134-0.2150
	H22A1	2.2 (2157)	45	45	NA	NA	0.0010-0.0030	0.0020-0.0040	0.2144-0.2459	0.2144-0.2459
	H23A1	2.3 (2259)	45	45	NA	NA	0.0010-0.0030	0.0020-0.0040	0.2580-0.2594	0.2570-0.2583
1996	B16A2	1.6 (1595)	45	45	NA	NA	0.0010-0.0030	0.0020-0.0040	0.2144-0.2459	0.2134-0.2150
	C27A4	2.7 (2675)	45	45	NA	NA	0.0008-0.0030	0.0020-0.0040	0.2580-0.2594	0.2570-0.2583
	D15B7	1.5 (1493)	45	45	NA	NA	0.0010-0.0030	0.0020-0.0040	0.2150-0.2160	0.2130-0.2150
	D15B8	1.5 (1493)	45	45	NA	NA	0.0010-0.0030	0.0020-0.0040	0.2150-0.2160	0.2130-0.2150
	D15Z1	1.5 (1493)	45	45	NA	NA	0.0010-0.0030	0.0020-0.0050	0.2150-0.2160	0.2130-0.2150
	D16Y5	1.6 (1590)	45	45	NA	NA	0.0010-0.0020	0.0020-0.0030	0.2157-0.2161	0.2146-0.2150
	D16Y7	1.6 (1590)	45	45	NA	NA	0.0010-0.0020	0.0020-0.0030	0.2157-0.2161	0.2146-0.2150
	D16Y8	1.6 (1590)	45	45	NA	NA	0.0010-0.0020	0.0020-0.0030	0.2157-0.2161	0.2146-0.2150
	D16Z6	1.6 (1590)	45	45	NA	NA	0.0010-0.0030	0.0020-0.0050	0.2150-0.2160	0.2130-0.2150
	F22A1	2.2 (2156)	45	45	NA	NA	0.0008-0.0030	0.0022-0.0050	0.2148-0.2163	0.2134-0.2150
	F22B1	2.2 (2156)	45	45	NA	NA	0.0008-0.0030	0.0022-0.0050	0.2148-0.2163	0.2134-0.2150

ESPECIFICACIONES DE VÁLVULAS

Año	Motor ID/VIN	Cilindrada del motor litros (cc)	Ángulo de asiento (grados)	Ángulo de cara (grados)	Tensión de prueba del resorte (lb@plg)	Altura resorte instalado (plg)	Holgura entre vástago y guía (plg)		Diámetro del vástago (plg)	
							Admisión	Escape	Admisión	Escape
1996 (cont.)	F22B2	2.2 (2156)	45	45	NA	NA	0.0008-0.0030	0.0022-0.0050	0.2148-0.2163	0.2134-0.2150
	H22A1	2.2 (2157)	45	45	NA	NA	0.0010-0.0030	0.0020-0.0040	0.2144-0.2459	0.2144-0.2459
	H23A1	2.3 (2259)	45	45	NA	NA	0.0010-0.0030	0.0020-0.0040	0.2580-0.2594	0.2570-0.2583
1997	B16A2	1.6 (1595)	45	45	NA	NA	0.0010-0.0022	0.0020-0.0031	0.2156-0.2159	0.2146-0.2150
	C27A4	2.7 (2675)	45	45	NA	NA	0.0008-0.0030	0.0020-0.0040	0.2580-0.2594	0.2570-0.2583
	D16Y5	1.6 (1590)	45	45	NA	NA	0.0010-0.0020	0.0020-0.0030	0.2157-0.2161	0.2146-0.2150
	D16Y7	1.6 (1590)	45	45	NA	NA	0.0010-0.0020	0.0020-0.0030	0.2157-0.2161	0.2146-0.2150
	D16Y8	1.6 (1590)	45	45	NA	NA	0.0010-0.0020	0.0020-0.0030	0.2157-0.2161	0.2146-0.2150
	F22B1	2.2 (2156)	45	45	NA	NA	0.0008-0.0030	0.0020-0.0050	0.2148-0.2163	0.2134-0.2150
	F22B2	2.2 (2156)	45	45	NA	NA	0.0008-0.0030	0.0020-0.0050	0.2148-0.2163	0.2134-0.2150
	H22A4	2.2 (2156)	45	45	NA	NA	0.0010-0.0022	0.0020-0.0031	0.2156-0.2159	0.2156-0.2159
1998-99	D16Y5	1.6 (1590)	45	45	NA	NA	0.0010-0.0020	0.0020-0.0030	0.2157-0.2161	0.2146-0.2150
	D16Y7	1.6 (1590)	45	45	NA	NA	0.0010-0.0020	0.0020-0.0030	0.2157-0.2161	0.2146-0.2150
	D16Y8	1.6 (1590)	45	45	NA	NA	0.0010-0.0020	0.0020-0.0030	0.2157-0.2161	0.2146-0.2150
	F23A1	2.3 (2254)	45	45	NA	NA	0.0008-0.0018	0.0022-0.0031	0.2159-0.2163	0.2146-0.2150
	F23A4	2.3 (2254)	45	45	NA	NA	0.0008-0.0018	0.0022-0.0031	0.2159-0.2163	0.2146-0.2150
	F23A5	2.3 (2254)	45	45	NA	NA	0.0008-0.0018	0.0022-0.0031	0.2159-0.2163	0.2146-0.2150
	H22A4	2.2 (2157)	45	45	NA	NA	0.0010-0.0022	0.0020-0.0031	0.2156-0.2159	0.2156-0.2159
	J30A1	3.0 (2997)	45	45	NA	NA	0.0008-0.0018	0.0022-0.0031	0.2159-0.2163	0.2146-0.2150

NA-No disponible.

ESPECIFICACIONES DE TORSIÓN
Todas las lecturas están expresadas en pie-lb

Año	Motor ID/VIN	Cilindrada del motor litros (cc)	Tornillos culata de cilindros	Tornillos cojinete principal	Tornillos cojinete biela	Tornillos amortiguador cigüeñal	Tornillos volante	Múltiple		Bujías	Tuerca de orejas
								Admisión	Escape		
1995	B16A3	1.6 (1595)	①	②	30	130	87	17	23	13	80
	C27A4	2.7 (2675)	③	④	33	181	54	16	22	13	80
	D15B7	1.5 (1493)	⑤	⑥	23	134	87 ⑦	17	23	13	80
	D15B8	1.5 (1493)	⑤	⑥	23	134	87	17	23	13	80
	D15Z1	1.5 (1493)	⑧	⑥	23	134	87	17	23	13	80
	D16Z6	1.6 (1590)	⑧	⑪	23	134	87 ⑦	17	23	13	80
	F22A1	2.2 (2156)	⑫	⑧	34	181	76 ⑦	16	23	13	80
	F22B1	2.2 (2156)	⑫	⑧	34	181	76 ⑦	16	23	13	80
	F22B2	2.2 (2156)	⑫	⑧	34	181	76 ⑦	16	23	13	80
	H22A1	2.2 (2157)	⑫	⑧	34	181	76	16	23	13	80
	H23A1	2.3 (2259)	⑫	⑧	34	181	76 ⑦	16	23	13	80
1996	B16A2	1.6 (1595)	①	②	30	130	76	17	23	13	80
	C27A4	2.7 (2675)	③	④	33	181	54	16	22	13	80
	D15B7	1.5 (1493)	⑤	⑥	23	134	87 ⑦	17	23	13	80
	D15B8	1.5 (1493)	⑤	⑥	23	134	87	17	23	13	80
	D15Z1	1.5 (1493)	⑧	⑥	23	134	87	17	23	13	80
	D16Z6	1.6 (1590)	⑧	⑨	23	134	87 ⑦	17	23	13	80
	D16Y7	1.6 (1590)	⑩	⑨	23	134	87	17	23	13	80
	D16Y8	1.6 (1590)	⑩	⑨	23	134	87	17	23	13	80
	F22A1	2.2 (2156)	⑧	⑧	34	181	76	16	23	13	80
	F22B1	2.2 (2156)	⑪	⑧	34	181	76 ⑦	16	23	13	80
	F22B2	2.2 (2156)	⑪	⑧	34	181	76 ⑦	16	23	13	80
	H22A1	2.2 (2157)	⑧	⑧	34	181	76	16	23	13	80
	H23A1	2.3 (2259)	⑧	⑧	34	181	76	16	23	13	80
1997	B16A2	1.6 (1595)	①	②	30	130	76	17	23	13	80
	C27A4	2.7 (2675)	③	④	33	181	54	16	22	13	80
	D16Y5	1.6 (1590)	⑩	⑨	23	134	87	17	23	13	80
	D16Y7	1.6 (1590)	⑩	⑨	23	134	87	17	23	13	80
	D16Y8	1.6 (1590)	⑩	⑨	23	134	87	17	23	13	80
	F22A1	2.2 (2156)	⑧	⑧	34	181	76	16	23	13	80
	F22B1	2.2 (2156)	⑪	⑧	34	181	76 ⑦	16	23	13	80
	F22B2	2.2 (2156)	⑪	⑧	34	181	76 ⑦	16	23	13	80
	H22A4	2.2 (2157)	⑧	⑧	34	181	76	16	23	13	80
1998-99	D16Y5	1.6 (1590)	⑩	⑨	23	134	87	17	23	13	80
	D16Y7	1.6 (1590)	⑩	⑨	23	134	87	17	23	13	80
	D16Y8	1.6 (1590)	⑩	⑨	23	134	87	17	23	13	80
	F23A1	2.3 (2254)	⑫	⑬	⑭	181	76 ⑦	16	23	13	80

ESPECIFICACIONES DE TORSIÓN
Todas las lecturas están expresadas en pie-lb

Año	Motor ID/VIN	Cilindrada del motor litros (cc)	Tornillos culata de cilindros	Tornillos cojinete principal	Tornillos cojinete biela	Tornillos amortiguador cigüeñal	Tornillos volante	Múltiple		Bujías	Tuerca de orejas
								Admisión	Escape		
1998-99 (cont.)	F23A4	2.3 (2254)	⑫	⑬	⑭	181	76 ⑦	16	23	13	80
	F23A5	2.3 (2254)	⑫	⑬	⑭	181	76 ⑦	16	23	13	80
	H22A4	2.2 (2157)	⑮	54	181	181	76 ⑦	16	23	13	80
	J30A1	3.0 (2997)	⑮	⑯	181	181	76 ⑦	16	23	13	80

① Paso 1: 22 pie-lb.
　Paso 2: 61 pie-lb.
② Paso 1: 18 pie-lb.
　Paso 2: 54 pie-lb.
③ Paso 1: 29 pie-lb.
　Paso 2: 58 pie-lb.
④ Interior: 48 pie-lb.
　Exterior: 29 pie-lb.
　Lateral: 36 pie-lb.
⑤ Paso 1: 22 pie-lb.
　Paso 2: 47 pie-lb.
⑥ Paso 1: 18 pie-lb.
　Paso 2: 33 pie-lb.

⑦ Cambio automático: 54 pie-lb.
⑧ Paso 1: 22 pie-lb.
　Paso 2: 53 pie-lb.
⑨ Paso 1: 18 pie-lb.
　Paso 2: 38 pie-lb.
⑩ Apretar los tornillos de culata de cilindros
　en cuatro pasos:
　Paso 1: 14 pie-lb.
　Paso 2: 36 pie-lb.
　Paso 3: 49 pie-lb.
　Paso 4: tornillos 1-2, apretar 49 pie-lb adicionales.
⑪ Paso 1: 29 pie-lb.
　Paso 2: 51 pie-lb.
　Paso 3: 72 pie-lb.

⑫ Paso 1: 22 pie-lb.
　Paso 2: girar 90°.
　Paso 3: girar 90°.
　Paso 4: si es un tornillo nuevo, girar 90° adicionales.
⑬ Paso 1: tornillos de 11 mm, 29 pie-lb.
　Paso 2: tornillos de 11 mm, 58 pie-lb.
　Paso 3: tornillos de 6 mm, 8.7 pie-lb.
⑭ Paso 1: 14 pie-lb.
　Paso 2: girar 90°.
⑮ Paso 1: 29 pie-lb.
　Paso 2: 51 pie-lb.
　Paso 3: 72.3 pie-lb.
⑯ Paso 1: tornillos de tapeta, 56 pie-lb.
　Paso 2: tornillos laterales, 36 pie-lb.

REPARACIÓN DEL MOTOR

➡ En algunos vehículos la desconexión del cable negativo de la batería puede interferir en el funcionamiento del ordenador de a bordo y puede ser necesaria su reprogramación cuando el cable negativo de la batería sea conectado de nuevo.

DISTRIBUIDOR

DESMONTAJE E INSTALACIÓN

➡ La radio puede tener un circuito codificado de protección antirrobo. Obtener siempre el número del código antes de desconectar la batería. Si el vehículo está equipado con 4RD (4WS), al desconectar la batería la unidad de control de la dirección se para. Después de conectar la batería, girar el volante de tope a tope para reajustar la unidad de control de la dirección.

1. Desconectar el cable negativo de la batería.

2. Girar el cigüeñal para llevar el cilindro N° 1 al PMS y alinear la marca blanca en la

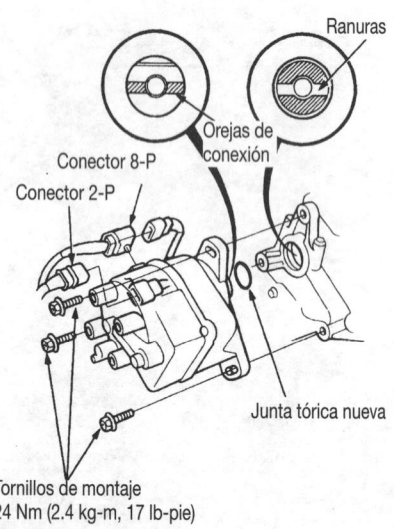

Extremo del distribuidor

Extremo del árbol de levas

Ranuras

Orejas de conexión

Conector 8-P

Conector 2-P

Junta tórica nueva

Tornillos de montaje
24 Nm (2.4 kg-m, 17 lb-pie)

▲ **Componentes del distribuidor – Motores 1.5L y 1.6L**

polea del cigüeñal con el indicador en la cubierta de la correa de sincronización.

3. Sacar la tapa del distribuidor con los cables de encendido conectados.

4. Desconectar los conectores eléctricos del distribuidor.

5. Marcar la dirección del rotor de encendido a la que está indicando sobre el cuerpo del distribuidor, para ayudar en la instalación.

6. Trazar la marca del cuerpo del distribuidor con la culata de cilindros para ayudar en la instalación.

7. Sacar los tornillos de montaje del distribuidor y sacar el distribuidor.

8. Sacar y desechar la junta tórica del cuerpo del distribuidor.

Para instalar:

9. Recubrir la nueva junta tórica con aceite de motor limpio e instalarla en el cuerpo del distribuidor.

10. Alinear el rotor de encendido con la marca hecha en el cuerpo del distribuidor. Las orejas de conexión están descentradas, de manera que el distribuidor no puede instalarse incorrectamente. Adaptar el distribuidor en posición y girar el rotor hasta que las orejas de conexión engranen y el distribuidor se asiente en la culata de cilindros.

➡ Las orejas de conexión en el extremo del distribuidor y sus ranuras de unión en el extremo del árbol de levas están descentradas para eliminar la posibilidad de instalar el distribuidor desincronizado 180°.

11. Alinear la marca del cuerpo del distribuidor y la culata de cilindros e instalar los tornillos de montaje cómodamente ajustados.

12. Instalar la tapa del distribuidor con los cables de encendido.

13. Conectar los conectores eléctricos del distribuidor.

14. Conectar el cable negativo de la batería e introducir el código de seguridad de la radio.

15. Si está equipado con 4RD (4WS), arrancar el motor y girar el volante de tope a tope para reajustar la unidad de control de las 4RD (4WS).

16. Ajustar la sincronización del encendido.

17. Apretar los tornillos de montaje del distribuidor a 16 pie-lb (22 Nm), excepto en los modelos Civic 1996-99. En dichos modelos, apretar el tornillo a 13 pie-lb (18 Nm).

SINCRONIZACIÓN DEL ENCENDIDO

AJUSTE

Motores 1.5L y 1.6L

1. Poner el freno de mano y bloquear las ruedas delanteras.

2. Conectar la luz de sincronización en el cable de la bujía N° 1.

3. Arrancar el motor y dejar que se caliente.

4. Desconectar el conector de comprobación de funcionamiento situado detrás del panel apoyapiés derecho. Conectar las terminales WHT/BGN o BRN y BLK al conector 2-P con un conector de reparaciones (servicio) 07PAZ-0010100 o equivalente. No conectar un puente al conector de enlace de datos 3-P.

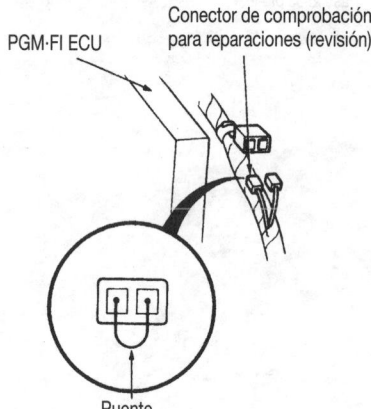

PGM·FI ECU

Conector de comprobación para reparaciones (revisión)

Puente

▲ **Conector de comprobación para reparaciones (revisión) – Motor 1.6L**

5. Poner el cambio (transmisión) en posición neutra. Todos los accesorios eléctricos deben estar cerrados (en OFF). Si está equipado con Luces de Funcionamiento Diurno (LFD), apagarlas accionando la palanca del freno de mano.

6. Conectar un tacómetro de comprobación al conector de tacómetros de comprobación situado en la torre del amortiguador izquierdo. Comprobar la marcha mínima.

7. Mientras el motor está en marcha mínima, apuntar la luz de sincronización a la marca de la cubierta de la correa de sincronización.

8. Especificaciones de sincronización: motor D15Z1:

• T/M (Transmisión Manual): 16° APMS (Antes Punto Muerto Superior) a 600 rpm (USA) y 700 rpm (Canadá).

9. Especificaciones de sincronización: motor D15B8:

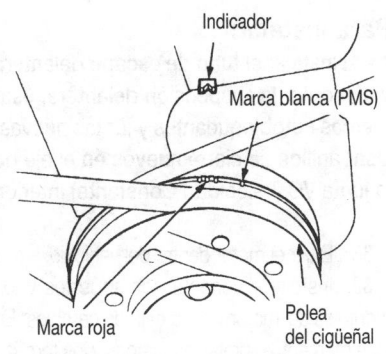

Localización típica de las marcas de sincronización de la polea del cigüeñal

Indicador
Marca blanca (PMS)
Marca roja
Polea del cigüeñal

- T/M (Transmisión Manual): 12° APMS (Antes Punto Muerto Superior) a 650 rpm (USA) y 750 rpm (Canadá).

10. Especificaciones de sincronización: motores D15B7 y D16Z6:

- T/M (Transmisión Manual): 16° APMS (Antes Punto Muerto Superior) a 650 rpm (USA) y 750 rpm (Canadá).

- T/A (Transmisión Automática): 16° APMS (Antes Punto Muerto Superior) a 700 rpm (USA) y 750 (Canadá).

11. Especificaciones de sincronización: motores B16A2 y B16A3:

- T/M (Transmisión Manual): 16° APMS (Antes Punto Muerto Superior) a 650-750 (USA) y 700-800 (Canadá).

12. Especificaciones de sincronización: motor D16Y5:

- T/M (Transmisión Manual): 10-14° APMS (Antes Punto Muerto Superior) a 620-720 rpm (sólo USA).

- T/A (Transmisión Automática) y CVT: 10-14° APMS (Antes Punto Muerto Superior) a 650-750 rpm (sólo USA).

13. Especificaciones de sincronización: motores D16Y7 y D16Y8:

- T/M (Transmisión Manual): 10-14° a 620-730 rpm (USA) o 700-800 rpm (Canadá).

- T/A (Transmisión Automática): 10-14° APMS (Antes Punto Muerto Superior) a 650-750 rpm (USA) o 700-800 rpm (Canadá).

14. Si se necesita ajustar, aflojar los tornillos de ajuste del distribuidor y girar el distribuidor en el sentido contrario al de las agujas del reloj para avanzar la sincronización o en el sentido de las agujas del reloj para retrasarla.

15. Apretar los tornillos de ajuste del distribuidor a 17 pie-lb (24 Nm) y volver a comprobar la sincronización y la marcha mínima.

16. Una vez que se haya comprobado todo de nuevo, sacar el conector de reparaciones del conector de comprobación de reparaciones (revisión). Volver a meter el conector de comprobación de reparaciones debajo del panel apoyapiés.

Motor 2.3L

1. Conectar un medidor PGM (analizador) al conector de transmisión de datos.

2. Conectar la luz de sincronización en el cable de encendido N° 1.

3. Arrancar el motor y dejar que se caliente hasta que el ventilador eléctrico se ponga en marcha.

4. Asegurarse de apagar todos los accesorios.

5. Verificar que la marcha mínima es de 650-750 rpm.

6. Apuntar la luz a la cubierta de la correa de sincronización, cerca de la polea del cigüeñal y leer la sincronización. La sincronización correcta es de 10-14° APMS, tanto para transmisiones automáticas como manuales. Si es necesario, aflojar el perno de sujeción y girar un poco el distribuidor para ajustar la sincronización. Girarlo en el sentido contrario al de las agujas del reloj para avanzarla y en el sentido de las agujas del reloj para retrasarla.

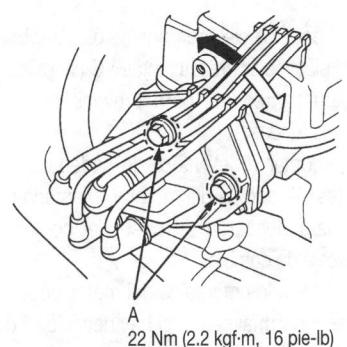

A
22 Nm (2.2 kgf·m, 16 pie-lb)

Localización de los pernos de sujeción del distribuidor – Motor 2.3L (F23A1 y F23A4)

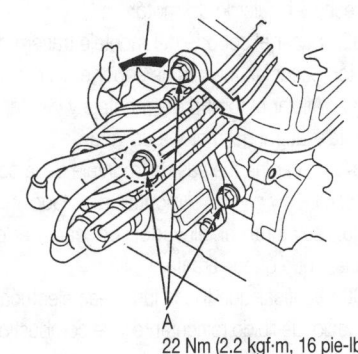

A
22 Nm (2.2 kgf·m, 16 pie-lb)

Localización de los pernos de sujeción del distribuidor – Motor 2.3L (F23A5)

7. Apretar el perno de sujeción a 16 pie-lb (22 Nm). Una vez apretado, volver a comprobar la sincronización para confirmar que sea correcta.

8. Desconectar el medidor PGM.

Motor 2.7L

La sincronización del encendido sólo se puede ajustar con el PCM, pero la sincronización base del encendido puede ser comprobada realizando lo siguiente:

1. Conectar una luz de sincronización al cable de la bujía N° 1.

➡ **Poner el freno de mano y bloquear las ruedas delanteras.**

2. Arrancar el motor y dejar que se caliente.

3. Sacar el conector de comprobación de revisión situado detrás de la guantera. Conectar las terminales verde/azul y rojo con el conector de revisión SCS.

4. Mientras el motor está en marcha mínima, apuntar la luz de sincronización hacia el indicador de la cubierta de la correa de sincronización.

5. Especificaciones de sincronización:

- 13-17° APMS (la marca roja en la polea del cigüeñal) a 650-750 rpm con el cambio en posición neutra.

6. Una vez que se haya comprobado todo, sacar el conector de revisión SCS del conector de comprobación.

Motor 3.0L

La sincronización del encendido sólo se puede ajustar con el PCM, pero la sincronización de base del encendido puede comprobarse realizando lo siguiente:

1. Conectar un medidor PGM (analizador) al conector de transmisión de datos.

2. Conectar la luz de sincronización al cable de encendido N° 1.

3. Arrancar el motor y dejar que se caliente hasta que el ventilador eléctrico se ponga en marcha.

4. Asegurarse de apagar todos los accesorios.

5. Verificar que la marcha mínima es de 630-730 rpm.

6. Apuntar la luz a la cubierta de la correa de sincronización cerca de la polea del cigüeñal y leer la sincronización. La sincronización correcta es de 8-12° APMS. Si la sincronización de encendido es diferente a la especificada, reemplazar el PCM.

CONJUNTO MOTOR

DESMONTAJE E INSTALACIÓN

➡ La radio original contiene un circuito codificado antirrobo. Obtener el número del código de seguridad antes de desconectar los cables de la batería.

Civic 1995 y Del Sol 1995-97

1. Desconectar los cables negativo y positivo de la batería.
2. Levantar y soportar con seguridad el vehículo.
3. Sacar la tapa del radiador.

➡ El motor y la caja de cambios (transmisión) se sacan del coche como una unidad.

4. Sacar el protector contra salpicaduras del motor.
5. Drenar el fluido refrigerante, el aceite de la caja de cambios y el aceite del motor.
6. Bajar el vehículo. Asegurar el capó tan abierto como se pueda.
7. Desatornillar la caja de fusibles/relés del ABS de debajo del capó y apartarla.
8. Sacar el conjunto de la manguera de admisión del aire, el resonador y el filtro del aire.
9. Descargar la presión del sistema de combustible girando una vuelta el tornillo de servicio del filtro del combustible.
10. Sacar la manguera de alimentación de combustible y la manguera del cartucho de carbón del múltiple de admisión.
11. Sacar el cable del ahogador aflojando la contratuerca y desplazando el extremo del cable fuera del varillaje del acelerador.
12. Desconectar los conectores del cableado del motor del lado izquierdo del compartimiento del motor.
13. Sacar la manguera de retorno del combustible y la manguera de vacío del servofreno.
14. Desconectar los conectores, terminales y abrazaderas del cableado del motor del lado derecho del compartimiento del motor.
15. Sacar el cable de la batería/motor de arranque de la caja de fusibles/relés de debajo del capó. Sacar el cable de alimentación del ABS del terminal de la batería.
16. Sacar el cable de toma de tierra del motor de la culata de cilindros.
17. Sacar la bomba y la correa de la dirección asistida, pero sin desconectar las mangueras de la dirección asistida.

18. Si está equipado con A/A, desatornillar el soporte del montaje delantero izquierdo del motor de la carrocería.
19. Sacar la correa y el compresor del aire acondicionado y desconectar el conector eléctrico, pero sin desconectar las mangueras del aire acondicionado.
20. Sacar el cable de toma de tierra de la caja de cambios. En los vehículos con cambio automático, desconectar las líneas del refrigerador ATF.
21. En los vehículos con cambios manuales, sacar el cilindro auxiliar sin desconectar la línea hidráulica.
22. Levantar y soportar con seguridad el vehículo. Sacar las ruedas delanteras.
23. Sacar las mangueras superior e inferior del radiador y las mangueras del calefactor.
24. Sacar el tubo de escape delantero y apuntalarlo.
25. En los cambios automáticos, desconectar el cable del cambio.
26. En los cambios manuales, desconectar la barra del cambio y la barra de extensión de la caja de cambios.
27. Sacar la horquilla del poste del amortiguador. Desconectar la rótula del brazo inferior de la suspensión utilizando un separador de rótulas.
28. Sacar los ejes de transmisión. Atar bolsas de plástico sobre las juntas VC (Velocidad Constante) interiores para prevenir que se dañen las fundas.
29. Acoplar un elevador de cadena a los soportes elevadores del motor y levantarlo un poco para descargar el peso del conjunto motor/caja de cambios.
30. Ahora, los montajes del motor pueden sacarse individualmente, si hay necesidad de reemplazar algunos de ellos, sin sacar el motor entero.
31. Sacar los topes de goma y los montajes derecho e izquierdo del motor.
32. Sacar el soporte del montaje trasero del motor. Sacar las tuercas de soporte del motor.
33. Aflojar el tornillo del montaje y pivotar el montaje lateral del motor a un lado.
34. Sacar las tuercas del montaje de la caja de cambios y pivotar el montaje a un lado.
35. Levantar el elevador de cadena de manera que quede tirante.
36. Verificar que todas las líneas eléctricas, de vacío, de fluido refrigerante y de combustible están desconectadas.
37. Sacar del vehículo el conjunto motor/caja de cambios.

Para instalar:

➡ Al instalar el tubo de escape delantero y al montar la suspensión delantera, usar tuercas autobloqueantes y juntas nuevas. Usar anillos de cierre nuevos en el eje de la junta VC (Velocidad Constante) interior.

38. Bajar el motor dentro del vehículo.
39. Instalar y conectar los soportes y los montajes del motor y de la caja de cambios. En este momento, apretar las tuercas y los tornillos de soporte únicamente con la mano.

➡ Si no se aprietan los tornillos en la secuencia correcta, puede producirse un ruido y una vibración excesivos y reducir la vida de los casquillos protectores. Asegurarse de comprobar que los casquillos no están girados o descentrados.

40. Las sujeciones del soporte y del montaje del motor y de la caja de cambios deben apretarse en la secuencia correcta con el peso del motor apoyado sobre ellos. Este paso es importante para la carga previa de montaje del motor. Apretar los tornillos de montaje del motor en la secuencia siguiente:

a. Tuercas del montaje lateral de la caja de cambios: 47 pie-lb (65 Nm).

b. Tuercas del montaje lateral del motor: 47 pie-lb (65Nm).

c. Tornillo del montaje lateral de la caja de cambios: 54 pie-lb (75 Nm).

d. Tornillo del montaje lateral del motor: 54 pie-lb (75 Nm).

e. Soporte del montaje trasero del motor al motor: 61 pie-lb (85 Nm).

f. Tornillo pasante del soporte trasero del motor: 43 pie-lb (60 Nm).

g. Soporte del tope delantero derecho: 47 pie-lb (65 Nm). Tornillos del tope a la carrocería: 33 pie-lb (45 Nm).

h. Montaje delantero izquierdo: espárrago: 61 pie-lb (85 Nm); tuerca: 43 pie-lb (60 Nm); tornillos: 33 pie-lb (45 Nm).

41. Comprobar que el anillo elástico del extremo de cada eje de transmisión está colocado en su sitio. Asegurarse de usar anillos elásticos nuevos durante la instalación.
42. Instalar la horquilla del amortiguador y reconectar la rótula inferior. Con el vehículo en el suelo, apretar el tornillo de constricción a 32 pie-lb (44 Nm) y el perno de la horquilla a 47 pie-lb (65 Nm).
43. Instalar el cilindro auxiliar y conectar la barra del cambio y la barra de extensión a la

caja de cambios en los vehículos con cambios manuales. En los vehículos con cambios automáticos, conectar el cable del cambio e instalar su cubierta.

44. Instalar el tubo de escape delantero. Usar tuercas autobloqueantes nuevas. Apretar las tuercas con brida del convertidor a 16 pie-lb (22 Nm). Apretar las tuercas del múltiple de escape a 40 pie-lb (55 Nm).

45. Reconectar las mangueras del radiador y del calefactor. Reconectar las líneas del refrigerador ATF.

46. Instalar el compresor del A/A y apretar sus tornillos de soporte a 16 pie-lb (22 Nm).

47. Reconectar los cables de toma de tierra del motor y de la caja de cambios. Reconectar los cables del motor de arranque y el cable de alimentación del ABS.

48. Reconectar el cableado del motor.

49. Reconectar el cable del ahogador y ajustar su desviación para que sea de 10-12 mm (0.39-0.47 plg).

50. Reconectar las líneas de combustible al raíl de combustible y al filtro de combustible. Usar arandelas selladoras nuevas. Apretar el tornillo hueco del filtro de combustible a 25 pie-lb (34 Nm) y el tornillo de servicio a 11 pie-lb (15 Nm).

51. Instalar la caja de relés, el resonador, el filtro del aire y el conducto de admisión.

52. Instalar las bandas de accesorios y ajustar sus tensiones.

53. Instalar el protector contra salpicaduras.

54. Rellenar el sistema de refrigeración.

55. Rellenar el motor con aceite nuevo.

56. Rellenar la caja de cambios con el fluido adecuado.

57. Instalar y reconectar la batería.

58. Verificar que todas las líneas de combustible y de vacío, y el cableado eléctrico y los cables de toma de tierra han sido reconectados correctamente.

59. Después de ensamblar las piezas de la línea de combustible, girar el interruptor de encendido hasta la posición "ON" pero sin arrancar el motor. Después, girar el interruptor de encendido hasta la posición "OFF". Repetir este procedimiento dos o tres veces para presurizar el sistema de combustible y comprobar si hay fugas.

60. Purgar el aire del sistema refrigerador en el tornillo de purgado con la válvula del calefactor abierta.

61. Ajustar el recorrido libre del cable del embrague y comprobar que en la caja de cambios entran las marchas con suavidad.

62. Comprobar la sincronización del encendido.

63. Comprobar y ajustar la alineación del extremo delantero.

64. Probar el vehículo en carretera.

Civic 1996-99

1. Desconectar los cables negativo y positivo de la batería.

Esperar tres minutos como mínimo antes de trabajar alrededor de los air bags (bolsas de aire).

➡ **El motor y la caja de cambios se sacan del vehículo como una unidad.**

2. Apoyar el capó tan abierto como sea posible. Si el capó se ha de sacar, primero marcar las planchas de las bisagras con un rotulador.

3. Sacar la batería del vehículo. Desatornillar y sacar la bandeja de la batería.

4. Desconectar los cables de la batería y del alternador de la caja de fusibles y relés de debajo del capó en la torre del amortiguador derecho.

5. Sacar el panel reposapiés inferior derecho para poner a la vista el PCM.

6. Etiquetar y desconectar las cinco conexiones del cableado del PCM.

7. Desatornillar el retén principal del cableado de la parte trasera de la caja de fusibles y relés del lado derecho del mamparo. Con cuidado, sacar el ojal de la abertura del mamparo. Después, pasar el cableado del PCM y los conectores a través de la abertura. Ir con cuidado de no dañar el cableado, el aislante o los conectores.

8. Descargar la presión del combustible:

a. Aflojar la tapa de llenado de combustible.

b. Utilizar una llave de vaso (tubo) y una llave de tuercas abocardada para sujetar el rácor del tornillo hueco del filtro de combustible.

c. Colocar una toalla de taller sobre el filtro de combustible para recoger la pulverización de combustible.

d. Lentamente aflojar una vuelta completa el tornillo de servicio del filtro de combustible.

e. Limpiar cualquier combustible derramado.

9. Sacar el conducto del aire de admisión y el filtro de aire. Si está equipado, desconectar el conector del sensor de la temperatura del aire de admisión (TAA) de la caja del filtro de aire.

10. Desconectar la manguera de alimentación de combustible del filtro de combustible. Desconectar la manguera de retorno de combustible del raíl de combustible.

11. Etiquetar y desconectar las líneas de vacío siguientes:

• Tubos de vacío del múltiple de admisión/cuerpo del ahogador.

• Tubo de vacío del servofreno.

• Tubo de vacío del recipiente de EVAP.

12. Desconectar el interruptor de presión de la dirección asistida (PDA) y desprender su abrazadera del soporte de debajo del servofreno.

13. Desconectar el cable de toma de tierra de la caja de cambios. Sacar la abrazadera de la manguera del radiador.

14. Aflojar la contratuerca del cable del ahogador, después desconectar el cable del varillaje del cuerpo del ahogador. No retorcer el cable: desplazarlo lejos de la zona de trabajo.

15. Aflojar los tornillos de montaje de la bomba de la dirección asistida. Deslizar la correa de la dirección asistida fuera de sus poleas. Desatornillar la bomba de la dirección y moverla fuera de la zona de trabajo. No desconectar las mangueras hidráulicas.

16. Etiquetar y desconectar los conectores del cableado del motor situados en el lado izquierdo del compartimiento del motor.

17. Drenar el fluido refrigerante del radiador y del bloque de cilindros.

18. Desconectar las mangueras superior e inferior del radiador, después sacarlas. Desconectar las mangueras del calefactor de la culata de cilindros.

19. Si está equipado con caja de cambios CVT, aflojar la contratuerca del cable del cambio. Sacar el anillo y las arandelas elásticas y desconectar el cable del cambio de su varillaje. Ir con cuidado de no retorcer el cable o de dañar su funda.

20. Si está equipado con cambio manual, desatornillar los soportes de la línea hidráulica de la parte superior de la caja de cambios.

21. Acoplar un elevador de cadena a los soportes elevadores del motor. No levantar todavía el elevador para subir el motor.

22. Levantar el vehículo y soportarlo con seguridad. Sacar las ruedas delanteras.

23. Sacar el protector contra salpicaduras del motor.

24. Drenar el aceite del motor.

25. Drenar el fluido de la caja de cambios.

26. Si está equipado con A/A, desatornillar el soporte del montaje delantero izquierdo del motor de la torre del amortiguador.

27. Aflojar la polea tensora y el tornillo de ajuste del compresor. Deslizar la correa alrededor del espárrago del montaje del motor para sacarla.

28. Desatornillar los tornillos del montaje del compresor para separar el compresor de su placa de montaje. Desplazar el compresor fuera de la zona de trabajo. No desconectar las líneas refrigerantes del aire acondicionado.

29. Si está equipado con cambio automático, desconectar las líneas del refrigerador ATF. Taponar las líneas del refrigerador para prevenir fugas y contaminación del fluido.

30. Si está equipado con cambio manual, desatornillar el cilindro auxiliar de la caja de la caja de cambios sin desconectar su línea hidráulica.

31. Separar el tubo de escape delantero del múltiple de admisión y del convertidor catalítico. Desatornillar su soporte sustentador y sacar el tubo de escape.

32. Si está equipado con cambio automático, desconectar el cable del cambio del eje de control de la caja de cambios.

33. Si está equipado con cambio manual, desconectar la barra de desplazamiento y la barra de extensión de la caja de cambios.

34. Desatornillar y sacar la horquilla del poste de amortiguación. Usando un separador de rótulas, desconectar la rótula de la articulación de la dirección del brazo de control inferior.

35. Hacer palanca en las juntas VC (Velocidad Constante) interiores desde la caja de cambios. Después, alejar los semiejes de la caja de cambios y sujetarlos con alambre en el bastidor del vehículo. Atar bolsas de plástico sobre las juntas VC (Velocidad Constante) interiores para prevenir que se dañen las fundas y los ejes estriados.

36. Levantar el elevador de cadena para descargar el peso del conjunto del motor y de la caja de cambios.

37. Desconectar los montajes del motor en el orden siguiente:

a. Desatornillar y sacar el montaje delantero izquierdo del motor.

b. Desatornillar y sacar el conjunto del montaje y del soporte delantero derecho del motor.

c. Sacar el tornillo pasante del montaje trasero del motor. Después, desatornillar el soporte del montaje trasero del bloque de cilindros.

38. Si es necesario, bajar ligeramente el vehículo para mejorar el acceso a los montajes laterales del motor y de la caja de cambios. No

descargar la tensión del elevador de cadena: el motor debe estar soportado de manera segura.

39. Desatornillar el soporte del montaje lateral del motor del soporte del bloque de cilindros y el amortiguador de montaje.

40. Desatornillar el soporte del montaje de la caja de la caja de cambios. Después, desatornillar el montaje de la torre del amortiguador.

41. Levantar el elevador de cadena para subir el motor unas cuantas pulgadas de sus montajes.

42. Verificar que todas las líneas eléctricas, de vacío y de combustible hayan sido desconectadas.

43. Levantar el conjunto del motor y la caja de cambios y sacarlo del vehículo.

Para instalar:
➡ Al instalar el tubo de escape delantero y al ensamblar la suspensión delantera, utilizar tuercas autobloqueantes y juntas nuevas. Usar anillos de cierre nuevos en los ejes estriados de la junta VC (Velocidad Constante) interior.

44. Bajar el conjunto del motor y de la caja de cambios al vehículo.

45. Instalar y conectar los soportes y montajes del motor y la caja de cambios. Usar tuercas autobloqueantes y tornillos nuevos codificados por colores. En este momento, apretar las tuercas y los tornillos de montaje únicamente con la mano.

46. Antes de instalar el montaje delantero izquierdo del motor, volver a colocar el compresor del A/A en su sitio e instalar la correa del compresor. Apretar los tornillos del compresor a 17 pie-lb (22 Nm).

➡ Si los tornillos no se aprietan en la secuencia correcta, puede producirse ruido y vibración excesivos y reducir la vida de los casquillos protectores. Asegurarse de comprobar que los casquillos no están girados o descentrados.

47. Las sujeciones del montaje y del soporte del motor y de la caja de cambios deben apretarse en la secuencia correcta con el peso del motor apoyándose sobre ellos. Este paso es importante para la carga previa del montaje del motor. Apretar los tornillos del montaje del motor en la secuencia siguiente:

a. Tornillos del montaje de la caja de cambios: 47 pie-lb (64 Nm); o 28 pie-lb (38 Nm) para vehículos equipados con CVT.

b. Tuercas del soporte del montaje lateral del motor: 54 pie-lb (74 Nm).

c. Tornillos del soporte del montaje trasero: 61 pie-lb (83 Nm); o 43 pie-lb (59 Nm) para vehículos equipados con CVT.

d. Tornillo pasante del montaje trasero: 43 pie-lb (59 Nm).

e. Tuercas o tornillos del soporte del montaje de la caja de cambios: 47 pie-lb (64 Nm).

f. Tornillo pasante del montaje de la caja de cambios: 54 pie-lb (74 Nm).

g. Tornillos del soporte del montaje delantero derecho: 33 pie-lb (44 Nm).

h. Tornillos portadores del montaje delantero derecho: 33 pie-lb (44 Nm).

i. Montaje delantero izquierdo: espárrago: 61 pie-lb (85 Nm); tornillos portadores: 33 pie-lb (44 Nm); tuerca: 43 pie-lb (59 Nm).

48. Sacar el elevador de cadena de los ganchos de izaje del motor.

49. Instalar anillos de cierre nuevos en los ejes estriados interiores de cada semieje. Al instalar los semiejes dentro de la caja de cambios, comprobar que los anillos de cierre de cada junta VC (Velocidad Constante) interior producen un chasquido al encajar en sus sitios.

50. Instalar la horquilla del amortiguador y reconectar la rótula inferior. Cuando el peso del vehículo está apoyado sobre su suspensión, apretar el tornillo de constricción a 32 pie-lb (44 Nm) y el tornillo de la horquilla a 47 pie-lb (65 Nm). Apretar la tuerca almenada de la rótula de la dirección a 36-43 pie-lb (50-60 Nm). Después, apretar la tuerca almenada sólo lo suficiente para instalar un pasador de retención nuevo.

51. Si está equipado, instalar el cilindro auxiliar. Apretar los tornillos de montaje del cilindro auxiliar a 16 pie-lb (22 Nm). Si la línea hidráulica del embrague ha sido desconectada, debe purgarse el fluido.

52. Si está equipado, reconectar la barra del cambio y la barra de extensión de la caja de cambios al varillaje de la caja de la caja de cambios. Instalar una clavija elástica de 8 mm nueva en el varillaje de la barra del cambio. Después, instalar el anillo de retención y la funda. Apretar el tornillo de la barra de extensión a 16 pie-lb (22 Nm).

53. Si está equipado con cambio automático, conectar el cable del cambio al eje de control. Usar una arandela de seguridad nueva y apretar el perno de retención a 10 pie-lb (14 Nm). Apretar los tornillos de la cubierta del cable del cambio a 16 pie-lb (22 Nm). Instalar la cubierta del cable del cambio y apretar sus tornillos a 16 pie-lb (22 Nm).

54. Instalar el tubo de escape delantero usando tuercas autobloqueantes nuevas.

• Si está equipado con motor D16Y8, apretar las tuercas con brida del convertidor a 16 pie-lb (22 Nm). Apretar las tuercas del múltiple de escape a 40 pie-lb (55 Nm).

• Si está equipado con motor D16Y5 o D16Y7, apretar las tuercas con brida del convertidor a 25 pie-lb (33 Nm). Apretar los pernos con brida del escape a 16 pie-lb (22 Nm).

55. Reconectar las líneas del refrigerador ATF. Si las líneas de goma del refrigerador están agrietadas o estiradas, deben reemplazarse.

56. Instalar el protector contra salpicaduras del motor.

57. Llenar de nuevo el motor con aceite nuevo.

58. Llenar de nuevo la caja de cambios con el fluido adecuado.

59. Bajar el vehículo.

60. Si está equipado, volver a conectar en su sitio los soportes de la línea hidráulica del embrague. Apretar los tornillos de 8 mm a 17 pie-lb (24 Nm) y los tornillos de 6 mm a 8 pie-lb (11 Nm).

61. Si está equipado con una caja de cambios CVT, reconectar el cable del cambio al varillaje. Usar arandelas de plástico nuevas y un anillo elástico nuevo. Apretar la contratuerca a 22 pie-lb (29 Nm).

62. Ajustar las tensiones de las correas del alternador y del compresor del A/A.

63. Instalar y reconectar las mangueras superior e inferior del radiador. Reconectar las mangueras del calefactor.

64. Instalar la bomba de la dirección asistida en sus montajes. Ajustar la tensión de la correa de la bomba, después apretar los tornillos del montaje a 17 pie-lb (24 Nm).

65. Reconectar el conector del interruptor de la PDA (PSP) y conectar la abrazadera de su cableado.

66. Reconectar las líneas de vacío siguientes:

• Mangueras de vacío del múltiple de admisión/cuerpo del ahogador.

• Manguera de vacío del servofreno.

• Manguera de vacío del recipiente de EVAP.

67. Reconectar los rácores de la línea de combustible al filtro del combustible y al raíl de combustible. Usar arandelas selladoras nuevas. Apretar los rácores de tornillo hueco a 25 pie-lb (33 Nm) y los tornillos de servicio a 11 pie-lb (15 Nm). No sobreapretar los rácores.

68. Reconectar el cable del ahogador y ajustar su desviación a 10-12 mm (0.39-0-47 plg).

69. Pasar el cableado del PCM a través del orificio en la bandeja separadora (mamparo). Aplicar selladora a los ojales, después instalar el retén.

70. Reconectar el cableado y los cables de toma de tierra del motor que se hayan desconectado durante el desmontaje del motor. Asegurarse de que las tomas de tierra no están corroídas, para asegurar un buen contacto.

71. Volver a colocar la caja de fusibles y relés en su sitio. Reconectar los cables de la batería y del alternador.

72. Instalar la caja del filtro de aire y el conducto de admisión de aire. Reconectar el conector de la TAA.

73. Reconectar los cinco conectores del PCM. Instalar el panel reposapiés.

74. Instalar la bandeja de la batería y la batería.

75. Verificar que todos los cableados y las tomas de tierra, las líneas de vacío y las líneas de combustible se han reconectado.

76. Llenar el radiador con fluido refrigerante nuevo.

77. Si se ha sacado, instalar el capó. Reconectar el tubo del limpiaparabrisas. Una vez instalado, comprobar para asegurarse de que las distancias del capó, el guardabarros y la parrilla son iguales.

78. Reconectar los cables negativo y positivo de la batería.

79. Girar el interruptor de encendido hasta la posición "ON", pero sin arrancar el motor. Después, girar hasta la posición "OFF". Repetir este procedimiento dos o tres veces y comprobar si hay alguna señal de pérdida de combustible.

80. Arrancar el motor y dejar que se caliente a su temperatura normal de funcionamiento.

81. Purgar el aire del sistema de refrigeración con la válvula del calefactor abierta.

82. Comprobar la desviación (flecha) del cable del ahogador y su funcionamiento.

83. Comprobar y ajustar la sincronización de encendido.

84. Desconectar el motor y comprobar los ajustes de la correa de transmisión.

85. Comprobar los niveles de todos los fluidos y si es necesario añadir.

86. Comprobar y ajustar la alineación de las ruedas delanteras.

87. Probar el vehículo en carretera.

Prelude

1. Asegurar el capó tan abierto como sea posible.

2. Desconectar el cable negativo de la batería, después el positivo.

3. Sacar la tapa del radiador.

4. Levantar y soportar con seguridad el vehículo. Sacar las ruedas delanteras y el protector contra salpicaduras del motor.

5. Drenar el fluido refrigerante del motor en un recipiente provisto de cierre.

6. Drenar el aceite/fluido de la caja de cambios en un recipiente provisto de cierre. Instalar el tapón de drenaje con una junta nueva.

7. Bajar el vehículo a una altura de trabajo.

8. Sacar el conducto de admisión del aire y la caja del filtro de aire.

9. Sacar el depósito de vacío y el soporte de la Inyección por impulsos del aire secundario (IIAS).

10. Sacar la batería y la base de la batería. Desconectar el cable de la batería y el cableado del motor de arranque de la carrocería.

11. Descargar la presión del sistema de combustible.

▼ PRECAUCIÓN ▼

Después de apagar el motor, los sistemas de inyección de combustible están a presión. Antes de desconectar cualquier línea de combustible, descargar adecuadamente la presión del combustible. Si esto no se realiza correctamente puede producirse un incendio o daños personales.

12. Desconectar la manguera de alimentación de combustible del raíl de combustible y desconectar la línea de retorno del combustible del regulador de presión del combustible.

13. Desconectar el conector resistor del inyector en el lado izquierdo del compartimiento del motor.

14. Sacar el cable del ahogador aflojando la contratuerca, después deslizar el extremo del cable fuera del varillaje del ahogador. Ir con cuidado de no doblar el cable cuando se saque. Reemplazar siempre cualquier cable retorcido por uno nuevo.

15. Desconectar los conectores, el terminal y las abrazaderas del cableado del motor del lado derecho del motor.

16. Sacar el cable de alimentación de la caja de fusibles/relés de debajo del capó.

17. Desconectar la manguera de vacío del servofreno y los tubos de vacío del control de emisiones del múltiple de admisión.

18. Desconectar el conector eléctrico del accionador del control de velocidad de crucero y el tubo de vacío, después sacar el accionador.

19. Sacar el cable de toma de tierra del motor del lateral de la carrocería.

20. Sacar la correa propulsora de la bomba de la dirección asistida, después sacar la bomba.

21. Sacar el ventilador del condensador del aire acondicionado (A/A), después instalar un plato protector sobre el radiador.

22. Aflojar el tornillo del montaje, la tuerca y la tuerca de ajuste del alternador, después sacar la correa propulsora del alternador.

23. Desconectar el conector eléctrico del compresor del A/A y aflojar los tornillos de montaje del compresor. Sacar el compresor sin desconectar las mangueras del A/A. Soportar el compresor a un lado con un alambre fuerte.

24. Sacar las mangueras superior e inferior del radiador, después desconectar del motor las mangueras del calefactor.

25. Sacar el cable de toma de tierra de la caja de cambios.

26. Si está equipado con cambio automático, desconectar las mangueras del refrigerador.

27. Si está equipado con cambio manual realizar lo siguiente:

a. Desconectar el cable del cambio y el cable del selector de la caja de cambios. Cuando se saquen, no doblar los cables. Reemplazar cualquier cable que esté retorcido por uno nuevo.

b. Sacar el cilindro auxiliar del embrague y el conjunto tubo/manguera. No hacer funcionar el embrague una vez que se haya sacado el cilindro auxiliar.

c. Sacar el conjunto del amortiguador del embrague.

28. Sacar el conjunto del Sensor de Velocidad del Vehículo (SVV)/sensor de velocidad de la Dirección Asistida (D/A). No desconectar las mangueras.

29. Sacar las tuercas que acoplan el tubo de escape A al múltiple de escape y al convertidor catalítico. Sacar los tornillos del colgador del tubo de escape, después sacar el tubo de escape y desechar las juntas.

30. Si está equipado con cambio automático, sacar la cubierta del cable del cambio, después desconectar el cable del cambio. No doblar el cable y reemplazarlo si está retorcido.

31. Sacar las horquillas del amortiguador del lado izquierdo y derecho.

32. Desconectar las rótulas inferiores de la dirección de los brazos de control inferiores.

33. Hacer palanca en los semiejes sacándolos de la caja de cambios. Cubrir las juntas VC (Velocidad Constante) interiores con bolsas de plástico para protegerlas.

34. Girar los semiejes debajo del guardabarro y apartarlos.

35. Acoplar un elevador de motores a los puntos de elevación del motor y levantar el elevador para sacar todo el huelgo de la cadena.

36. Sacar el soporte del montaje trasero del motor.

37. Sacar el soporte del montaje delantero del motor.

38. Sacar el montaje del lado izquierdo del motor.

39. Sacar el montaje de la caja de cambios y el soporte del montaje.

40. Comprobar que el motor está completamente libre de mangueras de vacío, de combustible y de líquido refrigerante, así como de cables eléctricos.

41. Levantar lentamente el motor aproximadamente unas 6 plg (150 mm). Comprobar una vez más que todas las mangueras y cables han sido desconectados del motor.

42. Levantar totalmente el motor y sacarlo del vehículo.

43. Sacar la caja de cambios.

44. Si está equipado con cambio manual, sacar la cubierta del embrague (plato de presión) y el disco de embrague.

45. Montar el motor en un banco para motores, asegurándose de que los tornillos de montaje están apretados. Si no se dispone de un banco para motores, soportar el motor en posición vertical con bloques. Nunca dejar el motor colgando de un elevador.

Para instalar:

46. En vehículos con cambios manuales, ensamblar el disco del embrague y el plato de presión al volante.

47. Instalar la caja de cambios.

48. Elevar el motor en posición y bajarlo dentro el coche, alineando los montajes y los casquillos protectores.

➡ **Al instalar los montajes del motor y los amortiguadores de vibración según los pasos siguientes, deben apretarse con la tensión y el orden correctos para amortiguar correctamente la vibración.**

49. Instalar el montaje lateral del motor y el tornillo pasante. No apretar en este momento el tornillo pasante. Instalar la tuerca y el tornillo

que acoplan el montaje al motor. Apretar la tuerca y el tornillo que acoplan el montaje lateral del motor a 40 pie-lb (55 Nm).

50. Instalar el montaje y el tornillo pasante de la caja de cambios. No apretar todavía el tornillo pasante.

51. Instalar el montaje trasero del motor y tornillos nuevos que acoplan el montaje al motor. Apretar los tres tornillos nuevos que acoplan el montaje al conjunto motor a 40 pie-lb (55 Nm). Instalar un tornillo pasante del soporte trasero del motor nuevo y apretar el tornillo pasante nuevo a 47 pie-lb (65 Nm).

52. Instalar el montaje delantero y los tres tornillos que acoplan el montaje al conjunto motor, únicamente ajustar a mano los tornillos en su sitio. Instalar un tornillo pasante nuevo al montaje delantero y apretar el tornillo pasante nuevo a 47 pie-lb (65 Nm).

53. Instalar las tuercas en el montaje de la caja de cambios. Apretar las tuercas a 28 pie-lb (39 Nm).

54. Apretar el tornillo pasante del montaje lateral del motor a 47 pie-lb (65 Nm).

55. Apretar el tornillo pasante del montaje de la caja de cambios a 47 pie-lb (65 Nm).

56. Apretar los tres tornillos que acoplan el montaje delantero al motor a 28 pie-lb (39 Nm).

57. Sacar el equipo elevador del motor.

58. Instalar anillos elásticos nuevos en las juntas VC (Velocidad Constante) interiores. Instalar los semiejes en la caja de cambios, asegurarse de que los anillos elásticos de las juntas interiores están colocados en su sitio, al percibir el chasquido del encaje.

59. Conectar las rótulas inferiores de la dirección a los brazos de control inferiores. Apretar las tuercas a 36-43 pie-lb (50-60 Nm). Instalar un pasador de retención nuevo en el espárrago de la rótula de la dirección.

60. Instalar las horquillas del amortiguador. Apretar un tornillo autobloqueante nuevo acoplando la horquilla del amortiguador al poste a 32 pie-lb (44 Nm). Apretar la tuerca y el tornillo nuevos acoplando la horquilla del amortiguador al brazo de control inferior a 47 pie-lb (65 Nm).

61. Si está equipado con cambio automático, conectar el cable del cambio en la caja de cambios. Instalar una arandela de seguridad nueva y apretar el tornillo de conexión a 7 pie-lb (10 Nm). Instalar la cubierta del cable del cambio. Apretar los tornillos de conexión de la cubierta del cable del cambio a 13 pie-lb (18 Nm).

62. Instalar el tubo de escape A con juntas nuevas. Apretar las tuercas nuevas que acoplan el tubo de escape al múltiple de escape a 40 pie-lb (55 Nm). Apretar las tuercas nuevas que acoplan el tubo de escape A al convertidor catalítico a 25 pie-lb (34 Nm). Instalar tornillos de conexión nuevos en el colgador del tubo de escape y apretar los tornillos a 13 pie-lb (18 Nm).

63. Instalar el SVV, conectar el conector eléctrico y apretar el tornillo de montaje a 13 pie-lb (18 Nm).

64. Si está equipado con cambio manual, realizar lo siguiente:

a. Instalar el conjunto del amortiguador del embrague y apretar los tornillos de conexión a 16 pie-lb (22 Nm).

b. Instalar el cilindro auxiliar del embrague y el conjunto tubo/manguera y apretar los tornillos de montaje del cilindro auxiliar a 16 pie-lb (22 Nm).

c. Conectar el cable del cambio y el cable del selector en la caja de cambios. Ajustar el cable del cambio y el cable del selector.

65. Si está equipado con cambio automático, conectar las mangueras del refrigerador.

66. Instalar el cable de toma de tierra de la caja de cambios.

67. Instalar las mangueras superior e inferior del radiador y conectar las mangueras del calefactor en el motor.

68. Instalar el compresor del A/A y conectar el conector eléctrico. Apretar los tornillos de montaje a 16 pie-lb (22 Nm).

69. Instalar y ajustar la correa propulsora del alternador.

70. Sacar el plato protector del radiador e instalar el ventilador del condensador del A/A.

71. Instalar la bomba de la dirección asistida y la correa propulsora. Ajustar la tensión de la correa propulsora, después apretar las tuercas y tornillos de conexión a 16 pie-lb (22 Nm).

72. Conectar el cable de toma de tierra del motor a la carrocería.

73. Instalar el accionador del control de velocidad de crucero, después conectar el conector eléctrico y la manguera de vacío. Apretar los tornillos de montaje a 7 pie-lb (10 Nm).

74. Conectar la manguera de vacío del servofreno y las mangueras de vacío del control de emisiones al múltiple de admisión.

75. Conectar los conectores, el terminal y las abrazaderas del cableado del motor.

76. Instalar y ajustar el cable del ahogador.

77. Conectar el conector resistor del inyector a la izquierda del compartimiento del motor.

78. Conectar la manguera de retorno del combustible al regulador. Conectar la manguera de alimentación del combustible al raíl del

combustible con arandelas nuevas. Apretar la tuerca de tapón a 16 pie-lb (22 Nm).

79. Conectar el cable de la batería y el cable del motor de arranque a la carrocería. Instalar la base de la batería y la batería. Apretar los tornillos de conexión de la base de la batería a 16 pie-lb (22 Nm).

80. Instalar el depósito de vacío y el soporte de la IIAS. Apretar los tornillos de montaje a 8 pie-lb (10 Nm).

81. Instalar el conducto y la caja del filtro de aire.

82. Instalar el protector contra salpicaduras del motor y las ruedas delanteras.

83. Bajar el vehículo.

84. Llenar el motor con aceite y la caja de cambios con aceite/fluido.

85. Llenar y purgar el aire del sistema de refrigeración.

86. Conectar el cable positivo de la batería y después el negativo e introducir el código de seguridad de la radio.

87. Poner el interruptor de encendido en posición "ON", sin arrancar el motor. La bomba del combustible debe funcionar durante aproximadamente 2 segundos, elevando la presión en las líneas. Poner el interruptor de encendido en posición "OFF", después dos o tres veces más en posición "ON" para establecer la presión total del sistema. Comprobar si hay fugas de combustible.

88. Desconectar el cable de la bobina del distribuidor. Aislar o proteger el extremo del cable de manera que no salte un arco con el motor o el metal circundante. Sin tocar el acelerador, girar el interruptor del encendido en posición START y girar el motor durante aproximadamente 5-10 segundos; ello creará algo de presión en el aceite del interior del motor. No dar vueltas al motor durante más de 10 segundos.

89. Poner el interruptor de encendido en posición "OFF" y reconectar la bobina.

90. Arrancar el motor y permitirle ir a la marcha mínima. Comprobar con cuidado si hay alguna señal de fuga en las mangueras y las líneas.

91. Comprobar la sincronización y la marcha mínima.

92. Una vez que el motor se haya calentado completamente y el/los ventilador/es se hayan puesto en marcha como mínimo una vez, volver a comprobar el motor para ver si hay pérdidas de algún fluido. Poner el interruptor del motor en "OFF".

93. Si es necesario, ajustar las correas y el cable del ahogador.

94. Si está equipado con 4RD, arrancar el motor y girar el volante de la dirección de tope a tope para reajustar la unidad de control de las 4RD.

95. Probar el vehículo en carretera, después aflojar y reapretar los tres tornillos que acoplan el montaje delantero del motor al motor. Apretar los tornillos a 28 pie-lb (39 Nm).

Accord 1995-97

MOTORES 2.2L

1. Asegurar el capó tan abierto como sea posible.

2. Desconectar el cable negativo de la batería y después el positivo.

3. Sacar la batería y la base de la batería. Desconectar el cable de toma de tierra del motor.

4. Sacar el cable del ahogador y el cable del control de velocidad de crucero aflojando las contratuercas; después deslizar los extremos de los cables fuera del varillaje del ahogador. Al sacar los cables ir con cuidado de no doblarlos. Reemplazar siempre todo cable retorcido por uno nuevo.

5. Sacar el conducto B de aire de admisión y el cuerpo conducto de aire de entrada/filtro de aire.

6. Desconectar el conector de la válvula de solenoide del control del Resonador del Aire de Admisión (RAA), después sacar el RAA del vehículo.

7. Sacar los cables de la batería de la caja de fusibles/relés de debajo del capó y de la caja de fusibles/relés del ABS de debajo del capó.

8. Desconectar los conectores del cableado del motor en el lado derecho del compartimiento del motor.

9. Sacar la manguera de vacío del servofreno, después etiquetar y desconectar las otras mangueras de vacío del múltiple de admisión.

10. Descargar la presión del sistema de combustible.

▼ PRECAUCIÓN ▼

Después de APAGAR el motor, el sistema de inyección del combustible sigue con presión. Antes de desconectar las líneas de combustible, descargar adecuadamente la presión del combustible. Si no se realiza correctamente, puede producirse un incendio o daños personales.

11. Desconectar la manguera alimentadora de combustible del raíl de combustible y desconectar la línea de retorno del combustible del regulador de presión del combustible.

12. Sacar los conectores, el terminal y las abrazaderas del cableado del motor del lado izquierdo del compartimiento del motor.

13. Desconectar el conector resistor del inyector del lado izquierdo del compartimiento del motor.

14. Sacar la abrazadera de la manguera de la dirección asistida.

15. Sacar las tuercas de montaje y el tornillo de ajuste de la bomba de la dirección asistida, después sacar la correa propulsora de la bomba de la dirección asistida y la bomba.

16. Aflojar el tornillo de montaje, la tuerca y el tornillo de ajuste del alternador, después sacar la correa del alternador.

17. Si está equipado con cambio manual, realizar lo siguiente:

a. Desconectar el cable del cambio y el cable del selector de la caja de cambios. Al sacarlos, no doblar los cables. Reemplazar todo cable retorcido por uno de nuevo.

b. Desconectar los conectores del interruptor de la luz de marcha atrás y el cable del motor, del motor de arranque.

c. Sacar el cilindro auxiliar del embrague y el conjunto tubo/manguera. No hacer funcionar el embrague una vez que se haya sacado el cilindro auxiliar.

18. Desconectar el sensor de velocidad del vehículo (SVV).

19. Sacar la tapa del radiador.

20. Levantar y soportar con seguridad el vehículo. Sacar las ruedas delanteras y el protector contra salpicaduras del motor.

21. Drenar el fluido refrigerante del motor en un recipiente provisto de cierre.

22. Drenar el aceite/fluido de la caja de cambios en un recipiente provisto de cierre. Instalar el tapón de drenaje con una junta nueva.

23. Drenar el aceite del motor en un recipiente provisto de cierre.

24. Bajar el vehículo a una altura de trabajo.

25. Sacar las mangueras superior e inferior del radiador, después desconectar las mangueras del calefactor del motor.

26. Si está equipado con cambio automático, desconectar las mangueras del refrigerador ATF.

27. Sacar el conjunto del radiador del vehículo.

28. Aflojar los tornillos de soporte del A/A, después sacar el compresor. No desconectar las mangueras del A/A. Desconectar el conector eléctrico del compresor y soportar el compresor con un alambre resistente.

29. Sacar la viga central de debajo del motor.

30. Sacar las tuercas que acoplan el tubo de escape A al múltiple de admisión y al convertidor catalítico. Sacar las tuercas del colgador del tubo de escape, después sacar el tubo de escape y desechar las juntas.

31. Si está equipado con cambio automático, sacar la cubierta del cable del cambio, después desconectar el cable del cambio. No doblar el cable y reemplazarlo si está retorcido.

32. Sacar las horquillas del amortiguador de los lados izquierdo y derecho.

33. Desconectar las rótulas inferiores de la dirección de los brazos de control inferiores.

34. Hacer palanca sacando los semiejes de la caja de cambios. Cubrir las juntas interiores VC (Velocidad Constante) con bolsas de plástico para protegerlas.

35. Girar el semieje por debajo del guardabarro y apartarlo.

36. Acoplar un elevador de motor a los puntos de elevación del motor y levantar el elevador para sacar todo el huelgo de la cadena.

37. Sacar el soporte del montaje trasero del motor.

38. Sacar el soporte del montaje delantero del motor.

39. Sacar el montaje lateral del motor.

40. Sacar el montaje y el soporte del montaje de la caja de cambios.

41. Comprobar que el motor está completamente libre de mangueras de vacío, de combustible y de fluido refrigerante, así como de cables eléctricos.

42. Levantar lentamente el motor unas 6 plg (150 mm) aproximadamente. Comprobar una vez más que todas las mangueras y cables han sido desconectados del motor.

43. Levantar del todo el motor y sacarlo del vehículo.

44. Sacar la caja de cambios del motor.

45. Si tiene cambio manual, sacar la cubierta del embrague (plato de presión) y el disco de embrague.

46. Montar el motor en un banco para motores, asegurándose de que los tornillos de montaje están apretados. Si no se dispone de un banco para motores, soportar el motor en posición vertical mediante bloques. Nunca dejar el motor colgando de un elevador.

Para instalar:

47. Si está equipado con cambio manual, montar el disco y el plato de presión del embrague en el volante.

48. Instalar la caja de cambios en el motor.

49. Levantar el motor en posición y bajarlo dentro del vehículo (carro) alineando los montajes y los casquillos.

➡ Al instalar los montajes del motor y los amortiguadores de vibración en las etapas siguientes, éstos deben apretarse con la tensión y el orden correctos para que amortigüen correctamente la vibración.

50. Instalar el montaje lateral del motor. Instalar un tornillo de 6 x 100 mm en el montaje para situar correctamente el montaje. No apretar la tuerca y el tornillo que acoplan el montaje al motor. Apretar el tornillo pasante a 47 pie-lb (64 Nm), después sacar del montaje el tornillo de 6 x 100 mm.

51. Instalar el montaje de la caja de cambios. Instalar un tornillo de 6 x 100 mm en el montaje para situar correctamente el montaje. No apretar las tuercas que acoplan el montaje a la caja de cambios. Apretar el tornillo pasante a 47 pie-lb (64 Nm), después sacar del montaje el tornillo de 6 x 100 mm.

52. Instalar el soporte del montaje trasero del motor usando tornillos nuevos. Apretar los tornillos nuevos, acoplando el montaje al conjunto motor, a 40 pie-lb (54 Nm). Instalar un nuevo tornillo pasante del montaje trasero del motor. Apretar el tornillo pasante nuevo a 47 pie-lb (64 Nm).

➡ Apretar los tornillos acoplando primero el montaje al conjunto motor, después apretar el tornillo pasante. Si no se sigue este orden, puede percibirse una vibración excesiva del motor y el montaje puede dañarse.

53. Instalar el soporte del montaje delantero. No apretar las tuercas que acoplan el montaje al conjunto motor, sólo ajustar a mano las tuercas en posición. Instalar un tornillo pasante nuevo en el montaje delantero. Apretar el tornillo pasante nuevo a 47 pie-lb (64 Nm).

54. Apretar la tuerca y el tornillo del montaje lateral del motor a 47 pie-lb (64 Nm).

55. Apretar las tuercas que acoplan el montaje de la caja de cambios a la caja de cambios, a 28 pie-lb (38 Nm).

56. Apretar los tres tornillos que acoplan el soporte del montaje delantero al motor, a 28 pie-lb (38 Nm).

57. Sacar el equipo elevador del motor.

58. Instalar anillos elásticos nuevos a las juntas VC (Velocidad Constante) interiores. Instalar los semiejes en la caja de cambios, asegurarse de que los anillos elásticos de las juntas interiores están colocadas en su sitio, al oírse el chasquido cuando encaja.

59. Conectar las rótulas inferiores de la dirección a los brazos de control inferiores, apretar las tuercas a 36-43 pie-lb (49-59 Nm). Instalar un pasador de retención nuevo en el espárrago de la rótula.

60. Instalar las horquillas del amortiguador, apretar un tornillo autobloqueante nuevo acoplando la horquilla del amortiguador al poste a 32 pie-lb (43 Nm). Apretar una tuerca y un tornillo nuevos, acoplando la horquilla del amortiguador al brazo de control inferior, a 47 pie-lb (64 Nm).

61. Si está equipado con cambio automático, conectar el cable del cambio en la caja de cambios. Instalar una arandela de seguridad nueva y apretar el tornillo de sujeción a 10 pie-lb (14 Nm). Instalar la cubierta del cable del cambio y apretar los tornillos de sujeción de la cubierta del cable del cambio a 13 pie-lb (18 Nm).

62. Instalar el tubo de escape A con juntas nuevas. Apretar las tuercas nuevas, acoplando el tubo de escape A al múltiple de escape, a 40 pie-lb (54 Nm). Apretar las tuercas nuevas, acoplando el tubo de escape A al convertidor catalítico, a 16 pie-lb (22 Nm). Instalar las tuercas de sujeción nuevas en el colgador del tubo de escape y apretar las tuercas a 13 pie-lb (18 Nm).

63. Instalar la viga central y apretar los tornillos, que unen la viga central, a 37 pie-lb (50 Nm).

64. Instalar el compresor del A/A y conectar el conector eléctrico. Apretar los tornillos de montaje a 16 pie-lb (22 Nm).

65. Instalar el conjunto del radiador.

66. Si está equipado con cambio automático, conectar las mangueras del refrigerador ATF.

67. Instalar las mangueras superior e inferior del radiador y conectar las mangueras del calefactor en el motor.

68. Instalar el protector contra salpicaduras del motor y las ruedas delanteras.

69. Conectar el conector eléctrico del SVV (sensor de velocidad del vehículo).

70. Si está equipado con cambio manual, realizar lo siguiente:

a. Instalar el cilindro auxiliar del embrague y el conjunto tubo/manguera. Apretar los tornillos de montaje del cilindro auxiliar a 16 pie-lb (22 Nm).

b. Conectar el cable de motor, del motor de arranque y los conectores del interruptor de la luz de marcha atrás.

c. Conectar el cable del cambio y el cable del selector a la caja de cambios. Ajustar el cable del cambio y el cable del selector.

71. Instalar y ajustar la correa propulsora del alternador.

72. Instalar la bomba de la dirección asistida y la correa propulsora. Ajustar la correa propulsora y apretar las tuercas y tornillos de sujeción a 16 pie-lb (22 Nm).

73. Instalar la abrazadera de la manguera de la dirección asistida.

74. Conectar el conector resistor del inyector en el lado izquierdo del compartimiento del motor.

75. Conectar los conectores, el terminal y las abrazaderas del cableado del motor en el lado izquierdo del compartimiento del motor.

76. Conectar la manguera de retorno de combustible en el regulador. Conectar la manguera de alimentación del combustible en el raíl del combustible con arandelas nuevas y apretar la tuerca del tornillo hueco a 16 pie-lb (22 Nm).

77. Conectar las mangueras de vacío al múltiple de admisión.

78. Conectar los conectores del cableado del motor en el lado derecho del compartimiento del motor.

79. Conectar los cables de la batería en la caja de fusibles/relés de debajo del capó y en la caja de fusibles/relés del ABS de debajo del capó.

80. Instalar la manguera de vacío y el IAR, después conectar el conector de la válvula de solenoide de control del IAR.

81. Instalar el cuerpo del conducto del aire de admisión/filtro de aire, después el conducto del aire de admisión B.

82. Instalar y ajustar el cable del ahogador.

83. Conectar el cable de toma de tierra e instalar la base de la batería. Apretar los tornillos de montaje de la base a 16 pie-lb (22 Nm).

84. Instalar la batería y conectar el cable positivo de la batería, después conectar el cable negativo. Introducir el código de seguridad de la radio.

85. Llenar el motor con aceite y la caja de cambios con aceite/fluido.

86. Llenar y purgar el aire del sistema de refrigeración.

87. Poner el interruptor de encendido en posición "ON", sin arrancar el motor. La bomba de combustible debe funcionar durante aproximadamente 2 segundos, elevando la presión en las líneas. Poner el interruptor de encendido en posición "OFF", después dos o tres veces más en posición "ON" para establecer toda la presión del sistema. Comprobar si hay fugas de combustible.

88. Desconectar el cable de la bobina del distribuidor. Aislar o proteger el extremo del cable de manera que no haga contacto haciendo un arco con el motor o el metal circundante. Sin tocar el acelerador, girar el interruptor del encendido en posición START y dar vueltas al motor durante aproximadamente 5-10 segundos; ello creará presión en el aceite del interior del motor. No dar vueltas al motor durante más de 10 segundos.

89. Poner el interruptor de encendido en posición "OFF" y reconectar la bobina.

90. Arrancar el motor y permitirle ir a la marcha mínima. Comprobar con cuidado las mangueras y las líneas para ver si hay alguna señal de fuga.

91. Comprobar la sincronización y la marcha mínima.

92. Una vez que el motor se haya calentado completamente y el/los ventilador/es se hayan puesto en marcha como mínimo una vez, volver a comprobar el motor para ver si hay pérdidas de algún fluido. Poner el interruptor del motor en posición "OFF".

93. Si es necesario, ajustar las correas, el embrague y el cable del ahogador.

MOTORES 2.7L

1. Desconectar los puntales de soporte del capó del motor, después fijar el capó en posición vertical.

2. Desconectar el cable negativo de la batería, después desconectar el cable positivo.

3. Sacar la batería, la base de la batería y el soporte. Desconectar el cable de toma de tierra del motor, situado cerca de la batería.

4. Sacar el conducto del aire de admisión.

5. Sacar la cubierta B del múltiple de admisión, después desconectar el cable del ahogador y los cables del control de velocidad de crucero del varillaje del ahogador. Aflojar las contratuercas del cable, después deslizar los extremos del cable fuera del varillaje del acelerador. Ir con cuidado de no doblar los cables, reemplazar siempre los cables retorcidos.

6. Sacar el cable del motor de arranque del puntal de refuerzo. Después sacar el puntal de refuerzo.

7. Desconectar los conectores del cableado del motor del lado izquierdo del compartimiento del motor.

8. Desconectar el conector resistor del inyector del lado izquierdo del compartimiento del motor.

9. Descargar la presión del sistema de combustible.

16 HONDA

Después de apagar el motor, el sistema de inyección de combustible sigue con presión. Antes de desconectar las líneas de combustible, descargar adecuadamente la presión del combustible. Si no se realiza correctamente, puede producirse un incendio o causar daños personales.

10. Desconectar la manguera de alimentación del combustible del filtro del combustible. Desconectar la manguera de retorno de combustible del regulador.

11. Desconectar la manguera de vacío del servofreno y la manguera del recipiente de control de las emisiones por evaporación (EVAP).

12. Etiquetar, después desconectar las mangueras de vacío del motor.

13. Sacar los cables de la batería de la caja de fusibles/relés de debajo del capó y de la caja de fusibles/relés del ABS de debajo del capó.

14. Desconectar los conectores del cableado del motor del lado derecho del compartimiento del motor.

15. Sacar el montaje lateral del motor, desechar los tornillos que acoplan el montaje al motor.

16. Aflojar la tuerca central y el tornillo de ajuste de la polea tensora del aire acondicionado, después sacar la correa propulsora.

17. Desconectar el cable de toma de tierra de la carrocería, situado hacia la parte delantera del vehículo por las correas propulsoras.

18. Aflojar la tuerca de montaje, el tornillo y el tornillo de ajuste del alternador, después sacar la correa propulsora.

19. Aflojar las tuercas de montaje y de ajuste de la bomba de la dirección asistida, después sacar la correa propulsora.

20. Desconectar la manguera de entrada de la bomba de la dirección asistida, tapar o taponar las conexiones.

21. Sacar las tuercas de montaje y los tornillos de ajuste de la bomba de la dirección asistida, después sacar la bomba.

22. Sacar la tapa del radiador.

23. Levantar y soportar con seguridad el vehículo.

24. Sacar las ruedas delanteras y el protector contra salpicaduras.

25. Drenar el fluido refrigerante del motor en un recipiente provisto de cierre.

26. Drenar el fluido de la caja de cambios en un recipiente provisto de cierre. Instalar el tapón de drenaje con una junta nueva.

27. Drenar el aceite del motor en un recipiente provisto de cierre. Instalar el tapón de drenaje con una junta nueva.

28. Sacar la viga central de debajo del motor.

29. Desconectar el conector eléctrico del sensor de oxígeno. Sacar las tuercas que acoplan el tubo de escape A en los múltiples de escape. Sacar las tuercas que acoplan el tubo de escape A en el convertidor catalítico y sacar el tubo de escape. Desechar las contratuercas y las juntas.

30. Sacar el tornillo de la polea del cigüeñal y sacar la polea del cigüeñal. Usar un soporte de polea de cigüeñal (pieza N° 07MAB-PY3010A) y un soporte manual (pieza N° 07JAB-001020A) para sujetar la polea del cigüeñal en su sitio mientras se saca el tornillo.

31. Sacar el filtro de aceite.

32. Desconectar el terminal del interruptor de la presión de aceite, después sacar los tornillos de sujeción de la base del filtro de aceite.

33. Sacar la base del filtro de aceite y desechar las juntas tóricas.

34. Sacar la cubierta del cable del cambio, después sacar los tornillos de sujeción del cable del cambio. Desechar la arandela de seguridad.

35. Sacar las horquillas derecha e izquierda del amortiguador.

36. Desconectar las rótulas inferiores de la dirección de los brazos de control inferiores.

37. Sacar los semiejes del vehículo.

38. Sacar las mangueras superior e inferior del radiador, después desconectar las mangueras del calefactor del motor.

39. Sacar las mangueras del refrigerador de la caja de cambios, después tapar los tubos y las mangueras.

40. Sacar el radiador del vehículo.

41. Desconectar el conector eléctrico del compresor del aire acondicionado (A/A). Sacar los tornillos de montaje del compresor del A/A, colocar el compresor a un lado y soportarlo con un alambre fuerte. No desconectar las mangueras del A/A del compresor.

42. Acoplar un elevador de motores en los puntos de elevación del motor y levantar el elevador para sacar todo el huelgo de la cadena.

43. Sacar el montaje de la caja de cambios.

44. Sacar los tornillos que acoplan el montaje delantero a la viga.

45. Desconectar la manguera de vacío de la válvula solenoidal de control del montaje trasero del motor.

46. Sacar los tornillos que acoplan el montaje trasero a la viga.

47. Comprobar que el motor está completamente libre de mangueras de vacío, de combustible y de fluido refrigerante, así como de cables eléctricos.

48. Levantar lentamente el motor unas 6 plg (150 mm) aproximadamente. Comprobar una vez más que todos las mangueras y cables han sido desconectados del motor.

49. Levantar totalmente el motor y sacarlo del vehículo.

50. Sacar la caja de cambios del motor.

51. Montar el motor en un banco para motores, asegurándose de que los tornillos de montaje están apretados. Si no se dispone de un banco para motores, soportar el motor en posición vertical con bloques. Nunca dejar el motor colgando de un elevador.

Para instalar:

52. Instalar la caja de cambios.

53. Instalar los montajes delantero y trasero del motor en sus soportes de montaje y apretar las tuercas de sujeción a 40 pie-lb (54 Nm).

54. Elevar el motor en posición y bajarlo dentro el coche, alineando los montajes y los casquillos.

55. Colocar la correa propulsora de la bomba de la dirección asistida sobre el soporte en el que el montaje lateral del motor se acopla.

➡ **Al instalar los montajes del motor y los amortiguadores de vibración en las etapas siguientes, éstos deben apretarse con la tensión y el orden correctos para que amortigüen correctamente la vibración.**

56. Instalar el montaje trasero y apretar los tornillos, acoplando el montaje a la viga, a 43 pie-lb (59 Nm).

57. Instalar el montaje delantero y apretar los tornillos, acoplando el montaje a la viga, a 43 pie-lb (59 Nm).

58. Instalar el montaje lateral del motor. Usar tres tornillos nuevos para acoplar el montaje al motor, apretar los tornillos a 40 pie-lb (54 Nm). No apretar aún el tornillo pasante.

59. Instalar el montaje de la caja de cambios y apretar las tres tuercas, acoplando el montaje a la caja de cambios, a 28 pie-lb (38 Nm). No apretar aún el tornillo pasante.

60. Apretar el tornillo pasante del montaje lateral del motor a 47 pie-lb (64 Nm).

61. Apretar el tornillo pasante del montaje de la caja de cambios a 47 pie-lb (64 Nm).

62. Sacar el elevador del motor.

63. Colocar el compresor del A/A en el motor e instalar los tornillos de montaje. Apretar los tornillos de montaje a 16 pie-lb (22 Nm), después conectar el conector eléctrico del compresor del A/A.

64. Instalar el conjunto del radiador.

65. Conectar las mangueras del refrigerador de la caja de cambios a las líneas del refrigerador de la caja de cambios.

66. Instalar las mangueras superior e inferior del radiador y conectar las mangueras del calefactor al motor.

67. Instalar los semiejes con anillos de resorte nuevos, asegurarse de que los anillos de resorte quedan colocados en su sitio, al oír el chasquido que produce al encajar.

68. Conectar las rótulas inferiores de la dirección a los brazos de control inferiores. Apretar las tuercas de la rótula de la dirección a 36-43 pie-lb (49-59 Nm), después instalar un pasador de retención nuevo.

69. Instalar las horquillas del amortiguador, apretar el tornillo con brida a 32 pie-lb (43 Nm). Instalar el tornillo inferior y una tuerca de fijación nueva, apretar la tuerca a 47 pie-lb (64 Nm).

70. Conectar el cable del cambio a la caja de cambios e instalar una arandela de seguridad nueva en el tornillo de sujeción. Apretar el tornillo, acoplando el extremo del cable del cambio a la caja de cambios, a 10 pie-lb (14 Nm). Instalar la cubierta del cable del cambio y apretar los tornillos de sujeción de la cubierta a 20 pie-lb (26 Nm). Apretar los dos tornillos, acoplando el cuerpo del cable en la caja de cambios, a 9 pie-lb (12 Nm).

71. Instalar juntas tóricas nuevas en la base del filtro de aceite e instalar la base del filtro de aceite en el motor. Apretar los tornillos de soporte a 16 pie-lb (22 Nm).

72. Conectar el terminal del interruptor de la presión del aceite y apretar el tornillo de sujeción a 1.8 pie-lb (2.5 Nm).

73. Instalar el filtro de aceite.

74. Usar un soporte de polea para instalar la polea del cigüeñal y apretar el tornillo de la polea. Apretar el tornillo a 181 pie-lb (245 Nm).

75. Instalar el tubo de escape A con juntas y contratuercas nuevas. Apretar las tuercas, acoplando el tubo de escape al convertidor catalítico, a 25 pie-lb (33 Nm). Apretar las tuercas, acoplando el tubo de escape a los múltiples de escape, a 40 pie-lb (54 Nm). Conectar el conector eléctrico del sensor de oxígeno.

76. Instalar la viga central y apretar los tornillos de sujeción de la viga central a 37 pie-lb (50 Nm).

77. Instalar el protector contra salpicaduras y las ruedas delanteras.

78. Instalar la bomba de la dirección asistida y conectar la manguera de entrada. No apretar todavía los tornillos y las tuercas de montaje de la bomba de la dirección asistida.

79. Instalar y ajustar la correa de la bomba de la dirección asistida y apretar las tuercas de montaje a 16 pie-lb (22 Nm).

80. Instalar y ajustar la correa del alternador, después apretar la tuerca y el tornillo de montaje del alternador a 16 pie-lb (22 Nm).

81. Instalar la correa del A/A y ajustar la tensión de la correa. Apretar la tuerca tensora central a 33 pie-lb (44 Nm).

82. Conectar los conectores del cableado del motor en el lado derecho del compartimiento del motor.

83. Conectar los cables de la batería a la caja de fusibles/relés de debajo del capó y a la caja de fusibles/relés del ABS de debajo del capó.

84. Conectar las mangueras de vacío al múltiple de admisión.

85. Conectar la manguera del recipiente de control de EVAP y la manguera del reforzador del servofreno al conjunto motor.

86. Conectar la manguera de retorno del combustible al regulador. Conectar la manguera alimentadora del combustible al filtro de combustible con arandelas nuevas. Apretar la tuerca del tornillo hueco a 16 pie-lb (22 Nm) y apretar el tornillo de servicio a 9 pie-lb (12 Nm).

87. Conectar el conector resistor del inyector a la izquierda del compartimiento del motor.

88. Conectar los conectores del cableado del motor en el lado izquierdo del compartimiento del motor.

89. Instalar el puntal de refuerzo y apretar los tornillos del puntal de refuerzo a 16 pie-lb (22 Nm). Instalar el cable del motor de arranque en el puntal oblicuo.

90. Conectar el cable del ahogador y los cables del control de velocidad de crucero en el varillaje del ahogador. Si es necesario, ajustar el cable. Instalar la cubierta B del múltiple de admisión y apretar el tornillo de sujeción a 9 pie-lb (12 Nm).

91. Instalar el conducto del aire de admisión.

92. Conectar el cable de toma de tierra del motor e instalar la base y el soporte de la batería. Apretar los tornillos de montaje de la base a 16 pie-lb (22 Nm).

93. Instalar la batería y conectar el cable positivo de la batería, después conectar el negativo. Introducir el código de seguridad de la radio.

94. Llenar el motor con aceite y la caja de cambios con fluido.

95. Llenar y purgar el aire del sistema de refrigeración.

96. Poner el interruptor de encendido en posición "ON", sin arrancar el motor. La bomba del combustible debe moverse durante aproximadamente 2 segundos, elevando la presión en las líneas. Poner el interruptor de encendido en posición "OFF", después dos o tres veces más en posición "ON" para establecer toda la presión del sistema. Comprobar si hay fugas de combustible.

97. Desconectar el cable de la bobina del distribuidor. Aislar o proteger el extremo del cable de manera que no haga contacto y produzca arcos con el motor o el metal circundante. Sin tocar el acelerador, girar el interruptor del encendido en posición START y dar vueltas al motor durante aproximadamente 5-10 segundos; ello creará presión en el aceite del interior del motor. No dar vueltas al motor durante más de 10 segundos.

98. Poner el interruptor de encendido en posición "OFF" y reconectar la bobina.

99. Arrancar el motor y permitirle ir a la marcha mínima. Comprobar con cuidado las mangueras y las líneas para ver si hay alguna señal de fuga.

100. Comprobar la sincronización y la marcha mínima.

101. Una vez que el motor se haya calentado completamente y el/los ventilador/es se hayan puesto en marcha como mínimo una vez, volver a comprobar el motor para ver si hay pérdidas de algún fluido. Poner el interruptor del motor en posición "OFF".

Accord 1998-99

MOTORES 2.3L Y 3.0L

1. Obtener el código antirrobo de la radio, después desconectar los cables de la batería. Asegurarse de desconectar primero el cable negativo.

2. Sacar el conducto de admisión del aire.

3. Asegurar el capó abierto con una barra de soporte larga como la P/N 74145-S84-A00.

4. Desconectar ambos cables de la batería y el conector de la caja de relés de debajo del capó. En el motor 3.0L, sacar la batería y la bandeja.

5. Sacar el tornillo que asegura la caja de relés a la carrocería.

6. Sacar los cables del acelerador y del control de velocidad de crucero del cuerpo y soporte del ahogador.

7. Descargar adecuadamente la presión del sistema del combustible.

8. Soltar las mangueras del combustible del raíl del combustible.

9. Sacar las mangueras siguientes:

- Vacío del reforzador del servofreno.
- Recipiente de EVAP.
- Manguera de vacío del recipiente del carbón.

10. Sacar la manguera que asegura la manguera de la dirección asistida al motor.

11. Sacar la correa de la bomba de la dirección asistida, luego sacar la bomba y apartarla. Si es necesario utilizar un alambre.

12. Soltar los conectores ECM/PCM del módulo de control. Sacar los ojales y tirar de los conectores a través de ellos.

13. Desconectar los conectores del cableado del lado derecho del compartimiento del motor; del lado izquierdo, en el motor 3.0L.

14. En el motor 2.3L, sacar el cable del motor de arranque (A) y la abrazadera (B). Sacar el cable de toma de tierra (C) y los conectores del interruptor de la luz de marcha atrás (D). En el motor 3.0L, sacar el cableado del motor de arranque de los puntos de sujeción del compartimiento del motor.

15. En vehículos con cambio manual, desconectar los cables del cambio y del selector, de la caja de cambios. Sacar los tornillos de montaje del cilindro auxiliar y apartar el cilindro. Asegurarse de no doblar la línea.

16. Sacar el tornillo pasante y el refuerzo del montaje trasero del motor.

17. Sacar los tornillos de montaje del soporte de montaje delantero del motor y aflojar el tornillo pasante.

18. Sacar la tapa del radiador.

19. Levantar y soportar con seguridad el vehículo.

20. Sacar las llantas delanteras.

21. Sacar la cubierta de debajo del motor.

22. Aflojar el tapón de drenaje del radiador y drenar el fluido refrigerante.

23. Drenar el aceite o fluido de la caja de cambios, después reinstalar el tapón usando una arandela nueva.

24. Drenar el aceite del motor, después reinstalar el tapón usando una arandela nueva.

25. Bajar el vehículo y sacar las mangueras superior e inferior del radiador y las mangueras del calefactor del motor.

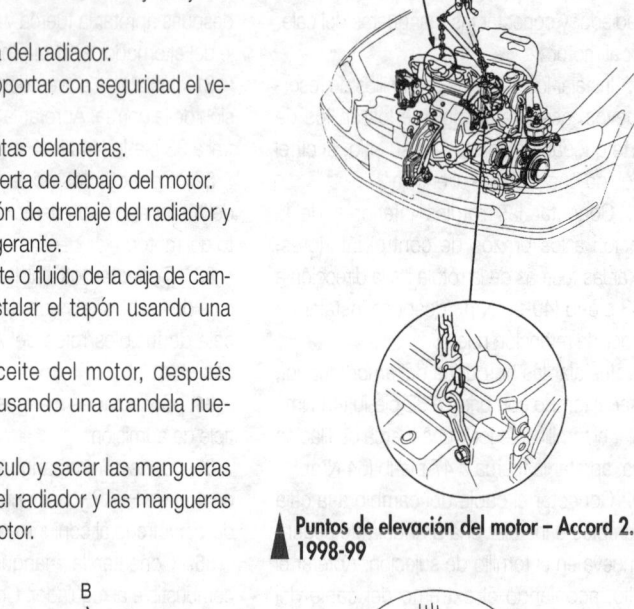

▲ **Puntos de elevación del motor – Accord 2.3L 1998-99**

▲ **Posición del cable del motor de arranque, de la abrazadera, del cable de toma de tierra y del conector del interruptor de la luz de marcha atrás – Accord 2.3L 1998-99**

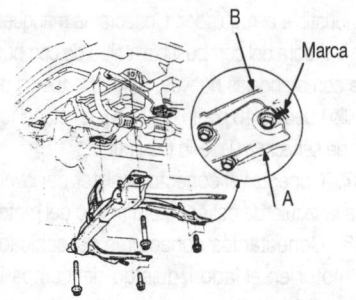

▲ **Asegurarse de marcar la posición de las vigas delanteras (A) sobre las vigas traseras (B) antes de sacar el subbastidor – Accord 2.3L 1998-99**

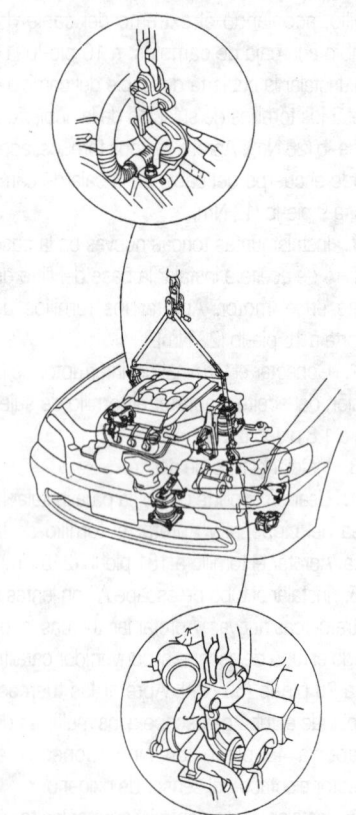

▲ **Puntos de elevación del motor – Accord 3.0L 1998-99**

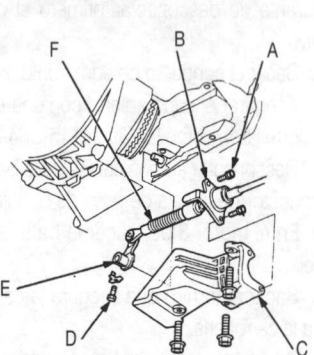

▲ **Componentes del varillaje del cambio automático – Accord 2.3L 1998-99**

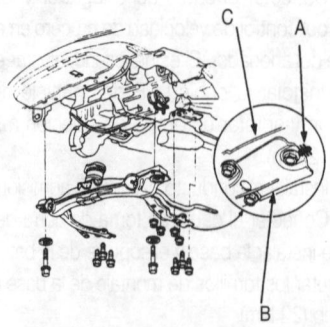

▲ **Marcar la posición de las vigas delanteras (A) sobre las vigas traseras (B) antes de sacar el subbastidor – Accord 3.0L 1998-99**

26. En los vehículos con cambio automático, desconectar las líneas del refrigerador de fluido ATF.

27. Sacar el compresor del A/A del motor y colocarlo a un lado sin desconectar las mangueras.

28. Levantar el vehículo y sacar el tubo de escape delantero.

29. En los vehículos con T/A (Transmisión Automática), sacar los dos tornillos (A) para el soporte del cable del cambio (B), después sacar la cubierta del cable del cambio (C). Para evitar que se dañe el varillaje, asegurarse de sacar el soporte del cable del cambio antes de sacar los tornillos de la cubierta.

30. Sacar el perno de retención (D) de la palanca de control (E), después sacar el cable del cambio (F) con la palanca de control.

31. Sacar el tornillo pasante que asegura la parte inferior del amortiguador en el brazo de control.

32. Sacar los semiejes.

33. Sacar el soporte de montaje trasero del motor.

34. Sacar los dos tornillos con brida de cada una de las barras radiales.

35. Marcar la posición de las vigas delanteras (A) en las vigas traseras (B). Sacar los cuatro tornillos y el subbastidor.

36. Bajar el vehículo a media altura y acoplar un elevador de cadena a los puntos de elevación del motor, tal como muestran las figuras adjuntas. Aplicar una ligera presión ascendente al conjunto motor/caja de cambios.

37. Sacar del motor y de la caja de cambios los soportes de montaje que queden.

38. Bajar el motor unas 6 plg (150 mm) aproximadamente y comprobar que el motor/caja de cambios está libre de mangueras, cables o alambres eléctricos.

39. Bajar completamente el conjunto y sacarlo por debajo del vehículo.

Para instalar:

40. Elevar el motor en posición e instalarlo en los soportes de montaje del motor. En el motor 2.3L, apretar los tornillos y las tuercas de montaje del motor a 40 pie-lb (54 Nm). En el motor 3.0L, apretar los tornillos a 28 pie-lb (38 Nm).

41. En el motor 3.0L, instalar el compresor del A/A. Apretar los tornillos a 16 pie-lb (22 Nm).

42. Instalar el soporte de montaje de la caja de cambios. En el motor 2.3L, apretar las tuercas a 28 pie-lb (38 Nm) y el tornillo pasante a

40 pie-lb (54 Nm). En el motor 3.0L, apretar los tornillos a 28 pie-lb (38 Nm).

43. Instalar el subbastidor en su posición original. En el motor 2.3L, apretar los tornillos traseros a 47 pie-lb (64 Nm) y los tornillos delanteros a 76 pie-lb (103 Nm). En el motor 3.0L, apretar los tornillos traseros a 40 pie-lb (54 Nm), los tornillos delanteros a 76 pie-lb (103 Nm) y las tuercas a 28 pie-lb (38 Nm).

44. En el motor 2.3L, realizar lo siguiente:

• Instalar los tornillos de las barras radiales. Apretarlos a 119 pie-lb (162 Nm).

• Instalar el soporte del montaje trasero. Apretar los tornillos a 40 pie-lb (54 Nm).

• En vehículos con cambios manuales, instalar el refuerzo y apretar el tornillo pasante a 47 pie-lb (64 Nm). En vehículos con cambio automático, instalar el refuerzo y apretar la tuerca y el tornillo a 28 pie-lb (38 Nm).

• Apretar los tres tornillos del soporte de montaje delantero a 28 pie-lb (38 Nm). Después, apretar el tornillo pasante a 47 pie-lb (64 Nm).

• Instalar el compresor del A/A. Apretar los tornillos a 16 pie-lb (22 Nm).

45. En el motor 3.0L, realizar lo siguiente:

• Instalar los tornillos de las barras radiales. Apretarlos a 119 pie-lb (162 Nm).

• Instalar la tuerca de apoyo del soporte de montaje delantero. Apretarla a 40 pie-lb (54 Nm).

• Instalar la tuerca y el tornillo del soporte de montaje trasero. Apretar la tuerca a 40 pie-lb (54 Nm) y el tornillo a 28 pie-lb (38 Nm).

• Instalar el soporte de montaje lateral. Apretar los tornillos a 40 pie-lb (54 Nm) y el tornillo pasante a 40 pie-lb (54 Nm).

46. Ensamblar el sistema de escape.

47. Si está equipado con cambio automático, conectar el varillaje del cambio.

48. El resto de la instalación es el proceso inverso al desmontaje.

49. Llenar y sangrar el sistema de refrigeración.

▼ AVISO ▼

Hacer funcionar el motor sin la cantidad y el tipo adecuado de aceite de motor puede provocar graves daños en el motor.

50. Llenar el motor con la cantidad correcta de aceite.

51. Si se ha sacado, instalar la batería. Arrancar el motor y comprobar si hay fugas.

BOMBA DE AGUA

DESMONTAJE E INSTALACIÓN

Motores 1.5L, 1.6L, 2.2L y 2.3L

➡ **La radio original contiene un circuito codificado antirrobo. Obtener el número del código de seguridad antes de desconectar los cables de la batería.**

1. Desconectar el cable negativo de la batería.

2. Drenar el sistema de refrigeración.

3. Sacar las correas propulsoras auxiliares, la cubierta de válvulas y la cubierta superior de la correa de sincronización.

4. Colocar la sincronización en el PMS/compresión para el pistón N° 1.

5. Sacar la polea del cigüeñal y la cubierta inferior de la correa de sincronización.

6. Sacar la correa de sincronización. Si está sucia de aceite o de fluido refrigerante, o si muestra alguna señal de desgaste o daño, reemplazar la correa de sincronización.

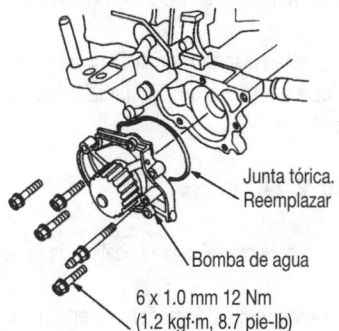

Junta tórica. Reemplazar

Bomba de agua

6 x 1.0 mm 12 Nm
(1.2 kgf·m, 8.7 pie-lb)

▲ **Bomba de agua – Motores 2.2L y 2.3L**

7. Si está equipado con sensor de Fluctuación de Velocidad del Cigüeñal (FVC) en el engranaje del cigüeñal, desatornillar el soporte del sensor y apartar el sensor. Cubrir el sensor con una toalla de taller para mantenerlo aislado del fluido refrigerante.

8. Desatornillar la bomba de agua y sacarla del bloque de cilindros. En los motores 1.5L y 1.6L, el tornillo de montaje superior derecho de la bomba de agua también asegura el soporte de ajuste del alternador. Dejar el soporte acoplado al alternador.

Para instalar:

9. Antes de la instalación, limpiar la bomba de agua y las superficies de unión de la junta tórica.

10. Instalar la bomba de agua con una junta tórica nueva. Poner una capa de junta líquida únicamente en las roscas de los tornillos y apretarlos a 9 pie-lb (12 Nm). En los motores 1.5L y 1.6L, apretar el tornillo del soporte a 33 pie-lb (44 Nm).

11. Instalar la correa de sincronización. Asegurarse de que está correctamente sujeta y ajustada.

12. Si está equipado, instalar el sensor de FVC y apretar los tornillos del soporte a 9 pie-lb (12 Nm).

13. Instalar la cubierta inferior de la correa y la polea del cigüeñal.

14. Instalar la cubierta superior de la correa de sincronización, la cubierta de válvulas y las correas propulsoras auxiliares.

15. Asegurarse de que el tapón de drenaje del sistema de refrigeración está cerrado. Rellenar y sangrar el sistema de refrigeración.

16. Conectar el cable negativo de la batería e introducir el código de seguridad de la radio.

17. Arrancar el motor, dejar que alcance su temperatura normal de funcionamiento y comprobar si hay fugas de fluido refrigerante. Comprobar las tensiones de las bandas de accesorios.

18. Si está equipado con 4RD, girar el volante de tope a tope para reajustar la unidad de control de las 4RD.

Motor 2.7L

1. Desconectar el cable negativo de la batería.

2. Drenar el fluido refrigerante en un recipiente provisto de cierre.

3. Sacar las cubiertas de la correa de sincronización y la correa de sincronización.

4. Sacar el tensor de la correa de sincronización.

5. Sacar los nueve tornillos de la bomba de agua, tomar nota de su posición para su reinstalación.

6. Sacar la bomba de agua del motor y desechar la junta tórica. Sacar las clavijas de centrado.

Para instalar:

7. Limpiar la superficie de soporte de la bomba de agua y la ranura de la junta tórica, después instalar las clavijas de centrado en el motor.

8. Instalar una junta tórica nueva en el motor, después instalar la bomba de agua; ir con cuidado de no pellizcar la junta tórica.

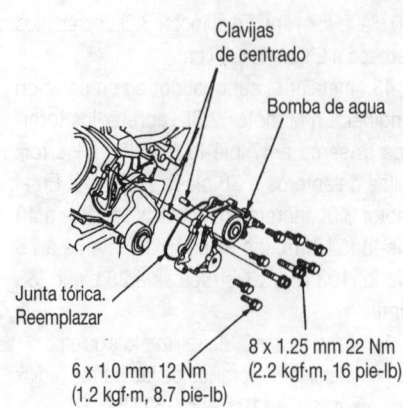

Clavijas de centrado
Bomba de agua
Junta tórica. Reemplazar
6 x 1.0 mm 12 Nm (1.2 kgf·m, 8.7 pie-lb)
8 x 1.25 mm 22 Nm (2.2 kgf·m, 16 pie-lb)

▲ **Bomba de agua – Motor 2.7L**

Instalar los tornillos de montaje en sus posiciones originales y, cuando se aprieten, asegurarse de que la junta tórica no sale de la ranura. Apretar los seis tornillos de 1.0 mm de paso de rosca a 9 pie-lb (12 Nm) y los ocho de 1.25 mm de paso a 16 pie-lb (22 Nm).

9. Examinar la bomba de agua, asegurándose de que gira libre.

10. Instalar el tensor de la correa de sincronización.

11. Instalar la correa de sincronización y las cubiertas de la correa de sincronización.

12. Rellenar y purgar el aire del sistema de refrigeración.

13. Conectar el cable negativo de la batería e introducir el código de seguridad de la radio.

Motor 3.0L

1. Sacar la correa de sincronización.

2. Sacar el tensor de la correa de sincronización.

3. Sacar los cinco tornillos de montaje de la bomba de agua, después sacar la bomba y el sello de aceite.

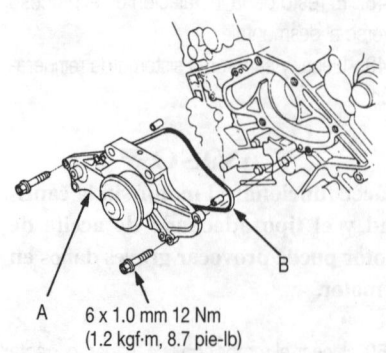

A   6 x 1.0 mm 12 Nm (1.2 kgf·m, 8.7 pie-lb)   B

▲ **Despiece del montaje de la bomba de agua – Motor 3.0L**

Para instalar:

4. Limpiar la ranura del sello de aceite y las superficies de unión.

5. Instalar la bomba de agua, usando un sello de aceite nuevo. Apretar los tornillos a 8.7 pie-lb (12 Nm).

6. Instalar el tensor de la correa de sincronización.

7. Instalar la correa de sincronización.

8. Llenar el sistema de refrigeración.

9. Arrancar el motor y comprobar si hay fugas.

10. Una vez que se ha enfriado el motor, si es necesario, completar el nivel del sistema de refrigeración.

CULATA DE CILINDROS

DESMONTAJE E INSTALACIÓN

➡ La radio puede contener un circuito codificado de protección antirrobo. Obtener siempre el número del código antes de desconectar la batería. Si el vehículo está equipado con 4RD, al desconectar la batería, la unidad de control de dirección se para. Después de conectar la batería, girar el volante de tope a tope para reajustar la unidad de control de la dirección.

Civic y Del Sol 1995

1. Antes de sacar la culata de cilindros, el motor debe estar frío.

2. Desconectar el cable negativo de la batería. Drenar el sistema de refrigeración.

3. Sacar la manguera de vacío del reforzador de freno del cilindro principal del reforzador del servofreno mecánico. Sacar el cable secundario de toma de tierra de la cubierta de válvulas.

4. Sacar la manguera de admisión de aire y la cámara de aire. Descargar la presión del combustible. Desconectar las mangueras del combustible y la manguera de retorno del combustible.

5. Sacar la manguera de admisión de aire y la manguera del resonador. Desconectar el cable del ahogador del cuerpo del ahogador. En los vehículos equipados con cambios automáticos, desconectar el cable de control del ahogador del cuerpo del ahogador.

6. Desconectar la manguera del cartucho de carbón de la válvula del ahogador.

7. Desconectar de la culata de cilindros y del múltiple de admisión los siguientes conectores eléctricos del motor:

a. Conector de 14 púas del cableado principal.

b. Conector EACV.

c. Conector del sensor de temperatura del aire de admisión.

d. Conector del sensor del ángulo del ahogador.

e. Conectores del inyector.

f. Bobina de encendido del distribuidor.

g. Conector del sensor del Punto Muerto Superior del cigüeñal del distribuidor.

h. Conector del transmisor del indicador de temperatura del fluido refrigerante.

i. Conector del sensor de la temperatura del fluido refrigerante.

j. Sensor de oxígeno.

8. Desconectar del múltiple de admisión y del cuerpo del ahogador las mangueras de vacío y las mangueras de desviación de agua.

9. Sacar la manguera superior del radiador y las mangueras del calefactor de la culata de cilindros.

10. Sacar la manguera del VPC, la manguera del cartucho de carbón y la manguera de vacío del múltiple de admisión, y sacar la manguera de vacío del cilindro principal del reforzador del servofreno.

11. Aflojar la polea tensora del aire acondicionado y sacar la correa del aire acondicionado. Sacar la correa del alternador. Si está equipado con dirección asistida, sacar la correa de la dirección asistida y el soporte de la bomba.

12. Sacar el soporte del múltiple de admisión y el soporte del múltiple de escape.

13. Sacar el recubrimiento del múltiple de escape, después sacar el múltiple de escape.

14. Marcar la posición del distribuidor en relación al bloque de cilindros, sacar y etiquetar los cables de bujías y sacar el conjunto del distribuidor.

15. Sacar la cubierta de válvulas. Sacar la cubierta de la correa de sincronización.

16. Marcar la dirección de rotación en la correa de sincronización. Aflojar 180° el tornillo de ajuste de la correa de sincronización, después sacar la correa de sincronización de la polea del árbol de levas. Reapretar el tornillo de ajuste a 33 pie-lb (45 Nm).

➡ **No plegar o doblar la correa de sincronización más de 90 grados o menos de 1 plg (25 mm) en diámetro (anchura).**

17. Sacar los tornillos de la culata de cilindros en el orden inverso a la secuencia de apriete. Una vez que se hayan sacado todos los tornillos, sacar del motor la culata de cilindros junto con el múltiple de admisión. Sacar el múltiple de admisión de la culata de cilindros. Si la culata está pegada al bloque de cilindros, golpearla ligeramente con una maza de plástico o de madera, o hacer palanca para soltarla con un destornillador grande y plano. Las ranuras para hacer palanca están situadas en cada extremo de la parte trasera de la culata.

Para instalar:

➡ **Al instalar la culata de cilindros y sus componentes, usar juntas tóricas, empaques y sellos de aceite nuevos.**

18. Asegurarse de que las superficies de la culata de cilindros y del bloque de cilindros están limpias, niveladas y rectas.

19. Asegurarse de que las clavijas de centrado de la culata de cilindros y el chorro de control están alineados. Limpiar el orificio de control del aceite y reinstalarlo con una junta tórica nueva.

20. Instalar la culata de cilindros en el motor con una junta de culata nueva.

21. Asegurarse de que la marca "UP" (arriba) de la polea de la correa de sincronización está en la parte superior.

22. Instalar el múltiple de admisión y apretar las tuercas, siguiendo una pauta entrelazada en 2-3 pasos, a 17 pie-lb. Empezar con las tuercas interiores.

23. Instalar los tornillos que aseguran el múltiple de admisión en su soporte, pero no apretarlos todavía.

24. Colocar la leva de manera que se alinee con las marcas del PMS e instalar los tornillos de culata de cilindros.

25. Apretar los tornillos de culata de cilindros en 2 pasos. En el primer paso, apretar todos los tornillos, en orden, a 22 pie-lb (30 Nm). En el último paso, usando el mismo orden, apretar los tornillos a 47 pie-lb (65 Nm) para motores D15B7 y D15B8. En motores D16Z6 y D15Z1, el apriete final para los tornillos de la culata es de 53 pie-lb (73 Nm).

26. Instalar el múltiple de escape y apretar las tuercas, siguiendo una pauta entrelazada de dos o tres pasos, a 25 pie-lb (34 Nm), empezando por las tuercas interiores.

27. Instalar el múltiple de escape en el conducto de cabeza. Apretar los tornillos en el soporte del múltiple de admisión. Instalar el conducto de cabeza en su soporte.

28. Instalar la correa de sincronización, la cubierta de sincronización y la polea del cigüeñal. Instalar la cubierta de sincronización superior y la cubierta de válvulas. Antes de la instalación, cubrir con aceite los sellos de aceite de las bujías de la cubierta de válvulas.

29. Reconectar el cable del ahogador. Ajustar su tensión de manera que el cable tenga una desviación de 10-12 mm (0.39-0.47 plg).

30. Instalar el soporte de la bomba de la dirección asistida y apretar los tornillos a 33 pie-lb (45 Nm). Apretar el tornillo de montaje de la bomba de la dirección asistida a 17 pie-lb (24 Nm).

31. Instalar el distribuidor. Instalar bujías nuevas y reconectar los cables de las bujías.

32. Una vez esté completo el procedimiento de instalación, comprobar que todos los tubos, mangueras y conectores estén instalados correctamente. Comprobar la tensión de las correas propulsoras auxiliares.

33. Ajustar el huelgo de las válvulas y la sincronización del encendido.

34. Cambiar el aceite del motor y el filtro.

35. Cargar el sistema de refrigeración con fluido refrigerante limpio y sangrar el sistema.

36. Reconectar el cable negativo de la batería.

37. Poner en marcha el motor y probar el vehículo en carretera.

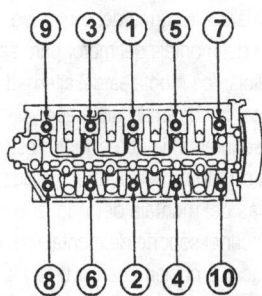

Secuencia de apriete de los tornillos de la culata de cilindros

▲ Secuencia de apriete de los tornillos de la culata de cilindros – Civic y Del Sol 1995-97

Civic y Del Sol 1996-97

MOTORES 1.6L (D16Y5, D16Y7 Y D16Y8)

1. Asegurarse de que la culata de cilindros está fría al tacto antes de empezar el procedimiento de desmontaje. La temperatura del fluido refrigerante debe estar por debajo de los 100 °F (38 °C).

2. Desconectar el cable negativo de la batería.

3. Drenar el sistema de refrigeración.

4. Etiquetar y desconectar los cables de encendido.

5. Sacar el conjunto del conducto de admisión de aire y el filtro de aire.

6. Descargar la presión del combustible.

7. Limpiar cualquier combustible que se haya vertido sobre el motor o múltiple de admisión.

8. Desconectar la manguera superior del radiador de la entrada del fluido refrigerante.

9. Desconectar las mangueras de desviación del fluido refrigerante y la manguera del calefactor del múltiple de admisión.

10. Aflojar los tornillos de montaje de la bomba de la dirección asistida para descargar la tensión de la correa. Sacar la correa de la bomba de la dirección asistida.

11. Sacar la bomba de la dirección asistida de su soporte de montaje y levantar el depósito de la dirección asistida de su montaje. Mover la bomba y el depósito fuera de la zona de trabajo y asegurarlos. No desconectar las líneas hidráulicas.

12. Colocar un bloque de madera sobre la almohadilla de un gato de suelo. Colocar el gato de suelo debajo del motor para soportarlo.

13. Si está equipado con A/A: desatornillar el soporte de montaje delantero-izquierdo del motor.

14. Aflojar el tornillo de la polea tensora del compresor del A/A. Después, aflojar el tornillo de ajuste para descargar la tensión de la correa. Deslizar la correa del compresor del A/A alrededor del montaje del motor para sacarla.

15. Aflojar los montajes del alternador; después, sacar la correa del alternador.

16. Asegurarse de que el motor está soportado con el gato de suelo almohadillado. Aflojar las tuercas del montaje del lado izquierdo del motor. Sacar el soporte de montaje del motor.

17. Sacar la cubierta de válvulas y la cubierta superior de la correa de sincronización.

18. Sacar la polea del cigüeñal y la cubierta inferior de la correa de sincronización. Separar el tubo de la varilla medidora de sus enganches en la cubierta de sincronización. Sacar la correa de sincronización.

19. Una vez que se ha sacado la correa de sincronización, examinar la bomba de agua y, si es necesario, reemplazarla.

20. Sacar el distribuidor de la culata de cilindros como un conjunto.

21. Desatornillar y sacar el engranaje del árbol de levas.

22. Desconectar las líneas de combustible, del raíl del combustible del múltiple de admisión.

Tapar inmediatamente las líneas para prevenir la fuga de combustible y la contaminación.

23. Desconectar el cable del ahogador del varillaje, aflojando primero su contratuerca y deslizándolo después fuera de su soporte.

24. Etiquetar y desconectar los siguientes conectores del cableado del motor de la culata de cilindros y del múltiple de admisión:

a. Conectores del cableado de los inyectores de combustible.

b. Conectores de la válvula solenoidal y del interruptor de presión del VTEC (sólo en motores D16Y5 y D16Y8).

c. Conector de la válvula de control del aire de la marcha mínima (CAL).

d. Conector del sensor de posición del ahogador (SPA).

e. Conectores del sensor de elevación de la válvula de RGE (sólo en motores D16Y5).

f. Conectores del sensor de la temperatura del fluido refrigerante del motor, del interruptor y del transmisor del indicador (TFRM).

g. Conector del sensor de presión absoluta del múltiple (PAM).

h. Conectores del sensor de oxígeno primario y secundario (SO2R) (sólo en motores D16Y5 y D16Y7).

25. Etiquetar y desconectar las mangueras de vacío y la manguera del VPC del múltiple de admisión y del cuerpo del ahogador.

26. Desconectar el cartucho de carbón (EVAP) y las mangueras de respiración del múltiple de admisión.

27. Sacar el múltiple de admisión junto con el cuerpo del ahogador y la cámara de sobrepresión.

28. Sacar el múltiple de escape.

29. Sacar el soporte de la bomba de la dirección asistida.

30. Aflojar los tornillos de la culata de cilindros, siguiendo una pauta entrelazada en tres pasos, en el orden inverso al de la secuencia de apriete. Empezar con los tornillos más externos y trabajar hacia el centro de la culata de cilindros. Aflojar los tornillos en el orden inverso al de instalación.

31. Sacar la culata de cilindros. Si la culata está pegada al bloque de cilindros, golpearla ligeramente con un mazo de plástico o de madera.

32. Examinar si en la culata de cilindros hay deformaciones y grietas. Repararla, mecanizarla o reemplazarla, según sea necesario. La deformación límite es de 0.002 plg (0.05 mm). La altura estándar de la culata de cilindros es de 3.659-3.663 plg (92.95-93.05 mm).

33. Quitar la junta vieja de la culata de cilindros y limpiar a fondo las superficies de unión.

34. Cubrir el motor con una lámina de plástico para mantener alejada la suciedad y los objetos extraños.

Para instalar:

➡ Al instalar la culata de cilindros y sus componentes, usar juntas tóricas, empaques y sellos de aceite nuevos.

35. Asegurarse de que las superficies de la culata de cilindros y del bloque de cilindros están limpias, niveladas y rectas.

36. Asegurarse de que las clavijas de centrado y el orificio de control de la culata de cilindros están alineados. Limpiar el orificio de control del aceite y reinstalarlo usando una junta tórica nueva.

37. Instalar una junta de culata nueva en el bloque de cilindros.

38. Si se ha sacado el árbol de levas, reinstalarlo con el chavetero mirando hacia arriba de manera que el motor permanezca en el PMS/compresión para el cilindro N° 1. Lubricar e instalar un sello de aceite de árbol de levas nuevo.

39. Usar tornillos y arandelas de culata de cilindros nuevos. Los tornillos usados o anteriormente apretados pueden estar dados (estirados) y por lo tanto tienen reducido el poder de sujeción y sellado bajo compresión. Aplicar aceite de motor limpio a las roscas de cada tornillo de culata.

40. Encajar la culata de cilindros en su sitio. Apretar todos los tornillos de la culata de cilindros con la mano.

41. Apretar los tornillos de la culata de cilindros hasta su especificación de apriete final en cuatro pasos. Seguir una secuencia entrelazada empezando con los tornillos del centro de la culata y trabajando hacia los tornillos exteriores.

a. Paso 1: apretar cada tornillo a 14 pie-lb (20 Nm).

b. Paso 2: apretar cada tornillo a 36 pie-lb (49 Nm).

c. Paso 3: apretar cada tornillo a 49 pie-lb (67 Nm).

d. Paso 4: apretar sólo los dos tornillos centrales con un apriete adicional de 49 pie-lb (67 Nm).

42. Aplicar aceite al tornillo del engranaje del árbol de levas. Instalar el engranaje con la marca "UP" (arriba) y el chavetero apuntando recto hacia arriba. Apretar el tornillo del engranaje a 27 pie-lb (37 Nm).

43. Instalar el múltiple de admisión con una junta nueva y apretar las tuercas, siguiendo una pauta entrelazada en 2-3 pasos, a 17 pie-lb (24 Nm). Empezar por las tuercas interiores.

44. Instalar los tornillos que aseguran el múltiple de admisión a su soporte y apretarlos a 17 pie-lb (24 Nm).

45. Instalar el soporte de la bomba de la dirección asistida y apretar sus tornillos a 33 pie-lb (44 Nm).

46. Instalar el múltiple de escape con una junta nueva. Aplicar pasta anti-agarrote a los espárragos y apretar las tuercas a 23 pie-lb (31 Nm) en una secuencia entrelazada.

47. Conectar el múltiple de escape al tubo de escape delantero. Apretar las tuercas autobloqueantes a 25 pie-lb (33 Nm). En los vehículos con motor D16Y8, apretar las tuercas a 40 pie-lb (55 Nm).

48. Verificar que el motor está en el PMS/compresión para el cilindro N° 1.

49. Instalar la correa de sincronización. Una vez que la correa esté correctamente tensada, apretar el tornillo de ajuste a 33 pie-lb (44 Nm).

50. Instalar la cubierta inferior de la correa de sincronización. Instalar la polea del cigüeñal y apretar su tornillo a 134 pie-lb (181 Nm). Volver a encajar el tubo de la varilla medidora en sus enganches.

51. Ajustar las válvulas. Si está equipado con un motor VTEC, comprobar también la libertad y la suavidad de movimiento de los balancines.

52. Si está equipado con un motor VTEC, sacar la válvula solenoidal del VTEC y su filtro. Instalar un filtro nuevo, después reinstalar la válvula solenoidal del VTEC y apretar su tornillo a 9 pie-lb (12 Nm).

53. Instalar el distribuidor. Las orejas de acoplo en la propulsión del distribuidor encajan en las ranuras del extremo del árbol de levas. No apretar aún del todo los tornillos de montaje del distribuidor.

54. Asegurarse de que todas las juntas de sellado de los tubos de las bujías están totalmente asentadas.

55. Instalar una junta nueva en la cubierta de válvulas. Aplicar empaque líquido a los bordes más hondos de las juntas. No dejar que la selladora se seque antes de instalar la cubierta de válvulas en la culata de cilindros.

56. Instalar la cubierta de válvulas. Mover suavemente la cubierta de válvulas para asegurarse de que está totalmente asentada. Apretar los tornillos de la cubierta de válvulas, siguiendo una pauta entrelazada, a 7 pie-lb (10 Nm).

57. Instalar bujías nuevas.

58. Reconectar los cables de encendido.

59. Reconectar la manguera superior del radiador, las mangueras del calefactor y las mangueras de desviación del refrigerante del múltiple de admisión.

60. Reconectar las mangueras de las líneas de vacío, el VPC, el recipiente de EVAP y de la respiración del múltiple de admisión.

61. Conectar las líneas de combustible en el raíl del combustible. Usar arandelas de sellado nuevas en el rácor del tornillo hueco. Apretar con cuidado el rácor del tornillo hueco a 21 pie-lb (28 Nm) para el motor D16Y5 o a 16 pie-lb (22 Nm) para el resto de motores. Apretar el tornillo de servicio 9-11 pie-lb (12-15 Nm).

62. Reconectar el cable del ahogador. Ajustar su tensión de manera que tenga una desviación de 10-12 mm (0.39-0.47 plg).

63. La instalación de los componentes restantes es el procedimiento inverso al desmontaje.

Motores 1.6L (B16A2 y B16A3)

1. Antes de empezar el procedimiento de desmontaje de la culata de cilindros, asegurarse de que la temperatura del motor está por debajo de 100 °F (38 °C). La culata de cilindros debe sacarse cuando el motor está frío para prevenir que no haya deformaciones.

2. Desconectar el cable negativo de la batería.

3. Etiquetar y desconectar los cables de encendido.

4. Drenar el fluido refrigerante del motor. Sacar la tapa del radiador para un drenaje más rápido.

5. Sacar el puntal de refuerzo.

6. Sacar el conducto del aire de admisión y desconectar la manguera de respiración.

7. Descargar la presión de combustible:

a. Aflojar la tapa del filtro de combustible.

b. Sujetar el tornillo hueco del filtro de combustible con una llave de tuercas de apoyo. Sujetar el tornillo de servicio del filtro de combustible con una llave de vaso (tubo).

c. Colocar un trapo sobre el filtro de combustible para absorber la pulverización de combustible.

d. Aflojar lentamente el tornillo de servicio del filtro de combustible una vuelta completa.

8. Limpiar cualquier combustible que se haya vertido sobre el motor o el múltiple de admisión.

9. Desconectar la manguera superior del radiador de la entrada del fluido refrigerante.

10. Desconectar las mangueras de desviación del fluido refrigerante y la manguera del calefactor del múltiple de admisión.

11. Aflojar los tornillos de montaje de la bomba de la dirección asistida para descargar la presión de la correa. Sacar la correa de la bomba de la dirección asistida.

12. Sacar la bomba de la dirección asistida del soporte de montaje y levantar el depósito de la dirección asistida de su montaje. Sacar la bomba y el depósito fuera de la zona de trabajo y asegurarlos. No desconectar las líneas hidráulicas.

13. Colocar un bloque de madera sobre la almohadilla de un gato de suelo. Colocar el gato de suelo debajo del motor para soportarlo.

14. Si está equipado con A/A: desatornillar el soporte de montaje delantero-izquierdo del motor.

15. Aflojar el tornillo de la polea tensora del compresor del A/A. Después, aflojar el tornillo de ajuste para descargar la tensión de la correa. Deslizar la correa del compresor del A/A alrededor del montaje del motor para sacarla.

16. Aflojar los montajes del alternador; después sacar la correa del alternador.

17. Asegurarse de que el motor está apoyado con el gato de suelo almohadillado. Aflojar las tuercas del montaje del lado izquierdo del motor. Sacar el soporte de montaje del motor.

18. Sacar la cubierta de válvulas y la cubierta superior de la correa de sincronización.

19. Sacar la polea del cigüeñal y la cubierta inferior de la correa de sincronización. Sacar la correa de sincronización.

20. Una vez que se ha sacado la correa de sincronización, examinar la bomba de agua y, si es necesario, reemplazarla.

21. Sacar el distribuidor de la culata de cilindros como un conjunto.

22. Desconectar las líneas de combustible del raíl de combustible del múltiple de admisión. Tapar inmediatamente las líneas para evitar la fuga y contaminación de combustible.

23. Desconectar el cable del ahogador del varillaje, aflojando primero su contratuerca y deslizándolo después fuera de su soporte.

24. Etiquetar y desconectar los siguientes conectores del cableado del motor de la culata de cilindros y del múltiple de escape:

a. Conectores del cableado de los inyectores de combustible.

b. Conectores de la válvula solenoidal del VTEC y del interruptor de presión.

c. Conector de la válvula de control del aire de la marcha mínima (CAL).

d. Conector del sensor de posición del ahogador (SPA).

e. Conectores del sensor de temperatura del fluido refrigerante del motor, del interruptor y del transmisor del indicador (TFRM).

f. Conector del sensor de presión absoluta del múltiple (PAM).

g. Conector del sensor de oxígeno primario (SO$_2$R).

25. Etiquetar y desconectar las mangueras de vacío y la manguera del VPC del múltiple de admisión y del cuerpo del ahogador.

26. Desconectar el cartucho del carbón (EVAP) y las mangueras de la válvula de respiración del múltiple de admisión.

27. Aflojar las tuercas del múltiple de admisión, siguiendo una secuencia entrelazada. Después, sacar el múltiple de admisión junto con el cuerpo del ahogador y la cámara de sobrepresión.

28. Sacar el protector térmico del múltiple de escape. Después, aflojar las tuercas del múltiple de escape, siguiendo una secuencia entrelazada. Sacar el múltiple de escape. Al sacar el múltiple, ir con cuidado de no dañar los sensores de oxígeno. Cubrir la brida del tubo de escape delantero con una toalla de taller para mantenerlo alejado de la suciedad.

29. Sacar el soporte de la bomba de la dirección asistida.

30. Sacar las poleas y la cubierta trasera del árbol de levas.

31. Aflojar los tornillos de la placa de soporte del árbol de levas, siguiendo una secuencia entrelazada y trabajando hacia el centro de la culata de cilindros.

32. Aflojar los tornillos de ajuste de las válvulas.

33. Levantar los platos de soporte y los soportes de los árboles de levas de la culata de cilindros. Los tornillos de los soportes deben mantener juntos los componentes. Tomar nota de las posiciones de cada soporte de árbol de levas para su remontaje.

34. Levantar los árboles de levas de la culata de cilindros. Marcar los árboles de levas de escape y de admisión para no confundirlos.

35. Aflojar los tornillos de culata de cilindros, siguiendo una pauta entrelazada en tres pasos. Empezar por los tornillos más exteriores y trabajar hacia el centro de la culata de cilindros.

36. Sacar la culata de cilindros. Si la culata está pegada al bloque de cilindros, golpearla ligeramente con un mazo de plástico o de madera.

37. Examinar si en la culata de cilindros hay deformaciones y grietas. Reparar, mecanizar o

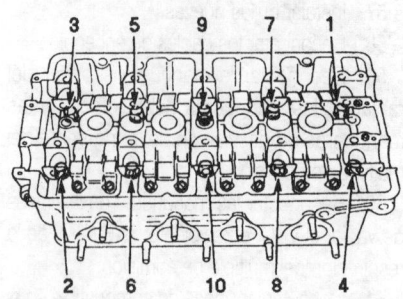

▲ **Secuencia de aflojado de los tornillos de la culata de cilindros – Motores 1.6L (B16A2 y B16A3)**

reemplazar, según sea necesario. La deformación límite es de 0.002 plg (0.05 mm). La altura estándar de la culata de cilindros es de 5.589-5.593 plg (141.95-142.05 mm).

Para instalar:

➡ **Al instalar la culata de cilindros y sus componentes, usar juntas tóricas, sellos de aceite y empaques nuevos.**

38. Asegurarse de que las superficies de la culata de cilindros y del bloque de cilindros están limpias, niveladas y rectas.

39. Asegurarse de que las clavijas de centrado y el orificio de control del aceite de la culata de cilindros están alineados. Limpiar el orificio de control del aceite y reinstalarlo con una junta tórica nueva.

40. Instalar una junta de culata nueva en el bloque de cilindros.

41. Usar tornillos y arandelas de culata de cilindros nuevos. Los tornillos usados o anteriormente apretados pueden estar dados (estirados) y, por lo tanto, tener reducido su poder de sujeción y sellado bajo compresión. Aplicar aceite de motor nuevo a las roscas de cada tornillo de culata.

42. Adaptar la culata de cilindros en su sitio. Apretar todos los tornillos de la culata con la mano.

43. Apretar los tornillos de culata de cilindros hasta una especificación de apriete final en dos pasos. Usar una secuencia entrelazada, empezando por los tornillos del centro de la culata y trabajando hacia los tornillos exteriores.

a. Paso 1: apretar cada tornillo a 22 pie-lb (30 Nm).

b. Paso 2: apretar cada tornillo a 61 pie-lb (85 Nm).

44. Instalar la clavija de centrado en el soporte N° 3 del árbol de levas de la culata de cilindros, con una junta tórica nueva.

45. Limpiar a fondo los orificios de control del aceite del árbol de levas de admisión y de escape. Reinstalarlos con juntas tóricas nuevas.

46. Instalar los árboles de levas.

47. Instalar el múltiple de admisión con una junta nueva y apretar las tuercas, siguiendo una pauta entrelazada en 2-3 pasos, a 17 pie-lb (24 Nm). Empezar por las tuercas interiores.

48. Instalar los tornillos que aseguran el múltiple de admisión en su soporte y apretarlos a 17 pie-lb (24 Nm).

49. Instalar el soporte de la bomba de la dirección asistida y apretar sus tornillos a 33 pie-lb (44 Nm).

50. Instalar el múltiple de escape con una junta nueva. Aplicar pasta anti-agarrote a los espárragos y apretar las tuercas a 23 pie-lb (31 Nm), en una secuencia entrelazada. Apretar los tornillos del soporte del múltiple de escape a 17 pie-lb (24 Nm).

51. Conectar el múltiple de escape al tubo de escape delantero. Apretar las tuercas auto-bloqueantes a 40 pie-lb (55 Nm).

52. Verificar que el motor está en el PMS/compresión para el cilindro N° 1.

53. Instalar la correa de sincronización. Una vez la correa de sincronización esté correctamente tensada, apretar el tornillo de ajuste a 40 pie-lb (55 Nm).

54. Instalar la cubierta inferior de la correa de sincronización. Instalar la polea del cigüeñal y apretar su tornillo a 130 pie-lb (180 Nm).

55. Ajustar las válvulas.

56. Examinar la libertad y suavidad de movimiento de los balancines del VTEC.

57. Sacar la válvula solenoidal del VTEC y su filtro. Instalar un filtro nuevo, después reinstalar la válvula solenoidal del VTEC y apretar sus tornillos a 9 pie-lb (12 Nm).

58. Instalar el distribuidor. Las orejas de acoplo de la propulsión del distribuidor encajan en la ranura del extremo del árbol de levas de admisión. No apretar aún del todo los tornillos de soporte del distribuidor.

59. Asegurarse de que todas las juntas de sellado de los tubos de las bujías están totalmente asentadas.

60. Instalar una junta nueva en la cubierta de las válvulas. Aplicar junta líquida a las esquinas de la junta que se unen con los soportes del árbol de levas. No dejar que la selladora se seque (fragüe) antes de instalar la cubierta de válvulas sobre la culata de cilindros.

61. Instalar la cubierta de válvulas. Mover suavemente la cubierta de válvulas para asegurarse de que está totalmente asentada. Apretar los tornillos de la cubierta de válvulas, siguiendo una pauta entrelazada, a 7 pie-lb (10 Nm).

62. Instalar bujías nuevas.

63. Reconectar los cables de encendido.

64. Reconectar la manguera superior del radiador, las mangueras del calefactor y las mangueras de desviación del fluido refrigerante del múltiple de admisión.

65. Reconectar las líneas de vacío, de PCV y del recipiente de EVAP y las mangueras de la válvula del respirador del múltiple de admisión.

66. Conectar las líneas de combustible al raíl del combustible. Usar arandelas de sellado nuevas en el rácor del tornillo hueco. Apretar con cuidado el rácor del cárter a 25 pie-lb (33 Nm). Apretar el tornillo de servicio a 11 pie-lb (15 Nm).

67. Reconectar el cable del ahogador. Ajustar su tensión de manera que tenga una desviación de 10-12 mm (0.39-0.47 plg).

68. La instalación de los componentes restantes es el proceso inverso al desmontaje.

69. Una vez el procedimiento de instalación esté completo, comprobar que todas las mangueras y todos los conectores están correctamente instalados.

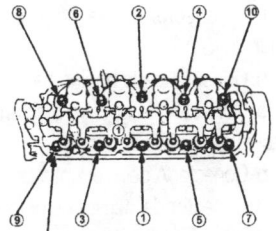

Tornillos de la culata de cilindros 12 x 1.25 mm 100 Nm (10.0 kg-m, 72 lb-pie).
Aplicar aceite de motor limpio a las roscas de los tornillos y debajo de las cabezas de los tornillos

▲ **Secuencia de apriete de los tornillos de la culata de cilindros – Motores 1.6L (B16A2 y B16A3) y 2.2L (F22A1)**

Motor 2.2L (F22A1)

1. Desconectar el cable negativo de la batería.

2. Llevar el cilindro N° 1 al PMS.

3. Drenar el fluido refrigerante del motor en un recipiente provisto de cierre.

4. Descargar la presión del sistema de combustible.

5. Sacar la manguera de vacío, la manguera de respiración y el conducto de admisión del aire.

6. Sacar la manguera de desviación del agua de la culata de cilindros.

7. Desconectar la manguera de alimentación y la de retorno de combustible del raíl del combustible.

8. Sacar la manguera del recipiente de control de emisiones por evaporación (EVAP) del múltiple de admisión.

9. Sacar la manguera de vacío del servofreno del múltiple de admisión. En vehículos equipados con cambio automático, sacar el montaje de la manguera de vacío.

10. Sacar el cable del ahogador del cuerpo del ahogador. En vehículos equipados con cambio automático, sacar el cable de control del ahogador en el cuerpo del ahogador.

➡ **Al sacar el cable, ir con cuidado de no doblarlo. Para sacar el cable del varillaje, no usar alicates. Reemplazar siempre los cables retorcidos por nuevos.**

11. Sacar la bobina de encendido.

12. Etiquetar y después desconectar los conectores eléctricos del distribuidor y los cables de bujía de las bujías. Marcar la posición del distribuidor y sacarlo de la culata de cilindros. Desconectar el alambre eléctrico de la bobina de encendido del distribuidor.

13. Sacar el conector y el terminal del alternador, después sacar el cableado del motor de la cubierta de válvulas.

14. Desconectar los siguientes conectores del cableado del motor:

  a. Conectores del inyector de combustible.

  b. Si está equipado, conector del sensor de la Temperatura del Aire de Admisión (TAA).

  c. Conector de la válvula de Control del Aire de marcha mínima (IAC).

  d. Conector del sensor de Posición del Ahogador (PA).

  e. Sensor de elevación de la válvula de Recirculación del Gas de Escape (RGE).

  f. Terminales del cable de toma de tierra.

  g. Si está equipado, conector B del interruptor de la Temperatura del Fluido Refrigerante del Motor (TFRM).

  h. Conector del sensor de oxígeno calentado (SO$_2$R).

  i. Sensor de la TFRM.

  j. Conector de la unidad transmisora de medida de la TFRM.

  k. Si está equipado, conector del sensor del CKP/PMS/CYP.

  l. Conector del Sensor de la Velocidad del Vehículo (SVV).

  m. Conector A del interruptor de la TFRM.

15. Sacar la manguera superior del radiador y la manguera de entrada del calefactor de la culata de cilindros.

16. Sacar la manguera inferior del radiador y la manguera de salida del calefactor del múltiple de admisión.

17. Sacar la manguera de desviación del cuerpo del termostato y del múltiple de admisión.

18. Sacar los tornillos de montaje del cuerpo del termostato. Sacar el cuerpo del termostato del múltiple de admisión y del tubo de conexión, tirando y girando el cuerpo. Desechar las juntas tóricas.

19. Marcar y después desconectar las mangueras de vacío de las emisiones del conjunto del múltiple de admisión.

20. Desconectar el conector eléctrico del accionador del control de velocidad de crucero y el tubo de vacío, después sacar el accionador del control de velocidad de crucero.

21. Sacar el cable de toma de tierra del motor de la carrocería.

22. Sacar los tornillos de montaje y la correa propulsora de la bomba de la dirección asistida. Tirar de la bomba y sacarla del soporte de montaje, sin desconectar las mangueras. Soportar la bomba a un lado.

23. Levantar y soportar con seguridad el vehículo.

24. Sacar los conjuntos de rueda delantera y llanta.

25. Sacar el protector contra salpicaduras.

26. Sacar los tornillos del soporte del múltiple de admisión.

27. Sacar el múltiple de admisión.

28. Desconectar el tubo de escape del múltiple de escape.

29. Sacar el múltiple de escape y el termoaislador del múltiple de escape.

30. Sacar el soporte de montaje de la bomba de la dirección asistida.

31. Sacar la manguera de Ventilación Positiva del Cárter (VPC), después sacar la cubierta de la culata de cilindros. Reemplazar los sellos de goma si están dañados o deteriorados.

32. Sacar la correa de sincronización.

33. Sacar los tornillos de la culata de cilindros en el orden inverso al de instalación.

➡ **Para evitar la deformación, desatornillar los tornillos en orden 1/3 de vuelta cada vez. Repetir la secuencia hasta que todos los tornillos estén aflojados.**

34. Separar la culata de cilindros del bloque de cilindros con una palanca de hoja plana adecuada.

Para instalar:

35. Asegurarse de que todas las superficies de junta de la culata de cilindros y del bloque están limpias. Comprobar si hay deformación en la culata de cilindros. Si la deformación es inferior a 0.002 plg (0.05 mm), no es necesario volver a rectificar la culata de cilindros. El límite máximo de rectificado es de 0.008 plg (0.2 mm) para una culata de cilindros de una altura de 3.94 plg (100 mm).

36. Usar siempre una junta de culata nueva.

37. La marca "UP" (arriba) en la polea del árbol de levas debe estar en la parte superior.

38. Asegurarse de que el cilindro N° 1 está en el PMS.

39. Limpiar el orificio de control del aceite e instalar una junta tórica nueva. Instalar y alinear las clavijas de centrado de la culata de cilindros y el chorro del control del aceite.

40. Instalar los tornillos que aseguran el múltiple de admisión en su soporte, pero no apretarlos.

41. Colocar correctamente el árbol de levas.

42. Instalar la culata de cilindros, después apretar secuencialmente los tornillos de la culata en 3 pasos:

- Paso 1: 29 pie-lb (40 Nm).
- Paso 2: 51 pie-lb (70 Nm).
- Paso 3: 72 pie-lb (100 Nm).

43. Instalar el múltiple de admisión y apretar las tuercas, siguiendo una pauta entrelazada en 2-3 pasos, empezando por las tuercas interiores. El apriete final debe ser de 16 pie-lb (22 Nm). Usar siempre una junta de múltiple de admisión nueva.

44. Conectar el soporte del múltiple de admisión al múltiple de admisión. Apretar el tornillo a 16 pie-lb (22 Nm).

45. Instalar el termoaislador en la culata de cilindros y en el bloque.

46. Instalar el soporte de montaje de la bomba de la dirección asistida en la culata de cilindros. Apretar los dos tornillos de 10 x 1.25 mm a 36 pie-lb (50 Nm). Apretar el tornillo de 8 x 1.25 mm a 16 pie-lb (22 Nm).

47. Instalar el múltiple de escape y apretar las tuercas, siguiendo una pauta entrelazada en 2-3 pasos, empezando por la tuerca interior. El apriete final debe ser de 23 pie-lb (32 Nm). Usar siempre una junta del múltiple de escape nueva.

48. Instalar el soporte del múltiple de escape, después instalar el tubo de escape, el soporte y el recubrimiento superior.

49. Asegurarse de que el engranaje del árbol de levas y las poleas del cigüeñal están alineados en el PMS. Instalar la correa de sincronización.

50. Instalar el protector contra salpicaduras y las ruedas delanteras.

51. Bajar el vehículo.

52. Comprobar y, si es necesario, ajustar las válvulas.

53. Apretar el tornillo de la polea del cigüeñal a 181 pie-lb (250 Nm).

54. La instalación del resto de componentes es el procedimiento inverso al desmontaje.

55. Conectar el cable negativo de la batería e introducir el código de seguridad de la radio.

56. Arrancar el motor comprobando con cuidado si hay alguna fuga.

57. Comprobar la sincronización del encendido y apretar los tornillos del distribuidor a 13 pie-lb (18 Nm).

58. Si está equipado con 4RD, girar el volante de tope a tope para reajustar la unidad de control de las 4RD.

Motor 2.3L (H23A1)

1. Desconectar el cable negativo de la batería.

2. Girar el cigüeñal de manera que el pistón N° 1 esté en el Punto Muerto Superior (PMS).

➡ **El pistón N° 1 está en el PMS cuando el indicador del bloque está alineado con la marca blanca del volante (cambio manual) o del plato propulsor (cambio automático).**

3. Drenar el fluido refrigerante del motor en un recipiente provisto de cierre.

4. Descargar la presión del sistema de combustible.

5. Sacar el conducto de admisión del aire.

6. Sacar la manguera del recipiente de control de emisiones por evaporación (EVAP) del múltiple de admisión.

7. Sacar el cable del ahogador del cuerpo del ahogador. En vehículos equipados con cambio automático, sacar el cable de control del ahogador del cuerpo del ahogador.

➡ **Al sacar el cable, ir con cuidado de no doblarlo. Reemplazar siempre por nuevos los cables retorcidos.**

8. Desconectar la manguera de alimentación y de retorno de combustible.

9. Sacar la manguera de vacío del reforzador del servofreno del múltiple de admisión.

10. Desconectar los siguientes conectores del cableado del motor:

a. Conectores del inyector de combustible.

b. Conector del sensor de Temperatura del Aire de Admisión (TAA).

c. Conector de la válvula de Control del Aire de marcha mínima (IAC).

d. Conector del sensor de Posición del Ahogador (PA).

e. Sensor de elevación de la válvula de Recirculación del Gas de Escape (RGE).

f. Terminales del cable de toma de tierra.

g. Conector B del interruptor de la Temperatura del Fluido Refrigerante del Motor (TFRM).

h. Conector del sensor de oxígeno calentado (SO_2R).

i. Sensor de la TFRM.

j. Conector de la unidad de transmisión del indicador de la TFRM.

k. Conector del Módulo de Control del Encendido (MCE).

l. Conector del sensor del CKP/PMS/ CYP.

m. Conector del Sensor de Velocidad del Vehículo (SVV).

n. Conector de la bobina de encendido.

o. Conector de la válvula solenoidal de desviación del aire de admisión.

p. Conector A del interruptor de la TFRM.

q. Conector del sensor de detonación.

11. Sacar el cable de toma de tierra del motor de la cubierta de la culata de cilindros.

12. Sacar el conector y el terminal del alternador, después sacar el cableado del motor de la cubierta de válvulas.

13. Sacar los tornillos de montaje y la correa propulsora de la bomba de la dirección asistida. Sacar la bomba del soporte de montaje, sin desconectar las mangueras. Soportar la bomba a un lado.

14. Sacar la bobina de encendido.

15. Etiquetar, después desconectar las mangueras de vacío de las emisiones del conjunto del múltiple de admisión.

16. Sacar la manguera de desviación del múltiple de admisión.

17. Sacar la manguera superior del radiador y la manguera del calefactor de la culata de cilindros.

18. Sacar la manguera inferior del radiador y la manguera de desviación del cuerpo del termostato.

19. Sacar los tornillos de montaje del cuerpo del termostato. Sacar el cuerpo del termostato del múltiple de admisión y el tubo de conexión, tirando y girando el cuerpo. Desechar las juntas tóricas.

20. Levantar y soportar con seguridad el vehículo.

21. Sacar los conjuntos de ruedas y llantas delanteras.

22. Sacar el protector contra salpicaduras.

23. Sacar los tornillos de soporte del múltiple de admisión.

24. Sacar el múltiple de admisión.

25. Desconectar el tubo de escape del múltiple de escape.

26. Sacar el múltiple de escape y el termoaislador del múltiple de escape.

27. Etiquetar, después desconectar los conectores eléctricos del distribuidor y los cables de bujías de las bujías. Marcar la posición del distribuidor y sacarlo de la culata de cilindros. Desconectar el cable de la bobina de encendido del distribuidor.

28. Sacar la manguera de Ventilación Positiva del Cárter (VPC), después sacar la cubierta de la culata de cilindros. Si los sellos de goma están dañados o deteriorados, reemplazarlos.

29. Sacar la correa de sincronización.

30. Insertar un punzón botador de 5.0 mm en cada una de las tapetas del árbol de levas, cerca de los engranajes, a través de sus agujeros. Sacar los tornillos de sujeción del engranaje de los árboles de levas, después sacar los engranajes. No perder las chavetas de los engranajes.

31. Aflojar todos los tornillos de reglaje de los balancines, después sacar los punzones clavija de las tapetas del árbol de levas.

32. Sacar los soportes del árbol de levas, tomar nota de las posiciones de los soportes para que la instalación sea más fácil.

33. Sacar el tapón de goma de la culata, situado en el extremo del árbol de levas de admisión.

34. Sacar los balancines de la culata de cilindros. Tomar nota de las posiciones de los balancines.

➡ **Si los balancines se reutilizan, han de instalarse en sus posiciones originales.**

35. Sacar el soporte B del montaje lateral del motor, después la cubierta posterior por detrás de los engranajes del árbol de levas.

36. Sacar los tornillos de la culata de cilindros en la secuencia correcta.

➡ **Para evitar la deformación, desatornillar los tornillos en secuencia ¹/₃ de vuelta cada vez. Repetir la secuencia hasta que todos los tornillos estén aflojados.**

37. Separar la culata de cilindros del bloque de cilindros con una palanca de hoja plana adecuada.

Para instalar:

38. Asegurarse de que las superficies de junta de la culata de cilindros y del bloque están limpias. Comprobar si la culata de cilindros está deformada. Si la deformación es inferior a 0.002 plg (0.05 mm), no es necesario volver a rectificar la culata de cilindros. El límite máximo de rectificado es de 0.008 plg (0.2 mm) para una culata de cilindros de 5.20 plg (132.0 mm) de altura.

39. Usar siempre una junta de culata nueva.

40. Asegurarse de que el cilindro N° 1 está en el PMS.

41. Limpiar el orificio del control del aceite e instalar una junta tórica nueva. Las clavijas de centrado y el chorro del control del aceite de la culata de cilindros deben estar alineados.

42. Instalar los tornillos que aseguran el múltiple de admisión en su soporte, sin apretarlos.

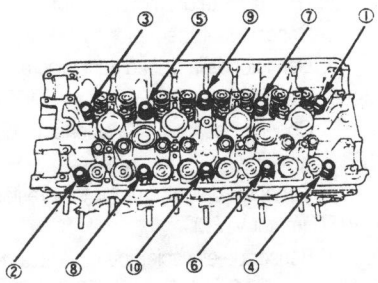

▲ **Secuencia de desmontaje de los tornillos de la culata de cilindros – Motor 2.3L (H23A1)**

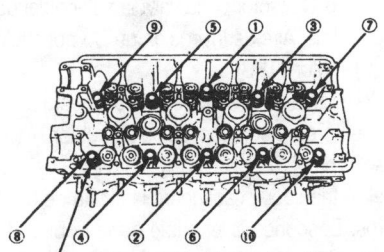

Tornillos de la culata de cilindros 12 x 1.25 mm 100 Nm (10.0 kg-m, 72 pie-lb).
Aplicar aceite de motor nuevo a las roscas de los tornillos y debajo de las cabezas de los tornillos

▲ **Secuencia de apriete de los tornillos de la culata de cilindros – Motor 2.3L (H23A1)**

43. Instalar la culata de cilindros, después apretar secuencialmente los tornillos de la culata de cilindros en 3 pasos:
- Paso 1: 29 pie-lb (40 Nm).
- Paso 2: 51 pie-lb (70 Nm).
- Paso 3: 72 pie-lb (100 Nm).

➡ **Se recomienda una llave de apriete tipo viga. Si un tornillo hace algún ruido mientras se está apretando, aflojar el tornillo y reapretarlo.**

44. Instalar el múltiple de admisión con una junta nueva.

45. Instalar el múltiple de escape con una junta nueva.

46. Instalar el soporte del múltiple de escape, después instalar el tubo de escape, el soporte y el recubrimiento superior.

47. Instalar los árboles de levas y los balancines.

48. Instalar la cubierta posterior de la correa de sincronización.

49. Instalar el soporte B de montaje lateral del motor. Apretar el tornillo que sujeta el soporte de cilindros a 33 pie-lb (45 Nm). Apretar los tornillos que sujetan el soporte en el montaje lateral del motor a 16 pie-lb (22 Nm).

50. Instalar los engranajes del árbol de levas en los árboles de levas.

51. Instalar la correa de sincronización.

52. Ajustar las válvulas.

53. Apretar el tornillo de la polea del cigüeñal a 181 pie-lb (250 Nm).

54. Instalar el protector contra salpicaduras y las ruedas delanteras.

55. Bajar el vehículo.

56. Instalar los componentes restantes en el orden inverso al desmontaje.

57. Drenar el aceite del motor en un recipiente provisto de cierre. Instalar el tapón de drenaje y llenar el motor con aceite limpio.

58. Llenar y purgar el aire del sistema de refrigeración.

59. Conectar el cable negativo de la batería e introducir el código de seguridad de la radio.

60. Arrancar el motor y comprobar con cuidado si hay fugas.

61. Comprobar y ajustar la sincronización del encendido. Apretar los tornillos del distribuidor a 13 pie-lb (18 Nm).

62. Si está equipado con 4RD, arrancar el motor y girar el volante de tope a tope para reajustar la unidad de control de las 4RD.

Accord 1995-97

MOTORES 2.2L (F22B1 Y F22B2)

1. Desconectar el cable negativo de la batería y después el positivo.

2. Girar el motor para alinear las marcas de sincronización y reajustar el cilindro N° 1 al PMS. La marca blanca de la polea del cigüeñal debe alinearse con el indicador en la cubierta de la correa de sincronización.

3. Levantar y soportar con seguridad el vehículo.

4. Drenar el fluido refrigerante del motor en un recipiente provisto de cierre.

5. Sacar los conjuntos de las ruedas y llantas delanteras.

6. Sacar el protector contra salpicaduras.

7. Desconectar el tubo de escape del múltiple de escape.

8. Sacar los tornillos del soporte del múltiple de escape.

9. Bajar el vehículo a una altura de trabajo, sin colocarlo en el suelo.

10. Sacar el cable del ahogador del cuerpo del ahogador. En los vehículos equipados con cambio automático, sacar el cable de control del ahogador. Si está equipado con control de velocidad de crucero, sacar el cable del control de velocidad de crucero.

➡ **Al sacar el cable, ir con cuidado de no doblarlo. Reemplazar siempre por nuevos los cables retorcidos. No usar alicates para sacar el cable del varillaje.**

11. Sacar el conducto del aire de admisión.

12. Sacar la manguera de respiración, la manguera de Ventilación Positiva del Cárter (VPC) y la manguera del recipiente de control de las emisiones por evaporación (EVAP).

13. Descargar la presión del sistema del combustible.

14. Sacar la manguera de alimentación y retorno del combustible del raíl de combustible.

15. Desconectar las mangueras de vacío conectadas al motor y situadas cerca de las mangueras de alimentación y retorno de combustible.

16. Sacar la manguera de vacío del reforzador del servofreno del múltiple de admisión. Etiquetar y sacar los otros tubos de vacío del múltiple de admisión.

17. Sacar la abrazadera que sujeta la manguera de la dirección asistida a la torre del poste.

18. Sacar la abrazadera del cableado y el cable de toma de tierra del múltiple de admisión.

19. Sacar el conector y el terminal del alternador, después sacar el cableado del motor de la cubierta de válvulas.

20. Sacar los tornillos de montaje y la correa propulsora de la bomba de la dirección asistida. Tirar de la bomba hacia fuera desde el soporte de montaje, sin desconectar las mangueras. Soportar la bomba a un lado.

21. Aflojar los tornillos de ajuste y de montaje del alternador y sacar la correa propulsora.

22. Sacar el cableado del motor y la manguera de desviación desde el lado inferior del múltiple de admisión.

23. Desconectar los conectores siguientes del cableado del motor:

   a. Conectores de los Inyectores de combustible.

   b. Conector del sensor de la Temperatura del Aire de Admisión (TAA).

   c. Conector de la válvula del Control del Aire de marcha mínima (IAC).

   d. Conector del sensor de Posición del Ahogador (PA).

   e. Conector del sensor de Presión Absoluta del Múltiple (PAM).

   f. Conector del sensor calentado de oxígeno (SO$_2$R).

   g. Conector del sensor de Temperatura del Fluido Refrigerante del Motor (TFRM).

   h. Conector del interruptor de TFRM.

   i. Conector de la unidad transmisora del indicador de TFRM.

   j. Conector de la válvula solenoidal del VTEC (motor VTEC).

   k. Conector del interruptor de presión del VTEC (motor VTEC).

   l. Sensor de elevación de la válvula de Recirculación del Gas de Escape (RGE).

   m. Conector del sensor de CKP/PMS/CYP.

   n. Conector de la bobina de encendido (motor no VTEC).

   o. Conector de la válvula solenoidal de control del Aire de Inyección de Combustible (AIC) (motor VTEC).

24. Etiquetar, después desconectar los conectores eléctricos del distribuidor y los cables de bujía de las bujías. Marcar la posición del distribuidor y sacarlo de la culata de cilindros. Desconectar el cable de la bobina de encendido del distribuidor.

25. Sacar la manguera superior del radiador y la manguera de entrada del calefactor de la culata de cilindros.

26. Sacar la manguera inferior del radiador del cuerpo del termostato.

27. Sacar las mangueras de desviación del fluido refrigerante.

28. Usar un gato para soportar el motor, asegurarse de colocar una almohadilla entre el depósito de aceite y el gato. Sacar el tornillo pasante del montaje lateral del motor y sacar el montaje.

29. Sacar la cubierta de la culata de cilindros. Si los sellos de caucho están dañados o deteriorados, reemplazarlos.

30. Sacar las cubiertas de la correa de sincronización y la correa de sincronización.

31. Sacar el engranaje y la cubierta posterior del árbol de levas. No perder la chaveta del engranaje.

32. Sacar el termoaislador del múltiple de escape y el múltiple de escape.

33. Sacar los tornillos de montaje del cuerpo del termostato. Sacar el cuerpo del termostato del múltiple de admisión y el tubo de conexión, tirando y girando el cuerpo. Desechar las juntas tóricas.

34. Sacar el raíl y los inyectores del combustible.

35. Sacar el múltiple de admisión.

36. Sacar los tornillos de la culata de cilindros en la secuencia correcta de orden inverso, después sacar la culata de cilindros.

➡ **Para evitar la deformación, desatornillar los tornillos en secuencia $1/_3$ de vuelta cada vez. Repetir la secuencia hasta que todos los tornillos se hayan aflojado.**

Para instalar:

37. Asegurarse de que las superficies de junta de la culata de cilindros y del bloque están limpias. Comprobar si la culata de cilindros está deformada. Si la deformación es inferior a 0.002 plg (0.05 mm), no es necesario rectificar la culata. El límite de rectificado máximo es de 0.008 plg (0.2 mm) para una culata de cilindros de 3.94 plg (100 mm) de altura.

38. Siempre usar una junta de culata nueva.

39. Asegurarse de que el cilindro N° 1 está en el PMS.

40. Limpiar el orificio del control del aceite e instalar una junta tórica nueva (sólo motor VTEC).

41. Instalar las clavijas de centrado en el bloque de cilindros.

42. Instalar los tornillos que aseguran el múltiple de admisión en su soporte, pero sin apretarlos.

43. Colocar correctamente el árbol de levas.

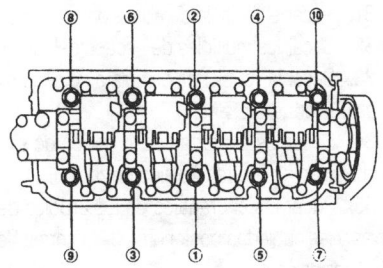

▲ **Secuencia de apriete de los tornillos de la culata de cilindros – Motor 2.2L (F22B1 y F22B2)**

44. Instalar la culata de cilindros, después apretar secuencialmente los tornillos de culata de cilindros en 3 pasos:
- Paso 1: 29 pie-lb (39 Nm).
- Paso 2: 51 pie-lb (69 Nm).
- Paso 3: 72 pie-lb (98 Nm).

45. Instalar el múltiple de admisión con una junta nueva.

46. Conectar el soporte del múltiple de admisión al múltiple de admisión y apretar el tornillo a 16 pie-lb (22 Nm).

47. Instalar el raíl de combustible con los inyectores de combustible.

48. Instalar el múltiple de escape con una junta nueva.

49. Instalar el soporte del múltiple de escape.

50. Instalar la cubierta posterior de la correa de sincronización en la culata de cilindros. En el motor no VTEC, apretar el tornillo de la cubierta a 9 pie-lb (12 Nm). En el motor VTEC, apretar el tornillo en el lado de admisión de la culata a 9 pie-lb (12 Nm) y apretar el tornillo en el lado de escape de la culata a 7 pie-lb (10 Nm).

51. Instalar la chaveta en el árbol de levas, después instalar el engranaje del árbol de levas. Apretar el tornillo del engranaje a 27 pie-lb (37 Nm).

52. Asegurarse de que el engranaje del árbol de levas y las poleas del cigüeñal están alineadas en el PMS e instalar la correa de sincronización.

53. Instalar la cubierta inferior de la correa de sincronización y apretar los tornillos a 9 pie-lb (12 Nm).

54. Instalar un nuevo sello de aceite alrededor de la tuerca de ajuste. No aflojar la tuerca de ajuste.

55. Instalar la polea del cigüeñal. Cubrir las roscas y la cara de asiento del tornillo de la polea con aceite de motor. Instalar y apretar el tornillo a 181 pie-lb (250 Nm).

56. Instalar el montaje lateral del motor. Apretar el tornillo y la tuerca, que unen el montaje al motor, a 40 pie-lb (55 Nm). Apretar la

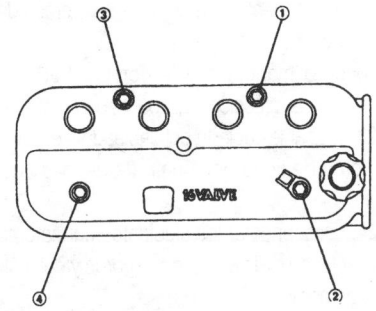

▲ **Secuencia de apriete de la cubierta de culata de cilindros del motor no VTEC – Motor 2.2L (F22B1 y F22B2)**

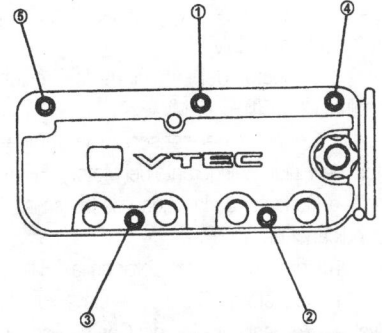

▲ **Secuencia de apriete de la cubierta de culata de cilindros del motor VTEC – Motor 2.2L (F22B1 y F22B2)**

tuerca y el tornillo pasantes a 47 pie-lb (65 Nm). Sacar el gato de debajo de la viga central.

57. Ajustar las válvulas.

58. Instalar la cubierta superior de la correa de sincronización. Apretar el tornillo en el lado de admisión de la culata a 9 pie-lb (12 Nm) y apretar el tornillo en el lado de escape de la culata a 7 pie-lb (10 Nm).

59. Levantar y soportar con seguridad el vehículo.

60. Conectar el tubo de escape al múltiple de escape con juntas nuevas. Apretar las tuercas a 40 pie-lb (54 Nm).

61. Instalar el protector contra salpicaduras y las ruedas delanteras.

62. Bajar el vehículo.

63. Instalar la junta de cubierta de culata de cilindros en la ranura de la cubierta de culata de cilindros. Antes de instalar la junta, limpiar a fondo el sello de aceite y la ranura. Primero asentar los huecos para el árbol de levas, después meterlo en la ranura alrededor de los bordes exteriores. Comprobar que la junta está asentada de manera segura en las esquinas de los huecos.

64. Aplicar junta líquida a las cuatro esquinas de los huecos de la junta de la cubierta de culata de cilindros. No instalar las piezas si han

pasado 5 minutos o más desde que se ha aplicado la junta líquida porque habrá fraguado. Después de ensamblar, esperar como mínimo 20 minutos antes de llenar el motor con aceite.

65. Si está equipado con motor VTEC, instalar los sellos de aceite de las bujías sobre los tubos de bujías. Ir con cuidado de no dañar los sellos de aceite de las bujías cuando se instale la cubierta de la culata de cilindros.

66. Limpiar la superficie de contacto de la cubierta de culata de cilindros con una toalla de taller. Instalar la cubierta de culata de cilindros y apretar los tornillos de la cubierta de culata de cilindros en dos o tres pasos. Apretar las tuercas ciegas, en la secuencia correcta, a 7 pie-lb (10 Nm).

67. Instalar los componentes restantes en el orden inverso al desmontaje.

68. Drenar el aceite del motor en un recipiente provisto de cierre. Instalar el tapón de drenaje y llenar el motor con aceite limpio.

69. Llenar y purgar el aire del sistema de refrigeración.

70. Conectar el cable positivo de la batería y después el negativo. Introducir el código de seguridad de la radio.

71. Poner en marcha el motor y comprobar con cuidado si hay fugas.

72. Comprobar la sincronización del encendido.

MOTOR 2.7L

1. Desconectar el cable negativo de la batería.

2. Girar el motor para alinear las marcas de sincronización y poner el cilindro N° 1 en el PMS. Sacar los tapones de inspección de las cubiertas superiores de la correa de sincronización para comprobar la alineación de las marcas de sincronización. La marca blanca de la polea del cigüeñal debe alinearse con el indicador de la cubierta de la correa de sincronización. Los indicadores para los árboles de levas deben alinearse con las marcas verdes de las poleas del árbol de levas.

3. Drenar el fluido refrigerante del motor en un contenedor provisto de cierre.

4. Sacar el conducto del aire de admisión.

5. Sacar la cubierta "B" del múltiple de admisión, después desconectar el cable del ahogador y los cables del control de velocidad de crucero, del varillaje del ahogador. Ir con cuidado de no doblar los cables, reemplazar siempre un cable retorcido.

6. Sacar el cable del motor de arranque del puntal de refuerzo.

7. Descargar la presión del sistema de combustible.

▼ PRECAUCIÓN ▼

El sistema de inyección de combustible permanece bajo presión una vez que se ha apagado el motor. Descargar adecuadamente la presión del combustible antes de desconectar cualquier línea de combustible. En caso contrario puede producirse un incendio o daños personales.

8. Desconectar la manguera de alimentación de combustible del filtro de combustible. Desconectar la manguera de retorno de combustible del regulador.

9. Desconectar la manguera de vacío del servofreno y la manguera del recipiente de control de las emisiones por evaporación (EVAP).

10. Etiquetar y desconectar todos las mangueras de vacío del cuerpo del ahogador, del múltiple de admisión y de la culata de cilindros.

11. Desconectar las mangueras de fluido refrigerante de la válvula de control del aire de la marcha mínima, la válvula reguladora de la marcha mínima acelerada y el conducto del agua.

12. Sacar la cubierta del múltiple de admisión.

13. Desconectar la manguera de respiración de la cubierta de la culata de cilindros.

14. Sacar la manguera del VPC de la cubierta de la culata de cilindros.

15. Aflojar la tuerca central de la polea tensora y el tornillo de ajuste, después sacar la correa del compresor del aire acondicionado.

16. Desconectar de la carrocería el cable de toma de tierra del motor, situado cerca de las correas propulsoras.

17. Sacar el conjunto de la manguera de vacío.

18. Aflojar el tornillo de montaje, la tuerca y el tornillo de ajuste del alternador, después sacar la correa propulsora del alternador.

19. Soportar el motor con un gato de suelo en el depósito de aceite (utilizar una almohadilla entre el gato y el depósito). Tensar el gato de manera que soporte el motor pero no lo levante.

20. Sacar los tres tornillos del montaje lateral del motor, después aflojar el tornillo pasante. Pivotar el montaje lateral del motor fuera de su sitio.

21. Aflojar las tuercas de montaje y la tuerca de ajuste de la bomba de la dirección asistida, después sacar la correa propulsora de la bomba de la dirección asistida.

22. Desconectar la manguera de entrada de la bomba de la dirección asistida, después taponar la manguera y la bomba. Sacar la bomba de la dirección asistida y apartarla.

23. Sacar la cubierta del cableado y el cable de toma de tierra de la entrada del paso del agua.

24. Desconectar los siguientes conectores del cableado de la culata de cilindros y del múltiple de admisión:

a. Seis conectores de inyectores.

b. Conector del sensor de la Temperatura del Aire de Admisión (TAA).

c. Conector del sensor del PMS/CYP.

d. Conector de la válvula del Control del Aire de Admisión (CAA).

e. Conector del sensor de la Presión Absoluta del Múltiple (PAM).

f. Conector del sensor de la Temperatura del Fluido Refrigerante del Motor (TFRM).

g. Conector de la unidad de transmisión del indicador de la TFRM.

h. Conector del interruptor de la TFRM.

i. Conector del sensor de elevación de la válvula de Recirculación del Gas de Escape (RGE).

j. Conector del sensor de posición del ahogador.

k. Conector de la válvula solenoidal de control de la Desviación del Aire de Admisión (DAA).

l. Conector del sensor de la temperatura del aceite del motor.

m. Conector de la válvula solenoidal de control de purga de las emisiones por evaporación (EVAP).

n. Conector del alternador.

25. Etiquetar y después desconectar los conectores eléctricos del distribuidor y los cables de bujías de las bujías. Sacar el distribuidor de la culata de cilindros.

26. Sacar las mangueras superior e inferior del radiador, después desconectar las mangueras del calefactor del motor.

27. Sacar el depósito de vacío de la desviación del aire de admisión.

28. Sacar los tornillos que acoplan el paso del agua en las culatas de cilindros, después sacarlo del motor. Desechar las juntas tóricas.

29. Sacar las cubiertas del cableado del motor del múltiple de admisión.

30. Sacar las tuercas que sujetan la manguera de la RGE en el múltiple de admisión y desechar la junta. Aflojar la tuerca que sujeta el tubo de la RGE en el múltiple de escape y sacar el tubo del vehículo.

31. Sacar el múltiple de admisión.

32. Sacar los múltiples de escape del motor.

33. Sacar las cubiertas de culata de cilindros y las cubiertas laterales.

34. Sacar las cubiertas de la correa de sincronización y la correa de sincronización.

35. Sacar los engranajes de los árboles de levas y las cubiertas posteriores de la correa de sincronización.

36. Sacar los tornillos que acoplan los platos de soporte de los árboles de levas y los soportes de los árboles de levas en el orden inverso al de instalación.

37. Sacar los platos de soporte de los árboles de levas, los soportes de los árboles de levas y las clavijas de centrado de la culata de cilindros.

38. Sacar los árboles de levas de las culatas de cilindros y el tapón de goma de la trasera de la culata de cilindros. Desechar los sellos de aceite de los árboles de levas.

39. Sacar los balancines de admisión, los balancines interiores de escape y las varillas de empuje. Al sacarlas, identificar la posición de las piezas para reinstalarlas en sus posiciones originales.

40. Sacar los tornillos de la culata de cilindros en la secuencia correcta.

➡ **Para evitar la deformación, aflojar los tornillos en secuencia $1/3$ de vuelta cada vez. Repetir la secuencia hasta que se hayan sacado todos los tornillos.**

41. Sacar las culatas de cilindros del bloque de cilindros.

42. Sacar y limpiar los orificios de control del aceite, después instalar juntas tóricas nuevas en los orificios.

Para instalar:

43. Asegurarse de que todas las superficies de junta de la culata de cilindros y del bloque de cilindros están limpias. Comprobar si la culata de cilindros está deformada. Si la deformación es inferior a 0.002 plg (0.05 mm), no es necesario rectificar la culata de cilindros. El límite de rectificado máximo es de 0.008 plg (0.2 mm) para una culata de cilindros de 5.24 plg (133 mm) de altura.

44. Instalar juntas de culata nuevas.

45. Asegurarse de que el cilindro N° 1 está en el PMS.

46. Instalar y alinear las clavijas de centrado de la culata de cilindros y los orificios de control del aceite.

47. Instalar las culatas de cilindros. Aplicar aceite limpio a las roscas de los tornillos y de

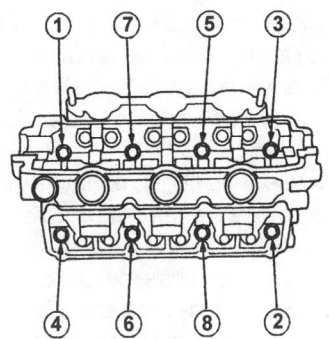

▲ **Secuencia de desmontaje de los tornillos de la culata de cilindros – Motor 2.7L**

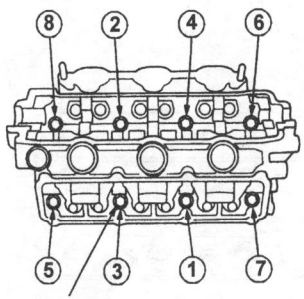

Tornillos de culata de cilindros 11 x 1.5 mm
76 Nm (7.8 kgf·m, 56 pie-lb)

▲ **Secuencia de apriete de los tornillos de la culata de cilindros – Motor 2.7L**

las arandelas de la culata de cilindros, después instalar y apretar secuencialmente los tornillos de la culata de cilindros en 2 pasos:

- Paso 1: 29 pie-lb (39 Nm).
- Paso 2: 56 pie-lb (76 Nm).

48. Llenar los agujeros de montaje de los empujadores hidráulicos y los llenadores de aceite con aceite de motor limpio.

49. Instalar los empujadores hidráulicos.

▼ AVISO ▼

Al instalar los empujadores hidráulicos, no girarlos.

50. Aplicar aceite de motor limpio a los balancines, las varillas de empuje y los árboles de levas.

51. Aflojar los tornillos de reglaje y las contratuercas de los balancines de escape, después instalar las varillas de empuje, los balancines de escape interiores y los balancines de admisión. Instalar todas las piezas en sus posiciones originales.

52. Asegurarse de que los balancines están colocados correctamente sobre los vástagos de válvula. Avanzar el cigüeñal 30° desde el PMS para evitar interferencias entre los pisto-

nes y las válvulas, después instalar los árboles de levas. Colocar el árbol de levas trasero en la culata de cilindros de manera que las levas no empujen ninguna válvula.

53. Instalar las cubiertas posteriores de la correa de sincronización y apretar los tornillos de sujeción a 9 pie-lb (12 Nm).

54. Instalar los engranajes de los árboles de levas y apretar los tornillos de sujeción a 23 pie-lb (31 Nm).

55. Ajustar los engranajes de los árboles de levas de manera que el pistón N° 1 esté en el PMS. Alinear las marcas del PMS (marca verde) en las poleas de los árboles de levas con los indicadores de las cubiertas posteriores.

56. Girar el cigüeñal en el sentido contrario de las agujas del reloj para ajustarlo al PMS. Alinear la marca del PMS en el diente de la polea propulsora de la correa dentada de sincronización con el indicador de la bomba del aceite.

57. Instalar la correa de sincronización y las cubiertas de la correa de sincronización.

58. Ajustar el cilindro N° 1 en el PMS.

59. Apretar los tornillos de ajuste para los cilindros N° 1, N° 2 y N° 4. Apretar el tornillo hasta que toque la válvula, después apretar el tornillo 1 vuelta y $^1/_8$. Sujetar el tornillo en posición y apretar la contratuerca a 14 pie-lb (20 Nm).

60. Girar una vuelta la polea del cigüeñal en el sentido de las agujas del reloj, después apretar los tornillos de reglaje para los cilindros N° 3, N° 5 y N° 6. Apretar el tornillo hasta que toque la válvula, después apretarlo 1 vuelta y $^1/_8$. Sujetar el tornillo en posición y apretar la contratuerca a 14 pie-lb (20 Nm).

61. Instalar la junta de cubierta de culata de cilindros en la ranura de la cubierta de culata de cilindros. Primero asentar los huecos para el árbol de levas, después meterlo en la ranura alrededor de los bordes exteriores.

➡ **Antes de instalar la junta de cubierta de culata de cilindros, limpiar a fondo la ranura de sellado.**

62. Aplicar junta líquida en las cuatro esquinas de los huecos de la junta de cubierta de culata de cilindros. Usar una toalla de taller y limpiar las culatas de cilindros allí donde las cubiertas de culata de cilindros entrarán en contacto.

63. Instalar las cubiertas de culata de cilindros, colocar la junta en la ranura colocando los dedos sobre las superficies de contacto de los

árboles de levas. Con las cubiertas de culata de cilindros sobre las culatas de cilindros, deslizar las cubiertas un poco de acá para allá para asentar las juntas de cubierta de culata de cilindros. Reemplazar las arandelas, si están dañadas o deterioradas.

64. Apretar los tornillos de la cubierta de culata de cilindros en dos o tres pasos. En el paso final, apretar todos los tornillos, en secuencia, a 11 pie-lb (15 Nm).

65. Instalar las cubiertas laterales de la culata de cilindros con juntas tóricas nuevas y apretar los tornillos a 9 pie-lb (12 Nm).

66. Instalar el múltiple de admisión.

67. Instalar los múltiples de escape.

68. Instalar juntas tóricas nuevas en el paso del agua e instalar el paso del agua en el motor, apretar los tornillos de montaje a 16 pie-lb (22 Nm).

69. Instalar el tubo de la RGE con una junta nueva en el múltiple de admisión. Apretar las tuercas que acoplan el tubo al múltiple de admisión a 9 pie-lb (12 Nm) y apretar el rácor del múltiple de escape a 43 pie-lb (59 Nm).

70. Instalar el montaje lateral del motor. Usar tres tornillos nuevos para acoplar el montaje al motor, apretar los tornillos a 40 pie-lb (54 Nm).

71. Apretar el tornillo pasante del montaje lateral del motor a 47 pie-lb (64 Nm).

72. Instalar los componentes restantes en el orden inverso al desmontaje.

73. Drenar el aceite de motor en un recipiente provisto de cierre, después llenar el motor con aceite limpio.

74. Conectar el cable negativo de la batería e introducir el código de seguridad de la radio.

75. Llenar y purgar el aire del sistema de refrigeración.

76. Poner el interruptor de encendido en posición "ON", sin arrancar el motor. La bomba del combustible debe moverse durante aproximadamente 2 segundos, elevando la presión en las líneas. Poner el interruptor de encendido en posición "OFF", después dos o tres veces más en posición "ON" para establecer toda la presión del sistema. Comprobar si hay fugas de combustible.

77. Poner en marcha el motor, dejarlo ir en marcha mínima y comprobar si hay señales de fugas.

Accord 1998-99

MOTOR 3.0L

1. Obtener el código de seguridad de la radio.

2. Desconectar el cable negativo de la batería.

3. Drenar el fluido refrigerante.

4. Sacar la manguera del recipiente de EVAP del cuerpo del ahogador.

5. Sacar el conducto de admisión de aire.

6. Sacar las cubiertas superiores del motor.

7. Desconectar los cables del acelerador y del control de velocidad de crucero del cuerpo del ahogador.

8. Sacar el soporte de los cables de bujías, la cubierta y las cubiertas del múltiple de admisión.

9. Descargar adecuadamente la presión del sistema de combustible.

10. Desconectar las mangueras del combustible del raíl de suministro.

11. Desconectar las mangueras y las líneas siguientes:

- Manguera de vacío del servofreno.
- Manguera del VPC.
- Manguera del respiradero.
- Manguera de desviación del agua.
- Manguera de vacío del cuerpo del ahogador.

12. Sacar el cable de toma de tierra del motor.

13. Sacar la correa del alternador.

14. Soportar el motor con un gato y un bloque de madera y sacar el soporte de montaje lateral del motor.

15. Sacar la bomba de la dirección asistida sin desconectar las mangueras.

16. Sacar el alternador.

17. Desmontar los conectores del cableado de los componentes del motor que pueden interferir con la extracción de la culata de cilindros.

18. Sacar el distribuidor y los cables de bujías.

19. Sacar el múltiple de admisión.

20. Separar los conectores de los inyectores del combustible.

21. Sacar los raíles de suministro de combustible.

22. Sacar las mangueras de vacío de la válvula de control de combustible.

23. Ajustar el motor en el PMS alineando las marcas en el cigüeñal y en las poleas de los árboles de levas.

24. Sacar la correa de sincronización.

25. Sacar las mangueras superior e inferior del radiador.

26. Desconectar las mangueras del calefactor.

27. Sacar ambos múltiples de escape.

28. Sacar el conjunto del conducto del agua.

29. Sacar las poleas de los árboles de levas y las cubiertas traseras de la correa de sincronización.

30. Aflojar $1/3$ de vuelta cada tornillo de la culata de cilindros, en la secuencia correcta. Ello llevará varios pasos.

31. Sacar las culatas de cilindros.

Para instalar:

32. Limpiar la culata de cilindros y la superficie del bloque de los cilindros.

33. Instalar los orificios de control del aceite usando juntas tóricas nuevas.

34. Si se han sacado, instalar las clavijas de centrado.

35. Colocar juntas de culata de cilindros nuevas en el bloque de cilindros.

36. Si se han movido, ajustar el cigüeñal y las poleas de los árboles de levas al PMS alineando las marcas en la polea y en la bomba del aceite.

37. Colocar con cuidado las culatas de cilindros en el motor.

38. Lubricar los tornillos de culata de cilindros con aceite de motor limpio.

➡ Si algún tornillo de culata de cilindros hace ruido mientras se está apretando, aflojar los tornillos y empezar otra vez la secuencia de apriete.

39. Apretar los tornillos de culata de cilindros en tres pasos separados. Primero apretar cada tornillo, en secuencia, a 29 pie-lb (39 Nm).

40. Apretar cada tornillo, en secuencia, a 51 pie-lb (69 Nm).

41. Apretar cada tornillo por tercera vez, en secuencia, para el apriete final de 72 pie-lb (98 Nm).

42. Instalar los múltiples de escape.

43. Instalar la correa de sincronización.

44. Comprobar y, si es necesario, ajustar las holguras de válvulas.

45. Instalar la cubierta de la culata de cilindros. Apretar los tornillos, en secuencia, a 9 pie-lb (12 Nm).

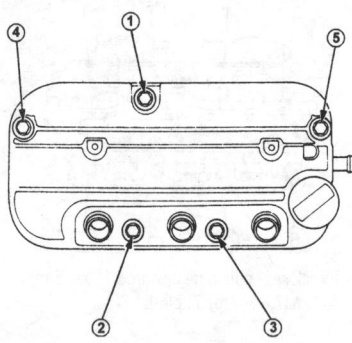

▲ Apretar los tornillos de la cubierta de culata de cilindros en la secuencia mostrada – Motor 3.0L

46. Instalar el paso del agua. Asegurarse de usar juntas y juntas tóricas nuevas. Apretar los tornillos a 16 pie-lb (22 Nm).

47. Instalar el múltiple de admisión.

48. Instalar todas las mangueras, tubos y conectores restantes. Comprobar que están instalados correctamente.

49. Conectar el cable negativo de la batería.

50. Introducir el código de seguridad de la radio.

BALANCINES Y EJES

DESMONTAJE E INSTALACIÓN

➡ La radio puede tener un circuito codificado de protección antirrobo. Obtener siempre el número del código antes de desconectar la batería. Si el vehículo está equipado con 4RD, al desconectar la batería la unidad de control de la dirección se cierra. Después de conectar la batería, girar el volante de tope a tope para reajustar la unidad de control de la dirección.

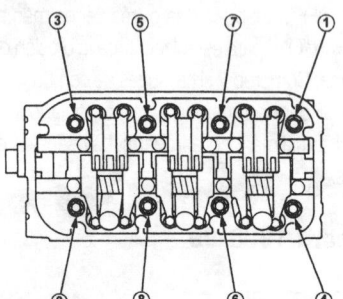

▲ Aflojar los tornillos de la culata de cilindros en la secuencia mostrada para evitar que se dañe la culata – Motor 3.0L

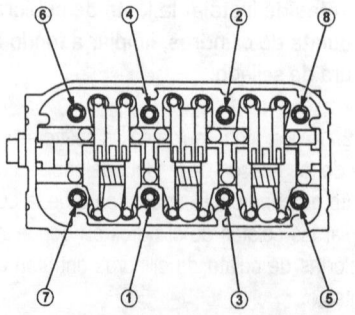

▲ Apretar los tornillos de la culata de cilindros en la secuencia mostrada para evitar que se dañe la culata – Motor 3.0L

Motor D15B7

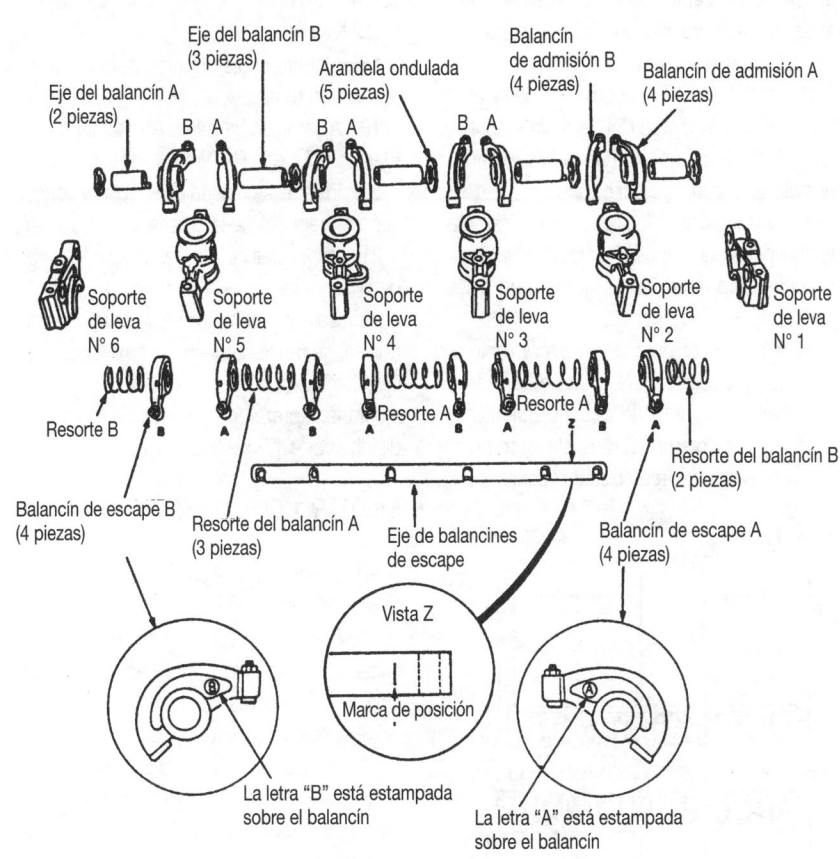

Eje del balancín A (2 piezas)

Eje del balancín B (3 piezas)

Arandela ondulada (5 piezas)

Balancín de admisión B (4 piezas)

Balancín de admisión A (4 piezas)

B A B A B A

Soporte de leva N° 6

Soporte de leva N° 5

Soporte de leva N° 4

Soporte de leva N° 3

Soporte de leva N° 2

Soporte de leva N° 1

Resorte B

Resorte A

Resorte A

Resorte A

Resorte del balancín B (2 piezas)

Balancín de escape B (4 piezas)

Resorte del balancín A (3 piezas)

Eje de balancines de escape

Balancín de escape A (4 piezas)

Vista Z

Marca de posición

La letra "B" está estampada sobre el balancín

La letra "A" está estampada sobre el balancín

▲ Conjunto de los balancines y sus ejes – Motor 1.5L (D15B7)

Civic y Del Sol

MOTORES 1.5L (D15B7 Y D15B8)

1. Desconectar el cable negativo de la batería.

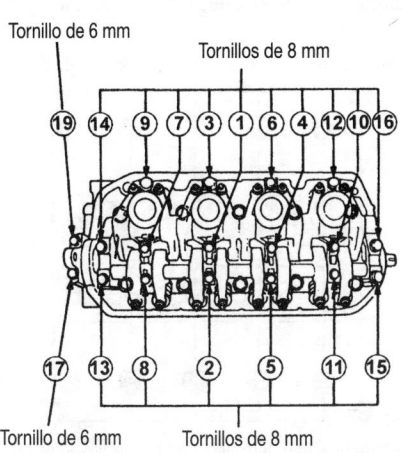

Tornillo de 6 mm

Tornillos de 8 mm

19 14 9 7 3 1 6 4 12 10 16

17 13 8 2 5 11 15

Tornillo de 6 mm   Tornillos de 8 mm

▲ Secuencia de apriete de los tornillos de los ejes de balancines – Motor 1.5L (D15B7)

2. Sacar la cubierta de válvulas y llevar el cilindro N° 1 al PMS de la carrera de compresión.

3. Aflojar los tornillos de ajuste de válvulas.

4. Sacar los tornillos de los balancines. Desatornillar los tornillos dos vueltas, siguiendo una pauta entrelazada, para evitar que se dañen las válvulas o el conjunto de balancines.

➡ **Los balancines y sus ejes forman un conjunto; deben sacarse del motor como una unidad. Al instalar el conjunto eje de balancines, seguir siempre con cuidado las secuencias de apriete.**

5. Sacar los conjuntos de balancines/eje. No sacar los tornillos de soporte del árbol de levas. Los tornillos mantienen las tapas de cojinetes de árbol de levas, resortes y balancines en su sitio sobre los ejes.

6. Si los balancines o los ejes se han de reemplazar, identificar las piezas que se han sacado de los ejes para asegurar su reinstalación en la posición original.

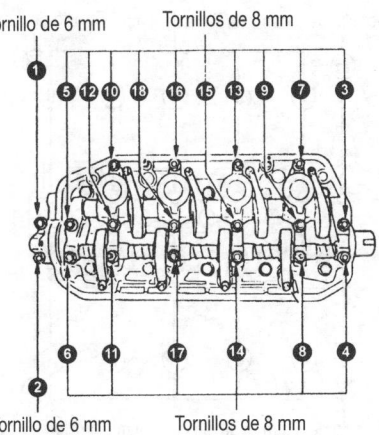

Tornillo de 6 mm   Tornillos de 8 mm

5 12 10 18 16 15 13 9 7 3

6 11 17 14 8 4

Tornillo de 6 mm   Tornillos de 8 mm

▲ Secuencia de aflojado de los tornillos de los ejes de balancines – Motor 1.5L (D15B8)

Para instalar:

7. Lubricar los muñones y lóbulos del árbol de levas.

8. Colocar el eje de balancines en posición e instalar los tornillos holgadamente. Apretar dos vueltas cada tornillo en la secuencia correcta para asegurar que los balancines no se atasquen sobre las válvulas. Apretar los tornillos de 8 mm de los balancines a 16 pie-lb (22 Nm). Apretar los tornillos de 6 mm a 9 pie-lb (12 Nm).

9. Ajustar las válvulas y apretar las contratuercas a 10 pie-lb (14 Nm).

10. Volver a montar la cubierta de válvulas y conectar el cable negativo de la batería.

MOTORES 1.5L Y 1.6L (D15Z1 Y D16Z6 RESPECTIVAMENTE)

1. Desconectar el cable negativo de la batería.

2. Etiquetar y desconectar los cables de encendido. Sacar las bujías y anotar sus posiciones.

Tornillo de 6 mm   Tornillos de 8 mm   Tornillo de 6 mm

4   8   12   14   10   6   2

7   11   13   9   5

3   1

Tornillo de 6 mm   Tornillos de 8 mm   Tornillo de 6 mm

▲ Secuencia de aflojado de los tornillos de los balancines/ejes – Motor 1.5L (D15Z1)

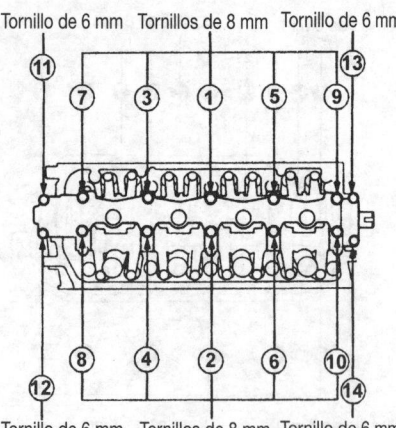

Tornillo de 6 mm Tornillos de 8 mm Tornillo de 6 mm

Tornillo de 6 mm Tornillos de 8 mm Tornillo de 6 mm

▲ **Secuencia de apriete de los tornillos de los balancines/ejes – Motor 1.5L (D15Z1)**

Tornillo de 6 mm Tornillos de 8 mm Tornillo de 6 mm

Tornillo de 6 mm Tornillos de 8 mm Tornillo de 6 mm

▲ **Secuencia de aflojado de los tornillos de los balancines/ejes – Motor l.6L (D16Z6)**

3. Sacar la cubierta de válvulas y llevar el cilindro N° 1 al PMS de la carrera de compresión.

4. Sacar el distribuidor como un conjunto.

5. Aflojar los tornillos de ajuste de válvulas.

6. Sacar la válvula solenoidal del VTEC.

7. Sacar los tornillos de balancines. Desatornillar los tornillos dos vueltas, siguiendo una pauta entrelazada, para evitar que se dañen las válvulas o el conjunto de balancines.

8. Sacar los conjuntos de balancines/eje. No sacar todavía los tornillos de los ejes de balancines. Los tornillos mantienen las tapas de los cojinetes, los resortes y los balancines en posición sobre los ejes.

➡ **Los balancines y sus ejes son un conjunto; deben sacarse del motor como una unidad. Al instalar el conjunto eje/balancines, seguir siempre con cuidado las secuencias de apriete.**

9. Desensamblar los conjuntos de balancines/eje. Identificar las piezas que se han sacado de los ejes para asegurar su reinstalación en las posiciones originales.

10. Desensamblar los conjuntos de balancines. Examinar el pistón del balancín empujándolo. Si el pistón no se mueve suavemente, reemplazar el conjunto del balancín.

11. Aplicar aceite a los pistones y ensamblar de nuevo los balancines. Atar los conjuntos de balancines con bandas de goma para evitar que se separen las piezas.

12. Sacar el conjunto de desplazamiento en vacío de su soporte en la culata de cilindros. Examinar el conjunto de desplazamiento en vacío hundiendo su pistón. Si el pistón no se mueve suavemente, reemplazar el conjunto.

Tornillo de 6 mm Tornillo de 6 mm

Tornillos de 8 mm

Tornillo de 6 mm Tornillo de 6 mm

Tornillos de 8 mm

▲ **Secuencia de apriete de los tornillos de los balancines/ejes – Motor 1.6L (D16Z6)**

Para instalar:

13. Lubricar los muñones y los lóbulos del árbol de levas. Cubrir con aceite los ejes de balancines y soportes del árbol de levas.

14. Instalar los conjuntos de desplazamiento en vacío en el soporte del conjunto de desplazamiento en vacío.

15. Reensamblar los conjuntos de los balancines en los ejes de los balancines y los soportes del árbol de levas. Una vez los balancines y los ejes estén reensamblados, sacar las bandas de goma.

16. Ajustar en su sitio el conjunto de balancines e instalar holgadamente los tornillos. Apretar dos vueltas cada tornillo en la secuencia correcta para asegurar que los balancines no se traben sobre las válvulas. Apretar los tornillos de balancines de 8 mm a 14 pie-lb (20 Nm). Apretar los tornillos de 6 mm a 9 pie-lb (12 Nm).

17. Instalar la válvula solenoidal del VTEC con un filtro nuevo. Apretar los tornillos a 9 pie-lb (12 Nm).

18. Instalar el distribuidor, pero no apretar todavía los tornillos.

19. Ajustar las válvulas. Apretar las contratuercas a 7 pie-lb (10 Nm).

20. Instalar la cubierta de válvulas y conectar el cable negativo de la batería.

21. Instalar las bujías y reconectar los cables de encendido.

22. Calentar el motor hasta la temperatura normal de funcionamiento. Comprobar la sincronización de encendido y, si es necesario, ajustarla. Apretar los tornillos de montaje del distribuidor a 17 pie-lb (24 Nm).

MOTOR 1.6L (D16Y5)

1. Desconectar el cable negativo de la batería.

2. Etiquetar y desconectar los cables de encendido. Sacar las bujías y anotar la asignación de sus cilindros.

3. Sacar la cubierta de válvulas.

4. Girar el cigüeñal para colocar el cilindro N° 1 en el PMS de la carrera de compresión. La marca blanca del PMS en la polea del cigüeñal se alinea con los indicadores de la cubierta inferior de sincronización.

5. Sacar el distribuidor.

6. Aflojar los tornillos de ajuste de válvulas.

7. Etiquetar y desconectar el conector de la válvula solenoidal del VTEC.

8. Aflojar dos vueltas los tornillos de sujeción del árbol de levas, siguiendo una pauta entrelazada, para evitar que se dañen las válvulas o el conjunto de balancines.

9. Sacar los conjuntos de balancines y ejes juntos con los soportes de árbol de levas. No

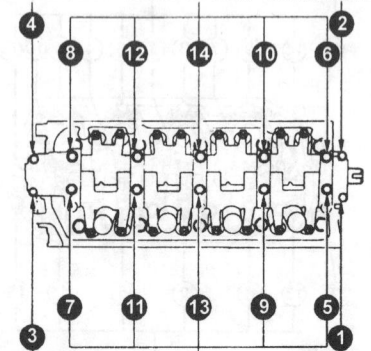

Tornillo de 6 mm Tornillos de 8 mm Tornillo de 6 mm

Tornillo de 6 mm Tornillos de 8 mm Tornillo de 6 mm

▲ **Secuencia de aflojado de los tornillos de los balancines/ejes – Motor 1.6L (D16Y5)**

sacar todavía los tornillos de los ejes de balancines. Los tornillos mantienen las tapas de los cojinetes, los resortes y los balancines en posición sobre los ejes.

➡ **Los balancines y sus ejes forman un conjunto; deben sacarse del motor como una unidad. Cuando se instala el conjunto eje/balancines, seguir siempre con cuidado las secuencias de apriete.**

10. Sacar los tornillos de sujeción del árbol de levas del conjunto de balancines y ejes.

11. Atar los conjuntos de balancines de admisión con bandas de goma de manera que, cuando se saque el eje de balancines de admisión, no se separen.

12. Desensamblar los conjuntos de balancines y ejes. Etiquetar las piezas que se saquen de los ejes para asegurar su reinstalación en las posiciones originales.

13. Desensamblar los conjuntos de balancines vigilando no mezclar las piezas. Examinar la sincronización de balancines y los pistones de sincronización empujándolos con los dedos. Si los pistones no se mueven suavemente en los agujeros de los balancines, reemplazar el conjunto de balancín.

14. Aplicar aceite a los pistones de sincronización, al pistón de sincronización y al resorte de sincronización y reensamblar los balancines. Atar los conjuntos de balancines con bandas de goma para evitar que las piezas se separen.

15. Examinar los platos de sincronización y los resortes de retorno que están situados en los soportes de árbol de levas. Ajustar cada plato de sincronización y resorte de retorno de manera que el brazo superior en forma de C del plato esté paralelo a la parte superior del soporte de árbol de levas.

Para instalar:

16. Verificar que el motor está puesto en el PMS/compresión del cilindro N° 1.

17. Lubricar los muñones y lóbulos del árbol de levas. Cubrir con aceite los ejes de balancines y soportes de árbol de levas.

18. Sacar el orificio de control del aceite. Limpiarlo a fondo e instalarlo con una junta tórica nueva.

19. Si es necesario, instalar un sello de aceite de árbol de levas nuevo.

20. Ensamblar los conjuntos de balancines y ejes. Asegurarse de que los collarines del eje de admisión y los resortes del eje de escape están en las posiciones correctas.

21. Una vez que los balancines y ejes están ensamblados, cortar las bandas de goma para sacarlas de los balancines de admisión. Asegurarse de que no se dejan fragmentos de las bandas de goma en el motor.

22. Aplicar aceite limpio a las roscas de los tornillos de soporte de árbol de levas, después instalarlos.

23. Aplicar junta líquida a las superficies de unión de la culata de cilindros de los soportes de árbol de levas N° 1 y N° 5. No dejar que la selladora se seque antes de la instalación.

24. Colocar en su sitio el conjunto de balancines y ejes. Instalar y apretar los tornillos con la mano. Apretar dos vueltas cada tornillo, siguiendo una secuencia entrelazada, de manera que los balancines estén apretados uniformemente y no se traben en las válvulas. Apretar los tornillos de balancines de 8 mm a 14 pie-lb (20 Nm). Apretar los tornillos de balancines de 6 mm a 9 pie-lb (12 Nm).

25. Ajustar las holguras de válvulas, empezando con el cilindro N° 1 en el PMS/compresión. Una vez se hayan logrado las holguras, apretar las contratuercas a 14 pie-lb (20 Nm). Colocar los cilindros N° 3, N° 4 y N° 2 en el PMS/compresión y ajustar las holguras de sus válvulas.

Tornillo de 6 mm   Tornillos de 8 mm   Tornillo de 6 mm

Tornillo de 6 mm   Tornillos de 8 mm   Tornillo de 6 mm

▲ **Secuencia de apriete de los tornillos de los balancines/ejes – Motor 1.6L (D16Y5)**

- Admisión: 0.007-0.009 plg (0.18-0.22 mm).
- Escape: 0.009-0.011 plg (0.23-0.27 mm).

26. Sacar la válvula solenoidal del VTEC, después sacar el filtro de la válvula. Instalar un filtro de la válvula solenoidal nuevo. Apretar los tornillos de la válvula solenoidal a 9 pie-lb (12 Nm) y reconectar el conector de la válvula solenoidal.

27. Girar el cigüeñal para colocar el cilindro N° 1 en el PMS/compresión. Después, examinar manualmente el funcionamiento de cada uno de los balancines de admisión del VTEC:

a. Mover arriba y abajo el balancín de admisión secundario del cilindro N° 1.

b. Verificar que el balancín de admisión secundario se mueve independientemente del balancín de admisión primario.

c. Repetir la comprobación de balancines para los otros tres cilindros, con cada cilindro colocado en el PMS/compresión.

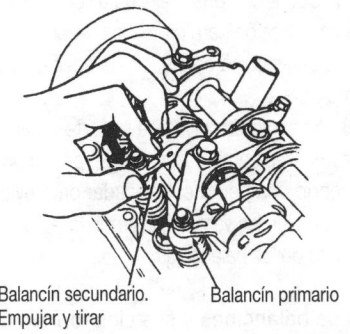

Balancín secundario.   Balancín primario
Empujar y tirar

▲ **Inspección del balancín del VTEC – Motor 1.6L (D16Y5)**

28. Volver a girar el cigüeñal al PMS/compresión para el cilindro N° 1. Instalar el distribuidor, pero no apretar aún los tornillos de montaje.

29. Apretar el tornillo de la polea del cigüeñal a 134 pie-lb (181 Nm).

30. Instalar la cubierta de válvulas. Asegurarse de que la junta está en buenas condiciones y aplicar selladora en las esquinas donde la junta se une con los soportes de árbol de levas.

31. Instalar las bujías y reconectar los cables de encendido.

32. Drenar el aceite del motor y sacar el filtro de aceite. Instalar un filtro de aceite nuevo y llenar el motor con aceite limpio.

33. Conectar el cable negativo de la batería.

34. Calentar el motor hasta la temperatura normal de funcionamiento.

35. Comprobar la sincronización del encendido y, si es necesario, ajustarla. Después, apretar los tornillos de montaje del distribuidor a 17 pie-lb (24 Nm).

36. Comprobar los niveles de todos los fluidos. Probar el vehículo en carretera y observar los cambios de RPM del motor a diversas velocidades.

MOTOR 1.6L (D16Y7)

1. Desconectar el cable negativo de la batería.

2. Etiquetar y desconectar los cables de encendido. Sacar las bujías y anotar las asignaciones de sus cilindros.

3. Sacar la cubierta de válvulas y la cubierta superior de la correa de sincronización.

4. Colocar el cilindro N° 1 en el PMS de la carrera de compresión. Verificar que las marcas del PMS están alineadas correctamente. Una vez el motor está colocado en esta posición, no debe alterarse.

5. Sacar el distribuidor como un conjunto.

6. Aflojar los tornillos de ajuste de válvulas.

7. Cubrir con una toalla de taller la correa de sincronización para protegerla del aceite del motor. Si la correa está sucia de aceite, debe reemplazarse.

8. Sacar los tornillos de soporte de árbol de levas. Desatornillar dos vueltas los tornillos, siguiendo una pauta entrelazada, para evitar que se dañen las válvulas, el árbol de levas o el conjunto de los balancines.

➡ **Los balancines y sus ejes forman un conjunto; deben sacarse del motor como una unidad. Cuando se instala el conjunto eje balancines, seguir siempre con cuidado las secuencias de apriete.**

9. Sacar los conjuntos de balancines y ejes. No sacar los tornillos de soporte de árbol de levas. Los tornillos mantienen en posición las tapas de cojinetes de árbol de levas, los resortes y los balancines en los ejes.

10. Si se han de reemplazar los balancines o los ejes, identificar las piezas que se han extraído de los ejes para asegurar su reinstalación en las posiciones originales.

Para instalar:

11. Verificar que el motor está colocado en el PMS/compresión para el cilindro N° 1. Cuando el motor está en el PMS/compresión, el chavetero del árbol de levas mira hacia arriba.

12. Lubricar los muñones y lóbulos del árbol de levas con aceite de motor limpio. Si es necesario, instalar un sello de aceite de árbol de levas nuevo.

13. Sacar el orificio de control del aceite. Limpiarlo a fondo e instalarlo con una junta tórica nueva.

14. Ensamblar los balancines, ejes y tapas de cojinetes de árbol de levas.

15. Aplicar selladora a las superficies de unión de las tapas de los cojinetes de árbol de levas N° 1 y N° 5. No dejar que la selladora se seque antes de instalar el conjunto de balancines.

16. Ajustar en posición el conjunto de balancines. Aplicar aceite de motor a las roscas de los tornillos de soporte, después instalar los tornillos holgadamente. Apretar cada tornillo en dos pasos, siguiendo una pauta entrelazada, para asegurar que los balancines no se traben en las válvulas. Apretar los tornillos de 8 mm a 14 pie-lb (20 Nm). Apretar los tornillos de 6 mm a 8.7 pie-lb (12 Nm).

17. Verificar que el motor está en el PMS/compresión del pistón N° 1 e instalar el distribuidor.

18. Ajustar las válvulas y apretar las contratuercas a 14 pie-lb (20 Nm).

19. Instalar la cubierta de válvulas y la cubierta superior de la correa de sincronización.

20. Reconectar el cable negativo de la batería.

21. Comprobar la sincronización del encendido y, si es necesario, ajustarla. Apretar los tornillos de montaje del distribuidor a 17 pie-lb (24 Nm).

MOTOR 1.6L (D16Y8)

1. Desconectar el cable negativo de la batería.

2. Etiquetar y desconectar los cables de encendido. Sacar las bujías y anotar las asignaciones de sus cilindros.

3. Sacar la cubierta de válvulas.

4. Girar el cigüeñal para colocar el cilindro N° 1 en el PMS de la carrera de compresión. La marca blanca del PMS de la polea del cigüeñal se alinea con los indicadores del PMS en la cubierta inferior de la correa de sincronización.

5. Sacar el distribuidor de la culata de cilindros.

6. Aflojar los tornillos de ajuste de válvulas.

7. Etiquetar y desconectar el conector de la válvula solenoidal del VTEC.

8. Aflojar dos vueltas los tornillos de soporte de árbol de levas, siguiendo una pauta entrelazada, para evitar que se dañen las válvulas o los conjuntos de balancines.

9. Sacar los conjuntos de balancines y ejes junto con los soportes de árbol de levas y el soporte del conjunto de desplazamiento en vacío. No sacar todavía los tornillos de los ejes de balancines. Los tornillos mantienen las tapas de los cojinetes, los resortes y los balancines en posición sobre los ejes.

➡ **Los balancines y sus ejes forman un conjunto; deben sacarse del motor como una unidad. Cuando se instala el conjunto eje balancines, seguir siempre con cuidado las secuencias de apriete.**

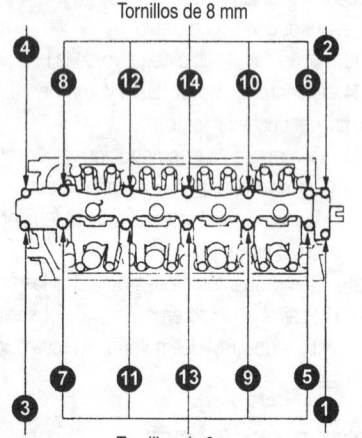

▲ Secuencia de aflojado de los tornillos de los balancines/ejes – Motor 1.6L (D16Y7)

Secuencia de apriete de los tornillos de los balancines/ejes – Motor 1.6L (D16Y7)

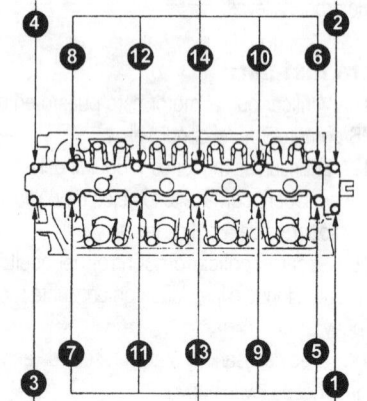

▲ Secuencia de aflojado de los tornillos de los balancines/ejes – Motor 1.6L (D16Y8)

10. Sacar del conjunto de balancines y ejes los tornillos de soporte del árbol de levas. Sacar el soporte del conjunto de desplazamiento en vacío.

11. Atar los conjuntos de balancines de admisión con bandas de goma de manera que las piezas no se separen cuando se saque el eje de balancines de admisión.

12. Desensamblar los conjuntos de balancines y ejes. Etiquetar las piezas que se han extraído de los ejes para asegurar su reinstalación en las posiciones originales.

13. Desensamblar los conjuntos de balancines con cuidado de no mezclar ninguna de las piezas. Examinar los pistones sincronizadores del balancín empujándolos con los dedos. Si los pistones no se mueven suavemente en los agujeros de su balancín, reemplazar el conjunto del balancín.

14. Aplicar aceite a los pistones sincronizadores y reensamblar los balancines. Atar los conjuntos de balancines con bandas de goma para evitar que las piezas de separen.

15. Sacar cada conjunto de desplazamiento en vacío de su abertura en el soporte del conjunto de desplazamiento en vacío. Examinar cada conjunto de desplazamiento en vacío hundiéndolo en su pistón. Si el pistón no se mueve suavemente, reemplazar el conjunto de desplazamiento en vacío. Los conjuntos de desplazamiento en vacío no pueden sangrarse como los ajustadores de holgura hidráulicos.

16. Volver a instalar los conjuntos de desplazamiento en vacío en el soporte del conjunto de desplazamiento en vacío.

Para instalar:

17. Verificar que el motor está colocado en el PMS/compresión del cilindro N°1.

18. Lubricar los muñones y lóbulos de árbol de levas. Cubrir los ejes de balancines y soportes de árbol de levas con aceite limpio.

19. Sacar el orificio de control del aceite. Limpiarlo a fondo y reinstalarlo con una junta tórica.

20. Si es necesario, instalar un sello de aceite de árbol de levas nuevo.

21. Ensamblar los conjuntos de balancines y ejes. Asegurarse de que los collarines del eje de admisión y los resortes del eje de escape están en las posiciones correctas.

22. Una vez que se han ensamblado balancines y ejes, cortar las bandas de goma y sacarlas de los balancines de admisión. Asegurarse de que no se dejan fragmentos de las bandas de goma en el motor.

23. Instalar el soporte del conjunto de desplazamiento en vacío en el soporte de árbol de

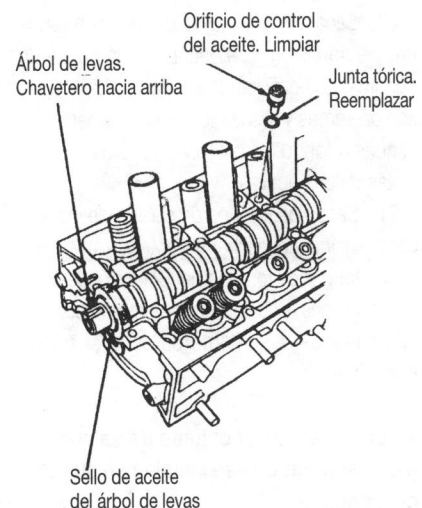

Árbol de levas. Chavetero hacia arriba

Orificio de control del aceite. Limpiar

Junta tórica. Reemplazar

Sello de aceite del árbol de levas

▲ **Sello de aceite y orificio de control del aceite del árbol de levas – Motor 1.6L (D16Y8)**

Tornillo de 6 mm   Tornillos de 8 mm   Tornillo de 6 mm

Tornillo de 6 mm   Tornillos de 8 mm   Tornillo de 6 mm

▲ **Secuencia de apriete de los tornillos de los balancines/ejes – Motor 1.6L (D16Y8)**

levas. Aplicar aceite limpio a las roscas de los tornillos del soporte de árbol de levas, después instalarlos.

24. Aplicar junta líquida a las superficies de unión de la culata de cilindros de los soportes de árbol de levas N° 1 y N° 5. No dejar que la selladora se seque antes de la instalación.

25. Ajustar el conjunto de balancines y sus ejes en su sitio. Instalar y apretar manualmente los tornillos. Apretar dos vueltas cada tornillo, siguiendo una secuencia entrelazada, para asegurar que los balancines no se traben en las válvulas. Apretar los tornillos de balancines de 8 mm a 14 pie-lb (20 Nm). Apretar los tornillos de 6 mm a 9 pie-lb (12 Nm).

26. Ajustar las holguras de válvulas, empezando con el cilindro N° 1 en el PMS/compresión. Una vez que se ha conseguido la holgura, apretar las contratuercas de ajuste a 14 pie-lb (20 Nm). Colocar los cilindros N° 3, N° 4 y N° 2

en el PMS/compresión, después ajustar las holguras de sus válvulas.

- Admisión: 0.007-0.009 plg (0.18-0.22 mm).
- Escape: 0.009-0.011 plg (0.23-0.27 mm).

27. Sacar la válvula solenoidal del VTEC, después sacar el filtro de la válvula. Apretar los tornillos de la válvula solenoidal a 9 pie-lb (12 Nm) y reconectar los conectores de la válvula solenoidal.

28. Girar el cigüeñal para colocar el cilindro N° 1 en el PMS/compresión. Después, examinar manualmente el funcionamiento de cada uno de los balancines de admisión del VTEC:

   a. Empujar el balancín de admisión media en el cilindro N° 1.

   b. Verificar que el balancín de admisión media se mueve independientemente de los balancines de admisión primaria y secundaria.

   c. Repetir la inspección para los otros tres cilindros con cada cilindro ajustado en el PMS/compresión.

29. Volver a girar el cigüeñal al PMS/compresión del cilindro N° 1. Instalar el distribuidor, pero no apretar todavía los tornillos de montaje.

30. Apretar la polea del cigüeñal a 134 pie-lb (181 Nm).

31. Instalar la cubierta de válvulas. Asegurarse de que la junta está en buenas condiciones y aplicar selladora en las esquinas en que la junta se une con los soportes de árbol de levas.

32. Instalar las bujías y reconectar los cables de encendido.

33. Drenar el aceite del motor y sacar el filtro de aceite. Instalar un filtro de aceite nuevo y llenar el motor con aceite limpio.

34. Conectar el cable negativo de la batería.

35. Calentar el motor hasta la temperatura normal de funcionamiento.

36. Comprobar la sincronización del encendido y, si es necesario, ajustarla. Después, apretar los tornillos de montaje del distribuidor a 17 pie-lb (24 Nm).

37. Comprobar los niveles de todos los fluidos. Probar el vehículo en carretera y observar los cambios de RPM del motor a diferentes velocidades.

MOTORES 1.6L (B16A2 Y B16A3)

1. Desconectar el cable negativo de la batería.

2. Etiquetar y desconectar los cables de encendido.

3. Girar el cigüeñal para poner el motor en el PMS de la carrera de compresión del cilindro

Nº 1. La marca blanca del PMS en la polea del cigüeñal debe alinearse con el indicador de la cubierta inferior de la correa de sincronización.

4. Sacar el puntal de refuerzo.

5. Sacar el conducto del aire de admisión.

6. Aflojar el tornillo de ajuste de la bomba de la dirección asistida para descargar la tensión de la correa. Deslizar la correa fuera de las poleas. Aflojar los tornillos de ajuste del acondicionador de aire y del alternador y deslizar sus correas fuera de la polea del cigüeñal.

7. Usar un gato de suelo almohadillado con un bloque de madera para soportar el motor.

8. Sacar el cable de toma de tierra del motor.

9. Desatornillar y sacar el montaje lateral del motor.

10. Sacar la cubierta de válvulas y la cubierta superior de la correa de sincronización.

11. Verificar que el motor está puesto en el PMS/compresión. Aflojar 180° el tornillo tensor de la correa de sincronización. Después, sacar la polea del cigüeñal, la cubierta inferior de la sincronización y la correa de sincronización.

▼ AVISO ▼

Examinar si hay señales de grietas y de dientes rotos en la correa de sincronización, y si está sucia de aceite o de fluido refrigerante. Si la correa de sincronización está dañada, o ha estado en contacto con aceite o con fluido refrigerante, debe reemplazarse para evitar un posible fallo.

12. Sacar el distribuidor.

13. Desconectar y sacar la válvula solenoidal del VTEC. Sacar el filtro de la válvula solenoidal y examinar si hay obstrucciones.

14. Sacar los engranajes del árbol de levas y la cubierta posterior.

15. Aflojar los tornillos de los platos de soporte de árbol de levas, siguiendo una secuencia entrelazada, trabajando hacia el centro de la culata de cilindros.

16. Aflojar los tornillos de ajuste de válvulas.

17. Sacar los platos de soporte de árbol de levas y el soporte de la culata de cilindros. Los tornillos del soporte mantendrán juntos los componentes. Tomar nota de las posiciones de cada soporte de árbol de levas para su reensamblaje.

18. Sacar los árboles de levas de la culata de cilindros. Marcar los árboles de levas de escape y de admisión, de manera que no se confundan.

19. Sujetar juntos cada conjunto de balancines con una banda de goma para prevenir que se separen.

20. Sacar los orificios de los ejes de balancines de admisión y de escape de la culata de cilindros. Los orificios de los ejes de balancines son diferentes y al sacarlos se deben identificar. Limpiar a fondo los orificios y reinstalarlos con juntas tóricas nuevas.

21. Sacar los tornillos de sellado de los ejes de balancines, desechar las arandelas.

22. Introducir tornillos de 12 mm en los ejes de balancines. Sacar cada conjunto de balancines mientras lentamente se saca el eje de balancines.

➡ **Etiquetar cada conjunto de balancines para asegurar que se instalan en su posición original.**

23. Examinar los pistones de balancines. Si no se mueven suavemente, reemplazar el conjunto de balancines.

24. Sacar los dos conjuntos de desplazamiento en vacío de la culata de cilindros. Examinar cada conjunto de desplazamiento en vacío empujando el émbolo con los dedos. Si no se mueve suavemente, reemplazar el conjunto de desplazamiento en vacío.

Para instalar:

25. Instalar los dos conjuntos de desplazamiento en vacío en la culata de cilindros.

26. Aplicar aceite de motor a los pistones de balancines, después atar los balancines con una banda de goma. Aplicar una ligera capa de aceite de motor limpio en los balancines.

27. Si se vuelven a utilizar, colocar los balancines en sus posiciones originales. Si se usan conjuntos nuevos, colocarlos en la culata de cilindros.

28. Aplicar una ligera capa de aceite de motor limpio a los ejes de balancines, después instalar los ejes de balancines en la culata de

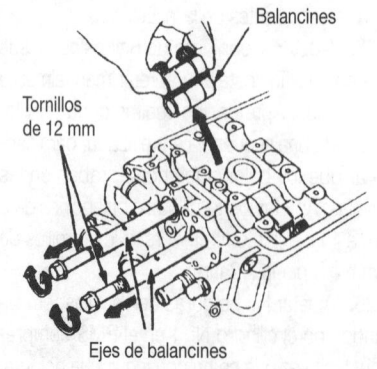

▲ Desmontaje de los balancines – Motores 1.6L (B16A2 y B16A3)

cilindros. Puede instalarse un tornillo de 12 mm en el extremo de los ejes de balancines para ayudar durante su instalación. Asegurarse de instalar los ejes en las posiciones correctas. En caso de que se hayan usado, retirar los tornillos de 12 mm de los ejes de balancines.

29. Limpiar e instalar los orificios de los ejes de balancines con juntas tóricas nuevas. Si los agujeros de los ejes de balancines no están alineados, roscar un tornillo de 12 mm en el extremo del eje para posicionar el eje.

30. Instalar los tornillos de sellado con arandelas nuevas, apretar los tornillos a 47 pie-lb (64 Nm).

31. Lubricar con aceite de motor limpio los lóbulos y los muñones del árbol de levas.

32. Poner los árboles de levas dentro de la culata de cilindros. Los árboles de levas de admisión y de escape deben instalarse con sus chaveteros apuntando hacia arriba.

33. Lubricar e instalar sellos de aceite de árbol de levas nuevos. Aplicar junta líquida al nuevo tapón de extremo de árbol de levas e instalarlo. Si el tapón de extremo ha sido marcado, la marca se debe alinear con la superficie de la culata de cilindros.

34. Aplicar junta líquida a las superficies de unión de culata de cilindros de los soportes de árbol de levas Nº 1 y Nº 5. Después, instalarlos junto con los soportes Nº 2, Nº 3 y Nº 4. Asegurarse de poner atención a los puntos siguientes:

• No aplicar aceite a la superficie de unión del soporte de los sellos de aceite del árbol de levas.

• Las flechas marcadas en los soportes de árbol de levas deben apuntar hacia la correa de sincronización.

35. Instalar los platos de soporte de árbol de levas.

36. Lubricar las roscas de los tornillos de 10 mm del soporte. Después, instalar todos los tornillos de soporte de árbol de levas, pero sin apretarlos todavía.

37. Con la mano, apretar por un igual los soportes de árbol de levas. Asegurarse de que los balancines están situados correctamente sobre los vástagos de válvula.

38. Usar una pauta entrelazada de dos pasos para apretar los tornillos de soporte de árbol de levas. Empezar apretando los tornillos del centro de la culata de cilindros y trabajar hacia los extremos exteriores. Las especificaciones de apriete final son las siguientes:

• Motor B16A2: tornillos de 8 mm a 20 pie-lb (28 Nm).

- Motores B16A3: tornillos de 8 mm a 16 pie-lb (22 Nm).
- Tornillos de 6 mm a 7-8 pie-lb (10-11 Nm).

39. Verificar que los chaveteros de árbol de levas están apuntando hacia arriba y que el motor está en el PMS/compresión del cilindro N° 1. Ajustar las chavetas de los engranajes de los árboles de levas dentro de sus chaveteros.

40. Instalar la cubierta posterior e introducir las poleas de los árboles de levas en los árboles de levas. Después, apretar los pernos de retención de la polea dentada (engranaje) a 37 pie-lb (51 Nm) para los vehículos de 1995, o a 41 pie-lb (57 Nm) para los vehículos de 1996-99.

41. Instalar y tensar la correa de sincronización.

42. Instalar la cubierta inferior de sincronización y la polea del cigüeñal. Apretar el tornillo de la polea a 130 pie-lb (180 Nm).

43. Ajustar las holguras de válvulas.

44. Examinar si los balancines del VTEC tienen un movimiento suave e independiente.

45. Instalar la válvula solenoidal del VTEC con un filtro nuevo. Apretar los tornillos de montaje de la válvula a 9 pie-lb (12 Nm).

46. Instalar el distribuidor.

47. Limpiar las superficies de junta de la cubierta de válvulas. Encajar la junta en la ranura de la cubierta de válvulas.

48. Aplicar junta líquida al sello de goma en las ocho esquinas en que las juntas se unen con los soportes del árbol de levas. No dejar que la selladora se seque antes de instalar la cubierta de la culata de cilindros.

49. Instalar la cubierta de la culata de cilindros y el cable de toma de tierra del motor. Asegurarse de que las superficies de contacto están limpias y no tocan superficies a las que se ha puesto junta líquida.

50. Apretar las tuercas de la cubierta de válvulas a 7 pie-lb (10 Nm), siguiendo una secuencia entrelazada.

51. Instalar la cubierta superior de la sincronización.

52. Instalar las correas propulsoras auxiliares y ajustar sus tensiones.

53. Instalar el montaje lateral del motor, apretar las dos tuercas nuevas a 54 pie-lb (75 Nm) y apretar el tornillo que une el montaje al vehículo, a 54 pie-lb (74 Nm).

54. Instalar la barra montante y apretar los tornillos de montaje a 16 pie-lb (22 Nm).

55. Reconectar los cables de encendido.

56. Drenar el aceite del motor. Instalar un filtro de aceite nuevo y llenar el motor con aceite limpio.

57. Reconectar el cable negativo de la batería.

58. Calentar el motor hasta su temperatura normal de funcionamiento. Después, comprobar y ajustar la sincronización de encendido. Apretar los tornillos de montaje del distribuidor a 17 pie-lb (24 Nm).

Prelude y Accord

MOTOR 2.2L (H22A1)

1. Desconectar el cable negativo de la batería.

2. Sacar la culata de cilindros del conjunto motor.

3. Sacar la válvula solenoidal del VTEC y el filtro, de la culata de cilindros. Desechar el filtro.

4. Instalar bandas de goma a cada uno de los conjuntos de balancines, de manera que los balancines se mantengan unidos y no se separen.

5. Sacar los orificios de los ejes de balancines de admisión y de escape. Los orificios de los ejes de admisión y de escape son distintos; anotar sus localizaciones para la instalación posterior.

6. Sacar los tornillos de sellado de los ejes de balancines de la culata de cilindros; desechar las arandelas.

7. Instalar tornillos de 12 mm dentro de los ejes de balancines. Sacar cada balancín mientras se estiran lentamente hacia afuera los ejes de balancines de admisión y de escape.

8. Sacar los conjuntos de desplazamiento en vacío de la culata de cilindros y examinarlos. Empujándolos suavemente con el dedo se hundirán un poco, aumentando la fuerza se hundirán más profundamente.

Para instalar:

➡ Limpiar los orificios de los ejes de balancines e instalar juntas tóricas nuevas. Limpiar los balancines y sus ejes en disolvente, secarlos y aplicar aceite limpio a todas las superficies de contacto.

9. Instalar los conjuntos de desplazamiento en vacío en la culata de cilindros.

10. Instalar los balancines en sus posiciones originales mientras el eje de balancines pasa a través de la culata de cilindros.

11. Instalar los orificios de los ejes de balancines. Si los agujeros en el eje de balancines y

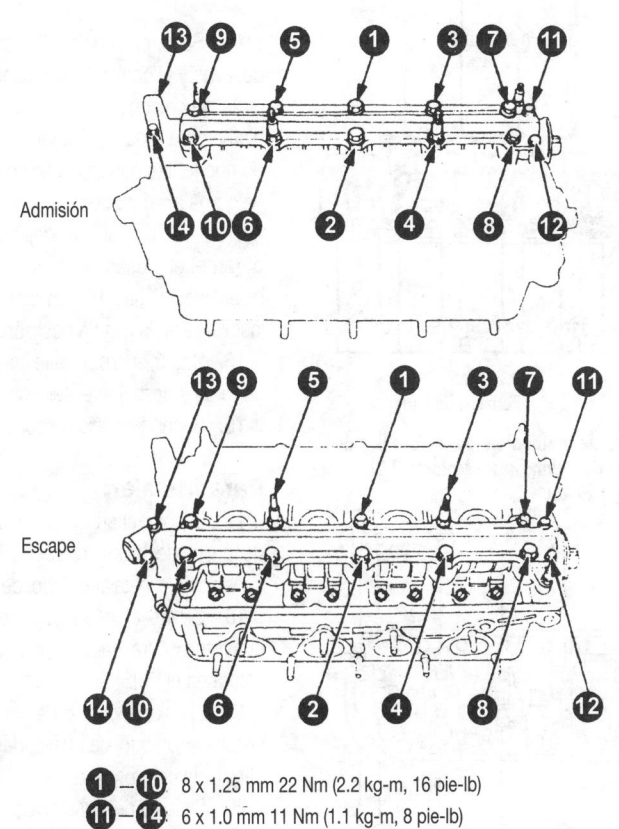

Admisión

Escape

①—⑩ 8 x 1.25 mm 22 Nm (2.2 kg-m, 16 pie-lb)
⑪—⑭ 6 x 1.0 mm 11 Nm (1.1 kg-m, 8 pie-lb)

Secuencias de apriete de los tornillos de los soportes de los árboles de levas – Motores 1.6L (B16A2 y B16A3)

en la culata de cilindros no están en línea, ensartar un tornillo de 12 mm en el eje de balancines y girar el eje. Asegurarse de que los orificios están instalados en las posiciones correctas; los orificios de admisión y de escape son distintos. Si los orificios están instalados correctamente, los ejes de balancines no deben girar.

12. Instalar los tornillos de sellado de los balancines con arandelas nuevas; apretar los tornillos a 43 pie-lb (69 Nm). Sacar las bandas de goma de los conjuntos de balancines.

13. Instalar la válvula solenoidal del VTEC con un nuevo filtro; apretar los tornillos de montaje a 9 pie-lb (12 Nm).

14. Instalar la culata de cilindros sobre el bloque de cilindros.

15. Ajustar las válvulas y la sincronización de encendido.

16. Conectar el cable negativo de la batería e introducir el código de seguridad de la radio.

17. Si está equipado con 4RD, poner en marcha el motor y girar el volante de tope a tope para reajustar la unidad de control de las 4RD.

18. Poner en marcha el motor y comprobar si hay fugas; después probar el vehículo en carretera.

MOTORES 2.2L (F22A1, F22A6, F22B1 Y F22B2)

1. Desconectar el cable negativo de la batería.

2. Sacar el conducto de admisión de aire.

3. Sacar la manguera de Ventilación Positiva del Cárter (VPC); después sacar la cubierta de la culata de cilindros. Si están dañados o deteriorados, reemplazar los sellos de goma.

4. Sacar la cubierta superior de la correa de sincronización.

5. Llevar el cilindro N° 1 al PMS. La marca blanca de la polea del cigüeñal debe alinearse con el indicador de la cubierta de la correa de sincronización. Las palabras "UP" (arriba) estampadas en la polea del árbol de levas deben alinearse en posición hacia arriba. Las marcas en el borde de las poleas deben alinearse con la culata de cilindros o con el extremo superior de la cubierta posterior. Una vez estén en esta posición, el motor NO debe girarse o alterarse.

6. Etiquetar; después desconectar los conectores eléctricos del distribuidor y los cables de bujía de las bujías. Marcar la posición del distribuidor y sacarlo de la culata de cilindros.

7. Aflojar los tornillos de montaje de la dirección asistida y sacar la correa propulsora de la bomba.

8. Si se ha de reutilizar, marcar la rotación de la correa de sincronización. Aflojar el tornillo de ajuste de la correa de sincronización de ³/₄ a una vuelta entera; después descargar la tensión de la correa de sincronización. Empujar el tensor para descargar la tensión de la correa; después apretar el tornillo de ajuste.

9. Sacar la correa de sincronización del engranaje del árbol de levas.

▼ AVISO ▼

No plegar o doblar más de 90° o menos la correa de sincronización, en ese caso 1 plg (25 mm) en diámetro.

10. Asegurarse de que la palabra "UP" (arriba) estampada en la polea del árbol de levas está alineada en posición hacia arriba; después sacar el tornillo del engranaje del árbol de levas. Tirar del engranaje del árbol de levas y sacar la chaveta del engranaje.

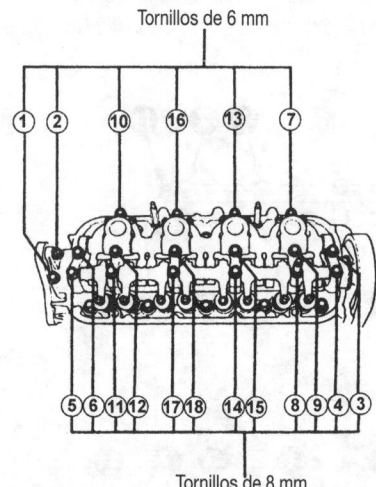

Secuencia de desmontaje de los tornillos de los conjuntos de balancines – Motores 2.2L (F22A1 y F22A6)

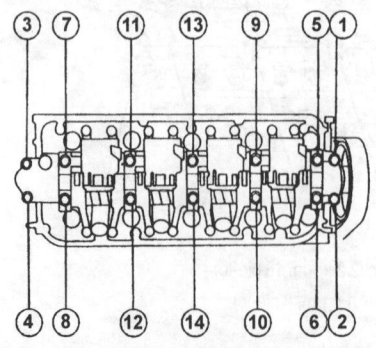

Secuencia de aflojado de los tornillos de los conjuntos de balancines – Motor 2.2L (F22B1)

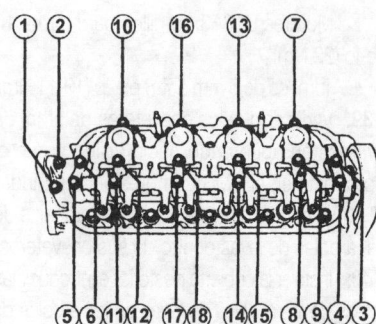

Secuencia de aflojado de los tornillos de los conjuntos de balancines – Motor 2.2L (F22B2)

11. Sacar la cubierta posterior de la correa de sincronización.

12. Aflojar los tornillos de ajuste de válvulas.

13. Aflojar dos vueltas los tornillos de sujeción del soporte del árbol de levas, en la secuencia correcta, para prevenir que se dañen las válvulas o los conjuntos de balancines.

➡ **Al sacar el conjunto de balancines, no sacar los tornillos de soportes de árbol de levas. Los tornillos mantendrán los soportes de árbol de levas, los resortes y los balancines en los ejes.**

14. Sacar con cuidado los soportes de árbol de levas y el conjunto de balancines. Si el conjunto de balancines y eje necesita desensamblarse para repararse, anotar la posición de los componentes que se sacan. Instalar una banda de goma alrededor de los conjuntos de balancines del VTEC, para no dejar que se separen durante el desensamblaje del conjunto de balancines. Si se reutilizan los balancines deben instalarse en la misma posición.

15. Sacar el árbol de levas de la culata de cilindros y desechar el sello de aceite.

16. Sacar el orificio de control del aceite.

Para instalar:

17. Limpiar el árbol de levas y los muñones de árbol de levas; después lubricar ambas superficies e instalar el árbol de levas.

18. Girar el árbol de levas de manera que su chavetero mire hacia arriba (el cilindro N° 1 estará en el PMS).

19. Limpiar el orificio de control del aceite e instalar la junta tórica nueva; después instalar el orificio de control del aceite.

20. Si se ha desensamblado, reensamblar el conjunto de balancines y eje. Lubricar el conjunto de balancines y eje con aceite limpio; después aplicar junta líquida a las superficies de

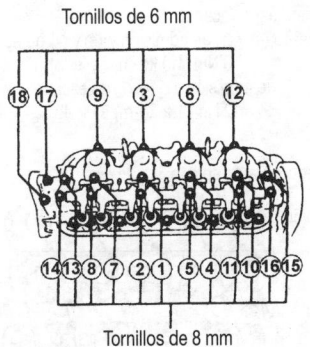

Secuencia de apriete de los conjuntos de balancines – Motor 2.2L (F22A1 y F22A6)

Apriete especificado:
Tornillos de 8 mm: 22 N·m (2.2 kgf·m, 16 pie-lb)
Tornillos de 6 mm: 12 N·m (1.2 kgf·m, 8.7 pie-lb)

Tornillos de 6 mm: ⑪, ⑫, ⑬, ⑭

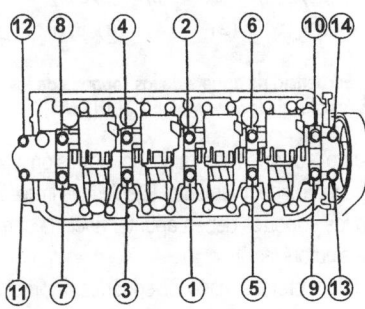

Secuencia de apriete de los conjuntos de balancines – Motor 2.2L (F22B1)

Apriete especificado:
Tornillos de 8 mm: 22 N·m (2.2 kgf·m, 16 pie-lb)
Tornillos de 6 mm: 12 N·m (1.2 kgf·m, 8.7 pie-lb)

Tornillos de 6 mm: ③, ⑥, ⑨, ⑫, ⑰, ⑱

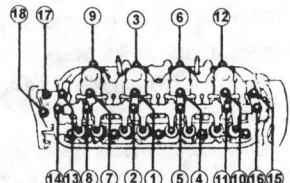

Secuencia de apriete de los conjuntos de balancines – Motor 2.2L (F22B2)

unión de culata de los soportes N° 1 y N° 6 del árbol de levas.

21. Colocar los soportes de árbol de levas y el conjunto de balancines en su sitio; después instalar holgadamente los tornillos de sujeción.

22. Aplicar aceite limpio al labio del sello de aceite de árbol de levas y a la guía del sello (pieza # 07NAG-PT0010A); después instalar el sello de aceite en la guía del sello. Instalar la guía del sello en el árbol de levas; después, la copa instaladora (pieza # 07NAF-PT0010A) y el

eje instalador (pieza # 07NAF-PT0020A). Apretar la tuerca sobre el eje instalador para presionar el sello de aceite dentro de la culata de cilindros.

23. Apretar dos vueltas los tornillos del soporte del árbol de levas en la secuencia correcta. El apriete final para los tornillos de 8 mm es de 16 pie-lb (22 Nm) y para los tornillos de 6 mm es de 9 pie-lb (12 Nm).

24. Instalar la cubierta posterior de la correa de sincronización y, si es necesario, una junta nueva. Apretar el tornillo hacia el múltiple de escape a 7 pie-lb (10 Nm) y apretar el tornillo hacia el múltiple de admisión a 9 pie-lb (12 Nm).

25. Instalar la chaveta del engranaje del árbol de levas en el árbol de levas; después instalar el engranaje del árbol de levas. Instalar el tornillo y apretarlo a 27 pie-lb (37 Nm).

26. Asegurarse de que la palabra "UP" (arriba) estampada en la polea del árbol de levas está alineada en posición hacia arriba; después instalar la correa de sincronización en el engranaje del árbol de levas. Aflojar; después apretar la tuerca de ajuste de la correa de sincronización.

27. Girar cinco o seis vueltas la polea del cigüeñal para colocar la correa de sincronización sobre las poleas.

28. Poner el cilindro N° 1 en el PMS y aflojar una vuelta la tuerca de ajuste de la correa de sincronización. Girar el cigüeñal en el sentido contrario al de las agujas del reloj hasta que la polea de la leva se haya desplazado tres dientes; esto tensa la correa de sincronización. Aflojar; después apretar la tuerca de ajuste y apretarla a 33 pie-lb (45 Nm).

29. Ajustar las válvulas.

30. Apretar el tornillo de la polea del cigüeñal a 181 pie-lb (245 Nm) en los motores F22B1 y 159 pie-lb (220 Nm) en el resto de motores.

31. Instalar la cubierta superior de la correa de sincronización. Apretar el tornillo hacia el múltiple de escape a 7 pie-lb (10 Nm) y apretar el tornillo hacia el múltiple de admisión a 9 pie-lb (12 Nm).

32. Instalar la cubierta de la junta de la cubierta de la culata de cilindros en la ranura de la cubierta de la culata de cilindros. Antes de instalar la junta, limpiar a fondo el sello de aceite y la ranura. Primero asentar el hueco del árbol de levas; después introducirlo en la ranura alrededor de los bordes exteriores. Asegurarse de que la junta está asentada de manera segura en las esquinas de los huecos.

33. Aplicar junta líquida en las cuatro esquinas de los huecos de la junta de la cubierta de

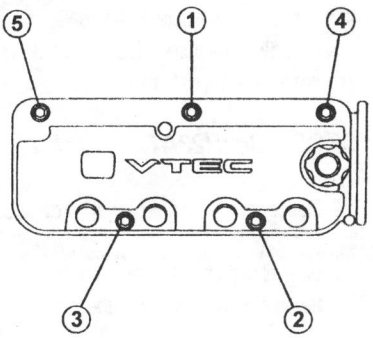

Secuencia de apriete de la cubierta de la culata de cilindros – Motor 2.2L (F22B1)

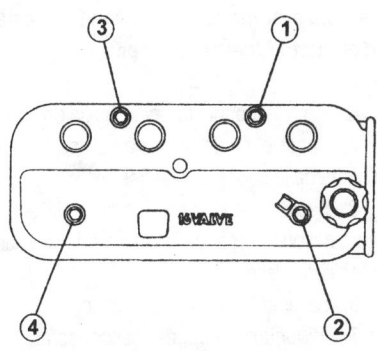

Secuencia de apriete de la cubierta de la culata de cilindros – Motor 2.2L (F22B2)

la culata de cilindros. Si han pasado 5 o más minutos desde que se ha aplicado la junta líquida, no instalar las piezas. Después del ensamblaje, esperar como mínimo 20 minutos antes de llenar el motor con aceite.

34. Instalar la cubierta (de válvulas) de la culata de cilindros. Apretar los tornillos sujetando la cubierta de la culata de cilindros en la secuencia correcta a 7 pie-lb (10 Nm).

35. Instalar la manguera del VPC en la cubierta de la culata de cilindros.

36. Instalar y ajustar la correa de la dirección asistida.

37. Instalar el distribuidor en la culata de cilindros, apretar a mano los tornillos de sujeción hasta que se haya comprobado y ajustado la sincronización.

38. Conectar los cables de bujías a las bujías correctas, después conectar los conectores eléctricos del distribuidor.

39. Instalar el conducto de admisión del aire.

40. Drenar el aceite del motor en un recipiente provisto de cierre. Instalar el tapón de drenado y llenar el motor con aceite limpio.

41. Conectar el cable negativo de la batería e introducir el código de seguridad de la radio.

42. Poner en marcha el motor, comprobando con cuidado si hay alguna fuga.

43. Comprobar y ajustar la sincronización de encendido, después apretar los tornillos del distribuidor a 13 pie-lb (18 Nm).

MOTOR 2.3L (H23A1)

1. Desconectar el cable negativo de la batería.

2. Girar el cigüeñal de manera que el pistón N° 1 esté en el Punto Muerto Superior.

➡ **Cuando el indicador del bloque se alinea con la marca blanca del volante (cambio manual) o del plato propulsor (cambio automático), el pistón N° 1 está en el Punto Muerto Superior.**

3. Sacar el conducto de admisión del aire.

4. Sacar el cable de toma de tierra de la cubierta de la culata de cilindros.

5. Sacar el conector y el terminal del alternado; después sacar de la cubierta de válvulas el cableado del motor.

6. Sacar la bobina de encendido.

7. Etiquetar; después desconectar los conectores eléctricos del distribuidor y los cables de bujía de las bujías. Marcar la posición del distribuidor y sacarlo de la culata de cilindros. Desconectar el cable de la bobina de encendido del distribuidor.

8. Sacar la manguera de Ventilación Positiva del Cárter (VPC); después sacar la cubierta de la culata de cilindros. Si están dañados o deteriorados, sacar los sellos de goma.

9. Sacar la cubierta central de la correa de sincronización.

10. Asegurarse de que las palabras "UP" (arriba) estampadas en las poleas de los árboles de levas están alineadas en posición hacia arriba.

11. Si se reutiliza, marcar la rotación de la correa de sincronización. Aflojar ½ vuelta la tuerca de ajuste de la correa de sincronización; después descargar la tensión de la correa de sincronización. Empujar el tensor para descargar la tensión de la correa; después apretar la tuerca de ajuste.

12. Sacar la correa de sincronización de los engranajes de los árboles de levas.

▼ AVISO ▼

No plegar o doblar más de 90° o menos la correa de sincronización, en ese caso 1 plg (25 mm) en diámetro.

13. Insertar un punzón botador de 5.0 mm en cada una de las tapas de los árboles de levas, cerca de los engranajes, a través de los agujeros previstos. Sacar los tornillos de sujeción de engranaje de árbol de levas; después sacar los engranajes. No perder las chavetas de los engranajes.

14. Sacar el soporte B del montaje lateral del motor y después la cubierta posterior de la correa de sincronización por detrás de los engranajes de árbol de levas.

15. Aflojar todos los tornillos de ajuste de los balancines y después sacar los punzones botadores de las tapas de árbol de levas.

16. Sacar los soportes de árbol de levas y anotar las posiciones de los soportes para facilitar su instalación posterior. Aflojar los tornillos en el orden inverso de la secuencia de apriete de los tornillos de los soportes.

17. Sacar los árboles de levas de la culata de cilindros; después descartar los sellos de aceite de los árboles de levas.

18. Sacar el tapón de goma de la culata, situado en el extremo del árbol de levas de admisión.

19. Sacar los balancines de la culata de cilindros. Anotar las posiciones de los balancines.

➡ **Si se reutilizan los balancines, se han de instalar en sus posiciones originales.**

Para instalar:

20. Lubricar los balancines con aceite limpio y después instalar los balancines en los tornillos pivote y en los vástagos de válvula. Si los balancines se reutilizan, instalarlos en sus posiciones originales. Las contratuercas y los tornillos de ajuste deben aflojarse antes de instalar los balancines.

21. Lubricar los árboles de levas con aceite limpio.

22. Instalar los sellos de aceite de árbol de levas en los extremos de los árboles de levas en los que se sujetan los engranajes de la correa de sincronización. Una vez instalados, el lado abierto (resorte) debe estar encarado hacia la culata de cilindros.

23. Asegurarse de que los chaveteros de los árboles de levas están cara arriba e instalar los árboles de levas en la culata de cilindros.

24. Instalar el tapón de goma en la culata de cilindros en el extremo del árbol de levas de admisión.

25. Aplicar junta líquida a las superficies de unión de los soportes N° 1 y N° 6 de árbol de levas. Después instalarlos junto con los N° 2, 3, 4 y 5. En los soportes de árbol de levas están impresas las marcas I y E para identificarlos

Apriete especificado:
Excepto ⑤ y ⑦ de admisión y ⑥ y ⑧ de escape:
    10 Nm (1.0 kg-m, 7 pie-lb)
⑤ y ⑦ de admisión y ⑥ y ⑧ de escape:
    12 Nm (1.2 kg-m, 9 pie-lb)

Secuencia de apriete

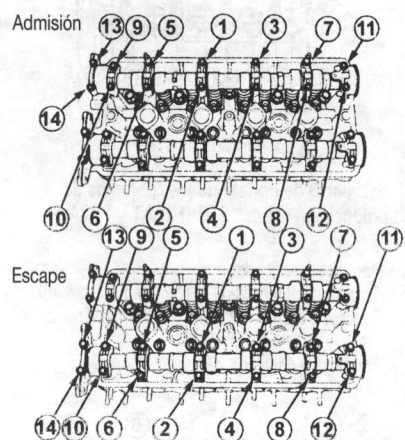

▲ **Secuencia de apriete de los soportes de los árboles de levas – Motor 2.3L (H23A1)**

como soportes laterales de Admisión y de Escape respectivamente. Las flechas impresas en los soportes deben apuntar hacia la correa de sincronización.

26. Apretar a mano los soportes de árbol de levas en su sitio.

27. Presionar dentro de su sitio y de manera segura los sellos de aceite de árbol de levas.

28. Apretar los tornillos de soporte de árbol de levas en dos pasos, siguiendo la secuencia correcta, para asegurar que los balancines no se traben en las válvulas. Apretar todos los tornillos, exceptuando los cuatro espárragos, a 7 pie-lb (10 Nm). Apretar los espárragos (N° 5 y 7 en la secuencia correcta) a 9 pie-lb (12 Nm).

29. Instalar la cubierta posterior de la correa de sincronización.

30. Instalar el soporte B del montaje lateral del motor. Apretar el tornillo, que acopla el soporte a la culata de cilindros, a 33 pie-lb (45 Nm). Apretar los tornillos, que acoplan el soporte del montaje lateral del motor, a 16 pie-lb (22 Nm).

31. Insertar un punzón botador de 5.0 mm en cada uno de los tapones del árbol de levas, cerca de las poleas, a través de los agujeros previstos. Instalar las chavetas en las ranuras de los árboles de levas.

32. Empujar los engranajes de árbol de levas introduciéndolos sobre los árboles de levas y después apretar los pernos de retención a 27 pie-lb (38 Nm).

33. Asegurarse de que las palabras "UP" (arriba) estampadas en las poleas de árbol de levas están alineadas en posición hacia arriba. Instalar la correa de sincronización en los engranajes de árbol de levas y después sacar los dos punzones botadores de 5.0 mm de las tapas de los cojinetes de árbol de levas.

34. Aflojar y después apretar la tuerca de ajuste de la correa de sincronización.

35. Girar el cigüeñal en el sentido contrario al de las agujas del reloj hasta que la polea de la leva se haya movido 3 dientes; esto tensa la correa de sincronización. Aflojar y después apretar la tuerca de ajuste y apretarla a 33 pie-lb (45 Nm).

36. Ajustar las válvulas.

37. Apretar el tornillo de la polea del cigüeñal a 181 pie-lb (250 Nm).

38. Instalar la cubierta central de la correa de sincronización y apretar los tornillos de sujeción a 9 pie-lb (12 Nm).

39. Instalar la cubierta de la culata de cilindros y apretar las tuercas de tapón a 7 pie-lb (10 Nm). Instalar la manguera del VPC en la cubierta de la culata de cilindros.

40. Instalar el distribuidor en la culata de cilindros y apretar a mano los tornillos de sujeción hasta que se haya comprobado y ajustado la sincronización.

41. Conectar los cables de bujía en las bujías correctas y después conectar los conectores eléctricos del distribuidor. Instalar el cable de la bobina de encendido en el distribuidor.

42. Instalar la bobina de encendido.

43. Instalar el cableado del alternador en la cubierta de la culata de cilindros y después conectar el terminal y el conector en el alternador.

44. Conectar el cable de toma de tierra en la cubierta de la culata de cilindros.

45. Instalar el conducto de admisión del aire.

46. Drenar el aceite del motor en un recipiente provisto de cierre. Instalar el tapón de drenado y llenar el motor con aceite limpio.

47. Conectar el cable negativo de la batería e introducir el código de seguridad de la radio.

48. Poner en marcha el motor, comprobando con cuidado si hay alguna fuga.

49. Comprobar y ajustar la sincronización de encendido. Apretar los tornillos del distribuidor a 13 pie-lb (18 Nm).

50. Si está equipado con 4RD, poner en marcha el motor y después girar el volante de tope a tope para reajustar la unidad de control de las 4RD.

MOTOR 2.7L

1. Desconectar el cable negativo de la batería.

2. Sacar las cubiertas de la correa de sincronización y la correa de sincronización.

3. Sacar los árboles de levas de la culata de cilindros.

4. Sacar los balancines de admisión, los balancines interiores de escape y las varillas de empuje. Identificar la situación de las piezas que se han extraído para asegurar la reinstalación en sus posiciones originales.

5. Sacar los empujadores (empujaválvulas) hidráulicos de las culatas de cilindros.

6. Sacar del vehículo el múltiple de admisión y después la culata de cilindros.

7. Sacar de la culata de cilindros el tornillo de sellado del eje de balancines y desechar la arandela.

8. Instalar un tornillo de 12 x 1.25 mm en el eje de balancines. Sacar lentamente el eje de la culata de cilindros y sacar los balancines de escape y las arandelas. Identificar la posición de las piezas extraídas para asegurar su reinstalación en las posiciones originales.

Para instalar:

9. Limpiar los balancines y ejes de balancines en disolvente, secarlos y poner aceite en las superficies de contacto de las piezas.

10. Instalar un tornillo de 12 x 1.25 mm en el eje de balancines. Instalar los balancines en sus posiciones originales mientras se pasa el eje de balancines a través de la culata de cilindros.

11. Sacar el tornillo del eje de balancines e instalar un tornillo de sellado con una arandela nueva. Apretar el tornillo de sellado a 33 pie-lb (44 Nm).

12. Instalar las culatas de cilindros y el múltiple de admisión.

13. Llenar el agujero de montaje de los empujadores hidráulicos o levantaválvulas, y los rellenos de aceite, con aceite de motor limpio.

14. Instalar los levantaválvulas.

▼ AVISO ▼
No girar los levantaválvulas mientras se instalan.

15. Aplicar aceite de motor limpio a los balancines, las varillas de empuje y los árboles de levas.

16. Aflojar los tornillos de ajuste y las contratuercas de los balancines de escape; después instalar las varillas de empuje, los balancines de escape interiores y los balancines de admisión. Instalar las piezas en sus posiciones originales.

17. Asegurarse de que los balancines están colocados correctamente sobre los vástagos de válvula. Adelantar 30° el cigüeñal desde el PMS para evitar interferencias entre los pisto-

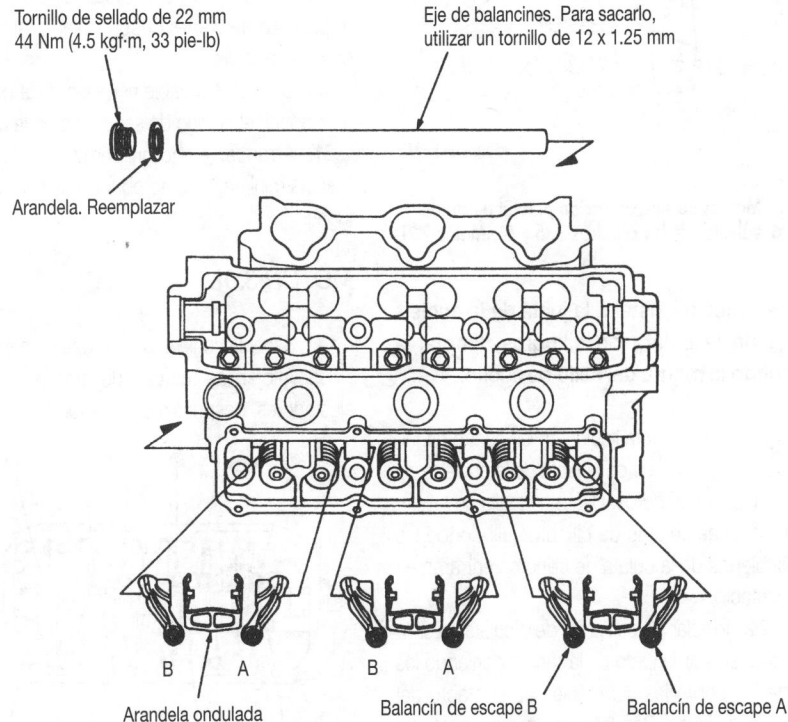

Tornillo de sellado de 22 mm
44 Nm (4.5 kgf·m, 33 pie-lb)

Eje de balancines. Para sacarlo, utilizar un tornillo de 12 x 1.25 mm

Arandela. Reemplazar

B A   B A

Arandela ondulada   Balancín de escape B   Balancín de escape A

Nota: la arandela ondulada debe ser encajada firmemente en la ranura de la culata de cilindros

▲ **Posición de los componentes de los balancines y del eje de balancines de escape – Motor 2.7L**

nes y las válvulas cuando los árboles de levas son instalados.

18. Instalar los árboles de levas y los soportes del árbol de levas.

19. Instalar la correa de sincronización y colocar el cilindro N° 1 en el PMS.

20. Apretar los tornillos de ajuste de los cilindros N° 1, N° 2 y N° 4. Apretar el tornillo hasta que toque la válvula; después apretarlo una vuelta. Sujetar el tornillo en su sitio y apretar la contratuerca a 14 pie-lb (20 Nm).

21. Girar una vuelta la polea del cigüeñal, en el sentido de las agujas del reloj; después apretar los tornillos de ajuste de los cilindros N° 3, N° 5 y N° 6. Apretar el tornillo hasta que toque la válvula; después apretarlo 1 vuelta y $^1/_8$ más. Sujetar el tornillo en su sitio y apretar la contratuerca a 14 pie-lb (20 Nm).

22. Instalar las juntas de la culata de cilindros en la ranura de la cubierta de la culata de cilindros. Primero asentar el hueco para el árbol de levas y después introducirla en la ranura alrededor de los bordes exteriores.

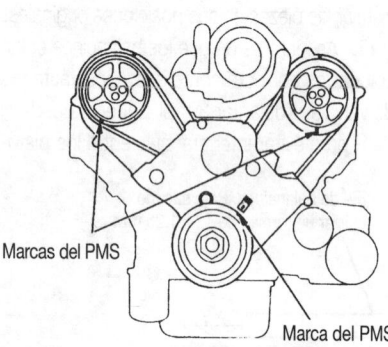

Marcas del PMS

Marca del PMS

▲ **Marcas de sincronización para el ajuste de válvulas de los cilindros 3, 5 y 6 – Motor 2.7L**

➡ **Antes de instalar la junta de la cubierta de la culata de cilindros, limpiar a fondo la ranura del sello de aceite.**

23. Aplicar junta líquida en las cuatro esquinas de los huecos de la junta de la cubierta de la culata de cilindros. Usar una toalla de taller y limpiar las culatas de cilindros allí donde las cubiertas de la culata de cilindros entrarán en contacto.

24. Instalar las cubiertas de la culata de cilindros; sujetar la junta en la ranura poniendo los dedos sobre las superficies de contacto del árbol de levas. Con las cubiertas de culata de cilindros sobre las culatas de cilindros, deslizar un poco las cubiertas de acá para allá para asentar las juntas de cubierta de culata de cilin-

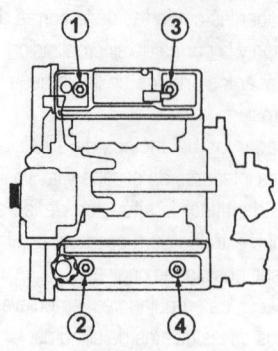

▲ **Secuencia de apriete de la cubierta de la culata de cilindros – Motor 2.7L**

dros. Si las arandelas están dañadas o deterioradas, reemplazarlas.

25. Instalar las cubiertas laterales de la culata de cilindros con juntas tóricas nuevas y apretar los tornillos a 9 pie-lb (12 Nm).

26. Apretar los tornillos de cubierta de culata de cilindros en dos o tres pasos. En el último paso, apretar todos los tornillos en orden a 11 pie-lb (15 Nm).

27. Instalar el distribuidor en la culata de cilindros y apretar el tornillo de montaje a 16 pie-lb (22 Nm).

28. Conectar los cables de bujía; después conectar los conectores eléctricos del distribuidor.

29. Drenar el aceite de motor en un recipiente provisto de cierre; después llenar el motor con aceite limpio.

30. Conectar el cable negativo de la batería e introducir el código de seguridad de la radio.

31. Arrancar el motor, permitiéndole ir en marcha mínima, y comprobar si hay señales de fugas.

MOTOR 3.0L

1. Sacar la cubierta de la culata de cilindros.

2. Aflojar las tuercas de bloqueo en los ajustadores, después retirar los tornillos.

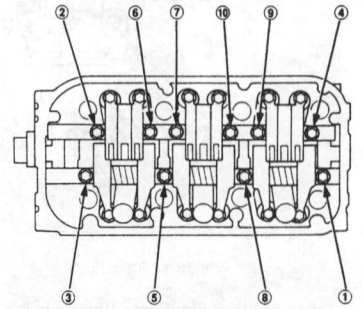

▲ **Asegurarse de aflojar los tornillos del eje de balancines en el orden correcto, tal como se muestra – Motor 3.0L**

3. Aflojar dos vueltas los tornillos del eje de balancines en la secuencia que muestra la figura adjunta.

4. Levantar de la culata de cilindros el conjunto de balancines. Dejar los tornillos en los ejes para retener los balancines y los resortes.

Para instalar:

5. Limpiar todas las piezas en disolvente, secar con aire comprimido y lubricar con aceite de motor limpio.

6. Colocar los conjuntos de balancines en la culata de cilindros e instalar holgadamente los tornillos. Asegurarse de que todos los balancines están alineados con sus válvulas.

7. Apretar dos vueltas cada tornillo a la vez, en la secuencia correcta. Apretar los tornillos a 17 pie-lb (24 Nm).

8. Ajustar las válvulas e instalar las cubiertas de la culata de cilindros.

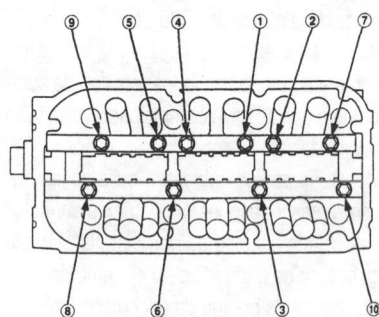

▲ **Apretar los tornillos dos vueltas cada vez en la secuencia mostrada – Motor 3.0L**

MÚLTIPLE DE ADMISIÓN

DESMONTAJE E INSTALACIÓN

➡ **La radio puede contener un circuito codificado de protección antirrobo. Obtener siempre el número de código antes de desconectar la batería. Si el vehículo está equipado con 4RD, al desconectar la batería la unidad de control de la dirección se para. Después de conectar la batería, girar el volante de tope a tope para reajustar la unidad de control de la dirección.**

Civic y Del Sol

1. Desconectar el cable negativo de la batería.

2. Drenar el sistema de refrigeración a un nivel por debajo de la manguera superior del radiador.

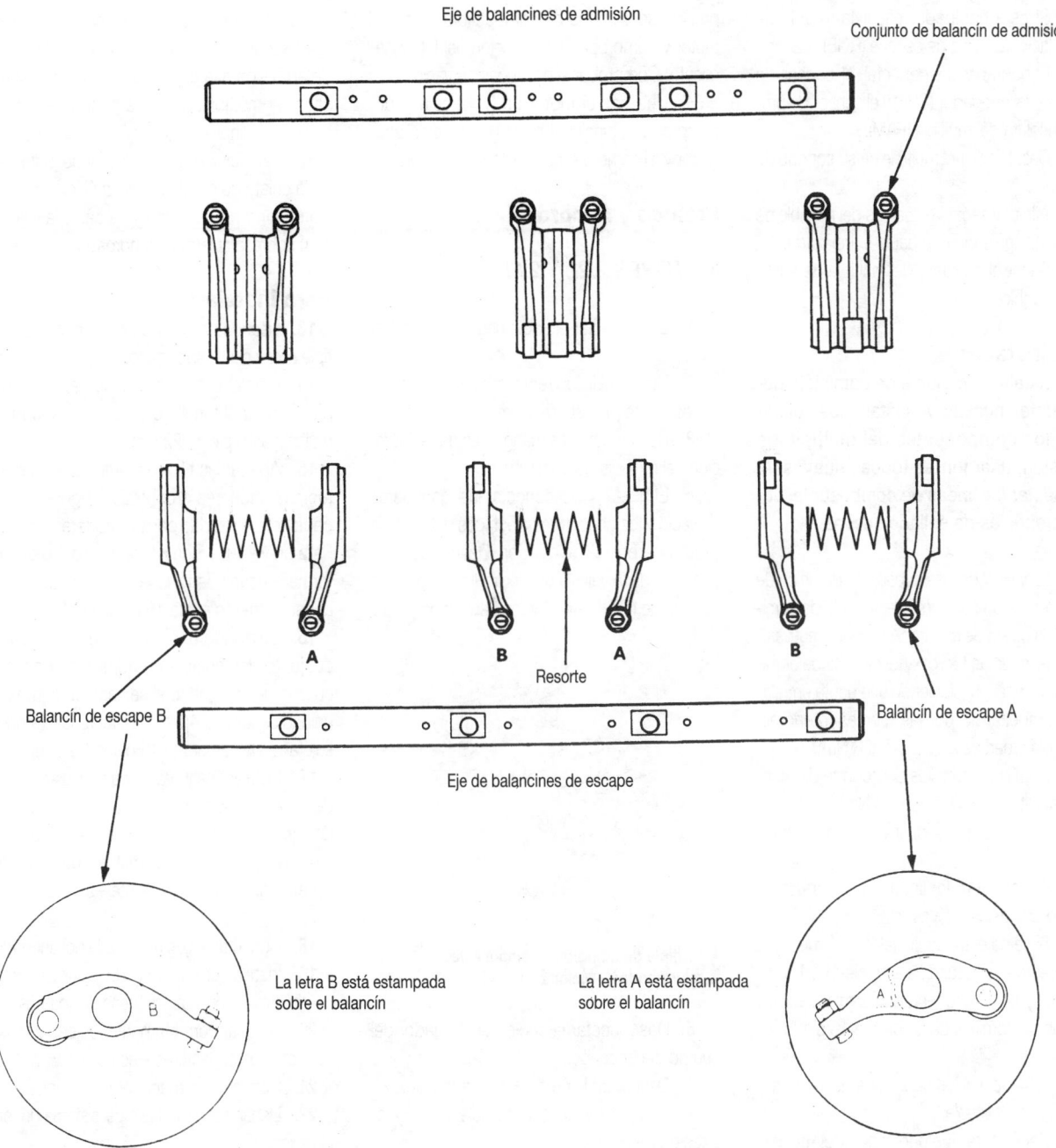

Eje de balancines de admisión

Conjunto de balancín de admisión

A   B   A   B

Resorte

Balancín de escape B

Balancín de escape A

Eje de balancines de escape

La letra B está estampada
sobre el balancín

La letra A está estampada
sobre el balancín

▲ Despiece de los balancines y los componentes relacionados – Motor 3.0L

3. Descargar la presión del sistema de combustible aflojando el tornillo de servicio del filtro del combustible.

▼ PRECAUCIÓN ▼

Después de apagar el motor, los sistemas de inyección de combustible están a presión. Antes de desconectar cualquier línea de combustible, descargar adecuadamente la presión del combustible. Si esto no se realiza correctamente puede producirse un incendio o daños personales.

4. Sacar el conducto del aire de admisión. Si está equipado con el motor D16Y7, sacar el conjunto del filtro de aire del cuerpo del ahogador.

5. Tapar la abertura del cuerpo del ahogador para alejar la suciedad.

6. Desconectar la línea de combustible del raíl de combustible. Limpiar cualquier combustible vertido.

7. Etiquetar y desconectar los cableados de los inyectores de combustible.

8. Sacar el raíl de combustible y los inyectores.

9. Desconectar el cable del ahogador del varillaje del cuerpo del ahogador.

10. Desconectar las mangueras de refrigeración del múltiple de admisión. Utilizar un depósito de drenaje para recoger cualquier vertido de fluido refrigerante; asegurarse también de que no se vierte fluido refrigerante; sobre las conexiones eléctricas.

11. Etiquetar y desconectar los conectores del cableado del motor de los sensores del múltiple de admisión.

12. Sacar la válvula de control del aire de admisión (CAA).

13. Si está equipado, sacar la válvula de recirculación del gas de escape (RGE).

14. Etiquetar y desconectar el sensor de posición del ahogador (SPA) y el sensor de presión absoluta del múltiple (PAM).

15. Desatornillar el múltiple de su soporte de apoyo.

16. Aflojar y sacar las tuercas del múltiple de admisión, siguiendo una pauta entrelazada.

17. Sacar el conjunto del múltiple de admisión del vehículo.

Para instalar:

➡ **Al instalar el múltiple de admisión, utilizar juntas nuevas. Al instalar los sensores y los componentes del múltiple de admisión, usar juntas tóricas nuevas. Al reconectar las líneas de combustible, utilizar arandelas de sellado nuevas.**

18. Limpiar todas las superficies de unión de juntas e instalar el conjunto del múltiple de admisión en la culata de cilindros, con juntas nuevas.

19. Apretar las tuercas del múltiple de admisión en 2-3 pasos, siguiendo una pauta entrelazada, empezando por las tuercas interiores. Apretar las tuercas a 17 pie-lb (23 Nm).

20. Instalar los tornillos del soporte de montaje y apretarlos a 17 pie-lb (24 Nm).

21. Instalar el raíl y los inyectores de combustible.

22. Reconectar la línea de combustible usando arandelas nuevas.

23. Si se ha extraído, instalar la válvula de la RGE y apretar sus tuercas a 15 pie-lb (21 Nm).

24. Instalar y reconectar la válvula del CAA. Apretar sus tornillos de montaje a 16 pie-lb (22 Nm).

25. Reconectar los cableados de los inyectores de combustible.

26. Reconectar los cableados del múltiple de admisión.

27. Reconectar las mangueras de refrigeración del múltiple de admisión.

28. Reconectar el cable del ahogador.

29. Instalar el conjunto del conducto del aire de admisión y el filtro de aire.

30. Rellenar y sangrar el sistema de refrigeración.

31. Conectar el cable negativo de la batería.

32. Verificar que todos los sensores, las válvulas y las líneas de vacío están instalados y conectados correctamente. Asegurarse de que no hay conexiones eléctricas flojas.

33. Encender y apagar el encendido varias veces, sin arrancar el motor, para establecer la presión del sistema de combustible. Rodar el motor y comprobar la corrección del funcionamiento. Comprobar si hay fugas de vacío.

34. Una vez el motor se haya calentado, comprobar el funcionamiento del cable del ahogador y, si es necesario, ajustarlo.

Prelude y Accord

MOTORES 2.2L Y 2.3L

1. Desconectar el cable negativo de la batería.

2. Drenar el fluido refrigerante del motor en un recipiente provisto de cierre.

3. Desconectar las mangueras de refrigeración del múltiple de admisión.

4. Etiquetar y desconectar las mangueras de vacío y los conectores eléctricos del múltiple y del cuerpo del ahogador. Desconectar el conector de la válvula de Recirculación del Gas de Escape (RGE). Apartar los cableados.

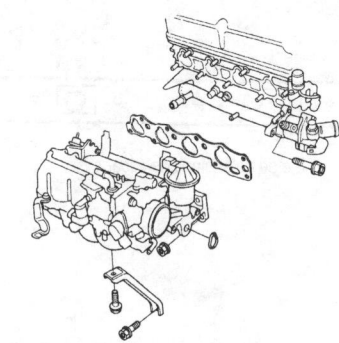

▲ **Múltiple de admisión y componentes relacionados – Motor 2.3L**

5. Desconectar el cable del ahogador del cuerpo del ahogador.

6. Descargar la presión del combustible.

7. Sacar el raíl del combustible y los inyectores de combustible.

8. Sacar los tornillos de montaje del cuerpo del termostato. Sacar el cuerpo del termostato del múltiple de admisión y tubo de conexión, tirando y girando el cuerpo. Desechar las juntas tóricas.

9. Para acceder a las tuercas que aseguran el múltiple a la culata, puede ser necesario sacar la cámara de sobrepresión del conjunto del múltiple de admisión superior y cuerpo del ahogador.

10. Sacar los tornillos del soporte de montaje del múltiple de admisión y el soporte. Puede ser necesario acceder por debajo del vehículo; levantar y soportar con seguridad el vehículo.

11. Mientras se soporta el múltiple de admisión, sacar las tuercas que acoplan el múltiple de admisión a la culata de cilindros; después sacar el múltiple. Sacar la junta usada de la culata de cilindros.

12. Limpiar cualquier material de junta vieja de la culata de cilindros y del múltiple de admisión. Comprobar y limpiar la cámara del AIC (FIA) sobre la culata de cilindros.

Para instalar:

13. Usando una nueva junta, colocar el múltiple en su sitio y soportarlo.

14. Instalar el soporte de montaje del múltiple. Apretar el tornillo que sujeta el soporte al múltiple a 16 pie-lb (22 Nm).

15. Apretar las tuercas, empezando por las tuercas interiores o centrales, siguiendo una pauta entrelazada, para el apriete correcto. Para prevenir las fugas, la tensión debe ser uniforme a través de toda la cara del múltiple. El apriete correcto es de 16 pie-lb (22 Nm).

16. Utilizando una junta nueva, instalar el conjunto del múltiple de admisión superior y cuerpo del ahogador, si se sacaron como una unidad separada. Apretar las tuercas y tornillos, sujetando la cámara, a 16 pie-lb (22 Nm).

17. Instalar una junta tórica nueva en el tubo de conexión del fluido refrigerante y en el cuerpo del termostato. Instalar el cuerpo en el tubo del fluido refrigerante y en el múltiple de admisión. Apretar los tornillos de montaje a 16 pie-lb (22 Nm).

18. Conectar y ajustar el cable del ahogador.

19. Instalar el conjunto de raíl/inyector de combustible. Conectar las líneas de combustible.

20. Colocar correctamente los cableados y conectar los conectores eléctricos.

21. Conectar las mangueras de vacío.

22. Llenar y purgar el aire del sistema de refrigeración.

23. Conectar el cable negativo de la batería e introducir el código de seguridad de la radio.

24. Si está equipado con 4RD, girar el volante de tope a tope para reajustar la unidad de control de las 4RD.

25. Arrancar el motor, comprobando con cuidado si hay señales de fugas de combustible, de fluido refrigerante o de vacío. Comprobar con cuidado si en las zonas de las juntas del múltiple hay fugas de vacío.

Motor 2.7L

1. Desconectar el cable negativo de la batería.

2. Drenar el fluido refrigerante del motor en un recipiente provisto de cierre.

3. Descargar la presión del combustible.

4. Sacar la manguera de alimentación del filtro de combustible.

5. Sacar la válvula de VPC de la cubierta de la culata de cilindros.

6. Sacar el conducto de admisión del aire.

7. Sacar las cubiertas del múltiple de escape.

8. Sacar el cable del ahogador y el cable del control de velocidad de crucero, aflojando la contratuerca; después deslizar el extremo del cable fuera del varillaje del acelerador.

9. Etiquetar y desenchufar todas las conexiones eléctricas del múltiple y del cuerpo del ahogador.

10. Desconectar las mangueras del servofreno y del recipiente de evaporación.

11. Sacar los soportes del cableado y apartarlos.

12. Desconectar la manguera de vacío del regulador de la presión del combustible.

13. Sacar las tuercas de sujeción del raíl del combustible.

14. Sacar el raíl del combustible de los inyectores, dejando los inyectores en el múltiple.

15. Sacar cada inyector, tomando nota de su posición, y sacar el anillo de sellado de cada lumbrera del múltiple.

16. Sacar el anillo almohadilla y la junta tórica de cada inyector.

17. Etiquetar y desconectar todas las mangueras de vacío y de fluido refrigerante del múltiple de admisión y del cuerpo del ahogador. Si es necesario, sacar el conjunto del tubo de vacío.

18. Sacar el tubo de cruce de Recirculación del Gas de Escape (RGE). Desechar la junta.

19. Sacar los tornillos y las tuercas que aseguran el múltiple de admisión en el motor. Asegurarse de que todas las conexiones de vacío y eléctricas están destapadas. Con cuidado, levantar el múltiple del motor. Desechar las juntas.

Para instalar:

20. Utilizando juntas nuevas, colocar el múltiple en su sitio. Instalar las tuercas/tornillos hasta su justo apriete a mano.

21. Empezando por los tornillos interiores/centrales, apretar las tuercas y tornillos, siguiendo una pauta entrelazada, para el apriete correcto. Para evitar las fugas, la tensión de apriete debe ser uniforme a través de toda la cara del múltiple. El apriete correcto es de 16 pie-lb (22 Nm).

22. Apretar el tubo de cruce de la RGE usando una junta nueva. Apretar las tuercas (en el múltiple de admisión) a 9 pie-lb (12 Nm) y el tubo (en el múltiple de escape) a 43 pie-lb (59 Nm).

23. Si se ha sacado, instalar el conjunto del tubo de vacío. Apretar los tornillos a 9 pie-lb (12 Nm).

24. Conectar las mangueras de fluido refrigerante en el múltiple de admisión y en el cuerpo del ahogador.

25. Instalar anillos almohadilla nuevos en cada inyector.

26. Cubrir las juntas tóricas nuevas con aceite de motor limpio e instalarlas en los inyectores de combustible.

27. Instalar los inyectores en el raíl del combustible. Asegurarse de que las juntas tóricas están asentadas correctamente y de que no están deformadas.

➡ **Ensamblando cada inyector en el raíl del combustible se evita dañar las juntas tóricas. Al reinstalar el conjunto del raíl y de los inyectores en el múltiple, manipular el conjunto con cuidado. No dejar caer al suelo los inyectores o golpear sus boquillas.**

28. Cubrir los anillos de sellado nuevos con una ligera capa de aceite nuevo, limpio, poco denso, e instalarlos en el múltiple.

29. Instalar el raíl y los inyectores de combustible en el múltiple de admisión.

30. Con los inyectores asentados en el múltiple, asegurarse de que cada inyector está situado correctamente.

31. Instalar las tuercas de retención del raíl del combustible y apretarlas uniformemente a 9 pie-lb (12 Nm).

32. Conectar la manguera de vacío en el regulador.

33. Instalar el cableado en el raíl del combustible; apretar los tornillos de montaje a 9 pie-lb (12 Nm).

34. Conectar el cableado eléctrico en los inyectores.

35. Conectar todas las conexiones eléctricas y de vacío en el cuerpo del ahogador y en el múltiple.

36. Conectar las mangueras del servofreno, del recipiente de evaporación y de retorno de combustible.

37. Conectar la manguera de alimentación al filtro de combustible con juntas nuevas. Apretar los tornillos de unión a 16 pie-lb (22 Nm) y el tornillo de servicio a 9 pie-lb (12 Nm).

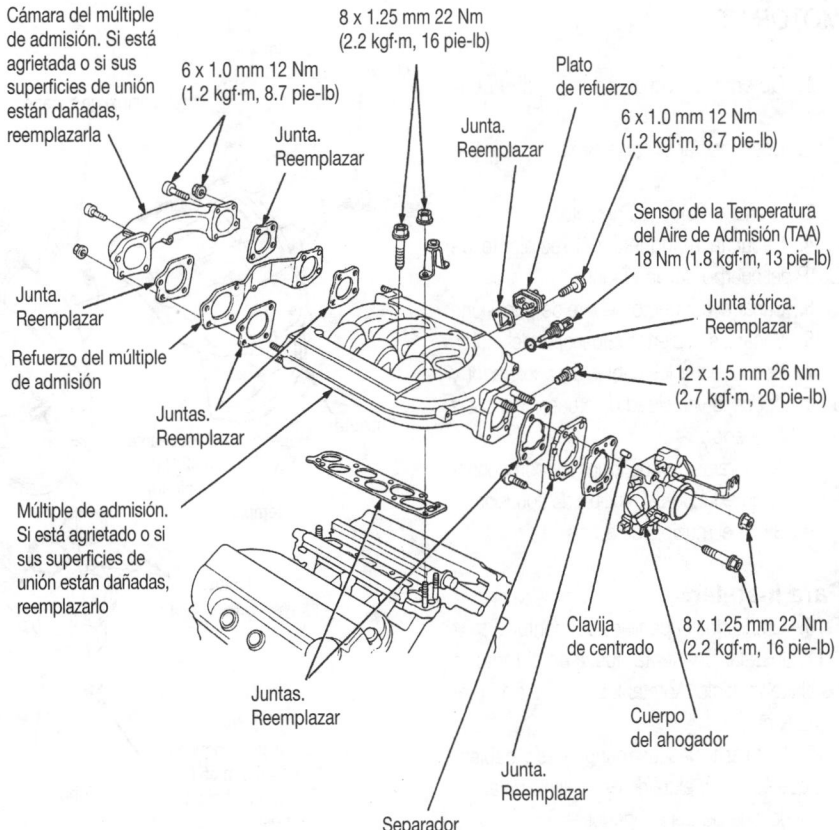

Cámara del múltiple de admisión. Si está agrietada o si sus superficies de unión están dañadas, reemplazarla

6 x 1.0 mm 12 Nm (1.2 kgf·m, 8.7 pie-lb)

8 x 1.25 mm 22 Nm (2.2 kgf·m, 16 pie-lb)

Plato de refuerzo

6 x 1.0 mm 12 Nm (1.2 kgf·m, 8.7 pie-lb)

Junta. Reemplazar

Junta. Reemplazar

Sensor de la Temperatura del Aire de Admisión (TAA) 18 Nm (1.8 kgf·m, 13 pie-lb)

Junta. Reemplazar

Junta tórica. Reemplazar

Refuerzo del múltiple de admisión

12 x 1.5 mm 26 Nm (2.7 kgf·m, 20 pie-lb)

Juntas. Reemplazar

Múltiple de admisión. Si está agrietado o si sus superficies de unión están dañadas, reemplazarlo

Clavija de centrado

8 x 1.25 mm 22 Nm (2.2 kgf·m, 16 pie-lb)

Cuerpo del ahogador

Juntas. Reemplazar

Junta. Reemplazar

Separador

▲ **Despiece del múltiple de admisión y de los componentes relacionados – Motor 3.0L**

38. Instalar y ajustar los cables del ahogador y de control de velocidad de crucero.

39. Instalar el conducto de admisión de aire.

40. Instalar la válvula del VPC en la cubierta de la culata de cilindros.

41. Rellenar y purgar el aire del sistema de refrigeración.

42. Conectar el cable negativo de la batería e introducir el código de seguridad de la radio.

43. Poner el interruptor de encendido en posición "ON", pero sin engranar el motor de arranque. La bomba de combustible debe funcionar durante 2 segundos aproximadamente, creando presión en el interior de las líneas. Poner el interruptor de encendido en posición "OFF"; después en posición "ON" 2 o 3 veces más para crear la presión total en el sistema de combustible. Comprobar si hay fugas de combustible.

44. Arrancar el motor, comprobando con cuidado si hay alguna fuga de combustible, de fluido refrigerante o de vacío. Comprobar con cuidado si en las zonas de junta del múltiple hay alguna fuga de vacío.

45. Instalar las cubiertas del múltiple de admisión, apretar los tornillos de sujeción a 9 pie-lb (12 Nm).

MOTOR 3.0L

1. Obtener el código de seguridad de la radio.

2. Desconectar el cable negativo de la batería.

3. Drenar el fluido refrigerante.

4. Sacar la manguera del recipiente de EVAP del cuerpo del ahogador.

5. Sacar el conducto del aire de admisión.

6. Sacar las cubiertas superiores del motor.

7. Desconectar los cables del acelerador y de control de la velocidad de crucero del cuerpo del ahogador.

8. Asegurarse de que todos los componentes se hayan extraído del múltiple de admisión.

9. Sacar el múltiple de admisión.

Para instalar:

10. Limpiar las superficies de montaje.

11. Instalar una junta nueva en el motor e instalar el múltiple. Apretar los tornillos a 16 pie-lb (22 Nm).

12. Instalar todas las mangueras y cableados que se hayan extraído del múltiple de admisión y del cuerpo del ahogador.

13. Instalar las cubiertas del motor.

14. Instalar el conducto del aire de admisión.

15. Rellenar el sistema de refrigeración.

16. Conectar el cable negativo de la batería, arrancar el motor y comprobar si hay fugas.

MÚLTIPLE DE ESCAPE

DESMONTAJE E INSTALACIÓN

➡ La radio puede contener un circuito codificado de protección antirrobo. Obtener siempre el número del código antes de desconectar la batería. Si el vehículo está equipado con 4RD, al desconectar la batería la unidad de control de la dirección se para. Después de conectar la batería, girar el volante de tope a tope para reajustar la unidad de control de la dirección.

▼ PRECAUCIÓN ▼
El sistema de escape debe repararse con el motor frío.

Civic y Del Sol

1. Desconectar el cable negativo de la batería.

2. Levantar y soportar la delantera del vehículo y bloquear las ruedas traseras.

3. Desatornillar el tubo de escape delantero del múltiple de escape/convertidor catalítico. Si sus tornillos son accesibles desde este ángulo, desatornillar los soportes de montaje del múltiple de escape. El protector de salpicaduras puede sacarse para un mejor acceso.

4. Bajar el vehículo.

➡ Antes de desmontarlo, sacar el óxido o la suciedad del múltiple de escape. Ello evitará que la suciedad entre en los tubos de escape.

5. Desatornillar y sacar el protector térmico del múltiple.

6. Desconectar el cableado del sensor de oxígeno (HO$_2$S). Utilizar una llave de tubo o una llave de vaso para sensores de oxígeno para desatornillar el sensor del múltiple. Manipular el sensor con cuidado.

7. Desatornillar los soportes del múltiple de escape.

8. Desatornillar el múltiple de escape y separarlo de la culata de cilindros. Sacar el múltiple de escape y su junta.

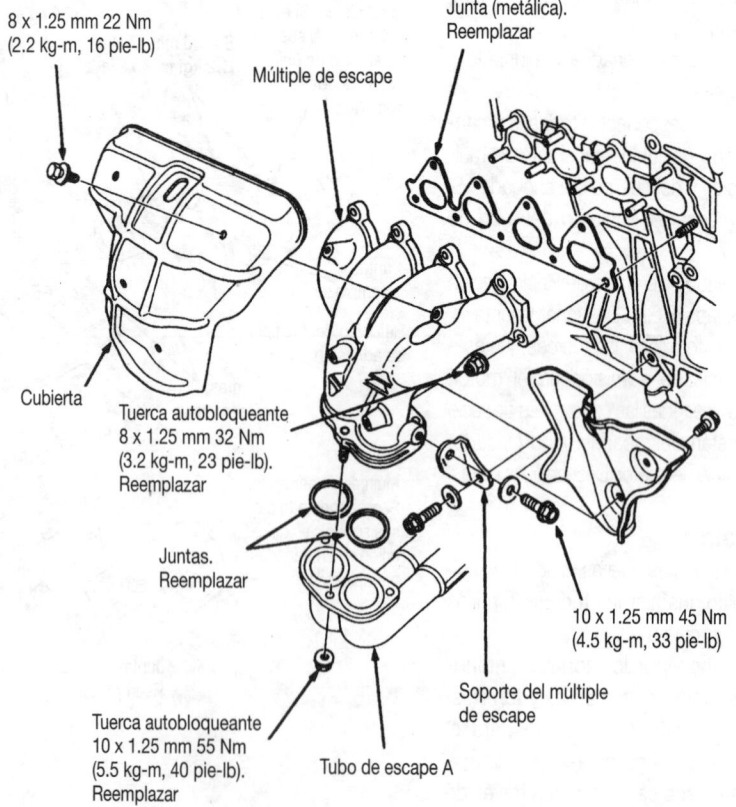

8 x 1.25 mm 22 Nm
(2.2 kg-m, 16 pie-lb)

Múltiple de escape

Junta (metálica).
Reemplazar

Cubierta

Tuerca autobloqueante
8 x 1.25 mm 32 Nm
(3.2 kg-m, 23 pie-lb).
Reemplazar

Juntas.
Reemplazar

10 x 1.25 mm 45 Nm
(4.5 kg-m, 33 pie-lb)

Soporte del múltiple de escape

Tuerca autobloqueante
10 x 1.25 mm 55 Nm
(5.5 kg-m, 40 pie-lb).
Reemplazar

Tubo de escape A

▲ Componentes del múltiple de escape – Motor 1.6L

Para instalar:

➡ Al instalar el múltiple de escape, usar juntas y tuercas autobloqueantes nuevas.

9. Limpiar las superficies de unión de junta de las lumbreras del múltiple y de la culata de cilindros. Instalar la junta nueva en la culata de cilindros. Instalar juntas nuevas en la brida del tubo de escape.

10. Instalar el múltiple de escape. Aplicar pasta anti-agarrote a los espárragos. Apretar las tuercas autobloqueantes a 23 pie-lb (32 Nm), siguiendo una pauta entrelazada y empezando desde el centro del múltiple hacia fuera.

11. Instalar los soportes del múltiple y apretar sus tornillos a 17 pie-lb (24 Nm) para los motores B16A2, D15B8 y D15Z1 y a 33 pie-lb (45 Nm) para el resto de motores.

12. Con cuidado, cubrir solamente los hilos de rosca del cuerpo del sensor de oxígeno con pasta anti-agarrote. No poner ningún anti-agarrote sobre el sensor sonda. Instalar el sensor de oxígeno y apretarlo con cuidado a 33 pie-lb (45 Nm).

13. Instalar el protector térmico y apretar los tornillos a 16 pie-lb (22 Nm).

14. Reconectar el conector del sensor de oxígeno.

15. Levantar y soportar la parte delantera del vehículo y bloquear las ruedas traseras.

16. Reconectar el tubo de escape delantero y el múltiple de escape/convertidor catalítico. Si el convertidor no está unido al múltiple, apretar las tuercas autobloqueantes a 40 pie-lb (55 Nm). Si el convertidor está unido, apretarlas a 25 pie-lb (34 Nm). Instalar los soportes del múltiple y apretarlos a 33 pie-lb (45 Nm). Si se ha sacado, instalar el protector contra salpicaduras.

17. Bajar el vehículo y conectar el cable negativo de la batería.

18. Rodar el motor y comprobar si hay fugas de escape.

Prelude y Accord

MOTORES 2.2L Y 2.3L

1. Desconectar el cable negativo de la batería.

2. Levantar y soportar con seguridad el vehículo.

3. Si el sensor de oxígeno está situado en el múltiple de escape, desconectar el conector del sensor de oxígeno.

4. Sacar la cubierta superior del múltiple de escape.

5. Si está equipado con aire acondicionado, sacar el termoaislador del múltiple.

6. Sacar las tuercas que acoplan el múltiple de escape al tubo de escape delantero. Separar el tubo del múltiple y desechar la junta. Soportar el tubo con alambre; no permitir que cuelgue sin atar.

7. Sacar los tornillos del/los soporte/s del múltiple de escape y sacar el/los soporte/s.

8. Siguiendo una pauta entrelazada (empezando por el centro), sacar las tuercas de sujeción del múltiple de escape.

9. Sacar el múltiple y desechar la junta. Limpiar las superficies de contacto del múltiple y de la culata de cilindros.

10. Si está equipado, sacar del múltiple su cubierta inferior.

Para instalar:

11. Si está equipado, instalar la cubierta inferior del múltiple y apretar los tornillos de sujeción a 16 pie-lb (22 Nm).

12. Utilizando juntas y tuercas nuevas, colocar el múltiple en su sitio y soportarlo. Instalar las tuercas apretadas a mano, en los espárragos.

13. Instalar el/los soporte/s de montaje debajo del múltiple. Apretar los tornillos de montaje del/los soporte/s a 33 pie-lb (44 Nm).

14. Empezando por las tuercas interiores o centrales del múltiple, apretar las tuercas, siguiendo una pauta entrelazada, para un apriete correcto. Para evitar fugas, la tensión debe ser uniforme a través de toda la cara del múltiple. Apretar las tuercas a 23 pie-lb (31 Nm).

15. Si está equipado con aire acondicionado, instalar el termoaislador en el múltiple. Apretar los tornillos de sujeción a 7 pie-lb (10 Nm) en los modelos Prelude y a 9 pie-lb (12 Nm) en los modelos Accord.

16. Instalar la cubierta del múltiple superior, apretar los tornillos a 16 pie-lb (22 Nm).

17. Si se ha desconectado, conectar el conector del sensor de oxígeno.

18. Conectar el tubo de escape delantero, utilizando juntas y tuercas nuevas. Apretar las tuercas de sujeción del tubo de escape a 40 pie-lb (55 Nm).

19. Conectar el cable negativo de la batería e introducir el código de seguridad de la radio.

20. Arrancar el motor y comprobar si hay fugas de escape.

21. Si está equipado con 4RD, girar el volante de tope a tope para reajustar la unidad de control de las 4RD.

MOTOR 2.7L

1. Desconectar el cable negativo de la batería.

2. Sacar el tapón del radiador y drenar el sistema de refrigeración en un recipiente provisto de cierre.

3. Sacar el radiador.

4. Separar el cable del motor de arranque del refuerzo de la torre del poste.

5. Si es necesario para tener holgura adicional, sacar la caja de control del vacío del mamparo. Colocarla a un lado con las mangueras de vacío conectadas.

6. Levantar y soportar con seguridad el vehículo.

7. Sacar las ruedas delanteras; después sacar el protector contra salpicaduras de debajo del motor.

8. Sacar la viga central.

9. Desconectar el conector eléctrico del sensor de oxígeno delantero.

10. Desconectar el tubo de escape de los múltiples de escape y del convertidor catalítico. Desechar las contratuercas que acoplan el tubo de bajada en los múltiples y en el convertidor catalítico. Sacar el tubo de escape del vehículo y desechar las juntas.

11. Sacar los tornillos que aseguran los protectores térmicos sobre los múltiples de escape.

12. Desconectar el tubo de cruce de la RGE del motor.

13. Sacar las tuercas que aseguran los múltiples en las culatas de cilindros. Sacar los múltiples y las juntas del motor. Sacar el material de junta vieja de las culatas de cilindros.

Para instalar:

14. Usando juntas y tuercas nuevas, colocar los múltiples en su sitio. Lubricar ligeramente con aceite las roscas; después instalar las tuercas apretadas a mano en los espárragos.

15. Empezando por las tuercas centrales, apretar las tuercas, siguiendo una pauta entrelazada para un apriete correcto. Apretar las tuercas a 22 pie-lb (30 Nm).

16. Instalar el tubo de cruce de la RGE con una junta nueva. Apretar las tuercas a 9 pie-lb (12 Nm) y la conexión del múltiple de escape a 43 pie-lb (59 Nm).

17. Instalar los protectores térmicos en los múltiples. Apretar los tornillos a 16 pie-lb (22 Nm).

18. Instalar el tubo de escape con tuercas y juntas nuevas. Apretar las conexiones del múlti-

ple de escape a 40 pie-lb (54 Nm) y del convertidor catalítico a 25 pie-lb (33 Nm).

19. Conectar el conector eléctrico del sensor de oxígeno delantero.

20. Instalar la viga central. Apretar los tornillos a 37 pie-lb (50 Nm).

21. Instalar el protector contra salpicaduras y las ruedas delanteras.

22. Instalar la caja de control del vacío y el radiador.

23. Instalar el refuerzo de la torre del poste y asegurar el cable del motor de arranque. Apretar los tornillos de la torre del poste a 16 pie-lb (22 Nm).

24. Llenar y purgar el aire del sistema de refrigeración.

25. Conectar el cable negativo de la batería e introducir el código de seguridad de la radio.

26. Arrancar el motor y permitirle que alcance la temperatura normal de funcionamiento. Comprobar si hay fugas.

MOTOR 3.0L

1. Levantar y soportar con seguridad el vehículo.

2. Sacar la cubierta inferior del motor.

3. Desconectar el tubo de escape del múltiple para sacarlo.

4. Bajar el vehículo.

5. Sacar el protector térmico del múltiple de escape.

6. Sacar las tuercas de montaje y el múltiple de escape.

Para instalar:

7. Limpiar las superficies de montaje.

8. Colocar una junta nueva en la culata de cilindros.

9. Instalar el múltiple de escape. Apretar las tuercas a 23 pie-lb (31 Nm).

10. Instalar el protector térmico. Apretar los tornillos a 16 pie-lb (22 Nm).

11. Levantar el vehículo y conectar el tubo de escape en el múltiple utilizando una junta nueva. Apretar las tuercas a 40 pie-lb (54 Nm).

SELLO DE ACEITE DELANTERO DEL CIGÜEÑAL

DESMONTAJE E INSTALACIÓN

➡ **La radio original contiene un circuito codificado antirrobo. Antes de desconectar los cables de la batería, obtener el número del código de seguridad.**

1. Desconectar el cable negativo de la batería.

2. Levantar y soportar con seguridad el vehículo.

3. Sacar el protector contra salpicaduras.

4. Sacar las correas propulsoras auxiliares del motor.

5. Girar el motor para alinear las marcas de sincronización y poner el cilindro N° 1 en el PMS. La marca blanca de la polea del cigüeñal debe alinearse con el indicador de la cubierta de la correa de sincronización. Sacar las tapas de inspección de las cubiertas superiores de la correa de sincronización para comprobar la alineación de las marcas de sincronización. Los indicadores para los árboles de levas deben alinearse con las marcas verdes de los engranajes de los árboles de levas.

6. Sacar las cubiertas superiores de la correa de sincronización y la polea del cigüeñal. Sacar la cubierta inferior de la correa de sincronización.

➡ **Si ha de volverse a instalar, marcar la dirección de la rotación de la correa de sincronización.**

7. Sacar la correa de sincronización.

8. Si está equipado, sacar el sensor de Posición del Cigüeñal (PC) de la bomba de aceite; después sacar el plato obturador.

9. Sacar el engranaje de la correa de sincronización del cigüeñal; no perder la chaveta del engranaje.

10. Utilizando una herramienta de desmontaje de sellos de aceite adecuada, sacar el sello de aceite de la parte delantera del motor.

Para instalar:

11. Limpiar las superficies de montaje del sello de aceite en el bloque de cilindros.

12. Aplicar una capa delgada de grasa en el cigüeñal y los labios del sello de aceite.

13. Instalar el sello de aceite con el número de pieza mirando hacia fuera. Utilizar una herramienta introductora de sellos para asentar el sello contra la bomba de aceite. Limpiar el exceso de grasa del cigüeñal y asegurarse de que el labio del sello de aceite no esté torcido.

14. Instalar el engranaje de la correa de sincronización y la chaveta en el cigüeñal.

15. Instalar el plato obturador y, si está equipado, el sensor de PC en la bomba de aceite. Apretar los tornillos de montaje del plato obturador y del sensor a 9 pie-lb (12 Nm).

16. Verificar que el motor está en el PMS del cilindro N° 1 en la carrera de compresión. Instalar y tensar la correa de sincronización.

17. Instalar las cubiertas de la correa de sincronización y la polea del cigüeñal. Apretar el tornillo de la polea del cigüeñal a 181 pie-lb (245 Nm), con la ayuda de un soporte de poleas de cigüeñal.

18. Instalar y ajustar la correas propulsoras auxiliares.

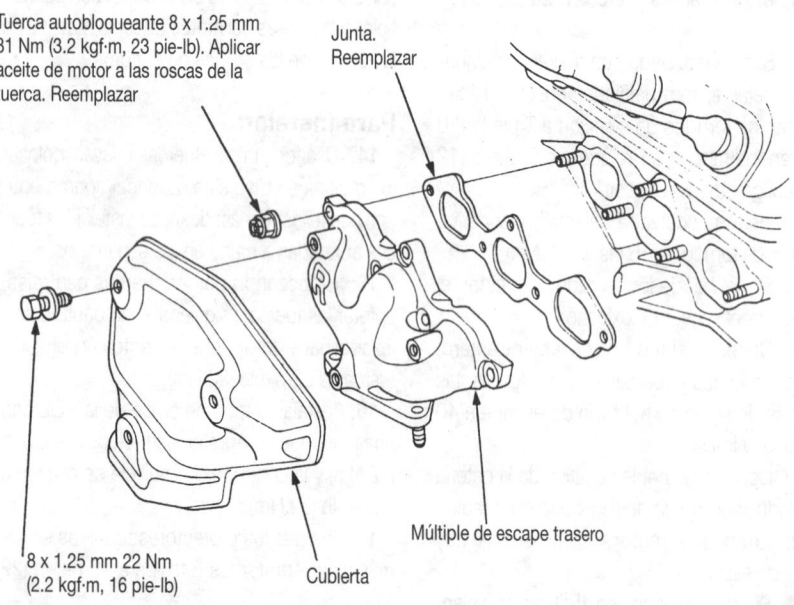

Tuerca autobloqueante 8 x 1.25 mm 31 Nm (3.2 kgf·m, 23 pie-lb). Aplicar aceite de motor a las roscas de la tuerca. Reemplazar

Junta. Reemplazar

8 x 1.25 mm 22 Nm (2.2 kgf·m, 16 pie-lb)

Cubierta

Múltiple de escape trasero

▲ **Despiece del montaje trasero del múltiple de escape – Motor 3.0L**

19. Verificar que todos los componentes del motor que se han extraído han sido reinstalados correctamente.

20. Instalar el protector contra salpicaduras y bajar el vehículo.

21. Conectar el cable negativo de la batería.

22. Si es necesario, acabar de llenar el aceite del motor.

23. Rodar el motor y comprobar si hay fugas.

ÁRBOL DE LEVAS

➡ **La radio puede contener un circuito codificado de protección antirrobo. Obtener siempre el número antes de desconectar la batería. Si el vehículo está equipado con 4RD, al desconectar la batería, la unidad de control de la dirección se para. Después de conectar la batería, girar el volante de tope a tope para reajustar la unidad de control de la dirección.**

DESMONTAJE E INSTALACIÓN

Civic y Del Sol

MOTORES 1.5L (D15B7, D15B8 Y D15Z1) Y 1.6L (D16Z6, D16Y5, D16Y7 Y D16Y8)

1. Desconectar el cable negativo de la batería.

2. Etiquetar y desconectar los cables de encendido.

3. Sacar la cubierta de válvulas y la cubierta superior de la correa de sincronización.

4. Girar el cigüeñal para poner el cilindro N° 1 en el PMS de la carrera de compresión. Una vez que el motor esté en esta posición, no debe ser alterado.

5. Sacar la correa de sincronización. Si la correa de sincronización está contaminada con aceite o con fluido refrigerante, debe ser reemplazada. Si la correa de sincronización ha de reutilizarse, marcar su dirección de rotación.

6. Sacar el distribuidor como un conjunto.

7. Desatornillar y sacar el engranaje del árbol de levas y su chaveta. Sacar la cubierta superior de la cubierta trasera de sincronización.

8. Aflojar las contratuercas de balancines y aflojar los tornillos de ajuste de válvulas.

9. Aflojar los tornillos del soporte del árbol de levas en una secuencia entrelazada de 2 pasos, empezando por los bordes y trabajando hacia el centro de la culata de cilindros.

10. Sacar el conjunto de balancines y eje. Dejar los tornillos de soporte de árbol de levas

en los soportes de árbol de levas para sujetar junto el conjunto de balancines y eje.

11. Envolver bandas de goma alrededor de los conjuntos de balancines del VTEC de manera que no se separen.

12. Guardar el conjunto de balancines y eje fuera de la zona de trabajo. Cubrir el conjunto con toallas de taller o plásticos para protegerlo del polvo.

13. Levantar el árbol de levas de la culata de cilindros. Sacar el sello de aceite del árbol de levas.

14. Examinar si hay señales de rayas u otros daños en los muñones y los lóbulos del árbol de levas.

Para instalar:

15. Sacar el orificio de control del aceite. Limpiarlo a fondo y reinstalarlo con una junta tórica nueva.

16. Limpiar y examinar los tapones de los cojinetes del árbol de levas en la culata de cilindros.

17. Antes de instalar, lubricar con aceite los lóbulos y los muñones del árbol de levas. Instalar el árbol de levas con el chavetero mirando hacia arriba de manera que el árbol de levas estará en el PMS/compresión del cilindro N° 1.

18. Lubricar ligeramente con aceite de motor un sello de aceite nuevo del árbol de levas e instalarlo.

19. Instalar el conjunto de balancines y eje tal como sigue:

a. Sacar las bandas de goma de los balancines del VTEC.

b. Lubricar con aceite las superficies de contacto de los balancines.

c. Aplicar junta líquida a las superficies de unión de la culata de los soportes N° 1 y N° 5 del árbol de levas. No permitir que la selladora fragüe antes de instalar el conjunto de balancines.

d. Ajustar el conjunto de balancines y su eje en su posición. Si está equipado, instalar el soporte del conjunto de desplazamiento en vacío.

e. Cubrir las roscas de los tornillos de soporte del árbol de levas con aceite limpio e instalarlos holgadamente a mano.

f. Apretar dos vueltas cada tornillo, siguiendo una secuencia entrelazada, para asegurar que los balancines y el soporte del árbol de levas no se traben en los muñones del árbol de levas.

g. Apretar los tornillos de soporte del árbol de levas de 8 mm a 14 pie-lb (20 Nm) y

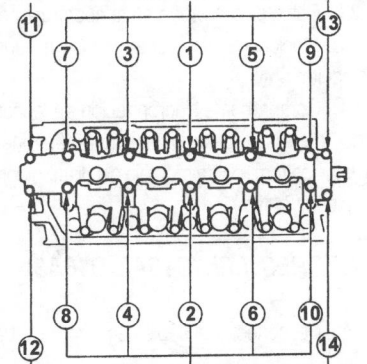

Tornillo de 6 mm   Tornillos de 8 mm

Tornillo de 6 mm 12 Nm (1.2 kg-m, 9 pie-lb)   Tornillos de 8 mm 22 Nm (2.2 kg-m, 16 pie-lb)

▲ **Secuencia de apriete de los tornillos de los soportes del árbol de levas – Motores 1.5L (D15B7, D15B8)**

Tornillo de 6 mm   Tornillos de 8 mm   Tornillo de 6 mm

Tornillo de 6 mm 12 Nm (1.2 kg-m, 9 pie-lb)   Tornillos de 8 mm 20 Nm (2.0 kg-m, 14 pie-lb)   Tornillo de 6 mm

▲ **Secuencia de apriete de los tornillos del soporte del árbol de levas – Motores 1.5L (D15Z1) y 1.6L (D16Z6, D16Y5, D16Y7, D16Y8)**

los tornillos de soporte del árbol de levas de 6 mm a 9 pie-lb (12 Nm).

20. Instalar el engranaje del árbol de levas y la chaveta. Apretar el tornillo de retención a 27 pie-lb (38 Nm).

21. Verificar que el motor permanece en el PMS/compresión del cilindro N° 1.

22. Instalar el distribuidor. Los encajes de conexión del propulsor del distribuidor se adaptan en la ranura del extremo del árbol de levas. No apretar todavía del todo los tornillos de montaje del distribuidor.

23. Instalar la correa de sincronización. Apretar el tornillo tensor a 33 pie-lb (44 Nm) una vez que la correa se haya tensado correctamente.

24. Instalar la cubierta inferior de sincronización. Apretar el tornillo de la polea del cigüeñal a 134 pie-lb (181 Nm).

25. Ajustar las válvulas.

26. Inspeccionar manualmente si el movimiento de los balancines del VTEC es suave.

27. Asegurarse de que todas las juntas de sellado de los tubos de bujías están totalmente asentadas.

28. Aplicar junta líquida en los huecos de las esquinas de la nueva junta de la cubierta de válvulas. Después, instalar la junta en la cubierta de válvulas. No dejar que la selladora fragüe antes de la instalación.

29. Instalar la cubierta de válvulas. Mover suavemente la cubierta de válvulas para asegurarse de que esté totalmente asentada. Apretar los tornillos de la cubierta de válvulas, siguiendo una pauta entrelazada, a 7 pie-lb (10 Nm).

30. Reconectar el cableado de encendido.

31. Rellenar el motor con aceite nuevo e instalar un filtro nuevo.

32. Reconectar el cable de la batería.

33. Calentar el motor a su temperatura normal de funcionamiento. Comprobar si hay fugas de aceite.

34. Comprobar la sincronización del encendido y, si es necesario, ajustarla. Después, apretar los tornillos de montaje del distribuidor a 17 pie-lb (24 Nm).

MOTORES 1.6L (B16A2, B16A3)

1. Desconectar el cable negativo de la batería.

2. Etiquetar y desconectar los cables de encendido.

3. Girar el cigüeñal para poner el motor en el PMS de la carrera de compresión del cilindro N° 1. La marca blanca del PMS en la polea del cigüeñal debe alinearse con el indicador de la cubierta inferior de la correa de sincronización.

4. Sacar el refuerzo del poste.

5. Sacar el conducto del aire de admisión.

6. Aflojar el tornillo de ajuste de la bomba de la dirección asistida para descargar la tensión de la correa. Deslizar la correa fuera de las poleas. Aflojar los tornillos de ajuste del aire acondicionado y del alternador y deslizar sus correas fuera de la polea del cigüeñal.

7. Utilizar un gato de suelo almohadillado con un bloque de madera para soportar el motor.

8. Sacar el cable de toma de tierra del motor.

9. Desatornillar y sacar el montaje lateral del motor.

10. Sacar la cubierta de válvulas y la cubierta superior de la correa de sincronización.

11. Verificar que el motor está ajustado en el PMS/compresión. Aflojar 180° el tornillo tensor de la correa de sincronización. Después, sacar la polea del cigüeñal, la cubierta inferior de sincronización y la correa de sincronización.

▼ AVISO ▼

Inspeccionar si hay señales de grietas o dientes rotos en la correa de sincronización, y si hay contaminación de aceite o fluido refrigerante. Si la correa de sincronización está dañada o ha estado en contacto con aceite o fluido refrigerante, debe reemplazarse para evitar un posible fallo.

12. Sacar el distribuidor.

13. Desconectar y sacar la válvula solenoidal del VTEC. Sacar el filtro de la válvula solenoidal e inspeccionar si tiene obstrucciones.

14. Sacar los engranajes y la cubierta posterior del árbol de levas.

15. Aflojar los tornillos del plato de soporte del árbol de levas, siguiendo una secuencia entrelazada y trabajando hacia el centro de la culata de cilindros.

16. Aflojar los tornillos de ajuste de válvulas.

17. Levantar los platos de soportes y los soportes de árbol de levas, de la culata de cilindros. Los tornillos de soporte mantendrán juntos los componentes. Tomar nota de las posiciones de cada soporte de árbol de levas para su reensamblaje.

18. Levantar los árboles de levas de la culata de cilindros. Marcar los árboles de levas de escape y de admisión, de manera que no se confundan.

19. Sacar los orificios de control del aceite de admisión y de escape. Limpiarlos a fondo y reinstalarlos con juntas tóricas nuevas.

20. Inspeccionar si hay señales de daños en los lóbulos y los muñones de los árboles de levas.

Para instalar:

21. Instalar una junta tórica nueva y la clavija de centrado en el conducto del aceite del soporte N° 3 del árbol de levas.

22. Lubricar con aceite de motor limpio los lóbulos y los muñones de árbol de levas.

23. Poner los árboles de levas dentro de la culata de cilindros. Los árboles de levas de admisión y de escape deben instalarse con los chaveteros señalando hacia arriba.

24. Instalar sellos de aceite de árbol de levas nuevos. Aplicar junta líquida al tapón de extremo nuevo de árbol de levas e instalarlo. Si el tapón de extremo ha sido marcado, la marca

debe alinearse con la superficie de la culata de cilindros.

25. Aplicar junta líquida a las superficies de unión de la culata de cilindros de los soportes N° 1 y N° 5 de árbol de levas; después instalarlos, junto con los soportes N° 2, 3 y 4. Asegurarse de prestar atención a los pasos siguientes:

• No aplicar aceite a la superficie de unión del soporte de los sellos de aceite de árbol de levas.

• Las flechas marcadas en los soportes de árbol de levas deben señalar hacia la correa de sincronización.

26. Instalar los platos de soporte de árbol de levas.

27. Lubricar las roscas de los tornillos de soporte de 8 mm. Después, instalar todos los tornillos de soporte de árbol de levas, pero sin apretarlos todavía.

28. Apretar manualmente y de manera uniforme los soportes de árbol de levas. Asegurarse de que los balancines están situados correctamente sobre los vástagos de las válvulas.

29. Usar una pauta entrelazada de dos pasos para apretar los tornillos de soporte de árbol de levas. Empezar apretando los tornillos del centro de la culata de cilindros y trabajar hacia los bordes exteriores. Las especificaciones del apriete final son las siguientes:

• Motor B16A2 de 1996-97: tornillos de 8 mm a 20 pie-lb (28 Nm).

• Motores B16A3 de 1995: tornillos de 8 mm a 16 pie-lb (22 Nm).

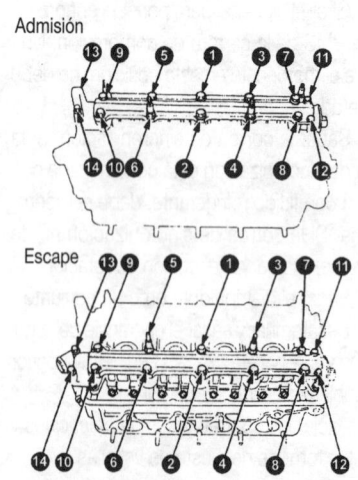

Admisión

Escape

●1—●10 (1) - (10) 8 x 1.25 mm 22 Nm (2.2 kg-m, 16 pie-lb)
●11—●14 (11) - (14) 6 x 1.0 mm 11 Nm (1.1 kg-m, 8 pie-lb)

▲ **Secuencias de apriete de los tornillos de los soportes de los árboles de levas – Motores 1.6L (B16A2, B16A3)**

- 1995-1997: tornillos de 6 mm a 7-8 pie-lb (10-11 Nm).

30. Verificar que los chaveteros de árbol de levas están apuntando hacia arriba y que el motor está en el PMS/compresión para el cilindro N° 1. Ajustar las chavetas de engranaje de árbol de levas dentro de sus chaveteros.

31. Instalar la cubierta trasera y empujar las poleas de árbol de levas sobre los árboles de levas. Después, apretar los tornillos de retención de los engranajes a 37 pie-lb (51 Nm) para los vehículos de 1995 o a 41 pie-lb (57 Nm) para los vehículos de 1996.

32. Instalar y tensar la correa de sincronización.

33. Instalar la cubierta inferior de la sincronización y la polea del cigüeñal. Apretar el tornillo de la polea a 130 pie-lb (180 Nm).

34. Ajustar las holguras de válvulas.

35. Inspeccionar si los balancines del VTEC se mueven suave e independientemente.

36. Instalar la válvula de solenoide del VTEC con un filtro nuevo. Apretar los tornillos de montaje de la válvula a 9 pie-lb (12 Nm).

37. Instalar el distribuidor.

38. Limpiar las superficies de junta de la cubierta de válvulas. Ajustar la junta en la ranura de la cubierta de válvulas.

39. Aplicar junta líquida en las ocho esquinas del sello de goma donde la junta contacta con los soportes de árbol de levas. No dejar que la selladora se seque antes de instalar la cubierta de la culata de cilindros.

40. Instalar la cubierta de la culata de cilindros y el cable de toma de tierra del motor. Asegurarse de que las superficies de contacto están limpias y no tocan las superficies donde se ha aplicado junta líquida.

41. Apretar las tuercas de la cubierta de válvulas a 7 pie-lb (10 Nm), siguiendo una secuencia entrelazada.

42. Instalar la cubierta superior de la sincronización.

43. Instalar las correas propulsoras auxiliares y ajustar sus tensiones.

44. Instalar el montaje lateral del motor, apretar las dos tuercas nuevas a 54 pie-lb (75 Nm) y apretar el tornillo que acopla el montaje en el vehículo, a 54 pie-lb (74 Nm).

45. Instalar la barra montante y apretar los tornillos de montaje a 16 pie-lb (22 Nm).

46. Reconectar los cables de encendido.

47. Drenar el aceite del motor. Instalar un filtro de aceite nuevo y rellenar el motor con aceite nuevo.

48. Reconectar el cable negativo de la batería.

49. Calentar el motor hasta su temperatura normal de funcionamiento. Después, comprobar y ajustar la sincronización del encendido. Apretar los tornillos de montaje del distribuidor a 17 pie-lb (24 Nm).

Accord y Prelude

MOTOR 2.2L (H22A1)

1. Desconectar el cable negativo de la batería.

2. Girar el cigüeñal de manera que el pistón N° 1 esté en el punto muerto superior.

➡ El pistón N° 1 está en el punto muerto superior cuando el indicador del bloque se alinea con la marca blanca pintada en el volante (cambio manual) o en el plato propulsor (cambio automático).

3. Sacar el conducto de admisión del aire.

4. Sacar el cable de toma de tierra del motor de la cubierta de la culata de cilindros.

5. Sacar el conector y el terminal del alternador; después sacar el cableado del motor de la cubierta de válvulas.

6. Aflojar los tornillos de montaje y sacar la correa propulsora de la bomba de la dirección asistida.

7. Sacar la bobina de encendido.

8. Sacar la cubierta de los cables de bujías de la cubierta de la culata de cilindros. Etiquetar; después desconectar los conectores eléctricos del distribuidor, y de las bujías los cables de bujías. Marcar la posición del distribuidor y sacarlo de la culata de cilindros.

9. Sacar la manguera de Ventilación Positiva del Cárter (VPC); después sacar la cubierta de la culata de cilindros. Si están dañados o deteriorados, reemplazar los sellos de goma.

10. Sacar la cubierta intermedia de la correa de sincronización.

11. Asegurarse de que las flechas estampadas en las poleas del árbol de levas están alineadas en posición hacia arriba (12 en punto).

12. Si se ha de utilizar otra vez, marcar la rotación de la correa de sincronización.

13. Aflojar la tuerca de ajuste de la correa de sincronización; no aflojar la tuerca más de una vuelta.

14. Utilizar una llave de tuercas de extremo abierto para aflojar el tornillo de mantenimiento del tensor de la correa de sincronización. Si el tornillo de mantenimiento no puede aflojarse con una llave de extremo abierto, puede usarse una llave de vaso, después de sacar el pasador de fijación.

➡ El uso de una llave para aflojar el tornillo de mantenimiento debe limitarse al aflojado inicial de los tornillos.

15. Aflojar el tornillo de mantenimiento con la mano hasta que se pare. Ahora el soporte autotensor está fijado.

▼ AVISO ▼
Nunca utilizar una herramienta para aflojar el tornillo de mantenimiento después del aflojado inicial.

16. Apretar la tuerca de ajuste de la correa de sincronización.

17. Sacar la correa de sincronización de los engranajes de los árboles de levas.

▼ AVISO ▼
No plegar o doblar la correa de sincronización más de 90° o menos, en ese caso 1 plg (25 mm) en diámetro.

18. Sacar los tornillos de sujeción de engranajes de árbol de levas; después sacar los engranajes. No perder las chavetas de los engranajes.

19. Sacar el soporte B del montaje lateral del motor; después la cubierta trasera de la correa de sincronización.

20. Aflojar todos los tornillos de reglaje de balancines.

21. Sacar dos vueltas los tornillos de soporte de árbol de levas en el orden inverso a la secuencia de apriete, para evitar que se dañen las válvulas o los conjuntos de balancines. Sacar los platos de soporte de árbol de levas y los soportes de árbol de levas; tomar nota de las posiciones de los soportes para que la instalación sea más fácil.

22. Sacar el tapón de goma de la culata, situado en el extremo del árbol de levas de admisión. Si está dañado o deteriorado, reemplazar el tapón de goma.

23. Sacar los árboles de levas y desechar los sellos de aceite de los árboles de levas.

Para instalar:

24. Lubricar con aceite limpio los balancines y los árboles de levas.

25. Instalar los sellos de aceite de árbol de levas en los extremos de los árboles de levas a los que se acoplan los engranajes de la correa

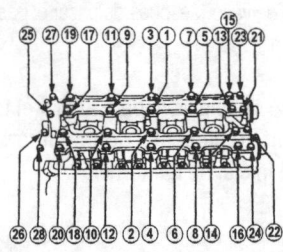

① – ⑳ 8 x 1.25 mm 26 Nm (2.6 kg-m, 19 pie-lb)
㉑ – ㉘ 6 x 1.0 mm 12 Nm (1.2 kg-m, 9 pie-lb)

▲ **Secuencia de apriete de los soportes de los árboles de levas – Motor 2.2L (H22A1)**

de sincronización. Cuando esté instalado, el lado abierto (resorte) debe estar mirando hacia la culata de cilindros.

26. Asegurarse de que los chaveteros de los árboles de levas están mirando hacia arriba e instalar los árboles de levas en la culata de cilindros.

27. Instalar el tapón de goma en la culata de cilindros en el extremo del árbol de levas de admisión.

28. Limpiar el orificio de control del aceite e instalar una junta tórica nueva. Instalar el orificio de control del aceite en el conducto del aceite del soporte N° 3 del árbol de levas.

29. Aplicar junta líquida a las superficies de unión de los soportes N° 1 y N° 5 del árbol de levas; después instalarlos junto con los soportes N° 2, 3 y 4 del árbol de levas. Las flechas estampadas en los soportes deben apuntar hacia la correa de sincronización.

30. Instalar los platos de soporte de árbol de levas y los tornillos de sujeción; después apretar a mano en su sitio los soportes de árbol de levas.

31. Presionar firmemente los sellos de aceite de árbol de levas contra la base de los soportes de árbol de levas.

32. Apretar los tornillos de soporte de árbol de levas en dos pasos, siguiendo la secuencia correcta, para asegurar que los balancines no se traben en las válvulas. Apretar los tornillos de 8 x 23 mm a 19 pie-lb (26 Nm). Apretar los tornillos de 6 x 1.0 mm a 9 pie-lb (12 Nm).

33. Instalar la cubierta trasera de la correa de sincronización y apretar los tornillos de sujeción a 9 pie-lb (12 Nm).

34. Instalar el soporte B del montaje lateral del motor. Apretar el tornillo que acopla el soporte a la culata de cilindros, a 33 pie-lb (45 Nm) y apretar los tornillos que acoplan el soporte al montaje lateral del motor, a 16 pie-lb (22 Nm).

35. Instalar las chavetas en las ranuras de árbol de levas. Empujar los engranajes sobre

los árboles de levas dentro de los árboles de levas; después apretar los tornillos de retención a 37 pie-lb (51 Nm).

36. Asegurarse de que las flechas estampadas en las poleas de los árboles de levas están alineadas en posición ascendente (12 en punto). Asegurarse de que la marca del PMS en el volante está alineada con el indicador del bloque de cilindros.

37. Instalar el deslizador de la correa de sincronización (pieza # 07NAG-P130100) en el engranaje del árbol de levas de admisión; después instalar la correa de sincronización en los engranajes de los árboles de levas.

➡ **Si el autotensor ha sido alargado y la correa de sincronización no puede instalarse, sacar el autotensor, comprimirlo y reinstalarlo.**

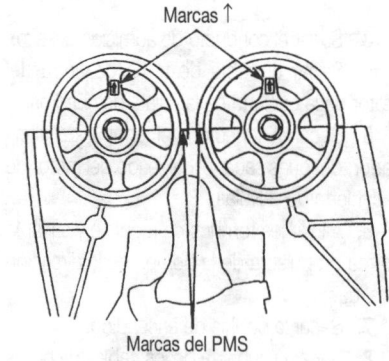

Marcas ↑

Marcas del PMS

Colocación del PMS en el cigüeñal:

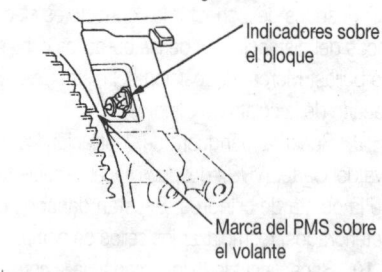

Indicadores sobre el bloque

Marca del PMS sobre el volante

▲ **Marcas de sincronización – Motor 2.2L (H22A1)**

38. Apretar el tornillo de mantenimiento del autotensor a 16 pie-lb (22 Nm). Esto hará que el autotensor funcione.

39. Aflojar la tuerca de ajuste de la correa de sincronización.

40. Girar 1 vuelta la polea del cigüeñal; después apretar la tuerca de ajuste a 33 pie-lb (45 Nm).

41. Ajustar las válvulas.

42. Apretar el tornillo de la polea del cigüeñal a 181 pie-lb (250 Nm).

43. Instalar la cubierta intermedia de la correa de sincronización y apretar los tornillos de sujeción de la cubierta a 9 pie-lb (12 Nm).

44. Instalar la cubierta de la culata de cilindros; apretar las tuercas de tapón a 7 pie-lb (10 Nm). Instalar la manguera del VPC en la cubierta de la culata de cilindros.

45. Instalar el distribuidor en la culata de cilindros; apretar a mano los tornillos de sujeción hasta que la sincronización haya sido comprobada y ajustada.

46. Conectar los cables de bujías en las bujías correctas; después conectar los conectores eléctricos del distribuidor.

47. Instalar la cubierta de los cables de bujías en la cubierta de la culata de cilindros y apretar las tuercas de tapón a 7 pie-lb (10 Nm).

48. Instalar la bobina de encendido.

49. Instalar y ajustar la correa de la dirección asistida.

50. Instalar el cableado del alternador en la cubierta de la culata de cilindros; después conectar el terminal y el conector en el alternador.

51. Conectar el cable de toma de tierra del motor en la cubierta de la culata de cilindros.

52. Instalar el conducto de admisión del aire.

53. Drenar el aceite del motor en un recipiente provisto de cierre. Instalar el tapón de drenaje y rellenar el motor con aceite limpio.

54. Conectar el cable negativo de la batería e introducir el código de seguridad de la radio.

55. Arrancar el motor, comprobando con cuidado si hay fugas.

56. Comprobar y ajustar la sincronización del encendido; después apretar los tornillos de montaje del distribuidor a 13 pie-lb (18 Nm).

57. Si está equipado con 4RD, girar el volante de tope a tope para reajustar la unidad de control de las 4RD.

MOTORES 2.2L (F22A1, F22A6, F22B1 Y F22B2)

1. Desconectar el cable negativo de la batería.

2. Sacar el conducto de admisión del aire.

3. Sacar la cubierta de la culata de cilindros y, si están dañados o deteriorados, reemplazar los sellos de goma.

4. Sacar la cubierta superior de la correa de sincronización.

5. Girar el motor para alinear las marcas de sincronización y ajustar el cilindro N° 1 en el PMS/compresión. Una vez que esté en esta posición, el motor no debe girarse o alterarse.

6. Etiquetar; después desconectar los conectores eléctricos del distribuidor y los cables de bujías. Marcar la posición del distribuidor y sacarlo de la culata de cilindros.

7. Aflojar los tornillos de montaje y sacar la correa propulsora de la bomba de la dirección asistida.

8. Si se ha de utilizar otra vez, marcar la rotación de la correa de sincronización. Aflojar el tornillo de ajuste de la correa de sincronización de $3/4$ a 1 vuelta; después descargar la tensión de la correa de sincronización. Empujar el tensor para descargar la tensión de la correa; después apretar el tornillo de ajuste.

9. Sacar la correa de sincronización del engranaje del árbol de levas.

▼ AVISO ▼

No plegar o doblar la correa de sincronización más de 90° o menos, en ese caso 1 plg (25 mm) en diámetro.

10. Asegurarse de que la palabra "UP" (arriba) estampada en las poleas de árbol de levas está alineada en posición hacia arriba; después sacar el tornillo de engranaje de árbol de levas. Tirar del engranaje de árbol de levas y sacar la chaveta del engranaje.

11. Sacar la cubierta posterior de la correa de sincronización.

12. Aflojar los tornillos de ajuste de válvulas.

13. Aflojar dos vueltas los tornillos de sujeción de soporte de árbol de levas, en la secuencia correcta, para evitar que se dañen las válvulas o los conjuntos de balancines.

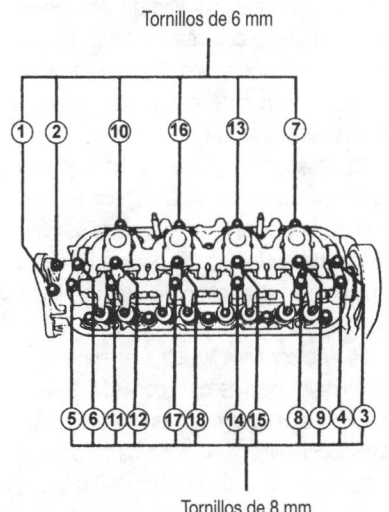

▲ **Secuencia de desmontaje de los tornillos del conjunto de balancines – Motores 2.2L (F22A1, F22A6)**

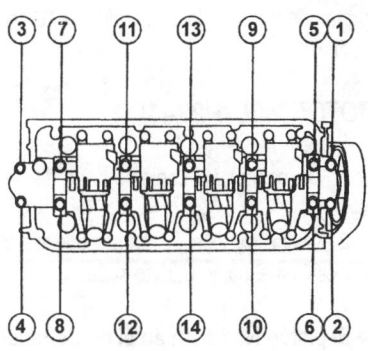

▲ **Secuencia de aflojado de los tornillos del conjunto de balancines – Motor 2.2L (F22B1)**

➡ **Al sacar el conjunto de balancines, no sacar los tornillos de soporte de árbol de levas. Los tornillos mantendrán los soportes de árbol de levas, los resortes y los balancines en los ejes.**

14. Sacar con cuidado los soportes de árbol de levas y el conjunto de balancines. Si el conjunto de balancines y ejes necesitan desensamblarse para su reparación, tomar nota de la posición de los componentes que se han extraído. Si se reutilizan, los balancines deben instalarse en la misma posición.

15. Sacar el árbol de levas de la culata de cilindros y desechar el sello de aceite.

Para instalar:

16. Limpiar el árbol de levas y los muñones del árbol de levas; después lubricar ambas superficies e instalar el árbol de levas.

17. Girar el árbol de levas de manera que su chavetero esté mirando hacia arriba (el cilindro N° 1 estará en el PMS).

18. Si se ha desensamblado, reensamblar el conjunto de balancines y eje. Lubricar con aceite limpio el conjunto de balancines y eje; después aplicar junta líquida a las superficies de unión de culata de los soportes N° 1 y N° 6 del árbol de levas.

19. Ajustar los soportes del árbol de levas y el conjunto de balancines en su sitio; después instalar los tornillos de sujeción holgadamente.

20. Aplicar aceite limpio al sello de aceite del árbol de levas y a la guía del sello de aceite (pieza # 07NAG-PT0010A); después instalar el sello de aceite en la guía del sello. Instalar la guía del sello de aceite en el árbol de levas, después la copa instaladora (pieza # 07NAF-PT0010A) y el eje instalador (pieza # 07NAF-PT0020A). Apretar la tuerca en el eje instalador para presionar el sello de aceite dentro de la culata de cilindros.

21. Apretar dos vueltas los tornillos de soporte de árbol de levas, en la secuencia correcta. El apriete final para los tornillos de 8 mm es de 16 pie-lb (22 Nm) y para los tornillos de 6 mm es de 9 pie-lb (12 Nm).

22. Instalar la cubierta trasera de la correa de sincronización; apretar el tornillo de sujeción a 9 pie-lb (12 Nm).

23. Instalar la chaveta del engranaje del árbol de levas en el árbol de levas; después instalar el engranaje del árbol de levas. Instalar el tornillo y apretarlo a 27 pie-lb (37 Nm).

24. Asegurarse de que la palabra "UP" (arriba) estampada en la polea del árbol de levas está ali-

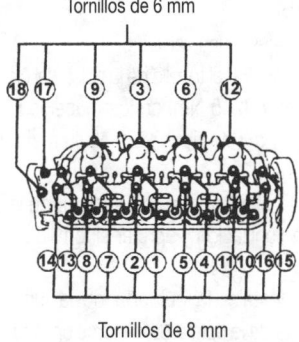

▲ **Secuencia de apriete del conjunto de balancines – Motores 2.2L (F22A1, F22A6)**

Apriete especificado:
Tornillos de 8 mm: 22 Nm (2.2 kgf·m, 16 pie-lb)
Tornillos de 6 mm: 12 Nm (1.2 kgf·m, 8.7 pie-lb)

Tornillos de 6 mm: ⑪,⑫,⑬,⑭,

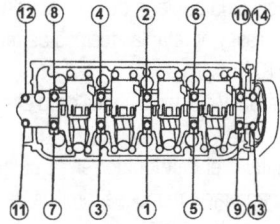

▲ **Secuencia de apriete del conjunto de balancines – Motor 2.2L (F22B1)**

Apriete especificado:
Tornillos de 8 mm: 22 Nm (2.2 kgf·m, 16 pie-lb)
Tornillos de 6 mm: 12 Nm (1.2 kgf·m, 8.7 pie-lb)

Tornillos de 6 mm: ③,⑥,⑨,⑫,⑰,⑱

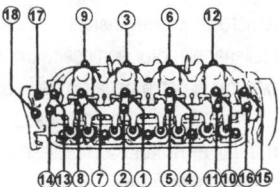

▲ **Secuencia de apriete del conjunto de balancines – Motor 2.2L (F22B2)**

neada en posición hacia arriba; después instalar la correa de sincronización en el engranaje del árbol de levas. Aflojar; después apretar la tuerca de ajuste de la correa de sincronización.

25. Girar cinco o seis vueltas la polea del cigüeñal para colocar la correa de sincronización en las poleas.

26. Colocar el cilindro N° 1 en el PMS y aflojar una vuelta la tuerca de ajuste de la correa de sincronización. Girar el cigüeñal en el sentido contrario al de las agujas del reloj hasta que la polea de levas se haya movido 3 dientes; ello crea tensión en la correa de sincronización. Aflojar; después apretar la tuerca de ajuste de la correa de sincronización y apretarla a 33 pie-lb (45 Nm).

27. Ajustar las válvulas.

28. Apretar el tornillo de la polea del cigüeñal a 181 pie-lb (245 Nm) en los modelos F22B1 y F22B2 y a 159 pie-lb (220 Nm) en el resto de modelos.

29. Instalar la cubierta superior de la correa de sincronización y apretar el tornillo a 9 pie-lb (12 Nm).

30. Instalar la cubierta de la junta de la cubierta de la culata de cilindros en la ranura de la cubierta de la culata de cilindros. Antes de instalar la junta, limpiar a fondo el sello de aceite y la ranura. Primero asentar los huecos del árbol de levas y después introducirla en la ranura alrededor de los bordes exteriores. Asegurarse de que la junta está asentada firmemente en las esquinas de los huecos.

31. Instalar la cubierta de la culata de cilindros (válvulas) y apretar las tuercas de tapón a 7 pie-lb (10 Nm).

32. Instalar y ajustar la correa de la dirección asistida.

33. Instalar el distribuidor en la culata de cilindros, apretar a mano los tornillos de sujeción hasta que la sincronización haya sido comprobada y ajustada.

34. Conectar los cables de bujías en las bujías correctas; después conectar los conectores eléctricos del distribuidor. Instalar el cable de la bobina de encendido en el distribuidor.

35. Instalar el conducto de admisión del aire.

36. Drenar el aceite del motor en un recipiente provisto de cierre. Instalar el tapón de drenaje y rellenar el motor con aceite limpio.

37. Conectar el cable negativo de la batería e introducir el código de seguridad de la radio.

38. Arrancar el motor, comprobando con cuidado si hay alguna fuga.

39. Comprobar y ajustar, según sea necesario, la sincronización del encendido; después

apretar los tornillos del distribuidor a 16 pie-lb (22 Nm).

MOTOR 2.3L (H23A1)

1. Desconectar el cable negativo de la batería.

2. Girar el cigüeñal de manera que el pistón N° 1 esté en el punto muerto superior.

➡ **El pistón N° 1 está en el punto muerto superior cuando el indicador del bloque se alinea con la marca blanca pintada en el volante (cambio manual) o en el plato propulsor (cambio automático).**

3. Sacar el conducto de admisión del aire.

4. Sacar el cable de toma de tierra del motor de la cubierta de la culata de cilindros.

5. Sacar el conector y el terminal del alternador; después sacar el cableado del motor de la cubierta de válvulas.

6. Sacar la bobina de encendido.

7. Etiquetar; después desconectar los conectores eléctricos del distribuidor y los cables de bujías. Marcar la posición del distribuidor y sacarlo de la culata de cilindros. Desconectar el cable de la bobina de encendido del distribuidor.

8. Sacar la manguera de la Ventilación Positiva del Cárter (VPC); después sacar la cubierta de la culata de cilindros. Si están dañados o deteriorados, reemplazar los sellos de goma.

9. Sacar la cubierta intermedia de la correa de sincronización.

10. Asegurarse de que las palabras "UP" (arriba) estampadas en las poleas de árbol de levas están alineadas en posición hacia arriba.

11. Si se ha de reutilizar, marcar la rotación de la correa de sincronización. Aflojar $1/_2$ vuelta la tuerca de ajuste de la correa de sincronización; después descargar la tensión de la correa de sincronización. Empujar el tensor para descargar la tensión de la correa; después apretar la tuerca de ajuste.

12. Sacar la correa de sincronización de los engranajes de árbol de levas.

▼ AVISO ▼
No plegar o doblar la correa de sincronización más de 90° o menos, en ese caso 1 plg (25 mm) en diámetro.

13. Insertar un punzón botador de 5.0 mm en cada tapa de árbol de levas, lo más cerca posible de los engranajes, a través de agujeros previstos. Sacar los tornillos de sujeción de los

engranajes de árbol de levas; después sacar los engranajes. No perder las chavetas de los engranajes.

14. Sacar el soporte B del montaje lateral del motor, después la cubierta trasera de la correa de sincronización desde detrás de los engranajes del árbol de levas.

15. Aflojar todos los tornillos de reglaje de balancines; después sacar los punzones botadores de las tapas de árbol de levas.

16. Sacar los soportes de árbol de levas; anotar las posiciones de los soportes para facilitar la instalación. Aflojar los tornillos en el orden inverso al de instalación.

17. Sacar los árboles de levas de la culata de cilindros; después desechar los sellos de aceite de árbol de levas.

18. Sacar el tapón de goma de la culata, situado en el extremo del árbol de levas de admisión.

19. Sacar los balancines de la culata de cilindros. Anotar las posiciones de los balancines.

➡ **Si se reutilizan, los balancines han de instalarse en sus posiciones originales.**

Para instalar:

20. Lubricar los balancines con aceite limpio; después instalar los balancines sobre los tornillos pivote y los vástagos de válvula. Si los balancines se reutilizan, instalarlos en sus posiciones originales. Las contratuercas y los tornillos de ajuste deben aflojarse antes de instalar los balancines.

21. Lubricar con aceite limpio los árboles de levas.

22. Instalar los sellos de aceite de los árboles de levas en el extremo de los árboles de levas donde se acoplan los engranajes de la correa de sincronización. Cuando se instale, el lado abierto (resorte) debe mirar hacia dentro de la culata de cilindros.

23. Asegurarse de que los chaveteros de los árboles de levas están mirando hacia arriba e instalar los árboles de levas en la culata de cilindros.

24. Instalar el tapón de goma en la culata de cilindros, en el extremo del árbol de levas de admisión.

25. Aplicar junta líquida a las superficies de unión de la culata de los soportes N° 1 y N° 6 de los árboles de levas; después instalarlos junto con los soportes N° 2, 3, 4 y 5. En los soportes de los árboles de levas están estampadas las letras I y E para identificarlos como soportes laterales de Admisión (I) o de Escape (E). Las flechas impresas en los soportes deben apuntar hacia la correa de sincronización.

26. Ajustar los soportes de los árboles de levas en su sitio.

27. Encajar firmemente los sellos de aceite de los árboles de levas en su sitio.

28. Apretar los tornillos del soporte del árbol de levas en dos pasos, siguiendo la secuencia correcta, para asegurar que los balancines no se traben en las válvulas. Apretar todos los tornillos, con excepción de los cuatro espárragos, a 7 pie-lb (10 Nm). Apretar los espárragos (tornillos N° 5 y 7 en la secuencia correcta) a 9 pie-lb (12 Nm).

29. Instalar la cubierta trasera de la correa de sincronización.

30. Instalar el soporte B del montaje lateral del motor. Apretar los tornillos que acoplan el soporte a la culata de cilindros, a 33 pie-lb (45 Nm). Apretar los tornillos que acoplan el soporte al montaje lateral del motor, a 16 pie-lb (22 Nm).

31. Insertar un punzón botador de 5.0 mm en cada tapa de los árboles de levas, lo más cerca posible de las poleas, a través de los agujeros previstos. Instalar las chavetas en las ranuras de los árboles de levas.

32. Empujar los engranajes de los árboles de levas sobre los árboles de levas; después apretar los tornillos de retención a 27 pie-lb (38 Nm).

33. Asegurarse de que las palabras "UP" (arriba) estampadas en las poleas de los árboles de levas están alineadas en posición hacia arriba. Instalar la correa de sincronización en los engranajes de los árboles de levas. Después

Apriete especificado:
Excepto admisión ⑤, ⑦ y escape ⑥, ⑧:
    10 Nm (1.0 kg-m, 7 pie-lb)
Admisión ⑤, ⑦ y escape ⑥, ⑧:
    12 Nm (1.2 kg-m, 9 pie-lb)

Secuencia de apriete

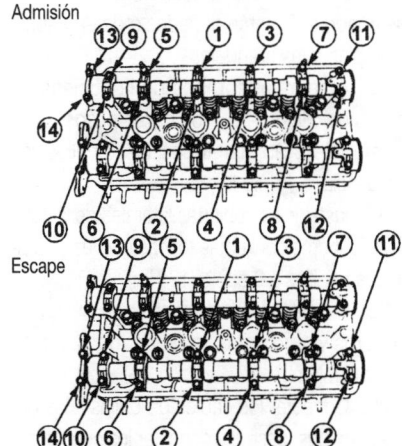

▲ Secuencia de apriete de los soportes de los árboles de levas – Motor 2.3L (H23A1)

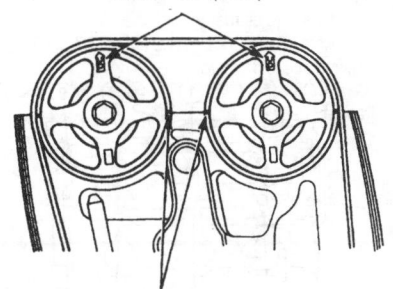

Marcas "UP" (arriba)

Alinear las marcas en las poleas

▲ Alineación de los engranajes de los árboles de levas Motor 2.3L (H23A1)

sacar los dos punzones botadores de 5.0 mm de las tapas de los cojinetes de los árboles de levas.

34. Aflojar; después apretar la tuerca de ajuste de la correa de sincronización.

35. Girar el cigüeñal en el sentido contrario al de las agujas del reloj hasta que la polea de leva se haya movido 3 dientes; esto crea tensión en la correa de sincronización. Aflojar; después apretar la tuerca de ajuste a 33 pie-lb (45 Nm).

36. Ajustar las válvulas.

37. Apretar el tornillo de la polea del cigüeñal a 181 pie-lb (250 Nm).

38. Instalar la cubierta intermedia de la correa de sincronización y apretar los tornillos de sujeción a 9 pie-lb (12 Nm).

39. Instalar la cubierta de la culata de cilindros y apretar las tuercas de tapón a 7 pie-lb (10 Nm). Instalar la manguera de la VPC en la cubierta de la culata de cilindros.

40. Instalar el distribuidor en la culata de cilindros; ajustar a mano los tornillos de sujeción hasta que la sincronización se haya comprobado y ajustado.

41. Conectar los cables de bujías en las bujías correctas; después conectar los conectores eléctricos del distribuidor. Instalar el cable de la bobina de encendido en el distribuidor.

42. Instalar la bobina de encendido.

43. Instalar el cableado del alternador en la cubierta de la culata de cilindros; después conectar el terminal y el conector en el alternador.

44. Conectar el cable de toma de tierra en la cubierta de la culata de cilindros.

45. Instalar el conducto de admisión del aire.

46. Drenar el aceite del motor en un recipiente provisto de cierre. Instalar el tapón de drenaje y rellenar el motor con aceite limpio.

47. Conectar el cable negativo de la batería e introducir el código de seguridad de la radio.

48. Arrancar el motor, comprobando con cuidado si hay alguna fuga.

49. Comprobar y ajustar la sincronización del encendido. Apretar los tornillos del distribuidor a 13 pie-lb (18 Nm).

50. Si está equipado con 4RD, arrancar el motor y después girar el volante de dirección de tope a tope para reajustar la unidad de control de las 4RD.

MOTOR 2.7L

1. Desconectar el cable negativo de la batería.

2. Girar el motor para alinear las marcas de sincronización y ajustar el cilindro N° 1 en el PMS. La marca blanca de la polea del cigüeñal debe alinearse con el indicador de la cubierta de la correa de sincronización. Sacar las tapas de inspección de las cubiertas superiores de la correa de sincronización para comprobar la alineación de las marcas de sincronización. Los indicadores de los árboles de levas deben alinearse con las marcas verdes de las poleas de los árboles de levas.

3. Sacar el conducto del aire de admisión.

4. Sacar el cable del motor de arranque del refuerzo del poste; después sacar el refuerzo del poste.

5. Sacar las cubiertas del múltiple de admisión.

6. Desconectar la manguera de respiración de la cubierta de la culata de cilindros.

7. Sacar la manguera de la VPC de la cubierta de la culata de cilindros.

8. Aflojar la tuerca central y el tornillo de ajuste de la polea tensora, después sacar la correa del compresor del aire acondicionado.

9. Aflojar el tornillo de montaje, la tuerca y el tornillo de ajuste del alternador, después sacar la correa propulsora del alternador.

10. Aflojar las tuercas de montaje y la tuerca de ajuste de la dirección asistida; después sacar la correa propulsora de la dirección asistida.

11. Etiquetar; después desconectar los conectores eléctricos del distribuidor y los cables de bujías. Sacar el distribuidor de la culata de cilindros.

12. Sacar las cubiertas de la culata de cilindros y las cubiertas laterales.

13. Sacar las cubiertas de la correa de sincronización y la correa de sincronización.

14. Sacar los engranajes de los árboles de levas y las cubiertas traseras de la correa de sincronización.

15. Sacar los tornillos que acoplan los platos de los soportes de los árboles de levas y los soportes de los árboles de levas, en el orden opuesto a la secuencia de instalación.

16. Sacar los platos de los soportes de los árboles de levas, los soportes de los árboles de levas y las clavijas de centrado. Desechar las juntas tóricas.

17. Sacar los árboles de levas de las culatas de cilindros y el tapón de goma de la culata de cilindros trasera. Desechar los sellos de aceite de los árboles de levas.

Para instalar:

18. Aplicar aceite de motor limpio a los balancines y a los árboles de levas.

19. Aflojar los tornillos de reglaje y las contratuercas de los balancines de escape.

20. Asegurarse de que los balancines están situados correctamente sobre los vástagos de válvulas. Avanzar el cigüeñal 30° desde el PMS para evitar interferencias entre los pistones y las válvulas; después instalar los árboles de levas. Colocar el árbol de levas trasero en la culata de cilindros, de manera que las levas no estén empujando sobre ninguna válvula.

21. Aplicar junta líquida alrededor del tapón de goma; después instalarlo en la culata de cilindros.

22. Instalar los sellos de aceite de los árboles de levas en los árboles de levas con el lado abierto (resorte) mirando hacia dentro.

23. Aplicar junta líquida a las superficies de unión de la culata de cilindros y de los soportes de árboles de levas; después instalar los soportes de los árboles de levas y los platos de los árboles de levas con las clavijas de centrado. Instalar juntas tóricas nuevas en los platos de los soportes de los árboles de levas.

24. Aplicar aceite limpio a los tornillos de los soportes de los árboles de levas; después instalar los tornillos y apretarlos en la secuencia correcta. Apretar los tornillos de 8 mm a 20 pie-lb (27 Nm) y los tornillos de 6 mm a 8.7 pie-lb (12 Nm).

25. Instalar las cubiertas traseras de la correa de sincronización, apretando los tornillos de sujeción a 9 pie-lb (12 Nm).

26. Instalar los engranajes de los árboles de levas y apretar los tornillos de sujeción a 23 pie-lb (31 Nm).

27. Ajustar los engranajes de los árboles de levas de manera que el pistón N° 1 esté en el PMS. Alinear las marcas del PMS (marcas verdes) de las poleas de los árboles de levas con los indicadores de las cubiertas traseras.

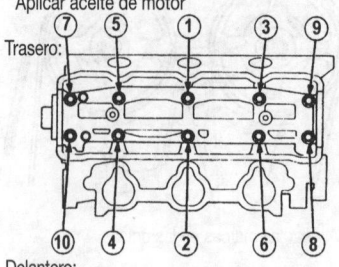

Tornillo de 8 mm: 27 Nm (2.8 kgf·m, 20 pie-lb)
Aplicar aceite de motor
Tornillo de 6 mm: 12 Nm (1.2 kgf·m, 8.7 pie-lb)
Aplicar aceite de motor

Trasero:

Delantero:
Tornillos de 6 mm: ⑪,⑫,⑬,⑭

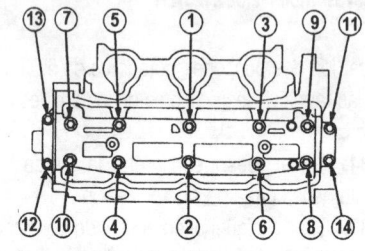

▲ Secuencia de apriete de los soportes de los árboles de levas – Motor 2.7L

28. Girar el cigüeñal en el sentido contrario al de las agujas del reloj para ajustarlo al PMS. Alinear la marca del PMS en el diente de la polea propulsora de la correa de sincronización con el indicador de la bomba de aceite.

29. Instalar la correa de sincronización y las cubiertas de la correa de sincronización.

30. Ajustar el cilindro N° 1 en el PMS.

31. Apretar los tornillos de reglaje de válvula para los cilindros N° 1, 2 y 4. Apretar el tornillo hasta que toque la válvula; después apretar el tornillo 1 vuelta y ⅛. Sujetar el tornillo en su sitio y apretar la contratuerca a 14 pie-lb (20 Nm).

32. Girar una vuelta la polea del cigüeñal en el sentido de las agujas del reloj; después apretar los tornillos de reglaje para los cilindros N° 3, 5 y 6. Apretar el tornillo hasta que toque la válvula; después apretar el tornillo 1 vuelta y ⅛. Sujetar el tornillo en su sitio y apretar la contratuerca a 14 pie-lb (20 Nm).

33. Instalar la junta de la cubierta de culata de cilindros en la ranura de la cubierta de culata de cilindros. Primero asentar los huecos para el árbol de levas; después introducirla dentro de la ranura alrededor de los bordes exteriores.

➡ **Antes de instalar la junta de la cubierta de culata de cilindros, limpiar a fondo la ranura del sello de aceite.**

34. Aplicar junta líquida a la junta de la cubierta de la culata de cilindros, en las cuatro esquinas de los huecos. Usar una toalla de

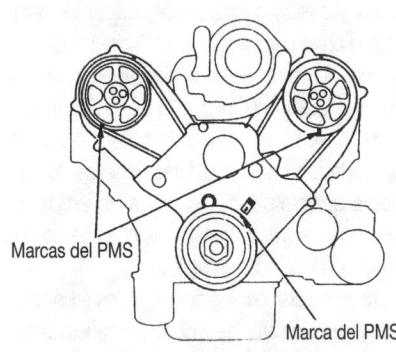

Marcas del PMS

Marca del PMS

▲ Marcas de sincronización – Motor 2.7L

Marcas del PMS

Marca del PMS

▲ Marcas de sincronización para el ajuste de válvulas en los cilindros 3, 5 y 6 – Motor 2.7L

taller y limpiar las culatas de cilindros, donde las cubiertas de culata de cilindros entrarán en contacto.

35. Instalar las cubiertas de culata de cilindros, sujetar la junta en la ranura colocando los dedos en las superficies de contacto del árbol de levas. Con las cubiertas de culata de cilindros en las culatas de cilindros, deslizar las cubiertas un poco de acá para allá para asentar las juntas de las cubiertas de culata de cilindros. Si están dañadas o deterioradas, reemplazar las arandelas.

36. Apretar los tornillos de la cubierta de culata de cilindros en dos o tres pasos. En el último paso, apretar todos los tornillos, en secuencia, a 11 pie-lb (15 Nm).

37. Instalar las cubiertas laterales de la culata de cilindros con juntas tóricas nuevas y apretar los tornillos a 9 pie-lb (12 Nm).

38. Instalar el distribuidor en la culata de cilindros y apretar el tornillo de montaje a 16 pie-lb (22 Nm).

39. Conectar los cables de bujías a las bujías correctas; después conectar los conectores eléctricos del distribuidor.

40. Instalar y ajustar la correa de la dirección asistida.

41. Instalar y ajustar la correa del alternador. Apretar la tuerca y el tornillo de montaje del alternador a 16 pie-lb (22 Nm).

42. Instalar la correa del A/A y ajustar la tensión de la correa. Apretar la tuerca tensora central a 33 pie-lb (44 Nm).

43. Instalar la manguera de VPC en la cubierta de la culata de cilindros.

44. Conectar la manguera de respiración en la cubierta de la culata de cilindros.

45. Instalar la cubierta del múltiple de admisión y apretar los tornillos a 9 pie-lb (12 Nm).

46. Instalar el conducto del aire de admisión.

47. Instalar el refuerzo del poste y apretar los tornillos de montaje a 16 pie-lb (22 Nm). Instalar el cable del motor de arranque en el refuerzo del poste.

48. Drenar el aceite del motor en un recipiente provisto de cierre; después rellenar el motor con aceite limpio.

49. Conectar el cable negativo de la batería e introducir el código de seguridad de la radio.

50. Arrancar el motor, permitiéndole ir a marcha mínima y comprobando si hay señales de fugas.

HOLGURA DE VÁLVULAS

AJUSTE

➡ La radio puede contener un circuito codificado de protección antirrobo. Obtener siempre el número del código antes de desconectar la batería. Si el vehículo está equipado con 4RD, al desconectar la batería, la unidad de control de dirección se para. Después de conectar la batería, girar el volante de tope a tope para reajustar la unidad de control de la dirección.

Del Sol y Civic

1. Desconectar el cable negativo de la batería.

2. Sacar la cubierta de culata de cilindros y la cubierta superior de la correa de sincronización.

3. Girar el cigüeñal para alinear la marca blanca del PMS en la polea del cigüeñal con el indicador en la cubierta para la carrera de compresión del cilindro N° 1. Asegurarse de que la marca "UP" (arriba) en el engranaje del árbol de levas está hacia arriba y las marcas del PMS están alineadas con el extremo de la culata de cilindros.

4. Sujetar un balancín del cilindro N° 1 contra el árbol de levas y utilizar una galga de huel-

gos para comprobar la holgura en el vástago de válvula. Exceptuando los motores B16A2 y B16A3, la holgura de la válvula de admisión debe ser de 0.007-0.009 plg (0.18-0.26 mm) y la holgura de la válvula de escape debe ser de 0.009-0.011 plg (0.23-0.27 mm). En los motores B16A2 y B16A3, la holgura de la válvula de admisión debe ser de 0.006-0.007 plg (0.15-0.19 mm) y la holgura de la válvula de escape debe ser de 0.007-0.008 plg (0.17-0.21 mm). Aflojar la contratuerca y girar el tornillo de reglaje para ajustar la holgura. Apretar la contratuerca a 10 pie-lb (14 Nm) en los motores D15B7 y D15B8 y a 14 pie-lb (20 Nm) en el resto de motores, y volver a comprobar la holgura. No sobreapretar la contratuerca; los balancines de aluminio se estropean fácilmente.

5. El orden de ajuste es 1-3-4-2. Girar el cigüeñal 180° en el sentido contrario al de las agujas del reloj (el engranaje del árbol de levas girará 90°) para llevar cada cilindro al PMS/compresión. Ajustar cada conjunto de válvulas.

   a. En el PMS para el cilindro N° 3, la marca "UP" (arriba) está indicando hacia el lado de escape de la culata de cilindros.

   b. En el PMS para el cilindro N° 4, la marca "UP" (arriba) está indicando hacia abajo y las marcas del PMS se alinean con el borde de la culata de cilindros.

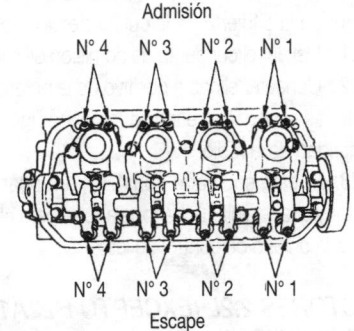

Posición de los ajustadores de válvulas – Excepto motores 1.5L (D15B8)

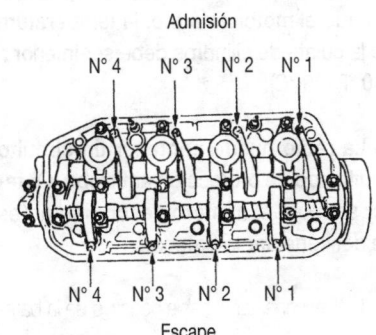

Posición de los ajustadores de válvulas – Motor 1.5L (D15B8)

   c. En el PMS para el cilindro N° 2, la marca "UP" está indicando hacia el lado de admisión de la culata de cilindros.

6. Después de ajustar las válvulas de un motor VTEC, inspeccionar si sus balancines de admisión se mueven suave e independientemente.

7. Aplicar selladora a los bordes de la junta de la cubierta de válvulas donde se unen con los soportes de los árboles de levas. Asegurarse de que los sellos de aceite de los tubos de las bujías están correctamente asentados.

8. Instalar la culata de cilindros y las cubiertas de la correa de sincronización.

9. Apretar el tornillo de la polea del cigüeñal a 134 pie-lb (185 Nm).

10. Reconectar el cable negativo de la batería. Introducir el código de seguridad de la radio.

Prelude y Accord

MOTOR 2.2L (H22A1)

➡ **La holgura de válvulas debe ajustarse cuando el motor está frío. La temperatura de la culata de cilindros debe ser inferior a 100 °F (38 °C).**

1. Desconectar el cable negativo de la batería.

2. Girar el cigüeñal de manera que el pistón N° 1 esté en el punto muerto superior.

➡ **El pistón N° 1 está en el punto muerto superior cuando el indicador del bloque se alinea con la marca blanca pintada en el volante (cambio manual) o en el plato propulsor (cambio automático).**

3. Sacar el conducto de admisión del aire.

4. Sacar el cable de toma de tierra del motor de la cubierta de culata de cilindros.

5. Sacar el conector y el terminal del alternador; después sacar el cableado del motor de la cubierta de válvulas.

6. Sacar la cubierta de los cables de bujías de la cubierta de culata de cilindros. Etiquetar; después desconectar los cables de bujías de las bujías.

7. Sacar la manguera de la Ventilación Positiva del Cárter (VPC); después sacar la cubierta de culata de cilindros. Si están dañados o deteriorados, reemplazar los sellos de goma.

8. Asegurarse de que las flechas estampadas en las poleas de los árboles de levas están alineadas en posición hacia arriba (12 en punto).

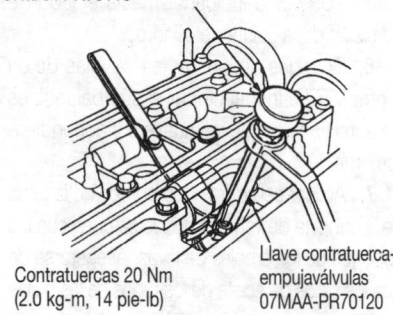

Ajustador del empujaválvulas
07MAA-PR70110

Contratuercas 20 Nm
(2.0 kg-m, 14 pie-lb)

Llave contratuerca-
empujaválvulas
07MAA-PR70120

⚠ **Comprobación y ajuste de la holgura de válvulas – Motor 2.2L (H22A1)**

9. Ajustar las válvulas en el cilindro N° 1:

a. Insertar una galga para huelgos entre el lóbulo de leva y el balancín.

➡ **La especificación de la holgura de la válvula de admisión es de 0.006-0.007 plg (0.15-0.19 mm) y la especificación de la holgura de la válvula de escape es de 0.007-0.008 plg (0.17-0.21 mm).**

b. Aflojar la contratuerca y girar el tornillo de reglaje hasta que la galga para huelgos se deslice de acá para allá con una ligera resistencia.

c. Apretar la contratuerca y volver a comprobar la holgura de la válvula. Si es necesario, repetir el ajuste de la válvula.

10. Girar el cigüeñal 180° en el sentido contrario al de las agujas del reloj (las poleas de los árbóles de levas girarán 90°). Las flechas deben apuntar hacia el lado de escape de la culata de cilindros.

11. Ajustar las válvulas en el cilindro N° 3:

a. Insertar una galga para huelgos entre el lóbulo de leva y el balancín.

b. Aflojar la contratuerca y girar el tornillo de reglaje hasta que la galga para huelgos se deslice de acá para allá con poca resistencia.

c. Apretar la contratuerca y volver a comprobar la holgura de la válvula. Si es necesario, repetir el ajuste de la válvula.

12. Girar el cigüeñal 180° en el sentido contrario al de las agujas del reloj (las poleas de los árboles de levas girarán 90°) para llevar el pistón N° 4 al PMS. Las flechas deben apuntar hacia abajo, hacia el cigüeñal.

13. Ajustar las válvulas en el cilindro N° 4:

a. Insertar una galga para huelgos entre el lóbulo de leva y el balancín.

b. Aflojar la contratuerca y girar el tornillo de reglaje hasta que la galga para huelgos se deslice de acá para allá con poca resistencia.

c. Apretar la contratuerca y volver a comprobar la holgura de la válvula. Si es necesario, repetir el ajuste de la válvula.

14. Girar el cigüeñal 180° en el sentido contrario al de las agujas del reloj (las poleas de los árboles de levas girarán 90°) para llevar el pistón N° 2 al PMS. Las flechas deben apuntar hacia el lado de admisión de la culata de cilindros.

15. Ajustar las válvulas en el cilindro N° 2:

a. Insertar una galga para huelgos entre el lóbulo de leva y el balancín.

b. Aflojar la contratuerca y girar el tornillo de reglaje hasta que la galga para huelgos se deslice de acá para allá con poca resistencia.

c. Apretar la contratuerca y volver a comprobar la holgura de la válvula. Si es necesario, repetir el ajuste de la válvula.

16. Instalar la cubierta de la culata de cilindros, apretar las tuercas de tapón a 7 pie-lb (10 Nm). Instalar la manguera de la VPC en la cubierta de la culata de cilindros.

17. Conectar los cables de bujías en las bujías correctas.

18. Instalar la cubierta de los cables de bujías en la cubierta de la culata de cilindros y apretar las tuercas de tapón a 7 pie-lb (10 Nm).

19. Instalar el cableado del alternador en la cubierta de la culata de cilindros; después conectar el terminal y el conector al alternador.

20. Conectar el cable de toma de tierra del motor en la cubierta de la culata de cilindros.

21. Instalar el conducto de admisión del aire.

22. Conectar el cable positivo de la batería y después el negativo e introducir el código de seguridad de la radio.

23. Si está equipado con 4RD, arrancar el motor y girar el volante de tope a tope para reajustar la unidad de control de las 4RD.

MOTORES 2.2L (EXCEPTO H22A1) Y 2.3L (H23A1)

➡ **La holgura de válvulas debe ajustarse cuando el motor está frío, la temperatura de la culata de cilindros debe ser inferior a 100 °F (38 °C).**

➡ **La radio puede contener un circuito codificado de protección antirrobo. Obtener siempre el número del código antes de desconectar la batería.**

1. Desconectar el cable negativo de la batería.

2. Etiquetar; después desconectar los cables de las bujías.

3. Sacar la manguera de la Ventilación Positiva del Cárter (VPC); después sacar la cubierta de la culata de cilindros. Si están dañados o deteriorados, reemplazar los sellos de goma.

4. Girar el motor para alinear las marcas de sincronización y ajustar el cilindro N° 1 en el PMS. La marca blanca de la polea del cigüeñal debe alinearse con el indicador de la cubierta de la correa de sincronización. Las palabras "UP" (arriba) estampadas en las poleas de los árboles de levas deben estar alineadas en posición hacia arriba. Las marcas en el borde de las poleas deben estar alineadas con la culata de cilindros o el extremo superior de la cubierta trasera.

5. Ajustar las válvulas en el cilindro N° 1 realizando lo siguiente:

a. Insertar una galga para huelgos entre el lóbulo de levas y el balancín.

➡ **La especificación de la holgura de la válvula de admisión es de 0.009-0.011 plg (0.24-0.28 mm) y la especificación de la holgura de la válvula de escape es de 0.011-0.013 plg (0.27-0.32 mm).**

b. Aflojar la contratuerca y girar el tornillo de reglaje hasta que la galga para huelgos se deslice de acá para allá con poca resistencia.

c. Apretar la contratuerca a 14 pie-lb (20 Nm) y volver a comprobar la holgura de la válvula. Si es necesario, repetir el ajuste de la válvula.

6. Girar el cigüeñal 180° en el sentido contrario al de las agujas del reloj (las poleas de los árboles de levas girarán 90°). Las flechas "UP" (arriba) deben indicar el lado de escape de la culata de cilindros.

7. Ajustar las válvulas en el cilindro N° 3 realizando lo siguiente:

a. Insertar una galga para huelgos entre el lóbulo de leva y el balancín.

b. Aflojar la contratuerca y girar el tornillo de reglaje hasta que la galga para huelgos se deslice de acá para allá con poca resistencia.

c. Apretar la contratuerca a 14 pie-lb (20 Nm) y volver a comprobar la holgura de la válvula. Si es necesario, repetir el ajuste de la válvula.

8. Girar el cigüeñal 180° en el sentido contrario al de las agujas del reloj (las poleas de los árboles de levas girarán 90°) para llevar el pistón N° 4 al PMS. Las flechas "UP" (arriba) deben apuntar hacia abajo, hacia el cigüeñal.

9. Ajustar las válvulas en el cilindro N° 4 realizando lo siguiente:

a. Insertar una galga para huelgos entre el lóbulo de leva y el balancín.

b. Aflojar la contratuerca y girar el tornillo de reglaje hasta que la galga para huelgos se deslice de acá para allá con poca resistencia.

c. Apretar la contratuerca a 14 pie-lb (20 Nm) y volver a comprobar la holgura de la válvula. Si es necesario, repetir el ajuste de la válvula.

10. Girar el cigüeñal 180° en el sentido contrario al de las agujas del reloj (las poleas de los árboles de levas girarán 90°) para llevar el pistón N° 2 al PMS. Las flechas "UP" (arriba) deben indicar el lado de admisión de la culata de cilindros.

11. Ajustar las válvulas en el cilindro N° 2 realizando lo siguiente:

a. Insertar una galga para huelgos entre el lóbulo de leva y el balancín.

b. Aflojar la contratuerca y girar el tornillo de reglaje hasta que la galga para huelgos se deslice de acá para allá con poca resistencia.

c. Apretar la contratuerca a 14 pie-lb (20 Nm) y volver a comprobar la holgura de la válvula. Si es necesario, repetir el ajuste de la válvula.

12. Instalar la cubierta de la junta de la cubierta de la culata de cilindros en la ranura de la cubierta de la culata de cilindros. Antes de instalar la junta, limpiar a fondo el sello de aceite y la ranura. Primero asentar los huecos del árbol de levas; después introducirla dentro de la ranura alrededor de los bordes exteriores. Asegurarse de que la junta está firmemente asentada en las esquinas de los huecos.

13. Aplicar junta líquida a las cuatro esquinas de los huecos de la junta de la cubierta de la culata de cilindros. No instalar las piezas si han pasado 5 minutos o más desde que se ha aplicado la junta líquida. Después de ensamblar, esperar un mínimo de 20 minutos antes de rellenar el motor con aceite.

14. Instalar la cubierta (de válvulas) de culata de cilindros. Apretar los tornillos a 7 pie-lb (10 Nm).

15. Conectar los cables de bujías en las bujías correctas.

16. Conectar el cable positivo de la batería y después el negativo, e introducir el código de seguridad de la radio.

17. Si está equipado con 4RD, girar el volante de tope a tope para reajustar la unidad de control de las 4RD.

MOTOR 2.7L

El motor V-6 en el Accord tiene ajustes en los conjuntos de balancines de escape que están situados debajo de las cubiertas laterales de la culata de cilindros. Los balancines interiores de

escape y los balancines de admisión funcionan con levantaválvulas (empujaválvulas hidráulicos) y no son ajustables.

1. Desconectar el cable negativo de la batería.

2. Girar el motor para alinear las marcas de sincronización y ajustar el cilindro N° 1 al PMS. La marca blanca en la polea del cigüeñal debe alinearse con el indicador en la cubierta de la correa de sincronización. Sacar los tapones de inspección en las cubiertas superiores de la correa de sincronización para comprobar la alineación de las marcas de sincronización. Las marcas verdes del PMS en las poleas de los árboles de levas deben alinearse con la marca amarilla del indicador en las cubiertas traseras de la correa de sincronización.

3. Sacar las cubiertas superiores de la correa de sincronización.

4. Sacar las cubiertas laterales de las culatas de cilindros.

5. Aflojar los tornillos de reglaje y las contratuercas de balancines de escape y asegurarse de que los balancines están correctamente situados sobre los vástagos de las válvulas.

6. Apretar los tornillos de reglaje para los cilindros N° 1, N° 2 y N° 4. Apretar el tornillo hasta que toque la válvula; después apretar el tornillo 1 vuelta y $^1/_8$. Sujetar el tornillo en su sitio y apretar la contratuerca a 14 pie-lb (20 Nm).

7. Girar una vuelta la polea del cigüeñal en el sentido de las agujas del reloj; después apretar los tornillos de reglaje para los cilindros N° 3, N° 5 y N° 6. Apretar el tornillo hasta que toque la válvula; después apretar el tornillo 1 vuelta y $^1/_8$. Sujetar el tornillo en su sitio y apretar la contratuerca a 14 pie-lb (20 Nm).

8. Instalar las cubiertas laterales de la culata de cilindros con juntas tóricas nuevas y apretar los tornillos a 9 pie-lb (12 Nm).

9. Instalar las cubiertas superiores de la correa de sincronización y apretar los tornillos a 9 pie-lb (12 Nm).

10. Conectar el cable negativo de la batería.

DEPÓSITO DE ACEITE

DESMONTAJE E INSTALACIÓN

➡ **La radio puede contener un circuito codificado de protección antirrobo. Obtener siempre el número del código antes de desconectar la batería. Si el vehículo está equipado con 4RD, al desconectar la batería, la unidad de control de dirección se para. Después de conectar la batería,**

girar el volante de tope a tope, para reajustar la unidad de control de la dirección.

Civic y Del Sol

1. Desconectar el cable negativo de la batería.

2. Levantar y soportar con seguridad el vehículo.

3. Drenar el aceite y sacar el panel contra salpicaduras inferior.

4. Sacar las tuercas y los tornillos que conectan el tubo de escape A con el convertidor catalítico. Desechar la junta y las contratuercas.

5. Sacar las tuercas que acoplan el tubo de escape A en el colgador de escape.

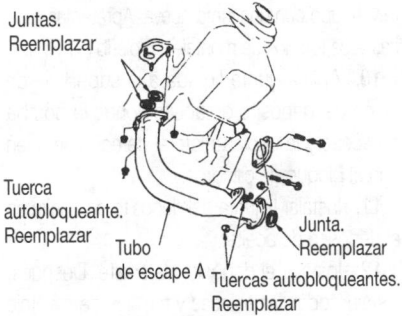

▲ Tubo de escape A – Motores 1.5L (D15B7, D15B8, D15Z1) y 1.6L (D16Z6, B16A2, B16A3)

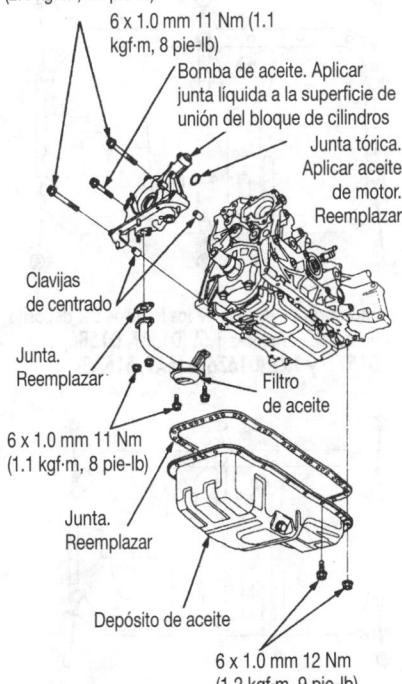

▲ Depósito de aceite y filtro de aceite – Motores 1.6L (B16A2 y B16A3)

6. Sacar y desechar las contratuercas que acoplan el tubo de escape A en el múltiple de escape; después sacar el tubo de escape A del vehículo. Desechar las juntas de escape.

7. Aflojar los tornillos del depósito de aceite, siguiendo una secuencia entrelazada. Para sacar el depósito de aceite, golpear ligeramente los bordes del depósito de aceite con una maza de goma o de plástico. Limpiar todo el material de junta vieja.

8. Examinar si hay daños o adherencias en el filtro de aceite y en el tubo de succión. Si el colador y el tubo están atascados con restos de aceite, deben limpiarse a fondo o reemplazarse.

Para instalar:

9. Si se ha sacado, instalar el colador de aceite y el tubo con una junta nueva. Apretar las tuercas y los tornillos de montaje a 8 pie-lb (11 Nm).

10. Aplicar junta líquida a la superficie de unión del depósito de aceite donde la bomba de aceite y la cubierta lateral derecha se unen con el bloque de cilindros.

11. Instalar la junta del depósito de aceite en el depósito de aceite.

12. Instalar el depósito de aceite. Después, instalar todas las tuercas y tornillos de montaje centrales y extremos. Apretar con la mano las tuercas y los tornillos del depósito de aceite de forma uniforme.

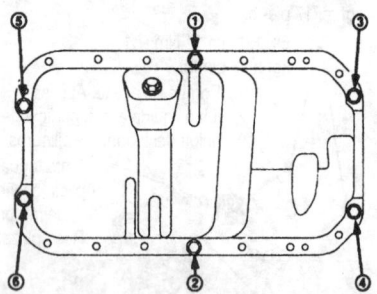

▲ Secuencia de apriete de los tornillos del depósito de aceite – Motores 1.5L (D15B7, D15B8, D15Z1) y 1.6L (D16Z6, B16A2, B16A3)

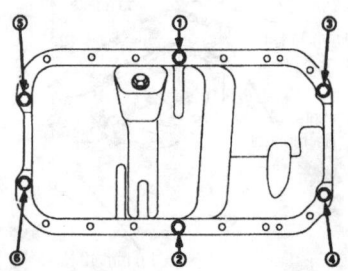

▲ Secuencia de apriete de los tornillos del depósito de aceite – Motores 1.6L (D16Y5, D16Y7, D16Y8)

13. Apretar, en el sentido de las agujas del reloj, las tuercas y los tornillos de montaje del depósito de aceite en una pauta de tres pasos, empezando por el tornillo central, junto al tapón de drenaje del aceite. El valor del apriete final para las tuercas y los tornillos es de 9-10 pie-lb (12-14 Nm).

➡ **El apriete excesivo puede provocar distorsiones en la junta del depósito de aceite y fugas de aceite.**

14. Instalar el tapón de drenaje del aceite con una arandela de aplastamiento nueva. Apretar el tapón a 33 pie-lb (44 Nm).

15. Instalar el tubo de escape A usando juntas y contratuercas nuevas. Apretar las tuercas que acoplan el tubo de escape con el múltiple de escape, a 40 pie-lb (54 Nm). Apretar las tuercas que acoplan el tubo de escape con el convertidor catalítico y el colgador del tubo de escape, a 16 pie-lb (22 Nm).

16. Instalar el panel contra salpicaduras inferior. Después, bajar el vehículo.

17. Rellenar el motor con aceite limpio.

18. Conectar el cable negativo de la batería e introducir el código de seguridad de la radio.

19. Rodar el motor y comprobar si hay fugas.

20. Apagar el motor y comprobar el nivel del aceite. Si es necesario, anadir.

Prelude y Accord

MOTORES 2.2L, 2.3L Y 2.7L

1. Desconectar el cable negativo de la batería.

2. Levantar y soportar con seguridad el vehículo.

3. Drenar el aceite del motor en un recipiente provisto de cierre.

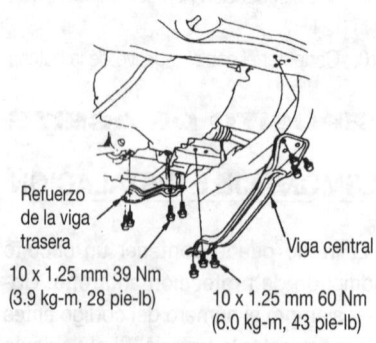

▲ Para mejorar el acceso al depósito de aceite, sacar la viga central – Motores 2.2L (F22A1, H22A1) y 2.3L (H23A1)

Refuerzo de la viga trasera
10 x 1.25 mm 39 Nm (3.9 kg-m, 28 pie-lb)

Viga central
10 x 1.25 mm 60 Nm (6.0 kg-m, 43 pie-lb)

4. Instalar el tornillo de drenaje con una junta nueva; apretar el tornillo a 33 pie-lb (44 Nm).

5. Sacar las ruedas delanteras y el protector contra salpicaduras.

6. Sacar la viga central.

7. Desconectar el conector eléctrico del sensor de oxígeno.

8. Sacar los tornillos del soporte de montaje en el tubo de escape A.

9. Sacar las tuercas que acoplan el tubo de escape A al múltiple de escape y al convertidor catalítico. Sacar el tubo de escape A y desechar las juntas.

10. Si está equipado con cambio automático, sacar la cubierta del convertidor de par.

11. Si está equipado con cambio manual, sacar la cubierta del embrague.

12. Sacar las tuercas y los tornillos del depósito de aceite (siguiendo una pauta entrelazada) y el depósito de aceite; si es necesario, utilizar una maza blanda para golpear ligeramente los bordes del depósito de aceite. NO hacer palanca en el depósito para aflojarlo.

13. Limpiar la superficie de montaje del depósito de aceite de material de la junta vieja y de aceite de motor.

Para instalar:

14. Instalar una junta de depósito de aceite nueva en el depósito de aceite. Aplicar junta líquida en las esquinas de la sección curvada de la junta.

15. Instalar el depósito de aceite en el motor.

16. Instalar las tuercas y los tornillos del depósito de aceite; apretar las tuercas y los tornillos, en dos pasos, a 10 pie-lb (14 Nm).

17. Si está equipado con cambio automático, instalar la cubierta del convertidor de par. Apretar los tornillos a 9 pie-lb (12 Nm).

18. Si está equipado con cambio manual, instalar la cubierta del embrague. Apretar los tornillos a 9 pie-lb (12 Nm).

19. Instalar el tubo de escape A con juntas y contratuercas nuevas. Apretar las tuercas que acoplan el tubo de escape A al múltiple, a 40 pie-lb (54 Nm), y apretar las tuercas que acoplan el tubo de escape A al convertidor catalítico, a 25 pie-lb (33 Nm). Instalar los tornillos en el soporte de montaje del tubo de escape y apretar los tornillos a 13 pie-lb (18 Nm).

20. Conectar el conector eléctrico del sensor de oxígeno.

21. Instalar la viga central; apretar los tornillos de montaje como sigue:

• Prelude: 43 pie-lb (60 Nm).

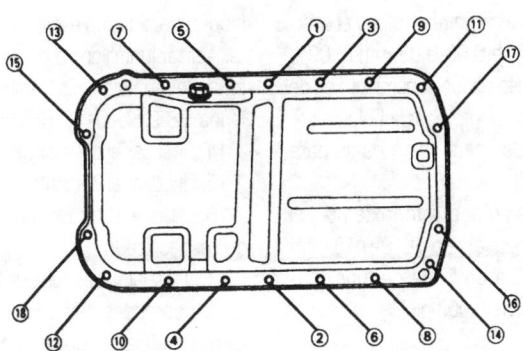

▲ Secuencia de apriete de los tornillos de montaje del depósito de aceite – Motores 2.2L (F22A1, F22B1, F22B2, H22A1 y F22A6) y 2.3L (H23A1)

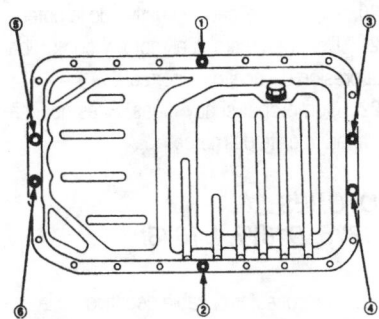

▲ Secuencia de apriete del depósito de aceite – Motores 2.7L

- Accord 1995-97 y motores 2.7L: 37 pie-lb (50 Nm).

22. Instalar el protector contra salpicaduras; apretar los tornillos de montaje a 7 pie-lb (10 Nm).

23. Instalar las ruedas delanteras.

24. Bajar el vehículo y llenar el motor con aceite.

25. Conectar el cable negativo de la batería e introducir el código de seguridad de la radio.

26. Arrancar el motor y comprobar si hay fugas.

27. Si está equipado con 4RD, girar el volante de tope a tope para reajustar la unidad de control de las 4RD.

28. Si el sensor de oxígeno está situado en el tubo de escape medio, conectar el conector eléctrico del sensor de oxígeno.

MOTOR 3.0L

1. Desconectar el cable negativo de la batería.

2. Levantar y soportar con seguridad el vehículo.

3. Sacar la cubierta inferior.

4. Drenar el aceite del motor y volver a colocar el tapón de drenaje.

5. Sacar el tubo de escape delantero.

6. Sacar los tornillos de montaje del depósito de aceite.

7. Golpear con un martillo una cuchilla de sellos entre el bloque de cilindros y el depósito de aceite para romper el sello de aceite.

8. Sacar el depósito de aceite.

Para instalar:

9. Limpiar la superficie de montaje de la brida del depósito de aceite y del bloque de cilindros.

10. Aplicar selladora a la brida del depósito de aceite. Asegurarse de aplicar selladora hacia el interior de los agujeros de los tornillos.

11. Instalar el depósito de aceite en el motor. Apretar los tornillos, en secuencia, a 10 pie-lb (14 Nm).

12. Instalar el tubo de escape.

13. Instalar la cubierta interior.

14. Bajar el vehículo.

▼ AVISO ▼

Hacer funcionar el motor sin la cantidad y el tipo adecuado de aceite provocará graves daños al motor.

15. Rellenar el motor con la cantidad correcta de aceite.

16. Conectar el cable negativo de la batería.

17. Arrancar el motor y comprobar si hay fugas.

BOMBA DE ACEITE

DESMONTAJE E INSTALACIÓN

➡ La radio original puede contener un circuito codificado antirrobo. Conseguir siempre el número del código de seguridad antes de desconectar los cables de la batería.

Civic y Del Sol

MOTORES 1.5L (D15B7, D15B8, D15Z1) Y 1.6L (D16Z6)

1. Desconectar el cable negativo de la batería.

2. Levantar y soportar con seguridad el vehículo.

3. Drenar el aceite del motor.

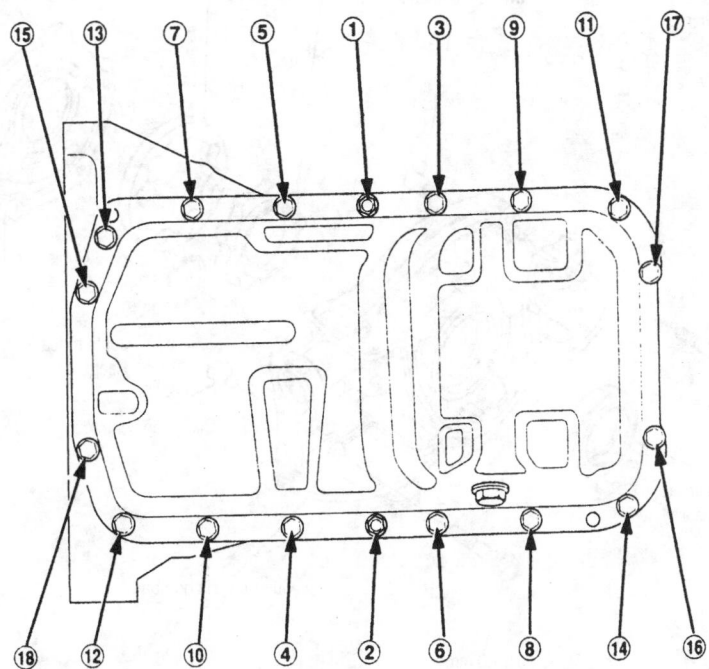

▲ Secuencia de apriete de los tornillos de montaje del depósito de aceite – Motor 3.0L

4. Poner el cilindro N° 1 en el PMS de la carrera de compresión. La marca en la polea del cigüeñal debe alinearse con la marca indicadora en la cubierta de sincronización.

➡ **Si se ha de volver a instalar, marcar la dirección de rotación de la correa de sincronización.**

5. Sacar las correas propulsoras auxiliares y la polea del cigüeñal.

6. Sacar la cubierta de válvulas y las cubiertas de la correa de sincronización.

7. Sacar los componentes siguientes:

a. Tensor de la correa de sincronización.

b. Correa de sincronización.

c. Engranaje del cigüeñal de la correa de sincronización.

8. Sacar el depósito de aceite y el colador de aceite.

9. Sacar los tornillos de montaje de la bomba de aceite y el conjunto de la bomba de aceite.

10. Desensamblar la bomba de aceite y examinar los rotores:

a. La holgura entre el rotor interno y externo es de 0.02-0.14 mm (0.001-0.006 plg). La de límite de funcionamiento es de 0.20 mm (0.008 plg).

b. La holgura axial entre el rotor y el cuerpo de la bomba es de 0.03-0.08 mm (0.001-0.003 plg). La de límite de funcionamiento es de 0.15 mm (0.006 plg). Comprobar la holgura utilizando una barra de acero y una galga para huelgos.

c. La holgura entre el rotor externo y el cuerpo de la bomba es de 0.10-0.18 mm (0.004-0.007 plg). La de límite de funcionamiento es de 0.20 mm (0.008 plg).

Para instalar:

➡ **Si los rotores están gastados o dañados, reemplazarlos. Utilizar juntas tóricas nuevas cuando se ensamble y se instale la bomba de aceite.**

11. Ensamblar la bomba de aceite y apretar los tornillos de la cubierta del rotor a 33 pie-lb (45 Nm).

12. Antes de instalarla, asegurarse de que todas las superficies de unión de la junta están limpias. Antes de instalar la bomba de aceite, reemplazar el sello de aceite del cigüeñal.

13. Aplicar junta líquida a la superficie de unión del bloque de cilindros. Aplicar una ligera capa de aceite en el labio del sello de aceite del cigüeñal. Instalar una junta tórica nueva en el bloque de cilindros e instalar la bomba de aceite. Aplicar junta líquida en las roscas de los tornillos de montaje de la bomba de aceite y apretarlos a 8-9 pie-lb (11-12 Nm).

14. Instalar el colador de aceite.

15. Instalar el depósito de aceite.

16. Apretar el tornillo de la polea del cigüeñal a lo especificado.

17. Instalar y, después de la instalación, tensar los componentes de la correa de sincronización. Instalar la cubierta de válvulas.

18. Instalar y ajustar las correas propulsoras auxiliares.

19. Rellenar el motor con aceite.

20. Conectar el cable negativo de la batería.

21. Poner en marcha el motor y comprobar si la presión del aceite es correcta.

22. Comprobar si hay fugas. Si es necesario, añadir aceite de motor.

MOTORES 1.6L (D16Y5, D16Y7, D16Y8)

1. Desconectar el cable negativo de la batería.

2. Levantar y soportar con seguridad el vehículo.

3. Drenar el aceite del motor.

4. Girar el cigüeñal para ajustar el cilindro N° 1 en el PMS para la carrera de compresión. La marca blanca del PMS en la polea del cigüeñal debe alinearse con los indicadores del PMS en la cubierta de sincronización inferior.

➡ **Si se ha de volver a utilizar, marcar la dirección de rotación de la correa de sincronización.**

5. Sacar las correas propulsoras auxiliares y la polea del cigüeñal.

6. Sacar la cubierta de válvulas y las cubiertas superior e inferior de la correa de sincronización.

➡ **Cubrir los conjuntos de balancines y ejes con una toalla de taller o un plástico para no dejar entrar suciedad ni objetos extraños.**

7. Sacar la varilla medidora y su tubo del cuerpo de la bomba de aceite.

8. Descargar la tensión de la correa de sincronización. Después, sacar la correa de sincronización.

9. Desatornillar el sensor de Fluctuación de Velocidad del Cigüeñal (FVC) de la cubierta de

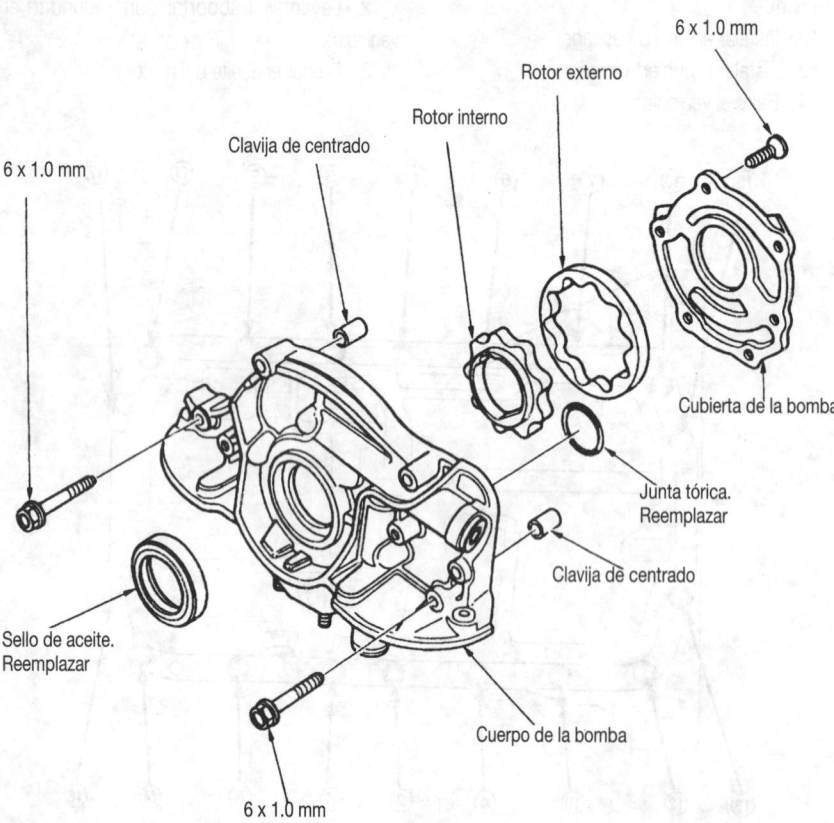

Despiece de la bomba de aceite – Motores 1.5L (D15B7, D15B8, D15Z1) y 1.6L (D16Z6)

Polea del cigüeñal:

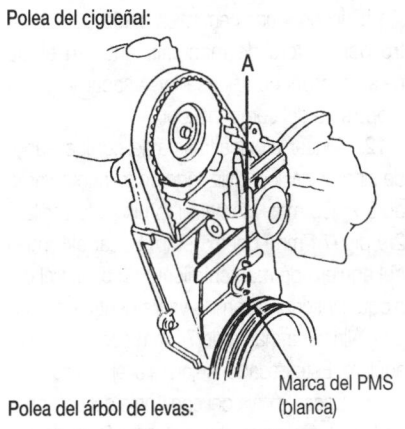

Marca del PMS (blanca)

A

Polea del árbol de levas:

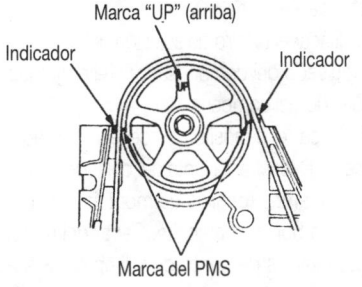

Marca "UP" (arriba)

Indicador   Indicador

Marca del PMS

⚠ **Marcas del PMS del cigüeñal y del árbol de levas – Motores 1.6L (D16Y5, D16Y7, D16Y8)**

Conector del sensor de la FVC

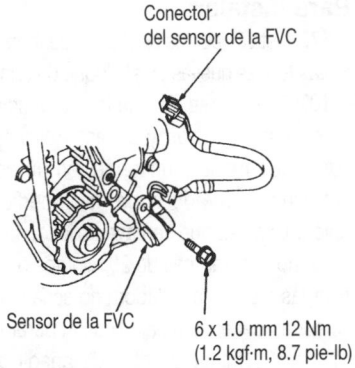

Sensor de la FVC

6 x 1.0 mm 12 Nm (1.2 kgf·m, 8.7 pie-lb)

⚠ **Posición del sensor de la FVC – Motores 1.6L (D16Y5, D16Y7, D16Y8)**

la bomba de aceite. Desconectar el sensor y sacarlo de manera que no entre en contacto con el aceite, pues en caso contrario se dañaría.

10. Sacar el engranaje del cigüeñal.

11. Sacar el depósito de aceite.

12. Desatornillar el filtro de aceite y el tubo de succión del contrafuerte del cuerpo de la bomba de aceite y del cigüeñal. Si el colador y el tubo de succión están bloqueados con residuos de aceite, limpiarlos o reemplazarlos según sea necesario.

13. Desatornillar; después sacar el conjunto de la bomba de aceite.

➡ Si los rotores se han de reutilizar, marcarlos en relación con el cuerpo con un rotulador para ensamblarlos.

Para instalar:

➡ Reemplazar los rotores si están gastados o dañados. Usar juntas tóricas nuevas cuando se ensamble y se instale la bomba de aceite.

14. Volver a instalar los rotores en sus posiciones originales. Asegurarse de que se mueven sin adherencias. Llenar la cavidad del rotor con vaselina para prevenir daños en caso de quedarse sin aceite, cuando el motor se arranque inicialmente.

15. Ensamblar la bomba del aceite y apretar los tornillos de la cubierta del rotor a 5 pie-lb (7 Nm).

16. Antes de la instalación, asegurarse de que las superficies de unión de la junta están limpias.

17. Instalar un sello de aceite del cigüeñal nuevo dentro del cuerpo de la bomba de aceite.

18. Aplicar junta líquida a la superficie de unión del bloque de cilindros. Aplicar una ligera capa de aceite al labio del sello de aceite del cigüeñal. Instalar una junta tórica nueva en el bloque de cilindros e instalar la bomba de aceite. Aplicar junta líquida a las roscas de los tornillos de montaje de la bomba de aceite y apretarlos a 8 pie-lb (11 Nm).

19. Lubricar ligeramente con aceite el pistón y el resorte de la válvula de seguridad; después instalarlos. Instalar el tornillo de sellado con una arandela de aplastamiento nueva y apretarlo a 29 pie-lb (39 Nm).

20. Instalar el colador de aceite. Apretar las tuercas y los tornillos de sujeción a 8 pie-lb (11 Nm).

21. Instalar el depósito de aceite. Apretar las tuercas y los tornillos del depósito de aceite a 9 pie-lb (12 Nm).

22. Instalar el engranaje del cigüeñal. La superficie cóncava del separador debe mirar hacia el bloque de cilindros.

23. Verificar que el motor está en el PMS/ compresión para el cilindro N° 1.

24. Instalar y tensar la correa de sincronización. Apretar el tornillo de ajuste del tensor a 33 pie-lb (44 Nm).

25. Instalar y reconectar el sensor de FVC. Apretar el tornillo de montaje del sensor a 9 pie-lb (12 Nm).

26. Instalar las cubiertas superior e inferior de la correa de sincronización. Instalar la cubierta de

válvulas. Asegurarse de que los sellos y las juntas de goma están correctamente asentados.

27. Instalar el tubo de la varilla medidora con una junta tórica nueva.

28. Apretar el tornillo de la polea del cigüeñal a 134 pie-lb (181 Nm).

29. Instalar un filtro de aceite nuevo. Rellenar el motor con aceite nuevo.

30. Lentamente girar varias veces el motor con la mano para cebar la bomba del aceite y verificar que la correa de sincronización ha sido instalada y tensada correctamente.

31. Instalar y ajustar las correas propulsoras auxiliares.

32. Conectar el cable negativo de la batería.

33. Poner en marcha el motor y comprobar si la presión del aceite es correcta.

34. Comprobar si hay fugas. Si es necesario añadir aceite al motor.

MOTORES 1.6L (B16A2, B16A3)

1. Desconectar el cable negativo de la batería.

2. Levantar y soportar con seguridad el vehículo.

3. Drenar el aceite del motor.

4. Etiquetar y desconectar los cables de encendido.

5. Poner el cilindro N° 1 en el PMS de la carrera de compresión. La marca en la polea del cigüeñal debe alinearse con la marca de sincronización en la cubierta de sincronización.

➡ Si se ha de volver a instalar, marcar la dirección de rotación de la correa de sincronización.

6. Descargar las tensiones de las correas propulsoras auxiliares y deslizarlas fuera de sus poleas. Sacar la polea del cigüeñal.

7. Sacar la cubierta de válvulas y las cubiertas superior e inferior de la correa de sincronización.

➡ Cubrir los conjuntos de balancines y ejes con una toalla de taller o un plástico para evitar que entre suciedad u objetos extraños.

8. Descargar la tensión de la correa de sincronización. Después, sacar la correa de sincronización.

9. Si está equipado con sensor de Fluctuación de Velocidad del Cigüeñal (FVC) en el engranaje del cigüeñal, desatornillar los sopor-

tes del sensor. Después, desconectar el sensor y sacarlo.

10. Sacar el engranaje del cigüeñal.

11. Sacar el depósito de aceite y el colador de aceite.

12. Desatornillar; después sacar el conjunto de la bomba de aceite.

Para instalar:

➡ Si los rotores están gastados o dañados, reemplazarlos. Cuando se ensamble y se instale la bomba de aceite, usar juntas tóricas nuevas.

13. Volver a instalar los rotores en sus posiciones originales. Asegurarse de que giran sin adherencias. Llenar la cavidad del rotor con vaselina para prevenir daños en caso de que se quede sin aceite, cuando el motor se arranque inicialmente.

14. Ensamblar la bomba de aceite y apretar los tornillos de la cubierta del rotor a 5 pie-lb (7 Nm).

15. Antes de la instalación, asegurarse de que las superficies de unión de junta están limpias. Antes de la instalación de la bomba de aceite, reemplazar el sello de aceite del cigüeñal.

16. Instalar un sello de aceite de cigüeñal nuevo dentro del cuerpo de la bomba de aceite.

17. Aplicar junta líquida a la superficie de unión de la bomba de aceite del bloque de cilindros. Aplicar una ligera capa de aceite al labio del sello de aceite de cigüeñal. Instalar una nueva junta tórica del conducto del aceite en el bloque de cilindros; después instalar la bomba de aceite. Aplicar junta líquida a las roscas de los tornillos de montaje de la bomba de aceite y apretar los de 6 mm a 8 pie-lb (11 Nm) y los de 8 mm a 17 pie-lb (24 Nm).

18. Lubricar ligeramente con aceite el pistón y el resorte de la válvula de seguridad; después instalarlos. Instalar el tornillo de sellado con una arandela de aplastamiento nueva y apretarlo a 29 pie-lb (39 Nm).

19. Instalar el colador de aceite.

20. Instalar el depósito de aceite. Esperar para que la selladora fragüe antes de rellenar el motor con aceite.

21. Instalar el sensor de la FVC. Apretar los tornillos de montaje del sensor a 8 pie-lb (11 Nm).

22. Instalar el engranaje del cigüeñal. La superficie cóncava del separador debe mirar hacia fuera.

23. Instalar y tensar la correa de sincronización. Apretar el tornillo de ajuste del tensor a 40 pie-lb (55 Nm).

24. Instalar y reconectar el sensor de la FVC. Apretar el tornillo de montaje del sensor a 9 pie-lb (12 Nm).

25. Instalar las cubiertas superior e inferior de la correa de sincronización. Instalar la cubierta de válvulas. Asegurarse de que todas las juntas y sellos de goma están asentados correctamente.

26. Apretar el tornillo de la polea del cigüeñal a 130 pie-lb (180 Nm).

27. Instalar un filtro de aceite nuevo. Rellenar el motor con aceite nuevo.

28. Girar lentamente el motor varias veces con la mano para cebar la bomba de aceite y para verificar que la correa de sincronización ha sido instalada y tensada correctamente.

29. Instalar y ajustar las correas propulsoras auxiliares.

30. Conectar el cable negativo de la batería.

31. Poner en marcha el motor y comprobar si la presión del aceite es correcta.

32. Comprobar si hay fugas. Si es necesario, añadir aceite de motor.

Accord y Prelude

MOTORES 2.2L Y 2.3L

1. Desconectar el cable negativo de la batería.

2. Drenar el aceite del motor en un recipiente provisto de cierre.

3. Girar el motor para alinear las marcas de sincronización y poner el cilindro N° 1 en el PMS. La marca blanca en la polea del cigüeñal debe alinearse con el indicador en la cubierta de la correa de sincronización.

4. Sacar la cubierta de válvulas y la cubierta superior de la correa de sincronización.

5. Sacar la correa de la bomba de la dirección asistida y la correa del alternador; si está equipado, sacar también la correa del aire acondicionado.

6. Sacar la polea del cigüeñal y la cubierta inferior de la correa de sincronización.

7. Sacar la correa del compensador y la correa de sincronización, asegurándose de marcar la rotación de la correa de sincronización, si ha de ser reutilizada.

8. Sacar los tensores de la correa de sincronización y de la correa del compensador.

9. Si está equipado, desmontar los tornillos de montaje del sensor de PC/PMS de la bomba de aceite. Desconectar y sacar del vehículo el conector del sensor de PC/PMS.

10. Sacar la polea propulsora y la chaveta de la correa de sincronización del cigüeñal.

11. Insertar una herramienta adecuada dentro del agujero de mantenimiento en el eje delantero del compensador y sacar la polea propulsora del compensador.

12. Alinear la polea trasera del compensador de sincronización, utilizando un tornillo o varilla de 6 x 100 mm. Marcar el tornillo o la varilla a 2.9 plg (74 mm) del extremo. Sacar el tornillo del agujero de mantenimiento en el lateral del bloque; insertar el tornillo/varilla dentro del agujero. Alinear la marca de 74 mm con la cara del agujero. Este pasador sujetará el eje en su sitio.

13. Sacar la caja del engranaje del compensador y las clavijas de centrado. Desechar la junta tórica.

14. Sacar el tornillo de sujeción del engranaje propulsado del compensador y el engranaje propulsado del compensador.

15. Sacar el depósito de aceite y el colador de aceite. Desechar la junta del colador.

16. Sacar los tornillos de montaje del conjunto de la bomba de aceite. Sacar del motor las dos clavijas de centrado y limpiar las superficies de unión de la bomba de aceite de material de junta vieja y aceite. Desechar las juntas tóricas.

Para instalar:

17. Instalar las dos clavijas de centrado y las juntas tóricas nuevas en el bloque de cilindros.

18. Asegurarse de que las superficies de unión están limpias y secas. Aplicar junta líquida de manera uniforme, en un cordón estrecho, centrado sobre la superficie de unión. Una vez que se haya aplicado la selladora, no esperar más de 20 minutos para instalar las piezas; la selladora no sería efectiva. Después del ensamblaje final, esperar como mínimo 30 minutos antes de añadir aceite al motor, dando tiempo a la selladora para que fragüe. Para prevenir fugas de aceite, aplicar una selladora de roscas adecuada a las roscas interiores de los agujeros de los tornillos.

19. Instalar la bomba de aceite en el bloque de cilindros. Apretar los tornillos de montaje a 9 pie-lb (12 Nm).

20. Instalar el colador de aceite. Apretar los tornillos y las tuercas de montaje del colador a 9 pie-lb (12 Nm).

21. Instalar el depósito de aceite.

22. Instalar la polea propulsada del compensador en la correa delantera del compensador; sujetar el eje del compensador en su sitio con una herramienta adecuada. Apretar el tornillo de sujeción a 22 pie-lb (29 Nm).

23. Instalar el engranaje propulsado del compensador en el eje trasero del compensador. Apretar el tornillo a 18 pie-lb (25 Nm).

24. Antes de instalar el engranaje propulsado del compensador y la caja del engranaje, aplicar bisulfuro de molibdeno (o grasa lubricante de litio) a las superficies de empuje de los engranajes del compensador.

25. Alinear la ranura en el borde de la polea con el indicador sobre la caja del engranaje del compensador.

26. Instalar la caja del engranaje del compensador en el motor e instalar los tornillos y la tuerca de montaje. El eje trasero del compensador se sujeta en su sitio con un tornillo de 6 x 100 mm. Apretar los tornillos y la tuerca de montaje a 18 pie-lb (25 Nm).

27. Comprobar la alineación del indicador de la polea del compensador con el indicador de la bomba de aceite.

28. Instalar la polea propulsora en el cigüeñal.

29. Si está equipado, conectar el conector del sensor de PC/PMS con el cableado del motor. Instalar el sensor de PC/PMS en la bomba de aceite e instalar los tornillos de montaje. Apretar los tornillos de montaje a 9 pie-lb (12 Nm).

30. Instalar los tensores de la correa de sincronización.

31. Instalar la correa de sincronización y la correa del compensador.

32. Instalar la polea del cigüeñal y la cubierta inferior de la correa de sincronización.

33. Instalar las correas propulsoras para el alternador, la dirección asistida y el compresor del A/A; ajustar la tensión.

34. Instalar la cubierta de válvulas y la cubierta superior de la correa de sincronización.

35. Llenar el motor con aceite limpio y nuevo.

36. Conectar el cable negativo de la batería e introducir el código de seguridad de la radio.

MOTOR 2.7L

➡ **La radio puede contener un circuito codificado de protección antirrobo. Conseguir siempre el código antes de desconectar la batería.**

1. Desconectar el cable negativo de la batería.

2. Girar el motor para alinear las marcas de sincronización y poner el cilindro N° 1 en el PMS. La marca blanca en la polea del cigüeñal debe alinearse con el indicador en la cubierta de la correa de sincronización. Sacar los tapo-

nes de inspección de las cubiertas superiores de las correas de sincronización para comprobar la alineación de las marcas de sincronización. Los indicadores de los árboles de levas deben alinearse con las marcas verdes en las poleas de los árboles de levas.

3. Levantar y soportar con seguridad el vehículo.

4. Drenar el aceite del motor en un recipiente provisto de cierre.

5. Sacar las ruedas delanteras y el protector contra salpicaduras del motor.

6. Sacar las cubiertas de la correa de sincronización y la correa de sincronización.

7. Desconectar el conector eléctrico del sensor de PC; después sacar el sensor de PC de la bomba de aceite.

8. Sacar el tensor de la correa de sincronización.

9. Sacar el plato obturador de la bomba de aceite; después sacar la polea propulsora de la correa de sincronización.

10. Sacar el filtro de aceite.

11. Desconectar el terminal del interruptor de la presión del aceite; después sacar los tornillos de sujeción de la base del filtro de aceite.

12. Sacar la base del filtro de aceite y desechar las juntas tóricas.

13. Sacar el depósito de aceite.

14. Sacar el filtro de aceite y la placa deflectora.

15. Sacar los tornillos de sujeción del tubo de paso del aceite; después sacar el tubo de la bomba de aceite. Desechar las juntas tóricas.

16. Sacar los tornillos de la bomba de aceite; anotar la posición de los tornillos.

17. Sacar la bomba de aceite y las clavijas de centrado del motor.

Para instalar:

18. Instalar las dos clavijas de centrado en el bloque de cilindros.

19. Asegurarse de que las superficies de unión están limpias y secas. Aplicar junta líquida de manera uniforme en un cordón estrecho centrado en la superficie de unión. Una vez que se haya aplicado la selladora, no esperar más de 20 minutos para instalar las piezas; la selladora no sería efectiva. Después del ensamblaje final, esperar como mínimo 30 minutos antes de añadir aceite al motor, dando tiempo a la selladora para que se

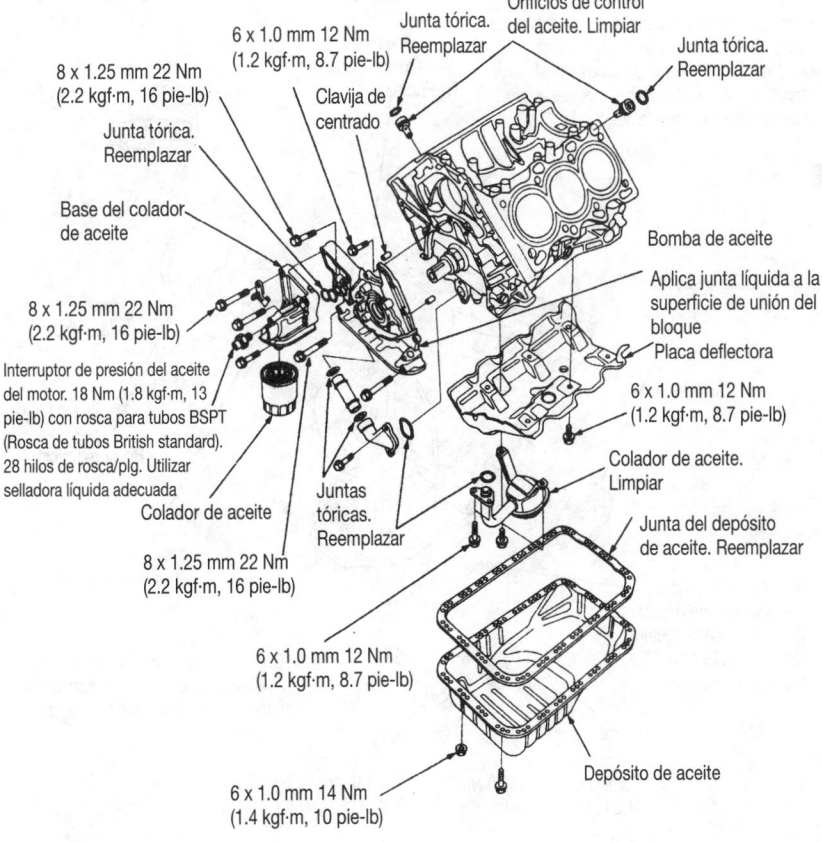

▲ **Bomba de aceite y componentes relacionados – Motor 2.7L**

endurezca. Para prevenir fugas de aceite, aplicar una selladora de roscas adecuada en las roscas interiores de los agujeros de los tornillos.

20. Aplicar grasa en los labios del sello de aceite del cigüeñal. Instalar la bomba de aceite en el bloque de cilindros. Apretar los tornillos de montaje de 6 x 1.0 mm a 9 pie-lb (12 Nm) y los tornillos de montaje de 8 x 1.25 mm a 16 pie-lb (22 Nm). Limpiar cualquier exceso de grasa del cigüeñal; después asegurarse de que los labios del sello de aceite no están deformados.

21. Instalar juntas tóricas nuevas en el tubo de paso del aceite; después instalar el tubo de paso en la bomba de aceite y el puente del cigüeñal. Apretar los tornillos de sujeción a 9 pie-lb (12 Nm).

22. Instalar la placa deflectora. Apretar los tornillos de montaje de la placa deflectora a 9 pie-lb (12 Nm).

23. Instalar el filtro de aceite con juntas tóricas nuevas. Apretar los tornillos de montaje del filtro a 9 pie-lb (12 Nm).

24. Instalar el depósito de aceite.

25. Instalar juntas tóricas nuevas en la base del filtro de aceite e instalar la base del filtro de aceite en el motor. Apretar los tornillos de montaje a 16 pie-lb (22 Nm).

26. Conectar el terminal del interruptor de la presión del aceite. Apretar el tornillo de sujeción a 1.8 pie-lb (2.5 Nm).

27. Instalar el filtro del aceite.

28. Instalar la polea propulsora de la correa de sincronización y el plato obturador. Apretar los tornillos de montaje del plato obturador a 9 pie-lb (12 Nm).

29. Instalar el tensor de la correa de sincronización.

30. Instalar el sensor de PC en la bomba de aceite y conectar el conector eléctrico. APRETAR los tornillos de montaje a 9 pie-lb (12 Nm).

31. Instalar la correa de sincronización y las cubiertas de la correa de sincronización.

32. Instalar la protección contra salpicaduras del motor y las ruedas delanteras.

33. Bajar el vehículo y llenar el motor con aceite.

34. Conectar el cable negativo de la batería e introducir el código de seguridad de la radio.

35. Poner en marcha el motor y comprobar si hay fugas.

MOTOR 3.0L

1. Drenar el aceite del motor.

2. Girar el cigüeñal para colocar el pistón N° 1 en el PMS de la carrera de compresión.

3. Sacar la correa de sincronización.

4. Sacar la polea tensora.

5. Sacar el sensor de posición del cigüeñal.

6. Sacar la válvula de solenoide del VTEC y el filtro de aceite.

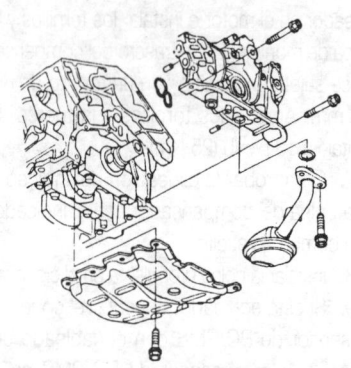

▲ **Montaje de la bomba de aceite – Motor 3.0L**

7. Sacar el depósito de aceite y el succionador.

8. Sacar el conjunto de la bomba de aceite.

Para instalar:

9. Instalar un sello de aceite del cigüeñal nuevo en la bomba de aceite.

10. Aplicar selladora a la superficie de montaje y a los agujeros de los tornillos de la bomba de aceite en el bloque de cilindros.

11. Lubricar con grasa el labio del sello de aceite nuevo y aplicar aceite de motor a la junta tórica.

12. Instalar la clavija de centrado y la bomba de aceite mientras se alinea el rotor interior con el cigüeñal. Apretar los tornillos a 9 pie-lb (12 Nm).

13. Instalar el succionador de la bomba de aceite. Apretar los tornillos de montaje a 9 pie-lb (12 Nm).

14. Instalar el depósito de aceite, la válvula de solenoide del VTEC, el filtro de aceite, el sensor de posición del cigüeñal y la polea tensora.

15. Instalar la correa de sincronización.

▼ AVISO ▼

Hacer funcionar el motor sin la cantidad y el tipo adecuado de aceite de motor provocará daños graves en el motor.

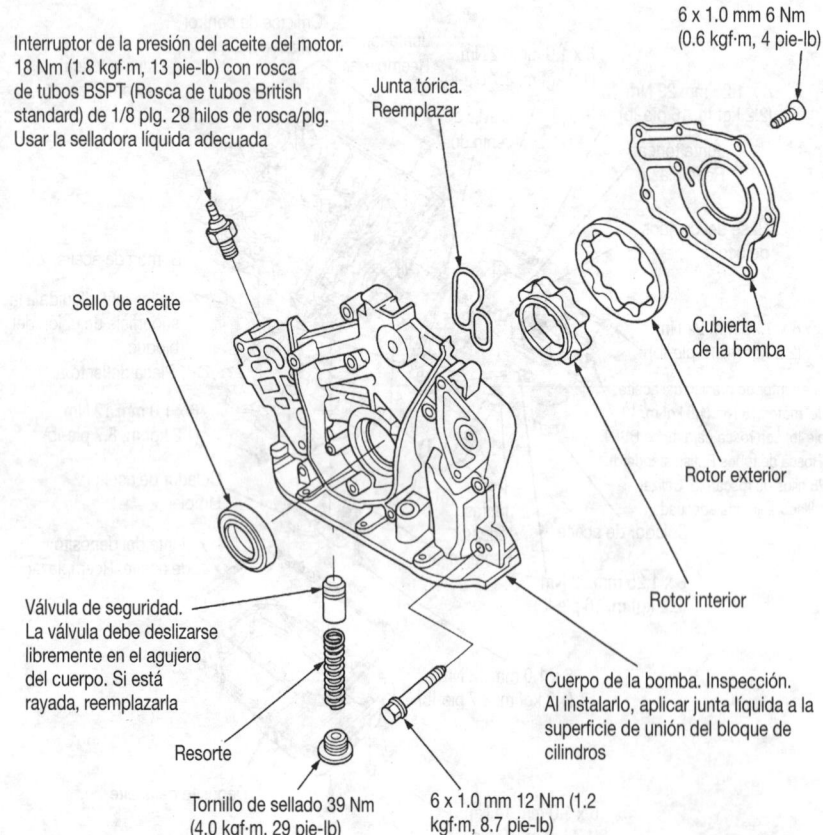

Interruptor de la presión del aceite del motor. 18 Nm (1.8 kgf·m, 13 pie-lb) con rosca de tubos BSPT (Rosca de tubos British standard) de 1/8 plg. 28 hilos de rosca/plg. Usar la selladora líquida adecuada

Junta tórica. Reemplazar

6 x 1.0 mm 6 Nm (0.6 kgf·m, 4 pie-lb)

Sello de aceite

Cubierta de la bomba

Rotor exterior

Rotor interior

Válvula de seguridad. La válvula debe deslizarse libremente en el agujero del cuerpo. Si está rayada, reemplazarla

Resorte

Tornillo de sellado 39 Nm (4.0 kgf·m, 29 pie-lb)

6 x 1.0 mm 12 Nm (1.2 kgf·m, 8.7 pie-lb)

Cuerpo de la bomba. Inspección. Al instalarlo, aplicar junta líquida a la superficie de unión del bloque de cilindros

▲ **Despiece de la bomba de aceite – Motor 3.0L**

16. Llenar el cárter con la cantidad adecuada de aceite de motor nuevo.

SELLO DE ACEITE PRINCIPAL TRASERO

DESMONTAJE E INSTALACIÓN

1. Sacar la caja de cambios (transeje).

2. Sacar el plato propulsor del cigüeñal.

3. Con cuidado, hacer palanca en el sello de aceite del cigüeñal para sacarlo del retén.

Para instalar:

4. Aplicar aceite de motor limpio en el labio del sello de aceite nuevo.

5. Instalar el sello de aceite sobre el cigüeñal y dentro del retén utilizando una herramienta de introducción de sellos apropiada.

6. Instalar el plato propulsor y la caja de cambios (transeje).

SISTEMA DE COMBUSTIBLE

PRECAUCIONES PARA LA REPARACIÓN DEL SISTEMA DE COMBUSTIBLE

La seguridad es el factor más importante cuando se realiza cualquier tipo de mantenimiento, no únicamente el mantenimiento del sistema de combustible. Si el mantenimiento y la reparación no se hacen de manera segura, pueden producirse graves daños personales, o incluso la muerte. El mantenimiento y la prueba de los componentes del sistema de combustible del vehículo pueden llevarse a cabo con seguridad y efectividad cumpliendo las normas y las líneas directrices siguientes:

• Para evitar la posibilidad de un incendio y daños personales, desconectar siempre el cable negativo de la batería, a menos que la reparación o el procedimiento de comprobación requiera que sea aplicado el voltaje de la batería.

• Descargar siempre la presión del sistema de combustible antes de desconectar cualquier componente (inyector, raíl de combustible, regulador de presión, etc.), accesorio o conexión de la línea de combustible del sistema de combustible. Extremar las precauciones siempre que se descargue la presión del sistema de combustible para evitar exponer la cara, la piel o los ojos a la pulverización de combustible. Se ha de saber que el combustible bajo presión puede penetrar la piel o cualquier parte del cuerpo con la que entre en contacto.

• Colocar siempre una toalla de taller o un trapo alrededor del accesorio o conexión antes de soltarlos, para que absorba cualquier exceso de combustible debido a un derrame. Asegurarse de que todo el combustible derramado se saca rápidamente de las superficies del motor. Asegurarse de que todas las toallas o trapos empapados en combustible se depositan en un contenedor de residuos adecuado.

• Mantener siempre un extintor de incendios de polvo seco (clase B) cerca de la zona de trabajo.

• No permitir que la pulverización o los vapores de combustible entren en contacto con una chispa o una llama.

• Usar siempre una llave de tuercas de apoyo cuando se suelten o se aprieten los accesorios de conexión de las líneas de combustible. Ello evitará una tensión y torsión innecesaria en el tubo de la línea de combustible. Seguir siempre las especificaciones de apriete correctas.

• Reemplazar siempre con nuevas las juntas tóricas de los accesorios de combustible gastadas. No cambiar por una manguera de combustible donde hay instalado un tubo de combustible.

PRESIÓN DEL SISTEMA DE COMBUSTIBLE

DESCARGA

▼ PRECAUCIÓN ▼

El sistema de combustible permanece bajo presión una vez que el motor ha sido apagado (OFF). Descargar correctamente la presión del combustible antes de desconectar cualquier línea de combustible. Cualquier fallo puede provocar un incendio o daños personales.

➡ La radio puede contener un circuito codificado de protección antirrobo. Conseguir siempre el número de código antes de desconectar la batería. Si el vehículo está equipado con 4RD, al desconectar la batería, la unidad de control de la dirección se para. Después de conectar la batería, girar el volante de tope a tope para reajustar la unidad de control de la dirección.

1. Desconectar el cable negativo de la batería.

2. Sacar el tapón de llenado de combustible.

3. Usar una llave de vaso para aflojar el tornillo de servicio de 6 mm, mientras se sujeta el tornillo especial hueco con otra llave. En los motores 1.5 L y 1.6L, el tornillo de servicio está colocado en el filtro de combustible. En el resto de motores, se encuentra en el raíl de combustible.

4. Colocar un trapo o una toalla de taller sobre el tornillo de servicio de 6 mm.

5. Aflojar lentamente el tornillo de servicio de 6 mm una vuelta completa.

▼ PRECAUCIÓN ▼

No permitir que la pulverización o los vapores del combustible entren en contacto con una chispa o una llama. Mantener cerca un extintor de incendios químico, de polvo seco. No almacenar nunca combustible en un recipiente abierto a causa del riesgo de incendio o explosión.

➡ Puede acoplarse un manómetro de combustible en la posición del tornillo de servicio de 6 mm. Reemplazar siempre la arandela entre el tornillo de servicio y el tornillo hueco cuando se afloje el tornillo de servicio.

6. Sacar el tornillo de servicio e instalar una arandela nueva. Apretar el tornillo de servicio a 9 pie-lb (12 Nm). No sobreapretar los tornillos de servicio; sus roscas pueden estropearse y provocar fugas.

7. Limpiar cualquier combustible vertido en el motor y en el múltiple de admisión.

8. Instalar el tapón de llenado de combustible.

9. Reconectar el cable negativo de la batería.

10. Girar el encendido hasta la posición "ON", pero no arrancar el motor. Repetir esto dos o tres veces para presurizar el sistema de combustible. Comprobar si hay fugas de combustible.

11. Introducir el código de seguridad de la radio.

12. Si está equipado con 4RD, girar el volante de tope a tope para reajustar la unidad de control de las 4RD.

FILTRO DE COMBUSTIBLE

DESMONTAJE E INSTALACIÓN

Civic y Del Sol

▼ PRECAUCIÓN ▼

El sistema de combustible permanece bajo presión, incluso después de que el motor haya sido apagado (OFF). Descargar correctamente la presión del combustible antes de desconectar cualquier línea de combustible. Cualquier fallo a la hora de seguir este procedimiento puede provocar un incendio o explosión.

➡ La radio original contiene un circuito codificado antirrobo. Obtener el número del código de seguridad antes de desconectar la batería.

1. Desconectar el cable negativo de la batería.

2. Colocar un trapo debajo del filtro de combustible para recoger la pulverización de combustible.

3. Descargar la presión del combustible aflojando primero el tapón de llenado de combustible. Usar una llave de tuercas abocardadas de 6 mm para sujetar el tornillo hueco. Después, aflojar el tornillo de servicio una vuelta completa con una llave de vaso o una llave de tubo.

4. Usar dos llaves de abocardadas para desconectar la línea de entrada de combustible de la parte inferior del filtro. Tapar la línea de combustible para no dejar que entre suciedad.

5. Desatornillar y sacar la abrazadera del filtro de combustible. Sacar el filtro de su soporte.

Para instalar:

➡ Al instalar el filtro de combustible utilizar arandelas de sellado nuevas para evitar fugas de combustible y la posibilidad de que se produzca un incendio.

6. Limpiar los accesorios de la línea de combustible antes de instalar el filtro.

7. Instalar el filtro de combustible y su abrazadera. Apretar el tornillo de la abrazadera a 7 pie-lb (10 Nm).

8. Conectar la línea de entrada de combustible y apretar con cuidado su rácor a 27 pie-lb (38 Nm).

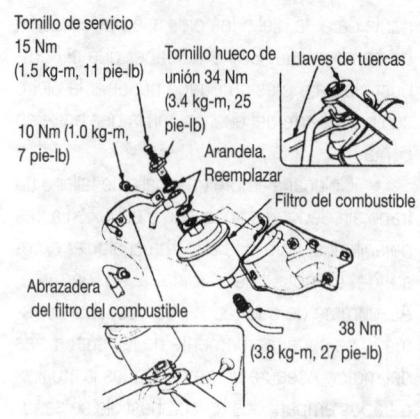

Componentes del filtro de combustible – Motores 1.5L y 1.6L

9. Conectar la línea de combustible con arandelas nuevas e instalar el tornillo hueco. Apretar el tornillo hueco a 16 pie-lb (22 Nm). Instalar el tornillo de servicio y apretarlo a 9 pie-lb (12 Nm).

10. Conectar el cable de la batería. Apretar el tapón de llenado de combustible.

11. Girar el encendido en posición "ON" y "OFF" varias veces para presurizar el sistema de combustible. Arrancar y hacer marchar el motor, y comprobar si hay alguna fuga.

Prelude y Accord 1995-97

➡ La radio puede contener un circuito codificado de protección antirrobo. Obtener siempre el número de código antes de desconectar la batería. Si el vehículo está equipado con 4RD, la unidad de control de la dirección se para, cuando la batería está desconectada. Después de conectar la batería, se debe girar el volante de tope a tope para reajustar la unidad de control de la dirección.

1. Desconectar el cable negativo de la batería.

2. Colocar una toalla de taller debajo y alrededor del raíl del combustible; después descargar la presión del combustible.

▼ PRECAUCIÓN ▼

No permitir que la pulverización o los vapores de combustible entren en contacto con una chispa o una llama. Mantener cerca un extintor de incendios químico, de polvo seco. No almacenar nunca el combustible en un contenedor abierto a causa del riesgo de incendio o explosión.

3. Sacar el tornillo de 12 mm hueco y el tubo de alimentación de combustible del filtro de combustible. Desechar las arandelas.

4. Sacar la abrazadera del filtro de combustible y el filtro de combustible.

Para instalar:

5. Colocar el filtro de combustible en el soporte e instalar la abrazadera del filtro. Apretar los tornillos de la abrazadera a 7 pie-lb (10 Nm).

➡ Limpiar a fondo los accesorios de conexión del combustible antes de reconectarlos.

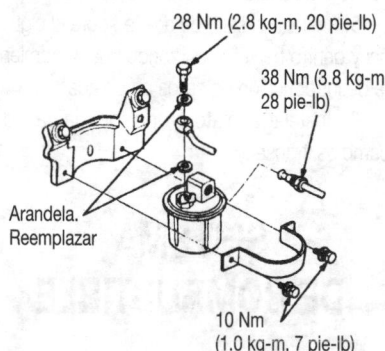

Montaje del filtro de combustible – Motores Prelude con 2.2L (F22A1) y 2.3L (H23A1)

6. Conectar el tubo de alimentación de combustible al filtro; apretar el accesorio a 28 pie-lb (38 Nm).

7. Conectar el tubo de salida de combustible al filtro utilizando juntas nuevas alrededor del accesorio. Apretar el tornillo hueco a 20 pie-lb (28 Nm) en los modelos Prelude y a 16 pie-lb (22 Nm) en el resto de modelos.

8. Conectar el cable negativo de la batería e introducir el código de seguridad de la radio.

9. Si está equipado con 4RD, girar el volante de tope a tope para reajustar la unidad de control de las 4RD.

10. Girar el encendido hasta la posición "ON" y comprobar si hay fugas de combustible.

Accord 1998-99

1. Sacar la bomba de combustible del depósito.

2. Sacar el filtro de combustible del módulo de la bomba.

Para instalar:

3. Instalar un filtro nuevo en el módulo de la bomba.

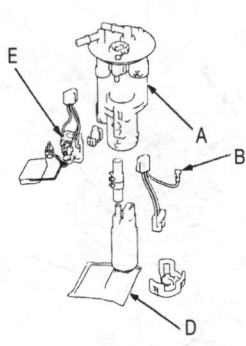

▲ Filtro del combustible (A), cableado (B), filtro de succión (D) y unidad emisora (E) – Accord 1998-99

4. Instalar la bomba de combustible en el depósito.

BOMBA DE COMBUSTIBLE

DESMONTAJE E INSTALACIÓN

➡ La radio puede contener un circuito codificado de protección antirrobo. Obtener siempre el número del código antes de desconectar la batería. Si el vehículo está equipado con 4RD, cuando la batería está desconectada la unidad de control de la dirección se para. Después de conectar la batería, girar el volante de tope a tope para reajustar la unidad de control de la dirección.

Civic y Del Sol

▼ PRECAUCIÓN ▼

El sistema de combustible permanece bajo presión, incluso después de que el motor haya sido APAGADO. Descargar correctamente la presión del combustible antes de desconectar cualquier línea de combustible. Cualquier fallo a la hora de seguir este procedimiento puede provocar un incendio, explosiones o daños personales.

1. Desconectar el cable negativo de la batería.

2. Aflojar el tapón de llenado de combustible. Después, aflojar el tornillo de servicio del filtro de combustible para descargar la presión del combustible.

3. Sacar las almohadillas del asiento trasero (Civic) o la guarnición del compartimiento trasero (Del Sol).

4. Sacar el panel de acceso a la bomba de combustible.

5. Desconectar el conjunto de los dos cables de la bomba de combustible.

6. Limpiar los accesorios de la línea de combustible antes de desconectarlos.

7. Desconectar la línea de combustible y la manguera de la bomba del combustible.

8. Desatornillar la bomba del combustible y sacarla del depósito de combustible. Dejar que el combustible de la bomba se drene dentro del depósito antes de sacar la bomba del vehículo.

9. Desconectar y sacar el motor de la bomba del combustible de su soporte.

Para instalar:

➡ Al reconectar el tornillo hueco de la línea de combustible, utilizar arandelas de sellado nuevas.

10. Instalar la bomba de combustible dentro del depósito de combustible con una junta tórica nueva. Después, apretar las tuercas de montaje a 4 pie-lb (6 Nm).

11. Reconectar la manguera y la línea de combustible. Apretar con cuidado el tornillo hueco a 20 pie-lb (28 Nm). Reconectar el cableado de la bomba del combustible.

12. Apretar el tapón de llenado de combustible. Apretar el tornillo de servicio del filtro de combustible a 11 pie-lb (15 Nm).

13. Conectar el cable de la batería y girar el interruptor de encendido en posición "ON" y

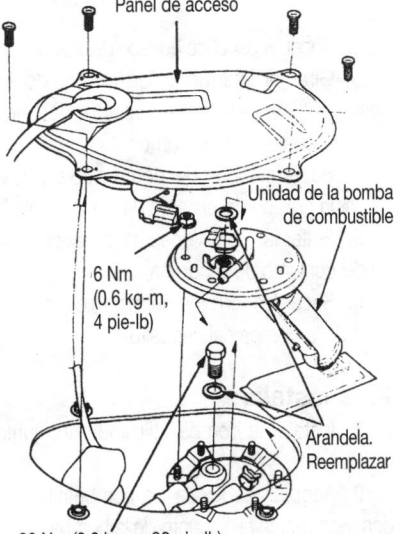

Panel de acceso

Unidad de la bomba de combustible

6 Nm
(0.6 kg-m,
4 pie-lb)

Arandela. Reemplazar

28 Nm (2.8 kg-m, 20 pie-lb)

▲ Componentes de la bomba de combustible – Civic 1995 y Del Sol 1995-97

"OFF" varias veces para presurizar el sistema de combustible.

14. Comprobar si hay alguna fuga en las conexiones de la bomba de combustible. Comprobar si hay fugas en el tornillo de servicio del filtro de combustible.

15. Instalar la cubierta de acceso a la bomba de combustible.

16. Instalar las almohadillas del asiento trasero o la guarnición del compartimiento trasero. Asegurarse de que las grapas están correctamente asentadas.

Prelude

▼ PRECAUCIÓN ▼

El sistema de inyección de combustible permanece bajo presión después de apagar el motor. Descargar correctamente la presión del combustible antes de desconectar cualquiera de las líneas de combustible. En caso contrario, se puede producir un incendio o daños personales.

1. Desconectar el cable negativo del terminal de la batería.

2. Descargar la presión del combustible.

3. Levantar o desplazar la alfombra en la zona del equipaje. Sacar la cubierta de acceso al mantenimiento de la bomba de combustible en el suelo.

4. Desconectar el conector eléctrico de la unidad de la bomba.

5. Etiquetar y desconectar las líneas de combustible. Desechar las arandelas de la conexión de alimentación de combustible.

6. Sacar con cuidado las tuercas de retención que sujetan la bomba. Cuando se hayan sacado todas, levantar la bomba y sacarla del depósito.

➡ La bomba está asentada en un ángulo y es posible que para sacarla se requiera alguna manipulación. Si la bomba todavía no sale, aflojar las tuercas de montaje del depósito de combustible de debajo del coche; deslizar el depósito un poco hacia abajo para dejar más espacio libre en la parte superior.

Para instalar:

7. Usando un anillo de sellado nuevo, reinstalar la bomba asegurándose de que está asentada correctamente y no está acuñada o atascada. Instalar las tuercas de retención,

apretándolas uniformemente y alternativamente, a 4 pie-lb (6 Nm).

8. Instalar las líneas de combustible. Asegurarse de que la abrazadera está asegurada; si es necesario, usar abrazaderas nuevas. Instalar arandelas nuevas en la conexión de alimentación de combustible, antes de instalar el tornillo de sujeción. Apretar el tornillo de sujeción de la alimentación de combustible a 20 pie-lb (28 Nm).

9. Conectar el conector de la bomba de combustible.

10. Conectar el cable negativo de la batería e introducir el código de seguridad de la radio.

11. Poner el interruptor de encendido en posición "ON", pero sin arrancar el motor. La bomba de combustible debe rodar 2 segundos aproximadamente, creando presión dentro de las líneas. Poner el interruptor de encendido en posición "OFF", después en posición "ON" dos o tres veces más para establecer la presión del sistema de combustible. Comprobar si hay fugas de combustible.

12. Si está equipado con 4RD, girar el volante de tope a tope para reajustar la unidad de control de las 4RD.

13. Instalar la cubierta de acceso de mantenimiento y el sello o la junta, en caso de que utilice.

14. Poner la alfombra en el compartimiento del equipaje.

Accord 1995-97

1. Desconectar el cable negativo de la batería.

2. Descargar la presión del combustible.

▼ PRECAUCIÓN ▼

El sistema de inyección de combustible permanece bajo presión después de APAGAR el motor. Descargar correctamente la presión del combustible antes de desconectar cualquier línea de combustible. En caso contrario, puede producirse un incendio o daños personales.

3. Sacar el depósito de combustible del vehículo.

4. Desconectar el conector eléctrico de la bomba de combustible.

5. Sacar el tornillo de sujeción de la línea de alimentación de combustible y desechar las arandelas. Desconectar la línea de retorno de combustible de la bomba de combustible.

6. Sacar las tuercas de montaje de la bomba de combustible.

7. Sacar con cuidado la bomba de combustible del depósito de combustible.

Para instalar:

8. Limpiar la superficie de montaje de la bomba de combustible e instalar una junta nueva.

9. Instalar la bomba de combustible en el depósito, con cuidado de no dañar el filtro del succionador.

10. Instalar las tuercas de montaje; apretar las tuercas a 4 pie-lb (6 Nm).

11. Conectar la manguera de retorno de combustible a la bomba y comprobar que la abrazadera está segura.

12. Conectar la línea de alimentación de combustible en la bomba con arandelas nuevas; apretar el tornillo a 21 pie-lb (27 Nm).

13. Conectar el conector eléctrico de la bomba de combustible.

14. Instalar el depósito de combustible en el vehículo.

15. Conectar el cable negativo de la batería e introducir el código de seguridad de la radio.

16. Poner el interruptor de encendido en posición "ON", pero no arrancar el motor. La bomba de combustible debe rodar 2 segundos aproximadamente, creando una presión dentro de las líneas. Poner el interruptor en posición "OFF", después en posición "ON" 2 o 3 veces para establecer la presión del sistema de combustible. Comprobar si hay fugas de combustible.

Accord 1998-99

1. Sacar la cubierta del neumático de recambio.

2. Sacar el panel de acceso del suelo.

3. Girar el interruptor de encendido en posición "OFF" y soltar el conector de cinco púas del conjunto de la bomba.

4. Sacar el tapón del combustible y descargar la presión del sistema de combustible.

5. Soltar las conexiones de conexión rápida del conjunto de la bomba.

6. Sacar los tornillos de montaje y el conjunto de la bomba del depósito.

Para instalar:

7. Instalar la bomba utilizando una junta nueva.

8. Acoplar las líneas de combustible de conexión rápida al conjunto de la bomba.

9. Instalar el tapón del combustible.

10. Acoplar el conector de cinco púas a la bomba.

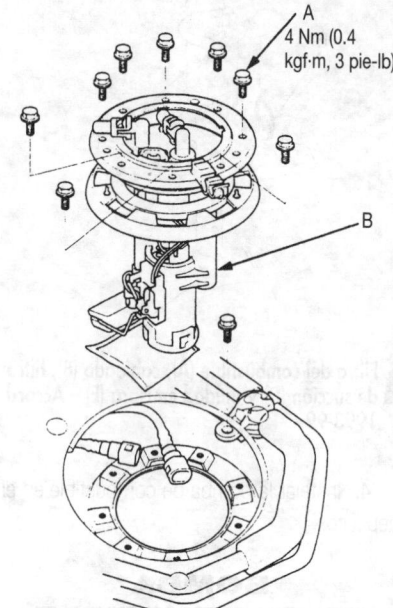

A
4 Nm (0.4 kgf·m, 3 pie-lb)

B

▲ **Despiece del conjunto de la bomba de combustible – Accord 1998-99**

11. Poner el interruptor de encendido en posición "ON", pero sin arrancar el motor. La bomba de combustible debe rodar 2 segundos aproximadamente, creando una presión dentro de las líneas. Poner el interruptor de encendido en posición "OFF", después en posición "ON" 2 o 3 veces para establecer la presión del sistema de combustible. Comprobar si hay fugas de combustible.

12. Si no hay fugas, instalar la cubierta del panel de acceso y la cubierta del neumático.

TREN DE TRANSMISIÓN

CONJUNTO DE LA CAJA DE CAMBIOS (TRANSEJE)

DESMONTAJE E INSTALACIÓN

Manual

➡ La radio puede contener un circuito codificado de protección antirrobo. Obtener siempre el número del código antes de desconectar la batería. Si el vehículo está equipado con 4RD, cuando la batería está desconectada la unidad de control de la dirección se para. Después de haber conectado la batería, girar el volante de tope a tope para reajustar la unidad de control de la dirección.

CIVIC Y DEL SOL

▼ AVISO ▼

Usar solamente el fluido de cambios manuales (MTF) auténtico de Honda; está especialmente formulado para usarse en cajas de cambios Honda. Si no se dispone del MTF Honda, el aceite de motor API SG/SJ 10W-30 o 10W-40 puede ser utilizado como lubricante provisional. Sin embargo, el aceite de motor aumentará el desgaste de la caja de cambios y el esfuerzo del cambio. Llenar la caja de cambios con MTF Honda tan pronto como sea posible.

1. Desconectar los cables negativo y positivo de la batería.

2. Drenar el fluido de la caja de cambios.

3. Sacar el resonador, la caja del filtro del aire y el conducto de admisión de aire.

4. Desconectar los cables del motor de arranque y el cable de toma de tierra de la caja de cambios.

5. Desconectar la conexión del interruptor de la luz de marcha atrás.

6. Sacar la manguera superior del radiador fuera de su abrazadera.

7. Desconectar el conector del sensor de velocidad del vehículo (SVV).

8. Desatornillar el soporte de la línea de fluido del embrague. Desatornillar y sacar el cilindro auxiliar. No es necesario desconectar la línea de fluido del embrague.

9. Levantar y soportar con seguridad el vehículo. Sacar las ruedas delanteras.

10. Sacar el tornillo de constricción y el tornillo de la horquilla del poste. Usando un extractor de rótulas, desconectar la rótula inferior de la articulación de la dirección.

11. Hacer palanca para sacar las juntas interiores de los semiejes de la carcasa de la caja de cambios. Girar las articulaciones de la dirección hacia fuera para liberar los semiejes de la caja de cambios.

12. Con alambre, atar a un lado los semiejes de manera que las juntas no se forzarán. Atar bolsas de plástico sobre las juntas interiores para evitar que se dañen las fundas VC y los ejes estriados.

13. Desconectar la barra del cambio y la barra de extensión de la carcasa de la caja de cambios. Sacar el pasador de retención de la barra del cambio con un punzón botador.

14. Desconectar y sacar el tubo de escape delantero.

15. Sacar los soportes de refuerzo del motor en la caja de cambios y el plato de la cubierta del embrague.

16. Acoplar una cadena de grúa de elevación en el motor y levantarlo un poco para descargar la tensión de los montajes.

17. Sacar el protector contra salpicaduras de debajo del vehículo.

18. Desatornillar y sacar el conjunto del soporte/montaje delantero-derecho.

19. Colocar un gato debajo de la caja de cambios para soportar su peso.

20. Sacar el montaje lateral de la caja de cambios y su soporte.

21. Sacar el tornillo de montaje inferior del motor de arranque. Sacar los tres tornillos superiores de la carcasa de la caja de cambios.

22. Sacar los tres tornillos del soporte del montaje trasero de la caja de cambios. Después, sacar los tres tornillos inferiores de la carcasa de la caja de cambios.

23. Tirar de la caja de cambios hasta que despeje el eje principal. Bajar la caja de cambios fuera del vehículo. Ir con cuidado de no doblar la línea hidráulica del embrague.

Para instalar:

➡ **Al instalar la caja de cambios y los componentes de la suspensión, usar tuercas autobloqueantes y tornillos cromocodificados nuevos.**

24. Aplicar grasa para alta temperatura en las estrías del eje principal, en los puntos de contacto de la horquilla de desconexión y en el cojinete del mecanismo de desembrague. El constructor recomienda la Grasa de Vrea de Super Alta Temperatura Honda, repuesto N° 08798-9002.

25. Colocar la caja de cambios sobre un gato para cajas de cambios y levantarla hasta el nivel del motor.

26. Alinear la caja de cambios y el motor. Asegurarse de que las clavijas de centrado de la carcasa de la caja de cambios están asentadas fijamente y encajar la caja de cambios en el motor. Instalar los tornillos superiores e inferiores de la carcasa de la caja de cambios y los tornillos y las arandelas del montaje trasero de 14 mm. Apretarlos sólo con la mano, ahora.

27. Levantar la caja de cambios e instalar el montaje lateral. Apretar los tornillos superiores e inferiores de la carcasa de la caja de cambios a 47 pie-lb (64 Nm). Apretar los tornillos de 14 mm del soporte de montaje trasero a 61 pie-lb (84 Nm).

28. Primero, apretar las tuercas y el tornillo de soporte de montaje lateral de la caja de cambios a 47 pie-lb (64 Nm) cada uno. Después, apretar los tornillos de los casquillos protectores del montaje a 47 pie-lb (64 Nm). Finalmente, apretar el tornillo pasante a 54 pie-lb (74 Nm).

29. Instalar el conjunto del montaje/soporte delantero-derecho. Utilizar tres tornillos y arandelas de 12 mm nuevos y apretarlos a 47 pie-lb (64 Nm). Apretar los dos tornillos de 10 mm a 33 pie-lb (45 Nm).

30. Instalar la cubierta del embrague.

31. Instalar los soportes de refuerzo del motor a la caja de cambios y apretar los tornillos de 8 mm a 17 pie-lb (24 Nm). Apretar los tornillos de 10 mm a 33 pie-lb (44 Nm).

32. Una vez que la caja de cambios esté atornillada al motor y los montajes de la caja de cambios estén apretados fijamente, puede sacarse la cadena de la grúa de elevación del motor.

33. Conectar la barra del cambio con un pasador y un anillo elástico nuevos. Después, volver a acoplar la funda de la barra del cambio en su sitio. Conectar la barra de torsión y apretar su tornillo a 16 pie-lb (22 Nm).

34. Instalar el tubo de escape delantero. Utilizar tuercas y juntas autobloqueantes nuevas. Apretar las tuercas con brida traseras a 16 pie-lb (22 Nm). Apretar las tuercas con brida delanteras a 25 pie-lb (33 Nm) o a 40 pie-lb (54 Nm) para los modelos D16Y8 y D16Y7.

35. Instalar anillos de cierre nuevos en las estrías de las juntas VC interiores. Instalar los semiejes en la carcasa de la caja de cambios y el eje intermedio. Las juntas interiores deben estar encajadas en su sitio.

36. Conectar la rótula esférica inferior y la horquilla del amortiguador. Instalar las ruedas delanteras.

37. Instalar el soporte del cilindro auxiliar y del tubo del embrague. Cubrir la punta del cilindro auxiliar con grasa de alta temperatura. Asegurarse de que está encajada dentro de la horquilla de desconexión. Apretar los tornillos de montaje del cilindro auxiliar a 16 pie-lb (22 Nm).

38. Conectar el conector del SVV y los conectores del interruptor de la luz de marcha atrás.

39. Instalar las abrazaderas del cableado y los cables del motor de arranque. Instalar el resonador, la caja del filtro de aire y el conducto de admisión de aire. Volver a encajar la manguera superior del radiador en su abrazadera.

40. Bajar el vehículo y apretar los tornillos de constricción del poste a 32 pie-lb (44 Nm). Apretar los tornillos de la horquilla a 47 pie-lb (65 Nm). Apretar las tuercas de torreta de la rótula esférica a 40 pie-lb (55 Nm); después

apretarlas sólo lo suficiente para instalar pasadores de chaveta nuevos.

41. Girar el tapón del respiradero de aire de manera que la flecha con la marca F señale hacia la parte delantera del vehículo.

42. Llenar la caja de cambios con el fluido el MTF Honda.

43. Reconectar los cables positivo y negativo de la batería.

44. Sangrar el sistema hidráulico del embrague.

45. Comprobar si el embrague y la caja de cambios funcionan suavemente.

46. Comprobar y ajustar la alineación de las ruedas delanteras.

PRELUDE

1. Cambiar la caja de cambios a R (marcha atrás).

2. Desconectar los cables negativo y positivo de la batería. Sacar la batería.

3. Sacar el conducto de admisión y la caja del filtro de aire. Sacar la base de la batería.

4. Sacar el depósito de vacío y el soporte. No desconectar las mangueras.

5. Desconectar los cables del motor de arranque y sacar el motor de arranque.

6. Aflojar, sin sacar, los dos tornillos del montaje superior de la caja de cambios.

7. Desconectar el cable de toma de tierra de la caja de cambios y el cable del interruptor de la luz de marcha atrás. Desatornillar la abrazadera del cableado del motor.

8. Dejar ambos cables del cambio de marchas unidos a su soporte. Sacar los cables del cambio de marchas de la carcasa de la caja de cambios y atarlos con seguridad fuera de la zona de trabajo.

9. Desconectar el conector del sensor de velocidad del vehículo. Dejar las mangueras del sensor conectadas y sacar el sensor de la carcasa de la caja de cambios.

10. Sacar los tornillos de soporte del cilindro auxiliar. Dejar la línea hidráulica conectada al cilindro auxiliar. Sacar el cilindro auxiliar de la horquilla de desconexión y moverlo fuera de la zona de trabajo.

➡ **No hacer funcionar el pedal del embrague una vez que se haya sacado el cilindro auxiliar. Ir con cuidado de no retorcer la línea hidráulica de metal.**

11. Levantar y soportar con seguridad el vehículo. Drenar el fluido de la caja de cambios.

12. Sacar los tornillos de montaje del amortiguador del embrague y levantar el amortiguador del embrague.

13. Si está equipado, sacar el apoyo del soporte del montaje trasero del motor.

14. Sacar las ruedas delanteras.

15. Sacar los pasadores de seguridad y las tuercas de las rótulas del brazo inferior. Separar las rótulas esféricas y los brazos inferiores utilizando una herramienta de rótulas tipo prensa.

16. Sacar el tornillo de la horquilla del amortiguador y la barra tensora sólo del lado derecho del vehículo.

17. Utilizar una herramienta adecuada para hacer palanca y sacar los semiejes derecho e izquierdo del diferencial y del eje intermedio. Tirar de la junta interior y sacar los semiejes derecho e izquierdo.

18. Desatornillar y sacar el eje intermedio del diferencial. Atar bolsas de plástico sobre las juntas interiores de los semiejes para evitar que se dañen las fundas y las estrías. Atar los semiejes con un alambre en la parte inferior de la carrocería de manera que su peso no cuelgue de sus juntas exteriores.

19. Sacar la viga central y sacar la cubierta del embrague. En los vehículos con motor H22A1, sacar el plato de refuerzo delantero del motor.

20. Sacar el refuerzo trasero de la viga y el soporte del múltiple de admisión.

21. Sacar los tres tornillos de soporte del montaje trasero del motor.

22. Colocar un gato para cajas de cambios debajo de la caja de cambios y levantar la caja de cambios sólo lo suficiente para liberar su peso de los montajes.

23. Sacar el montaje de la caja de cambios y el soporte del montaje.

24. Sacar los dos tornillos del montaje superior de la carcasa de la caja de cambios (transeje) y los tornillos inferiores de la carcasa de la caja de cambios.

25. Sacar la caja de cambios del motor para despejar el eje principal.

26. Bajar la caja de cambios del vehículo.

Para instalar:

➡ **Al ensamblar los componentes de la suspensión delantera y los semiejes, usar tuercas autobloqueantes y anillos de cierre nuevos. Cuando se instale la viga central y el soporte del montaje trasero del motor, utilizar tornillos autobloqueantes nuevos. Estas sujeciones pueden adquirirse en un distribuidor Honda.**

27. Asegurarse de que las clavijas de centrado están instaladas dentro de la carcasa de la caja de cambios.

28. Aplicar grasa para trabajo pesado de alta temperatura (usar la pieza Honda número 08798-9002) en las estrías del eje principal, tornillo y patas de la horquilla de desconexión, y cojinete del mecanismo de desembrague. Asegurarse de que la horquilla de desconexión se encaja en su sitio con un chasquido.

29. Levantar la caja de cambios hasta su posición con el gato de cajas de cambios.

30. Instalar los tres tornillos de montaje inferiores y los dos tornillos de montaje superiores de la caja de cambios y apretarlos uniformemente a 47 pie-lb (65 Nm).

31. Instalar el montaje y el soporte de montaje de la caja de cambios. Instalar el tornillo pasante y apretarlo provisionalmente. Asegurarse de que el motor está nivelado. Primero, apretar las tres tuercas y los dos tornillos del soporte al montaje a 28 pie-lb (39 Nm). Después, apretar el tornillo pasante a 47 pie-lb (65 Nm).

32. Instalar los tres tornillos nuevos del soporte del montaje trasero del motor sobre el lateral del motor y apretarlos a 40 pie-lb (55 Nm).

33. Instalar el refuerzo de la viga trasera y apretar los tornillos a 28 pie-lb (39 Nm).

34. Instalar el soporte del múltiple de admisión y apretar los tornillos a 16 pie-lb (22 Nm).

35. Instalar la cubierta del embrague y apretar los tornillos a 9 pie-lb (12 Nm).

36. En los modelos Prelude equipados con motor H22A1, instalar los tornillos del refuerzo delantero del motor. Apretar estos tornillos a 28 pie-lb (39 Nm). Primero, apretar el único tornillo roscado en la carcasa de la caja de cambios; después apretar los dos tornillos en el bloque de cilindros.

37. Instalar la viga central y apretar los tornillos a 43 pie-lb (60 Nm).

38. Instalar el eje intermedio. Apretar sus tornillos de montaje a 28 pie-lb (39 Nm).

39. Instalar anillos de cierre nuevos en las estrías de las juntas interiores de los semiejes. Instalar los semiejes, asegurándose de que están retenidos en su sitio.

40. Instalar la barra radial y la horquilla del amortiguador. Apretar sus sujeciones sólo con la mano.

41. Instalar la rótula en el brazo inferior. Apretar la tuerca de torreta a 36-43 pie-lb (50-60 Nm). Después, apretar la tuerca sólo lo suficiente para instalar el pasador de chaveta.

42. Si está equipado, instalar el apoyo del soporte del montaje trasero del motor. Apretar la tuerca a 15 pie-lb (21 Nm) y el tornillo a 28 pie-lb (39 Nm).

43. Instalar el amortiguador del embrague y apretar los tornillos a 16 pie-lb (22 Nm).

44. Instalar las ruedas delanteras.

45. Bajar el vehículo.

46. Utilizar un gato de suelo colocado debajo del brazo de control delantero derecho para levantar el vehículo lo suficiente, de modo que su peso sea soportado por el gato. Apretar los tornillos de montaje de la barra radial a 76 pie-lb (105 Nm) y la tuerca de la barra radial a 32 pie-lb (44 Nm). Apretar el tornillo de constricción del amortiguador a 32 pie-lb (44 Nm). Apretar el tornillo de presión de la horquilla del amortiguador a 47 pie-lb (65 Nm). Después de la pre-carga de la suspensión, bajar el vehículo y sacar el gato de suelo.

47. Cubrir la punta del cilindro auxiliar con grasa para trabajo pesado de alta temperatura. Instalar el tubo de la manguera del embrague y el cilindro auxiliar del embrague en el cuerpo de la caja de cambios. Asegurarse de que el cilindro auxiliar encaja con un chasquido dentro de la horquilla de desconexión. Apretar los tornillos de montaje del cilindro auxiliar a 16 pie-lb (22 Nm).

48. Instalar el sensor de velocidad. Apretar el tornillo de montaje a 14 pie-lb (19 Nm).

49. Instalar el cable del cambio de marchas y el cable del selector en la palanca del brazo del cambio. Instalar el conjunto del cable del cambio sobre la carcasa de la caja de cambios. Apretar los tornillos de montaje del soporte del cable a 16 pie-lb (22 Nm). Instalar pasadores de chaveta nuevos.

50. Conectar el acoplamiento del interruptor de la luz de marcha atrás y el cable de toma de tierra de la caja de cambios. Instalar la abrazadera del cableado.

51. Instalar el motor de arranque. Apretar el tornillo de 10 x 1.25 mm a 32 pie-lb (45 Nm) y el tornillo de 12 x 1.25 mm a 54 pie-lb (75 Nm). Conectar los cables del motor de arranque.

52. Aflojar los tres tornillos de soporte del montaje delantero del motor. Apretarlos a 28 pie-lb (39 Nm).

53. Instalar el depósito de vacío y su soporte. Instalar la caja del filtro de aire y el conducto de admisión.

54. Llenar la caja de cambios con el tipo y la cantidad apropiados de aceite.

55. Instalar el soporte de la base de la batería y la base de la batería. Apretar los tornillos de la base de la batería a 16 pie-lb (22 Nm). Instalar la batería y conectar los cables de la batería.

56. Comprobar el recorrido libre del pedal del embrague.

57. Arrancar el vehículo y comprobar que la caja de cambios y el embrague funcionan con suavidad.

58. En los modelos Prelude equipados con 4RD, arrancar el motor y girar el volante de tope a tope para reajustar la unidad de control de la dirección.

59. Comprobar y ajustar la alineación de las ruedas delanteras.

60. Introducir el código de seguridad de la radio.

ACCORD

1. Cambiar la caja de cambios a R.

2. Desconectar los cables negativo y positivo de la batería. Sacar la batería.

3. Desconectar el conector de solenoide del CAA (IAC). Sacar el conducto de admisión, el resonador y la caja del filtro del aire, así como la base de la batería.

4. Desconectar los cables; del motor de arranque y sacar el motor de arranque.

5. Desconectar el cable de toma de tierra de la caja de cambios y el cable del interruptor de la luz de marcha atrás.

6. Sacar el apoyo de los cables; después desconectar los cables de la parte superior del cuerpo de la caja de cambios. Sacar ambos cables y el apoyo juntos.

7. Desconectar el conector del sensor de velocidad del vehículo y sacar el sensor de velocidad. Dejar las mangueras del sensor de velocidad conectadas.

8. Sacar el soporte del cable del cambio. Después, desconectar los cables del cambio y del selector de la parte superior de la carcasa de la caja de cambios. Dejar los cables y el soporte juntos y atarlos con alambre fuera de la zona de trabajo.

9. Sacar los tornillos de montaje y el cilindro auxiliar del embrague con el tubo y la barra de empuje del embrague.

10. Sacar el tornillo de montaje y la junta de la manguera del embrague con el tubo del embrague y la manguera del embrague.

➡ **No hacer funcionar el pedal del embrague una vez que se haya sacado el cilindro auxiliar. Ir con cuidado de no retorcer la línea hidráulica de metal.**

11. Sacar los dos tornillos superiores de la carcasa de la caja de cambios.

12. Levantar y soportar con seguridad el vehículo.

13. Sacar las ruedas delanteras.

14. Sacar el protector contra salpicaduras del motor.

15. Drenar el fluido de la caja de cambios.

16. Sacar el soporte del amortiguador del embrague y levantarlo hacia fuera, a un lado.

17. Sacar la viga central del subbastidor.

18. Sacar los pasadores de chaveta y las tuercas de las rótulas de los brazos inferiores. Separar las rótulas y los brazos inferiores utilizando una herramienta de rótulas tipo prensa.

19. Sacar el tornillo de la horquilla del amortiguador derecho. Sacar el tornillo de constricción del amortiguador derecho; después separar la horquilla del amortiguador y el amortiguador. Sacar los tornillos y la tuerca de la barra radial; después sacar la barra radial derecha.

20. Utilizar una herramienta adecuada para hacer de palanca para separar los semiejes derecho e izquierdo del diferencial y del eje intermedio. Sacar el semieje izquierdo.

21. Sacar el eje intermedio del diferencial desmontando sus tres tornillos de montaje del cojinete del eje.

22. Girar el semieje derecho hacia fuera y subirlo con un alambre por la parte interior de la cavidad derecha del guardabarro. Atar bolsas de plástico sobre las juntas VC interiores para proteger las fundas y las estrías de cualquier daño.

23. Sacar el refuerzo del motor y la cubierta del embrague.

24. Sacar el soporte del múltiple de admisión.

25. Sacar el soporte del montaje trasero del motor. Sacar y desechar los tres tornillos de montaje del soporte del montaje trasero del motor.

26. Colocar una gato para cajas de cambios debajo de la caja de cambios. Levantar la caja de cambios sólo lo suficiente para liberar el peso de sus montajes.

➡ **Puede acoplarse un elevador de cadena a los ganchos de elevación de la caja de cambios para mantenerla firme y ayudar a bajarla del vehículo.**

27. Sacar el tornillo de montaje del cuerpo de la caja de cambios en el lateral del motor.

28. Sacar el tornillo del montaje de la caja de cambios y aflojar las tuercas de soporte del montaje.

29. Sacar los tres tornillos de montaje del cuerpo de la caja de cambios.

30. Sacar la caja de cambios del vehículo.

Para instalar:

➡ **Al ensamblar la suspensión delantera, utilizar tuercas autobloqueantes nuevas. Instalar anillos de cierre nuevos en las juntas VC interiores. Cuando se instale el soporte del montaje trasero de la caja de cambios, usar tornillos autobloqueantes nuevos (los tornillos están cromocodificados por el tipo). Las sujeciones están disponibles en un distribuidor Honda.**

31. Asegurarse de que las dos clavijas de centrado están instaladas dentro de la carcasa de la caja de cambios.

32. Aplicar grasa para trabajo pesado de alta temperatura (usar la pieza Honda Nº 08798-9002) en el cojinete de desconexión, en las estrías del eje principal y en las patas de las horquillas de desconexión. Instalar la horquilla de desconexión y el cojinete de desembrague (desconexión).

33. Levantar la caja de cambios hasta su sitio.

34. Instalar los tres tornillos inferiores de la carcasa de la caja de cambios y apretarlos a 47 pie-lb (65 Nm).

35. Instalar el montaje y el soporte del montaje de la caja de cambios. Instalar el tornillo pasante y apretarlo provisionalmente. Asegurarse de que el motor está nivelado y apretar las tres tuercas del soporte del montaje a 40 pie-lb (55 Nm), o a 28 pie-lb (38 Nm) para los modelos Accord 1995. Apretar el tornillo pasante a 47 pie-lb (65 Nm).

36. Instalar los tornillos superiores de la carcasa de la caja de cambios en el lateral del motor y apretarlos a 47 pie-lb (65 Nm).

37. Instalar los tres tornillos de montaje nuevos del soporte trasero del motor y apretarlos a 40 pie-lb (55 Nm).

38. Instalar el soporte del múltiple de admisión y apretar los tornillos a 16 pie-lb (22 Nm).

39. Instalar la cubierta del embrague y apretar los tornillos a 9 pie-lb (12 Nm).

40. Instalar la viga central del subbastidor con tornillos autobloqueantes nuevos. Apretar los tornillos de manera uniforme a 37 pie-lb (50 Nm).

41. Si está equipado, instalar el plato de refuerzo del motor e instalar holgadamente los tornillos de montaje. Apretar el tornillo de montaje del refuerzo a la carcasa de la caja de cambios a 28 pie-lb (39 Nm); después apretar los dos tornillos de montaje del refuerzo al bloque de cilindros a 28 pie-lb (39 Nm), empezando por el tornillo más cercano a la caja de cambios.

42. Instalar la barra radial y la horquilla del amortiguador. Instalar todas las sujeciones, pero de momento apretarlas sólo con la mano.

43. Instalar el eje intermedio; apretar sus tornillos de montaje a 28 pie-lb (39 Nm).

44. Instalar un anillo de cierre nuevo en el extremo de cada semieje. Instalar los semiejes derecho e izquierdo. Girar la articulación de la dirección derecha e izquierda totalmente hacia fuera y deslizar el eje dentro del diferencial hasta que el anillo de cierre esté encajado en el engranaje lateral del diferencial.

45. Reconectar las rótulas esféricas de los brazos de control inferiores. Apretar las tuercas de torreta a 40 pie-lb (50 Nm). Después, apretarlas sólo lo suficiente para instalar un pasador de chaveta nuevo.

46. Instalar el amortiguador del embrague y apretar sus tornillos de montaje a 16 pie-lb (22 Nm).

47. Instalar las ruedas delanteras. Bajar el vehículo.

48. Colocar un gato de suelo debajo de la articulación delantera derecha y levantar el gato hasta que soporte el peso del vehículo.

49. Apretar los tornillos de montaje de la barra radial a 76 pie-lb (105 Nm) y la tuerca de la barra radial a 32 pie-lb (44 Nm). Apretar la tuerca de la horquilla del amortiguador, mientras se sujeta el tornillo de la horquilla del amortiguador, a 40 pie-lb (55 Nm). Apretar el tornillo de constricción del amortiguador a 32 pie-lb (44 Nm).

50. Cubrir la punta del cilindro auxiliar con grasa de alta temperatura. Instalar la junta de la manguera del embrague y el cilindro auxiliar del embrague en el cuerpo de la caja de cambios. Asegurarse de que la punta del cilindro auxiliar se encaja con un chasquido en la horquilla de desconexión. Apretar los tornillos de montaje del cilindro auxiliar a 16 pie-lb (22 Nm).

51. Instalar el sensor de velocidad. Apretar el tornillo de montaje a 13 pie-lb (18 Nm).

52. Instalar el cable del cambio y el cable del selector en la palanca del brazo del cambio. Apretar los tornillos de montaje del soporte de los cables a 20 pie-lb (27 Nm). Instalar pasadores de chaveta nuevos.

53. Conectar el interruptor de la luz de la marcha atrás.

54. Instalar el motor de arranque. Apretar el tornillo de 10 x 1.25 mm a 32 pie-lb (45 Nm) y el tornillo de 12 x 1.25 mm a 54 pie-lb (75 Nm). Conectar los cables del motor de arranque.

55. Instalar el cable de toma de tierra de la caja de cambios.

56. Llenar la caja de cambios con el tipo y la cantidad adecuada de aceite.

57. Instalar la caja del filtro de aire y el resonador, después el conducto de admisión.

58. Instalar el soporte de la bandeja de la batería y la bandeja de la batería; apretar los tornillos a 16 pie-lb (22 Nm).

59. Instalar la batería y los cables de la batería.

60. Comprobar el recorrido libre del pedal del embrague.

61. Comprobar y ajustar la alineación de las ruedas delanteras.

62. Probar el vehículo en carretera y comprobar la suavidad del funcionamiento de la caja de cambios.

63. Aflojar los tres tornillos de montaje del soporte del montaje delantero del motor, después reapretarlos a 28 pie-lb (38 Nm).

64. Introducir el código de seguridad de la radio.

Automático

CIVIC Y DEL SOL

1. Desconectar los cables negativo y positivo de la batería.

2. Sacar el resonador, la caja del filtro de aire y el conducto de admisión de aire.

3. Desconectar los cables del motor de arranque y el cable de toma de tierra de la caja de cambios. Sacar la pinza del cableado del motor. Etiquetar y desconectar el conector del solenoide del control de inmovilización.

4. Etiquetar y desconectar los conectores del sensor de velocidad del vehículo (SVV) y del sensor de velocidad de la transmisión (eje) intermedia.

5. Aflojar los tornillos superiores de la carcasa de la caja de cambios y el tornillo de montaje trasero del motor.

6. Levantar y soportar con seguridad el vehículo. Sacar las ruedas delanteras.

7. Drenar el fluido del cambio automático. Después, instalar el tapón de drenaje con una arandela de aplastamiento nueva. Anotar el color, la consistencia y el olor del fluido drenado.

8. Sacar el protector contra salpicaduras delantero.

9. Etiquetar y desconectar los conectores del control del cambio y solenoide lineal. Desconectar el conector del sensor de velocidad del eje principal.

10. Sacar el tornillo de constricción del poste y el tornillo de la horquilla. Desconectar la rótula inferior utilizando un extractor de rótulas.

11. Hacer palanca para sacar las juntas interiores de los semiejes de la carcasa de la caja de cambios y del eje intermedio. Girar las articulaciones de la dirección para liberar los semiejes de la caja de cambios.

12. Atar con un alambre los semiejes elevados y apartados. Atar bolsas de plástico sobre las juntas interiores para evitar que se dañen las fundas VC y los ejes estriados.

13. Desconectar y sacar el tubo de escape delantero.

14. Sacar la cubierta del cable del cambio. Desconectar el cable del cambio del eje de control de la caja de cambios. Apartar el cable del cambio y atarlo hacia arriba con un alambre.

15. Desconectar las mangueras del refrigerador ATF de las líneas del refrigerador. Tapar las mangueras de las líneas para prevenir la pérdida y la contaminación del fluido.

16. Sacar el conjunto del soporte y el montaje delantero-derecho.

17. Sacar el refuerzo del motor y el plato de la cubierta del convertidor de par.

18. Sacar los ocho tornillos del convertidor de par al plato propulsor, uno cada vez, girando la polea del cigüeñal. No hay dientes de engranaje en el plato propulsor; el motor del motor de arranque engrana un engranaje anular en el borde interior del convertidor de par.

19. Después de desatornillar el convertidor de par del plato propulsor, girar el cigüeñal para ajustar el motor en el PMS/compresión para el cilindro N° 1.

20. Etiquetar y desconectar los cables de encendido. Desatornillar y sacar el conjunto del distribuidor de manera que un gancho para la cadena de elevación del motor pueda atornillarse en el montaje del distribuidor.

21. Acoplar una cadena de elevación al motor y levantarlo un poco para aflojar la tensión en los montajes.

22. Colocar un gato para cajas de cambios debajo de la caja de cambios y sacar el montaje y el soporte lateral de la caja de cambios.

23. Con la caja de cambios soportada, sacar los tornillos de soporte del montaje trasero de la caja de cambios y los tornillos de la carcasa de la caja de cambios.

24. Sacar la caja de cambios del motor hasta que despeje las clavijas de centrado. Bajar con cuidado la caja de cambios del vehículo con el convertidor de par oblicuado hacia arriba de manera que no se salga de la caja de cambios.

25. Sacar el convertidor de par de la caja de cambios. Inspeccionar si en los dientes del engranaje anular hay roturas e inspeccionar si en el cubo del convertidor hay rebabas o está rayado. Comprobar el estado del fluido del convertidor. Si es necesario, reemplazar el convertidor de par.

26. Inspeccionar si en el cojinete y en el sello de aceite delanteros de la bomba de aceite de la caja de cambios hay señales de fugas y si están rayados. Inspeccionar si en el eje principal hay rebabas, rayas y asperezas.

27. Con la caja de cambios extraída, inspeccionar con cuidado si en el plato propulsor hay grietas de esfuerzo, agujeros de tornillos agrandados y otros defectos. Si es necesario, reemplazarlo.

Para instalar:

➡ **Al instalar los componentes de la caja de cambios y de la suspensión, utilizar tuercas autobloqueantes y tornillos cromocodificados nuevos.**

28. Limpiar las líneas del refrigerador de la caja de cambios con una descarga de fluido para sacar cualquier fluido contaminado y material residual del embrague:

a. Usar un limpiador por descarga de agua presurizado (Honda J-38405-A o equivalente). Utilizar únicamente un fluido limpiador por descarga Honda (Honda J-35944-20); otros fluidos pueden dañar el sistema.

b. Llenar el limpiador por descarga con 21 onzas de fluido. Presurizar el fluido a 80-120 lb/plg², siguiendo el procedimiento del envase del fluido y del limpiador por descarga.

c. Fijar la manguera de descarga del limpiador por descarga a la línea de retorno del refrigerador. Fijar la manguera de drenaje a la línea de entrada del refrigerador y dirigirla dentro de una cubeta o de un depósito de drenaje.

d. Conectar el limpiador por descarga a las líneas de aire y de agua. La línea de aire utiliza un sifón de agua para alejar el exceso de humedad.

e. Abrir la válvula de toma de agua del limpiador por descarga y limpiar el refrigerador con una descarga durante diez segundos.

f. Hundir el activador del limpiador por descarga para mezclar el fluido limpiador con el agua. Limpiar durante dos minutos, girando la válvula de aire a "ON" y a "OFF" durante cinco segundos cada 15-20 segundos para crear una acción de encrespamiento brusco de la presión.

g. Después de finalizar un ciclo de limpieza por descarga, invertir la manguera y limpiar en la dirección opuesta.

h. Secar las líneas del refrigerador con aire comprimido durante dos minutos o más, para sacar todo exceso de humedad del sistema.

29. Si se ha extraído, instalar el motor de arranque en la carcasa, la caja de cambios y

apretar sus tornillos de montaje a 33 pie-lb (45 Nm). Instalar el convertidor de par con una junta tórica del cubo nueva.

30. Colocar la caja de cambios sobre un gato para cajas de cambios y levantarla hasta el nivel del motor.

31. Alinear la caja de cambios y el motor. Instalar los tornillos de la carcasa de la caja de cambios. Instalar en el montaje trasero tornillos y arandelas de 14 mm nuevos.

32. Levantar la caja de cambios e instalar el montaje lateral. Apretar los tornillos de la caja a 47 pie-lb (64 Nm). Apretar todos los tornillos de 14 mm del montaje trasero a 61 pie-lb (85 Nm).

33. Instalar el montaje y el soporte lateral de la caja de cambios. Apretar las tuercas del soporte a 47 pie-lb (64 Nm). Apretar el tornillo pasante del montaje a 54 pie-lb (74 Nm).

34. Sacar el gato para cajas de cambios.

35. Girar el cigüeñal e instalar los tornillos del convertidor de par al plato propulsor. Apretar los tornillos a 9 pie-lb (12 Nm), siguiendo una pauta entrelazada. Apretar los tornillos a la especificación, en dos pasos.

36. Girar el cigüeñal para reponer el motor en el PMS/compresión para el cilindro N° 1. Una vez que el motor esté puesto en el PMS, no debe ser alterado hasta que se haya instalado el distribuidor.

37. Instalar la cubierta del convertidor de par y apretar los tornillos a 9 pie-lb (12 Nm).

38. Instalar el refuerzo del motor. Apretar los tornillos de 8 mm a 17 pie-lb (24 Nm) y apretar los tornillos de 10 mm a 33 pie-lb (45 Nm).

39. Instalar el conjunto del montaje y el soporte delantero-derecho. Apretar el tornillo de 10 mm a 33 pie-lb (44 Nm) y los tornillos de 12 mm a 47 pie-lb (64 Nm).

40. Sacar la cadena de elevación y los ganchos de la cadena.

41. Verificar que el motor está en el PMS/compresión para el cilindro N° 1. Alinear las lengüetas en la transmisión del distribuidor con las ranuras en el extremo del árbol de levas. Instalar el distribuidor y apretar con la mano los tornillos de montaje. Reconectar los cables de encendido.

42. Apretar la polea del cigüeñal a 134 pie-lb (181 Nm).

43. Reconectar las líneas del refrigerador de la caja de cambios.

44. Instalar anillos de cierre nuevos en las estrías de las juntas VC interiores. Instalar los semiejes dentro de la carcasa de la caja de cambios y del eje intermedio. Las juntas interiores deben encajar con un chasquido en su sitio.

45. Conectar la rótula inferior y la horquilla del amortiguador. Instalar las ruedas delanteras.

46. Conectar el varillaje del cable del cambio de marchas en el eje de control de la caja de cambios. Instalar una arandela de seguridad nueva y apretar el tornillo del varillaje a 10 pie-lb (14 Nm). Instalar la cubierta del cable del cambio de marchas y apretar su tornillo a 16 pie-lb (22 Nm).

47. Instalar el tubo de escape delantero. Utilizar tuercas autobloqueantes y juntas nuevas. Apretar las tuercas de la brida trasera a 16 pie-lb (22 Nm) y las tuercas de la brida delantera a 47 pie-lb (64 Nm).

48. Conectar los conectores del sensor de velocidad del vehículo (SVV) y el sensor de velocidad del eje intermedio. Conectar el conector del solenoide de control de inmovilización.

49. Conectar los conectores de control del cambio de marchas y del solenoide lineal. Conectar el conector del sensor de velocidad del eje principal.

50. Instalar las abrazaderas del cableado y los cables del motor de arranque. Instalar el resonador, la caja del filtro de aire y el conducto de admisión de aire.

51. Instalar el protector contra salpicaduras delantero.

52. Bajar el vehículo y apretar los tornillos de constricción del poste a 32 pie-lb (44 Nm). Apretar los tornillos de la horquilla a 47 pie-lb (65 Nm). Apretar las tuercas de torreta de las rótulas a 40 pie-lb (55 Nm); después apretarlas sólo lo suficiente para instalar los pasadores de chaveta nuevos.

53. Llenar la caja de cambios con ATF nuevo. Utilizar sólo ATF Premium Honda, DEXRON® II equivalente o ATF III. Reconectar los cables positivo y negativo de la batería.

a. Dejar la manguera de drenaje del limpiador por descarga conectada a la línea de retorno del refrigerador.

b. Con la caja de cambios en posición de aparcamiento, hacer marchar el motor durante 30 segundos o hasta que esté descargado aproximadamente un cuarto de galón de fluido. Inmediatamente, parar el motor. Esto completa el proceso de limpieza por descarga del refrigerador.

c. Sacar la manguera de drenaje y reconectar la línea de retorno del refrigerador.

d. Llenar la caja de cambios al nivel adecuado.

54. Comprobar los ajustes del cable del cambio de marchas y del cable del ahogador.

55. Comprobar la sincronización de encendido. Girar el distribuidor en el sentido contrario al de las agujas del reloj para avanzar la sincronización o en el sentido de las agujas del reloj para retrasar la sincronización. Cuando la sincronización esté ajustada, apretar los tornillos de montaje del distribuidor a 13 pie-lb (18 Nm).

56. Arrancar el motor y cambiar por todas las velocidades tres veces.

57. Dejar que el motor se caliente a la temperatura de funcionamiento y comprobar el nivel de los fluidos con la caja de cambios en posición "P" o "N".

58. Comprobar y ajustar la alineación de las ruedas delanteras.

59. Rodar el vehículo en carretera. Volver a comprobar el nivel del fluido de la caja de cambios.

PRELUDE

1. Desconectar ambos cables de la batería.

2. Desplazar el cambio a posición "N" (Neutral).

3. Sacar la sujeción de la batería y sacar la batería.

4. Drenar el fluido de la caja de cambios y reinstalar el tapón de drenaje con una arandela de aplastamiento nueva.

5. Sacar el conducto de admisión de aire, la caja del filtro de aire y el resonador.

6. Desconectar el conector del depósito de vacío y sacar el depósito de vacío y el soporte del depósito. No sacar el tubo de vacío del depósito de vacío.

7. Desconectar el cable de toma de tierra de la caja de cambios a la carrocería.

8. Sacar la base de la batería con el cable de toma de tierra y sacar el apoyo de la base de la batería.

9. Desconectar los conectores de la válvula de solenoide del control de inmovilización y de la válvula de solenoide del control del cambio.

10. Desconectar el cable de control del ahogador de la palanca de control del ahogador.

11. Desconectar el conector del sensor de velocidad del eje intermedio.

12. Desconectar el conector del sensor de velocidad del motor.

13. Sacar el refuerzo trasero; después sacar el sensor de velocidad del vehículo y el sensor de velocidad de la dirección asistida.

➡ **No desconectar las mangueras de presión de la dirección asistida del sensor de velocidad del vehículo y del sensor de velocidad de la dirección asistida.**

14. Desconectar las mangueras del refrigerador ATF en los tubos de las uniones. Girar hacia arriba los extremos de las mangueras del refrigerador para evitar pérdidas de fluido. Tapar los tubos de las uniones.

15. Sacar el motor de arranque.

16. Sacar los tornillos de montaje superiores del cuerpo de la caja de cambios.

17. Aflojar los tornillos del soporte del montaje delantero del motor.

18. Sacar el montaje de la caja de cambios.

19. Levantar y soportar con seguridad el vehículo. Sacar las ruedas delanteras.

20. Sacar el protector contra salpicaduras y sacar la viga central y el refuerzo de la viga trasera del subbastidor.

21. Sacar los pasadores de chaveta y las tuercas de torreta de las rótulas esféricas inferiores. Utilizar una herramienta de rótulas tipo prensa para separar las rótulas del brazo inferior.

22. Sacar los tornillos de la horquilla del amortiguador y separar del amortiguador la horquilla del amortiguador.

23. Utilizar una herramienta de palanca adecuada para separar del diferencial los semiejes derecho e izquierdo.

24. Tirar de la junta interior y sacar los semiejes derecho e izquierdo. Atar bolsas de plástico sobre los extremos de los semiejes para proteger de cualquier daño las fundas y los ejes estriados.

25. Sacar el tornillo de constricción del amortiguador derecho y separar del poste la horquilla del amortiguador derecho.

26. Sacar los tornillos y la tuerca de la barra radial derecha. Sacar la barra radial.

27. Sacar la cubierta del convertidor de par y la cubierta del cable del cambio de marchas.

28. Sacar el perno de retención de la palanca de control y sacar el cable del cambio de marchas con la palanca. Durante el desmontaje, no doblar el cable del control del cambio de marchas. Atar el cable con un alambre a la parte inferior de la carrocería del vehículo, fuera de la zona de trabajo.

29. Sacar los tornillos del plato propulsor mientras se gira el cigüeñal.

30. Colocar un gato para cajas de cambios debajo de la caja de cambios y levantarlo lo suficiente para liberar el peso de los montajes.

31. Sacar el soporte del múltiple de admisión.

32. Sacar los tornillos de montaje inferiores del cuerpo de la caja de cambios y los tornillos inferiores del montaje trasero del motor.

33. Sacar de la caja de cambios hasta que las clavijas de centrado queden despejadas. Bajar la caja de cambios fuera del vehículo.

Para instalar:

➡ Al ensamblar los componentes de la suspensión delantera, utilizar tuercas autobloqueantes nuevas. Utilizar anillos de cierre nuevos en las juntas interiores de los semiejes. Utilizar tornillos autobloqueantes nuevos para las vigas del subbastidor. Estas sujeciones están disponibles en un distribuidor Honda.

34. Antes de instalar la caja de cambios, limpiar con una descarga de fluido las líneas del refrigerador de la caja de cambios. Utilizar un recipiente presurizado de limpieza por descarga, como el utensilio Honda N° J-38405-A o su equivalente. Usar sólo fluido para limpieza por descarga biodegradable Honda N° J-35944-20.

a. Llenar el limpiador por descarga con 21 onzas de fluido. Presurizar el limpiador a 80-120 lb/plg², siguiendo el procedimiento del envase del fluido y del limpiador por descarga.

b. Fijar la manguera de descarga del limpiador por descarga a la línea de retorno del refrigerador. Fijar la manguera de drenaje en la línea de entrada del refrigerador y dirigirla dentro de una cubeta o depósito de drenaje.

c. Conectar el limpiador por descarga a las líneas de aire y agua. Abrir la válvula de toma de agua del limpiador y limpiar por descarga el refrigerador durante diez segundos.

d. Hundir el activador del limpiador por descarga para mezclar el fluido limpiador con el agua. Limpiar por descarga durante dos minutos, girando la válvula del aire a "ON" y a "OFF" durante cinco segundos cada 15-20 segundos.

e. Después de finalizar un ciclo de limpieza por descarga, invertir la manguera y limpiar en dirección opuesta.

f. Secar las líneas del refrigerador con aire comprimido de manera que no quede humedad en las líneas del refrigerador.

35. Instalar el motor de arranque en la carcasa de la caja de cambios. Instalar el convertidor de par con una junta tórica de cubo nueva. Apretar los tornillos del motor de arranque a 33 pie-lb (45 Nm).

36. Colocar la caja de cambios sobre un gato para cajas de cambios y levantarla hasta el nivel del motor.

37. Alinear la caja de cambios con el motor, instalar los tornillos de montaje del cuerpo de la caja de cambios y los tornillos inferiores del montaje trasero del motor. Apretar los tornillos del montaje trasero del motor a 40 pie-lb (55 Nm) y los tornillos de montaje de la caja de cambios a 47 pie-lb (65 Nm). Instalar el soporte del múltiple de admisión y apretar los tornillos a 16 pie-lb (22 Nm).

38. Apretar los tornillos de soporte del montaje delantero del motor a 28 pie-lb (39 Nm).

39. Instalar el montaje de la caja de cambios. Apretar el tornillo a 47 pie-lb (65 Nm) y las tuercas a 28 pie-lb (39 Nm).

40. Sacar el gato para cajas de cambios.

41. Acoplar el convertidor de par en el plato propulsor e instalar los tornillos de montaje. Girar el cigüeñal para que gire el plato propulsor. Apretar los tornillos en 2 pasos, primero a 4.5 pie-lb (6 Nm), siguiendo una pauta entrelazada, y finalmente a 9 pie-lb (12 Nm), para los modelos de 1995 (75 Nm). Después de apretar el último tornillo, comprobar si gira libre.

42. Instalar el cable del cambio de marchas en el eje de control y apretar el perno de retención a 10 pie-lb (14 Nm).

43. Instalar la cubierta del convertidor de par y la cubierta del cable del cambio de marchas.

44. Instalar un anillo de cierre nuevo sobre la junta interior de cada semieje.

45. Instalar los tornillos de la horquilla del amortiguador y las tuercas de las rótulas en los brazos inferiores. Apretar la tuerca de las rótulas a 47 pie-lb (65 Nm) e instalar un pasador de chaveta nuevo. Instalar la barra radial y conectar la horquilla del amortiguador. En este punto, apretar las sujeciones de la barra radial y de la horquilla del amortiguador sólo con la mano.

46. Girar la articulación de la dirección derecha totalmente hacia fuera y deslizar el eje dentro del diferencial hasta que se sienta que el anillo elástico está encajado en el engranaje lateral del diferencial. Repetir este procedimiento en el lado izquierdo.

47. Instalar el refuerzo de la viga trasera y la viga central del subbastidor. Apretar los tornillos del refuerzo a 28 pie-lb (39 Nm). Apretar los tornillos de la viga central del subbastidor a 43 pie-lb (60 Nm).

48. Instalar las ruedas delanteras y bajar el vehículo.

49. Utilizar un gato de suelo para colocar el peso del vehículo sobre la articulación delantera derecha. Apretar los tornillos de la barra radial a 76 pie-lb (105 Nm) y la tuerca a 40 pie-lb (55 Nm). Apretar el tornillo de constricción del amortiguador a 32 pie-lb (44 Nm). Apretar la tuerca a 47 pie-lb (65 Nm) mientras se sujeta el tornillo de la horquilla del amortiguador.

50. Instalar el sensor del velocímetro. Apretar el tornillo del sensor a 9 pie-lb (12 Nm). Únicamente en los modelos Prelude 1993, instalar el refuerzo trasero, apretar el tornillo a 28 pie-lb (39 Nm) y apretar la tuerca a 15 pie-lb (21 Nm).

51. Conectar las mangueras del refrigerador ATF en los tubos de las juntas.

52. Conectar los conectores del solenoide de control de inmovilización y de la válvula de solenoide del control del cambio de marchas.

53. Conectar los conectores del sensor de velocidad del vehículo y del sensor de velocidad de la dirección asistida.

54. Conectar los cables del motor de arranque e instalar la base de la batería y el apoyo de la base.

55. Conectar los cables de toma de tierra en la carrocería y en la caja de cambios.

56. Instalar el depósito de vacío y el soporte del depósito, y conectar el conector del depósito.

57. Instalar el resonador, la caja del filtro de aire y el conducto de admisión de aire.

58. Llenar la caja de cambios con ATF. Utilizar sólo ATF Premium Honda o un ATF I DEXRON® equivalente. Conectar los cables positivo y negativo de la batería.

a. Dejar la manguera de drenaje del limpiador por descarga acoplado a la línea de retorno del refrigerador.

b. Con la caja de cambios en posición de aparcamiento, poner en marcha el motor durante 30 segundos o hasta que se haya descargado aproximadamente un cuarto de galón de fluido. Esto completa el proceso de limpieza por descarga del refrigerador.

c. Sacar la manguera de drenaje y reconectar la línea de retorno del refrigerador.

d. Llenar la caja de cambios con ATF al nivel adecuado.

59. Arrancar el motor, colocar el freno de mano y cambiar por todas las velocidades de la caja de cambios 3 veces. Comprobar el ajuste correcto del cable de control.

60. En los modelos Prelude equipados con 4RD, arrancar el motor y girar el volante de tope a tope para reajustar la unidad de control de la dirección.

61. Comprobar y ajustar la alineación de las ruedas delanteras.

62. Dejar que el motor alcance la temperatura de funcionamiento con la caja de cambios en posición "N" o "P"; después girar la llave de encendido del motor hasta la posición "OFF" y comprobar el nivel del fluido.

63. Después de probar el vehículo en carretera, aflojar los tornillos del montaje delantero del motor y apretarlos a 28 pie-lb (39 Nm).

64. Introducir el código de seguridad del vehículo.

Accord

MOTOR 2.2L

1. Desconectar el cable negativo y después el cable positivo de la batería.

2. Sacar la batería del vehículo.

3. Poner la caja de cambios en posición "N".

4. Sacar la manguera de admisión de aire, el cuerpo del filtro de aire y el conjunto del resonador.

5. Sacar la base de la batería y el apoyo de la base.

6. Desconectar el cable del ahogador de la palanca de control del ahogador.

7. Desconectar el cable de toma de tierra de la caja de cambios y los conectores de los sensores de velocidad. Desconectar los conectores de la válvula de solenoide.

8. Desconectar los conectores de la válvula de solenoide de control de la inmovilización y de la válvula de solenoide del control del cambio de marchas.

9. Desconectar las mangueras del refrigerador de la caja de cambios de los tubos de las juntas y tapar las mangueras.

10. Desconectar los cables del motor de arranque y sacar el motor de arranque.

11. Desconectar el conector del sensor de velocidad del eje intermedio.

12. Desconectar el conector del sensor de velocidad del vehículo.

13. Instalar un elevador en el motor.

14. Sacar los cuatro tornillos superiores que acoplan la caja de cambios al bloque de cilindros.

15. Aflojar los tres tornillos que acoplan el soporte del montaje delantero del motor al motor.

16. Sacar el montaje de la caja de cambios.

17. Levantar y soportar con seguridad el vehículo. Sacar las ruedas delanteras.

18. Drenar el fluido de la caja de cambios y volver a instalar el tapón de drenaje con una arandela nueva.

19. Sacar el protector contra salpicaduras.

20. Sacar la viga central del subbastidor.

21. Sacar los pasadores de chaveta y las tuercas de las rótulas de los brazos inferiores;

después separar las rótulas de los brazos inferiores utilizando una herramienta adecuada.

22. Sacar el tornillo de constricción del amortiguador derecho; después, separar del amortiguador la horquilla del amortiguador.

23. Sacar los tornillos y la tuerca; después sacar la barra radial derecha.

24. Utilizando un dispositivo de palanca pequeño, hacer palanca con cuidado para sacar los semiejes derecho e izquierdo del diferencial. Sacar los semiejes derecho e izquierdo. Atar bolsas de plástico sobre los extremos de los semiejes para evitar que se dañen las fundas VC y las estrías.

25. Sacar los tornillos que soportan el eje intermedio; después sacar el eje intermedio del diferencial.

26. Sacar la cubierta del convertidor de par y la cubierta del cable del cambio de marchas.

27. Sacar el cable de control del cambio de marchas sacando el perno de retención. Sacar la palanca del cable del cambio de marchas del eje de control. No desconectar la palanca de control del cable del cambio de marchas. Atar el cable del cambio de marchas con un alambre fuera de la zona de trabajo; ir con cuidado de no retorcerlo.

28. Sacar los ocho tornillos del plato propulsor, uno cada vez, mientras se gira la polea del cigüeñal.

29. Colocar un gato adecuado debajo de la caja de cambios y levantar el gato sólo lo suficiente para liberar el peso de los montajes.

30. Sacar el soporte del múltiple de admisión.

31. Sacar los tornillos de montaje del cuerpo de la caja de cambios.

32. Sacar los tornillos de montaje del soporte del montaje trasero del motor.

33. Sacar los cuatro tornillos de montaje del cuerpo de la caja de cambios y las tres tuercas de soporte del montaje.

34. Sacar la caja de cambios del motor hasta despejar las clavijas de centrado de 14 mm; después bajarla utilizando el gato.

Para instalar:

➡ **Al ensamblar los componentes de la suspensión delantera, usar tuercas autobloqueantes nuevas. Instalar anillos de cierre nuevos en las estrías de las juntas interiores de los semiejes. Reemplazar cualquier tornillo autobloqueante cromocodificado.**

35. Antes de instalar la caja de cambios, limpiar, por descarga de fluido, las líneas del refri-

gerador de la caja de cambios. Utilizar una unidad limpiadora por descarga presurizada, como la Honda J-38405-A o equivalente. Utilizar sólo fluido limpiador por descarga biodegradable Honda J-35944-20. Otros fluidos dañarán el sistema de refrigeración T/A.

a. Llenar el limpiador por descarga con 21 onzas de fluido. Presurizar el limpiador por descarga a 80-120 lb/plg², siguiendo el procedimiento del envase del fluido o del limpiador por descarga.

b. Fijar la manguera de descarga del limpiador en la línea de retorno del refrigerador. Fijar la manguera de drenaje en la línea de entrada del refrigerador y dirigirla dentro de una cubeta o depósito de drenaje.

c. Conectar el limpiador por descarga a las líneas de aire y agua. Abrir la válvula de toma de agua y limpiar por descarga el refrigerador durante diez segundos. La línea del aire debe estar equipada con un deshidratador de vapor para mantener seco el sistema.

d. Hundir el activador del limpiador por descarga para mezclar el fluido limpiador con el agua. Limpiar por descarga durante dos minutos, girando la válvula de aire a "ON" y a "OFF" durante cinco segundos cada 15-20 segundos, para crear una acción de encrespamiento de la presión.

e. Después de finalizar un ciclo de limpiado por descarga, invertir la manguera y limpiar en la dirección opuesta siguiendo los mismos pasos.

f. Secar las líneas del refrigerador con aire comprimido de manera que no quede humedad en el sistema de refrigeración.

36. Asegurarse de que las dos clavijas de centrado de 14 mm están instaladas en el cuerpo del convertidor de par.

37. Instalar el convertidor de par sobre el eje principal de la caja de cambios con una junta tórica del cubo nueva. Instalar el motor de arranque en la carcasa de la caja de cambios y apretar los tornillos de montaje a 33 pie-lb (44 Nm).

38. Subir la caja de cambios hasta dentro de su posición e instalar los tornillos de montaje del cuerpo de la caja de cambios. Apretar los tornillos a 47 pie-lb (65 Nm).

39. Instalar los tornillos de montaje traseros del motor y apretarlos a 40 pie-lb (54 Nm).

40. Instalar el soporte del múltiple de admisión y apretar los tornillos a 16 pie-lb (22 Nm).

41. Instalar los tornillos superiores que acoplan la caja de cambios al motor y apretar los tornillos a 47 pie-lb (64 Nm).

42. Apretar los tornillos de soporte del montaje delantero del motor a 28 pie-lb (38 Nm).

43. Instalar el montaje de la caja de cambios e instalar holgadamente las tuercas y el tornillo que sujetan el montaje. Apretar primero las tuercas a 28 pie-lb (38 Nm) y después el tornillo a 47 pie-lb (64 Nm).

44. Sacar el gato de la caja de cambios.

45. Acoplar el convertidor de par al plato propulsor con los ocho tornillos. Apretar los tornillos en dos pasos, siguiendo una pauta entrelazada: primero a 4.5 pie-lb (6 Nm) y finalmente a 9 pie-lb (12 Nm). Después de apretar el último tornillo, comprobar que su rotación es libre.

46. Instalar el cable de control del cambio de marchas y el soporte del cable de control. Apretar el tornillo de retención del cable del cambio de marchas a 10 pie-lb (14 Nm). Apretar los tornillos de la cubierta del cable del cambio de marchas a 13 pie-lb (18 Nm).

47. Instalar la cubierta del convertidor de par y apretar los tornillos a 9 pie-lb (12 Nm).

48. Sacar el elevador de motores.

49. Instalar la barra radial y la horquilla del amortiguador.

50. Instalar el eje intermedio en el diferencial y apretar los tornillos de montaje a 28 pie-lb (38 Nm).

51. Instalar un anillo de cierre nuevo en el extremo de cada semieje.

52. Girar la articulación de la dirección derecha totalmente hacia fuera y deslizar el eje dentro del diferencial hasta que el anillo de cierre encaje con un chasquido en el engranaje lateral del diferencial. Repetir el procedimiento en el lado izquierdo.

53. Instalar los tornillos de la horquilla del amortiguador y las tuercas de las rótulas en los brazos inferiores. Apretar la tuerca de las rótulas a 40 pie-lb (55 Nm) e instalar un pasador de chaveta nuevo.

54. Instalar la viga central del subbastidor y apretar los tornillos de la viga central a 28 pie-lb (39 Nm).

55. Instalar el protector contra salpicaduras.

56. Instalar las ruedas delanteras y bajar el vehículo.

57. Reconectar el conector del sensor de velocidad.

58. Soportar la articulación delantera derecha con un gato de suelo hasta que el peso del vehículo esté soportado por el gato. Apretar el tornillo de constricción de la horquilla del amortiguador a 32 pie-lb (44 Nm). Apretar los tornillos de la barra radial a 76 pie-lb (105 Nm) y la tuerca de la barra radial a 32

pie-lb (44 Nm). Sujetar el tornillo de la horquilla del amortiguador con una llave y apretar la tuerca a 40 pie-lb (55 Nm).

59. Conectar los cables en el motor de arranque.

60. Reconectar el cable de control del ahogador.

61. Conectar los conectores de la válvula de solenoide de control de la inmovilización y de la válvula de solenoide del control del cambio de marchas.

62. Conectar los conectores del sensor de velocidad y el cable de toma de tierra de la caja de cambios.

63. Conectar la manguera de entrada del refrigerador de la caja de cambios en el tubo de la junta. Acoplar una manguera de drenaje a la línea de retorno.

64. Instalar el apoyo de la base de la batería y la base de la batería.

65. Instalar el conjunto del resonador, el conjunto del filtro de aire y la manguera de admisión de aire.

66. Instalar la batería y conectar el cable positivo, y después el negativo, a la batería.

67. Rellenar la caja de cambios con ATF. Utilizar sólo ATF Premium Honda o un ATF II DEXRON® equivalente.

a. Con la manguera de drenaje del limpiador por descarga acoplada a la línea de retorno del refrigerador.

b. Colocar la caja de cambios en posición "P"; poner en marcha el motor durante 30 segundos o hasta que se haya descargado aproximadamente un cuarto de galón de fluido. Inmediatamente parar el motor. Esto completa el proceso de limpieza por descarga del refrigerador.

c. Sacar la manguera de drenaje y reconectar la línea de retorno del refrigerador.

d. Rellenar la caja de cambios con ATF al nivel adecuado.

68. Arrancar el motor, colocar el freno de mano y cambiar por todas las velocidades de la caja de cambios 3 veces. Comprobar si el ajuste del cable del cambio de marchas es correcto.

69. Dejar que el motor alcance la temperatura de funcionamiento con la caja de cambios en "P" o "N". Después, parar el motor y comprobar el nivel de los fluidos.

70. Hacer la prueba del vehículo en carretera.

71. Después de probar el vehículo de carretera, aflojar los tornillos del soporte del montaje delantero del motor; después volver a apretarlos a 28 pie-lb (39 Nm).

72. Comprobar y ajustar la alineación del extremo delantero del vehículo.

73. Introducir el código de seguridad de la radio.

MOTOR 2.7L

➡ **Varios montajes del motor deben extraerse durante el proceso de desmontaje de la caja de cambios. El objetivo de este procedimiento es permitir que el motor se incline, de manera que la caja de cambios despeje la torre del amortiguador de la izquierda. Para esta operación es necesario un elevador de cadena.**

1. Desconectar los cables negativo y positivo de la batería.

2. Apuntalar el capó abierto y sacar los puntales de soporte. Asegurar el capó abierto en posición vertical.

3. Sacar la batería. Sacar la bandeja de la batería y el soporte. Desatornillar el soporte del cable de la bandeja de la batería.

4. Sacar el conducto del aire de admisión.

5. Separar los broches que aseguran el cable del motor de arranque en el puntal de refuerzo. Sacar el puntal de refuerzo.

6. Drenar el fluido de la caja de cambios. Instalar el tapón de drenaje con una arandela de aplastamiento nueva.

7. Desacoplar las líneas del refrigerador ATF. Tapar las líneas y girarlas hacia arriba para disminuir los vertidos de fluido.

8. Sacar los cables del motor de arranque. Desatornillar la abrazadera del cable del motor de arranque y el cable de toma de tierra de la caja de cambios. Desatornillar la abrazadera del subcableado de la carcasa de la caja de cambios y apartar el soporte del cableado.

9. Desconectar los acoplamientos eléctricos siguientes:

- Válvula de solenoide de control del cambio de marchas.
- Conector del sensor de velocidad del eje principal.
- Válvula de solenoide de control de inmovilización.
- Válvula del sensor de velocidad del vehículo.
- Conector del solenoide lineal.
- Sensor de velocidad del eje intermedio.

10. Sacar el depósito de vacío de la desviación del aire de admisión (DAA) de la caja de cambios. No desconectar sus mangueras de vacío.

11. Aflojar los dos tornillos de encima de la carcasa superior de la caja de cambios; cuando el vehículo está levantado pueden no ser fácilmente accesibles.

12. Levantar y soportar con seguridad el vehículo. Sacar las ruedas delanteras.

13. Sacar el protector contra salpicaduras.

14. Sacar la viga central del subbastidor.

15. Sacar las tuercas de torreta almenadas o de las rótulas esféricas inferiores. Separar las rótulas de los brazos de control inferiores, utilizando una herramienta tipo prensa adecuada.

16. Sacar los tornillos de la horquillas del amortiguador y separar las horquillas del amortiguador del brazo de control inferior.

17. Utilizar una herramienta de hoja plana como palanca para sacar con cuidado los semiejes del diferencial y del eje intermedio.

18. Sacar las juntas interiores del diferencial y del eje intermedio. Atar bolsas de plástico sobre las juntas interiores para proteger las fundas y las estrías.

19. Sacar el tornillo de constricción del amortiguador izquierdo; después, separar del poste la horquilla del amortiguador. Desatornillar y sacar la barra radial izquierda. Utilizar un alambre para soportar el brazo de control izquierdo y el semieje fuera de la zona de trabajo.

20. Sacar el eje intermedio.

21. Sacar el soporte y la cubierta del cable del cambio de marchas. Sacar el perno de retención del cable del cambio de marchas y deslizar la palanca del cambio fuera de la barra de control. Ir con cuidado de no retorcer el cable del cambio de marchas.

22. Sacar la cubierta del convertidor de par. Sacar los ocho tornillos del plato propulsor, uno cada vez, mientras se gira la polea del cigüeñal.

23. Acoplar un elevador de cadena a la caja de cambios. Colocar un gato debajo del motor para soportarlo.

24. Sacar el refuerzo del montaje trasero; después desatornillar y sacar el montaje trasero.

25. Sacar el soporte del montaje delantero; después, sacar el montaje delantero.

26. Sacar los cuatro tornillos de la carcasa superior de la caja de cambios.

27. Sacar el montaje lateral de la caja de cambios.

28. Sacar los dos tornillos de la carcasa inferior de la caja de cambios.

▼ PRECAUCIÓN ▼

Antes de sacar los tornillos de soporte del montaje trasero, asegurarse de que

la caja de cambios está soportada con seguridad. Colocar un gato para cajas de cambio debajo de la caja de cambios como soporte adicional.

29. Sacar los tornillos del montaje trasero. Levantar un poco el motor y la caja de cambios; después, sacar del montaje trasero el soporte del montaje trasero.

30. Con cuidado, bajar la caja de cambios del vehículo. Inclinar el motor sólo lo suficiente para despejar la torre del amortiguador izquierdo.

➡ **Al inclinar el motor, no permitir que el compresor del A/A golpee la torre del amortiguador derecho.**

31. Sacar la caja de cambios del motor hasta que salga de las clavijas de centrado; después bajarla del vehículo.

Para instalar:

➡ **Al ensamblar los componentes de la suspensión delantera, utilizar tuercas autobloqueantes nuevas. Instalar un anillo de cierre nuevo en los semiejes interiores. Cuando se instalen los montajes del motor y de la caja de cambios, reemplazar las tuercas y los tornillos autobloqueantes cromocodificados. Estas sujeciones están disponibles en un distribuidor Honda.**

32. Antes de instalar la caja de cambios, limpiar por descarga de fluido las líneas del refrigerador de la caja de cambios. Utilizar una unidad de limpieza por descarga presurizada Honda J-38405-A o equivalente. Utilizar únicamente fluido de limpieza por descarga biodegradable Honda J-35944-20. Otros fluidos dañarán el sistema de refrigeración T/A.

a. Llenar el limpiador por descarga con 21 onzas de fluido. Presurizar el limpiador por descarga a 80-120 lb/plg², siguiendo el procedimiento del envase del fluido y del limpiador.

b. Fijar la manguera de descarga en la línea de retorno del refrigerador. Fijar la manguera de drenaje en la línea de entrada del refrigerador y dirigirla dentro de una cubeta o depósito de drenaje.

c. Conectar el limpiador por descarga a las líneas de aire y agua. Abrir la válvula de toma de agua del limpiador y limpiar por descarga el refrigerador durante diez segundos. La línea del aire debe estar equipada con un

deshidratador de vapor para mantener seco el sistema.

d. Hundir el activador del limpiador por descarga para mezclar el fluido limpiador con el agua. Limpiar por descarga durante dos minutos, girando la válvula de aire a "ON" y a "OFF" durante cinco segundos cada 15-20 segundos para crear una acción de encrespamiento de la presión.

e. Después de finalizar un ciclo de limpieza por descarga de fluido, invertir la manguera y limpiar en la dirección opuesta siguiendo los mismos pasos.

f. Secar las líneas del refrigerador con aire comprimido, de manera que no quede humedad en el sistema de refrigeración.

33. Asegurarse de que las dos clavijas de centrado de 14 mm están instaladas en el cuerpo del convertidor de par.

34. Instalar el convertidor de par sobre el eje principal de la caja de cambios con una junta tórica nueva. Instalar el motor de arranque en la carcasa de la caja de cambios y apretar los tornillos de montaje a 33 pie-lb (44 Nm).

35. Colocar la caja de cambios debajo del vehículo y acoplarle un elevador de cadena.

36. Colocar el motor en su sitio con un gato o un elevador; después, subir la caja de cambios hasta su posición.

37. Unir la caja de cambios al motor. Instalar los tornillos de la caja de la caja de cambios y apretarlos a 47 pie-lb (65 Nm). El tornillo largo se conecta detrás del motor de arranque.

38. Instalar el soporte del montaje trasero del motor en el montaje trasero y apretar la tuerca y el tornillo superior con la mano. Instalar los dos tornillos nuevos del soporte del montaje a la carcasa de la caja de cambios y apretarlos a 40 pie-lb (55 Nm).

39. Verificar que todos los tornillos de la carcasa de la caja de cambios se han instalado.

40. Instalar el montaje delantero y apretar los tres tornillos a 43 pie-lb (59 Nm). Instalar el soporte del montaje delantero en la caja de cambios y apretar los tornillos a 28 pie-lb (39 Nm). Instalar y apretar con la mano la tuerca de montaje.

41. Instalar el montaje lateral de la caja de cambios. Instalar y apretar con la mano las tres tuercas y el tornillo pasante. Apretar las tuercas a 28 pie-lb (39 Nm); después apretar el tornillo a 47 pie-lb (65 Nm).

42. Con todos los montajes del motor y de la caja de cambios instalados, apretar las tuercas de montaje a 40 pie-lb (55 Nm).

Instalar el refuerzo del montaje trasero. Apretar el tornillo del refuerzo trasero y el tornillo del soporte del montaje superior trasero a 28 pie-lb (39 Nm).

43. Sacar el elevador de cadena y los gatos del motor y de la caja de cambios.

44. Instalar los ocho tornillos del plato propulsor y apretarlos a su especificación de apriete final, en dos pasos y siguiendo una pauta entrelazada. El primer paso de apriete es a 4.3-4.5 pie-lb (6 Nm). El segundo paso de apriete es a 8.7 pie-lb (12 Nm). Después de apretar el último tornillo, comprobar la rotación libre del cigüeñal.

45. Instalar la cubierta del convertidor de par y apretar sus tornillos a 8.7 pie-lb (12 Nm).

46. Utilizar una herramienta de sujeción y una llave de apriete para volver a apretar la polea del cigüeñal a 181 pie-lb (245 Nm).

47. Reconectar la palanca del cable del cambio de marchas en el eje de control con una arandela de seguridad nueva y apretar el tornillo a 10 pie-lb (14 Nm). Instalar el soporte y la cubierta del cable del cambio de marchas. Apretar los tornillos de la cubierta a 20 pie-lb (26 Nm).

48. Instalar el eje intermedio y apretar los tornillos a 16 pie-lb (22 Nm).

49. Instalar la barra radial y la horquilla del amortiguador izquierdo. Apretar los tornillos con la mano.

50. Instalar anillos de cierre nuevos en las juntas VC interiores de los semiejes. Instalar los semiejes en el diferencial y en el eje intermedio. Asegurarse de que los anillos de cierre encajan con un chasquido en su sitio.

51. Volver a ensamblar las horquillas del amortiguador y las rótulas de los brazos de control inferiores. Apretar las tuercas de torreta de las rótulas a 36-43 pie-lb (49-59 Nm); después apretarlas sólo lo suficiente para instalar pasadores de chaveta nuevos.

52. Instalar la viga central y apretar los tornillos a 37 pie-lb (50 Nm). Instalar el protector contra salpicaduras.

53. Instalar las ruedas delanteras y bajar el vehículo.

54. Utilizar un gato de suelo para levantar la articulación delantera izquierda hasta que soporte el peso del vehículo. Apretar el tornillo de constricción del amortiguador a 32 pie-lb (43 Nm). Apretar los tornillos de la barra radial a 76 pie-lb (101 Nm) y las tuercas a 32 pie-lb (43 Nm). Apretar las tuercas de la horquilla del amortiguador a 47 pie-lb (65 Nm).

55. Instalar el depósito de vacío de la DAA (IAB) y la abrazadera del cableado del motor.

56. Reconectar los acoplamientos eléctricos siguientes:

• Válvula de solenoide de control del cambio de marchas.

• Conector del sensor de velocidad del eje principal.

• Válvula de solenoide de control de la inmovilización.

• Conector del sensor de velocidad del vehículo.

• Conector del solenoide lineal.

• Sensor de velocidad del eje intermedio.

57. Instalar y conectar los cables del motor de arranque y el cable de toma de tierra de la caja de cambios.

58. Reconectar las mangueras del refrigerador ATF.

59. Instalar el puntal de refuerzo y apretar sus tornillos de montaje a 16 pie-lb (22 Nm). Acoplar los broches del cable del motor de arranque al puntal de refuerzo.

60. Instalar el conducto del aire de admisión. Instalar la bandeja de la batería y apretar sus tornillos de montaje a 16 pie-lb (22 Nm). Reconectar el soporte del cable y el terminal de toma de tierra.

61. Instalar la batería y conectar los cables de la batería.

62. Apuntalar el capó abierto e instalar los puntales de soporte.

63. Rellenar la caja de cambios con ATF. Utilizar únicamente ATF Premium Honda o un ATF DEXRON® II equivalente. Conectar los cables de la batería.

a. Dejar la manguera de drenaje del limpiador por descarga de fluido acoplada a la línea de retorno del refrigerador.

b. Con la caja de cambios en posición "P", hacer marchar el motor durante 30 segundos, o hasta que se haya descargado un cuarto de galón de fluido aproximadamente. Inmediatamente, parar el motor. Esto completa el proceso de limpieza por descarga del refrigerador.

c. Sacar la manguera de drenaje y reconectar la línea de retorno del refrigerador.

d. Rellenar la caja de cambios con ATF hasta el nivel adecuado.

64. Arrancar el motor, poner el freno de mano y cambiar pasando por todas las velocidades de la caja de cambios tres veces. Comprobar que el ajuste del cable del cambio de marchas sea correcto.

65. Dejar que el motor alcance la temperatura de funcionamiento con la caja de cambios en posición "P" o "N". Después, parar el motor y comprobar el nivel de los fluidos.

66. Probar el vehículo en carretera.

67. Después de probar el vehículo en carretera, aflojar las tuercas del montaje delantero y trasero del motor, y luego volver a apretarlas a 40 pie-lb (54 Nm).

68. Comprobar y ajustar la alineación del extremo delantero del vehículo.

69. Introducir el código de seguridad de la radio.

Motor 3.0L

1. Desconectar el cable negativo de la batería y después el cable positivo.

2. Sacar la batería y la bandeja.

3. Sacar las abrazaderas que aseguran los cables de la batería a la base.

4. Sacar el conducto del aire de admisión y el conjunto del filtro de aire.

5. Levantar el vehículo y drenar el fluido de la caja de cambios. Volver a colocar el tapón de drenaje con una arandela nueva.

6. Sacar las abrazaderas del cableado del motor de arranque y sacar las mangueras de la respiración y del radiador de los retenes.

7. Desconectar los conectores del cableado del conjunto de la caja de cambios.

8. Desconectar las líneas del refrigerador y dirigirlas hacia arriba para evitar el drenaje del fluido.

9. Sacar el tornillo y la tuerca que aseguran el refuerzo trasero y sacar el refuerzo.

10. Sacar los tornillos que aseguran la caja de cambios al motor.

11. Sacar los tornillos del soporte de montaje delantero.

12. Sacar la cubierta de debajo del motor.

13. Desconectar el montaje inferior del amortiguador y las rótulas esféricas inferiores de los brazos de control.

14. Sacar los tornillos que aseguran las barras radiales a los brazos inferiores.

15. Sacar los semiejes. Mantener limpios los extremos estriados de los ejes.

16. Marcar la posición del subbastidor en el bastidor principal y sacarlo.

17. Sacar el tirante del motor de la parte trasera del motor.

18. Sacar la cubierta del cable del cambio de marchas, el soporte y el cable.

19. Sacar los ocho tornillos que aseguran el plato propulsor en el convertidor de par.

20. Acoplar un elevador de cadena al motor y levantarlo un poco.

21. Colocar un gato debajo de la caja de cambios.

22. Sacar el soporte del montaje de la caja de cambios.

23. Sacar el soporte del apoyo del múltiple de admisión.

24. Sacar el soporte del montaje trasero.

25. Tirar un poco hacia atrás la caja de cambios hasta que salga de las clavijas y bajarla del vehículo. No dejar que el convertidor de par se caiga de la caja de cambios.

Para instalar:

26. Si se ha sacado, instalar el convertidor de par con una junta tórica nueva.

27. Instalar las clavijas de centrado en el cuerpo del convertidor de par.

28. Levantar la caja de cambios hasta el motor e instalar el soporte del montaje trasero. Apretar el tornillo de 8 x 1.25 a 16 pie-lb (22 Nm) y los tornillos de 12 x 1.25 a 40 pie-lb (54 Nm).

29. Instalar los tornillos de la caja de cambios al motor. Apretar los tornillos a 47 pie-lb (54 Nm).

30. Conectar el tubo respiradero con el punto mirando hacia arriba e instalar el soporte del montaje de la caja de cambios. Apretar las tuercas a 28 pie-lb (38 Nm) y el tornillo pasante a 40 pie-lb (54 Nm).

31. Instalar los tornillos del plato propulsor al convertidor de par. Apretarlos a 9 pie-lb (12 Nm), siguiendo una pauta entrelazada.

32. Instalar el cable del cambio de marchas, el soporte y la cubierta.

33. Instalar el tirante del motor en la parte trasera del motor.

34. Instalar los semiejes.

35. Después de alinear las marcas, instalar el subbastidor. Apretar los tornillos traseros a 47 pie-lb (64 Nm) y los tornillos delanteros a 76 pie-lb (103 Nm).

36. Instalar el montaje delantero. Apretar los tornillos a 28 pie-lb (38 Nm).

37. Conectar los amortiguadores y la barras radiales a los brazos de control inferiores.

38. Instalar la cubierta de debajo del motor.

39. Conectar todos los conectores del cableado.

40. Conectar el cableado del motor de arranque e instalar las abrazaderas del cableado.

41. Instalar la batería.

42. Instalar el conjunto del filtro de aire y el conducto de admisión.

43. Rellenar la caja de cambios con fluido de transmisión automática premium Genuine Honda®.

EMBRAGUE

DESMONTAJE E INSTALACIÓN

➡ **La radio original contiene un circuito codificado antirrobo. Obtener el número del código de seguridad antes de desconectar los cables de la batería. En los vehículos equipados con 4RD, cuando se desconecta la batería, la unidad de control se para. Después de volver a conectar los cables de la batería, girar el volante de tope a tope para reajustar la unidad de control.**

1. Desconectar el cable negativo de la batería.

2. Levantar y soportar con seguridad el vehículo.

3. Sacar la caja de cambios del vehículo. Marcar el volante y el embrague para el reensamblaje.

4. Usar un soporte de engranajes anulares de volantes para bloquear el volante en su sitio.

5. Aflojar dos vueltas los tornillos del plato de presión, trabajando con una pauta entrelazada para evitar que se deforme el plato de presión. Sacar el plato de presión y el disco del embrague.

6. Examinar si el volante, el disco y el plato de presión están gastados, agrietados o deformados. Las rayadas ligeras del volante pueden pulirse; las ranuras, deformaciones, marcas de quemaduras, grietas o los dientes picados requieren que el volante se reemplace.

➡ **Si el volante se ha de sacar, pero se ha de reutilizar, marcarlo en el bloque de cilindros antes de sacarlo. Las marcas de alineación antes del reensamblaje preservarán el equilibrado de la línea de transmisión.**

7. Examinar el cojinete de bolas del volante: girar la pista interior del cojinete con el dedo y asegurarse de que gira suave y silenciosamente. Si el cojinete está flojo, hace ruido o presenta un movimiento desigual, reemplazarlo.

8. Sacar la funda de la horquilla de desembrague. Apretar el resorte de retención de la horquilla de desembrague para desacoplar la horquilla de su pivote. Sacar la horquilla de desembrague del cuerpo del embrague.

9. Sacar el cojinete de desembrague. Hacer girar el cojinete con la mano para comprobar su grado de juego. Si tiene excesivo juego o pierde grasa, reemplazar el cojinete de desembrague.

10. Examinar si en el sello de aceite del cojinete principal trasero hay señales de fugas. Si es necesario, reemplazar el sello para evitar que las fugas de aceite vayan sobre las superficies de fricción del embrague.

Para instalar:

11. Si es necesario, extraer el cojinete del volante y después, utilizando una herramienta de introducción de cojinetes de la medida adecuada, instalar uno nuevo. Seguir una pauta entrelazada para apretar los tornillos de montaje del volante en varios pasos a 87 pie-lb (118 Nm), para vehículos con motores SOHC. Si está equipado con un motor B16A2 o B16A3, apretar los tornillos del volante a 76 pie-lb (105 Nm).

12. Instalar el disco de embrague y el plato de presión, alineando los agujeros de las clavijas en el volante con los agujeros de las clavijas en el plato de presión. Si no se ha instalado un plato de presión nuevo, alinear las marcas que se hayan hecho durante el desmontaje. Instalar y apretar con la mano los tornillos del plato de presión.

13. Insertar una herramienta de alineación de discos de embrague adecuada en el agujero estriado del disco del embrague. Alinear el embrague y el plato de presión.

14. Apretar dos vueltas los tornillos del plato de presión, siguiendo una pauta entrelazada,

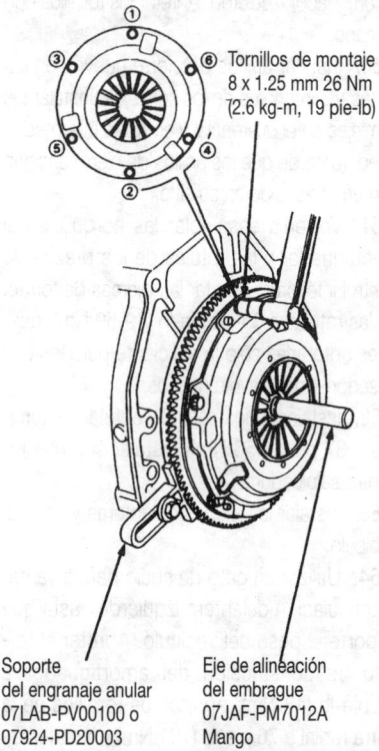

Tornillos de montaje 8 x 1.25 mm 26 Nm (2.6 kg-m, 19 pie-lb)

Soporte del engranaje anular 07LAB-PV00100 o 07924-PD20003

Eje de alineación del embrague 07JAF-PM7012A Mango 07936-3710100

▲ **Herramientas de alineación del embrague y secuencia de apriete del plato de presión**

para evitar que el plato de presión se deforme. El apriete final es a 19 pie-lb (26 Nm).

15. Sacar la herramienta de alineación y el soporte del engranaje anular.

16. Cubrir el eje principal con grasa para trabajos duros de alta temperatura. El fabricante recomienda la pieza N° 08798-9002, grasa de urea de super alta temperatura Honda.

17. Cubrir las patas de la horquilla de desembrague y la pista interior del cojinete de desembrague con grasa de alta temperatura e instalarlos en el cuerpo del embrague. Asegurarse de que el muelle de retención de la horquilla de desembrague está encajado sobre el pivote en su sitio. El cojinete y la horquilla deben adaptarse juntos adecuadamente y deslizarse de acá para allá suavemente.

18. Cubrir el extremo del cilindro auxiliar con grasa. Instalar la funda de la horquilla de desembrague.

19. Instalar la caja de cambios, asegurándose de que el eje principal está alineado correctamente con las estrías del disco del embrague y de que las clavijas de la caja de la carcasa de cambios están alineadas correctamente con el bloque de cilindros.

20. Instalar los tornillos de la carcasa de la caja de cambios y apretarlos secuencialmente a 47 pie-lb (65 Nm).

21. Sangrar el sistema hidráulico del embrague.

22. Ajustar el recorrido libre del pedal de embrague.

23. Verificar que todos los componentes del motor y de la caja de cambios están instalados y conectados correctamente.

24. Reconectar el cable negativo de la batería.

25. Probar el vehículo en carretera.

SISTEMA DE EMBRAGUE HIDRÁULICO

SANGRADO

1. Llenar el depósito del cilindro principal del embrague con fluido de frenos limpio DOT 3 o 4.

2. Acoplar un tubo de goma al tornillo de sangrado del cilindro auxiliar del embrague. Dirigir el tubo dentro de un recipiente de fluido de frenos limpio.

3. Aflojar el tornillo de sangrado.

4. Lentamente bombear el pedal del embrague hasta que el líquido drenante del cilindro auxiliar salga libre de burbujas de aire.

5. Apretar el tornillo de sangrado a 6-7 pie-lb (8-10 Nm).

6. Llenar el depósito del cilindro principal del embrague con fluido de frenos.

SEMIEJE

DESMONTAJE E INSTALACIÓN

1. Aflojar la tuerca de la mangueta delantera.

2. Levantar y soportar con seguridad el vehículo.

3. Sacar las ruedas delanteras y la tuerca de la mangueta.

4. Drenar el fluido de la caja de cambios e instalar el tapón de drenaje con una arandela nueva. Si el semieje que se ha de sacar está instalado en el eje intermedio, el fluido de la caja de cambios no necesita drenarse.

5. Sacar la tuerca de la horquilla del amortiguador y el tornillo de constricción del amortiguador.

6. Sacar la horquilla del amortiguador.

7. Sacar el pasador de chaveta y la tuerca de torreta de la rótula esférica del brazo inferior. Instalar una tuerca hexagonal enrasada a nivel sobre el espárrago de la rótula para evitar que la herramienta para rótulas dañe las roscas del espárrago.

8. Utilizando una herramienta para rótulas, separar el brazo inferior de la articulación.

9. Tirar de la articulación hacia fuera. Sacar la junta exterior del semieje del cubo golpeando ligeramente con un martillo de plástico.

10. Con cuidado, hacer palanca para sacar la junta VC interior de la carcasa de la caja de cambios para forzar la salida del anillo de cierre fuera de la ranura.

11. Tirar de la junta VC interior y sacar el semieje de la caja del diferencial o del eje intermedio.

➡ **No tirar del semieje porque la junta VC puede desmontarse. Al hacer palanca sobre el conjunto, ir con cuidado y tirar de él en línea recta para evitar que se dañe el sello de aceite del diferencial o los sellos de aceite o guardapolvo del eje intermedio.**

Para instalar:

12. Reemplazar el sello de aceite del diferencial o el sello del eje intermedio, si alguno de ellos se ha dañado durante el desmontaje.

13. Instalar anillos de cierre nuevos en los extremos de los semiejes.

14. Instalar los semiejes y asegurarse de que los anillos de cierre del diferencial encajan con un chasquido en las ranuras y el semieje llega al fondo en el diferencial o en el eje intermedio.

15. Instalar la junta exterior en el cubo. Asegurarse de que las estrías engranan juntas y de que la junta está totalmente asentada en el cubo.

16. Acoplar el espárrago de la rótula en el brazo de control inferior. Instalar la horquilla del amortiguador en su sitio. Apretar el tornillo de constricción superior del amortiguador a 32 pie-lb (44 Nm) y la tuerca de la horquilla a 47 pie-lb (65 Nm).

17. Apretar la tuerca de torreta de la rótula a 40 pie-lb (55 Nm); después, apretar la tuerca sólo lo suficiente para instalar un pasador de chaveta nuevo.

18. Instalar las ruedas delanteras. Instalar una tuerca de mangueta nueva, pero sin apretarla todavía.

19. Bajar el vehículo.

20. Apretar la tuerca de la mangueta a 181 pie-lb (245 Nm) y estacar su lengüeta. Apretar las tuercas de rueda a 80 pie-lb (110 Nm).

21. Llenar la caja de cambios con la cantidad y el tipo adecuado de fluido.

22. Calentar el motor, comprobar el nivel del fluido de la caja de cambios y probar el vehículo en carretera.

DIRECCIÓN Y SUSPENSIÓN

AIR BAG (BOLSA DE AIRE)

El Sistema Restringido Suplementario (SRS/air bag) es un dispositivo de seguridad pasiva diseñado para reducir el riesgo y la gravedad de las lesiones de los pasajeros de los asientos delanteros de un vehículo involucrado en una colisión frontal. El SRS está diseñado para ser usado junto con los cinturones de seguridad del vehículo. Los air bags son menos efectivos en un accidente si los pasajeros no llevan puestos los cinturones de seguridad. El SRS incluye los módulos de air bag del conductor y del acompañante, un carrete de cable en la columna de la dirección, sensores de choque y un módulo de control propio.

▼ PRECAUCIÓN ▼

El SRS está diseñado para funcionar en niveles de energía eléctrica sumamente bajos. Si la alimentación eléctrica de la batería del vehículo es desconectada o interrumpida en un accidente, un circuito de alimentación eléctrica de ayuda activa el SRS. Debido a la naturaleza sensible del SRS, los módulos del air bag deben desactivarse si ellos, o cualquier otra pieza del SRS, deben repararse o desconectarse. Si no se desactivan antes de iniciar la reparación, sus componentes pueden causar el despliegue accidental del air bag y posibles daños personales.

PRECAUCIONES

Al manejar el módulo hinchable deben tomarse varias precauciones para evitar un despliegue accidental y posibles daños personales.

- No llevar nunca el módulo hinchable por los cables o por el conector de debajo del módulo.
- Al llevar un módulo hinchable activado, sujetarlo firmemente con las dos manos y asegurarse de que la bolsa y la cubierta de guarnición están apuntando hacia afuera.
- Colocar el módulo hinchable sobre un banco de trabajo u otra superficie, con la bolsa y la cubierta de guarnición mirando hacia arriba.
- Con el módulo hinchable sobre el banco de trabajo, no colocar nunca nada sobre el módulo o cerca de él que pueda ser lanzado en caso de un despliegue accidental.

DESARME

➡ La radio puede contener un circuito codificado de protección antirrobo. Obtener siempre el número del código antes de desconectar la batería.

Lado conductor

1. Desconectar los cables negativo y positivo de la batería.
2. Esperar siempre como mínimo tres minutos después de desconectar la batería, antes de trabajar alrededor del air bag.
3. Sacar la cubierta de acceso inferior del volante de la dirección.
4. Sacar el broche que asegura el módulo del air bag/conexión del carrete del cable a la columna de la dirección.

➡ Los conectores del air bag accionados por resorte cargado contienen un contacto auto-desactivador. No es necesario

instalar ningún conector de cortocircuitación en el conector del air bag del conductor.

5. Desacoplar los conectores accionados por resorte:
    a. Sujetar el cuerpo del conector, no el cableado.
    b. Tirar del manguito de retenida de bloqueo del resorte cargado hacia su tope mientras se sujeta la mitad opuesta del conector.
    c. Después de liberar el manguito de retenida de bloqueo, desacoplar los conectores.
6. Después de completar la reparación, acoplar los conectores del air bag y del carrete del cable. Presionar el lado del manguito del conector dentro del lado del trinquete de retenida, hasta que el manguito bloquee los conectores juntos.
7. Instalar el clip que asegura la conexión air bag/carrete del cable a la columna de la dirección.
8. Instalar la cubierta de acceso.
9. Reconectar los cables positivo y negativo de la batería.
10. Girar el interruptor de encendido a la posición "ON", pero sin arrancar el motor. La luz del indicador del air bag debe encenderse durante seis segundos; después debe apagarse. Si la luz del indicador del air bag no se enciende o está encendida durante más de seis segundos, debe diagnosticarse el fallo del sistema.
11. Introducir el código de seguridad de la radio.

Lado acompañante

1. Desconectar los cables negativo y positivo de la batería.
2. Esperar siempre tres minutos como mínimo después de desconectar la batería, antes de trabajar alrededor del air bag.
3. Sacar la puerta y el marco de la guantera.
4. Si está equipado, sacar los soportes de montaje inferiores que pueden cubrir la conexión del air bag.
5. Desconectar el conector del air bag del acompañante. Tirar del manguito accionado por resorte cargado hacia el tope, mientras se sujeta la mitad opuesta del conector y se separa el conector.

REARME

1. Después de completar la reparación, acoplar inmediatamente los conectores del air bag y del carrete del cable.

2. Si está equipado, instalar los soportes de montaje inferiores que se hayan podido sacar.
3. Instalar el marco y la puerta de la guantera.
4. Reconectar los cables positivo y negativo de la batería.
5. Girar el interruptor de encendido hasta la posición "ON", pero sin arrancar el motor. La luz del indicador del air bag debe encenderse durante seis segundos; después debe apagarse. Si la luz del indicador del air bag no se enciende o está encendida durante más de seis segundos, debe diagnosticarse el fallo del sistema.
6. Introducir el código de seguridad de la radio.

DIRECCIÓN DE CREMALLERA Y PIÑÓN

DESMONTAJE E INSTALACIÓN

Manual

CIVIC Y DEL SOL

▼ PRECAUCIÓN ▼

El Sistema Restringido Suplementario (air bag) debe desactivarse antes de sacar el volante de la dirección para centrar el carrete del cable. Cualquier fallo a la hora de desarmar el sistema del air bag puede producir un despliegue accidental del air bag, provocando una reparación innecesaria del sistema del air bag y el riesgo de daños personales.

1. Colocar las ruedas delanteras rectas. Bloquear la columna de la dirección y sacar la llave de encendido.
2. Desconectar el cable negativo de la batería y los cables positivos de la batería.
3. Desactivar el Sistema Restringido Suplementario (air bag).
4. Sacar la cubierta de la junta de la dirección. Sacar los tornillos superior e inferior de la junta de la dirección.
5. Levantar y soportar con seguridad el vehículo.
6. Sacar las ruedas delanteras.
7. Sacar los pasadores de chaveta y las tuercas de torreta de los extremos de la barra de conexión. Utilizando una herramienta para rótulas, desconectar los extremos de la barra de conexión de las rótulas de las articulaciones.

8. Sacar el extremo izquierdo de la barra de conexión y deslizar la cremallera del todo hacia la derecha.

9. Sacar las tuercas autobloqueantes y separar el convertidor catalítico o el tubo de escape delantero de los tubos de escape traseros. Sacar el convertidor catalítico o el tubo de escape delantero.

10. Cambio manual: desconectar la barra de extensión de la palanca del cambio del cuerpo del embrague. Deslizar el retén clavija hacia fuera, extraer la clavija de resorte y desconectar la barra del cambio.

11. Cambio automático: desatornillar los soportes del cable del cambio. Desconectar el cable del cambio del eje de control. Suspender el cable de debajo de la carrocería con un trozo de alambre.

12. Desatornillar y sacar el plato de refuerzo de la dirección de cremallera.

13. Sacar el soporte de montaje de la dirección de cremallera.

14. Tirar la dirección de cremallera hacia abajo para liberarla del eje del piñón.

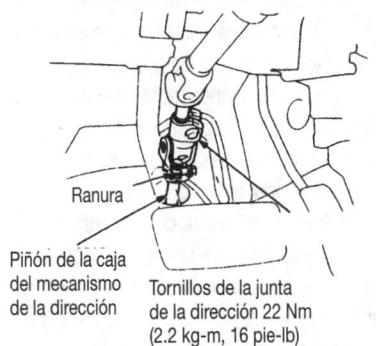

Ranura

Piñón de la caja
del mecanismo
de la dirección

Tornillos de la junta
de la dirección 22 Nm
(2.2 kg-m, 16 pie-lb)

▲ **Tornillos de la junta de la dirección – Civic y Del Sol 1995**

15. Separar la cremallera de dirección suficientemente lejos para permitir que el extremo del eje del piñón y el ojal salgan del agujero del mamparo.

16. Deslizar la caja del mecanismo hacia la derecha hasta que la barra de conexión izquierda despeje el subbastidor; después separarla hacia abajo y fuera del vehículo hacia la izquierda.

Para instalar:

➡ Al instalarse el convertidor catalítico, utilizar tuercas autobloqueantes y juntas nuevas.

17. Instalar en su sitio la cremallera de dirección. Instalar el ojal del eje del piñón e instalar el piñón a través del agujero del mamparo.

18. Instalar el colchón, el soporte y los tornillos de montaje de la cremallera de dirección. La flecha del soporte mira hacia la parte delantera del vehículo. Apretar los tornillos del soporte a 28 pie-lb (39 Nm).

19. Instalar el plato de refuerzo de la cremallera de dirección. Apretar los tornillos de montaje de la cremallera de dirección a 43 pie-lb (59 Nm). Apretar los tornillos del plato de refuerzo a 28 pie-lb (39 Nm).

20. Centrar los extremos de la cremallera dentro de sus recorridos de la dirección.

21. Instalar los extremos de la barra de conexión en los extremos de la cremallera. Conectar los extremos de la barra de conexión a las articulaciones de la dirección e instalar las tuercas de torreta. Instalar las ruedas delanteras.

22. Instalar el convertidor catalítico utilizando nuevas juntas y tuercas autobloqueantes. Apretar las tuercas delanteras a 16 pie-lb (22 Nm) y las tuercas traseras a 25 pie-lb (34 Nm).

23. Cambio manual: reconectar el varillaje del cambio, instalando una clavija de resorte y un anillo nuevos. Instalar la barra de extensión y apretar sus tornillos a 16 pie-lb (22 Nm).

24. Cambio automático: reconectar el cable del cambio y los soportes. Apretar los tornillos de los soportes a 9 pie-lb (12 Nm). Apretar el tornillo de retención del cable a 10 pie-lb (14 Nm). Apretar los tornillos del soporte del cable a 16 pie-lb (22 Nm).

25. Verificar que la cremallera está centrada dentro de sus recorridos. Bajar el vehículo.

26. Centrar el carrete del cable del air bag:

• Sacar el volante de la dirección.

• Girar el carrete del cable en el sentido de las agujas del reloj hasta que pare.

• Girar el volante de la dirección en el sentido contrario al de las agujas del reloj (aproximadamente dos vueltas) hasta que la flecha de la etiqueta apunte hacia arriba.

• Instalar el volante de la dirección.

27. Durante la instalación del volante de la dirección, verificar que la ranura del eje del volante de la dirección engrana con las lengüetas del manguito. Las clavijas del carrete del cable ajustan dentro de los agujeros del cuerpo del volante de la dirección. Instalar una tuerca nueva en el volante de la dirección y apretarla a 36 pie-lb (50 Nm).

28. Alinear el agujero del tornillo en la junta de la dirección con la ranura en el eje del piñón. Deslizar la junta sobre el eje del piñón. Tirar de la junta hacia arriba y hacia abajo para asegurarse de que las estrías están totalmente asentadas. Apretar los tornillos de la junta a 16 pie-lb (22 Nm).

➡ Conectar la junta de la dirección y el eje del piñón con el carrete del cable y la cremallera de la dirección centrados. Verificar que el tornillo inferior de la junta está asentado con seguridad en la ranura del eje del piñón. Si el volante de la dirección y la cremallera no están centrados, recolocar las estrías del extremo inferior de la junta de la dirección.

29. Instalar la cubierta de la junta de la dirección.

30. Apretar las tuercas de torreta de la rótula a 29-35 pie-lb (40-48 Nm). Después, apretarlos sólo lo suficiente para instalar pasadores de chaveta nuevos.

31. Activar el Sistema Restringido Suplementario (air bag).

32. Instalar la cubierta de acceso inferior del volante de la dirección.

33. Reconectar los cables negativo y positivo de la batería.

34. Girar el interruptor de encendido hasta la posición "ON". La luz del indicador del air bag debe encenderse durante seis segundos; después debe apagarse. Esta secuencia indica que el sistema del air bag está activado y funciona normalmente. Si la luz del air bag está encendida durante más tiempo, o no se enciende, debe diagnosticarse el sistema.

35. Comprobar la alineación de las ruedas delanteras y el ángulo del radio del volante de la dirección.

36. Probar el vehículo en carretera.

Asistida

➡ La radio puede contener un circuito codificado de protección antirrobo. Obtener siempre el número del código antes de desconectar la batería. Si el vehículo está equipado con 4RD, cuando se desconecta la batería, la unidad de control de la dirección se para. Después de conectar la batería, girar el volante de tope a tope para reajustar la unidad de control de la dirección.

CIVIC Y DEL SOL

▼ **PRECAUCIÓN** ▼

El Sistema Restringido Suplementario (air bag) debe desactivarse antes de sacar el volante de la dirección para centrar el carrete del cable. El incumplimiento del desarme del sistema del

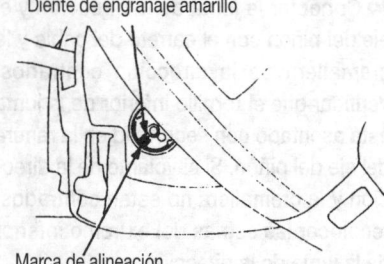

Diente de engranaje amarillo

Marca de alineación

▲ **Alineación del carrete del cable – Civic y Del Sol 1995**

air bag puede ser la causa de un despliegue accidental del air bag, provocando la reparación innecesaria del sistema del air bag y el riesgo de daños personales.

1. Levantar y sacar el depósito de la dirección asistida de su montaje y desconectar la manguera de entrada.

2. Insertar un trozo de tubería dentro de la manguera de entrada y dirigir la tubería dentro de un recipiente de drenaje.

3. Con el motor en marcha mínima, girar varias veces el volante de tope a tope hasta que el fluido deje de salir de la manguera.

4. Colocar las ruedas delanteras rectas. Parar el motor, bloquear la columna de la dirección y sacar la llave de encendido. Volver a conectar la manguera de entrada del depósito.

5. Desconectar el cable negativo de la batería y los cables positivos de la batería. Esperar tres minutos antes de trabajar alrededor de los air bags.

6. Sacar la cubierta del acceso inferior del volante de la dirección.

7. Desacoplar el conector del air bag del conector del carrete del cable:

   a. Sujetar el conector del carrete del cable. Con la otra mano, deslizar el manguito accionado por resorte hasta la lengüeta de tope del conector del air bag.

   b. Separar los dos conectores. No es necesario instalar un conector de cortocircuitación dado que los conectores se conectan automáticamente a tierra al ser desacoplados.

8. Sacar la cubierta de la junta de la dirección y sacar los tornillos superior e inferior de la junta de la dirección.

9. Levantar y soportar con seguridad el vehículo.

10. Sacar las ruedas delanteras.

11. Sacar los pasadores de chaveta y las tuercas de torreta de la barra de conexión. Utilizando una herramienta para rótulas, desconectar los extremos de la barra de conexión de las articulaciones de la dirección.

12. Cambio manual: desconectar la barra de torsión de la palanca de cambio, del cuerpo del embrague. Deslizar fuera apartado de en medio el retén clavija, sacar la clavija de resorte y desconectar la barra del cambio.

13. Cambio automático: desatornillar los soportes del cable del cambio. Desconectar el cable del cambio del eje de control. Suspender el cable de debajo de la carrocería con un trozo de alambre.

14. Sacar las tuercas autobloqueantes y separar el convertidor catalítico de los tubos de escape. Sacar el convertidor catalítico.

15. Utilizar una llave de tuercas abocardada para desconectar la línea y la manguera hidráulica del cuerpo de la válvula de la cremallera.

16. Sacar el extremo izquierdo de la barra de conexión y deslizar la cremallera del todo hacia la derecha.

17. Sacar los tornillos de montaje de la cremallera de la dirección.

18. Tirar la cremallera de la dirección hacia abajo para soltarla del eje del piñón.

19. Dejar caer la caja del engranaje lo suficiente para permitir que el extremo del eje del piñón salga del agujero del canal del bastidor.

20. Deslizar la caja del engranaje hacia la derecha hasta que la barra de conexión izquierda despeje el subbastidor; después separarla hacia abajo y fuera del vehículo, hacia la izquierda.

Para instalar:

➡ Al instalar el convertidor catalítico, utilizar tuercas autobloqueantes nuevas.

▼ AVISO ▼

Utilizar sólo fluido de dirección asistida Honda. Cualquier otro tipo o marca de fluido dañará la bomba de la dirección asistida.

21. Instalar la cremallera de la dirección en su sitio. Instalar el ojal del eje del piñón e insertar el piñón a través del agujero en el mamparo.

22. Instalar los tornillos de montaje de la cremallera. Apretar los tornillos del soporte a 28 pie-lb (39 Nm). Apretar el tornillo de montaje debajo del cuerpo de la válvula a 43 pie-lb (59 Nm).

23. Reconectar las dos líneas hidráulicas en el cuerpo de la válvula de la cremallera. Apretar con cuidado los rácores de las líneas hidráulicas a 28 pie-lb (38 Nm). Apretar firmemente la abrazadera de la manguera de retorno.

24. Centrar los extremos de la cremallera dentro de sus recorridos de dirección.

25. Instalar los extremos de la barra de conexión en los extremos de la cremallera. Conectar los extremos de la barra de conexión en las articulaciones de la dirección e instalar las tuercas de torreta. Instalar las ruedas delanteras.

26. Instalar el convertidor catalítico, utilizando juntas y tuercas autobloqueantes nuevas. Apretar las tuercas delanteras a 16 pie-lb (22 Nm) y las tuercas traseras a 25 pie-lb (34 Nm).

27. Cambio manual: reconectar el varillaje del cambio instalando un anillo y una clavija de resorte nuevos. Instalar la barra de extensión y apretar su tornillo a 16 pie-lb (22 Nm).

28. Cambio automático: reconectar el cable del cambio y los soportes. Apretar los tornillos del soporte a 9 pie-lb (12 Nm). Apretar el perno de retención del cable a 10 pie-lb (14 Nm). Apretar los tornillos del soporte del cable a 16 pie-lb (22 Nm).

29. Verificar que la cremallera está centrada dentro de sus recorridos. Bajar el vehículo.

30. Centrar el carrete del cable del air bag:

   a. Sacar el volante de la dirección.

   b. Girar el carrete del cable en el sentido de las agujas del reloj hasta que pare.

   c. Girar el volante de la dirección en el sentido contrario al de las agujas del reloj (aproximadamente dos vueltas) hasta que la flecha de la etiqueta apunte hacia arriba.

   d. Instalar el volante de la dirección.

31. Durante la instalación del volante de dirección, verificar que la ranura en el eje del volante de la dirección encaja con las lengüetas del manguito de cancelación de la señal de giro. Las clavijas del carrete del cable se acoplan en los agujeros del cuerpo del volante de la dirección. Instalar una tuerca de volante de la dirección nueva y apretarla a 36 pie-lb (50 Nm).

32. Alinear el agujero del tornillo en la junta de la dirección con la ranura en el eje del piñón. Deslizar la junta en el eje del piñón. Subir y bajar la junta para asegurarse de que las estrías están totalmente asentadas. Apretar los tornillos de la junta a 16 pie-lb (22 Nm).

➡ Conectar la junta de la dirección y el eje del piñón con el carrete del cable y la cremallera de la dirección centrados. Verificar que el tornillo inferior de la junta está asentado firmemente en la ranura del eje del piñón. Si el volante de la dirección y la cremallera no están centrados, volver a colocar las estrías del extremo inferior de la junta de la dirección.

33. Instalar la cubierta de la junta de la dirección.

34. Apretar las tuercas de torreta de la rótula a 29-35 pie-lb (40-48 Nm). Después, apretarlas sólo lo suficiente para instalar pasadores de chaveta nuevos.

35. Volver a conectar los conectores del air bag y del carrete del cable. Asegurarse de que los conectores se acoplan juntos en ángulo recto. Después, presionar los conectores para acoplarlos. Cuando los dos conectores estén acoplados, el manguito accionado por resorte se bloqueará en su sitio.

36. Instalar la cubierta de acceso inferior del volante de la dirección.

37. Volver a conectar los cables negativo y positivo de la batería.

38. Girar el interruptor de encendido hasta la posición "ON". La luz del indicador del air bag debe encenderse durante seis segundos; después debe apagarse. Esta secuencia de luces indica que el sistema del air bag está activado y funciona normalmente. Si la luz del air bag está encendida durante más tiempo, o no se enciende, el sistema debe ser diagnosticado.

39. Asegurarse de que la línea de entrada del depósito ha sido reconectada. Llenar el depósito hasta la línea superior con fluido de dirección asistida Honda. Hacer marchar el motor a marcha mínima y girar el volante de la dirección varias veces para purgar el aire del sistema, y llenar el cuerpo de la válvula de la cremallera. Volver a comprobar el nivel del fluido y, si es necesario, añadir.

40. Comprobar si hay fugas en el sistema de la dirección asistida.

41. Comprobar la alineación de las ruedas delanteras y el ángulo del radio del volante de la dirección. Hacer los ajustes girando los extremos derecho e izquierdo de la barra de conexión equitativamente.

42. Probar el vehículo en carretera.

PRELUDE

➡ En los modelos Prelude equipados con 4RD (dirección en 4 ruedas) debe realizarse una comprobación neutra electrónica cada vez que se saquen la cremallera de la dirección, el volante de dirección o la columna de la dirección, y antes de alinear las ruedas.

1. Levantar y sacar el depósito de la dirección asistida fuera de su montaje y desconectar la manguera de entrada.

2. Insertar un trozo de tubería dentro de la manguera de entrada y dirigir la tubería hacia un recipiente de drenaje.

3. Con el motor en marcha mínima, girar el volante de la dirección de tope a tope varias veces hasta que el fluido deje de salir de la manguera. Parar el motor.

4. Colocar las ruedas delanteras rectas. Bloquear la columna de la dirección con la llave de encendido. Volver a conectar la manguera de entrada del depósito.

5. Desconectar el cable negativo de la batería.

6. Sacar la cubierta de la junta de la dirección y sacar los tornillos superior e inferior de la junta de la dirección.

7. Levantar y soportar con seguridad el vehículo.

8. Sacar las ruedas delanteras.

9. Sacar los pasadores de chaveta y las tuercas de torreta de los extremos de la barra de conexión. Instalar una tuerca de 12 mm en el extremo del espárrago de la rótula para proteger las roscas de cualquier daño. Utilizando una herramienta para rótulas, desconectar los extremos de la barra de conexión de las articulaciones de la dirección.

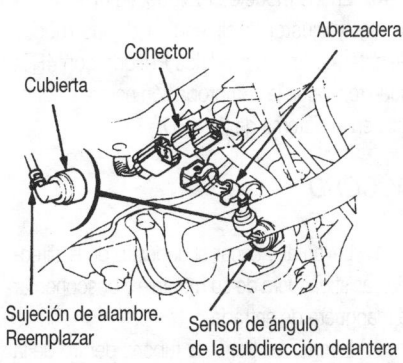

Sensor de ángulo de la subdirección delantera con 4RD – Prelude

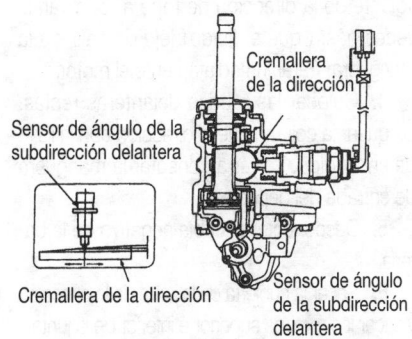

Sensor de ángulo de la subdirección delantera, cableado y cremallera de la dirección – Prelude

10. Desconectar el sensor precalentado de oxígeno.

11. Sacar las tuercas autobloqueantes y separar el convertidor catalítico del tubo de escape A. Desatornillar el tubo de escape A del múltiple de escape y sacarlo del vehículo.

12. En los vehículos equipados con cambios automáticos, sacar la cubierta del cable del cambio, desconectar el cable del cambio y sujetarlo apartado con un alambre.

13. Limpiar con disolvente cualquier resto de aceite o de suciedad del cuerpo de la válvula.

14. Sacar la viga central del subbastidor.

15. Sacar el protector del cuerpo de la válvula.

16. Utilizar una llave abocardada para desconectar las cuatro líneas hidráulicas del cuerpo de la válvula de la cremallera. Tapar las líneas para evitar que entren la suciedad y la humedad.

17. En los modelos con 4RD, cortar con cuidado la sujeción de alambre que asegura la cubierta en el sensor de ángulo de la subdirección delantera. Sacar la cubierta.

18. Sacar el cableado del sensor de las dos abrazaderas de sujeción; después desconectar el conector del sensor del cableado principal de la dirección de las 4RD.

19. Sacar el tornillo de la junta de la dirección y deslizar el eje del piñón fuera de la junta.

20. Sacar el soporte de montaje izquierdo; después sacar los soportes de montaje derechos.

21. Sacar el extremo izquierdo de la barra de conexión y deslizar la cremallera del todo hacia la derecha.

22. Tirar la cremallera de la dirección hacia abajo para soltarla del eje del piñón.

23. Deslizar la cremallera de la dirección hacia la derecha, hasta que la barra de conexión izquierda despeje el subbastidor; después separarla hacia abajo y fuera del vehículo, hacia la izquierda.

Para instalar:

➡ Al instalar el tubo de escape A, utilizar juntas y tuercas autobloqueantes nuevas.

▼ AVISO ▼

Utilizar sólo fluido de dirección asistida original Honda. Cualquier otro tipo o marca de fluido dañará la bomba de la dirección asistida.

24. Instalar la cremallera de la dirección en su sitio. Instalar el ojal del eje del piñón e insertar el piñón a través del agujero en el cortafuegos.

25. Instalar los soportes de montaje derecho e izquierdo. Apretar los tornillos cortos a 28 pie-lb (39 Nm) y los tornillos largos a 32 pie-lb (44 Nm).

26. Centrar los extremos de la cremallera dentro de sus recorridos de dirección.

27. Centrar el carrete del cable del air bag:

• Girar el volante de la dirección en el sentido de las agujas del reloj hasta que pare.

• Girar el volante de la dirección en el sentido contrario al de las agujas del reloj hasta que el diente de engranaje amarillo se alinee con la marca de alineación en la cubierta inferior de la columna.

28. Alinear el agujero del tornillo en la junta de la dirección con la ranura en el eje del piñón. Deslizar la junta sobre el eje del piñón. Tirar de la junta hacia arriba y hacia abajo para asegurarse de que las estrías están totalmente asentadas. Apretar los tornillos de la junta a 16 pie-lb (22 Nm).

➡ Conectar la junta de la dirección y el eje del piñón con el carrete del cable y la cremallera de la dirección centrados. Verificar que el tornillo inferior de la junta esté asentado firmemente en la ranura del eje del piñón. Si el volante de la dirección y la cremallera no están centrados, volver a colocar las estrías del extremo inferior de la junta de la dirección.

29. Volver a conectar las cuatro líneas hidráulicas en el cuerpo de la válvula de la cremallera. Apretar con cuidado los rácores de 12 mm a 9 pie-lb (13 Nm), el rácor de entrada de 14 mm a 28 pie-lb (37 Nm) y el rácor del refrigerador del aceite de 17 mm a 21 pie-lb (29 Nm).

30. Conectar el sensor de ángulo de la subdirección delantera en el cableado de las 4RD. Volver a colocar el cable en sus abrazaderas, asegurándose de que no interfiere con la barra estabilizadora. Instalar la cubierta del sensor con una sujeción de alambre nueva.

31. Instalar el protector del cuerpo de la válvula.

32. Instalar la viga central. Utilizar tornillos autobloqueantes nuevos y apretarlos a 43 pie-lb (60 Nm).

33. En los vehículos equipados con cambio automático, volver a conectar el cable del cambio y apretar la contratuerca a 10 pie-lb (14 Nm). Instalar el soporte del cable y apretar sus tornillos a 13 pie-lb (18 Nm).

34. Instalar el convertidor catalítico utilizando juntas y tuercas autobloqueantes nuevas. Apretar las tuercas del múltiple de escape a 40 pie-lb (55 Nm) y las tuercas traseras a 25 pie-lb (34 Nm).

35. Volver a conectar el sensor precalentado de oxígeno.

36. Instalar los extremos de la barra de conexión en los extremos de la cremallera. Conectar los extremos de la barra de conexión en las articulaciones de la dirección e instalar las tuercas de torreta. Instalar las ruedas delanteras.

37. Verificar que la cremallera está centrada dentro de sus recorridos. Bajar el vehículo.

38. Instalar la cubierta de la junta de la dirección.

39. Apretar las tuercas de torreta de la rótula a 36-43 pie-lb (50-60 Nm). Después, apretarlos sólo lo suficiente para instalar pasadores de chaveta nuevos.

40. Volver a conectar el cable negativo de la batería.

41. Asegurarse de que la línea de entrada del depósito ha sido reconectada. Llenar el depósito hasta la línea superior con fluido de dirección asistida Honda. Hacer marchar el motor a marcha mínima y girar el volante de la dirección de tope a tope varias veces para purgar el aire del sistema y llenar el cuerpo de la válvula de la cremallera. Volver a comprobar el nivel del fluido y, si es necesario, añadir.

42. Comprobar si hay fugas en el sistema de la dirección asistida.

43. En los modelos Prelude sin 4RD, comprobar y ajustar la alineación de las ruedas delanteras. En los modelos Prelude con 4RD, debe realizarse la comprobación neutra electrónica en el sistema de las 4RD.

ACCORD

1. Levantar y sacar el depósito de la dirección asistida fuera de su montaje y desconectar la manguera de entrada.

2. Insertar un trozo de tubería dentro de la manguera de entrada y dirigir la tubería dentro de un recipiente de drenaje.

3. Con el motor a marcha mínima, girar el volante de la dirección de tope a tope varias veces hasta que el fluido deje de salir de la manguera. Parar inmediatamente el motor.

4. Colocar las ruedas delanteras rectas. Bloquear la columna de la dirección con la llave de encendido. Volver a conectar la manguera de entrada del depósito.

5. Desconectar el cable negativo de la batería.

6. Sacar la cubierta de la junta de la dirección y sacar los tornillos superior e inferior de la junta.

7. Levantar y soportar con seguridad el vehículo.

8. Sacar las ruedas delanteras.

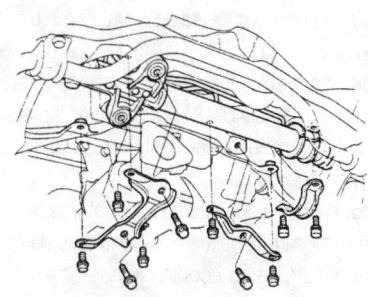

▲ **Montaje de la dirección de cremallera y piñón asistida – Accord**

9. Sacar los pasadores de chaveta y las tuercas de torreta de los extremos de la barra de conexión. Utilizando una herramienta para rótulas, desconectar los extremos de la barra de conexión de las articulaciones de la dirección.

10. Sacar el extremo izquierdo de la barra de conexión y deslizar la cremallera del todo hacia la derecha.

11. Desconectar el sensor precalentado de oxígeno.

12. Sacar las tuercas autobloqueantes y separar el convertidor catalítico del tubo de escape A. Sacar el convertidor catalítico.

13. En los vehículos equipados con cambios manuales, desconectar el varillaje del cambio de la carcasa de la caja de cambios.

14. En los vehículos equipados con cambios automáticos, sacar la cubierta del cable del cambio, desconectar el cable y colgarlo apartado.

15. Utilizar una llave abocardada para desconectar las dos líneas hidráulicas del cuerpo de la válvula de la cremallera. Tapar las líneas para evitar que entre suciedad y humedad. Con cuidado, desplazar las líneas desconectadas hacia la parte trasera del conjunto de la cremallera, de manera que al sacar la cremallera no se dañen.

16. Sacar el plato de refuerzo de la cremallera; después, sacar los tornillos de montaje de la cremallera de la dirección.

17. Tirar la cremallera de la dirección hacia abajo para soltarla del eje del piñón.

18. Separar la cremallera de la dirección lo suficiente para permitir que el extremo del eje del piñón salga del agujero del canal del bastidor.

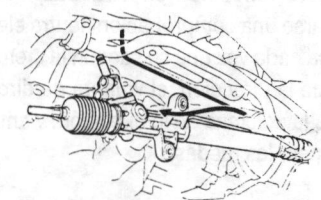

▲ **Desplazar la cremallera de la dirección hacia la derecha, después hacia abajo y afuera del vehículo – Accord**

19. Deslizar la cremallera de la dirección hacia la derecha hasta que la barra de conexión izquierda despeje el subbastidor; después separarla hacia abajo y fuera del vehículo, hacia la izquierda.

Para instalar:

➡ Al instalar el convertidor catalítico, utilizar juntas y tuercas autobloqueantes nuevas.

▼ AVISO ▼

Usar únicamente fluido de dirección asistida original Honda. Cualquier otro tipo o marca de fluido dañará la bomba de la dirección asistida.

20. Antes de instalar la cremallera y el piñón, deslizar los extremos del todo hacia la derecha. Instalar el ojal del eje del piñón. La orejeta terminal del ojal del eje del piñón se alinea con la ranura en el cuerpo de la válvula.

21. Instalar la cremallera de la dirección en su sitio. Instalar el ojal del eje del piñón e insertar el piñón a través del agujero en el mamparo.

22. Instalar los tornillos de montaje de la cremallera. Apretar los tornillos del soporte a 28 pie-lb (39 Nm). Apretar los tornillos de montaje del plato de refuerzo a 32 pie-lb (43 Nm).

23. Centrar los extremos de la cremallera dentro de sus recorridos de dirección.

24. Centrar el carrete del cable del air bag, tal como sigue:

    a. Girar el volante de la dirección hacia la izquierda, 150° aproximadamente, para comprobar la posición del carrete del cable con el indicador.

    b. Si el carrete del cable está centrado, el diente amarillo del engranaje se alinea con la marca de alineación de la cubierta.

    c. Girar el volante de la dirección hacia la derecha, 150° aproximadamente, para situar el volante de la dirección en posición recta.

25. Alinear el agujero del tornillo en la junta de la dirección con la ranura en el eje del piñón. Deslizar la junta sobre el eje del piñón. Tirar de la junta arriba y abajo para asegurarse de que las estrías están totalmente asentadas. Apretar los tornillos de la junta a 16 pie-lb (22 Nm).

➡ Conectar la junta de la dirección y el eje del piñón con el carrete del cable y la cremallera de la dirección centrados. Verificar que el tornillo inferior de la junta está asentado firmemente en la ranura del eje del piñón. Si el volante de la dirección y la cre-

mallera no están centrados, recolocar las estrías en el extremo inferior de la junta de la dirección.

26. Instalar la cubierta de la junta de la dirección y la cubierta de la cremallera y el piñón.

27. En los modelos de 1993, reconectar las cuatro líneas hidráulicas en el cuerpo de la válvula de la cremallera. Apretar con cuidado los rácors de las líneas hidráulicas: rácor de 17 mm de la línea del depósito a 21 pie-lb (29 Nm), rácor de 12 mm de la línea del refrigerador del aceite a 9 pie-lb (13 Nm), rácor de 14 mm de la línea de salida de la bomba a 28 pie-lb (38 Nm) y rácor de 12 mm del sensor de velocidad del vehículo a 9 pie-lb (13 Nm).

28. En los modelos de 1995-97, reconectar las dos líneas hidráulicas en el cuerpo de la válvula de la cremallera. Apretar con cuidado el rácor de entrada de 14 mm a 27 pie-lb (37 Nm) y el rácor de salida de 16 mm a 21 pie-lb (28 Nm).

29. Si está equipado con cambio manual, conectar el cable del cambio y el cable selector a la caja de cambios con pasadores de chaveta nuevos.

30. Si está equipado con cambio automático, conectar el cable del cambio a la caja de cambios utilizando una contratuerca nueva. Apretar la contratuerca a 10 pie-lb (14 Nm).

31. Instalar el convertidor catalítico usando juntas y tuercas autobloqueantes nuevas.

Apretar las tuercas delanteras a 16 pie-lb (22 Nm) y las tuercas traseras a 25 pie-lb (34 Nm).

32. Reconectar el sensor precalentado del oxígeno.

33. Instalar los extremos de la barra de conexión en los extremos de la cremallera. Conectar los extremos de la barra de conexión en las articulaciones de la dirección e instalar las tuercas de torreta.

34. Apretar las tuercas de torreta de la rótula a 29-35 pie-lb (40-48 Nm). Después, apretarlas sólo lo suficiente para instalar pasadores de chaveta nuevos.

35. Instalar las ruedas delanteras.

36. Bajar el vehículo.

37. Reconectar el cable negativo de la batería.

38. Asegurarse de que la línea de entrada del depósito ha sido reconectada. Llenar el depósito hasta la línea superior con fluido de dirección asistida Honda. Hacer marchar el motor a marcha mínima y girar el volante de la dirección de tope a tope varias veces para purgar el aire del sistema y llenar el cuerpo de la válvula de la cremallera. Volver a comprobar el nivel del fluido y, si es necesario, añadir.

39. Comprobar si hay fugas en el sistema de la dirección asistida.

40. Comprobar la alineación de las ruedas delanteras y el ángulo del radio del volante de dirección. Hacer los ajustes girando los extre-

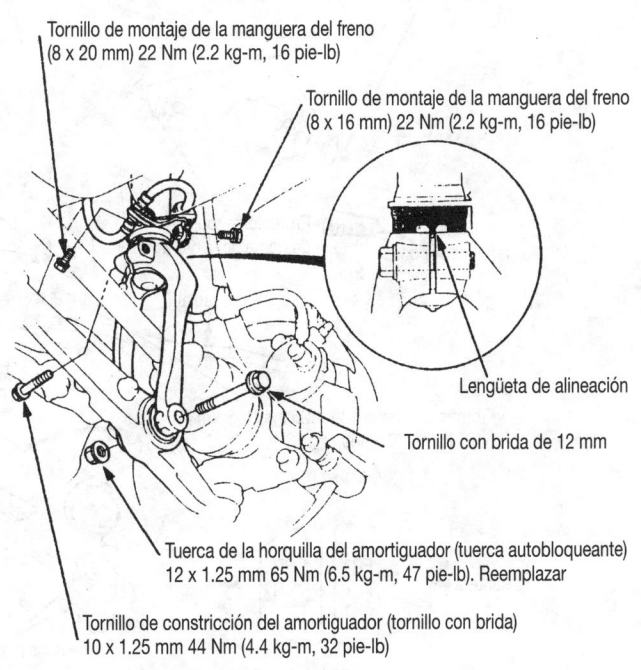

Tornillo de montaje de la manguera del freno (8 x 20 mm) 22 Nm (2.2 kg-m, 16 pie-lb)

Tornillo de montaje de la manguera del freno (8 x 16 mm) 22 Nm (2.2 kg-m, 16 pie-lb)

Lengüeta de alineación

Tornillo con brida de 12 mm

Tuerca de la horquilla del amortiguador (tuerca autobloqueante) 12 x 1.25 mm 65 Nm (6.5 kg-m, 47 pie-lb). Reemplazar

Tornillo de constricción del amortiguador (tornillo con brida) 10 x 1.25 mm 44 Nm (4.4 kg-m, 32 pie-lb)

▲ **Componentes de la horquilla del amortiguador – Civic y Del Sol**

mos izquierdo y derecho de la barra de conexión equitativamente.

41. Probar el vehículo en carretera.

POSTE

DESMONTAJE E INSTALACIÓN

Delantero

CIVIC Y DEL SOL

1. Levantar y soportar con seguridad el vehículo. Sacar las ruedas delanteras.

2. Desatornillar los soportes de las mangueras del freno de la parte inferior del tubo del poste. No desconectar las mangueras del freno.

➡ **Algunos modelos Civic pueden no tener soportes de las mangueras del**

freno en sus postes. En estos casos, no es necesario desatornillar los soportes.

3. Sacar el tornillo de constricción del amortiguador.

4. Sacar la tuerca y el tornillo de la horquilla del amortiguador. Sacar la horquilla del amortiguador.

5. Sacar los dos tornillos de montaje del poste y de la torre del amortiguador, y sacar el poste del vehículo.

6. Instalar un compresor de resortes sobre el conjunto del poste y apretar el compresor de acuerdo con las instrucciones del fabricante.

7. Sacar la tuerca de cierre de la parte superior del pistón del amortiguador. Desmontar el poste y sacar los resortes.

Para instalar:

➡ **Al instalar el poste, utilizar tuercas autobloqueantes nuevas.**

8. Instalar un compresor de resortes sobre los resortes.

9. Montar los montajes inferiores del poste, las cubiertas guardapolvo, los resortes espirales y el montaje superior del poste sobre el amortiguador. Colocar los espárragos de montaje del cojinete del poste de manera que se alinearán con los agujeros del montaje en la torre del amortiguador.

10. Instalar la arandela de montaje e instalar holgadamente una tuerca autobloqueante nueva.

11. Sujetar el pistón del amortiguador con una llave hexagonal y apretar la tuerca autobloqueante. Apretar la tuerca autobloqueante a 22 pie-lb (30 Nm).

12. Instalar el poste dentro del vehículo. Apretar con la mano los tornillos de montaje del poste. La marca de alineación en el tubo del poste mira hacia fuera de la rueda.

13. Instalar la horquilla del amortiguador sobre el poste y el brazo de control inferior.

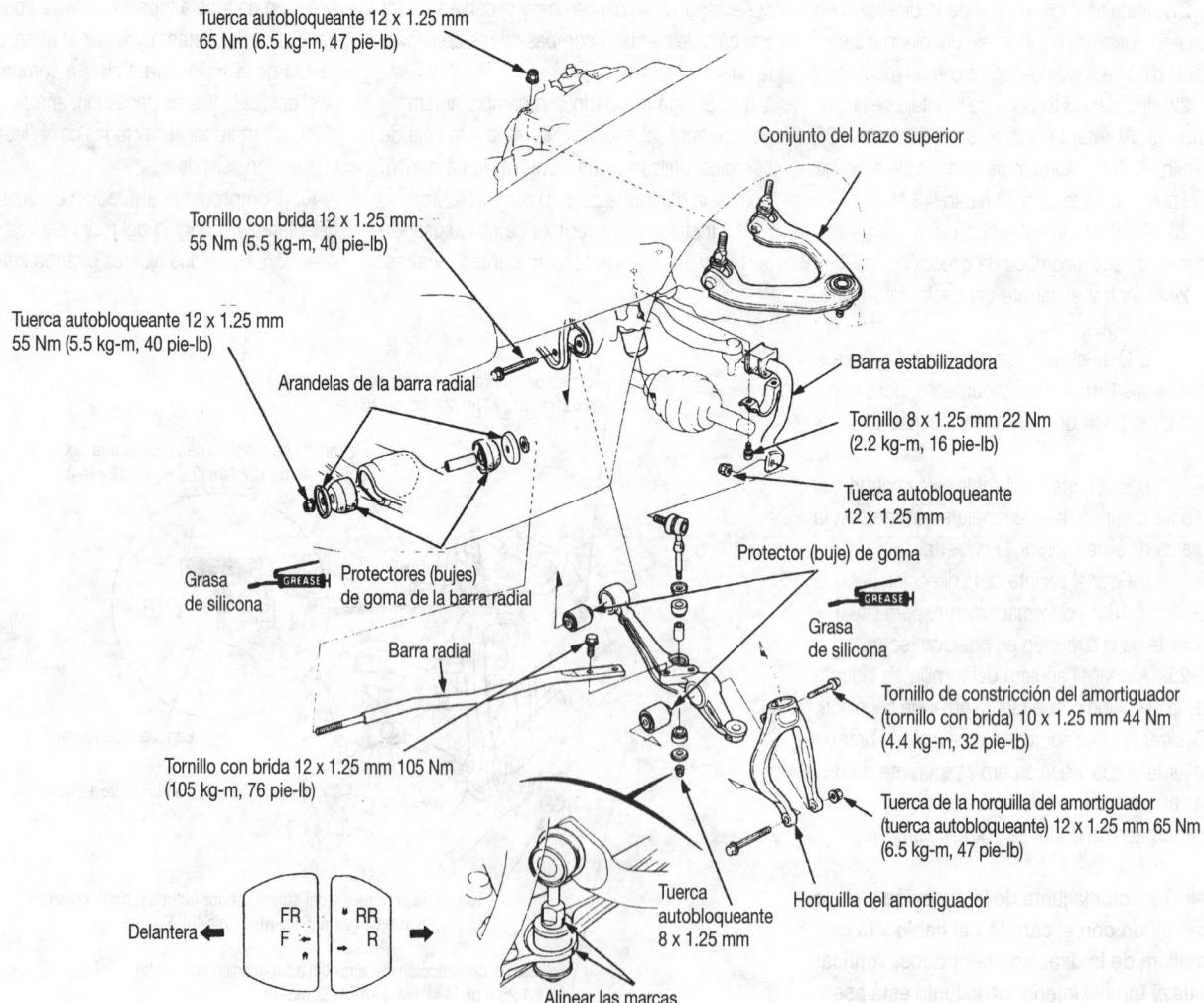

Tuerca autobloqueante 12 x 1.25 mm
65 Nm (6.5 kg-m, 47 pie-lb)

Conjunto del brazo superior

Tornillo con brida 12 x 1.25 mm
55 Nm (5.5 kg-m, 40 pie-lb)

Tuerca autobloqueante 12 x 1.25 mm
55 Nm (5.5 kg-m, 40 pie-lb)

Arandelas de la barra radial

Barra estabilizadora

Tornillo 8 x 1.25 mm 22 Nm
(2.2 kg-m, 16 pie-lb)

Tuerca autobloqueante
12 x 1.25 mm

Protector (buje) de goma

Grasa de silicona

Protectores (bujes) de goma de la barra radial

Barra radial

Grasa de silicona

Tornillo de constricción del amortiguador
(tornillo con brida) 10 x 1.25 mm 44 Nm
(4.4 kg-m, 32 pie-lb)

Tuerca de la horquilla del amortiguador
(tuerca autobloqueante) 12 x 1.25 mm 65 Nm
(6.5 kg-m, 47 pie-lb)

Tornillo con brida 12 x 1.25 mm 105 Nm
(105 kg-m, 76 pie-lb)

Tuerca autobloqueante
8 x 1.25 mm

Horquilla del amortiguador

Delantera

FR
F

RR
R

Alinear las marcas

▲ Componentes de la suspensión delantera – Prelude y Accord

Instalar el tornillo de constricción y el tornillo de la horquilla.

14. Conectar los soportes de las mangueras del freno en el tubo del poste y apretarlos a 16 pie-lb (22 Nm).

15. Instalar las ruedas delanteras y bajar el vehículo.

16. Apretar los tornillos del montaje del poste a 36 pie-lb (50 Nm).

17. Apretar el tornillo de constricción a 32 pie-lb (44 Nm). Apretar la tuerca de la horquilla del amortiguador a 47 pie-lb (65 Nm).

18. Apretar las tuercas de las ruedas a 80 pie-lb (110 Nm).

19. Comprobar la alineación del extremo delantero del vehículo y, si es necesario, ajustarla.

PRELUDE Y ACCORD

1. Levantar y soportar con seguridad el vehículo.

2. Sacar las ruedas delanteras.

3. Sacar los tornillos de la abrazadera de la manguera del freno del poste.

4. Sacar los tornillos de la horquilla del amortiguador y sacar la horquilla del amortiguador.

5. Sacar las tres tuercas de montaje del poste. Sacar el poste del vehículo.

Para instalar:

➡ **Al instalar el poste y ensamblar las horquillas del amortiguador, utilizar tornillos autobloqueantes nuevos.**

6. Instalar el poste dentro del vehículo. Apretar las tuercas de montaje con la mano.

7. Instalar el poste en la horquilla del amortiguador. La marca de alineación en el tubo del poste se acopla dentro de la ranura sobre la horquilla del amortiguador.

8. Instalar el tornillo de constricción y el tornillo de la horquilla del amortiguador. Apretar estos tornillos sólo con la mano.

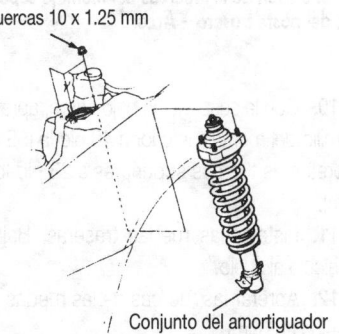

Tuercas 10 x 1.25 mm

Conjunto del amortiguador

▲ **Poste delantero y montaje del poste – Prelude y Accord**

9. Instalar las ruedas delanteras y bajar el vehículo.

10. Con las cuatro ruedas del vehículo en el suelo, apretar la tuerca de la horquilla del amortiguador a 47 pie-lb (65 Nm) mientras se sujeta el tornillo de la horquilla del amortiguador. Apretar el tornillo de constricción de la horquilla del amortiguador a 32 pie-lb (44 Nm). Apretar las tuercas de montaje del poste a 28 pie-lb (39 Nm).

11. Apretar las tuercas de las ruedas a 80 pie-lb (110 Nm).

12. Comprobar y ajustar la alineación del extremo delantero del vehículo. En los modelos Prelude equipados con 4RD, debe realizarse la comprobación neutra electrónica antes de alinear las cuatro ruedas.

Trasero

CIVIC Y DEL SOL

▼ PRECAUCIÓN ▼

Sacar los componentes de la suspensión trasera puede hacer el vehículo pesado por delante y, si es así, inclinarse hacia delante al levantar el elevador. Utilizar caballetes de seguridad como soporte debajo del elevador o colocar un peso adicional en el maletero del vehículo antes de elevarlo.

1. Sacar las piezas de guarnición interiores o del maletero que cubren el montaje del poste:

a. **Modelos Sedan y Coupe.** Doblar hacia abajo la almohadilla superior del asiento trasero. Con cuidado, hacer palanca para sacar las grapas que aseguran la guarnición del maletero y de la torre del amortiguador a la carrocería. Sacar la guarnición del maletero para descubrir los montajes del poste.

b. **Modelos Hatchback.** Doblar hacia abajo el asiento trasero. Desatornillar y sacar los conjuntos de la rejilla del estante/altavoz del lado trasero. Desconectar y sacar el altavoz. Con cuidado, hacer palanca sacando las grapas y sacar los tornillos para sacar el panel de guarnición de la torre del amortiguador.

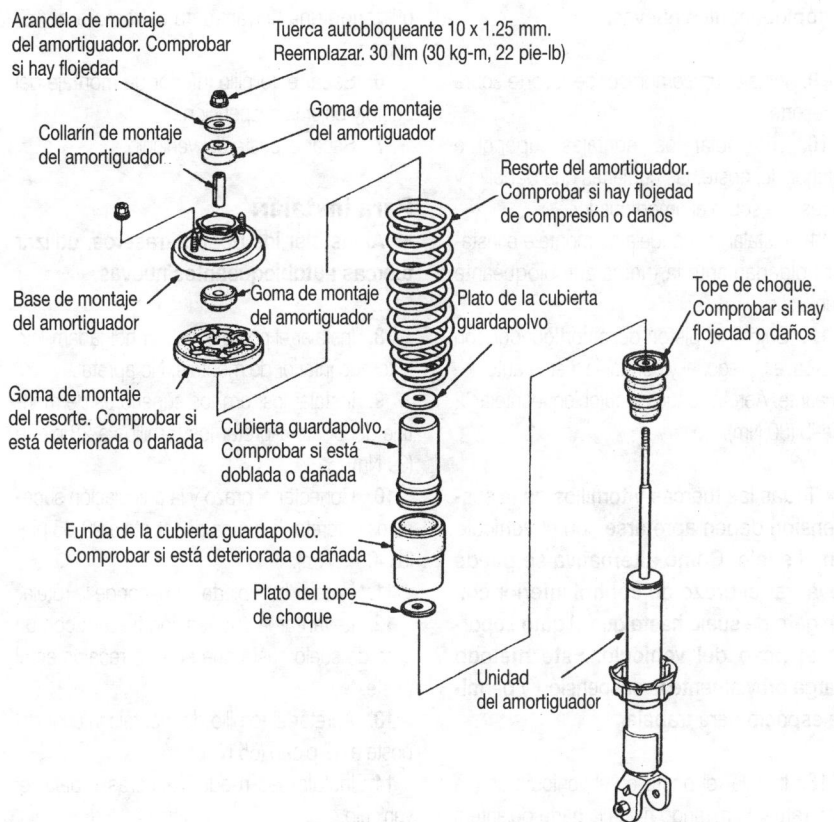

Arandela de montaje del amortiguador. Comprobar si hay flojedad

Tuerca autobloqueante 10 x 1.25 mm. Reemplazar. 30 Nm (30 kg-m, 22 pie-lb)

Collarín de montaje del amortiguador

Goma de montaje del amortiguador

Resorte del amortiguador. Comprobar si hay flojedad de compresión o daños

Base de montaje del amortiguador

Goma de montaje del amortiguador

Plato de la cubierta guardapolvo

Tope de choque. Comprobar si hay flojedad o daños

Goma de montaje del resorte. Comprobar si está deteriorada o dañada

Cubierta guardapolvo. Comprobar si está doblada o dañada

Funda de la cubierta guardapolvo. Comprobar si está deteriorada o dañada

Plato del tope de choque

Unidad del amortiguador

▲ **Despiece del poste de la suspensión trasera – Civic y Del Sol**

c. **Modelos Del Sol**. Soportar la tapa del maletero en posición totalmente abierta. Sacar los puntales de soporte de la tapa del maletero. Levantar el bastidor de almacenaje del techo para colocarlo fuera de la zona de trabajo. No es necesario sacar el bastidor del techo. Con cuidado, aflojar y sacar los estribos de tornillo. Después, colocar los paneles de guarnición laterales del maletero alejados de los montajes del poste.

2. Levantar y soportar con seguridad el vehículo. Sacar las ruedas traseras.

3. Desatornillar las dos tuercas de montaje superiores.

4. Desatornillar el soporte del sensor de ruedas del brazo de control inferior.

5. Sacar el tornillo inferior del poste y el tornillo con brida de la articulación.

6. Sacar el poste del vehículo.

7. Instalar un compresor de resortes sobre el conjunto del poste y apretar el compresor de acuerdo con las instrucciones del fabricante.

8. Sacar la tuerca de bloqueo de la parte superior del amortiguador. Desensamblar el poste y sacar el resorte espiral.

Para instalar:

➡ **Al instalar el poste utilizar tuercas autobloqueantes nuevas.**

9. Instalar un compresor de resorte sobre el resorte.

10. Ensamblar los montajes superior e inferior del poste, las cubiertas guardapolvo y el resorte sobre el amortiguador.

11. Instalar la arandela de montaje e instalar holgadamente la tuerca autobloqueante nueva.

12. Sujetar el pistón del amortiguador con una llave hexagonal y apretar la tuerca autobloqueante. Apretar la tuerca autobloqueante a 22 pie-lb (30 Nm).

➡ **Todas las tuercas y tornillos de la suspensión deben apretarse con el vehículo en el suelo. Como alternativa se puede levantar el brazo de control inferior con un gato de suelo hasta que el gato soporte el peso del vehículo. Este método carga previamente la suspensión y permite espacio para trabajar.**

13. Instalar el poste en el vehículo con la contratuerca mirando hacia la parte delantera del vehículo. Apretar las tuercas superiores de montaje con la mano.

14. Instalar el soporte del sensor de las ruedas sobre el brazo de control inferior. Apretar los tornillos a 7 pie-lb (10 Nm).

15. Instalar el tornillo con brida de la articulación y el tornillo inferior del poste. Apretar los tornillos con la mano.

16. Instalar las ruedas y bajar el vehículo.

17. Apretar las tuercas de montaje superior a 36 pie-lb (50 Nm). Apretar el tornillo con brida de la articulación y los tornillos del poste a 40 pie-lb (55 Nm). Apretar las tuercas de la rueda a 80 pie-lb (110 Nm).

18. Instalar los paneles de guarnición laterales del maletero.

19. Comprobar y ajustar la alineación de las ruedas traseras del vehículo.

PRELUDE

1. Levantar y soportar con seguridad el vehículo.

2. Sacar la guarnición lateral del maletero y sacar las dos tuercas superiores del poste.

3. Sacar la cubierta superior de la rótula.

4. Sacar el tornillo de constricción y la tuerca superior de la rótula.

5. Acoplar una tuerca de 10 mm sobre la rótula y separar la rótula y la articulación utilizando una herramienta extractora de rótulas.

6. Sacar el tornillo inferior de montaje del poste y bajar la suspensión.

7. Sacar el poste del vehículo.

Para instalar:

➡ **Al instalar los postes traseros, utilizar tuercas autobloqueantes nuevas.**

8. Instalar el poste e instalar holgadamente el tornillo inferior de montaje. No apretar.

9. Instalar los tornillos superiores de montaje del poste. Apretar los tornillos a 28 pie-lb (39 Nm).

10. Conectar el brazo y la articulación superiores y apretar la tuerca de torreta a 29-35 pie-lb (40-48 Nm).

11. Instalar la cubierta superior de la rótula.

12. Levantar la suspensión trasera con un gato de suelo hasta que el peso recaiga en el poste.

13. Apretar el tornillo de montaje inferior del poste a 47 pie-lb (65 Nm).

14. Instalar las ruedas traseras y bajar el vehículo.

15. Apretar las tuercas de las ruedas traseras a 80 pie-lb (110 Nm).

16. Comprobar y ajustar la alineación de las ruedas traseras del vehículo.

ACCORD

1. Doblar hacia delante el asiento trasero y sacar las almohadillas de apoyo laterales. Las almohadillas de apoyo laterales están aseguradas con un tornillo en la parte inferior y dos grapas en la parte superior.

2. Sacar la tapa del montaje del poste. Sacar las tuercas de montaje superiores del poste.

3. Levantar y soportar con seguridad el vehículo.

4. Sacar las ruedas traseras.

5. Soportar la articulación con un gato de suelo.

6. Sacar el tornillo de montaje del poste, bajar el gato y sacar el poste.

Para instalar:

➡ **Al instalar el poste, utilizar tuercas autobloqueantes nuevas.**

7. Acoplar el poste en el montaje superior. Apretar las tuercas de montaje superiores sólo con la mano.

8. Acoplar el poste en su sitio en la articulación. Instalar el tornillo de montaje.

9. Colocar un gato debajo del montaje inferior del poste. Levantar el gato hasta que el peso del vehículo descanse en el gato.

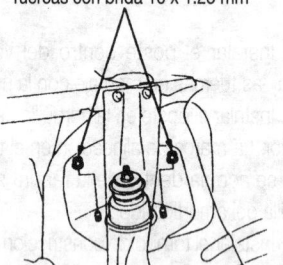

Tuercas con brida 10 x 1.25 mm

▲ **Situación de las tuercas del montaje superior del poste trasero – Accord**

10. Con la suspensión bajo carga, apretar el tornillo del montaje inferior a 40 pie-lb (55 Nm). Apretar las tuercas superiores a 28 pie-lb (39 Nm).

11. Instalar las ruedas traseras. Bajar el vehículo al suelo.

12. Apretar las tuercas de las ruedas a 80 pie-lb (110 Nm).

13. Instalar los apoyos laterales del asiento trasero y volver a poner el asiento en su sitio.

14. Comprobar y ajustar la alineación de las ruedas traseras del vehículo.

RESORTES

DESMONTAJE E INSTALACIÓN

Delantero

CIVIC Y DEL SOL

1. Levantar y soportar con seguridad el vehículo. Sacar las ruedas delanteras.

2. Desatornillar los soportes de las mangueras del freno de la parte inferior del tubo del poste. No desconectar las mangueras del freno.

➡ **Algunos modelos Civic no tienen soportes para las mangueras del freno en sus postes.**

3. Sacar el tornillo de constricción y el tornillo con brida de la horquilla del amortiguador; después, sacar la horquilla del amortiguador.

4. Sacar las tuercas de montaje superiores del poste. Sacar el conjunto del poste del vehículo.

5. Instalar un compresor de resortes sobre el conjunto del poste y apretar el compresor de acuerdo con las instrucciones del fabricante.

6. Sacar la tuerca de bloqueo de la parte superior del pistón del amortiguador. Desensamblar el poste y sacar el resorte.

Para instalar:
➡ **Al ensamblar el poste, utilizar tuercas autobloqueantes nuevas.**

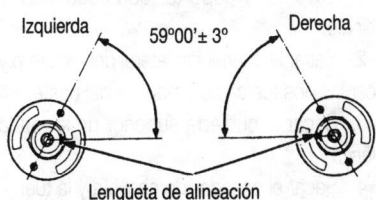

▲ **Dirección de instalación del cojinete del poste – Civic y Del Sol**

7. Instalar un compresor de resortes sobre el resorte.

8. Ensamblar los montajes inferiores del poste, las cubiertas guardapolvo, el resorte y el montaje superior del poste en el amortiguador. Colocar los espárragos de montaje del cojinete del poste de manera que se alineen con los agujeros de montaje en la torre del amortiguador.

9. Instalar la arandela de montaje e instalar holgadamente la tuerca autobloqueante nueva.

10. Sujetar el pistón del amortiguador con una llave hexagonal y apretar la tuerca autobloqueante. Apretar la tuerca autobloqueante a 22 pie-lb (30 Nm).

➡ **Todas las tuercas y tornillos de la suspensión deben apretarse con el vehículo en el suelo.**

11. Instalar el conjunto del poste en el vehículo. Apretar las tuercas de montaje superiores a 36 pie-lb (50 Nm).

12. Instalar la horquilla del amortiguador. Apretar el tornillo de constricción a 32 pie-lb (44 Nm) y el tornillo de la horquilla a 47 pie-lb (64 Nm).

13. Instalar las abrazaderas de las mangueras del freno. Apretarlas a 16 pie-lb (22 Nm).

14. Instalar las ruedas y apretar las tuercas de las ruedas a 80 pie-lb (110 Nm).

15. Comprobar y ajustar la alineación de las ruedas delanteras del vehículo.

ACCORD Y PRELUDE

1. Levantar y soportar con seguridad el vehículo.

2. Sacar las ruedas delanteras.

3. Desatornillar la abrazadera de la manguera del freno del poste.

4. Sacar los tornillos de la horquilla del amortiguador y sacar la horquilla del amortiguador.

5. Sacar las tres tuercas de montaje del poste. Sacar el poste del vehículo.

6. Colocar el poste en un tornillo de banco e instalar un compresor de resortes sobre el resorte. Seguir las instrucciones del fabricante del compresor de resortes.

7. Comprimir el resorte y sacar la tuerca autobloqueante de la parte superior del poste. Desensamblar los montajes del poste y sacar el resorte.

➡ **En los modelos Accord 1995-97 equipados con motor F22B1 (VTEC 2.2L), los resortes delanteros derecho e izquierdo no son intercambiables. Recordarlo, al ordenar las piezas o reensamblar el poste.**

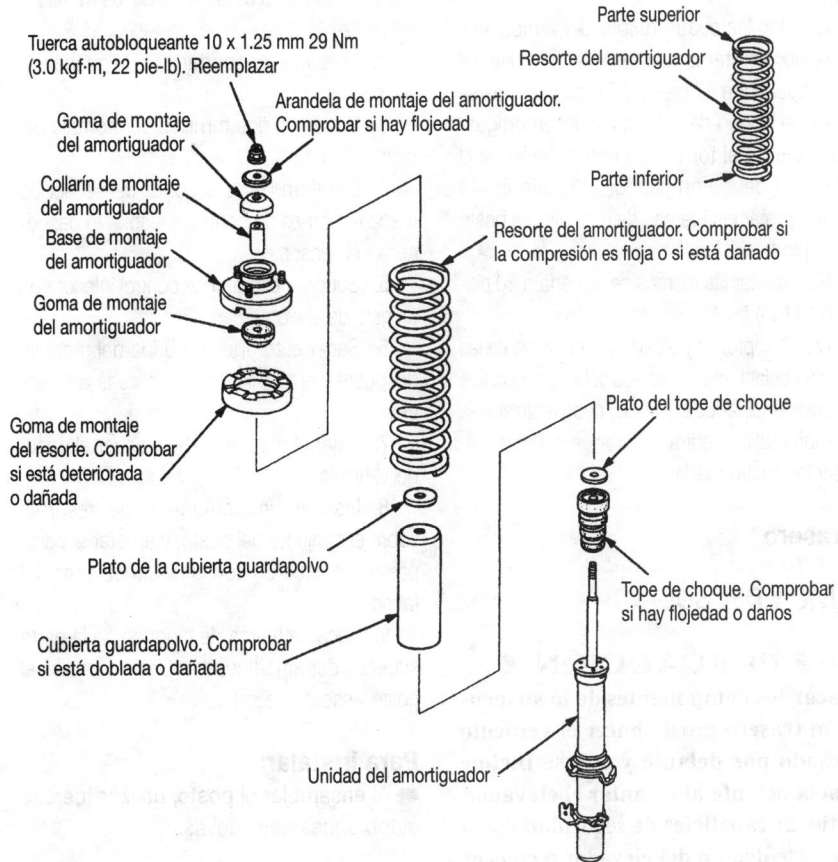

▲ **Resorte, cartucho del poste y componentes del montaje del poste – Accord y Prelude**

8. Examinar si los montajes del poste están gastados o dañados. Sustituir toda pieza dañada o gastada.

Para instalar:

➡ Al ensamblar e instalar los postes, utilizar tuercas autobloqueantes nuevas.

9. Instalar el compresor de resortes sobre el resorte. Ajustar el resorte sobre el cartucho del poste. La parte plana del resorte es su parte superior.

10. Ensamblar el montaje del poste y su arandela sobre el poste. Apretar la tuerca autobloqueante a 22 pie-lb (29 Nm). Sacar el compresor de resortes.

11. Instalar el poste en el vehículo. Apretar las tuercas de montaje con la mano.

12. Instalar el poste en la horquilla del amortiguador. La marca de alineación sobre el tubo del poste encaja dentro de la ranura en la horquilla del amortiguador.

13. Instalar el tornillo de constricción y el tornillo de la horquilla del amortiguador. Apretar estos tornillos sólo con la mano.

14. Instalar las ruedas delanteras y bajar el vehículo.

15. Con las cuatro ruedas del vehículo en el suelo, apretar la tuerca de la horquilla del amortiguador a 47 pie-lb (65 Nm), mientras se sujeta el tornillo de la horquilla del amortiguador. Apretar el tornillo de constricción de la horquilla del amortiguador a 32 pie-lb (44 Nm). Apretar las tuercas de montaje del poste a 28 pie-lb (39 Nm).

16. Apretar las tuercas de la rueda a 80 pie-lb (110 Nm).

17. Comprobar y ajustar la alineación de las ruedas delanteras del vehículo. En los modelos Prelude equipados con 4RD, debe realizarse la comprobación neutra electrónica antes de alinear las cuatro ruedas.

Trasero

CIVIC Y DEL SOL

▼ PRECAUCIÓN ▼

Sacar los componentes de la suspensión trasera puede hacer el vehículo pesado por delante y que se incline hacia delante al levantar el elevador. Utilizar caballetes de seguridad como soporte debajo del elevador o colocar un peso adicional en el maletero del vehículo antes de elevarlo.

1. Sacar las piezas de guarnición del interior o del maletero, que cubren el montaje del poste:

a. **Modelos Sedan y Coupe**. Doblar hacia abajo la almohadilla superior del asiento trasero. Con cuidado, hacer palanca para sacar las grapas que aseguran la guarnición del maletero y de la torre del amortiguador en la carrocería. Sacar la guarnición del maletero para descubrir los montajes del poste.

b. **Modelos Hatchback**. Doblar hacia abajo el asiento trasero. Desatornillar y sacar los conjuntos estante/rejilla del altavoz del lado trasero. Desconectar y sacar el altavoz. Con cuidado, hacer palanca para quitar las grapas y desmontar los tornillos para desmontar el panel de guarnición de la torre del amortiguador.

c. **Modelos Del Sol**. Soportar la tapa del maletero en posición totalmente abierta. Sacar los puntales de soporte de la tapa del maletero. Levantar el bastidor de almacenaje del techo para colocarlo fuera de la zona de trabajo. No es necesario sacar el bastidor del techo. Con cuidado, aflojar y sacar los estribos de tornillo. Después, colocar los paneles de guarnición laterales del maletero alejados de los montajes del poste.

2. Levantar y soportar con seguridad el vehículo.

3. Sacar los dos tornillos de montaje del poste.

4. Desatornillar los soportes del sensor de rueda del brazo de control inferior. No desconectar el sensor.

5. Soportar el brazo de control inferior con un gato de suelo.

6. Sacar el tornillo con brida del montaje del poste y el tornillo con brida de la articulación.

7. Bajar el gato de suelo y sacar el poste del vehículo.

8. Instalar un compresor de resortes sobre el conjunto del poste, y apretar el compresor de acuerdo con las instrucciones del fabricante.

9. Sacar la tuerca de bloqueo de la parte superior del amortiguador. Desensamblar el poste y sacar el resorte.

Para instalar:

➡ Al ensamblar el poste, utilizar tuercas autobloqueantes nuevas.

10. Instalar un compresor de resortes sobre el resorte.

11. Ensamblar los montajes superior e inferior del poste, las cubiertas guardapolvo y el resorte sobre el amortiguador.

12. Instalar la arandela de montaje e instalar holgadamente una tuerca autobloqueante nueva.

13. Sujetar el pistón del amortiguador con una llave hexagonal y apretar la tuerca autobloqueante. Apretar la tuerca autobloqueante a 22 pie-lb (30 Nm).

➡ **Todas las tuercas y tornillos de la suspensión deben apretarse con el vehículo en el suelo. Como alternativa, se puede levantar el brazo de control inferior con un gato de suelo hasta que el gato soporte el peso del vehículo. Este método carga previamente la suspensión y facilita espacio para trabajar.**

14. Instalar el conjunto del poste en el vehículo. Apretar las tuercas de montaje superiores a 36 pie-lb (50 Nm).

15. Instalar el tornillo de montaje del amortiguador en la articulación y apretar a 40 pie-lb (55 Nm).

16. Instalar el tornillo con brida de la articulación y apretarlo a 40 pie-lb (55 Nm).

17. Instalar los soportes del sensor de rueda.

18. Instalar las ruedas y apretar las tuercas de las ruedas a 80 pie-lb (110 Nm).

19. Instalar la guarnición lateral del maletero.

20. Comprobar y ajustar la alineación de las ruedas traseras.

PRELUDE

1. Levantar y soportar con seguridad el vehículo.

2. Sacar la guarnición lateral del maletero y sacar las dos tuercas de montaje del poste.

3. Sacar la cubierta superior de la rótula esférica.

4. Sacar el pasador de chaveta y la tuerca superior de la rótula esférica.

5. Acoplar una tuerca de 10 mm en la rótula esférica y separar la rótula esférica y la articulación utilizando una herramienta de desmontaje de rótulas.

6. Sacar el tornillo de montaje inferior del poste y bajar la suspensión.

7. Sacar el poste del vehículo.

8. Colocar el poste en un tornillo de banco e instalar un compresor de resortes en el resorte. Seguir las instrucciones del fabricante para el compresor de resortes.

9. Comprimir el resorte y sacar la tuerca autobloqueante del poste. Desensamblar los montajes del poste y sacar el resorte.

10. Examinar si los montajes del poste están gastados o dañados. Reemplazar cualquier pieza dañada o gastada.

Para instalar:
➡ **Al instalar los postes traseros, utilizar tuercas autobloqueantes nuevas.**

11. Instalar el compresor de resortes sobre el resorte. Ajustar el resorte sobre el cartucho del poste. La parte plana del resorte es su parte superior.

12. Ensamblar el montaje del poste y su arandela sobre el poste. Apretar la tuerca autobloqueante a 22 pie-lb (29 Nm). Sacar el compresor de resortes.

13. Instalar el poste en el vehículo e instalar holgadamente el tornillo de montaje inferior. No apretar.

14. Instalar los tornillos del montaje superiores del poste. Apretar los tornillos a 28 pie-lb (39 Nm).

15. Conectar el brazo superior y la articulación y apretar la tuerca de torreta a 29-35 pie-lb (40-48 Nm).

16. Instalar la cubierta superior de la rótula esférica.

17. Levantar la suspensión trasera con un gato de suelo hasta que el peso descanse sobre el poste.

18. Apretar el tornillo de montaje inferior del poste a 47 pie-lb (65 Nm).

19. Instalar las ruedas traseras y bajar el vehículo.

20. Apretar las tuercas de rueda traseras a 80 pie-lb (110 Nm).

21. Instalar la guarnición del maletero.

22. Comprobar y ajustar la alineación de las ruedas traseras del vehículo. En los modelos Prelude equipados con 4RD, debe realizarse la comprobación neutra electrónica antes de alinear las cuatro ruedas.

ACCORD

1. Sacar el poste.

2. Colocar el poste en un tornillo de banco e instalar un compresor de resortes sobre el resorte. Seguir las instrucciones del fabricante para el compresor de resortes.

3. Comprimir el resorte y sacar la tuerca autobloqueante del poste. Desensamblar los montajes del poste y sacar el resorte.

4. Examinar si los montajes del poste están gastados o dañados. Reemplazar cualquier pieza dañada o gastada.

Para instalar:
➡ **Al ensamblar e instalar los postes, utilizar tuercas autobloqueantes nuevas.**

5. Instalar el compresor de resortes sobre el resorte. Ajustar el resorte sobre el cartucho del poste. La parte plana del resorte es su parte superior.

6. Ensamblar el montaje del poste y su arandela en el poste. Apretar la tuerca autobloqueante a 22 pie-lb (29 Nm). Sacar el compresor de resortes.

7. Instalar el poste dentro del vehículo. Apretar las tuercas de montaje con la mano.

8. Acoplar el poste en su sitio sobre la articulación. Instalar el tornillo de montaje.

9. Colocar un gato debajo del montaje inferior del poste. Levantar el gato hasta que el peso del vehículo descanse en el gato.

10. Con la suspensión bajo carga, apretar el tornillo del montaje inferior a 40 pie-lb (55 Nm).

Apretar las tuercas superiores a 28 pie-lb (39 Nm).

11. Instalar las ruedas traseras. Bajar el vehículo al suelo.

12. Apretar las tuercas de rueda a 80 pie-lb (110 Nm).

13. Instalar los apoyos laterales del asiento trasero y volver a poner el asiento en su sitio.

14. Comprobar y ajustar la alineación de las ruedas traseras del vehículo.

RÓTULA ESFÉRICA SUPERIOR

DESMONTAJE E INSTALACIÓN

Delantera y trasera

TODOS LOS MODELOS

La rótula esférica superior no puede sacarse del brazo de control superior. Si la rótula esférica está defectuosa o gastada, debe reemplazarse el brazo de control entero. Si la funda de la rótula esférica superior está dañada y la rótula

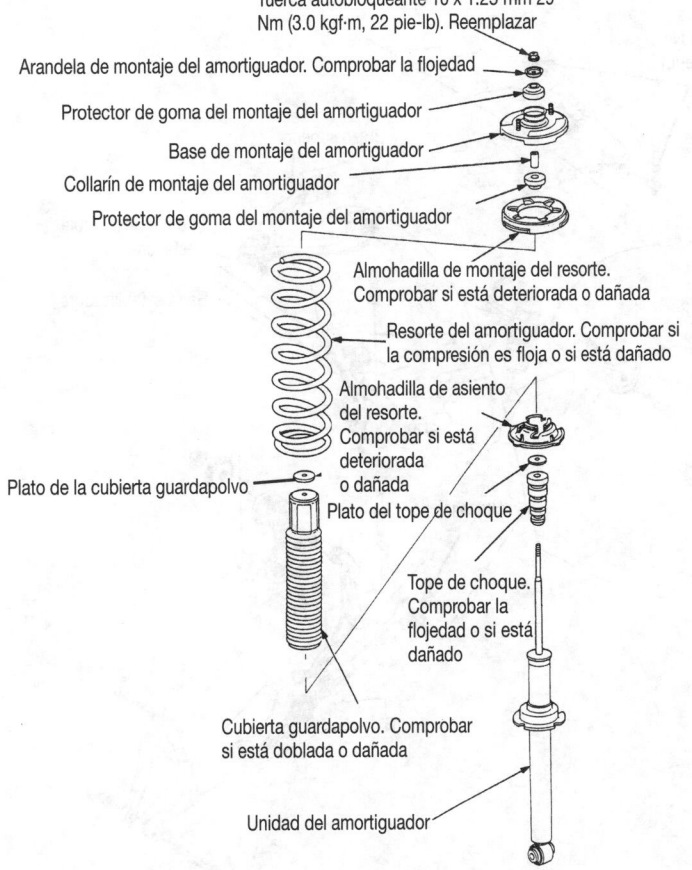

Tuerca autobloqueante 10 x 1.25 mm 29 Nm (3.0 kgf·m, 22 pie-lb). Reemplazar

Arandela de montaje del amortiguador. Comprobar la flojedad

Protector de goma del montaje del amortiguador

Base de montaje del amortiguador

Collarín de montaje del amortiguador

Protector de goma del montaje del amortiguador

Almohadilla de montaje del resorte. Comprobar si está deteriorada o dañada

Resorte del amortiguador. Comprobar si la compresión es floja o si está dañado

Almohadilla de asiento del resorte. Comprobar si está deteriorada o dañada

Plato de la cubierta guardapolvo

Plato del tope de choque

Tope de choque. Comprobar la flojedad o si está dañado

Cubierta guardapolvo. Comprobar si está doblada o dañada

Unidad del amortiguador

▲ **Despiece del conjunto del poste de la suspensión trasera – Accord**

esférica misma aún se puede utilizar, puede reemplazarse la funda.

BRAZO DE CONTROL SUPERIOR

DESMONTAJE E INSTALACIÓN

Delantero

CIVIC Y DEL SOL

1. Levantar y soportar con seguridad el vehículo.
2. Sacar las ruedas delanteras.
3. Desatornillar la horquilla del amortiguador del brazo de control inferior.
4. Desatornillar las tuercas de montaje del poste y sacar el poste del vehículo.
5. Separar la rótula esférica superior de la articulación de la dirección utilizando un extractor de rótulas esféricas adecuado.
6. Sacar las tuercas autobloqueantes y sacar el brazo superior del vehículo.
7. Sacar los tornillos del brazo superior para separar el brazo de control de su conjunto de

pernos de anclaje. Examinar si los protectores tienen señales de deterioro y reemplazarlos si están dañados.

8. Colocar el conjunto de pernos de anclaje del brazo de control superior en un tornillo de banco y extraer los protectores del brazo superior.

Para instalar:

➡ Al ensamblar los pernos de anclaje y al instalar el brazo de control en el vehículo, utilizar tuercas autobloqueantes nuevas.

9. Introducir los protectores nuevos del brazo superior en los pernos de anclaje del brazo superior. Centrar el protector en el perno de anclaje de manera que sobresalga la misma cantidad de manguito protector por cada lado.
10. Instalar el conjunto de pernos de anclaje en el brazo de control. Alinear las marcas en el conjunto del brazo y anclaje. Apretar las tuercas a 22 pie-lb (30 Nm).
11. Instalar el conjunto del brazo de control superior en la torre del amortiguador.

12. Instalar el poste en el vehículo. Instalar el tornillo y la tuerca de la horquilla del amortiguador.
13. Conectar el brazo de la dirección y la rótula esférica superior.
14. Instalar las ruedas delanteras. Bajar el vehículo al suelo.
15. Apretar las tuercas de montaje del poste a 36 pie-lb (50 Nm).
16. Apretar las tuercas de montaje del brazo de control superior a 47 pie-lb (65 Nm).
17. Apretar la tuerca de la horquilla del amortiguador a 47 pie-lb (65 Nm).
18. Apretar la tuerca de torreta de la rótula esférica superior a 29-35 pie-lb (40-48 Nm). Después, apretar la tuerca sólo lo suficiente para instalar un pasador de chaveta nuevo.
19. Apretar las tuercas de rueda a 80 pie-lb (108 Nm).
20. Comprobar la alineación del extremo delantero del vehículo y, si es necesario, ajustarla. Probar el vehículo en carretera.

ACCORD Y PRELUDE

➡ No desensamblar el brazo superior. Si la rótula esférica o los protectores son defectuosos, o si el brazo superior está dañado, debe reemplazarse el brazo superior entero.

1. Levantar y soportar con seguridad el vehículo.
2. Sacar las ruedas delanteras. Soportar el conjunto del brazo de control inferior con un gato de suelo.
3. Separar la rótula esférica superior de la articulación de la dirección utilizando una herramienta separadora de rótulas esféricas.
4. Sacar las tuercas autobloqueantes de los pernos de anclaje del brazo superior. Sacar el brazo superior del vehículo.

➡ No desensamblar el brazo superior. Si la rótula esférica o los protectores son defectuosos, o si el brazo superior está dañado, debe reemplazarse el brazo superior entero.

Para instalar:

➡ Al instalar el brazo superior y el poste, utilizar tuercas autobloqueantes nuevas.

5. Instalar el conjunto del brazo de control superior en la torre del poste.
6. Conectar la rótula esférica superior.

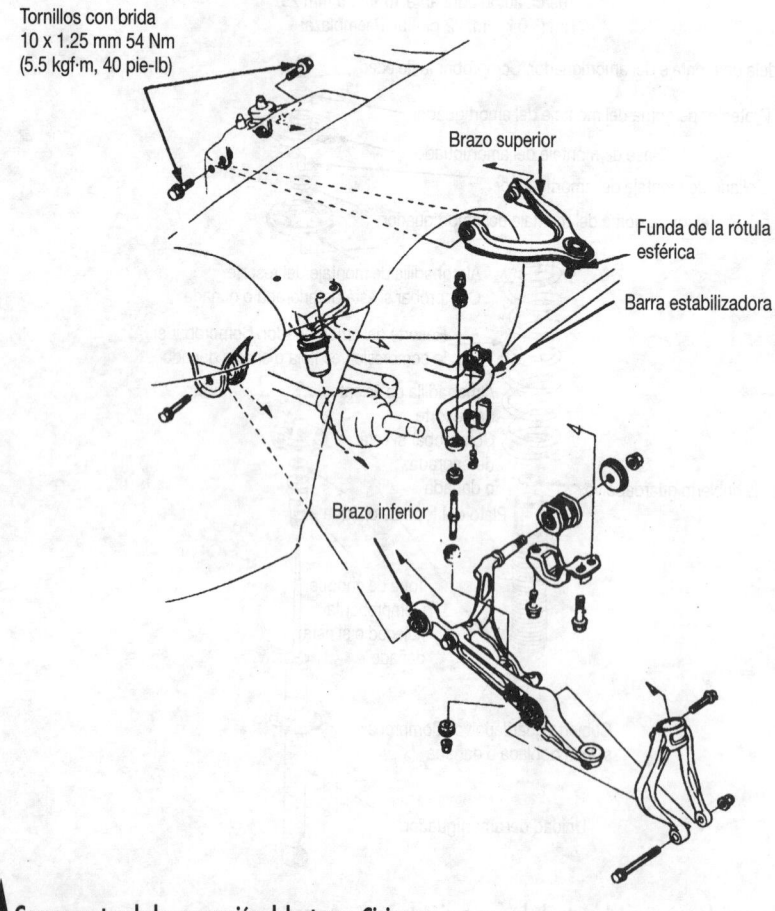

Tornillos con brida
10 x 1.25 mm 54 Nm
(5.5 kgf·m, 40 pie-lb)

Brazo superior

Funda de la rótula esférica

Barra estabilizadora

Brazo inferior

▲ Componentes de la suspensión delantera – Civic

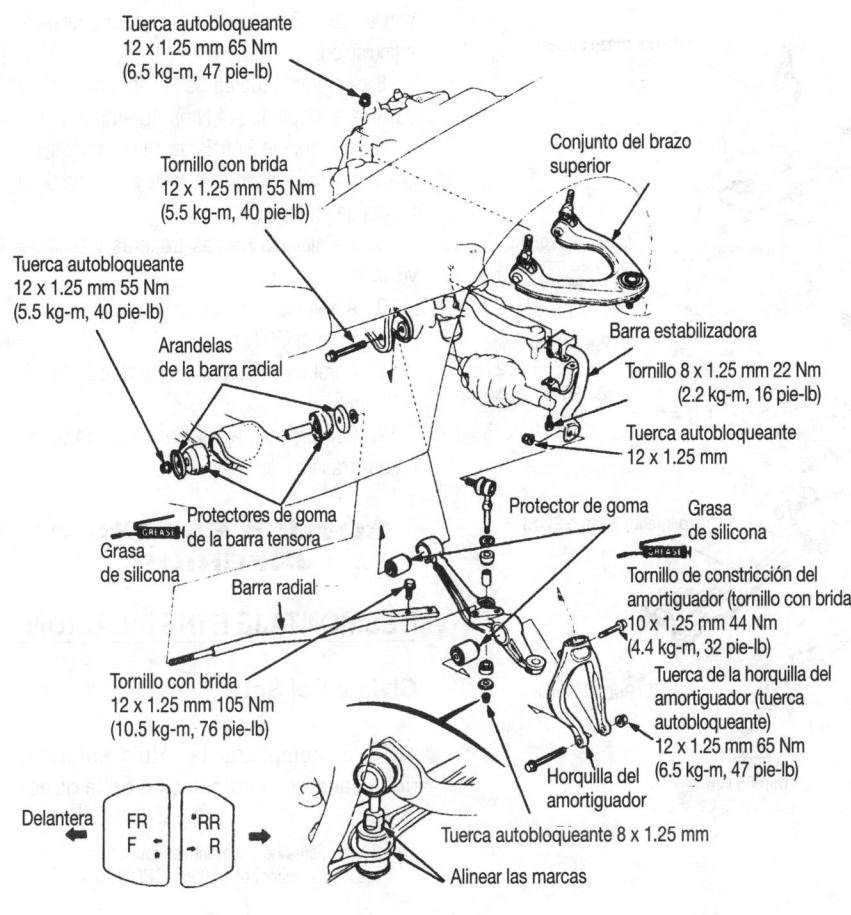

Tuerca autobloqueante
12 x 1.25 mm 65 Nm
(6.5 kg-m, 47 pie-lb)

Tornillo con brida
12 x 1.25 mm 55 Nm
(5.5 kg-m, 40 pie-lb)

Conjunto del brazo
superior

Tuerca autobloqueante
12 x 1.25 mm 55 Nm
(5.5 kg-m, 40 pie-lb)

Arandelas
de la barra radial

Barra estabilizadora

Tornillo 8 x 1.25 mm 22 Nm
(2.2 kg-m, 16 pie-lb)

Tuerca autobloqueante
12 x 1.25 mm

Protectores de goma
de la barra tensora

Grasa
de silicona

Protector de goma

Grasa
de silicona

Barra radial

Tornillo de constricción del
amortiguador (tornillo con brida)
10 x 1.25 mm 44 Nm
(4.4 kg-m, 32 pie-lb)

Tuerca de la horquilla del
amortiguador (tuerca
autobloqueante)
12 x 1.25 mm 65 Nm
(6.5 kg-m, 47 pie-lb)

Tornillo con brida
12 x 1.25 mm 105 Nm
(10.5 kg-m, 76 pie-lb)

Delantera   FR   'RR
             F   R

Horquilla del
amortiguador

Tuerca autobloqueante 8 x 1.25 mm

Alinear las marcas

▲ Componentes de la suspensión delantera – Prelude y Accord

7. Instalar las ruedas delanteras y bajar el vehículo.

8. Con las cuatro ruedas del vehículo en el suelo, apretar las tuercas del brazo de control superior a 47 pie-lb (65 Nm). Apretar la tuerca de torreta a 32 pie-lb (44 Nm); después, apretarla sólo lo suficiente para instalar un pasador de chaveta nuevo.

9. Apretar las tuercas de rueda a 80 pie-lb (110 Nm).

10. Comprobar y ajustar la alineación del extremo delantero del vehículo. En los modelos Prelude equipados con 4RD, debe realizarse la comprobación neutra electrónica antes de alinear las cuatro ruedas.

Trasero

CIVIC Y DEL SOL

▼ PRECAUCIÓN ▼

Sacar los componentes de la suspensión trasera puede hacer el vehículo pesado por delante y hacer que se incline hacia delante al levantar el elevador. Utilizar caballetes de seguridad como soportes debajo del elevador o colocar un peso adicional en el maletero del vehículo antes de elevarlo.

1. Levantar y soportar con seguridad el vehículo.

2. Sacar las ruedas traseras.

3. Soportar el brazo de control inferior con un gato de suelo.

4. Desatornillar el brazo de control superior del brazo de arrastre.

5. Desatornillar la barra con brida del brazo de control superior de su montaje de la carrocería del vehículo. Sacar el brazo de control superior.

6. Examinar si el brazo de control superior y sus protectores presentan señales de desgaste o de distorsión. Los protectores son reemplazables:

a. Empujar los protectores fuera del brazo de control superior utilizando accesorios de presión de la medida adecuada.

b. Marcar la coincidencia de la barra con brida del tornillo al cuerpo del brazo de control superior.

c. Antes de la instalación, lubricar los protectores nuevos con grasa de silicona.

d. Presionar introduciendo los protectores nuevos dentro del brazo de control. Asegurarse de que las marcas de la barra con brida del tornillo están alineadas. Los bordes delanteros de los protectores del brazo de control deben nivelarse con los bordes del cuerpo del brazo de control.

Para instalar:

➡ **Al ensamblar los componentes de la suspensión, utilizar tuercas autobloqueantes y tornillos cromocodificados nuevos.**

7. Instalar el brazo de control en su montaje de la carrocería. Apretar los tornillos con brida con la mano.

8. Instalar el brazo de control en el brazo de arrastre. Apretar el tornillo con brida, con la mano.

9. Instalar las ruedas traseras y bajar el vehículo.

10. Apretar los tornillos con el vehículo en el suelo. Apretar los tornillos del brazo de control a la carrocería a 29 pie-lb (40 Nm). Apretar el tornillo del brazo de control al brazo de arrastre a 40 pie-lb (55 Nm).

11. Comprobar y ajustar la alineación de las ruedas traseras del vehículo.

12. Apretar las tuercas de rueda a 80 pie-lb (110 Nm).

PRELUDE

1. Levantar y soportar con seguridad el vehículo.

2. Sacar las ruedas traseras. Soportar el conjunto de la articulación y brazo de control inferior con un gato.

3. Separar la rótula esférica superior de la articulación utilizando una herramienta separadora de rótulas esféricas.

4. Tirar hacia atrás la guarnición lateral del maletero y sacar las dos tuercas de montaje del poste.

5. Sacar las tuercas autobloqueantes de los pernos de anclaje del brazo superior. Sacar el brazo superior del vehículo.

➡ **No desensamblar el brazo superior. Si la rótula esférica o los protectores son defectuosos, o si el brazo superior está**

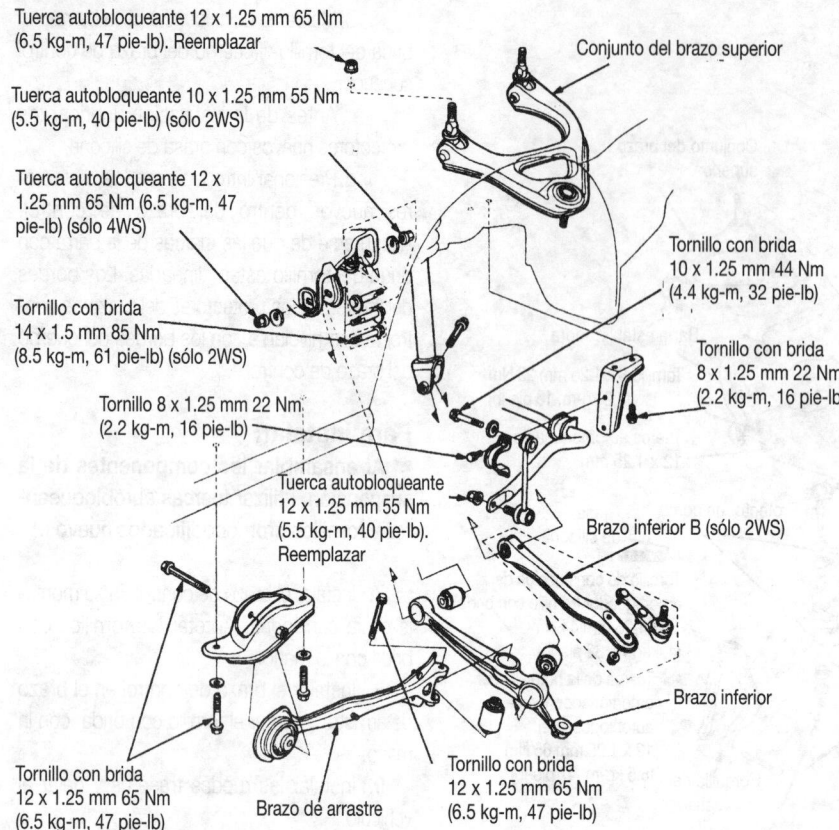

Tuerca autobloqueante 12 x 1.25 mm 65 Nm
(6.5 kg-m, 47 pie-lb). Reemplazar

Tuerca autobloqueante 10 x 1.25 mm 55 Nm
(5.5 kg-m, 40 pie-lb) (sólo 2WS)

Tuerca autobloqueante 12 x
1.25 mm 65 Nm (6.5 kg-m, 47
pie-lb) (sólo 4WS)

Tornillo con brida
14 x 1.5 mm 85 Nm
(8.5 kg-m, 61 pie-lb) (sólo 2WS)

Tornillo 8 x 1.25 mm 22 Nm
(2.2 kg-m, 16 pie-lb)

Tuerca autobloqueante
12 x 1.25 mm 55 Nm
(5.5 kg-m, 40 pie-lb).
Reemplazar

Tornillo con brida
12 x 1.25 mm 65 Nm
(6.5 kg-m, 47 pie-lb)

Brazo de arrastre

Conjunto del brazo superior

Tornillo con brida
10 x 1.25 mm 44 Nm
(4.4 kg-m, 32 pie-lb)

Tornillo con brida
8 x 1.25 mm 22 Nm
(2.2 kg-m, 16 pie-lb)

Brazo inferior B (sólo 2WS)

Brazo inferior

Tornillo con brida
12 x 1.25 mm 65 Nm
(6.5 kg-m, 47 pie-lb)

▲ Componentes de la suspensión trasera – Prelude

dañado, debe reemplazarse el brazo superior completo.

Para instalar:

➡ Al instalar el brazo superior y el poste, utilizar tuercas autobloqueantes nuevas.

6. Instalar el conjunto del brazo de control superior en la torre del poste.

7. Conectar la rótula esférica superior.

8. Instalar las ruedas traseras y bajar el vehículo.

9. Con las cuatro ruedas del vehículo en el suelo, apretar las tuercas del brazo de control superior a 47 pie-lb (65 Nm). Apretar la tuerca de torreta a 32 pie-lb (44 Nm); después, apretarla sólo lo suficiente para instalar un pasador de chaveta nuevo.

10. Apretar las tuercas de rueda a 80 pie-lb (110 Nm).

11. Volver a poner la guarnición lateral del maletero en su sitio.

12. Comprobar y ajustar la alineación del extremo trasero del vehículo. En los modelos Prelude equipados con 4RD, debe realizarse una comprobación neutra electrónica antes de alinear las cuatro ruedas.

ACCORD

1. Levantar y soportar con seguridad el vehículo.

2. Sacar las ruedas traseras.

3. Soportar la articulación y el brazo de control inferior con un gato de suelo para comprimir el poste.

4. Sacar la tapa de la tuerca de torreta, el pasador de chaveta y la tuerca de torreta de la rótula esférica superior. Utilizar una herramienta separadora de rótulas esféricas para separar la rótula esférica de la articulación.

5. Desatornillar y sacar el brazo de control superior.

6. Comprobar si en el brazo superior y en su protector hay señales de desgaste y daños. Si la rótula esférica es defectuosa, reemplazar el brazo superior.

Para instalar:

➡ Al ensamblar los componentes de la suspensión, utilizar tuercas autobloqueantes nuevas.

7. Instalar el brazo superior en el vehículo. Instalar los tornillos de montaje y apretarlos sólo

con la mano. Reconectar el brazo superior en la articulación.

8. Apretar la tuerca de torreta en la rótula esférica a 32 pie-lb (44 Nm). Apretar la tuerca de torreta sólo lo suficiente para instalar un pasador de chaveta nuevo. Instalar la tapa de la tuerca de torreta.

9. Instalar las ruedas traseras y bajar el vehículo.

10. Apretar los tornillos del montaje superiores a 28 pie-lb (39 Nm).

11. Apretar las tuercas de rueda a 80 pie-lb (110 Nm).

12. Comprobar y ajustar la alineación de las ruedas traseras del vehículo.

RÓTULA ESFÉRICA INFERIOR

DESMONTAJE E INSTALACIÓN

Civic y Del Sol

➡ Para reemplazar la rótula esférica, debe sacarse la articulación de la direc-

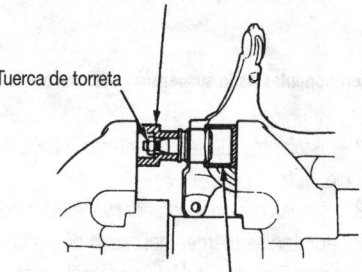

Herramienta de desmontaje/instalación de rótulas esféricas 07965 – SB00100

Tuerca de torreta

Herramienta base de desmontaje de rótulas esféricas 07JAF – SH20200

▲ Herramientas de desmontaje de rótulas esféricas – Civic y Del Sol

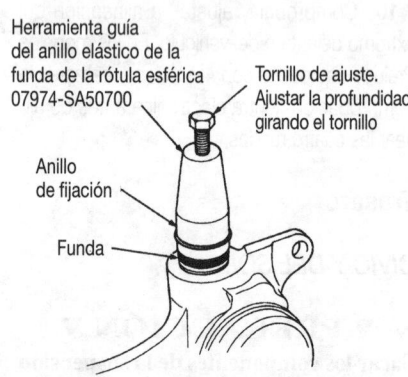

Herramienta guía del anillo elástico de la funda de la rótula esférica 07974-SA50700

Tornillo de ajuste. Ajustar la profundidad girando el tornillo

Anillo de fijación

Funda

▲ Herramienta guía del anillo elástico de la funda de la rótula esférica – Civic y Del Sol

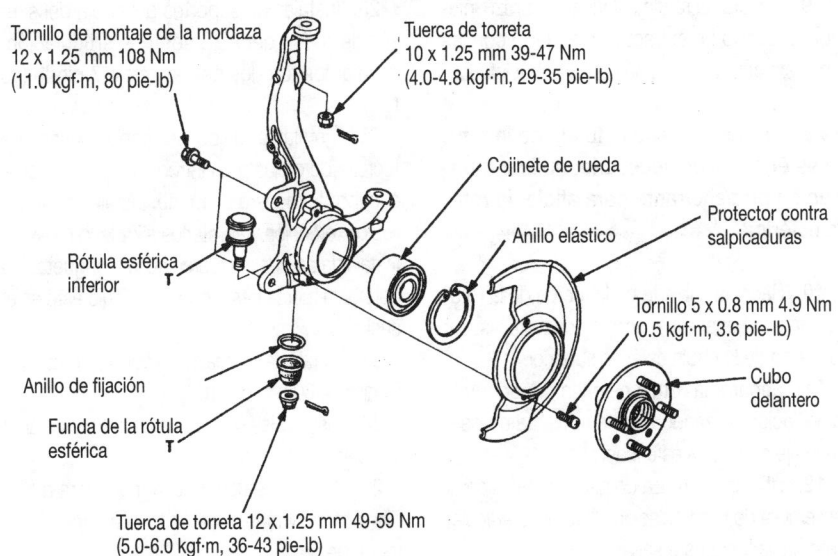

Tornillo de montaje de la mordaza
12 x 1.25 mm 108 Nm
(11.0 kgf·m, 80 pie-lb)

Tuerca de torreta
10 x 1.25 mm 39-47 Nm
(4.0-4.8 kgf·m, 29-35 pie-lb)

Cojinete de rueda

Rótula esférica inferior

Anillo elástico

Protector contra salpicaduras

Anillo de fijación

Tornillo 5 x 0.8 mm 4.9 Nm
(0.5 kgf·m, 3.6 pie-lb)

Funda de la rótula esférica

Cubo delantero

Tuerca de torreta 12 x 1.25 mm 49-59 Nm
(5.0-6.0 kgf·m, 36-43 pie-lb)

▲ **Componentes de la articulación – Civic y Del Sol**

ción del vehículo. Para presionar la rótula esférica dentro y fuera de la articulación se necesitan las herramientas especiales siguientes, o sus equivalentes: **herramienta base instaladora de rótulas esféricas 07965-SB00200, herramienta de instalación/desmontaje de rótulas esféricas 07965-SB 00100 y herramienta base de desmontaje de rótulas esféricas 07965-SH20200. Para sujetar la articulación y las herramientas de presión se necesitará un tornillo de banco grande. Para instalar el anillo de resorte de retención en la funda de la rótula se utiliza una herramienta guía para anillos de resorte de rótulas esféricas 07974-SA50700 o 07GAG-SD40700.**

1. Sacar el conjunto de la articulación de la dirección del vehículo. Sacar el anillo de resorte de la funda de la rótula esférica y la funda.

2. Hacer palanca para sacar el anillo de resorte de la ranura en el cuerpo de la rótula esférica.

3. Instalar la herramienta de desmontaje de rótulas esféricas, en la rótula esférica, con el extremo grande mirando hacia fuera. Instalar la tuerca de la rótula esférica para acoplar la herramienta a la rótula.

4. Colocar la herramienta base de desmontaje sobre la rótula esférica y colocar el conjunto en un tornillo de banco grande. Presionar la rótula esférica sacándola fuera de la articulación de la dirección.

Para instalar:

5. Colocar una rótula esférica nueva en el agujero de la articulación de la dirección.

6. Instalar la herramienta instaladora de rótulas esféricas sobre la rótula esférica, con el extremo pequeño mirando hacia fuera.

7. Colocar la herramienta base de instalación sobre la rótula esférica y colocar el conjunto en un tornillo de banco grande. Presionar la rótula esférica dentro de la articulación de la dirección.

8. Asentar el anillo de resorte en la ranura de la rótula esférica.

9. Ajustar la herramienta de anillos de fundas con el tornillo de ajuste, hasta que el extremo de la herramienta se alinee con la ranura sobre la funda. Deslizar el anillo sobre la herramienta y dentro de su sitio.

10. Instalar el espárrago de rótula esférica en la articulación de la dirección. Apretar la tuerca a 44 pie-lb (60 Nm).

COJINETES DE RUEDA

AJUSTE

Delantero y trasero

CIVIC Y DEL SOL

1. Levantar y soportar con seguridad el vehículo.

2. Sacar las ruedas delanteras y/o traseras.

3. Instalar las tuercas de orejas y apretarlas a 80 pie-lb (110 Nm).

4. Utilizar un indicador de esfera para medir el juego axial del cojinete delantero en la brida del cubo.

5. Utilizar un indicador de esfera para medir el juego axial del cojinete trasero en el centro del tapón de grasa del cubo.

6. Mover el conjunto de rotor o de tambor, hacia dentro y hacia fuera, para medir el juego. Después, comparar las lecturas del indicador de esfera.

7. El juego axial estándar del cojinete, tanto para las ruedas delanteras como para las traseras, es de 0-0.002 plg (0-0.05 mm). Si la medición del juego axial excede de la medida estándar, los cojinetes de rueda deben reemplazarse. Los cojinetes de rueda no pueden ajustarse.

PRELUDE Y ACCORD

Los cojinetes de rueda no son ajustables o reparables y si están defectuosos deben reemplazarse.

Delantero y trasero

CIVIC Y DEL SOL

1. Levantar y soportar el vehículo con seguridad.

2. Sacar las ruedas delanteras y/o traseras.

3. Instalar las tuercas de orejas y apretarlas a 80 pie-lb (110 Nm).

4. Utilizar un indicador de esfera para medir el juego axial del cojinete delantero en la brida del cubo.

5. Utilizar un indicador de esfera para medir el juego axial del cojinete trasero en el centro de la tapa de grasa del cubo.

6. Mover el conjunto de rotor o tambor hacia dentro y hacia fuera para medir el juego. Después, comparar las lecturas del indicador de esfera.

7. El juego axial estándar del cojinete, tanto para las ruedas delanteras como para las traseras, es de 0-0.002 plg (0-0.05 mm). Si la medición del juego axial excede de la medida estándar, los cojinetes de rueda deben reemplazarse. Los cojinetes de rueda no pueden ajustarse.

PRELUDE Y ACCORD

Los cojinetes de rueda no son ajustables o reparables y, si están defectuosos, deben reemplazarse.

DESMONTAJE E INSTALACIÓN

Delantero

CIVIC Y DEL SOL

➡ **Para sacar e instalar el cubo y el cojinete se necesita una prensa hidráulica y varias herramientas introductoras y acopladoras de cojinetes.**

1. Hacer palanca en la estacada de la tuerca de la mangueta para sacarla de la mangueta, después aflojar la tuerca.

2. Levantar y soportar con seguridad el vehículo.

3. Sacar las ruedas delanteras y la tuerca de la mangueta.

4. Sacar de la articulación el soporte del cable del sensor de rueda, pero sin desconectarlo.

5. Sacar los tornillos de montaje de la mordaza y la mordaza. Soportar la mordaza a un lado con un trozo de alambre. No dejar que la mordaza cuelgue de la manguera del freno.

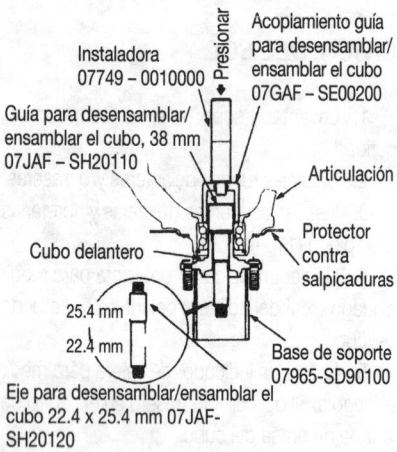

Instaladora, guía y base para la instalación del cubo – Civic 1995 y Del Sol 1995-97

6. Sacar los tornillos de retención de 6 mm del disco del freno. Roscar dos tornillos de 12 mm en el disco para empujarlo fuera del cubo.

7. Sacar la tuerca de torreta de la barra de conexión. Desconectar la rótula esférica de la barra de conexión utilizando una herramienta de desmontaje de rótulas esféricas adecuada.

8. Sacar el pasador de chaveta y aflojar la tuerca de la rótula esférica del brazo inferior la mitad de la longitud de las roscas (hilos de rosca) de la rótula.

9. Separar la rótula esférica y el brazo inferior utilizando un extractor adecuado con las uñas extractoras aplicadas en el brazo inferior.

➡ **Evitar que se dañe la funda de la rótula esférica. Si es necesario, aplicar lubricante tipo penetrante para aflojar la rótula esférica.**

10. Sacar la cubierta de la tuerca de la rótula esférica. Sacar el pasador de chaveta y sacar la tuerca de la rótula esférica superior.

11. Separar la rótula esférica superior y la articulación utilizando una herramienta de desmontaje de rótulas esféricas.

12. Utilizar una maza de plástico para liberar el semieje de la articulación. Tirar de la articulación hacia fuera para sacarla.

➡ **Cuando se saca el cubo debe utilizarse un cojinete de rueda nuevo.**

13. Colocar la articulación en una prensa y utilizar una base y una guía para presionar el conjunto del cubo fuera del cojinete de rueda.

14. Sacar el sello anular de la articulación y el anillo elástico. Sacar el protector contra salpicaduras de la articulación.

15. Presionar el cojinete de rueda fuera de la articulación utilizando una herramienta acopladora de introducción.

Para instalar:

16. Limpiar el conjunto de la articulación y cubo y examinar si está dañado.

17. Presionar un cojinete de rueda nuevo dentro del cubo, utilizando una herramienta introductora.

18. Instalar el anillo elástico en la ranura exterior de la articulación.

19. Instalar el protector contra salpicaduras.

20. Presionar el conjunto del cubo dentro de la articulación de la dirección, utilizando una base y una herramienta de introducción y guía.

21. Instalar el sello anular de la articulación.

22. Instalar la articulación sobre la mangueta.

23. Instalar la articulación en las rótulas esféricas superior e inferior y apretar las tuercas de torreta. Instalar la rótula esférica de la barra de conexión en la articulación de la dirección.

24. Apretar la tuerca de la rótula esférica superior y la tuerca de la barra de conexión a 29-35 pie-lb (40-48 Nm) y la tuerca de torreta de la rótula esférica inferior a 36-43 pie-lb (50-60 Nm).

25. Instalar los soportes del cable del sensor de rueda del ABS sobre la articulación. Apretar los tornillos de montaje a 7 pie-lb (10 Nm).

26. Instalar el disco del freno y usar dos tuercas de orejas para introducir el disco sobre el cubo de manera uniforme. Instalar los tornillos de retención y apretarlos a 7 pie-lb (10 Nm). Instalar la arandela y tuerca de la mangueta. No apretar la tuerca hasta que el vehículo esté en el suelo.

27. Instalar la mordaza del freno y apretar los tornillos a 80 pie-lb (110 Nm).

28. Instalar las ruedas delanteras y bajar el vehículo.

29. Apretar la tuerca de la mangueta a 134 pie-lb (185 Nm), estacar la tuerca e instalar el tapón de grasa.

30. Comprobar y ajustar la alineación de las ruedas delanteras del vehículo.

➡ **Evitar que se dañe la funda de la rótula esférica. Si es necesario, aplicar lubricante tipo penetrante para aflojar la rótula esférica.**

PRELUDE Y ACCORD

➡ **Una vez que se haya sacado el cubo, deben reemplazarse los cojinetes de rueda. Para sacar e instalar el cojinete deben utilizarse una prensa hidráulica y herramientas de introducción de cojinetes.**

1. Hacer palanca en la estaca de la tuerca de la mangueta para sacarla de la mangueta y aflojar la tuerca. No apretar o aflojar una tuerca de la mangueta a menos que el vehículo esté asentado sobre las cuatro ruedas. El apriete requerido es suficientemente alto como para provocar que el vehículo se caiga de los caballetes de seguridad, incluso aunque esté soportado correctamente.

2. Levantar y soportar con seguridad el vehículo.

3. Sacar la rueda y la tuerca de mangueta.

4. Sacar los tornillos de montaje de la mordaza y la mordaza. Soportar la mordaza a un lado con un trozo de alambre. No dejar que la mordaza cuelgue de la manguera del freno.

5. Sacar los tornillos de retención de 6 mm del disco del freno. Roscar dos tornillos de 8 x 1.25 mm en el disco para empujarlo fuera del cubo.

➡ **Girar cada tornillo dos vueltas para evitar que el disco del freno se ladee.**

6. Sacar el pasador de chaveta de la tuerca de torreta de la barra de conexión; después sacar la tuerca. Separar la rótula esférica de la barra de conexión, utilizando una herramienta de desmontaje de rótulas esféricas; después levantar la barra radial fuera de la articulación.

7. Sacar el pasador de chaveta y aflojar la tuerca de la rótula esférica del brazo inferior la mitad de la longitud de las roscas de la rótula. La tuerca retendrá el brazo cuando se afloje la rótula.

8. Separar la rótula esférica y el brazo inferior utilizando un extractor con los trinquetes (uñas extractoras) aplicados en el brazo inferior. Evitar dañar la funda de la rótula esférica. Si es necesario, aplicar lubricante penetrante para aflojar la rótula esférica.

9. Sacar la protección de la rótula esférica superior, si está equipada.

10. Hacer palanca para sacar el pasador de chaveta y sacar la tuerca de la rótula esférica superior.

11. Separar la rótula esférica superior y la articulación.

12. Sacar la articulación y el cubo deslizándolos fuera del semieje.

13. Sacar los tornillos del protector contra salpicaduras de la articulación.

14. Colocar el conjunto articulación/cubo en una prensa hidráulica. Presionar el cubo sacándolo de la articulación, utilizando una herramienta introductora del diámetro correcto, mientras se soporta la articulación. La pista interior del cojinete puede permanecer en el cubo.

15. Sacar el protector contra salpicaduras y el anillo de resorte de la articulación.

16. Presionar el cojinete de rueda fuera de la articulación, mientras se soporta la articulación.

17. Si es necesario, sacar del cubo la pista interior del cojinete exterior, utilizando un extractor de cojinetes.

Para instalar:

18. Limpiar a fondo la articulación y el cubo.

19. Presionar un cojinete de rueda nuevo dentro de la articulación. Asegurarse de que la herramienta de presión toca sólo la pista exterior del cojinete y soportar correctamente la articulación de manera que esté estable.

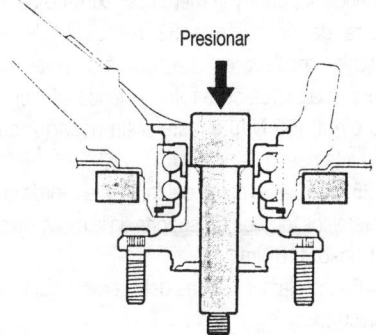

▲ **Expulsar a presión el cubo fuera de la articulación – Prelude y Accord**

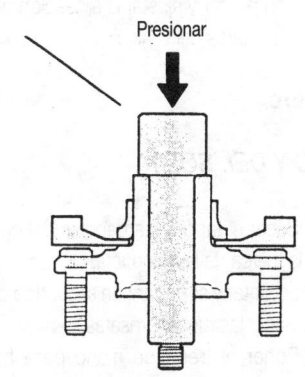

▲ **Utilizar una prensa para sacar del cubo la pista interior del cojinete – Prelude y Accord**

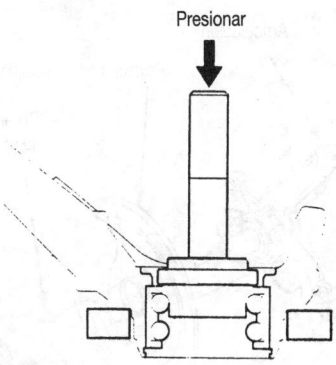

▲ **Expulsar a presión el cojinete fuera de la articulación – Prelude y Accord**

20. Instalar el anillo de resorte.

21. Instalar el protector contra salpicaduras. No sobreapretar los tornillos.

22. Colocar el cubo sobre una mesa de prensa y presionar la articulación metiéndola sobre el cubo. Asegurarse de que la herramienta de presión sólo toca la pista interior del cojinete.

23. Instalar el anillo de la articulación delantera sobre la articulación.

24. Instalar el conjunto articulación/cubo en el vehículo. Apretar la tuerca de la rótula

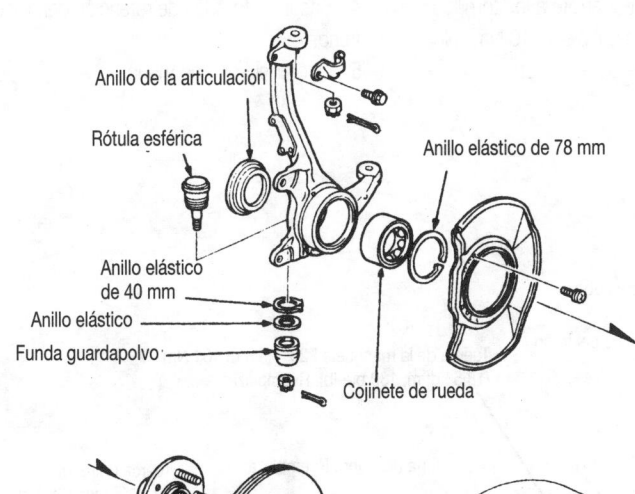

Anillo de la articulación

Rótula esférica

Anillo elástico de 40 mm

Anillo elástico

Funda guardapolvo

Anillo elástico de 78 mm

Cojinete de rueda

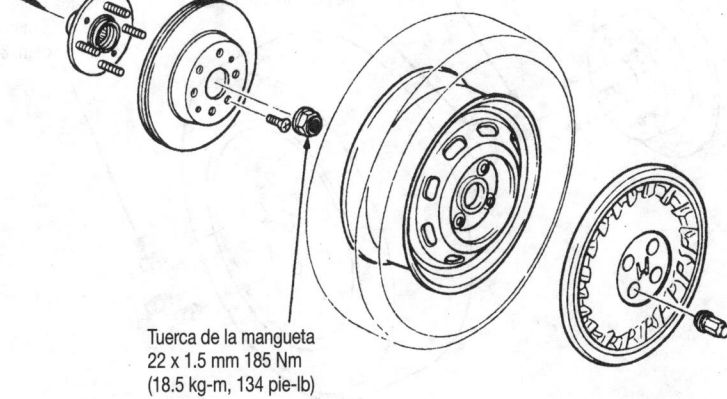

Tuerca de la mangueta
22 x 1.5 mm 185 Nm
(18.5 kg-m, 134 pie-lb)

▲ **Componentes del cubo y la articulación de la dirección – Prelude y Accord**

esférica superior y la tuerca del extremo de la barra de conexión a 32 pie-lb (44 Nm). Instalar pasadores de chaveta nuevos. Apretar la tuerca de la rótula esférica inferior a 40 pie-lb (55 Nm) e instalar un pasador de chaveta nuevo.

25. Instalar el disco del freno y la mordaza. Apretar los tornillos del soporte de la mordaza a 80 pie-lb (110 Nm).

26. Instalar las ruedas delanteras y bajar el vehículo.

27. Apretar la tuerca de la mangueta a 180 pie-lb (250 Nm). Apretar las tuercas de las ruedas a 80 pie-lb (110 Nm).

28. Comprobar y ajustar la alineación de las ruedas delanteras del vehículo.

Trasero

CIVIC Y DEL SOL

1. Sacar el tapón guardapolvo del cubo y aflojar la tuerca de la mangueta.

2. Levantar y soportar con seguridad el vehículo. Sacar las ruedas traseras.

3. Poner el freno de mano para hacer palanca adicional y sacar los dos tornillos de retención del tambor o del rotor del freno. Después, liberar el freno de mano. Si los

tornillos de retención están atascados o rotos, taladrarlos sacándolos o utilizar un extractor.

4. Sacar el protector de la mordaza de freno. Desatornillar el soporte de la manguera del freno.

5. Si está equipado con frenos de tambor, sacar el tambor del freno.

6. Si está equipado con frenos de disco, desatornillar el soporte de la mordaza y colgar la mordaza a un lado con un trozo de alambre.

7. Sacar el rotor del freno.

8. Sacar el conjunto del cubo de la mangueta.

9. Limpiar el conjunto del cubo en disolvente.

10. Examinar si el conjunto del cubo presenta señales de desgaste o de daños. Si el cojinete de rueda está dañado, el conjunto del cubo debe reemplazarse.

Para instalar:

11. Limpiar la mangueta y las superficies de unión del rotor/tambor del freno.

12. Instalar el conjunto del cubo sobre la mangueta. Instalar la arandela de la mangueta.

13. Instalar el rotor del freno o el tambor del freno. Aplicar pasta anti-agarrote a los tornillos de retención y apretarlos a 7 pie-lb (10 Nm). No sobreapretar los tornillos de retención.

14. Instalar la mordaza de freno y apretar los tornillos de montaje a 28 pie-lb (39 Nm). Instalar el soporte de la manguera del freno en su montaje. Instalar el protector guardapolvo de la mordaza y apretar los tornillos a 7 pie-lb (10 Nm).

15. Instalar una tuerca nueva de mangueta. Instalar las ruedas y bajar el vehículo.

16. Apretar la tuerca de mangueta a 134 pie-lb (185 Nm). Apretar las tuercas de rueda a 80 pie-lb (110 Nm). Estacar la tuerca de mangueta con un punzón. Si la tapa guardapolvo se ha doblado durante el desmontaje, instalar una nueva.

PRELUDE Y ACCORD

➡ **El conjunto del cojinete de rueda trasero y cubo se reemplazan como una unidad.**

1. Colocar el freno de mano; después aflojar las tuercas de las ruedas traseras y la tuerca de la mangueta.

2. Levantar y soportar con seguridad el vehículo.

3. Sacar las ruedas traseras.

4. Sacar los tornillos de retención del disco del freno.

5. Liberar el freno de mano.

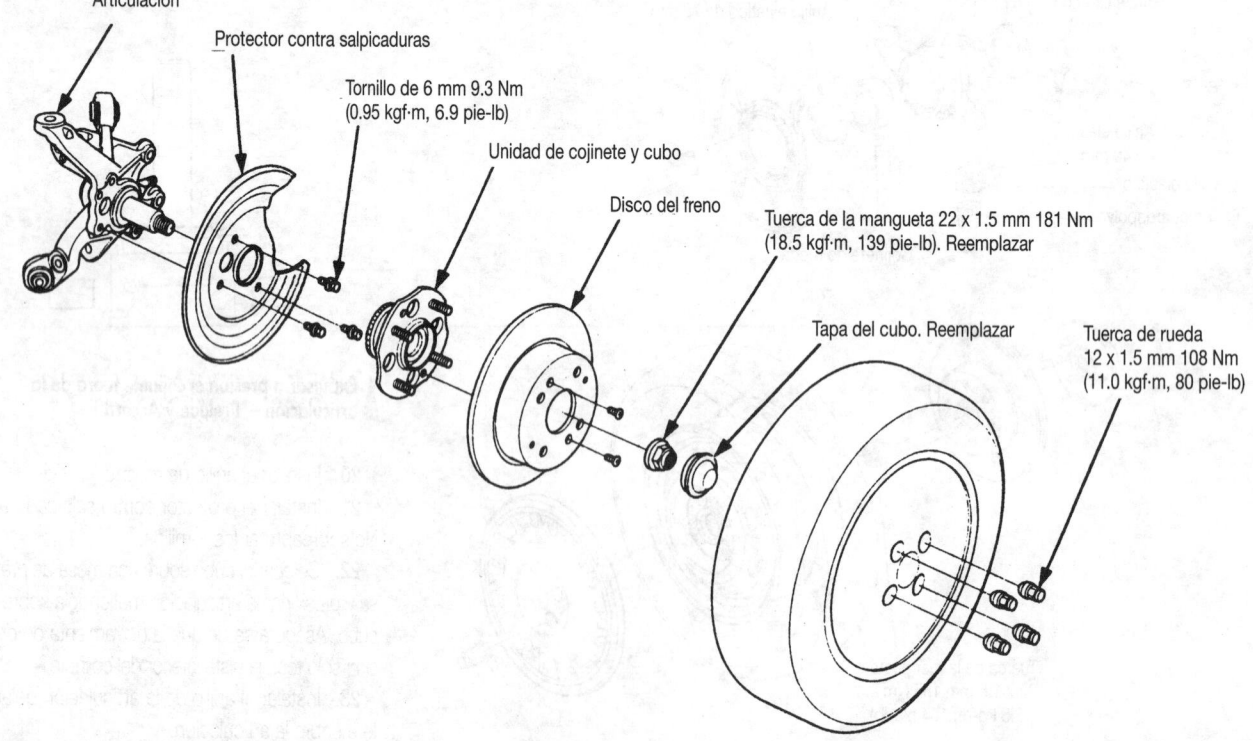

Articulación

Protector contra salpicaduras

Tornillo de 6 mm 9.3 Nm (0.95 kgf·m, 6.9 pie-lb)

Unidad de cojinete y cubo

Disco del freno

Tuerca de la mangueta 22 x 1.5 mm 181 Nm (18.5 kgf·m, 139 pie-lb). Reemplazar

Tapa del cubo. Reemplazar

Tuerca de rueda 12 x 1.5 mm 108 Nm (11.0 kgf·m, 80 pie-lb)

▲ Despiece de la unidad del cubo, frenos de disco – Accord

6. Desatornillar de la articulación los soportes de la manguera del freno.

7. Sacar los tornillos de montaje del soporte de la mordaza y colgar la mordaza a un lado con un trozo de alambre.

8. Sacar el disco del freno. Si el disco está agarrotado en el cubo, roscar dos tornillos de 8 x 1.25 mm uniformemente en el disco para empujarlo fuera del cubo.

9. Sacar la tuerca de la mangueta y tirar de la unidad del cubo hacia fuera de la mangueta.

➡ **Limpiar el plato de anclaje y las superficies de unión del disco del freno** y el cubo con limpiador de frenos. Limpiar la mangueta, la arandela y el cubo con disolvente.

Para instalar:

10. Examinar si en la unidad del cubo hay señales de daños o desgaste. Si los cojinetes están gastados, debe reemplazarse la unidad entera.

11. Instalar la unidad del cubo y la arandela de la mangueta sobre la mangueta. Instalar la tuerca de la mangueta pero sin apretarla.

12. Instalar el disco del freno y apretar los tornillos de retención a 7 pie-lb (10 Nm).

13. Instalar la mordaza del freno y apretar los tornillos de montaje a 28 pie-lb (39 Nm). Instalar los soportes de la manguera del freno en la articulación y apretar los tornillos a 16 pie-lb (22 Nm).

14. Instalar las ruedas traseras y bajar el vehículo.

15. Con el vehículo sobre el suelo, apretar la tuerca de mangueta nueva a 185 pie-lb (134 Nm); después estacar la tuerca con un punzón.

16. Apretar las tuercas de las ruedas a 80 pie-lb (110 Nm).

17. Comprobar el funcionamiento de los frenos.

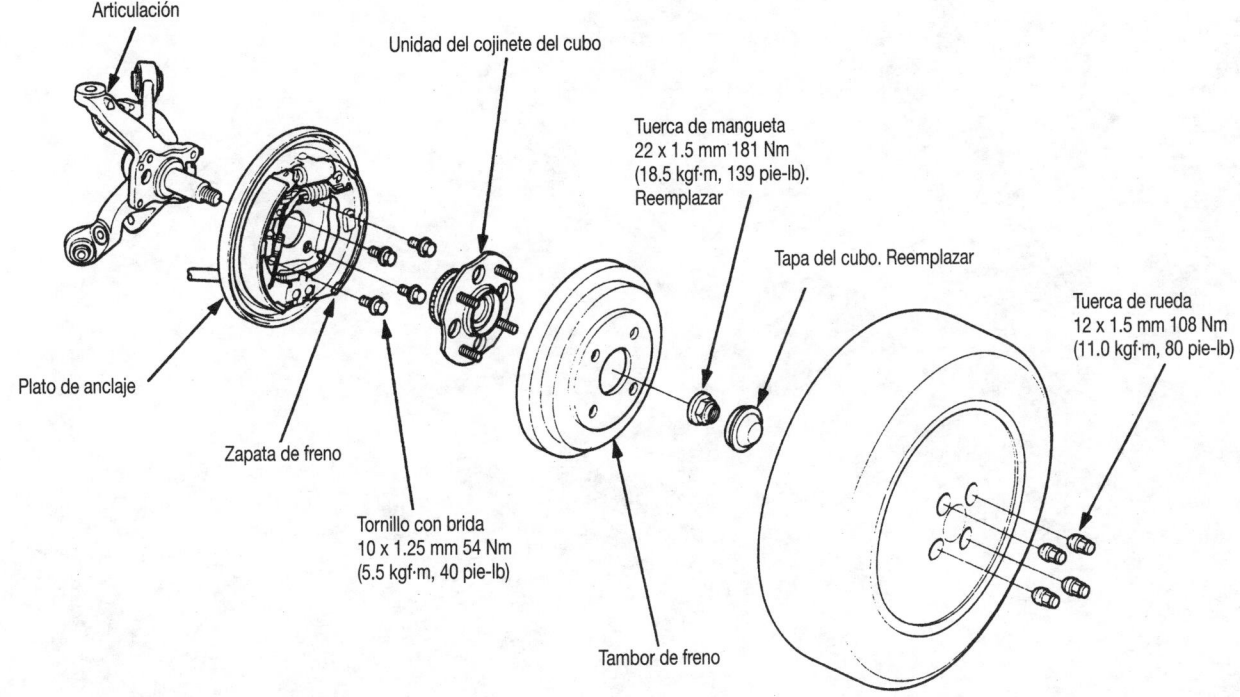

Articulación

Unidad del cojinete del cubo

Tuerca de mangueta
22 x 1.5 mm 181 Nm
(18.5 kgf·m, 139 pie-lb).
Reemplazar

Tapa del cubo. Reemplazar

Tuerca de rueda
12 x 1.5 mm 108 Nm
(11.0 kgf·m, 80 pie-lb)

Plato de anclaje

Zapata de freno

Tornillo con brida
10 x 1.25 mm 54 Nm
(5.5 kgf·m, 40 pie-lb)

Tambor de freno

⚠ Unidad del cubo, frenos de tambor – Accord y Prelude

VOLKSWAGEN
Beetle - Cabrio - Golf -GTI - Jetta - Passat

ESPECIFICACIONES **1000**

REPARACIÓN DE MOTORES DE GASOLINA . **1006**

Distribuidor 1006
Sincronización del encendido 1006
Conjunto motor. 1006
Bomba de agua 1007
Culata de cilindros 1008
Turbocompresor 1010
Múltiple de admisión 1012
Múltiple de escape 1012
Sello de aceite delantero del cigüeñal 1012
Árbol de levas y levantaválvulas 1013
Holgura de válvulas 1016
Depósito de aceite 1016
Bomba de aceite 1017
Sello de aceite principal trasero 1017

REPARACIÓN DE MOTORES DIESEL **1017**

Conjunto motor. 1017
Bomba de agua 1018
Tapones (bujías) incandescentes para Diesel . . 1019
Culata de cilindros 1019
Turbocompresor 1020
Múltiple de admisión 1020
Múltiple de escape 1020
Árbol de levas y levantaválvulas 1020
Holgura de válvulas 1021
Depósito de aceite 1021
Bomba de aceite 1021
Sello de aceite principal trasero 1021

SISTEMA DE COMBUSTIBLE: GASOLINA . . **1021**

Precauciones de mantenimiento
del sistema de combustible 1021
Presión del sistema de combustible 1021
Filtro de combustible 1022
Bomba de combustible 1022

SISTEMA DE COMBUSTIBLE: DIESEL **1022**

Precauciones de mantenimiento
del sistema de combustible 1022
Marcha mínima 1022
Filtro de combustible/separador
de agua 1023
Bomba de inyección Diesel 1023

TREN DE TRANSMISIÓN **1024**

Conjunto transeje 1024
Embrague 1027
Sistema de embrague hidráulico 1028
Semieje 1028

DIRECCIÓN Y SUSPENSIÓN **1028**

Air bag. 1028
Mecanismo de la dirección
de cremallera y piñón 1029
Poste. 1029
Resorte helicoidal 1030
Rótula superior 1034
Rótula inferior 1035
Cojinetes de rueda 1035

ESPECIFICACIONES
VOLKSWAGEN
Beetle- Cabrio - Golf - GTI - Jetta - Passat

TABLA DE IDENTIFICACIÓN DEL VEHÍCULO

Clave de motor						Año-Modelo	
Clave	Litros	Plg³ (cc)	Cil.	Sist. combustible	Fabr. motor	Clave	Año
AAA	2.8	170 (2792)	6	Motronic	Volkswagen	S	1995
AAZ	1.9	116 (1896)	4	Diesel	Volkswagen	T	1996
ABA	2.0	121 (1984)	4	Motronic	Volkswagen	V	1997
ACC	1.8	109 (1780)	4	Mono Motronic	Volkswagen	W	1998
AEB	1.8	109 (1781)	4	Motronic	Volkswagen	X	1999
AEG	2.0	121 (1984)	4	Motronic	Volkswagen		
AHA	2.8	170 (2792)	6	Motronic	Volkswagen		
AHH	1.9	116 (1896)	4	Diesel	Volkswagen		
ALH	1.9	116 (1986)	4	Diesel	Volkswagen		

IDENTIFICACIÓN MOTOR

Año	Modelo	Cilindrada del motor litros (cc)	Serie motor (ID/VIN)	Sistema combustible	N° de cilindros	Tipo de motor
1995	Cabrio	2.0 (1984)	ABA	Motronic	4	SOHC
	Golf III	1.8 (1780)	ACC	Mono Motronic	4	SOHC
	Golf III	2.0 (1984)	ABA	Motronic	4	SOHC
	GTI	2.0 (1984)	ABA	Motronic	4	SOHC
	GTI	2.8 (2792)	AAA	Motronic	6	DOHC
	Jetta III	1.8 (1780)	ACC	Mono Motronic	4	SOHC
	Jetta III	2.8 (2792)	AAA	Motronic	6	DOHC
	Jetta III	2.0 (1984)	ABA	Motronic	4	SOHC
	Passat	2.0 (1984)	ABA	Motronic	4	SOHC
	Passat	2.8 (2792)	AAA	Motronic	6	DOHC
1996	Cabrio	2.0 (1984)	ABA	Motronic	4	SOHC
	Golf	1.8 (1780)	ACC	Mono Motronic	4	SOHC
	Golf	2.0 (1984)	ABA	Motronic	4	SOHC
	GTI	2.0 (1984)	ABA	Motronic	4	SOHC
	GTI	2.8 (2792)	AAA	Motronic	6	DOHC
	Jetta	2.0 (1984)	ABA	Motronic	4	SOHC
	Jetta	2.8 (2792)	AAA	Motronic	6	DOHC
	Passat	2.0 (1984)	ABA	Motronic	4	SOHC
	Passat	2.8 (2792)	AAA	Motronic	6	DOHC
1997	Cabrio	2.0 (1984)	ABA	Motronic	4	SOHC
	Golf	1.8 (1780)	ACC	Mono Motronic	4	SOHC
	Golf	2.0 (1984)	ABA	Motronic	4	SOHC
	GTI	2.0 (1984)	ABA	Motronic	4	SOHC
	GTI	2.8 (2792)	AAA	Motronic	6	DOHC
	Jetta	2.0 (1984)	ABA	Motronic	4	SOHC
	Jetta	2.8 (2792)	AAA	Motronic	6	DOHC
	Passat	1.9 (1896)	AAZ	DSL	4	SOHC
	Passat	2.0 (1984)	ABA	Motronic	4	SOHC
	Passat	2.8 (2792)	AAA	Motronic	6	DOHC
1998-99	Beetle	1.9 (1896)	ALH	DSL	4	SOHC
	Beetle	2.0 (1984)	AEG	Motronic	4	SOHC
	Cabrio	2.0 (1984)	ABA	Motronic	4	SOHC
	Golf	1.8 (1780)	ACC	Mono Motronic	4	SOHC
	Golf	2.0 (1984)	ABA	Motronic	4	SOHC
	GTI	2.0 (1984)	ABA	Motronic	4	SOHC
	GTI	2.8 (2792)	AAA	Motronic	6	DOHC
	Jetta	1.9 (1896)	AAZ	DSL	4	SOHC
	Jetta	2.0 (1984)	ABA	Motronic	4	SOHC
	Jetta	2.8 (2792)	AAA	Motronic	6	DOHC
	Passat	1.8 (1781)	AEB	Motronic	4	DOHC
	Passat	1.9 (1896)	AHH	DSL	4	SOHC
	Passat	2.8 (2792)	AHA	Motronic	6	DOHC

DSL – Diesel.
CIS-E – Sistema de inyección continua con control electrónico.
SOHC – Árbol de levas simple sobre culata.
DOHC – Árbol de levas doble sobre culata.

ESPECIFICACIONES GENERALES DEL MOTOR

Año	Motor ID/VIN	Cilindrada del motor litros (cc)	Sistema de combustible	Caballaje neto @ rpm	Torsión neta @ rpm (pie-lb)	Diámetro x carrera (plg)	Relación de compresión	Presión de aceite @ rpm
1995	AAA	2.8 (2792)	Motronic	178@5800	177@4200	3.19x3.56	10.0:1	29@2000
	ABA	2.0 (1984)	Motronic	115@5400	122@3200	3.25x3.65	9.4:1	29@2000
	ACC	1.8 (1780)	Mono Motronic	90@5000	106@2500	3.19x3.40	9.0:1	29@2000
1996	AAA	2.8 (2792)	Motronic	178@5800	177@4200	3.19x3.56	10.0:1	29@2000
	ABA	2.0 (1984)	Motronic	115@5400	122@3200	3.25x3.65	9.4:1	29@2000
	ACC	1.8 (1780)	Mono Motronic	90@5000	106@2500	3.19x3.40	9.0:1	29@2000
1997	AAA	2.8 (2792)	Motronic	178@5800	177@4200	3.19x3.56	10.0:1	29@2000
	AAZ	1.9 (1896)	DSL	75@4200	111@3400	3.13x3.76	22.5:1	29@2000
	ABA	2.0 (1984)	Motronic	115@5400	122@3200	3.25x3.65	9.4:1	29@2000
	ACC	1.8 (1780)	Mono Motronic	90@5000	106@2500	3.19x3.40	9.0:1	29@2000
1998-99	AAA	2.8 (2792)	Motronic	172@5700	173@4200	3.19x3.56	10.0:1	29@2000
	AAZ	1.9 (1896)	DSL	75@4200	111@3400	3.13x3.76	22.5:1	29@2000
	ABA	2.0 (1984)	Motronic	115@5400	122@3200	3.25x3.65	10.0:1	29@2000
	ACC	1.8 (1780)	Mono Motronic	90@5000	106@2500	3.19x3.40	9.0:1	29@2000
	AEB	1.8 (1781)	Motronic	150@5700	155@4600	3.19x3.40	9.5:1	29@2000
	AEG	2.0 (1984)	Motronic	115@5400	125@2400	3.25x3.65	10.0:1	29@2000
	AHA	2.8 (1984)	Motronic	NA	NA	NA	NA	NA
	AHH	1.9 (1896)	DSL	90@3750	154@1900	3.13x3.76	19.5:1	29@2000
	ALH	1.9 (1896)	DSL	90@3750	154@1900	3.13x3.76	19.5:1	29@2000

DSL – Diesel.
CIS-E – Sistema de inyección continuo con control electrónico.
NA – Información no disponible.

ESPECIFICACIONES PARA AFINACIONES DE MOTORES DE GASOLINA

Año	Motor ID/VIN	Cilindrada del motor litros (cc)	Bujías Abertura (plg)	Sincronización ignición (grados) TM	Sincronización ignición (grados) TA	Bomba de combustible (lb/plg²)	Marcha mínima (rpm) TM	Marcha mínima (rpm) TA	Holgura de válvulas Admisión	Holgura de válvulas Escape
1995	AAA	2.8 (2782)	0.028	5-7B	5-7B	58	650-750	650-750	HYD	HYD
	ABA	2.0 (1984)	0.024	5-7B	5-7B	43.5	800-880	800-880	HYD	HYD
	ACC	1.8 (1780)	0.030	5-7B	5-7B	17.4	800-1000	800-1000	HYD	HYD
1996	AAA	2.8 (2792)	0.028	5-7B	5-7B	58	650-750	650-750	HYD	HYD
	ABA	2.0 (1984)	0.024	5-7B	5-7B	43.5	800-880	800-880	HYD	HYD
	ACC	1.8 (1780)	0.030	5-7B	5-7B	17.4	800-1000	800-1000	HYD	HYD
1997	AAA	2.8 (2792)	0.028	5-7B	5-7B	58	650-750	650-750	HYD	HYD
	ABA	2.0 (1984)	0.024	5-7B	5-7B	43.5	800-880	800-880	HYD	HYD
	ACC	1.8 (1780)	0.030	5-7B	5-7B	17.4	800-1000	800-1000	HYD	HYD
1998-99	AAA	2.8 (2792)	0.028	5-7B ①	5-7B ①	58 ②	650-750	650-750	HYD	HYD
	ABA	2.0 (1984)	0.024	5-7B ①	5-7B ①	43.5 ②	800-880	800-880	HYD	HYD
	ACC	1.8 (1780)	0.030	5-7B ①	5-7B ①	17.4 ②	800-1000	800-1000	HYD	HYD
	AEB	1.8 (1781)	0.035-0.043	5-7B ①	5-7B ①	51.5 ②	820-920	820-920	HYD	HYD
	AEG	2.0 (1984)	0.035-0.043	5-7B ①	5-7B ①	51.5 ②	760-880	760-880	HYD	HYD
	AHA	2.8 (2792)	0.063	5-7B ①	5-7B ①	51.5 ②	620-740	620-740	HYD	HYD

Nota: la etiqueta informativa sobre el control de emisiones del vehículo a menudo refleja cambios en las especificaciones llevadas a cabo durante la producción. Deben utilizarse los valores de la etiqueta en caso de que difieran de los de esta tabla.
B – Antes del punto muerto superior.
HYD – Hidráulico.
① Especificaciones solamente como referencia. El encendido está controlado por una ECM y no es ajustable.
② Presión del sistema en marcha mínima.

CAPACIDADES

Año	Modelo	Motor SD/VIN	Cilindrada del motor litros (cc)	Aceite del motor con filtro	Transmisión (pts)			Eje motriz		Tanque combustible (gal)	Sistema enfriamiento (qts)
					4 vel.	5 vel.	Auto.	Del. (pts)	Tras. (pts)		
1995	Cabrio	ABA	2.0 (1984)	4.3	—	4.2	6.4 ③	—	—	14.5	6.5
	Golf III	ACC	1.8 (1780)	4.2	—	4.2	6.4 ③	—	—	14.5	6.5
	Golf III	ABA	2.0 (1984)	4.3	—	4.2	6.4 ③	—	—	14.5	6.5
	Golf III	AAA	2.8 (2792)	5.8	—	4.2	6.4 ③	—	—	14.5	9.5
	GTI	AAA	2.8 (2792)	5.8	—	4.2	6.4 ③	—	—	14.5	9.5
	Jetta III	ACC	1.8 (1780)	4.2	—	4.2	6.4 ③	—	—	14.5	6.5
	Jetta III	ABA	2.0 (1984)	4.3	—	4.2	6.4 ③	—	—	14.5	6.5
	Jetta III	AAA	2.8 (2792)	5.8	—	4.2	6.4 ③	—	—	14.5	9.5
	Passat	AAA	2.0 (2792)	4.3	—	4.2	6.4 ③	—	—	18.5	7.1
	Passat	AAA	2.8 (2792)	5.8	—	4.2	6.4 ③	—	—	18.5	9.5
1996	Cabrio	ABA	2.0 (1984)	4.8	—	4.2	6.4 ③	—	—	14.5	6.7
	Golf	ACC	1.8 (1780)	4.2	—	4.2	6.4 ③	—	—	14.5	6.5
	Golf	ABA	2.0 (1984)	4.3	—	4.2	6.4 ③	—	—	14.5	6.5
	Golf	AAA	2.8 (2792)	5.8	—	4.2	6.4 ③	—	—	14.5	8.5
	GTI	ABA	2.0 (1984)	4.3	—	4.2	6.4 ③	—	—	14.5	6.5
	GTI	AAA	2.8 (2792)	5.8	—	4.2	6.4 ③	—	—	14.5	8.5
	Jetta	ABA	2.0 (1984)	4.8	—	4.2	6.4 ③	—	—	14.5	6.7
	Jetta	AAA	2.8 (2792)	5.8	—	4.2	6.4 ③	—	—	14.5	8.5
	Passat	ABA	2.0 (1984)	4.2	—	4.2	6.4 ③	—	—	18.5	7.1
	Passat	AAA	2.8 (2792)	5.8	—	4.2	6.4 ③	—	—	18.5	9.7
1997	Cabrio	ABA	2.0 (1984)	4.8	—	4.2	6.4 ③	—	—	14.5	6.7
	Golf	ABA	2.0 (1984)	4.8	—	4.2	6.4 ③	—	—	14.5	6.7
	Golf	AAA	2.8 (2792)	5.8	—	4.2	6.4 ③	—	—	14.5	8.5
	GTI	ABA	2.0 (1984)	4.8	—	4.2	6.4 ③	—	—	14.5	6.7
	GTI	AAA	2.8 (2792)	5.8	—	4.2	6.4 ③	—	—	14.5	8.5
	Jetta	ABA	2.0 (1984)	4.8	—	4.2	6.4 ③	—	—	14.5	6.7
	Jetta	AAA	2.8 (2792)	5.8	—	4.2	6.4 ③	—	—	14.5	8.5
	Passat	ABA	2.0 (1984)	4.8	—	4.2	6.4 ③	—	—	18.5	8.5
	Passat	AAA	2.8 (2792)	5.8	—	4.2	6.4 ③	—	—	18.5	9.7
	Passat	AAZ	1.9 (1896)	4.2 ①	—	4.2	6.4 ③	—	—	18.5	4.4 ②
1998-99	Beetle	ALH	1.9 (1896)	4.8	—	4.2	6.8 ⑤	—	—	14.5	6.7
	Beetle	AEG	2.0 (1984)	4.2	—	4.2	6.8 ⑤	—	—	14.5	6.7
	Cabrio	ABA	2.0 (1984)	4.8	—	4.2	6.4 ③	—	—	14.5	6.7
	Golf	ABA	2.0 (1984)	4.8	—	4.2	6.4 ③	—	—	14.5	6.7
	Golf	AAA	2.8 (2792)	5.8	—	4.2	6.4 ③	—	—	14.5	8.5
	GTI	ABA	2.0 (1984)	4.8	—	4.2	6.4 ③	—	—	14.5	6.7
	GTI	AAA	2.8 (2792)	5.8	—	4.2	6.4 ③	—	—	14.5	8.5
	Jetta	AAZ	1.9 (1896)	4.4	—	4.2	6.4 ③	—	—	14.5	6.4
	Jetta	ABA	2.0 (1984)	4.8	—	4.2	6.4 ③	—	—	14.5	6.7
	Jetta	AAA	2.8 (2792)	5.8	—	4.2	6.4 ③	—	—	14.5	8.5
	Passat	AEB	1.8 (1781)	4.2	—	4.8	7.4 ④	—	—	18.5	6.9
	Passat	AHA	2.8 (2792)	5.8	—	4.8	6.4 ④	—	—	N/A	N/A
	Passat	AHH	1.9 (1896)	3.7	—	4.8	7.4 ④	—	—	N/A	N/A

Nota: todas estas cantidades son aproximadas. Añadir el fluido gradualmente y evitar que se derrame.
① Volkswagen especifica una capacidad de 4.4 cuartas para el Passat TDI familiar.
② Volkswagen especifica una capacidad de 6.4 cuartas para el Passat TDI familiar.
③ Solamente vaciar y llenar. Un llenado después de una revisión de la transmisión puede necesitar hasta 11.8 pintas.
④ La transmisión 01V requiere aproximadamente 5.5 pintas para rellenar. Un llenado después de una revisión de la transmisión puede necesitar hasta 19 pintas.
⑤ Vaciar y llenar solamente. Un llenado después de una revisión de la transmisión puede necesitar hasta 11.2 pintas.

ESPECIFICACIONES DE VÁLVULAS

Año	Motor ID/VIN	Cilindrada del motor litros (cc)	Ángulo del asiento (grados)	Ángulo de cara (grados)	Tensión de prueba del resorte (lb@plg)	Altura resorte instalado (plg)	Holgura entre vástago y guía (plg)		Diámetro del vástago (plg)	
							Admisión	Escape	Admisión	Escape
1993	2H	1.8 (1780)	45	45	NA	NA	0.039	0.051	0.3138	0.3130
	ABG	1.8 (1780)	45	45	NA	NA	0.039	0.059	0.3138	0.3130
	9A	2.0 (1984)	45	45	NA	NA	0.039	0.051	0.2744	0.2732
	ABA	2.0 (1984)	45	45	NA	NA	0.039	0.051	0.2744	0.2736
	AAA	2.8 (2792)	45	45	NA	NA	0.039	0.051	0.2744	0.2736
1994	9A	2.0 (1984)	45	45	NA	NA	0.039	0.051	0.2744	0.2732
	ABA	2.0 (1984)	45	45	NA	NA	0.039	0.051	0.2744	0.2736
	AAA	2.8 (2792)	45	45	NA	NA	0.039	0.051	0.2744	0.2736
1995	ACC	1.8 (1780)	45	45	NA	NA	0.039	0.051	0.3130	0.3130
	ABA	2.0 (1984)	45	45	NA	NA	0.039	0.051	0.2744	0.2736
	AAA	2.8 (2782)	45	45	NA	NA	0.039	0.051	0.2744	0.2736
1996-97	ACC	1.8 (1780)	45	45	NA	NA	0.039	0.051	0.3138	0.3130
	ABA	2.0 (1984)	45	45	NA	NA	0.039	0.051	0.2744	0.2736
	AAA	2.8 (2782)	45	45	NA	NA	0.039	0.051	0.2744	0.2736

NA – No disponible.

ESPECIFICACIONES DE TORSIÓN
Todas las medidas están en pie-lb

Año	Motor ID/VIN	Cilindrada del motor litros (cc)	Tornillos culata de cilindros	Tornillos cojinete principal	Tornillos cojinetes biela	Tornillo amortiguador cigüeñal	Tornillos volante	Múltiple		Bujías	Tuerca de orejas
								Admisión	Escape		
1995	AAA	2.8 (2782)	①	②	③	④	⑤	18	18	22	81
	ABA	2.0 (1984)	①	48	⑥	⑦	⑤	15	15	22	81
	ACC	1.8 (1780)	①	48	③	⑦	⑤	22	22	18	81
1996	AAA	2.8 (2782)	①	②	③	④	⑤	18	18	22	81
	ABA	2.0 (1984)	①	48	⑥	⑦	⑤	15	15	22	81
	ACC	1.8 (1780)	①	48	③	⑦	⑤	22	22	18	81
1997	AAA	2.8 (2782)	①	②	③	④	⑤	18	18	22	81
	AAZ	1.9 (1896)	①	48 ⑧	③	④	⑤	18	18	22	81
	ABA	2.0 (1984)	①	48	⑥	⑦	⑤	15	15	22	81
	ACC	1.8 (1780)	①	48	③	⑦	⑤	22	22	18	81
1998-99	AAA	2.8 (2792)	①	②	⑥	⑦	⑤	15	15	22	89
	AAZ	1.9 (1896)	①	48 ⑧	③	⑦	⑤	18	18	NA	89
	ABA	2.0 (1984)	①	48	⑥	⑦	⑤	15	15	22	89
	AEB	1.8 (1781)	①	48 ⑧	③	⑦	⑤	18	18	22	89
	AEG	2.0 (1984)	⑨	48 ⑧	③	⑦	⑩	18	18	22	89
	AHA	2.8 (2792)	NA	NA	NA	NA	NA	18	18	22	89
	AHH	1.9 (1896)	①	48 ⑧	③	⑦	⑤	18	18	NA	89
	ALH	1.9 (1896)	①	48 ⑧	③	⑪	⑤	18	18	NA	89

① Apretar en cuatro etapas: Utilizar tornillos nuevos en todos los motores.
  Etapa 1: 30 pie-lb.
  Etapa 2: 44 pie-lb.
  Etapa 3: + 90 grados.
  Etapa 4: + 90 grados.
② 22 pie-lb más 1/2 giro adicional. Utilizar tornillos nuevos.
③ Apretar a 22 pie-lb más 90 grados adicionales.
④ 74 pie-lb más 1/4 de giro adicional. Utilizar tornillos nuevos.
⑤ 44 pie-lb más 90 grados adicionales; excepto
  Passat GLX: 52 pie-lb más 90 grados.

⑥ 22 pie-lb más 1/4 de giro adicional. Utilizar tornillos nuevos.
⑦ Etapa 1: 66 pie-lb.
  Etapa 2: más 90 grados.
⑧ Más 90 grados adicionales. Cambiar siempre el tornillo.
⑨ Apretar en 4 etapas. Utilizar tornillos nuevos.
  Etapa 1: 30 pie-lb.
  Etapa 2: + 90 grados.
  Etapa 3: + 90 grados.
⑩ 30 pie-lb + 90 grados. Cambiar siempre el tornillo.
⑪ 88 pie-lb + 90 grados. Cambiar siempre el tornillo.

REPARACIÓN DE MOTORES DE GASOLINA

➡ **La desconexión del cable negativo de la batería puede producir en algunos vehículos interferencias en las funciones del ordenador de a bordo y puede hacer necesario un proceso de inicialización del ordenador, después de haber conectado otra vez el cable negativo de la batería.**

DISTRIBUIDOR

DESMONTAJE

1. Desconectar el cable de alta tensión y el conector de la bobina en el distribuidor. Desconectar los tubos de vacío, si existen.

2. Desmontar los clips de retención de la tapa, y sacar la tapa y el protector estático conjuntamente.

3. Por medio del tornillo de la polea frontal del cigüeñal, mover el motor hasta el punto muerto superior (PMS) del pistón N° 1. Marcar con pintura o yeso la situación del rotor en el anillo del distribuidor; algunos vehículos ya tienen una muesca en esta posición. Además, marcar la posición del distribuidor en el bloque o en la culata de cilindros.

4. Desmontar el tornillo y la abrazadera del distribuidor y sacar el distribuidor hacia arriba.

INSTALACIÓN

Sincronización no alterada

1. En algunos vehículos, el distribuidor engrana su propulsión con una ranura descentrada y es muy fácil el montaje siguiendo el orden inverso del desmontaje, incluso en el caso de que el cigüeñal o el árbol de levas hayan sido girados. Girar suavemente el rotor al mismo tiempo que empujamos el distribuidor hacia su alojamiento. Montar el tornillo de retención y poner a tiempo (sincronización) el encendido.

2. En los motores con el engranaje de propulsión en el distribuidor. Asegurarse de que el motor está todavía en el punto muerto superior

(PMS) e insertar el distribuidor con las marcas de posicionamiento alineadas.

3. Montar la abrazadera y el tornillo de retención, el conector, la tapa y el protector estático, y los cables de alta tensión.

4. Controlar y ajustar la sincronización del encendido.

Sincronización alterada

1. Hacer girar el cigüeñal hasta el punto muerto superior (PMS) del pistón N° 1.

2. Con una herramienta apropiada, hacer girar el eje propulsor de la bomba de aceite de modo que esté paralelo al cigüeñal.

3. Montar el rotor sobre el distribuidor y alinearlo con la marca N° 1 en el aro exterior del cuerpo del distribuidor.

4. Montar el distribuidor, asegurándose de que el rotor todavía está alineado con la marca cuando el distribuidor está en su sitio.

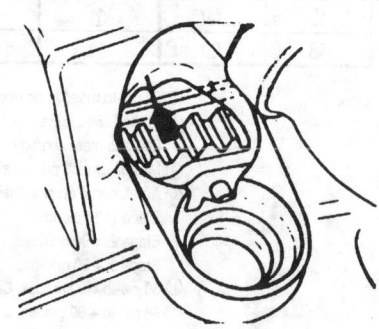

▲ **Localización de las marcas de sincronización en la campana de embrague**

5. Con el distribuidor montado, montar la abrazadera y el tornillo de retención, el conector, la tapa y el protector estático, y los cables de alta tensión.

6. Controlar y ajustar la sincronización del encendido.

SINCRONIZACIÓN DEL ENCENDIDO

AJUSTE

➡ **La sincronización del encendido está controlada por el módulo electrónico del motor y no es ajustable. De todas maneras, la sincronización puede comprobarse con un equipo electrónico conectado a un conector especial del vehículo. No se han dado especificaciones por parte del constructor.**

CONJUNTO MOTOR

DESMONTAJE E INSTALACIÓN

1. El motor y el transeje se separan del vehículo como un conjunto.

Desconectar los cables de la batería y sacar la batería.

2. Abrir la tapa de la boca de carga de combustible para eliminar la presión del depósito, después aflojar la conexión del filtro de combustible para eliminar la presión del sistema de combustible. Asegurarse de tomar las precauciones adecuadas por lo que respecta a la seguridad contra un incendio.

3. Desmontar el filtro de aire y desconectar el cable del acelerador de la bomba de inyección.

4. Desmontar el tapón del radiador. Girar el control de temperatura del calentador del todo hacia la zona caliente y desmontar el cuerpo del termostato para sacar el refrigerante.

5. Desmontar el manguito superior del radiador y desconectar el cable del motor del ventilador y los interruptores. Desmontar los tornillos o tuercas de fijación y sacar el radiador y el canalizador del ventilador conjuntamente.

6. Empezar desconectando los conectores eléctricos y las conducciones de vacío, etiquetando cada elemento cuidadosamente. No olvidarse de las conexiones a masa que están atornilladas a la carrocería.

7. Si el vehículo está equipado con dirección asistida, desmontar la bomba y fijarla a la carrocería. No desconectar las conducciones hidráulicas. Si está equipado con aire acondicionado, desmontar el compresor y fijarlo separadamente sin desconectar las conducciones.

8. Desconectar las conducciones de entrada y salida de combustible de la bomba de inyección y tapar los orificios para mantenerla limpia. Obsérvese que la salida tiene un orificio especial.

9. En motores con turbocompresor, desconectar el tubo de escape y las conducciones de aceite del turbocompresor y tapar los orificios de aceite del turbocompresor. Separar desatornillando el turbocompresor del motor.

10. Si el vehículo está equipado con una transmisión automática, poner la palanca de selección en la posición "P" y desconectar el cable del selector.

11. En la tirantería del selector de marchas de las transmisiones manuales, desmontar las dos bieletas con rótulas de plástico en los extremos y desatornillar los elementos de tiran-

tería restantes de la caja si fuera necesario. Desconectar el cable de embrague, separarlo de la caja y ponerlo a parte.

12. Desconectar el cableado del arranque, el interruptor de marcha atrás y el cable de masa del transeje. Desmontar el cable cuenta-kilómetros del transeje y tapar el agujero de la caja.

13. Fijar el útil de sustentación de motores VW-2024A, o equivalente, al motor y fijarlo a un sistema elevador apropiado.

14. Desmontar las tuercas o las abrazaderas elásticas que fijan el tubo de escape al colector o al turbocompresor.

▼ PRECAUCIÓN ▼

En algunos modelos, se requieren útiles especiales para desmontar y montar las abrazaderas elásticas que fijan el tubo de escape al colector; VW3140/1 y /2, o equivalentes. Este útil es un conjunto de cuñas de diferente tamaño que permiten extender las abrazaderas de fijación gradualmente. Una abrazadera elástica de fijación montada está sometida a una tensión considerable y podría causar daños y heridas si no se desmonta apropiadamente. Las abrazaderas de fijación con cuñas montadas también están sometidas a alta tensión y deben ser manejadas cuidadosamente.

15. Desatornillar los semiejes de las bridas y sujetarlos a la carrocería con alambres.

16. Asegurarse de que todo está desconectado y desatornillar los soportes. Primero desmontar el arranque y el soporte anterior conjuntamente.

17. Con todos los soportes desatornillados, levantar ligeramente el conjunto motopropulsor/transeje e inclinarlo hacia el lado del transeje. Después sacar cuidadosamente el conjunto fuera del vehículo.

Para instalar:

18. Cuidadosamente montar el conjunto motopropulsor/transmisión (transeje) y asegurarse de que todos los soportes están atornillados a dicho conjunto. Iniciar el montaje de todos los tornillos y tuercas que posicionan los soportes a la carrocería pero no apretarlos todavía.

19. Con todos los soportes montados y el de motor posicionado con seguridad en el vehículo, permitir un ligero aflojamiento del sistema de elevación. Con el vehículo apoyado con seguridad, sacudir el conjunto motopropulsor/transmisión

para asentarlo en los soportes. Atornillar todos los tornillos de fijación, empezando por la parte posterior hacia delante. Apretar a 33 pie-lb (45 Nm) los tornillos de 10 mm o a 54 pie-lb (73 Nm) los tornillos de 12 mm.

20. Montar el arranque y apretar los tornillos a 33 pie-lb (45 Nm).

21. Conectar los semiejes a las bridas y apretar los tornillos a 33 pie-lb (45 Nm).

22. Montar el tubo de escape y utilizar tuercas autobloqueantes nuevas para fijarlo a la brida. Apretar las tuercas a 30 pie-lb (40 Nm). Si está equipado con abrazaderas elásticas, éstas pueden usarse otra vez.

23. Conectar la tirantería del cambio, y el cable del embrague, si está equipado con él. Llevar a cabo los ajustes necesarios.

24. Montar las conducciones de combustible y apretar a 18 pie-lb (25 Nm). Asegurarse de no pasarse en el apriete de las tuercas de las conducciones. Si una conducción está dañada u obstruida, cambiar todas las conducciones en conjunto.

25. Conectar las conducciones de entrada y salida a la bomba de inyección. Poner especial atención en el montaje del conducto de salida, el cual tiene impresa encima la palabra "OUT". Usar juntas nuevas.

26. Montar el compresor del aire acondicionado y/o la bomba de la servodirección, en caso de llevar estos componentes. Montar y ajustar las correas correspondientes.

27. Conectar el cableado y los tubos de vacío.

28. Montar el radiador, el ventilador y los tubos de la calefacción. Montar una junta tórica nueva en el termostato y apretar los tornillos de fijación del cuerpo del termostato a 7 pie-lb (10 Nm).

29. Llenar y purgar el sistema de refrigeración. Comprobar el ajuste del cable del acelerador.

BOMBA DE AGUA

DESMONTAJE E INSTALACIÓN

Excepto motor 2.8L

1. Para vaciar el sistema de refrigeración, desmontar el cuerpo del termostato de la parte inferior de la carcasa de la bomba de agua.

2. Levantar y asegurar el vehículo sobre soportes. Aflojar pero no desmontar los tornillos que fijan la polea a la bomba de agua.

3. Desmontar la tapa de la correa de la sincronización.

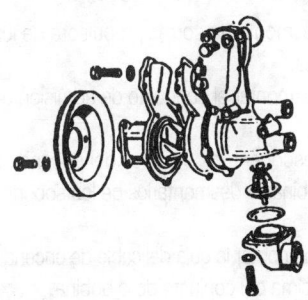

▲ Carcasa de la bomba de agua y termostato – Excepto motor 2.8L

4. Aflojar el alternador y/o la bomba de la servodirección, lo necesario para desmontar la correa de la bomba de agua.

5. Desmontar la polea de la bomba de agua. En algunos vehículos, debe desmontarse también la polea del cigüeñal desmontando los tornillos que fijan dicha polea a la polea dentada de la sincronización.

6. Ahora todos los tornillos son accesibles y la bomba de agua puede desmontarse de su carcasa.

Para instalar:

7. Asegurarse de limpiar la carcasa antes de montar una junta nueva. Montar la bomba dentro de la carcasa y apretar los tornillos de fijación de la bomba a la carcasa a 7 pie-lb (10 Nm).

8. Montar la polea de la bomba de agua y apretar los tornillos a 15 pie-lb (20 Nm). Si la polea del cigüeñal ha sido desmontada, montarla y apretar los tornillos a 15 pie-lb (20 Nm).

9. Ajustar la tensión de la correa y montar el termostato y la carcasa. Apretar los tornillos a 7 pie-lb (10 Nm).

Motor 2.8L

1. Conseguir el código de seguridad de la radio.

2. Desconectar el cable negativo de la batería.

3. Desconectar del catalizador la parte anterior del tubo de escape.

▼ PRECAUCIÓN ▼

No abrir nunca, para un servicio o reparación, el radiador o el sistema de refrigeración cuando está caliente; el refrigerante caliente o el vapor pueden producir serias quemaduras.

4. Vaciar el refrigerante del motor.

5. Desmontar la correa propulsora de los accesorios.

6. Desmontar el conducto de admisión de aire.

7. Desconectar los cables del encendido de las bobinas y desmontarlos de los soportes de retención.

8. Desmontar la guía del cable de encendido de encima del conjunto de la bobina.

9. Desconectar la manguera de vacío del regulador de presión de combustible.

10. Desmontar el sensor de temperatura del aire de admisión (IAT).

11. Sin desconectar los tubos, desmontar el depósito de expansión del radiador y apartarlo a un lado.

12. Montar un dispositivo de soporte de anillos de elevación del motor en los de cilindros de los lados izquierdo y derecho del bloque motor. Levantar ligeramente el motor para descargar de peso los soportes de motor.

13. Desmontar los tornillos centrales de los soportes posteriores izquierdo y derecho del conjunto motor/transmisión.

14. Desmontar los tornillos centrales del soporte anterior del motor.

15. Levantar el motor ligeramente hasta tener acceso a los tornillos de la polea de la bomba de agua.

16. Desmontar la polea de la bomba de agua por medio de la llave VAG 1590 o equivalente. Modificar la llave tal como se muestra en la figura, en caso de que fuera necesario para ajustarla al tornillo.

17. Desmontar los tornillos de sujeción y la bomba de agua.

Para instalar:

18. Usar una junta tórica nueva y montar la bomba de agua. Apretar los tornillos de fijación a 15 pie-lb (20 Nm).

19. Montar la polea de la bomba de agua. Apretar el tornillo a 18 pie-lb (25 Nm).

20. Bajar el motor y montar los tornillos de los soportes de fijación del conjunto motor/transmisión. Apretar los tornillos a 44 pie-lb (60 Nm). Apretar primero los soportes anterior y posterior derecho, después el soporte posterior izquierdo.

21. Montar el depósito de expansión. Apretar los tornillos a 7 pie-lb (10 Nm).

22. Montar el sensor IAT en la parte superior del múltiple de admisión.

23. Conectar la manguera de vacío en el regulador de presión de combustible.

24. Montar los cables del encendido y la guía de los cables.

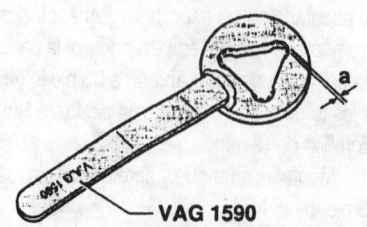

Modificar la llave VAG 1590 o equivalente lo necesario para que ajuste en el tornillo de la polea de la bomba de agua

25. Montar el conducto de aire y la correa de los aparatos accesorios.

26. Llenar el motor de refrigerante.

27. Poner en marcha el motor y comprobar las fugas.

28. Comprobar el nivel de refrigerante después de que el motor se haya enfriado y añadir si fuera necesario.

CULATA DE CILINDROS

DESMONTAJE E INSTALACIÓN

Excepto motor 2.8L

1. Desconectar el cable negativo de la batería.

➡ **En algunos de los modelos de 16V, el desmontaje de la batería puede facilitar las operaciones posteriores.**

2. Abrir el tapón del radiador y desmontar el cuerpo del termostato para vaciar el sistema de refrigeración.

3. Desconectar el cable del ahogador. Desconectar y etiquetar todos los cableados y los conductos de vacío del múltiple de admisión. En el motor de 16V, desmontar el semicuerpo superior del múltiple de admisión.

4. En los vehículos con el sistema de inyección de combustible CIS-E, desmontar los inyectores y la válvula de arranque en frío sin desconectar los conductos de combustible y taparlos. Fijar todos los conductos aparte.

5. En los vehículos con sistema de inyección de combustible Digifant, el conjunto de los inyectores y raíl de combustible deben permanecer en la culata. Desconectar los conductos de suministro y retorno de combustible y el conector eléctrico de los inyectores.

6. Desconectar las mangueras del radiador y el calefactor.

7. Desconectar y etiquetar los cables de los sensores de presión de aceite y temperatura.

8. En los vehículos con el sistema de inyección de combustible CIS-E, desmontar el regulador de aire auxiliar del múltiple de admisión, si está equipado con él.

9. Desmontar la tapa del distribuidor y los cables. En los motores de 16V, desmontar el conjunto del distribuidor con la tapa y los cables.

10. Desconectar el tubo de escape del múltiple de escape. Si el tubo está fijado al múltiple con abrazaderas elásticas, insertar el útil de cuñas para desmontar las abrazaderas elásticas y separar el tubo del múltiple de escape.

▼ PRECAUCIÓN ▼

Se requieren útiles especiales para desmontar y montar las abrazaderas: VW-3140/1 y /2, o equivalentes. Se trata de un set de cuñas de diferentes tamaños para extender las abrazaderas elásticas progresivamente. Una abrazadera elástica montada está sometida a una considerable tensión y puede causar daños o heridas si no se desmonta adecuadamente. Las abrazaderas con las cuñas montadas están también sometidas a una alta tensión y deben manejarse cuidadosamente.

11. Desmontar el tubo de la válvula EGR, si está equipado con ella.

12. Desmontar las correas de los accesorios y cualquier accesorio que esté atornillado a la culata.

13. Girar el motor hasta el punto muerto superior del cilindro N° 1, si es posible, y desmontar la tapa de la culata, la tapa de la distribución y la correa de la distribución.

14. Aflojar los tornillos de la culata de cilindros siguiendo el orden inverso al del apriete.

15. Desmontar los tornillos y levantar la culata.

Para instalar:

16. Antes de montar la culata, comprobar la planitud de la culata y el bloque tanto longitudinalmente como en anchura y también en diagonal entre cada una de las esquinas.

17. Montar una junta de culata nueva con la palabra "TOP" u "OBEN" mirando hacia arriba; no usar ningún compuesto sellante.

18. Cuidadosamente, posicionar la culata y montar los tornillos en las posiciones 8 y 10 en la secuencia de apriete. Estos agujeros son más pequeños y posicionarán adecuadamente la junta y la culata.

19. Montar los tornillos restantes. Apretar los tornillos secuencialmente en tres etapas: 29

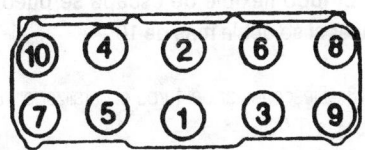

▲ **Apretar los tornillos de culata de cilindros según el orden indicado – Excepto motor 2.8L**

pie-lb (39 Nm), 44 pie-lb (60 Nm) y $\frac{1}{2}$ giro adicional. Se permiten también dos $\frac{1}{4}$ de giro.

20. Montar la correa de propulsión del árbol de levas y ajustar la tensión.

21. Conectar el tubo de escape al múltiple. Usar juntas nuevas y tuercas autobloqueantes y apretar a 18 pie-lb (25 Nm). En vehículos que usan abrazaderas elásticas, montar dichas abrazaderas y separar cuidadosamente los útiles de cuñas.

22. Conectar el tubo de la EGR, si está equipado con ella.

23. En motores de 16V, montar el distribuidor. Montar la tapa del distribuidor y los cables.

24. En vehículos con sistema de inyección CIS-E, montar el regulador de aire auxiliar en el múltiple de admisión, si está equipado con él.

25. Conectar los cables de los sensores de presión de aceite y temperatura.

26. Montar los componentes del sistema de encendido.

27. Conectar los tubos del radiador y del calefactor.

28. Conectar el cable del ahogador y todos los cables y conductos de vacío.

29. En los vehículos con el sistema de inyección del combustible Digifant, conectar los conductos de suministro y retorno de combustible. Conectar el conector eléctrico de los inyectores.

30. Montar el termostato con una junta tórica nueva. Apretar los tornillos de la carcasa a 7 pie-lb (10 Nm). Rellenar el sistema de refrigeración.

31. En vehículos con sistema de inyección del combustible CIS-E, montar los inyectores y la válvula de arranque en frío.

32. Montar las correas de los accesorios y ajustar la tensión.

33. En los motores de 16V, montar el semicuerpo superior del múltiple de admisión. Apretar los tornillos de retención del múltiple a 18 pie-lb (25 Nm).

34. Conectar todos los cables y los conductos de vacío que previamente hayan sido desconectados del múltiple. Conectar el cable del ahogador.

35. Montar la batería, si hubiera sido desmontada. Conectar los cables positivo y negativo.

36. Rellenar y purgar el sistema de refrigeración.

37. Cuando todo haya sido montado y conectado correctamente, asegurarse de cambiar el aceite motor y el filtro antes de poner en marcha el motor.

Motor 2.8L

Este procedimiento requiere el útil especial 3268 o equivalente. Se trata de un útil de posicionamiento que sitúa los ejes de levas en su correcta posición para montar las cadenas de la sincronización. Antes de desmontar la culata, asegurarse de disponer de tornillos nuevos. Los tornillos de culata están fabricados para ser estirados durante el apriete y no pueden usarse por segunda vez.

1. Desconectar los cables de la batería y desmontar la batería.

2. Desconectar los cables y los conductos de vacío necesarios para desmontar el filtro de aire, el sensor de la masa de aire y el conducto.

3. Abrir el tapón del radiador y desmontar el tapón de vaciado, situado en el tubo de refrigeración, debajo del múltiple de admisión, para vaciar el sistema.

4. Desmontar la tapa que cubre el motor. Desmontar la tapa del distribuidor, los cables de encendido y la guía del cable conjuntamente.

5. Desconectar el cable del ahogador. Desconectar y etiquetar el cableado y los conductos de vacío del múltiple de admisión y desmontar la parte superior del mismo.

6. El conjunto de los inyectores y el raíl de combustible deben permanecer en el múltiple. Desconectar los conductos de suministro y retorno de combustible y el conector eléctrico de los inyectores.

7. Desconectar los tubos del radiador y del calefactor.

8. Roscar un tornillo de 8 por 10 mm en el tensor de la correa propulsora de accesorios para destensarla. Aflojar el tensor sólo lo necesario para retirar la correa.

9. Desmontar el alternador y el tensor de la correa.

10. Desmontar la protección de calor y los tornillos de unión de los dos semicuerpos del múltiple de escape al motor. Anotar la posición de las juntas.

11. Desmontar el distribuidor y el tornillo del tensor de la cadena de la sincronización, de la tapa de protección de dicha cadena.

12. Desmontar la tapa de la culata, la tapa de la cadena de sincronización superior y la placa de retención.

13. Si es posible, girar el cigüeñal hasta el punto muerto superior (PMS) del pistón N° 1. Limpiar el aceite de la cadena y de las ruedas dentadas y marcar el sentido de giro de la cadena para su montaje.

14. Retener los árboles de levas por los planos con una llave de 24 mm y desmontar los tornillos de fijación de las ruedas dentadas a los árboles para desmontar las ruedas y la cadena. Marcar la posición del propulsor del distribuidor en el árbol de levas corto.

➡ **No usar el útil de posicionamiento de los árboles de levas cuando se desmontan o montan los tornillos de fijación de las ruedas dentadas. Los árboles de levas y el útil podrían resultar dañados.**

15. Cuidadosamente comprobar para estar seguro de que todos los cables, mangueras y soportes y componentes necesarios han sido desmontados.

16. Aflojar los tornillos de fijación de la culata en el sentido inverso del apriete. Desmontar y tirar los tornillos.

17. Desmontar la culata de cilindros.

Para instalar:

18. Limpiar cuidadosamente los restos de junta vieja de las superficies del bloque de cilindros y de la culata. Antes de montar la culata, controlar la planitud del bloque y de la culata tanto en anchura como longitudinalmente así como en diagonal desde cada esquina. Máxima distorsión permitida: 0.004 plg (0.1 mm).

19. Si la junta de culata nueva tiene ya sellante en los agujeros pequeños en el extremo de la cadena de sincronización, quitar dicho sellante. Aplicar un sellante de silicona en el extremo de la cadena de sincronización y montar la junta en el bloque con la palabra "TOP" u "OBEN" mirando hacia arriba.

20. Montar en la culata las espigas de posicionamiento y situar la culata en el bloque de cilindros. Montar tornillos nuevos y apretarlos a mano. No tratar de volver a usar los viejos.

21. Apretar los tornillos según el orden descrito, de acuerdo con los siguientes pasos:
    a. 30 pie-lb (40 Nm).
    b. 44 pie-lb (60 Nm).
    c. Apretar $\frac{1}{4}$ de vuelta adicional.
    d. Apretar $\frac{1}{4}$ de vuelta adicional.

22. Asegurarse de que el cigüeñal está en el PMS del cilindro N° 1. Montar el útil de posicionamiento de los árboles de levas, después montar la cadena de sincronización y las ruedas dentadas. Asegurarse de que están posicionadas para girar en el sentido original.

23. Sujetando el árbol de levas con una llave de 24 mm, montar el tornillo de fijación de las ruedas dentadas. Asegurarse de que el propulsor del distribuidor está correctamente posicionado y apretar los tornillos a 74 pie-lb (100 Nm).

24. Montar la zapata del tensor y temporalmente la tapa superior de la cadena de sincronización. Montar el tornillo tensor y desmontar el útil de posicionamiento. Girar el cigüeñal 4 vueltas completas y pararlo en el PMS del pistón N° 1. El útil de posicionamiento debe encajar perfectamente en los árboles de levas.

25. Desmontar el tornillo del tensor y la carcasa superior de la cadena de sincronización otra vez. Aplicar sellante nuevo si fuera necesario, montar la carcasa y apretar los tornillos a 82 plg-lb (10 Nm). Montar el tornillo del tensor y apretar a 15 pie-lb (20 Nm).

26. Montar la tapa de la culata de cilindros.

27. Utilizar juntas nuevas y montar los múltiples de admisión y escape. Apretar las tuercas y los tornillos a 18 pie-lb (25 Nm).

28. Montar la correa del alternador y ajustar la tensión.

29. Montar la correa propulsora de los accesorios y ajustar la tensión.

30. Conectar los tubos del radiador y el calefactor.

31. Montar los inyectores, el conjunto del raíl de combustible y el múltiple. Conectar las conducciones de suministro y retorno de combustible. Conectar el conector eléctrico para los inyectores.

32. Montar el semicuerpo superior del múltiple. Apretar los tornillos del múltiple a 18 pie-lb (25 Nm).

33. Conectar las conducciones eléctricas y de vacío desconectadas del múltiple de admisión. Conectar el cable del ahogador.

34. Montar la tapa del distribuidor, los cables del encendido y la guía del cable conjuntamente. Montar la tapa que cubre el motor.

35. Montar la batería y conectar los cables eléctricos.

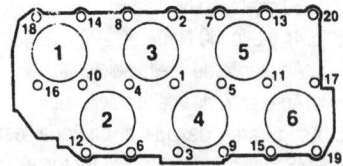

▲ Asegurarse de apretar los tornillos de culata de cilindros según el orden indicado – Motor 2.8L

36. Llenar y purgar el sistema de refrigeración.

37. Cuando todo haya sido correctamente montado y conectado, asegurarse de cambiar el aceite motor y el filtro antes de arrancar el motor.

TURBOCOMPRESOR

DESMONTAJE E INSTALACIÓN

Motor 1.8L 1998-99

1. Desconectar el cable negativo de la batería.

2. Desmontar cubierta inferior del motor y desatornillar el compresor del aire acondicionado.

3. Desatornillar el soporte del turbocompresor.

4. Desconectar el conducto de retorno del aceite de turbocompresor.

5. Desmontar las mangueras de aire del turbocompresor.

6. Desconectar la conducción de suministro de aceite al turbocompresor.

7. Desconectar el tubo del diafragma de vacío de la válvula de regulación de presión de refuerzo.

8. Desatornillar el soporte del conducto de suministro de refrigerante en el diafragma de vacío de la válvula de regulación.

9. Utilizar la pinza 3094 o equivalente, para pinzar el tubo de suministro de refrigerante.

10. Desmontar el conducto de entrada de aire entre el carenado del motor y la carcasa del filtro de aire.

11. Desmontar la tapa de la carcasa del filtro de aire.

12. Separar y etiquetar las conducciones y los conectores eléctricos siguientes:

• Válvula del regulador compuerta de desvío de descarga.

• Válvula reguladora de purga del bote (EVAP).

• Sistema interrupción corriente eléctrica.

• Sensor del medidor de masa de aire (MAF).

13. Desmontar la carcasa del filtro de aire y la tapa del motor.

14. Desconectar el tubo respiradero del cárter de la tapa de culata.

15. Desconectar la conducción de suministro de aceite al turbocompresor.

16. Desmontar la protección de calor y el manguito del tubo de retorno de refrigerante.

17. Utilizar la pinza 3094 o equivalente, para obturar el tubo de retorno de refrigerante y después desmontarlo.

➡ **El tubo flexible de escape se puede dañar si se dobla más de 10°.**

18. Desconectar del turbo el catalizador de tres vías (TWC).

19. Desmontar el turbo del múltiple de escape.

20. Separar el turbocompresor hacia un lado para desconectar el rácor de tornillo hueco de unión del suministro de refrigerante.

21. Desmontar el turbocompresor.

Para instalar:

22. Montar el turbocompresor.

23. Conectar el rácor de tornillo hueco de unión del suministro de refrigerante y apretar a 18 pie-lb (25 Nm).

24. Usar juntas nuevas para montar el turbocompresor en el tubo de escape, sellar los tornillos con pasta selladora G-052 112-A3 (o equivalente), apretar los tornillos de fijación a 26 pie-lb (35 Nm). Apretar los tornillos de fijacion del soporte del turbo a 33 pie-lb (45 Nm).

25. Fijar el catalizador de tres vías (TWC) en el turbo.

26. Conectar el tubo de suministro de refrigerante.

27. Montar el manguito y la protección de calor en el tubo de retorno.

28. Conectar la manguera de retorno de aceite.

29. Añadir aceite al turbo a través de la conducción de alimentación.

30. Conectar la conducción de suministro de aceite al turbo y apretar a 18 pie-lb (25 Nm).

31. Conectar el respiradero del cárter y montar la tapa del motor y la carcasa del filtro de aire.

32. Fijar las conducciones y los conectores eléctricos siguientes:

• Sensor medidor de masa de aire (MAF).

• Sistema de interrupción de corriente eléctrica.

• Válvula del regulador de compuerta de desvío de descarga.

33. Conectar los tubos y soportes para el diafragma de vacío de la válvula de regulación.

34. Conectar los tubos de aire al conjunto del filtro de aire y al turbo.

35. Montar el compresor del aire acondicionado y las protecciones inferiores motor.

36. Rellenar el sistema refrigerante y comprobar el nivel de aceite.

37. Conectar el cable negativo de la batería.

38. Arrancar el motor y comprobar si hay fugas, seguidamente dejar el motor en marcha mínima aproximadamente 1 minuto sin aumentar

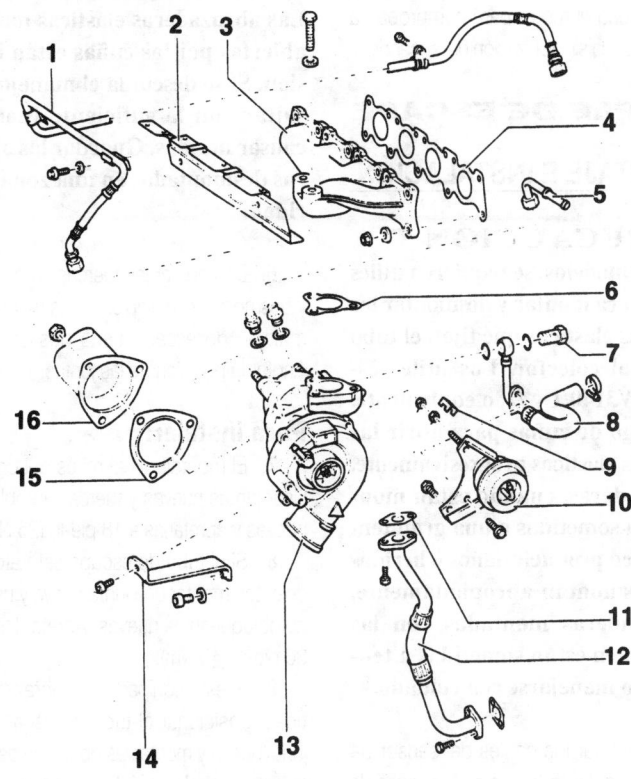

1. Conducción de suministro de aceite
2. Protección de calor
3. Múltiple de escape
4. Junta de múltiple de escape
5. Conducción de retorno de refrigerante
6. Junta entre múltiple de escape y turbo
7. Tornillo hueco de unión
8. Manguera de suministro de refrigerante
9. Fusible
10. Diafragma de vacío para la compuerta de descarga
11. Junta
12. Conducción de retorno de aceite
13. Turbocompresor
14. Soporte de apoyo
15. Junta
16. Catalizador de tres vías (TWC)

▲ Turbocompresor y los componentes correspondientes – Motor 1.8L

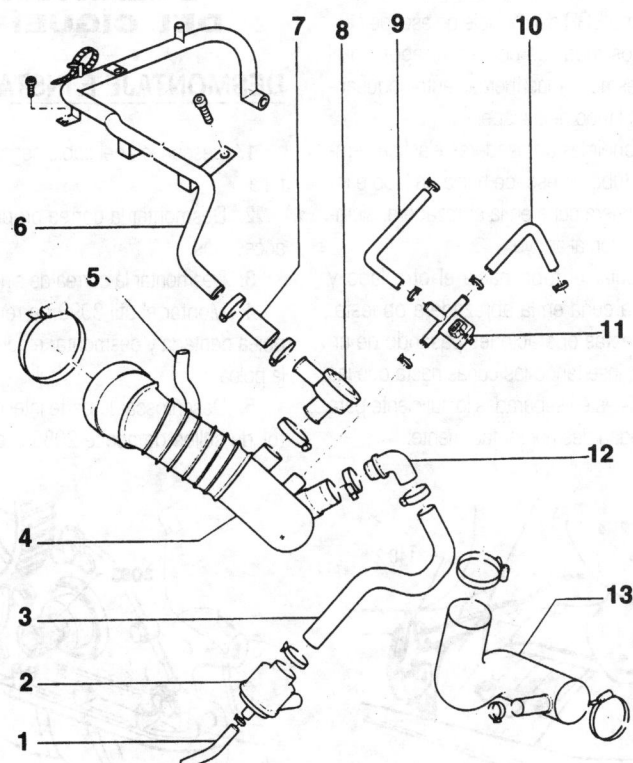

1. Manguera de vacío
2. Válvula de recirculación de la presión de refuerzo
3. Manguera
4. Conducto de entrada de aire
5. Manguera del EVAP
6. Manguera del respiradero del cárter motor
7. Manguera del respiradero del cárter motor
8. Válvula PCV
9. Manguera
10. Manguera de vacío de la compuerta de descarga
11. Válvula reguladora de desvío de la compuerta de descarga
12. Codo
13. Manguera del turbocompresor

▲ Mangueras correspondientes al turbocompresor – Motor 1.8L

1011

la velocidad del motor. Esto asegura un adecuado suministro de aceite al turbo.

MÚLTIPLE DE ADMISIÓN

DESMONTAJE E INSTALACIÓN

1. Desconectar el cable negativo de la batería.

Desmontar el conducto de aire del cuerpo del ahogador y desconectar el cable del acelerador.

2. En los sistemas de inyección de combustible Digifant, desmontar la válvula estabilizadora de la marcha mínima, el interruptor de presión de la bomba de combustible y el cableado del sistema de inyección de combustible. Desconectar los tubos de suministro y retorno de combustible.

3. En los sistemas de inyección de combustible CIS-E, desmontar el regulador de aire auxiliar. Desmontar los inyectores de combustible y la válvula de arranque en frío de la culata, sin desconectar las conducciones de combustible.

4. Desconectar y etiquetar los tubos de vacío, si fuera necesario.

5. Desconectar y etiquetar los restantes cables, si fuera necesario.

6. Desconectar el tubo del EGR, si está equipado con él.

7. En los motores de 16V y VR6, desmontar los tornillos y sacar el múltiple de admisión superior.

8. Desmontar los tornillos y separar el múltiple de la culata de cilindros.

Para instalar:

9. En los motores de 16V y VR6, montar la parte inferior del múltiple de admisión en la culata con una junta nueva. Apretar los tornillos a 18 pie-lb (25 Nm).

10. En los motores VR6, si los inyectores de gasolina han sido desmontados, examinar las juntas tóricas y cambiarlas, si fuera necesario. Montar los inyectores y el raíl.

11. Utilizar juntas nuevas y montar el múltiple de admisión, o el semicuerpo superior. Apretar los tornillos a 18 pie-lb (25 Nm).

12. Conectar los tubos del sistema de combustible, o montar los inyectores de momento, sólo para proteger el sistema.

13. Conectar todos los tubos de vacío y los cables.

14. Si está equipado, conectar el tubo EGR.

15. Conectar el cable del ahogador y ajustarlo si fuera necesario.

16. Montar los componentes restantes y poner en marcha el motor para comprobar la marcha mínima y la sincronización del encendido.

MÚLTIPLE DE ESCAPE

DESMONTAJE E INSTALACIÓN

▼ PRECAUCIÓN ▼

En algunos modelos, se requieren útiles especiales para montar y desmontar las abrazaderas elásticas que fijan el tubo de escape al colector. Los útiles especiales VW3140/1 y /2, o equivalente, son un juego de cuñas para abrir las abrazaderas elásticas progresivamente. Las abrazaderas, cuando están montadas, están sometidas a una gran tensión y pueden producir daños o heridas si no se desmontan apropiadamente. Las abrazaderas montadas con las cuñas también están sometidas a tensión y deben manejarse con cuidado.

1. Desconectar los cables del sensor de oxígeno y desmontar todas las protecciones de calor que puedan estorbar.

2. Desmontar el grifo de toma de muestras de gases de escape, si está equipado, desconectar el tubo EGR del múltiple de escape.

3. En los modelos con espárragos en el múltiple, desmontar las tuercas autobloqueantes y bajar el tubo de escape.

4. Expandir las abrazaderas elásticas empujando el tubo de escape hacia un lado e insertar la primera cuña en la abrazadera, siempre en dirección al apoyo.

5. Empujar el tubo hacia el otro lado y montar otra cuña en la abrazadera opuesta. Continuar estas operaciones pasando de un lado a otro, insertando las cuñas hasta que las abrazaderas estén separadas lo suficiente para que se puedan desmontar fácilmente.

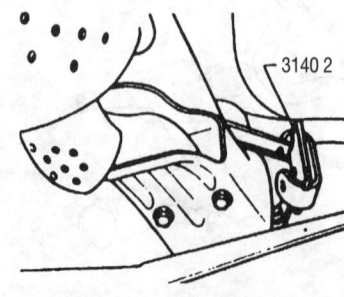

▲ Útil de desmontaje de las abrazaderas de fijación del tubo de escape

▼ PRECAUCIÓN ▼

Las abrazaderas elásticas mantenidas abiertas por las cuñas están bajo tensión. Si se descuida el manejo, pueden saltar con la suficiente fuerza para causar heridas. Guardar las abrazaderas desmontadas en una zona de seguridad.

6. Desmontar las tuercas autobloqueantes y desmontar el múltiple. En los motores VR6, el múltiple de escape tiene dos semicuerpos. Anotar la posición de las juntas.

Para instalar:

7. El montaje es al revés del desmontaje. Usar juntas nuevas y tuercas autobloqueantes nuevas y apretarlas a 18 pie-lb (25 Nm).

8. Si el tubo de escape está atornillado al colector, montar una junta nueva y usar tuercas autobloqueantes nuevas. Apretar las tuercas a 30 pie-lb (40 Nm).

9. Si está equipado con abrazaderas elásticas, posicionar el tubo de escape con una junta nueva y montar las abrazaderas. Desmontar con cuidado los útiles de cuñas.

SELLO DE ACEITE DELANTERO DEL CIGÜEÑAL

DESMONTAJE E INSTALACIÓN

1. Desconectar el cable negativo de la batería.

2. Desmontar la correa propulsora de los accesorios.

3. Desmontar la correa de sincronización.

4. Montar el útil 3099 de retención de la polea dentada y desmontar el tornillo central y la polea.

5. Desenroscar la parte interior del extractor de sellos de aceite 2085 o equivalente y

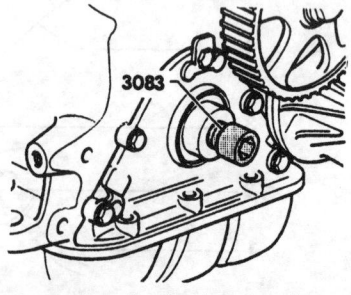

▲ Montar el tornillo Allen (3083) en el cigüeñal para guiar el extractor de sellos – Motores 1.8L y 2.0L

separarlo de la parte exterior dos vueltas aproximadamente.

6. Montar el tornillo Allen en el cigüeñal para guiar el útil.

7. Untar con aceite el extractor de sellos de aceite 2085 o equivalente. Presionar el útil y atornillarlo en el sello de aceite lo máximo posible.

8. Aflojar el tornillo garfilado y girar la parte interna hacia el cigüeñal hasta que el sello esté desmontado.

9. Desmontar el tornillo Allen.

Para instalar:

10. Montar el casquillo guía del útil 3083 en el extremo del cigüeñal.

11. Poner aceite en el labio del sello y deslizar el sello por encima del casquillo guía.

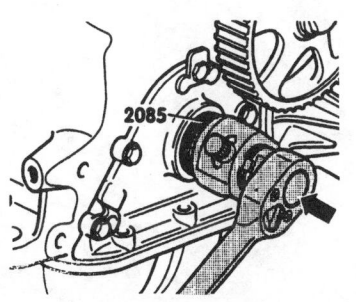

▲ Roscar el extractor de sellos (2085) en el sello de aceite al mismo tiempo que se aplica presión – Motores 1.8L y 2.0L

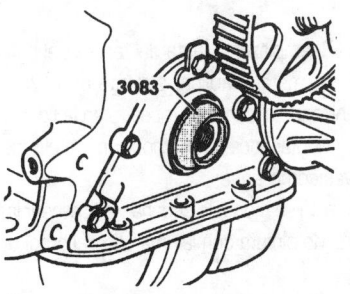

▲ Instalar el casquillo guía (3083) en el cigüeñal – Motores 1.8L y 2.0L

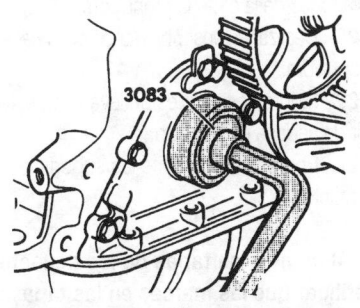

▲ Apretar el tornillo Allen para meter el sello en su alojamiento – Motores 1.8L y 2.0L

12. Presionar el sello hacia dentro por medio del casquillo de empuje del útil 3083 y el tornillo Allen.

13. Desmontar los útiles y montar la polea dentada del cigüeñal. Apretar el tornillo a 66 pie-lb (90 Nm) más $1/4$ de vuelta.

14. Montar la correa de sincronización.

15. Montar la correa propulsora de accesorios y los componentes restantes.

16. Conectar el cable negativo de la batería.

ÁRBOL DE LEVAS Y LEVANTAVÁLVULAS

DESMONTAJE E INSTALACIÓN

Motores 1.8L (SOHC) y 2.0L

1. Desconectar el cable negativo de la batería. Desmontar la/s tapa/s de la correa de sincronización, la polea dentada del árbol de levas y la tapa de la culata.

2. Numerar las tapas de los cojinetes de delante hacia atrás. Si las tapas no la tienen todavía, marcar con una flecha hacia delante del motor la posición de las tapas. Las tapas están descentradas y deben montarse correctamente. Los números de las tapas que vienen de fábrica no siempre están en el mismo lado.

3. Desmontar las tapas de cojinete delantera y trasera. Aflojar las tuercas de las tapas restantes en diagonal, en varias fases, empezando por las tapas más próximas a los extremos y yendo hacia el centro.

4. Desmontar las tapas de cojinete y el árbol de levas.

5. Si fuera necesario, desmontar los levantaválvulas. Guardarlos de manera que podamos montarlos en la misma posición. Ponerlos en un baño de aceite o guardarlos con el extremo superior hacia abajo para evitar la entrada de aire.

Para instalar:

6. Montar una junta nueva y un tapón en el extremo de la culata. Lubricar los muñones de los cojinetes y lóbulos del árbol de levas y posicionar el árbol de levas.

7. Montar las tapas de los cojinetes en su posición correcta con la flecha hacia la parte anterior del motor. Apretar las tuercas de las tapas de los cojinetes en diagonal y en varias fases hasta alcanzar el par de apriete de 15 pie-lb (20 Nm). No pasarse en el apriete.

8. Montar la polea dentada y apretar el tornillo a 58 pie-lb (80 Nm).

9. Alinear las marcas de sincronización, montar la correa de sincronización y ajustar la tensión.

10. En los motores con levantaválvulas hidráulicos, dejar pasar al menos media hora desde el montaje del árbol de levas y la puesta en marcha del motor para permitir a los levantaválvulas vaciar el aire. Tener en cuenta los siguientes valores:

- Juego axial árbol de levas: 0.006 plg (0.15 mm).
- Tornillos tapa cojinete: 15 pie-lb (20 Nm).
- Tornillo sujeción polea dentada árbol de levas: 58 pie-lb (80 Nm).

Motor 1.8L (DOHC)

1. Situar el bloqueo de arrastre en la posición de servicio tal como sigue:

a. Desmontar el parachoques delantero.

b. Desmontar y etiquetar todos los cables y conectores que puedan impedir bloquear el arrastre.

c. Desmontar los tres tornillos de afloje rápido en el panel insonorizante anterior.

d. Desatornillar el deflector de aire entre el bloqueo de arrastre y el filtro de aire.

e. Si están instaladas, desmontar las grapas de retención del mazo de cables en el lado izquierdo del bastidor del radiador.

f. Desmontar los dos tornillos y montar el útil 3369 o equivalente.

g. Desmontar los tornillos restantes y sacar el bloqueo de arrastre fuera del tope.

h. Para asegurar el bloqueo de arrastre, montar tornillos M6 en la parte posterior del mismo y el guardabarros.

2. Poner la llave de contacto en la posición "OFF", después desconectar el cable negativo de la batería.

3. Desmontar las correas propulsoras de los accesorios.

4. Desmontar las tapas de protección del motor.

5. Desmontar la tapa superior de la correa de sincronización.

6. Girar el cigüeñal, en la dirección de las agujas del reloj, hasta que el cilindro N° 1 esté en el PMS.

7. Utilizar la llave Torx® T45 para aflojar el tensor de la correa de sincronización.

8. Empujar hacia abajo el tensor y desmontar la correa de la polea dentada del árbol de levas.

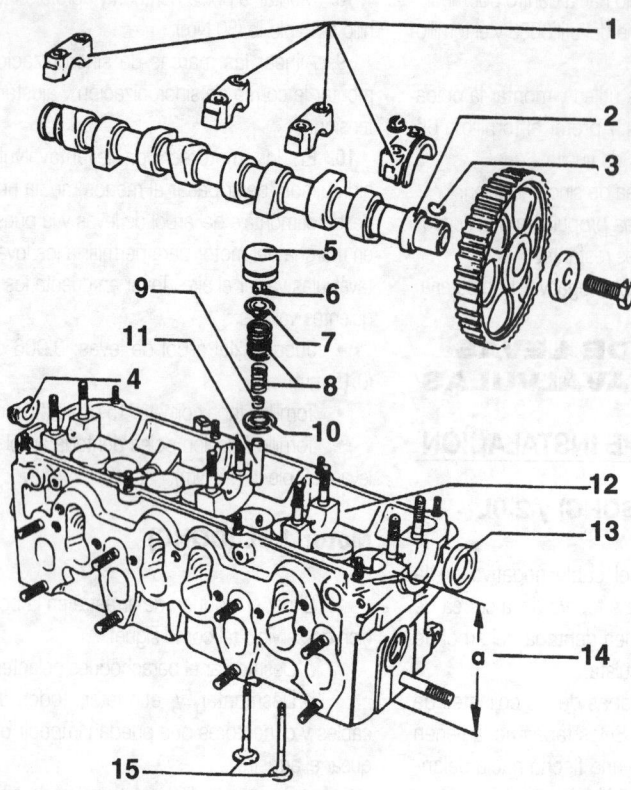

1. Tapa de cojinete
2. Árbol de levas
3. Chaveta Woodruff (media luna)
4. Tapa del extremo
5. Levantaválvula
6. Seguro de válvula
7. Apoyo superior del resorte
8. Resorte de válvula
9. Sello de aceite de vástago de válvula
10. Apoyo inferior de resorte
11. Guía de válvula
12. Culata de cilindros
13. Sello de aceite
14. Altura entre los planos mecanizados de la culata
15. Válvulas

▲ Árbol de levas y los componentes correspondientes – Motores 1.8L (SOHC) y 2.0L

9. Desmontar el tornillo Torx® y girar el soporte conjunto tensor hacia delante.

10. Desmontar la tapa de válvulas.

11. Utilizar el útil de retención 3036 o equivalente, para aflojar el tornillo de fijación de la polea dentada del árbol de levas.

12. Desmontar la polea dentada del árbol de levas.

13. Desmontar la carcasa del sensor de posición del árbol de levas (CMP) y la rueda fónica.

14. Asegurar el tensor hidráulico de la cadena con el útil soporte-tensor 3366 o equivalente.

15. Verificar que los árboles de levas están en el punto muerto superior (PMS) del cilindro N° 1. Las marcas de los dos árboles de levas deben alinearse con flechas en las tapas de los cojinetes.

16. Limpiar la cadena propulsora y las ruedas dentadas enfrentando ambas flechas en las tapas de los cojinetes. Marcar la posición de montaje con pintura.

➡ La distancia entre las dos flechas marcadas con pintura es equivalente a 16 eslabones de la cadena propulsora y la mues-

ca en el árbol de levas de escape está ligeramente descentrada hacia el interior del eslabón de la cadena propulsora.

17. Desmontar las tapas de cojinetes 3 y 5 de los árboles de levas de admisión y escape.

18. Desmontar la tapa del cojinete doble.

19. Desmontar las dos tapas de cojinete de las ruedas de cadena en los árboles de levas de admisión y escape.

20. Desmontar los tornillos de retención del tensor de cadena hidráulico.

21. En orden alterno y en diagonal, aflojar las tapas de cojinete 2 y 4 de los árboles de levas de admisión y escape, después desmontarlas.

22. Desmontar los árboles de levas con el tensor de cadena hidráulico.

Para instalar:
▼ PRECAUCIÓN ▼
Después de montar los levantaválvulas o los árboles de levas, el motor NO debe ponerse en marcha hasta pasados al menos 30 minutos. De lo contrario las válvulas pueden golpear los pistones. Girar el motor a mano, al

menos dos vueltas, para asegurarse de que las válvulas no golpean los pistones.

23. Reemplazar la junta del tensor del patín de goma-metal y aplicar sellante en la zona mecanizada, tal como se muestra en la figura.

24. Montar la cadena propulsora en el árbol de levas como sigue:

a. Si se monta la cadena vieja, alinear las marcas de pintura con las marcas del árbol de levas.

b. Si se monta una cadena nueva, la distancia entre las muescas "A" y "B" en los árboles de levas debe ser igual a la distancia de 16 eslabones de la cadena propulsora.

25. Deslizar el tensor hidráulico en la cadena propulsora.

26. Montar los árboles de levas con el tensor de cadena en la culata.

27. Engrasar con aceite las superficies de contacto.

➡ Al montar las tapas de los cojinetes, verificar que las marcas en las tapas se puedan leer desde el lado de admisión de la culata.

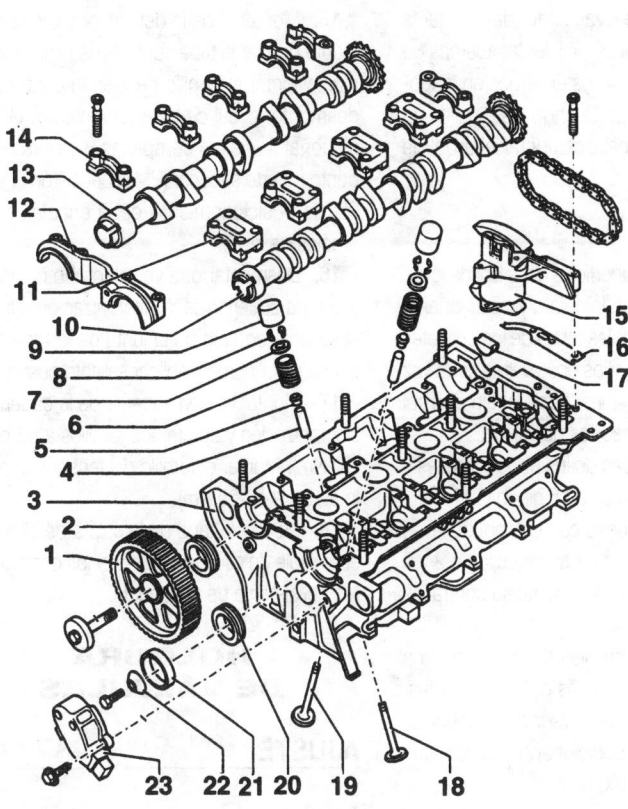

1. Rueda dentada de árbol de levas
2. Sello de aceite
3. Culata de cilindros
4. Guía de válvula
5. Culata de aceite de vástago de válvula
6. Resorte de válvula
7. Retención de resorte de válvula
8. Seguro de válvula
9. Levantaválvula
10. Árbol de levas de admisión
11. Tapa de cojinete de árbol de levas de admisión
12. Tapa de cojinete doble
13. Árbol de levas de escape
14. Tapa de cojinete de árbol de levas de escape
15. Tensor de cadena hidráulico
16. Sello de aceite goma-metal
17. Junta
18. Válvula de escape
19. Válvula de admisión
20. Sello de aceite
21. Rueda fónica para sensor CMP
22. Arandela
23. Sensor de posición de árbol de levas (CMP)

▲ Árboles de levas y los componentes correspondientes – Motor 1.8L (DOHC)

28. Apretar las tapas de los cojinetes 2 y 4 de los árboles de levas de admisión y escape alternativamente y en diagonal a 7 pie-lb (10 Nm).

29. Montar las dos tapas de cojinete en las poleas de los árboles de levas de admisión y escape y apretar a 7 pie-lb (10 Nm).

30. Verificar la posición correcta de los árboles de levas.

31. Desmontar el útil soporte-tensor 3366.

32. Untar ligeramente con sellante la superficie de la culata en contacto con la tapa del cojinete doble, seguidamente montar.

33. Montar las tapas de cojinete restantes y apretar a 7 pie-lb (10 Nm).

34. Montar la polea del árbol de levas y apretar el tornillo de retención a 48 pie-lb (65 Nm).

35. Montar el sensor CMP, la rueda fónica y la tapa.

36. Montar la tapa de válvulas.

37. Alinear la polea del árbol de levas y el amortiguador de vibraciones con las marcas del punto muerto superior.

38. Montar la correa de sincronización.

39. Montar las correas propulsoras de los accesorios, después la protección del motor.

40. Montar el bloqueo de arrastre.

41. Conectar el cable negativo de la batería.

42. Cerrar completamente todos los alzacristales eléctricos hasta la posición de stop. Presionar el interruptor de los alzacristales en la dirección de cierre durante un segundo como mínimo, para activar la función one-touch de cerrar y abrir.

43. Comprobar el nivel del aceite del motor antes de ponerlo en marcha.

44. Poner el reloj en hora.

➡ **Los códigos de avería para la diagnosis (DTC) quedan almacenados cuando son desconectados los conectores eléctricos.**

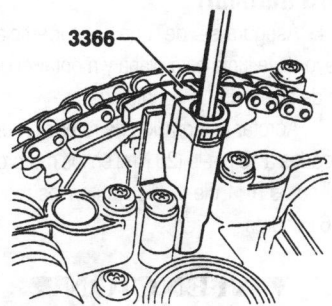

▲ Un sobreapriete dañaría el tensor de la cadena (3366) – Motor 1.8L (DOHC)

▲ Para asegurar una correcta instalación, marcar la posición relativa de la cadena con el árbol de levas – Motor 1.8L (DOHC)

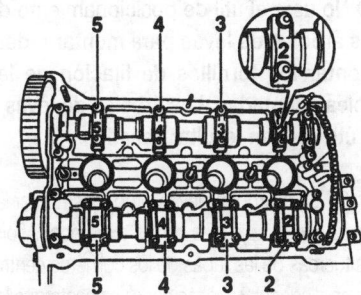

▲ Identificación de las tapas de los cojinetes del árbol de levas – Motor 1.8L (DOHC)

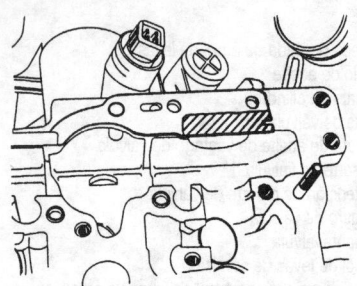

▲ Para asegurar un buen sellado, asegurarse de aplicar sellante en la zona rayada de la figura – Motor 1.8L (DOHC)

45. Leer los códigos DTC y borrar los códigos de avería.

46. Ajustar los faros delanteros.

Motor 2.8L

Este procedimiento requiere el útil 3268 o equivalente. Éste es un útil de posicionamiento que mantiene los árboles de levas en su posición correcta para montar las cadenas de sincronización.

1. Desmontar la tapa del distribuidor, cables y la guía del cable todo en conjunto.

2. Desmontar la parte superior del múltiple de admisión.

3. Desmontar la tapa de la culata de cilindros.

4. Desmontar el tornillo del tensor de la cadena de sincronización y la tapa superior de dicha cadena.

5. Girar el cigüeñal hacia el punto muerto superior (PMS) del pistón N° 1.

6. Marcar la dirección de giro de la cadena superior de sincronización. Desmontar el patín del tensor y la cadena.

7. Aguantar los árboles de levas por los planos con una llave de 24 mm y desmontar los tornillos de fijación de las poleas dentadas. Marcar la posición del arrastre del distribuidor en el árbol de levas corto.

➡ No usar el útil de posicionamiento de los árboles de levas para montar o desmontar los tornillos de fijación de las poleas dentadas. Los árboles de levas o el útil podrían resultar dañados.

8. En el árbol de levas largo, desmontar las tapas de los cojinetes de los extremos. Aflojar las tuercas de las tapas de los cojinetes centrales en diagonal 2 vueltas cada vez hasta que los muelles de válvulas queden flojos. Desmontar el árbol de levas.

9. En el árbol de levas corto, desmontar la tapa del cojinete central y aflojar las tuercas de las tapas de cojinete de los extremos en diagonal 2 vueltas cada vez. Cuando los muelles de válvulas queden flojos, desmontar el árbol de levas.

Para instalar:

10. Lubricar las superficies del árbol de levas largo y del cojinete en la culata y posicionar el árbol de levas. Montar las tapas de los cojinetes 3 y 5 y apretar los tornillos dos vueltas cada vez en diagonal para presionar hacia abajo el árbol de levas contra los resortes de válvula.

11. Montar las tapas de los otros cojinetes y apretar todas las tuercas a 15 pie-lb (20 Nm).

12. Repetir el proceso con el árbol de levas corto, por medio de las tapas de cojinete 2 y 6 empujar el árbol de levas hacia abajo contra los resortes de válvula.

13. Aguantar los árboles de levas con una llave de 24 mm y montar las poleas dentadas. Asegurarse de que el propulsor del distribuidor está correctamente posicionado y apretar los tornillos a 74 pie-lb (100 Nm).

14. Asegurarse de que el cigüeñal está en el punto muerto superior del cilindro N° 1. Montar el útil de posicionamiento y montar la cadena de sincronización.

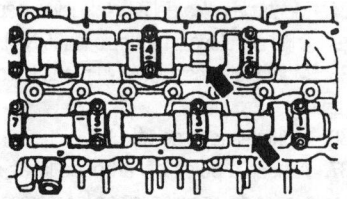

▲ Sujetar los árboles de levas con una llave de tuercas por los planos de llave señalados, al montar y desmontar los tornillos de las ruedas dentadas

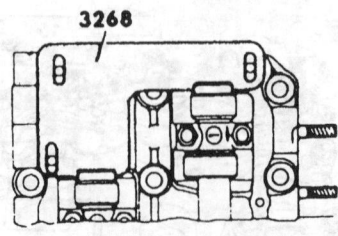

▲ El útil de fijación del árbol de levas mantiene en posición los árboles de levas cuando se instala la cadena – No utilizar este útil para aflojar o apretar los tornillos de las ruedas dentadas

15. Montar el patín del tensor y provisionalmente montar la tapa superior de la sincronización. Montar el tornillo de fijación del tensor y desmontar el útil de posicionamiento. Girar el cigüeñal 4 vueltas completas y pararse en el punto muerto superior (PMS) del pistón N° 1. El útil de posicionamiento debe encajar en los árboles de levas.

16. Desmontar otra vez el tornillo del tensor y la tapa superior de la sincronización. Limpiar el sellante antiguo de la junta de la tapa de la culata de cilindros y aplicar sellante nuevo.

17. Montar la tapa superior de la cadena de sincronización y apretar los tornillos a 82 plg-lb (10 Nm). Montar el tornillo del tensor y apretarlo a 15 pie-lb (20 Nm).

18. Montar la tapa de la culata de cilindros, el múltiple de escape superior y los componentes del sistema de encendido.

HOLGURA DE VÁLVULAS

AJUSTE

Todos los motores están equipados con ajustadores hidráulicos de la holgura de válvulas. No es necesario un ajuste periódico de la misma.

DEPÓSITO DE ACEITE

DESMONTAJE E INSTALACIÓN

El depósito de aceite puede desmontarse con el motor en el vehículo.

1. Levantar el coche, asegurarlo sobre soportes y vaciar el aceite.

2. Aflojar y desmontar los tornillos de retención del depósito de aceite.

3. Bajar el depósito de aceite del vehículo.

Para instalar:

4. Asegurarse de que la superficie de apoyo de la junta está plana y montar el depósito de aceite con una junta nueva.

5. Apretar los tornillos de retención entrecruzados a 15 pie-lb (20 Nm) en los motores de 4 cilindros u 11 pie-lb (15 Nm) en los motores de 6 cilindros.

▼ ATENCIÓN ▼

Tener en marcha el motor sin la cantidad de aceite y el tipo adecuados puede producir daños en el motor.

6. Poner aceite en el motor. Poner en marcha el motor y comprobar las posibles fugas.

BOMBA DE ACEITE

DESMONTAJE E INSTALACIÓN

1. Levantar el coche, asegurarlo sobre soportes y desmontar el depósito de aceite.

2. Desmontar los tornillos de fijación y bajar la bomba del motor.

3. Quitar la tapa inferior y desmontar la bomba. La válvula de descarga de presión está en la tapa inferior.

4. Limpiar e inspeccionar todas las piezas y cambiarlas en caso de que fuera necesario.

5. Después de montar la bomba, cebarla con aceite y montarla siguiendo el orden inverso al desmontaje.

6. Observar los siguientes valores:

• Tornillos de la tapa inferior de la bomba: 7 pie-lb (10 Nm).

• Tornillos del pie de aspiración: 7 pie-lb (10 Nm).

• Tornillos fijación bomba: 18 pie-lb (25 Nm).

SELLO DE ACEITE PRINCIPAL TRASERO

DESMONTAJE E INSTALACIÓN

El sello de aceite principal trasero está situado en un alojamiento en la parte posterior del bloque.

En todos los coches, para cambiar el sello es necesario desmontar la transmisión y el volante.

1. Desmontar la transmisión y el volante.

2. En los motores de 6 cilindros separar el sello viejo del anillo soporte retén. En los motores de 4 cilindros, desmontar el sello de aceite conjuntamente con su brida de montaje.

Para instalar:

3. En los motores de 6 cilindros, lubricar con aceite el sello nuevo y meterlo a presión con el útil VW-2003/2A o equivalente y el útil VW-2003/1 o equivalente para posicionarlo. Tener cuidado de no dañar el sello o rayar el cigüeñal. En los motores de 4 cilindros, montar una brida de montaje con sello de aceite nueva

y una junta nueva. Apretar los tornillos de fijación la brida de montaje pletina a 7 pie-lb (10 Nm).

4. Montar el volante y la transmisión.

REPARACIÓN DE MOTORES DIESEL

CONJUNTO MOTOR

DESMONTAJE E INSTALACIÓN

1. El motor y la transmisión se sacan del vehículo como un conjunto. Desconectar los cables de la batería y sacar la batería.

2. Abrir el tapón de la boca de carga de combustible para quitar la presión del depósito, después aflojar las conexiones del filtro de combustible para descargar la presión del sistema combustible. Asegurarse de tomar las precauciones adecuadas contra incendios.

3. Desmontar el filtro de aire y desconectar el cable del acelerador de la bomba de inyección.

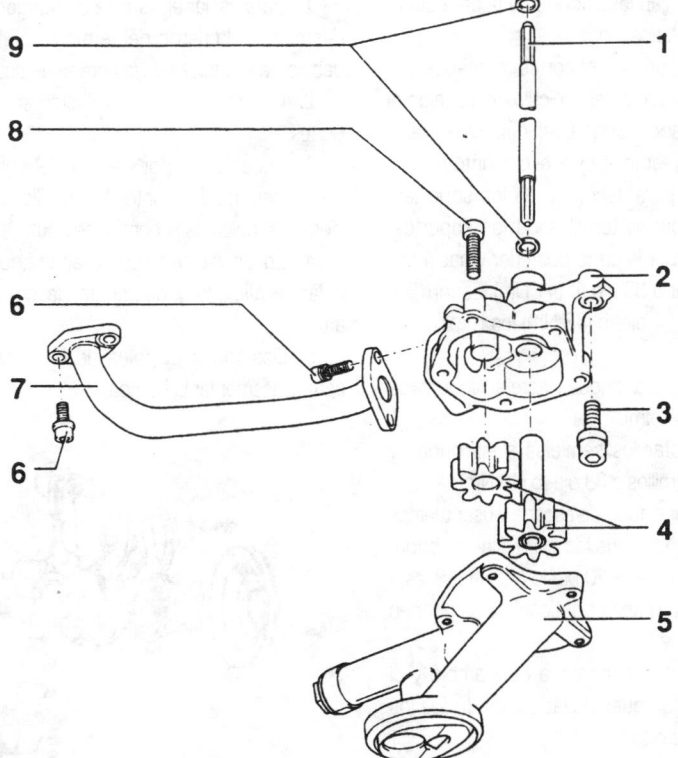

1. Eje propulsor
2. Carcasa de bomba de aceite
3. Tornillo de montaje
4. Engranajes
5. Tapa de bomba de aceite con válvula de descarga de presión
6. Tornillo de montaje del tubo de presión
7. Tubo de presión
8. Tornillo de carcasa de bomba de aceite
9. Junta tórica

▲ Conjunto de la bomba de aceite – Motor 2.8L

4. Desmontar el tapón del radiador. Girar el control de temperatura del calefactor del todo hacia la zona caliente y desmontar el cuerpo del termostato para vaciar el líquido refrigerante.

5. Desmontar la manguera superior del radiador y desconectar el cableado del motor del ventilador y los interruptores. Desmontar las tuercas y los tornillos de fijación del radiador y sacar el radiador y el canalizador del ventilador conjuntamente.

6. Empezar desconectando las conexiones eléctricas y las conducciones de vacío, etiquetar cuidadosamente cada una. No olvidarse de las conexiones a tierra que están atornilladas a la carrocería.

7. Si está equipado con dirección asistida, desmontar la bomba y fijarla a la carrocería. No desconectar las conducciones hidráulicas. Si está equipado con aire acondicionado, desmontar el compresor y fijarlo aparte sin desconectar las conducciones.

8. Desconectar las conducciones de suministro y retorno de combustible a la bomba de inyección y tapar los agujeros para evitar la entrada de suciedad. La salida de la bomba tiene un agujero especial.

9. En los motores con turbocompresor, desconectar el tubo de escape y las conducciones de aceite del turbocompresor y tapar los agujeros de entrada y salida de aceite del turbo. Desatornillar el turbocompresor y sacarlo del motor.

10. Si está equipado con una transmisión automática, poner la palanca de selección en "P" y desconectar el cable selector de la transmisión.

11. En la tirantería del cambio manual, desmontar las dos bieletas con los extremos de plástico y desmontar el resto de la tirantería de la carrocería, si fuera necesario. Desconectar el cable del embrague, separarlo de la carcasa y fijarlo a un lado.

12. Desconectar el cableado del arranque, el interruptor de la luz marcha atrás y el cable de masa de la transmisión. Desmontar el cable del cuentakilómetros de la caja de cambios y tapar el agujero de la caja.

13. Fijar al motor el útil de colgar motores VW-2024-A o equivalente, y fijarlo a una eslinga apropiada.

14. Desmontar las tuercas o las grapas elásticas que fijan el tubo de escape en el colector o en el turbocompresor.

▼ PRECAUCIÓN ▼

En algunos modelos, se requieren útiles especiales para desmontar y montar las grapas elásticas que fijan el tubo de escape en el colector: VW3140/1 y /2 o equivalentes. Se trata de un juego de cuñas de distintos tamaños que permiten abrir las grapas elásticas progresivamente. Las grapas elásticas montadas están sometidas a gran tensión y pueden causar daños y heridas si no se desmontan adecuadamente. Las grapas con las cuñas montadas están también bajo tensión y deben manejarse con cuidado.

15. Desatornillar semiejes de las bridas y colgarlos de la carrocería con un alambre.

16. Asegurarse de que todo está desconectado y desatornillar los soportes de motor. Desmontar primero el arranque y el soporte delantero conjuntamente.

17. Con todos los soportes de motor desatornillados, bajar ligeramente el conjunto motor/transmisión e inclinarlo hacia el lado de la transmisión. Después, cuidadosamente levantar el conjunto y sacarlo del vehículo.

Para instalar:

18. Posicionar cuidadosamente el conjunto motor/transmisión y asegurarse de que todos los soportes están bien atornillados al conjunto motor/transmisión. Apuntar todos los tornillos y tuercas que fijan los soportes a la carrocería, pero no apretarlos todavía.

19. Con todos los soportes montados y el motor asegurado en el vehículo, relajar algo el equipo elevador. Con el vehículo asegurado convenientemente, mover el conjunto motor/transmisión para asentarlo en los soportes. Apretar todos los tornillos de los soportes, empezando por la parte posterior y hacia delante. Apretar a 33 pie-lb (41 Nm) los tornillos de 10 mm y 54 pie-lb (73 Nm) los tornillos de 12 mm.

20. Montar el arranque y apretar los tornillos a 33 pie-lb (45 Nm).

21. Conectar los semiejes a las bridas y apretar los tornillos a 33 pie-lb (45 Nm).

22. Montar el tubo de escape y usar tuercas autobloqueantes nuevas para fijar la brida. Apretar las tuercas a 30 pie-lb (40 Nm). Si está equipado con grapas elásticas, éstas pueden usarse otra vez.

23. Conectar la tirantería del cambio y el cable del embrague. Llevar a cabo todos los ajustes necesarios.

24. Montar las conducciones de los inyectores de combustible y apretar a 18 pie-lb (25 Nm). Tener cuidado de no superar el par de apriete en las tuercas de las conducciones. Si una conducción está dañada o atascada, cambiar todo el juego de conducciones.

25. Conectar las conducciones de entrada y salida en la bomba de inyección. Tener en cuenta que la fijación de la conducción de salida lleva la palabra "OUT" impresa en la parte superior. Utilizar juntas nuevas.

26. Montar el compresor de aire acondicionado y/o la bomba de la dirección asistida, si está equipado. Montar y ajustar las correas de propulsión.

27. Conectar los cables eléctricos y las mangueras de vacío.

28. Montar las mangueras del radiador, el ventilador y el calefactor. Utilizar una junta tórica nueva en el termostato y apretar los tornillos del cuerpo del termostato a 7 pie-lb (10 Nm).

29. Rellenar y purgar el sistema de refrigeración. Controlar el ajuste del cable del acelerador.

BOMBA DE AGUA

DESMONTAJE E INSTALACIÓN

En algunos motores Diesel la tensión de la correa se ajusta con discos (calzas) situados entre las semipoleas exterior e interior. En otros el ajuste se produce haciendo bascular el alternador.

1. Para vaciar el sistema de refrigeración, desmontar el cuerpo del termostato situado debajo de la carcasa de la bomba de agua.

2. Levantar y situar el vehículo sobre soportes.

3. Accediendo por debajo del vehículo, aflojar, pero no desmontar, los tornillos de fijación de la polea de la bomba de agua.

4. En los vehículos con el alternador basculante, aflojarlo y desmontar la correa de arrastre.

5. Desmontar la polea de la bomba de agua y desmontar la bomba.

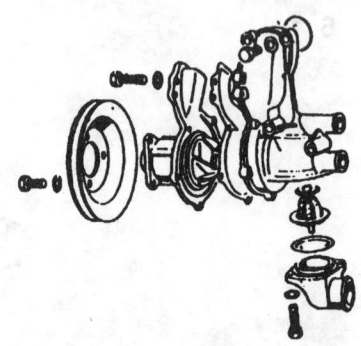

▲ Conjunto de la bomba de agua – 1.9L Diesel

Para instalar:

6. El montaje es al revés del desmontaje. Asegurarse de limpiar el cuerpo de la bomba de agua antes de montar una junta nueva. Apretar los siguientes pares:

- Bomba de agua a la carcasa: 7 pie-lb (10 Nm).
- Polea bomba de agua: 15 pie-lb (20 Nm).
- Cuerpo termostato: 7 pie-lb (10 Nm).
- Tornillos soporte alternador: 18 pie-lb (25 Nm).

TAPONES (BUJÍAS) INCANDESCENTES PARA DIESEL

DESMONTAJE E INSTALACIÓN

1. Desmontar la barra de conexión de las bujías incandescentes y determinar qué bujías necesitan cambiarse.

2. Desmontar las bujías defectuosas.

3. Al montar las bujías nuevas, apretarlas a 22 pie-lb (30 Nm).

➡ Las bujías incandescentes tienen una abertura de electrodos mucho más grande que las bujías normales de chispa para prevenir el sobrecalentamiento. Si las apretamos más de lo debido, la abertura se cerrará, lo cual producirá su deterioro rápido.

CULATA DE CILINDROS

DESMONTAJE E INSTALACIÓN

➡ Los tornillos de culata de todos los motores Diesel son para estirar permanentemente después del montaje y deben sustituirse cada vez que se monten de nuevo.

1. Desconectar el cable de tierra de la batería.

2. Desmontar el termostato y vaciar el sistema de refrigeración.

3. Desmontar las conducciones de combustible de los inyectores y la bomba como un conjunto. Guardarlas en un sitio limpio; proteger con tapones las conexiones de los inyectores y la bomba.

4. Desconectar las mangueras del radiador y el calefactor.

5. Desconectar todas las conducciones de vacío y cables eléctricos y etiquetarlos.

6. En vehículos con turbocompresor, desatornillar el tubo de escape y las conducciones de aceite del turbocompresor y desmontar el turbocompresor.

7. En vehículos sin turbocompresor, desmontar el filtro de aire y desconectar el tubo de escape del múltiple.

▼ PRECAUCIÓN ▼

En algunos modelos, se requieren útiles especiales para desmontar y montar las grapas elásticas de unión del tubo de escape en el colector: VW3140/1 y /2 o equivalente. Se trata de un juego de cuñas de diferentes tamaños que permiten abrir las grapas elásticas progresivamente. Las grapas elásticas montadas están sometidas a una gran tensión y pueden causar daños o heridas si no se manipulan adecuadamente. Las grapas con las cuñas montadas están también en tensión y deben manipularse con cuidado.

8. Desmontar la tapa de la culata y la tapa de la correa de sincronización.

9. Girar el motor hasta el punto muerto superior (PMS) del cilindro N° 1, si es posible, y desmontar la correa de sincronización.

10. Desmontar los tornillos de culata en orden inverso al del montaje y levantar la culata del motor. El orden de apriete es el mismo que el de los motores de gasolina.

Para instalar:

11. En estos motores, los pistones sobrepasan realmente el nivel superior del bloque. Si el cigüeñal y los pistones no tienen que desmontarse, examinar la junta vieja para ver cuántas muescas tiene en el borde cerca del agujero de retorno de aceite, entre los cilindros N° 2 y N° 3. Poner una junta nueva del mismo espesor.

12. Si los pistones hubieran sido desmontados o bien la junta vieja no está disponible, debe medirse la altura que sobresale el pistón por encima del bloque para seleccionar una junta apropiada. Usar un comparador de esfera para obtener la medida.

Altura que sobresale el pistón por encima del bloque con levantadores rígidos:

- 0.026-0.031 plg (0.67-0.80 mm): 1 muesca.
- 0.032-0.035 plg (0.81-0.90 mm): 2 muescas.
- 0.036-0.040 plg (0.91-1.02 mm): 3 muescas.

▲ Medir la altura que sobresale el pistón para determinar el espesor de la junta requerido – Motor 1.9L Diesel

▲ Apretar los tornillos de la culata de cilindros en el orden correcto que se indica – Motor 1.9L Diesel

Altura que sobresale el pistón por encima del bloque con levantadores hidráulicos.

- 0.026-0.034 plg (0.66-0.86 mm): 1 muesca.
- 0.034-0.035 plg (0.87-0.90 mm): 2 muescas.
- 0.036-0.040 plg (0.91-1.02 mm): 3 muescas.

13. Montar la junta de culata nueva con la palabra "TOP" u "OBEN" mirando hacia arriba. No usar ningún tipo de sellador.

14. Girar el cigüeñal hasta el punto muerto superior (PMS) del cilindro N° 1, seguidamente girarlo hacia atrás aproximadamente $1/4$ de vuelta para llevar todos los pistones a la misma altura.

15. Cuidadosamente colocar la culata y montar tornillos nuevos empezando por los N° 8 y N° 10. Estos agujeros son mas pequeños y posicionarán correctamente la junta y la culata.

16. Montar los tornillos restantes y apretar, siguiendo el orden correcto, en tres etapas: 29 pie-lb (40 Nm), 44 pie-lb (60 Nm) y finalmente $1/2$ vuelta más. Se permiten dos cuartos de vuelta.

17. El montaje de las piezas restantes se hace en el orden inverso al desmontaje. Asegurarse de cambiar el aceite y el filtro. Montar la correa de sincronización y sincronizar la bomba de inyección.

18. Montar las conducciones de combustible para la inyección y apretar a 18 pie-lb (25

Nm). Tener cuidado de no sobreapretar las tuercas de las conducciones. Si una conducción está dañada u obstruida, cambiar todo el juego de conducciones.

19. Después de que el motor haya rodado aproximadamente 1.000 millas, los tornillos de culata deben reapretarse. Desmontar la tapa de la culata y apretar cada tornillo, siguiendo el orden, $1/4$ de giro adicional, de una sola vez. Esto puede realizarse tanto a motor frío como caliente.

TURBOCOMPRESOR

DESMONTAJE E INSTALACIÓN

1. Desconectar el cable negativo de la batería.

2. Desmontar el tubo de escape de la salida del turbocompresor.

3. Limpiar la conexión de la entrada de aceite en la parte superior del turbocompresor y desmontar la conducción y el soporte.

4. Desmontar la manguera de entrada de aire.

5. Por debajo del coche, desmontar la conducción de retorno de aceite y el soporte de montaje del turbocompresor.

6. Todavía por debajo, desmontar los tornillos de fijación entre el turbo y el múltiple. Sacar el turbocompresor desde arriba.

Para instalar:

7. El montaje es a la inversa del desmontaje. Antes de montar la conducción de suministro de aceite, llenar la conexión del turbo con aceite de motor. Apretar los siguientes elementos:

• Turbocompresor al múltiple de escape: 33 pie-lb (45 Nm).

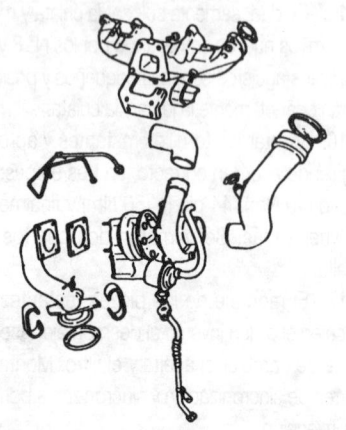

▲ **Turbocompresor de motor Diessel y múltiple de escape**

• Tuercas soporte turbo: 18 pie-lb (25 Nm).

• Tuercas salida turbocompresor: 18 pie-lb (25 Nm).

• Conducción retorno aceite: 22 pie-lb (30 Nm).

MÚLTIPLE DE ADMISIÓN

DESMONTAJE E INSTALACIÓN

1. Desconectar el tubo y los cables de la válvula de descarga.

2. Desconectar el tubo de entrada de aire.

3. Desmontar los tornillos para sacar el múltiple de admisión.

4. El montaje es al revés del desmontaje. Utilizar una junta nueva y apretar los tornillos a 18 pie-lb (25 Nm).

MÚLTIPLE DE ESCAPE

DESMONTAJE E INSTALACIÓN

➡ **En algunos modelos se requieren útiles especiales para el desmontaje y montaje de las grapas elásticas de fijación del tubo de escape al múltiple: VW3140/1 y /2 o equivalente. Se trata de un juego de cuñas de diferentes tamaños que permiten abrir las grapas elásticas progresivamente. Las grapas elásticas montadas están sometidas a una tensión grande y pueden producir daños y heridas si no se desmontan adecuadamente. Las grapas con las cuñas montadas también están sometidas a tensión y deben manejarse con cuidado.**

1. Desconectar el cable negativo de la batería y desmontar todas las protecciones de calor que se encuentren en medio.

2. En motores con turbocompresor, desatornillar el tubo de escape de la salida del turbocompresor.

3. En los motores sin turbocompresor, abrir las grapas elásticas empujando el tubo de escape hacia un lado para insertar las cuñas siempre en el sentido del apoyo.

4. Empujar el tubo hacia el otro lado e insertar otra cuña en la grapa opuesta. Continuar la operación pasando de un lado a otro al mismo tiempo que se insertan las cuñas en las grapas, hasta que las grapas estén lo suficiente abiertas para desmontarlas fácilmente.

▼ PRECAUCIÓN ▼

Las grapas elásticas con las cuñas montadas están sometidas a presión, si no se manejan adecuadamente, pueden saltar con fuerza y causar heridas serias. Guardar las grapas desmontadas en un sitio seguro donde no puedan producir daños.

5. En los motores con turbocompresor, desmontar las conducciones de aceite del turbocompresor y el turbocompresor.

6. Desmontar las tuercas de bloqueo del múltiple y separar el múltiple de la culata.

7. El montaje es al revés del desmontaje. Usar junta y tuercas autobloqueantes nuevas y apretar a 18 pie-lb (25 Nm.).

ÁRBOL DE LEVAS Y LEVANTAVÁLVULAS

DESMONTAJE E INSTALACIÓN

1. Desconectar el cable negativo de la batería. Desmontar la/s tapa/s de la sincronización, la correa de sincronización, la tapa de la culata y la polea dentada del árbol de levas.

2. Numerar las tapas de los cojinetes desde delante hacia atrás. Si las tapas aún no tienen una flecha, marcarlas con una flecha que señale la parte delantera del motor. Las tapas están descentradas y deben montarse correctamente. Los números de las tapas que vienen de fábrica no están siempre en el mismo lado.

3. Desmontar las tapas de los cojinetes anterior y posterior. Aflojar las tuercas de las restantes tapas de cojinetes alternativamente a pequeños giros, para evitar que se deforme el árbol de levas. Empezar por las tapas de los lados hacia el centro.

4. Desmontar las tapas de los cojinetes y el árbol de levas.

Para instalar:

5. Montar un retén de aceite nuevo y el tapón extremo de la culata. Lubricar en el árbol de levas los apoyos de los cojinetes y los lóbulos y colocar el árbol de levas en su posición.

6. Montar las tapas de los cojinetes en su posición correcta con la flecha apuntando hacia la parte delantera del motor. Apretar las tuercas de fijación de tapas en diagonal y en varias fases hasta conseguir el par de 15 pie-lb (20 Nm). No pasarse en el par. El juego axial del árbol de levas debe ser alrededor de 0.006 plg (0.15 mm).

7. Montar la polea propulsora y la correa de sincronización. Esperar al menos ¹/₂ hora después de montar el árbol de levas y antes de poner en marcha el motor. Esto permite a los levantadores purgar el aire.

HOLGURA DE VÁLVULAS

AJUSTE

Todos los vehículos tienen levantadores hidráulicos y no requieren ajuste. En estos vehículos hay una pegatina debajo del capó del motor que lo indica.

DEPÓSITO DE ACEITE

DESMONTAJE E INSTALACIÓN

El depósito de aceite puede desmontarse con el motor montado en el vehículo.

1. Levantar y dejar el coche seguro sobre soportes, vaciar el aceite.

2. Aflojar y desmontar los tornillos de fijación del depósito de acite.

3. Bajar el depósito del motor.

Para instalar:

4. Asegurarse de la planitud de la superficie de junta y montar el depósito con una junta nueva.

5. Apretar los tornillos de retención siguiendo un orden entrecruzado a 14 pie-lb (20 Nm). No pasarse en el par de apriete.

6. Rellenar el motor con aceite. Poner en marcha el motor y comprobar si hay pérdidas de aceite.

BOMBA DE ACEITE

DESMONTAJE E INSTALACIÓN

1. Levantar y dejar el coche seguro sobre soportes, desmontar el cárter (depósito) de aceite.

2. Desmontar los tornillos de fijación y sacar la bomba del motor.

3. Desmontar la tapa inferior y desmontar la bomba. La válvula de descarga de presión está en la tapa inferior.

4. Limpiar e inspeccionar todos los componentes y sustituir los desgastados.

5. Después del montaje de la bomba, cebarla con aceite y montarla siguiendo el orden inverso al desmontaje.

6. Tener en cuenta los siguientes valores:

• Tornillos tapa inferior de la bomba de aceite: 7 pie-lb (10 Nm).

• Tornillos del pie de succión de la bomba: 7 pie-lb (10 Nm).

• Tornillos de fijación de la bomba: 18 pie-lb (25 Nm).

SELLO DE ACEITE PRINCIPAL TRASERO

DESMONTAJE E INSTALACIÓN

El sello principal trasero está posicionado en un alojamiento en la parte posterior del bloque. Para cambiar este sello, en todos los coches, es necesario desmontar la transmisión y el volante.

1. Desmontar la transmisión y el volante.

2. Desmontar el sello de aceite con la brida de montaje conjuntamente.

Para instalar:

3. Montar una brida de montaje nueva con el sello y una junta nueva. Apretar los tornillos de la brida de montaje a 7 pie-lb (10 Nm).

4. Montar el volante y la transmisión.

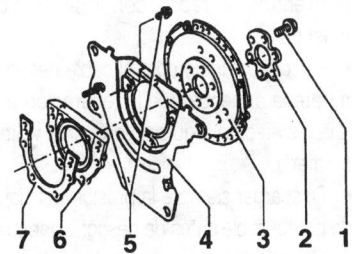

1. Tornillo
2. Arandela
3. Plato propulsor
4. Plato intermedio
5. Tornillo de montaje del plato intermedio
6. Brida de montaje con sello de aceite
7. Junta

▲ **Sello de aceite principal trasero con los componentes correspondientes – Motor 1.9L Diesel**

SISTEMA DE COMBUSTIBLE: GASOLINA

PRECAUCIONES DE MANTENIMIENTO DEL SISTEMA DE COMBUSTIBLE

Siempre que se trabaje con gasolina o alrededor del sistema de combustible, tener en cuenta las siguientes precauciones:

• No permitir que pulverizaciones o vapores de combustible entren en contacto con elementos calefactores o llamas. No fumar mientras se trabaje con el sistema de combustible.

• Desconectar siempre el cable negativo de la batería a menos que la reparación o el test que se efectúe requieran aplicar el voltaje de la batería.

• Descargar siempre la presión del sistema de combustible antes de desconectar cualquier unión o conducción de combustible.

• Para controlar la pulverización de combustible al descargar la presión del sistema, poner un trapo alrededor de la unión antes de aflojarla. Recoger rápidamente cualquier derrame de combustible y asegurarse de que todos los trapos empapados de combustible se depositen en un container seguro contra incendios.

• Tener siempre un extintor de incendios de polvo seco (clase B) cerca del área de trabajo.

• Usar siempre una contrallave de apoyo al aflojar y apretar con otra llave las uniones de combustible.

• No usar dos veces empaques ni juntas tóricas en el sistema de combustible, cambiarlas siempre por nuevas. No usar conducciones de combustible flexibles donde hubiere montadas rígidas.

PRESIÓN DEL SISTEMA DE COMBUSTIBLE

DESCARGA

En los sistemas de control de inyección CIS, la presión del combustible puede descargarse en la conducción del inyector de arranque en frío, o al final del distribuidor de combustible o del inyector final. Poner un trapo alrededor de la fijación y usar una contrallave de tuercas para aflojarla.

En los sistemas Digifant, la presión puede descargarse en el interruptor de la bomba de combustible en frente del cuerpo del ahogador. Poner un trapo a su alrededor y aflojar la abrazadera.

FILTRO DE COMBUSTIBLE

DESMONTAJE E INSTALACIÓN

En el sistema Digifant, el filtro de combustible es una unidad para toda la vida, que sólo necesita cambiarse en caso de contaminación. Está montado bajo el vehículo, detrás del eje posterior. La bomba, el acumulador, el filtro y el depósito forman parte todos de un único conjunto, aunque el filtro puede desmontarse por separado.

En el sistema de control de inyección CIS, el filtro de combustible está montado debajo del capó del motor, a veces en el distribuidor de combustible. Para facilitar la operación, abrir los clips de retención de la carcasa del filtro de aire y sacar todo el conjunto.

1. Desconectar el cable negativo de la batería.

2. En los vehículos con sistema Digifant, levantar y asegurar el coche sobre soportes.

3. Descargar la presión del sistema de combustible.

4. Desmontar las conducciones de combustible, la tuerca de soporte del montaje del filtro y el filtro.

5. El montaje es a la inversa del desmontaje. Asegurarse de montar juntas tóricas nuevas y apretar las conducciones de combustible en el filtro a 14 pie-lb (20 Nm).

BOMBA DE COMBUSTIBLE

DESMONTAJE E INSTALACIÓN

1. La bomba principal de combustible está situada debajo del vehículo en frente del eje trasero o en frente del depósito en el lado derecho. Desconectar el cable negativo de la batería.

2. Levantar el coche y asegurarlo sobre soportes.

3. Desconectar el conector eléctrico.

4. Descargar la presión del combustible.

5. Desmontar los tornillos de montaje y la bomba de combustible.

6. El montaje es a la inversa del desmontaje. Asegurarse de montar juntas tóricas y/o juntas nuevas.

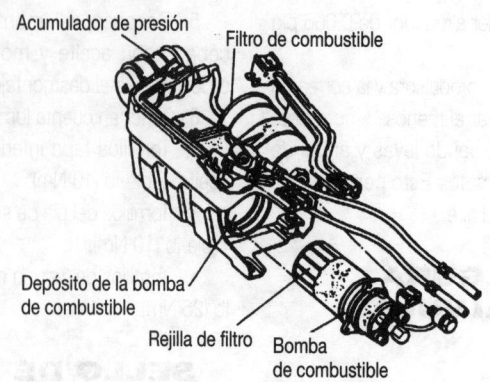

Conjunto de depósito y bomba de combustible – Sistema Digifant

SISTEMA DE COMBUSTIBLE: DIESEL

PRECAUCIONES DE MANTENIMIENTO DEL SISTEMA DE COMBUSTIBLE

Siempre que se trabaje con gas-oil en el sistema de combustible o a su alrededor, tener en cuenta las siguientes precauciones:

• No permitir que pulverizaciones o vapores de combustible entren en contacto con elementos calefactores o llamas. No fumar mientras se trabaje con el sistema de combustible.

• Desconectar siempre el cable negativo de la batería a menos que la reparación o el test que se efectúa requieran aplicar el voltaje de la batería.

• Descargar siempre la presión del sistema de combustible antes de desconectar cualquier unión o conducción de combustible.

• Para controlar la pulverización de combustible al descargar la presión del mismo, poner un trapo alrededor de la unión antes de aflojarla. Recoger rápidamente cualquier derrame de combustible y asegurarse de que todos los trapos empapados de combustible se depositen en un container seguro contra incendios.

• Tener siempre un extintor de incendios de polvo seco (clase B) cerca del área de trabajo.

• Usar siempre una contrallave de apoyo al aflojar y apretar con otra llave las uniones de combustible.

• No usar dos veces empaques ni juntas tóricas en el sistema de combustible, cambiarlas siempre por nuevas. No usar conducciones de combustible flexibles donde hubiere montadas rígidas.

MARCHA MÍNIMA

AJUSTE

Los motores Diesel tienen dos ajustes, uno de marcha mínima y otro de máximas revoluciones. El ajuste de máximas revoluciones sirve para evitar que el motor se pase de vueltas cuando la palanca de control está en la posición de máxima velocidad pero el motor no está sometido a carga. A través de este ajuste se puede conseguir no incrementar la potencia. El tornillo de tope de la palanca de control para ajustar la marcha mínima ya no se usa. La tirantería de refuerzo de la marcha mínima, incluye un ajuste para la marcha mínima básica.

1. Si el vehículo no tiene tacómetro, conectar un tacómetro para motores Diesel de acuerdo con las instrucciones del fabricante.

2. Poner el motor a la temperatura de régimen.

3. Asegurarse de que el botón manual de refuerzo de la marcha mínima/arranque en frío está presionado completamente.

4. Girar la tuerca del extremo de la tirantería hasta ajustar la marcha mínima a 820-880 rpm, en el punto de menos vibraciones.

5. Poner la palanca del control en posición de máxima velocidad. La máxima velocidad debe ser 5.300-5.400 rpm. Ajustar si fuera necesario y asegurar la posición de la contratuerca con sellante.

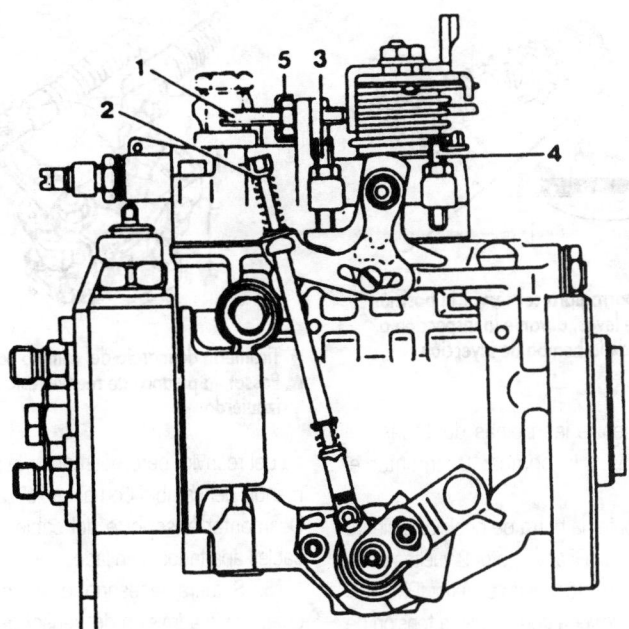

1. Tornillo de ajuste previo de la marcha mínima
2. Varilla con tuerca ciega para el ajuste de la marcha mínima
3. Tornillo de tope para el límite inferior de la marcha mínima
4. Tornillo de tope para el refuerzo de la marcha mínima
5. Tapa contra manipulación

▲ El ajuste de la marcha mínima interior se realiza en la varilla con tuerca ciega – Motor Diesel

FILTRO DE COMBUSTIBLE/SEPARADOR DE AGUA

DESAGÜE DEL AGUA

Aunque el gas-oil y el agua no se mezclan con facilidad, el gas-oil tiende a retener humedad del aire cada vez que se mueve de un contenedor a otro. Con el tiempo, todo sistema de combustible Diesel recoge la suficiente agua para que constituya un peligro potencial. Afortunadamente, cuando se la deja posar, el agua se deposita en el fondo del depósito o del cuerpo del filtro. Algunos filtros de combustible Diesel están equipados con un sistema de vaciado del agua por medio de un tornillo en el fondo del cuerpo. Todos los modelos ECO Diesel vendidos en América del Norte están equipados con un separador de agua, situado delante del depósito de combustible debajo de la parte derecha del vehículo. Su finalidad es permitir que el agua del depósito se decante en este separador y avisar al conductor cuando es necesario vaciarlo. Cuando el nivel de agua en el separador alcanza un cierto punto, un sensor conecta la luz de un indicador en el cuadro de instrumentos, la cual parpadea continuamente.

En el separador de agua

1. Levantar el vehículo y asegurarlo sobre soportes. Sacar el tapón de carga de combustible.
2. En el separador, conectar un tubo de vaciado desde el drenaje del separador al recipiente de recogida.
3. Abrir la válvula de drenaje (3 vueltas) y vaciar el separador hasta que un chorro de combustible puro fluya por la salida del separador, entonces cerrar la válvula. No olvidarse de tapar el depósito de combustible.

En el filtro

1. Si el filtro está equipado con un drenaje de agua en el fondo, poner un recipiente debajo para recoger el agua y el gas-oil.
2. Si está equipado con él, aflojar el tornillo de descarga en la base del filtro. Si no hay tornillo de descarga, aflojar la conducción de retorno de combustible en la bomba, la conducción que no está conectada con el filtro.
3. Aflojar el tornillo o la válvula. Cuando el combustible fluya limpio, cerrar la descarga y apretar la válvula, el tornillo o la conducción de retorno.

DESMONTAJE E INTALACIÓN

▼ AVISO ▼

No permitir que el gas-oil entre en contacto con las mangueras de goma del refrigerante. Si esto ocurre, enjuagar y lavar las mangueras con agua y jabón inmediatamente.

1. Desmontar el clip de retención (5).
2. Desmontar la válvula de control del filtro conjuntamente con las conducciones de combustible fijadas en ella.
3. Desconectar las mangueras de las conducciones (1) y (2).
4. Desmontar el conjunto del filtro.

Para instalar:

5. Usar una junta tórica nueva y montar la válvula de control en el filtro.
6. Montar el clip de retención (5).
7. Conectar las mangueras a las conexiones (1) y (2) y asegurarlas con abrazaderas.
8. Poner en marcha el motor y controlar si hay fugas.

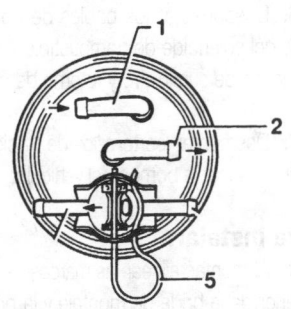

▲ Conjunto filtro de combustible – Motor Diesel

BOMBA DE INYECCIÓN DIESEL

DESMONTAJE E INSTALACIÓN

➡ **Para el montaje de la bomba de inyección se requieren útiles especiales. No desmontar la bomba sin tener a mano estos útiles.**

1. Desconectar el cable negativo de la batería y desmontar el filtro de aire, la tapa de culata de cilindros y la tapa de la correa de sincronización.
2. Girar el motor hasta el punto muerto superior (PMS) del cilindro N° 1 e insertar una

barra de posicionamiento en la ranura posterior del árbol de levas, útil VW-2065-A o equivalente, para sujetar la posición del árbol de levas. Desmontar la correa de sincronización. Asegurarse de no girar el motor al desmontar la correa de sincronización.

3. Aflojar el tornillo de retención de la polea dentada de la bomba pero no desmontarlo todavía. Montar un extractor en la polea dentada y aplicar una ligera tensión.

4. Golpear ligeramente el tornillo extractor con un martillo blando hasta que la polea se desprenda del eje cónico, seguidamente desmontar el extractor y la polea dentada. Tener cuidado de no perder la chaveta Woodruff (de media luna).

5. Sujetar la tuerca de los rácores con una llave en las conexiones de la bomba y usar una llave de tuberías para desmontar las conducciones de los inyectores de la bomba. Tapar las conexiones de la bomba para protegerlas de la suciedad. Puede ser más fácil desmontar también las conducciones de los inyectores y ponerlas a un lado como un conjunto. Tapar las conexiones de los inyectores para protegerlas de la suciedad.

6. Desconectar los cables de control, el cable del solenoide de combustible y las conducciones de suministro y retorno de combustible.

7. Desmontar los tornillos de fijación de la bomba y sacar la bomba del vehículo.

Para instalar:

8. Al montar, alinear las marcas de la parte superior de la brida de montaje y la bomba, y apretar los tornillos de montaje a 18 pie-lb (25 Nm).

9. Montar la chaveta Woodruff y la polea dentada y apretar la tuerca a 33 pie-lb (45 Nm).

10. Al montar las conducciones de suministro y retorno de combustible, asegurarse de conectar el retorno en la conexión marcada con "OUT". Esta conexión tiene un orificio y debe estar en su posición correcta. Usar juntas nuevas.

11. Girar la polea dentada de la bomba hasta que la marca quede alineada con la que está sobre el lado de la brida de montaje e insertar un pasador a través del agujero en la polea para mantenerla en posición.

12. Montar la polea dentada del árbol de levas, la correa de sincronización, y ajustar la tensión de la correa. Dicho ajuste se lleva a cabo girando la polea del tensor en el sentido del reloj hasta que la correa pueda flexarse $\frac{1}{2}$

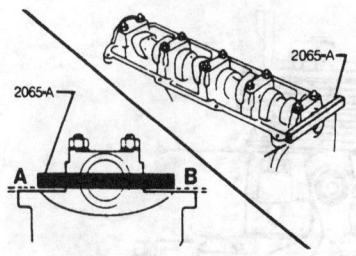

▲ Instalar la barra para conservar la posición del árbol de levas, durante la inspección o reparación de la bomba de inyección

plg (13 mm) entre las poleas dentadas del árbol de levas y la bomba. Desmontar el pasador.

13. Desmontar la barra de posicionamiento del árbol de levas. Girar el motor 2 vueltas completas, volver al punto muerto superior (PMS) del cilindro N° 1 y volver a comprobar la tensión de la correa y la sincronización del árbol de levas.

14. Montar las conducciones de la inyección, cableado y cables de control. Apretar las tuercas de las conducciones a 18 pie-lb (25 Nm).

TREN DE TRANSMISIÓN

CONJUNTO TRANSEJE

DESMONTAJE E INSTALACIÓN

Manual

PASSAT 1995-97

➡ **Si está equipado con radio protegido electrónicamente contra el robo, obtener el código de seguridad antes de desconectar la batería.**

1. Desconectar el cable negativo de la batería.

2. Desconectar el conector del interruptor de la luz de marcha atrás y el cable cuentakilómetros de la transmisión, tapar el agujero del cable cuentakilómetros.

3. Desmontar el cilindro secundario de embrague sin desconectar la conducción hidráulica. Colgar el cilindro de la carrocería con un alambre.

4. En la tirantería por cables de mando del cambio, desmontar el soporte del interruptor de marcha atrás. Desconectar el cable de la palan-

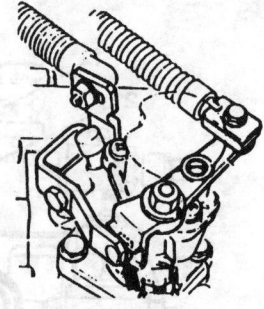

▲ Tirantería de mando del cambio por cables – Passat, la palanca de reenvío está en la izquierda

ca del reenvío, pero desmontar la palanca de mando del cambio con el cable fijado en ella. Desmontar el soporte del cable y poner los cables apartados a un lado.

5. Si fuera necesario, desmontar la manguera de la admisión del sensor de caudal de aire.

6. Desmontar los tornillos superiores de unión entre la transmisión y el motor.

7. Elevar el vehículo y asegurarlo sobre soportes y desmontar las ruedas delanteras. Conectar el útil de sustentación del motor VW-10-222-A, o equivalente, en la argolla de la culata y justo descargar el peso del motor de los soportes de montaje. En los motores de 16V, la válvula de estabilización de la marcha mínima debe desmontarse, para fijar el útil de elevación. No intentar soportar el motor por la parte inferior.

8. Desmontar el tapón de vaciado y vaciar el aceite de la transmisión. Recoger el aceite adecuadamente.

9. Desmontar el arranque y el soporte anterior.

10. Desmontar los 3 tornillos del soporte derecho del motor entre el motor y el salpicadero.

11. Desmontar el tornillo central grande del soporte del lado izquierdo del transeje. En los vehículos con ABS, se puede acceder a este tornillo desmontando el depósito de expansión del radiador.

12. Desmontar el canalizador del ventilador del radiador y el ventilador conjuntamente.

13. Desmontar el soporte de apoyo largo de la transmisión que conecta los soportes anterior y posterior del lado izquierdo.

14. Desmontar la protección de calor del lado derecho interior de la junta homocinética (VC).

15. Desconectar los semiejes de las bridas de salida de la transmisión y colgarlos de la carrocería.

16. Desmontar el soporte trasero de la transmisión. Puede ser necesario empujar el

conjunto motor-transmisión hacia atrás para sacar el tornillo inferior.

17. Bajar la transmisión ligeramente.

18. Desmontar la campana de embrague y poner un gato de transmisiones bajo la transmisión.

19. Desmontar el último tornillo de fijación entre el motor y la transmisión, y separar lentamente el motor de la transmisión. Bajar con cuidado sacando la transmisión del vehículo.

Para instalar:

20. Presionar la palanca de desembrague hacia la carcasa de la transmisión y fijarla con un pasador o tornillo de 8 mm.

21. Untar ligeramente el eje de entrada con grasa de molibdeno y posicionar con cuidado la transmisión. Si fuera necesario, entrar una marcha cualquiera y girar una de las bridas de salida para alinear el estriado del eje de entrada con el estriado del embrague.

22. Montar los tornillos entre el motor y la transmisión y apretarlos a 59 pie-lb (80 Nm).

23. Al montar los soportes en la transmisión, apretar los tornillos del soporte izquierdo y posterior a 18 pie-lb (25 Nm). Apretar el resto de tornillos de los soportes a 44 pie-lb (60 Nm). No olvidar el peso del equilibrado. Montar pero no apretar los tornillos que van dentro de los soportes de goma.

24. Montar el arranque y el soporte anterior.

25. Con todos los soportes montados y el conjunto transmisión montado con seguridad sobre el vehículo, relajar ligeramente el equipo de sustentación. Con el vehículo fijado sobre los soportes, zarandear el conjunto motor/transmisión para asentarlo en los montajes. Apretar los tornillos que van en los soportes de goma de la transmisión a 44 pie-lb (60 Nm).

26. Montar los semiejes y apretar los tornillos a 33 pie-lb (45 Nm). Montar la protección de calor.

27. Desmontar el pasador o el tornillo de la palanca de desembrague y montar el cilindro de embrague secundario. Apretar los tornillos a 18 pie-lb (25 Nm).

28. Lubricar ligeramente la tirantería del cambio con grasa de molibdeno y montarla. Apretar los tornillos a 18 pie-lb (25 Nm). Ajustar la tirantería si fuera necesario.

29. Montar el conjunto del ventilador del radiador y conectar el cableado.

30. Completar el montaje y llenar la transmisión con aceite.

PASSAT 1998-99

1. Asegurarse de tener el código de seguridad de la radio. Después desconectar el cable negativo de la batería.

2. Desmontar la protección inferior del motor.

3. Desconectar los tramos anteriores del tubo de escape del motor. Aflojar el tornillo "U" y empujar hacia atrás.

4. Desmontar el arranque.

5. Desconectar la bieleta del cambio de la caja de cambios.

6. Desmontar el sensor de velocidad y desconectar los conectores de la luz marcha atrás de la transmisión.

7. Apoyar la transmisión con un gato.

8. Desmontar los soportes izquierdo y derecho de la transmisión.

9. Desmontar los semiejes izquierdo y derecho de la transmisión.

10. Desmontar la protección del semieje.

11. Desmontar los tornillos de montaje de la transmisión al motor.

12. Separar haciendo palanca la transmisión del motor y bajarla aproximadamente 6 plg (13 cm) para acceder al cilindro secundario.

13. Desmontar el cilindro secundario con el soporte sin desconectar las conducciones de fluido.

14. Bajar y desmontar el conjunto transmisión.

Para instalar:

15. Limpiar el eje de entrada y aplicar una ligera capa de grasa de alto rendimiento N° 000 100 o equivalente sobre las estrías.

16. Lubricar la superficie del pistón en contacto con la palanca de desembrague, con CU-7439 de Dow Corning®, además de pasta de cobre o equivalente.

17. Elevar la transmisión hasta la posición de montaje y montar el cilindro secundario. Apretar los tornillos de montaje a 18 pie-lb (25 Nm).

18. Montar los tornillos de fijación de la transmisión al motor. Apretar los tornillos M8 a 18 pie-lb (25 Nm), los tornillos M10 a 33 pie-lb (45 Nm) y los tornillos M12 a 48 pie-lb (65 Nm).

19. Montar los montajes de la transmisión. Apretar los tornillos de montaje a 30 pie-lb (40 Nm).

20. Montar los semiejes. Apretar los tornillos M8 a 33 pie-lb (45 Nm) y los tornillos M10 a 59 pie-lb (80 Nm).

21. Montar la protección del semieje.

22. Montar la bieleta del cambio. Apretar los tornillos a 15 pie-lb (20 Nm).

23. Montar el arranque.

24. Montar el sistema de escape.

25. Montar la protección inferior del motor.

26. Conectar el cable negativo de la batería.

EXCEPTO PASSAT

➡ **Si está equipado con radio protegida electrónicamente contra el robo, obtener el código de seguridad antes de desconectar la batería.**

1. Desconectar el cable negativo de la batería.

2. Desconectar el conector del interruptor de marcha atrás y el cable cuentakilómetros del conjunto transmisión; tapar el agujero del cuentakilómetros.

3. Desmontar los tornillos superiores de fijación de la transmisión al motor.

4. Desmontar los tres tornillos del soporte derecho, entre el motor y el salpicadero.

5. Para desconectar la tirantería del cambio, separar haciendo palanca los extremos de las rótulas y desmontar las bieletas mando cambio del reenvío.

6. Desmontar el tornillo central del soporte izquierdo de la transmisión.

7. Levantar el vehículo y asegurarlo sobre soportes y desmontar las ruedas delanteras. Conectar el útil de suspensión del motor VW-10-222-A o equivalente en la argolla de la culata y descargar del peso del motor de los soportes. En los motores de 16V, la válvula estabilizadora de la marcha mínima debe desmontarse para fijar el útil. No intentar sustentar el motor por debajo.

8. Desmontar el tapón de vaciado y vaciar el aceite de la transmisión. Deshacerse del aceite apropiadamente.

9. Desmontar el forro del guardabarros interno izquierdo.

10. Desconectar los semiejes de las bridas internas y colgarlos de la carrocería.

11. Desmontar la tapa del embrague y la placa pequeña detrás de la brida del semieje derecho.

12. Desmontar el arranque y el soporte anterior del motor.

13. Desconectar el cable del embrague y desmontarlo de la carcasa de la transmisión.

14. Desmontar los tornillos de los restantes soportes de la transmisión y los soportes.

15. Situar un gato debajo de la transmisión y desmontar los últimos tornillos que lo mantenían fijado al motor. Separar cuidadosamente la transmisión del motor y bajarla del vehículo.

Para instalar:

16. Engrasar ligeramente el eje de entrada con grasa de molibdeno y posicionar cuidadosamente la transmisión en su sitio. Si fuera necesario, entrar cualquier marcha y girar una de las bridas de salida para alinear los estriados del eje de entrada y del embrague.

17. Montar los tornillos de fijación de la transmisión al motor y apretar a 55 pie-lb (75 Nm).

18. Después de montar los soportes en la transmisión, apretar los tornillos de soporte traseros del motor y los tornillos de soporte de la transmisión a 18 pie-lb (25 Nm). Apretar los tornillos del soporte izquierdo a la transmisión a 25 pie-lb (35 Nm) y los restantes tornillos de fijación a 44 pie-lb (60 Nm). Montar pero no apretar los tornillos de los soportes que van dentro de las gomas.

19. Montar el arranque y el soporte delantero.

20. Con todos los soportes montados y el conjunto transmisión montado sobre el vehículo, relajar ligeramente la tensión del equipo de sustentación. Con el vehículo fijado sobre los soportes, zarandear el conjunto motor/transmisión para que se asiente sobre los soportes. Apretar todos los tornillos de montaje empezando por detrás hacia delante. Apretar los tornillos que van en los soportes de goma a 44 pie-lb (60 Nm).

21. Montar los semiejes y apretar los tornillos a 33 pie-lb (45 Nm). Montar las tapas del embrague.

22. Montar la tirantería del cambio y el cable del embrague y ajustar si fuera necesario.

23. Montar el guardabarros interno y completar el resto del montaje. Llenar la transmisión con aceite.

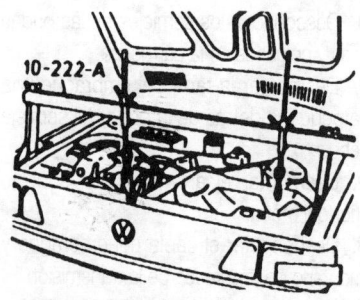

▲ **Sostener el motor para desmontar la transmisión**

Automático

PASSAT

1. Si la radio está equipada con un sistema electrónico de antirrobo, asegurarse de tener el código de seguridad antes de desconectar la batería.

2. Desmontar la batería y desconectar el cableado del conjunto transmisión.

3. Desmontar los tornillos superiores de fijación de la transmisión al motor.

4. Levantar el vehículo y asegurarlo sobre soportes y desmontar las ruedas anteriores. Montar el útil de levantamiento de motores VW-10-222-A o equivalente en la culata, y levantar ligeramente hasta descargar el peso del motor de los soportes. En el Passat, la válvula estabilizadora de la marcha mínima debe desmontarse para fijar el útil. No tratar de sustentar el motor por la parte inferior.

5. Poner la palanca del cambio en "P" y desconectar el cable del cambio.

6. Pinzar y desmontar las mangueras de refrigeración de la transmisión.

7. Desmontar el arranque y los soportes izquierdo y derecho del motor.

8. Desmontar la placa de arrastre y desconectar los semiejes de las bridas de propulsión. Colgarlos de la carrocería con un alambre.

9. Desmontar la placa del convertidor de par y girar el motor lo necesario para desmontar los tornillos de fijación del convertidor de par al volante motor.

10. Desmontar los soportes de la transmisión restantes y bajar ligeramente el elevador.

11. Soportar la transmisión con un gato y desmontar los tornillos restantes de fijación de la transmisión al motor. Tener cuidado en sostener el convertidor de par para que no se separe de la transmisión.

12. Cuidadosamente bajar el conjunto transmisión del vehículo.

Para instalar:

13. Colocar el conjunto transmisión dentro del vehículo y asegurarse de que las clavijas guía ajustan adecuadamente entre la transmisión y el motor. Montar los tornillos y apretar los de 12 mm a 59 pie-lb (80 Nm), los de 10 mm a 44 pie-lb (60 Nm).

14. Montar los soportes de la transmisión y apretar los tornillos a 44 pie-lb (60 Nm). Apretar los tornillos fijación del soporte izquierdo a la transmisión a 18 pie-lb (25 Nm).

15. Montar los tornillos del convertidor de par y apretar a 44 pie-lb (60 Nm).

16. Conectar los semiejes y apretar los tornillos a 33 pie-lb (45 Nm).

17. Conectar la tirantería del cambio y ajustar si fuera necesario.

18. Montar las piezas restantes y controlar el nivel de fluido en el conjunto transmisión.

EXCEPTO PASSAT

1. Si la radio está equipada con un sistema electrónico de antirrobo, asegurarse de tener el código secreto antes de desconectar la batería.

2. Desconectar la batería y el cable cuentakilómetros y tapar el agujero en la transmisión.

3. En el Golf y el Jetta, con el vehículo en el suelo, desmontar las tuercas del eje delantero.

➡ **Cuando se afloje o apriete una tuerca de eje, asegurarse de que el vehículo está en el suelo. El par de apriete de la tuerca es muy grande y al aplicarlo se puede producir la caída del vehículo.**

4. Levantar el vehículo y asegurarlo sobre soportes, desmontar las ruedas delanteras. Montar el útil de levantamiento de motores VW-10-222-A o equivalente en la culata, y levantar ligeramente hasta descargar el peso del motor de los soportes. En el motor de 16V, la válvula estabilizadora de la marcha mínima debe desmontarse para fijar el útil. No tratar de sustentar el motor por la parte inferior.

5. Desmontar el soporte posterior de la transmisión lado conductor y la escuadra soporte.

6. En el Golf y el Jetta, desmontar los tornillos del soporte anterior, de la transmisión y de la carrocería, y desmontar el soporte como un conjunto.

7. Desmontar los cables del selector y del acelerador de la palanca de la transmisión pero dejarlos fijados en la escuadra. Desmontar el conjunto de soporte para mantener el ajuste.

8. Desatornillar los semiejes de las bridas de propulsión. En el Golf y el Jetta, los semiejes deben desmontarse, lo cual requiere separar las rótulas de la suspensión del alojamiento del cojinete de rueda para tener el espacio suficiente. Desmontar el tornillo de retención de la rótula.

9. Desmontar la protección de calor y los soportes y desmontar el arranque. En el Cabrio, el soporte anterior forma conjunto con el arranque.

10. Girar el motor, si fuera necesario, para desmontar los tornillos de unión del convertidor de par al volante motor.

11. Desmontar los soportes restantes de la transmisión, en el Golf y el Jetta, desmontar los tornillos del bastidor auxiliar y dejar que cuelgue libremente.

12. Soportar la transmisión con un gato y desmontar los tornillos restantes de fijación entre la transmisión y el motor. Tener cuidado de que el convertidor de par no se separe de la transmisión.

13. Cuidadosamente bajar el conjunto transmisión del vehículo.

Para instalar:

14. En el montaje, asegurarse de que el convertidor de par está completamente asentado en las estrías del eje de la bomba. El convertidor debe situarse dentro de la campana de embrague y girar con la mano. Controlar que sigue girando al montar los tornillos de unión entre el motor y la transmisión.

15. Montar los tornillos de unión de la transmisión al motor y apretarlos a 55 pie-lb (75 Nm).

16. Montar todos los tornillos de los soportes y del bastidor auxiliar antes de apretarlos. Apretar los tornillos empezando por detrás hacia delante. Apretar los tornillos pequeños a 25 pie-lb (34 Nm) y los grandes a 58 pie-lb (80 Nm). Desmontar el útil de levantamiento de motores cuando todos los soportes estén montados.

17. Montar los tornillos fijación del convertidor de par al volante motor y apretarlos a 26 pie-lb (35 Nm).

18. Montar el arranque y apretar los tornillos a 14 pie-lb (20 Nm). Montar las protecciones de calor.

19. Si se han desmontado los semiejes, asegurarse de que las estrías están limpias y aplicar un compuesto de sellar roscas en las estrías antes de deslizarlas dentro del cubo de rueda. Conectar los semiejes a las bridas de propulsión y apretar los tornillos a 37 pie-lb (50 Nm). Montar tuercas nuevas en el eje pero no apretar completamente hasta que el vehículo esté en el suelo.

20. Si se han desmontado, montar las rótulas en el brazo oscilante (de control) y apretar el tornillo de retención a 37pie-lb (50 Nm).

21. Conectar y ajustar, si fuera necesario, la tirantería del cambio.

22. Cuando el montaje se haya completado y el vehículo esté en el suelo apoyado con las ruedas, apretar las tuercas de los ejes a 195 pie-lb (265 Nm).

EMBRAGUE

AJUSTE

En los embragues con mando de cable y sistema ajustable, está disponible el útil especial US-5043 o equivalente, para facilitar la determinación del ajuste apropiado. El útil es un simple calibre pasa no pasa, aunque el ajuste apropiado puede determinarse sin él.

1. Presionar varias veces el pedal del embrague.

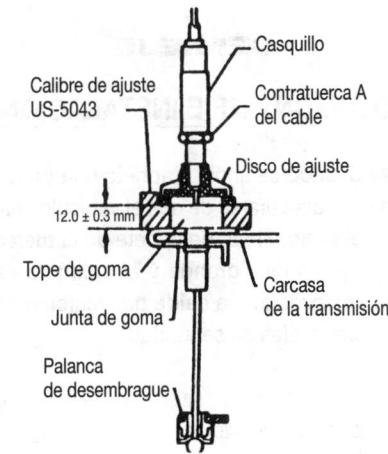

Casquillo
Calibre de ajuste US-5043
Contratuerca A del cable
Disco de ajuste
12.0 ± 0.3 mm
Tope de goma
Carcasa de la transmisión
Junta de goma
Palanca de desembrague

▲ **Ajuste del cable de embrague utilizando el calibre**

2. Empujar el casquillo de ajuste del embrague hacia la transmisión hasta que se note resistencia e insertar el calibre o medir la holgura.

3. Aflojar la contratuerca y girar el casquillo de ajuste hasta que no haya juego en el calibre. Sin el calibre, esta distancia debe ser de 0.472 plg (12 mm).

4. Apretar la contratuerca y pisar el pedal varias veces. Comprobar el ajuste.

DESMONTAJE E INSTALACIÓN

Passat

1. Levantar el vehículo y asegurarlo sobre soportes, y desmontar la transmisión.

2. Marcar el volante motor y el plato de presión, si el plato de presión va a usarse otra vez.

3. Gradualmente aflojar los tornillos del plato de presión 1 o 2 vueltas cada vez entrecruzados para evitar la deformación.

4. Desmontar el plato de presión y el disco.

5. Comprobar el disco de embrague por si tiene un desgaste irregular o excesivo. Inspeccionar el plato de presión por si tiene grietas, desconchados o rayas. Cambiar los componentes defectuosos.

Para instalar:

6. Montar el disco del embrague y el plato de presión con los muelles en el disco hacia el plato. Usar un útil de alineación para mantener centrado el disco del embrague.

7. Gradualmente apretar los tornillos de fijación del plato de presión al volante motor siguiendo un orden entrecruzado. Apretar los tornillos a 18 pie-lb (24 Nm).

8. Montar el cojinete de desembrague.

9. Montar la transmisión.

Excepto Passat

1. Levantar el vehículo, asegurarlo sobre soportes y desmontar la transmisión.

2. Montar el útil dentado de retención del volante VW-558, o equivalente, en el volante y gradualmente aflojar los tornillos de fijación del plato de presión al volante 1 o 2 vueltas cada vez. Seguir un orden entrecruzado para evitar la deformación.

3. Desmontar el volante y el disco de embrague.

4. Usar una pequeña palanca para desmontar el anillo de retención del plato de desembrague. Desmontar el plato de desembrague.

Para instalar:

5. Usar tornillos nuevos para fijar el plato de presión al cigüeñal. Usar un compuesto de sellado de roscas y apretar los tornillos en diagonal a 72 pie-lb (100 Nm).

6. Lubricar ligeramente las estrías del disco de embrague, la superficie de contacto del plato de desembrague y el casquillo de empuje con grasa multiuso. Montar el plato de desembrague, el anillo de retención y el disco de embrague.

7. Montar el útil de centraje VW-547 o equivalente, para alinear el disco de embrague.

8. Montar el volante, apretar los tornillos 1 o 2 vueltas cada vez entrecruzados para evitar deformaciones. Apretar los tornillos a 14 pie-lb (20 Nm).

9. Desmontar el útil de alineación, montar la transmisión y ajustar el cable del embrague.

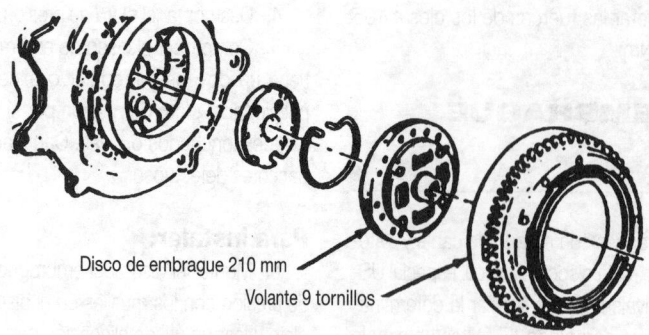

Disco de embrague 210 mm

Volante 9 tornillos

▲ **Componentes del embrague – Cabrio, Golf, GTI y Jetta**

SISTEMA DE EMBRAGUE HIDRÁULICO

SANGRADO

1. El embrague y los frenos comparten el mismo depósito. Limpiar la suciedad y la grasa del tapón para asegurarse de que no entren en el sistema sustancias extrañas.

2. Desmontar el tapón y el diafragma y llenar el depósito del todo con líquido de frenos autorizado DOT 3 o 4. Aflojar completamente el tornillo de sangrado, el cual está en el cuerpo del cilindro auxiliar cerca de la conexión de entrada.

3. En el agujero de salida del tornillo de sangrado aparecerán burbujas de aire. Cuando el cilindro auxiliar esté completamente lleno y el líquido fluya libre de burbujas, apretar el tornillo de sangrado.

4. Rellenar el depósito y taparlo. Ejercer una ligera fuerza de 20 libras en el pistón del cilindro auxiliar empujando la palanca de desembrague en la dirección del cilindro y aflojar el tornillo de sangrado. Mantener una fuerza ligera constante; el líquido y el aire acumulado fluirán a través del agujero de sangrado. Apretar el tornillo de sangrado cuando salga el fluido libre de burbujas.

5. Rellenar el depósito de fluido hasta su nivel normal. Si fuera necesario repetir el punto 4.

6. Ejercer una ligera fuerza sobre la palanca de desembrague para que el pistón entre dentro del cilindro auxiliar pero sin abrir el tornillo de sangrado de modo que el pistón se moverá despacio dentro del cilindro. Repetir esta operación 2 o 3 veces; el movimiento del fluido forzará el aire dejado en el sistema a salir por el depósito de líquido. Ahora el sistema hidráulico estará completamente sangrado.

7. Comprobar el funcionamiento del sistema hidráulico del embrague, y repetir la operación si fuera necesario. Comprobar el recorrido del casquillo de empuje en el cilindro para asegurar un mínimo de 0.57 plg (15 mm) de recorrido.

SEMIEJE

DESMONTAJE E INSTALACIÓN

➡ **Cuando se afloje o apriete una tuerca de eje, asegurarse de que el vehículo está en el suelo. El par de apriete de la tuerca de eje es muy grande y al aplicarlo se puede producir la caída del vehículo de los caballetes de seguridad.**

1. Con el vehículo en el suelo, desmontar la tuerca del eje delantero.

2. Levantar el vehículo y asegurarlo sobre soportes, y desmontar las ruedas anteriores.

3. Desmontar los tornillos de fijación de los semiejes a las bridas de la transmisión.

4. Separar el poste del brazo oscilante (de control):

  a. En el Fox, marcar la posición de la rótula respecto al brazo oscilante y desmontar las tuercas para desconectar la rótula del brazo.

  b. En el Passat, desmontar los tornillos que fijan la rótula al brazo oscilante.

  c. En los otros vehículos, desmontar el tornillo de fijación de la rótula y empujar el brazo oscilante hacia abajo, fuera de la rótula.

5. Desmontar el semieje del lado de la transmisión y fijarlo en la carrocería. No dejarlo colgando sin fijación.

6. Sacar el semieje del cubo de la rueda. Puede ser que se necesite un extractor.

Para instalar:

7. Encajar el semieje en las bridas de propulsión y montar los tornillos. No es necesario apretarlos todavía.

8. Aplicar un compuesto de sellar roscas en la parte exterior del estriado $\frac{1}{4}$ de pulgada.

Deslizar el estriado a través del cubo y montar floja una tuerca nueva para eje propulsor.

9. Montar las suspensiones delanteras, teniendo cuidado de alinear las marcas:

  a. En el Passat, apretar los tornillos de la rótula a 26 pie-lb (35 Nm).

  b. En todos los demás modelos, apretar el tornillo de retención de la rótula a 37 pie-lb (50 Nm).

10. Montar la rueda y aguantarla para que no gire. Apretar los tornillos del eje interior a 33 pie-lb (45 Nm).

11. Con el vehículo en el suelo, apretar la tuerca del eje:

• Cabrio: 175 pie-lb (240 Nm).

• Golf, GTI, Jetta y Passat: 195 pie-lb (265 Nm).

12. Comprobar y ajustar la alineación de las ruedas delanteras.

DIRECCIÓN Y SUSPENSIÓN

AIR BAG

▼ PRECAUCIÓN ▼

Algunos vehículos están equipados con un sistema de air bag, también conocido como Sistema Restringido de Hinchado Suplementario (SIR) o Sistema Restringido Suplementario (SRS). El sistema debe ser desactivado antes de llevar a cabo algún servicio en los componentes o alrededor de ellos, columna de la dirección, componentes del cuadro de instrumentos, cableado y sensores. Olvidarse de los procedimientos de seguridad y desactivado puede producir la activación accidental del air bag, con posibles daños personales y reparaciones innecesarias del sistema.

PRECAUCIONES

Deben observarse varias precauciones cuando se manipula el módulo hinchable para evitar el desplegado accidental y posibles daños personales.

• No transportar nunca el módulo hinchable por los cables o el conector situados en la parte inferior del módulo.

• Cuando transporte un módulo hinchable en servicio, sostenerlo seguro con ambas manos, y dirigir la bolsa hinchable y la tapa hacia fuera.

- Situar el módulo hinchable en un banco u otra superficie con la bolsa y la tapa dirigida hacia arriba.

- Con el módulo hinchable en el banco, no poner nada encima ni cerca del módulo ya que puede salir proyectado en caso de un desplegado accidental.

DESARMADO

Para prevenir cualquier daño personal al trabajar en vehículos equipados con air bag, el cable negativo de la batería debe desconectarse antes de trabajar en el sistema. Si no se lleva a cabo esta operación puede producirse el desplegado del air bag.

MECANISMO DE LA DIRECCIÓN DE CREMALLERA Y PIÑÓN

DESMONTAJE E INSTALACIÓN

Manual

1. Levantar el vehículo y asegurarlo sobre soportes.

2. Desmontar las dos ruedas delanteras y desconectar los dos extremos de la barra de conexión.

3. En la columna de la dirección, desmontar la grapa de sujeción del fuelle guardapolvo, empujar el fuelle guardapolvo hacia el salpicadero y desmontar el tornillo de fijación de la junta universal.

4. Desmontar las tuercas de montaje de la cremallera y sacar la cremallera de sus montajes.

5. Al llegar a este punto en algunos vehículos, la cremallera no puede sacarse de la carrocería. Sustentar el conjunto motor-transmisión y desmontar los tornillos del bastidor auxiliar o el soporte posterior de la transmisión y la escuadra para permitir a la cremallera moverse hacia atrás.

6. El montaje es a la inversa del desmontaje. Apretar los tornillos del bastidor auxiliar a 96 pie-lb (130 Nm).

Asistida

1. Levantar el vehículo y asegurarlo sobre soportes.

2. Desmontar las dos ruedas delanteras y desconectar los dos extremos de la barra de conexión.

3. Desmontar la manguera de baja presión (aspiración) de la bomba y vaciar el sistema en un contenedor apropiado. Deshacerse correctamente del fluido.

4. En la columna de la dirección, desmontar la grapa de sujeción del fuelle guardapolvo, empujar el fuelle guardapolvo hacia el salpicadero y desmontar el tornillo de fijación de la junta universal.

5. En el Cabrio, desmontar el múltiple de escape y el soporte de la tirantería del cambio.

6. Desmontar las tuercas de las abrazaderas de montaje de la cremallera y las abrazaderas.

7. Al llegar a este punto en algunos vehículos, la cremallera no puede sacarse de la carrocería. Sustentar el conjunto motor-transmisión y desmontar los tornillos del bastidor auxiliar para permitir a la cremallera moverse hacia atrás. En el Cabrio, desmontar el soporte y la escuadra de la transmisión.

8. Desconectar las conducciones hidráulicas de la dirección asistida y desmontar la cremallera.

Para instalar:

9. Asegurarse de que las bujías de montaje están en buenas condiciones. Montar el conjunto de la cremallera y apretar las tuercas de las abrazaderas a 22 pie-lb (32 Nm).

10. Montar todos los tornillos del bastidor auxiliar que hubieren sido desmontados.

11. Conectar las conducciones hidráulicas y montar la junta universal de la columna de la dirección.

12. Llenar el sistema con líquido nuevo y poner en marcha el motor para sangrar el sistema y controlar las fugas de líquido.

POSTE

DESMONTAJE Y MONTAJE

Delantero

El tornillo superior de fijación del poste a la articulación de la dirección puede tener una arandela excéntrica para ajustar la inclinación de la rueda. Usar un cepillo metálico para limpiar la zona y con un cincel marcar una línea fina sobre la arandela y el poste juntos. Esta marca puede ser suficiente para mantener la inclinación de la rueda. Al menos es suficiente para conducir el vehículo hasta un taller con equipos para la alineación de ruedas

delanteras. Si no existe la arandela excéntrica, pueden montarse un tornillo nuevo y una arandela excéntrica. Estas piezas están disponibles en los Concesionarios.

Se requiere un útil especial para desmontar la tuerca superior del poste en el Golf y el Jetta. Si fuera necesario, se puede construir este útil cortando parte de una llave de tubo de 22 mm.

1. Levantar el vehículo y asegurarlo sobre caballetes, y desmontar las ruedas delanteras.

2. Desconectar los tubos de freno del poste y desmontar la mordaza de freno. NO DEJAR la mordaza de freno colgando del conducto hidráulico, colgarla de la carrocería con un alambre.

3. Limpiar y marcar la posición del tornillo excéntrico entre el amortiguador y la articulación de la dirección.

4. Desmontar los tornillos y empujar hacia abajo la articulación de la dirección para sacarla del poste. Fijar la articulación de la dirección para que no cuelgue de la junta homocinética (VC) exterior.

5. En el Cabrio, desmontar las tuercas que fijan el cojinete de goma del poste a la carrocería y bajar el poste del vehículo.

6. En el Golf y el Jetta, utilizar una llave hexagonal para fijar el vástago del amortiguador y con la llave de tubo cortada desmontar la tuerca superior. Bajar el poste de la carrocería.

Para instalar:

7. Posicionar el poste dentro del guardabarros y montar las tuercas. En el Cabrio, apretar las tres tuercas a 14 pie-lb (20 Nm). En el Golf y el Jetta, montar una tuerca central nueva y apretarla a 44 pie-lb (60 Nm).

8. Montar la articulación de la dirección en el poste y montar los tornillos. Asegurarse de que las marcas están alineadas y montar las tuercas.

   a. En el Golf y en el Jetta los tornillos entre la articulación de la dirección y el poste tienen dos medidas diferentes. Apretar los tornillos de 19 mm a 70 pie-lb (95 Nm) y los tornillos de 18 mm a 59 pie-lb (80 Nm).

   b. En el Cabrio, apretar los tornillos entre la articulación de la dirección y el poste a 70 pie-lb (95 Nm).

9. Montar la mordaza de frenos y apretar los tornillos a 44 pie-lb (60 Nm).

10. Montar las ruedas y alinear las ruedas delanteras.

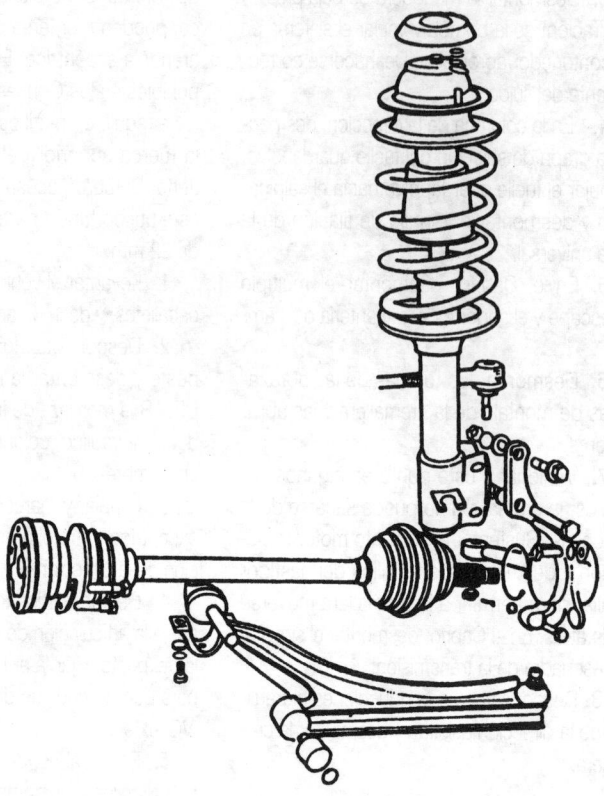

▲ El poste Mac Pherson está montado entre la articulación de la dirección y la carrocería

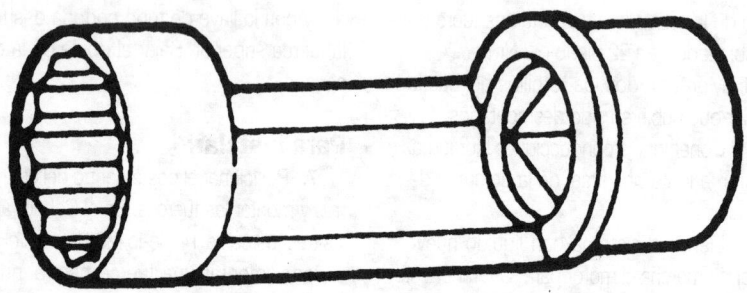

▲ Cortar la llave de tubo para desmontar la tuerca superior del poste

Trasero

➡ **No desmontar los dos postes a la vez, porque la viga del eje trasero quedaría colgando de los conductos de freno.**

1. Desde el interior del vehículo, desmontar la tapa del montaje superior del amortiguador y desmontar la tuerca superior, arandela y bujes de goma.

2. Desmontar la segunda tuerca.

3. Lentamente levantar el vehículo y dejarlo sobre caballetes. No colocar los caballetes debajo de la viga del eje.

4. Desatornillar el poste del eje y cuidadosamente sacar el poste y el resorte del vehículo. Puede ser necesario empujar ligeramente el eje hacia abajo.

Para instalar:

5. Montar el amortiguador en el conjunto del eje. No apretar la tuerca hasta que el vehículo esté en el suelo a la altura normal de marcha.

6. Montar el extremo superior del poste en la carrocería. Apretar la tuerca inferior a 11 pie-lb (15 Nm) y la tuerca superior a 18 pie-lb (25 Nm).

7. Montar las ruedas y bajar el vehículo al suelo.

8. Apretar la tuerca inferior del poste a 52 pie-lb (70 Nm).

RESORTE HELICOIDAL

DESMONTAJE E INSTALACIÓN

1. Desmontar el poste del vehículo.

2. Montar el compresor de resortes VAG-1752/2 o equivalente en un tornillo de banco.

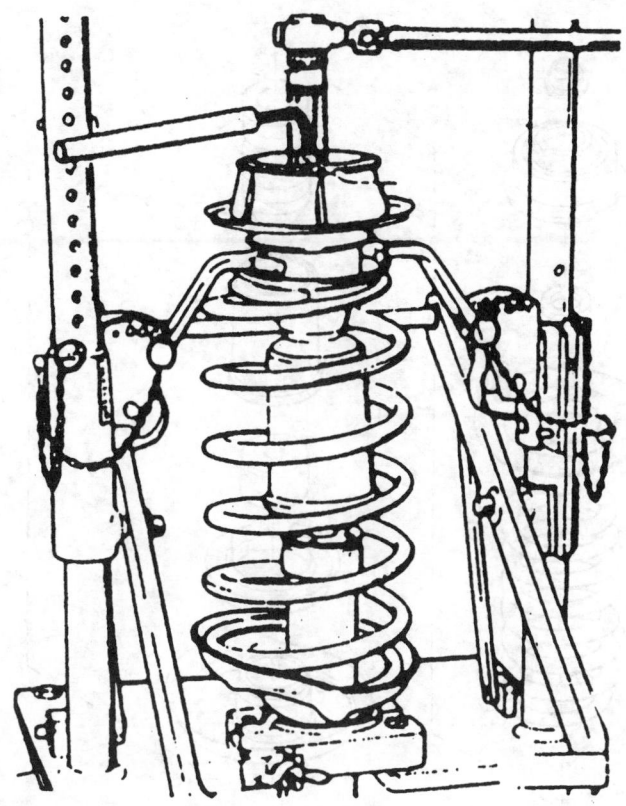

▲ Comprimir el resorte helicoidal antes de desmontar la tuerca superior del vástago del poste

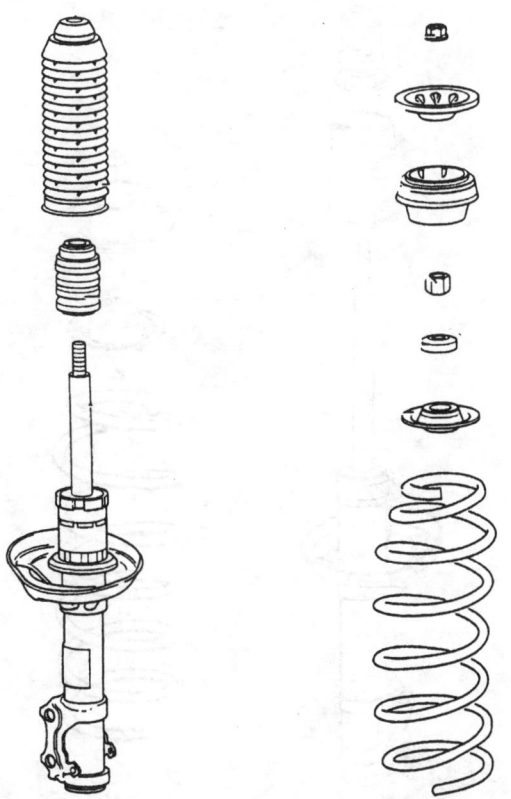

▲ Poste delantero – Passat 1995-97

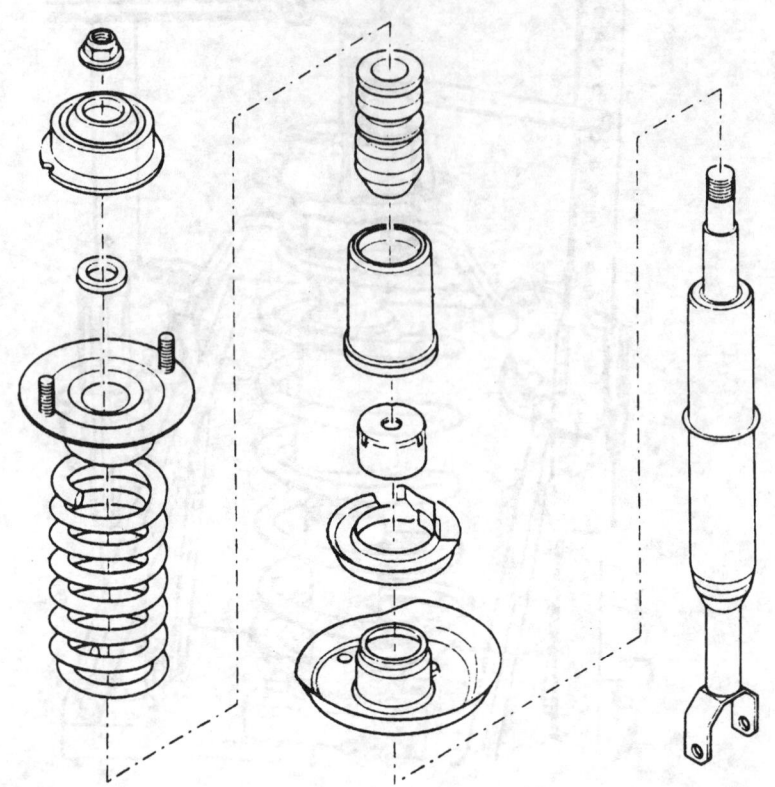

▲ Poste delantero – Passat 1998-99

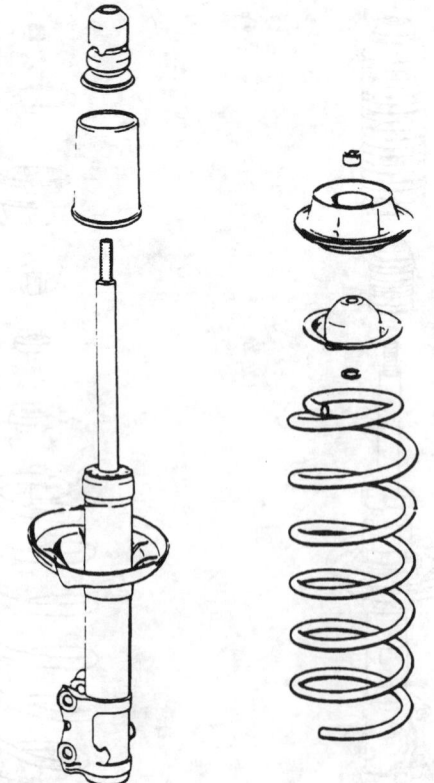

▲ Poste delantero – Excepto Passat

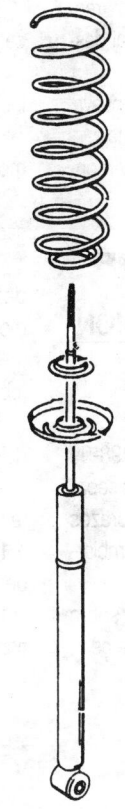

▲ Poste trasero – Excepto Passat

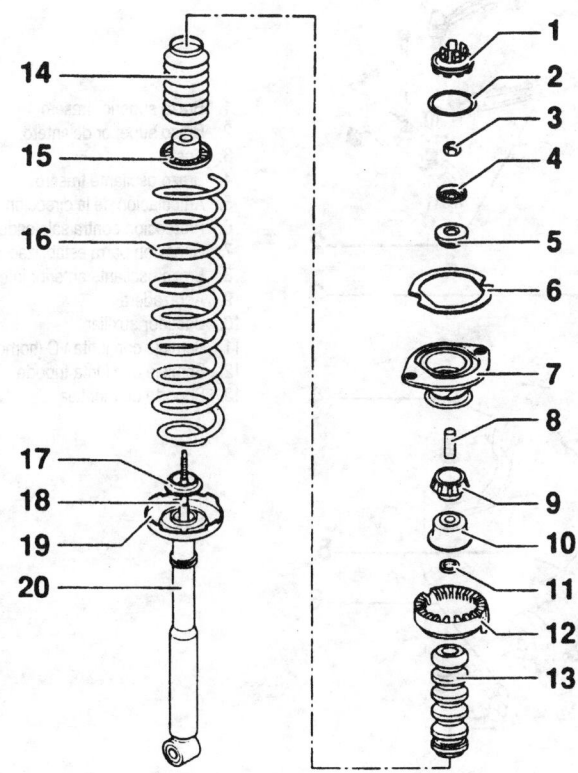

1. Tapa
2. Junta tórica
3. Tuerca autobloqueante
4. Arandela cóncava
5. Montaje de goma superior
6. Junta de espuma de plástico
7. Cojinete del poste
8. Tubo distancial
9. Montaje de goma inferior
10. Cazoleta metálica
11. Arandela
12. Asiento de resorte
13. Taco parachoques
14. Tubo de protección
15. Sombrerete de plástico
16. Resorte helicoidal
17. Junta-guarnición
18. Anillo elástico
19. Plato inferior del resorte

▲ Poste trasero – Passat 1995-97

3. Montar el poste en el compresor de resortes.

4. Desmontar, haciendo palanca, la tapa del tornillo de montaje.

5. Comprimir el resorte helicoidal y desmontar la tuerca autobloqueante del vástago del pistón.

6. Marcar la posición de la retención del resorte y del soporte del resorte.

7. Desmontar el asiento del resorte y los restantes componentes, anotando el orden de montaje.

8. Desmontar el poste del compresor de resortes.

9. Rebajar la tensión del resorte helicoidal y sacar el resorte fuera del compresor.

Para instalar:

10. Montar el resorte nuevo en el compresor.

11. Comprimir el resorte e introducir el poste dentro del resorte.

12. Montar el asiento del resorte y los restantes componentes, en orden inverso al desmontaje, y alinear las marcas.

13. Montar una tuerca autobloqueante nueva.

14. Montar la tapa del tornillo de montaje.

15. Aflojar el compresor de resortes y montar el poste en el vehículo.

RÓTULA SUPERIOR

DESMONTAJE E INSTALACIÓN

Passat 1998-99

La suspensión delantera del Passat 1998-99 está equipada con dos rótulas superiores separadas que no son reemplazables. Los brazos superiores (anterior o posterior) deben cambiarse como sigue:

1. Levantar el coche y asegurarlo sobre soportes, y desmontar las ruedas delanteras.

2. Desmontar el clip N° 1 tal como se indica. El clip no tiene que ser cambiado.

3. Desmontar el tornillo de cierre y empujar los dos brazos de control hacia arriba y afuera.

4. Tapar el fuelle guardapolvo del mecanismo de dirección.

5. Desmontar el eslabón guía de la rótula y sacar la rótula a presión.

6. Desmontar el cable del sensor de velocidad de la rueda del ABS, del soporte sobre la mordaza de freno.

7. Soportar la suspensión de su carrera de rebote excesiva.

8. Desmontar el tornillo de montaje inferior del poste.

9. Girar hacia un lado el cuerpo del cojinete de la rueda.

10. Levantar el capó y desmontar los ojales de goma de la cámara de sobrepresión.

11. Desmontar las tuercas de montaje superior del poste amortiguador a la carrocería.

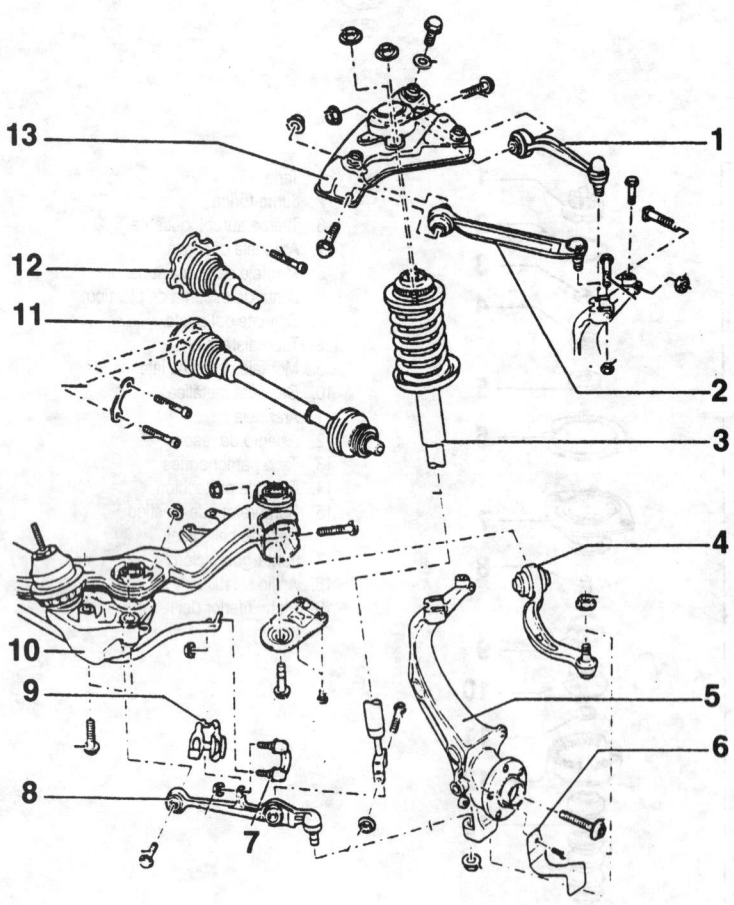

1. Brazo superior trasero
2. Brazo superior delantero
3. Poste
4. Brazo oscilante trasero
5. Articulación de la dirección
6. Protección contra salpicaduras
7. Conexión barra estabilizadora
8. Brazo oscilante anterior inferior de arrastre
9. Abrazadera
10. Bastidor auxiliar
11. Semieje con junta VC (homocinética)
12. Semieje con junta trípode
13. Soporte de montaje

▲ **Suspensión delantera – Passat 1998-99**

12. Desmontar el poste amortiguador junto con el soporte de montaje.

13. Sujetar el poste amortiguador en un tornillo de banco con las mordazas protegidas.

14. Desmontar los tornillos de los brazos superiores y separar los dos brazos.

15. Desmontar las tuercas de montaje del soporte al poste amortiguador y separar ambas piezas.

Para instalar:

16. Posicionar los soportes y los brazos tal como se muestra, apretar las tuercas de montaje del soporte al poste amortiguador a 15 pie-lb (20 Nm).

17. Alinear los brazos tal como se muestra y apretar a 37 pie-lb (50 Nm) más $^1/_4$ de vuelta (90°).

18. Montar el poste amortiguador y el soporte de montaje en el vehículo y apretar las tuercas de montaje superior del poste amortiguador a la carrocería a 48 pie-lb (75 Nm).

19. Montar el tornillo de montaje inferior del poste y apretar a 66 pie-lb (90 Nm).

20. Montar la tuerca en la rótula y apretar a 74 pie-lb (100 Nm).

21. Montar los dos brazos superiores al cuerpo del cojinete de rueda y apretar el tornillo de retención a 30 pie-lb (40 Nm).

22. Fijar los cables eléctricos del ABS al soporte de la mordaza de freno.

23. Montar la rueda, bajar el vehículo y comprobar la alineación ruedas delanteras.

RÓTULA INFERIOR

DESMONTAJE E INSTALACIÓN

1. Levantar el vehículo y asegurarlo sobre soportes, dejar que las ruedas delanteras cuelguen. Desmontar las ruedas delanteras.

2. Desmontar el tornillo de retención de la rótula.

3. Empujar haciendo palanca hacia abajo el brazo oscilante inferior para desmontar la rótula de la articulación de la dirección.

4. Desmontar las tuercas y tornillos de retención de la rótula inferior en el brazo oscilante o bien taladrar los remaches con una broca de $^1/_4$ de pulgada (6 mm). Desmontar la rótula.

Para instalar:

5. Montar la rótula nueva en el orden inverso al desmontaje. Si no se han desmontado otros componentes, no es necesario ajustar la inclinación. Apretar los tornillos de fijación de los dos brazos oscilantes a la rótula a 18 pie-lb (25 Nm) y el tornillo retención de la rótula a 37 pie-lb (50 Nm).

COJINETES DE RUEDA

AJUSTE

Delanteros

Los cojinetes de rueda delanteros están sellados, no es necesario ni posible el ajuste.

Traseros

1. Levantar el coche y asegurarlo sobre soportes.

2. Desmontar la tapa de grasa.

3. Desmontar el pasador partido y la tuerca de bloqueo.

4. Al mismo tiempo que gira la rueda, de modo que el cojinete de rueda no se atasque, apretar la tuerca de ajuste.

5. Girar hacia atrás la tuerca ligeramente. La tuerca estará ajustada debidamente cuando sea posible mover de un lado a otro la arandela de empuje con una simple presión de los dedos sobre la herramienta.

6. Montar la tuerca de bloqueo y un pasador partido nuevo. Al montar la tapa de grasa, asegurarse de que quede bien fijada en su sitio.

DESMONTAJE E INSTALACIÓN

Delanteros

➡ **El cubo y el cojinete están entrados a presión dentro de la articulación de la dirección y el cojinete viejo no puede volver a usarse una vez que el cubo se ha desmontado.**

1. Con el vehículo en el suelo, aflojar la tuerca del eje delantero, levantar el vehículo y asegurarlo sobre soportes, y desmontar la articulación de la dirección.

2. Sujetar por la protuberancia del tornillo superior de la articulación de la dirección al poste amortiguador en un tornillo de banco.

3. Montar sobre el cubo una prensa especial de extracción y sacar el cubo fuera del cojinete, tal como se muestra.

4. Si la pista interior del cojinete permanece clavada en el cubo, sujetar el cubo en un tornillo de banco y separarlos con un extractor de cojinetes.

5. En la articulación de la dirección, desmontar la protección contra salpicaduras y las arandelas elásticas internas del alojamiento del cojinete.

6. Después de desmontar los anillos elásticos interiores del cojinete, sacar con la misma prensa la pista exterior del cojinete de la articulación de la dirección.

7. Limpiar el alojamiento del cojinete y el cubo con un cepillo metálico e inspeccionar todas las piezas. Cambiar los componentes que hayan sido deformados o que hayan cambiado de color debido al calentamiento. Si el cubo no está en perfectas condiciones en la zona de contacto con la pista interior del cojinete, el cojinete nuevo se estropeará rápidamente.

Para instalar:

8. El cojinete nuevo se mete a presión en el útil por el lado del cubo usando una prensa de husillo. Montar el anillo elástico interno del cojinete y colocar la articulación de la dirección sobre una prensa.

9. Utilizar el cojinete viejo como útil para la prensa, meter a presión el cojinete nuevo en el alojamiento de la articulación. Asegurarse de que el útil de la prensa contacta sólo con la pista exterior del cojinete.

10. Montar el anillo elástico exterior y la protección contra salpicaduras. Si se ha desmontado, montar el rotor del sensor de velocidad sobre el cubo.

11. Soportar la pista interior sobre la prensa y meter a presión el cubo en el cojinete. Asegurarse de que la pista interior está soportada, pues de lo contrario el cojinete se estropearía rápidamente.

12. Montar la articulación de la dirección y asegurarse de que la tuerca del cubo está correctamente apretada, antes de rodar el vehículo.

Traseros

1. Levantar el vehículo y asegurarlo sobre soportes, y desmontar las ruedas traseras.

2. En frenos de tambor, insertar un pequeño extractor de palanca a través de uno de los agujeros de tornillo fijación rueda y empujar hacia arriba la cuña de ajuste del freno para aflojar el ajuste del freno trasero.

3. En frenos de disco, desmontar la mordaza de freno.

4. Desmontar la tapa de grasa, el pasador partido, de bloqueo, la tuerca de eje y la arandela de empuje. Con cuidado, desmontar el cojinete y poner todas las piezas en un sitio limpio.

5. Desmontar el tambor de freno o el rotor y sacar el sello de aceite interior para desmontar el cojinete interior.

6. Limpiar toda la grasa de los cojinetes con disolvente. Si los cojinetes aparecen gastados o dañados, deben cambiarse.

7. Para desmontar las pistas de los cojinetes, soportar el tambor o rotor y con cuidado sacar las pistas con un punzón botador largo. También pueden sacarse sobre una prensa.

Para instalar:

8. Con cuidado, meter a presión la nueva pista dentro del tambor o rotor. La pista vieja puede usarse como útil para la prensa, pero asegurarse de que no se clave en el cubo.

9. Llenar de grasa limpia el cojinete interior y ajustarlo dentro de la pista interior. Montar en su sitio un sello de aceite de eje nuevo presionando con la mano.

10. Engrasar ligeramente el mango del eje y montar el tambor o rotor. Tener cuidado de no dañar el sello del eje.

11. Llenar de grasa el cojinete exterior y montar el cojinete, la arandela de empuje y la tuerca.

12. Para ajustar la precarga del cojinete:

a. Empezar apretando la tuerca del eje mientras se hace girar el tambor o rotor.

b. Cuando la tuerca esté apretada cómoda, tratar de mover la arandela de empuje con un destornillador.

c. Aflojar la tuerca hasta que la arandela de empuje se pueda mover sin forzar el destornillador.

13. Sin girar la tuerca, montar el anillo de seguridad de manera que se pueda montar un nuevo pasador partido a través del agujero del mango del eje. Doblar el pasador partido.

14. Poner algo de grasa dentro de la tapa y montarla.

CARGA Y ARRANQUE

SISTEMA DE ARRANQUE.............. **1038**	**SISTEMA DE CARGA**................. **1045**

Información general 1038
   Precauciones 1038
Prueba del sistema.................... 1038
   Con solenoide montado en el motor
     de arranque...................... 1038
   Con solenoide externo 1040
Motor de arranque 1042
   Desmontaje e instalación 1042
   Ajustes 1042
Relevador del motor de arranque 1044
   Prueba 1044
Solenoide 1044
   Prueba 1044
   Desmontaje e instalación 1044

Información general 1045
   Precauciones 1046
   Prueba del sistema 1046
Alternador 1046
   Prueba 1046
   Desmontaje e instalación 1049
Batería............................. 1050
   Prueba 1050
   Desmontaje e instalación 1054
Puntear para el arranque una batería
    totalmente descargada 1054
Regulador de voltaje................... 1056
   Prueba 1056
   Desmontaje e instalación 1056

SISTEMA DE ARRANQUE

INFORMACIÓN GENERAL

El sistema típico de arranque incluye la batería, el motor de arranque, el solenoide, el interruptor de encendido y, en algunos casos, el relevador del motor de arranque. Un interruptor inhibidor (seguridad en neutral, punto muerto) se incluye en el circuito del sistema de arranque para impedir que el vehículo se ponga en marcha mientras esté conectada una marcha.

Cuando la llave de la ignición está conectada en la posición START, circula una corriente que energiza la bobina del solenoide del motor de arranque. La bobina energizada se convierte en un electroimán que empuja el núcleo móvil hacia la bobina; el núcleo móvil cierra una serie de contactos que permiten el paso de una corriente intensa por el motor de arranque.

En modelos donde el solenoide está instalado en el motor de arranque, el núcleo móvil también sirve para empujar el piñón del motor de arranque que engrana con la rueda dentada del volante/plato flexible.

Para evitar daños al motor de arranque cuando el motor se pone en marcha, el piñón incorpora un embrague sobremarcha (un solo sentido), el cual está unido por estrías al eje de la armadura del motor de arranque. La velocidad de rotación del motor (del automóvil) puede acelerar la velocidad de rotación del piñón del motor de arranque, pero no la del propio motor de arranque.

Algunos sistemas de arranque utilizan un relevador de arranque además del solenoide. Este relevador puede ser localizado debajo del panel de instrumentos, en el panel de los pedales, o en el centro de relevadores y fusibles debajo del capó. Este relevador se utiliza para disminuir la cantidad de corriente que tendría que soportar el interruptor de encendido durante el arranque.

PRECAUCIONES

Para evitar daños en la computadora de a bordo, en el alternador y en el regulador, tienen que tomarse las siguientes medidas preventivas cuando se trabaje con el sistema eléctrico.

• Siempre desconectar el cable negativo de la batería antes de serviciar el motor de arranque. El voltaje de la batería siempre está presente en el

Antes de serviciar el sistema eléctrico, desconectar siempre el cable negativo de la batería para evitar averías en el sistema

terminal grande (B) del solenoide. Cuando se desmonte el motor de arranque, se debe estar preparado para soportar su peso después de desmontar el último perno, porque el motor de arranque es un componente bastante pesado.

• Nunca accionar el motor de arranque más de 30 segundos cada vez. Demasiado giro del motor del vehículo por medio del motor de arranque hará que el motor de arranque se sobrecaliente, causando averías permanentes. Dejar enfriar el motor de arranque al menos dos minutos entre cada intento de arranque.

• Usar gafas de protección cuando se trabaje en o cerca de la batería.

• No usar reloj con pulsera metálica cuando se servicien las baterías. Se pueden producir serias quemaduras si la pulsera cierra el circuito entre el terminal positivo de la batería y tierra.

• Asegurarse absolutamente de la polaridad de la batería de ayuda de emergencia, antes de hacer conexiones. Conectar el cable positivo con el positivo y el negativo con el negativo. Conectar el cable positivo primero; luego hacer la última conexión a tierra en la carrocería del vehículo de ayuda de manera que el arco eléctrico (chispa) no pueda inflamar el gas hidrógeno que pueda haberse acumulado cerca de la batería. Incluso una conexión momentánea de la batería de ayuda con la polaridad invertida dañará los diodos del alternador.

• Desconectar ambos cables de la batería del vehículo antes de intentar cargar la batería.

• Ser cauteloso cuando se utilicen herramientas metálicas alrededor de la batería para evitar crear un cortocircuito entre los terminales.

• Cuando se instale la batería, asegurarse de que los cables positivo y negativo no están invertidos.

• Cuando se ponga en marcha el motor del vehículo con un puente de arranque a otra batería, asegurarse de cómo están conectados los terminales. Esto también se debe aplicar cuando se utilice un cargador de baterías. Una polaridad invertida quemará el alternador y el regulador en cuestión de segundos.

• Siempre desconectar la batería (el cable negativo primero) cuando se vaya a cargar.

PRUEBA DEL SISTEMA

➡ **Cuando se prueben circuitos de automóviles modernos debe utilizarse un multímetro digital de buena calidad, con al menos una impedancia de 10 megohm/voltios. Esos multímetros pueden detectar con precisión valores muy pequeños, de voltaje, corriente y resistencia. Este tipo de medidor tiene también una alta resistencia interna que no cargará el circuito que está siendo probado. Cargar el circuito provoca lecturas incorrectas y puede dañar los circuitos sensibles de la computadora. A pesar de que no se probarán circuitos de computadoras en esta sección, la exactitud es muy importante.**

CON SOLENOIDE MONTADO EN EL MOTOR DE ARRANQUE

1. Comprobar la batería y limpiar las conexiones como sigue:

a. Si las celdas de la batería tienen tapones desmontables, comprobar el nivel del agua. Adicionar agua destilada si el nivel es bajo. Probar la carga de la batería y cargar si es necesario. Para el procedimiento, ver Prueba de Batería en esta sección.

b. Desmontar los cables y limpiarlos con un cepillo de alambre. Reconectar los cables.

2. Comprobar el circuito a tierra del motor de arranque con una prueba de caída de voltaje como sigue:

a. Poner el multímetro en lectura de voltaje de corriente directa (DC) en la menor escala posible.

b. Conectar la punta negativa del multímetro al terminal negativo de la batería.

c. Conectar la punta positiva del *multímetro* al cuerpo del motor de arranque. Asegurarse de que los pernos de montaje del motor de arranque están apretados. El medidor debe indicar 0,2 voltios o menos. Si la lectura del voltaje es mayor, desmontar y limpiar la conexión del cable negativo de la batería al bloque de cilindros. La lectura del voltaje debe estar ahora dentro de la especificación: si no, sustituir el cable negativo de la batería.

3. Comprobar el circuito de alimentación del motor con una prueba de caída de voltaje como sigue:

a. Desconectar el cable de la bobina o el mazo de cables de los inyectores, para evitar que el motor se ponga en marcha.

b. Conectar la punta positiva del medidor con el terminal positivo de la batería.

c. Conectar la punta negativa del medidor con el terminal de la alimentación del motor. El terminal de la alimentación del motor sale del cuerpo del motor de arranque y conecta con el solenoide.

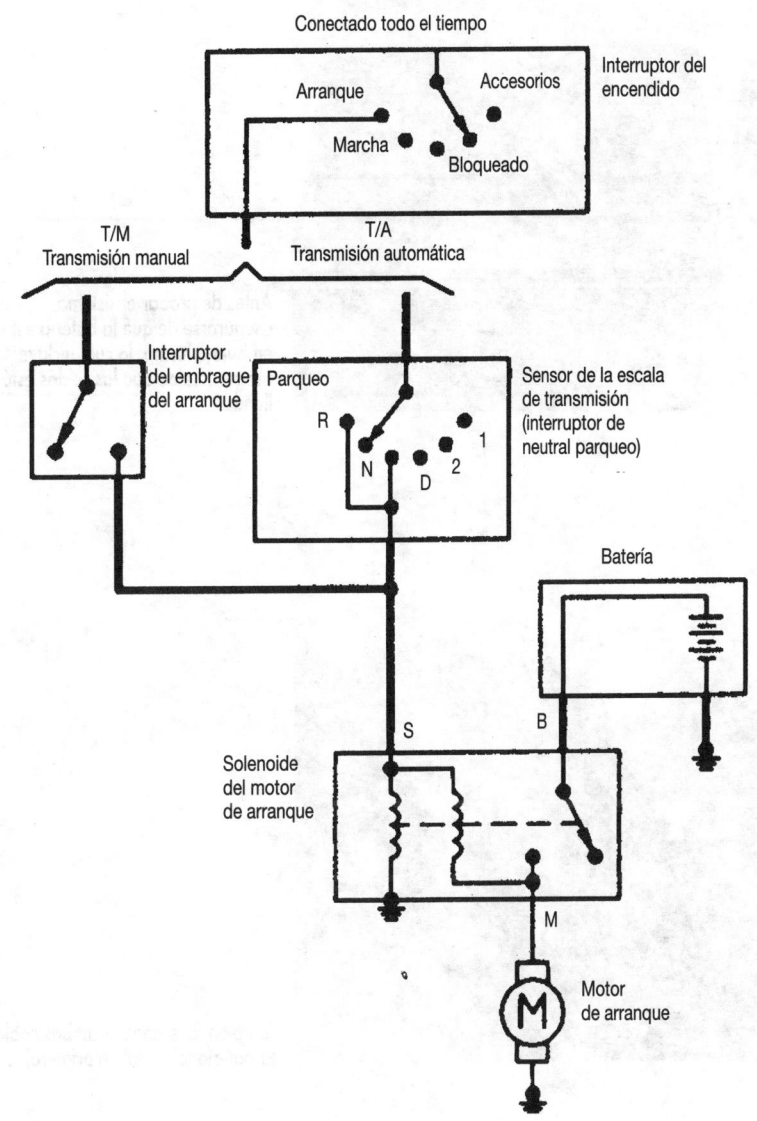

▲ Circuito del sistema de arranque empleado por la mayoría de los vehículos – El solenoide está normalmente montado en el motor de arranque como se indica

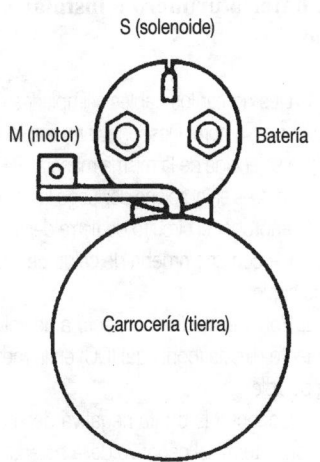

▲ Identificación típica de los terminales del solenoide del motor de arranque

d. Girar la llave de encendido a la posición START. El medidor debe indicar 0,2 voltios o menos. Si el voltaje leído es mayor, desmontar y limpiar la conexión positiva de la batería en el solenoide del motor de arranque. El voltaje leído ahora debe estar dentro de la especificación, si no reemplazar el cable positivo de la batería.

e. Conectar el cable de la bobina o el mazo de cables de los inyectores de combustible.

4. Comprobar el voltaje de la batería en el terminal S del solenoide del motor de arranque como sigue:

a. Desconectar el cable de la bobina o el mazo de cables de los inyectores para evitar que el motor se ponga en marcha.

b. Poner el medidor para leer voltaje de baterías. Moverlo a la escala próxima mayor si estaba en la escala de 2 voltios.

c. Conectar la punta positiva en el terminal S en el solenoide del motor de arranque y la punta negativa con una buena tierra.

d. Girar la llave del encendido a la posición START y girar el motor por medio del motor de arranque. El medidor debe leer el voltaje de la batería. Si no hay voltaje de la batería, comprobar el interruptor inhibidor (seguridad

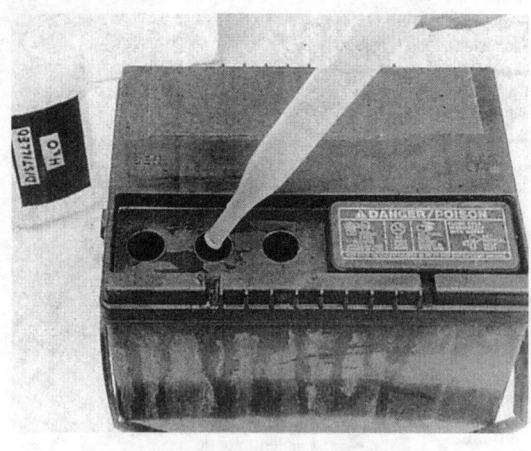

Antes de probar el sistema, asegurarse de que la batería está en buena forma, lo cual incluye asegurarse de que las celdas están llenas

También, desconectar ambos cables de la batería (el negativo primero) ...

... limpiar los terminales para los cables de toda suciedad y corrosión con un cepillo de alambre ....

neutral), fusible(s) y el cableado entre el interruptor de encendido y el solenoide del motor de arranque. Si hay voltaje de batería en el terminal S del solenoide y el motor de arranque no funciona, sustituir el conjunto solenoide y motor de arranque.

e. Conectar el cable de la bobina o el mazo de cables de los inyectores de combustible.

CON SOLENOIDE EXTERNO

➡ No todos los solenoides están montados en el motor de arranque. Algunos modelos utilizan un solenoide (relevador) montado en el guardabarros interior o en el muro antiincendios. Ambos tipos de solenoides sirven para la conexión entre la batería y el motor de arranque. Señalar los cables para una identificación positiva. El cable pequeño viene del interruptor de encendido, un cable grande viene de la batería y el otro cable grande va al motor de arranque. Los terminales son S, B y M, respectivamente.

1. Comprobar la batería y limpiar las conexiones como sigue:

a. Si las celdas de la batería tienen tapones desmontables, comprobar el nivel del agua. Adicionar agua destilada si el nivel es bajo. Probar la carga de la batería y cargar si es necesario. Para el procedimiento ver Prueba de Batería en esta sección.

▼ PRECAUCIÓN ▼
Siempre desmontar el cable negativo de la batería primero e instalarlo el último.

b. Desmontar los cables y limpiarlos con un cepillo de alambre. Desconectar y limpiar los cables del solenoide de la misma manera. Reconectar los cables en el solenoide; luego la batería.

2. Comprobar el circuito de tierra del motor de arranque con una prueba de caída de voltaje como sigue:

a. Poner el medidor en lectura de voltaje de corriente directa (continua) (DC) en la menor escala posible.

b. Conectar la punta negativa del multímetro con el terminal negativo de la batería.

c. Conectar la punta positiva del multímetro con el cuerpo del motor de arranque. Asegurarse de que los pernos de montaje del motor de arranque están apretados. El multímetro debe indicar 0,2 voltios o menos. Si la lectura del voltaje es mayor, desmontar y limpiar la conexión del cable negativo de la batería en el bloque de cilindros. La lectura del voltaje debe estar ahora dentro de la especificación: si no, sustituir el cable negativo de la batería.

3. Comprobar el circuito de alimentación del motor con una prueba de caída de voltaje como sigue:

a. Desconectar el cable de la bobina o el mazo de cables de los inyectores para evitar que el motor se ponga en marcha.

b. Conectar la punta positiva del multímetro con el terminal positivo de la batería.

c. Conectar la punta negativa del medidor al terminal de alimentación del motor en el motor de arranque. Éste es el cable grueso en el motor de arranque. Girar la llave de encendido a la posición START y arrancar el motor. El medidor debe leer 0,2 voltios o menos. Si el voltaje leído es mayor, desmontar y limpiar las conexiones positivas de la batería en el motor de arranque y el solenoide. El voltaje leído debe estar ahora dentro de las especificaciones, si no, sustituir el cable positivo de la batería.

d. Conectar el cable de la bobina o el mazo de cables de los inyectores de combustible.

4. Comprobar el voltaje de la batería en el terminal S sobre el solenoide del motor de arranque como sigue:

a. Desconectar el cable de la bobina o el mazo de cables de los inyectores para evitar que el motor se ponga en marcha.

b. Poner el medidor para leer voltaje de baterías. Moverlo al rango próximo mayor si estaba en la escala de 2 voltios.

c. Conectar la punta positiva con el terminal S en el solenoide del motor de arranque y la punta negativa con una buena tierra.

d. Girar la llave del encendido a la posición START y arrancar el motor. El medidor debe leer el voltaje de la batería. Si no hay voltaje de la batería, comprobar el interruptor inhibidor (seguridad neutral), fusible(s) y el cableado entre el interruptor de encendido y el solenoide del motor de arranque. Si hay voltaje de la batería en los terminales S y B pero no en el terminal de alimentación del motor, sustituir el solenoide. Si el voltaje de la batería está presente en los tres terminales y el motor de arranque no funciona, sustituir el motor de arranque.

e. Conectar el cable de la bobina o el mazo de cables de los inyectores de combustible.

... y aplicar una gelatina de petróleo (vaselina) o grasa todo uso a los terminales antes de reacoplar los cables

Para desmontar el motor de arranque, levantar el vehículo si es necesario y desatornillar los pernos de montaje del motor de arranque (flechas) ...

..., luego tirar del motor de arranque hacia fuera de la carcasa campana de la transmisión ...

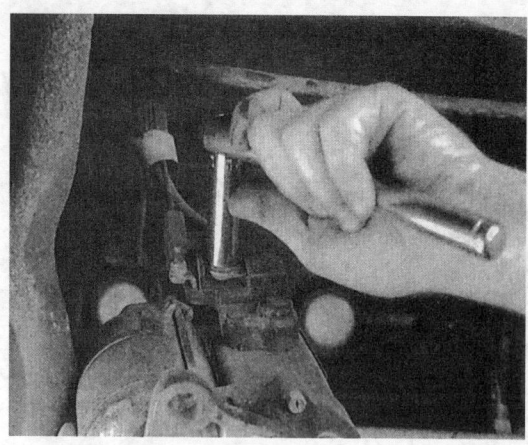

... y desconectar el cableado del motor de arranque, si no se ha hecho ya

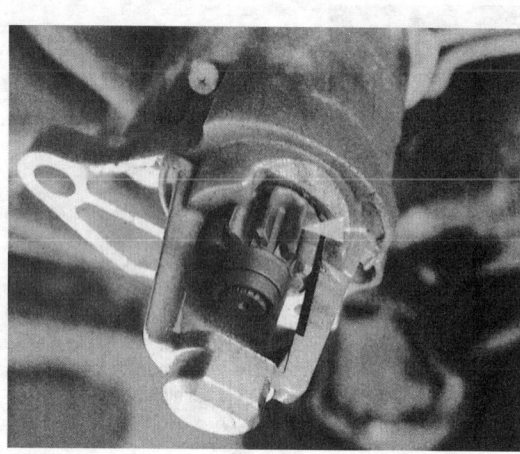

Antes de instalar el motor de arranque, asegurarse de inspeccionar los dientes del piñón (flecha) ....

... y los dientes (flecha) del anillo dentado del volante/plato flexible, por si hay daños

MOTOR DE ARRANQUE

DESMONTAJE E INSTALACIÓN

1. Desconectar el cable negativo de la batería.

2. Desmontar todos los componentes necesarios para ganar acceso al motor de arranque (como las tuberías de escape, conductos de entrada de aire, mangueras, soportes y protectores térmicos).

3. Desconectar el cableado del motor de arranque. En algunos casos, el cableado puede ser más accesible después de desmontar los pernos de montaje y moviendo el motor de arranque.

4. Desmontar los pernos de montaje del motor de arranque, si no se ha hecho ya.

5. Desmontar el conjunto motor de arranque del vehículo. En algunos casos, el motor de arranque tendrá que ser girado a un ángulo diferente para evitar obstrucciones. No aflojar ningún calzo de ajuste que pueda caer fuera, entre el motor de arranque y el saliente de montaje; será necesario colocarlos luego en su posición original cuando se instale el motor de arranque. Los calzos de ajuste se utilizan para ajustar la holgura entre el piñón del motor de arranque y los dientes del anillo dentado del volante/plato flexible.

Para instalar:

6. Si es necesario, medir y ajustar la holgura entre el piñón del motor de arranque y el anillo dentado.

7. Colocar el calzo (si lo hay) y el motor de arranque en el saliente de montaje. Apretar los pernos de montaje firmemente.

8. Conectar el cableado, si no se ha hecho ya.

9. Instalar todo componente que fue desmontado para ganar acceso al motor de arranque.

10. Conectar el cable negativo de la batería.

AJUSTES

Profundidad del piñón del motor de arranque

➡ Este procedimiento se utiliza para diagnosticar ruidos en el motor de arranque causados por una holgura incorrecta entre el piñón del motor de arranque y el volante, mientras el motor de arranque está engranado.

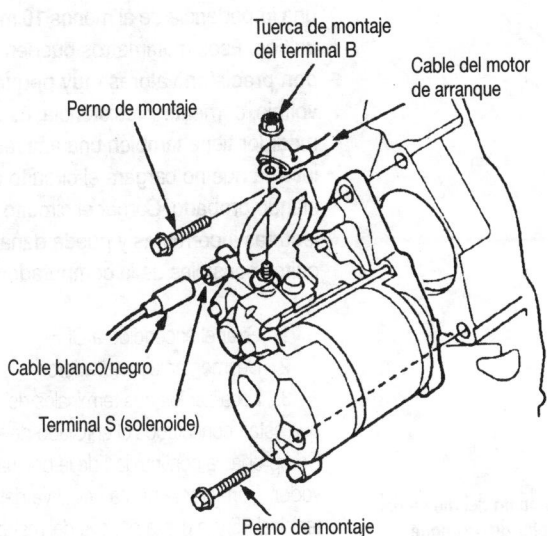

Tuerca de montaje del terminal B

Cable del motor de arranque

Perno de montaje

Cable blanco/negro

Terminal S (solenoide)

Perno de montaje

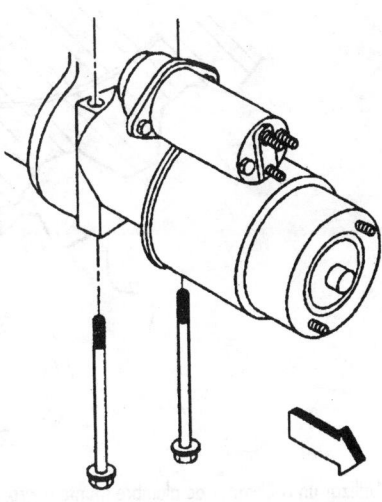

▲ Montaje típico de motor de arranque, con los pernos instalados desde el lado del motor de arranque

▲ Montaje típico de motor de arranque, con los pernos instalados desde la parte inferior del motor de arranque

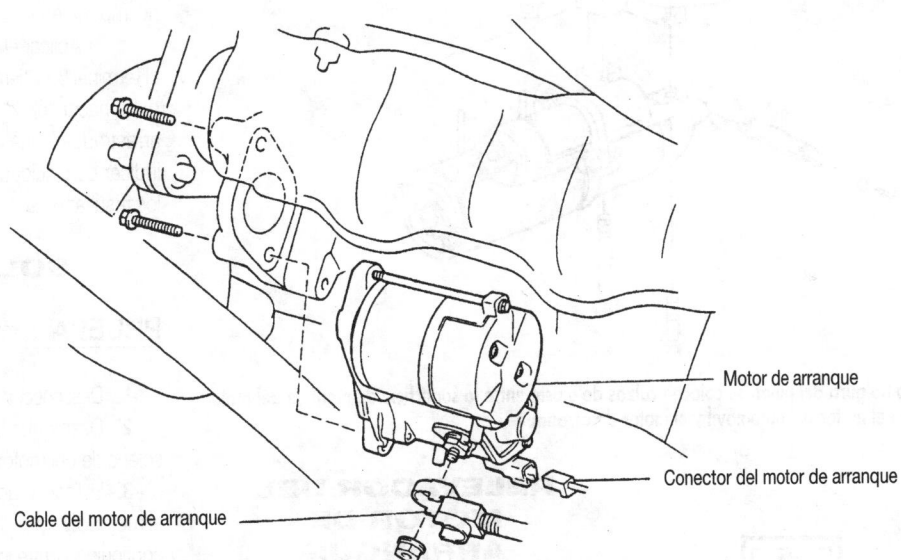

Motor de arranque

Conector del motor de arranque

Cable del motor de arranque

▲ Montaje típico de motor de arranque, con los pernos instalados desde el lado de la transmisión

1. Levantar y soportar con seguridad el frente del vehículo.

2. Desmontar la cubierta del volante.

3. Inspeccionar el volante por si hay mellas o dientes faltantes, desgaste anormal, grietas y alabeamientos. Sustituir el componente averiado, si lo hay, y continuar con el procedimiento.

4. Asegurarse de que el vehículo está en la posición de PARK o NEUTRAL. Aplicar el freno de parqueo.

5. Tener un asistente que rote lenta y suavemente el cigüeñal en la dirección normal de rotación.

6. Lentamente mover una pieza de tiza hacia el borde del volante hasta que él toque, lo cual señalará el punto alto del anillo dentado.

7. Desconectar el cable negativo de la batería.

8. Rotar el punto alto del volante a la zona del piñón del motor de arranque.

9. Utilizando un calibrador de alambre, medir la distancia entre la punta del diente del anillo dentado del volante y la parte inferior de los dientes del piñón del motor de arranque. La

holgura debe ser generalmente 0,02-0,06 plg (0,5-1,5 mm).

10. Adicionar o quitar calzos de ajuste para ajustar la holgura, si es necesario.

11. Instalar la cubierta del volante.

12. Bajar el vehículo al piso.

13. Conectar al cable negativo de la batería.

Generalmente, adicionar calzos de ajuste si el motor de arranque "gimotea" después de la puesta en marcha del motor del automóvil; quitar calzos de ajustes si el motor de arranque "gime" sólo durante el arranque del motor.

1043

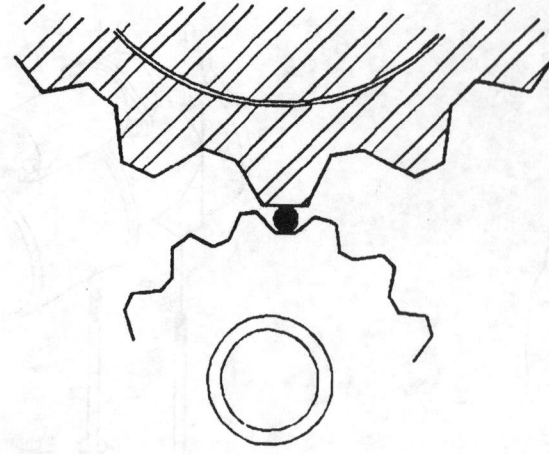

▲ Utilizar un calibrador de alambre (punto negro) para medir la holgura entre la punta del diente del volante (engranaje de arriba) y la parte inferior de los dientes del piñón del motor de arranque (engranaje de abajo)

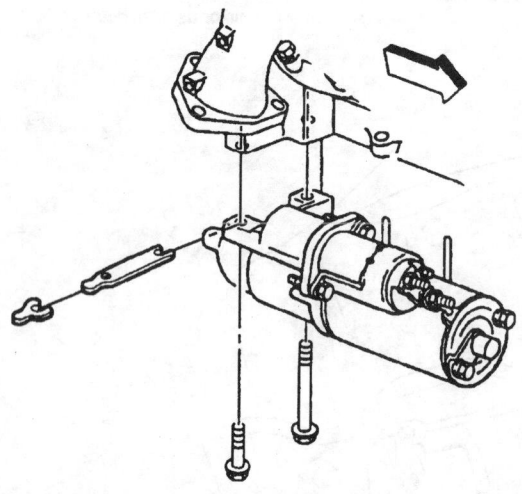

▲ Para ajustar la holgura del piñón se colocan calzos de ajuste entre la superficie de montaje del motor de arranque en el motor del automóvil y el motor de arranque

RELEVADOR DEL MOTOR DE ARRANQUE

➡ El relevador del motor de arranque se localiza usualmente en el panel de fusibles/relevadores. Dependiendo del fabricante, puede estar en el compartimiento del motor del automóvil, debajo del tablero de instrumentos o detrás de un panel de pedales. Consultar el manual del vehículo para la localización de la caja de fusibles/relevadores.

PRUEBA

➡ Cuando se prueben circuitos de automóviles modernos debe utilizarse un multímetro digital (DMM) de buena calidad con una impedancia de al menos 10 megohm-/voltios. Esos multímetros pueden detectar con precisión valores muy pequeños, de voltaje, corriente y resistencia. Este tipo de medidor tiene también una alta resistencia interna que no cargará el circuito que está siendo probado. Cargar el circuito provoca lecturas incorrectas y puede dañar los circuitos sensibles de la computadora.

1. Girar el encendido a OFF.
2. Desmontar los relevadores.
3. Localizar los dos terminales del relevador que están conectados al enrollado de la bobina. Comprobar la continuidad de la bobina del relevador. Conectar la punta negativa del metro al terminal 85 y la punta positiva del metro al terminal 86. Debe haber continuidad. Si no, sustituir el relevador.
4. Comprobar el funcionamiento de los contactos internos del relevador como sigue:
   a. Conectar las puntas del multímetro a los terminales 30 y 87. La polaridad del medidor no importa en este paso.
   b. Aplicar el voltaje positivo de la batería al terminal 86 y tierra al terminal 85. El relevador debe hacer "click" cuando los contactos sean arrastrados hacia la bobina y el medidor debe indicar continuidad. Reemplazar el relevador si los resultados son diferentes.

SOLENOIDE

PRUEBA

1. Desconectar el cable negativo de la batería.
2. Desmontar las conexiones eléctricas del solenoide del motor de arranque.
3. Utilizando una lámpara de pruebas autoalimentada o un ohmmímetro, comprobar la continuidad entre lo siguiente:
   • Terminal B del solenoide y la caja del solenoide o el terminal de tierra – sin continuidad.
   • Terminal S y la caja del solenoide o el terminal de tierra – continuidad.
   • Terminal S y terminal M – continuidad.
   • Terminal M y la caja del solenoide o el terminal de tierra – continuidad.
4. Si los resultados reales de la prueba son diferentes a los indicados, sustituir el solenoide del motor de arranque.

DESMONTAJE E INSTALACIÓN

➡ Este procedimiento es sólo para solenoides del motor de arranque montados

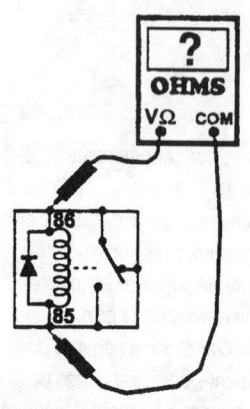

▲ Utilizar un ohmmímetro para comprobar la continuidad del circuito de la bobina en el relevador

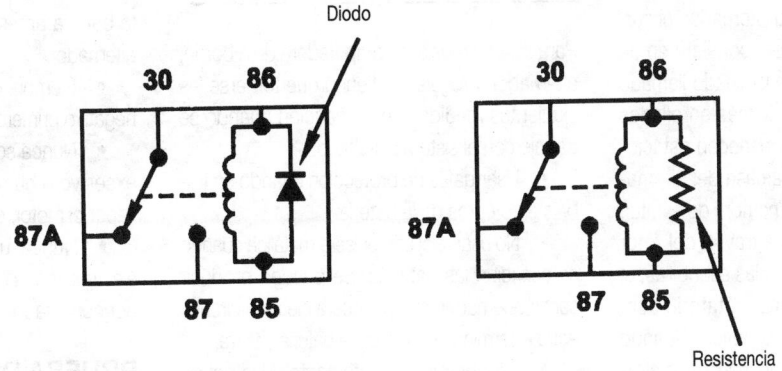

▲ Identificación de los terminales en los tipos más comunes de relevadores. Diodos y resistencias en el relevador evitan los picos de voltaje, inducidos cuando se interrumpe la corriente en la bobina, los cuales dañarían los componentes electrónicos

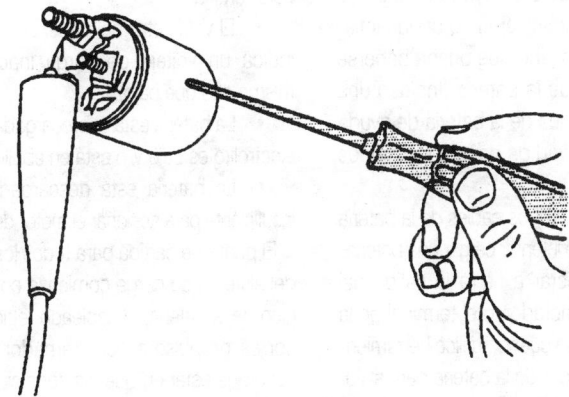

▲ Probando el bobinado interno del solenoide del motor de arranque con una lámpara de pruebas autoalimentada – Se muestra el solenoide montado en el motor de arranque

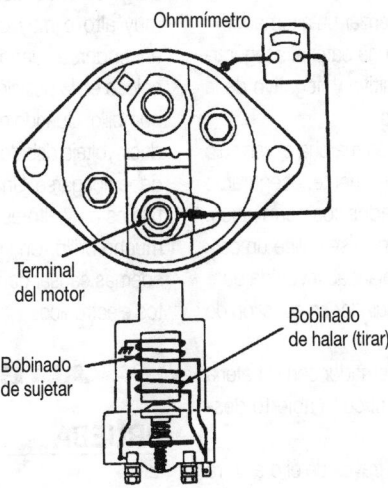

▲ Probando el bobinado interno del solenoide del motor de arranque con un ohmmímetro – Se muestra el solenoide montado externamente

externamente. Para solenoides montados en el motor de arranque, recomendamos sustituir el conjunto completo.

1. Desconectar el cable negativo de la batería.

2. Desmontar el cableado eléctrico del solenoide del motor de arranque. Etiquetar los cables y terminales correspondientes, si es necesario para la instalación.

3. Desmontar los pernos que fijan el solenoide al guardabarros o al muro antifuego.

4. Desmontar el solenoide.

Para instalar:

5. Limpiar el montaje del solenoide y el solenoide, para garantizar un buen contacto eléctrico.

6. Instalar el solenoide.

7. Conectar el cableado a los terminales correctos.

8. Conectar el cable negativo de la batería.

SISTEMA DE CARGA

INFORMACIÓN GENERAL

El sistema de carga típico tiene un alternador (generador), correa propulsora, batería, regulador de voltaje y el cableado asociado. El sistema de carga, como el sistema de arranque, es un circuito en serie con la batería conectada en paralelo. Después de puesto el motor en marcha y funcionando, el alternador pasa a ser la fuente de potencia y la batería se convierte en parte de la carga del sistema de carga.

Algunos fabricantes de vehículos utilizan el término generador en lugar de alternador.

Muchos años atrás había una diferencia, ahora ellos son uno y el mismo. El alternador, el cual es propulsado por la correa, consiste en un enrollado rotatorio de cable laminado llamado rotor. Rodeando el rotor hay más enrollados de cable laminado que permanecen estacionarios justo dentro de la carcasa del alternador. Así es como obtiene el nombre de estator. Cuando la corriente pasa a través del rotor hacia los anillos deslizantes y las escobillas, el rotor se convierte en un imán rotatorio con, por supuesto, un campo magnético. Cuando las líneas de fuerza del campo magnético atraviesan un conductor (el estator), se genera una corriente alterna (A/C). Esta corriente alterna (A/C) es rectificada, cambiándola a corriente directa (D/C) (continua), en los diodos localizados dentro del alternador.

El regulador de voltaje controla el voltaje de campo del alternador por medio de la conexión a tierra de un extremo del arrollamiento de campo muy rápidamente. La frecuencia varía de acuerdo con la demanda de corriente. Cuanto mayor sea la conexión a tierra del campo, mayor será el voltaje y la corriente generada por el alternador. El voltaje se mantiene estabilizado alrededor de 13,5-15 voltios. Durante las altas velocidades (rpm) del motor y bajas demandas de corriente, el regulador ajustará el voltaje de campo del alternador para disminuir el voltaje de salida del alternador. Por el contrario, cuando el vehículo está en marcha en vacío y la demanda de corriente puede ser alta, el regulador incrementa el voltaje de campo, incrementando la salida del alternador. Algunos vehículos, actualmente, desconectan el alternador durante los períodos sin carga y/o dejan el ahogador completamente abierto. Esto está diseñado para disminuir el consumo de combustible e incrementar la potencia. Dependiendo del fabricante, el regulador de voltaje se puede localizar en diferentes lugares, incluso dentro o sobre el alternador, en el guardabarros o en el muro antifuego, y hasta dentro del PCM (módulo de control de potencia).

Las correas propulsoras son, a menudo, examinadas cuando se diagnostica un fallo en el sistema de carga. Comprobar la tensión de la correa en la polea del alternador y sustituir/ajustar la correa. Una correa floja traerá como consecuencia una batería poco cargada e incapaz de poner en marcha el motor. Esto es especialmente cierto en condiciones de tiempo húmedo, en que la humedad provoca que la correa sea más resbaladiza.

PRECAUCIONES

Para evitar daños a la computadora de a bordo, alternador y regulador, tienen que tomarse las siguientes medidas de precaución cuando se trabaje con el sistema eléctrico:

- Usar gafas de protección cuando se trabaje en o cerca de la batería.
- No usar reloj con pulsera metálica cuando se servicien las baterías. Se pueden producir serias quemaduras si la pulsera cierra el circuito entre el terminal positivo de la batería y tierra.
- Asegurarse absolutamente de la polaridad de la batería de ayuda de emergencia, antes de hacer conexiones. Conectar el cable positivo con el positivo y el negativo con el negativo. Conectar el cable positivo primero; luego hacer la última conexión a tierra en la carrocería del vehículo de ayuda de manera que el arco eléctrico (chispa) no pueda inflamar el gas de hidrógeno que pueda haberse acumulado cerca de la batería. Incluso una conexión momentánea de la batería de ayuda con la polaridad invertida dañará los diodos del alternador.
- Desconectar ambos cables de la batería del vehículo antes de intentar cargar una batería.
- Nunca conectar a tierra la salida del alternador o del generador, o el terminal de la batería. Ser cauteloso cuando utilice herramientas metálicas alrededor de la batería para evitar crear un cortocircuito entre los terminales.
- Nunca conectar a tierra el circuito de campo entre el alternador y el regulador.
- Nunca accionar un alternador o generador sin carga a menos que esté desconectado el circuito de campo.
- Nunca intentar polarizar un alternador.
- Cuando se instale una batería, asegurarse de que los cables positivo y negativo de la batería no están invertidos.
- Cuando se ponga en marcha el vehículo con ayuda de un cable de puente, asegurarse de cómo están conectados los terminales. Aplicar esto también cuando se utilice un cargador de baterías. Una polaridad invertida quemará el alternador y el regulador en cuestión de segundos.
- Nunca operar el alternador con la batería desconectada o con un circuito abierto descontrolado.
- No cortocircuitar a través de él o a tierra ningún terminal del alternador o del regulador.
- No intentar polarizar el alternador.
- No aplicar el voltaje máximo de la batería al conector de campo (marrón).

- Siempre desconectar el cable a tierra de la batería antes de desconectar el borne del alternador.
- Siempre desconectar la batería (el cable negativo primero) cuando la vaya a cargar.
- Nunca someter el alternador a un calor excesivo o humedad. Si se está lavando con vapor el motor, cubrir el alternador.
- Nunca utilizar equipos de soldadura eléctrica (por arco) en el vehículo con el alternador conectado.

PRUEBA DEL SISTEMA

El sistema de carga debe ser inspeccionado si:

- El código de diagnóstico de problemas (DTC) está indicando el sistema de carga.
- La luz de aviso del sistema de carga está iluminada.
- El voltímetro del panel de instrumentos indica un voltaje de carga inadecuado (lo mismo alto que bajo).
- La batería está sobrecargada (el nivel del electrólito es bajo y/o está en ebullición).
- La batería está descargada (potencia insuficiente para accionar el motor de arranque).

El punto de partida para todos los problemas del sistema de carga comienza con la inspección de la batería, el cableado relacionado y la correa propulsora del alternador. La batería tiene que estar en buenas condiciones y completamente cargada antes de probar el sistema. Si el código de diagnóstico de problemas (DTC) lo indica, diagnosticar y reparar la causa del código de problemas primero.

Si la tiene, la luz de aviso del sistema de carga se encenderá si el voltaje de carga es muy alto o muy bajo. La luz de aviso debe encenderse cuando la llave del encendido se coloca en la posición ON, lo cual comprueba el bombillo. Cuando el alternador comienza a producir voltaje debido al arranque del motor, la luz debe apagarse. Una buena señal de que el voltaje es muy alto es que la luz se enciende con mucho brillo. Una sobrecarga también puede además causar daños a la batería y a los circuitos electrónicos.

ALTERNADOR

PRUEBA

➡ Antes de probarlo, asegurarse de que todas las conexiones y los pernos de montaje están limpios y apretados. Muchos problemas del sistema de carga están relacionados con terminales flojos y corroídos o malas conexiones a tierra. No descuidar la conexión a tierra del motor en la carrocería o la tensión de la correa propulsora del alternador.

Prueba de caída de voltaje

➡ **Cuando se prueben circuitos de automóviles modernos, debe utilizarse un multímetro digital de buena calidad, con al menos una impedancia de 10 megohm/voltios. Esos multímetros pueden detectar con precisión valores muy pequeños de voltaje, corriente y resistencia. Este tipo de medidor tiene también una alta resistencia interna que no cargará el circuito que está siendo probado. Cargar el circuito provoca lecturas incorrectas y puede dañar los circuitos sensibles de la computadora.**

1. Asegurarse de que la batería está en buenas condiciones y completamente cargada.

2. Ejecutar la prueba de caída de voltaje del lado positivo del circuito como sigue:

• Poner en marcha el motor y dejar que alcance su temperatura normal de funcionamiento.

• Encender las luces de carretera, la calefacción y las luces interiores.

• Llevar el motor sobre las 2500 rpm y mantenerlo ahí.

• Conectar la punta negativa (-) del voltímetro directamente con el terminal positivo (+) de la batería.

• Tocar la punta positiva (+) del voltímetro directamente con la clavija de conexión B+ de la salida del alternador, no con la tuerca. El multímetro debe leer un voltaje no mayor de alrededor de 0,5 voltios. Si lo hace, entonces hay una resistencia mayor de la normal entre el lado positivo de la batería y la salida B+ del alternador.

• Mover la punta positiva (+) del medidor a la tuerca y comparar el voltaje leído con la medición anterior. Si el voltaje leído cae sustancialmente, entonces hay resistencia entre el espárrago de conexión y la tuerca.

➡ **La teoría es mantener moviendo muy cerca del terminal de la batería una conexión a la vez con el objetivo de encontrar el área de alta resistencia (mala conexión).**

3. Ejecutar la prueba de caída de voltaje en el lado negativo del circuito como sigue:

a. Poner en marcha el motor y dejar que alcance su temperatura normal de funcionamiento.

b. Encender las luces de carretera, el motor del soplante de la calefacción y las luces interiores.

c. Llevar el motor sobre las 2500 rpm y mantenerlo ahí.

d. Conectar la punta negativa (-) del voltímetro directamente con el terminal negativo (-) de la batería.

e. Tocar la punta positiva (+) del voltímetro directamente con la carcasa del alternador o la conexión a tierra. El medidor debe leer un voltaje no mayor de alrededor de 0,3 voltios. Si lo hace, entonces hay una resistencia mayor de la normal entre el terminal a tierra de la batería y la tierra del alternador.

f. Mover la punta positiva (+) del medidor en el soporte de montaje del alternador; si el voltaje leído cae sustancialmente, entonces se sabe que hay una mala conexión eléctrica entre el alternador y el soporte de montaje.

➡ **La teoría es mantenerse moviendo cerca del terminal de la batería una conexión a la vez con el objetivo de encontrar un área de alta resistencia (mala conexión).**

Prueba de la corriente de salida

➡ **Cuando se prueben circuitos de automóviles modernos debe utilizarse**

un multímetro digital de buena calidad, con al menos una impedancia de 10 megohm/voltios. Esos multímetros pueden detectar con precisión valores muy pequeños de voltajes, corriente y resistencia. Este tipo de medidor tiene también una alta resistencia interna que no cargará el circuito que está siendo probado. Cargar el circuito provoca lecturas incorrectas y puede dañar los circuitos sensibles de la computadora.

1. Ejecutar la prueba de la corriente de salida como sigue:

➡ **La prueba de corriente de salida requiere el empleo de un comprobador de voltios/amperios con control de carga de la batería (reóstato) y un sensor (pinza) de corriente inductiva. Seguir las instrucciones del fabricante para el uso del equipo.**

a. Poner en marcha el motor y dejar que alcance su temperatura normal de funcionamiento.

b. Aplicar el freno de parqueo y apagar todos los accesorios eléctricos.

c. Conectar el comprobador a los terminales de la batería y los cables de acuerdo con las instrucciones.

d. Llevar el motor sobre las 2500 rpm y mantenerlo ahí.

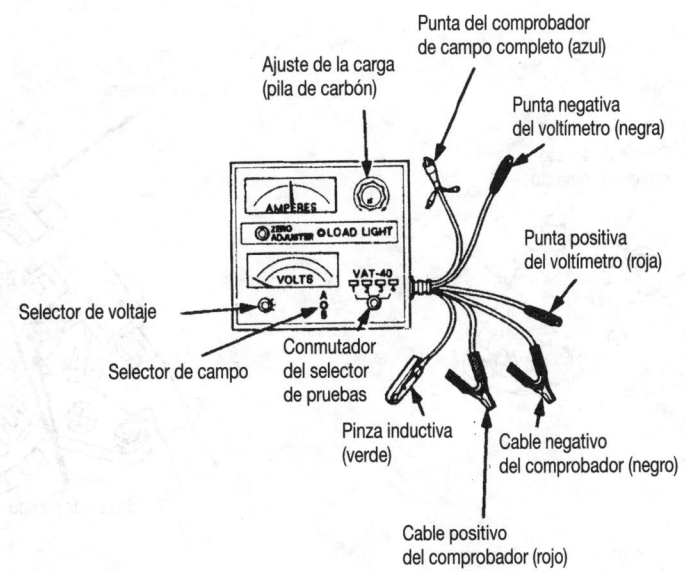

Ajuste de la carga (pila de carbón)

Punta del comprobador de campo completo (azul)

Punta negativa del voltímetro (negra)

Punta positiva del voltímetro (roja)

Selector de voltaje

Selector de campo

Conmutador del selector de pruebas

Pinza inductiva (verde)

Cable negativo del comprobador (negro)

Cable positivo del comprobador (rojo)

▲ Comprobador de sistemas de carga VAT-40. Hay disponibles muchos comprobadores similares, que funcionan igualmente bien

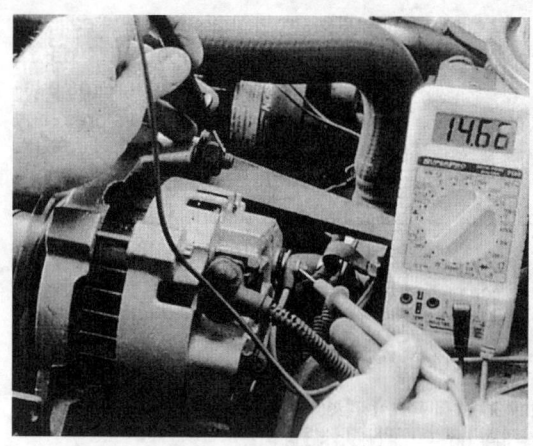

El voltaje de salida del alternador puede medirse rápidamente probando entre el terminal de la salida y una buena tierra

e. Aplicar una carga al sistema de carga con el reóstato del comprobador. No permitir que el voltaje caiga por debajo de los 12 voltios.

f. El alternador debe suministrar alrededor del 10 % de su potencia nominal. Si el amperaje no está dentro del 10 % y todos los demás componentes probados están bien, sustituir el alternador.

Prueba de aislamiento del alternador

➡ Cuando se prueben circuitos de automóviles modernos debe utilizarse un multímetro digital de buena calidad, con al menos una impedancia de 10 megohm/voltios. Esos medidores pueden detectar con precisión valores muy pequeños de voltajes, corriente y resistencia. Este tipo de medidor tiene también una alta resistencia interna que no cargaría el circuito que está siendo probado. Cargar el circuito provoca lecturas incorrectas y puede dañar los circuitos sensibles de la computadora.

En algunos modelos es posible aislar el alternador del regulador por medio de conectar a tierra el terminal F (campo). Conectando a tierra el terminal F se desvincula el regulador del circuito y obliga al alternador a suministrar toda su potencia. En alternadores equipados con reguladores internos, se recomienda sustituir el conjunto completo si alguno de los dos, el alternador o el regulador, está defectuoso.

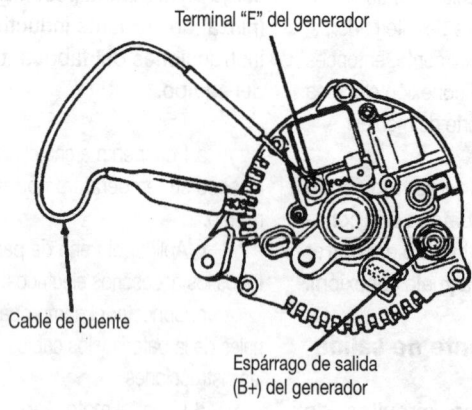

Terminal "F" del generador

Cable de puente

Espárrago de salida (B+) del generador

▲ Localización típica del terminal de campo Motorcraft en la parte trasera del alternador

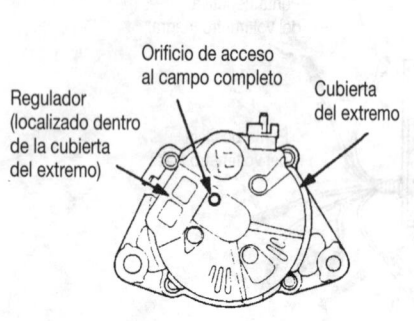

Regulador (localizado dentro de la cubierta del extremo)

Orificio de acceso al campo completo

Cubierta del extremo

▲ Localización típica del terminal de campo Nippondenso en la parte trasera del alternador

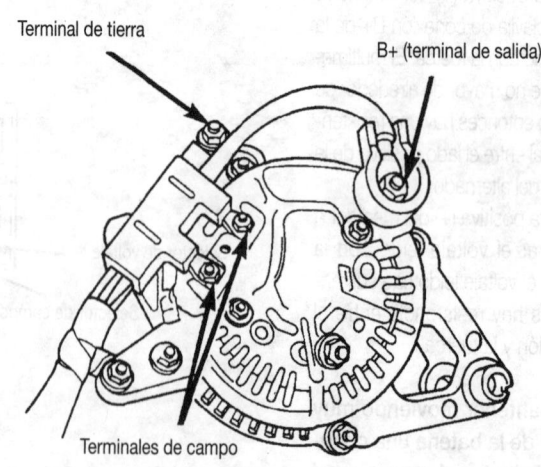

Terminal de tierra

B+ (terminal de salida)

Terminales de campo

▲ Localizaciones típicas de los terminales del alternador Mopar

▼ AVISO ▼

No permitir que el voltaje suba por encima de 18 voltios. Pueden ocurrir daños en el circuito eléctrico.

1. Conectar el voltímetro entre los terminales de la batería de manera que el voltímetro pueda ser monitoreado.

2. Poner en marcha el motor y dejar que alcance su temperatura normal de funcionamiento.

3. Conectar la pinza del cable de puente a una buena tierra.

4. Localizar el terminal de campo (negativo) en la parte trasera del alternador.

5. Momentáneamente, conectar el cable de puente a tierra al terminal de campo. Si el alternador está bien, el voltaje subirá rápidamente. Desconectar el cable de puente antes de que el voltaje de salida alcance los 18 voltios. Si el voltaje no sube, sustituir el alternador. Si el voltaje sube, entonces el regulador está mal.

➡ **Los modelos Chrysler tienen dos terminales de campo, uno positivo y otro negativo. El terminal positivo (+) tendrá presente el voltaje de la batería y el terminal negativo (-) tendrá 3-5 voltios menos. Conectar a tierra el terminal negativo (-) cuando se pruebe este tipo de alternador.**

DESMONTAJE E INSTALACIÓN

1. Desconectar el cable negativo de la batería.

2. Desmontar la correa propulsora de la polea del alternador.

➡ **En algunos casos puede ser más fácil desconectar el cableado después de que se haya desmontado el alternador. Asegurarse de que se sostiene el alternador con la mano mientras de desmonta el cableado.**

3. Desconectar el cableado del alternador.

4. Desmontar el alternador.

Para instalar:
➡ Si es necesario, acoplar el cableado al alternador antes de instalarlo.

5. Instalar el alternador y acoplar el cableado si no se ha hecho ya.

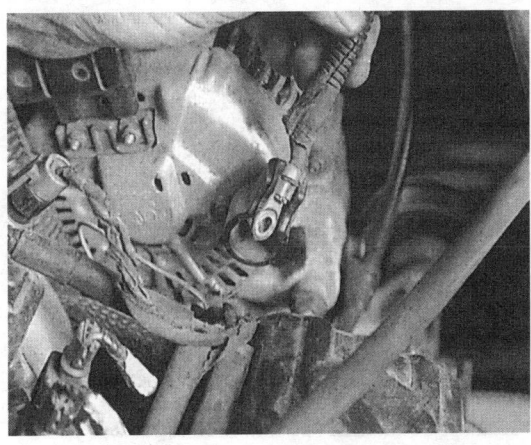

Para desmontar un alternador corriente, primero separar los terminales del cableado (si es posible)

Luego desatornillar los pernos de montaje del alternador (flechas)

Cuando se desmonten los pernos de montaje, asegurarse de retener todas las arandelas, espaciadores o tuercas para el montaje posterior

Si no fue posible antes, desconectar ahora todos los cableados pertinentes del alternador

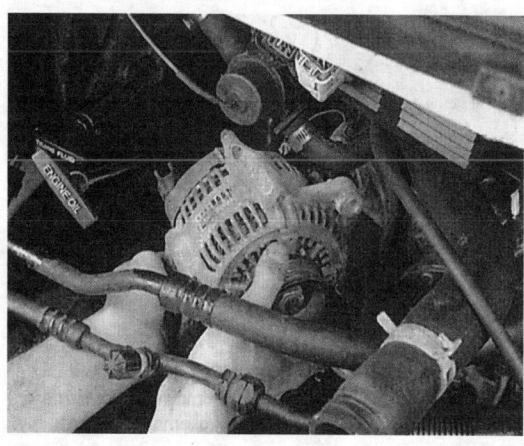

Finalmente, desmontar con cuidado el alternador del compartimiento del motor – A pesar de que no se muestra aquí, algunos alternadores tienen que sacarse por debajo del vehículo

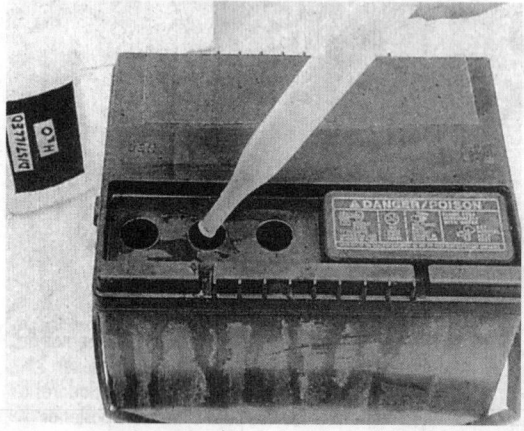

Si las celdas de la batería están bajas de fluido, llenarlas con agua destilada

6. Instalar la correa propulsora en la polea del alternador. Ajustar la correa si es necesario.

7. Conectar el cable negativo de la batería.

BATERÍA

PRUEBA

PRECAUCIÓN

Si la batería muestra señales de congelamiento, rajaduras, salideros, bornes flojos o bajo nivel del electrólito, no intentar probarla, cargarla o puntearla para arrancar. Pueden producirse arcos eléctricos internos y hacer que la batería explote. Sustituir siempre una batería que está dañada físicamente. Si sólo el nivel de agua es bajo y la batería puede ser rellenada, adicionar agua destilada hasta el nivel adecuado. Cuando se cargue, desconectar los cables de la batería; acoplar las conexiones a la batería primero; luego colocar el cargador en ON (conectarlo). Nunca desconectar el(los) cable(s) de la batería mientras el motor está en marcha. Cuando se servicie la batería usar siempre gafas de seguridad.

Prueba de la densidad específica del electrólito

El fluido (solución de ácido sulfúrico) contenido en las celdas de la batería dirá muchas cosas acerca del estado de la batería. Debido a que las placas de las celdas tienen que permanecer sumergidas por debajo del nivel del fluido para funcionar, mantener el nivel del fluido es sumamente importante, porque la densidad específica del electrólito es un indicador de la carga eléctrica. Comprobar el fluido puede ser una ayuda en la determinación de si la batería tiene que ser sustituida. Una batería en un vehículo cuyo sistema de carga funcione correctamente requiere poco mantenimiento, pero unas inspecciones periódicas y cuidadosas deben revelar problemas antes de que ellos nos dejen en la estacada.

Al menos una vez al año, comprobar la densidad del electrólito de la batería. Debe estar entre 1,2 y 1,26 en la escala de densidad. La mayoría de las tiendas de suministros para automóviles tienen una variedad de densímetros baratos para la prueba de baterías. Éstos

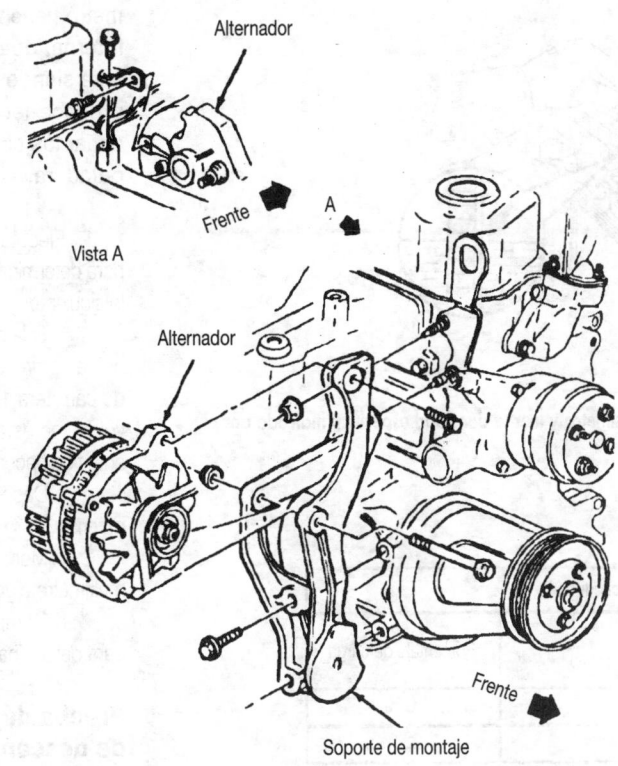

▲ **Ejemplo de montaje de un alternador típico, que utiliza una correa serpentina**

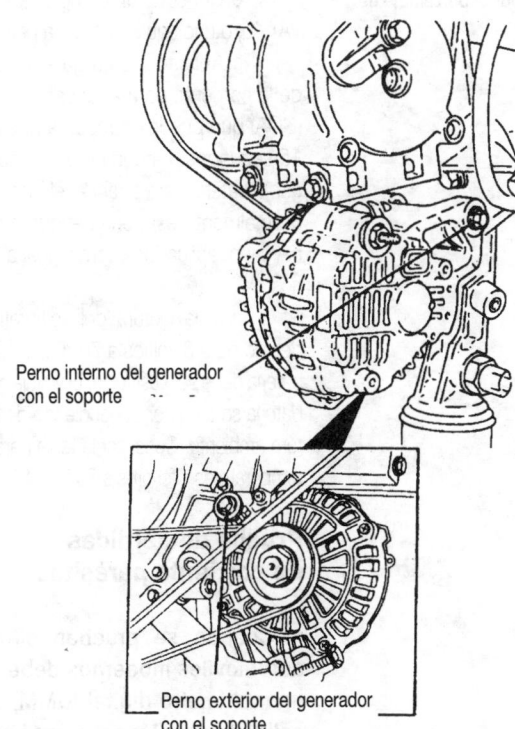

▲ **Ejemplo de montaje de un alternador corriente que utiliza una correa con perfil V**

pueden ser utilizados en cualquier batería no sellada para comprobar la densidad del electrólito en cada celda.

Succionar electrólito de la batería con el densímetro hasta que el flotador sea levantado de su asiento. Leer la densidad indicada por la posición del flotador. Si la densidad es baja en una o más celdas, la batería debe ser cargada lentamente y comprobada de nuevo para ver si la densidad ha subido. Generalmente, si después de cargarla, la densidad entre dos celdas cualesquiera varía más de 50 puntos (0,50), sustituir la batería, debido a que ya no puede producir el suficiente voltaje para garantizar un funcionamiento correcto.

Prueba de voltaje sin carga

➡ Cuando se prueben circuitos de automóviles modernos, debe utilizarse un multímetro digital (DMM) de buena calidad, con al menos una impedancia de 10 megohm/voltios. Esos multímetros pueden detectar con precisión valores muy pequeños de voltaje, corriente y resistencia. Este tipo de multí-

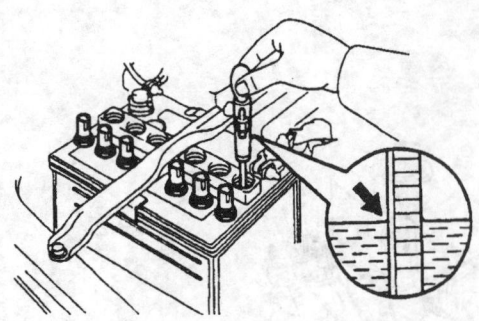

▲ Succionar fluido de la batería dentro del densímetro y leer la densidad específica indicada por el flotador dentro del comprobador

Voltaje a circuito abierto	
Voltios circuito abierto	Porcentaje de carga
11.7 Voltios o menos	0%
12.0 Voltios	25%
12.2 Voltios	50%
12.4 Voltios	75%
12.6 Voltios o más	100%

▲ Comparar los valores de voltaje reales medidos con estos valores para determinar el porcentaje de carga basándose en los resultados de la prueba sin carga

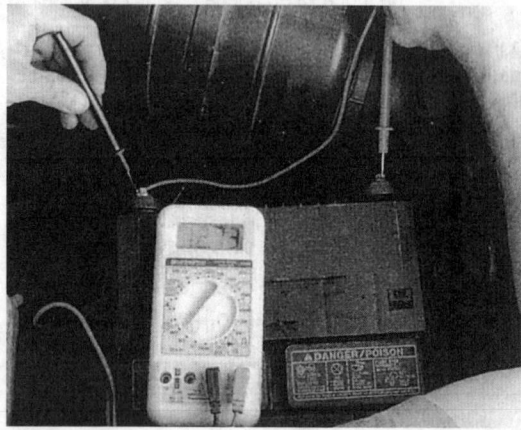

Utilizar un multímetro digital de alta calidad para medir el voltaje de la batería

metro tiene también una alta resistencia interna, que no cargará el circuito que está siendo probado. Cargar el circuito provoca lecturas incorrectas y puede dañar los circuitos sensibles de la computadora.

1. Ejecutar la prueba de voltaje sin carga para determinar el estado de la carga, haciendo lo siguiente:

a. Si la batería está recién cargada, eliminar la carga superficial encendiendo las luces de carretera 15 segundos; luego dejar que el voltaje se estabilice alrededor de 5 minutos, antes de hacer alguna medición.

b. Desconectar el cable negativo de la batería.

c. Medir el voltaje de la batería con un multímetro digital.

d. Comparar las lecturas con la tabla para determinar el estado de la carga.

Prueba de alta capacidad de descarga

1. Ejecutar la prueba de alta capacidad de descarga para determinar la capacidad de mover el motor del vehículo con el motor de arranque, como sigue:

a. Cargar completamente la batería.

b. Conectar un comprobador de carga VAT-40, o uno equivalente, a la batería.

c. Aplicar una carga equivalente a $1/2$ de la corriente para arrancar el motor en frío (CCA) que puede entregar la batería durante 15 segundos. La corriente que puede entregar la batería para arrancar el motor frío (CCA) normalmente está en la etiqueta de la batería; si no, aplicar una carga igual a 200 amperios.

d. Si la lectura del voltímetro cae por debajo de 9,6 voltios a 70 °F (21 °C) o más, la batería debe ser sustituida. El voltaje mínimo de la batería será menor dependiendo de la temperatura ambiente. Consultar la tabla para pruebas a temperaturas inferiores a 70 °F (21 °C).

Prueba de pérdidas de corriente parásitas

➡ Cuando se prueben circuitos de automóviles modernos debe utilizarse un multímetro digital (DMM) de buena calidad, con al menos una impedancia de 10 megohm/voltios. Esos multímetros pueden detectar con precisión

Temperatura de la prueba de carga		
Voltaje mínimo	Temperatura	
	°F	°C
9.6	70° y más	21° y más
9.5	60°	16°
9.4	50°	10°
9.3	40°	4°
9.1	30°	-1°
8.9	20°	-7°
8.7	10°	-12°
8.5	0°	-18°

▲ **Tabla de voltaje mínimo/temperatura de la prueba de alta capacidad de descarga**

valores muy pequeños de voltaje, corriente y resistencia. Este tipo de multímetro tiene también una alta resistencia interna que no cargará el circuito que está siendo probado. Cargar el circuito provoca lecturas incorrectas y puede dañar los circuitos sensibles de la computadora.

Esta prueba mide la cantidad de corriente que el vehículo "pierde" mientras está parqueado y no funcionando. Una pequeña cantidad de corriente debe circular para algunas cosas, como la memoria de la computadora de a bordo, el control automático de la climatización, el reloj y las memorizaciones de las estaciones de radio. Si hay un cortocircuito en el sistema eléctrico del vehículo o algo se ha quedado conectado, el exceso de corriente que se "pierde" podrá, con el tiempo, descargar la batería y hacer que ésta no sea capaz de poner en marcha el motor.

1. Asegurarse de que todos los accesorios están apagados (OFF). Desconectar el cable negativo de la batería.

2. Instalar un interruptor de desconexión rápida de la batería (como el interruptor de prueba de pérdidas de corriente parásitas GM J 38758) entre el cable negativo y el terminal negativo de la batería. El interruptor de desconexión de la batería se accionará en la mayor parte de los casos.

3. Probar el vehículo en carretera mientras se encienden todos los accesorios, incluso la radio y el aire acondicionado. Luego apagar todos los accesorios.

4. Apagar el vehículo (OFF) y abrir el capó.

5. Si la tiene, desconectar la luz del compartimiento del motor.

6. Dejar aproximadamente 20 minutos para que el sistema computarizado del vehículo se desenergice completamente.

7. Conectar un extremo terminal del cable de puente con un fusible de 10 amperios en el lado del interruptor de desconexión rápida, lo más cerca posible del terminal negativo de la batería. Asegurarse de que el cable de puente está sobre la parte metálica del interruptor.

8. Conectar el extremo terminal restante del cable de puente con el otro lado del interruptor, lo más cerca posible del cable negativo de la batería.

▼ AVISO ▼
No conectar el multímetro al circuito, si están circulando más de 10 amperios. Puede dañarse el multímetro.

9. Abrir el interruptor de manera que toda la corriente circule a través del cable de puente con el fusible de 10 amperios. Si el fusible se quema, hay más de 10 amperios circulando en el circuito. Esto indica que un componente se quedó conectado (luz de la guantera u otro accesorio) o hay un cortocircuito en el sistema eléctrico. Buscar y corregir la causa que provoca la circulación de esta alta corriente; luego continuar con esta prueba.

10. Si el fusible no se quema, cerrar el interruptor de desconexión y desmontar el cable de puente.

11. Ajustar el multímetro para leer 10 amperios.

12. Conectar las puntas del multímetro en lugar del cable de puente utilizado previamente. Cuando el interruptor esté abierto, la corriente circulará a través del multímetro.

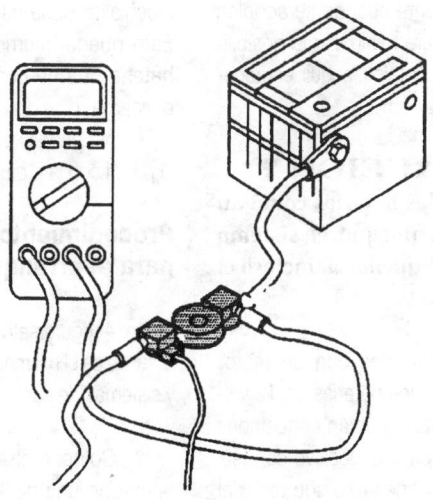

▲ **Antes de comenzar la prueba de consumos parásitos, instalar un interruptor de desconexión de baterías entre el cable negativo de la batería y el terminal de la batería, como se muestra**

13. La corriente que circula ahora debe estar por debajo de 2 amperios. Si no, algo se ha quedado encendido en el vehículo. Buscar la causa y corregirla. Cuando la corriente sea menor de 2 amperios, ajustar el medidor a la escala de 2 amperios. Esto permitirá medir pequeñas cantidades de corriente.

▼ AVISO ▼

No abrir la puerta del vehículo. Al encenderse las luces interiores quemarán el fusible del medidor mientras esté en la escala de 2 amperios.

14. Una circulación normal de corriente debe ser menor que $1/4$ de la capacidad de reserva eléctrica de la batería. Si la capacidad de reserva se desconoce, la corriente que circula normalmente estará en el rango de 0.005-0.040 amperios, dependiendo del tipo y la cantidad del equipamiento del vehículo.

➡ **La capacidad de reserva es la cantidad de tiempo, en minutos, que demora el voltaje de la batería en caer debajo de 10.5 voltios a un régimen de descarga de 25 amperios a 80 °F (26,7 °C). En la mayoría de los casos, este número se puede encontrar en la etiqueta de la batería.**

15. Si la corriente perdida es mayor que la especificada, quitar fusibles y/o desconectar componentes hasta que se encuentre el problema. No descuidar las conexiones del alternador.

DESMONTAJE E INSTALACIÓN

➡ **En algunos vehículos, la desconexión del cable negativo de la batería puede interferir en el funcionamiento del sistema computarizado de a bordo y puede requerir someter a la computadora a un proceso de reprogramación, una vez reconectado el cable negativo de la batería.**

1. Girar la llave de encendido a la posición OFF.

2. Desconectar el cable negativo primero. En algunos vehículos es necesario desmontar primero una cubierta o un panel de guarnición.

3. Desconectar el cable positivo de la batería.

4. Desmontar la sujeción de la batería.

➡ **Una banda o dispositivo de sujeción de batería puede hacer el desmontaje o instalación de la batería mucho más fácil. En algunos casos puede ser difícil colocar las manos debajo de la batería.**

Para instalar:

5. Colocar la batería en el vehículo. Prestar atención a la localización de los terminales.

6. Instalar la sujeción de la batería. Una batería floja puede causar un incendio en el vehículo o graves daños al sistema eléctrico.

7. Limpiar los terminales y conectar primero el cable positivo de la batería, luego el cable negativo.

8. Si lo tiene, instalar el panel de guarnición o la cubierta.

PUENTEAR PARA EL ARRANQUE UNA BATERÍA TOTALMENTE DESCARGADA

Siempre que el vehículo se ponga en marcha con un puente, tienen que seguirse precauciones con el objetivo de evitar la posibilidad de daños personales. Recordar que las baterías contienen una pequeña cantidad de gas hidrógeno explosivo, el cual es producto de la carga de la batería. Siempre deben evitarse las chispas cuando se trabaje alrededor de baterías, especialmente cuando se acoplen cables de puente. Para minimizar la posibilidad de chispas accidentales, seguir el procedimiento con cuidado.

▼ PRECAUCIÓN ▼

¡Nunca conectar las baterías como un circuito en serie porque el sistema eléctrico entero se quemará, incluso el motor de arranque!

Los vehículos equipados con un motor Diesel pueden utilizar dos baterías de 12 voltios. Si es así, las baterías están conectadas en circuito paralelo (terminal positivo con terminal positivo, terminal negativo con terminal negativo). Conectar las baterías en circuito paralelo incrementa la potencia de arranque del vehículo sin aumentar el voltaje total de salida de las baterías. El voltaje de salida permanece en 12 voltios. Por otra parte, conectar dos baterías de 12 voltios en circuito serie (terminal positivo con terminal negativo y terminal positivo con terminal negativo) aumenta el voltaje total de salida de las baterías a 24 voltios (12 voltios más 12 voltios).

Precauciones para el arranque mediante cables de puente

Para evitar daños personales y/o daños al vehículo, por favor, leer todas las precauciones siguientes antes de puentear para el arranque una batería descargada:

• ¡Nunca conectar las baterías en circuito serie o el sistema eléctrico entero se quemará, incluido el motor de arranque!

• Asegurarse de que ambas baterías son del mismo voltaje. Los vehículos relacionados en este manual y la mayoría de los vehículos en la calle utilizan actualmente un sistema de carga de 12 voltios.

• Asegurarse de que ambas baterías tienen la misma polaridad (tener el mismo terminal; en la mayoría de los casos, el NEGATIVO a tierra).

• Asegurarse de que los vehículos no se toquen, de otra manera puede ocurrir un cortocircuito.

• En baterías serviciables, asegurarse de que los orificios respiraderos de los tapones no estén obstruidos.

• No fumar o permitir chispas de cualquier parte cerca de las baterías.

• En tiempo frío, asegurarse de que el electrólito de la batería no está congelado. Esto puede ocurrir más fácilmente en una batería que ha permanecido en estado de descarga.

• No permitir contacto del electrólito con la piel ni con la ropa.

Procedimiento de puenteado para el arranque

1. Asegurarse de que el voltaje de las dos baterías es el mismo. La mayoría de las baterías y sistemas de carga son de la modalidad de 12 voltios.

2. Colocar el vehículo con la batería buena en una posición de manera que los cables de puente puedan alcanzar la batería descargada en el compartimento del motor del vehículo. Asegurarse de que los vehículos NO SE toquen.

➡ En los vehículos en que la batería está situada en el guardabarros u otra posición que dificulte la conexión de los cables de puente, están normalmente previstos unos terminales remotos de conexión de energía. Estos terminales de conexión están localizados en el compartimiento del motor. Si éste es el caso, utilizar los terminales remotos en lugar de los terminales de la batería.

3. Colocar las transmisiones/cajas de cambio de ambos vehículos en Neutral, transmisiones manuales, o P (parqueo), transmisiones automáticas, según corresponda; luego aplicar firmemente sus frenos de parqueo.

➡ Si es necesario, por razones de seguridad, las luces de avería o emergencia (ambos intermitentes simultáneamente) de ambos vehículos pueden encenderse a lo largo de todo el proceso sin que esto incremente significativamente la dificultad de puenteado de la batería agotada.

4. Apagar todas las luces y accesorios en ambos vehículos. Asegurarse de que los interruptores de encendido de ambos vehículos están en OFF.

5. Cubrir los tapones de las celdas de las baterías con un paño, pero no cubrir los terminales.

6. Asegurarse de que los terminales de ambas baterías están limpios y libres de corrosión, de otra manera se impediría una conexión eléctrica correcta. Si es necesario, limpiar los terminales de la batería antes de proceder.

7. Identificar el terminal positivo (+) y el negativo (-) en ambas baterías.

8. Conectar el primer cable de puente al terminal positivo (+) de la batería descargada; luego acoplar el otro extremo de ese cable al terminal positivo (+) de la batería de ayuda (buena).

9. Conectar la pinza del cable de puente negativo al terminal negativo (-) de la batería buena y la otra pinza del cable a un perno de la culata del motor, soporte del alternador u otro punto sólido, metálico en el motor de la batería descargada. Tratar de escoger una tierra en el motor, que esté localizada lejos de la batería con el objetivo de minimizar la posibilidad de explosión debido a las chispas creadas cuando se hace la última conexión. NO conectar esa pinza al terminal negativo de la batería mala.

▼ AVISO ▼

Ser muy cuidadoso en mantener los cables puentes alejados de las partes móviles (ventilador de la refrigeración, correas, etc.) en ambos motores.

10. Asegurarse de que los cables se hacen pasar lejos de cualquier parte móvil; luego poner en marcha el motor del vehículo donante. Dejar que el motor funcione a una velocidad moderada durante varios minutos para darle la oportunidad a la batería muerta de recibir alguna carga inicial.

11. Con el motor del vehículo donante aún en marcha ligeramente por encima de la marcha en vacío o mínima, intentar poner en marcha el motor del vehículo de la batería agotada. Arrancar el motor durante no más de 10 segundos cada vez y dejar que el motor de arranque se enfríe por al menos 20 segundos entre cada intento. Si el motor del vehículo no se pone en marcha en 3 intentos, es muy probable que también esté mal otra cosa o que la batería necesite más tiempo para cargarse.

12. Una vez arrancado el vehículo, dejarlo en marcha mínima por unos segundos, para asegurarse de que funciona correctamente.

13. Encender las luces de carretera, el soplador de la calefacción y, si lo tiene, el calefactor del parabrisas trasero (luneta térmica) de ambos vehículos, con el objetivo de reducir la severidad de los picos de voltaje y el subsecuente riesgo de daño a los sistemas eléctricos de los vehículos cuando se desconecten los cables. Este paso es especialmente importante en vehículos equipados con módulos de control computarizados.

14. Desmontar con cuidado los cables en el orden inverso a la conexión. Comenzar con el cable negativo que está acoplado a la tierra del motor, luego el cable negativo en la batería donante. Desconectar el cable positivo de la batería donante y, finalmente, desconectar el cable positivo de la anteriormente batería descargada. Tener cuidado cuando se desconecten los cables de los terminales positivos de no dejar que sus pinzas toquen cualquier parte de metal de alguno de los

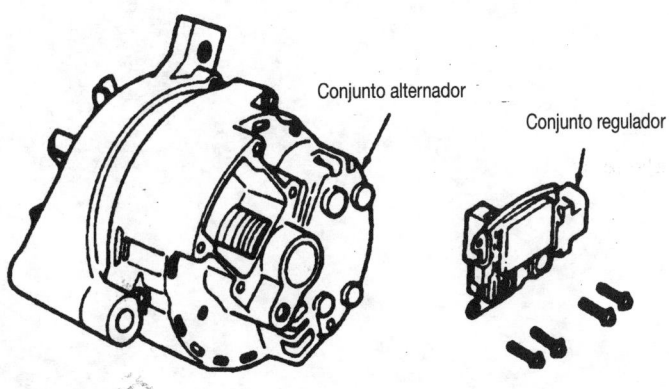

Conjunto alternador

Conjunto regulador

▲ Los reguladores típicos Motocraft están montados en la caja exterior del alternador

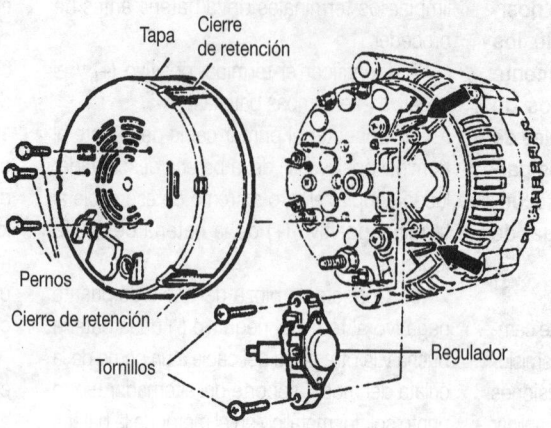

Tapa · Cierre de retención

Pernos

Cierre de retención

Tornillos

Regulador

▲ El regulador en un alternador Bosch corriente está montado debajo de la tapa, en la parte trasera del alternador

vehículos u ocurrirá un cortocircuito y las consiguientes chispas.

REGULADOR DE VOLTAJE

PRUEBA

➡ La mayoría de los reguladores están integrados (construidos en el interior) en el alternador o en el módulo de control del tren de transmisión (PCM). Si el regulador está defectuoso en estos modelos, el alternador o el módulo de control del tren de transmisión (PCM) deben ser sustituidos.

Para la prueba del regulador de voltaje, consultar la prueba de Aislamiento del Alternador.

DESMONTAJE E INSTALACIÓN

➡ El procedimiento siguiente es sólo para reguladores de voltaje montados en la parte trasera (exterior) del alternador o en otra parte del compartimiento del motor.

1. Desconectar el cable negativo de la batería.
2. Si lo tiene, desmontar la tapa exterior del alternador para descubrir el regulador. No de-

sarmar la carcasa del alternador que alberga el rotor y el estator.

3. Si lo tiene, desconectar el conector eléctrico del regulador.
4. Desmontar los tornillos de montaje del regulador y desmontar el regulador.

Para instalar:

5. Colocar el regulador en su posición original e instalar los tornillos de montaje.
6. Conectar cualquier cableado que fuera desmontado del regulador.
7. Si la tiene, instalar la tapa.
8. Conectar el cable negativo de la batería.

EJES PROPULSORES, JUNTAS U Y FUELLES DE LAS JUNTAS VC

19

EJES PROPULSORES, JUNTAS U
Y FUELLES DE LA JUNTA VC 1058

Ejes propulsores o de transmisión 1058
   Información general.................... 1058
   Desmontaje e instalación 1059
   Equilibrado......................... 1061
Juntas universales (juntas U) 1062
   Información general.................... 1062
   Inspección 1063
   Revisión 1063

Fundas de las juntas
   de velocidad constante (VC) 1066
   Inspección 1066
   Sustitución.......................... 1067
   Fuelle exterior 1068
   Fuelle interior........................ 1070

EJES PROPULSORES, JUNTAS U Y FUELLES DE LAS JUNTAS VC

EJES PROPULSORES O DE TRANSMISIÓN

➡ El término "eje propulsor de transmisión" no hace referencia a los semiejes (a menudo denominados ejes de transmisión por diversos fabricantes), que se usan en los vehículos con tracción en las ruedas delanteras.

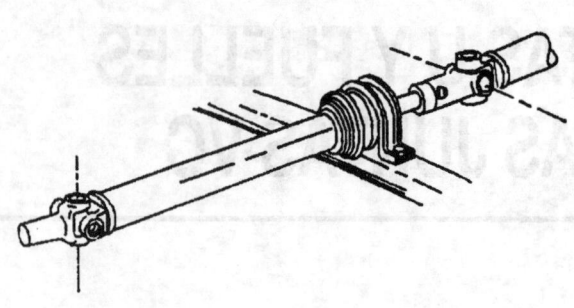

▲ Las horquillas de articulación en cada extremo del eje de transmisión deben estar en fase para prevenir la vibración

INFORMACIÓN GENERAL

El eje de transmisión es un tubo largo de acero utilizado para transmitir energía de la transmisión al diferencial trasero y, en vehículos con tracción a 4 ruedas (4WD), de la caja de transferencia al diferencial delantero. Localizada en ambos extremos del eje de transmisión hay una junta universal (junta U), que está ideada para transmitir energía de torsión a muchos ángulos diferentes (dentro de los límites proyectados) para dar movimiento al eje trasero. Lo más cerca posible de la transmisión o de la caja de transferencia, la junta U tiene acoplada una junta deslizante. El eje está diseñado con horquillas de articulación en cada extremo, que están mutuamente en línea para producir la marcha del eje lo más suave posible.

Antes del desensamblaje, hacer marcas de alineación en la junta U y en el eje para prevenir la posible vibración cuando se ensamble

Desde que los vehículos pueden adquirirse tanto con 2WD como con 4WD, y en diversas combinaciones (modelos de dos y cuatro puertas), se han de emplear diversos tipos de ejes de transmisión. Algunos modelos estarán equipados con un eje de transmisión trasero de una pieza, mientras que otros modelos tienen un eje de transmisión trasero de dos piezas que utiliza un cojinete de soporte central. La mayoría de los vehículos 4WD están equipados con un eje delantero que es de tipo telescópico de dos piezas con estrías internas. Esta unión permite cambiar la longitud del eje cuando el vehículo se conduce sobre baches o cuando varía la carga del vehículo.

Debido a que algunos vehículos incluidos en este manual utilizan ejes de 2 piezas y horquillas de articulación estriadas, es posible

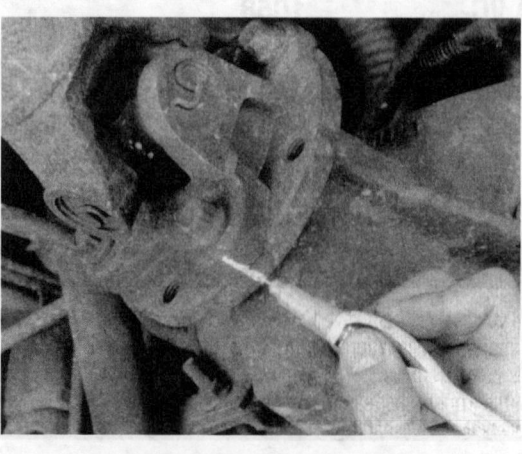

En este tipo de eje de transmisión, realizar marcas de alineación de una a otra brida de manera que puedan instalarse en la misma posición

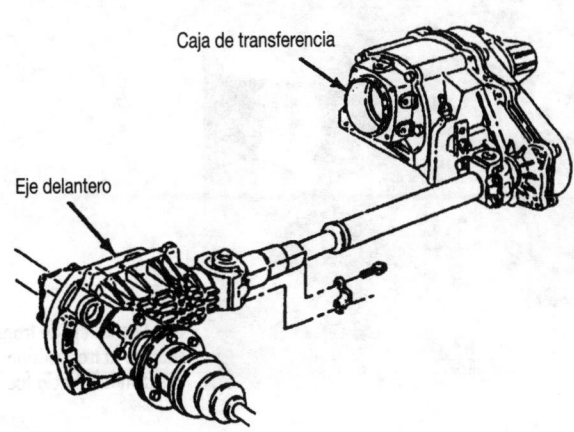

▲ **Conjunto usual de eje de transmisión delantero**

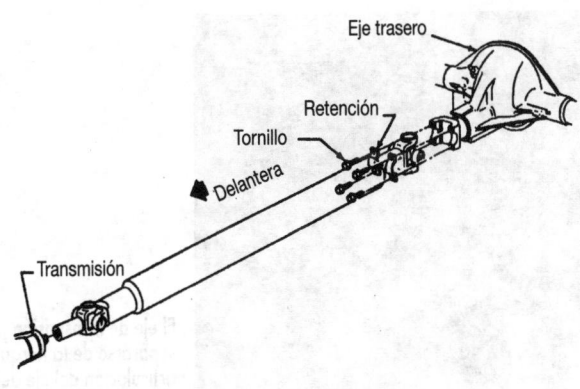

▲ **Conjunto típico de eje de transmisión trasero de una pieza**

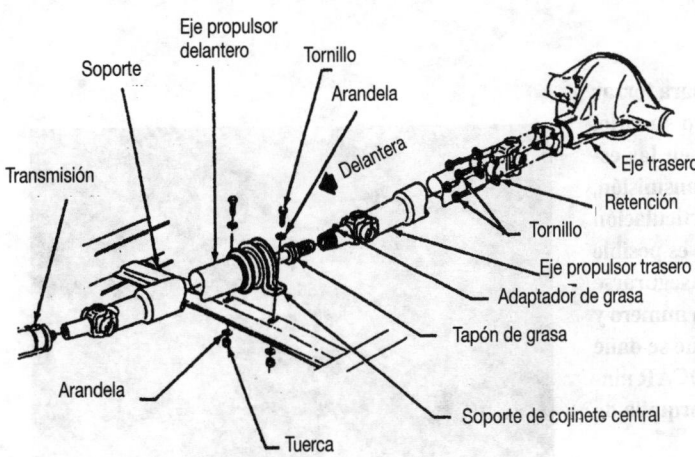

▲ **Conjunto típico de eje de transmisión trasero de dos piezas con soporte de cojinete central**

reinstalar el eje incorrectamente o «desfasado», lo cual podría producir vibraciones. Para prevenir esto, muchos de estos vehículos utilizan una horquilla de articulación deslizante enchavetada, pero NO exponerse a una instalación incorrecta. Antes del desmontaje, marcar SIEMPRE los extremos del eje en las horquillas de articulación.

En la parte delantera de los ejes de transmisión traseros de una o dos piezas, la junta U conecta el eje de transmisión a la horquilla de articulación de la junta deslizante. Esta horquilla de articulación está estriada internamente y permite que el eje de transmisión se mueva hacia dentro y hacia fuera de las estrías de la transmisión (una pieza) o de las estrías del eje (dos piezas). La parte trasera del eje de transmisión de una o de dos piezas está acoplada al diferencial; en algunos vehículos la junta U debe ser fijada o atornillada a la horquilla de articulación en el eje del piñón; en otros vehículos el eje de transmisión termina con una brida que se atornilla a la brida del piñón en el diferencial.

DESMONTAJE E INSTALACIÓN

Eje de transmisión trasero

1. Marcar la posición relativa del eje de transmisión con la brida del piñón o con la horquilla de articulación y desconectar la junta universal trasera del diferencial sacando los tornillos. Si las tazas del cojinete están sueltas, envolver cinta alrededor de la junta universal para prevenir que las tazas se separen.

2. Si está equipado con un eje de transmisión de una pieza, realizar los pasos siguientes:

a. Deslizar el eje de transmisión trasero hacia delante, para desacoplarlo de la brida o de la horquilla de articulación del eje trasero.

b. Mover el eje de transmisión hacia atrás para desacoplarlo de la junta deslizante de la transmisión, pasándolo por debajo del cuerpo del eje.

3. Si está equipado con un eje de transmisión de dos piezas, realizar los pasos siguientes:

a. Deslizar el eje de transmisión hacia delante para desacoplarlo de la brida o de la horquilla de articulación del eje trasero.

b. Deslizar el eje de transmisión hacia atrás para desacoplarlo de la junta deslizante del eje de transmisión delantero, pasándolo por debajo del cuerpo del eje.

c. Sacar las tuercas y los tornillos del cojinete central al soporte.

d. Deslizar el eje de transmisión delantero hacia atrás para desacoplarlo de la junta deslizante de la caja de transferencia.

➡ NO permitir que el eje de transmisión cuelgue por la junta U o se doble por los ángulos extremos, porque ello podría dañar la junta U. Durante el desmontaje, soportar, si es necesario, el eje de transmisión con alambre.

Para instalar:

4. Examinar si la junta deslizante está dañada o gastada y si tiene rebabas, dado que ello puede dañar el sello de aceite de la transmisión. Aplicar aceite de motor a todas las juntas estriadas del eje de transmisión.

▼ AVISO ▼

NO UTILIZAR un martillo para forzar al eje de transmisión dentro su sitio. Comprobar si hay rebabas en las estrías del eje de salida de la transmisión, estrías de las horquillas de articulación de deslizamiento torcidas o si es posible que la junta U sea errónea. Asegurarse de que las estrías coinciden en número y adecuación. Para prevenir que se dañe el sello del muñón, NO COLOCAR ninguna herramienta entre la horquilla de articulación y las estrías.

5. Si se instala un eje de transmisión de una pieza, realizar los pasos siguientes:

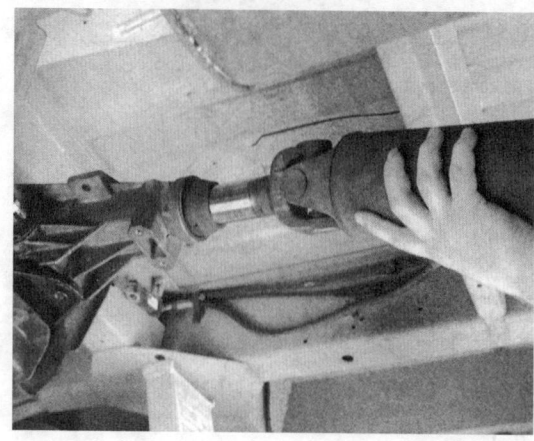

Este tipo de eje de transmisión se saca de la transmisión simplemente deslizándolo hacia fuera

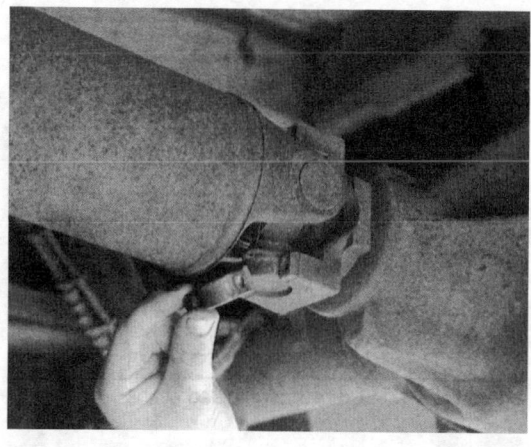

El eje de transmisión puede separarse de la horquilla de articulación del eje del piñón después de sacar los cuatro tornillos y dos soportes

En este eje de transmisión la junta U está acoplada a la horquilla de articulación del piñón por dos pequeños soportes y cuatro tornillos

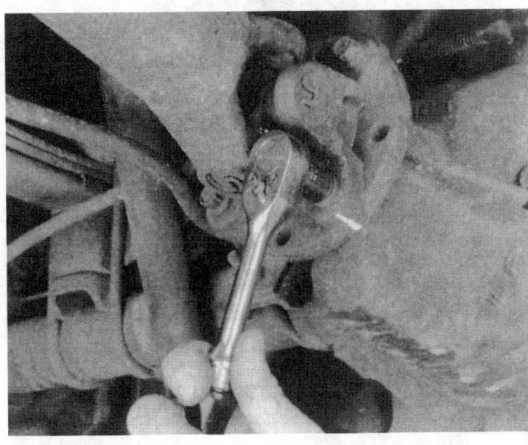

Este tipo de eje de transmisión está acoplado a la brida del piñón con cuatro tornillos y tuercas

a. Acoplar el eje de transmisión a la transmisión.

b. Alinear la junta U trasera con la brida del piñón del eje trasero, asegurándose de que los cojinetes están asentados correctamente en la horquilla de articulación de la brida del piñón.

c. Instalar el eje de transmisión trasero en la brida del piñón. Apretar las sujeciones con seguridad.

6. Si se instala un eje de transmisión de dos piezas, realizar los pasos siguientes:

a. Instalar el eje de transmisión delantero en la transmisión y atornillar el cojinete central en el soporte. Apretar las tuercas y los tornillos con seguridad.

➡ Antes de instalarse en el soporte, la horquilla de articulación del eje de transmisión delantero debe estar metida hasta el fondo dentro de la transmisión (totalmente hacia delante).

b. Girar el eje de manera que el muñón de la junta U delantera esté en la posición correcta.

➡ Antes de instalar el eje de transmisión delantero, alinear los muñones de la junta U (una "chaveta" en la estría de salida del eje de transmisión delantero se alineará con una estría perdida en la horquilla de articulación trasera).

c. Acoplar la junta U trasera en la brida del eje. Apretar los retenes con seguridad.

7. Probar el vehículo en carretera.

Eje de transmisión delantero

1. Levantar y soportar con seguridad el vehículo.

2. Colocar marcas en las bridas delanteras y traseras (si está equipado así), de manera que el eje de transmisión pueda instalarse en su posición original.

3. Sacar las sujeciones que acoplan el eje de transmisión en el diferencial. Suspender con alambre el eje de transmisión para evitar que cuelgue de la junta U y ésta se sobreestire.

4. Sacar la sujeciones que acoplan el eje de transmisión a la caja de transferencia y sacar el eje de transmisión.

Para instalar:

5. Alinear las marcas e instalar el eje de transmisión en la caja de transferencia. Apretar las sujeciones de manera uniforme y con seguridad.

6. Alinear las marcas y conectar el eje de transmisión al diferencial. Apretar las sujeciones de manera uniforme y con seguridad.

7. Bajar el vehículo al suelo.

EQUILIBRADO

El procedimiento siguiente se utiliza para ayudar a eliminar la más mínima vibración de eje de transmisión, de un eje de transmisión por lo demás bueno.

Antes de intentarlo, examinar si el eje de transmisión tiene daños, como abolladuras y deformaciones. Los ejes de transmisión están sujetos a grandes esfuerzos de torsión que literalmente lo pueden torcer. Comprobar también si hay contrapesos perdidos que puedan haber sido desprendidos por golpes del eje. Si el eje está deformado, sustituirlo. Si parece haberse perdido algún contrapeso, llevar el eje de transmisión a un taller de reparación de máquinas que esté equipado para equilibrar el eje y repararlo. Típicamente los ejes de transmisión giran a velocidades de 2 ½ a 4 veces más deprisa que el eje trasero; no utilizar un eje de transmisión dañado.

Esta clase de equilibrado se realiza instalando una o dos abrazaderas de manguera cerca del extremo del eje de transmisión más cercano al eje propulsor. Para determinar la posición de la/s abrazadera/s se utiliza el método de tanteo. El método de tanteo se usa para

Localización de averías de problemas básicos del eje de transmisión y del eje trasero

Cuando se detectan vibraciones o ruidos anormales en la zona del eje de transmisión, puede utilizarse esta tabla para ayudar a diagnosticar las causas posibles. Recordar que otros componentes, como las ruedas, las llantas, el eje trasero y la suspensión, también pueden producir condiciones similares.

Problemas básicos del eje de transmisión

Problema	Causa	Solución
Sacudida cuando el coche acelera desde la posición parada o a poca velocidad	• Junta U floja • Cojinete central defectuoso	• Reemplazar la junta U • Reemplazar el cojinete central
Ruido metálico fuerte en el eje de transmisión al cambiar las marchas	• Juntas U gastadas	• Reemplazar las juntas U
Dureza o vibración a cualquier velocidad	• Eje de transmisión desequilibrado, doblado o abollado • Juntas U gastadas • Tornillos de la abrazadera de la junta U flojos	• Equilibrar o reemplazar el eje de transmisión • Reemplazar las juntas U • Apretar los tornillos de la abrazadera de la junta U
Rechinamiento a velocidades bajas	• Falta de lubricación de la junta U	• Lubricar la junta U; si el problema persiste, reemplazar la junta U
Golpe o ruido seco	• La junta U o el eje de transmisión golpean el túnel del bastidor • Junta VC gastada	• Corregir la condición de sobrecarga • Reemplazar la junta VC

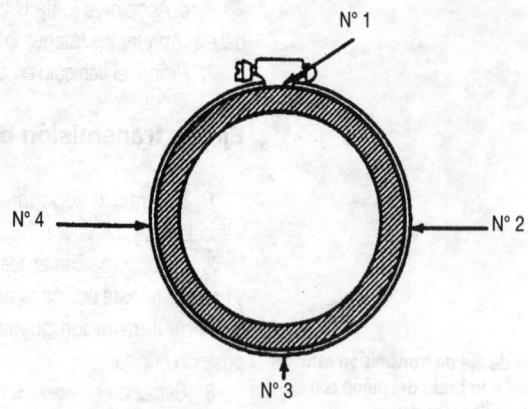

▲ **Antes de empezar el procedimiento de equilibrado por colocación de abrazaderas de manguera, marcar el eje de transmisión en cuatro lugares igualmente espaciados**

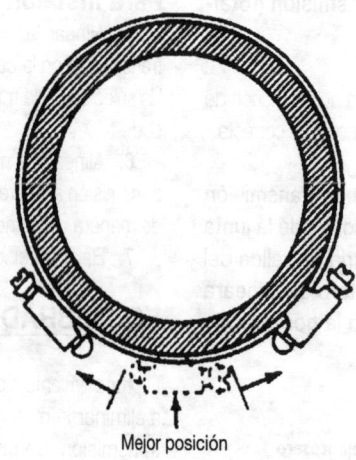

Mejor posición

▲ **Mover las cabezas de las abrazaderas de manguera una distancia igual desde la mejor posición, un poco cada vez, hasta que la vibración se reduzca a un nivel aceptable**

determinar la mejor posición de la(s) abrazadera(s).

➡ **Sacar y girar el eje de transmisión 180° en relación con la horquilla de articulación puede reducir alguna vibración. Esto debe hacerse antes que aplicar el método de la abrazadera de manguera.**

1. Marcar la parte trasera del eje de transmisión en cuatro secciones iguales. Numerar las marcas del 1 al 4.

2. Instalar una abrazadera de manguera con la parte del tornillo de fijación en la marca N° 1.

3. Probar conduciendo el vehículo para ver si la vibración ha mejorado.

4. Volver a comprobar la vibración con la abrazadera situada en las tres posiciones restantes. Si la vibración es igualmente reducida en, por ejemplo, la posición N° 2 y la posición N° 3, colocar la parte del tornillo de fijación a medio camino entre las marcas.

5. Probar conduciendo el vehículo. Si la vibración todavía es evidente, instalar otra abrazadera en la misma posición que al principio.

6. Probar conduciendo el vehículo. Si la vibración es la misma, mover ambas abrazaderas una distancia igual desde el punto determinado como la mejor posición. Primero, colocar las abrazaderas separadas $1/2$ plg (12 mm) aproximadamente.

7. Continuar el proceso hasta que la vibración se reduzca a un nivel aceptable.

➡ **Si la vibración no se puede reducir a un nivel aceptable, llevar el eje de transmisión a un taller de mecanización cualificado para equilibrados.**

JUNTAS UNIVERSALES (JUNTAS U)

INFORMACIÓN GENERAL

La junta universal (junta U) se utiliza para proporcionar una conexión fuerte y flexible entre el eje de transmisión y el conjunto del eje. Se necesita una junta flexible debido al movimiento constante del conjunto del eje en relación con la carrocería del vehículo. Una junta U consta de cruceta (muñón), cojinetes de aguja (rodillo), tazas del cojinete, sellos y anillos de resorte. En la mayoría de los casos, las juntas U superarán la vida del vehículo. La vida de la junta U puede disminuir significativamente si se ha cambiado o se ha sobrepasado el ángulo de funcionamiento. Esto ocurre cuando se cambia la altura de marcha del vehículo. Los vehículos que se hayan elevado mejorarán utilizando una junta tipo Cardán Doble. La junta tipo Cardán Doble tiene un ángulo de funcionamiento mayor que una junta U simple.

Cuando dos componentes están conectados por una junta U convencional, la curva que se forma se llama ángulo de funcionamiento. A mayor ángulo, mayor cantidad de aceleración o desaceleración angular de la junta. En otras palabras, cuando el eje de transmisión gira a velocidad constante, el engranaje del piñón en el diferencial en realidad acelera y desacelera. Esto tiene lugar mientras el eje de transmisión y el eje del engranaje del piñón están a diferentes ángulos (no en el mismo plano). La aceleración y la desaceleración deben anularse para asegurar un flujo suave de energía. Esto es debido a que ambas horquillas de articulación en el eje de transmisión están mutuamente en línea. Por ejemplo, mientras la potencia de salida de la transmisión es a velocidad constante, el ángulo en la junta U causa la modificación de la velocidad del eje de transmisión. En un caso como éste, la junta U trasera anula las fluctuaciones provocadas por la junta U delantera.

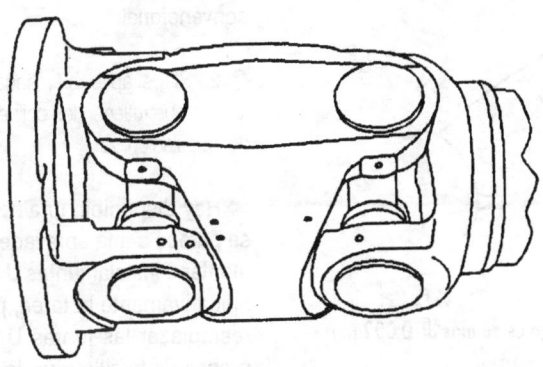

▲ Una junta universal Cardán Doble tiene un ángulo de funcionamiento más grande que una junta sencilla. Esta junta se ha marcado con un punzón antes del desensamblaje de manera que los componentes puedan reensamblarse en sus posiciones originales

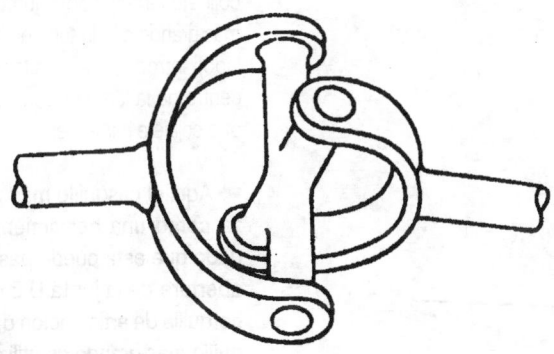

▲ Esta versión simplificada de una junta universal muestra cómo los ángulos pueden cambiar mientras la potencia transmitida se mantiene

R.P.M. del eje propulsor	Ángulos máximos de funcionamiento normal
5.000	3°
4.500	3°
4.000	4°
3.500	5°
3.000	5°
2.500	7°
2.000	8°
1.500	11°

Ángulo máximo de funcionamiento normal entre el eje de transmisión y la transmisión y/o el conjunto del eje

➡ El ángulo de funcionamiento es la diferencia en grados entre el eje geométrico del eje de transmisión y el eje geométrico de la transmisión y/o del conjunto del eje. El máximo ángulo de funcionamiento permitido está determinado por la velocidad del motor.

Las juntas U dañadas, que se han de reemplazar, producirán un ruido metálico cuando el vehículo se engrana y cuando la transmisión se cambia de engranaje a engranaje. Esto es causado por cojinetes de aguja gastados o extremos de muñones rayados. La mayoría de las juntas U están lubricadas de manera

permanente en la fábrica y no requieren un mantenimiento periódico. Las que tienen adaptadores de grasa deben lubricarse con cada cambio de aceite. Antes de bombear la grasa, limpiar el adaptador con un trapo nuevo para evitar que entre suciedad dentro de la junta.

En algunas juntas U de producción, durante su fabricación se inyecta nilón a través de un pequeño agujero en la horquilla de articulación y fluye a lo largo de una ranura circular entre la junta U y la horquilla de articulación, creando como retención un anillo de resorte no metálico.

➡ Dado que los anillos de retención de plástico deben cortarse para el desmontaje y no se proveen ranuras para anillos de resorte, las juntas de producción deben reemplazarse por juntas U de reparación con ranura para anillos de resorte, siempre que se hayan sacado del eje.

INSPECCIÓN

Sacar y reemplazar la junta U, si se da alguna de las condiciones siguientes:

• Golpe o ruido metálico seco del eje de transmisión cuando el vehículo se cambia de marcha o cuando se desliza cuesta abajo a 10 mph (16 km/h) en posición neutra.

• Rechinamiento de la junta U que aumenta en frecuencia cuando la velocidad del vehículo aumenta.

• Dureza al tacto del cojinete de la junta U. La junta U debe girar suavemente.

• Juego axial (movimiento vertical). Reemplazar la junta U si el juego axial es mayor de 0.002 plg (0.05 mm).

REVISIÓN

1. Colocar el conjunto del eje de transmisión en un robusto tornillo de banco de mordazas blandas, PERO NO aplicar una carga de abrazadera importante sobre el eje o se correrá el riego de deformarlo y estropearlo.

➡ Algunas juntas U del equipo original están fijadas en la horquilla de articulación con nilón (plástico) que se ha inyectado en la fábrica. Para sacar este tipo de juntas U de la horquilla de articulación, presionar la taza del cojinete hasta que el anillo de retención de plástico se rompa. La junta U de sustitución tendrá una ranu-

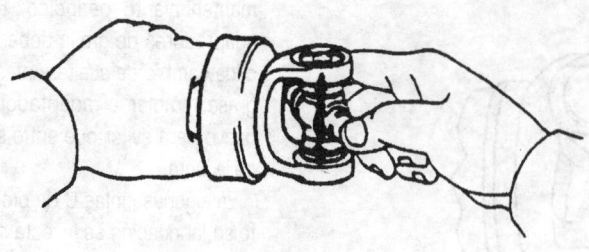

▲ Examinar si en la junta U hay demasiado movimiento axial – Si el juego es de más de 0.002 plg (0.05 mm), reemplazar la junta

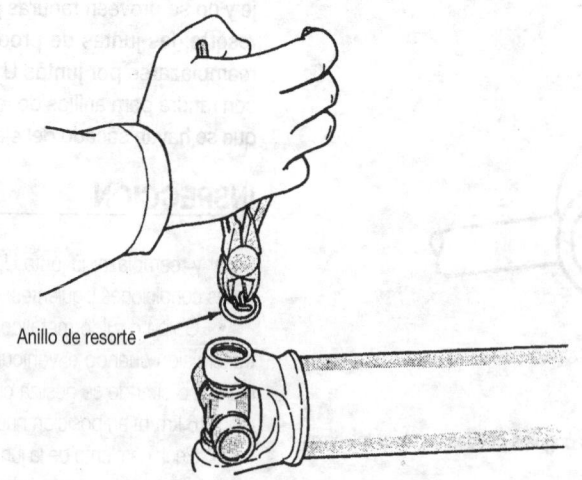

Anillo de resorte

▲ Utilizar un par de alicates para anillos de resorte, o una herramienta similar, para sacar el anillo de resorte exterior que retiene el cojinete en la horquilla de articulación

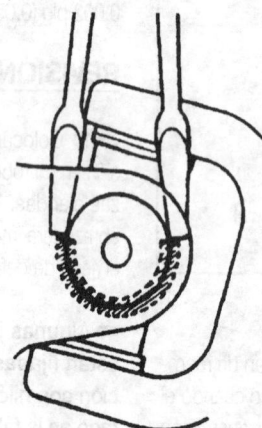

▲ Un método para sacar los anillos de resorte interiores es utilizar dos herramientas para hacer palanca delgadas

ra para anillos de resorte como una junta convencional.

2. Si es aplicable, sacar los anillos de resorte que retienen los cojinetes en la horquilla de articulación.

➡ Hay disponible una herramienta (que se parece a una abrazadera C) para desmontar e instalar juntas U que facilita significativamente la tarea, pero es posible reemplazar las juntas U utilizando una prensa de husillo o un tornillo de banco grande y una variedad de casquillos.

3. Utilizando una abrazadera C grande, un tornillo de banco o una prensa de husillo, junto con un casquillo más pequeño que la tapa del cojinete (en un lado) y junto con un casquillo más grande que la tapa del cojinete (en el otro lado), introducir uno de los cojinetes hacia el centro de la junta universal, lo cual forzará al otro cojinete hacia fuera.

➡ Aquí el casquillo más pequeño se utiliza como una herramienta introductora, dado que ésta puede pasar a través de la abertura de la junta U o de la brida de la horquilla de articulación deslizante. El casquillo más grande es utilizado para soportar el otro lado de la brida de manera que la tapa del cojinete tenga espacio para salir de la brida (dentro del casquillo).

4. Cuando cada cojinete se haya forzado suficientemente fuera de la junta universal como para hacerlo accesible, agarrarlo con un par de alicates y tirar de ellos para sacarlo de la horquilla de articulación del eje de transmisión. Introducir la junta cardánica (cruceta) en la dirección opuesta para que el cojinete opuesto sea accesible y tirar de él con un par de alicates para liberarlo. Utilizar este procedimiento para sacar todos los cojinetes de ambas juntas universales.

5. Después de desmontar los cojinetes, sacar la junta cardánica de la horquilla de articulación.

6. Limpiar a fondo toda suciedad y materiales extraños de las horquillas de articulación en ambos extremos del eje de transmisión.

Para ensamblar:
▼ **AVISO** ▼
Al instalar cojinetes nuevos en las horquillas de articulación, se reco-

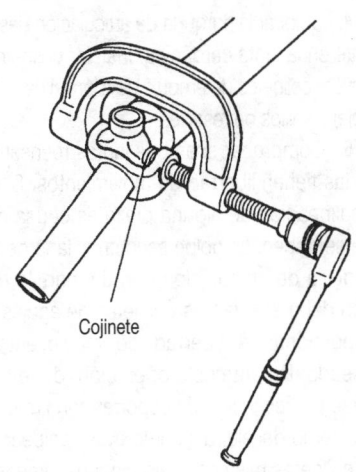

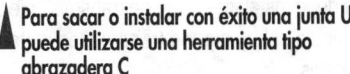

Cojinete

▲ Para sacar o instalar con éxito una junta U puede utilizarse una herramienta tipo abrazadera C

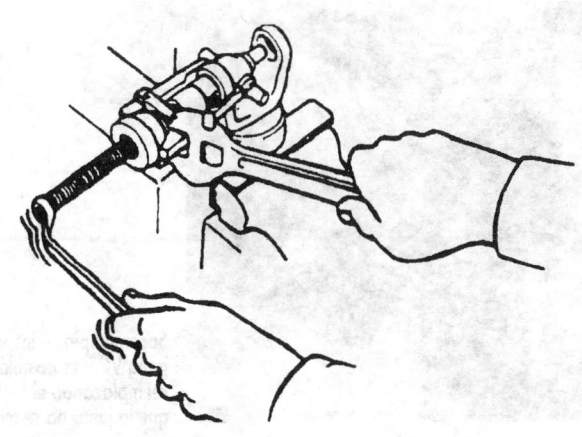

▲ El método de extracción de 2 mordazas también puede utilizarse para sacar o instalar juntas U

mienda utilizar una prensa de husillo o una herramienta especial en forma de abrazadera C. Si no se dispone de esta herramienta, los cojinetes deben ser presionados dentro de su posición con mucho cuidado, dado que un empujón fuerte en los cojinetes de agujas puede dañarlos o desalinearlos fácilmente. Ello acortará su vida en gran manera e impedirá su eficacia.

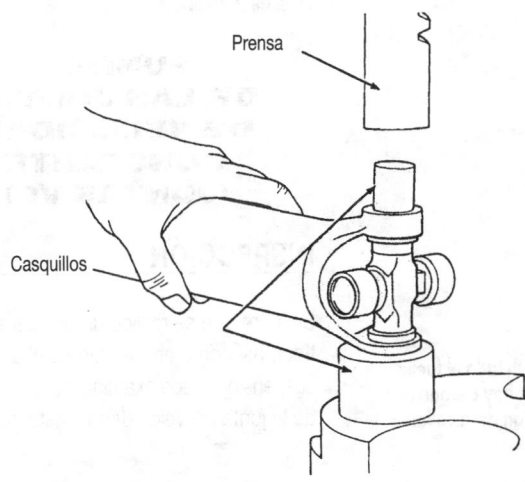

Prensa

Casquillos

▲ Método de la prensa de husillo de desmontaje de la junta U de la horquilla de articulación – La junta U también puede instalarse de una manera similar

7. Apuntar un cojinete nuevo dentro de la horquilla de articulación, en la parte trasera del eje de transmisión.

8. Colocar una junta cardánica nueva en la horquilla de articulación trasera y presionar el cojinete nuevo de $1/4$ plg (6 mm) debajo de la superficie exterior de la horquilla de articulación.

9. Con el cojinete en posición, instalar un anillo de resorte nuevo.

10. Poner un cojinete nuevo en el lado opuesto de la horquilla de articulación. Presionar el cojinete hasta que el cojinete opuesto, que ya se ha instalado, toque la superficie interior del anillo de resorte.

11. Instalar un anillo de resorte nuevo en el segundo cojinete. Puede ser necesario afinar (esmerilar) la superficie del segundo anillo de resorte para encajarlo dentro de su ranura.

12. Volver a colocar el eje de transmisión en el tornillo de banco, de manera que sea accesible la junta universal delantera.

13. Instalar los cojinetes nuevos, la junta cardánica nueva y los anillos de resorte nuevos de la misma manera que para el ensamblaje anterior de la junta trasera.

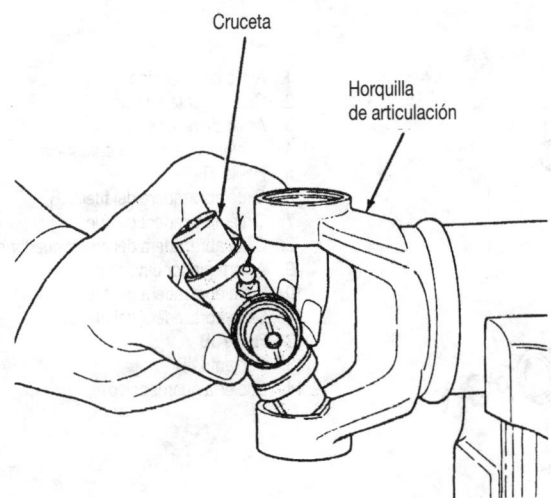

Cruceta

Horquilla de articulación

▲ Para el desmontaje, inclinar la cruceta (junta cardánica) dentro de la horquilla de articulación

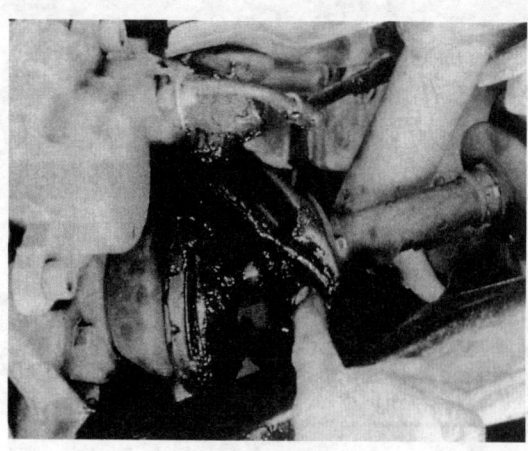

Sacar, limpiar e inspeccionar esta junta VC – Es posible salvar la junta reemplazando el fuelle con tal de que la junta no se tenga que reparar

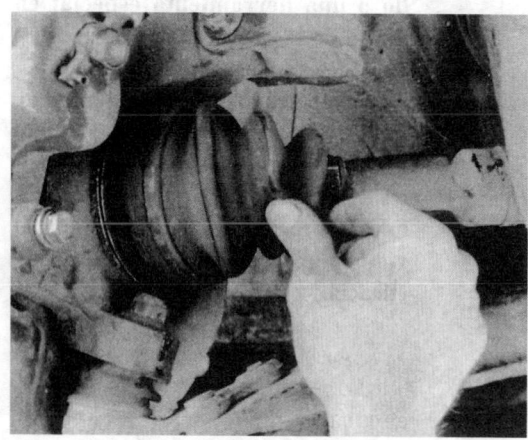

Presionar hacia un lado el fuelle para examinar si hay desgarros o fisuras que puedan desarrollarse

14. Colocar la horquilla de articulación deslizante en la junta cardánica. Instalar cojinetes nuevos, cojinetes de empuje de nilón (si es aplicable) y anillos de resorte.

15. Comprobar si ambas juntas reensambladas tienen libertad de movimientos. Si la desalineación de alguna pieza es causa de que se traben, un golpe seco en el lado de la horquilla de articulación con un martillo de latón debe asentar los cojinetes de agujas y proporcionar la libertad de movimientos deseada. Durante esta operación, debe tomarse la precaución de soportar con firmeza el extremo del eje, así como evitar golpear a los cojinetes mismos. Bajo ninguna circunstancia debe instalarse el eje de transmisión en un vehículo si hay alguna traba en las juntas universales.

16. Engrasar los adaptadores de las juntas U, si está equipado.

FUNDAS DE LAS JUNTAS DE VELOCIDAD CONSTANTE (JUNTAS VC)

INSPECCIÓN

Siempre que se realice un trabajo en el bastidor, así como en los frenos, el escape o la suspensión, debe examinarse si en los fuelles de la junta de Velocidad Constante (VC) hay

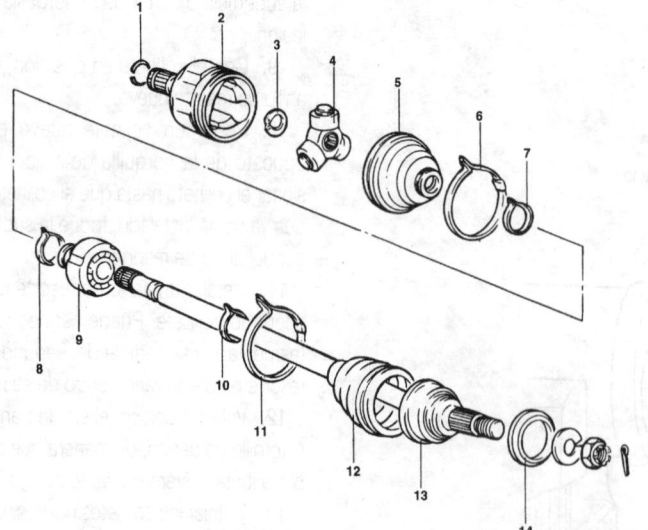

1. Anillo de retención
2. Caja de junta trípode (JT)
3. Anillo de resorte
4. Conjunto de la junta cardánica
5. Fuelle JT
6. Cinta abrazadera del fuelle JT
7. Cinta abrazadera del fuelle
8. Cinta abrazadera del amortiguador dinámico
9. Amortiguador dinámico
10. Cinta abrazadera del fuelle
11. Cinta abrazadera del fuelle JB
12. Fuelle JB
13. Conjunto JB
14. Cubierta guardapolvo

▲ Despiece de un semieje típico que utiliza una Junta Trípode (JT) interior y una Junta Birfield (JB) exterior

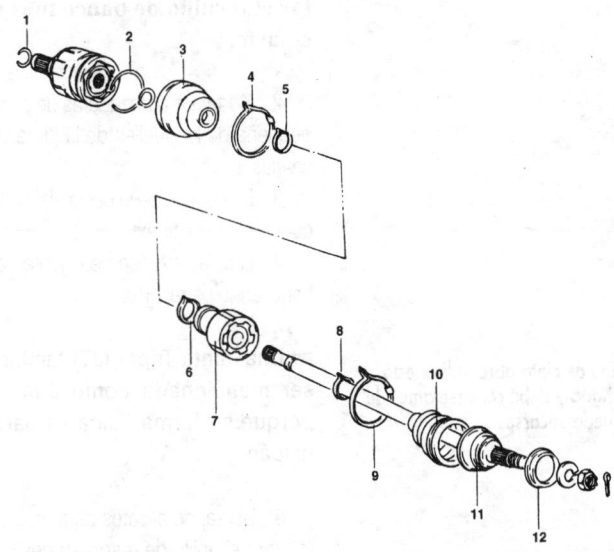

1. Anillo de retención
2. Anillo elástico
3. Fuelle JDC
4. Cinta abrazadera del fuelle JDC
5. Cinta abrazadera del fuelle
6. Cinta abrazadera del amortiguador dinámico
7. Amortiguador dinámico
8. Cinta abrazadera del fuelle
9. Cinta abrazadera del fuelle JB
10. Fuelle JB
11. Conjunto JB
12. Cubierta guardapolvo

▲ Despiece de un semieje típico que utiliza una Junta de Doble Compensación (JDC) interior y una Junta Birfield (JB) exterior

roturas o desgarros. La primera señal de daños en los fuelles serán puntos oscuros (grasa) en la parte interior de la llanta y de la rueda. Si el daño del fuelle se detecta suficientemente pronto, la junta puede salvarse limpiando, volviendo a engrasar y reemplazando el fuelle. Si el fuelle se deja sin reparar, se dañará el cojinete y tendrá que reemplazarse la junta VC. En la mayoría de los casos, puede ser más económico reemplazar el semieje completo por uno de reconstruido.

➡ Comprobar el precio y la disponibilidad con el proveedor de piezas para determinar cuándo debe reemplazarse el semieje entero y cuándo los componentes por separado.

SUSTITUCIÓN

➡ Seguir siempre las instrucciones incluidas en el juego de piezas de los fuelles de la junta VC. Hay diversas variaciones y métodos de reemplazo de fuelles. Utilizar los procedimientos siguientes como guía general y en caso de que el juego no contenga instrucciones específicas.

La mayoría de las juntas VC exteriores de los vehículos asiáticos, incluidos los importados por Chrysler, utilizan una junta Birfield, que no debe desensamblarse. Para reemplazar el fuelle exterior, desensamblar la junta interior y des-

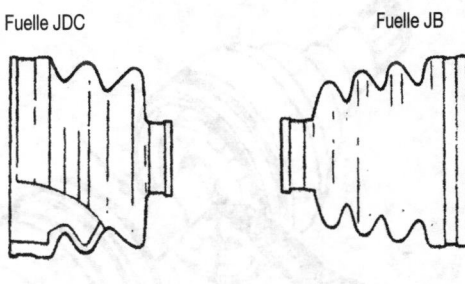

Fuelle JDC   Fuelle JB

▲ Normalmente, el fuelle en la Junta Birfield (JB) tiene un valle extra comparado con el fuelle en la Junta de Doble Compensación (JDC)

Hacer palanca debajo del gancho para sacar este tipo de cinta abrazadera de la junta VC

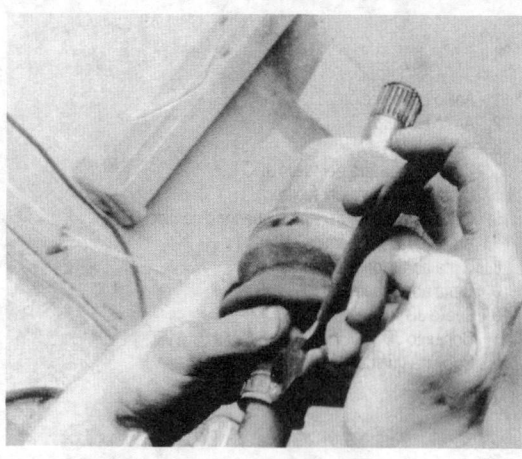

Este tipo de cinta abrazadera está estrechado y debe cortarse antes de que pueda sacarse

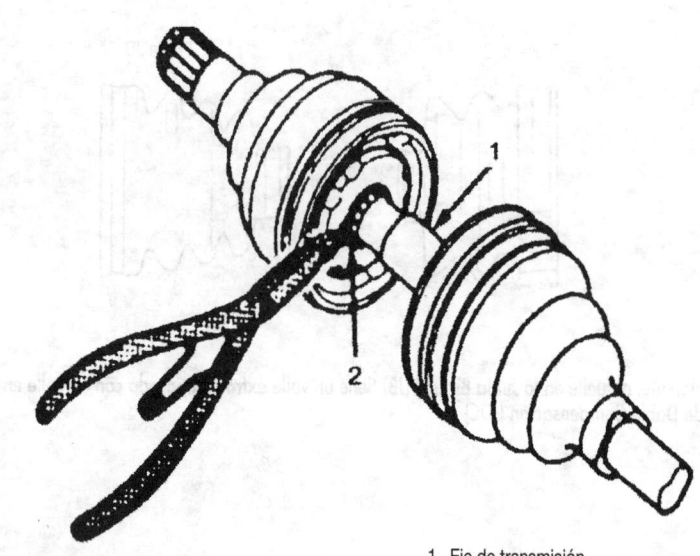

1. Eje de transmisión
2. Anillo de retención de la pista

▲ Utilizando unos alicates para anillos de resorte, ensanchar el anillo de resorte para separar la junta VC del eje – Se muestra la junta VC exterior

pués deslizar el fuelle exterior fuera del extremo interior del eje.

Fuelle exterior

➡ Generalmente la Junta de Doble Compensación (JDC) se utiliza como junta VC exterior.

1. Sacar el semieje y colocarlo con cuidado en un tornillo de banco, utilizando una cubierta protectora en las mordazas del tornillo de banco.

▼ AVISO ▼

Algunos semiejes pueden utilizar ejes huecos entre las juntas VC. No apre-

tar el tornillo de banco más de lo necesario.

2. Cortar las abrazaderas de cinta grande y pequeña de los fuelles de la junta VC y desecharlas.

3. Deslizar el fuelle hacia abajo del eje descubriendo la junta exterior.

4. Limpiar la grasa de la junta para descubrir el anillo de resorte.

➡ Una Junta Tripot (JT) también puede ser mencionada como Junta Tulipán porque su forma física se parece a un tulipán.

5. Utilizando alicates para anillos de resorte, abrir el anillo de resorte y deslizar la junta exterior fuera del eje.

6. Sacar el fuelle del eje.

7. Limpiar la junta a fondo utilizando un limpiador de piezas; después secarla completamente con aire comprimido. Examinar el conjunto del cojinete y la pista interior. Si la junta está gastada o dañada, reemplazarla.

Para instalar:

8. Envolver con cinta adhesiva las estrías del extremo del semieje para prevenir que durante la instalación se dañe el fuelle.

9. Deslizar la abrazadera pequeña del fuelle de la junta VC sobre el semieje y empujar el fuelle hacia abajo varias pulgadas más allá de la zona de montaje del sello. Sacar la cinta adhesiva de las estrías del semieje.

10. Comprobar si el anillo de resorte de la junta exterior está dañado o excesivamente gastado y reemplazarlo, según sea necesario. Llenar la junta con la mitad de la grasa suministrada en el juego del fuelle e instalarla sobre el eje.

11. Insertar el eje dentro de la junta hasta que las estrías encajen. Con un botador de latón, golpear ligeramente hacia abajo la junta hasta que el anillo de resorte encaje en la ranura.

12. Meter la grasa restante del juego dentro del fuelle; después tirar de la parte grande del fuelle sobre la junta VC. Asentar el extremo pequeño del fuelle sobre la zona de montaje del sello.

➡ Algunas cintas abrazaderas de fuelle de la junta VC requieren que se utilicen alicates especiales diseñados para

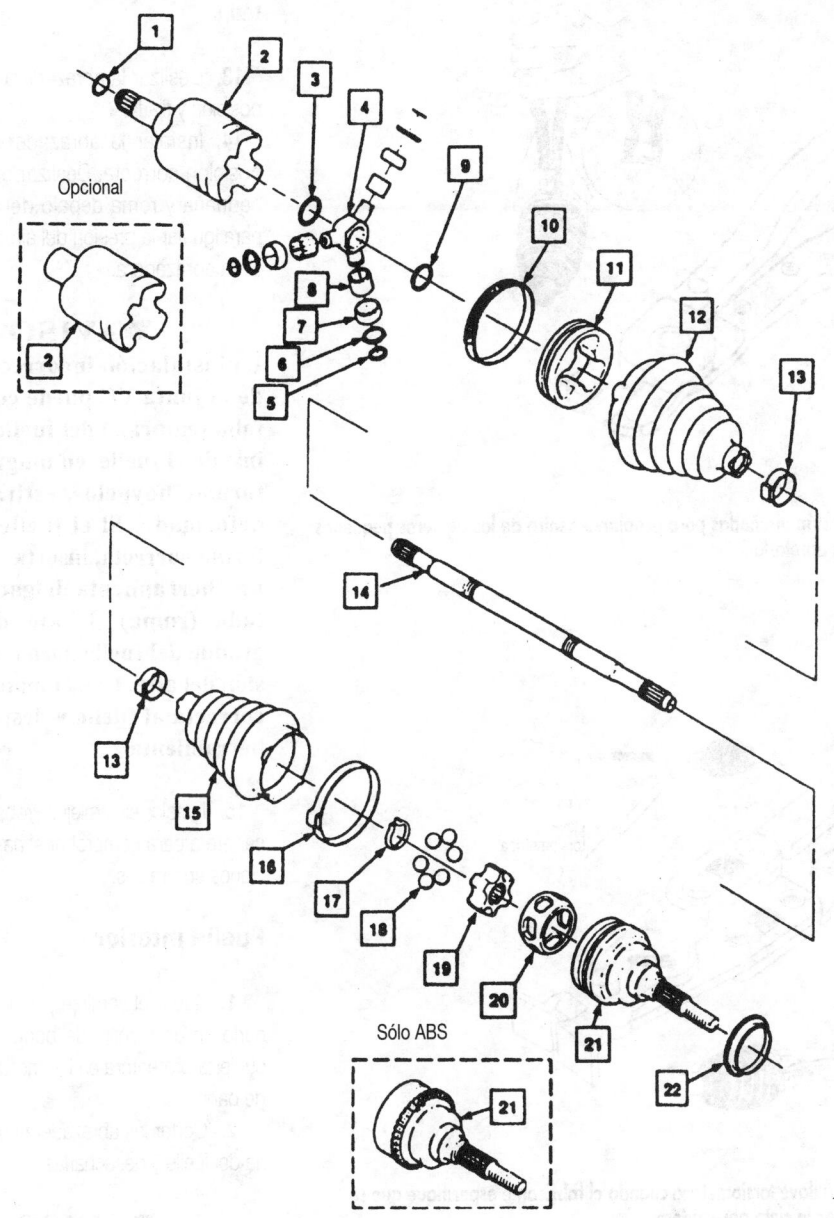

Opcional

Sólo ABS

Despiece de un semieje con juntas JT interior y JDC exterior

1. Anillo de retención
2. Conjunto de la caja trípode
3. Anillo de retención del eje
4. Junta cardánica trípode
5. Anillo de retención de agujas
6. Retención de agujas
7. Bola de la junta trípode
8. Rodillo de agujas
9. Anillo separador
10. Abrazadera de retención del sello de aceite
11. Buje de tres lóbulos del trípode
12. Sello de la junta trípode
13. Abrazadera de retención del sello
14. Eje de transmisión
15. Sello de la junta VC
16. Abrazadera de retención del sello
17. Anillo de retención de la pista
18. Bola
19. Pista interior de la junta VC
20. Jaula de la junta VC
21. Pista exterior de la junta VC
22. Anillo deflector

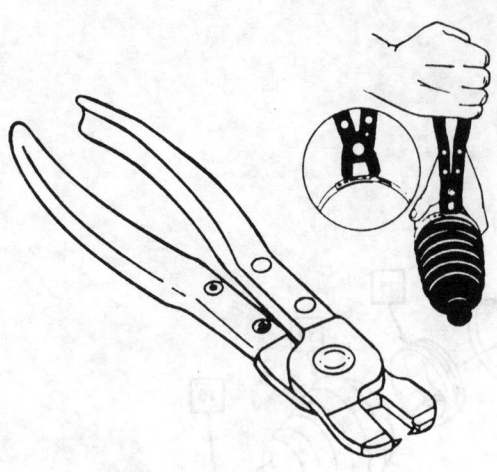

▲ Las mordazas de esta herramienta están diseñadas para acoplarse dentro de los agujeros pequeños de la banda abrazadera y permiten apretarla

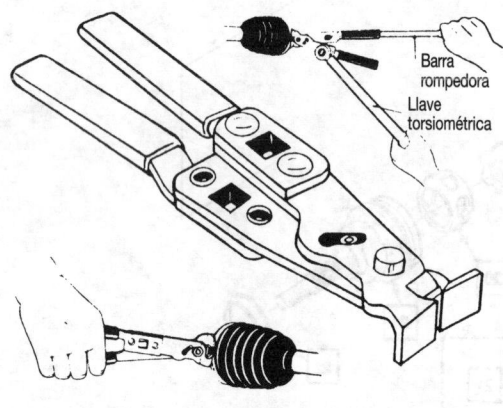

▲ Esta herramienta permite utilizar una llave torsiométrica cuando el fabricante especifique que se requiere cierta presión para estrechar la cinta abrazadera

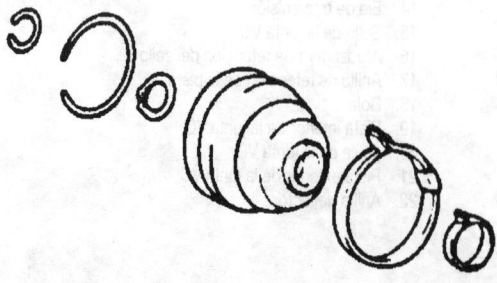

▲ El equipo típico de reemplazo del fuelle contiene un fuelle nuevo, dos abrazaderas y grasa especial – En algunos equipos también pueden incluirse anillos de elástico nuevos

agarrar la cinta y permitir que sea apretada.

13. Deslizar la abrazadera pequeña en su posición y fijarla.

14. Instalar la abrazadera grande en la posición correcta. Deslizar una herramienta pequeña y roma debajo del labio del fuelle para igualar la presión del aire; después fijar la cinta abrazadera.

▼ AVISO ▼

La instalación incorrecta del fuelle de la junta VC puede conducir a un fallo temprano del fuelle. Cuando se instale el fuelle, en ningún caso debe formar hoyuelos, estirarse o estar deformado. Si el fuelle no tiene la forma correcta, insertar con cuidado una herramienta delgada y despuntada (roma) debajo del extremo grande del fuelle para igualar la presión del aire. Con la mano, dar forma correcta al fuelle y después sacar la herramienta.

15. Instalar el semieje. Probar el vehículo en carretera para comprobar si hay ruidos o vibraciones anormales.

Fuelle interior

1. Sacar el semieje y, con cuidado, colocarlo en un tornillo de banco utilizando una cubierta protectora en las mordazas del tornillo de banco.

2. Cortar las abrazaderas grande y pequeña del fuelle y desecharlas.

▼ AVISO ▼

No cortar atravesando el fuelle y dañar la superficie de sellado de la caja de la junta VC.

3. Tirar del fuelle hacia abajo para descubrir la junta.

4. Si está equipado, sacar el anillo de retención grande del borde interior de la pista exterior del cojinete.

5. Marcar el cojinete y la caja exterior de manera que puedan instalarse en sus posiciones originales.

6. Sacar la caja de la junta cardánica y del eje. Limpiar y secar a fondo todos los componentes. Sustituir las piezas que presenten señales de desgaste.

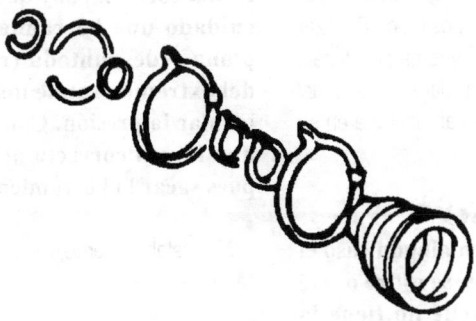

▲ El equipo del fuelle para la junta Birfield contiene un juego extra de cintas, dado que la junta interior debe sacarse para instalar un fuelle nuevo en la junta (Birfield) exterior

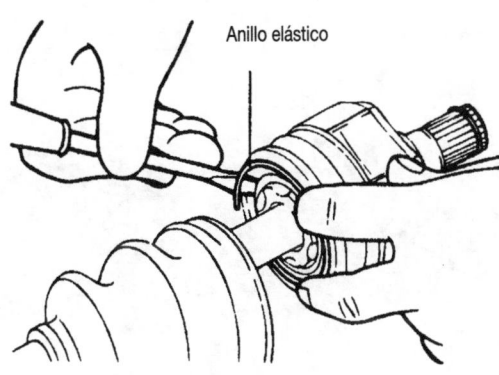

Anillo elástico

▲ Sacar el anillo elástico grande del borde interior de la pista exterior, para separar el conjunto del cojinete

7. Empujar el conjunto de la junta cardánica hacia la parte inferior del eje para descubrir el anillo de resorte en el extremo del eje. Sacar el anillo de resorte y deslizar el conjunto de la junta cardánica fuera del extremo del eje.

8. Si está equipado, sacar el anillo separador del eje.

9. Sacar el anillo de retención restante y deslizar el fuelle fuera del eje.

10. Limpiar y secar a fondo todos los componentes. Reemplazar las piezas que muestren señales de desgaste.

Para instalar:

11. Deslizar la abrazadera pequeña sobre el semieje.

12. Deslizar el fuelle dentro del eje hasta que el extremo pequeño del fuelle esté dentro de la ranura original de la que se sacó.

13. Instalar el anillo de retención pertinente.

14. Si está equipado, instalar el anillo separador sobre el eje, varias pulgadas por debajo de la segunda ranura del anillo separador.

15. Instalar el conjunto de la junta cardánica suficientemente hacia abajo del eje como para mostrar la ranura del anillo de resorte de la parte superior. Asegurarse de que la cara escariada de la junta cardánica mira hacia el extremo del eje.

16. Instalar el anillo de resorte de la parte superior y tirar del conjunto de la junta cardánica para volverlo dentro de su posición.

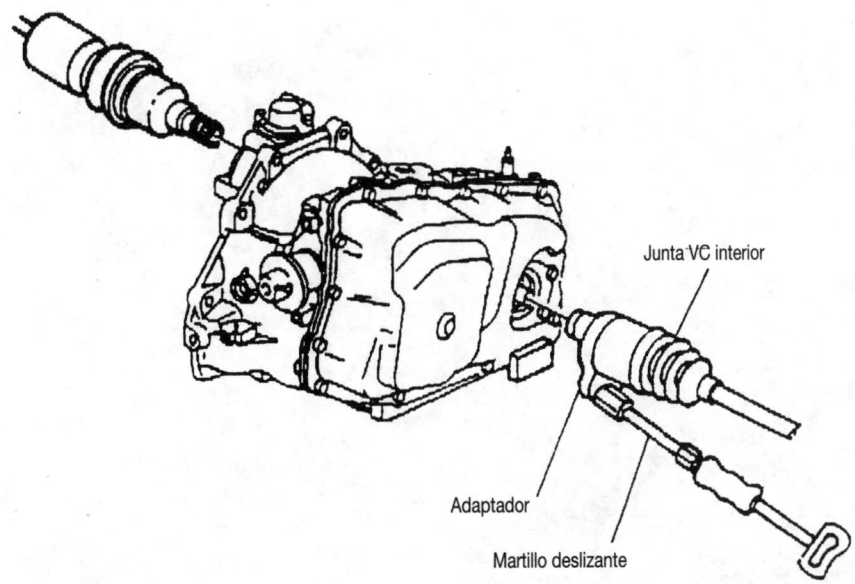

Junta VC interior

Adaptador

Martillo deslizante

▲ Hay un adaptador especial de martillo deslizante disponible para ayudar en el desmontaje del semieje de la caja de cambios

17. Si está equipado, trabar el anillo separador en la ranura del anillo separador.

18. Llenar la caja con la mitad de la grasa suministrada en el juego y poner el resto de la grasa en el fuelle.

19. Deslizar la abrazadera grande por encima del fuelle.

20. Empujar la caja por encima del conjunto de la junta cardánica.

21. Si está equipado, instalar el anillo de retención grande dentro de la pista exterior.

22. Deslizar el diámetro grande del fuelle hasta dentro de su posición. Deslizar una herramienta pequeña y roma por debajo del labio del fuelle para igualar la presión del aire; después fijar la cinta abrazadera en su sitio.

▼ AVISO ▼

Hay que evitar que en ningún caso el fuelle forme hoyuelos, se estire o esté deformado. Si el fuelle no tiene la forma correcta, hay que insertar con cuidado una herramienta delgada, plana y despuntada (roma) debajo del extremo grande del fuelle, para igualar la presión. Con la mano, dar una forma correcta al fuelle y después sacar la herramienta.

23. Instalar el semieje y probar el vehículo en carretera.

RECONSTRUCCIÓN DE MOTORES

20

REPARACIÓN DE ROSCAS DAÑADAS.... 1074
ESPECIFICACIONES ESTÁNDAR
DE APRIETE Y DE MARCAS
EN LAS CABEZAS DE TORNILLOS.... 1075

REACONDICIONAMIENTO
DE CULATAS 1076
REACONDICIONAMIENTO
DEL BLOQUE DE CILINDROS........ 1084

En esta sección se describen en detalle los procedimientos para reconstruir un motor típico. Los procedimientos básicamente son idénticos a los que se siguen para reconstruir motores de casi todos los diseños y configuraciones.

La sección se divide en dos partes. La primera trata sobre el reacondicionamiento de la culata y en ella se supone que ésta se halla desmontada del motor sobre el banco y que todos los múltiples están separados. Se debe quitar el árbol de levas si éste está instalado en la culata. La segunda sección aborda el reacondicionamiento del bloque de cilindros y abarca bloque, pistones, bielas y cigüeñal. Se supone que el motor está montado en un caballete y que la culata de cilindros y los accesorios están desmontados.

Los procedimientos se identifican como sigue:

Sin marca: procedimientos básicos que se deben efectuar para completar con éxito el proceso de reconstrucción.

Con asterisco (*): procedimientos que deben llevarse a cabo para garantizar rendimientos y vida de servicio óptimos.

Con doble asterisco (**): procedimientos que se pueden ejecutar para aumentar el rendimiento y la confiabilidad del motor.

En muchos casos, también se proporcionan métodos opcionales. Estos últimos se identifican del mismo modo que los demás procedimientos. La elección de método para un procedimiento queda a discreción del usuario.

Con muy pocas excepciones, las herramientas necesarias para el procedimiento básico de reconstrucción deben ser las que incluye un juego de herramientas de mecánico. Habrá que tener un torquímetro exacto y un micrómetro de esfera (en milésimas de pulgada). Cuando se necesitan herramientas especiales, se pueden conseguir fácilmente con los distribuidores principales. Se debe disponer también de los servicios de un taller competente en maquinados automotrices.

Al armar el motor, hay que lubricar cualquier parte que se someta a fricción para protegerla durante la puesta en marcha inicial. Se puede emplear cualquier producto fabricado especialmente para este propósito.

NOTA: *no emplear aceite de motor.* Donde se desee instalación semipermanente de tuercas o tornillos (asegurados, pero removibles) hay que limpiar las roscas y cubrir con Loctite® o algún producto semejante (no endurecedor).

El aluminio se ha empleado cada vez más en los motores, debido a su bajo peso y excelentes características de transferencia de calor. Es necesario observar las siguientes precauciones al manejar partes de un motor de aluminio:

– Nunca sumergir partes de aluminio en tanques de lejía caliente.

– Quitar todas las partes de aluminio (etiquetas de identificación, etc.) de las partes del motor, antes de sumergirlas en tanque caliente (porque en el proceso se desprenderán).

– Cubrir las roscas ligeramente con aceite de motor o compuesto anti-corrosivo antes de instalarlas, para evitar que se peguen.

– Nunca apretar en exceso los tornillos o bujías en roscas de aluminio. Cuando se barren, es posible restaurar las roscas con alguno de los juegos de reparación disponibles en el mercado (ver la siguiente sección).

Magnaflux y Zyglo son técnicas de inspección que se emplean para localizar fallas en el material, como cuarteaduras por tensión. La primera consiste en cubrir la parte con partículas magnéticas y someterla a un campo magnético. Las cuarteaduras del material originan interrupciones en el campo magnético, que las partículas ponen en evidencia. Como el Magnaflux es un proceso magnético, sólo se puede aplicar a materiales ferrosos. El proceso Zyglo consiste en cubrir el material con una tinta fluorescente penetrante; a continuación se realiza una inspección con luz ultravioleta bajo la cual brillan intensamente las roturas. Con este proceso pueden inspeccionarse partes fabricadas con cualquier material. Si bien Magnaflux y Zyglo son excelentes técnicas de inspección general y de localización de defectos ocultos, hay que hacer pruebas específicas en caso de roturas probables, a menor costo y más rápidamente con tintura penetrante. Se esparce la tintura sobre el área sospechosa, se limpia y a continuación se esparce revelador sobre la zona. Las fracturas se observan nítidamente. Las tinturas de estas pruebas sólo indican fallas superficiales y, por lo tanto, las roturas estructurales bajo la superficie pueden pasar inadvertidas. Cuando haya duda, se debe probar la parte con Magnaflux o Zyglo.

REPARACIÓN DE ROSCAS DAÑADAS

Hay diversos métodos para reparar roscas dañadas y los más comunes se refieren a las marcas Heli-Coil® (que se ilustra), Keenserts® y Microdot®. En todos se emplea el mismo principio básico: taladrar las roscas dañadas, machuelar el agujero e instalar el inserto roscado, con lo cual no se necesita soldar, poner tapones ni sujetadores de sobremedida.

Hay dos tipos de insertos para reparación de roscas: uno para roscas americanas o métricas, gruesas o finas, y otro para bujías, que sirve para casi todos los agujeros. Consulte el catálogo del fabricante para la aplicación exacta. El equipo para reparación incluye un surtido de insertos roscados, un machuelo especial que corresponde a las roscas del diámetro exterior del inserto y una herramienta de instalación. Los fabricantes también surten insertos por separado en otro empaque, además del equipo maestro que incluye diversos machuelos e insertos y las herramientas de instalación.

Antes de reparar un agujero roscado, saque el tornillo o espárrago descabezado, roto o dañado. Se puede emplear aceite penetrante para liberar roscas pegadas; el componente se puede sacar con pinzas de presión ("perras") o un extractor de tornillos o espárragos. Cuando esté libre el agujero, se repara la rosca como sigue:

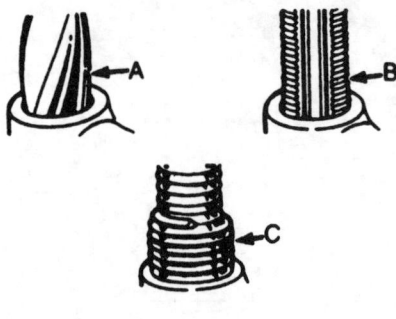

A. Elimine la rosca dañada con la broca del equipo. Taladre hasta traspasar el agujero o hasta su tope

B. Con el machuelo especial del equipo, rosque el agujero para dar alojo al inserto. Mantenga bien aceitado el machuelo y regréselo con frecuencia para no obstruir la rosca

C. Atornille el inserto en la herramienta de instalación, hasta que la lengüeta engarce en la ranura. Atornille el inserto en el agujero machuelado hasta que quede $1/4$ a $1/2$ vuelta debajo de la superficie superior. Después de instalarlo, rompa la lengüeta con un golpe de punzón

ESPECIFICACIONES ESTÁNDAR DE APRIETE Y DE MARCAS EN LAS CABEZAS DE TORNILLOS

La norma internacional para medir el apriete es el newton-metro (Nm) que poco a poco desplaza a los estándares de pies-libra y kilogramo-metro. Las herramientas para apretar se fabrican todavía con escalas de pies-libra y kilogramo-metro, junto con la nueva norma de newton-metro. Para ayudar al mecánico, en las tablas siguientes aparecen estas tres unidades, las cuales deberá aplicar según convenga.

NÚMERO DE GRADO SAE	TORNILLOS AMERICANOS			
	1 o 2	5	6 o 7	8
Marcas en la cabeza de los tornillos. Las marcas pueden variar según el fabricante. Tres marcas en la cabeza, como se muestra abajo, indican grado SAE 5. 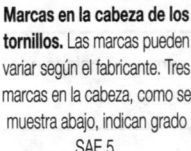				
Empleo	Uso frecuente	Uso frecuente	Uso ocasional	Uso ocasional
Calidad del material	Indeterminada	Mínima comercial	Media comercial	Óptima comercial

Capacidad – Tamaño	Apriete			Apriete			Apriete			Apriete		
(Pulg-hilos por plg)	Pie-lb	Kgm	Nm	Pie/lb	Kgm	Nm	Pie/lb	kgm	Nm	Pie/lb	Kgm	Nm
1/4-20	5	0.6915	6.7791	8	1.1064	10.8465	10	1.3630	13.5582	12	1.6596	16.2698
-28	6	0.8298	8.1349	10	1.3830	13.5582				14	1.9362	18.9815
5/16-18	11	1.5213	14.9140	17	2.3511	23.0489	19	2.6277	25.7605	24	3.3192	32.5396
-24	13	1.7979	17.6256	19	2.6277	25.7605				27	3.7341	36.6071
3/8-16	18	2.4894	24.4047	31	4.2873	42.0304	34	4.7022	46.0978	44	6.0852	59.6560
-24	20	2.7660	27.1164	35	4.8405	47.4536				49	6.7767	66.4351
7/16-14	28	3.8132	37.9629	49	6.7767	66.4351	55	7.6065	74.5700	70	9.6810	94.9073
-20	30	4.1490	40.6745	55	7.6065	74.5700				78	10.7874	105.7538
1/2-13	39	5.3937	52.8769	75	10.3725	101.6863	85	11.7555	115.2445	105	14.5215	142.3609
-20	41	5.6703	55.5885	85	11.7555	115.2445				120	16.5860	162.6960
9/16-12	51	7.0533	69.1467	110	15.2130	149.1380	120	16.5960	162.6960	155	21.4365	210.1490
-18	55	7.6065	74.5700	120	16.5960	162.6960				170	23.5110	230.4860
5/8-11	83	11.4789	112.5329	150	20.7450	203.3700	167	23.0961	226.4186	210	29.0430	284.7180
-18	95	13.1385	128.8027	170	23.5110	230.4860				240	33.1920	325.3920
3/4-10	105	14.5215	142.3609	270	37.3410	366.0660	280	38.7240	379.6240	375	51.8625	508.4250
-16	115	15.9045	155.9170	295	40.7985	399.9610				420	58.0860	568.4360
7/8-9	160	22.1280	216.9280	395	54.6285	535.5410	440	60.8520	596.5520	605	83.6715	820.2590
-14	175	24.2025	237.2650	435	60.1605	589.7730				675	93.3525	915.1650
1-8	236	32.5005	318.6130	590	81.5970	799.9220	660	91.2780	894.8280	910	125.8530	1233.7780
-14	250	34.5750	338.9500	660	91.2780	849.8280				990	136.9170	1342.2420

TORNILLOS MÉTRICOS

Descripción	Apriete, pie-lb (Nm)			
Roscas de propósito general (tamaño x paso, en mm)	Marca 4 en la cabeza		Marca 7 en la cabeza	
6 x 1.0	2.2 a 2.9	(3.0 a 3.9)	3.6 a 5.8	(4.9 a 7.8)
8 x 1.25	5.8 a 8.7	(7.9 a 12)	9.4 a 14	(13 a 19)
10 x 1.25	12 a 17	(16 a 23)	20 a 29	(27 a 39)
12 x 1.25	21 a 32	(29 a 43)	35 a 53	(47 a 72)
14 x 1.5	35 a 52	(48 a 70)	57 a 85	(77 a 110)
16 x 1.5	51 a 77	(67 a 100)	90 a 120	(130 a 160)
18 x 1.5	74 a 110	(100 a 150)	130 a 170	(180 a 230)
20 x 1.5	110 a 140	(150 a 190)	190 a 240	(160 a 320)
22 x 1.5	150 a 190	(200 a 260)	250 a 320	(340 a 430)
24 x 1.5	190 a 240	(260 a 320)	310 a 410	(420 a 550)

Precaución: los tornillos en aluminio necesitan mucho menos apriete.

NOTA: esta sección de reconstrucción de motores es una guía de los procedimientos aceptados, con ejemplos normales de reconstrucción.

REACONDICIONAMIENTO DE CULATAS

Procedimiento	Método
Identificar las válvulas:	Invertir la culata y numerar las caras de las válvulas, de adelante hacia atrás, con un marcador permanente de punta de fieltro.
Quitar los balancines (sólo en motores con árbol de levas en la culata):	Quitar los balancines con los ejes o bolas y tuercas. Amarrar los balancines, bolas y tuercas, e identificarlos según la válvula correspondiente.
Quitar el árbol de levas (sólo en motores con árbol de levas en la culata):	Ver los procedimientos de servicio al motor en partes anteriores de este libro, para observar los detalles de motores específicos.
Quitar los resortes y las válvulas:	Con un compresor adecuado, comprimir los resortes de las válvulas. Sacar los seguros con pinzas de punta de aguja, soltar el compresor y quitar el retenedor del resorte, el resorte y la válvula.
Sacar los tapones incandescentes y los inyectores de combustible (sólo en motores Diesel):	Identificar y quitar los inyectores de combustible y los tapones incandescentes de la culata. Los tapones se destornillan. Consultar en la sección correspondiente cómo se desmontan los inyectores. Revisar si los tapones incandescentes tienen abultamientos, roturas o signos de fusión. Limpiar las puntas de los inyectores con un cepillo de alambre y revisar si hay signos de fusión.

**Quitar las cámaras de precombustión (sólo en los motores Diesel):

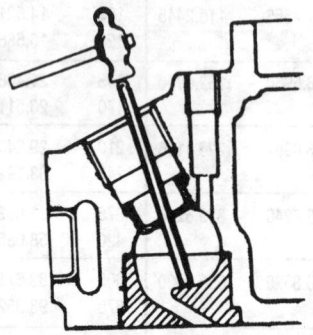

▲ Desmontaje de una cámara de precombustión con botador (© G.M. Corp.)

**Quitar las cámaras de precombustión con un martillo y un botador delgado de bronce, introducido en el agujero del inyector (o el agujero del tapón incandescente, lo que convenga más). Si se ha de usar de nuevo la cámara, quitar con cuidado todo el carbón que tenga.

NOTA: *quitar la cámara sólo para cambiarla, si está rota alguna punta de tapón incandescente y hay que reemplazarlo, o si la cámara está obviamente dañada o suelta.*

Medir la holgura entre el vástago de la válvula y la guía:

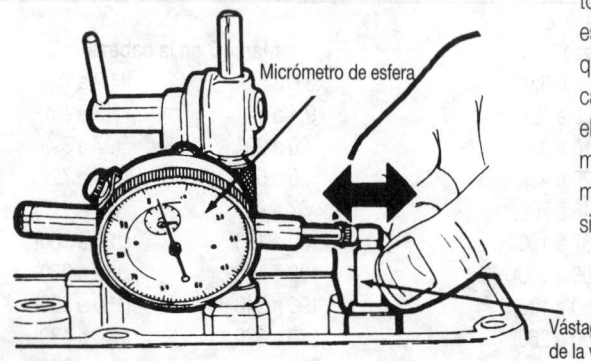

Micrómetro de esfera

Vástago de la válvula

▲ Medición de la holgura entre el vástago de una válvula y su guía

Limpiar el vástago de la válvula con thiner o algún disolvente similar para quitar toda la goma y el barniz. Limpiar las guías de las válvulas con disolvente y una escobilla de cerdas. Montar un micrómetro de esfera de modo que el palpador quede a 90° del vástago de la válvula, lo más cerca posible a la guía. Retirar la cara de la válvula de su asiento y medir la holgura entre la guía y el vástago. Para ello, hacer oscilar el vástago hacia uno y otro lado para desplazar el palpador del micrómetro. Si hay demasiada holgura, medir los vástagos de las válvulas con un micrómetro y comparar los resultados con las especificaciones, para determinar si la causa es el vástago o la guía.

REACONDICIONAMIENTO DE CULATAS

Procedimiento	Método

Descarbonizar la culata y las válvulas:

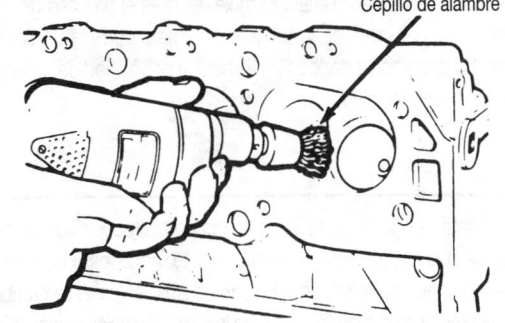

Cepillo de alambre

▲ **Limpieza del carbón en la culata**

Quitar el carbón de culata, cámaras de combustión y lumbreras; usar un cincel de madera dura. Quitar los depósitos restantes con un cepillo de alambre rígido.

NOTA: *comprobar que en realidad se eliminaron los depósitos y no sólo se pulieron.*

Lavar en tanque caliente la culata (sólo las de hierro fundido). **PRECAUCIÓN:** *no lavar en tanque caliente las partes de aluminio.*

Lavar la culata en tanque caliente para eliminar grasa, herrumbre y costras en los conductos de agua.

NOTA: *si las culatas alojan árbol de levas, preguntar al operador si la solución cáustica puede dañar los cojinetes del árbol de levas.*

Desengrasar las demás partes de la culata:

Con disolvente (por ejemplo, Gunk), limpiar balancines y sus ejes (si los hay), las bolas y tuercas de balancines, resortes y sus retenedores, y los seguros. No quitar el recubrimiento protector de los resortes.

Medir el torcimiento de la culata:

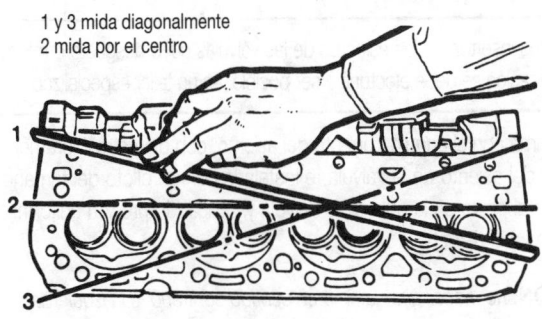

1 y 3 mida diagonalmente
2 mida por el centro

▲ **Medición del torcimiento de la culata**

Colocar una regla a través de la superficie que hace contacto con el empaque. Con hojas de calibración, determinar el espacio libre en el centro de la regla. Medir ambas diagonales, la línea central longitudinal y transversalmente en varios puntos. Si el torcimiento es mayor que 0.003 plg (0.07mm) en una longitud de 6 plg, o 0.006 plg (0.15 mm) en la longitud total, se debe rectificar la culata.

NOTA: *si el torcimiento rebasa la tolerancia máxima indicada por el fabricante en cuanto a la cantidad de material que hay que eliminar, se debe cambiar la culata.*

Al rectificar las culatas de motores en V, se altera la posición del múltiple de admisión y se debe corregir eliminando una cantidad proporcional de material en la brida del múltiple.

Emparejamiento de lumbreras y empaques (porteado):

**Cubrir con azul de Prusia las bridas para los múltiples en la culata de cilindros. Pegar con cemento de caucho los empaques de los múltiples de admisión y escape a la culata y marcar sobre ésta el contorno de las lumbreras. Quitar los empaques. Con un esmeril adecuado, biselar las paredes de las lumbreras siguiendo el contorno marcado; ello incluye eliminar los bordes agudos y conformar los radios en las esquinas sin modificar las guías de las válvulas.

NOTA: *la configuración más eficiente de las lumbreras se determina sólo mediante pruebas extensas. Por lo tanto, lo mejor es consultar a alguien con experiencia en este tipo de trabajos.*

REACONDICIONAMIENTO DE CULATAS

Procedimiento	Método

*Moleteado de las guías de válvulas:

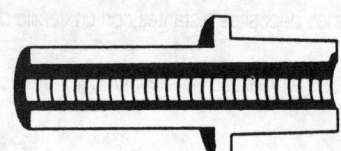

▲ **Corte de una guía moleteada de válvula**

*Si las guías de válvulas no están torcidas o gastadas en exceso, a veces se puede moletearlas, en lugar de cambiarlas. El moleteado es el proceso de desplazar y levantar el metal para reducir la holgura; además, permite un control excelente del aceite. Se debe consultar con un tornero la posibilidad de moletear, en vez de cambiar las guías de válvulas.

Cambio de las guías de válvulas:

NOTA: *las guías de válvulas sólo se deben cambiar si están dañadas o si no se dispone de un vástago de válvula en sobremedida.*

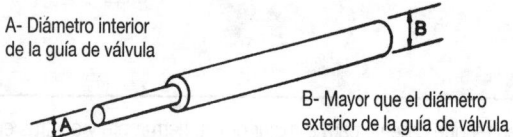

A- Diámetro interior de la guía de válvula

B- Mayor que el diámetro exterior de la guía de válvula

▲ **Herramienta de desmontaje de guías de válvulas**

Arandelas

B—A

A- Diámetro interior de la guía de válvula

B- Mayor que el diámetro exterior de la guía de válvula

▲ **Herramienta de instalación de guía de válvula (con las arandelas empleadas para la instalación)**

Según el tipo de culata, las guías de válvulas se pueden introducir con prensa, martillo o por diferencia de temperaturas. Si se emplea este último método, lo mejor es ordenar el trabajo a un taller especializado. En otros casos, las guías se cambian como sigue: con una prensa o un martillo, sacar de la culata las guías viejas; utilizar un botador escalonado (ver la figura). Determinar la altura que debe sobresalir la guía sobre el resalte y colocar arandelas cuyo diámetro interior corresponda al diámetro exterior de la guía; el grupo de arandelas debe tener la misma altura que se determinó y hay que colocarlo sobre la guía nueva, introduciendo esta última en el resalte.

NOTA: *a menudo hay que devastar o biselar las puntas de las guías de válvulas para colocar éstas.*

Con la herramienta escalonada de montaje (ver figura), prensar o dar golpes suaves para introducir las guías a su lugar. Rimar las guías al tamaño del vástago de la válvula.

Cambio de insertos de asientos de válvulas:

El cambio de los insertos de los asientos de las válvulas cuyo desgaste o rotura impidan su rectificación se debe efectuar, a ser posible, en un taller especializado.

Rectificado de los asientos de las válvulas con rimas:

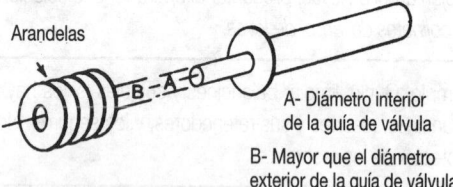

45°

Margen de la válvula

Anchura del asiento

Correcto   Sin margen

Incorrecto

▲ **Anchura y centrado del asiento de válvula**

▲ **Rimado del asiento de válvula**

Escoger una rima con el ángulo correcto del asiento, con diámetro ligeramente mayor que el del asiento de la válvula, e instalarla con un piloto del tamaño correcto. Instalar el piloto en la guía de la válvula y, aplicando presión uniforme, hacer girar la rima a la derecha.

PRECAUCIÓN: *no hacer girar la rima en sentido contrario (a la izquierda).*

Quitar sólo el material necesario para limpiar el asiento. Medir la concentricidad del asiento (ver más adelante). Si no se emplea el método de penetración de tintura, cubrir la cara de la válvula con azul de Prusia, instalarla y hacerla girar sobre su asiento. Tomar como guía la zona marcada con colorante para centrar o modificar el ancho del asiento de acuerdo a las especificaciones, con cortadores o fresas de corrección.

NOTA: *cuando no se disponga de especificaciones, el ancho mínimo del asiento para las válvulas de escape debe ser $^5/_{64}$ plg (2 mm) y para las de admisión $^1/_{16}$ plg (1.6 mm).*

Después de hacer los cortes de corrección, verificar la posición del asiento de la válvula en la cara con azul de Prusia.

NOTA: *no cortar asientos endurecidos a inducción. Deben ser esmerilados.*

REACONDICIONAMIENTO DE CULATAS

Procedimiento	Método

*Rectificado de los asientos de válvulas con un esmeril:

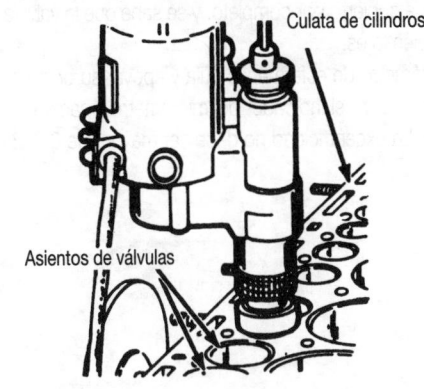

Culata de cilindros

Asientos de válvulas

▲ **Rectificado de un asiento de válvula**

*Seleccionar un piloto del tamaño adecuado y una piedra de grano grueso del ángulo correcto. Si es necesario, lubricar el piloto e instalar la herramienta en la guía de válvula. Deslizar la piedra acercándola y alejándola del asiento a un ritmo aproximado de dos veces por segundo, hasta que elimine todas las imperfecciones del asiento. Instalar una piedra de grano fino y terminar el asiento. Centrar y modificar el ancho de asiento con piedras de corrección, como se describió arriba.

Rectificado de válvulas:

Consultar las dimensiones en las especificaciones

Verificar si el vástago está doblado

Diámetro

Ángulo de la cara de la válvula

$1/32$ plg mínimo

Esta línea es paralela a la cabeza de la válvula

▲ **Dimensiones críticas de las válvulas**

Con un rectificador de válvulas, rectificarlas según sus respectivas especificaciones.

PRECAUCIÓN: *los ángulos de la cara de la válvula y de su asiento no siempre son iguales.*

Después de rectificar la válvula, debe quedar un margen mínimo de $1/32$ plg (0.8 mm). También hay que rectificar la punta del vástago; para ello, se coloca éste en el bloque en V de la rectificadora y se hace girar, al tiempo que se oprime ligeramente contra la rueda de esmeril.

NOTA: *no rectificar con máquinas las válvulas de escape con núcleo de sodio; se deben asentar a mano.*

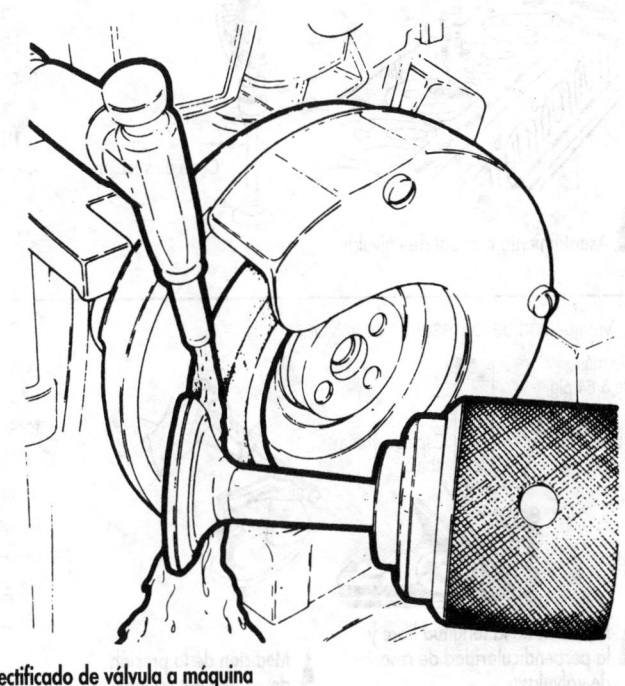

▲ **Rectificado de válvula a máquina**

REACONDICIONAMIENTO DE CULATAS

Procedimiento	Método

Medición de la concentricidad del asiento de la válvula:

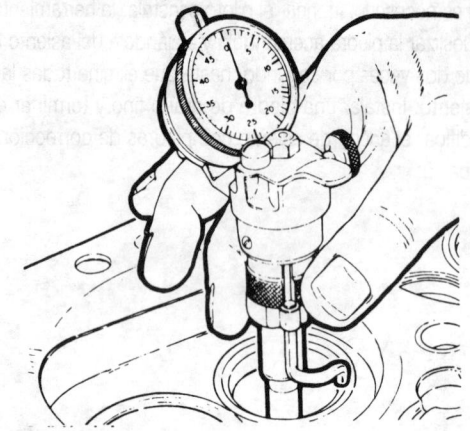

▲ **Medición de la concentricidad del asiento de una válvula con micrómetro de esfera**

Cubrir la cara de la válvula con azul de Prusia; luego instalarla y hacerla girar en el asiento. Si el asiento queda cubierto por completo, y se sabe que la válvula es concéntrica, el asiento también lo es.

*Instalar el piloto del micrómetro de esfera en la guía y apoyar su brazo en el asiento de la válvula. Poner en cero el indicador del micrómetro y hacer girar el brazo alrededor del asiento. La excentricidad no debe ser mayor que 0.002 plg (0.005 mm).

---

*Asentamiento de las válvulas:

NOTA: *El asentamiento de las válvulas se hace para asegurar el sellado eficiente entre las válvulas y los asientos que se han rectificado.*

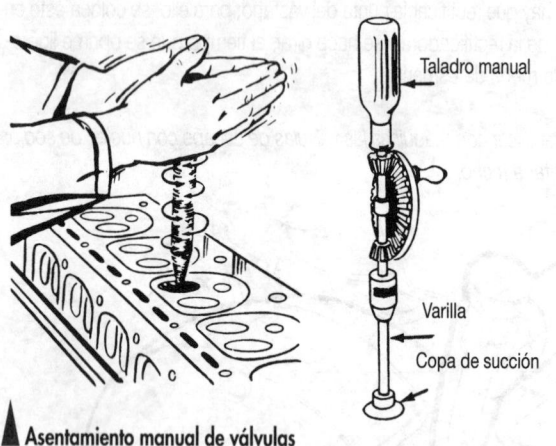

Taladro manual

Varilla

Copa de succión

▲ **Asentamiento manual de válvulas**

*Invertir la culata, lubricar ligeramente los vástagos de las válvulas e instalarlas en la culata según su numeración. Cubrir los asientos de las válvulas con un compuesto abrasivo fino y fijar la copa de succión de la herramienta de asentar a la cabeza de una de las válvulas.

NOTA: *humedecer la copa de succión.*

Hacer girar la herramienta entre las palmas de las manos. Cambiar de posición y levantar con frecuencia la herramienta para evitar rayaduras. Asentar la válvula hasta que se aprecie un asiento liso y pulimentado. Quitar la válvula y la herramienta; enjuagar para quitar completamente toda huella de compuesto abrasivo.

**Fijar una copa de succión a una broca y montar ésta en un taladro.

Hacer lo mismo que se describió arriba con el taladro de mano como herramienta de asentar.

PRECAUCIÓN: *como las velocidades al usar el taladro de mano son mayores, se debe tener cuidado para evitar rayar el asiento.*

Levantar la herramienta y cambiar con frecuencia la dirección de la rotación.

Verificación de los resortes de válvulas:

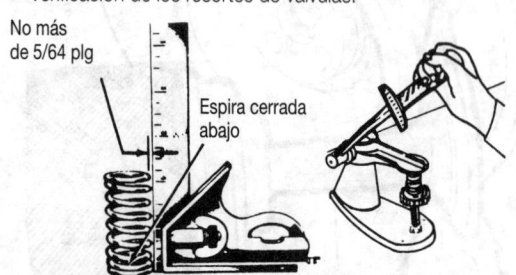

No más de 5/64 plg

Espira cerrada abajo

▲ **Medición de la longitud libre y la perpendicularidad de resortes de válvulas**

▲ **Medición de la presión de prueba del resorte**

Colocar el resorte en una superficie plana junto a una escuadra. Medir la altura libre del resorte y hacerlo girar junto a la escuadra para medir su distorsión. Si la altura libre del resorte varía (por comparación) más de $1/16$ plg (1.6 mm) o la distorsión es mayor que $1/16$ plg (1.6 mm), cambiar el resorte.

**Medir la presión del resorte en las posiciones (altura) instalado y comprimido (altura instalado menos levante de la válvula) con un probador de resortes. Los resortes que se emplean en motores de cilindrada pequeña (de hasta 3 litros) deben tener su presión igual a la de los demás del juego con tolerancia máxima de ± 1 lb (4.45 N) en ambas posiciones. Los motores más grandes tienen tolerancia hasta de ± 5 lb (22.25 N).

REACONDICIONAMIENTO DE CULATAS

Procedimiento	Método

Instalación de las cámaras de precombustión (sólo en motores Diesel):

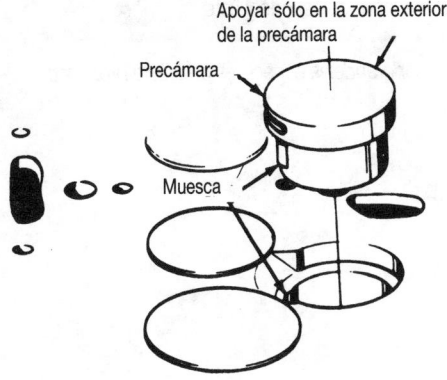

Apoyar sólo en la zona exterior de la precámara

Precámara

Muesca

▲ **Alinear las muescas para instalar la cámara de precombustión (© G.M. Corp.)**

Las cámaras de precombustión entran a presión en la culata y en una sola dirección: en los motores V8 de GM, poner en línea las muescas en la cámara y en la culata; en los de 1.8L de 4 cilindros, instalar la bola de seguridad en la ranura de la cámara y en seguida alinearla con la ranura en la culata. Introducir la cámara en la culata con una prensa. Apoyar una pieza metálica contra la superficie de la cámara para protegerla. En los motores de 1.8L, esmerilar la cara de la cámara después de haberla instalado, para que quede al ras con la cara de la culata. En los motores V8 de GM, utilizar un cubo de 1 $\frac{1}{4}$ plg (31.7 mm) para instalar la cámara (ésta debe quedar al ras ± 0.003 plg (0.07 mm) de la cara de la culata).

Instalación de inyectores de combustible y tapones incandescentes (sólo en motores Diesel):

Antes de instalar los tapones incandescentes, comprobar que haya continuidad entre sus terminales y el cuerpo. Si no la hay, es por rotura de la resistencia calentadora y se debe cambiar el tapón.

---

*Instalación de los sellos de válvulas:

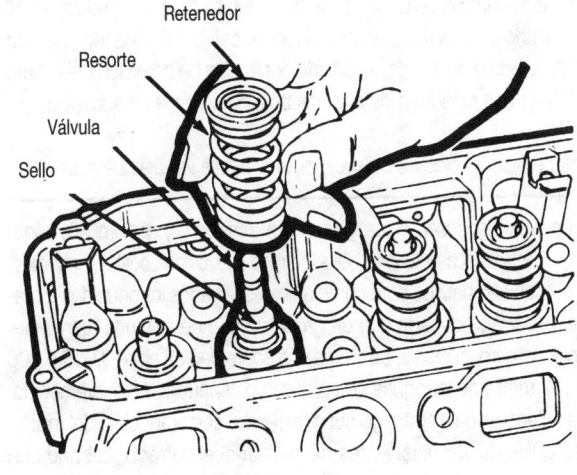

Retenedor

Resorte

Válvula

Sello

▲ **Instalación del sello del vástago de válvula**

*Debido a la diferencia de presiones que existe en los extremos de las guías de las válvulas de admisión (arriba, presión atmosférica; abajo, vacío del múltiple), el aceite es succionado a través de las guías de válvulas hacia la lumbrera de admisión. Esto se ha remediado en parte desde que se comenzó a emplear la ventilación positiva del cárter, que reduce la presión sobre las guías. Existen varios tipos de sellos de vástagos de válvulas para reducir el paso de aceite. Algunos simplemente se deslizan sobre el vástago de la válvula y el resalte de la guía, pero otros necesitan que el resalte esté maquinado.

Recientemente, se han popularizado los sellos de guías de teflón.

Consultar con un proveedor de refacciones o el taller de rectificado acerca de la disponibilidad y las refacciones sugeridas.

NOTA: *al instalar los sellos, asegurarse de que dejen pasar un poco de aceite, para lubricar las guías de válvulas. Si no es así, se puede producir desgaste prematuro.*

Instalación de las válvulas:

Lubricar los vástagos de válvulas e instalar éstas en la culata, según su numeración. Lubricar y colocar los sellos (si es el caso, ver arriba) y los resortes de válvulas. Instalar los retenedores de los resortes, comprimir estos últimos e introducir los seguros con pinzas de punta de aguja o alguna herramienta diseñada para este fin.

NOTA: *durante la instalación, mantener lubricados los seguros con grasa para cojinetes.*

REACONDICIONAMIENTO DE CULATAS

Procedimiento	Método

Medición de la altura de los resortes de válvulas instalados:

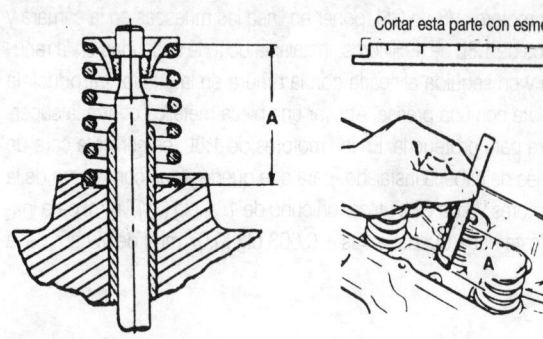

Cortar esta parte con esmeril

▲ **Altura del resorte de válvula instalado**

▲ **Medición de la altura del resorte de válvula, instalado**

Medir la distancia entre el cojín del resorte y el borde inferior del retenedor del resorte, y compararla con la especificada. Si es incorrecta la altura, agregar arandelas suplementarias entre el cojín del resorte y éste.

PRECAUCIÓN: *sólo usar arandelas especiales para este propósito.*

Instalar el árbol de levas (sólo en motores con árbol en la culata) y medir el juego axial:

Ver los procedimientos de servicio al motor, en secciones anteriores de este libro, para conocer los detalles específicos de cada motor.

Revisar los balancines, bolas, espárragos y tuercas (sólo en motores con válvulas en la culata):

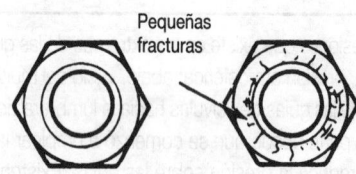

Pequeñas fracturas

▲ **Roturas por esfuerzo en las tuercas de balancines**

Revisar visualmente balancines, bolas, espárragos y tuercas para ver si presentan rebabas, están quemados o gastados. Si todas las partes están en buen estado, lubricar abundantemente los balancines y las bolas, e instalarlos en la culata. Si nota desgaste de un balancín en la zona donde hace contacto con la válvula, esmerilar esa zona quitando sólo el material indispensable para dejarla lisa y plana. Si está demasiado gastado, cambiar el balancín. Si un espárrago del balancín muestra evidencias de degaste, se debe cambiar (ver más adelante). Si una tuerca de balancín muestra fallas por esfuerzos, cambiarla. Cuando una bola de escape esté rayada o quemada, sustituirla por la bola de admisión del mismo cilindro (si está en buen estado) e instalar una bola nueva en la de admisión.

NOTA: *evitar emplear bolas de balancín nuevas en las válvulas de escape.*

Cambio de los espárragos de balancines (sólo en motores con válvulas en la culata):

Cuando el espárrago comienza a moverse hacia arriba, será necesario quitar la tuerca y agregar más arandelas

Tuerca de ³/₈ plg

Arandelas planas

▲ **Extracción de un espárrago introducido a presión**

Para quitar un espárrago roscado, asegurar dos tuercas en él y destornillarlo con la tuerca inferior. Cubrir las roscas inferiores del espárrago nuevo con Loctite® e instalarlo.

Hay dos métodos alternativos para cambiar los espárragos introducidos a presión. Quitar el espárrago dañado con un grupo de arandelas y una tuerca (ver esquema). En el primero, el resalte se rima a una sobremedida entre 0.005-0.006 plg (0.127-0.152 mm) y se introduce con prensa un espárrago en sobremedida. Se controla la extensión del espárrago sobre el resalte con arandelas, del mismo modo que las guías de válvulas. Antes de instalar el espárrago, cubrirlo con plomo blanco y grasa. Para sujetar con mayor firmeza el espárrago, hacer una perforación a través del espárrago y el resalte, e instalar un pasador. En el segundo método, se machuela el resalte y se instala un espárrago roscado. Sujetar el espárrago con adhesivo Loctite® para montaje de espárragos y cojinetes.

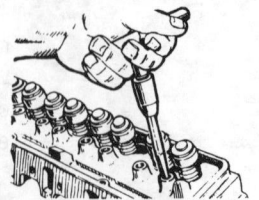

▲ **Rimado del agujero del espárrago para emplear repuestos de sobremedida**

REACONDICIONAMIENTO DE CULATAS

Procedimiento	Método

Revisar los balancines y su eje o ejes (sólo en motores con válvulas en la culata):

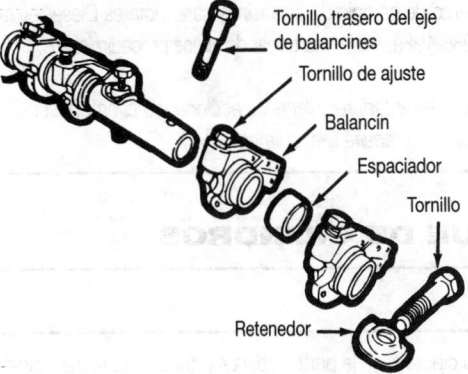

▲ **Desarmado del eje de balancines para su revisión**

Quitar balancines, resortes y arandelas del eje de balancines.

NOTA: *colocar las partes formándolas en el orden en que se han quitado.*

Revisar si los balancines están picados o gastados en la zona de contacto con la válvula, o si su buje está demasiado gastado. Los bujes sólo se deben cambiar si el desgaste es excesivo, porque normalmente el balancín toca al eje en un solo punto. Si es necesario, pulir el punto de contacto de la válvula o del balancín, quitando tan poco material como sea posible. Si hubiera que quitar mucho material, sería mejor cambiarlo. Limpiar todos los agujeros y venas de aceite en el eje de balancines, pero si está rayado o gastado, cambiarlo. Lubricar y armar el eje de balancines.

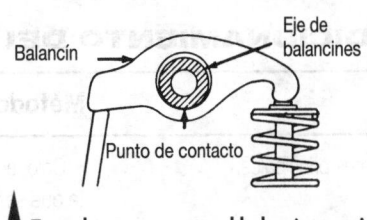

▲ **Zona de contacto entre el balancín y su eje**

Revisar el árbol de levas y sus bujes (sólo en motores con válvulas en la culata):

Ver la sección siguiente.

Revisar las varillas de empuje (sólo en motores con válvulas en la culata):

Quitar las varillas de empuje y, si son huecas, limpiar las venas de aceite con alambre delgado. Rodar cada varilla sobre un vidrio limpio.

Si cuando rueda la varilla se escucha un ruido diferente de los demás, quiere decir que esa varilla está doblada y debe cambiarse.

*Debe ser igual la longitud de todas las varillas de empuje. Medirlas y compararlas con las especificaciones, y cambiar las que sea necesario.

Revisar los levantaválvulas (sólo en motores con válvulas en la culata):

Verificar si hay concavidad por desgaste en la cara del levantador, usando otro como regla

▲ **Revisión de la cara del levantaválvulas**

Sacar los levantadores de sus agujeros; con disolvente, quitar la goma y el barniz; limpiar las paredes de los agujeros. Verificar si los levantadores tienen concavidad en la cara por desgaste, como se muestra en la figura. Si éste es el caso, cambiar el levantador y con cuidado revisar el árbol de levas. Lubricar ligeramente el levantador e introducirlo en su agujero; si tiene demasiado juego, se debe instalar un levantador en sobremedida (cuando sea posible). Consultar al taller de rectificación acerca de esta posibilidad. Si es satisfactorio el juego, quitarlo, lubricarlo y volverlo a instalar.

NOTA: *los motores GM Diesel V8, modelo 1981 y posteriores tienen seguidores de leva con rodillo. Revisarlos para comprobar que su operación es suave y no presentan desgaste. Los rodillos deben girar libremente, pero sin demasiado juego. Verificar que los rodillos no tengan agujas rotas o faltantes. Si algún rodillo está picado o es áspero, revisar el lóbulo correspondiente en el árbol de levas para ver si presenta desgaste.*

---

*Prueba de levantaválvulas hidráulicos (sólo en motores de gasolina con válvulas en la culata):

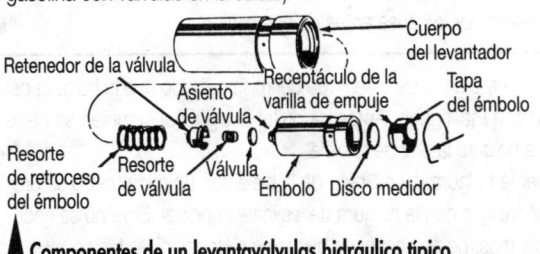

▲ **Componentes de un levantaválvulas hidráulico típico**

Sumergir el levantador en un recipiente con petróleo diáfano. Sujetar con las mordazas de un taladro de banco una varilla de empuje usada o algo semejante. Colocar el recipiente de petróleo de modo que la varilla de empuje actúe sobre el émbolo del levantaválvulas. Bombear el levantador con el taladro de banco hasta que aumente la resistencia; repetir esto varias veces para purgar todo el aire del levantador. Aplicar presión constante y firme al levantador, y observar la velocidad a la que sale el petróleo del levantador; si lo hace muy rápido (en menos de 15 segundos), el levantador está averiado. Si tarda más de 60 segundos, el levantador se pega. En cualquiera de esos casos, limpiar o cambiar el levantador; cuando éste trabaja correctamente (tiempo para vaciar el petróleo entre 15 y 60 segundos), lubricarlo e instalarlo.

REACONDICIONAMIENTO DE CULATAS

Procedimiento	Método
Purga de los levantaválvulas hidráulicos (sólo en motores Diesel):	Después de instalar las culatas en los motores Diesel V8 de GM, hay que purgar los levantadores, antes de girar el cigüeñal, pues de otro modo se dañará el tren de válvulas. Ver el procedimiento de cambio de balancines para motores Diesel, en la sección de Oldsmobile 1988-1989, etc., para tomar de allí los procedimientos. **NOTA:** *al instalar nuevos levantadores, llenarlos accionando el émbolo cuando esté sumergido en petróleo o aceite Diesel limpios.*

REACONDICIONAMIENTO DEL BLOQUE DE CILINDROS

Procedimiento	Método
Medición de la holgura de los cojinetes principales:	Colocar el motor con el cigüeñal en la parte superior y quitar la tapa del cojinete que se vaya a medir. Con un trapo limpio y seco, limpiar completamente todo el aceite del muñón del cigüeñal y del inserto del cojinete.

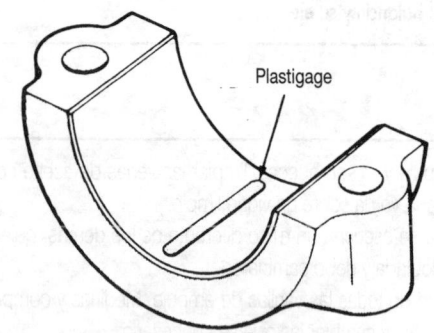

Plastigage

▲ **Plastigage®** instalado en el inserto inferior del cojinete

NOTA: *el cordón Plastigage se disuelve en aceite; por lo tanto, si hay aceite en el muñón o en el cojinete es posible obtener lecturas falsas.*

Colocar un tramo de Plastigage a lo largo de todo el muñón, poner la tapa y apretar los tornillos según las especificaciones. Quitar la tapa del cojinete y determinar la holgura de éste comparando la anchura del Plastigage con la escala en el sobre. La conicidad del muñón se determina comparando la anchura del cordón de Plastigage en sus extremos. Hacer girar 90° el cigüeñal y volver a medir para determinar la excentricidad del muñón.

NOTA: *no hacer girar el cigüeñal cuando esté colocado el Plastigage.*

Si el inserto del cojinete y el muñón están en buen estado y dentro de tolerancias, no se necesita mayor servicio al cojinete principal; cuando presentan defectos, se debe determinar la causa de la falla antes de cambiarlos.

*Quitar el cigüeñal del bloque del motor (ver más adelante). Medir los muñones de los cojinetes principales con un micrómetro dos veces en cada extremo (a 90°) para determinar el diámetro, la conicidad y la excentricidad. Si el estado de los muñones queda dentro de lo tolerado, volver a instalar las tapas de cojinete y apretar los tornillos según lo especificado. Con un calibrador telescópico de interiores y un micrómetro, medir el diámetro interior paralelo al eje del pistón y a 30° de cada lado del eje del pistón. Restar el diámetro exterior del muñón del diámetro interior del cojinete para calcular la holgura de aceite. Si los muñones del cigüeñal están en mal estado, o no cumplen con las tolerancias, no hay necesidad de medir los cojinetes, ya que el cigüeñal necesitará rectificarse, se necesitarán cojinetes para diámetro menor, o ambas cosas. Si los cojinetes están averiados, se debe determinar la causa antes de cambiarlos.

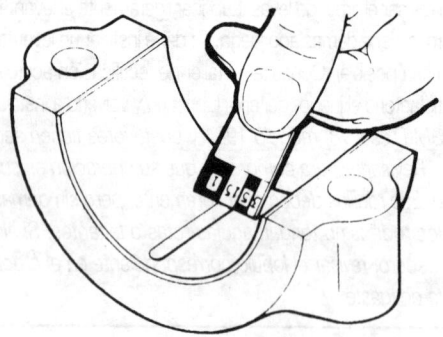

▲ **Medición del Plastigage®** para determinar la holgura del cojinete

| Medición de la holgura del cojinete de la biela: | La holgura del cojinete de la biela se mide del mismo modo que la holgura del cojinete principal, con Plastigage. Antes de quitar el cigüeñal, también se debe medir y registrar la holgura lateral de la biela.

*Para determinar la holgura del cojinete de la biela con un micrómetro se procede de igual manera que con la holgura del cojinete principal. Si ya no se necesita ningún servicio más, no es necesario quitar los pistones ni las bielas. |

REACONDICIONAMIENTO DEL BLOQUE DE CILINDROS

Procedimiento	**Método**

Desmontaje del cigüeñal:

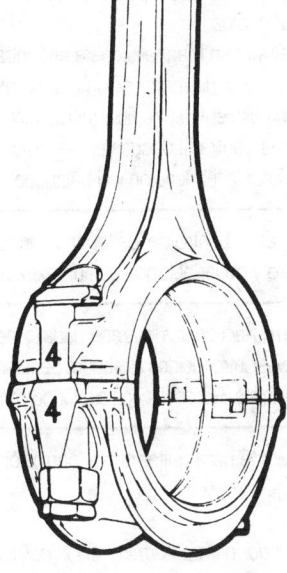

▲ Biela apareada con su cilindro mediante un número de golpe

Con un punzón de centros, marcar la posición de las tapas de los cojinetes principales y sus asientos correspondientes, según su posición (es decir, una marca en la tapa principal y en el asiento delantero, dos en la segunda, tres en la tercera, etc.). Con números de golpe identificar las bielas y las tapas correspondientes a cada cilindro (si no están ya numeradas). Quitar las tapas de los cojinetes principales y de las bielas; colocar pedazos de manguera de caucho sobre los tornillos de las bielas, a fin de proteger a los muñones cuando se quite el cigüeñal. Levantar el cigüeñal y sacarlo del bloque de cilindros.

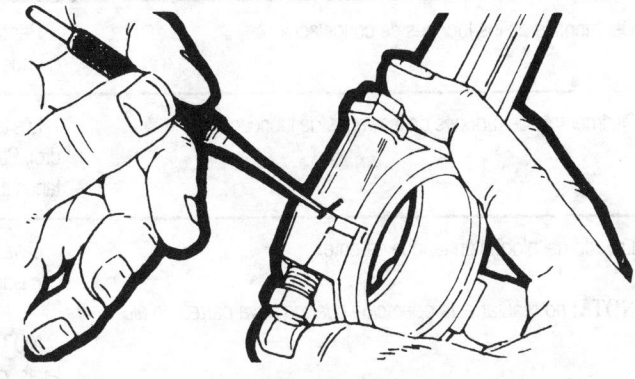

▲ Marcas de posición entre la biela y la tapa

Quitar la ceja de la parte superior del cilindro:

Ceja ocasionada por desgaste

Pared del cilindro

Parte superior del pistón

▲ Ceja del cilindro

Para facilitar el desmontaje del pistón y la biela, se debe quitar la ceja que está en la parte superior del cilindro, o sea la zona sin desgaste (ver la figura). Colocar el pistón en el fondo del cilindro y cubrirlo con un trapo. Cortar la ceja con una rima para rebordear, con sumo cuidado para evitar cortar demasiado. Quitar el trapo y las rebabas que queden en el pistón.

PRECAUCIÓN: *si no se quita la ceja y se instalan anillos nuevos, éstos se dañarán.*

Desmontaje del pistón y de la biela:

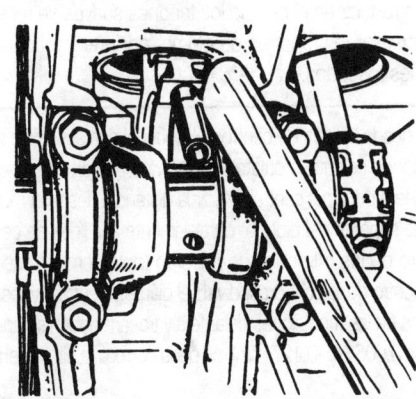

▲ Desmontaje del pistón

Invertir el motor y empujar los pistones y las bielas para sacarlos de los cilindros. Si es necesario, golpear el resalte de la biela con el mango de madera de un martillo para forzar que el pistón salga.

PRECAUCIÓN: *no tratar de forzar el pistón por la ceja del cilindro (ver antes).*

REACONDICIONAMIENTO DEL BLOQUE DE CILINDROS

Procedimiento	Método
Servicio al cigüeñal:	Verificar que todos los agujeros y las venas de aceite en el cigüeñal estén abiertos y libres de lodo. Si es necesario, hacer que rectifiquen el cigüeñal con la menor reducción posible de su medida. **Hacer que el cigüeñal se revise con Magnaflux para encontrar posibles fallas por esfuerzos. Consultar con el taller de rectificación acerca de otros procedimientos de servicio, como endurecimiento superficial (nitruración u otros), a fin de lograr las mejores características contra el desgaste, perforación y biselado de los agujeros de aceite para mejorar la lubricación y el balanceo.
Desmontaje de los tapones de congelación:	Perforar un agujero pequeño en el centro de los tapones. Introducir un tornillo grande para lámina en el agujero y quitar el tapón con un extractor de martillo.
Desmontaje de tapones de las venas de lubricación:	Los tapones roscados se deben quitar con una llave adecuada (generalmente de cuadro). Para quitar los tapones suaves, introducidos a presión, perforar un agujero en el tapón e introducir un tornillo para lámina. Sacar el tapón sujetando con pinzas el tornillo.
Lavado del bloque en tanque caliente: **NOTA:** *no realizar esta operación cuando haya partes de aluminio.*	Lavar el motor en tanque caliente para quitar grasa, corrosión y costra de las camisas de agua. **NOTA:** *consultar con el operador para determinar si los cojinetes del árbol de levas pueden dañarse con el lavado en tanque caliente.*
Revisión del bloque del motor para ver si tiene fisuras:	Revisar visualmente el bloque tratando de encontrar fisuras o despostilladuras. Los lugares más comunes para encontrarlas son los siguientes: Junto a los tapones de congelación. Entre los cilindros y las camisas de agua. Junto a los asientos de los cojinetes principales. En el extremo inferior de los cilindros. Sólo revisar con tintura penetrante (ver introducción a este capítulo) cuando se tengan sospechas de una fisura. Si se localiza una fisura, consultar con el taller de rectificación acerca de las reparaciones posibles. **Revisar el bloque con Magnaflux para localizar fracturas ocultas; si localiza alguna, consultar con el taller de rectificación acerca de la posibilidad de reparación.
Instalación de los tapones de venas de aceite y de congelamiento:	Cubrir los tapones de congelamiento con sellador e introducirlos en su posición a base de golpes ligeros y ayudándose con un tramo de tubo ligeramente menor que el tapón. Para asegurar su retención, recalcar las orillas de los tapones. Cubrir los tapones roscados de las venas de aceite con sellador e instalarlos. Con una barra grande, introducir en el bloque los tapones suaves de repuesto. *En lugar de vover a instalar los tapones de plomo, perforar y machuelar los agujeros e instalar tapones roscados.
*Medición de la altura del bloque de cilindros:	Esta medición se hace desde la línea de centro del cigüeñal a la superficie superior del bloque de cilindros (donde asienta la culata), con el motor invertido y el cigüeñal sujeto con la tapa del cojinete principal central. Medir la distancia desde el muñón del cigüeñal hasta la superficie superior del bloque, paralelamente a la línea de centro del cilindro. Medir el diámetro de los muñones de extremo (delantero y trasero), paralelamente a la línea de centro de los cilindros, dividir el diámetro entre 2 y restarlo de esa medida. Los resultados de las mediciones delantera y trasera deben ser idénticos. Si la diferencia es mayor de 0.005 plg (0.127 mm), se debe corregir la altura del bloque. **NOTA:** *se deben corregir al mismo tiempo la altura del bloque de cilindros y su torcimiento.*

REACONDICIONAMIENTO DEL BLOQUE DE CILINDROS

Procedimiento	Método
Medición del torcimiento de la superficie superior del bloque (asiento de la culata):	Con una regla y hojas de calibración, medir el torcimiento de la superficie superior del bloque, igual como se hizo con la culata (ver Reacondicionamiento de la culata). Si el torcimiento es mayor que las especificaciones, hacer que se rectifique dicha superficie. **NOTA:** *algunas veces se especifica el material total que puede eliminarse (culata y superficie superior). No debe excederse la especificación.*

Medición de cilindros y revisión de su superficie:

Revisar los cilindros para ver su estado de aspereza, rayado o desgaste. Si encuentra alguna de estas fallas, rectificar el cilindro a la siguiente sobremedida o bruñirlo para eliminar las imperfecciones, y utilizar el pistón de sobremedida más pequeño que sea posible. Entregar al taller de rectificación los pistones nuevos junto con el bloque, para que pueda rectificar los cilindros exactamente al tamaño del pistón (más la holgura). Si no hay fallas evidentes, medir el diámetro del cilindro con un calibrador telescópico y un micrómetro normal, o con un micrómetro de esfera en posición paralela y perpendicular a la línea de centro del motor. Se debe medir en la parte superior (por debajo de la ceja) y en la parte inferior del cilindro. Restar las medidas inferiores de las superiores para calcular la conicidad, y restar las medidas paralelas a la línea de centro de las perpendiculares para determinar la excentricidad u ovalamiento. Si las dimensiones sobrepasan las especificaciones, se deben rectificar o bruñir los cilindros e instalar pistones en sobremedida. Si las medidas satisfacen las especificaciones, se pueden emplear los cilindros tal como están, con sólo bruñirlos (ver más adelante).

▲ **Medición del diámetro del cilindro con un micrómetro de esfera**

NOTA: *antes de rectificar, medir torcimiento y altura de la superficie superior del bloque de cilindros y el alineamiento de los cojinetes.*

PRECAUCIÓN: *las paredes de los cilindros en los motores GM 140 de 4 cilindros están impregnadas con silicona. Sólo un taller con el equipo adecuado puede hacer la rectificación o el bruñido.*

Calibrador telescópico a 90° del pasador del pistón

▲ **Medición del diámetro del cilindro con un calibrador telescópico**

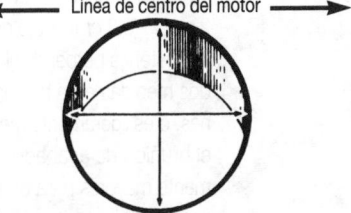

← Línea de centro del motor →

A- En ángulo recto con la línea de centro del motor
B- Paralelo a la línea de centro del motor

▲ **Puntos de medición del diámetro del cilindro**

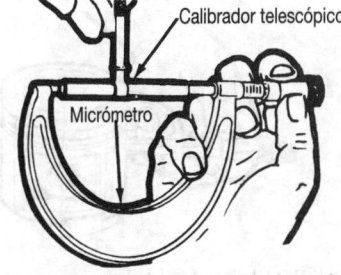

Calibrador telescópico

Micrómetro

▲ **Determinación del diámetro del cilindro midiendo con micrómetro el calibrador telescópico**

Verificación del alineamiento de los cojinetes del bloque de cilindros:	Quitar los insertos superiores de cojinete y colocar una regla en los asientos, a lo largo de la línea de centro del cigüeñal. Si hay holgura entre la regla y el asiento central, se debe remaquinar el bloque para alinear los asientos (corte en línea).

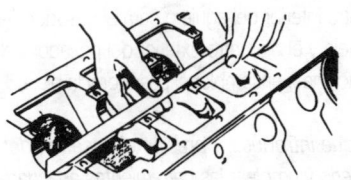

▲ **Medición del alineamiento de los asientos de los cojinetes principales**

REACONDICIONAMIENTO DEL BLOQUE DE CILINDROS

Procedimiento	Método

Procedimiento

Limpieza e inspección de los pistones y bielas:

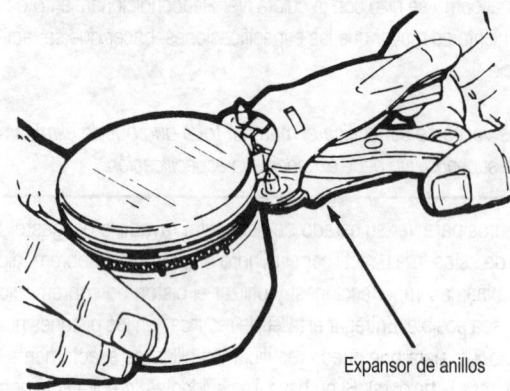

Expansor de anillos

▲ **Desmontaje de los anillos de pistón**

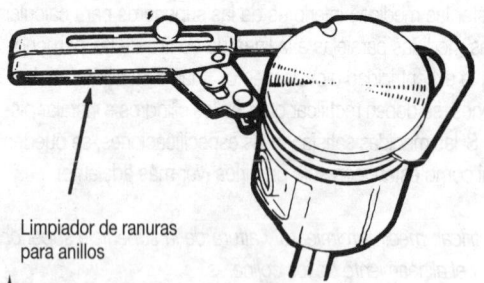

Limpiador de ranuras para anillos

▲ **Limpieza de las ranuras de anillos en el pistón**

Método

Con un expansor apropiado, sacar los anillos del pistón; quitar los seguros (si los hay) y separar el pasador del pistón.

NOTA: *si hay que sacar a presión el pasador del pistón, determinar el método adecuado y emplear las herramientas correctas para no dañar el pistón.*

Limpiar las ranuras de los anillos con la herramienta apropiada y tener cuidado para no cortar material. Con disolvente, eliminar por completo el carbón y el barniz del pistón.

PRECAUCIÓN: *no emplear cepillo de alambre ni disolvente cáustico en los pistones.*

Revisar los pistones para ver si están rayados, maltratados, presentan grietas, picaduras o demasiado desgaste en las ranuras de los anillos; si están dañados, hay que cambiarlos. Medir con micrómetro la longitud de la biela desde el interior del agujero mayor hasta el interior del agujero menor (ver figura). Todas la bielas deben tener la misma longitud; si alguna es de longitud diferente, cambiarla.

*Hacer que el taller de rectificación verifique el alineamiento de las bielas en un medidor especial. Cambiar las bielas dobladas o torcidas.

*Revisar con Magnaflux las bielas para localizar fisuras por fatiga. Si es el caso, cambiar la biela.

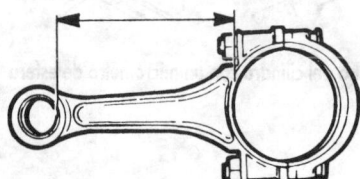

▲ **Medición de la longitud de la biela (flecha)**

Ajuste de los pistones en los cilindros:

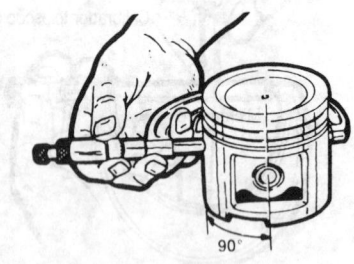

▲ **Medición del diámetro del pistón**

Con un calibrador telescópico y un micrómetro, o con un micrómetro de esfera, medir el diámetro de los cilindros, perpendicularmente al pasador del pistón, 2 ½ plg (6.3 cm) abajo de la superficie superior del bloque. Medir el diámetro de los pistones perpendicularmente a su pasador en la falda. La diferencia entre las dos medidas es la holgura del pistón. Si ésta queda dentro de las especificaciones, o es ligeramente menor (después de rectificar o bruñir), tan sólo se necesita el bruñido de acabado. Si hay demasiada holgura, conseguir pistones ligeramente mayores para que la holgura satisfaga las especificaciones. Cuando esto no sea posible, usar pistones en la sobremedida inmediata y, si es necesario, rectificar los cilindros a la medida.

Armado de los pistones y las bielas:

Revisar el pasador del pistón, el buje del extremo pequeño de la biela y el agujero del pistón para ver si están rayados, presentan desgaste excesivo o tienen rebabas. Si se observa cualquiera de estas anomalías, cambiar la parte o partes defectuosas. Medir el diámetro interior del agujero para el pasador del pistón en el extremo pequeño de la biela y el diámetro exterior del pasador del pistón. Si quedan dentro de especificaciones, ensamblar el pasador y la biela.

PRECAUCIÓN: *si hay que introducir a presión el pasador, determinar el método adecuado para hacerlo y emplear las herramientas adecuadas para no distorsionar el pistón.*

REACONDICIONAMIENTO DEL BLOQUE DE CILINDROS

Procedimiento	**Método**

(Continuación)

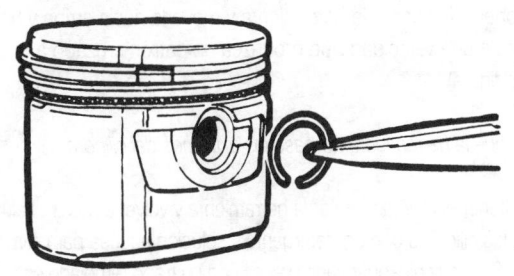

▲ Instalación de los seguros del pasador del pistón

Instalar los seguros cuidando que asienten correctamente. Si las partes no quedan dentro de especificaciones, determinar el método de reparación, según el tipo del motor. En algunos casos, se da servicio al pistón y al pasador en conjunto cuando alguno de ellos está averiado; en otros, se especifica rimar el pistón y las bielas para alojar un pasador en sobremedida. Si el buje de la biela está gastado, en muchos casos se puede cambiar. El rimado del pistón y el cambio de buje del pasador se deben realizar en un taller especializado.

Limpieza e inspección del árbol de levas:

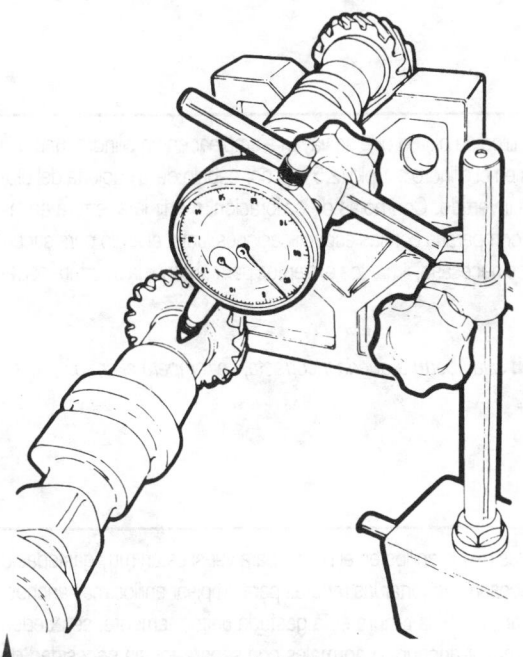

▲ Medición de la rectitud del árbol de levas

Desengrasar con disolvente el árbol de levas y limpiar todos sus agujeros. Revisar las levas y los muñones para ver si están gastados. Cuando se tengan dudas acerca de alguna leva, medir todas ellas como indica abajo. Si un muñón o leva están gastados, se deben restablecer sus medidas o cambiar el árbol.

NOTA: *si un muñón está gastado, es muy probable que también los bujes lo estén.*

Si las levas no presentan daños, colocar los muñones delantero y trasero en bloques en V y apoyar un micrómetro de esfera en el muñón central. Hacer girar el árbol de levas para medir su rectitud. Si la desviación es mayor de 0.001 plg (0.23 mm), cambie el árbol de levas.

*Medir las levas con un micrómetro desde la nariz hasta la base y volver a medir a 90° (ver la figura). Se calcula el levante restando la segunda medida de la primera. Si no son idénticos todos los levantes de escape o todos los de admisión, se deben restablecer sus medidas o cambiar el árbol de levas.

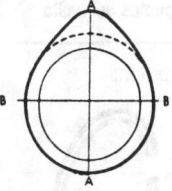

▲ Dimensiones del lóbulo

Cambio de cojinetes de árbol de levas (sólo en motores con árbol de levas en el bloque):

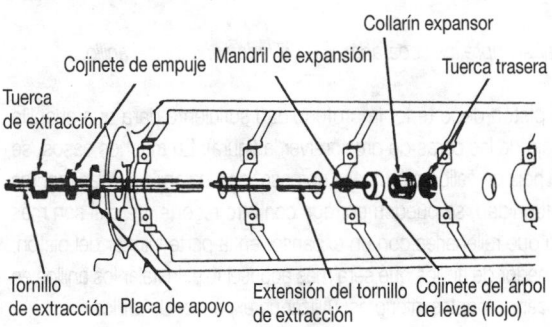

▲ Herramienta típica para desmontar y montar cojinetes de árboles de levas

Cuando se note demasiado desgaste o se realice una reconstrucción total del motor, cambiar los cojinetes del árbol de levas como sigue: sacar del bloque de cilindros el tapón trasero del árbol de levas. Para armar el extractor, colocar el hombro de éste en el cojinete por quitar. Apretar poco a poco la tuerca extractora, hasta que salga el cojinete. Quitar los demás cojinetes, dejando para el último el delantero y el trasero. Para quitar éstos, invertir la posición de la herramienta para que los cojinetes salgan hacia el centro del bloque. Mantener la herramienta en esta posición, presentar los nuevos cojinetes delantero y trasero en el instalador e introducirlos a su lugar. Volver a invertir la herramienta a su posición original y meter los cojinetes restantes en su sitio.

NOTA: *asegurarse de que los agujeros de lubricación quedan alineados al instalar los cojinetes.*

Cambiar el tapón trasero del árbol de levas y recalcarlo en su lugar para ayudar a su retención.

REACONDICIONAMIENTO DEL BLOQUE DE CILINDROS

Procedimiento	Método

Bruñido de los cilindros:

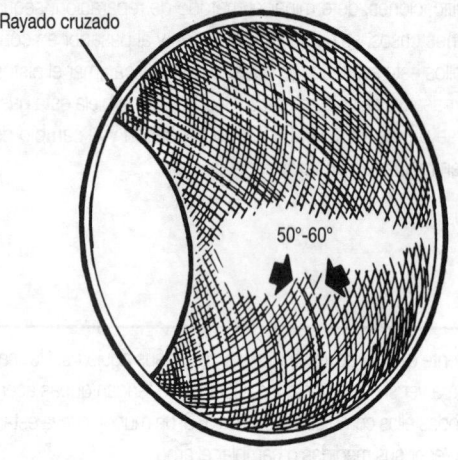

Rayado cruzado

50°-60°

Sujetar un bruñidor con impulsor flexible en un taladro de mano e introducirlo en el cilindro. Poner a funcionar la herramienta y moverla hacia arriba y hacia abajo del cilindro, a una velocidad que produzca un patrón cruzado a más o menos 60° (ver la figura).

NOTA: *cuidar que la herramienta no pase los extremos del cilindro.*

Después de obtener el bruñido, quitar la herramienta y volver a medir el ajuste del pistón. Lavar los cilindros con un detergente y solución acuosa para eliminar el polvo abrasivo. Secar y enjuagar varias veces con un trapo remojado en aceite de motor.

Medición de la holgura de los extremos del anillo del pistón:

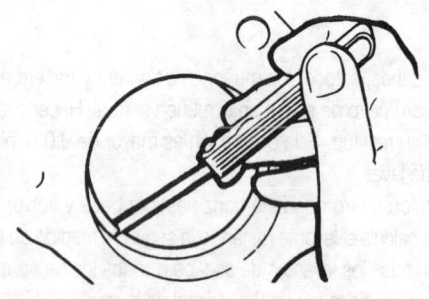

▲ **Medición de la abertura entre puntas del anillo**

Comprimir los anillos de pistón que se vayan a emplear en un cilindro, uno a la vez, e introducirlos en el cilindro a 1 plg (2.5 cm) por debajo de la cubierta del bloque con un pistón invertido. Con hojas de calibración, medir la abertura en las puntas del anillo y compararla con las especificaciones. Jalar el anillo para sacarlo del cilindro y, si es necesario, limar los extremos para obtener la abertura especificada.

PRECAUCIÓN: *si la abertura queda incorrecta, se romperá el anillo.*

Instalación de los anillos en el pistón:

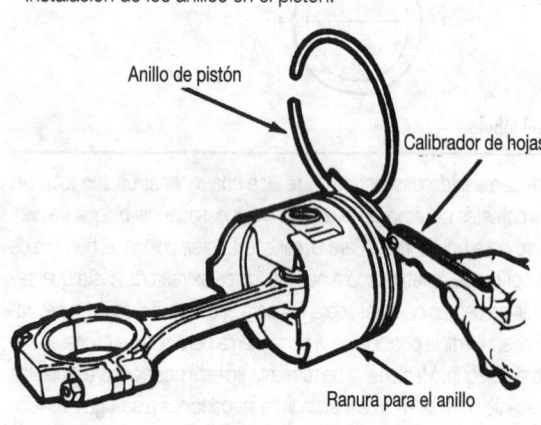

Anillo de pistón

Calibrador de hojas

Ranura para el anillo

▲ **Medición de la holgura lateral de un anillo**

Revisar las ranuras de los anillos en el pistón para ver si están muy gastadas o biseladas. Si es necesario, recortar las ranuras para emplear anillos más anchos, normales con separador. Si la ranura está gastada uniformemente, se pueden instalar anillos de mayor anchura o normales con separador sin necesidad de recortar. Rodar el exterior del anillo alrededor del hueco de la ranura para verificar que no haya depósitos ni abolladuras; si los hay, quitarlos con una lima fina.

Sujetar el anillo en la ranura y medir la holgura lateral. Si es necesario, corregirla como se indicó en el párrafo anterior.

NOTA: *instalar siempre los separadores en el lado superior del anillo.*

La ranura del pistón debe tener la profundidad suficiente para que el anillo asiente por debajo de las caras de presión (ver la figura). En muchos casos, se proporciona una hoja de calibración "pasa no pasa" con los anillos. Si las ranuras tienen poca profundidad, se pueden corregir con otro recorte, pero si son más profundas habrá que rellenarlas con un expansor en la parte inferior del pistón; consultar al proveedor de anillos qué será más aconsejable. Instalar los anillos en el pistón, comenzando por los inferiores; utilizar un expansor de anillos.

NOTA: *colocar las marcas de los anillos tal como lo especifique su fabricante (ver sección correspondiente a cada marca de vehículos).*

REACONDICIONAMIENTO DEL BLOQUE DE CILINDROS

Procedimiento	Método
Instalación del árbol de levas (sólo en motores con válvulas en la culata):	Lubricar bien las levas y muñones, e instalar el árbol de levas. **PRECAUCIÓN:** *tener mucho cuidado para no dañar los cojinetes al introducir el árbol de levas.* Instalar y apretar los tornillos de sujeción de la placa de empuje del árbol de levas. Consultar los procedimientos adecuados para cada tipo de motor.

Medición del juego axial del árbol de levas (sólo en motores con válvulas en la culata):

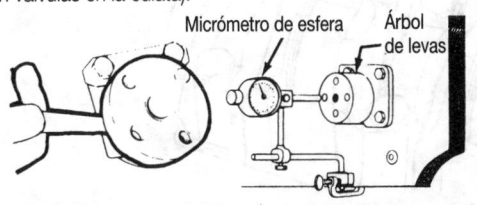

▲ **Medición del juego axial del árbol de levas con calibrador de hojas** ▲ **Medición del juego axial del árbol de levas con micrómetro de esfera**

Con calibrador de hojas, determinar si la holgura entre el resalte del árbol de levas (o el engrane) y la placa de respaldo queda dentro de las especificaciones. Instalar suplementos detrás de la placa de empuje o cambiar de lugar el engrane del árbol y volver a medir el juego axial. En algunos casos, se logra el ajuste al cambiar la placa de empuje.

*Montar un micrómetro de esfera con soporte, de modo que el brazo quede apoyado en la nariz del árbol de levas, paralelo al eje de éste. Empujar el árbol tanto como sea posible y ajustar a cero el micrómetro. Mover hacia fuera el árbol de levas para determinar el juego axial. Si este juego rebasa lo tolerado, instalar suplementos detrás de la placa de empuje o cambiar de lugar el engrane y volver a medir.

Instalación del sello principal trasero (cuando sea el caso):

Consultar los procedimientos adecuados para cada motor en particular.

Instalación del cigüeñal:

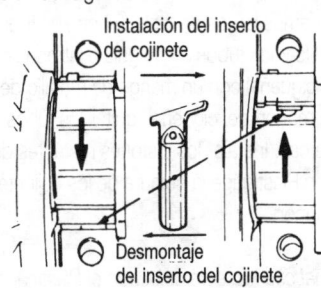

▲ **Desmontaje e instalación del metal del cojinete superior con un pasador extractor**

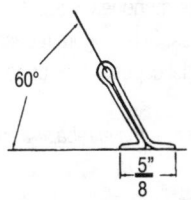

▲ **Pasador extractor de metales de fabricación doméstica**

Limpiar a fondo los soportes y las tapas de los cojinetes principales. Colocar los metales superiores de cojinete en sus asientos e introducirlos a presión.

NOTA: *asegurarse de que los agujeros de lubricación queden alineados.*

Introducir a presión los metales de cojinete correspondientes en las tapas principales. Lubricar los cojinetes principales de arriba y apoyar el cigüeñal en su lugar. Colocar un cordón de Plastigage sobre cada uno de los muñones del cigüeñal, instalar las tapas principales y apretar los tornillos a lo especificado. Quitar las tapas principales y comparar la anchura del Plastigage con lo indicado en su sobre. Si las holguras quedan dentro de lo tolerado, quitar el Plastigage, hacer girar el cigüeñal 90°, limpiar todo el aceite y volver a medir. Si todas las holguras son correctas, quitar por completo el Plastigage, lubricar enteramente las tapas principales y los muñones, e instalar las tapas principales. Si las holguras rebasan lo tolerado, se pueden quitar los metales superiores de los cojinetes, sin quitar el cigüeñal, con un pasador (ver la figura). Rodar a su lugar un metal que dé la holgura correcta y volver a medir. Apretar todas las tapas principales de acuerdo con las especificaciones, excepto la del cojinete de empuje. Apretar los tornillos de la tapa del cojinete de empuje sólo a mano. Para alinear correctamente este cojinete, hacer palanca sobre el cigüeñal para que recorra varias veces su trayectoria axial y el último movimiento sea hacia el frente del motor. Apretar los tornillos de la tapa del cojinete de empuje, según las especificaciones. Determinar el juego axial del cigüeñal (ver abajo) y reducirlo hasta valores tolerados mediante arandelas de empuje.

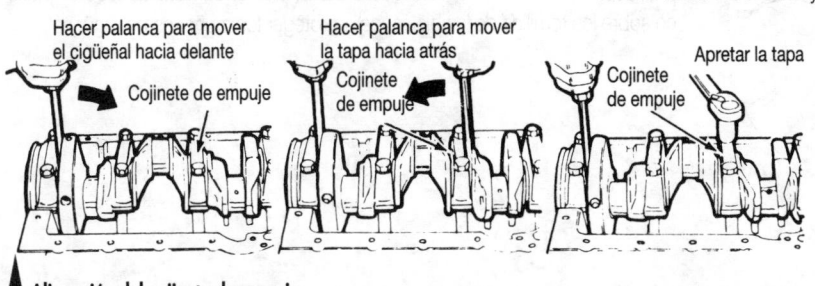

▲ **Alineación del cojinete de empuje**

REACONDICIONAMIENTO DEL BLOQUE DE CILINDROS

Procedimiento	Método

Medición del juego axial del cigüeñal:

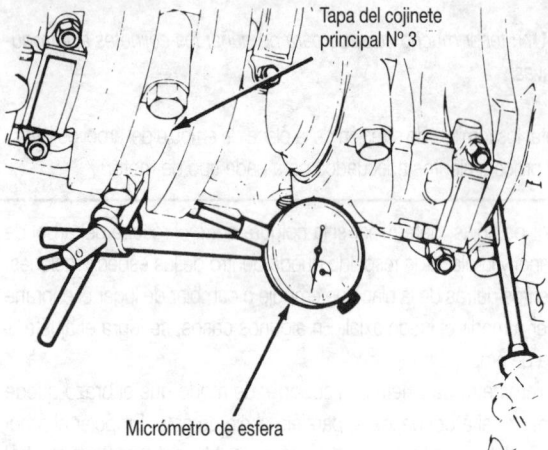

Tapa del cojinete
principal N° 3

Micrómetro de esfera

▲ **Medición del juego axial del cigüeñal con micrómetro de esfera**

Montar un micrómetro de esfera en el frente del bloque del motor, con el brazo apoyado en la nariz del cigüeñal, paralelo al eje del cigüeñal. Hacer palanca para mover hacia atrás el cigüeñal, hasta donde sea posible, y ajustar a cero el indicador. Hacer palanca para mover hacia delante el cigüeñal y registrar el juego axial.

NOTA: *el juego axial del cigüeñal también se puede medir en el cojinete de empuje con calibrador de hojas (ver la figura).*

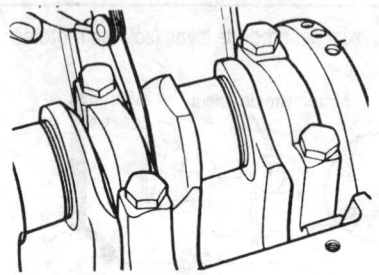

▲ **Medición del juego axial del cigüeñal con calibrador de hojas**

Instalación de los pistones:

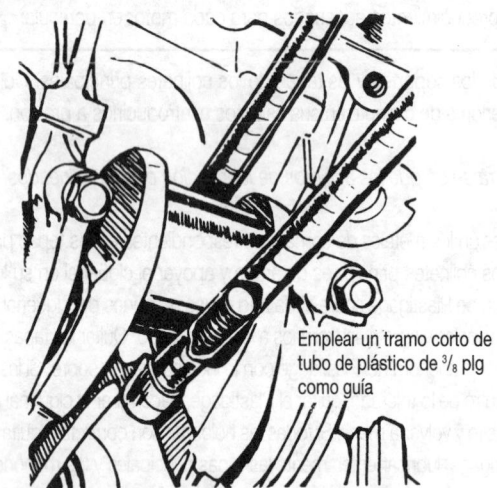

Emplear un tramo corto de
tubo de plástico de ³/₈ plg
como guía

▲ **Tubo empleado para proteger los muñones del cigüeñal y las paredes de los cilindros durante la instalación del pistón**

Compresor de anillos

▲ **Instalación del pistón**

Introducir a presión los insertos superiores de los cojinetes en las bielas y los inferiores en las tapas de las bielas. Orientar las aberturas de los anillos del pistón de acuerdo con las especificaciones (para cada vehículo, consultar la sección correspondiente) y lubricar los pistones. Instalar un compresor de anillos en un pistón, e introducir a presión dos tramos largos de 8 plg (20 cm) de tubo de plástico sobre los tornillos de la biela. Usar los tubos como guía e introducir el pistón, a presión, en el cilindro y sobre el cigüeñal con un mango de martillo de madera. Después de asentar la biela en el muñón del cigüeñal, quitar los tubos e instalar la tapa, apretando a mano las tuercas. Instalar los pistones restantes del mismo modo. Invertir el motor y medir con Plastigage la holgura de los cojinetes en dos puntos separados 90° en cada muñón.

NOTA: *no hacer girar el cigüeñal cuando esté colocado el Plastigage.*

Si la holgura está dentro de las tolerancias especificadas, quitar todo el Plastigage, lubricar cuidadosamente los muñones, y apretar las tuercas de las tapas de las bielas a sus especificaciones. Si la holgura rebasa los valores especificados, instalar insertos de cojinetes del espesor adecuado y volver a medir.

PRECAUCIÓN: *nunca colocar suplementos ni rebajar a lima las bielas o sus tapas.*

Siempre que no estén instaladas las tapas, instalar camisas de tubo de plástico sobre los tornillos de las bielas, para proteger los muñones del cigüeñal.

REACONDICIONAMIENTO DEL BLOQUE DE CILINDROS

Procedimiento	Método

Medición de la holgura lateral de la biela:

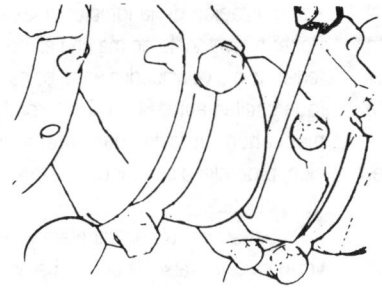

▲ Medición de la holgura lateral de la biela

Con calibrador de hojas, determinar la holgura entre los costados de la biela y el cigüeñal; si es menor que la tolerancia mínima, se puede maquinar la biela para dar la holgura correcta. Si la holgura es muy grande, cambiar la biela por una nueva y volver a medir. Si la holgura aún rebasa las especificaciones, el cigüeñal se debe soldar y rectificar, o cambiarlo.

Revisión de la cadena o banda de sincronización:

Revisar la cadena de sincronización para ver que no haya eslabones rotos o flojos; si los hay, cambiar la cadena. Si la cadena se flexiona hacia los lados, debe cambiarse. Instalar la cadena de sincronización siguiendo el procedimiento especificado. Asegurarse de que la banda de sincronización no esté agrandada, deshilachada o rota.

NOTA: *si se ha de emplear la cadena de sincronización original, instalarla en su posición original.*

Medición del juego entre dientes y variación lateral de los engranes de sincronización (motores con válvulas en la culata):

Montar un micrómetro de esfera con el brazo apoyando en un diente del engrane del árbol de levas (como muestra el esquema). Hacer girar el engrane hasta eliminar el juego y ajustar a cero el micrómetro. Hacer girar el engrane en dirección opuesta hasta eliminar el juego hacia el otro lado, y anotar el juego entre dientes. Montar el indicador de modo que el brazo quede apoyado en la orilla del engrane del árbol de levas, paralelo al eje del árbol. Ajustar a cero el indicador, hacer girar una vuelta completa el engrane del árbol de levas y anotar la variación lateral. Si el juego o la variación lateral son mayores que lo especificado, cambiar el o los engranes gastados.

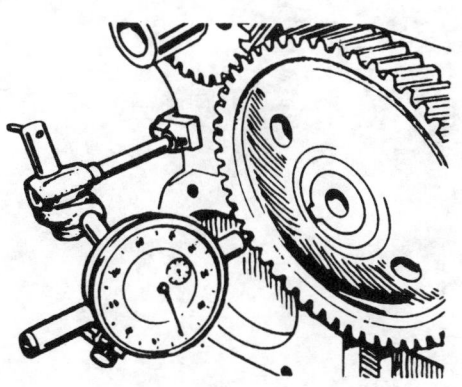

▲ Medición de la variación lateral del engrane del árbol de levas

Terminación del trabajo de reconstrucción

Al terminar los procedimientos descritos, terminar la reconstrucción como sigue:

Llenar con aceite la bomba de aceite para evitar que cavite (que succione aire) en la puesta en marcha inicial del motor. Instalar la bomba de aceite y el tubo de succión en el motor. Si es necesario, cubrir con sellador el empaque del depósito de aceite e instalar ambos. Montar el volante y el amortiguador de vibraciones o la polea en el cigüeñal.

NOTA: *usar siempre tornillos nuevos al instalar el volante.*

Revisar el buje piloto del eje del embrague en el cigüeñal. Si está muy gastado, quitarlo con un extractor expansor y un martillo deslizable, e introducir uno nuevo, a golpes.

Acomodar el motor, con el lado de la culata hacia arriba. Lubricar los levantaválvulas e instalarlos en sus agujeros. Instalar la culata y apretar sus tornillos con orden y apriete especificados. Introducir las varillas de empuje (si es el caso) e instalar el o los ejes de balancines (si es el caso). Ajustar las válvulas.

Instalar los múltiples de escape y admisión, el o los carburadores, distribuidor y bujías. Montar los accesorios e instalar el motor en el vehículo. Llenar el radiador con líquido de enfriamiento y llenar el depósito con aceite de motor de alta calidad.

Procedimiento de puesta en marcha inicial

Poner en marcha el motor y dejarlo funcionar unos minutos a baja velocidad; mientras tanto, revisar que no hayan quedado fugas. Detener el motor, medir el nivel de aceite y corregir si es necesario. Volver a poner en marcha el motor y llenar el sistema de enfriamiento a su capacidad correcta. Medir el ángulo de leva de los contactos y ajustar la sincronización de la ignición y las válvulas. Poner nuevamente en marcha el motor, manteniéndolo a velocidades entre bajas y medias (que oscilen entre 800 y 2500 rpm) durante media hora aproximadamente; a continuación, proceder a apretar de nuevo los tornillos de la culata.

Probar el vehículo en carretera y revisar otra vez para cerciorarse de que no hayan quedado fugas.

Seguir el procedimiento de puesta en servicio recomendado por el fabricante, al igual que el programa de mantenimiento para motores nuevos.

SENSORES DE OXÍGENO

21

SENSORES DE OXÍGENO (O₂) **1096**

Información general 1096
Servicios al sensor de O₂ (oxígeno) 1097
Precauciones 1097
Prueba 1097
Sensor de un cable 1098
Sensor de dos cables 1098
Sensor de tres cables 1099

Sensor de cuatro cables 1100
Prueba 1: volt-ohmmímetro digital 1101
Prueba 2: multímetro digital 1102
Prueba 3: osciloscopio 1104
Prueba del circuito calefactor 1104
Desmontaje e instalación 1106
Localizaciones 1108

SENSORES DE OXÍGENO (O₂)

INFORMACIÓN GENERAL

Un sensor de oxígeno (O_2) es un dispositivo de entrada utilizado por la computadora de control del motor para monitorear la cantidad de oxígeno en el flujo de los gases de escape. Esta información es utilizada por la computadora, junto con otras entradas, para ajustar la mezcla aire-combustible de manera que el motor pueda operar con la mayor eficiencia en todas las condiciones. El sensor de O_2 envía esa información a la computadora en la forma de una señal de referencia de 100-900 milivoltios (mV), la cual es realmente generada por el propio sensor de O_2 a través de interacciones químicas entre el material de la punta del sensor (dióxido de zirconio en la mayoría de los casos) y los niveles de oxígeno en el flujo de los gases de escape y el gas de la atmósfera ambiente. A las temperaturas de funcionamiento, aproximadamente 1100 °F (600 °C), el elemento se convierte en un semiconductor. Esencialmente, a través de los diferentes niveles de oxígeno en el flujo de los gases de escape y en la atmósfera circundante, el sensor genera una señal de voltaje, la cual está directa y consistentemente relacionada con la concentración de oxígeno en

el flujo de gases de escape. Típicamente, una cantidad de oxígeno mayor que la normal en el flujo de escape indica que no todo el oxígeno disponible fue utilizado en el proceso de combustión, porque no había suficiente combustible presente (condición pobre). Inversamente, una concentración de oxígeno menor que la normal en el flujo de escape indica que una gran cantidad fue utilizada en el proceso de combustión, porque estaba presente una cantidad de combustible mayor que la necesaria (condición rica). Así, la computadora de control del motor puede corregir la cantidad de combustible introducida en la cámara de combustión.

Como la computadora de control utiliza el voltaje de salida del sensor de O_2 como una indicación de la concentración de oxígeno, y la concentración de oxígeno afecta directamente a la salida del sensor de O_2, el voltaje de la señal del sensor a la computadora fluctúa constantemente. Esta fluctuación es causada por la naturaleza de la interacción entre la computadora y el sensor de O_2, que sigue una pauta general: detecta, compara, compensa, detecta, compara, compensa, etc. Esto significa que cuando la computadora detecta una señal pobre del sensor de O_2, ésta compara la lectura con parámetros conocidos almacenados dentro de su memoria. La computadora calcula que hay mucho oxígeno presente en los gases de escape, por lo que lo compensa adicionando más combustible a la mezcla aire/combustible. Esto, como consecuencia, provoca que el sensor

de O_2 envíe una señal rica a la computadora, la cual compara esta nueva señal y ajusta la mezcla aire combustible nuevamente. Esta pauta repite constantemente lo mismo: detección rica, compara, compensación pobre, detección pobre, compara, compensación rica, etc. Como el sensor de O_2 fluctúa entre rica y pobre, y debido a que el límite de pobreza para la salida del sensor es de 100 mV y el límite de riqueza es de 900 mV, la señal de voltaje adecuada para el funcionamiento normal del sensor de O_2 consistentemente fluctúa entre 100-300 y 700-900 mV.

➡ **El voltaje del sensor puede ser que nunca llegue a alcanzar 100 o 900 mV, pero debe fluctuar desde al menos por debajo de 300 mV hasta por encima de 700 mV, y el punto medio de las fluctuaciones debe centrarse alrededor de 500 mV.**

Para mejorar la eficiencia del sensor de O_2, se diseñaron nuevos sensores de O_2 con un elemento calefactor incorporado, y se denominaron sensores de O_2 calefactados (HO_2). Este elemento calefactor fue incorporado en el sensor de manera que el sensor pudiera alcanzar su temperatura óptima de funcionamiento más rápido, significando que la señal de salida del sensor de O_2 pudiera ser utilizada por la computadora de control del motor mucho antes. Debido a que el sensor alcanzaba la temperatura óptima más rápido, los vehículos modernos disfrutan de una mejor

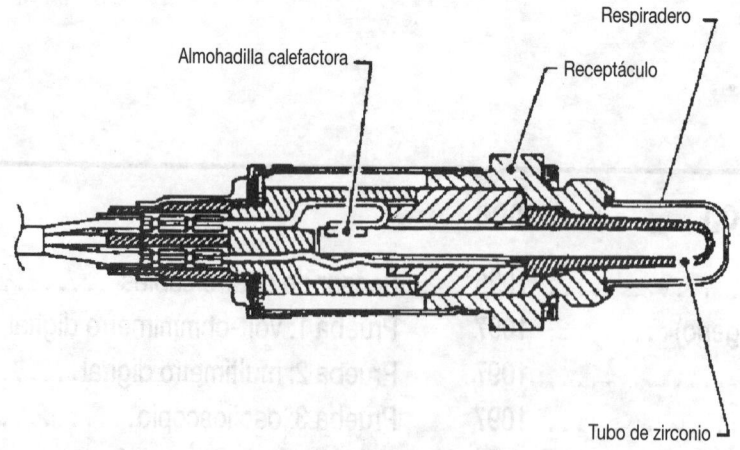

Almohadilla calefactora   Respiradero   Receptáculo   Tubo de zirconio

▲ Una vista en corte longitudinal del sensor del oxígeno calefactado

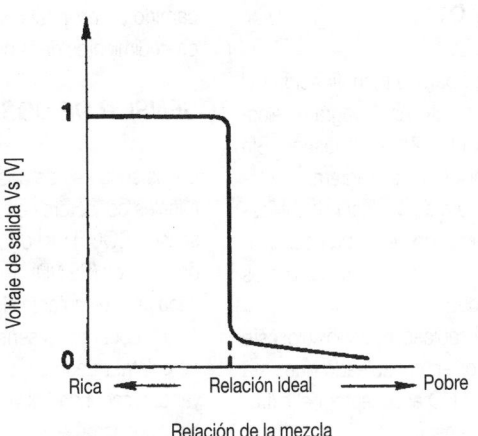

▲ **Voltaje de salida del sensor de O₂ frente a la relación de la mezcla**

manejabilidad y economía de combustible aún antes de que el motor alcance su temperatura normal de funcionamiento.

A pesar de que algunos fabricantes cambiaron mucho antes, en 1995 todos los vehículos fueron obligados a implementar un nuevo conjunto de parámetros de control del motor, referidos como diagnósticos a bordo de segunda generación (OBD-II). Este sistema actualizado (basado en el anterior OBD-I) exigía sensores de O₂ adicionales para ser utilizados después del convertidor catalítico, por lo que la eficiencia del convertidor catalítico podía ser medida por la computadora de control del motor del vehículo. Los sensores de O₂ montados en el sistema de escape después del convertidor catalítico no se utilizan para afectar a la mezcla aire combustible; se utilizan únicamente para controlar la eficiencia del convertidor catalítico.

SERVICIOS AL SENSOR DE O₂ (OXÍGENO)

PRECAUCIONES

Cuando se pruebe o se revise un sensor de O₂ se necesitará poner en marcha el motor y calentarlo hasta su temperatura de funcionamiento, con el objetivo de ejecutar los procedimientos de pruebas necesarios o para des-

montar fácilmente el sensor de su adaptador. Esto creará una situación en la cual se trabajará alrededor del sistema de escape CALIENTE. Lo siguiente es una lista de precauciones que hay que considerar durante este servicio:

• No agujerear ningún cable cuando se pruebe un sensor de O₂, lo cual puede provocar daños en el mazo de cables. Comprobar el conectador, cuando sea necesario.

• Mientras se pruebe el sensor, asegurarse de mantenerse fuera del alcance de los componentes móviles del motor, como el ventilador del sistema refrigerante. Abstenerse de vestir ropas holgadas, que pueden enredarse en las partes móviles del motor.

• Se tienen que llevar puestos espejuelos (gafas) de seguridad todo el tiempo mientras se trabaje en o cerca del sistema de escape. Los sistemas de escape viejos pueden estar cubiertos con partículas de óxido sueltas que pueden proyectarse contra el cuerpo cuando se agitan. Estas partículas son más que un fastidio y pueden herir los ojos.

• Ser cauteloso cuando se trabaje en y alrededor del sistema de escape caliente. Ocurrirían quemaduras dolorosas si la piel es expuesta a las tuberías o a los múltiples del sistema de escape.

• El sensor de O₂ puede ser difícil de desmontar cuando la temperatura del motor está por debajo de 120 °F (48 °C). Una fuerza excesiva puede dañar la rosca en el múltiple

de escape o en la tubería, por lo tanto, poner siempre en marcha el motor y dejar que alcance su temperatura normal de funcionamiento antes de desmontar el sensor.

• Como los sensores de O₂ son usualmente diseñados con la coleta (cable de llegada) de cableado acoplada permanentemente (esto permite colocar el mazo de cables y los conectadores del sensor lejos del sistema de escape caliente), puede ser necesario utilizar llaves de tubo o llaves herramienta específicamente diseñadas para este objeto. Antes de comprar alguna herramienta especial, asegurarse de que no se puede ahorrar algún dinero utilizando una llave de tubo para el desmontaje del sensor.

PRUEBA

El mejor y más acertado método para probar el funcionamiento de un sensor de O₂ es por medio del uso o bien de un osciloscopio o una herramienta de escaneo de diagnóstico (DST), siguiendo sus instrucciones específicas para la prueba. Es posible, sin embargo, probar si el sensor de O₂ está funcionando adecuadamente dentro de los parámetros, utilizando un multímetro digital (DVOM), también llamado multímetro digital (DMM). Los multímetros digitales modernos a menudo están diseñados para ejecutar muchas funciones avanzadas de diagnóstico, y algunos están inclusive construidos para ser utilizados como un osciloscopio. Se suministrarán dos procedimientos de prueba en el vehículo y un procedimiento de prueba en el banco de pruebas, para los sensores de oxígeno comunes de dióxido de zirconio. La primera prueba en el vehículo hace uso de un multímetro digital (DVOM) estándar con una impedancia de 10 megohmios, mientras que la segunda prueba en el vehículo necesita la utilización de un multímetro digital avanzado con funciones de MIN (mínimos) / MAX (máximos) / Average (promedio). Ambos procedimientos de pruebas en el vehículo es probable que establecen códigos de diagnósticos de problemas (DTC) en la computadora de control del vehículo. Por consiguiente, después de la prueba, asegurarse de eliminar todos los códigos de diagnóstico de problemas (DTC) antes de probar nuevamente el sensor, si es necesario.

Éstos son algunos de los códigos de diagnóstico de problemas más comunes que pueden ser provocados durante la prueba:

• Circuito del sensor de O₂ abierto.

• Constante bajo voltaje en el circuito del sensor de O_2.

• Constante alto voltaje en el circuito del sensor de O_2.

• Otros problemas del sistema de combustible pueden establecer un código del sensor de O_2.

➡ **Debido a que un funcionamiento incorrecto de la entrega de combustible y/o del sistema de control puede afectar adversamente al voltaje de la señal de salida del sensor de O_2, probar sólo el sensor de O_2 es un método inexacto para diagnosticar un problema de control del motor.**

Si, después de probar el sensor, se piensa que el sensor está defectuoso debido a lecturas altas o bajas, asegurarse de comprobar que la entrega de combustible y el sistema de gestión del motor están funcionando correctamente, antes de condenar el sensor de O_2. De lo contrario, el nuevo sensor de O_2 puede continuar registrando las mismas altas o bajas lecturas.

A menudo, con la prueba del sensor de O_2, se pueden diagnosticar otros problemas en el sistema de control de gestión del motor. Si el sensor aparenta estar defectuoso mientras está instalado en el vehículo, realizar la prueba en el banco. Si el sensor funciona correctamente durante la prueba en el banco, hay probabilidades de que exista un problema mayor en el sistema de entrega de combustible y/o el sistema de control del vehículo.

Muchas cosas pueden provocar que un sensor de O_2 falle, incluyendo la vejez, contaminación anticongelante, daños físicos, exposición prolongada a gases de escape super-ricos y exposición a humos de selladores de silicona. Asegurarse de remediar cualquiera de estas condiciones antes de instalar un nuevo sensor, de lo contrario el nuevo sensor puede dañarse también.

➡ **Efectuar una inspección visual del sensor. Sedimentos de hollín negro pueden indicar una mezcla aire/combustible rica, sedimentos grises pueden indicar un problema de consumo de aceite y sedimentos blanco arenosos pueden indicar fugas internas del líquido refrigerante. Todas estas condiciones pueden destruir el sensor nuevo si no se corrigen antes de la instalación.**

Identificación del terminal del sensor de O_2

El método más fácil para la identificación del terminal del sensor es utilizar el diagrama eléctrico del vehículo y el motor en cuestión. Sin embargo, si no se dispone del diagrama eléctrico, hay un método para determinar la identificación del terminal. A lo largo de los procedimientos de prueba, se utilizarán los siguientes términos, para claridad:

• Conector del cableado del vehículo: éste se refiere al conector en el cableado que está acoplado al vehículo; NO al conector del extremo de la coleta del sensor.

• Conector de la coleta del sensor: éste se refiere al conector acoplado al sensor mismo.

• Circuito de O_2: éste se refiere al circuito en un sensor de O_2 calefactado (HO$_2$) que corresponde a la función de sensorización de oxígeno del sensor; NO al circuito del elemento calefactor.

• Circuito calefactor: éste se refiere al circuito en un sensor de O_2 calefactado (HO$_2$) que está diseñado para calentar el sensor (HO$_2$) más rápido para mejorar su capacidad de control.

• Terminal de salida del sensor (SOUT): éste es el terminal que corresponde a la salida del circuito de O_2. Éste es el terminal que registrará los milivoltios de señal creados por el sensor basado en la cantidad de oxígeno en el flujo de los gases de escape.

• Terminal de tierra del sensor (SGND): cuando el sensor lo tiene, éste se refiere al terminal de tierra del circuito de O_2. Muchos sensores de O_2 no están equipados con un cable a tierra; en su lugar ellos utilizan el sistema de escape para el circuito de tierra.

• Terminal de energía calefactora (HPWR): este terminal corresponde al circuito que suministra potencia al circuito calefactor del sensor de O_2 cuando la llave de encendido está colocada en las posiciones ON o RUN.

• Terminal de tierra de la calefacción (HGND): éste es el terminal conectado al cable de tierra del circuito calefactor.

SENSOR DE UN CABLE

Los sensores de un cable son los más fáciles de determinar la identificación del terminal del sensor, pero esto es auto evidente. En sensores de O_2 de un cable, el terminal del cable único es el terminal de salida del sensor (SOUT) y el sis-

tema de escape se utiliza para proporcionar el camino a tierra del sensor. Proseguir con los procedimientos de la prueba.

SENSOR DE DOS CABLES

En los sensores de dos cables, uno de los terminales conectores es el terminal de salida del sensor (SOUT) y el otro es el terminal de tierra del sensor (SGND). Para determinar cuál es cada uno, ejecutar lo siguiente:

1. Localizar el sensor de O_2 y su conector de coleta. Puede ser necesario levantar y apoyar con seguridad el vehículo, para tener acceso al conector.

2. Poner en marcha el motor y dejar que se caliente hasta su temperatura normal de funcionamiento; luego, apagar el motor.

3. Utilizando un multímetro digital DVOM, ajustarlo a una lectura de 100-900 mV (milivoltios) corriente continua (DC), comprobar uno de los terminales no identificados con la punta positiva del multímetro digital DVOM y acoplar la punta negativa a una buena tierra del motor.

▼ PRECAUCIÓN ▼

Mientras el motor esté en marcha, evitar todo contacto con todos los componentes móviles y calientes. No vestir ropa holgada. De otro modo, se pueden producir graves daños personales o incluso la muerte.

4. Tener un ayudante que vuelva a poner en marcha el motor y dejarlo en marcha mínima.

5. Comprobar el voltaje en el multímetro.

6. Si no hay voltaje evidente, comprobar las puntas del multímetro para asegurarse de que ellas están conectadas adecuadamente al terminal y a la tierra del motor. Si aún no hay voltaje evidente en el primer terminal, cambiar la punta positiva del multímetro para comprobar el segundo terminal.

7. Si ahora hay voltaje presente, la punta positiva del multímetro está acoplada al terminal de salida del sensor (SOUT). El otro terminal es el terminal de tierra del sensor (SGND). Si aún no hay voltaje evidente, o bien el sensor de O_2 está defectuoso o las puntas del multímetro no están haciendo un adecuado contacto con la tierra del motor y los contactos terminales comprobados; limpiar los contactos y comprobar nuevamente. Si aún no hay voltaje evidente, el sensor está defectuoso.

8. Tener un ayudante que apague el motor.

9. Etiquetar el terminal de salida (SOUT) y el terminal a tierra (SGND) de la coleta del sensor.

10. Proseguir con los procedimientos de prueba.

SENSOR DE TRES CABLES

➡ **Los sensores de tres cables son sensores de O₂ calefactados (HO₂).**

En los sensores de tres cables, uno de los terminales del conector es la salida del sensor (SOUT), otro de los terminales es el terminal de la energía calefactora (HPWR) y el tercero es el terminal de tierra de la calefacción (HGND). El terminal de tierra del sensor (SGND) se consigue a través del sistema de escape, como en los sensores de O₂ de un cable. Para identificar los tres terminales, ejecutar lo siguiente:

1. Localizar el sensor de O₂ y su conector de coleta. Puede ser necesario levantar y apoyar con seguridad el vehículo para tener acceso al conector.

2. Desconectar el conector de coleta del sensor del conector del mazo de cables del vehículo.

3. Utilizando un multímetro digital (DVOM), ajustarlo para una lectura de 12 voltios; acoplar la punta de tierra del multímetro digital (DVOM) a una buena tierra del motor.

4. Tener un ayudante que conecte el encendido del motor en ON sin poner realmente en marcha el motor, por el momento.

5. Probar los tres terminales en el conector del mazo de cables del vehículo. Uno de los terminales debe mostrar 12 voltios de tensión con la llave del encendido conectada en ON; éste es el terminal de la energía calefactora (HPWR).

a. Si el terminal de la energía calefactora (HPWR) fue identificado, observar cuál de los

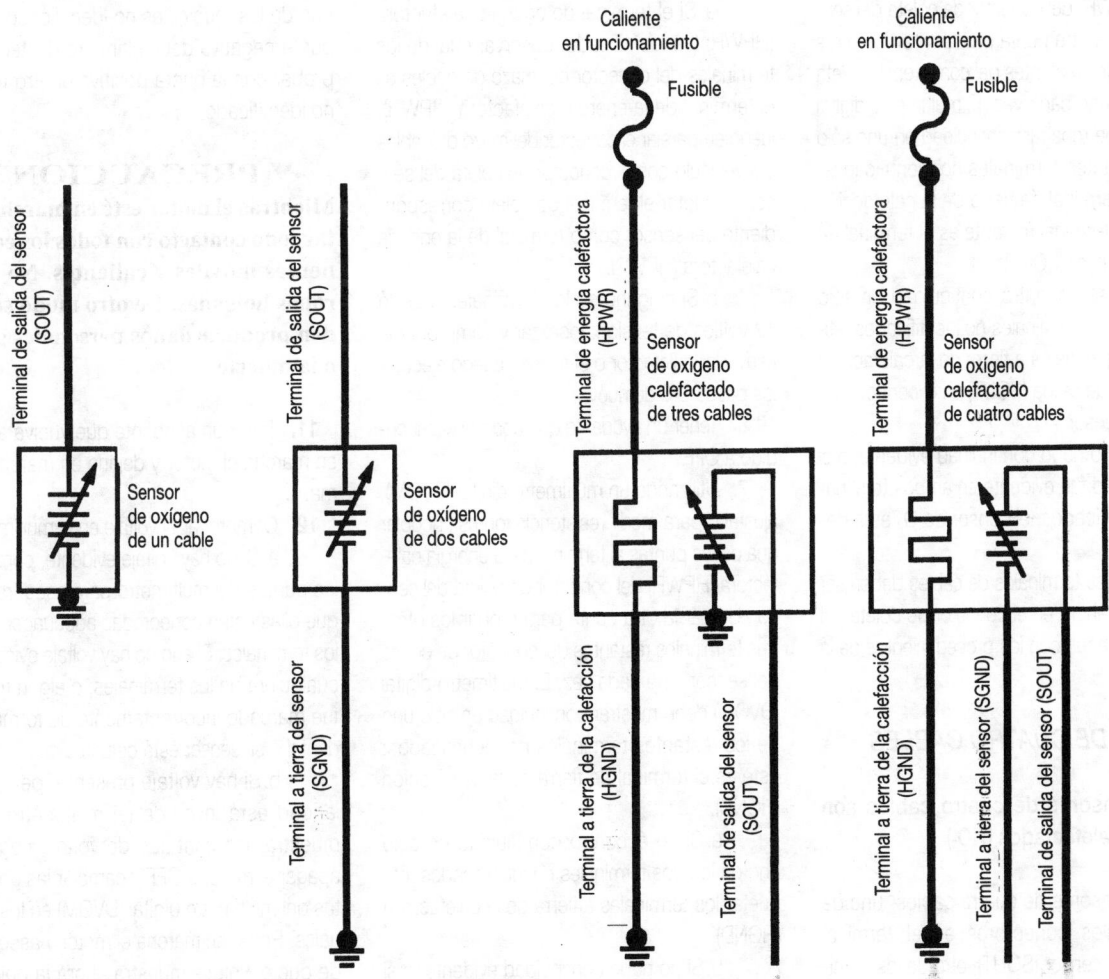

▲ Circuito esquemático del cableado de sensores de oxígeno típicos de 1, 2, 3 y 4 cables

terminales del conector del mazo de cables es el terminal de la energía calefactora (HPWR); luego emparejar el conector del mazo de cables del vehículo con el conector de coleta del sensor. Etiquetar el terminal de coleta correspondiente del sensor como terminal de la energía calefactora (HPWR).

b. Si ninguno de los terminales mostró 12 voltios de tensión, localizar y comprobar el relevador calefactor o el fusible. Luego ejecutar los pasos 3-6 de nuevo.

6. Poner en marcha el motor y dejarlo calentar hasta la temperatura normal de funcionamiento; luego apagar el motor en OFF.

7. Tener un ayudante que apague el encendido en OFF.

8. Utilizando un multímetro digital (DVOM), ajustarlo para medir resistencia (ohms); acoplar una de las puntas al terminal de la energía calefactora (HPWR) del conector de coleta del sensor. Utilizar la otra punta para probar los otros dos terminales restantes del conector de coleta del sensor, uno cada vez. El multímetro digital (DVOM) debe mostrar continuidad en uno sólo de los restantes terminales no identificados; éste es el terminal de tierra de la calefacción (HGND). El terminal restante es el terminal de salida del sensor (SOUT).

a. Si se encontró continuidad en sólo uno de los dos terminales no identificados, etiquetar los terminales a tierra de la calefacción (HGND) y el de salida (SOUT) en el conector de coleta del sensor.

b. Si no hubo continuidad evidente, o si la continuidad fue evidente en ambos terminales no identificados, el sensor de O₂ está defectuoso.

9. Los tres terminales de cables deben ser etiquetados ahora en el conector de coleta del sensor. Proseguir con los procedimientos de la prueba.

SENSOR DE CUATRO CABLES

➡ Los sensores de cuatro cables son sensores calefactados (HO₂).

En los sensores de cuatro cables, uno de los terminales conectores es el terminal de salida del sensor (SOUT), otro de los terminales es el terminal a tierra del sensor (SGND), otro de los terminales es el terminal de la energía calefactora (HPWR) y el otro es el terminal a tierra de la calefacción (HGND). Para identificar los cuatro terminales, ejecutar lo siguiente:

1. Localizar el sensor de O₂ y su conector de coleta. Puede ser necesario levantar y apoyar con seguridad el vehículo para tener acceso al conector.

2. Desconectar el conector de coleta del sensor del conector del mazo de cables del vehículo.

3. Utilizando un multímetro digital (DVOM), ajustarlo a una lectura de 12 voltios; acoplar la punta de tierra del multímetro digital (DVOM) a una buena tierra del motor.

4. Tener un ayudante que conecte el encendido del motor en ON sin poner realmente en marcha el motor, por el momento.

5. Probar los cuatro terminales en el conector del mazo de cables del vehículo. Uno de los terminales debe mostrar 12 voltios de tensión con el encendido conectado; éste es el terminal de la energía calefactora (HPWR).

a. Si el terminal de energía calefactora (HPWR) fue identificado, observar cuál de los terminales del conector del mazo de cables es el terminal de la energía calefactora (HPWR); luego emparejar el conector del mazo de cables del vehículo con el conector de coleta del sensor. Etiquetar el terminal de coleta correspondiente del sensor como terminal de la energía calefactora (HPWR).

b. Si ninguno de los terminales mostró 12 voltios de tensión, localizar y comprobar el relevador calefactor o el fusible. Luego ejecutar los pasos 2-6 de nuevo.

6. Tener un ayudante que apague el encendido a OFF.

7. Utilizando un multímetro digital (DVOM), ajustarlo para medir resistencia (ohms); acoplar una de las puntas al terminal de la energía calefactora (HPWR) del conector de coleta del sensor. Utilizar la otra punta para probar los otros tres terminales restantes del conector de coleta del sensor, uno cada vez. El multímetro digital (DVOM) debe mostrar continuidad en sólo uno de los restantes terminales no identificados; éste es el terminal de tierra de la calefacción (HGND).

a. Si se encontró continuidad en sólo uno de los dos terminales no identificados, etiquetar los terminales a tierra de la calefacción (HGND).

b. Si no hubo continuidad evidente, o si la continuidad fue evidente en todos los terminales no identificados, el sensor de O₂ está defectuoso.

c. Si se encontró continuidad en dos de los otros terminales, el sensor probablemente esté defectuoso. Sin embargo, el sensor puede no estar necesariamente defectuoso, debido a que pudo haber sido diseñado con los dos cables a tierra unidos dentro del sensor para que, en caso de que uno de los cables a tierra se estropeara, el otro circuito pueda aún funcionar correctamente. Sin embargo, esto es altamente improbable. Un diagrama eléctrico es necesario en este caso particular, para saber si el sensor ha sido diseñado de esta manera.

8. Reacoplar el conector de coleta del sensor al conector del mazo de cables del vehículo.

9. Poner en marcha el motor y dejar que se caliente hasta su temperatura normal de funcionamiento; luego apagar el motor a OFF.

10. Utilizando un multímetro digital (DVOM), ajustarlo a una lectura de 100-900 mV (milivoltios) corriente continua (DC); comprobar uno de los terminales no identificados con la punta negativa del multímetro digital y comprobar con la punta positiva el otro terminal no identificado.

▼ PRECAUCIÓN ▼

Mientras el motor esté en marcha, evitar todo contacto con todos los componentes móviles y calientes. No vestir ropas holgadas. De otro modo se pueden producir daños personales graves o la muerte.

11. Tener un ayudante que vuelva a poner en marcha el motor y dejarlo en marcha mínima.

12. Comprobar el voltaje en el multímetro.

a. Si no hay voltaje evidente, comprobar las puntas del multímetro para asegurarse de que ellas están conectadas adecuadamente a los terminales. Si aún no hay voltaje evidente en cualquiera de los terminales, o algún terminal fue marcado incorrectamente de forma accidental o el sensor está defectuoso.

b. Si hay voltaje presente, pero la polaridad está invertida (el multímetro digital muestra una cantidad de voltaje negativo), apagar el motor a OFF y cambiar las dos puntas del multímetro digital (DVOM) en los terminales. Poner en marcha el motor y asegurarse de que el voltaje muestra ahora la polaridad correcta.

c. Si el voltaje es evidente y con la polaridad correcta, la punta positiva del multímetro digital (DVOM) está acoplada al terminal de salida del sensor (SOUT) y la punta negativa al terminal de tierra del sensor (SGND).

13. Tener un ayudante que apague el motor a OFF.

14. Etiquetar el terminal de salida (SOUT) y el terminal a tierra (SGND) de la coleta del sensor.

Pruebas en el vehículo

▼ **PRECAUCIÓN** ▼

Nunca aplicar voltaje al circuito de O₂ del sensor, de otro modo puede dañarse. Tampoco conectar nunca un ohmímetro (o un multímetro digital ajustado en la función ohm) a ambos terminales del circuito de O₂ (terminal de salida SOUT y terminal de tierra SGND) del conector de coleta del sensor; esto puede dañar el sensor.

La prueba 1 hace uso de un multímetro digital (DVOM) estándar con una impedancia de 10 megohmios, mientras que la prueba 2 necesita la utilización de un multímetro digital (DVOM) avanzado con funciones de MIN (mínimo)/MAX (máximo)/Average (promedio) o una función de gráfico de barras deslizantes. Ambos procedimientos de prueba probablemente generen códigos de diagnóstico de problemas (DTC) en la computadora de control del motor. Por consiguiente, después de la prueba, asegurarse de eliminar todos los códigos de diagnóstico de problemas (DTC), antes de comprobar nuevamente el sensor, si es necesario. La tercera prueba en el vehículo está diseñada para el uso de un herramienta de escaneo o un osciloscopio. La cuarta prueba (prueba del circuito calefactor) está diseñada para comprobar la función del circuito de calefacción en el sensor de oxígeno calefactado (HO₂).

➡ **Si el sensor de O₂ que está siendo comprobado está diseñado para utilizar el sistema de escape como el terminal de tierra del sensor (SGND), una corrosión excesiva entre el escape y el sensor de O₂ puede afectar al funcionamiento del sensor.**

Las pruebas en el vehículo pueden ejecutarse para sensores de O₂ localizados en el sistema de escape después del convertidor catalítico. Sin embargo, los sensores de O₂ localizados detrás del convertidor catalítico no fluctuarán como los sensores montados antes del convertidor, debido a que el convertidor, cuando funciona correctamente, emite una

Para probar el sensor de O₂, localizarlo a él y a su conector (recuadro), el cual debe estar situado lejos del sistema de escape para evitar daños térmicos

cantidad constante de oxígeno. Si el sensor de O₂ montado después del convertidor catalítico exhibe una señal fluctuante (como los otros sensores de O₂), es muy probable que el convertidor catalítico esté defectuoso.

PRUEBA 1: VOLT-OHMMÍMETRO DIGITAL

Esta prueba no sólo verifica el funcionamiento adecuado del sensor, sino que también está diseñada para confirmar que la computadora de control del motor y el cableado asociado están funcionando correctamente también.

1. Poner en marcha el motor y dejarlo que se caliente hasta la temperatura normal de funcionamiento.

➡ **Si se está utilizando la abertura del termostato para determinar la temperatura normal de funcionamiento, estar prevenido: un termostato defectuoso puede abrir muy temprano y evitar que el motor alcance su temperatura normal de funcionamiento. Esto puede provocar una condición ligeramente rica en el escape, lo cual puede arrojar lecturas ligeramente erróneas del sensor de O₂.**

2. Desconectar el encendido a OFF; luego localizar el conector de coleta del sensor de O₂.

3. Ejecutar una inspección visual del conector para confirmar que está correctamente conectado y todos los terminales están derechos, firmes y libres de corrosión o daños.

4. Desconectar del conector del mazo de cables del vehículo el conector de coleta del sensor.

5. En sensores equipados con terminal a tierra (SGND) (sensores que no utilizan el sistema de escape como conexión a tierra del sensor), conectar un cable de puente entre el terminal a tierra (SGND) y una buena y limpia tierra del motor (preferiblemente el terminal negativo de la batería).

6. Utilizando un multímetro digital (DVOM) ajustado para leer voltaje de corriente continua (directa) (DC), acoplar la punta positiva al terminal de salida (SOUT) del conector de coleta del sensor y la punta negativa del multímetro (DVOM) a una buena tierra del motor.

▼ **PRECAUCIÓN** ▼

Mientras el motor esté en marcha, evitar todo contacto con todos los componentes móviles y calientes. No vestir ropas holgadas. De lo contrario, pueden ocurrir graves daños personales o la muerte.

7. Tener un ayudante que ponga en marcha el motor y mantenerlo a 2000 r.p.m. aproximadamente. Esperar al menos 1 minuto antes de comenzar con la prueba para permitir que el sensor de O₂ se caliente lo suficiente.

➡ **Algunos modelos asiáticos con carburador pueden no conmutar a funcionamiento de bucle cerrado hasta que la velocidad del motor esté sobre las 2500 r.p.m.**

8. Utilizando un cable de puente, conectar el terminal de salida del sensor (SOUT) del **conector del mazo de cables del vehículo** a una buena tierra del motor. Esto engañará a la computadora de control del motor, que pensará que está recibiendo una señal pobre del sensor de O_2; por consiguiente, la computadora enriquecerá la mezcla aire/combustible. Con el terminal de salida (SOUT) conectado así a tierra, el multímetro (DVOM) debe registrar al menos 800 mV, a medida que la computadora de control añade combustible adicional a la relación aire/combustible.

9. Mientras observa el multímetro (DVOM), desconectar el cable de puente del terminal de salida del sensor (SOUT) del conector del mazo de cables del vehículo de la tierra del motor. Utilizar un cable de puente para aplicar un poco menos de 1 voltio al terminal de salida del sensor (SOUT) del conector del mazo de cables del vehículo. Un método para hacer esto es sujetar y apretar el extremo del cable puente entre el dedo índice y el dedo pulgar de una mano, mientras toca el terminal positivo de la batería con la otra mano. Esto permitirá al cuerpo (humano) actuar como resistencia para el voltaje positivo de la batería y engañar a la computadora de control del motor, que pensará que está recibiendo una señal rica. O utilizar una pila AA casi agotada y conectar el terminal positivo de la pila AA con el cable de puente y el terminal negativo de la batería a una buena tierra del motor. (Otro cable de puente puede ser necesario para hacer esto.) La computadora debe empobrecer la mezcla aire/combustible. Esta mezcla pobre debe registrar 150 mV o menos en el multímetro (DVOM).

10. Si el multímetro no registra milivoltios como se indicó, el problema puede ser la computadora de control del motor o el cableado asociado. Ejecutar lo siguiente para determinar cuál es el componente defectuoso.

a. Desmontar el cable de puente del terminal de salida del sensor (SOUT) del conector del mazo de cables del vehículo.

b. Mientras se observa el multímetro (DVOM), enriquecer artificialmente la carga aire/combustible utilizando propano. La lectura del multímetro (DVOM) debe registrar milivoltajes superiores al voltaje normal. (El voltaje normal para una mezcla aire/combustible ideal es aproximadamente 450-550 mV de corriente directa [DC].) Luego, empobrecer la carga aire/combustible de entrada desconectando el conector del cableado de uno de los inyectores de combustible (para evitar que el

inyector suministre combustible) o desconectando una o dos tuberías de vacío (para añadir una cantidad adicional de aire no medido del motor). El multímetro debe registrar ahora un milivoltaje menor que el normal. Si el multímetro (DVOM) funciona como se indicó, el problema está situado en otra parte del sistema de suministro y control de combustible. Si las lecturas del multímetro aún fueron insensibles, el sensor de O_2 está defectuoso; sustituir el sensor y comprobar nuevamente.

➡ Unas malas conexiones del cableado y/o los circuitos a tierra, pueden cambiar el milivoltaje normal de lectura del sensor de O_2 hacia arriba en el rango de riqueza o hacia abajo en el rango de pobreza. Es una buena idea comprobar el estado del cableado y la continuidad antes de sustituir un componente que no solucionará el problema. Una prueba de caída de voltaje entre la caja del sensor y tierra que revele 14-16 mV, o más, indica una probable mala tierra.

11. Apagar el motor en OFF, desmontar el multímetro (DVOM) y todos los cables de puente asociados. Reacoplar el conector del mazo de cables al conector de coleta del sensor. Si es el caso, reacoplar el conector del cableado del inyector de combustible y/o la(s) tubería(s) de vacío.

12. Eliminar cualquier código de diagnóstico de problemas (DTC) presente en la memoria de la computadora de control del motor, si es necesario.

PRUEBA 2: MULTÍMETRO DIGITAL

Este método de prueba es una prueba más sencilla del sensor de O_2 y no comprueba la respuesta de la computadora de control del motor a la señal del sensor de O_2. Es necesaria para esta prueba la utilización de un multímetro digital (DMM) con funciones de MIN (mínimo)/MAX (máximo)/Average (promedio) o una función de gráficos de barras deslizantes/ondas. No olvidar que el sensor de O_2 montado después del convertidor catalítico (si lo tiene) no fluctuará como lo hará el(los) otro(s) sensor(es) de O_2.

1. Poner en marcha el motor y dejarlo que se caliente hasta su temperatura normal de funcionamiento.

➡ Si se está utilizando la abertura del termostato para determinar la temperatura normal de funcionamiento, estar prevenido: un termostato defectuoso puede abrir muy temprano y evitar que el motor alcance su temperatura normal de funcionamiento. Esto puede provocar una condición ligeramente rica en el escape, lo cual puede arrojar lecturas ligeramente erróneas del sensor de O_2.

2. Desconectar el encendido a OFF; luego localizar el conector de coleta del sensor de O_2.

3. Ejecutar una inspección visual del conector para confirmar que está conectado correctamente y todos los terminales están derechos, firmes y libres de corrosión o daños.

4. Comprobar los terminales del conector del sensor de O_2. Acoplar la punta de prueba positiva del multímetro (DMM) al terminal de salida (SOUT) del conector de coleta del sensor y la punta negativa al terminal a tierra (SGND) del conector de coleta del sensor (si lo tiene: consultar el procedimiento de identificación de los terminales antes en esta sección para esclarecimientos), o a una buena y limpia tierra del motor.

5. Activar la función de MIN (mínimo)/MAX (máximo)/Average (promedio) o la función de gráficos de barras deslizantes/ondas en el multímetro (DMM).

▼ PRECAUCIÓN ▼
Mientras el motor esté en marcha, evitar todo contacto con todos los componentes móviles y calientes. No vestir ropas holgadas. De lo contrario, pueden ocurrir daños personales graves o la muerte.

6. Tener un ayudante que ponga en marcha el motor y esperar unos minutos antes de comenzar con la prueba para permitir que el sensor de O_2 se caliente lo suficiente.

7. Leer las lecturas mínima, máxima y promedio mostradas por el sensor de O_2, u observar el gráfico de barra/onda. La lectura promedio para un funcionamiento adecuado del sensor de O_2 es aproximadamente de 450-550 mV de corriente directa (DC). Las lecturas mínima y máxima deben variar más de 300-600 mV. Un sensor de O_2 típico puede fluctuar desde mínimos de 100 mV hasta máximos de 900 mV; si el rango de fluctuación del sensor no es lo suficientemente gran-

de, el sensor está defectuoso. También lo está si el rango de fluctuación está desplazado por encima o por debajo en la escala. Por ejemplo, si el rango de fluctuación es de 400 hasta 900 mV, el sensor está defectuoso, debido a que las lecturas están desplazadas hacia el rango de riqueza (desde el momento en que el sistema de suministro de combustible esté funcionando adecuadamente). Lo mismo ocurre para un rango de fluctuación desplazado hacia el rango de pobreza. El punto medio del rango de fluctuación debe estar alrededor de 400-500 mV. Finalmente, si el voltaje del sensor de O_2 fluctúa muy lentamente (usualmente la onda de voltaje debe oscilar pasado el punto medio de 500 mV varias veces por segundo), el sensor está defectuoso. (Los técnicos llaman a este estado como "perezoso".)

➡ **Malas conexiones del cableado y/o de los circuitos a tierra, pueden cambiar el milivoltaje normal de lectura del sensor de O_2 hacia arriba en el rango de riqueza o hacia abajo en el rango de pobreza. Es una buena idea comprobar el estado y la continuidad del cableado antes de sustituir un componente que no solucionará el problema. Una prueba de caída de voltaje entre la caja del sensor y tierra que revele 14-16 mV, o más, indica una probable mala tierra.**

8. Utilizando el método del propano, enriquecer la mezcla aire/combustible y observar las lecturas del multímetro (DMM). La señal de voltaje promedio del sensor de O_2 debe elevarse al rango de riqueza.

9. Empobrecer la mezcla aire/combustible desconectando el conector del cableado de uno de los inyectores de combustible o bien desconectando una tubería de vacío. La señal de voltaje promedio del sensor de O_2 debe caer al rango de pobreza.

10. Si el sensor de O_2 no reacciona como se indicó, el sensor está defectuoso y debe ser sustituido.

11. Apagar el motor a OFF, desmontar el multímetro (DMM) y todos los cables de puente asociados. Reacoplar el conector del mazo de cables del vehículo al conector de coleta del sensor. Si es el caso, reacoplar el conector del cableado del inyector de combustible y/o la(s) tubería(s) de vacío.

12. Eliminar cualquier código de diagnóstico de problemas (DTC) presente en la memoria de la computadora de control del vehículo, si es necesario.

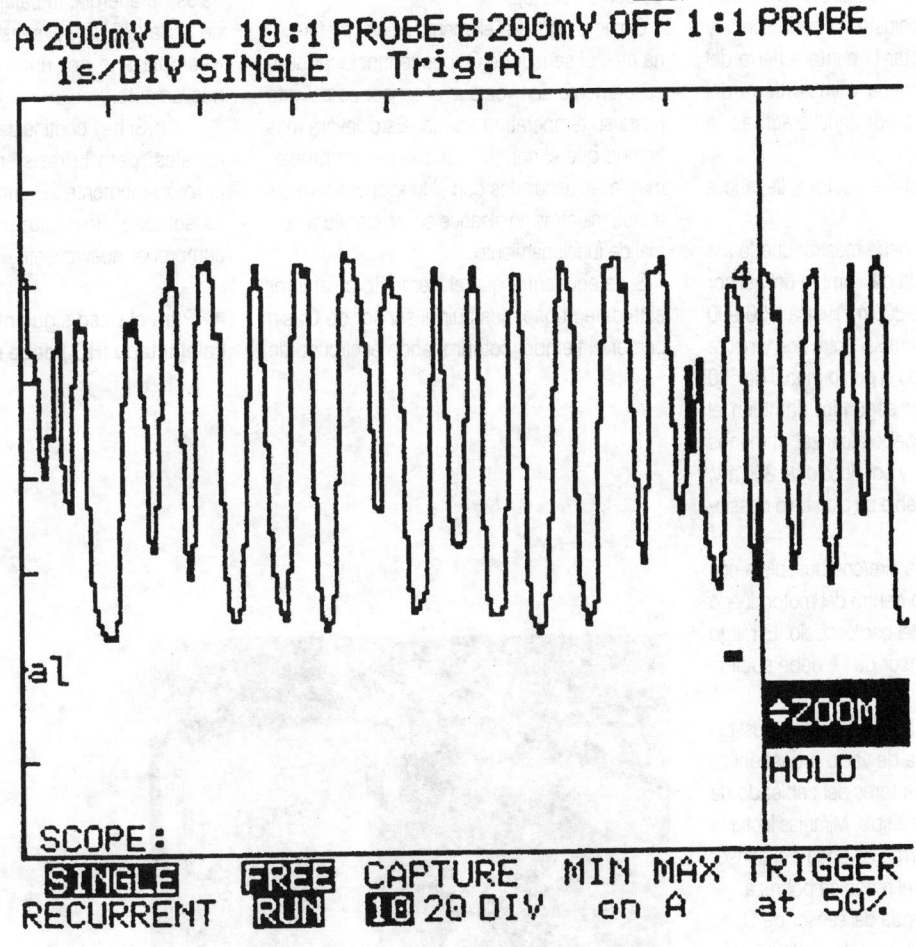

▲ Una forma de onda de osciloscopio de un sensor de O_2 típico en buen estado mostrando cómo fluctúa desde rica hasta pobre

PRUEBA 3: OSCILOSCOPIO

Esta prueba está diseñada para el uso de un osciloscopio, para probar el funcionamiento de un sensor de O_2.

➡ **Esta prueba es aplicable sólo a sensores de O_2 montados en el sistema de escape antes del convertidor catalítico.**

1. Poner en marcha el motor y dejarlo que alcance su temperatura normal de funcionamiento.

2. Apagar el motor a OFF y localizar el conector del sensor de O_2. Conectar la punta de prueba del osciloscopio al conector del terminal de salida (SOUT) del sensor de O_2. Consultar las instrucciones del fabricante para una mayor información referente al acoplamiento del osciloscopio al vehículo.

3. Encender el osciloscopio.

4. Ajustar la amplitud del osciloscopio a 200 mV por división, y el tiempo a 1 segundo por división. Utilizar el ajuste 1:1 de la sonda y asegurarse de conectar la punta a tierra del osciloscopio a una buena y limpia tierra del motor. Ajustar la función de señal a activación automática o interna.

5. Poner en marcha el motor y llevarlo a 2000 r.p.m.

6. El osciloscopio debe mostrar una forma de onda, representativa del cambio del sensor de O_2 entre pobre (100-300 mV) y rica (700-900 mV). El sensor debe cambiar entre rica y pobre o pobre y rica (cruzando el punto medio de 500 mV) varias veces por segundo. También el rango de cada onda debe alcanzar al menos por encima de 700 mV y por debajo de 300 mV. No obstante, es aceptable un pico bajo ocasional.

7. Forzar la mezcla aire/combustible a rica introduciendo propano dentro del motor; luego observar las lecturas del osciloscopio. El rango de fluctuación del sensor de O_2 debe subir al rango de riqueza.

8. Empobrecer la mezcla aire/combustible separando una tubería de vacío o desconectando uno de los conectores del cableado de los inyectores de combustible. Mirar las lecturas del osciloscopio; la forma de onda del sensor de O_2 debe caer hacia el rango de pobreza.

9. Si la forma de onda del sensor de O_2 no fluctúa adecuadamente, no está centrada alrededor de 500 mV durante el funcionamiento normal del motor, no sube hacia el rango de riqueza cuando se le añade propano al motor o

no cae hacia el rango de pobreza cuando se desconecta una manguera de vacío o el conector de los inyectores de combustible, el sensor está defectuoso.

10. Reacoplar el conector de los inyectores de combustible o la manguera de vacío.

11. Desconectar el osciloscopio del vehículo.

PRUEBA DEL CIRCUITO CALEFACTOR

El circuito calefactor de un sensor de O_2 está diseñado sólo para calentar el sensor más rápido que un sensor no calefactado. Esto proporciona la ventaja de un incremento del control y la economía de combustible del motor, mientras la temperatura del motor está aún por debajo de su temperatura normal de funcionamiento, debido a que el sistema de gestión del combustible puede entrar más rápidamente en funcionamiento de bucle cerrado (más eficiente que el funcionamiento de bucle abierto).

Sin embargo, si el elemento calefactor funciona mal, el sensor de O_2 puede funcionar adecuadamente una vez que el sensor se calienta hasta su temperatura normal. Esto llevará más tiempo que el normal y puede causar problemas leves asociados con el funcionamiento del motor, mientras no alcance su temperatura normal de funcionamiento.

Si se encuentra que el elemento calefactor está defectuoso, sustituir el sensor de O_2 sin perder el tiempo, comprobando el circuito de

O_2; si es necesario, se puede efectuar la comprobación del circuito de O_2 con el nuevo sensor de O_2 y ahorrar algún tiempo.

1. Localizar el conector de coleta del sensor de O_2.

2. Ejecutar una inspección visual del conector para confirmar que está correctamente conectado y todos los terminales están derechos, firmes y libres de corrosión o daños.

3. Desconectar el conector de coleta del sensor del conector del mazo de cables del vehículo.

4. Utilizando un multímetro (DVOM), ajustarlo para leer resistencia (ohmios), acoplar una punta de prueba del multímetro (DVOM) al terminal de la energía calefactora (HPWR) del sensor y la otra punta al terminal de tierra de la calefacción (HGND) del sensor, del conector de coleta del sensor; luego observar las lecturas de resistencia.

   a. Si no hay continuidad entre los terminales de energía, la calefactora (HPWR) y el de tierra (HGND), el sensor está defectuoso. Reemplazarlo por uno nuevo y comprobar nuevamente.

   b. Si hay continuidad entre los dos terminales, pero la resistencia es mayor que aproximadamente 20 ohmios, el sensor está defectuoso. Reemplazarlo por uno nuevo y comprobar nuevamente.

➡ **Para el paso siguiente, el sensor de O_2 calefactado (HO_2) debe estar aproximada-**

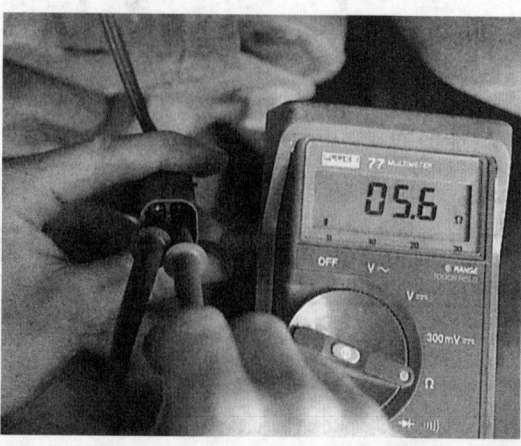

El circuito calefactor de un sensor de O_2 puede probarse con un multímetro (DMM) ajustado para medir resistencia

mente a 75 °F (23 °C) para obtener los valores de resistencia adecuados.

c. Si hay continuidad entre los dos terminales y ésta es menor de 20 ohmios, el sensor probablemente no está defectuoso. Debido a la gran diversidad de sistemas de control del motor utilizados actualmente en vehículos, las especificaciones de la resistencia del circuito calefactor del sensor cambian a menudo. Generalmente, la cantidad de resistencia de un circuito calefactor de un sensor de O_2 debe estar entre 2-9 ohmios. Sin embargo, algunos fabricantes de sensores de O_2 pueden mostrar resistencias tan altas como 15-20 ohmios. Como regla general, una resistencia de 20 ohmios es el límite superior aceptable.

5. Apagar el motor a OF; desmontar el multímetro (DVOM) y todos los cables de puente asociados. Reacoplar el conector del mazo de cables del vehículo al conector de coleta del sensor.

6. Eliminar cualquier código de diagnóstico de problemas (DTC) presente en la memoria de la computadora de control del motor, si es necesario.

Prueba en el banco

➡ Utilizar una de las pruebas en el vehículo antes de ejecutar esta prueba.

Esta prueba está diseñada para probar sensores de O_2 que no parece que fluctúen completamente más allá de 400-700 mV. El sensor se asegura en un tornillo de banco montado sobre una mesa.

▼ PRECAUCIÓN ▼

Esta prueba puede ser muy peligrosa. Tomar las precauciones necesarias cuando se trabaje con una antorcha (soplete) de propano. Asegurarse de que todas las sustancias combustibles son retiradas del área de trabajo y tener un extintor de incendios listo todo el tiempo. Asegurarse también de usar la ropa de protección apropiada.

1. Desmontar el sensor de O_2.

➡ Ejecutar una inspección visual del sensor. Sedimentos de hollín negro pueden indicar una mezcla aire/combustible rica, sedimentos grises pueden indicar un

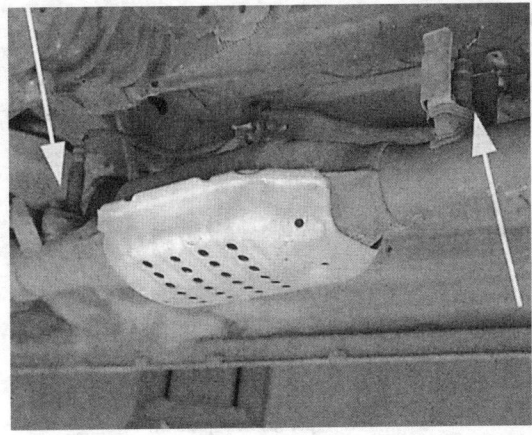

Como las localizaciones de los sensores pueden variar entre los vehículos, el primer paso en el desmontaje es localizar los sensores de O_2 (flechas)...

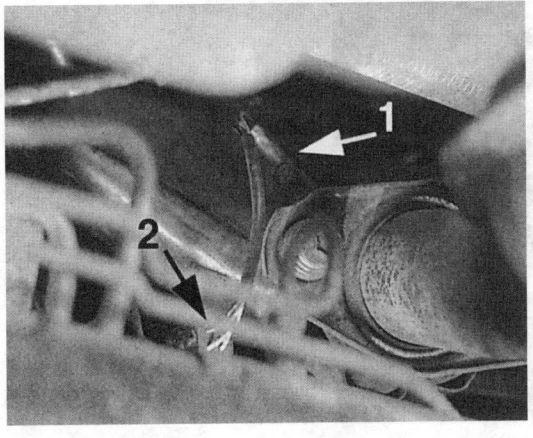

... y el conector del sensor (2), el cual usualmente está cerca del sensor de O_2 (1), pero lo suficientemente alejado del calor del sistema de escape

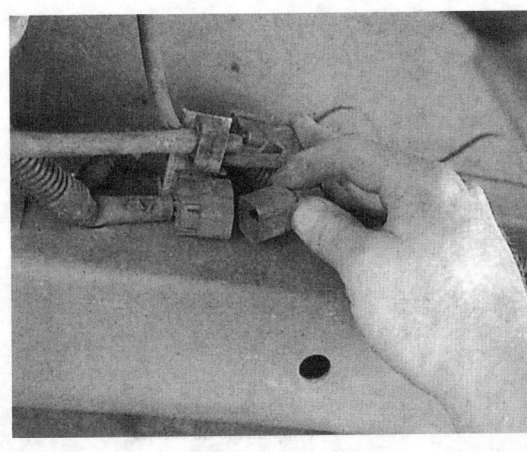

Desconectar la mitad del conector de coleta (cable de llegada) del sensor de la mitad del conector del mazo de cables del vehículo

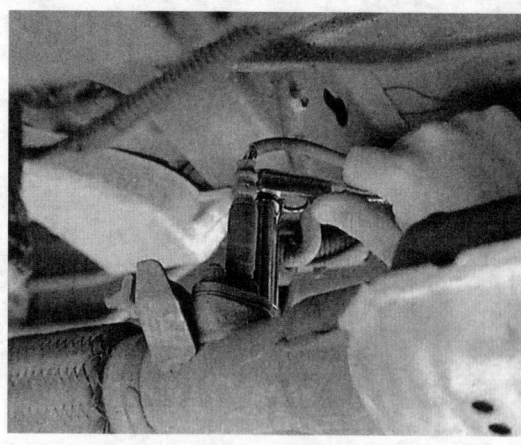

Para sensores tipo brida, aflojar los pernos de sujeción...

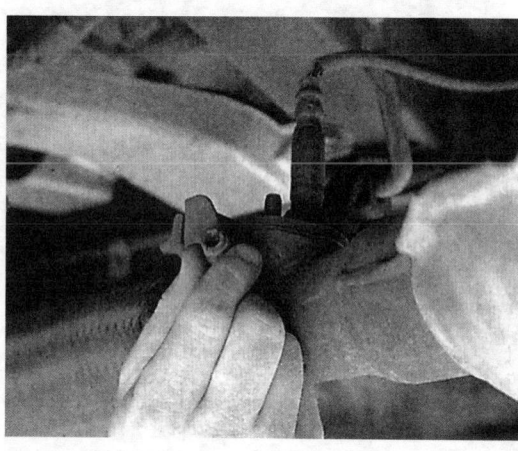

...que pasan a ser tuercas en este caso particular – Algunos modelos pueden usar pernos en lugar de tuercas

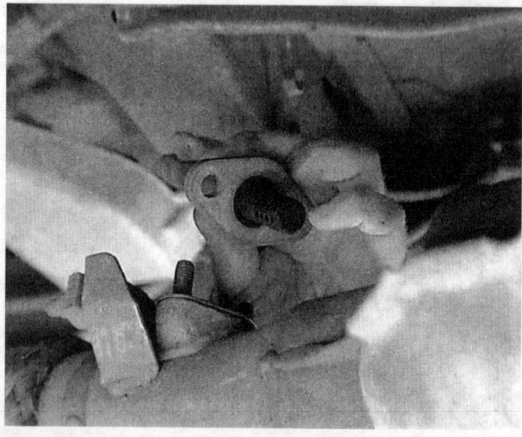

Luego, sacar el sensor fuera del componente de escape

problema de consumo de aceite y sedimentos blancos arenosos pueden indicar fugas internas del líquido refrigerante. Todas estas condiciones pueden destruir el nuevo sensor si no se corrigen antes de la instalación.

2. Colocar el sensor en el tornillo de banco de manera que el tornillo de banco sujete el sensor por la parte hexagonal de su caja.

3. Acoplar a la caja del sensor una punta del multímetro (DVOM) ajustado para leer milivoltajes de corriente directa (continua) (DC) y la otra punta al terminal de salida (SOUT) del conector de coleta del sensor.

4. Con cuidado, utilizar una antorcha (soplete) de propano para calentar la punta (y sólo la punta) del sensor. Una vez que el sensor llegue cerca del rango de temperatura normal de funcionamiento, calentar alternativamente la parte superior del sensor y dejarla que se enfríe; la señal de voltaje de salida debe variar con el cambio de temperatura.

➡ **Esto también limpiaría un sensor cubierto con una capa gruesa de carbón.**

5. Si el voltaje del sensor no varía con la fluctuación de la temperatura, sustituir el sensor por uno nuevo. Instalar el sensor nuevo y ejecutar una de las pruebas en el vehículo para detectar fallos adicionales del sistema de gestión del combustible.

DESMONTAJE E INSTALACIÓN

1. Poner en marcha el motor y dejar que alcance su temperatura normal de funcionamiento; luego desconectar el encendido a OFF.

2. Desconectar el cable negativo de la batería.

3. Abrir el capó y localizar el conector del sensor de O_2. Puede ser necesario levantar y soportar con seguridad el vehículo para tener acceso al sensor y su conector.

➡ **En algunos modelos, puede ser necesario desmontar el asiento del pasajero y levantar el alfombrado con el objeto de tener acceso al conector para un sensor de O_2 aguas abajo.**

4. Desconectar el conector de coleta del sensor de O_2 del conector del mazo de cables del vehículo.

➡ Existen generalmente dos métodos utilizados para montar un sensor de O_2 en el sistema de escape: el sensor de O_2 es enroscado directamente en el componente del sistema de escape (tipo enroscado) o el sensor es retenido por una brida y dos tuercas o pernos (tipo brida).

▼ AVISO ▼

Para evitar daños en el sensor de O_2 tipo enroscado, si se necesita una fuerza excesiva para desmontar el sensor, lubricarlo con aceite penetrante, antes de desmontarlo. También asegurarse de proteger la punta del sensor; las puntas de los sensores de O_2 son muy sensibles y pueden dañarse fácilmente si se permite que se golpeen o entren en contacto con otros objetos.

Para sensores tipo enroscar (flecha)...

5. Desmontar el sensor, como sigue:

• Para sensores tipo tornillo: como los sensores de O_2 son usualmente diseñados con coleta de cableado permanentemente acoplada (esto permite colocar el mazo de cables y los conectores del sensor lejos del sistema de escape caliente), puede ser necesario utilizar una llave de tubo o una herramienta diseñada específicamente para este propósito. Antes de comprar algo como una llave de tubo, asegurarse de que se puede ahorrar algún dinero utilizando alguna herramienta de llave de tuercas de extremo de tubo para el desmontaje del sensor.

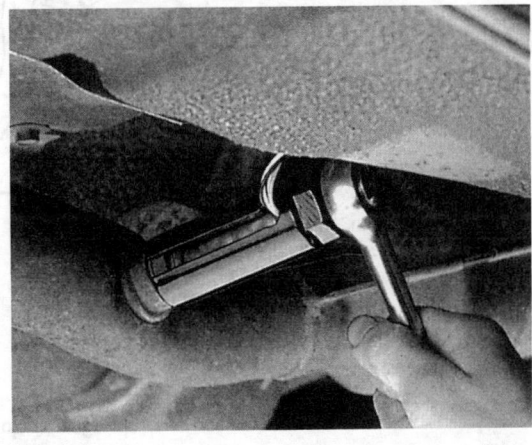

... o utilizar una llave de tuercas de tubo larga para aflojar el sensor o una herramienta diseñada expresamente para este propósito.

• Para sensores tipo brida: aflojar las tuercas o pernos de retención y sacar el sensor fuera del componente del escape. Asegurarse de desmontar y desechar el empaque del sensor viejo, si lo tiene. Se necesitará un empaque nuevo para la instalación.

6. Ejecutar una inspección visual del sensor. Sedimentos de hollín negro pueden indicar una mezcla aire/combustible rica, sedimentos grises pueden indicar un problema de consumo de aceite y sedimentos blancos arenosos pueden indicar fugas internas del líquido refrigerante. Todas estas condiciones pueden destruir el sensor nuevo si no se corrigen antes de la instalación.

Para instalar:

7. Instalar el sensor como sigue:

➡ Un compuesto especial anti-agarrotamiento se utiliza en la rosca de la mayoría

Luego desmontar el sensor del componente de escape

de los sensores de O_2 tipo enroscado. Los sensores nuevos usualmente tienen este compuesto aplicado alrededor de la rosca. Sin embargo, si se instala el sensor de O_2 viejo o si el sensor nuevo no viene con este compuesto, aplicar una capa fina de un compuesto anti-agarrotamiento y eléctricamente conductor a la rosca del sensor.

▼ AVISO ▼

Asegurarse de evitar que cualquier compuesto anti-agarrotamiento entre en contacto con la punta del sensor de O_2. También tomar precauciones para proteger la punta del sensor de daños físicos durante la instalación.

• Para sensores tipo enroscado: instalar el sensor en el saliente de montaje; luego atornillarlo firmemente.

• Para sensores tipo brida: colocar un empaque nuevo en el componente del escape e insertar el sensor. Apretar los pernos de retención firme y uniformemente.

8. Reacoplar el conector de coleta al conector del mazo de cables del vehículo.

9. Bajar el vehículo.

10. Conectar el cable negativo de la batería.

11. Poner en marcha el motor y asegurarse de que no hay ningún código de diagnóstico de problemas (DTC).

LOCALIZACIONES

Generalmente, sólo hay cinco localizaciones diferentes en el sistema de escape donde se colocan los sensores de O_2. A las cinco localizaciones le han sido asignados números y serán utilizados en las tablas acompañantes para identificar la localización de los sensores de O_2 en la mayoría de los vehículos de 1995-99.

Debido a los cambios de producción de medio año o las inconsistencias de la fábrica, no pueden recogerse todos los modelos. Si el vehículo que se está serviciando no está en las tablas, inspeccionar el sistema de escape (¡mientras esté frío!) en las cinco localizaciones generales para encontrar el sensor de O_2 pertinente.

➡ En modelos equipados con doble sistema de escape, pueden haber hasta 4 o 5 sensores en el sistema de escape. Asegurarse de localizarlos a todos ellos

antes de comenzar con cualquier prueba o servicio.

Las cinco localizaciones son las siguientes:

• Localización N° 1: múltiple de escape o tubo de escape aguas abajo.

• Localización N° 2: ambos múltiples de escape o tubo de escape aguas abajo en motores tipo en V.

• Localización N° 3: colector de escape.

• Localización N° 4: salida del convertidor catalítico.

• Localización N° 5: ambos, a la entrada y a la salida del convertidor catalítico.

Esta localización es utilizada para comprobar la eficiencia del convertidor catalítico.

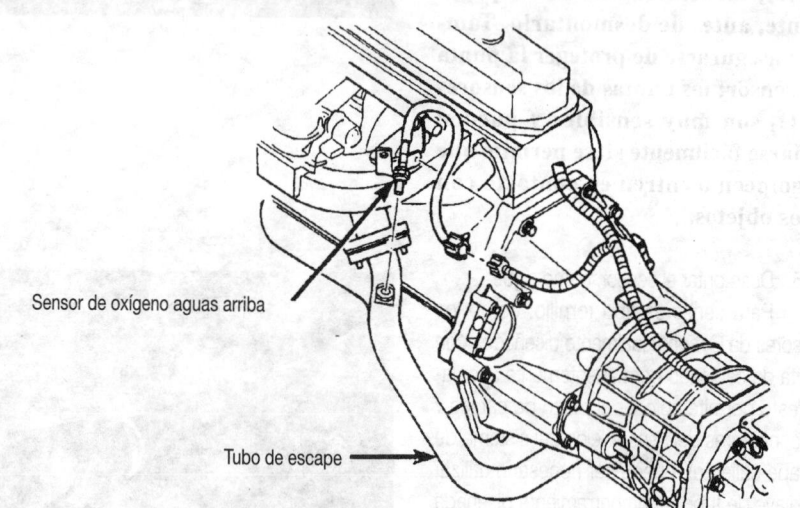

Sensor de oxígeno aguas arriba

Tubo de escape

▲ **Localización N° 1 – Tubo de escape aguas abajo o múltiple de escape**

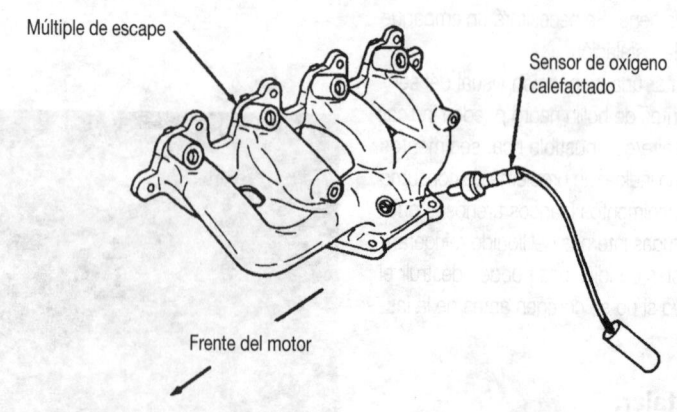

Múltiple de escape

Sensor de oxígeno calefactado

Frente del motor

▲ **Localización N° 2 – Típico sensor de O_2 localizado en el múltiple de escape**

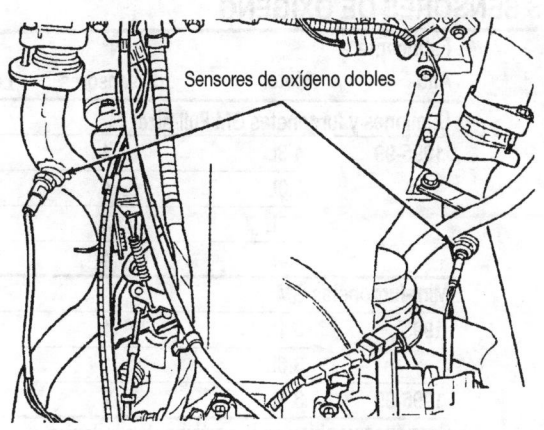

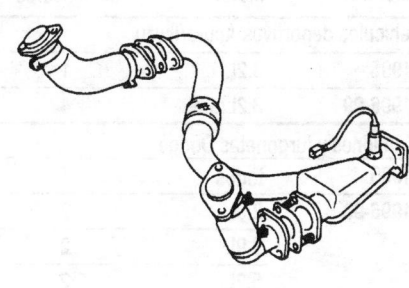

▲ Localización N° 2 – Bancadas izquierda y/o derecha de un motor tipo V

▲ Localización N° 3 – Colector de escape (donde más de un tubo se une)

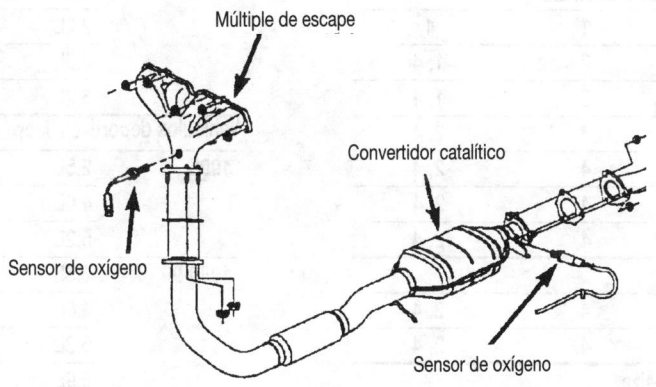

Múltiple de escape

Convertidor catalítico

Sensor de oxígeno

Sensor de oxígeno

▲ Localización N° 4 – A la salida del convertidor catalítico

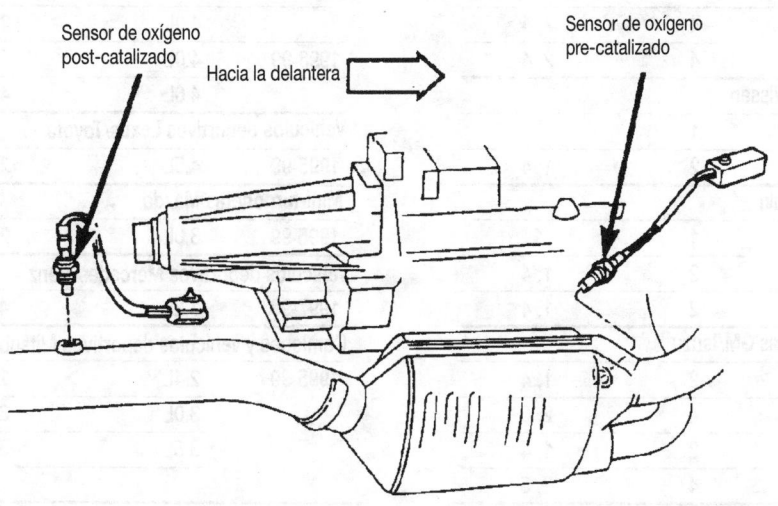

Sensor de oxígeno post-catalizado

Hacia la delantera

Sensor de oxígeno pre-catalizado

▲ Localización N°5 – A la entrada y a la salida del convertidor catalítico

LOCALIZACIÓN DE LOS SENSORES DE OXÍGENO

Fabricante Año	Motor	N° de sensores	Localización
Vehículos deportivos Acura/Isuzu			
1995	3.2L	1	3
1996-99	3.2L/3.5L	4	2, 5
Camiones y furgonetas Dodge			
1995	todos	1	1
1996-99	2.5L	2	1, 4
	3.9L	2	1, 4
	5.2L	2	1, 4
	5.9L	2	1, 4
	5.9L HDC	4	2, 5
	8.0L HDC	4	2, 5
Chrysler Minivans			
1995	todos	1	1
1996-99	todos	2	1, 4
Camiones pequeños y furgonetas Ford/Mazda			
1995	todos	1	1
1996-99	2.3L	2	1, 4
	2.5L	2	1, 4
	3.0L	3	2, 4
	4.0L (E)	4	2, 4
	4.0L (X)	4	2, 4
	5.0L	4	2, 4
Mini-furgonetas Ford			
1995-99	3.0L	4	2, 4
	3.8L	4	2, 4
Camiones y furgonetas Ford Full-size			
1995-96	4.9L	1	1
	5.0L	3	2, 4
	5.8L	3	2, 4
1997-99	4.2L	2	3, 4
	4.6L	4	2, 4
	5.4L	4	2, 4
	6.8L	4	2, 4
Vehículos deportivos Mercury/Nissan			
1995	3.0L	1	1
1996-99	3.0L	2	1, 4
Vehículos deportivos GEO/Suzuki			
1995	1.3L	1	1
1996-99	1.6L	2	1, 4
	1.8L	2	1, 4
Camiones pequeños y furgonetas GM/Isuzu			
1995	2.2L	2	1, 4
	4.3L	4	2, 5
1996-99	2.2L	2	1, 4
	4.3L	4	2, 5

Fabricante Año	Motor	N° de sensores	Localización
Camiones y furgonetas GM Full-size			
1995-99	4.3L	4	2, 5
	5.0L	4	2, 5
	5.7L	4	2, 5
	7.4L	4	2, 5
Mini-furgonetas GM			
1995	3.1L	1	1
	3.8L	1	1
1996-99	3.4L	2	1, 4
Camiones y vehículos deportivos Honda/Isuzu			
1995	2.2L	2	3, 4
	2.3L	1	1
	2.6L	1	1
	3.2L	1	3
1996-99	2.0L	2	3, 4
	2.2L	2	3, 4
	2.6L	2	4, 3
	3.2L	4	2, 5
Vehículos deportivos Jeep			
1995	2.5L	1	1
	4.0L	1	1
	5.2L	1	1
1996-99	2.5L	2	1, 4
	4.0L	2	1, 4
	5.2L	3	1, 5
	5.9L	3	1, 5
Vehículos deportivos Kia			
1995	2.0L	1	1
1996-99	2.0L	2	1, 4
Vehículos deportivos Land Rover			
1995	3.9L	2	2
	4.0L	2	2
1996-99	4.0L	4	2, 4
	4.6L	4	2, 4
Vehículos deportivos Lexus/Toyota			
1995-99	4.5L	2	1, 4
Mini-furgonetas Mazda			
1995-99	3.0L	2	1, 4
Vehículos deportivos Mercedes-Benz			
1997-99	3.2L	4	5
Camiones y vehículos deportivos Mitsubishi			
1995-99	2.4L	2	1, 4
	3.0L	3	2, 4
	3.5L	3	2, 4

LOCALIZACIÓN DE LOS SENSORES DE OXÍGENO

Fabricante Año	Motor	N° de sensores	Localización	Fabricante Año	Motor	N° de sensores	Localización
Camiones y vehículos deportivos Nissan/Infinity				**Camiones y vehículos deportivos Toyota (continuación)**			
1995-99	2.4L	2	1, 4	1995	3.0L	2	3, 4
	3.0L	4	2, 4		3.4L	2	3, 4
	3.3L	4	2, 4	1996-99	2.0L	2	1, 4
	4.3L	4	2, 4		2.4L	2	3, 4
Vehículos deportivos Subaru					2.7L	2	3, 4
1997-99	2.5L	3	3, 4		3.0L	2	3, 4
Camiones y vehículos deportivos Toyota					3.4L	2	3, 4
1995	2.4L	①	②		4.7L	2	3, 4
	2.7L	2	3, 4				

① Los modelos federales usan un sensor de O₂, mientras que los de California usan dos sensores de O₂.

② Modelos federales: localización N° 1.
 Modelos California: localización N° 2 y N° 4.

LOCALIZACIÓN DE LOS SENSORES DE OXÍGENO

Fabricante Año	Motor	N° de sensores	Localización	Fabricante Año	Motor	N° de sensores	Localización
Vehículos LH Chrysler ①				**General Motors Carrocería A**			
1995	3.3L	1	1	1995	2.2L	1	1
	3.5L	1	1		3.1L	1	1
1996-99	Todos	4	2,4	1996	2.2L	2	1, 4
Chrysler Avenger y Sebring Coupe					3.1L	2	1, 4
1995-99	2.0L	2	1, 4	**General Motors Carrocería B**			
	2.5L	3	2, 4	1995	4.3L	2	1, 4
Eagle Talon					5.7L	2	1, 4
1995-99	Todos	2	1, 4	1996	4.3L	4	2, 4
Plymouth Neon					5.7L	4	2,4
1995-99	Todos	2	1, 4	**General Motors Carrocerías C & H**			
Vehículos Chrysler JA/JX ②				1995	3.8L	1	1
1995-99	Todos	2	1, 4	1996-99	3.8L	2	1, 4
Ford Aspire				**General Motors Carrocerías E & K**			
1995	1.3L	1	1	1995	4.6L	2	1, 4
1996-97	1.3L	2	1, 4		4.9L	2	1, 4
Ford Probe				1996-99	4.6L	4	5
1995	2.0L	1	1	**General Motors Carrocería F**			
	2.5L	2	2	1995	3.4L	2	1, 4
1996-97	2.0L	2	1, 4		5.7L	2	1, 4
	2.5L	4	2, 4	1996-99	3.8L	4	5
Ford Contour, Mystique y Cougar 1999					5.7L	4	5
1995-99	2.0L	2	1, 4	**General Motors Carrocería G**			
	2.5L	3	1, 4	1995	3.8L	1	1
Ford Taurus y Sable					4.0L	1	1
1995	Todos	2	1, 4	1996-99	3.8L	2	1, 4
1996-99	Todos	4	2, 4		4.0L	2	1, 4
Lincoln Continental				**General Motors Carrocería J**			
1995-99	4.6L	4	5	1995	2.2L	1	1
Ford Escort, Tracer y ZX2					2.3L	1	1
1995-97	1.8L	2	1, 4	1996-99	2.2L	2	5
	1.9L	2	1, 4		2.4L	2	5
1998-99	2.0L	2	1, 4	**General Motors Carrocería L**			
Ford Mustang				1995	2.2L	1	1
1995	3.8L	2	1, 4		3.1L	1	1
1996-99	Todos	4	2, 4	1996	2.2L	2	5
Lincoln Mark VIII					3.1L	2	5
1995-99	4.6L	4	5	**General Motors Carrocería L/N**			
Ford Cugar (1995-98)				1997-99	2.4L	2	1, 4
1995-98	3.8L	2	1, 4		3.1L	2	1, 4
	4.6L	4	5	**General Motors Carrocería N**			
Ford Full-size				1995	2.3L	1	1
1995-99	4.6L	4	5		3.1L	1	1

LOCALIZACIONES DE LOS SENSORES DE OXÍGENO

Fabricante Año	Motor	N° de sensores	Localización	Fabricante Año	Motor	N° de sensores	Localización
General Motors Carrocería N (cont.)				General Motors Carrocería Y			
1996-99	2.4L	2	1, 4	1995	5.7L	2	2
	3.1L	2	1, 4	1996-99	5.7L	4	5
General Motors Carrocería V				GEO/Chevrolet			
1997-99	3.0L	4	5	1995	Todos	1	1
General Motors Carrocería W				1996-99	Todos	2	1, 4
1995	3.1L	1	1	Saturn			
	3.4L	1	1	1995	1.9L	1	1
1996-99	3.1L	2	5	1996-99	1.9L	2	1, 4
	3.4L	2	5				
	3.8L	2	5				

① La designación de clase LH se refiere a los Chrysler Concorde, LHS, New Yorker, Dodge Intrepid y Eagle Vision.
② La designación de clase JA se refiere a los Chrysler Cirrus, Phymonth Breeze y Dodge Stratus.
③ La designación de clase JX se refiere al Chrysler Sebring Descapotable.

21 SENSORES DE OXÍGENO

LOCALIZACIÓN DE LOS SENSORES DE OXÍGENO

Fabricante Modelo Año	Motor	N° de sensores	Localización
Acura			
Integra			
1995	1.8L	1	2
1996-99	1.8L	2	5
Legend			
	3.2L	2	2
NSX			
	3.0L	4	2, 4
2.2CL			
	2.2L	2	5
2.5TL			
	2.5L	2	3, 4
3.0CL			
	3.0L	2	3, 4
3.2TL			
	3.2L	3	2, 4
3.5RL			
	3.5L	3	2, 4
Audi			
Todos los modelos			
	1.8L	2	1, 4
	2.8L	2	2, 4
	3.7L	4	5
	4.2L	4	5
BMW			
Todos los modelos			
	1.8L	1	1
	1.9L	2	2
	2.5L	2	5
	2.8L	2	5
	3.0L	4	5
	3.2L	4	5
	4.0L	4	5
	4.4L	4	5
	5.4L	4	5
	5.6L	4	5
Importaciones Chrysler			
Todos los modelos			
1995	1.5L	1	1
	1.8L	1	1
	2.4L	1	1
1996	1.5L	2	1, 4
	1.8L	2	1, 4
	2.4L	2	3, 4

LOCALIZACIÓN DE LOS SENSORES DE OXÍGENO

Fabricante Modelo Año	Motor	N° de sensores	Localización
Honda			
Accord			
1995	2.2L	1	1
1996-99	2.2L	2	1, 4
	2.7L	2	5
Civic			
1995	Todos	1	1
1996-99	Todos	2	1, 4
Del Sol			
1995	Todos	1	1
1996-97	Todos	2	1, 4
Prelude			
1995	Todos	1	1
1996-99	Todos	2	1, 4
Hyundai			
Todos los modelos			
	1.5L	2	1, 4
	1.8L	1	1
	2.0L	1 (2 CA)	1 (4 CA)
	3.0L	1 (2 CA)	1 (4 CA)
Infiniti			
G20			
1995	2.0L	1	1
1996	2.0L	2	1, 4
I30			
1996	3.0L	2	1, 4
1997-99	3.0L	3	2, 4
J30			
1995	3.0L	2	2
1996-97	3.0L	4	2, 4
Q45			
	4.5L	4	2, 4
Jaguar			
Todos los modelos			
	4.0L	2	5
	6.0L	4	2, 4
Kia			
Sephia			
1995	1.8L	1	1
1996-99	1.8L	2	1, 4
Lexus			
ES 300			
	3.0L	3	2, 4

LOCALIZACIÓN DE LOS SENSORES DE OXÍGENO

Fabricante Modelo Año	Motor	N° de sensores	Localización
Lexus (cont.)			
GS/SC 300			
	3.0L	3	2, 4
GS/LS/SC 400			
	4.0L	4	2, 4
Mazda			
929			
	3.0L	2	2
MX3			
	1.6L	2, 4 CA	2, (4 CA)
MX6/626			
1995	2.0L	1	1
	2.5L	2	2
1996-97	2.0L	2	1, 4
	2.5L	3	2, 4
RX-7			
	1.3L	1	1
Miata			
	1.8L	1	1, 4
Millenia			
	2.0L	4	2, 4
	2.3L	4	2, 4
Protégé			
	1.5L	2	1, 4
	1.8L	2	1, 4
Mercedes-Benz			
Todos los modelos			
	2.2L (111)	2	5
	2.3L (111)	2	5
	2.8L (104)	2	5
	3.2L (104)	2	5
	3.2L (112)	4	5
	4.2L (119)	4	5
	4.3L (113)	4	5
	5.0L (119)	4	5
Mitsubishi			
Eclipse			
	2.0L	2	1, 4
Diamante			
	3.0L/3.5L	2	3, 4
Mirage			
	1.8L	2	3, 4

LOCALIZACIÓN DE LOS SENSORES DE OXÍGENO

Fabricante Modelo Año	Motor	N° de sensores	Localización
Mitsubishi (cont.)			
Galant			
	2.4L	2	3, 4
3000GT			
	3.0L	3	2, 4
Nissan			
300 ZX			
	3.0L	4	2, 4
240 SX			
	2.4L	2	1, 4
Sentra/200 SX			
	1.6L	2	1, 4
	2.0L	2	1, 4
Altima			
	2.4L	2	1, 4
Maxima			
1995-96	3.0L	2	1, 4
1997-99	3.0L	3	2, 4
Porsche			
911			
	3.6L	4	5
928			
	5.4L	1	3
968			
	3.0L	2	5
Boxster			
	2.5L	4	5
Saab			
900 y 9000			
	4 Cyl.	2	1, 4
	6 Cyl.	3	2, 4
9-3 y 9-5			
	4 Cyl.	2	1, 4
	6 Cyl.	3	2, 4
Subaru			
Todos los modelos			
1995	1.8L	1	3
	2.2L	2	3, 4
	3.3L	3	2, 4
1996-99	1.8L	2	3, 4
	2.2L	2	3, 4
	2.5L	2	3, 4
	3.3L	3	2, 4

LOCALIZACIÓN DE LOS SENSORES DE OXÍGENO

Fabricante Modelo Año	Motor	N° de sensores	Localización
Suzuki			
Todos los modelos			
	Todos	2	1, 4
Toyota			
MR2			
	2.0L	1, 2 CA	1,(4 CA)
	2.2L	1, 2 CA	1,(4 CA)
Avalon			
	Todos	3	2, 4
Camry			
	2.2L	2	1, 4
	3.0L	3	2, 4
Celica			
	Todos	2	1, 4
Corolla			
1995	Todos	1 (2 CA)	1 (4 CA)
1996-99	Todos	2	1, 4
Paseo			
1995	1.5L	1, 2 CA	1, (4 CA)
1996-98	1.5L	2	1, 4
Supra			
	Todos	3	2, 4
Tercel			
	1.5L	2	1, 4
Volkswagen			
Beetle			
	2.0L	2	1, 4
Cabrio			
	2.0L	2	1, 4
Golf			
	2.0L	2	1, 4
GTI			
	2.0L	2	1, 4
	2.8L	2	1, 4
Jetta			
	1.8L	2	1, 4
	2.0L		
	2.8L	2	1, 4
Passat			
	1.8L	2	1, 4
	2.8L	2	1, 4
Volvo			
940			
		2	5

LOCALIZACIÓN DE LOS SENSORES DE OXÍGENO

Fabricante Modelo Año	Motor	N° de sensores	Localización
Volvo (cont.)			
960			
Todos	2	5
850			
Todos	2	5
C70/S70/V70			
Todos	2	5
S90/V90			
Todos	2	5

FRENOS

ESPECIFICACIONES **1122**	**SISTEMA DE FUNCIONAMIENTO**
Ford/Mazda Full Size 1122	**DEL FRENO** **1146**
Ford Motor CO. Tracción Delantera. 1125	Principios básicos de funcionamiento 1146
Ford Motor CO. Tracción Trasera. 1126	Cilindro maestro 1149
Ford Motor CO. Tracción Trasera. 1127	Sangrado del sistema de frenos 1151
Chrysler Corp.. 1128	
General Motors Full Size 1129	**FRENOS DE DISCO** **1155**
GM carrocería "A". 1131	Forros de freno 1155
GM carrocería "J". 1132	Mordazas de freno 1159
GM carrocería "W" 1133	Rotores de freno 1173
Buick/Chevrolet/	
Oldsmobile/Pontiac. 1134	**FRENOS DE TAMBOR** **1176**
Dodge 1134	Tambor de freno 1176
BMW 1135	Zapatas de freno. 1182
Mercedes Benz. 1137	Cilindros de rueda 1199
Nissan 1139	
Nissan/Infinity Full Size 1140	**SISTEMAS DE FRENO ANTIBLOQUEO**
Toyota 1141	**(ANTIAMARRE)** **1205**
Honda 1143	Información general 1205
Volkswagen. 1144	

ESPECIFICACIONES DE FRENOS
FORD AEROSTAR, BRONCO, SERIE E, EXPEDITION, EXPLORER, SERIE F,
RANGER LINCOLN NAVIGATOR, MERCURY MOUNTAINEER
Todas las medidas están en pulgadas, excepto las que se señalan

Año	Modelo			Diámetro cilindro principal	Disco de freno			Diámetro de tambor de frenos			Espesor mínimo de forro		Mordaza de freno	
					Espesor original	Espesor mínimo	Desviación máxima	Diámetro interior original	Límite desgaste máximo	Diámetro maquinado máximo	Del.	Tras.	Pernos soporte (Pie-lb)	Pernos montaje (Pie-lb)
1995	Aerostar	④		0.938	0.850	0.810	0.003	9.00	9.09	9.06	0.030	0.030	72-97	21-26
		⑤		0.938	0.850	0.810	0.003	10.00	10.09	10.06	0.030	0.030	72-97	21-26
	Bronco			1.000	1.160	0.960	0.003	11.03	11.09	11.06	0.030	0.030	125-169	21-26
	E-150			1.000	1.160	1.120	0.003	11.03	11.09	11.06	0.030	0.030	141-191	22-36
	E-250	①			1.220	1.180	0.003	12.00	12.09	12.06	0.030	0.030	141-191	22-36
	E-350			NA	1.220	1.180	0.003	12.00	12.09	12.06	0.030	0.030	141-191	22-36
	Explorer	④		0.938	0.850	0.810	0.003	9.00	9.09	9.06	0.030	0.030	72-97	21-26
		⑥		0.938	0.850	0.810	0.003	10.00	10.09	10.06	0.030	0.030	72-97	21-26
		⑦		0.938	0.850	0.810	0.003	10.00	10.09	10.06	0.030	0.030	72-97	21-26
	F-150			1.000	1.160	0.960	0.003	11.03	11.09	11.06	0.030	0.030	125-169	21-26
	F-250	①			1.220	②	0.003	12.00	12.09	12.06	0.030	0.030	125-169	21-26
	F-350			1.125	1.220	②	③	12.00	12.09	12.06	0.030	0.030	125-169	21-26
	F-Super Duty	F		NA	1.220	1.180	0.008	—	—	—	0.030	—	166	42
		R		—	NA	1.430	0.008	—	—	—	—	0.030	—	—
	Ranger	④		0.938	0.850	0.810	0.003	9.00	9.09	9.06	0.030	0.030	72-97	21-26
		⑥		0.938	0.850	0.810	0.003	10.00	10.09	10.06	0.030	0.030	72-97	21-26
		⑦		0.938	0.850	0.810	0.003	10.00	10.09	10.06	0.030	0.030	72-97	21-26
1996	Aerostar	④		0.938	0.850	0.810	0.003	9.00	9.09	9.06	0.030	0.030	72-97	21-26
		⑤		0.938	0.850	0.810	0.003	10.00	10.09	10.06	0.030	0.030	72-97	21-26
	Bronco			1.000	1.160	0.960	0.003	11.03	11.09	11.06	0.030	0.030	125-169	21-26
	E-150			1.000	1.160	1.120	0.003	11.03	11.09	11.06	0.030	0.030	141-191	22-36
	E-250	①			1.220	1.180	0.003	12.00	12.09	12.06	0.030	0.030	141-191	22-36
	E-350			NA	1.220	1.180	0.003	12.00	12.09	12.06	0.030	0.030	141-191	22-36
	Explorer	④		0.938	0.850	0.810	0.003	9.00	9.09	9.06	0.030	0.030	72-97	21-26
		⑥		0.938	0.850	0.810	0.003	10.00	10.09	10.06	0.030	0.030	72-97	21-26
		⑦		0.938	0.850	0.810	0.003	10.00	10.09	10.06	0.030	0.030	72-97	21-26
	F-150	⑧		1.062	NA	0.972	NA	11.03	11.12	NA	0.156	0.030	125-169	21-26
	F-150			1.000	1.160	0.960	0.003	11.03	11.09	11.06	0.030	0.030	125-169	21-26
	F-250	①			1.220	②	0.003	12.00	12.09	12.06	0.030	0.030	125-169	21-26
	F-350			1.125	1.220	②	③	12.00	12.09	12.06	0.030	0.030	125-169	21-26
	Mountaineer	④		0.938	0.850	0.810	0.003	9.00	9.09	9.06	0.030	0.030	72-97	21-26
		⑥		0.938	0.850	0.810	0.003	10.00	10.09	10.06	0.030	0.030	72-97	21-26
		⑦		0.938	0.850	0.810	0.003	10.00	10.09	10.06	0.030	0.030	72-97	21-26
	Ranger	④		0.938	0.850	0.810	0.003	9.00	9.09	9.06	0.030	0.030	72-97	21-26
		⑥		0.938	0.850	0.810	0.003	10.00	10.09	10.06	0.030	0.030	72-97	21-26
		⑦		0.938	0.850	0.810	0.003	10.00	10.09	10.06	0.030	0.030	72-97	21-26
	F-Super Duty	F		NA	1.220	1.180	0.008	—	—	—	0.030	—	166	42
		R		—	NA	1.430	0.008	—	—	—	—	0.030	—	—
1997	Aerostar	④		0.938	0.850	0.810	0.003	9.00	9.09	9.06	0.030	0.030	72-97	21-26
		⑤		0.938	0.850	0.810	0.003	10.00	10.09	10.06	0.030	0.030	72-97	21-26
	E-150			1.000	1.160	1.120	0.003	11.03	11.09	11.06	0.030	0.030	141-191	22-36
	E-250	①			1.220	1.180	0.003	12.00	12.09	12.06	0.030	0.030	141-191	22-36
	E-350			NA	1.220	1.180	0.003	12.00	12.09	12.06	0.030	0.030	141-191	22-36

ESPECIFICACIONES DE FRENOS
FORD AEROSTAR, BRONCO, SERIE E, EXPEDITION, EXPLORER, SERIE F, RANGER LINCOLN NAVIGATOR, MERCURY MOUNTAINEER
Todas las medidas están en pulgadas, excepto las que se señalan

Año	Modelo		Diámetro cilindro principal	Disco de freno			Diámetro de tambor de frenos			Espesor mínimo de forro		Mordaza de freno	
				Espesor original	Espesor mínimo	Desviación máxima	Diámetro interior original	Límite desgaste máximo	Diámetro maquinado máximo	Del.	Tras.	Pernos soporte (Pie-lb)	Pernos montaje (Pie-lb)
1997 (cont.)	Explorer	④	0.938	0.850	0.810	0.003	9.00	9.09	9.06	0.030	0.030	72-97	21-26
		⑥	0.938	0.850	0.810	0.003	10.00	10.09	10.06	0.030	0.030	72-97	21-26
		⑦	0.938	0.850	0.810	0.003	10.00	10.09	10.06	0.030	0.030	72-97	21-26
	F-150	⑧	1.062	NA	0.972	NA	11.03	11.12	NA	0.156	0.030	125-169	21-26
	F-150		1.000	1.160	0.960	0.003	11.03	11.09	11.06	0.030	0.030	125-169	21-26
	F-250		①	1.220	②	0.003	12.00	12.09	12.06	0.030	0.030	125-169	21-26
	F-350		1.125	1.220	②	③	12.00	12.09	12.06	0.030	0.030	125-169	21-26
	Mountaineer	④	0.938	0.850	0.810	0.003	9.00	9.09	9.06	0.030	0.030	72-97	21-26
		⑥	0.938	0.850	0.810	0.003	10.00	10.09	10.06	0.030	0.030	72-97	21-26
		⑦	0.938	0.850	0.810	0.003	10.00	10.09	10.06	0.030	0.030	72-97	21-26
	Ranger	④	0.938	0.850	0.810	0.003	9.00	9.09	9.06	0.030	0.030	72-97	21-26
		⑥	0.938	0.850	0.810	0.003	10.00	10.09	10.06	0.030	0.030	72-97	21-26
		⑦	0.938	0.850	0.810	0.003	10.00	10.09	10.06	0.030	0.030	72-97	21-26
	F-Super Duty	F	NA	1.220	1.180	0.008	—	—	—	0.030	—	166	42
		R	—	NA	1.430	0.008	—	—	—	—	0.030	—	—
	Expedition	F	1.000	1.023	0.964	0.0025	—	—	—	0.030	0.030	125-168	21-26
		R	—	0.700	0.657	0.025	—	—	—	0.030	0.030	120	20
1998-99	E-150		0.938	1.160	0.960	0.0025	11.03	11.09	11.06	0.030	0.030	141-191	22-26
	E-250		1.000	1.30	1.100	0.0003	12.00	12.09	12.06	0.030	0.030	141-191	22-26
	E-350		1.125	1.30	1.100	0.0003	12.00	12.09	12.06	0.030	0.030	141-191	22-26
	F-150		1.000	⑩	⑨	0.0025	11.03	11.09	11.06	0.030	0.030	125-169	21-26
	F-250		1.062	⑩	⑨	0.0025	12.00	12.09	12.06	0.030	0.030	125-169	21-26
	F-350		1.125	⑩	⑨	0.0025	12.00	12.09	12.06	0.030	0.030	125-169	21-26
	F-Super Duty		1.125	1.220	1.180	0.0025	12.00	12.09	12.06	0.030	0.030	166	42
	Expedition	F	1.000	1.023	0.964	0.0025	—	—	—	0.030	0.030	125-168	21-26
		R	—	0.700	0.657	0.025	—	—	—	0.030	0.030	120	20
	Navigator	F	1.000	1.023	0.964	0.0025	—	—	—	0.030	0.030	125-168	21-26
		R	—	0.700	0.657	0.025	—	—	—	0.030	0.030	120	20
	Explorer	④	0.938	0.850	0.810	0.003	9.00	9.09	9.06	0.030	0.030	72-97	21-26
		⑥	0.938	0.850	0.810	0.003	10.00	10.09	10.06	0.030	0.030	72-97	21-26
		⑦	0.938	0.850	0.810	0.003	10.00	10.09	10.06	0.030	0.030	72-97	21-26
	Mountaineer	④	0.938	0.850	0.810	0.003	9.00	9.09	9.06	0.030	0.030	72-97	21-26
		⑥	0.938	0.850	0.810	0.003	10.00	10.09	10.06	0.030	0.030	72-97	21-26
		⑦	0.938	0.850	0.810	0.003	10.00	10.09	10.06	0.030	0.030	72-97	21-26
	Ranger	④	0.938	0.850	0.810	0.003	9.00	9.09	9.06	0.030	0.030	72-97	21-26
		⑥	0.938	0.850	0.810	0.003	10.00	10.09	10.06	0.030	0.030	72-97	21-26
		⑦	0.938	0.850	0.810	0.003	10.00	10.09	10.06	0.030	0.030	72-97	21-26

Nota: debido a los cambios hechos durante la producción, consultar y aplicar las especificaciones del fabricante si difieren de las de esta tabla.

NA-No disponible.

F-Delantero.

R-Trasero.

① Por debajo de 6900 lb de peso bruto vehicular. (GVW): 1.062.
  Por encima de 6900 lb de peso bruto vehicular: (GVW): 1.125.

② 4x2: 1.100.
  4x4: 1.1120.

③ Excepto F-350 4x2 con rueda trasera doble y rotor/cubo de 2 piezas: 0.003 plg.
  F-350 4x2 con rueda trasera doble y rotor/cubo de 2 piezas: 0.010 plg.

④ Con freno de 9 pulgadas.

⑤ Con freno de 10 pulgadas.

⑥ 4x2 con freno de 10 pulgadas.

⑦ 4x4 con freno de 10 pulgadas.

⑧ Sólo 1997.

⑨ 0.972 para 4x4.
  1.09 para 4x4.

⑩ 1.020 para 4x2.
  1.220 para 4x4.

ESPECIFICACIONES DE FRENOS
MAZDA B2300, B2500, B3000, B4000, MPV
Todas las medidas están en pulgadas, excepto las que se señalan

Año	Modelo		Diámetro cilindro principal	Disco de freno			Diámetro de tambor de frenos			Espesor mínimo de forros		Mordaza de freno	
				Espesor original	Espesor mínimo	Desviación máxima	Diámetro interior original	Límite desgaste máximo	Diámetro maquinado máximo	Del.	Tras.	Pernos soporte (Pie-lb)	Pernos montaje (Pie-lb)
1995	B2300		NA	NA	0.810	0.003	NA	①	0.003	0.012	0.003	72-97	21-26
	B3000		NA	NA	0.810	0.003	NA	①	0.003	0.012	0.003	72-97	21-26
	B4000		NA	NA	0.810	0.003	NA	①	0.003	0.012	0.003	72-97	21-26
	MPV		0.940	②	③	0.004	NA	NA	NA	0.080	0.080	66-79	62-68
1996	B2300		NA	NA	0.810	0.003	NA	①	0.003	0.012	0.003	72-97	21-26
	B3000		NA	NA	0.810	0.003	NA	①	0.003	0.012	0.003	72-97	21-26
	B4000		NA	NA	0.810	0.003	NA	①	0.003	0.012	0.003	72-97	21-26
	MPV	F	0.940	1.100	1.020	0.004	NA	NA	NA	0.080	NA	66-79	62-68
		R	NA	0.710	0.630	0.004	NA	NA	NA	NA	0.040	66-79	62-68
1997	B2300		NA	NA	0.810	0.003	NA	①	0.003	0.012	0.003	72-97	21-26
	B3000		NA	NA	0.810	0.003	NA	①	0.003	0.012	0.003	72-97	21-26
	B4000		NA	NA	0.810	0.003	NA	①	0.003	0.012	0.003	72-97	21-26
	MPV	F	0.940	1.100	1.020	0.004	NA	NA	NA	0.080	NA	66-79	62-68
		R	NA	0.710	0.630	0.004	NA	NA	NA	NA	0.040	66-79	62-68
1998-99	B2500		NA	NA	0.810	0.003	NA	①	0.003	0.012	0.003	72-97	21-26
	B3000		NA	NA	0.810	0.003	NA	①	0.003	0.012	0.003	72-97	21-26
	B4000		NA	NA	0.810	0.003	NA	①	0.003	0.012	0.003	72-97	21-26
	MPV	F	0.940	1.100	1.020	0.004	NA	NA	NA	0.080	NA	66-79	62-68
		R	NA	0.710	0.630	0.004	NA	NA	NA	NA	0.040	66-79	62-68

NA – No disponible.
① Consultar el diámetro máximo estampado en el tambor.
② Delantero 4x2: 1.180.
   Delantero 4x4: 1.100.
   Trasero: 0.710.
③ Delantero 4x2: 1.100.
   Delantero 4x4: 1.020.
   Trasero: 0.630.

ESPECIFICACIONES DE FRENOS
FORD ESCORT, ESCORT ZX2, MERCURY TRACER
Todas las medidas están en pulgadas, excepto las que se señalan

Año	Modelo		Diámetro cilindro principal	Disco de freno			Diámetro de tambor de frenos			Espesor mínimo de forros		Mordaza de freno	
				Espesor original	Espesor mínimo	Desviación máxima	Diámetro interior original	Límite desgaste máximo	Diámetro maquinado máximo	Del.	Tras.	Pernos soporte (Pie-lb)	Pernos montaje (Pie-lb)
1995	Escort	F	0.875	0.870	0.790	0.004	7.87	7.95	7.91	0.080	0.040	—	35
		R	—	0.350	0.280	0.004	—	—	—	—	0.040	—	—
	Tracer	F	0.875	0.870	0.790	0.004	—	—	—	0.080	—	—	35
		R	—	0.350	0.280	0.004	7.87	7.95	7.91	—	0.040	—	—
1996	Escort	F	0.875	0.870	0.790	0.004	—	—	—	0.080	—	—	35
		R	—	0.350	0.280	0.004	7.87	7.95	7.91	—	0.040	—	—
	Tracer	F	0.875	0.870	0.790	0.004	—	—	—	0.080	—	—	35
		R	—	0.350	0.280	0.004	7.87	7.95	7.91	—	0.040	—	—
1997	Escort	F	0.875	0.870	0.790	0.004	—	—	—	0.080	—	—	36-43
		R	—	0.350	0.280	0.004	7.87	7.95	7.91	—	0.040	—	—
	Tracer	F	0.875	0.870	0.790	0.004	—	—	—	0.080	—	—	36-43
		R	—	0.350	0.280	0.004	7.87	7.95	7.91	—	0.040	—	—
1998-99	Escort	F	0.875	0.870	0.790	0.004	—	—	—	0.080	—	—	36-43
		R	—	0.350	0.280	0.004	7.87	7.95	7.91	—	0.040	—	—
	Escort ZX2	F	0.875	0.870	0.790	0.004	—	—	—	0.080	·	—	36-43
		R	—	0.350	0.280	0.004	7.87	7.95	7.91	—	0.040	—	—
	Tracer	F	0.875	0.870	0.790	0.004	—	—	—	0.080	—	—	36-43
		R	—	0.350	0.280	0.004	7.87	7.95	7.91	—	0.040	—	—

Nota: seguir las especificaciones estampadas en el rotor o en el tambor, si difieren de las especificadas en esta tabla.

NA - No disponible.

F - Delantero.

R - Trasero.

ESPECIFICACIONES DE FRENOS
FORD CONTOUR, MERCURY MYSTIQUE, COUGAR (1999)
Todas las medidas están en pulgadas, excepto las que se señalan

Año	Modelo		Diámetro cilindro principal	Disco de freno Espesor original	Disco de freno Espesor mínimo	Disco de freno Desviación máxima	Diámetro interior original	Límite desgaste máximo	Diámetro maquinado máximo	Espesor mínimo de forros Del.	Espesor mínimo de forros Tras.	Pernos soporte (Pie-lb)	Pernos montaje (Pie-lb)
1995	Contour	F	NA	0.950	0.870	0.006	—	—	—	0.125	—	—	20
		R	—	0.790	0.710	0.006	8.00	—	—	—	0.125	—	30
	Mystique	F	NA	0.950	0.870	0.006	—	—	—	0.125	—	—	20
		R	—	0.790	0.710	0.006	8.00	—	—	—	0.125	—	30
1996	Contour	F	NA	0.950	0.870	0.006	—	—	—	0.125	—	—	20
		R	—	0.790	0.710	0.006	8.00	NA	8.04	—	0.125	—	30
	Mystique	F	NA	0.950	0.870	0.006	—	—	—	0.125	—	—	20
		R	—	0.790	0.710	0.006	8.00	NA	8.04	—	0.125	—	30
1997	Contour	F	NA	0.950	0.870	0.006	—	—	—	0.125	—	—	20
		R	—	0.790	0.710	0.006	8.00	NA	8.04	—	0.125	—	30
	Mystique	F	NA	0.950	0.870	0.006	—	—	—	0.125	—	—	20
		R	—	0.790	0.710	0.006	8.00	NA	8.04	—	0.125	—	30
1998-99	Contour	F	NA	0.950	0.870	0.006	—	—	—	0.125	—	—	20
		R	—	0.790	0.710	0.006	8.00	NA	8.04	—	0.125	—	30
	Cougar	F	NA	0.950	0.870	0.006	—	—	—	0.125	—	—	20
		R	—	0.790	0.710	0.006	8.00	NA	8.04	—	0.125	—	30
	Mystique	F	NA	0.950	0.870	0.006	—	—	—	0.125	—	—	20
		R	—	0.790	0.710	0.006	8.00	NA	8.04	—	0.125	—	30

Nota: seguir las especificaciones estampadas en el rotor o en el tambor, si difieren de las especificadas en esta tabla.

NA - No disponible.

F - Delantero.

R - Trasero.

ESPECIFICACIONES DE FRENOS
FORD TAURUS, LINCOLN CONTINENTAL, MERCURY SABLE
Todas las medidas están en pulgadas, excepto las que se señalan

Año	Modelo		Diámetro cilindro principal	Disco de freno			Diámetro de tambor de frenos			Espesor mínimo de forros		Mordaza de freno	
				Espesor original	Espesor mínimo	Desviación máxima	Diámetro interior original	Límite desgaste máximo	Diámetro maquinado máximo	Del.	Tras.	Pernos soporte (Pie-lb)	Pernos montaje (Pie-lb)
1995	Continental	F	NA	1.020	0.974	0.003	—	—	—	0.060	—	—	25
		R	—	0.550	0.502	0.001	—	—	—	—	0.123	—	25
	Sable		1.000	①	②	③	④	NA	⑤	0.040	⑥	65-85	25
	Taurus		1.000	①	②	③	④	NA	⑤	0.040	⑥	65-85	25
	Taurus SHO		1.000	①	②	③	—	—	—	0.040	0.123	65-85	25
1996	Continental	F	NA	1.020	0.974	0.003	—	—	—	0.060	—	—	25
		R	—	0.550	0.502	0.001	—	—	—	—	0.130	—	25
	Sable	F	1.000	1.020	0.974	0.002	—	—	—	0.040	—	65-85	23-28
		R	—	0.940	0.500	0.002	④	NA	⑤	—	⑦	65-87	23-25
	Taurus	F	1.000	1.020	0.974	0.002	—	—	—	0.040	—	65-85	23-28
		R	—	0.940	0.500	0.002	④	NA	⑤	—	⑦	65-87	23-25
1997	Continental	F	NA	1.020	0.974	0.003	—	—	—	0.060	—	—	25
		R	—	0.550	0.502	0.001	—	—	—	—	0.130	—	25
	Sable	F	1.000	1.020	0.974	0.002	—	—	—	0.040	—	65-85	23-28
		R	—	0.940	0.500	0.002	④	NA	⑤	—	⑦	65-87	23-25
	Taurus	F	1.000	1.020	0.974	0.002	—	—	—	0.040	—	65-85	23-28
		R	—	0.940	0.500	0.002	④	NA	⑤	—	⑦	65-87	23-25
1998-99	Continental	F	NA	1.020	0.974	0.003	—	—	—	0.060	—	—	25
		R	—	0.550	0.502	0.001	—	—	—	—	0.130	—	25
	Sable	F	1.000	1.020	0.974	0.002	—	—	—	0.040	—	65-85	23-28
		R	—	0.940	0.500	0.002	④	NA	⑤	—	⑦	65-87	23-25
	Taurus	F	1.000	1.020	0.974	0.002	—	—	—	0.040	—	65-85	23-28
		R	—	0.940	0.500	0.002	④	NA	⑤	—	⑦	65-87	23-25

Nota: seguir las especificaciones estampadas en el rotor o en el tambor, si difieren de las especificaciones en esta tabla.

NA-No disponible.

F-Delantero.

R-Trasero.

① Delantero: 0.003.
  Trasero: 0.002.

② Sedán: 8.85.
  Vagón: 9.84.

③ Sedán: 8.91.
  Vagón: 9.90.

④ Delantero: 1.020.
  Trasero: 0.940.

⑤ Delantero: 0.974.
  Trasero: 0.500.

⑥ Con frenos de disco: 0.123.
  Con tambor de frenos: 0.030.

⑦ Forros remachados: 0.031.
  Forros pegados: 0.125.

ESPECIFICACIONES DE FRENOS
DODGE/PLYMOUTH NEON

Todas las medidas están en pulgadas, excepto las que se señalan

Año	Modelo		Diámetro cilindro principal	Disco de freno			Diámetro de tambor de frenos			Espesor mínimo de forros		Mordaza de freno	
				Espesor original	Espesor mínimo	Desviación máxima	Diámetro interior original	Límite desgaste máximo	Diámetro maquinado máximo	Del.	Tras.	Pernos soporte (Pie-lb)	Pernos montaje (Pie-lb)
1995	Neon	F	①	0.792	0.724	0.005	—	—	—	0.300	—	—	16
		R	—	NA	NA	NA	7.88	NA	NA	—	②	55	16
1996	Neon	F	①	0.792	0.724	0.005	—	—	—	0.300	—	—	16
		R	—	NA	NA	NA	7.88	NA	NA	—	②	55	16
1997	Neon	F	①	0.792	0.724	0.005	—	—	—	0.300	—	—	16
		R	—	NA	NA	NA	7.88	NA	NA	—	②	55	16
1998-99	Neon	F	①	0.792	0.724	0.005	—	—	—	0.300	—	—	16
		R	—	NA	NA	NA	7.88	NA	NA	—	②	55	16

NA- No disponible.

① Si tiene frenos traseros de tambor: 0.827.
  Si tiene frenos traseros de disco: 0.875.

② Disco trasero: no disponible.
  Tambor trasero: 0.280.

ESPECIFICACIONES DE FRENOS
CADILLAC ESCALADE, CHEVROLET ASTRO, BLAZER, PICK-UPS C/K, EXPRESS, VANS G/P, S10, SUBURBAN, TAHOE, VENTURE, GMC PICK-UPS C/K, DENALI, ENVOY, VANS G/P, JIMMY, S15, SAFARI, SAVANA, SONOMA, YUKON, OLDSMOBILE BRAVADA
Todas las medidas están en pulgadas, excepto las que se señalan

Año	Modelo	Diámetro cilindro principal	Disco de freno Espesor original	Disco de freno Espesor mínimo	Disco de freno Desviación máxima	Diámetro interior original	Límite desgaste máximo	Diámetro maquinado máximo	Espesor mínimo de forros Del.	Espesor mínimo de forros Tras.	Pernos soporte (Pie-lb)	Pernos montaje (Pie-lb)
1995	Astro	NA	①	②	0.004	9.50	9.59	9.56	0.030	0.030	—	38
	Bravada	NA	1.030	0.980	0.002	9.50	9.59	9.56	0.030	0.030	—	38
	C1500	NA	1.250	1.230	0.004	③	④	⑤	0.030	0.030	—	38
	C2500	NA	1.500	1.480	0.004	③	④	⑤	0.030	0.030	—	38
	C3500	NA	1.500	1.480	0.004	③	④	⑤	0.030	0.030	—	—
	G/P20	NA	⑥	⑦	0.004	③	④	⑤	0.030	0.030	—	38
	G/P30	NA	⑥	⑦	0.004	③	④	⑤	0.030	0.030	—	38
	Jimmy	NA	1.030	0.980	0.002	9.50	9.59	9.56	0.030	0.030	—	38
	K1500	NA	1.500	1.480	0.004	③	④	⑤	0.030	0.030	—	38
	K2500	NA	1.500	1.480	0.004	③	④	⑤	0.030	0.030	—	38
	K3500	NA	1.500	1.480	0.004	③	④	⑤	0.030	0.030	—	38
	S10 Blazer	NA	1.030	0.980	0.002	9.50	9.59	9.56	0.030	0.030	—	38
	S10 Pick-up	NA	1.030	0.980	0.002	9.50	9.59	9.56	0.030	0.030	—	38
	S15 Pick-up	NA	1.030	0.980	0.002	9.50	9.59	9.56	0.030	0.030	—	38
	Safari	NA	①	②	0.004	9.50	9.59	9.56	0.030	0.030	—	38
	Sonoma	NA	1.030	0.980	0.002	9.50	9.59	9.56	0.030	0.030	—	38
	Suburban	NA	1.500	1.480	0.004	③	④	⑤	0.030	0.030	—	38
	Tahoe	NA	1.500	1.480	0.004	③	④	⑤	0.030	0.030	—	38
	Yukon	NA	1.500	1.480	0.004	③	④	⑤	0.030	0.030	—	38
1996	Astro	NA	①	②	0.004	9.50	9.59	9.56	0.030	0.030	—	38
	Bravada	NA	1.030	0.965	0.003	9.50	9.59	9.56	0.030	0.030	—	38
	C1500	NA	1.250	1.230	0.004	③	④	⑤	0.030	0.030	—	38
	C2500	NA	1.500	1.480	0.004	③	④	⑤	0.030	0.030	—	38
	C3500	NA	1.500	1.480	0.004	③	④	⑤	0.030	0.030	—	—
	G/P1500	NA	⑥	⑦	0.004	③	④	⑤	0.030	0.030	—	38
	G/P2500	NA	⑥	⑦	0.004	③	④	⑤	0.030	0.030	—	38
	G/P3500	NA	⑥	⑦	0.004	③	④	⑤	0.030	0.030	—	38
	Jimmy	NA	1.030	0.965	0.003	9.50	9.59	9.56	0.030	0.030	—	38
	K1500	NA	1.500	1.480	0.004	③	④	⑤	0.030	0.030	—	38
	K2500	NA	1.500	1.480	0.004	③	④	⑤	0.030	0.030	—	38
	K3500	NA	1.500	1.480	0.004	③	④	⑤	0.030	0.030	—	38
	S10 Blazer	NA	1.030	0.965	0.003	9.50	9.59	9.56	0.030	0.030	—	38
	S10 Pick-up	NA	1.030	0.965	0.003	9.50	9.59	9.56	0.030	0.030	—	38
	S15 Pick-up	NA	1.030	0.965	0.003	9.50	9.59	9.56	0.030	0.030	—	38
	Safari	NA	①	②	0.004	9.50	9.59	9.56	0.030	0.030	—	38
	Sonoma	NA	1.030	0.965	0.003	9.50	9.59	9.56	0.030	0.030	—	38
	Suburban	NA	1.500	1.480	0.004	③	④	⑤	0.030	0.030	—	38
	Tahoe	NA	1.500	1.480	0.004	③	④	⑤	0.030	0.030	—	38
	Yukon	NA	1.500	1.480	0.004	③	④	⑤	0.030	0.030	—	38
1997	Astro	NA	①	②	0.004	9.50	9.59	9.56	0.030	0.030	—	38
	Bravada	NA	1.030	0.965	0.003	9.50	9.59	9.56	0.030	0.030	52	
	C1500	NA	1.250	1.230	0.004	③	④	⑤	0.030	0.030	—	38
	C2500	NA	1.500	1.480	0.004	③	④	⑤	0.030	0.030	—	38
	C3500	NA	1.500	1.480	0.004	③	④	⑤	0.030	0.030	—	—

ESPECIFICACIONES DE FRENOS
CADILLAC ESCALADE, CHEVROLET ASTRO, BLAZER, PICK-UPS C/K, EXPRESS, VANS G/P, S10, SUBURBAN, TAHOE, VENTURE, GMC PICK-UPS C/K, DENALI, ENVOY, VANS G/P, JIMMY, S15, SAFARI, SAVANA, SONOMA, YUKON, OLDSMOBILE BRAVADA

Todas las medidas están en pulgadas, excepto las que se señalan

Año	Modelo	Diámetro cilindro principal	Disco de freno			Diámetro de tambor de frenos			Espesor mínimo de forros		Mordaza de freno	
			Espesor original	Espesor mínimo	Desviación máxima	Diámetro interior original	Límite desgaste máximo	Diámetro maquinado máximo	Del.	Tras.	Pernos soporte (Pie-lb)	Pernos montaje (Pie-lb)
1997 (cont.)	G/P1500	NA	⑥	⑦	0.004	③	④	⑤	0.030	0.030	—	38
	G/P2500	NA	⑥	⑦	0.004	③	④	⑤	0.030	0.030	—	38
	G/P3500	NA	⑥	⑦	0.004	③	④	⑤	0.030	0.030	—	38
	Jimmy	NA	1.030	0.965	0.003	9.50	9.59	9.56	0.030	0.030	52	⑧
	K1500	NA	1.500	1.480	0.004	③	④	⑤	0.030	0.030	—	38
	K2500	NA	1.500	1.480	0.004	③	④	⑤	0.030	0.030	—	38
	K3500	NA	1.500	1.480	0.004	③	④	⑤	0.030	0.030	—	38
	S10 Blazer	NA	1.030	0.965	0.003	9.50	9.59	9.56	0.030	0.030	52	⑧
	S10 Pick-up	NA	1.030	0.965	0.003	9.50	9.59	9.56	0.030	0.030	—	38
	S15 Pick-up	NA	1.030	0.965	0.003	9.50	9.59	9.56	0.030	0.030	—	38
	Safari	NA	①	②	0.004	9.50	9.59	9.56	0.030	0.030	—	38
	Sonoma	NA	1.030	0.965	0.003	9.50	9.59	9.56	0.030	0.030	—	38
	Suburban	NA	1.500	1.480	0.004	③	④	⑤	0.030	0.030	—	38
	Tahoe	NA	1.500	1.480	0.004	③	④	⑤	0.030	0.030	—	38
	Yukon	NA	1.500	1.480	0.004	③	④	⑤	0.030	0.030	—	38
1998-99	Astro	NA	①	②	0.004	9.50	9.59	9.56	0.030	0.030	—	38
	Bravada	NA	1.030	0.965	0.003	9.50	9.59	9.56	0.030	0.030	52	⑧
	C1500	NA	1.250	1.230	0.004	③	④	⑤	0.030	0.030	—	38
	C2500	NA	1.500	1.480	0.004	③	④	⑤	0.030	0.030	—	38
	C3500	NA	1.500	1.480	0.004	③	④	⑤	0.030	0.030	—	—
	Denali	NA	1.500	1.480	0.004	③	④	⑤	0.030	0.030	—	38
	Envoy	NA	1.030	0.965	0.003	9.50	9.59	9.56	0.030	0.030	52	⑧
	Escalade	NA	1.500	1.480	0.004	③	④	⑤	0.030	0.030	—	38
	G/P1500	NA	⑥	⑦	0.004	③	④	⑤	0.030	0.030	—	38
	G/P2500	NA	⑥	⑦	0.004	③	④	⑤	0.030	0.030	—	38
	G/P3500	NA	⑥	⑦	0.004	③	④	⑤	0.030	0.030	—	38
	Jimmy	NA	1.030	0.965	0.003	9.50	9.59	9.56	0.030	0.030	52	⑧
	K1500	NA	1.500	1.480	0.004	③	④	⑤	0.030	0.030	—	38
	K2500	NA	1.500	1.480	0.004	③	④	⑤	0.030	0.030	—	38
	K3500	NA	1.500	1.480	0.004	③	④	⑤	0.030	0.030	—	38
	S10 Blazer	NA	1.030	0.965	0.003	9.50	9.59	9.56	0.030	0.030	52	⑧
	S10 Pick-up	NA	1.030	0.965	0.003	9.50	9.59	9.56	0.030	0.030	—	38
	S15 Pick-up	NA	1.030	0.965	0.003	9.50	9.59	9.56	0.030	0.030	—	38
	Safari	NA	①	②	0.004	9.50	9.59	9.56	0.030	0.030	—	38
	Sonoma	NA	1.030	0.965	0.003	9.50	9.59	9.56	0.030	0.030	—	38
	Suburban	NA	1.500	1.480	0.004	③	④	⑤	0.030	0.030	—	38
	Tahoe	NA	1.500	1.480	0.004	③	④	⑤	0.030	0.030	—	38
	Yukon	NA	1.500	1.480	0.004	③	④	⑤	0.030	0.030	—	38

NA – No disponible.

① Disponible con rotores de 1.040" y 1.250".
② Rotores de 1.040": 0.980.
   Rotores de 1.250": 1.230.
③ Disponible con tambores de 10", 11.15" y 13".

④ Tambor de 10": 10.05.
   Tambor de 11.15": 11.24.
   Tambor de 13": 13.09.
⑤ Tambor de 10": 10.09.
   Tambor de 11.15": 11.21.
   Tambor de 13": 13.06.

⑥ Disponible con discos de 1.280 y 1.540.
⑦ Disco de 1.28": 1.230.
   Disco de 1.54": 1.480.
⑧ 2WD: 38 pie-lb.
   4WD: 77 pie-lb.

ESPECIFICACIONES DE FRENOS
GM CARROCERÍA 'A'
Todas las medidas están en pulgadas, excepto las que se señalan

Año	Modelo	Diámetro cilindro principal	Disco de freno			Diámetro de tambor de frenos			Espesor mínimo de forros		Mordaza de freno	
			Espesor original	Espesor mínimo	Desviación máxima	Diámetro interior original	Límite desgaste máximo	Diámetro maquinado máximo	Del.	Tras.	Pernos soporte (Pie-lb)	Pernos montaje (Pie-lb)
1995	Century	0.944	1.028	0.957	0.002	8.863	8.909	8.880	0.030	②	—	③
	Cutlass Ciera	0.944	1.028	0.957	0.002	8.863	8.909	8.880	0.030	②	—	③
	Cutlass Cruiser	0.944	1.028	0.957	0.002	8.863	①	8.880	0.030	②	—	③
1996	Century	0.944	1.028	0.957	0.002	8.863	8.909	8.920	0.030	②	—	③
	Cutlass Ciera	0.944	1.028	0.957	0.002	8.863	8.909	8.920	0.030	②	—	③
	Cutlass Cruiser	0.944	1.028	0.957	0.002	8.863	8.909	8.920	0.030	②	—	③

NA - No disponible.
F - Delantero.
R - Trasero.
① 0.030 sobre la cabeza del remache; si el forro está pegado, utilizar 0.062 desde la zapata.
② Utilizar el diámetro de descarte de fundición dentro del tambor.
③ Delantero: 38 pie-lb.
   Trasero: 74 pie-lb.

ESPECIFICACIONES DE FRENOS
GM CARROCERÍA 'J'
Todas las medidas están en pulgadas, excepto las que se señalan

| Año | Modelo | Diámetro cilindro principal | Disco de freno | | | Diámetro de tambor de frenos | | | Espesor mínimo de forros | | Mordaza de freno | |
			Espesor original	Espesor mínimo	Desviación máxima	Diámetro interior original	Límite desgaste máximo	Diámetro maquinado máximo	Del.	Tras.	Pernos soporte (Pie-lb)	Pernos montaje (Pie-lb)
1995	Cavalier	0.875	0.786	0.736	0.003	7.879	7.929	7.899	0.125	0.125	—	40
	Sunfire	0.874	0.786	0.736	0.003	7.870	7.930	7.900	0.030	0.030	—	40
1996	Cavalier	0.874	0.806	0.736	0.003	7.880	7.930	7.900	0.030	0.030	—	40
	Sunfire	0.874	0.786	0.736	0.003	7.870	7.930	7.900	0.030	0.030	—	40
1997	Cavalier	0.874	0.806	0.736	0.003	7.880	7.930	7.900	0.030	0.030	—	40
	Sunfire	0.874	0.786	0.736	0.003	7.870	7.930	7.900	0.030	0.030	—	40
1998-99	Cavalier	0.874	0.806	0.736	0.003	7.880	7.930	7.900	0.030	0.030	—	40
	Sunfire	0.874	0.786	0.736	0.003	7.870	7.930	7.900	0.030	0.030	—	40

ESPECIFICACIONES DE FRENOS
GM CARROCERÍA 'W'
Todas las medidas están en pulgadas, excepto las que se señalan

Año	Modelo		Diámetro cilindro principal	Disco de freno			Diámetro de tambor de frenos			Espesor mínimo de forros		Mordaza de freno	
				Espesor original	Espesor mínimo	Desviación máxima	Diámetro interior original	Límite desgaste máximo	Diámetro maquinado máximo	Del.	Tras.	Pernos soporte (Pie-lb)	Pernos montaje (Pie-lb)
1995	Cutlass Supreme	F	1.000	1.039	0.972	0.003	—	—	—	0.030	0.030	—	80
		R	1.000	0.492	0.429	0.003	—	—	—	0.030	0.030	—	32
	Grand Prix	F	0.944	1.039	0.972	0.004	NA	NA	NA	0.030	NA	—	80
		R	NA	0.492	0.429	0.004	NA	NA	NA	NA	0.030	—	32
	Lumina	F	0.945	1.040	0.972	0.004	NA	NA	NA	0.030	—	—	80
		R	0.945	0.492	0.429	0.004	NA	NA	NA	—	0.030	—	32
	Monte Carlo	F	0.945	1.040	0.972	0.004	NA	NA	NA	0.030	—	—	80
		R	0.945	0.492	0.429	0.004	NA	NA	NA	—	0.030	—	32
	Regal	F	0.945	1.039	0.972	0.003	—	—	—	0.030	0.030	—	80
		R	0.945	0.492	0.429	0.003	—	—	—	0.030	0.030	—	32
1996	Cutlass Supreme	F	1.000	1.039	0.972	0.003	—	—	—	0.030	0.030	—	80
		R	1.000	0.492	0.429	0.003	—	—	—	0.030	0.030	—	32
	Grand Prix	F	0.944	1.039	0.972	0.004	NA	NA	NA	0.030	NA	—	80
		R	NA	0.492	0.429	0.004	NA	NA	NA	NA	0.030	—	32
	Lumina	F	0.945	1.040	0.972	0.004	NA	NA	NA	0.030	—	—	80
		R	0.945	0.492	0.429	0.004	NA	NA	NA	—	0.030	—	32
	Monte Carlo	F	0.945	1.040	0.972	0.004	NA	NA	NA	0.030	—	—	80
		R	0.945	0.492	0.429	0.004	NA	NA	NA	—	0.030	—	32
	Regal	F	0.945	1.039	0.972	0.003	—	—	—	0.030	0.030	—	80
		R	0.945	0.492	0.429	0.003	—	—	—	0.030	0.030	—	32
1997	Cutlass Supreme	F	1.000	1.039	0.972	0.003	—	—	—	0.030	0.030	—	80
		R	1.000	0.492	0.429	0.003	—	—	—	0.030	0.030	—	32
	Grand Prix	F	0.944	1.039	0.972	0.004	NA	NA	NA	0.030	NA	—	80
		R	NA	0.492	0.429	0.004	NA	NA	NA	NA	0.030	—	32
	Lumina	F	0.945	1.040	0.972	0.004	NA	NA	NA	0.030	—	—	80
		R	0.945	0.492	0.429	0.004	NA	NA	NA	—	0.030	—	32
	Monte Carlo	F	0.945	1.040	0.972	0.004	NA	NA	NA	0.030	—	—	80
		R	0.945	0.492	0.429	0.004	NA	NA	NA	—	0.030	—	32
	Regal	F	0.945	1.039	0.972	0.003	—	—	—	0.030	0.030	—	80
		R	0.945	0.492	0.429	0.003	—	—	—	0.030	0.030	—	32
1998-99	Century	F	1.000	1.039	0.972	0.003	—	—	—	0.030	0.030	—	80
		R	1.000	0.492	0.429	0.003	—	—	—	0.030	0.030	—	32
	Grand Prix	F	1.000	1.039	0.972	0.003	—	—	—	0.030	0.030	—	80
		R	1.000	0.492	0.429	0.003	—	—	—	0.030	0.030	—	32
	Intrigue	F	1.000	1.039	0.972	0.003	—	—	—	0.030	0.030	—	80
		R	1.000	0.492	0.429	0.003	—	—	—	0.030	0.030	—	32
	Lumina	F	0.945	1.040	0.972	0.004	NA	NA	NA	0.030	—	—	80
		R	0.945	0.492	0.429	0.004	NA	NA	NA	—	0.030	—	32
	Monte Carlo	F	0.945	1.040	0.972	0.004	NA	NA	NA	0.030	—	—	80
		R	0.945	0.492	0.429	0.004	NA	NA	NA	—	0.030	—	32
	Regal	F	1.000	1.039	0.972	0.003	—	—	—	0.030	0.030	—	80
		R	1.000	0.492	0.429	0.003	—	—	—	0.030	0.030	—	32

F - Delantero.
R - Trasero.

ESPECIFICACIONES DE FRENOS
DODGE DAKOTA, DURANGO, CAMIONES RAM, CAMIONETAS RAM
Todas las medidas están en pulgadas, excepto las que se señalan

Año	Modelo	Diámetro cilindro principal	Disco de freno			Diámetro de tambor de frenos			Espesor mínimo de forros	
			Espesor original	Espesor mínimo	Desviación máxima	Diámetro interior original	Límite desgaste máximo	Diámetro maquinado máximo	Del.	Tras.
1995	B150 Van	1.125	—	①	0.004	11.00	11.09	11.06	0.125	0.062 ②
	B250 Van	1.125	—	①	0.004	11.00	11.09	11.06	0.125	0.062 ②
	B350 Van	1.125	—	①	0.004	12.00	12.09	12.06	0.125	0.062 ②
	Dakota	NA	0.861	0.810	0.004	9.00	9.09	9.06	0.060	0.060 ②
	Dakota	NA	0.861	0.810	0.004	10.00	10.09	10.06	0.060	0.060 ②
	D1500 Pick-up	1.125	1.260	①	0.004	11.00	11.09	11.06	0.062	0.062 ②
	D2500 Pick-up	1.250	1.500	①	0.005	13.00	13.09	13.06	0.062	0.062 ②
	D3500 Pick-up	1.250	1.500	①	0.005	13.00	13.09	13.06	0.062	0.062 ②
	W1500 Pick-up	1.125	1.260	①	0.004	11.00	11.09	11.06	0.062	0.062 ②
	W2500 Pick-up	1.250	1.500	①	0.005	13.00	13.09	13.06	0.062	0.062 ②
	W3500 Pick-up	1.250	1.500	①	0.005	13.00	13.09	13.06	0.062	0.062 ②
1996	Ram 1500 Pick-up	1.125	1.260	①	0.004	11.00	11.09	11.06	0.062	0.062 ②
	Ram 2500 Pick-up	1.250	1.500	①	0.005	13.00	13.09	13.06	0.062	0.062 ②
	Ram 3500 Pick-up	1.250	1.500	①	0.005	13.00	13.09	13.06	0.062	0.062 ②
	B1500 Van	1.125	—	①	0.004	11.00	11.09	11.06	0.125	0.062 ②
	B2500 Van	1.125	—	①	0.004	11.00	11.09	11.06	0.125	0.062 ②
	B3500 Van	1.125	—	①	0.004	12.00	12.09	12.06	0.125	0.062 ②
	Dakota ③	NA	0.861	0.810	0.004	9.00	9.09	9.06	0.060	0.060 ②
	Dakota ④	NA	0.861	0.810	0.004	10.00	10.09	10.06	0.060	0.060 ②
1997	Ram 1500 Pick-up	1.125	1.260	①	0.004	11.00	11.09	11.06	0.062	0.062 ②
	Ram 2500 Pick-up	1.250	1.500	①	0.005	13.00	13.09	13.06	0.062	0.062 ②
	Ram 3500 Pick-up	1.250	1.500	①	0.005	13.00	13.09	13.06	0.062	0.062 ②
	B1500 Van	1.125	—	①	0.004	11.00	11.09	11.06	0.125	0.062 ②
	B2500 Van	1.125	—	①	0.004	11.00	11.09	11.06	0.125	0.062 ②
	B3500 Van	1.125	—	①	0.004	12.00	12.09	12.06	0.125	0.062 ②
	Dakota ③	NA	0.861	0.810	0.004	9.00	9.09	9.06	0.060	0.060 ②
	Dakota ④	NA	0.861	0.810	0.004	10.00	10.09	10.06	0.060	0.060 ②
1998-99	Ram 1500 Pick-up	1.25	⑤	⑥	0.005	2.0	2.060	2.060	⑦	⑧
	Ram 2500 Pick-up	1.25	⑨	⑩	0.005	2.5	2.560	2.560	⑦	⑧
	Ram 3500 Pick-up	1.25	⑪	⑫	0.005	3.5	3.560	3.560	⑦	⑧
	B1500 Van	NA	1.26	1.181	0.004	11.03	⑬	⑬	⑦	⑧
	B2500 Van	NA	1.26	1.181	0.004	11.03	⑬	⑬	⑦	⑧
	B3500 Van	NA	1.26	1.181	0.004	12.125	⑬	⑬	⑦	⑧
	Dakota ③	NA	0.944	0.890	0.004	9.00	⑬	⑬	⑦	⑧
	Dakota ④	NA	.0944	0.890	0.004	10.00	⑬	⑬	⑦	⑧
	Durango	1.06	0.900	0.890	0.004	11.00	⑬	⑬	⑦	⑧

① Espesor mínimo indicado en el cubo del rotor.
② Para zapatas de freno remachadas: 0.031.
③ Con frenos traseros de 9 plg.
④ Con frenos traseros de 10 plg.
⑤ 2WD: 1.26 plg.
  4WD: 1.5 plg.
⑥ 2WD: 1.215 plg.
  4WD: 1.269 plg.
⑦ Forros de freno remachados: 0.0625 plg.
  Forros de freno pegados: 0.1875 plg.

⑧ Forros de freno remachados: 0.031 plg.
  Forros de freno pegados: 0.0625 plg.
⑨ 2WD: 1.5 plg.
  4WD LD: 1.5 plg.
  4WD HD: 1.75 plg.
⑩ 2WD: 1.269 plg.
  4WD LD: 1.269 plg.
  4WD HD: 1.521 plg.

⑪ 2WD: 1.75 plg.
  4WD: 1.75 plg.
⑫ 2WD: 1.518 plg.
  4WD: 1.521 plg.
⑬ El diámetro máximo de tambor permitido, lo mismo por desgaste que por maquinado, está estampado en el tambor.

ESPECIFICACIONES DE FRENOS
BMW SERIE 3, SERIE 5, SERIE 7, SERIE 8, M3, Z3
Todas las medidas están en pulgadas, excepto las que se señalan

Año	Modelo	Diámetro cilindro principal	Disco de freno delantero			Disco de freno trasero			Espesor mínimo de forros		Mordaza de freno	
			Espesor original	Espesor mínimo	Desviación máxima	Espesor original	Espesor mínimo	Desviación máxima	Del.	Tras.	Pernos soporte (Pie-lb)	Pernos montaje (Pie-lb)
1995	318i	NA	NA	0.409	0.008	NA	①	0.008	0.079	0.079	②	22
	318iS	NA	NA	0.409	0.008	NA	①	0.008	0.079	0.079	②	22
	325i	NA	NA	0.803	0.008	NA	①	0.008	0.079	0.079	②	22
	325iS	NA	NA	0.803	0.008	NA	①	0.008	0.079	0.079	②	22
	M3	NA	NA	0.803	0.008	NA	0.724	0.008	0.079	0.079	②	22
	525i	NA	NA	0.803	0.008	NA	0.331	0.008	0.079	0.079	②	22
	530i	NA	NA	0.803	0.008	NA	0.331	0.008	0.079	0.079	②	22
	540i	NA	NA	1.039	0.008	NA	0.724	0.008	0.079	0.079	②	22
	740i	NA	NA	1.118	0.008	NA	0.410	0.008	0.079	0.079	②	22
	740iL	NA	NA	1.118	0.008	NA	0.724	0.008	0.079	0.079	②	22
	750iL	NA	NA	1.118	0.008	NA	0.724	0.008	0.079	0.079	②	22
	840Ci	NA	NA	1.118	0.008	NA	0.724	0.008	0.079	0.079	②	22
	850Ci	NA	NA	1.118	0.008	NA	0.724	0.008	0.079	0.079	②	22
	850CSi	NA	NA	1.118	0.008	NA	0.724	0.008	0.079	0.079	②	22
1996	318i	NA	NA	0.409	0.008	NA	①	0.008	0.079	0.079	②	22
	318iC	NA	NA	0.409	0.008	NA	①	0.008	0.079	0.079	②	22
	318is	NA	NA	0.409	0.008	NA	①	0.008	0.079	0.079	②	22
	318ti	NA	NA	0.409	0.008	NA	①	0.008	0.079	0.079	②	22
	Z3	NA	NA	0.803	0.008	NA	①	0.008	0.079	0.079	②	22
	328i	NA	NA	0.803	0.008	NA	①	0.008	0.079	0.079	②	22
	328is	NA	NA	0.803	0.008	NA	①	0.008	0.079	0.079	②	22
	328iC	NA	NA	0.803	0.008	NA	①	0.008	0.079	0.079	②	22
	M3	NA	NA	1.039	0.008	NA	0.724	0.008	0.079	0.079	②	22
	740iL	NA	NA	1.118	0.008	NA	0.724	0.008	0.079	0.079	②	22
	750iL	NA	NA	1.118	0.008	NA	0.724	0.008	0.079	0.079	②	22
	840Ci	NA	NA	1.118	0.008	NA	0.724	0.008	0.079	0.079	②	22
	850Ci	NA	NA	1.118	0.008	NA	0.724	0.008	0.079	0.079	②	22
1997	318i	NA	NA	0.409	0.008	NA	①	0.008	0.079	0.079	②	22
	318iC	NA	NA	0.409	0.008	NA	①	0.008	0.079	0.079	②	22
	318is	NA	NA	0.409	0.008	NA	①	0.008	0.079	0.079	②	22
	318ti	NA	NA	0.409	0.008	NA	①	0.008	0.079	0.079	②	22
	Z3	NA	NA	0.803	0.008	NA	①	0.008	0.079	0.079	②	22
	328i	NA	NA	0.803	0.008	NA	①	0.008	0.079	0.079	②	22
	328is	NA	NA	0.803	0.008	NA	①	0.008	0.079	0.079	②	22
	328iC	NA	NA	0.803	0.008	NA	①	0.008	0.079	0.079	②	22
	M3	NA	NA	1.039	0.008	NA	0.724	0.008	0.079	0.079	②	22
	740iL	NA	NA	1.118	0.008	NA	0.724	0.008	0.079	0.079	②	22
	750iL	NA	NA	1.118	0.008	NA	0.724	0.008	0.079	0.079	②	22
	840Ci	NA	NA	1.118	0.008	NA	0.724	0.008	0.079	0.079	②	22
	850Ci	NA	NA	1.118	0.008	NA	0.724	0.008	0.079	0.079	②	22

ESPECIFICACIONES DE FRENOS
BMW SERIE 3, SERIE 5, SERIE 7, SERIE 8, M3, Z3
Todas las medidas están en pulgadas, excepto las que se señalan

Año	Modelo	Diámetro cilindro principal	Disco de freno delantero			Disco de freno trasero			Espesor mínimo de forros		Mordaza de freno	
			Espesor original	Espesor mínimo	Desviación máxima	Espesor original	Espesor mínimo	Desviación máxima	Del.	Tras.	Pernos soporte (Pie-lb)	Pernos montaje (Pie-lb)
1998-99	318ti	NA	NA	0.409	0.008	NA	①	0.008	0.079	0.079	②	22
	318i	NA	NA	0.409	0.008	NA	①	0.008	0.079	0.079	②	22
	323is	NA	NA	0.803	0.008	NA	①	0.008	0.079	0.079	②	22
	323iC	NA	NA	0.803	0.008	NA	①	0.008	0.079	0.079	②	22
	Z3	NA	NA	0.803	0.008	NA	①	0.008	0.079	0.079	②	22
	328i	NA	NA	0.803	0.008	NA	①	0.008	0.079	0.079	②	22
	328is	NA	NA	0.803	0.008	NA	①	0.008	0.079	0.079	②	22
	328iC	NA	NA	0.803	0.008	NA	①	0.008	0.079	0.079	②	22
	M3 coupe	NA	NA	1.039	0.008	NA	0.724	0.008	0.079	0.079	②	22
	M3 sedan	NA	NA	1.039	0.008	NA	0.724	0.008	0.079	0.079	②	22
	Z3	NA	NA	0.803	0.008	NA	①	0.008	0.079	0.079	②	22
	Z3	NA	NA	0.803	0.008	NA	①	0.008	0.079	0.079	②	22
	528i	NA	NA	0.803	0.008	NA	0.331	0.008	0.079	0.079	②	22
	540i	NA	NA	1.118	0.008	NA	0.724	0.008	0.079	0.079	②	22
	740i	NA	NA	1.118	0.008	NA	0.410	0.008	0.079	0.079	②	22
	740iL	NA	NA	1.118	0.008	NA	0.724	0.008	0.079	0.079	②	22
	750iL	NA	NA	1.118	0.008	NA	0.724	0.008	0.079	0.079	②	22

NA-No disponible.
① Sin ventilar: 0,331; ventilado: 0,685.
② Delantero: 81 pie-lb; trasero: 50 pie-lb.

ESPECIFICACIONES DE FRENOS
MERCEDES-BENZ CLASES C, CLK, E, S, SL, SLK
Todas las medidas están en pulgadas, excepto las que se señalan

Año	Modelo	Diámetro cilindro principal	Disco de freno delantero			Disco de freno trasero			Espesor mínimo de forro		Mordaza de freno	
			Espesor original	Espesor mínimo	Desviación máxima	Espesor original	Espesor mínimo	Desviación máxima	Del.	Tras.	Pernos soporte (Pie-lb)	Pernos montaje (Pie-lb)
1995	C220	①	0.866	0.763	0.0047	0.354	0.287	0.0059	0.078	0.078	②	22-30
	C280	①	0.866	0.763	0.0047	0.354	0.287	0.0059	0.078	0.078	②	22-30
	E320	①	0.984 ③	0.881 ③	0.0047	0.354	0.287	0.0059	0.078	0.078	②	22-30
	E420	④	0.984	0.881	0.0047	0.944	0.842	0.0059	0.078	0.078	②	22-30
	E500	④	1.181	1.102	0.0031	0.944	0.842	0.0059	0.078	0.078	②	22-30
	S320	④	1.102 ⑤	0.999 ⑥	0.0031	0.472	0.385	0.0039	0.078	0.078	②	22-30
	S350	④	1.102 ⑤	0.999 ⑥	0.0031	0.472	0.385	0.0039	0.078	0.078	②	22-30
	S420	⑦	1.102 ⑤	0.999 ⑥	0.0031	0.866	0.763	0.0039	0.078	0.078	②	22-30
	S500	⑦	1.102 ⑤	0.999 ⑥	0.0031	0.866	0.763	0.0039	0.078	0.078	②	22-30
	S600	⑦	1.102 ⑤	0.999 ⑥	0.0031	0.866	0.763	0.0039	0.078	0.078	②	22-30
	SL320	④	1.102	0.999	0.0047	0.354	0.287	0.0059	0.078	0.078	②	22-30
	SL500	④	1.102	0.999	0.0047	0.354	0.287	0.0059	0.078	0.078	②	22-30
	SL600	⑦	1.181	1.102	0.0031	0.866	0.763	0.0039	0.078	0.078	②	22-30
1996	C220	①	0.866	0.763	0.0047	0.354	0.287	0.0059	0.078	0.078	②	22-30
	C280	①	0.866	0.763	0.0047	0.354	0.287	0.0059	0.078	NA	②	22-30
	C36	①	1.181	1.102	0.0031	0.945	0.842	0.0059	0.078	0.078	②	22-30
	E300	NA	NA	NA	NA	NA	NA	NA	NA	NA	②	22-30
	E320	NA	NA	NA	NA	NA	NA	NA	NA	NA	②	22-30
	S320	④	1.102 ⑤	0.999 ⑥	0.0031	0.472	0.385	0.0039	0.078	0.078	②	22-30
	SL320	④	1.102	0.999	0.0047	0.866	0.287	0.0059	0.078	0.078	②	22-30
	S420	⑦	1.102 ⑤	0.999 ⑥	0.0031	0.866	0.763	0.0039	0.078	0.078	②	22-30
	S500	⑦	1.102 ⑤	0.999 ⑥	0.0031	0.866	0.763	0.0039	0.078	0.078	②	22-30
	SL500	④	1.102	0.999	0.0047	0.354	0.287	0.0059	0.078	0.078	②	22-30
	S600	⑦	1.102 ⑤	0.999 ⑥	0.0031	0.866	0.763	0.0039	0.078	0.078	②	22-30
	SL600	⑦	1.181	1.102	0.0031	0.866	0.763	0.0039	0.078	0.078	②	22-30
1997	C220	①	0.866	0.763	0.0047	0.354	0.287	0.0059	0.078	0.078	②	22-30
	C280	①	0.866	0.763	0.0047	0.354	0.287	0.0059	0.078	NA	②	22-30
	C360	①	1.181	1.102	0.0031	0.945	0.842	0.0059	0.078	0.078	②	22-30
	E300	NA	NA	NA	NA	NA	NA	NA	NA	NA	②	22-30
	E320	NA	NA	NA	NA	NA	NA	NA	NA	NA	②	22-30
	S320	④	1.102 ⑤	0.999 ⑥	0.0031	0.472	0.385	0.0039	0.078	0.078	②	22-30
	SL320	④	1.102	0.999	0.0047	0.866	0.287	0.0059	0.078	0.078	②	22-30
	S420	⑦	1.102 ⑤	0.999 ⑥	0.0031	0.866	0.763	0.0039	0.078	0.078	②	22-30
	S500	⑦	1.102 ⑤	0.999 ⑥	0.0031	0.866	0.763	0.0039	0.078	0.078	②	22-30
	SL500	④	1.102	0.999	0.0047	0.354	0.287	0.0059	0.078	0.078	②	22-30
	S600	④	1.102 ⑤	0.999 ⑥	0.0031	0.866	0.763	0.0039	0.078	0.078	②	22-30
	SL600	④	1.181	1.102	0.0031	0.866	0.763	0.0039	0.078	0.078	②	22-30
1998-99	C230	①	0.470	0.763	0.0047	0.354	0.287	0.0059	0.078	0.078	②	22-30
	C280	①	0.870	0.763	0.0047	0.35	0.287	0.0059	0.078	0.078	②	22-30
	E300	①	1.035	0.763	0.0047	0.40	0.337	0.0039	0.078	0.078	②	22-30
	E320	①	1.035	0.763	0.0047	0.40	0.337	0.0039	0.078	0.078	②	22-30
	E430	①	1.200	0.763	0.0047	0.48	0.385	0.0039	0.078	0.078	②	22-30

ESPECIFICACIONES DE FRENOS
MERCEDES-BENZ CLASES C, CLK, E, S, SL, SLK
Todas las medidas están en pulgadas, excepto las que se señalan

Año	Modelo	Diámetro cilindro principal	Disco de freno delantero			Disco de freno trasero			Espesor mínimo de forro		Mordaza de freno	
			Espesor original	Espesor mínimo	Desviación máxima	Espesor original	Espesor mínimo	Desviación máxima	Del.	Tras.	Pernos soporte (Pie-lb)	Pernos montaje (Pie-lb)
1998-99 (cont.)	S320	⑦	1.200	0.999 ⑥	0.0031	0.48	0.385	0.0039	0.078	0.078	②	22-30
	S420	⑦	1.200	0.999 ⑥	0.0031	0.48	0.763	0.0039	0.078	0.078	②	22-30
	S500	⑦	1.200	0.999 ⑥	0.0031	0.48	0.763	0.0039	0.078	0.078	②	22-30
	S600	⑦	1.200	0.999 ⑥	0.0031	0.48	0.763	0.0039	0.078	0.078	②	22-30
	CL500	NA	1.200	0.999 ⑥	0.0031	0.48	0.763	0.0039	0.078	0.078	②	22-30
	CL600	NA	1.200	0.999 ⑥	0.0031	0.48	0.763	0.0039	0.078	0.078	②	22-30
	SL500	④	1.102	0.999	0.0047	0.354	0.287	0.0059	0.078	0.078	②	22-30
	SL600	⑦	1.200	0.999 ⑥	0.0031	0.87	0.763	0.0039	0.078	0.078	②	22-30
	CLK320	NA	1.100	0.999	0.0047	0.39	0.327	0.0039	0.078	0.078	②	22-30
	SLK230	NA	0.980	0.763	0.0047	0.40	0.337	0.0039	0.078	0.078	②	22-30

NA-No disponible.
① Etapas diámetro:
   Etapa 1: 0.938.
   Etapa 2: 0.750.
② Mordaza delantera: 85 pie-lb.
   Mordaza trasera: 38 pie-lb.
③ Vagón:
   Espesor original: 0.984-0.787.
   Espesor mínimo: 0.881-0.686.
④ Etapas diámetro:
   Etapa 1: 1.000.
   Etapa 2: 0.750.
⑤ Con mordaza fija de 2 pistones: 1.102.
   Con mordaza fija de 4 pistones: 1.181.
⑥ Con mordaza fija de 2 pistones: 0.999.
   Con mordaza fija de 4 pistones: 1.078.
⑦ Etapas diámetro:
   Etapa 1: 1.063.
   Etapa 2: 1.000.

ESPECIFICACIONES DE FRENOS
NISSAN 200SX, 240SX, 300ZX, ALTIMA, MAXIMA, SENTRA
Todas las medidas están en pulgadas, excepto las que se señalan

| Año | Modelo | Diámetro cilindro principal | Disco de freno | | | Diámetro de tambor de frenos | | | Espesor mínimo de forros | | Mordaza de freno | |
			Espesor original	Espesor mínimo	Desviación máxima	Diámetro interior original	Límite desgaste máximo	Diámetro maquinado máximo	Del.	Tras.	Pernos soporte (Pie-lb)	Pernos montaje (Pie-lb)
1995	240SX	①	NA	②	0.003	—	—	—	0.079	0.059	40-47	—
	300ZX	③	NA	④	0.003	—	—	⑤	0.079	0.079	72-87	—
	Altima	⑥	NA	⑦	0.003	9.000	—	9.060	0.079	⑧	53-72	16-23
	Maxima	⑥	NA	⑦	0.003	9.000	—	9.060	0.079	⑧	53-72	16-23
	Sentra/200SX	⑨	NA	⑩	0.003	7.090	—	7.130	0.079	⑧	40-47	—
1996	240SX	①	NA	②	0.003	—	—	—	0.079	0.059	40-47	—
	300ZX	③	NA	④	0.003	—	—	⑤	0.079	0.079	72-87	—
	Altima	⑥	NA	⑦	0.003	9.000	—	9.060	0.079	⑧	53-72	16-23
	Maxima	⑥	NA	⑦	0.003	9.000	—	9.060	0.079	⑧	53-72	16-23
	Sentra/200SX	⑨	NA	⑩	0.003	7.090	—	7.130	0.079	⑧	40-47	—
1997	240SX	①	NA	②	0.003	—	—	—	0.079	0.059	40-47	—
	Altima	⑥	NA	⑦	0.003	9.000	—	9.060	0.079	⑧	53-72	16-23
	Maxima	⑥	NA	⑦	0.003	9.000	—	9.060	0.079	⑧	53-72	16-23
	Sentra/200SX	⑨	⑪	⑩	0.003	7.090	—	7.130	0.079	⑧	40-47	—
1998-99	240SX	⑫	⑬	⑭	0.003	—	—	—	0.079	0.079	40-47	—
	Altima	⑥	⑮	⑦	0.003	9.00	NA	9.06	0.079	0.059	53-72	16-23
	Maxima	0.937	⑯	⑦	0.003	—	—	—	0.079	0.059	53-72	16-23
	Sentra/200SX	⑨	⑪	⑰	0.003	7.09	7.13	7.13	0.079	0.059	40-47	—

NA – No disponible.
① Con freno delantero CL22VB y reforzador M23: 0.875.
  Con freno delantero CL25VA y reforzador M195T, 0.9375.
② Delantero, sin ABS: 0.709.
  Delantero, con ABS: 0.787.
  Trasero: 0.315.
③ Sin ABS: 0.9375.
  Con ABS: 1.0625.
④ Delantero: 1.102.
  Trasero: 0.630.
⑤ Tambor del freno de parqueo: 6.81.
⑥ Con ABS: 1.000.
  Sin ABS: 0.9375.
⑦ Delantero: 0.787.
  Trasero: 0.315.
⑧ Freno de disco: 0.079.
  Freno de tambor: 0.059.
⑨ Con ABS: 0.875.
  Sin ABS: 0.8125.

⑩ Delantero: AD22VF 0.945.
  Delantero: AD18VE 0.630.
  Trasero: 0.236.
⑪ Delantero: 0.710.
  Trasero: 0.280.
⑫ Transmisión manual sin ABS: 0.875.
  Transmisión automática o todos con ABS: 0.937.
⑬ Delantero: 0.790.
  Trasero: 0.350.
⑭ Delantero: 0.710.
  Trasero: 0.310.
⑮ Delantero: 0.870.
  Trasero: 0.390.
⑯ Delantero: 0.870.
  Trasero: 0.350.
⑰ Delantero: 0.630.
  Trasero: 0.236.

ESPECIFICACIONES DE FRENOS
INFINITI QX4, NISSAN FRONTIER, PATHFINDER, PICK-UP, QUEST
Todas las medidas están en pulgadas, excepto las que se señalan

Año	Modelo	Diámetro cilindro principal	Disco de freno			Diámetro de tambor de frenos			Espesor mínimo de forros		Mordaza de freno	
			Espesor original	Espesor mínimo	Desviación máxima	Diámetro interior original	Límite desgaste máximo	Diámetro maquinado máximo	Del.	Tras.	Pernos soporte (Pie-lb)	Pernos montaje (Pie-lb)
1995	Pathfinder	1.000	①	②	0.003	③	NA	④	0.079	0.059	53-72	24-31
	Pick-up	1.000	⑤	⑥	0.003	⑥	NA	⑦	0.079	0.059	53-72	16-23
	Quest	1.000	1.020	0.945	0.003	9.84	NA	9.90	0.079	0.079	—	12-14
1996	Pathfinder	1.000	①	②	0.003	③	NA	④	0.079	0.059	53-72	24-31
	Pick-up	1.000	⑤	⑥	0.003	⑥	NA	⑦	0.079	0.059	53-72	16-23
	Quest	1.000	1.020	0.945	0.003	9.84	NA	9.90	0.079	0.079	—	12-14
1997	Pathfinder	1.000	①	②	0.003	③	NA	④	0.079	0.059	53-72	24-31
	Pick-up	1.000	⑤	⑥	0.003	⑥	NA	⑦	0.079	0.059	53-72	16-23
	Quest	1.000	1.020	0.945	0.003	9.84	NA	9.90	0.079	0.079	—	12-14
	QX4	1.000	1.100	1.024	0.004	11.61	NA	11.67	0.079	0.059	53-72	24-31
1998-99	Frontier	1.000	⑤	0.945	0.003	⑧	NA	⑦	0.079	0.059	53-72	24-31
	Pathfinder	1.000	1.100	1.024	0.004	11.61	NA	11.67	0.079	0.059	53-72	16-23
	Quest	1.000	1.020	0.945	0.003	9.84	NA	9.90	0.079	0.079	—	12-14
	QX4	1.000	1.100	1.024	0.004	11.61	NA	11.67	0.079	0.059	53-72	24-31

NA – No disponible.

① Delantero: 1.020.
  Trasero: 0.710.
② Delantero: 0.945.
  Trasero: 0.630.
③ Tambor trasero: 10.24.
  Tambor de parqueo: 7.48.
④ Freno de tambor trasero: 10.30.
  Tambor del freno de parqueo de disco trasero: 7.52.
⑤ 2WD KA24E: 0.870.
  2WD VG30E: 1.020.
  4WD: 1.020.
⑥ 2WD KA24E: 0.787.
  2WD/4WD VG30E: 0.945.
⑦ 2WD: 10.30.
  4WD: 11.67.
⑧ Tambor de freno de parqueo 7.52.
  2WD: 0.787.
  4WD: 0.945.

ESPECIFICACIONES DE FRENOS
TOYOTA AVALON, CAMRY, CELICA, COROLLA, MR2, SUPRA, PASEO, TERCEL
Todas las medidas están en pulgadas, excepto las que se señalan

Año	Modelo		Diámetro cilindro principal	Disco de freno			Diámetro interior original	Límite desgaste máximo	Diámetro maquinado máximo	Espesor mínimo de forros		Mordaza de freno	
				Espesor original	Espesor mínimo	Desviación máxima				Del.	Tras.	Pernos soporte (Pie-lb)	Pernos montaje (Pie-lb)
1995	Avalon	F	NA	1.102	1.024	0.0020	-	-	-	0.039	-	25	79
		R	NA	0.354	0.315	0.0059	-	-	6.73	-	0.039	25	34
	Camry	F	NA	1.102	1.024	0.0020	-	-	9.08	0.039	-	25	79
		R	NA	0.354	0.315	0.0059	9.00	-	6.73	-	0.039	14	20
	Celica	F	NA	⑥	⑦	0.0020	-	-	7.91	0.039	-	25	65
		R	NA	0.394	0.354	0.0059	7.87	-	6.73	-	0.039	-	34
	Corolla		NA	0.866	0.787	0.0020	7.87	-	7.91	0.039	0.039	25	65
	MR2	F	NA	⑧	①	0.0020	-	-	-	0.039	-	65	⑨
		R	NA	②	③	0.0039	-	-	-	-	0.039	43	14
	Supra	F	NA	④	⑤	0.0020	-	-	-	0.039	-	25	87
		R	NA	0.630	0.591	-	7.48	-	7.52	-	0.039	25	77
	Paseo		NA	0.709	0.669	0.0035	7.09	-	7.13	0.039	0.039	18	65
	Tercel		NA	0.709	0.669	0.0035	7.09	-	7.13	0.039	0.039	18	65
1996	Avalon	F	NA	1.102	1.024	0.0020	-	-	-	0.039	-	25	79
		R	NA	0.354	0.315	0.0059	-	-	-	-	0.039	25	34
	Camry	F	NA	1.102	1.024	0.0020	-	-	-	0.039	-	25	79
		R	NA	0.354	0.315	0.0059	9.00	-	9.08	-	0.039	14	20
	Celica	F	NA	⑦	⑧	0.0020	-	-	-	0.039	-	25	79
		R	NA	0.394	0.354	0.0059	7.87	-	7.91	-	0.039	19	14
	Corolla		NA	0.866	0.787	0.0020	7.87	-	7.91	0.039	0.039	25	65
	Paseo		NA	0.709	0.669	0.0035	7.09	-	7.13	0.039	0.039	25	87
	Supra	F	NA	⑤	⑥	0.0020	-	-	-	0.039	-	25	87
		R	NA	0.630	0.591	-	7.48	-	7.52	-	0.039	25	77
	Tercel		NA	0.709	0.669	0.0035	7.09	-	7.13	0.039	0.039	18	65
1997	Avalon	F	NA	1.102	1.024	0.0020	-	-	-	0.039	-	25	79
		R	NA	0.354	0.315	0.0059	-	-	-	-	0.039	25	34
	Camry	F	NA	1.102	1.024	0.0020	-	-	-	0.039	-	25	79
		R	NA	0.354	0.315	0.0059	9.00	-	9.08	-	0.039	14	20
	Celica	F	NA	⑦	⑧	0.0020	-	-	-	0.039	-	25	79
		R	NA	0.394	0.354	0.0059	7.87	-	7.91	-	0.039	19	14
	Corolla		NA	0.866	0.787	0.0020	7.87	-	7.91	0.039	0.039	25	65
	Paseo		NA	0.709	0.669	0.0035	7.09	-	7.13	0.039	0.039	18	65
	Supra	F	NA	⑤	⑥	0.0020	-	-	-	0.039	-	25	87
		R	NA	0.630	0.591	-	7.48	-	7.52	-	0.039	25	77
	Tercel		NA	0.709	0.669	0.0035	7.09	-	7.13	0.039	0.039	18	65
1998-99	Avalon	F	NA	1.102	1.024	0.0020	-	-	-	0.039	-	25	79
		R	NA	0.354	0.315	0.0059	-	-	-	-	0.039	25	34
	Camry	F	NA	1.102	1.024	0.0020	-	-	-	0.039	-	25	79
		R	NA	0.394	0.354	0.0059	9.00	-	9.08	-	0.039	14	20
	Celica	F	NA	⑦	⑧	0.0020	-	-	-	0.039	-	25	79
		R	NA	0.394	0.354	0.0059	7.87	-	7.91	-	0.039	19	34

ESPECIFICACIONES DE FRENOS
TOYOTA AVALON, CAMRY, CELICA, COROLLA, MR2, SUPRA, PASEO, TERCEL
Todas las medidas están en pulgadas, excepto las que se señalan

Año	Modelo		Diámetro cilindro principal	Disco de freno			Diámetro de tambor de frenos			Espesor mínimo de forros		Mordaza de freno	
				Espesor original	Espesor mínimo	Desviación máxima	Diámetro interior original	Límite desgaste máximo	Diámetro maquinado máximo	Del.	Tras.	Pernos soporte (Pie-lb)	Pernos montaje (Pie-lb)
1998-99 (cont.)	Corolla		NA	0.866	0.787	0.0020	7.87	-	7.91	0.039	0.039	25	65
	Supra	F	NA	⑤	⑥	0.0020	-	-	-	0.039	-	25	87
		R	NA	0.630	0.591	-	7.48	-	7.52	-	0.039	25	77
	Tercel		NA	0.709	0.669	0.0035	7.09	-	7.13	0.039	0.039	18	65

NA – No disponible.
F – Delantero.
R – Trasero.

① Motor 3S-GTE: 1.102.
　Motor 5S-FE: 0.945.
② Motor 3S-GTE: 0.866.
　Motor 5S-FE: 0.630.

③ Motor 3S-GTE: 0.8287.
　Motor 5S-FE: 0.591.
④ Motor 2JZ-GTE: 1.181.
　Motor 2JZ-GE: 1.260.

⑤ Motor 2JZ-GTE: 1.102.
　Motor 2JZ-GE: 1.181.
⑥ Motor 7 A- FE: 0.984.
　Motor 5S-FE: 1.102.

⑦ Motor 7 A-FE: 0.906.
　Motor 5S-FE: 1.024.
⑧ Motor 3S-GTE: 1.181.
　Motor 5S-FE: 0.984.

⑨ Pistón único: 18.
　Pistón doble: 25.

ESPECIFICACIONES DE FRENOS
HONDA ACCORD, CIVIC, DEL SOL, PRELUDE
Todas las medidas están en pulgadas, excepto las que se señalan

Año	Modelo		Diámetro cilindro principal	Disco de freno Espesor original	Disco de freno Espesor mínimo	Desviación máxima	Diámetro interior original	Límite desgaste máximo	Diámetro maquinado máximo	Espesor mínimo de forros Del.	Espesor mínimo de forros Tras.	Pernos soporte (Pie-lb)	Pernos montaje (Pie-lb)
1995	Accord	F	NA	0.910 ①	0.830 ②	0.004	—	—	—	0.060	—	—	③
		R	—	0.400	0.310	0.004	8.66	8.70	8.70	—	0.080	—	17
	Civic	F	NA	0.830	0.750	0.004	—	—	—	0.060	—	—	③
		R	—	0.350	0.310	0.004	④	⑤	⑤	—	0.080	—	17
	del Sol	F	NA	0.830	0.750	0.004	—	—	—	0.060	—	—	③
		R	—	0.350	0.310	0.004	7.09	7.13	7.13	—	0.080	—	17
	Prelude	F	NA	0.910	0.830	0.004	—	—	—	0.060	—	—	③
		R	—	0.390	0.320	0.004	—	—	—	—	0.060	—	17
1996	Accord	F	NA	0.910 ①	0.830 ②	0.004	—	—	—	0.060	—	—	③
		R	—	0.400	0.310	0.004	8.66	8.70	8.70	—	0.080	—	17
	Civic	F	NA	0.840	0.750	0.004	—	—	—	0.060	—	—	③
		R	—	—	—	—	7.87	7.91	7.91	—	0.080	—	—
	del Sol	F	NA	0.830	0.750	0.004	—	—	—	0.060	—	—	③
		R	—	0.350	0.310	0.004	7.09	7.13	7.13	—	0.080	—	17
	Prelude	F	NA	0.910	0.830	0.004	—	—	—	0.060	—	—	③
		R	—	0.390	0.320	0.004	—	—	—	—	0.060	—	17
1997	Accord	F	NA	0.910 ①	0.830 ②	0.004	—	—	—	0.060	—	—	③
		R	—	0.400	0.310	0.004	8.66	8.70	8.70	—	0.080	—	17
	Civic	F	NA	0.840	0.750	0.004	—	—	—	0.060	—	—	③
		R	—	—	—	—	7.87	7.91	7.91	—	0.080	—	—
	del Sol	F	NA	0.830	0.750	0.004	—	—	—	0.060	—	—	③
		R	—	0.350	0.310	0.004	7.09	7.13	7.13	—	0.080	—	17
	Prelude	F	NA	0.910	0.830	0.004	—	—	—	0.060	—	—	③
		R	—	0.390	0.320	0.004	—	—	—	—	0.060	—	17
1998-99	Accord	F	NA	0.910	0.830	0.004	—	—	—	0.060	—	—	③
		R	—	0.400	0.310	0.004	8.66	8.70	8.70	—	0.080	—	17
	Civic	F	NA	0.840	0.750	0.004	—	—	—	0.060	—	—	③
		R	—	—	—	—	7.87	7.91	7.91	—	0.080	—	—
	Prelude	F	NA	0.910	0.830	0.004	—	—	—	0.060	—	83	③
		R	—	0.390	0.320	0.004	—	—	—	—	0.060	—	17

NA – No disponible.
F- Delantero.
R- Trasero.
① Vagón y modelos V6: 0.990.
② Vagón y modelos V6: 0.910.
③ Mordazas con pasador largo más allá del roscado del perno, 54 pie-lb.
   Mordazas sin pasador más allá del roscado, 20 pie-lb.
④ 7.09: carros con transmisión manual; excepto Cupé de 1.6L y transmisión manual.
   7.87: carros con transmisión automática; Cupé de 1.6L y transmisión manual.
⑤ 7.13: carros con transmisión manual; excepto Cupé de 1.6L y transmisión manual.
   7.91: carros con transmisión automática; Cupé de 1.6L y transmisión manual.

ESPECIFICACIONES DE FRENOS
VOLKSWAGEN BEETLE, CABRIO, GOLF, GTI, JETTA, PASSAT
Todas las medidas están en pulgadas, excepto las que se señalan

Año	Modelo			Diámetro cilindro principal	Disco de freno Espesor original	Disco de freno Espesor mínimo	Disco de freno Desviación máxima	Diámetro de tambor Diámetro interior original	Diámetro de tambor Diámetro maquinado máximo	Espesor mínimo de forros Del.	Espesor mínimo de forros Tras.	Mordaza de freno Pernos soporte (Pie-lb)	Mordaza de freno Pernos montaje (Pie-lb)
1995	Cabrio		F	0.874 ⑦	0.790	0.709	0.002	—	—	0.28	—	18-26	92
			R	—	0.390	0.315	0.002	7.87	7.91	—	0.27 ⑧	22	41
	Golf III	①	F	0.874 ⑦	0.790	0.709	0.002	—	—	0.28	—	18-26	92
			R	—	0.390	0.315	0.002	7.87	7.91	—	0.27 ⑧	22	41
	Golf III	②	F	0.874 ⑦	0.870	0.787	0.002	—	—	0.28	—	18-26	92
			R	—	0.390	0.315	0.002	7.87	7.91	—	0.27	22	41
	GTI		F	0.874 ⑦	0.870	0.787	0.002	—	—	0.28	—	18-26	92
			R	—	0.390	0.315	0.002	7.87	7.91	—	0.27	22	41
	Jetta III	①	F	0.874 ⑦	0.790	0.709	0.002	—	—	0.28	—	18-26	92
			R	—	0.390	0.315	0.002	7.87	7.91	—	0.27 ⑧	22	41
	Jetta III	③	F	0.874 ⑦	0.870	0.787	0.002	—	—	0.28	—	18-26	92
			R	—	0.390	0.315	0.002	7.87	7.91	—	0.27	22	41
	Passat		F	0.874 ⑦	0.870	0.787	0.002	—	—	0.28	—	26	92
			R	—	0.390	0.315	0.002	9.06	9.11	—	0.27 ⑧	26	48
1996	Cabrio		F	0.874 ⑦	0.790	0.709	0.002	—	—	0.28	—	18-26	92
			R	—	0.390	0.315	0.002	7.87	7.91	—	0.27 ⑧	22	41
	Golf	④	F	0.874 ⑦	0.790	0.709	0.002	—	—	0.28	—	18-26	92
			R	—	0.390	0.315	0.002	7.87	7.91	—	0.27 ⑧	22	41
	Golf	②	F	0.874 ⑦	0.870	0.787	0.002	—	—	0.28	—	18-26	92
			R	—	0.390	0.315	0.002	7.87	7.91	—	0.27	22	41
	GTI	⑤	F	0.874 ⑦	0.790	0.709	0.002	—	—	0.28	—	18-26	92
			R	—	0.390	0.315	0.002	7.87	7.91	—	0.27	22	41
	GTI	⑥	F	0.874 ⑦	0.870	0.787	0.002	—	—	0.28	—	18-26	92
			R	—	0.390	0.315	0.002	7.87	7.91	—	0.27	22	41
	Jetta	①	F	0.874 ⑦	0.790	0.709	0.002	—	—	0.28	—	18-26	92
			R	—	0.390	0.315	0.002	7.87	7.91	—	0.27 ⑧	22	41
	Jetta	③	F	0.874 ⑦	0.870	0.787	0.002	—	—	0.28	—	18-26	92
			R	—	0.390	0.315	0.002	7.87	7.91	—	0.27	22	41
	Passat		F	0.874 ⑦	0.870	0.787	0.002	—	—	0.28	—	26	92
			R	—	0.390	0.315	0.002	9.06	9.11	—	0.27 ⑧	26	48
1997	Cabrio		F	0.874 ⑦	0.790	0.709	0.002	—	—	0.28	—	18-26	92
			R	—	0.390	0.315	0.002	7.87	7.91	—	0.27 ⑧	22	41
	Golf	④	F	0.874 ⑦	0.790	0.709	0.002	—	—	0.28	—	18-26	92
			R	—	0.390	0.315	0.002	7.87	7.91	—	0.27 ⑧	22	41
	Golf	②	F	0.874 ⑦	0.870	0.787	0.002	—	—	0.28	—	18-26	92
			R	—	0.390	0.315	0.002	7.87	7.91	—	0.27	22	41
	GTI	⑤	F	0.874 ⑦	0.790	0.709	0.002	—	—	0.28	—	18-26	92
			R	—	0.390	0.315	0.002	7.87	7.91	—	0.27	22	41
	GTI	⑥	F	0.874 ⑦	0.870	0.787	0.002	—	—	0.28	—	18-26	92
			R	—	0.390	0.315	0.002	7.87	7.91	—	0.27	22	41
	Jetta	①	F	0.874 ⑦	0.790	0.709	0.002	—	—	0.28	—	18-26	92
			R	—	0.390	0.315	0.002	7.87	7.91	—	0.27 ⑧	22	41
	Jetta	③	F	0.874 ⑦	0.870	0.787	0.002	—	—	0.28	—	18-26	92
			R	—	0.390	0.315	0.002	7.87	7.91	—	0.28	22	41
	Passat		F	0.874 ⑦	0.870	0.787	0.002	—	—	0.28	—	26	92
			R	—	0.390	0.315	0.002	9.06	9.11	—	0.28	26	48

ESPECIFICACIONES DE FRENOS
VOLKSWAGEN BEETLE, CABRIO, GOLF, GTI, JETTA, PASSAT
Todas las medidas están en pulgadas, excepto las que se señalan

Año	Modelo			Diámetro cilindro principal	Disco de freno			Diámetro de tambor		Espesor mínimo de forros		Mordaza de freno	
					Espesor original	Espesor mínimo	Desviación máxima	Diámetro interior original	Diámetro maquinado máximo	Del.	Tras.	Pernos soporte (Pie-lb)	Pernos montaje (Pie-lb)
1998-99	Beetle		F	0.937	0.790	0.950	0.002	—	—	0.27	—	18	92
			R	—	0.390 ⑬	0.315	0.002	9.06	9.09	—	0.27 ⑧	26	48
	Cabrio		F	0.874 ⑦	0.790	0.709	0.002	—	—	0.28	—	18-26	92
			R	—	0.390	0.315	0.002	7.87	7.91	—	0.27 ⑧	22	41
	Golf	④	F	0.874 ⑦	0.790	0.709	0.002	—	—	0.28	—	18-26	92
			R	—	0.390	0.315	0.002	7.87	7.91	—	0.27 ⑧	22	41
	Golf	②	F	0.874 ⑦	0.870	0.787	0.002	—	—	0.28	—	18-26	92
			R	—	0.390	0.315	0.002	7.87	7.91	—	0.28	22	41
	GTI	⑤	F	0.874 ⑦	0.790	0.709	0.002	—	—	0.28	—	18-26	92
			R	—	0.390	0.315	0.002	7.87	7.91	—	0.28	22	41
	GTI	⑥	F	0.874 ⑦	0.870	0.787	0.002	—	—	0.28	—	18-26	92
			R	—	0.390	0.315	0.002	7.87	7.91	—	0.28	22	41
	Jetta	①	F	0.874 ⑦	0.790	0.709	0.002	—	—	0.28	—	18-26	92
			R	—	0.390	0.315	0.002	7.87	7.91	—	0.27 ⑧	22	41
	Jetta	③	F	0.874 ⑦	0.870	0.787	0.002	—	—	0.28	—	18-26	92
			R	—	0.390	0.315	0.002	7.87	7.91	—	0.28	22	41
	Passat		F	0.937	0.980 ⑨	0.900 ⑩	0.002	—	—	0.28	—	22	89
			R	—	0.393	0.314	0.002	N/A	N/A	—	0.27	22	70

NA – No disponible.
① Modelos GL y GLS.
② Modelo VR6.
③ Modelo GLX.
④ Modelo GL.
⑤ Motor 2.0L.
⑥ Motor 2.8 L.
⑦ Los modelos equipados con ABS tienen un diámetro de 0.937 plg.
⑧ Los modelos equipados con frenos de tambor tienen un límite del forro de 0.098 plg.
⑨ Mordaza Lucas: 0.87 plg.
⑩ Mordaza Lucas: 0.78 plg.

SISTEMA DE FUNCIONAMIENTO DEL FRENO

PRINCIPIOS BÁSICOS DE FUNCIONAMIENTO

Para accionar los frenos de todos los automóviles modernos se utilizan sistemas hidráulicos. El sistema transporta la potencia necesaria para forzar la unión de las superficies de fricción del sistema de frenado, desde el pedal hasta las unidades individuales de freno de cada rueda. Se utiliza un sistema hidráulico por dos razones.

Primera, un fluido bajo presión puede llevarse a todas las partes de un automóvil por pequeñas tuberías y mangueras flexibles, sin necesitar mucho espacio o plantear problemas de rutas.

Segunda, se le puede dar una gran ayuda mecánica al extremo del pedal de freno del sistema y se puede reducir la presión del pie requerida para accionar los frenos, haciendo el área de la superficie del pistón del cilindro maestro menor que cualquiera de los pistones de los cilindros de las ruedas o las mordazas.

El cilindro maestro consta de un depósito de fluido junto con un conjunto cilindro doble y un pistón. El tipo de doble cilindro maestro está diseñado para separar hidráulicamente el sistema de freno delantero y el trasero en caso de una fuga del fluido de freno. El cilindro maestro convierte el movimiento mecánico del pedal en presión hidráulica dentro de las tuberías. Esta presión es reconvertida en movimiento mecánico en las ruedas por los cilindros de rueda (frenos de tambor) o las mordazas (frenos de disco).

Unas tuberías de acero llevan el fluido de freno a un punto del bastidor, cerca de cada rueda del vehículo. El fluido es llevado luego a las mordazas y a los cilindros de rueda por medio de tubos flexibles, con el objeto de dar margen a los movimientos de la suspensión y dirección.

En los sistemas de freno de tambor, cada cilindro de rueda contiene dos pistones, uno en cada extremo, que empujan hacia fuera, en direcciones opuestas, y fuerzan a las zapatas de freno a entrar en contacto con el tambor.

En los sistemas de freno de disco, los cilindros son parte de las mordazas. Se utiliza al menos un cilindro en cada mordaza para forzar los forros del freno contra el disco.

Todos los pistones emplean algún tipo de sello, usualmente hecho de goma, para minimizar las fugas del fluido. Un fuelle guardapolvo de goma sella el extremo exterior del cilindro, contra el polvo y la suciedad. El fuelle se ajusta alrededor del extremo exterior del pistón, en las mordazas de los frenos de disco, y alrededor de la barra actuante del freno, en los cilindros de rueda.

El sistema hidráulico funciona como sigue: cuando está en reposo, el sistema completo, desde el(los) pistón(es) en el cilindro maestro hasta los cilindros de rueda o las mordazas, está lleno de fluido de freno. Cuando se acciona el pedal del freno, el fluido atrapado delante del(los) pistón(es) del cilindro maestro es forzado a través de las tuberías hasta los cilindros de las ruedas. Aquí, el fluido fuerza a los pistones hacia fuera, en el caso de los frenos de tambor, y hacia dentro, sobre el disco, en el caso de los frenos de disco. El movimiento del pistón tiene la oposición de los resortes de retorno montados fuera de los cilindros, en los frenos de tambor, y de sellos de resortes, en los frenos de disco.

Cuando se suelta el pedal del freno, un resorte localizado dentro del cilindro maestro retorna inmediatamente los pistones del cilindro maestro a su posición normal. Los pistones tienen válvulas de retención y el cilindro maestro tiene aberturas de compensación taladradas en él. Estas aberturas quedan descubiertas a medida que el pistón alcanza su posición normal. Las válvulas de retención del pistón permiten al fluido fluir hacia los cilindros de las ruedas, o hacia las mordazas, a medida que los pistones se retiran. Entonces, como los resortes de retorno fuerzan a las zapatas del freno a la posición de reposo, el exceso de fluido fluye hacia el depósito a través de las aberturas de compensación. Es durante el tiempo en que el pedal está en posición de libre, cuando todo el fluido que se haya fugado del sistema, se repondrá a través de las aberturas de compensación.

Los cilindros maestros de los circuitos dobles emplean dos pistones, localizados uno detrás de otro, en el mismo cilindro. El pistón primario es accionado directamente mediante conexiones mecánicas desde el pedal del freno, a través del reforzador de potencia. El pistón secundario es accionado por el fluido atrapado entre los dos pistones. Si aparece un salidero (fuga) delante del pistón secundario, éste se mueve hacia delante hasta que toca fondo contra el frente del cilindro maestro; el fluido atrapado entre los pistones accionará los frenos traseros. Si en los frenos traseros ocurre un salidero, el pistón primario se moverá hacia delante hasta que tenga lugar un contacto directo con el pistón secundario, y él forzará al pistón secundario a accionar los frenos delanteros. En cualquier caso, el pedal del freno se mueve más adelante cuando se accionan los frenos y hay disponible menos fuerza de frenado.

Todos los sistemas con doble circuito utilizan un interruptor para advertir al conductor cuando está en buen estado sólo la mitad del sistema de frenos. Este interruptor está localizado usualmente en un cuerpo de válvula que está montada en la coraza o el tabique cortafuegos, o en el bastidor, debajo del cilindro maestro. Un pistón hidráulico recibe presión de ambos circuitos; la presión de cada circuito está aplicada sobre un extremo del pistón. Cuando la presión está balanceada (equilibrada), el pistón permanece estacionario. Pero, cuando un circuito tiene una fuga, la presión mayor del otro circuito al accionar los frenos empujará el pistón hacia uno de los lados, cerrando el interruptor y activando la luz de alarma del freno.

En los sistemas de frenos de discos, este cuerpo de válvula contiene también una válvula de medición y, en algunos casos, una válvula proporcional. La válvula de medición mantiene la presión en todo el trayecto hacia los frenos de disco en las ruedas delanteras, hasta que las zapatas en las ruedas traseras entren en contacto con los tambores, asegurando que los frenos delanteros nunca se utilizarán solos. La válvula proporcional controla la presión a los frenos traseros para minimizar la posibilidad de que las ruedas traseras se bloqueen durante cualquier frenazo fuerte.

Las luces de alarma pueden ser comprobadas presionando el pedal del freno y manteniéndolo presionado mientras se abre uno de los tornillos de sangrado del cilindro de una rueda. Si esto no provoca que la luz se encienda, sustituir la bombilla por una nueva, hacer pruebas de continuidad y, finalmente, sustituir el interruptor si es necesario.

En el sistema hidráulico se pueden comprobar salideros (fugas) aplicando sobre el pedal una presión gradual y firme. Si el pedal se hunde muy lentamente hacia el piso, el sistema tiene un salidero. Esto no debe ser confundido con una sensación elástica o floja, debido a la compresión del aire dentro de las tuberías. Si el sistema tiene fugas, habrá un cambio gradual en la posición del pedal con una presión constante.

Comprobar los salideros a lo largo de todas las tuberías y los cilindros de las ruedas. Si no hay salideros externos evidentes, el problema está en el interior del cilindro maestro.

FRENOS DE DISCO

En lugar de los frenos tradicionales de expansión que presionan hacia fuera contra un tambor circular, los sistemas de freno de disco utilizan un disco (rotor) con forros (zapatas) de frenos colocados en ambos lados de él. Una analogía fácil de ver es la disposición del freno de mano de una bicicleta. Los forros oprimen la llanta de la rueda de la bicicleta, disminuyendo su movimiento. Los frenos de disco de los automóviles utilizan un principio idéntico, pero aplican el esfuerzo de frenado a un disco aparte, en vez de a la rueda.

El disco (rotor) es de fundición, usualmente equipado con aletas refrigerantes, entre las dos superficies de frenado. Esto permite al aire circular entre las superficies de frenado, haciéndolas menos sensibles al calor generado y más resistentes al recalentamiento. La suciedad y el agua no afectan drásticamente la acción del frenado, ya que los contaminantes son arrojados hacia fuera por la acción centrífuga del rotor, o son raspados por los forros. También, la acción de sujeción igual de los dos forros de freno cuida de asegurar paradas uniformes y en línea recta. Los frenos de disco son inherentemente autoajustables. Existen tres tipos generales de frenos de disco:

1. Mordazas fijas.
2. Mordazas flotantes.
3. Mordazas deslizantes.

El diseño de la mordaza fija utiliza uno o dos pistones montados a cada lado del rotor (en cada lado de la mordaza). La mordaza está montada rígidamente y no se mueve.

Los diseños flotantes y deslizantes son bastante similares. De hecho, esos dos tipos a menudo se agrupan juntos. En ambos diseños, el forro sobre el interior del rotor se pone en contacto con el rotor por medio de la fuerza hidráulica. La mordaza, que no está retenida en una posición fija, se mueve ligeramente, llevando al exterior del forro en contacto con el rotor.

Las mordazas flotantes utilizan pasadores guías roscados y casquillos, o manguitos, para permitir que la mordaza se deslice y aplique los forros de freno.

Existen tres métodos típicos para asegurar la mordaza deslizante en su soporte de montaje: con un pasador de retención, con una chaveta y perno, o con cuña y pasador. En las mordazas en las que se utiliza el método del pasador de retención, se encontrarán accionadores de pasadores en la hendidura entre la mordaza y el soporte de mordaza. En las mordazas que utilizan el método de chaveta y perno, se utiliza una chaveta entre la mordaza y el soporte de montaje, para permitir a la mordaza que se deslice. La chaveta es fijada en su posición por medio de un perno de retención. En las mordazas que utilizan el método de la cuña y el pasa-

dor, se utiliza una cuña retenida por un pasador entre la mordaza y el soporte de montaje.

Con el objetivo del desmontaje del forro, las mordazas fijas usualmente no se desmontan, las mordazas flotantes son desmontadas o quitadas (articuladas con bisagra arriba o abajo en un pasador), y las mordazas deslizantes son desmontadas.

FRENOS DE TAMBOR

Los frenos de tambor emplean dos zapatas de frenos montadas en un plato de anclaje estacionario. Esas zapatas están colocadas en el interior de un tambor circular que gira con el conjunto de la rueda. Las zapatas están fijadas en su lugar por medio de resortes. Esto les permite desplazarse hacia la tambor (cuando son accionadas) mientras se mantienen los forros y los tambores en alineación. Las zapatas son accionadas por el cilindro de rueda, el cual está montado en la parte superior del plato de anclaje. Cuando los frenos se accionan, la presión hidráulica fuerza a los enlaces de los cilindros de rueda a actuar hacia afuera. Como estos enlaces actúan directamente contra la parte superior de las zapatas de frenos, las partes superiores de las zapatas de freno son entonces forzadas contra el lado interior del tambor. Esta acción obliga a la parte inferior de las dos zapatas a ponerse en contacto (friccionar) con el tambor de freno, por medio de una ligera rotación de todo el conjunto (conocido como servo-acción). Cuando la presión en el interior del cilindro es liberada, los resortes de retorno llevan a las zapatas hacia atrás lejos del tambor.

La mayoría de los sistemas de freno de tambor modernos están diseñados para autoajustarse durante su accionamiento, cuando el vehículo se mueve marcha atrás. Este movimiento provoca que ambas zapatas giren muy ligeramente con el tambor, basculando una palanquilla de ajuste y, por consiguiente, provocando la rotación del tornillo de ajuste. Algunos sistemas de freno de tambor están diseñados para su autoajuste durante su accionamiento, siempre que los frenos son accionados. Este sistema de ajuste a bordo reduce la necesidad de ajustes de mantenimiento y guarda ambos, el funcionamiento del freno y el tacto del pedal, satisfactoriamente.

REFORZADORES DE FRENOS

Virtualmente todos los vehículos modernos utilizan un sistema de freno de potencia asistida para multiplicar la fuerza de frenado y reducir el

esfuerzo en el pedal. Hay dos tipos de asistencia de potencia utilizados. El más ampliamente utilizado es el de reforzador asistido por vacío. El otro es el reforzador asistido hidráulicamente.

Reforzadores asistidos por vacío

La mayoría de los vehículos modernos utilizan un sistema de freno de potencia asistido por vacío. Este sistema fue probablemente desarrollado debido a que en todos los motores de combustión interna, excepto los Diesel, el vacío está siempre disponible cuando el motor está funcionando, haciendo el sistema simple y eficiente.

En los motores Diesel, el vacío se crea y se almacena por medio de una bomba de vacío accionada por correa y un depósito. En cualquier caso, el funcionamiento de la asistencia por vacío es el mismo.

En la parte delantera del cilindro maestro se encuentra un diafragma de vacío que ayuda al conductor en la aplicación de los frenos, reduciendo tanto el esfuerzo como el recorrido del pedal del freno que hay que poner en movimiento. La carcasa del diafragma de vacío está normalmente conectada al múltiple de admisión por medio de una manguera de vacío. Hay una válvula de retención colocada en el lugar en que la manguera entra en la carcasa del diafragma, de manera que durante los períodos de bajo vacío en el múltiple de admisión no se pierda la asistencia al freno.

Al oprimir el pedal del freno, se cierra la fuente de vacío y permite que la presión atmosférica entre sobre un lado del diafragma. Esto hace que los pistones del cilindro maestro se muevan y apliquen los frenos. Al soltar el pedal, se aplica vacío a ambos lados del diafragma y los resortes retornan el diafragma y el pistón del cilindro maestro a su posición de reposo.

Si el suministro de vacío falla, la varilla del pedal del freno se pondrá en contacto con el extremo de la barra accionadora del cilindro maestro y el sistema aplicará los frenos sin ninguna asistencia de potencia. El conductor notará que necesita un esfuerzo mucho mayor en el pedal para detener el vehículo y sentirá que el pedal está más duro de lo normal.

Si se cree que éste es el caso se puede comprobar como sigue:

PRUEBA DE PÉRDIDAS DE VACÍO

1. Hacer funcionar el motor en vacío sin tocar el pedal del freno por lo menos un minuto.
2. Apagar el motor y esperar un minuto.

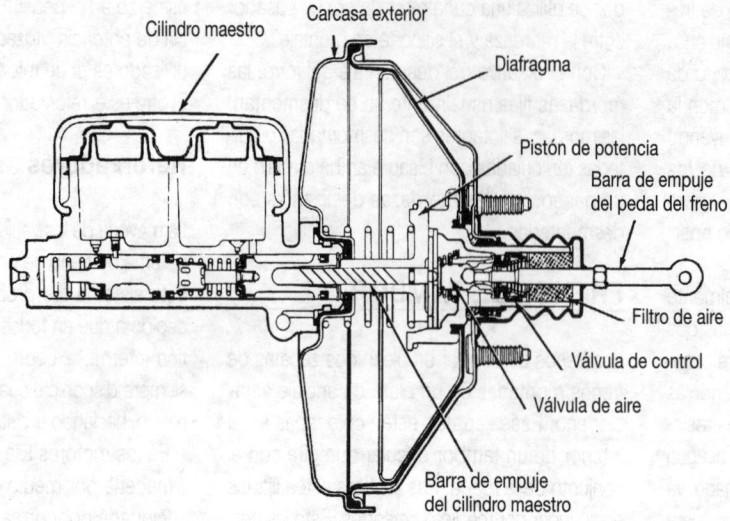

Cilindro maestro
Carcasa exterior
Diafragma
Pistón de potencia
Barra de empuje del pedal del freno
Filtro de aire
Válvula de control
Válvula de aire
Barra de empuje del cilindro maestro

▲ Vista de un corte transversal de un reforzador de potencia tipo de vacío de diafragma simple

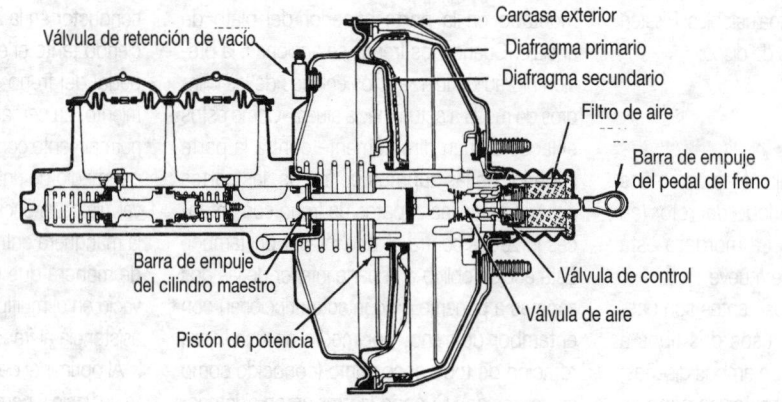

Válvula de retención de vacío
Carcasa exterior
Diafragma primario
Diafragma secundario
Filtro de aire
Barra de empuje del pedal del freno
Válvula de control
Válvula de aire
Pistón de potencia
Barra de empuje del cilindro maestro

▲ Vista de un corte transversal de un reforzador de potencia tipo de vacío de diafragma doble

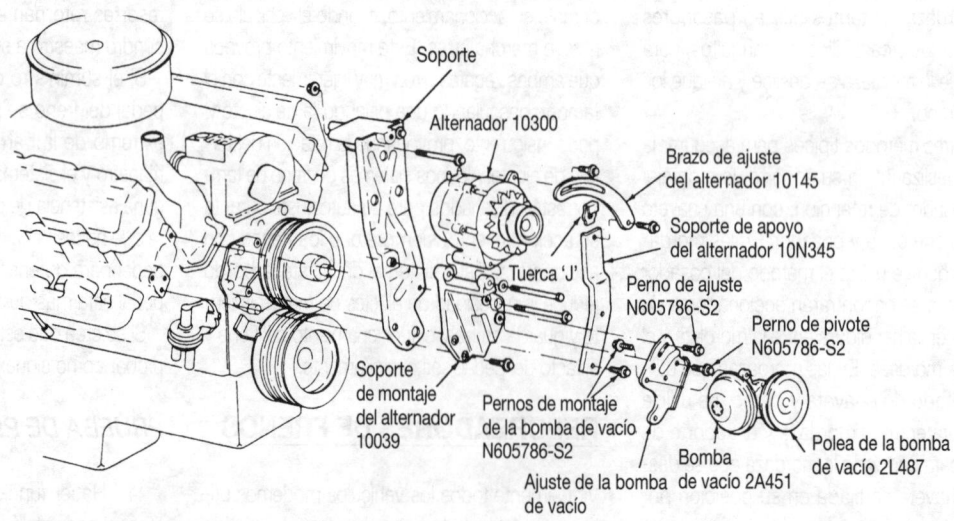

Soporte
Alternador 10300
Brazo de ajuste del alternador 10145
Soporte de apoyo del alternador 10N345
Tuerca 'J'
Perno de ajuste N605786-S2
Perno de pivote N605786-S2
Soporte de montaje del alternador 10039
Pernos de montaje de la bomba de vacío N605786-S2
Bomba de vacío 2A451
Polea de la bomba de vacío 2L487
Ajuste de la bomba de vacío

▲ En los motores Diesel se utiliza una bomba de vacío y un depósito

3. Comprobar la presencia de la asistencia por vacío presionando el pedal del freno y soltándolo, varias veces. Si el vacío está presente en el sistema, una aplicación ligera producirá cada vez menos recorrido del pedal. Si no hay vacío, hay una fuga (entrada) de aire en el sistema.

PRUEBA DE FUNCIONAMIENTO DEL SISTEMA

1. Con el motor apagado, bombear el pedal del freno hasta que el suministro de vacío se haya ido completamente.

2. Aplicar una presión ligera, estable al pedal del freno.

3. Poner en marcha el motor y dejarlo en vacío. Si el sistema está funcionando correctamente, el pedal del freno debe bajar hacia el piso si se mantiene constante la presión aplicada.

Los sistemas de frenos de potencia pueden comprobarse para las pérdidas hidráulicas justo como se comprueban los sistemas ordinarios.

▼ AVISO ▼

Para el funcionamiento seguro y adecuado del sistema de frenos, es esencial un líquido de freno limpio y de alta calidad. Se debe comprar siempre el líquido de freno de mayor calidad que esté disponible. Si el líquido de freno se contamina, drenar y limpiar el sistema, luego rellenar el cilindro maestro con un líquido nuevo. Nunca reutilizar ningún líquido de freno. Cualquier líquido de freno que haya sido retirado del sistema debe ser desechado.

Reforzadores asistidos hidráulicamente

Utilizado en algunos vehículos ligeros, el sistema es alimentado con líquido hidráulico a través del sistema de asistencia de la dirección. El conjunto reforzador, algunas veces conocido genéricamente por la marca Hydro-Boost, contiene una válvula que controla la presión de la bomba, mientras se frena, una palanca para controlar la posición de la válvula y un pistón reforzador, que proporcionará la fuerza para operar el cilindro maestro fijado delante del reforzador. La unidad tiene un sistema de reserva diseñado para almacenar el líquido presurizado, para suministrar al menos 2 aplicaciones de frenos en el caso de que el sistema de suministro hidráulico falle, así como en el de una rotura de la correa de accionamiento de la dirección asistida. Los frenos se

pueden aplicar sin asistencia en el caso de un vaciamiento del sistema.

CILINDRO MAESTRO

➡ Los procedimientos siguientes se aplican a sistemas que no tienen ABS, sistema de freno antibloqueo (antiamarre) y cilindros maestros de sistemas ABS que están separados de los otros componentes del sistema de frenos ABS. Los sistemas de frenos ABS (antiamarre), con los componentes del cilindro maestro integrados, a menudo requieren herramientas

especiales y procedimientos específicos para cada modelo.

DESMONTAJE E INSTALACIÓN

Con frenos de potencia asistida

1. Desconectar el cable negativo de la batería.

2. Si es necesario, aplicar el pedal del freno varias veces, para expulsar todo el vacío del sistema reforzador de potencia.

3. Desmontar cualquier componente en el compartimiento del motor que pueda interferir en el desmontaje del cilindro maestro.

Desconectar cualquier conector eléctrico de...

...o cerca del cilindro maestro.

4. Desconectar cualquier conector eléctrico de cualquier interruptor montado sobre el cilindro maestro.

5. Colocar trapos absorbentes debajo de los puntos en los cuales la tubería del freno se conecta con el cilindro maestro.

6. Desmontar las tuberías del freno de las lumbreras (aberturas) de salida primaria y secundaria del cilindro maestro. Cubrir o taponar las tuberías para evitar pérdidas de fluido y contaminación.

7. Desmontar los pernos que fijan el cilindro maestro en el reforzador de potencia del freno.

➡ **La mayoría de conjuntos de cilindros maestros se aseguran en espárragos de montaje del reforzador del freno, utilizando tuercas de retención. Sin embargo, algunos cilindros maestros están enroscados en su emplazamiento.**

8. Deslizar el cilindro maestro hacia delante y desmontarlo del vehículo.

▼ AVISO ▼

Muchos fabricantes tienen varillas de empuje en el reforzador de potencia, que pueden ser desmontadas. ¡NO debe hacerse! No se debe sacar la varilla de empuje. Detrás de la varilla de empuje, en muchos de estos vehículos, está el llamado disco de reacción. Éste es un amortiguador entre el cilindro reforzador de potencia y la varilla de empuje. Si ese disco de reacción se saca, no podrá ponerse de nuevo en su lugar.

Para instalar:

9. Si es necesario, trasladar cualquier interruptor del cilindro maestro viejo al nuevo cilindro maestro.

10. Sangrar en un banco el cilindro maestro nuevo.

11. Colocar el cilindro maestro del freno en el reforzador de potencia del freno.

12. Instalar las tuercas o los pernos de retención, y apretarlos firmemente.

13. Instalar las dos tuberías del freno primario y secundario en el cilindro maestro.

14. Cuando ambas tuberías del freno estén instaladas, apretarlas firmemente.

15. Reacoplar todo conector eléctrico.

16. Llenar el cilindro maestro con un líquido de freno adecuado.

17. Sangrar el sistema de freno. Tapar el cilindro maestro cuando esté completo.

Utilizar una llave española (es preferible una llave de tubo) para desatornillar los rácores de las tuberías del freno...

..., luego desconectar las tuberías del conjunto del cilindro maestro

Desatornillar los retenedores del cilindro maestro...

..., luego deslizar el conjunto del cilindro maestro fuera del montaje o soporte

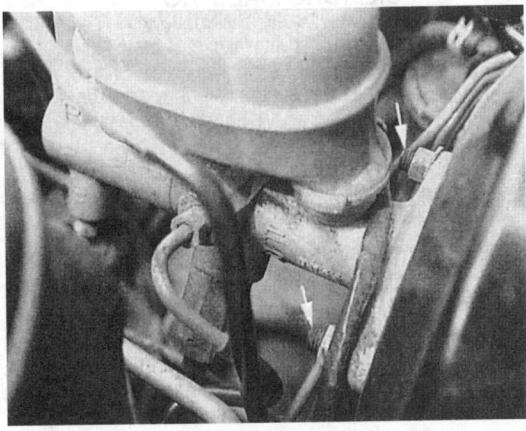

La mayoría de los cilindros maestros son asegurados en el reforzador del freno utilizando dos tuercas de retención

Algunos vehículos tienen juntas o empaques entre el cilindro maestro y el reforzador

18. Conectar el cable negativo de la batería.

19. Probar el vehículo en carretera y comprobar que el sistema de frenos funcione correctamente.

Frenos sin asistencia de potencia

1. Desconectar la varilla de empuje del cilindro maestro de la articulación del pedal del freno. Esta conexión puede estar en el interior del compartimiento de pasajeros o dentro del compartimiento del motor. La conexión es usualmente por medio de una varilla ajustada sobre un espárrago en el brazo del pedal, retenida por arandelas y un pasador de retención o presilla (grapa).

2. Colocar un trapo absorbente debajo de los puntos en los cuales las tuberías del freno se conectan con el cilindro maestro.

3. Desmontar las tuberías del freno de las lumbreras de salida primaria y secundaria del cilindro maestro. Cubrir o taponar las tuberías para evitar pérdidas de líquido y contaminación.

4. Desmontar los pernos que fijan el cilindro maestro en el tabique cortafuegos.

5. Deslizar el cilindro maestro hacia delante y desmontarlo del vehículo.

Para instalar:

6. Sangrar en el banco el cilindro maestro nuevo.

7. Colocar el cilindro maestro nuevo en el tabique cortafuegos.

8. Instalar los pernos y atornillarlos firmemente.

9. Instalar las dos tuberías del freno primario y secundario en el cilindro maestro.

10. Cuando ambas tuberías del freno estén instaladas, apretarlas firmemente.

11. Llenar el cilindro maestro con un fluido de freno adecuado.

12. Sangrar el sistema de freno. Tapar el cilindro maestro cuando esté completo.

13. Probar el vehículo en carretera y comprobar que el sistema de frenos funcione correctamente.

SANGRADO DEL SISTEMA DE FRENOS

▼ PRECAUCIÓN ▼

El líquido de freno contiene éteres poliglicosos y poliglicoles. Evitar el contacto con los ojos y lavarse las

manos minuciosamente, después de manipular líquido de freno. Si cae líquido de freno en los ojos, sumergirlos en agua limpia y circulante durante 15 minutos. Si persiste la irritación de los ojos, o si se ha ingerido líquido de freno, buscar asistencia médica INMEDIATAMENTE.

El sistema de frenos hidráulico tiene que ser sangrado cada vez que cualquier tubería es desconectada, o cada vez que entra aire en el sistema. Si un punto del sistema, como

un cilindro de rueda o la tubería de freno de una mordaza, es el único punto que se ha abierto, los tornillos para el sangrado en dirección aguas abajo en el sistema hidráulico son los únicos que tienen que ser sangrados. Si, no obstante, los rácores del cilindro maestro se abren, o si el nivel del depósito cae lo suficiente como para introducir aire en el sistema, el aire tiene que ser extraído del sistema hidráulico entero. Si el pedal del freno se siente esponjoso, cuando se presiona y llega casi hasta el piso, pero recobra altura cuando se bombea, ha entrado aire en el sis-

tema. Éste tiene que ser sangrado. Si no se ha abierto ningún rácor recientemente por algún servicio, averiguar las fugas que podrían haber permitido la entrada de aire y repararlas antes de intentar sangrar el sistema.

Como regla general, una vez que el cilindro maestro (y la válvula moduladora de la presión del freno o la válvula de combinación en los sistemas ABS) es sangrado, el resto del sistema hidráulico debe ser sangrado en la secuencia adecuada.

El sistema hidráulico puede ser sangrado de una de las dos formas: sangrado manual y sangrado utilizando un sangrador a presión.

MODELOS SIN ABS
(sistema de frenos antiamarre)

Sangrado manual

CILINDRO MAESTRO

Si la unidad se desmonta del vehículo, hay 2 formas de "sangrar en un banco" un cilindro maestro.

Un método es con una jeringa de plástico grande y transparente hecha para este objeto. Normalmente están disponibles en tiendas de recambios de automóviles. En este procedimiento, el cilindro maestro se fija en un tornillo de banco de mandíbulas blandas y se llena con fluido de freno. Las aberturas (lumbreras) de salida se cubren o se taponan. Entonces, destapando cada abertura, se coloca la jeringa firmemente en abertura de salida y se succiona líquido dentro de la jeringa hasta que no quede aire en el cilindro maestro, y luego se taponan las aberturas cuando esté hecho.

El otro es con 2 trozos de manguera o tubo (para utilizarlos como tubos sangradores). Existen mangueras de plástico hechas para este propósito, disponibles en la mayoría de las tiendas de piezas para automóviles. Estas mangueras tienen extremos roscados para el acoplamiento con las aberturas de salida. Por otra parte, se pueden hacer los conductos sangradores a partir de 2 trozos de tuberías de freno que tengan los extremos roscados. Tratar de obtenerlas de plástico. En este procedimiento, sujetar el cilindro maestro en un tornillo de banco de mandíbulas blandas. Conectar los trozos de tubería de freno, o las mangueras de plástico, en los rácores de salida; doblarlos entonces hasta que el extremo libre esté en el depósito del cilindro maestro.

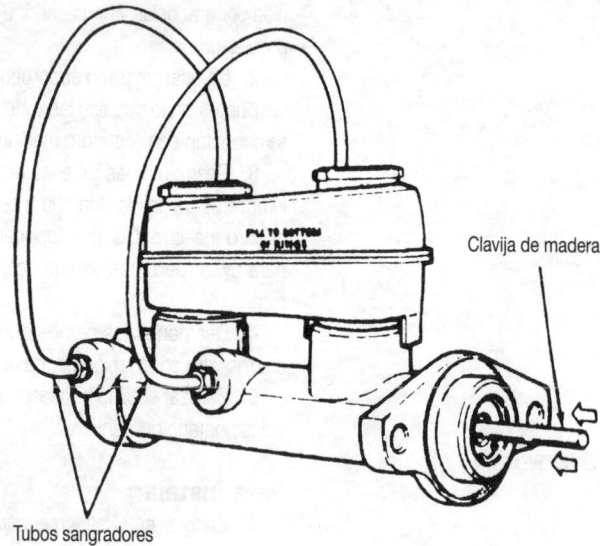

Clavija de madera

Tubos sangradores

▲ Sangrado en banco de un cilindro maestro con tubos sangradores

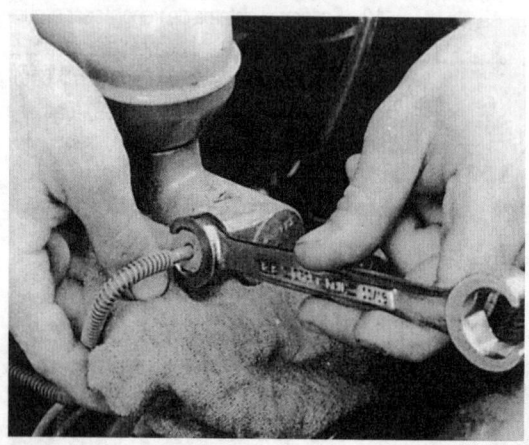

Sangrado del cilindro maestro por medio de la abertura de los rácores

Sangrado de las mordazas

Sangrado de los cilindros de ruedas

MORDAZAS Y CILINDROS DE RUEDA

Recomendamos que el sistema de frenos sea sangrado utilizando el método del tarro y el tubo. Sabemos que algunas personas simplemente dejan que todo el fluido se pulverice sobre el lugar del conector. Esto no sólo es poco profesional, sino que además también es sucio y potencialmente peligroso. El fluido de freno daña la pintura, el hormigón, su ropa, su piel y, lo que es más importante, sus ojos.

➡ **Los sistemas de freno hidráulico tienen que ser limpiados totalmente si el líquido resulta contaminado con agua, polvo u otro corrosivo químico. También, muchos fabricantes recomiendan que el sistema sea limpiado rutinariamente, más o menos cada 2 años. Para vaciarlo, sangrar el sistema completo, hasta que todo el líquido haya sido sustituido y el líquido de freno nuevo fluya limpio.**

El sistema hidráulico en vehículos con sistema dividido (un cilindro maestro con 2 cámaras) puede ser dividido lo mismo en delantero y trasero que diagonalmente. En los sistemas divididos diagonalmente hay un componente delantero y uno trasero en cada circuito. Si se tienen dudas del diseño del sistema del vehículo, se pueden comprobar las tuberías de los frenos. Seguirlas hasta cada rueda y mirar cuáles están apareadas.

➡ **Si, durante el procedimiento de sangrado, no se puede obtener un buen flujo de líquido de los frenos delanteros, el problema está en la parte de medición de la válvula de combinación. Comprobar la válvula y se verá un pequeño vástago pegajoso que sobresale de un extremo. Será necesario fabricar una pequeña presilla para asir el vástago hacia fuera sacándolo todo lo que se pueda. Esto permitirá un flujo máximo hacia los frenos delanteros. También, cuando se utilice esta presilla en vehículos con frenos de potencia asistida, tratar de sangrarlos con el motor en marcha. La mayor presión permitida por el reforzador de potencia ayudará en la purga del sistema.**

1. Llenar el cilindro maestro del freno con el líquido recomendado para el vehículo. Comprobar el nivel a menudo durante el procedimiento. Nunca dejar que el cilindro maestro quede seco o habrá que ejecutar el procedimiento de nuevo.

Llenar el depósito con líquido de freno DOT 3 fresco, o equivalente, proveniente de un depósito sellado, cubriendo completamente los extremos de los tubos. Bombear el pistón lentamente hasta que no aparezcan burbujas de aire en el depósito. Desmontar los tubos, llenar el cilindro maestro del freno e instalar firmemente las tapas o los tapones en las aberturas.

Si el cilindro maestro del freno está en el vehículo, colocar un trapo grande y absorbente debajo de los rácores. Abrir las tuberías de freno ligeramente con la llave para tuercas de tubería, mientras un ayudante aplica presión en el pedal del freno desde el interior del vehículo. Asegurarse de apretar las tuberías antes de que se suelte el pedal del freno. Repetir el proceso con ambas tuberías hasta que no salgan burbujas de aire.

En ambos casos, el resto del sistema de frenos tiene que ser sangrado para asegurarse de que todo el aire atrapado ha sido expulsado y el sistema funcionará correctamente.

2. Levantar y soportar con seguridad el vehículo.

3. Si es necesario para un mejor acceso, desmontar las ruedas.

4. En vehículos con sistemas de una cámara simple o sistemas de doble cámara dividida en delantero/trasero, se puede sangrar el sistema en el siguiente orden:

- Trasero derecho.
- Trasero izquierdo.
- Delantero derecho.
- Delantero izquierdo.

5. En vehículos con sistemas de cámaras dobles divididos diagonalmente, el orden usual del sangrado es:

- Trasero derecho.
- Delantero izquierdo.
- Trasero izquierdo.
- Delantero derecho.

6. Buscar una llave, si es posible una llave de tubo, de la medida del tornillo derecho, para el sangrado, y colocarla en el conector del primer cilindro para ser sangrado.

7. Conectar un tubo de vinilo, transparente, en el conector de sangrado. Colocar el otro extremo del tubo dentro de una jarra de vidrio transparente de al menos 8 onzas (237 ml) de capacidad. La jarra debe estar llena hasta la mitad de líquido de freno limpio. Sumergir el extremo del tubo en el líquido de freno.

8. Tener un asistente que pise el pedal del freno; luego retenerlo abajo. Abrir lentamente el tornillo de sangrado. Cuando el pedal del freno alcance el piso, cerrar el sangrador y hacer que el ayudante libere lentamente el pedal. Esperar 15 segundos; luego repetir el procedimiento hasta que no salga aire del sangrador.

9. Repetir el procedimiento en las mordazas o cilindros de rueda restantes, en el orden adecuado.

10. Si el pedal del freno tiene un comportamiento esponjoso, el sistema de frenos tiene que ser sangrado de nuevo para eliminar el aire que aún quede atrapado en el sistema.

11. Instalar las tapas de los sangradores para que no entre suciedad.

12. Instalar las ruedas, si se desmontaron para ganar acceso.

13. Bajar el vehículo.

14. Probar el vehículo en carretera y comprobar que el sistema de frenos funciona correctamente.

Sangrado a presión

Un sangrador a presión es un dispositivo que utiliza aire comprimido y una serie de adaptadores para expulsar por la fuerza el aire del sistema hidráulico. Cuando se utilice un sangrador a presión, siempre seguir las instrucciones del fabricante. Lo que ofrecemos aquí son instrucciones generales.

Cuando se utilice un equipo sangrador a presión, es mejor utilizar un tanque de sangrado de tipo vejiga. En este tipo de sangrador, el líquido de freno se separa del aire por medio de un diafragma de goma. El tanque de sangrado tiene que contener suficiente líquido de freno para completar la operación de sangrado y debe ser cargado con sólo 10-30 lb/plg² (69-207 kPa). Nunca exceder las 50 lb/plg² (345 kPa).

1. Limpiar toda suciedad de la tapa de llenado del depósito de líquido del cilindro maestro.

➡ **El depósito tiene que estar al menos ³/₄ de lleno, durante el proceso de sangrado. Llenar el depósito según sea necesario. Utilizar sólo líquido de freno limpio, nuevo, procedente de un envase precintado. Llenar hasta la línea de nivel MAX, en el depósito.**

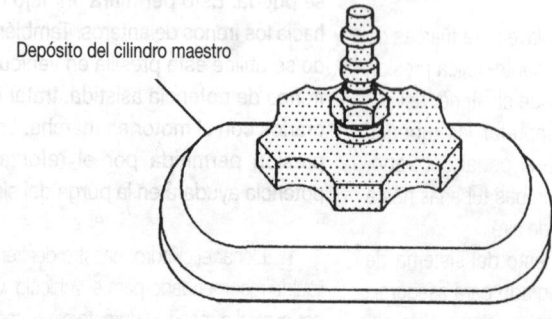

Depósito del cilindro maestro

▲ **Tapa del adaptador del sangrado a presión**

2. Instalar la herramienta adaptadora de sangrado, en el cilindro maestro, y acoplar la manguera desde el tanque de sangrado al rácor del adaptador. Seguir las instrucciones del fabricante cuando se instale y conecte el adaptador en el cilindro maestro.

3. Abrir la válvula en el tanque de sangrado.

CILINDRO MAESTRO

Si se sabe, o se sospecha, que el cilindro maestro contiene aire, éste tiene que ser sangrado antes que los cilindros de las ruedas o las mordazas. Colocar un trapo grande y absorbente debajo de los rácores de las tuberías. Comenzar por el frente del cilindro maestro; alternativamente, aflojar y apretar las tuercas de tubería de las tuberías del freno. Dejar que fluya el líquido durante varios segundos, antes de apretar la tuerca. Repetir esta operación varias veces, para asegurarse de que todo el aire ha sido eliminado del cilindro maestro.

MORDAZAS Y CILINDROS DE RUEDA

El sangrado a presión del sistema tiene que ser ejecutado en el orden correcto. Consultar el manual del procedimiento de sangrado, para una secuencia de sangrado adecuada.

1. Levantar y soportar con seguridad el vehículo.

2. Desmontar la capucha protectora del tornillo de sangrado de la mordaza o cilindro de rueda, y limpiar el conector (rácor).

3. Colocar una llave, preferentemente una llave de tubo, en el tornillo de sangrado.

4. Acoplar un trozo de manguera de vinilo transparente en el conector de sangrado. La manguera tiene que ajustarse firmemente alrededor del tornillo de sangrado.

5. Sumergir el extremo libre de la manguera en una jarra grande de vidrio transparente (de aproximadamente 16 onzas/475 ml), llena hasta la mitad de líquido de freno limpio.

6. Desatornillar el tornillo de sangrado aproximadamente ³/₄ de vuelta. Cuando el líquido que entra en el frasco esté completamente libre de burbujas, apretar el tornillo de sangrado.

7. Retirar la manguera de sangrado y colocar el capuchón protector del tornillo.

8. Repetir el procedimiento de sangrado en cada freno.

9. Cerrar la válvula del tanque de sangrado, desconectar la manguera del adaptador del cilindro maestro y desmontar el adaptador del cilindro maestro.

10. Comprobar el nivel del líquido en el depósito remoto; llenar con líquido de freno nuevo y limpio, según sea necesario.

11. Comprobar la sensación del pedal del freno. Si es esponjoso, repetir el proceso de sangrado y/o buscar componentes defectuosos del sistema.

MODELOS CON ABS (sistema de frenos antiamarre)

Hay 2 problemas potenciales cuando se intenta sangrar un sistema ABS. El primero es que muchas de las válvulas de control y los moduladores de presión en uso puedan atrapar aire si no son abiertas y cerradas durante el procedimiento, utilizando una herramienta de exploración. El segundo problema potencial es que algunos sistemas ABS funcionan bajo presiones extremadamente altas (lo que hace el sangrado peligroso, en el peor caso, y enredado, en el mejor).

Dicho esto, hay aún muchos sistemas que pueden ser sangrados con herramientas normales. Muchas de las válvulas de control tienen perillas de alivio de la presión en un extremo de la válvula que puede asirse para abrirla utilizando una pequeña herramienta (o unos alicates de presión). Casi todos los sistemas pueden ser sangrados en las ruedas, con tal de que las aberturas sean tapadas inmediatamente durante el servicio. Las tapas mantienen suficiente líquido en las tuberías para evitar que el aire utilice este camino hacia las válvulas de control o modulación.

Antes de comenzar, recordar que muchos fabricantes requieren el uso de herramientas especiales de exploración para sangrar alguna parte del sistema, aparte de las mordazas o los cilindros de ruedas. Algunos fabricantes recomiendan que la herramienta de exploración se utilice cuando se sangre cualquier parte del sistema en algunos de sus modelos. Todos los fabricantes recomiendan el uso de un equipo de sangrado a presión para los sistemas ABS, especialmente cuando se sangren los frenos traseros, aún cuando un sangrado manual pudiera ser satisfactorio en muchos casos.

Si se decide intentar sangrar las mordazas o los cilindros de rueda, y se está seguro de que no hay altas presiones residuales sin vaciar en el sistema, utilizar el mismo procedimiento para el sangrado que se describe para los sistemas

sin ABS. Durante el procedimiento de sangrado, esperar 10-15 segundos después de cerrar el tornillo de sangrado y antes de reabrirlo cada vez. Esto es recomendado por la mayoría de los fabricantes, debido al número de componentes accionados por válvulas en el sistema.

Una vez que se complete el procedimiento, poner en marcha el motor y dejarlo funcionar por 15-30 segundos. Presionar el pedal del freno. La luz del sistema ABS no debe estar en ON. Si la luz está en ON, hay un problema en el sistema, probablemente aire aún atrapado en algún lugar. En este punto, se puede intentar el procedimiento de sangrado nuevamente o hacer remolcar el vehículo hasta un concesionario, o un taller de reparaciones, para sangrar el sistema.

Como en todos los procedimientos de sangrado, NO intentar mover el vehículo hasta que se obtenga una sensación de firmeza en el pedal del freno.

FRENOS DE DISCO

FORROS DE FRENO

INSPECCIÓN

Para inspeccionar los forros de freno, desmontar la rueda. Normalmente es posible ver el espesor del forro a través del agujero grande de la mordaza, o mirando el lado del forro. Sin embargo, en algunos modelos, puede ser necesario desmontar el forro para inspeccionarlo.

De modo empírico, el material de revestimiento del forro debe desgastarse no más de $1/8$ de plg (3 mm). En forros de freno encolados al material de soporte, el material del forro puede medirse desde el borde del material de soporte. Sin embargo, en forros que están remachados al material de soporte, el revestimiento debe medirse desde las cabezas de los remaches (en los agujeros del material de revestimiento).

El material de revestimiento del freno no debe mostrar ninguna humedad, desmenuzados o rajaduras. Si es evidente algún daño, los forros tienen que ser sustituidos. Si los forros muestran evidencia de humedad, localizar la fuente del salidero de líquido y repararlo antes de instalar los forros nuevos. Si los forros muestran un desgaste desigual (una pareja de forros está más desgastada en un lado del vehículo que el otro par de forros en el otro lado; el forro interior está más desgastado que

el forro exterior, o viceversa, en una rueda; el material de revestimiento del forro está más desgastado en el borde delantero del forro o en el borde trasero del forro), la mordaza del freno de disco es defectuosa o está montada incorrectamente.

▼ AVISO ▼

Nunca pulir el revestimiento del forro con papel de lija, debido a que las partículas duras del papel de lija se pueden quedar pegadas en el revestimiento, lo cual a su vez dañará el rotor del freno. Si el revestimiento del freno está dañado, excesivamente desgastado o desigualmente desgastado, reemplazar los forros por unos nuevos.

DESMONTAJE E INSTALACIÓN

▼ PRECAUCIÓN ▼

¡El polvo de los frenos puede contener amianto! El amianto es dañino para la salud. Nunca utilizar aire comprimido para limpiar ningún componente del freno. Debe utilizarse una máscara con filtro durante cualquier reparación de los frenos.

La sustitución de los forros del freno debe ejecutarse siempre simultáneamente en ambas ruedas, las delanteras o las traseras, a la vez. Nunca sustituir forros en sólo una rueda. Cuando se servicie cualquier freno, utilizar sólo forros o partes OEM o de mejor calidad. Cuando se desmonta la mordaza, algunos forros de frenos se quedan con la mordaza; otros permanecen en el soporte de montaje de la mordaza. Utilizar un conjunto de accesorios de montaje del forro nuevo (resortes, presillas antivibratorias o calzos de ajuste) siempre que sea posible, para garantizar una reparación mejor.

Mordazas deslizantes y flotantes

➡ En ciertas mordazas flotantes puede ser posible desmontar uno de los pasadores guías y pivotar la mordaza hacia arriba o hacia abajo para ganar acceso a los forros del freno. Si se decide hacer esto, asegurarse de que al pivotar la mordaza no se dañan las mangueras flexibles del freno.

1. Abrir el capó y localizar el depósito del líquido del cilindro maestro del freno. Limpiar el

área alrededor de la tapa del depósito; luego desmontar la tapa. Extraer un poco del líquido de freno del depósito.

2. Aflojar las tuercas de orejetas de las ruedas en cuestión.

3. Levantar y soportar con seguridad el vehículo.

4. Desmontar las ruedas.

5. Desconectar cualquier sensor eléctrico del desgaste de los forros de freno.

➡ **No es necesario, y es realmente desalentador, separar la manguera del freno de la mordaza durante este procedimiento. Si se decide separar la manguera, será necesario sangrar el sistema de frenos.**

6. Desmontar y suspender la mordaza con un trozo de alambre, cuerda o hilo fuerte. Asegurarse de que no se somete a tensión la manguera del freno.

7. Para forros de mordaza montados con soporte, ejecutar lo siguiente:

a. Si lo hay, desmontar cualquier calzo de ajuste antichirridos, anotando su posición.

b. Desmontar también cualquier muelle antivibratorio que pueda haber. Si estos muelles no proporcionan buena tensión, entonces reemplazarlos.

c. Desmontar los forros de freno del soporte de la mordaza, sacando el forro con las manos o con un golpecito de martillo, para ayudar.

8. Para forros de mordaza montados, ejecutar lo siguiente:

a. Algunos forros exteriores tienen salientes que están doblados sobre el borde de la mordaza, los cuales aprisionan los forros firmemente en la mordaza. Enderezar los salientes con alicates antes de intentar desmontar el forro de freno de la mordaza.

b. Luego, desmontar el forro del freno exterior, con un ligero golpe detrás del forro con un martillo.

c. Otros forros exteriores utilizan una presilla de muelle para montar la mordaza. Para desmontar este tipo de forro, presionar el forro hacia el centro de la mordaza y deslizarlo fuera. Puede ser útil utilizar una pequeña palanca.

d. Desmontar el forro interior tirando de él fuera del pistón.

Para instalar:

9. Limpiar el área de deslizamiento de la mordaza utilizando un cepillo de alambre y atomizador limpiador de frenos.

10. Lubricar el área de deslizamiento de la mordaza y los pasadores, con grasa de freno de alta temperatura.

11. Aplicar compuestos antichirridos en el dorso de ambos forros de freno. Dejar que el compuesto se endurezca de acuerdo con las instrucciones en el paquete.

12. Instalar uno de los forros de freno viejo, contra el pistón de la mordaza; luego utilizar una abrazadera en C grande, para presionar el pistón dentro de su cilindro.

13. Instalar todos los accesorios nuevos suministrados con los forros nuevos.

14. Para forros montados con soportes, ejecutar los siguientes pasos:

a. Instalar los forros en el soporte de la mordaza. Algunos forros tienen marcada su posición.

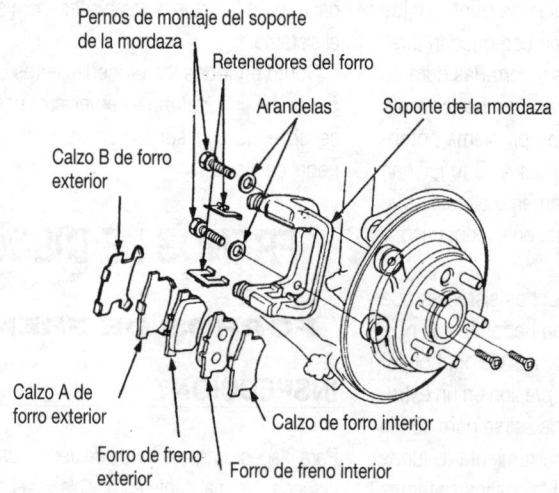

▲ **Vista en despiece de un típico montaje de forros de frenos en el soporte de la mordaza – Mordazas deslizantes y flotantes**

Para desmontar los forros de freno, primero limpiar la tapa del depósito del freno del cilindro maestro...

..., luego desmontarla

Utilizando una bomba de vacío, o con algún otro método, extraer un poco de fluido de freno del depósito

Desmontar la mordaza del freno de disco, del rotor – Mordazas deslizantes y flotantes

b. Asegurarse de que las muescas, o las orejas, de los forros de los frenos están encajadas adecuadamente en el soporte.

c. Colocar la mordaza sobre los forros y hacia el soporte de montaje de la mordaza.

d. Instalar el conjunto de montaje de la mordaza y las presillas antivibratorias. Apretar los pasadores guía o los pernos de retención según las especificaciones adecuadas.

➡ **Como seguridad, es una buena idea utilizar algún compuesto de bloqueo de roscas (de tipo desmontable) en los pernos roscados de la mordaza.**

15. Para forros montados en la mordaza, realizar lo siguiente:

a. Instalar el forro interior empujando los dedos de retención del forro dentro del pistón de la mordaza.

b. Si el forro exterior tiene una presilla de muelle, deslizar el forro sobre el borde de la mordaza dentro del bastidor de la mordaza.

c. Si se tiene el forro exterior del estilo de salientes doblados, entonces comprobar el encaje del forro; debe encajar fuerte. Si los salientes no aseguran el forro de forma ajustada en la mordaza, colocar el forro sobre un trozo de madera y darle un pequeño golpe a los salientes con un martillo para ajustarlos. Esto puede requerir varios intentos para que quede bien.

d. Colocar la mordaza con los forros sobre el rotor y, si lo equipa, el soporte de mordaza.

e. Instalar los accesorios de montaje de la mordaza y las presillas antivibratorias. Apretar los pasadores guía y el(los) perno(s) de retención, de forma segura.

➡ **Es una buena idea utilizar algún compuesto de bloqueo de roscas (de tipo desmontable), en los pernos roscados de la mordaza.**

16. Conectar cualquier sensor eléctrico del desgaste de los forros de freno.

17. Asentar los forros de freno; de otra forma, el vehículo puede deslizarse cuesta abajo del área de trabajo y dentro del tráfico, antes de que los frenos sean efectivos. Esto requerirá bombear varias veces el pedal del freno, para asentar los forros contra el rotor.

18. Si no se consigue un pedal de freno firme, puede ser necesario sangrar los frenos.

19. Comprobar el nivel del líquido de freno en el depósito y llenarlo completamente, como sea necesario.

20. Instalar las ruedas y apretar las tuercas de orejetas.

21. Probar el vehículo en carretera.

Mordazas fijas

➡ **Normalmente no es necesario desmontar la mordaza para sustituir el forro de los frenos en los que tienen una mordaza fija.**

1. Aflojar las tuercas de orejetas en las ruedas en cuestión.

2. Levantar y soportar firmemente el vehículo.

3. Desmontar las ruedas.

4. Desconectar cualquier sensor eléctrico de desgaste de forros de freno.

5. Desmontar los pasadores de retención del forro, empujando hacia fuera la presilla de muelle o el pasador de retención; luego utilizar un punzón y un martillo para sacar el pasador. Los pasadores sin presilla de muelle, o pasador de retención, pueden tener un collar de acero elástico en la cabeza del pasador. Para desmontar este tipo de pasador, sólo hay que sacar el pasador hacia fuera con un punzón y un martillo.

6. En mordazas con presillas de sujeción, desmontar el tornillo que retiene la presilla.

7. Desmontar los forros de la mordaza con unos alicates.

8. Para asentar los pistones de una mordaza fija, utilizar un trozo de madera o una palanca con un trapo arrollado alrededor del extremo, luego acuñarla entre el rotor y el pistón y deslizar el pistón dentro de su asiento.

➡ **Es útil reemplazar un forro a la vez, para reducir el riesgo de que el pistón se salga de su cilindro, lo cual podría conducir a que la mordaza necesite ser reconstruida.**

9. Lubricar el área deslizante de la mordaza y los forros de freno con grasa de freno de alta temperatura.

10. Aplicar compuestos antichirrido en el lado de atrás de ambos forros del freno. Dejar que el compuesto se endurezca de acuerdo con las instrucciones del producto.

Asegurarse de anotar la posición de cualquier presilla o resorte en la mordaza – Mordazas deslizantes y flotantes

Desmontar el forro exterior del soporte de montaje...

..., luego desmontar el forro interior – Mordazas deslizantes y flotantes

Limpiar la mordaza y el soporte de montaje con un pulverizador de solvente para frenos y un cepillo de alambre

Aplicar una fina capa de grasa de freno de alta temperatura, en las superficies deslizantes del soporte y la mordaza

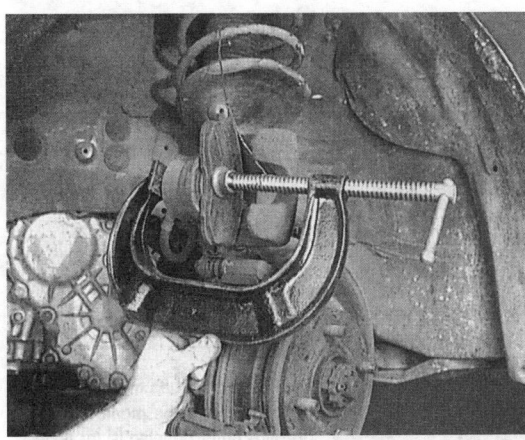

En las mordazas que no integran mecanismos de freno de parqueo, un tornillo abrazadera en 'C' puede asentar el pistón en el cilindro de la mordaza

11. Insertar los forros nuevos en la mordaza.

12. Si los tiene, instalar la presilla antivibratoria, el pasador de retención con presilla de muelle o el pasador de retención. En pasadores con collar de resorte de acero, hay que golpearlos hasta que se asienten contra el hombro de la mordaza.

➡ **Es una buena idea utilizar algún compuesto de bloqueo de roscas (de tipo desmontable) en los pernos roscados de la mordaza.**

13. Conectar todo sensor eléctrico de desgaste de forros de freno.

14. Asentar los forros de freno, porque, de otra forma, el vehículo puede deslizarse cuesta abajo fuera del área de trabajo y dentro del tráfico, antes de que los frenos sean efectivos. Esto requerirá bombear varias veces el pedal del freno para asentar los forros contra el rotor.

➡ **Si no se consigue un pedal de freno firme, puede ser necesario sangrar los frenos.**

15. Comprobar el nivel del líquido de freno en el depósito y llenarlo completamente si es necesario.

16. Instalar las ruedas y apretar las tuercas de orejetas.

17. Probar el vehículo en carretera.

MORDAZAS DE FRENO

DESMONTAJE E INSTALACIÓN

Mordazas sin mecanismo integrado de freno de parqueo

MORDAZAS DESLIZANTES

▼ PRECAUCIÓN ▼

¡El polvo de los frenos puede contener amianto! El amianto es dañino para la salud. Nunca utilizar aire comprimido para limpiar ningún componente del freno. Debe utilizarse una máscara con filtro durante cualquier reparación de frenos.

Existen tres métodos típicos para asegurar la mordaza deslizante en su soporte de montaje: con un pasador de retención, con una clavija (chaveta) y perno, o con una cuña y pasador. En las mordazas en que se utiliza el método del pasador de retención, se encontrarán pasadores introducidos en la hendidura entre la mordaza y el soporte de la mordaza. En las mordazas que utilizan el método de clavija y perno, se utiliza una clavija entre la mordaza y el soporte de montaje para permitir a la mordaza que se deslice. La clavija es fijada en su posición por medio de un perno de retención. En las mordazas que utilizan el método de la cuña y el pasador, se utiliza una cuña retenida por un pasador entre la mordaza y el soporte de montaje, más o menos de la misma manera que el método de clavija y perno.

1. Aflojar las tuercas de orejetas en las ruedas en cuestión.

2. Levantar y soportar con seguridad el vehículo.

3. Desmontar las ruedas.

Instalar todos los muelles y presillas en sus posiciones originales – Mordazas deslizantes y flotantes

▼ PRECAUCIÓN ▼

Cualquier líquido de freno que haya sido retirado del sistema debe desecharse. Además, no permitir que ningún líquido de freno entre en contacto con superficies pintadas; esto dañaría la pintura. También, el líquido de freno contiene éteres poliglicosos y poliglicoles. Evitar el contacto con los ojos y lavarse las manos minuciosamente después de manipular líquidos de freno. Si cae líquido de freno en los ojos, sumergirlos en agua limpia y circulante durante 15 minutos. Si persiste la irritación de los ojos, o si se ha ingerido líquido de freno, buscar asistencia médica INMEDIATAMENTE.

4. Extraer un poco de fluido de freno del depósito de fluido de frenos. Utilizar una bomba de succión limpia, una alfombra de cocina vieja o una almohadilla absorbente para hacer esto. Nunca reutilizar ningún líquido de freno.

5. Colocar una bandeja de drenado debajo del área de trabajo. Limpiar el área del forro de freno y el rotor con un atomizador para limpiar frenos.

6. Desconectar todo sensor eléctrico de desgaste de forro de freno.

➡ Si se revisa un freno de disco equipado con un mecanismo de freno de aparcamiento integrado, por favor consultar el procedimiento pertinente más adelante en esta sección, antes de asentar el pistón de

Cuando se instalen la mordaza y los forros, asegurarse de no pellizcar el cable del sensor (si lo tiene) – Mordazas deslizantes y flotantes

Para desmontar una mordaza deslizante típica, desmontar las presillas anti-traqueteo (si las tiene)

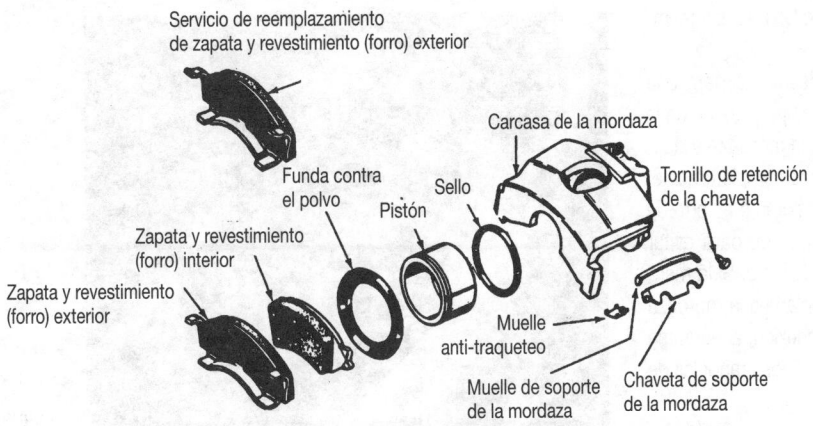

Servicio de reemplazamiento
de zapata y revestimiento (forro) exterior

Carcasa de la mordaza

Funda contra
el polvo

Sello

Tornillo de retención
de la chaveta

Pistón

Zapata y revestimiento
(forro) interior

Zapata y revestimiento
(forro) exterior

Muelle
anti-traqueteo

Muelle de soporte
de la mordaza

Chaveta de soporte
de la mordaza

▲ **Vista en despiece de una típica mordaza deslizante, mostrando la chaveta y el perno (tornillo de retención)**

Comprimir las lengüetas superiores del pasador y palanquear en el extremo interior del pasador...

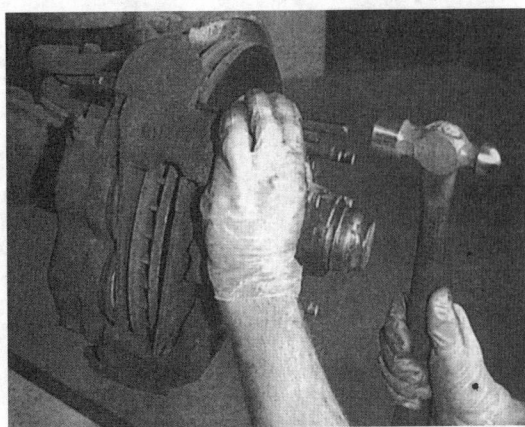

..., luego utilizar un martillo y un punzón para sacar el pasador fuera de la ranura...

la mordaza con una abrazadera en C. De otra forma, se puede dañar la mordaza.

7. Utilizando una abrazadera en C en la mordaza, asentar el pistón en su cilindro. Colocar un extremo de la abrazadera en C sobre la superficie de atrás del forro exterior del freno y el otro extremo contra el lado interior de la mordaza. Asegurarse de que no se comprime sólo la carcasa de la mordaza, ya que se puede rajar, necesitando luego la instalación de una mordaza de repuesto.

8. Desmontar todas las presillas de vibración o de retención de la mordaza.

9. En las mordazas que utilizan el método del pasador, desmontar el pasador apretando el extremo del exterior del pasador inferior con un par de alicates, mientras se aplica una palanca sobre el extremo interior. Una vez que las orejas de retención del pasador estén colocadas en la ranura de la mordaza/soporte, utilizar un punzón y un martillo para golpear el pasador inferior sacándolo del resto del tramo de la ranura. Repetir este paso para el pasador superior. Inspeccionar los pasadores por daños, desgaste y óxido. Sustituirlos, si es necesario, en parejas.

10. En las mordazas que utilizan el método de perno y clavija, desmontar el perno de retención; luego utilizar un martillo y un punzón para sacar la clavija. (Tener cuidado de no perder el muelle de soporte de la mordaza, si lo tiene.) Comprobar el desgaste de las piezas y sustituirlas, si es necesario.

11. En las mordazas que utilizan el método de cuña y pasador, desmontar el pasador de retención del disco guía; luego utilizar un punzón y un martillo para sacar el disco guía.

Inspeccionar el desgaste de las piezas y reemplazar si es necesario.

12. Si la mordaza se desmonta para una reparación o sustitución, aflojar el rácor de la manguera de freno, sacar la mordaza y desmontar la manguera del freno completamente. Inmediatamente taponar el extremo abierto de la manguera de goma del freno, para evitar contaminación del líquido de freno. Si la manguera de freno estaba acoplada a la mordaza con un tornillo hueco de conexión, asegurarse de desmontar y desechar las dos arandelas de cobre.

13. Si la mordaza no requiere reparación o sustitución, preparar un trozo de alambre (una percha para ropa funciona bien), cordón o un trozo de hilo fuerte para sostener la mordaza. NO colgar la mordaza por la manguera de freno; podría dañarse.

14. Desmontar la mordaza y suspenderla con un alambre.

15. Si los forros de freno salen del rotor con la mordaza, desmontarlos palanqueando los forros del freno fuera del pistón de la mordaza.

16. Inspeccionar si la mordaza tiene salideros de líquido, rasgaduras del capuchón guardapolvo o piezas perdidas. Reconstruir o sustituir la mordaza si se encuentra algún problema.

17. Inspeccionar si la manguera de goma del freno tiene grietas (rajaduras) o signos de rozamiento contra la carrocería o elementos de la dirección. También es una buena idea sustituirla, si ya lleva más de 10 años, para conservar el adecuado funcionamiento de los frenos.

18. Inspeccionar si las tuberías de metal tienen corrosión y torceduras, provocadas por piedras sueltas de la carretera que golpean debajo del vehículo. Si se encuentra algún problema, sustituir la tubería.

19. Inspeccionar si el rotor tiene ranuras no maquinadas, tensiones térmicas, rajaduras, vidriado, espesor mínimo de desgaste y desviaciones del disco. Sustituir el rotor, o maquinarlo, para reparar el daño.

20. Inspeccionar si los forros de freno tienen el espesor mínimo, pérdidas de remaches o vidriado. Instalar forros de freno nuevos, si existe alguno de estos problemas.

Para instalar:

21. Limpiar las superficies de deslizamiento de la mordaza y el soporte de montaje, con atomizador limpiador de frenos y un pequeño cepillo de alambre; luego lubricarlas con grasa de freno de alta temperatura.

... hasta que se pueda desmontar con la mano

Ejecutar también lo mismo para el pasador inferior...

..., entonces sacar la mordaza fuera del rotor y el soporte

Una vez desmontada la mordaza, se pueden desmontar los forros del freno

Se puede utilizar un dispositivo portátil de bomba de vacío para extraer el líquido de freno del depósito

22. Si es necesario, colocar el(los) forro(s) en la mordaza o en el soporte de montaje.

23. Si se desmontó la manguera de freno, reacoplarla a la mordaza. Si lo tiene, utilizar dos arandelas de cobre nuevas para la conexión banjo (tornillo hueco de conexión).

24. Instalar la mordaza en su soporte de montaje.

25. Para las mordazas que utilizan el método del pasador de retención, utilizar un martillo para introducir con golpecitos el pasador dentro de su posición; luego instalar todas las presillas antivibratorias.

26. Para las mordazas que utilizan el método del perno y la clavija, utilizar una palanca para levantar la mordaza y dejar una separación por la que se puedan deslizar la clavija y el muelle. Golpear suavemente la clavija y el muelle introduciéndolos en su posición; luego instalar el perno de retención y todas las presillas antivibratorias. Apretar el perno de retención de forma segura.

27. Para las mordazas que utilizan el método de la cuña y el pasador, deslizar las placas guías (cuña) entre las aberturas de la pinza y el soporte de montaje; luego instalar el pasador de retención. Apretar el pasador de retención de forma segura.

28. Reacoplar todos los sensores eléctricos del forro de frenos.

▼ AVISO ▼

Para el funcionamiento seguro y adecuado del sistema de frenos, es esencial un líquido de freno limpio y de alta calidad. Se debe comprar siempre el líquido de freno de mayor calidad que esté disponible. Si el líquido de freno se con-

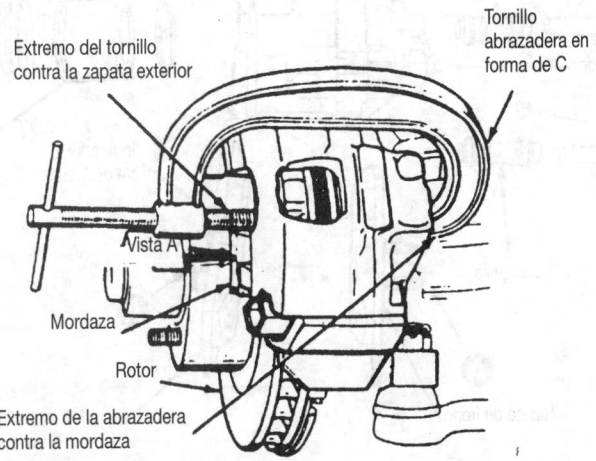

Extremo del tornillo contra la zapata exterior

Tornillo abrazadera en forma de C

Vista A

Mordaza

Rotor

Extremo de la abrazadera contra la mordaza

Utilizar un tornillo abrazadera grande en forma de C para asentar el pistón de la mordaza; asegurarse de que un extremo de la mordaza está colocado contra la zapata exterior – Mordazas sin mecanismo integrado de freno de parqueo

tamina, drenar y lavar el sistema; luego llenar el cilindro maestro con un líquido nuevo. Nunca reutilizar ningún líquido de freno. Cualquier líquido de freno que haya sido retirado del sistema debe ser desechado. Asimismo, no permitir que ningún líquido de freno entre en contacto con una superficie pintada; esto dañará la pintura.

29. Sangrar los frenos, si se ha reemplazado una tubería de freno o si la mordaza se desacopló de una tubería de freno.

30. Asentar los forros de freno, de otra forma el vehículo puede deslizarse cuesta abajo fuera del área de trabajo y dentro del tráfico, antes de que los frenos sean efectivos. Esto requerirá bombear varias veces el pedal del freno, para asentar los forros contra el rotor.

31. Comprobar el nivel del líquido de freno en el depósito y llenarlo completamente, si es necesario.

32. Instalar las ruedas y apretar las tuercas de orejetas.

33. Probar el vehículo en carretera.

MORDAZAS FLOTANTES

▼ PRECAUCIÓN ▼

¡El polvo de los frenos puede contener amianto! El amianto es dañino para la salud. Nunca utilizar aire comprimido para limpiar ningún componente del

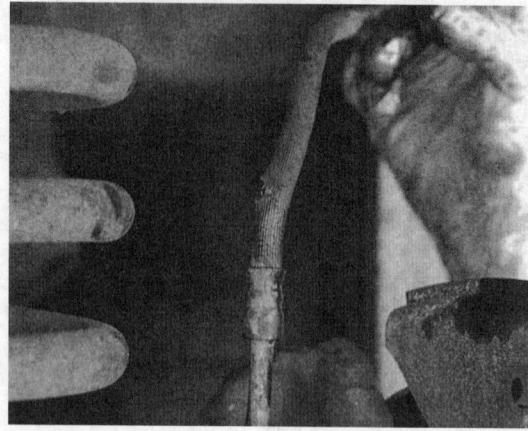

Cuando se inspeccionen las mangueras flexibles de los frenos, comprobar descosidos (como se muestra), rasgaduras y rajaduras

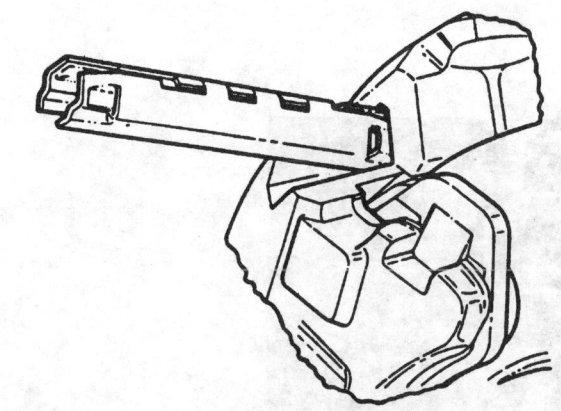

▲ Instalar el pasador de retención de la mordaza colocándolo en la ranura de la mordaza/soporte y llevándolo hasta que quede asentado adecuadamente (las lengüetas de retención en ambos extremos deben sobresalir por la ranura)

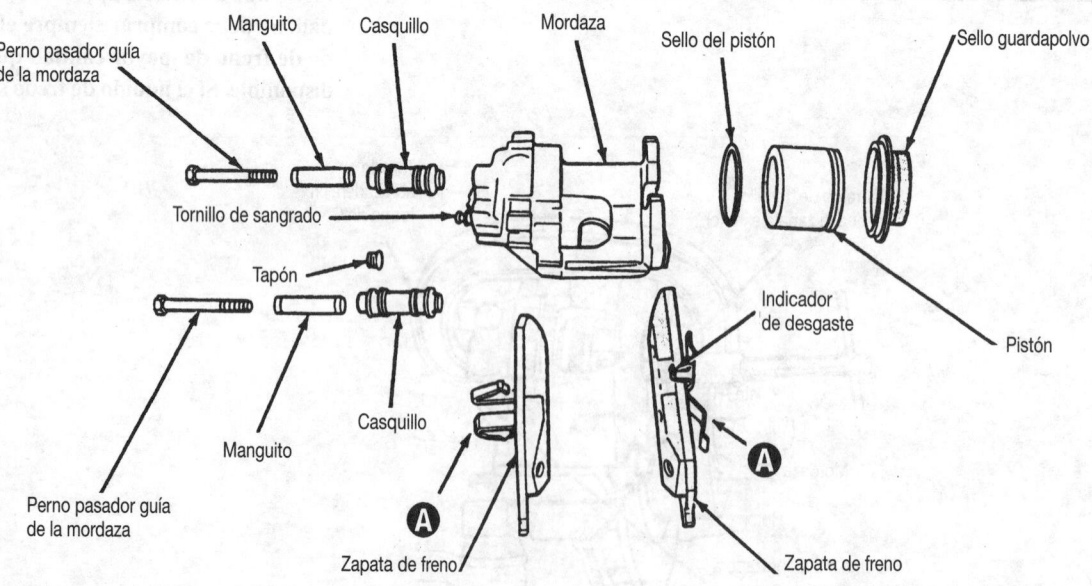

▲ Vista en despiece de una típica mordaza flotante – Cuando se instalen los forros del freno, asegurarse de que las presillas de retención (A) están encajadas adecuadamente en la mordaza

freno. **Debe utilizarse una máscara con filtro durante cualquier reparación de frenos.**

Las mordazas de estilo flotante utilizan pasadores de guía roscados y casquillo, o manguitos, para permitir que la mordaza se deslice y aplique los forros de freno.

1. Aflojar las tuercas de orejetas en las ruedas en cuestión.

2. Levantar y soportar con seguridad el vehículo.

3. Desmontar las ruedas.

▼ PRECAUCIÓN ▼

Cualquier líquido de freno que haya sido retirado del sistema debe desecharse. Asimismo, no permitir que ningún líquido de freno entre en contacto con superficies pintadas; esto dañaría la pintura. También, el líquido de freno contiene éteres poliglicosos y poliglicoles. Evitar el contacto con los ojos y lavarse las manos minuciosamente, después de manipular líquidos de freno. Si cae líquido de freno en los ojos, sumergirlos en agua limpia y circulante durante 15 minutos. Si per-

siste la irritación de los ojos, o si se ha ingerido líquido de freno, buscar asistencia médica INMEDIATAMENTE.

4. Extraer un poco de líquido de freno del depósito de líquido de frenos. Utilizar una bomba de succión limpia, una alfombra vieja de cocina (no debe volver a la cocina) o una almohadilla absorbente para hacer esto. Nunca reutilizar ningún líquido de freno.

5. Colocar una bandeja de drenado debajo del área de trabajo. Limpiar el área del forro del freno y el rotor, con un atomizador para limpiar frenos.

6. Desconectar cualquier sensor eléctrico de desgaste de forros de freno.

7. Si se utiliza un muelle antivibratorio y éste no forma parte del forro del freno, normalmente se puede arrancar.

➡ Si se revisa un freno de disco equipado con un mecanismo de freno de aparcamiento integrado, por favor consultar el procedimiento aplicable, más adelante en esta sección, antes de asentar el pistón de la mordaza con una abrazadera en C. De otra forma, se puede dañar la mordaza.

8. Utilizando una abrazadera en C en la mordaza, asentar el pistón en su cilindro. Colocar un extremo de la abrazadera en C sobre la superficie de atrás del forro exterior del freno y el otro extremo contra el lado interior de la mordaza. Asegurarse de que no se comprime sólo la carcasa de la mordaza; se puede rajar, necesitando luego la instalación de una mordaza de repuesto.

9. Desatornillar y desmontar los pasadores guía de la mordaza.

10. Si la mordaza se desmonta para una reparación o sustitución, aflojar el rácor de la manguera de freno, sacar fuera la mordaza y desmontar la manguera del freno completamente. Inmediatamente taponar el extremo abierto de la manguera de goma del freno para evitar contaminación del líquido de freno. Si la manguera de freno se acopló a la mordaza con un tornillo hueco de conexión (banjo), asegurarse de desmontar y desechar las dos arandelas de cobre.

11. Si la mordaza no requiere reparación o sustitución, preparar un trozo de cable (una percha para ropa funciona bien), cordón o un trozo de hilo fuerte para sostener la mordaza. NO colgar la mordaza por la manguera de freno; podría dañarse.

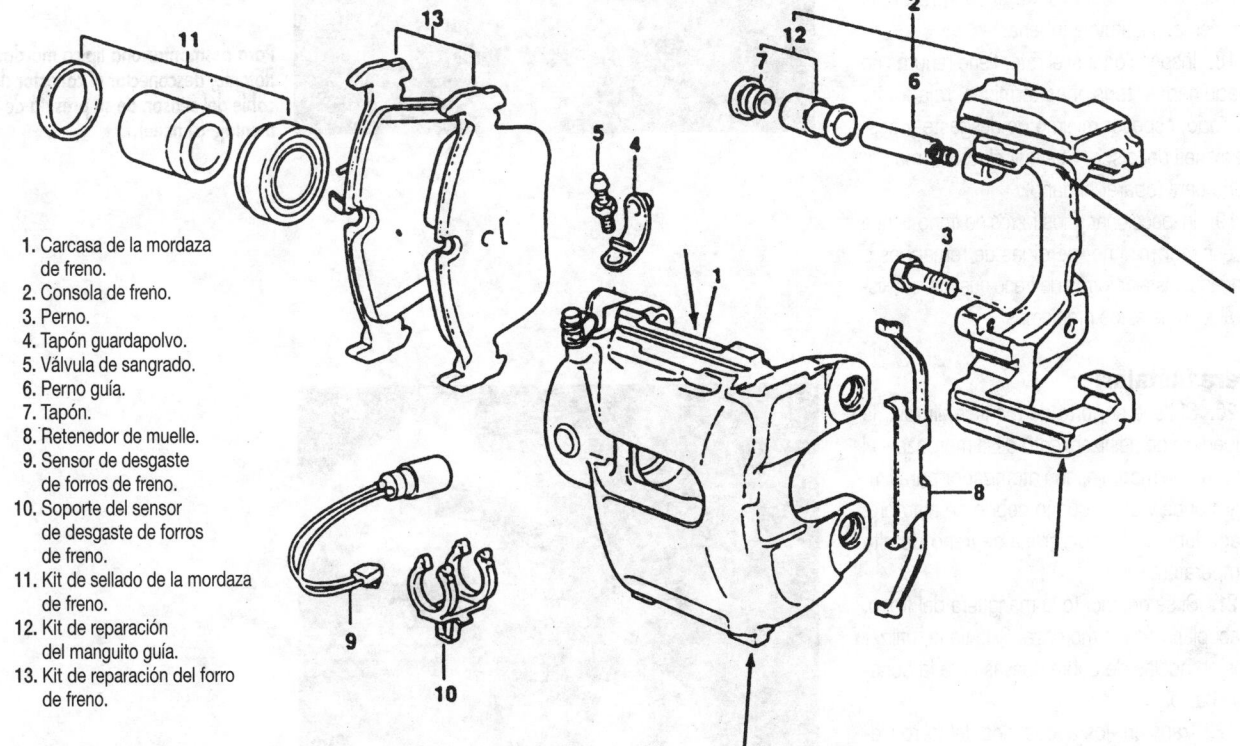

1. Carcasa de la mordaza de freno.
2. Consola de freno.
3. Perno.
4. Tapón guardapolvo.
5. Válvula de sangrado.
6. Perno guía.
7. Tapón.
8. Retenedor de muelle.
9. Sensor de desgaste de forros de freno.
10. Soporte del sensor de desgaste de forros de freno.
11. Kit de sellado de la mordaza de freno.
12. Kit de reparación del manguito guía.
13. Kit de reparación del forro de freno.

▲ Vista en despiece de otra mordaza flotante – Notar que este vehículo está equipado con sensor de desgaste de forros

12. Desmontar la mordaza del rotor, si lo tiene, y el soporte de montaje.

➡ **Los forros pueden o no salir con la mordaza; esto es normal.**

13. Si los forros de freno se quedan con la mordaza, normalmente se pueden sacar con unos golpecitos de martillo, con la mano o con palanca.

14. Si los forros de los frenos permanecen en el soporte, cuando sea el caso, se pueden desmontar del soporte con la mano.

15. Inspeccionar si la mordaza tiene fugas (salideros) de líquido, rasgaduras del manguito guardapolvo o piezas perdidas. Reconstruirlo, o sustituirlo, si se encuentra algún problema.

16. Inspeccionar si la manguera de goma del freno tiene rajaduras o signos de rozamiento contra la carrocería o elementos de la dirección. Instalar una manguera de goma nueva si existe alguna de estas condiciones. También es una buena idea sustituirla si ya lleva más de 10 años para asegurar el funcionamiento adecuado de los frenos.

17. Inspeccionar si las tuberías de metal tienen corrosión y torceduras provocadas por objetos sueltos de la carretera que golpean debajo del vehículo. Si se encuentra algún problema, sustituir la tubería.

18. Inspeccionar si el rotor tiene ranuras no maquinadas, tensiones térmicas, rajaduras, vidriado, espesor mínimo de desgaste y desviaciones del disco. Sustituir el rotor y maquinarlo para reparar el daño.

19. Inspeccionar si los forros de freno tienen el espesor mínimo, pérdidas de remaches o vidriado. Instalar forros de freno nuevos, si existe alguno de estos problemas.

Para instalar:

20. Si tiene soporte de montaje, limpiar la superficie de deslizamiento de la mordaza y el soporte de montaje, con atomizador para limpiar frenos y un pequeño cepillo de alambre; luego lubricarlos con grasa de freno de alta temperatura.

21. Si se desmontó la manguera del freno, reacoplarla con la mordaza. Si lo tiene, utilizar dos arandelas de cobre nuevas para la conexión banjo.

22. Transferir los accesorios del forro viejo al nuevo forro, o instalar accesorios nuevos.

Algunos vehículos están equipados con sensores de desgaste de forros de freno, como indica el cable que va a los forros

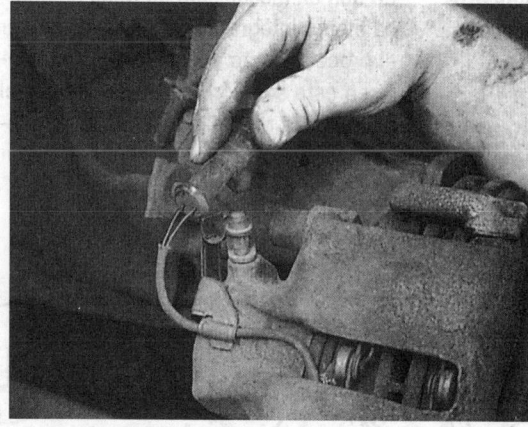

Para desmontar una típica mordaza flotante, desconectar el conector del cable del sensor, de su presilla de montaje (si tiene)...

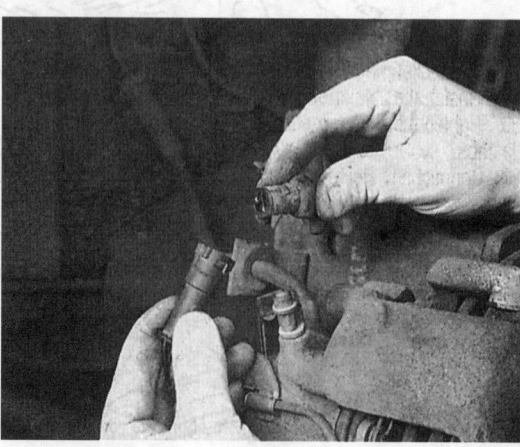

...., luego separar las dos mitades del conector

Si tiene, desmontar las tapaderas de los pasadores deslizantes...

..., entonces desatornillarlos...

... y desmontar los pasadores deslizantes de la mordaza flotante

23. Limpiar e inspeccionar los pasadores guía de la mordaza, si están bien; lubricarlos con grasa de freno de alta temperatura.

24. En las mordazas con los forros montados, colocar los forros en la mordaza; luego instalar la mordaza en el rotor.

25. En los forros montados sobre soportes, instalar los forros en el soporte de montaje. Instalar la mordaza en el rotor.

26. Apretar el pasador guía de la mordaza firmemente y reemplazar todas las presillas antivibratorias.

27. Conectar todos los sensores eléctricos de los forros del freno.

▼ AVISO ▼

Para el funcionamiento seguro y adecuado del sistema de frenos es esencial un líquido de freno limpio y de alta calidad. Se debe comprar siempre el líquido de freno de mayor calidad que esté disponible. Si el líquido de freno se contamina, drenar y lavar el sistema, luego llenar el cilindro maestro con un líquido nuevo. Nunca reutilizar ningún líquido de freno. Cualquier líquido de freno que haya sido retirado del sistema debe ser desechado. Así mismo, no permitir que ningún líquido de freno entre en contacto con una superficie pintada; esto dañará la pintura.

28. Sangrar los frenos, si se reemplazó una tubería o si la mordaza se desacopló de una tubería del freno.

29. Asentar los forros del freno; de otra forma, el vehículo puede deslizarse cuesta abajo fuera del área de trabajo y dentro del tráfico, antes de que los frenos sean efectivos. Esto requiere bombear varias veces el pedal del freno para asentar los forros contra el rotor.

30. Comprobar el nivel del líquido de freno en el depósito y llenarlo completamente, si es necesario.

31. Instalar las ruedas y apretar las tuercas de orejetas.

32. Probar el vehículo en carretera.

MORDAZAS FIJAS

▼ PRECAUCIÓN ▼

¡El polvo de los frenos puede contener amianto! El amianto es dañino para la salud. Nunca utilizar aire comprimido para limpiar ningún componente del freno. Debe utilizarse una máscara

con filtro durante cualquier reparación de frenos.

La mordaza de tipo fija está atornillada con pernos en la articulación de la dirección. Los forros de freno en este estilo de mordaza están típicamente fijados en su lugar por uno o dos pasadores de retención. Otros forros utilizan presillas de sujeción. Puede no ser necesario desmontar los forros de los frenos para desmontar las mordazas.

1. Aflojar las tuercas de orejetas en las ruedas en cuestión.

2. Levantar y soportar con seguridad el vehículo.

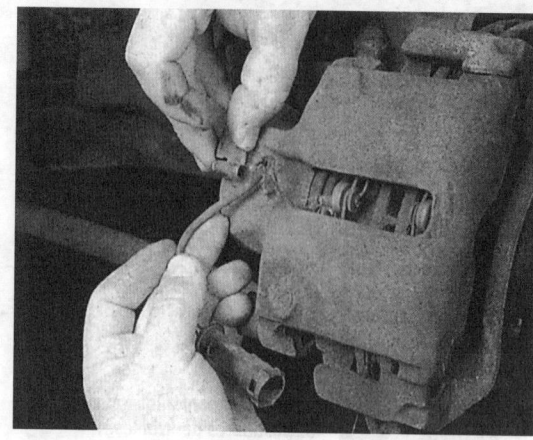

Si lo tiene, soltar el cable del sensor de su presilla de retención...

▼ AVISO ▼

Cualquier líquido de freno que haya sido retirado del sistema debe desecharse. Asimismo, no permitir que ningún líquido de freno entre en contacto con superficies pintadas; esto dañaría la pintura.

3. Desmontar las ruedas.

▼ PRECAUCIÓN ▼

El líquido de freno contiene éteres poliglicosos y poliglicoles. Evitar el contacto con los ojos y lavarse las manos minuciosamente después de manipular líquido de freno. Si cae líquido de freno en los ojos, sumergirlos en agua limpia y circulante por 15 minutos. Si persiste la irritación de los ojos, o si se ha ingerido líquido de freno, buscar asistencia médica INMEDIATAMENTE.

..., entonces alzar la mordaza hacia arriba y afuera del soporte de montaje

4. Extraer un poco de líquido de freno del depósito de líquido de frenos. Utilizar una bomba de succión limpia, una alfombra vieja de cocina o una almohadilla absorbente para hacer esto. Nunca reutilizar ningún líquido de freno.

5. Colocar una bandeja de drenado debajo del área de trabajo. Limpiar el área del forro de freno y el rotor con un atomizador para limpiar frenos.

6. Si lo tiene, desconectar cualquier sensor eléctrico de desgaste del forro de freno.

7. A pesar de que no es necesario para el desmontaje de la mordaza, los forros de freno se pueden desmontar ahora de la mordaza.

8. Aflojar los pernos de montaje de la mordaza.

Asegurarse de anotar la posición de cualquier presilla o muelle en la mordaza

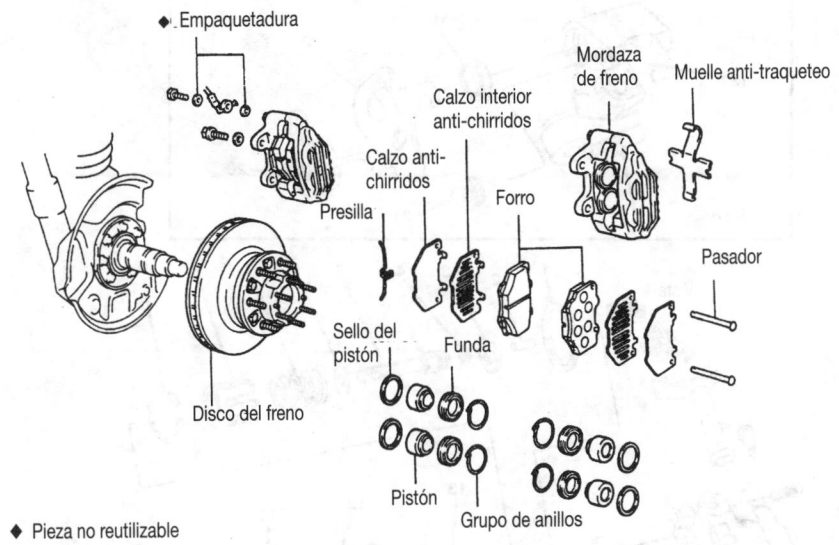

- Empaquetadura
- Mordaza de freno
- Muelle anti-traqueteo
- Calzo interior anti-chirridos
- Calzo anti-chirridos
- Forro
- Presilla
- Pasador
- Sello del pistón
- Funda
- Disco del freno
- Pistón
- Grupo de anillos

◆ Pieza no reutilizable

▲ Vista en despiece de una mordaza fija común de cuatro pistones

9. Si la mordaza se desmonta con el propósito de una reparación o sustitución, aflojar la manguera del freno, desmontar los pernos de la mordaza y desconectar las tuberías del freno.

10. Si la mordaza no requiere reparación o sustitución (en otras palabras, sólo se necesita desmontarla para acceder a algún otro componente), preparar un trozo de cable (percha de ropa), cordón o un trozo de hilo fuerte con el que se pueda colgar la mordaza. NO dejar la mordaza colgada de la manguera de freno; esto puede dañarla y necesitar que sea reemplazada. Desmontar la mordaza y colgarla del alambre.

11. Inspeccionar si la mordaza tiene salideros de líquido, rasgaduras del capuchón guardapolvo o piezas perdidas. Reconstruir o sustituir, si se encuentra algún problema.

12. Inspeccionar si la manguera de goma del freno tiene rajaduras o signos de rozamiento contra la carrocería o elementos de la dirección. Instalar una manguera de goma nueva si existe cualquiera de estas condiciones. También es una buena idea sustituirla si ya lleva más de 10 años, para asegurar el funcionamiento adecuado de los frenos.

13. Inspeccionar si las tuberías de metal tienen corrosión y torceduras provocadas por objetos sueltos de la carretera que golpean los bajos del vehículo. Si se encuentra algún problema, sustituir la tubería.

14. Inspeccionar si el rotor tiene ranuras no maquinadas, tensiones térmicas, rajaduras, vidriado, espesor mínimo de uso y desviaciones del disco. Sustituir el rotor, o maquinarlo, para reparar el daño.

15. Inspeccionar si los forros del freno tienen el espesor mínimo, pérdidas de remaches o vidriado. Instalar forros de freno nuevos, si existe alguno de estos problemas.

Para instalar:

16. Instalar la mordaza y apretar los pernos de montaje de forma segura.

17. Si se desmontó la manguera del freno, reacoplarla a la mordaza. Si las tiene, utilizar dos arandelas de cobre nuevas para el acoplamiento banjo (tornillo hueco de conexión).

18. Si se desmontaron, instalar los forros de freno.

19. Reconectar cualquier conexión eléctrica de los sensores de los forros de freno.

▼ AVISO ▼

Para el funcionamiento seguro y adecuado del sistema de frenos es esencial un líquido de freno limpio y de alta calidad. Se debe comprar siempre el líquido de freno de mayor calidad que esté disponible. Si el líquido de freno se contamina, drenar y lavar el sistema; luego llenar el cilindro maestro con un líquido nuevo. Nunca reutilizar ningún líquido de freno. Cualquier líquido de freno que haya sido retirado del sistema debe ser desechado. No permitir tampoco que ningún líquido de freno entre en contacto con una superficie pintada; esto dañará la pintura.

20. Sangrar los frenos, si se reemplazó una tubería o si la mordaza se desacopló de una tubería del freno.

21. Asentar los forros de freno, de otra forma el vehículo puede deslizarse cuesta abajo, fuera del área de trabajo, y dentro del tráfico, antes de que los frenos sean efectivos. Esto requiere bombear varias veces el pedal del freno para asentar los forros contra el rotor.

22. Comprobar el nivel del líquido de freno en el depósito y llenarlo completamente, si es necesario.

23. Instalar las ruedas y apretar las tuercas de orejetas.

24. Probar el vehículo en carretera.

Mordazas con mecanismo de freno de parqueo integrado

El procedimiento para desmontar o sustituir la mordaza y/o los forros en vehículos equipados con freno de disco diseñados con mecanismo

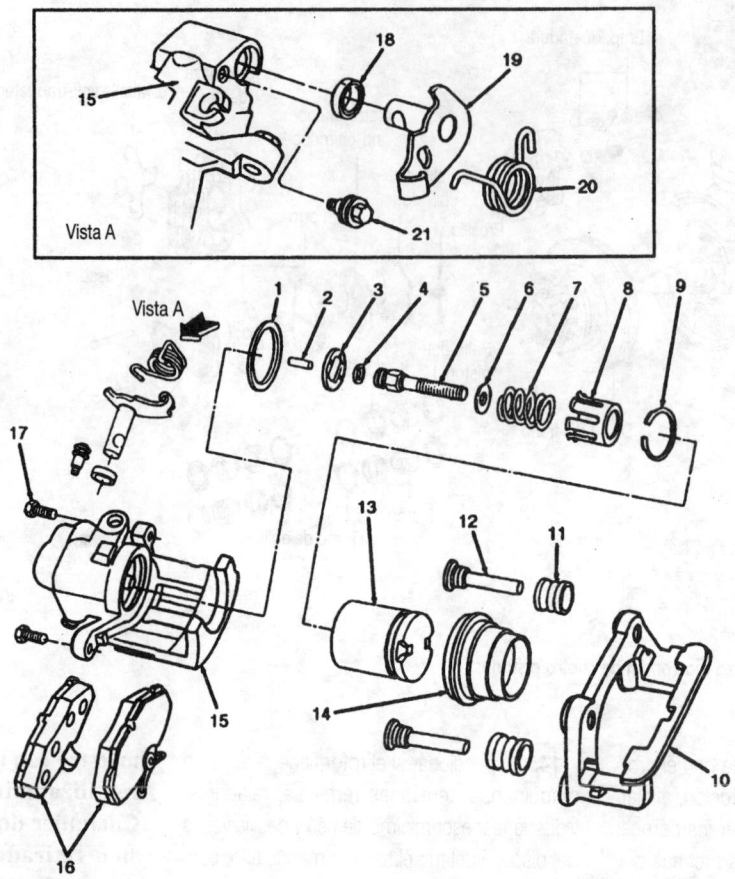

1. Sello del pistón.
2. Pasador.
3. Arandela de situación.
4. Pistón de la mordaza de freno trasera.
5. Barra de empuje.
6. Arandela plana.
7. Muelle.
8. Retenedor del muelle del freno de parqueo.
9. Anillo elástico de retención del pasador de la palanca del freno de parqueo.
10. Soporte de apoyo del disco trasero.
11. Sello de la funda del pasador deslizante (se requieren 2).

12. Pasador de situación de la mordaza de freno de disco.
13. Pistón y ajustador del freno de disco trasero.
14. Guardapolvo del pistón.
15. Mordaza de freno de disco trasero.
16. Zapata y forro de freno.
17. Retención del pasador de freno trasero; apretarlo a 31-35 Nm (23-26 pie-lb).
18. Sello del eje de la palanquilla.
19. Cable del freno de parqueo trasero.
20. Resorte de retorno del freno de parqueo.
21. Perno de limitación; apretarlo a 6-9 Nm (4.5-7.0 pie-lb).

▲ **Vista en despiece de una mordaza típica de un freno trasero con freno de parqueo (aparcamiento) integrado – Notar las muescas con las formas de las cuñas en la cara del pistón (13)**

de parqueo integrado es esencialmente el mismo que el de las mordazas de freno de disco sin freno de parqueo integrado. Normalmente existen dos diferencias importantes entre estos dos diseños de mordaza de frenos de disco.

➡ **Para el actual proceso de desmontaje e instalación de la mordaza, consultar el procedimiento correspondiente explicado antes en esta sección. Leer los dos pro-**cedimientos siguientes y ejecutarlos juntamente con los procedimientos de la mordaza.

DESMONTAJE DEL CABLE DEL FRENO DE PARQUEO

La primera, y más obvia, diferencia es que, de una u otra forma, el cable de parqueo está acoplado a la mordaza. Antes de desmontar la mordaza del rotor, se tiene que desenganchar primero el cable de parqueo de la mordaza. Para desacoplar el cable del freno de parqueo de la mordaza ejecutar lo siguiente:

➡ **Éste es un procedimiento general y puede necesitar una pequeña alteración para aplicarlo completamente a un vehículo específico. La cosa más importante que hay que recordar es inspeccionar con cuidado la mordaza para identificar los componentes pertinentes del cable** del freno de parqueo, antes de desconectar nada.

1. Desatornillar las tuercas de orejetas de las ruedas aplicables.

2. Levantar y soportar con seguridad el vehículo.

➡ **Algunos vehículos, de hecho, pueden estar diseñados con conjuntos de freno de parqueo delantero.**

3. Desmontar las ruedas para un acceso más fácil al conjunto de freno.

4. Liberar la tensión del cable del freno de parqueo.

5. Inspeccionar con cuidado el montaje del cable del freno de parqueo y los puntos de acoplamiento (en la mordaza). La mayoría de los conductos de los cables de freno de parqueo están fijados a un soporte de montaje, con un dispositivo de contratuerca y tuerca con cierre, o bien con una presilla de retención. Desmontar la contratuerca y la tuerca con cierre, o quitar la presilla de retención de la abrazadera; luego desenganchar el conducto del cable del soporte de montaje. Si el vehículo utiliza contratuerca y tuerca con cierre para asegurar el conducto a un soporte, marcar las posiciones de las tuercas en el roscado del conducto del cable, para su reinstalación; si no es posible marcar las roscas, medir (y anotar la medición) desde el extremo del conducto del cable hasta la contratuerca y la tuerca con cierre.

➡ **Con el tubo desacoplado de su soporte de montaje, debe haber suficiente soltura para desenganchar el extremo del cable del freno de parqueo de la palanquilla de la mordaza, o enlace similar. En algunos modelos, puede haber un broche de fijación (presilla, perno, etc.) en el extremo del cable, el cual tiene que desmontarse, antes de que se pueda desacoplar el cable de la mordaza.**

6. Desacoplar el cable del freno de parqueo de la palanquilla de la mordaza, o el enlace. A menudo, el extremo del cable tiene que torcerse hacia arriba y alrededor (o alguna manipulación similar) para desengancharlo de la palanquilla de la mordaza.

7. Desmontar la mordaza, como se describe antes en esta sección. Asegurarse de leer el siguiente procedimiento para el asentamiento del pistón, antes de comenzar con el procedimiento de desmontaje de la mordaza.

Para instalar:

8. Después de instalar la mordaza de freno, como se describe antes en esta sección, reacoplar el extremo del cable del freno de parqueo, en la palanquilla de la mordaza. Si lo tiene, instalar el broche de fijación del extremo del cable.

9. Colocar el conducto del cable en el soporte de montaje; luego instalar las presillas de retención o bien la contratuerca y tuerca con cierre. Si tiene contratuerca y tuerca con cierre, colocar las tuercas en el conducto del cable de manera que las tuercas queden colocadas como antes (utilizando las marcas en las roscas o una regla).

10. Ajustar la tensión del cable del freno de parqueo, como se describe antes en la sección 3.

11. Instalar las ruedas y ajustar las tuercas de orejetas.

12. Bajar el vehículo.

13. Apretar las tuercas de orejetas completamente.

14. Presionar el pedal de freno varias veces para asegurarse de que los forros de freno están completamente asentados.

▼ PRECAUCIÓN ▼

Si no se asientan los frenos antes de conducir el vehículo, las primeras veces que se pise el pedal del freno es posible que el vehículo no se detenga como se esperaba; esto podría conducir a un accidente contra un poste de teléfono o con uno de los vehículos de los vecinos.

ASENTADO DEL PISTÓN DE LA MORDAZA

➡ **Asegurarse de leer esto completamente antes de comenzar con el servicio a la mordaza.**

La segunda diferencia entre las mordazas de freno con y sin mecanismo de freno de parqueo integrado consiste en cómo deben asentarse los pistones de las mordazas en sus cilindros.

Considerando que la mayoría de los pistones de las mordazas que no tienen mecanismo de freno de parqueo integrado pueden ser asentados utilizando una abrazadera grande en C, éste no es usualmente el caso de las mordazas diseñadas con mecanismo de freno de parqueo integrado. La mayoría de las mordazas con freno de parqueo integrado aplican el freno de parqueo presionando el rotor como sigue: cuando se aplica el freno de parqueo, el cable tira de la palanquilla de la mordaza. La palanquilla, en su giro, aplica un movimiento de rotación (haciéndolo girar) al pistón de la mordaza. El pistón está diseñado como un tornillo ordinario, de manera que, cuando se le aplica un movimiento de rotación al pistón, éste presiona lentamente contra el rotor. Para evitar tener que ajustar constantemente la tensión del cable del freno de parqueo a medida que los forros del freno se van desgastando lentamente, el mecanismo interno del freno de parqueo está diseñado con un aparato de trinquete que reajusta automáticamente la tensión del freno de parqueo.

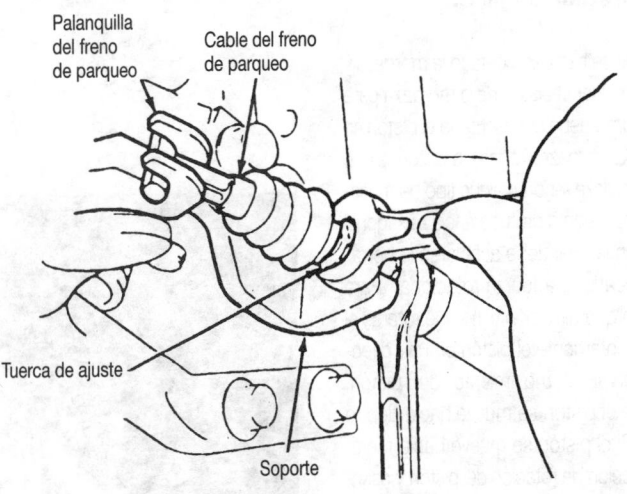

Palanquilla del freno de parqueo

Cable del freno de parqueo

Tuerca de ajuste

Soporte

▲ Si es necesario desmontar el cable del freno de parqueo, inspeccionarlo cuidadosamente para determinar cómo está acoplado y ajustado

Como el pistón está diseñado para sobresalir de su cilindro cuando es girado, normalmente, él no puede ser asentado en su cilindro de la manera convencional (con una abrazadera grande en C).

▼ AVISO ▼

En la mayoría de estas mordazas, si se utiliza una abrazadera en C, o un método similar, para asentar el pistón en su cilindro, se dañará la mordaza más que por el uso. Habrá que comprar una mordaza nueva.

Para asentar el pistón en la mordaza, tiene que utilizarse una llave de tuercas u otro modelo de herramienta específico para girar el pistón volviéndolo hacia atrás, dentro de su cilindro. Sin embargo (y para complicar las cosas), algunas mordazas con freno de parqueo integrado utilizan un dispositivo interno tipo leva y/o palanca, que aplica la presión del freno de parqueo en el rotor, empujando el pistón de la mordaza hacia fuera, en lugar de girarlo. En estos poco comunes tipos de mordaza, se debe utilizar una abrazadera en C, para asentar el pistón dentro del cilindro de la mordaza, justo como en las mordazas que no tienen freno de parqueo integrado. Desgraciadamente, la única forma de decir qué tipo de mordaza se tiene es desmontarla e inspeccionarla.

▼ AVISO ▼

Cuando se desmonten mordazas equipadas con mecanismo de freno de parqueo integrado, NO asentar los forros con una abrazadera tipo C.

Una vez que se han desmontado la mordaza y los forros, examinar el pistón de la mordaza para determinar cómo debe ser asentado el pistón en el cilindro de la mordaza. Todos los pistones que rotan en la mordaza tendrán algún tipo de muesca, ranura, depresión o protuberancia hexagonal en su cara, en la cual debe acoplarse la herramienta y aplicarle una fuerza rotacional. Para determinar en qué dirección tiene que rotarse el pistón, girar lentamente el pistón en una dirección y observar el movimiento del pistón. Asegurar que el pistón se mueve hacia dentro del cilindro. Si el pistón se mueve hacia fuera, invertir la dirección de rotación del pistón y asentar completamente el pistón. Si el pistón no aparenta moverse hacia dentro ni hacia fuera, aplicar una ligera presión hacia dentro con la mano y continuar girando el pistón. Algunos modelos

Utilizar un micrómetro para medir el espesor del rotor y sustituirlo si está por debajo de las especificaciones

Para desmontar el rotor, desmontar la mordaza del freno de disco...

..., luego sacar el rotor hacia fuera con la mano – Rotores no integrales

Si el rotor está equipado con orificios y es difícil de desmontar, puede aflojarse utilizando dos pernos pequeños...

..., después, desmontarlo con la mano – Rotores no integrales

Palanquear para aflojar el tapón de la grasa...

pueden tener un ajustador o un perno de retención detrás de la mordaza que tiene que aflojarse o desmontarse, con el objeto de que el pistón rote entrando.

➡ **En algunos vehículos, los pistones de las mordazas en ambos lados del vehículo tienen que ser rotados en direcciones opuestas. Esto significa que, si el pistón de la mordaza de la derecha tiene que ser rotado en sentido horario, entonces el pistón de la mordaza de la izquierda tiene que rotarse en sentido antihorario (esto SÓLO es un ejemplo).**

Si el pistón no parece moverse hacia dentro o hacia fuera mientras rota, si me mueve hacia dentro mientras se rota en AMBAS direcciones, o si no hay alguna depresión o protuberancia visible donde debería acoplarse una herramienta, es posible que haya una mordaza estilo a presión. Colocar un forro de freno viejo contra la cara del pistón e instalar una abrazadera tipo C en la mordaza. Lenta y suavemente, presionar el pistón hacia dentro de la mordaza. Si el pistón no se mueve hacia dentro, ¡NO lo fuerce! Podemos dañar la mordaza.

Una vez que el pistón está completamente asentado en su cilindro, instalar la mordaza (dependiendo de su tipo: deslizante, flotante o fijo), como se describió antes en esta sección.

ROTORES DE FRENO

INSPECCIÓN

Para inspeccionar el rotor de freno, desmontar la mordaza (sin desconectar la manguera flexible del freno) y los forros. El rotor debe ser maquinado, o reemplazado por uno nuevo, si exhibe alguna de las condiciones siguientes:

- Azulado o excesiva decoloración debido al calor.
- Rajaduras o pérdida de algún trozo.
- Rayado excesivo (pasar la uña sobre el rotor: si se engancha con alguna raya, el rotor debe ser maquinado).
- Excesiva desviación.

El vidriado sobre el rotor puede eliminarse esmerilándolo a mano con papel o tela esmeril de grano medio, o papel o tela de lija de óxido de aluminio.

Utilizar un micrómetro para medir el grosor del rotor de freno. El mínimo espesor permitido de cada rotor de freno está normalmente indicado en el propio rotor. No utilizar un rotor que esté desgastado por debajo del espesor mínimo permitido.

Utilizar un indicador de aguja (esfera) para medir la cantidad de desviación del rotor, mientras rota el rotor del freno. Generalmente, la cantidad máxima de desviación permitida es 0.006 plg (0.15 mm); si la desviación es mayor que esto, reemplazar el rotor por uno bueno. Sin embargo, siempre es mejor tener menos descentramiento del rotor.

DESMONTAJE E INSTALACIÓN

Los rotores se montan de dos formas: directamente sobre el cubo fijado en su lugar por las ruedas o pequeños pernos, a los cuales se les refiere como no integrales (no forman una pieza con el cubo), o integrados con el cubo.

➡ **En algunos vehículos, el fabricante instala presillas de retención sobre una o dos de las tuercas de orejetas de las ruedas, para fijar el rotor durante el montaje. A pesar de que, en general, se piensa que esos retenedores no son necesarios y pueden desecharse, es una buena idea volver a instalarlos de todas formas (es mejor asegurar que tener que lamentar). Otros fabricantes usan uno o dos tornillos pequeños, para plancha de metal, para fijar el rotor en su lugar sobre el cubo; estos tornillos DEBEN volver a instalarse.**

Rotores no integrales

1. Aflojar las tuercas de orejetas en las ruedas aplicables.

2. Levantar y soportar con seguridad el vehículo.

3. Desmontar las ruedas.

4. Limpiar completamente el conjunto del freno, con atomizador limpiador para frenos.

5. Desmontar la mordaza.

6. Si hay algún retenedor del rotor, desmontarlo. El tipo de retenedor de tuerca de presión normalmente se daña durante el desmontaje; desechar los retenedores viejos y comprar nuevos.

7. Desmontar el rotor. En algunos vehículos, el rotor simplemente se desliza fuera del montante de las ruedas. Sin embargo, algunos rotores están metidos a presión en su emplazamiento y tienen que desmontarse atornillando los pernos de apriete en los orificios roscados al efecto, para de este modo, forzar la salida del rotor fuera del cubo. Otros rotores, no equipa-

..., luego desmontarlo del cubo rotor

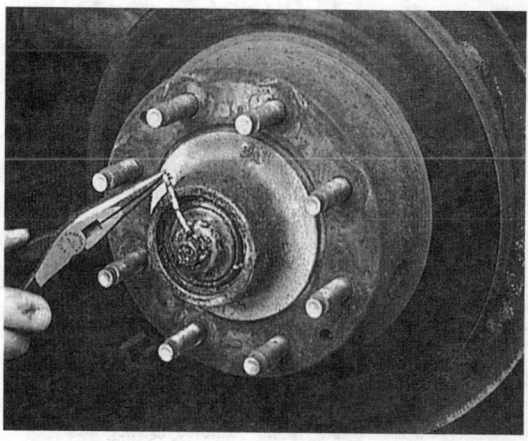

Desmontar el pasador de seguridad ...

..., luego sacar la corona de bloqueo (tuerca almenada) del extremo del eje

Desmontar la tuerca de ajuste...

..., luego sacar el cojinete exterior fuera del cubo (maza)

Desmontar el conjunto cubo/rotor – Cubo/cojinete integral no sellado (excepto rotores delanteros de vehículos de 4 ruedas tractoras)

dos con orificios roscados para pernos de presión hacia fuera, pueden requerir el empleo de un extractor, para desalojarlo del cubo.

➡ **El rotor se puede oxidar en su lugar. Rociar con abundancia el área, con un aceite penetrante, como el WD-40®, Liquid Wrench® o equivalente, y aflojar con golpecitos el rotor.**

Para instalar:
➡ **Los rotores nuevos vienen con la superficie de frenado aceitada con una capa protectora antioxidante. Esta capa puede eliminarse con un limpiador de piezas de freno o con la mayoría de los limpiadores buenos para eliminar aceite. Asegurarse de que todo resto de la capa es eliminado. Dejar secar el rotor antes de su instalación.**

8. Colocar el rotor sobre el cubo e instalar todos los retenedores.

9. Instalar la mordaza.

10. Instalar las ruedas.

11. Bajar el vehículo.

12. Asentar los forros de freno; de otra forma, el vehículo puede deslizarse cuesta abajo, fuera del área de trabajo y dentro del tráfico, antes de que los frenos sean efectivos. Esto requerirá bombear varias veces el pedal del freno, para asentar los forros contra el rotor.

13. Comprobar el sistema de freno para un funcionamiento correcto.

Conjuntos Rotor/Cubo integrales

CONJUNTOS CUBO/COJINETE NO SELLADOS

1. Aflojar las tuercas de orejetas en las ruedas aplicables.

2. Levantar y soportar con seguridad el vehículo.

3. Desmontar las ruedas.

4. Limpiar completamente el conjunto del freno, con atomizador para limpiar frenos.

5. Desmontar la mordaza y suspenderla afuera con un alambre.

6. Desmontar el tapón de la grasa del cubo.

7. Desmontar el pasador de retención y el casquete de bloqueo (tuerca almenada) de la tuerca del cojinete de rueda. Desechar el pasador de retención.

8. Desmontar la tuerca del cojinete de rueda.

➡ En algunos vehículos se utiliza una tuerca de rosca izquierda en el mango de la rueda derecha. Girar esta contratuerca en sentido horario, para desenroscarla.

9. Desmontar el rotor/cubo del freno, arandela y cojinetes, en conjunto. Tener cuidado de no dejar caer el cojinete exterior de la rueda fuera del cubo, durante el desmontaje.

10. Si el rotor de freno va a ser maquinado o sustituido, desmontar los cojinetes de rueda y el sello de grasa.

Para instalar:

➡ Los rotores nuevos vienen con la superficie de frenado aceitada con una capa protectora antioxidante. Esta capa puede eliminarse con un limpiador de piezas de freno o con la mayoría de los limpiadores buenos para eliminar aceite. Asegurarse de que todo resto de la capa es eliminado. Dejar secar el rotor antes de su instalación.

11. Si se desmontó, instalar el cojinete interior de la rueda y un sello de grasa nuevo.

12. Asegurarse de que los cojinetes y el cubo contienen una cantidad adecuada de grasa para cojinetes limpia.

13. Colocar el conjunto rotor/cubo en el mango (mangueta). Mantener el cubo centrado sobre el pivote, para evitar daños en el sello de grasa y en el roscado del mango.

14. Instalar el cojinete exterior de la rueda, la arandela y la tuerca del cojinete de rueda.

15. Ajustar adecuadamente el cojinete de rueda. En la mayoría de vehículos (con cojinetes de rodillos cónicos), esto se hace apretando la tuerca de ajuste hasta que se siente la resistencia al avance en el cojinete mientras se gira el rotor; entonces, desenroscar la tuerca aproximadamente $1/4$ de vuelta (90°). El rotor/cubo debe girar libremente sin juego axial. Si existe alguna duda acerca del procedimiento de ajuste adecuado, consultar en este manual la sección del modelo específico adecuado.

➡ En algunos vehículos (con cojinetes de bolas), la tuerca no es ajustadora sino contratuerca. Apretar esta tuerca a las especificaciones del fabricante.

16. Instalar la cubierta de la tuerca del cojinete de rueda y un pasador de retención nuevo.

17. Instalar la mordaza.

18. Instalar las ruedas y ajustar las tuercas de orejetas.

19. Bajar el vehículo.

20. Apretar las tuercas de orejetas completamente.

21. Asentar los forros de frenos; de otra forma, el vehículo puede deslizarse cuesta abajo fuera del área de trabajo y dentro del tráfico, antes de que los frenos sean efectivos. Esto requerirá bombear varias veces el pedal del freno, para asentar los forros contra el rotor.

22. Comprobar el sistema de freno para un funcionamiento correcto.

CONJUNTOS CUBO/COJINETE SELLADOS

Son los cubos que forman una unidad que contiene el conjunto del cojinete. La unidad cubo/cojinete se sustituye en su conjunto.

1. Aflojar las tuercas de orejetas en las ruedas aplicables.

2. Levantar y soportar con seguridad el vehículo.

3. Desmontar las ruedas.

4. Limpiar el conjunto del freno completamente, con atomizador para limpiar frenos.

5. Desmontar la mordaza y suspenderla apartada con un alambre.

6. En modelos que lo tengan, desconectar el cable sensor del ABS (sistema de frenos antiamarre).

7. Desmontar los pernos o tuercas de retención del cubo, trabajando a través del orificio practicado en el rotor o desde detrás del rotor.

8. Desmontar el conjunto del cubo.

Para instalar:

➡ Los rotores nuevos vienen con la superficie de frenado aceitada, con una capa protectora antioxidante. Esta capa puede eliminarse con un limpiador de piezas de freno o con la mayoría de limpiadores buenos para eliminar aceite. Asegurarse de que todo resto de la capa es eliminado. Dejar secar el rotor antes de su instalación.

9. Limpiar las superficies de montaje del cubo y mango.

10. Instalar el conjunto del cubo y apretar los pernos/tuercas de forma segura.

11. Conectar el cable del ABS, en modelos que lo tengan.

12. Instalar la mordaza.

13. Instalar las ruedas y ajustar a mano las tuercas de orejetas.

14. Bajar el vehículo.

15. Apretar completamente las tuercas de orejetas.

16. Asentar los forros de frenos; de otra forma, el vehículo puede deslizarse cuesta abajo, fuera del área de trabajo y dentro del tráfico, antes de que los frenos sean efectivos. Esto exigirá bombear varias veces el pedal del freno, para asentar los forros contra el rotor.

17. Comprobar el sistema de freno para un funcionamiento correcto.

FRENOS DE TAMBOR

TAMBOR DE FRENO

➡ La mayoría de los vehículos tienen tapones de goma en las placas de anclaje que hay que desmontar para acceder a los ajustadores de freno. Sin embargo, algunos vehículos se construyen con lo que se conoce como tapones desmontables. Son áreas en la placa de soporte que están hechas para ser desmontadas con un martillo y un punzón. Una vez que el tambor está fuera, se desmonta el tapón desmontable y se utiliza un tapón de goma en su lugar.

INSPECCIÓN

➡ Mientras se desmonta el tambor de freno del vehículo, inspeccionar el cilindro de la rueda sobre daños y salideros (fugas).

1. Desmontar el tambor de freno del vehículo.

▼ PRECAUCIÓN ▼

Los forros o las zapatas de frenos viejos pueden contener amianto, el cual se ha determinado que es un agente causante de cáncer. ¡Nunca limpiar las superficies de frenos con aire comprimido! ¡Evitar inhalar polvo de una superficie de freno! Cuando se limpien superficies de freno, utilizar un líquido comercialmente disponible para limpiar frenos.

2. Limpiar completamente el tambor de freno.

3. Inspeccionar el tambor de freno por si tiene rajaduras, arañazos, ranuras profundas,

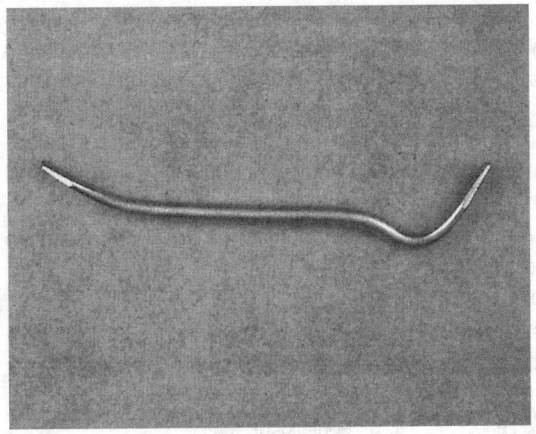

Puede utilizarse una cuchara de freno para retrasar el ajuste de la zapata, de modo que permita el desmontaje del tambor

Para desmontar un tambor de freno montado libre, primero levantar con seguridad el vehículo y desmontar la rueda...

..., luego agarrar el tambor y sacarlo de la brida del eje y las zapatas de freno

etc. Un tambor dañado es inseguro para el uso y debe ser sustituido inmediatamente. No intentar soldar un tambor rajado. Si el tambor muestra arañazos y hay suficiente metal en el diámetro interior del tambor, rectificar el tambor en un taller de mecanizado de automóviles cualificado. Los arañazos ligeros se pueden suavizar utilizando una tela de esmeril.

4. Inspeccionar el tambor por si tiene desgaste excesivo midiendo el diámetro interior del tambor de freno con un calibrador de mordazas. El diámetro interior máximo permisible del tambor debe estar impreso en el mismo tambor.

5. Si el tambor de freno muestra daños, o si el diámetro interior es mayor que el especificado, sustituirlo por uno nuevo.

DESMONTAJE E INSTALACIÓN

Los tambores de freno son componentes separados o una parte integral del conjunto del cubo. Los tambores de freno no integrales están fijados sobre la brida del eje o el cubo por la rueda y tuercas de orejetas; una vez que se desmonta la rueda, el tambor del freno se puede sacar de la brida del eje. Los tambores de freno integrales (con el conjunto del cubo) están combinados a presión con el cubo del cojinete para formar una pieza, lo cual significa que los cojinetes de rueda tienen que ser perturbados (aflojados o desmontados) de una forma u otra, para desmontar el conjunto tambor/cubo.

▼ AVISO ▼

Si es excesivamente difícil desmontar el tambor, aflojar los forros del freno ajustando su posición con una cuchara de freno. A menudo se gana acceso para ajustar los forros de freno a través de un pequeño orificio en la placa de anclaje. Si se fuerza el tambor del freno para sacarlo de una brida de eje, sin aflojar los forros de freno, pueden dañarse componentes del freno o del eje.

Los tambores no integrales (que no son parte del cubo) son normalmente bastante fáciles de desmontar. Sin embargo, siempre hay excepciones en la regla. Hay tambores que están retenidos en el cubo con uno o dos pernos pequeños. Algunos tambores pueden sacarse fuera del cubo instalando dos pernos pequeños en orificios roscados en el tambor; a medida que estos pernos se aprietan, empujan lentamente al tambor fuera del cubo. Ocasionalmente un tambor es difícil de desmontar debido a que se atora sobre la brida del cubo; estos tambores tienen que sacarse palanqueando suavemente entre el tambor y el plato de soporte (anclaje), mientras se aplica aceite penetrante en el punto de contacto del tambor/brida. Algunos vehículos viejos tienen un conjunto de tambor que encaja sobre estrías en el extremo del vástago del eje. Otros se oxidan en su sitio. Si esto ocurre, rociar la zona alrededor de cada espárrago de orejetas y la brida del cubo con un aceite penetrante como el WD-40®, Liquid Wrench® o uno equivalente. Dejar que el aceite penetrante actúe un rato; luego tratar de sacar o palanquear el tambor hacia fuera.

Tambores no integrales

▼ PRECAUCIÓN ▼
Es siempre una buena idea usar protección en los ojos cuando se trabaje en los componentes del freno, especialmente frenos de tambor. Los frenos de tambor utilizan a menudo potentes resortes que podrían causar daños severos en los ojos, si se rompen accidentalmente.

TIPO MONTADOS-LIBRES

▼ PRECAUCIÓN ▼
Las zapatas de los frenos pueden contener amianto, el cual es un conocido agente causante de cáncer. Tan pronto como se desmonte el tambor, rociar generosamente el conjunto completo del freno con limpiador para piezas de freno. Dejarlo secar antes de proceder. Es una buena idea usar una máscara con filtro, cuando se hacen trabajos en frenos.

➡ Algunos vehículos se construyen con retenedores roscados sobre 2 o más espárragos de orejetas, para fijar el tambor en su lugar, durante el montaje. A pesar de que estos retenedores pueden no ser necesarios (de acuerdo con el fabricante), es quizás una buena idea reinstalar de todos modos retenedores nuevos.

1. Aflojar las tuercas de orejetas en las ruedas aplicables.

2. Levantar y soportar con seguridad el vehículo.

3. Desmontar las ruedas.

4. Si es necesario, desmontar y desechar los retenedores que fijan el tambor en el cubo.

5. Si es aplicable, retroceder el ajuste del freno de parqueo.

6. Retorcer el ajuste del freno hasta que las ruedas giren libremente, como sigue:

a. En vehículos con ajustador tipo rueda en estrella: desmontar el tapón en el plato de soporte (anclaje); luego insertar una palanca fina y una cuchara de frenos en la hendidura. Sujetar la palanca de ajuste lejos de la rueda del ajustador con la palanca fina y retroceder la rueda del ajustador con la cuchara de freno.

b. En vehículos con un ajustador de tipo expansión, desmontar el tapón y rotar el tornillo de ajuste (usualmente en movimiento ascendente).

c. En vehículos con ajustador de tipo trinquete, desmontar el tapón e insertar un punzón fino en el agujero hasta que toque el pivote del conjunto de ajuste. Aplicar una presión lateral sobre este punto de pivote para dejar el cuadrante de ajuste en el trinquete y liberar el ajuste de freno.

d. Algunos vehículos, notablemente con ajustadores manuales, utilizan levas de ajuste. En estos vehículos, la leva puede girarse hacia atrás desde detrás del plato de soporte (anclaje).

7. Sujetar fuerte el tambor y sacarlo del cubo.

➡ En algunos vehículos, el tambor no sale incluso con las zapatas completamente aflojadas. Esto se debe a que el tambor roza con el saliente del cubo. La vía más segura para desmontar el tambor, cuando esto ocurre, es rociar el punto de roce con lubricante y palanquear con cuidado entre el cubo y el plato de soporte. Utilizar una palanca pequeña y palanquear en varios puntos, mientras se gira el tambor. También ayuda dar, de vez en cuando, golpecitos en el cubo con un mazo de bronce.

8. Rociar completamente el conjunto de la zapata de freno con un limpiador para piezas de freno y dejarlo secar. Del mismo modo, rociar el interior del tambor.

9. Inspeccionar si el tambor tiene desgaste y/o daños, como ranuras profundas, excesiva delgadez, rajaduras, etc. Maquinar o reemplazar el tambor, si es necesario. Cuando se maquine, respetar la especificación del diámetro máximo. El diámetro máximo de maquinado está estampado dentro del tambor. Si la superficie de frenado del tambor muestra signos de decoloración azul, indica sobrecalentamiento. Si el azulado es extenso, el tambor tiene que ser reemplazado. Un azulado extenso indica un debilitamiento del metal.

Para instalar:

➡ Los tambores nuevos vienen con la superficie de frenado aceitada con una capa protectora antioxidante. Esta capa puede eliminarse con un limpiador de piezas de freno o con la mayoría de limpiadores buenos para eliminar el aceite. Asegurarse de que todo resto de la capa

Si está equipado con orificios roscados, es posible presionar un tambor tipo de ajuste fuerte, para sacarlo del cubo, utilizando pernos, como se muestra

es eliminado. **Dejar secar el tambor antes de su instalación.**

10. Si se va a instalar un tambor de freno nuevo, eliminar la capa protectora de la superficie interior de frenado.

11. Ajustar las zapatas de freno sólo un poco menos que el diámetro interior del tambor de freno.

12. Deslizar el tambor de freno sobre el cubo. Asegurarse de que las zapatas de freno no encuentran resistencia al avance sobre el tambor de freno. Instalar los retenedores de tambor de freno nuevos.

13. Instalar las ruedas y apretar las tuercas de orejetas en un modelo de estrella, hasta que esté firme.

14. Ajustar las zapatas del freno.

15. Ajustar el freno de parqueo.

16. Instalar el tapón de goma en el orificio de acceso.

17. Bajar el vehículo. Para activar los ajustadores, algunos vehículos requieren tirar rápido varias veces de la palanca del freno de parqueo. En la mayoría, sin embargo, deben hacerse con el vehículo recorridos cortos de marcha atrás (reversa), de alrededor de 10 pies (3 m) cada uno.

18. Probar el vehículo en carretera y comprobar el funcionamiento correcto del freno.

TIPO AJUSTE POR FUERZA

▼ PRECAUCIÓN ▼

Las zapatas de los frenos pueden contener amianto, el cual es un conocido agente causante de cáncer. Tan pronto como se desmonte el tambor, rociar generosamente el conjunto completo del freno con limpiador para piezas de freno. Dejarlo secar antes de proceder. Es una buena idea usar una máscara con filtro, cuando se hacen trabajos en el freno.

1. Aflojar las tuercas de orejetas en las ruedas aplicables.

2. Levantar y soportar con seguridad el vehículo.

3. Desmontar las ruedas.

4. Si es necesario, desmontar y desechar los retenedores que sujetan el tambor en el cubo.

5. Si es aplicable, quitar el ajustador del freno de parqueo.

6. Quitar el ajustador del freno hasta que las ruedas roten libremente, como sigue:

a. En vehículos con un ajustador de tipo rueda en estrella: desmontar el tapón del plato de soporte luego insertar una palanca fina y una cuchara de freno en la hendidura. Sujetar la palanca de ajuste separada de la rueda del ajustador con la palanca fina y retroceder la rueda del ajustador con la cuchara del freno.

b. En vehículos con un ajustador de tipo expansión, desmontar el tapón y rotar el tornillo de ajuste (usualmente en movimiento ascendente).

c. En vehículos con ajustador de tipo trinquete, desmontar el tapón e insertar un punzón fino en el agujero hasta que toque el pivote del conjunto de ajuste. Aplicar una presión lateral en este punto de pivote para dejar el cuadrante de ajuste en el trinquete y liberar el ajuste de freno.

d. Algunos vehículos, notablemente con ajustadores manuales, utilizan levas de ajuste. En estos vehículos, la leva puede girarse hacia atrás desde detrás del plato de soporte.

7. Enroscar pernos del tamaño adecuado en los agujeros previstos en el tambor, hasta que cada uno de ellos toque el cubo. Girar los pernos uniformemente, un poco cada vez, hasta que el tambor se deslice libre.

8. Agarrar el tambor y desmontarlo de la brida del eje, o del conjunto del cubo. Desmontar los pernos forzantes.

9. Rociar completamente el conjunto de la zapata de freno con un limpiador para piezas de freno y dejarlo secar. Del mismo modo, rociar el interior del tambor.

10. Inspeccionar si el tambor tiene desgaste y/o daños, como ranuras profundas, excesiva delgadez, rajaduras, etc. Maquinar o reemplazar el tambor si es necesario. Cuando se maquine, respetar la especificación del diámetro máximo. El diámetro máximo de maquinado está estampado dentro del tambor. Si la superficie de frenado del tambor muestra signos de decoloración azul, indica sobrecalentamiento. Si el azulado es extenso, el tambor tiene que ser reemplazado. Un azulado extenso indica un debilitamiento del metal.

Para instalar:

➡ **Los tambores nuevos vienen con la superficie de frenado aceitada con una capa protectora antioxidante. Esta capa puede eliminarse con un limpiador de piezas de freno o con la mayoría de los limpiadores buenos para eliminar el aceite. Asegurarse de que todo resto de la capa es eliminado. Dejar secar el tambor antes de su instalación.**

11. Si se va a instalar un tambor de freno nuevo, eliminar la capa protectora de la superficie interior de frenado.

12. Ajustar las zapatas del freno para adaptarlas al diámetro interior del tambor de freno.

13. Deslizar el tambor de freno sobre el cubo. Instalar 2 tuercas de orejetas de ruedas y apretarlas, forzando el tambor dentro de su sitio sobre el cubo. Desmontar las tuercas de orejetas, luego, si los tiene, instalar retenedores de tambor nuevos.

14. Instalar las ruedas.

15. Ajustar las zapatas de freno.

16. Ajustar el freno de parqueo.

17. Instalar el tapón de goma en el orificio de acceso.

18. Bajar el vehículo. Para activar los ajustadores, algunos vehículos requieren tirar rápido de la palanca del freno de parqueo, varias veces. En la mayoría, sin embargo, deben hacerse con el vehículo recorridos cortos de marcha atrás (reversa), de alrededor de 10 pies (3 m) cada uno.

19. Probar el vehículo en carretera y comprobar el funcionamiento correcto del freno.

TIPO EMPERNADO EN SU LUGAR

▼ PRECAUCIÓN ▼

Las zapatas de los frenos pueden contener amianto, el cual es un conocido agente causante de cáncer. Tan pronto como se desmonte el tambor, rociar generosamente el conjunto completo del freno con limpiador para piezas de freno. Dejarlo secar antes de proceder. Es una buena idea usar una máscara con filtro cuando se hacen trabajos en el freno.

1. Aflojar las tuercas de orejetas en las ruedas aplicables.

2. Levantar y soportar con seguridad el vehículo.

3. Desmontar las ruedas.

4. Si es aplicable, retroceder el ajustador del freno de parqueo.

5. Retroceder el ajuste del freno hasta que las ruedas roten libremente, como sigue:

a. En vehículos con ajustador de tipo rueda en estrella: desmontar el tapón del disco de soporte (anclaje); luego insertar una palanca fina y una cuchara de freno en la hendidura. Sujetar la palanca de ajuste separada de la rueda del ajustador con la palanca fina y retroceder la rueda del ajustador con la cuchara de freno.

b. En vehículos con un ajustador de tipo expansión, desmontar el tapón y rotar el tornillo de ajuste (usualmente en movimiento ascendente).

c. En vehículos con ajustador de tipo trinquete, desmontar el tapón e insertar un punzón fino en el agujero, hasta que toque el pivote del conjunto de ajuste. Aplicar una presión lateral en este punto de pivote para dejar el cuadrante de ajuste en el trinquete y liberar el ajuste del freno.

d. Algunos vehículos, notablemente con ajustadores manuales, utilizan levas de ajuste. En estos vehículos, la leva puede girarse hacia atrás desde detrás del plato de soporte.

6. Desmontar los pernos de acoplamiento del tambor con el cubo.

7. Agarrar el tambor y desmontarlo de la brida del eje, o del conjunto del cubo.

8. Rociar completamente el conjunto del freno con un limpiador para piezas de freno y dejarlo secar. De forma similar, rociar el interior del tambor.

➡ En algunos vehículos, el tambor no sale fuera incluso con las zapatas completamente aflojadas. Esto se debe a que el tambor roza con el saliente del cubo. La vía más segura para desmontar el tambor, cuando esto ocurre, es rociar el punto de roce con lubricante y palanquear con cuidado entre el cubo y el plato de soporte. Utilizar una palanca pequeña y palanquear en varios puntos, mientras se gira el tambor. También

ayuda dar, de vez en cuando, golpecitos en el cubo con un mazo de bronce.

9. Inspeccionar si el tambor tiene desgaste y/o daños, como ranuras profundas, excesiva delgadez, rajaduras, etc. Maquinar o reemplazar el tambor, si es necesario. Cuando se maquine, respetar la especificación del diámetro máximo. El diámetro máximo de maquinado está estampado dentro del tambor. Si la superficie de frenado del tambor muestra signos de decoloración azul, indica sobrecalentamiento. Si el azulado es extenso, el tambor tiene que ser reemplazado. Un azulado extenso indica un debilitamiento del metal.

Para instalar:

➡ Los tambores nuevos vienen con la superficie de frenado aceitada con una capa protectora antioxidante. Esta capa puede eliminarse con un limpiador de piezas de freno o con la mayoría de limpiadores buenos para eliminar aceite. Asegurarse de que todo resto de capa es eliminado. Dejar secar el tambor antes de su instalación.

10. Si se va a instalar un tambor de freno nuevo, eliminar la capa protectora de la superficie interior de frenado.

11. Ajustar las zapatas de freno para adaptarlas al diámetro interior del tambor de freno.

12. Deslizar el tambor en el cubo. Asegurarse de que las zapatas de freno no están rozando con el tambor de freno.

13. Instalar los pernos de acoplamiento del tambor con el cubo y apretarlos firmemente.

14. Instalar las ruedas.

15. Ajustar el freno como sigue:

a. Ajustar las zapatas del freno de manera que se pueda sentir una ligera resistencia al arrastre, o escuchar un ruido raspante proveniente de la rueda cuando se gire.

b. Retroceder el ajuste a las zapatas hasta que la resistencia al arrastre ya no se sienta tanto, o el ruido raspante ya no se sienta.

16. Ajustar el freno de parqueo.

17. Instalar el tapón de goma en el orificio de acceso.

18. Bajar el vehículo. Para activar los ajustadores, algunos vehículos requieren tirar rápido de la palanca del freno de parqueo varias veces. En la mayoría, sin embargo, deben hacerse con el vehículo recorridos cortos de reversa (marcha atrás), de alrededor de 10 pies (3 m) cada uno.

19. Probar el vehículo en carretera y comprobar el funcionamiento correcto del freno.

Conjuntos integrales tambor/cubo

▼ PRECAUCIÓN ▼

Es siempre una buena idea usar protección en los ojos cuando se trabaje en los componentes del freno, especialmente frenos de tambor. Los frenos de tambor a menudo utilizan potentes resortes que podrían causar daños severos en los ojos si, accidentalmente, se rompen.

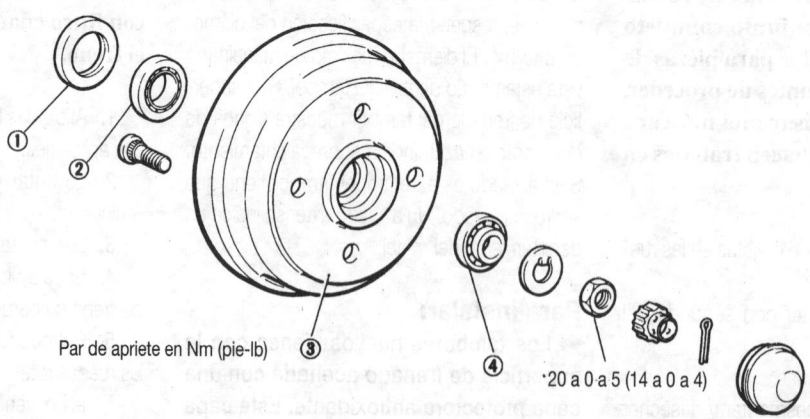

Par de apriete en Nm (pie-lb) ③   ④   ·20 a 0 a 5 (14 a 0 a 4)

1. Sello de aceite.
2. Cojinete interior.
3. Tambor de freno.
4. Cojinete exterior.

▲ Vista en despiece de un conjunto típico cubo integral de tambor, mostrando la colocación de los cojinetes interior y exterior de la rueda

Algunos tambores delanteros de vehículos con tracción trasera (RWD) y algunos tambores traseros de vehículos con tracción delantera (FWD) se diseñan con el cubo cojinete como un conjunto integral con el tambor.

▼ PRECAUCIÓN ▼

Las zapatas de freno pueden contener amianto, el cual es un conocido agente causante de cáncer. Tan pronto como se desmonte el tambor, rociar generosamente el conjunto completo del freno con limpiador para piezas de freno. Dejarlo secar antes de proceder. Es una buena idea usar una máscara con filtro, cuando se hacen trabajos en el freno.

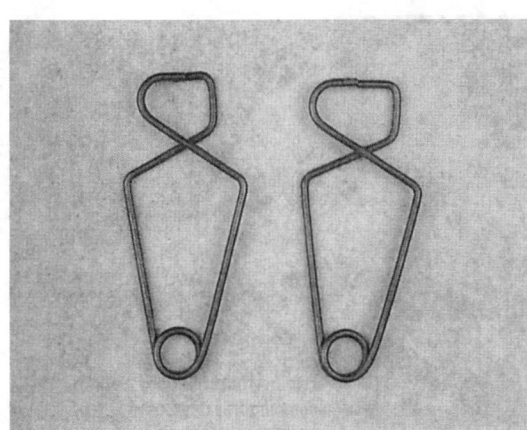

Herramientas de sujeción con resorte, como éstas que se muestran, pueden sujetar los pistones de los cilindros de rueda, mientras se revisan las zapatas

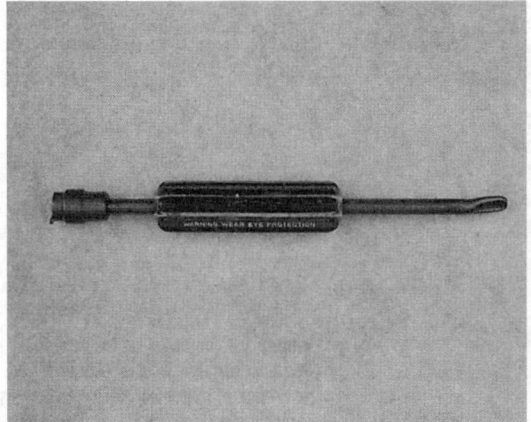

Hay disponibles diversas variedades de herramientas de desmontaje e instalación de resortes, como ésta recta...

1. Levantar y soportar con seguridad el vehículo.

2. Desmontar las ruedas.

3. Si es aplicable, retroceder el ajuste del freno de parqueo.

4. Retroceder el ajuste del freno hasta que las ruedas roten libremente, como sigue:

a. En vehículos con ajuste tipo rueda en estrella: desmontar el tapón del plato de soporte; luego insertar una palanca fina y una cuchara de freno en la hendidura. Sujetar la palanca de ajuste separada de la rueda del ajustador con la palanca fina y retroceder la rueda del ajustador con la cuchara de freno.

b. En vehículos con un ajustador de tipo expansión, desmontar el tapón y rotar el tornillo de ajuste (usualmente en movimiento ascendente).

c. En vehículos con ajustador de tipo trinquete, desmontar el tapón e insertar un punzón fino en el agujero hasta que toque el pivote del conjunto de ajuste. Aplicar una presión lateral en este punto de pivote para dejar el cuadrante de ajuste en el trinquete y liberar el ajuste del freno.

d. Algunos vehículos, notablemente con ajustadores manuales, utilizan levas de ajuste. En estos vehículos, la leva puede girarse hacia atrás desde detrás del plato de soporte.

5. Desmontar la tapa de grasa del cubo.

6. Desmontar el pasador de retención y la cubierta de la tuerca de ajuste del cojinete de rueda. Desechar el pasador de retención.

7. Desmontar la tuerca del cojinete de rueda.

▼ AVISO ▼

En algunos vehículos se utiliza una tuerca de rosca izquierda en la mangueta de la rueda derecha. Girar esta contratuerca en sentido horario para desenroscarla, de otra forma se podría dañar el roscado de la mangueta (mango).

8. Desmontar el tambor de freno arandelas y cojinetes, como un conjunto. Tener cuidado de no dejar caer el cojinete de rueda exterior fuera del cubo, durante el desmontaje.

9. Rociar a fondo el conjunto del freno, con un limpiador para piezas de freno y dejarlo secar. De forma similar, rociar el interior del tambor.

10. Inspeccionar si el tambor tiene desgaste y/o daños, como ranuras profundas, excesiva delgadez, rajaduras, etc. Maquinar o reemplazar el tambor, si es necesario. Cuando se maquine, respetar la especificación de diámetro máximo. El diámetro máximo de maquinado está estampado en el tambor. Si la superficie de frenado del tambor muestra signos de decoloración azul, indica sobrecalentamiento. Si el azulado es extenso, el conjunto tambor/cubo tiene que ser reemplazado. Un azulado extenso indica un debilitamiento del metal.

➡ Si el tambor de freno va a ser maquinado o sustituido, desmontar el cojinete interior de la rueda y el sello de grasa.

Para instalar:

➡ Los tambores nuevos vienen con la superficie de frenado aceitada con una capa protectora antioxidante. Esta capa puede eliminarse con un limpiador de piezas de freno o con la mayoría de limpiadores buenos para eliminar aceite. Asegurarse de que todo resto de capa es eliminado. Dejar secar el tambor antes de su instalación.

11. Si se va a instalar un tambor de freno nuevo, eliminar la capa protectora de la superficie interior de frenado.

12. Si se desmontó, instalar el cojinete de rueda interior y un sello de grasa nuevo.

13. Asegurarse de que los cojinetes y el cubo contienen una adecuada cantidad de grasa limpia para cojinetes de rueda.

14. Ajustar la distancia entre las zapatas de freno para adaptarlas al diámetro interior del tambor de freno.

15. Colocar el tambor de freno en el mango. Mantener el tambor centrado en el mango para evitar daños en el sello de grasa y en el roscado del mango (mangueta).

16. Instalar el cojinete de rueda exterior, la arandela y la tuerca del cojinete de rueda.

17. Ajustar el cojinete de rueda correctamente; consultar la sección adecuada del modelo específico, en este manual.

18. Instalar la cubierta de tuerca del cojinete de rueda y un pasador de retención nuevo.

19. Instalar la tapa de grasa del cubo.

20. Instalar las ruedas.

21. Ajustar las zapatas de freno.

22. Ajustar el freno de parqueo.

23. Instalar el tapón de goma en el orificio de acceso.

24. Bajar el vehículo. Para activar los ajustadores, algunos vehículos requieren tirar rápido de la palanca del freno de parqueo varias veces. En la mayoría, sin embargo, deben hacerse con el vehículo recorridos cortos de retroceso (en reversa), de alrededor de 10 pies (3 m) cada uno.

25. Probar el vehículo en carretera y comprobar el funcionamiento correcto del freno.

ZAPATAS DE FRENO

INFORMACIÓN GENERAL

La mayoría de los vehículos utilizan dos zapatas primaria, delantera, de ataque o conductora/arrastrada secundaria o reversa, del tipo de expansión interna en el tambor de freno, con mecanismos auto-ajustables. El mecanismo auto-ajustable puede tener varias formas,

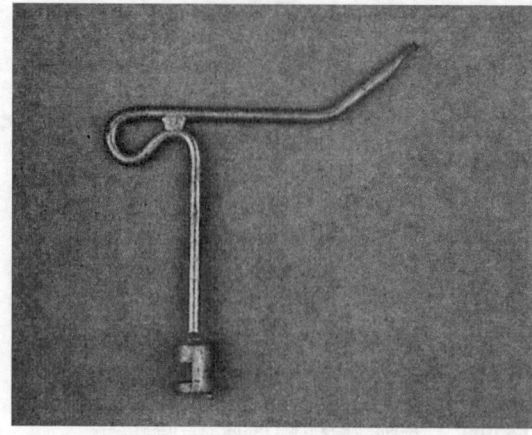

... y esta otra curvada – La forma de esta herramienta está diseñada para hacer más palanca durante su uso

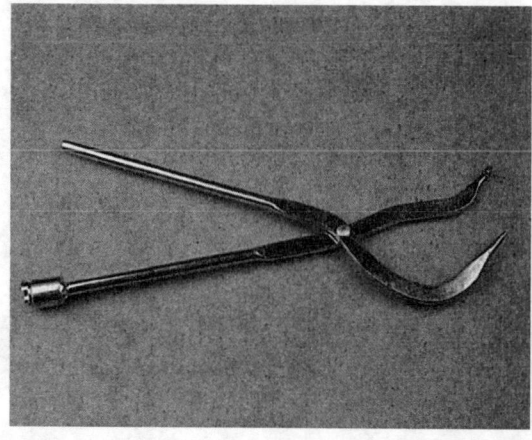

Esta herramienta para resortes combina tres diferentes herramientas en una

Limpiar los conjuntos de las zapatas de freno con una solución líquida de limpieza, nunca con aire comprimido

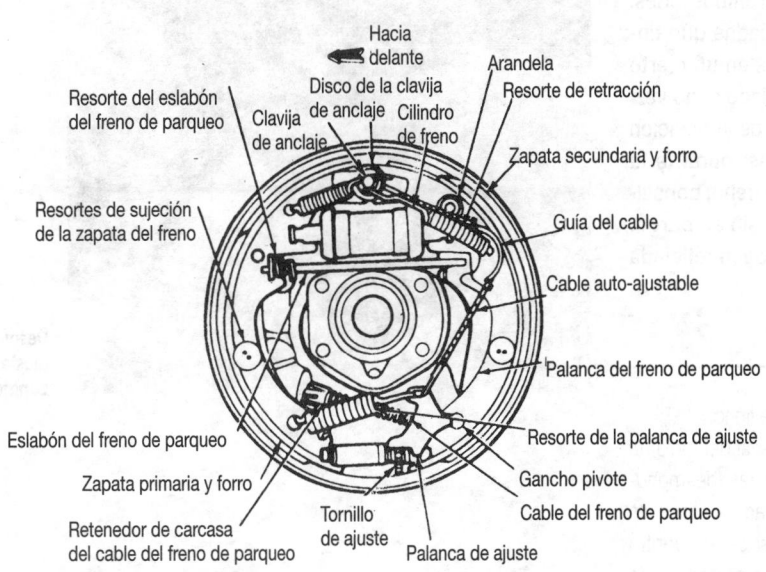

Hacia delante

Disco de la clavija de anclaje

Clavija de anclaje

Cilindro de freno

Arandela

Resorte de retracción

Resorte del eslabón del freno de parqueo

Resortes de sujeción de la zapata del freno

Zapata secundaria y forro

Guía del cable

Cable auto-ajustable

Palanca del freno de parqueo

Eslabón del freno de parqueo

Zapata primaria y forro

Retenedor de carcasa del cable del freno de parqueo

Tornillo de ajuste

Palanca de ajuste

Resorte de la palanca de ajuste

Gancho pivote

Cable del freno de parqueo

Freno trasero de 10 plg (lado izquierdo)

▲ Identificar los componentes del freno y anotar su ubicación antes de desmontar el conjunto del freno

Una herramienta especialmente diseñada para frenos puede hacer mucho más fácil la desconexión del resorte de retorno superior – Doble resorte de retorno y ajustador tipo rueda de estrella

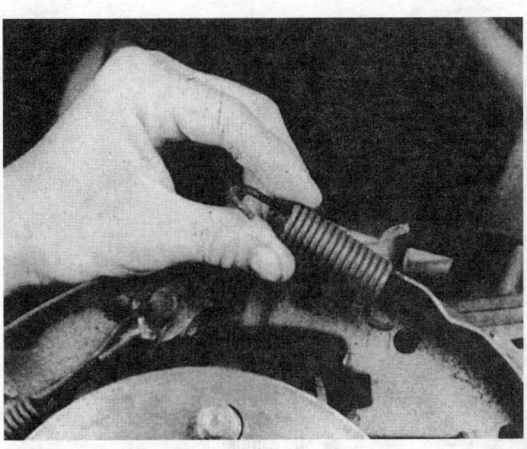

Soltar los resortes de retorno superiores: primero del perno de anclaje, luego de las zapatas del freno

pero la gran mayoría utiliza el tipo rueda de estrella, localizado entre los extremos inferiores de las dos zapatas, o el tipo de trinquete, localizado directamente debajo del cilindro de la rueda. Cuando se utiliza el tipo de ajuste por trinquete, los extremos bajos de las zapatas de freno descansan normalmente en un disco de anclaje.

➡ En algunos vehículos, notablemente en aquellos con los cubos traseros unidos, y algunos vehículos con ejes completamente flotantes, no sólo tiene que desmontarse el tambor de freno, sino que también tiene que desmontarse el conjunto del cubo.

▼ PRECAUCIÓN ▼

Las zapatas de freno tienen que sustituirse como un juego por eje. Esto es, no sustituir sólo las zapatas en un lado del vehículo. Sustituirlas en ambos lados. Sustituir las zapatas en un solo lado traerá como consecuencia un deficiente comportamiento del frenado. Además, si las zapatas están más desgastadas en un lado que en el otro, es que hay un funcionamiento defectuoso del sistema de frenos. Inspeccionar el sistema de frenos; si es necesario, reparar el problema antes de proceder.

➡ No es una buena idea desmontar al mismo tiempo los frenos en ambos lados. Hay muchas piezas implicadas que tienen que ser reemplazadas en un cierto orden. Trabajar sólo en un lado cada vez. Si se llega a estar confuso de la posición particular de varias piezas, durante la sustitución de la zapata de freno, consultar el otro lado. Recordar, sin embargo, que el otro lado es una imagen reflejada (todo está invertido).

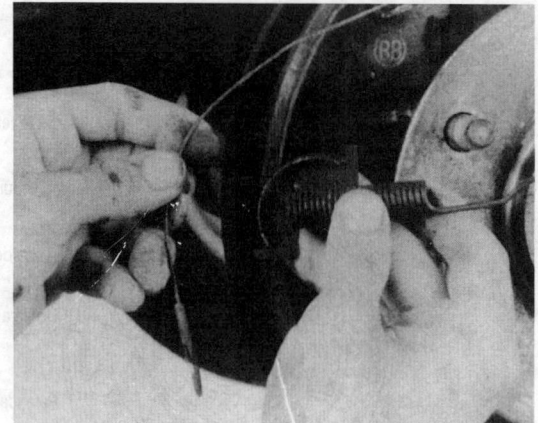

Después desmontar el cable de ajuste de la guía y la guía de la zapata del freno

INSPECCIÓN

1. Desmontar el tambor de freno.

2. Inspeccionar si el material del forro de la zapata de freno tiene rajaduras, desmenuzados o evidencia de humedad. Sustituir las zapatas por otras nuevas, si se encuentra alguno de estos daños. Si la presencia de humedad es evidente, reparar el componente que tiene salideros (fugas) antes de instalar las zapatas nuevas.

3. Medir el espesor del forro de la zapata de freno (sin incluir la base de la zapata). Generalmente, el mínimo espesor permisible del forro es o $1/16$ plg (1.6 mm) sobre la cabeza del remache (para forros montados con remache) o $3/32$ plg (2.4 mm) desde la base de la zapata (para forros pegados).

4. Si uno de los forros de freno está desgastado o por debajo del límite permisible, tienen que sustituirse las cuatro zapatas de freno traseras.

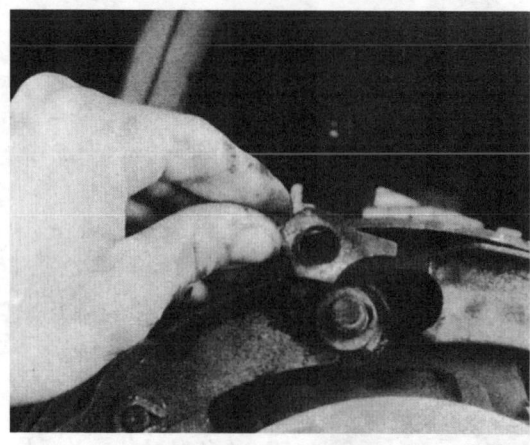

Desmontar la placa de bloqueo del anclaje

▼ AVISO ▼

Nunca pulir el revestimiento del forro de la zapata con papel de lija, debido a que las partículas duras del papel de lija se pueden quedar incrustadas en el forro, lo cual dañará el rotor del freno. Si el forro de la zapata está dañado o excesivamente desgastado, o desigualmente desgastado, reemplazar las zapatas por otras nuevas.

5. Instalar el tambor de freno.

DESMONTAJE E INSTALACIÓN

▼ PRECAUCIÓN ▼

Las zapatas de freno pueden contener amianto, el cual es un conocido agente causante de cáncer. Tan pronto como se desmonte el tambor, rociar generosamente el conjunto completo del

Luego desmontar los resortes de sujeción, retenedores y clavijas de ambas zapatas – Doble resorte de retorno y ajustador tipo rueda de estrella

Levantar las zapatas sacándolas de la placa del anclaje

Luego desacoplar el cable del freno de parqueo de la palanca – Doble resorte de retorno y ajuste tipo rueda de estrella

Otra forma de desmontar las zapatas de un grupo de doble resorte es empujando el cable de ajuste hacia la zapata...

freno con limpiador para piezas del freno. Dejarlo secar, antes de proceder. Es una buena idea usar una máscara con filtro, cuando se hacen trabajos en el freno.

Modelos con doble resorte de retorno y ajustador de tipo rueda de estrella

▼ PRECAUCIÓN ▼

Es siempre una buena idea usar protección en los ojos cuando se trabaje en los componentes del freno, especialmente en frenos de tambor. Los frenos de tambor a menudo utilizan potentes resortes que podrían causar daños severos en los ojos si se rompen accidentalmente.

1. Desmontar el tambor de freno.

2. Rociar completamente el conjunto del freno con un limpiador para piezas de freno y dejarlo secar. De forma similar, rociar el interior del tambor.

3. Inspeccionar si el tambor tiene desgaste y/o daños, como ranuras profundas, excesiva delgadez, rajaduras, etc. Maquinar o reemplazar el tambor, si es necesario. Cuando se maquine, respetar la especificación de diámetro máximo. El diámetro máximo de maquinado está estampado en el tambor. Si la superficie de frenado del tambor muestra signos de decoloración azul, indica sobrecalentamiento. Si el azulado es extenso, el tambor tiene que ser reemplazado. Un azulado extenso indica un debilitamiento del metal.

➡ Anotar la localización de todos los resortes y presillas, para un montaje correcto. Si se tiene disponible una cámara instantánea, puede ser buena idea tomar una fotografía del conjunto del freno con el tambor desmontado. Esto hará el montaje posterior mucho más fácil.

4. Retraer completamente el ajustador, rotando la rueda de estrella para liberar la tensión del resorte inferior.

5. Desmontar el conjunto de la rueda de estrella y palanca de ajuste de en medio de las dos zapatas de freno.

6. Utilizando una herramienta para resortes de freno, desmontar los 2 resortes de retorno superiores.

7. Desmontar el cable de ajuste y la guía del cable.

8. Desmontar el disco del bloque de anclaje.

9. Utilizando una herramienta para sujeción de resortes, o unos alicates, mientras con una mano se sujeta la parte trasera de la clavija de montaje del resorte, presionar hacia dentro sobre la placa de sujeción del resorte, girarla ligeramente para alinear las muescas y las orejas de la clavija; luego desmontar el conjunto del resorte de sujeción con la otra mano. Desmontar el otro resorte de sujeción de la misma manera.

10. Sacar las zapatas de los pasadores y desmontar los pasadores del plato de soporte.

11. Desmontar el eslabón del freno de parqueo (aparcamiento).

12. Retrasar el muelle del cable del freno de parqueo y girar y sacar el cable de la palanca del freno de parqueo.

13. La palanca del freno de parqueo está sujeta en la zapata trasera con una presilla de herradura. Abrir la presilla y desmontar la palanca y la arandela.

Para instalar:

14. Limpiar completamente y secar el plato de soporte y el conjunto de la rueda de estrella.

15. Lubricar los salientes del plato de soporte, la superficie del disco de anclaje y el roscado de la rueda de estrella, y los puntos de contacto, con grasa de silicona. La grasa de alta temperatura para cojinetes de rueda o la grasa sintética también sirven para esta aplicación.

▼ PRECAUCIÓN ▼

Cuando se aplique lubricante al plato de soporte y otros componentes, no utilizar un exceso de grasa que pueda llegar a esparcirse sobre el material de fricción de las zapatas de freno nuevas. Esto puede afectar adversamente al comportamiento de las zapatas de freno nuevas; por consiguiente, aumenta la distancia de frenado del vehículo.

16. Insertar el espárrago/pivote de la palanca del freno de parqueo, a través del orificio practicado en la zapata trasera; luego instalar una arandela ondulada nueva y la presilla de herradura. Apretar los extremos de la presilla hasta que la presilla no pueda salirse del espárrago/pivote de la palanca.

17. Conectar el cable del freno de parqueo en la palanca.

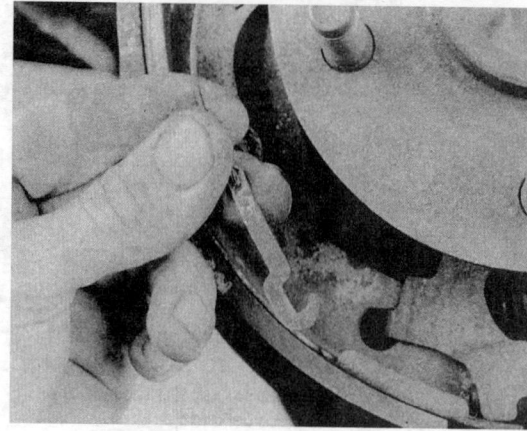

... y desconectar el gancho pivote de la palanca de ajuste. Enrollar la rueda de estrella del todo

Desconectar el resorte de retorno de la palanca de ajuste, de la palanca...

... y desmontar el resorte y la palanca – Doble resorte de retorno y ajustador tipo rueda de estrella

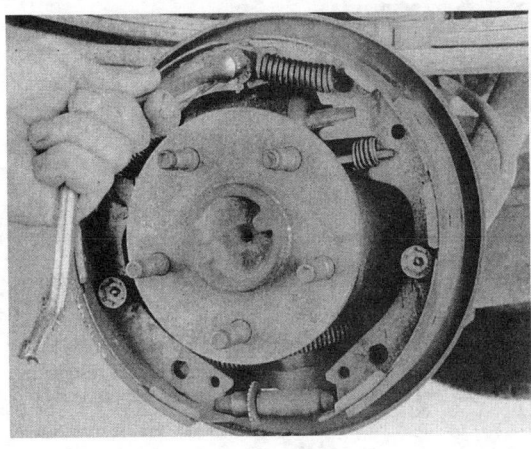

Después, utilizando una herramienta para desmontar resortes de freno

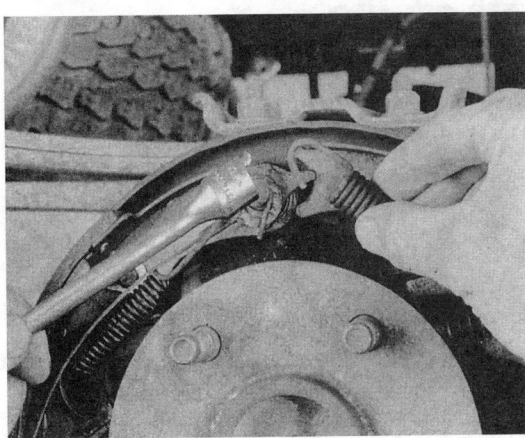

... desconectar el resorte de retorno de la zapata de freno primaria de la clavija de anclaje

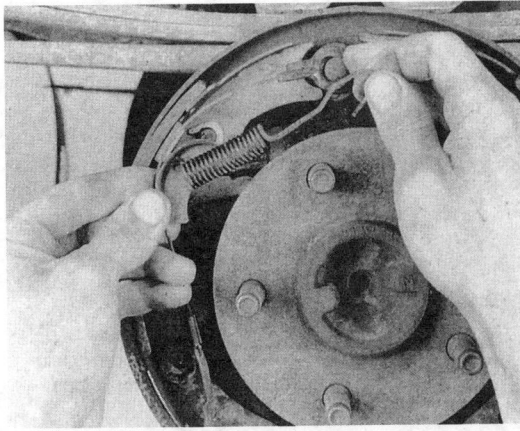

Repetir el procedimiento y desmontar el resorte de retorno secundario, el cable de ajuste y su guía

18. Colocar el conjunto de la zapata trasera en el plato de soporte e instalar el pasador de sujeción y el conjunto del resorte.

19. Instalar la zapata delantera y asegurarla con el conjunto del resorte de sujeción.

20. Colocar el eslabón del freno de parqueo y el resorte entre la zapata delantera y la palanca del freno de parqueo.

21. Colocar el cable de ajuste en la clavija del disco de anclaje, instalar la guía del cable y colocar el cable a través de la guía.

22. Asegurarse de que la muesca en el extremo superior de la zapata está encajada con el pistón del cilindro de rueda o la clavija del pistón.

23. Colocar el resorte de retorno de la zapata trasera en la guía y en el orificio de la zapata, utilizando una herramienta para resortes de freno; estirar el resorte hacia la clavija del disco de anclaje. Asegurarse de que la guía del cable permanece en su lugar.

24. Colocar el resorte de retorno de la zapata delantera dentro de su orificio en la zapata.

25. Asegurarse de que el eslabón del freno de parqueo está colocado adecuadamente y que el extremo superior de la zapata entra en el cilindro de rueda o encaja en el pistón del cilindro de rueda.

26. Utilizando una herramienta para resortes, estirar el resorte dentro de su lugar en la clavija del disco de anclaje.

➡ **Si la zapata no encaja adecuadamente en el eslabón o en el pistón del cilindro de rueda, intentarlo de nuevo desmontando el resorte.**

27. Colocar la palanca de ajuste en su orificio de la zapata trasera y engancharle el cable.

28. Colocar el resorte inferior en su agujero en la zapata delantera. Ahora viene la parte difícil. Sujetar el muelle con unos alicates de sujeción, como los Vise Grips®, y estirarlo para engancharlo en el orificio de la palanca de ajuste. Asegurarse de que el cable queda en su lugar, sobre la guía.

29. Comprobar que las zapatas están colocadas uniformemente en el plato de soporte.

30. Girar la rueda de estrella para desplegar las zapatas hasta el punto en que se pueda instalar el tambor con una resistencia al movimiento muy ligera.

31. Instalar el tambor y ajustar la rueda de estrella hasta que el tambor no se pueda girar. Entonces, retroceder el despliegue lo justo para que el tambor se pueda girar sin resistencia al movimiento.

32. Instalar las ruedas, bajar el vehículo y comprobar la acción de los frenos. El pedal de los frenos debe sentirse firme.

33. Para activar los ajustadores, algunos vehículos requieren tirar rápido de la palanca del freno de parqueo, varias veces. En la mayoría, sin embargo, deben hacerse con el vehículo cortos recorridos de retroceso (reversa), de alrededor de 10 pies (3 m) cada uno.

Modelos con un resorte de retorno superior único, zapata a zapata

▼ PRECAUCIÓN ▼

Es siempre una buena idea usar protección en los ojos cuando se trabaje en los componentes del freno, especialmente frenos de tambor. Los frenos de tambor a menudo utilizan resortes potentes que podrían causar daños severos en los ojos si se rompen accidentalmente. También, las zapatas de frenos pueden contener amianto, el cual es un conocido agente causante de cáncer. Tan pronto como se desmonte el tambor, rociar generosamente el conjunto completo del freno con limpiador para piezas de freno. Dejarlo secar antes de proceder. Es una buena idea usar una máscara con filtro cuando se hacen trabajos en el freno.

CON PLATO DE ANCLAJE INFERIOR

1. Desmontar el tambor de freno.

Limpiar completamente el conjunto de freno y tambor, con un limpiador para piezas de freno, y dejarlo secar.

Inspeccionar si el tambor tiene desgaste y/o daños, como ranuras profundas, excesiva delgadez, rajaduras, etc. Maquinar o reemplazar el tambor, si es necesario. Cuando se maquine, respetar la especificación de diámetro máximo. El diámetro máximo de maquinado está estampado en el tambor. Si la superficie de frenado del tambor muestra signos de decoloración azul, indica sobrecalentamiento. Si el azulado es extenso, el tambor tiene que ser reemplazado. Un azulado extenso indica un debilitamiento del metal.

Desmontar también la placa de la clavija de anclaje – Doble resorte de retorno y ajustador tipo rueda de estrella

Separar los extremos inferiores de las zapatas y desmontar el conjunto del tornillo de ajuste

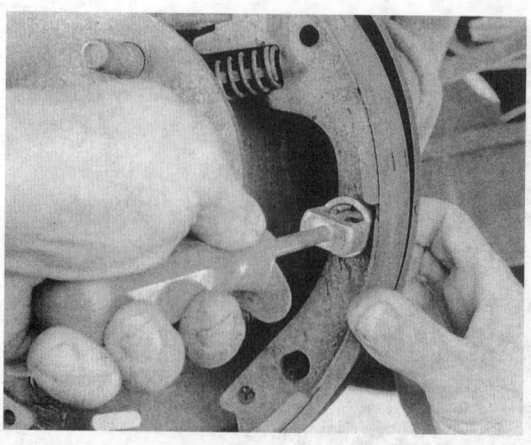

Presionar en los resortes de sujeción, mientras se sujeta la uña desde detrás luego girar la tapa acoplada 90°...

... y soltar para desmontar el resorte de sujeción. Sacar la uña fuera del plato de soporte (anclaje)

Desmontar la zapata primaria (delantera) del freno, del plato de soporte o anclaje ...

... y también el puntal del freno de parqueo – Doble resorte de retorno y ajustador tipo rueda de estrella

➡ Anotar la localización de todos los resortes y presillas, para un montaje correcto. Si se tiene disponible una cámara instantánea, puede ser una buena idea tomar una fotografía del conjunto del freno con el tambor desmontado.

2. Desmontar el resorte de la zapata en la palanca y desmontar la palanca de ajuste.

3. Desmontar el conjunto de autoajuste.

4. Desmontar el resorte de retención.

5. Utilizando una herramienta de resortes de sujeción o unos alicates, mientras se sujeta la parte trasera de la clavija de montaje del resorte con una mano, presionar hacia dentro sobre el plato del resorte de sujeción y girarlo ligeramente para alinear las muescas y las orejas de la clavija luego desmontar el conjunto del resorte de sujeción con la otra mano. Desmontar el otro resorte de sujeción, de la misma manera.

6. Desmontar el resorte de zapata a zapata.

7. Desmontar las zapatas de freno del plato de soporte.

8. Utilizando una herramienta de punta aplanada, palanquear para abrir la presilla de retención de la palanca del freno de parqueo. Desmontar la presilla y la arandela de la clavija, en el conjunto de la zapata, y desmontar la zapata del conjunto de la palanca.

➡ En algunos vehículos, la palanca de actuación del freno de parqueo está permanentemente acoplada al conjunto de la zapata secundaria o trasera del freno. No intentar desmontarla del conjunto original de la zapata del freno, ni reutilizar la palanca de actuación original en un conjunto de zapata de freno sustituido. Todas las sustituciones del conjunto de la zapata de freno, para estos vehículos, tienen que venir con la palanca de actuación incorporada, como pieza del conjunto de la zapata del freno secundaria o trasera.

Para instalar:

9. Limpiar completamente todas las piezas.

10. En vehículos con ajustador de trinquete montado arriba, limpiar e inspeccionar el plato de soporte del freno y el mecanismo de ajuste automático. Asegurarse de que el cuadrante (pieza dentada) del ajustador está libre para rotar por todo el sector de contacto dentado y está libre para deslizarse en toda la longitud de

su ranura de montaje. Comprobar el pasador estriado. Debe estar acoplado firmemente al mecanismo de ajuste y sus dientes deben estar en buen estado. Si el ajustador está desgastado o dañado, reemplazarlo. Si el ajustador es serviciable, lubricarlo ligeramente con grasa de alta temperatura entre el puntal y el cuadrante.

▼ PRECAUCIÓN ▼

Los conjuntos de las zapatas de freno traseras o secundarias, utilizadas en los frenos traseros de estos vehículos, son diferentes para el lado derecho y el lado izquierdo del vehículo. Hay que tener cuidado y asegurarse de que las zapatas de freno están instaladas correctamente, en el lado correcto del vehículo. Si no, los frenos tendrán, probablemente, un funcionamiento defectuoso, creando de este modo una situación muy peligrosa. Cuando las zapatas secundarias están instaladas correctamente, en su lado correcto del vehículo, la palanca de actuación del freno de parqueo quedará colocada debajo del alma de la zapata de freno.

11. Limpiar completamente y secar el plato de soporte. Lubricar el plato de soporte en los puntos de contacto con la zapata de freno. Lubricar con grasa de silicona también los salientes del plato de soporte, la clavija de anclaje y el mecanismo de actuación del freno de parqueo. También es buena para esta aplicación la grasa para cojinetes de rueda de alta temperatura o la grasa sintética para frenos.

12. Instalar el conjunto de la palanca del freno de parqueo en la clavija de la palanca. Instalar la arandela ondulada y una presilla de retención nueva. Utilizar alicates, o algo similar, para instalar el retenedor en la clavija. Si se desmontó, conectar la palanca del freno de parqueo en el cable del freno de parqueo y verificar que el cable está encaminado correctamente.

13. Limpiar y lubricar el conjunto del ajustador. Asegurarse de que el ajustador de tuerca está retirado del todo hacia el tope, pero la tuerca NO se debe bloquear firmemente en el extremo del conjunto.

14. Instalar las zapatas de freno en el plato de soporte con los resortes de sujeción, arandelas y clavijas.

15. Instalar el resorte de zapata a zapata.

Desmontar la sujeción de la zapata secundaria, sacar la zapata, luego presionar sobre el resorte del cable ...

... y desconectar el cable del freno de parqueo de su palanca, sacándolo de la ranura

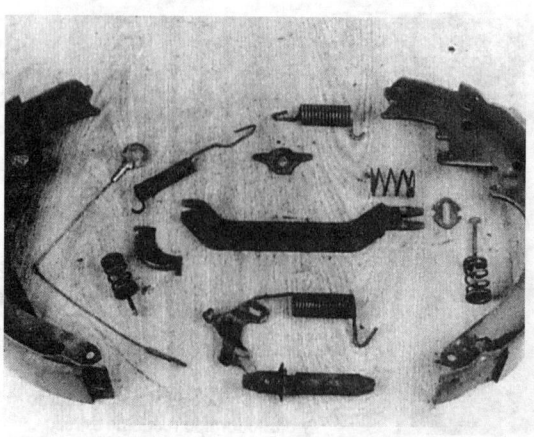

Es una buena idea ordenar todas las piezas en su posición aproximada de instalación, sobre una superficie de trabajo limpia

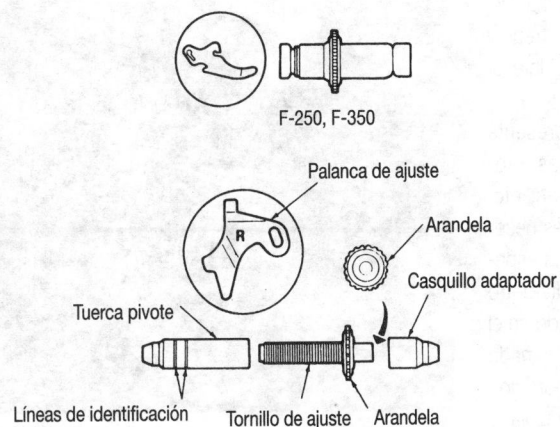

F-250, F-350

Palanca de ajuste

Arandela

Casquillo adaptador

Tuerca pivote

Líneas de identificación   Tornillo de ajuste   Arandela

▲ Vista en despiece de un típico mecanismo de ajuste por rueda de estrella – Las palancas de ajuste pueden estar estampadas para aplicaciones del lado izquierdo y derecho

Limpiar completamente la placa de anclaje o soporte; luego asegurarse de lubricar los salientes de las zapatas de freno en la placa de soporte o anclaje

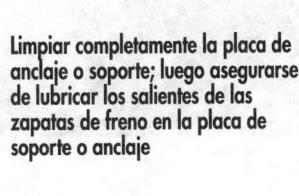

Pueden utilizarse alicates para desenganchar el retenedor del resorte de sujeción, rotándolo hasta que quede alineado con las orejas de la clavija...

16. Instalar el resorte retenedor.

17. Instalar el conjunto de autoajuste e instalar la palanca de ajuste y el resorte de la zapata en la palanca.

18. Preajustar las zapatas de manera que el tambor se deslice con una ligera resistencia al avance e instalar el tambor de freno.

19. Ajustar las zapatas de freno.

20. Instalar las ruedas traseras.

21. Para activar los ajustadores, algunos vehículos requieren tirar rápido de la palanca del freno de parqueo, varias veces. En la mayoría, sin embargo, deben hacerse con el vehículo recorridos cortos de retroceso (en reversa), de alrededor de 10 pies (3 m) cada uno.

22. Ajustar el cable del freno de parqueo.

23. Bajar el vehículo y comprobar que el freno funciona correctamente.

CON AJUSTADOR INFERIOR DE TIPO RUEDA DE ESTRELLA

1. Aflojar las tuercas de orejetas en las ruedas aplicables.

2. Si se revisan los frenos delanteros, aplicar el freno de parqueo y bloquear las ruedas traseras; luego levantar y soportar con seguridad el frente del vehículo firmemente.

3. Si se revisan los frenos traseros, bloquear las ruedas delanteras; luego levantar y soportar con seguridad la parte trasera del vehículo firmemente.

4. Desmontar las ruedas.

5. Desmontar los tambores.

6. Rociar completamente el conjunto del freno con un limpiador para piezas de freno y dejarlo secar. De forma similar, rociar el interior del tambor.

7. Inspeccionar si el tambor presenta desgaste y/o daños, como ranuras profundas, excesiva delgadez, rajaduras, etc. Maquinar o reemplazar el tambor, si es necesario. Cuando se maquine, respetar la especificación de diámetro máximo. El diámetro máximo de maquinado está estampado en el interior del tambor. Si la superficie de frenado del tambor muestra signos de decoloración azul, indica sobrecalentamiento. Si el azulado es extenso, el tambor tiene que ser reemplazado. Un azulado extenso indica un debilitamiento del metal.

8. Desmontar el conjunto de la palanca del freno de parqueo del plato de soporte.

9. Desmontar el conjunto del cable de ajuste de la clavija de anclaje, la guía del cable y la palanca de ajuste.

10. Desmontar los resortes de retracción de la zapata de freno.

11. Desmontar el resorte de sujeción de la zapata del freno de cada zapata.

12. Desmontar las zapatas de freno y el conjunto del tornillo de ajuste.

13. Desarmar el conjunto del tornillo de ajuste.

➡ Es una buena idea ordenar todas las piezas según la posición aproximada de su instalación, como una guía para el montaje posterior.

Para instalar:

14. Limpiar los salientes de los forros en el plato de soporte. Aplicar una ligera capa de grasa de silicona a los salientes de los forros (donde las zapatas del freno rozan con el plato de soporte). Grasa de cojinetes de rueda de alta temperatura, o grasa sintética de freno (desarrollada específicamente para esto), también es buena. También, aplicar grasa al conjunto del tornillo de ajuste y a los contactos de los resortes de retracción y los resortes de sujeción en las zapatas de freno.

15. Instalar el resorte de retracción superior en las zapatas primaria y secundaria; luego colocar el conjunto de la zapata en el plato de soporte, con los pistones del cilindro de rueda encajados con las zapatas.

16. Instalar los resortes de sujeción de las zapatas de freno.

..., luego desmontar el retenedor, el resorte y la clavija de la zapata y el plato de soporte o anclaje – Modelos con un resorte de retorno superior único, zapata a zapata y placa de anclaje inferior

Utilizar un par de alicates con nariz de aguja, o herramienta similar, para soltar el resorte de retorno superior de ambas zapatas ...

..., luego desmontar las zapatas del freno de la placa de anclaje ...

... y soltar el cable del freno de parqueo de la zapata de freno aplicable – Modelos con un único resorte de retorno superior, zapata a zapata, y placa de anclaje inferior

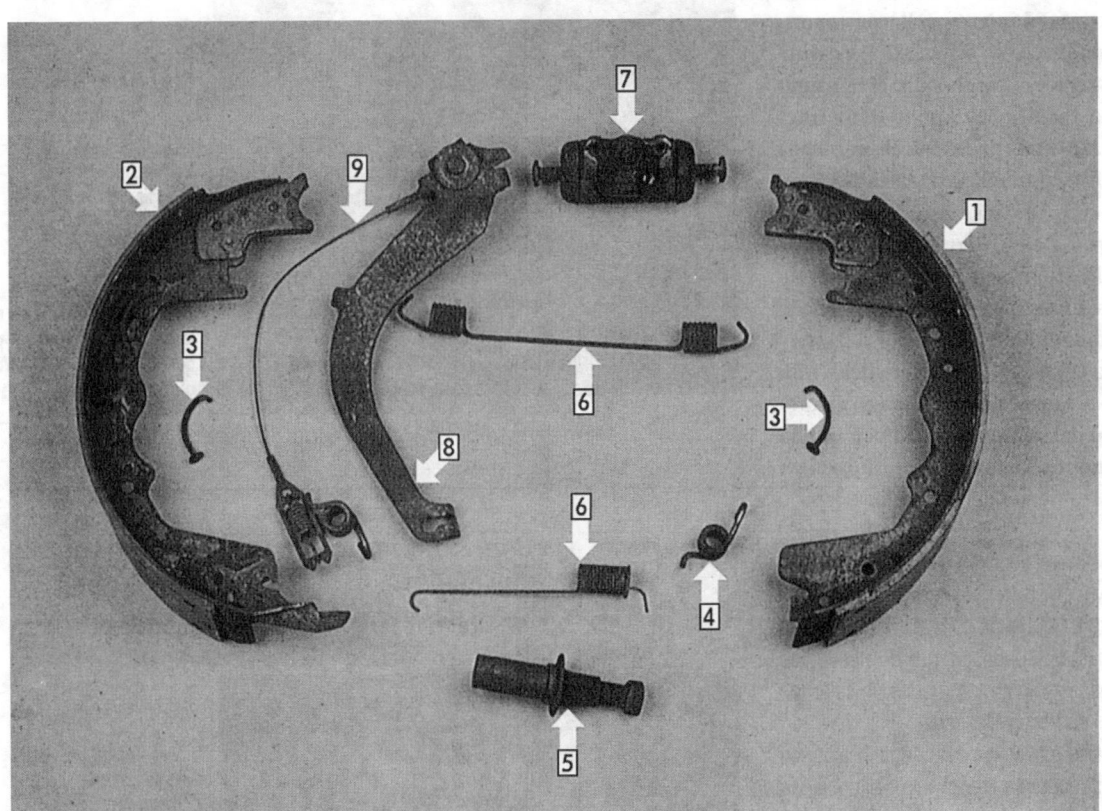

1. Zapata de freno delantera.
2. Zapata de freno trasera.
3. Clavija de sujeción.
4. Resorte de sujeción de la zapata.
5. Ajustador.

6. Resorte de retorno.
7. Cilindro de rueda.
8. Palanca del freno de parqueo.
9. Cable ajustador del freno de parqueo.

▲ Es una buena idea disponer las piezas del freno en sus posiciones sobre una superficie de trabajo limpia, a medida que se van desmontando

17. Instalar el conjunto del tornillo de ajuste de las zapatas de freno de manera que la muesca en la cabeza del tornillo de ajuste quede hacia la zapata primaria (delantera), junto con el resorte de retracción inferior, resorte de la palanca de ajuste y conjunto de la palanca de ajuste; conectar el cable de ajuste en la palanca de ajuste. Colocar el cable en la guía del cable e instalar el montaje del anclaje del cable en la clavija de anclaje.

18. Instalar los conjuntos de tornillos de ajuste en los mismos lugares de los que fueron desmontados.

▼ PRECAUCIÓN ▼

Intercambiar por error los tornillos de ajuste de la zapata de freno de un lado del vehículo con los del otro lado hará que las zapatas de freno se retracten en lugar de expandirse, cada vez que funcione el mecanismo automático de regulación; esto provocará una situación extremadamente peligrosa cuando se conduzca el vehículo. Para evitar una instalación incorrecta, el extremo de cada tornillo de ajuste tiene normalmente estampada una R (derecha) o una L (izquierda), para indicar su instalación en el lado derecho o izquierdo del vehículo. En algunos casos, las tuercas pivote de ajuste se pueden distinguir por el número de líneas maquinadas alrededor del cuerpo de la tuerca. Dos líneas indican una tuerca que debe ser instalada en el lado derecho del vehículo; una línea indica que la tuerca tiene que ser instalada en el lado izquierdo del vehículo.

19. Instalar el conjunto del freno de parqueo en la clavija de anclaje y asegurarla con la tuerca de retención, detrás del plato de soporte.

20. Ajustar los frenos antes de instalar los tambores de freno y las ruedas. Instalar los tambores de freno y las ruedas.

21. Para activar los ajustadores, algunos vehículos requieren tirar rápido de la palanca del freno de parqueo varias veces. En la mayoría, sin embargo, deben hacerse con el vehículo recorridos cortos de retroceso (en reversa), de alrededor de 10 pies (3 m) cada uno.

22. Bajar el vehículo y probar los frenos en carretera. Los frenos nuevos pueden tirar hacia un lado o hacia el otro, antes de que se asienten. No se deben producir tirones continuos o frenadas irregulares.

Desmontar el tambor de freno del eje trasero

Desmontar la tuerca de retención de la palanca del freno de parqueo, que está localizada detrás de la placa de anclaje

Desconectar el cable de ajuste de la clavija de anclaje, guía y palanca – Modelos con un único resorte de retorno superior, zapata a zapata, y ajustador tipo rueda de estrella

Deslizar la palanca del freno de parqueo, fuera de su montaje – Modelos con un único resorte de retorno superior, zapata a zapata, y ajustador tipo rueda de estrella

Desconectar el cable del freno de parqueo de la palanca

Utilizar una herramienta adecuada para desconectar los resortes de retorno de sus agujeros de retención

Modelos con un muelle único de retorno en forma de U

▼ PRECAUCIÓN ▼

Es siempre una buena idea usar protección en los ojos cuando se trabaje en los componentes del freno, especialmente con frenos de tambor. Los frenos de tambor a menudo utilizan resortes potentes que podrían causar daños severos en los ojos, si se rompen accidentalmente. También, las zapatas de los frenos pueden contener amianto, el cual es un conocido agente causante de cáncer. Tan pronto como se desmonte el tambor, rociar generosamente el conjunto completo del freno, con limpiador para piezas del freno. Dejarlo secar antes de proceder. Es una buena idea usar una máscara con filtro, cuando se hacen trabajos en el freno.

1. Desenroscar las tuercas de orejetas en las ruedas aplicables.

2. Si se revisan los frenos delanteros, aplicar el freno de parqueo y bloquear las ruedas traseras; luego levantar y soportar con seguridad el frente del vehículo firmemente.

3. Si se revisan los frenos traseros, bloquear las ruedas delanteras; luego levantar y soportar con seguridad la parte trasera del vehículo firmemente.

4. Desmontar las ruedas.

5. Desmontar los tambores de freno.

6. Rociar completamente el conjunto del freno con un limpiador para piezas del freno y dejarlo secar. De forma similar, rociar el interior del tambor.

7. Inspeccionar si el tambor tiene desgaste y/o daños, como ranuras profundas, excesiva delgadez, rajaduras, etc. Maquinar o reemplazar el tambor si es necesario. Cuando se maquine, respetar la especificación de diámetro máximo. El diámetro máximo de maquinado está estampado en el interior del tambor. Si la superficie de frenado del tambor muestra signos de decoloración azul, indica sobrecalentamiento. Si el azulado es extenso, el tambor tiene que ser reemplazado. Un azulado extenso indica un debilitamiento del metal.

8. Desmontar la presilla del resorte de retorno del dado de anclaje inferior.

9. Apretar los extremos superiores del resorte de retorno ligeramente y desmontarlo de las zapatas.

10. Utilizando una herramienta de sujeción de resortes, o unos alicates, desmontar los resortes de sujeción. Mientras se sujeta la parte trasera de la clavija de montaje del resorte con una mano, presionar hacia dentro en el plato del resorte de sujeción, girarlo ligeramente para alinear las muescas y las orejas de la clavija; luego desmontar los conjuntos de los resortes de sujeción con la otra mano.

11. Sacar las zapatas de las clavijas; luego desmontar las clavijas del plato de soporte.

12. Desmontar las zapatas y el ajustador como un conjunto.

13. Echar para atrás el resorte del cable del freno de parqueo y torcer el cable sacándolo de la palanca del freno de parqueo.

14. La palanca del freno de parqueo está sujeta a la zapata trasera con una presilla de herradura. Abrir la presilla y desmontar la palanca y la arandela de la zapata.

Para instalar:

15. Limpiar completamente y secar el conjunto del plato de soporte.

16. Lubricar los salientes del plato de soporte, las superficies del disco de anclaje y todos los puntos de contacto con grasa de silicona. También es buena la grasa de cojinetes de rueda de alta temperatura o grasa sintética de freno (desarrollada específicamente para esto).

17. Lubricar el espárrago pivote de la palanca del freno de parqueo; luego insertar el espárrago pivote a través del orificio practicado en la zapata trasera; instalar una arandela ondulada nueva y una presilla de herradura. Apretar los extremos de la presilla hasta que la presilla no se pueda sacar del espárrago pivote de la palanca.

18. Conectar el cable del freno de parqueo en la palanca.

19. Colocar los conjuntos de las zapatas delantera y trasera y el ajustador en el plato de soporte; luego instalar la clavija de sujeción y los conjuntos de los resortes.

20. Colocar el resorte de retorno en las zapatas, rotarlo hacia abajo dentro de su posición, en el bloque de anclaje, e instalar la presilla de retención.

21. Girar el tornillo puntal de ajuste para separar las zapatas lo justo hasta el punto en el que el tambor pueda ser instalado sin roce.

22. Instalar el tambor.

23. Ajustar las zapatas de freno.

Desenganchar los resortes de sujeción de las presillas de retención, en la placa de anclaje – Modelos con un único resorte de retorno superior, zapata a zapata, y ajustador tipo rueda de estrella

Aflojar el tornillo de ajuste y desmontarlo del conjunto del freno

Separar las zapatas y desmontarlas de la placa de anclaje

A menudo puede ser difícil conectar el resorte de retracción inferior – Ser cuidadoso y tener paciencia

Así es como debe verse todo después del montaje – Modelos con un único resorte de retorno superior, zapata a zapata, y ajustador tipo rueda de estrella

Antes de desmontar cualquier pieza, tomar nota de sus posiciones

24. Instalar las ruedas, bajar el vehículo y comprobar el funcionamiento del freno. El pedal del freno debe sentirse firme.

25. Para activar los ajustadores, algunos vehículos requieren tirar rápido de la palanca del freno de parqueo varias veces. En la mayoría, sin embargo, deben hacerse con el vehículo varios recorridos cortos de retroceso (en reversa), de alrededor de 10 pies (3 m) cada uno.

AJUSTE

Los frenos de tambor en todos los vehículos modernos son autoajustables. Sin embargo, cuando se sustituyen los tambores, un ajuste preliminar hace este trabajo más fácil.

En la mayoría de vehículos, el ajuste se hace con un ajustador de expansión que es un conjunto de manguito/espárrago roscado, girando la tuerca estriada, o la expansión de una rueda de estrella, o contrayendo los resortes cargados de las zapatas de freno. En la mayoría de vehículos, este ajustador puede ser accesible sin desmontar el tambor o, según el caso, la rueda.

Levantar el vehículo y soportarlo con seguridad. Liberar el freno de parqueo. Colocar la transmisión en neutral. Todo esto permite a las ruedas girar libremente. Desmontar el tapón de goma en el plato de soporte del freno e insertar una herramienta de ajuste del freno. Si se está aplicando presión de freno, esto es, expandiendo los frenos, girar la rueda de estrella, o el ajustador estriado, lo justo hasta que las zapatas del freno bloqueen el tambor: lo que significa que no se puede girarlo. Luego, quitar el ajuste lo JUSTO hasta que el tambor pueda girar libremente sin ninguna resistencia. Algunos fabricantes incluso dicen que está bien que tengan una LIGERA resistencia al movimiento. Si el vehículo que tenemos entre manos está equipado con auto-ajustadores, nos encontraremos con que al ajustador no se le puede quitar el ajuste, esto es debido a que la palanca de ajuste lo está sujetando en su lugar. Habrá que insertar un punzón fino, o un dispositivo similar, en el orificio, con la herramienta de ajuste de frenos. Empujar ligeramente sobre la palanca de soporte. Esto librará el ajustador.

Hay algunos modelos de vehículo que utilizan ajustadores de tipo leva. Con éstos, una espiga con un hexágono o con cabeza cuadrada sobresale a través del plato de soporte. Girando esta espiga, se rota una leva excéntri-

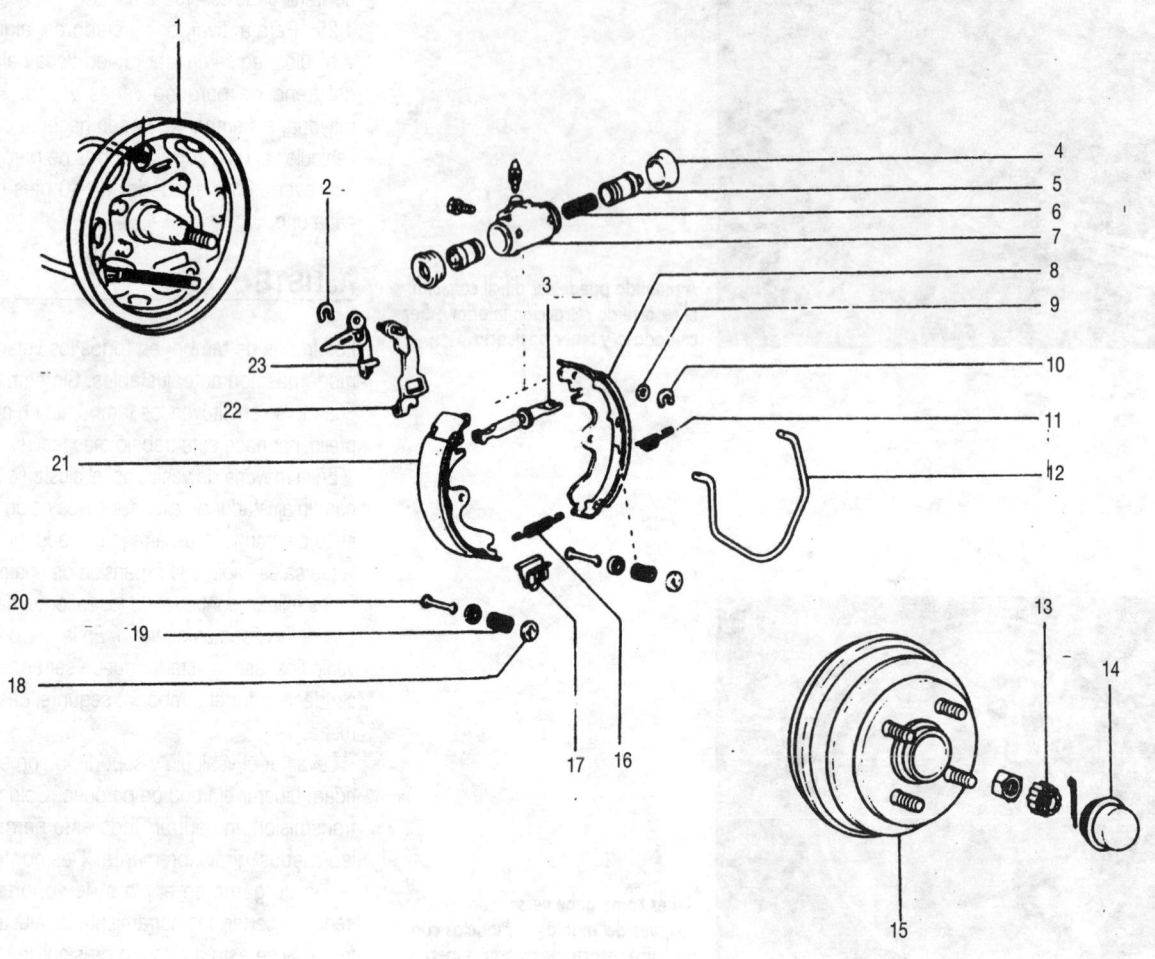

1. Placa de anclaje.
2. Arandela en C.
3. Puntal.
4. Capuchón.
5. Pistón.
6. Resorte.
7. Cilindro de rueda.
8. Zapata trasera.
9. Calzo de ajuste.
10. Arandela en C.
11. Resorte de palanca de ajuste.
12. Muelle de retorno.

13. Bloqueo de tuerca.
14. Tapa de grasa.
15. Tambor de freno.
16. Resorte de anclaje.
17. Presilla (abrazadera).
18. Retenedor.
19. Resorte de sujeción.
20. Clavija.
21. Zapata delantera.
22. Palanca de zapata del freno de parqueo.
23. Palanca de ajuste automático.

▲ Vista en despiece de una típica disposición de freno de tambor con un único muelle de retorno en forma de U

Para modelos con muelle de retorno único, en forma de U, deprimir y rotar el retenedor del resorte de sujeción...

..., luego desmontar el resorte, el retenedor y la clavija de la placa de anclaje y zapatas

Desmontar el muelle de retorno de ambas zapatas del freno...

ca que contacta con la zapata de freno. Girándola en una dirección, empuja la zapata hacia fuera; girándola en la otra dirección, gira la leva lejos de la zapata, permitiendo a los muelles tirar de la zapata alejándola del tambor.

CILINDROS DE RUEDA

DESMONTAJE E INSTALACIÓN

Los cilindros de rueda están sujetos en su lugar sobre el plato de soporte, ya sea con pernos o con presillas de resorte. A primera vista, éste parece un trabajo bastante fácil, y puede serlo. Sin embargo, las cosas pueden ir mal. Si el cilindro de la rueda lleva mucho tiempo en su sitio, los pernos o las presillas pueden estar oxidados en su lugar. Peor aún, la tuerca de conexión de la tubería del freno puede estar oxidada en su lugar. Los planos de la tuerca de conexión se redondean fácilmente. También, la tuerca de conexión puede estar oxidada con la tubería, lo que significa que se torcerá la tubería cuando se gire la rosca de conexión. Así, antes de comenzar, es mejor empapar completamente con aceite de penetración el área donde la tubería del freno enrosca con el cilindro de rueda. También, aplicar aceite de penetración a los pernos de montaje o las presillas.

Si se enfrenta con problemas, aquí van algunas sugerencias generales:

• Utilizar una llave para tuercas de conexión en las tuercas de conexión. Suena lógico, ¿no es así? Las llaves para tuercas de conexión están diseñadas para reducir la posibilidad de que se redondeen los planos de la tuerca de conexión.

• Utilizar una llave de tubo o, si el espacio lo permite, un vaso adaptador en los pernos. El agarre mejor de la llave de tubo o del vaso adaptador ayudará a evitar que la(s) cabeza(s) del(los) perno(s) se redondee(n).

• Si se redondea la cabeza de un perno, habrá que intentar, utilizando Vise Grips® (o uno similar), una de esas llaves diseñadas para pernos con la cabeza redondeada (si el espacio lo permite), un desintegrador de tuercas (de nuevo, si el espacio lo permite) o amolar la cabeza del perno.

• Si la tubería del freno no se mueve, se teme torcer la tubería o se redondeó la tuerca de conexión, intentar esto: desmontar los pernos del cilindro de la rueda o las presillas y empujar el cilindro de la rueda, con la tubería acoplada, lejos del disco de soporte (anclaje).

Normalmente, hay suficiente juego en la tubería del freno. Sujetar la tuerca de conexión con Vise-Grips® o uno similar, y tratar de girar el cilindro de la rueda. El cilindro de la rueda ofrece una mayor ventaja mecánica que la tuerca de conexión. Si nada funciona, desconectar la tubería de la caja de conexión. Habrá que instalar una tubería nueva.

Tipo con pernos

▼ PRECAUCIÓN ▼

Es siempre una buena idea usar protección en los ojos cuando se trabaje en los componentes del freno, especialmente frenos de tambor. Los frenos de tambor a menudo utilizan resortes potentes que podrían causar daños severos en los ojos si se rompen accidentalmente. También, las zapatas de frenos pueden contener amianto, el cual es un conocido agente causante de cáncer. Tan pronto como se desmonte el tambor, rociar generosamente el conjunto completo del freno con limpiador para piezas del freno. Dejarlo secar antes de proceder. Es una buena idea usar una máscara con filtro cuando se hacen trabajos en el freno.

1. Aflojar las tuercas de orejetas de las ruedas aplicables.
2. Levantar y soportar con seguridad el vehículo.
3. Desmontar las ruedas.
4. Desmontar el tambor.
5. Desmontar las zapatas de freno.

➡ En algunos vehículos, es posible desmontar el cilindro de rueda con sólo desmontar los muelles de retorno y separar las zapatas lo suficiente. Nosotros no recomendamos esto por dos razones: el desmontaje del cilindro del freno trae consigo algún derrame de líquido de freno (el líquido de freno puede contaminar el material de fricción de la zapata de freno) y dejar las zapatas de freno en el plato de soporte puede reducir el espacio de trabajo e interferir en el trabajo.

6. Aflojar el acoplamiento de la tubería del líquido de freno; luego separar la tubería del cilindro de rueda.

..., luego separar las zapatas de la placa de soporte o anclaje

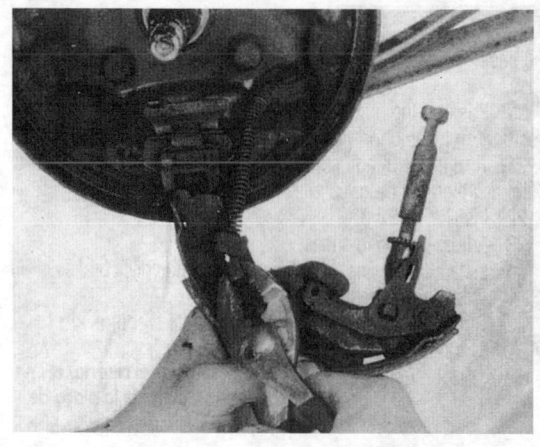

Se pueden utilizar un par de alicates grandes para desconectar el cable del freno de parqueo de la palanca

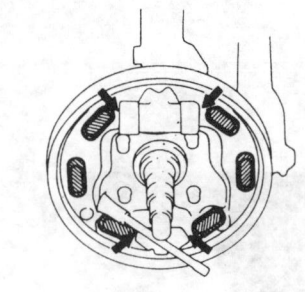

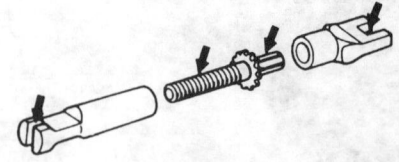

▲ Antes de la instalación de la zapata del freno, limpiar la placa de anclaje y el mecanismo de ajuste; luego aplicar grasa de alta temperatura, en todos los puntos de contacto de la zapata con la placa de anclaje (flechas)

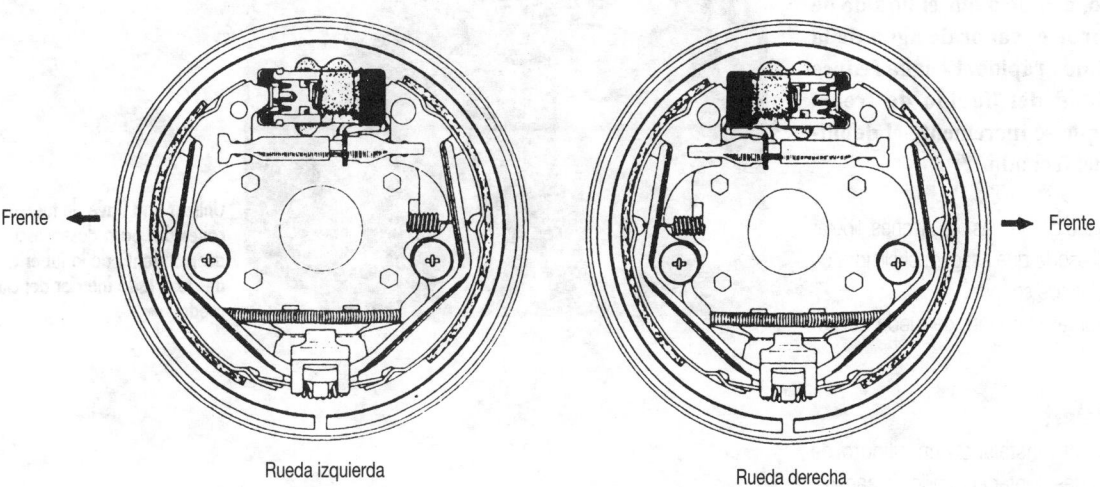

Frente ←   → Frente

Rueda izquierda   Rueda derecha

▲ Esto es a lo que debe parecerse el freno cuando todo está instalado correctamente

---

▼ **PRECAUCIÓN** ▼

Taponar la tubería inmediatamente para evitar la contaminación del líquido de freno, debido a que el líquido de freno absorbe el vapor de agua de la atmósfera muy rápido. El agua reduce la efectividad del líquido de freno, causando que se incremente el debilitamiento del frenado.

7. Desmontar los pernos del cilindro de rueda y separar el cilindro del plato de soporte.

Para instalar:

8. Limpiar el plato de soporte completamente.

9. Aplicar una capa muy fina de sellador de silicona RTV a la superficie de montaje del cilindro. Esto ayudará a impedir que la humedad y el polvo entren en los frenos.

10. Colocar el cilindro en el plato de soporte; luego instalar los pernos de retención.

11. Reacoplar la tubería del freno en el cilindro de rueda.

12. Instalar las zapatas de freno.

13. Instalar el tambor.

14. Sangrar el sistema de frenos.

15. Ajustar las zapatas de freno.

16. Instalar las ruedas y apretar las tuercas de orejetas.

Tipo con presilla de resorte

▼ **PRECAUCIÓN** ▼

Es siempre una buena idea usar protección en los ojos cuando se trabaje en los componentes del freno, especialmente frenos de tambor. Los frenos de tambor a menudo utilizan potentes resortes que podrían causar daños severos en los ojos si se rompen accidentalmente. También, las zapatas de los frenos pueden contener amianto, el cual es un conocido agente causante de cáncer. Tan pronto como se desmonte el tambor, rociar generosamente el conjunto completo del freno con limpiador para piezas del freno. Dejarlo secar antes de proceder. Es una buena idea

usar una máscara con filtro cuando se hacen trabajos en el freno.

1. Aflojar las tuercas de orejetas de las ruedas aplicables.

2. Levantar y soportar con seguridad el vehículo.

3. Desmontar las ruedas.

4. Desmontar el tambor de freno.

5. Desmontar las zapatas de freno.

➡ En algunos vehículos, es posible desmontar el cilindro de rueda con sólo desmontar los muelles de retorno y separar las zapatas lo suficiente. Nosotros no recomendamos esto por dos razones: el desmontaje del cilindro del freno trae consigo algún derrame de líquido de freno (el líquido de freno puede contaminar el material de fricción de la zapata de freno) y dejar las zapatas de freno en el plato de soporte puede reducir el espacio de trabajo e interferir en el trabajo.

6. Desconectar y taponar la tubería del freno en el cilindro de la rueda.

▼ PRECAUCIÓN ▼

Taponar la tubería inmediatamente para evitar la contaminación del líquido de freno, debido a que el líquido de freno absorbe el vapor de agua de la atmósfera muy rápido. El agua reduce la efectividad del líquido de freno, causando que se incremente el debilitamiento del frenado.

7. Utilizando dos leznas o punzones, liberar la presilla de resorte que asegura el cilindro de rueda en el plato de soporte.

8. Desmontar el cilindro de rueda del vehículo.

Para instalar:

9. Si se está instalando un cilindro de rueda nuevo, desmontar el tornillo de sangrado del cilindro de rueda; luego colocar el cilindro en el plato de soporte. Desmontando el tornillo de sangrado se mantendrá a salvo al instalar la presilla de retención.

10. Sujetar el cilindro de rueda en su lugar, con una palanca pequeña, utilizando un vaso adaptador (normalmente 1 $\frac{1}{8}$ plg/28.5 mm en vehículos domésticos) en el extremo de una extensión; empujar la presilla en su sitio. Asegurarse de que ambas orejas de la presilla están asentadas correctamente.

11. Conectar la tubería del freno en el cilindro de rueda.

12. Instalar el tornillo de sangrado y apretarlo temporalmente.

13. Instalar las zapatas de freno.

14. Instalar el tambor de freno.

15. Sangrar el sistema de freno.

16. Ajustar las zapatas de freno.

17. Instalar las ruedas y apretar las tuercas de orejetas.

REPARACIÓN

Los cilindros de rueda pueden repararse, a pesar de que la mayoría de las personas no se molestan en hacerlo. Reemplazar el cilindro de rueda es mucho más fácil y no requiere herramientas especiales, ni experiencia. Si la diferencia del coste entre un conjunto reparado y un cilindro nuevo no es grande, es más seguro instalar el cilindro nuevo.

Si se decide a reparar el(los) cilindro(s) de rueda, se necesitará una muela rotativa para cilindros de rueda y un equipo de piezas para la reconstrucción.

Utilizar una llave de tuercas de conexión, para desenroscar el acoplamiento de la tubería del freno desde el lado interior del cilindro de rueda

Al desconectar la tubería del freno, habrá algún derrame de líquido de freno – Taponar la tubería para evitar la contaminación

Desmontar los pernos de retención del cilindro de rueda; luego separar el cilindro de la placa de anclaje – Tipo atornillado

Leznas

Retenedor del cilindro de rueda

▲ Utilizar dos leznas para doblar las orejas retenedoras, como se muestra – Tipo con presilla de resorte

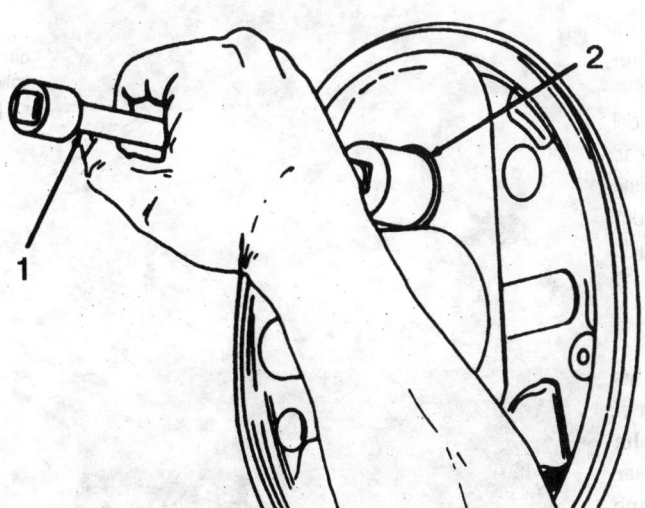

2

1

1. Extensión de la llave de vaso de adaptación.

2. Vaso de adaptación 1 ¹/₈ plg, 12 pt.

▲ Si el cilindro de rueda utiliza un retenedor de tipo redondo, se puede utilizar una llave de vaso y adaptador y una extensión para asentar el retenedor – Tipo con presilla de resorte

➡ Es posible reconstruir el cilindro de rueda estando aún colocado en el plato de soporte. No hay una buena razón para hacer otra cosa si, por algún motivo, no se puede desmontar el cilindro. Si se escoge hacer esto, es de la MAYOR importancia que todo el material se limpie a fondo fuera del cilindro antes de instalar piezas nuevas. Nosotros NO recomendamos reconstruir un cilindro de rueda mientras está instalado en el plato de soporte.

1. Desmontar el cilindro de rueda viejo.

2. Limpiar completamente el exterior de la unidad con limpiador para piezas de freno.

3. Colocar el cilindro sobre una superficie de trabajo limpia.

4. Desmontar los capuchones; luego utilizar un dedo para sacar los pistones, las copas y el muelle del cilindro.

5. Inspeccionar la superficie interior del cilindro. Si no está muy picado, oxidado o rayado, se puede reconstruir.

6. Desmontar el tornillo de sangrado.

7. Instalar la muela rotativa para cilindros de rueda en un taladro de baja velocidad y cubrir el interior del cilindro con líquido de freno limpio.

8. Hacer varios pases a través del cilindro del freno con la muela rotativa; nunca detenerla en un lugar o pasar completamente de un lado a otro el cilindro.

9. Eliminar sólo el material suficiente para establecer una superficie interior limpia y bruñida.

10. Limpiar completamente el interior del cilindro de rueda con alcohol y dejarlo secar. Soplar todos los conductos con aire comprimido, incluyendo el área del tornillo de sangrado.

11. Cubrir el interior del cilindro con líquido de freno limpio.

▼ AVISO ▼

Asegurarse de que se utilizan todas las piezas de recambio que vienen con el equipo de reconstrucción que se ha comprado. De otra manera, puede ser que el cilindro de rueda no funcione correctamente.

12. Cubrir todas las piezas de recambio con líquido de freno limpio.

13. Instalar una copa y un pistón en un lado; colocar el resorte por el otro lado, seguido por la otra copa y el pistón. Empujar los pistones, hasta que ambos estén en el interior del cilindro.

Para desarmar el cilindro de rueda, primero desmontar los capuchones exteriores...

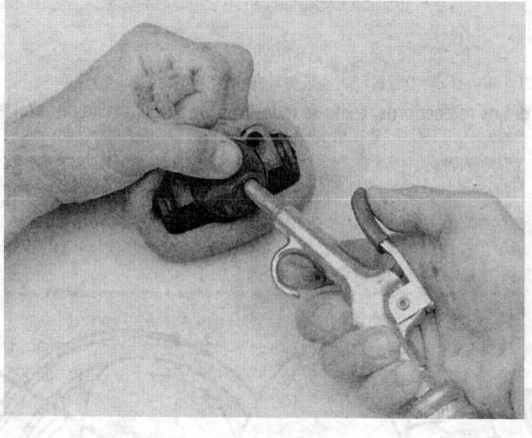

..., luego cuidadosamente aplicar aire comprimido en el orificio de la válvula de sangrado para extraer los pistones y los sellos

Desmontar los pistones, los sellos de copa y el resorte del cilindro

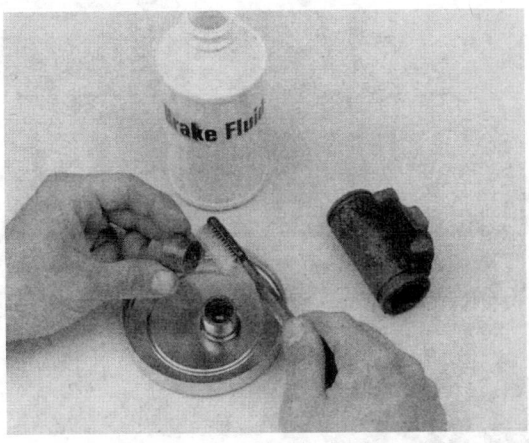

Utilizar líquido de freno y un cepillo blando para limpiar los pistones...

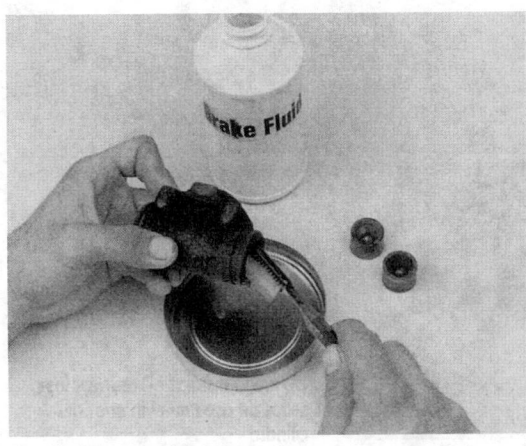

... y el interior del cilindro de rueda

Una vez que el cilindro de rueda esté limpio e inspeccionado, ya está listo para el armado

14. Instalar los capuchones de los extremos.

15. Instalar flojamente el tornillo de sangrado.

16. Instalar el cilindro de rueda reconstruido.

SISTEMAS DE FRENO ANTIBLOQUEO (ANTIAMARRE)

INFORMACIÓN GENERAL

El objeto de los sistemas de frenos antibloqueo (ABS) es evitar que la rueda se bloquee (amarre) bajo condiciones de frenada fuerte. Esto es especialmente crítico sobre superficies húmedas o resbaladizas. El ABS es deseable debido a que cuando se detiene un vehículo sin bloquear una o más ruedas, puede detenerse con mayor control y en una distancia más corta que un vehículo con ruedas bloqueadas.

Bajo condiciones de frenada normal, el sistema ABS funciona como un sistema estándar. Cuando una o más ruedas muestran una tendencia a bloquearse durante la frenada, el ordenador del ABS lo detecta y coloca el sistema en modo antibloqueo. En este modo, la presión hidráulica se modula en cada rueda, evitando el bloqueo en cualquier rueda. El sistema puede mantener o reducir la presión en cada rueda, según sea necesario, dependiendo de la señal recibida por la computadora.

El efecto es algo así como bombear los frenos repetidas veces, aunque el ABS lo hace cientos de veces más rápido. De hecho, cuando se conduce un vehículo con ABS sobre hielo o nieve, el conductor tiene que superar el impulso de bombear los frenos repetidamente durante una parada. Se debe dejar que el sistema ABS trabaje. Presionar y liberar alternativamente el pedal del freno en un vehículo equipado con ABS anulará el sistema.

PRECAUCIONES

• No utilizar mangueras de goma u otras piezas que no estén especialmente diseñadas para el sistema ABS utilizado por el vehículo. Cuando se utilice un equipo de reparación, reemplazar todas las piezas incluidas en el equipo. Una reparación parcial o incorrecta puede llevar a problemas de funcionamiento y requerir la sustitución de componentes. ¡NUNCA fabricarse uno mismo las piezas de recambio!

• Lubricar las piezas de goma con líquido de freno nuevo para facilitar el armado. No utilizar aire lubricado de taller para limpiar piezas; puede dañar los componentes de goma.

• Utilizar sólo el líquido de freno especificado y de un recipiente sin abrir (precintado).

• Si algún componente hidráulico o tubería se desmonta, o sustituye, puede ser necesario sangrar todo el sistema. Esto es siempre cierto, cuando se abre algún componente de un terminal superior (cilindro maestro, acumulador, unidad de control, etc.). Esto también es cierto cuando algún componente de un terminal inferior (mordaza o cilindro de rueda) es abierto y se ha perdido mucho líquido de freno; esto no sucede a menudo. Si simplemente se revisa la mordaza de freno, cilindro de rueda, etc., y la tubería se tapona adecuadamente después de desconectada, no necesitará sangrarse el sistema completo; sólo el componente que se ha revisado. Sin embargo, si se tienen dudas, ir sobre seguro y sangrar todo el sistema.

• Es esencial un área de reparación limpia. Limpiar siempre el recipiente y la tapa completamente, antes de quitar la tapa. La menor cantidad de suciedad en el líquido puede obstruir un orificio y deteriorar el funcionamiento del sistema. Ejecutar las reparaciones después de haber limpiado completamente los componentes; utilizar sólo alcohol desnaturalizado para limpiar los componentes. No permitir que los componentes del ABS entren en contacto con ninguna sustancia que contenga aceite mineral; esto incluye los trapos de taller utilizados.

• La unidad de control antibloqueo es un microprocesador similar a otras computadoras en el vehículo. Asegurarse de que el interruptor de la ignición esté en OFF (apagado) antes de desmontar o instalar algún mazo de cables del controlador. Evitar descargas de electricidad estática en o cerca del controlador.

• Si se va a hacer alguna soldadura por arco (eléctrica) en el vehículo, se debe desenchufar la unidad de control, antes de comenzar las operaciones de soldadura.

DEPRESURIZACIÓN DEL ABS

Algunos sistemas ABS almacenan líquido de freno a alta presión, que tiene que liberarse antes de intentar cualquier servicio.

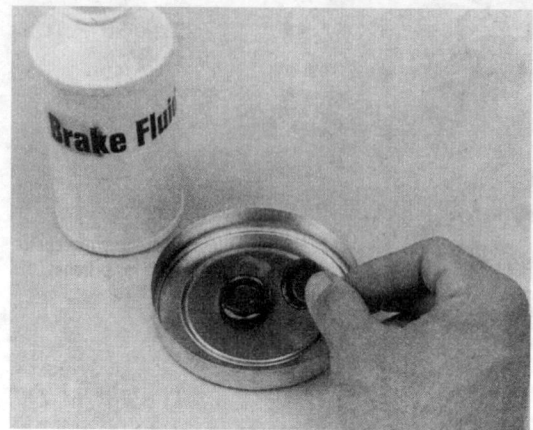

Lubricar los sellos de copa con líquido de freno...

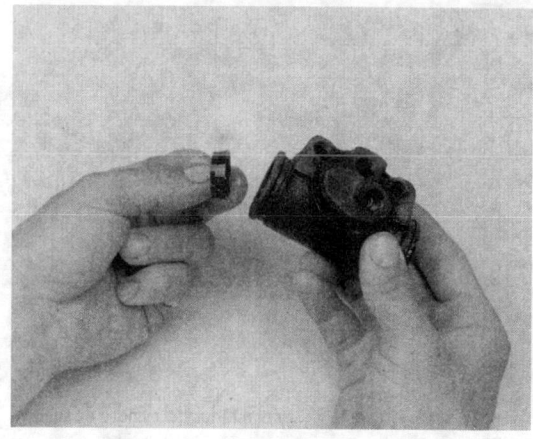

..., luego instalar el resorte y los sellos de copa en el interior del cilindro

Lubricar ligeramente los pistones; luego insertarlos en el interior del cilindro de rueda

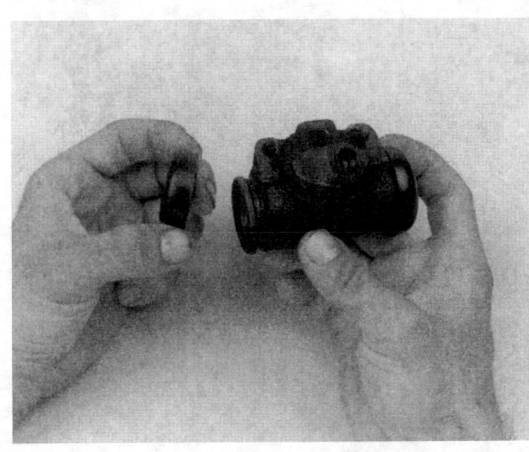

Finalmente, instalar los capuchones sobre los extremos de los pistones del cilindro de rueda

CÓDIGOS DE DIAGNÓSTICO DE PROBLEMAS

La computadora de a bordo recibe entradas de sensores colocados por todo el vehículo. Los sensores señalizan las condiciones de funcionamiento de todos los elementos controlados del motor o abajo en las ruedas.

Parte de este sistema global es el sistema de frenos. Cuando algún fallo o problema en el sistema de frenos es detectado por un sensor, se envía una señal a la computadora y se graba en su memoria en forma de código de problema. A los códigos de problemas se puede acceder, en la mayoría de los casos, a través del uso de una herramienta de exploración. Cada vehículo equipado con ABS tiene un conector diseñado para recibir el enchufe del mazo de cables de la herramienta de exploración.

El sistema computarizado del vehículo varía de un fabricante a otro y de un modelo a otro. Debido al gran número de sistemas ABS diferentes, no se incluye una información selectiva de los códigos.

➡ **La cosa más importante que hay que recordar acerca de los códigos de problemas de los ABS es que el código no sólo implica el componente como defectuoso, sino también el circuito del componente, posiblemente, la computadora de monitoreo de diagnóstico. Siempre comprobar si el circuito tiene fallos, cuando se diagnostique el sistema de frenos, basándose en un código de problema.**

En estos sistemas, el acumulador hidráulico contiene líquido de freno y gas nitrógeno a extremadamente altas presiones. Ciertos otros componentes del sistema pueden también contener líquido de freno a altas presiones. Es obligatorio que la presión del sistema se libere antes de desconectar cualquier manguera, tubería o rácor, pues de otra forma pueden producirse daños personales.

▼ PRECAUCIÓN ▼

En los sistemas ABS diseñados para almacenar líquido de freno a altas presiones, es necesario despresurizar el sistema antes de desconectar alguna manguera, tubería o rácor. De otra forma, pueden producirse daños personales.

En la mayoría de los vehículos, la presión del ABS se puede vaciar simplemente presionando el pedal del freno 20-30 veces, con el interruptor de la ignición en OFF (apagado).

En algunos sistemas, la presión se debe sangrar utilizando una herramienta de exploración específica y costosa. Por esta razón, nosotros recomendamos que, cuando se tengan dudas, se encomiende todo servicio al sistema ABS a un técnico profesional y cualificado.

TABLAS PARA EL SISTEMA MÉTRICO

TABLAS PARA EL SISTEMA MÉTRICO INTERNACIONAL

Las siguientes tablas se dan en unidades métricas del SI (sistema internacional). Las unidades del SI sustituyen un tanto a las unidades del sistema británico y otras unidades antiguas. La utilización de las unidades del SI de forma estándar, a escala mundial, se estableció en 1960 por el Comité Internacional de Pesas y Medidas. Desde entonces el SI ha sido adoptado por la mayoría de los países del mundo como una norma estándar.

Las siguientes tablas son tablas de conversión en general y permiten convertir las unidades corrientes (sistema británico), que aparecen en el texto, en unidades del SI.

A continuación se presenta una lista de las unidades del sistema internacional (SI) y de las unidades corrientemente utilizadas a lo largo del texto, a las cuales sustituyen:

Para medir la:	Unidades SI	Sustituyen a:
masa	kilogramos (kg)	libras (lbs)
temperatura	Celsius (°C)	Fahrenheit (°F)
longitud	milímetros (mm)	pulgadas (plg.)
fuerza	Newtons (N)	libras fuerza (lb)
capacidad	litros (l)	pintas/cuartos/galones (pts/cts/gals)
par motor	Newtons-metro	pies-libra (pie/lb)
presión	kilopascales (kPa)	libras por pulgada cuadrada (lb/plg.^{2})
volumen	centímetros cúbicos (c.c.)	pulgadas cúbicas (plg.^{3})
potencia	kilowatios (kw)	caballos de vapor (hp)

Si usted ha manejado anteriormente unidades en el sistema métrico, es posible que haya notado algunas unidades del cuadro anterior no muy conocidas. Esto es debido a que, en algunos casos, las unidades del SI difieren de las unidades gravimétricas antiguas a las que sustituyen. Por ejemplo, los newtons (N) sustituyen a los kilogramos (kg) como unidad de fuerza, los kilopascales (kPa) a las atmósferas o bares como unidad de presión y, a pesar de que las unidades son las mismas, el nombre de Celsius sustituye al grado centígrado para la medición de la temperatura.

Si Ud. no trabaja con las tablas del SI, écheles un vistazo, porque ahora todavía no las necesita, pero en el futuro será imprescindible su uso.

CONVERSIÓN DEL SISTEMA BRITÁNICO AL MÉTRICO: MASA (PESO)

La masa se mide actualmente en libras y onzas (lbs & ozs). La unidad de masa en el sistema métrico (o de peso) es el kilogramo (kg). A pesar de que esta tabla no presenta la conversión de masas (o de pesos) superiores a 15 lbs, es muy fácil calcularlas para cantidades mayores.

Para convertir onzas (ozs) en gramos (gr): multiplicar el número de onzas por 28.
Para convertir gramos (gr) en onzas (ozs): multiplicar los gramos por 0.035.

Para convertir libras (lbs) en kilogramos: multiplicar las libras por 0.45.
Para convertir kilogramos (kg) en libras: multiplicar los kg. por 2.2.

lbs	kg	lbs	kg	oz	kg	oz	kg
0.1	0.04	0.9	0.41	0.1	0.003	0.9	0.024
0.2	0.09	1	0.4	0.2	0.005	1	0.03
0.3	0.14	2	0.9	0.3	0.008	2	0.06

TABLAS PARA EL SISTEMA MÉTRICO

lbs	kg	lbs	kg	oz	kg	oz	kg
0.4	0.18	3	1.4	0.4	0.011	3	0.08
0.5	0.23	4	1.8	0.5	0.014	4	0.11
0.6	0.27	5	2.3	0.6	0.017	5	0.14
0.7	0.32	10	4.5	0.7	0.020	10	0.28
0.8	0.36	15	6.8	0.8	0.023	15	0.42

CONVERSIÓN DEL SISTEMA BRITÁNICO AL MÉTRICO: TEMPERATURA

Para convertir Fahrenheit (°F) en Celsius (°C): al número de °F réstele 32; multiplique el resultado por 5; divida el resultado entre 9.
Para convertir Celsius (°C) en Fahrenheit (°F): al número de °C multiplíquele 9; divida el resultado por 5; añada 32 al total.

Fahrenheit (F)		Celsius (C)		Fahrenheit (F)		Celsius (C)		Fahrenheit (F)		Celsius (C)	
°F	°C	°C	°F	°F	°C	°C	°F	°F	°C	°C	°F
−40	−40	−38	−36.4	80	26.7	18	64.4	215	101.7	80	176
−35	−37.2	−36	−32.8	85	29.4	20	68	220	104.4	85	185
−30	−34.4	−34	−29.2	90	32.2	22	71.6	225	107.2	90	194
−25	−31.7	−32	−25.6	95	35.0	24	75.2	230	110.0	95	202
−20	−28.9	−30	−22	100	37.8	26	78.8	235	112.8	100	212
−15	−26.1	−28	−18.4	105	40.6	28	82.4	240	115.6	105	221
−10	−23.3	−26	−14.8	110	43.3	30	86	245	118.3	110	230
−5	−20.6	−24	−11.2	115	46.1	32	89.6	250	121.1	115	239
0	−17.8	−22	−7.6	120	48.9	34	93.2	255	123.9	120	248
1	−17.2	−20	−4	125	51.7	36	96.8	260	126.6	125	257
2	−16.7	−18	−0.4	130	54.4	38	100.4	265	129.4	130	266
3	−16.1	−16	3.2	135	57.2	40	104	270	132.2	135	275
4	−15.6	−14	6.8	140	60.0	42	107.6	275	135.0	140	284
5	−15.0	−12	10.4	145	62.8	44	112.2	280	137.8	145	293
10	−12.2	−10	14	150	65.6	46	114.8	285	140.6	150	302
15	−9.4	−8	17.6	155	68.3	48	118.4	290	143.3	155	311
20	−6.7	−6	21.2	160	71.1	50	122	295	146.1	160	320
25	−3.9	−4	24.8	165	73.9	52	125.6	300	148.9	165	329
30	−1.1	−2	28.4	170	76.7	54	129.2	305	151.7	170	338
35	1.7	0	32	175	79.4	56	132.8	310	154.4	175	347
40	4.4	2	35.6	180	82.2	58	136.4	315	157.2	180	356
45	7.2	4	39.2	185	85.0	60	140	320	160.0	185	365
50	10.0	6	42.8	190	87.8	62	143.6	325	162.8	190	374
55	12.8	8	46.4	195	90.6	64	147.2	330	165.6	195	383
60	15.6	10	50	200	93.3	66	150.8	335	168.3	200	392
65	18.3	12	53.6	205	96.1	68	154.4	340	171.1	205	401
70	21.1	14	57.2	210	98.9	70	158	345	173.9	210	410
75	23.9	16	60.8	212	100.0	75	167	350	176.7	215	414

CONVERSIÓN DEL SISTEMA BRITÁNICO AL MÉTRICO: LONGITUD

Para convertir pulgadas (plg.) en milímetros (mm): multiplique las pulgadas por 25.4.
Para convertir milímetros (mm) en pulgadas (plg.): multiplique el número de milímetros por 0.04.

Pulgadas		Decimales	Milímetros	Plg. a mm — Plgs	mm	Pulgadas		Decimales	Milímetros	Plg. a mm — Plgs	mm
	1/64	0.051625	0.3969	0.0001	0.00254		33/64	0.515625	13.0969	0.6	15.24
1/32		0.03125	0.7937	0.0002	0.00508	17/32		0.53125	13.4937	0.7	17.78
	3/64	0.046875	1.1906	0.0003	0.00762		35/64	0.546875	13.8906	0.8	20.32
1/16		0.0625	1.5875	0.0004	0.01016	9/16		0.5625	14.2875	0.9	22.86
	5/64	0.078125	1.9844	0.0005	0.01270		37/64	0.578125	14.6844	1	25.4
3/32		0.09375	2.3812	0.0006	0.01524	19/32		0.59375	15.0812	2	50.8
	7/64	0.109375	2.7781	0.0007	0.01778		39/64	0.609375	15.4781	3	76.2
1/8		0.125	3.1750	0.0008	0.02032	5/8		0.625	15.8750	4	101.6

CONVERSIÓN DEL SISTEMA BRITÁNICO AL MÉTRICO: LONGITUD

Pulgadas		Decimales	Milímetros	Plg. a mm Plgs	mm	Pulgadas		Decimales	Milímetros	Plg. a mm Plgs	mm
	9/64	0.140625	3.5719	0.0009	0.02286		41/64	0.640625	16.2719	5	127.0
	5/32	0.15625	3.9687	0.001	0.0254	21/32		0.65625	16.6687	6	152.4
	11/64	0.171875	4.3656	0.002	0.0508		43/64	0.671875	17.0656	7	177.8
3/16		0.1875	4.7625	0.003	0.0762	11/16		0.6875	17.4625	8	203.2
	13/64	0.203125	5.1594	0.004	0.1016		45/64	0.703125	17.8594	9	228.6
	7/32	0.21875	5.5562	0.005	0.1270	23/32		0.71875	18.2562	10	254.0
	15/64	0.234375	5.9531	0.006	0.1524		47/64	0.734375	18.6531	11	279.4
1/4		0.25	6.3500	0.007	0.1778	3/4		0.75	19.0500	12	304.8
	17/64	0.265625	6.7469	0.008	0.2032		49/64	0.765625	19.4469	13	330.2
	9/32	0.28125	7.1437	0.009	0.2286	25/32		0.78125	19.8437	14	355.6
	19/64	0.296875	7.5406	0.01	0.254		51/64	0.796875	20.2406	15	381.0
5/16		0.3125	7.9375	0.02	0.508	13/16		0.8125	20.6375	16	406.4
	21/64	0.328125	8.3344	0.03	0.762		53/64	0.828125	21.0344	17	431.8
	11/32	0.34375	8.7312	0.04	1.016	27/32		0.84375	21.4312	18	457.2
	23/64	0.359375	9.1281	0.05	1.270		55/64	0.859375	21.8281	19	482.6
3/8		0.375	9.5250	0.06	1.524	7/8		0.875	22.2250	20	508.0
	25/64	0.390625	9.9219	0.07	1.778		57/64	0.890625	22.6219	21	533.4
	13/32	0.40625	10.3187	0.08	2.032	29/32		0.90625	23.0187	22	558.8
	27/64	0.421875	10.7156	0.09	2.286		59/64	0.921875	23.4156	23	584.2
7/16		0.4375	11.1125	0.1	2.54	15/16		0.9375	23.8125	24	609.6
	29/64	0.453125	11.5094	0.2	5.08		61/64	0.953125	24.2094	25	635.0
	15/32	0.46875	11.9062	0.3	7.62	31/32		0.96875	24.6062	26	660.4
	31/64	0.484375	12.3031	0.4	10.16		63/64	0.984375	25.0031	27	690.6
1/2		0.5	12.7000	0.5	12.70						

CONVERSIÓN DEL SISTEMA BRITÁNICO AL MÉTRICO: PAR DE TORSIÓN

Para convertir pies-libras (pie-lb) en Newtons-metro: multiplique el número de pies-libra por 1.3.
Para convertir las pulgadas-libra (plg-lb) en Newtons-metro: multiplique el número de pulgadas-libra por 0.11.

plg-lb	Nm	plg-lb	Nm	plg-lb	Nm	plg-lb	Nm	plg-lb	Nm
0.1	0.01	1	0.11	10	1.13	19	2.15	28	3.16
0.2	0.02	2	0.23	11	1.24	20	2.26	29	3.28
0.3	0.03	3	0.34	12	1.36	21	2.37	30	3.39
0.4	0.04	4	0.45	13	1.47	22	2.49	31	3.50
0.5	0.06	5	0.56	14	1.58	23	2.60	32	3.62
0.6	0.07	6	0.68	15	1.70	24	2.71	33	3.73
0.7	0.08	7	0.78	16	1.81	25	2.82	34	3.84
0.8	0.09	8	0.90	17	1.92	26	2.94	35	3.95
0.9	0.10	9	1.02	18	2.03	27	3.05	36	4.0/

CONVERSIÓN DEL SISTEMA BRITÁNICO AL MÉTRICO: PAR DE TORSIÓN

El par de torsión se expresa bien en pies-libra (pie-lb) o pulgadas-libra (plg-lb). La unidad de medida para el par en el sistema métrico es el Newton-metro (Nm). Esta unidad se utilizará (Nm) para el par de motor en el sistema internacional SI, en el lugar de pie-lb y plg-lb.

Pie-libra	Nm	Pie-libra	Nm	Pie-libra	Nm	Pie-libra	Nm
0.1	0.1	33	44.7	74	100.3	115	155.9
0.2	0.3	34	46.1	75	101.7	116	157.3
0.3	0.4	35	47.4	76	103.0	117	158.6
0.4	0.5	36	48.8	77	104.4	118	160.0
0.5	0.7	37	50.7	78	105.8	119	161.3
0.6	0.8	38	51.5	79	107.1	120	162.7

TABLAS PARA EL SISTEMA MÉTRICO

Pie-libra	Nm	Pie-libra	Nm	Pie-libra	Nm	Pie-libra	Nm
0.7	1.0	39	52.9	80	108.5	121	164.0
0.8	1.1	40	54.2	81	109.8	122	165.4
0.9	1.2	41	55.6	82	111.2	123	166.8
1	1.3	42	56.9	83	112.5	124	168.1
2	2.7	43	58.3	84	113.9	125	169.5
3	4.1	44	59.7	85	115.2	126	170.8
4	5.4	45	61.0	86	116.6	127	172.2
5	6.8	46	62.4	87	118.0	128	173.5
6	8.1	47	63.7	88	119.3	129	174.9
7	9.5	48	65.1	89	120.7	130	176.2
8	10.8	49	66.4	90	122.0	131	177.6
9	12.2	50	67.8	91	123.4	132	179.0
10	13.6	51	69.2	92	124.7	133	180.3
11	14.9	52	70.5	93	126.1	134	181.7
12	16.3	53	71.9	94	127.4	135	183.0
13	17.6	54	73.2	95	128.8	136	184.4
14	18.9	55	74.6	96	130.2	137	185.7
15	20.3	56	75.9	97	131.5	138	187.1
16	21.7	57	77.3	98	132.9	139	188.5
17	23.0	58	78.6	99	134.2	140	189.8
18	24.4	59	80.0	100	135.6	141	191.2
19	25.8	60	81.4	101	136.9	142	192.5
20	27.1	61	82.7	102	138.3	143	193.9
21	28.5	62	84.1	103	139.6	144	195.2
22	29.8	63	85.4	104	141.0	145	196.6
23	31.2	64	86.8	105	142.4	146	198.0
24	32.5	65	88.1	106	143.7	147	199.3
25	33.9	66	89.5	107	145.1	148	200.7
26	35.2	67	90.8	108	146.4	149	202.0
27	36.6	68	92.2	109	147.8	150	203.4
28	38.0	69	93.6	110	149.1	151	204.7
29	39.3	70	94.9	111	150.5	152	206.1
30	40.7	71	96.3	112	151.8	153	207.4
31	42.0	72	97.6	113	153.2	154	208.8
32	43.4	73	99.0	114	154.6	155	210.2

ESPECIFICACIONES ESTÁNDAR DE APRIETE Y DE MARCAS EN LAS CABEZAS DE TORNILLOS

La norma internacional para medir el apriete es el Newton-metro (Nm), que poco a poco desplaza a los estándares de pie-libra y kilogramo-metro. Las herramientas para apretar se fabrican todavía con escalas de pie-libra y kilogramo-metro, junto con la nueva norma de Newton-metro. Para ayudar al mecánico, en las tablas siguientes aparecen estas tres unidades, las cuales deberá aplicar según convenga.

NÚMERO DE GRADO SAE				TORNILLOS AMERICANOS							
	1 o 2			5			6 o 7			8		

Marcas en la cabeza de los tornillos.	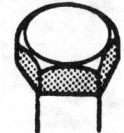											

Marcas en la cabeza de los tornillos. Las marcas pueden variar según el fabricante. Tres marcas en la cabeza, como se muestra abajo, indican un Grado SAE 5.

Empleo	Uso frecuente			Uso frecuente			Uso ocasional			Uso ocasional		
Calidad del material	Indeterminada			Mínima comercial			Media comercial			Óptima comercial		
Capacidad – Tamaño	Apriete			Apriete			Apriete			Apriete		
(Plg-hilos por plg)	Pie-lb	Kgm	Nm	Pie/lb	Kgm	Nm	Pie/lb	kgm	Nm	Pie/lb	Kgm	Nm
1/4-20	5	0.6915	6.7791	8	1.1064	10.8465	10	1.3630	13.5582	12	1.6596	16.2698
-28	6	0.8298	8.1349	10	1.3830	13.5582				14	1.9362	18.9815
5/16-18	11	1.5213	14.9140	17	2.3511	23.0489	19	2.6277	25.7605	24	3.3192	32.5396
-24	13	1.7979	17.6256	19	2.6277	25.7605				27	3.7341	36.6071
3/8-16	18	2.4894	24.4047	31	4.2873	42.0304	34	4.7022	46.0978	44	6.0852	59.6560
-24	20	2.7660	27.1164	35	4.8405	47.4536				49	6.7767	66.4351
7/16-14	28	3.8132	37.9629	49	6.7767	66.4351	55	7.6065	74.5700	70	9.6810	94.9073
-20	30	4.1490	40.6745	55	7.6065	74.5700				78	10.7874	105.7538
1/2-13	39	5.3937	52.8769	75	10.3725	101.6863	85	11.7555	115.2445	105	14.5215	142.3609
-20	41	5.6703	55.5885	85	11.7555	115.2445				120	16.5860	162.6960
9/16-12	51	7.0533	69.1467	110	15.2130	149.1380	120	16.5960	162.6960	155	21.4365	210.1490
-18	55	7.6065	74.5700	120	16.5960	162.6960				170	23.5110	230.4860
5/8-11	83	11.4789	112.5329	150	20.7450	203.3700	167	23.0961	226.4186	210	29.0430	284.7180
-18	95	13.1385	128.8027	170	23.5110	230.4860				240	33.1920	325.3920
3/4-10	105	14.5215	142.3609	270	37.3410	366.0660	280	38.7240	379.6240	375	51.8625	508.4250
-16	115	15.9045	155.9170	295	40.7985	399.9610				420	58.0860	568.4360
7/8-9	160	22.1280	216.9280	395	54.6285	535.5410	440	60.8520	596.5520	605	83.6715	820.2590
-14	175	24.2025	237.2650	435	60.1605	589.7730				675	93.3525	915.1650
1-8	236	32.5005	318.6130	590	81.5970	799.9220	660	91.2780	894.8280	910	125.8530	1233.7780
-14	250	34.5750	338.9500	660	91.2780	849.8280				990	136.9170	1342.2420

TORNILLOS MÉTRICOS

Descripción	Apriete, pie-lb (Nm)			
Roscas de propósito general (tamaño x paso, en mm)	Marca 4 en la cabeza		Marca 7 en la cabeza	
6 x 1.0	2.2 a 2.9	(3.0 a 3.9)	3.6 a 5.8	(4.9 a 7.8)
8 x 1.25	5.8 a 8.7	(7.9 a 12)	9.4 a 14	(13 a 19)
10 x 1.25	12 a 17	(16 a 23)	20 a 29	(27 a 39)
12 x 1.25	21 a 32	(29 a 43)	35 a 53	(47 a 72)
14 x 1.5	35 a 52	(48 a 70)	57 a 85	(77 a 110)
16 x 1.5	51 a 77	(67 a 100)	90 a 120	(130 a 160)
18 x 1.5	74 a 110	(100 a 150)	130 a 170	(180 a 230)
20 x 1.5	110 a 140	(150 a 190)	190 a 240	(160 a 320)
22 x 1.5	150 a 190	(200 a 260)	250 a 320	(340 a 430)
24 x 1.5	190 a 240	(260 a 320)	310 a 410	(420 a 550)

Precaución: los tornillos en aluminio necesitan mucho menos apriete.

TABLAS PARA EL SISTEMA MÉTRICO

CONVERSIÓN DEL SISTEMA BRITÁNICO AL MÉTRICO: CAPACIDAD DE LÍQUIDOS

La capacidad de líquidos se presenta expresada en pintas, cuartos o galones, o en una combinación de todos ellos. En el sistema métrico se utiliza el litro (l) como unidad básica. Los divisores del litro son el decilitro, el centilitro o, más frecuentemente, el mililitro.

Para convertir pintas (pts) en litros (l): multiplique el número de pintas por 0.47.
Para convertir litros (l) en pintas (pts): multiplique el número de litros por 2.1.
Para convertir los cuartos (cts) en litros (l): multiplique el número de cuartos por 0.95.
Para convertir los litros (l) en cuartos (cts): multiplique el número de litros por 1.06.
Para convertir galones (gals) en litros (l): multiplique el número de galones por 3.8.
Para convertir los litros (l) en galones (gals): multiplique el número de litros por 0.26.

galones	litros	galones	litros	galones	litros
0.1	0.38	0.1	0.10	0.1	0.05
0.2	0.76	0.2	0.19	0.2	0.10
0.3	1.1	0.3	0.28	0.3	0.14
0.4	1.5	0.4	0.38	0.4	0.19
0.5	1.9	0.5	0.47	0.5	0.24
0.6	2.3	0.6	0.57	0.6	0.28
0.7	2.6	0.7	0.66	0.7	0.33
0.8	3.0	0.8	0.76	0.8	0.38
0.9	3.4	0.9	0.85	0.9	0.43
1	3.8	1	1.0	1	0.5
2	7.6	2	1.9	2	1.0
3	11.4	3	2.8	3	1.4
4	15.1	4	3.8	4	1.9
5	18.9	5	4.7	5	2.4
6	22.7	6	5.7	6	2.8
7	26.5	7	6.6	7	3.3
8	30.3	8	7.6	8	3.8
9	34.1	9	8.5	9	4.3
10	37.8	10	9.5	10	4.7
11	41.6	11	10.4	11	5.2
12	45.4	12	11.4	12	5.7
13	49.2	13	12.3	13	6.2
14	53.0	14	13.2	14	6.6
15	56.8	15	14.2	15	7.1
16	60.6	16	15.1	16	7.6
17	64.3	17	16.1	17	8.0
18	68.1	18	17.0	18	8.5
19	71.9	19	18.0	19	9.0
20	75.7	20	18.9	20	9.5
21	79.5	21	19.9	21	9.9
22	83.2	22	20.8	22	10.4
23	87.0	23	21.8	23	10.9
24	90.8	24	22.7	24	11.4
25	94.6	25	23.6	25	11.8
26	98.4	26	24.6	26	12.3
27	102.2	27	25.5	27	12.8
28	106.0	28	26.5	28	13.2
29	110.0	29	27.4	29	13.7
30	113.5	30	28.4	30	14.2

CONVERSIÓN DEL SISTEMA BRITÁNICO AL MÉTRICO: PRESIÓN

La unidad básica de presión que se emplea hoy en día es la libra por pulgada cuadrada (lb/plg.²). La unidad métrica para la lb/plg.² es el kilopascal (kPa).

Esto se aplica a la presión en fluidos o en gases y es fácil verlo en libros que tratan de sistemas de presión, especificaciones sobre presiones en los aceites, presión en la bomba de combustible, etc.

Para convertir libras por pulgada cuadrada (lb/plg.²) en kilopascales (kPa): multiplique el número de lb/plg.² por 6.89.

lb/plg.²	kPa	lb/plg.²	kPa	lb/plg.²	kPa	lb/plg.²	kPa
0.1	0.7	37	255.1	82	565.4	127	875.6
0.2	1.4	38	262.0	83	572.3	128	882.5
0.3	2.1	39	268.9	84	579.2	129	889.4
0.4	2.8	40	275.8	85	586.0	130	896.3
0.5	3.4	41	282.7	86	592.9	131	903.2
0.6	4.1	42	289.6	87	599.8	132	910.1
0.7	4.8	43	296.5	88	606.7	133	917.0
0.8	5.5	44	303.4	89	613.6	134	923.9
0.9	6.2	45	310.3	90	620.5	135	930.8
1	6.9	46	317.2	91	627.4	136	937.7
2	13.8	47	324.0	92	634.3	137	944.6
3	20.7	48	331.0	93	641.2	138	951.5
4	27.6	49	337.8	94	648.1	139	958.4
5	34.5	50	344.7	95	655.0	140	965.2
6	41.4	51	351.6	96	661.9	141	972.2
7	48.3	52	358.5	97	668.8	142	979.0
8	55.2	53	365.4	98	675.7	143	985.9
9	62.1	54	372.3	99	682.6	144	992.8
10	69.0	55	379.2	100	689.5	145	999.7
11	75.8	56	386.1	101	696.4	146	1006.6
12	82.7	57	393.0	102	703.3	147	1013.5
13	89.6	58	399.9	103	710.2	148	1020.4
14	96.5	59	406.8	104	717.0	149	1027.3
15	103.4	60	413.7	105	723.9	150	1034.2
16	110.3	61	420.6	106	730.8	151	1041.1
17	117.2	62	427.5	107	737.7	152	1048.0
18	124.1	63	434.4	108	744.6	153	1054.9
19	131.0	64	441.3	109	751.5	154	1061.8
20	137.9	65	448.2	110	758.4	155	1068.7
21	144.8	66	455.0	111	765.3	156	1075.6
22	151.7	67	461.9	112	772.2	157	1082.5
23	158.6	68	468.8	113	779.1	158	1089.4
24	165.5	69	475.7	114	786.0	159	1096.3
25	172.4	70	482.6	115	792.9	160	1103.2
26	179.3	71	489.5	116	799.8	161	1110.0
27	186.2	72	496.4	117	806.7	162	1116.9
28	193.0	73	503.3	118	813.6	163	1123.8
29	200.0	74	510.2	119	820.5	164	1130.7
30	206.8	75	517.1	120	827.4	165	1137.6
31	213.7	76	524.0	121	834.3	166	1144.5
32	220.6	77	530.9	122	841.2	167	1151.4
33	227.5	78	537.8	123	848.0	168	1158.3

TABLAS PARA EL SISTEMA MÉTRICO

lb/plg.²	kPa	lb/plg.²	kPa	lb/plg.²	kPa	lb/plg.²	kPa
34	234.4	79	544.7	124	854.9	169	1165.2
35	241.3	80	551.6	125	861.8	170	1172.1
36	248.2	81	558.5	126	868.7	171	1179.0

CONVERSIÓN DEL SISTEMA BRITÁNICO AL MÉTRICO: FUERZA

La fuerza actualmente se mide en libras fuerza (lb). Este tipo de medida se utiliza para medir la presión en los resortes, específicamente para ver cuántas libras fuerza es necesario aplicar para comprimir un resorte.

La unidad de fuerza empleada actualmente será sustituida en el SI por el Newton (N). Este término se utiliza también en las especificaciones para presiones en los resortes del portaescobillas en un motor eléctrico, en presiones de resortes de válvulas, etc.

Para convertir libras fuerza (lb) en Newtons (N): multiplique el número de libras fuerza por 4.45.

libras	Newtons	libras	Newtons	libras	Newtons	libras	Newtons
0.01	0.04	21	93.4	59	262.4	1	0.3
0.02	0.09	22	97.9	60	266.9	2	0.6
0.03	0.13	23	102.3	61	271.3	3	0.8
0.04	0.18	24	106.8	62	275.8	4	1.1
0.05	0.22	25	111.2	63	280.2	5	1.4
0.06	0.27	26	115.6	64	284.6	6	1.7
0.07	0.31	27	120.1	65	289.1	7	2.0
0.08	0.36	28	124.6	66	293.6	8	2.2
0.09	0.40	29	129.0	67	298.0	9	2.5
0.1	0.4	30	133.4	68	302.5	10	2.8
0.2	0.9	31	137.9	69	306.9	11	3.1
0.3	1.3	32	142.3	70	311.4	12	3.3
0.4	1.8	33	146.8	71	315.8	13	3.6
0.5	2.2	34	151.2	72	320.3	14	3.9
0.6	2.7	35	155.7	73	324.7	15	4.2
0.7	3.1	36	160.1	74	329.2	16	4.4
0.8	3.6	37	164.6	75	333.6	17	4.7
0.9	4.0	38	169.0	76	338.1	18	5.0
1	4.4	39	173.5	77	342.5	19	5.3
2	8.9	40	177.9	78	347.0	20	5.6
3	13.4	41	182.4	79	351.4	21	5.8
4	17.8	42	186.8	80	355.9	22	6.1
5	22.2	43	191.3	81	360.3	23	6.4
6	26.7	44	195.7	82	364.8	24	6.7
7	31.1	45	200.2	83	369.2	25	7.0
8	35.6	46	204.6	84	373.6	26	7.2
9	40.0	47	209.1	85	378.1	27	7.5
10	44.5	48	213.5	86	382.6	28	7.8
11	48.9	49	218.0	87	387.0	29	8.1
12	53.4	50	224.4	88	391.4	30	8.3
13	57.8	51	226.9	89	395.9	31	8.6
14	62.3	52	231.3	90	400.3	32	8.9
15	66.7	53	235.8	91	404.8	33	9.2
16	71.2	54	240.2	92	409.2	34	9.4
17	75.6	55	244.6	93	413.7	35	9.7

libras	Newtons	libras	Newtons	libras	Newtons	libras	Newtons
209	1441.0	253	1744.4	297	2047.7	341	2351.1
210	1447.9	254	1751.3	298	2054.6	342	2358.0
211	1454.8	255	1758.2	299	2061.5	343	2364.9
212	1461.7	256	1765.1	300	2068.4	344	2371.8
213	1468.7	257	1772.0	301	2075.3	345	2378.7
214	1475.5	258	1778.8	302	2082.2	346	2385.6
215	1482.4	259	1785.7	303	2089.1	347	2392.5

CONVERSIÓN DEL SISTEMA BRITÁNICO AL MÉTRICO: PRESIÓN

La unidad básica en la medición de la presión es, actualmente, la libra por pulgada cuadrada (lb/plg^2). La unidad métrica para la lb/plg^2 es el kilopascal (kPa). Esto se aplica a la presión en fluidos o en gases y es fácil verlo en libros que tratan de sistemas de presión, especificaciones sobre presiones en los aceites, presión en la bomba de combustible, etc.

Para convertir libras por pulgada cuadrada (lb/plg.^{2}) en kilopascales (kPa): multiplique el número de lb/plg.^{2} por 6.89.

lb/plg.^{2}	kPa	lb/plg.^{2}	kPa	lb/plg.^{2}	kPa	lb/plg.^{2}	kPa
172	1185.9	216	1489.3	260	1792.6	304	2096.0
173	1192.8	217	1496.2	261	1799.5	305	2102.9
174	1199.7	218	1503.1	262	1806.4	306	2109.8
175	1206.6	219	1510.0	263	1813.3	307	2116.7
176	1213.5	220	1516.8	264	1820.2	308	2123.6
177	1220.4	221	1523.7	265	1827.1	309	2130.5
178	1227.3	222	1530.6	266	1834.0	310	2137.4
179	1234.2	223	1537.5	267	1840.9	311	2144.3
180	1241.0	224	1544.4	268	1847.8	312	2151.2
181	1247.9	225	1551.3	269	1854.7	313	2158.1
182	1254.8	226	1558.2	270	1861.6	314	2164.9
183	1261.7	227	1565.1	271	1868.5	315	2171.8
184	1268.6	228	1572.0	272	1875.4	316	2178.7
185	1275.5	229	1578.9	273	1882.3	317	2185.6
186	1282.4	230	1585.8	274	1889.2	318	2192.5
187	1289.3	231	1592.7	275	1896.1	319	2199.4
188	1296.2	232	1599.6	276	1903.0	320	2206.3
189	1303.1	233	1606.5	277	1909.8	321	2213.2
190	1310.0	234	1613.4	278	1916.7	322	2220.1
191	1316.9	235	1620.3	279	1923.6	323	2227.0
192	1323.8	236	1627.2	280	1930.5	324	2233.9
193	1330.7	237	1634.1	281	1937.4	325	2240.8
194	1337.6	238	1641.0	282	1944.3	326	2247.7
195	1344.5	239	1647.8	283	1951.2	327	2254.6
196	1351.4	240	1654.7	284	1958.1	328	2261.5
197	1358.3	241	1661.6	285	1965.0	329	2268.4
198	1365.2	242	1668.5	286	1971.9	330	2275.3
199	1372.0	243	1675.4	287	1978.8	331	2282.2
200	1378.9	244	1682.3	288	1985.7	332	2289.1
201	1385.8	245	1689.2	289	1992.6	333	2295.9
202	1392.7	246	1696.1	290	1999.5	334	2302.8
203	1399.6	247	1703.0	291	2006.4	335	2309.7
204	1406.5	248	1709.9	292	2013.3	336	2316.6
205	1413.4	249	1716.8	293	2020.2	337	2323.5
206	1420.3	250	1723.7	294	2027.1	338	2330.4
207	1427.2	251	1730.6	295	2034.0	339	2337.3
208	1434.1	252	1737.5	296	2040.8	240	2344.2

TABLAS PARA EL SISTEMA MÉTRICO

lb/plg.²	kPa	lb/plg.²	kPa	lb/plg.²	kPa	lb/plg.²	kPa
209	1441.0	253	1744.4	297	2047.7	341	2351.1
210	1447.9	254	1751.3	298	2054.6	342	2358.0
211	1454.8	255	1758.2	299	2061.5	343	2364.9
212	1461.7	256	1765.1	300	2068.4	344	2371.8
213	1468.7	257	1772.0	301	2075.3	345	2378.7
214	1475.5	258	1778.8	302	2082.2	346	2385.6
215	1482.4	259	1785.7	303	2089.1	347	2392.5

TAMAÑOS DE BROCA

VALORES BRUTOS O U.S.S.

Tamaños de broca y tornillo	Filetes por pulgada	Utilice el número de broca
No. 5	40	39
No. 6	32	36
No. 8	32	29
No. 10	24	25
No. 12	24	17
1/4	20	8
5/16	18	F
3/8	16	5/16
7/16	14	U
1/2	13	27/64
9/16	12	31/64
5/8	11	17/32
3/4	10	21/32
7/8	9	49/64
1	8	7/8
1 1/8	7	63/64
1 1/4	7	1 7/64
1 1/2	6	1 11/32

VALORES FINOS O S.A.E.

Tamaños de broca y tornillo	Filetes por pulgada	Utilice el número de broca
No. 5	44	37
No. 6	40	33
No. 8	36	29
No. 10	32	21
No. 12	28	15
1/4	28	3
5/16	24	1
3/8	24	Q
7/16	20	W
1/2	20	29/64
9/16	18	33/64
5/8	18	37/64
3/4	16	11/16
7/8	14	13/16
1 1/8	12	1 3/64
1 1/4	12	1 11/64
1 1/2	12	1 27/64

TAMAÑO EQUIVALENTE EN DECIMAL DE LAS BROCAS

N° de broca	Equivalente decimal	N° de broca	Equivalente decimal	N° de broca	Equivalente decimal
80	.0135	53	.0595	26	.1470
79	.0145	52	.0635	25	.1495
78	.0160	51	.0670	24	.1520
77	.0180	50	.0700	23	.1540
76	.0200	49	.0730	22	.1570
75	.0210	48	.0760	21	.1590
74	.0225	47	.0785	20	.1610
73	.0240	46	.0810	19	.1660
72	.0250	45	.0820	18	.1695
71	.0260	44	.0860	17	.1730
70	.0280	43	.0890	16	.1770
69	.0292	42	.0935	15	.1800
68	.0310	41	.0960	14	.1820
67	.0320	40	.0980	13	.1850
66	.0330	39	.0995	12	.1890
65	.0350	38	.1015	11	.1910
64	.0360	37	.1040	10	.1935
63	.0370	36	.1065	9	.1960
62	.0380	35	.1100	8	.1990
61	.0390	34	.1110	7	.2010
60	.0400	33	.1130	6	.2040
59	.0410	32	.1160	5	.2055
58	.0420	31	.1200	4	.2090
57	.0430	30	.1285	3	.2130
56	.0465	29	.1360	2	.2210
55	.0520	28	.1405	1	.2280
54	.0550	27	.1440		

TAMAÑO EQUIVALENTE DECIMAL DE LAS BROCAS PARA LETRAS

Broca de letra	Equivalente decimal	Broca de letra	Equivalente decimal	Broca de letra	Equivalente decimal
A	.234	J	.277	S	.348
B	.238	K	.281	T	.358
C	.242	L	.290	U	.368
D	.246	M	.295	V	.377
E	.250	N	.302	W	.386
F	.257	O	.316	X	.397
G	.261	P	.323	Y	.404
H	.266	Q	.332	Z	.413
I	.272	R	.339		

EQUIVALENTE DECIMAL DE LAS FRACCIONES CORRIENTES

1/64 . . . . = .0156	21/64 . . . . = .3281	43/64 . . . . = .6719
1/32 . . . . = .0313	11/32 . . . . . . = .3438	11/16 = .6875
3/64 . . . . = .0469	23/64 . . . . = .3594	45/64 . . . . = .7031
1/16 = .0625	3/8 = .3750	23/32 . . . . . = .7188
5/64 . . . . = .0781	25/64 . . . . = .3906	47/64 . . . . = .7344
3/32 . . . . = .0938	13/32 . . . . . . = .4063	3/4 = .7500
7/64 . . . . = .1094	27/64 . . . . = .4219	49/64 . . . . = .7656
1/8 = .1250	7/16 = .4375	25/32 . . . . . = .7813
9/64 . . . . = .1406	29/64 . . . . = .4531	51/64 . . . . = .7969
5/32 . . . . = .1563	15/32 . . . . . . = .4688	13/16 = .8125
11/64 . . . . = .1719	31/64 . . . . = .4844	53/64 . . . . = .8281
3/16 = .1875	1/2 = .5000	27/32 . . . . . = .8438
13/64 . . . . = .2031	33/64 . . . . = .5156	55/64 . . . . = .8594
7/32 . . . . = .2188	17/32 . . . . . . = .5313	7/8 = .8750
15/64 . . . . = .2344	35/64 . . . . = .5469	57/64 . . . . = .8906
1/4 = .2500	9/16 = .5625	29/32 . . . . . = .9063
17/64 . . . . = .2656	37/64 . . . . = .5781	59/64 . . . . = .9219
9/32 . . . . = .2813	19/32 . . . . . . = .5938	15/16 = .9375
19/64 . . . . = .2969	39/64 . . . . = .6094	61/64 . . . . = .9531
5/16 = .3125	5/8 = .6250	31/32 . . . . . = .9688
	41/64 . . . . = .6406	63/64 . . . . = .9844
	21/32 . . . . . . = .6563	

GLOSARIO DE TÉRMINOS

Absorción

La acción de extraer materia de la atmósfera (agua del aire, etc.), realizada por un determinado material.

Acero aleado

Un acero que debe sus propiedades principalmente a la presencia de uno o más elementos distintos del carbono; p.ej., níquel, cromo, vanadio, molibdeno, etc.

Ajuste

Las diferentes clases de ajustes de ejes que se utilizan con mayor generalidad son las siguientes:

Ajuste por dilatación-- Para partes que se han de acoplar mediante la aplicación de calor para dilatar el agujero y así en ese momento poder introducir el eje. Al enfriarse esta unión, el agujero se contrae, dando como resultado una unión perfecta que no requiere anclajes de ningún tipo. El agujero se perfora siempre con un diámetro inferior al del eje.

Ajuste a Presión-- Para piezas que se han de acoplar mediante una prensa; deben tener una chaveta si se las ha de someter a un par torsor.

Ajuste Motriz-- Para piezas que se han de acoplar utilizando un martillo blando, pero que se pueden desmontar posteriormente.

Ajuste de Empuje-- Para piezas que se han de acoplar a mano, sin ejercer ninguna fuerza especial y que no presentan juego en el montaje. Deberían permanecer sin juego alguno una vez montadas.

Ajuste de Deslizamiento-- Para todas las piezas que, en funcionamiento, se deslizan una sobre la otra, de forma constante, sin motor.

Ajuste de Giro Suave-- Para piezas que tienen que girar durante un período de tiempo relativamente largo.

Alargamiento

Es la deformación resultante del esfuerzo (véase Esfuerzo).

Ángulo

La diferencia de dirección de dos líneas que se cortan o que tienden a cortarse. Las líneas se denominan lados y el punto de corte, el vértice del ángulo. Se mide en grados o en radianes. Un grado es el equivalente a un ángulo (tomado en el centro de un circulo), subtendido por un arco cuya longitud es igual a 1/360 de la circunferencia. Un radián es el equivalente a un ángulo (tomado en el centro de un círculo), subtendido por un arco, cuya longitud es igual al radio del círculo. Un radián es igual a 57.2958 grados o lo que es lo mismo 180/pi grados. Para la medición de ángulos se utiliza el transportador de ángulos. Un ángulo recto es aquel abarcado por el radio cuando éste gira un cuarto (1/4) de circunferencia. Tiene un valor de 90°. Un ángulo agudo es aquel que tiene menos de 90°. Un ángulo obtuso es aquel que tiene más de 90°. Un ángulo oblicuo es aquel distinto de un ángulo recto. Un ángulo es reflejo si contiene más de 180°. Ángulo helicoidal es el de un filete en la línea de paso con el eje de la parte fileteada; el ángulo de paso de un filete es el ángulo abarcado entre los lados o paredes del filete medido sobre la línea del eje.

Un ángulo diedro es el formado por la abertura entre dos planos que se cortan. El vértice de un ángulo es el punto de intersección de las dos líneas a lados que lo forman.

B.T.U.

Abreviatura para la Unidad Térmica Británica que representa la cantidad de calor que se requiere para elevar la temperatura de una libra de agua, en un grado Fahrenheit, cuando el agua se encuentra a 37 °C aproximadamente. Una B.T.U. equivale a 778 pie-libra y 42.4 B.T.U. equivalen a un HP.

Caballo de vapor (HP)

El caballo de vapor (HP) es la unidad de potencia que se ha adaptado para la ingeniería. Un caballo de vapor equivale a 33.000 pie-libra por minuto o a 550 pie-libra por segundo. El caballo de vapor en el sistema métrico equivale a 75 kilográmetros por segundo o a 542.5 pie-libra por segundo, o a 32.550 pie-libra por minuto. El kilovatio que se utiliza en electricidad equivale a 1.34 kHP; un caballo de vapor (HP) equivale a 0.746 kilovatios.

Calibrar

Averiguar la exactitud de un objeto y rectificarlo tomando como referencia un instrumento de medida de precisión.

Calibre

Un calibre con dos escalas, donde la diferencia entre ellas representa la tolerancia o variación permitida. Una de las escalas se debe aplicar a la pieza que hay que medir; la otra no. Este tipo de calibre recibe normalmente la denominación de "calibre de tolerancias" o calibre "pasa no pasa".

Caloría (kilocaloría)

Cualquiera de varias unidades térmicas, como: (a) La cantidad de calor (caloría pequeña) que se requiere para elevar un grado centígrado la temperatura de un gramo de agua. (b) La cantidad de calor (kilocaloría) para elevar un grado centígrado la temperatura de un kilogramo de agua. (1 kilocaloría equivale a 1000 calorías.)

Cantidad de movimiento

La cantidad de movimiento de un móvil es la intensidad de una fuerza constante que, si se opusiera a su movimiento, lo detendría en un segundo.

Cantidad de Movimiento= masa x velocidad en pies por segundo.

Cantidad de movimiento= peso/32.16 x velocidad en pies por segundo.

La cantidad de movimiento no se debe confundir con el par momento de una fuerza.

Causa de avería por fatiga

La causa de avería por fatiga se puede atribuir a la repetición de tensiones que exceden el límite elástico del acero. Esto se puede subdividir de la siguiente forma:

Responsabilidad del fabricante:

1. Materia prima detectuosa.
2. Tratamiento térmico defectuoso.
3. Diseño erróneo.
4. Mecanizado defectuoso.

Responsabilidad del transportista:

1. Sobrecarga.
2. Exceso de velocidad.
3. Manejo inadecuado y conducción mala.
4. Condiciones de la carretera.

Centro de gravedad

El punto de un cuerpo alrededor del cual se equilibran todas sus partes.

GLOSARIO DE TÉRMINOS

Centro de oscilación

Si un cuerpo oscila alrededor de un eje horizontal que no pasa por su centro de gravedad, habrá un punto en la recta que se obtiene trazando la perpendicular a dicho eje por el centro de gravedad, cuyo movimiento sería el mismo que si toda la masa estuviera concentrada en ese punto. El punto en cuestión se denomina centro de oscilación.

Se aplica a los tiempos del motor de combustión interna.

Chaflán

Un bisel o una esquina que se ha eliminado.

Ciclo

Se aplica a los tiempos del motor de combustión interna. Un cliclo se compone de cuatro tiempos para cada pistón (1 admisión; 2 compresión; 3 explosión; 4 expulsión) que se llevan a cabo durante dos vueltas de cigüeñal. El intervalo o período de tiempo que lleva la realización de esta serie de sucesos, cuando acontecen en serie.

Consistencia

Denota una combinación de resistencia y ductilidad, resistencia a la fatiga, a la tensión y al cizallamiento.

Ductilidad

Capacidad para aguantar el estiramiento sin llegar a la rotura. La ductilidad se mide normalmente mediante el porcentaje de elongación, sobre una muestra de una longitud patrón, o por reducción del área de la sección transversal de una muestra cuando se la somete a tracción.

Dureza

Es la propiedad de un material que le permite resistir la penetración.

Equilibrio dinámico

El cigüeñal puede estar en equilibrio estático perfecto, pero, si está montado sobre cojinetes y gira a gran velocidad, se podrían producir vibraciones y como consecuencia provocar un fallo de los cojinetes y posiblemente la fractura del mismo eje debido a la acción de fatiga. El desequilibrio dinámico se da cuando la suma de los pesos de partes diagonalmente opuestas no se contrarresta. Supóngase, por ejemplo, una polea que está en equilibrio perfecto. Imagine la polea montada sobre un eje apoyado sobre unos cojinetes. Añada una pesa a la periferia externa en un extremo de la polea; a continuación, añada un contrapeso exactamente igual al anterior en el extremo opuesto. La polea sigue en equilibrio estático, como lo evidencia el hecho de que gira libremente y se para, hacia arriba, hacia abajo o en cualquier otra posición; pero, si se la hace girar a gran velocidad, la condición de desequilibrio dinámico se podrá observar con claridad, debido a la vibración. Este desequilibrio dinámico se elimina en un cigüeñal, primero por determinación de los puntos pesados, es decir, los que provocan el desequilibrio, y a continuación taladrando hasta lograr la eliminación del exceso de metal.

Equilibrio estático

El equilibrado de cigüeñales es un factor muy importante para lograr una larga vida del motor. El equilibrado de los cigüeñales se obtiene igualando el peso, de forma que, cuando se coloquen sobre cuchillas, el eje no gire. Así se obtiene el mismo estado de equilibrio que se obtendría con una rueda de automóvil si se colocase un contrapeso exactamente en un punto diametralmente opuesto a la válvula y, a continuación, se elevase con un gato y se diera unas vueltas. La rueda se detendría y permanecería en reposo en cualquier posición determinada por la inercia, después de haber consumido la energía comunicada inicialmente. Si la rueda no estuviera en equilibrio perfecto, seguiría girando o regresaría hasta que el punto más pesado estuviera en la posición inferior. La eliminación del punto más pesado de un cigüeñal se denomina equilibrado estático. Esto se logra reduciendo las masas de equilibrado que se han añadido a ambos lados para ese fin.

Esfuerzo

Es una fuerza interna que se opone a la acción destructiva de una fuerza externa. Todo esfuerzo va acompañado de deformaciones. Existe el esfuerzo de tracción, esfuerzo de compresión y esfuerzo de cizallamiento. En cualquier punto de una pieza sometida a esfuerzo, el esfuerzo por unidad de área se denomina "esfuerzo unitario". El esfuerzo es la fuerza aplicada (véase Alargamiento).

Factor de seguridad

Los esfuerzos reales no deberían exceder en ningún caso el límite elástico. Se basan normalmente en la resistencia máxima del material. El ratio resistencia máxima de un material dado/resistencia de funcionamiento permitida se denomina "Factor de seguridad".

Fatiga de los metales

Se produce cuando un metal se somete a un esfuerzo determinado, un número elevado de veces, lo que ocasiona una avería o fallo. Las averías por fatiga se caracterizan por ser repentinas y por la ausencia de una deformación general en la pieza que sufre la avería. Un caso muy conocido es un alambre metálico que se ha roto por doblado y estiramiento continuos.

Física

La ciencia que estudia los fenómenos que se dan en los seres inanimados y que no involucra cambios químicos. Por ejemplo, estudia la mecánica de compresión, el magnetismo, la electricidad, la luz, el calor y el sonido.

Fricción

Es la resistencia al movimiento que se da cuando un cuerpo se mueve sobre otro. Se define generalmente como "la fuerza que actúa entre dos cuerpos en su superficie de contacto para oponerse al deslizamiento".

Fuerza centrífuga

Cuando un cuerpo gira a lo largo de una trayectoria curva, éste ejerce una fuerza llamada fuerza centrífuga sobre el brazo o cuerda que le impide moverse en línea recta (recta tangencial al movimiento).

Gusanillo de rosca

Una espiral. Un muelle o la rosca de un tornillo forman una hélice. También el corte en forma de espiral en el lateral del émbolo de inyección para la medición del combustible.

Hidráulica

La ciencia que estudia los fluidos en movimiento.

Hiperboloide

Significa que el piñón presenta excentricidad con respecto al eje central de la corona dentada.

Inercia

Inercia es la propiedad de un cuerpo que induce a éste a permanecer en el estado de reposo o movimiento actual, a no ser que se aplique una fuerza.

Libras-pulgada

Un término o unidad de trabajo o energía.

Límite de fatiga

En el laboratorio, se utiliza este término para indicar el número de ciclos de esfuerzo que puede resistir una probeta muestra antes de romperse.

Límite elástico

Este término se utiliza con poca precisión en la práctica. Cuando se utiliza en la técnica, se refiere al esfuerzo unitario máximo, para el cual un material recuperará su forma inicial después de que cese el esfuerzo aplicado.

Ménsula

Un haz, barra o pieza en posición de voladizo (cantilever) como en construcción, que se apoya en un solo extremo.

Micrográficos

Se obtienen limpiando la superficie del metal, realizando un ataque químico sobre la superficie pulida por medio de un reactivo adecuado, para dejar a la vista la estructura metalográfica. A continuación, se reproduce normalmente por métodos fotográficos el aspecto que representa la superficie tal y como se ve a través del microscopio. A las fotografías obtenidas se las denomina, a veces, fotomicrografía o microfotografía.

Movimiento.
Las 3 Leyes del Movimiento (Newton)

1ª Ley: todo cuerpo continúa en estado de reposo o de movimiento uniforme a lo largo de una línea recta, excepto si se hace actuar una fuerza sobre dicho cuerpo para variar su estado de reposo o movimiento.

2ª Ley: si varias fuerzas actúan sobre un cuerpo, éstas actúan sobre el último, como si no existieran las demás. Esto es válido, independientemente de si el cuerpo se encuentra en movimiento o en reposo. Es decir, si dos o más fuerzas actúan sobre un cuerpo al mismo tiempo, cada una de ellas produce el mismo efecto que si estuviera sola, el efecto total o resultante de todas las fuerzas se puede obtener por medio de un diagrama de la misma forma que la resultante de las fuerzas.

3ª Ley: a cada acción se opone una reacción o, lo que es lo mismo, si una fuerza actúa para cambiar el estado de movimiento de un cuerpo, el cuerpo ofrece una resistencia igual o directamente opuesta a dicha fuerza.

Neumática

Es la rama de la física que estudia las propiedades mecánicas del aire y otros gases, como peso, presión, elasticidad, etc.

Par motor

Par motor es lo que produce o tiende a producir rotación o torsión; el producto de la fuerza tangencial multiplicado por el radio de la pieza que gira. Un motor es, por lo tanto, esencialmente, un dispositivo que ejerce un par y el par motor es la energía disponible para producir trabajo.

Partes del diente de un engranaje

El diámetro exterior de un engranaje se refiere al medido con respecto al extremo del diente.

El diámetro de fondo del diente de un engranaje es el medido con respecto al fondo.

La distancia entre centros es la que existe entre los centros de dos engranajes que engranan, cuyos círculos de contacto son tangentes.

El paso diametral de un engranaje es el número de dientes por pulgada de diámetro primitivo y se halla dividiendo el número de dientes entre el diámetro primitivo.

El paso de diente es la distancia desde el centro de un diente hasta el centro del siguiente, medida como un arco a lo largo del círculo de contacto.

La profundidad o altura de trabajo es la profundidad a la que entran los dientes de un engranaje entre los del otro con el que engrana.

La tolerancia o huelgo es el margen de diferencia entre el espacio del diente y la altura de trabajo.

La cara del diente es la parte curva del diente que está entre la circunferencia exterior y el círculo de contacto.

El flanco del diente es la parte de la altura de trabajo del diente que se introduce en el círculo de contacto.

Paso de rosca

Es la distancia longitudinal que avanza la rosca de un tornillo, al dar una vuelta.

Patrón (estándar)

Patrón, estándar o de referencia: términos aplicados a un calibre casi perfecto que se utiliza para calibrar otros calibres de trabajo.

Peso

Es la atracción que la tierra ejerce sobre todos los cuerpos. Bajo la influencia de sólo su peso, los cuerpos caen sobre la tierra con la misma velocidad y la misma aceleración. La aceleración aumenta con la latitud y disminuye con la altura sobre el nivel del mar. Su valor al nivel del mar en Nueva York es de 32.16 pies por segundo. (En el sistema métrico, la aceleración de la gravedad es igual a 9.81 metros por segundo cada segundo, a 45 grados de latitud y al nivel del mar.)

Peso específico

Es un número que indica cuántas veces más pesado es un cierto volumen de un material que un volumen de agua a la temperatura de 62 °F. El peso de una pulgada cúbica de agua pura a 62 °F es de 0.0361 libras. Si se conoce el peso específico de otro material cualquiera, se podrá determinar el peso de una pulgada cúbica del material, multiplicando su peso específico por 0.0361.

Pi

La letra pi del alfabeto griego, correspondiente a la P castellana; se utiliza como una constante de valor 3.1416, para expresar la relación longitud de la circunferencia al diámetro de ésta.

Refrigerante

Una sustancia que produce un efecto refrigerador al absorber el calor y expandirse, vaporizarse o evaporarse. La evaporación es un proceso de enfriamiento.

Surco

Especie de muesca que permite la conexión de otras piezas.

Test Brinell

Un instrumento para realizar test de dureza, empleando el método de penetración con bola de acero endurecido.

Tolerancia

Cubre la variación de las dimensiones para permitir así diferentes tipos de ajustes.

Tolerancia (tolerance)

Es el margen de distancias, cuando se aplica en el comercio.

Torsión

Es la fuerza que ejerce una pieza o parte a la que se ha retorcido y que tiene por fin hacerla volver al estado inicial.

Tratamientos en frío

Cambio de la forma en piezas de acero por compresión, estiramiento, pliegue o torsión utilizando esfuerzos más allá del límite elástico y temperaturas por debajo del margen crítico. El acero estirado en frío se termina de estirar en un troquel, mientras que el acero laminado se produce con apisonadoras de rodillos.

Vapor

La forma o estado gaseoso de las sustancias que están normalmente en estado sólido o líquido y pueden alcanzar este estado disminuyendo la presión o aumentando la temperatura.

GLOSARIO DE TÉRMINOS

Velocidad
Es la distancia dividida entre el tiempo y se expresa en pies por minuto, millas por hora, etc.

Volátil
Fácilmente vaporizable (ejemplos: freón, éter, gasolina, alcohol, etc.).

GLOSARIO DE TÉRMINOS ELECTRÓNICOS

Amperio
La unidad de corriente eléctrica; la corriente producida por un voltio al aplicarlo a una resistencia de un ohmio.

Amplificador
Dispositivo eléctrico que contiene transistores, diodos y resistencias, utilizado para controlar la corriente. .

Circuito impreso
Circuitería que se aplica a un material no conductor para evitar cables sueltos y aumentar la condensación del conjunto.

Condensador
Dispositivo que se utiliza para almacenar energía eléctrica.

Diodo
Dispositivo eléctrico en forma de cápsula que permite el paso de la corriente en una sola dirección.

Disipador de calor
Placa de montaje de componentes electrónicos que sirve para disipar el calor de los componentes.

Expoia
Material de unión para montaje, unión, reforzamiento o aislamiento de componentes eléctricos.

Inducido
Voltaje o tensión indirecta causada por el flujo de corriente intermitente a través del devanado primario, dando como resultado la inducción de una tensión en el devanado secundario.

Infinito
Mayor que cualquier cantidad que se puede medir con un óhmetro.

Masa polar
Partes o piezas giratorias y estacionarias del distribuidor que producen los pulsos magnéticos para activar el amplificador.

Núcleo temporizador
Pieza polar rotativa del distribuidor de pulsos magnéticos.

Ohm
Unidad de resistencia eléctrica de un circuito en el cual una diferencia de potencial de un voltio provoca la circulación de una corriente de un amperio.

Óhmetro
Instrumento para medir la resistencia.

Panel de montaje
Panel donde se montan los componentes eléctricos.

Relé
Dispositivo para abrir o cerrar circuitos y que está controlado a distancia.

Resistencia
Es un elemento que se utiliza para limitar el valor de la corriente a un valor especificado.

Resistencia de polarización
Resistencia a través de la cual la corriente de salida se trae a la entrada de nuevo, para así

conseguir una estabilización del flujo de corriente.

Resistencia en derivación
Resistencia que se utiliza para lograr que circule una intensidad de corriente fija en algún elemento de circuito.

Salto del arco (Arc-Over)
El fenómeno que se produce cuando la corriente circula por otro camino que el designado.

Solenoide
Una bobina tubular que se utiliza para producir un campo magnético y transformar la energía eléctrica en energía mecánica.

Transistor
Dispositivo eléctrico que actúa como un interruptor para controlar un circuito. No tiene partes móviles.

Transistor disparador
Transistor que actúa como un interruptor ON-OFF para sustituir puntos de contacto.

Vatio
Unidad de potencia eléctrica o actividad igual a la potencia que representa una corriente de un amperio con una tensión de un voltio, un voltio-amperio (VA).

Voltio
La unidad de fuerza electromotriz; la fuerza electromotriz, que, si se aplica constantemente a un conductor que tiene una resistencia de un ohmio, producirá la circulación de una corriente de un amperio sobre dicho conductor.

USOS DEL CASTELLANO

Abertura	Distancia Entrehierro Separación		**Anillo de pistón**	Aro de pistón Segmento
Abrazadera de presión	Grapa de retención de presión		**Anillo elástico de seguridad**	Candado de anillo
Acopla	Embona Encaja Engraba		**Anillo en "O"**	Anillo tórico Junta tórica Anillo de sellado Arosello
Acoplamiento	Clutch Cople Embrague		**Anillo tórico**	Anillo en "O" Junta tórica Anillo de sellado Arosello
Acumulador	Batería		**Aplicador de sellos**	Montador de sellos (retenes)
Aditamentos	Elementos componentes		**Arandela amortiguadora**	Arandela de goma
Afinación del motor	Puesta a punto del motor		**Arandela de goma**	Arandela amortiguadora
Agujero ciego	Agujero no pasado		**Arandela de vaso**	Copa Vaso de cierre
Agujero no pasado	Agujero ciego		**Arandela en "C"**	Anillo en "C" Candado en "C" Cierre en "C" Seguro en "C"
Agujero pasado	Agujero pasante			
Agujero pasante	Agujero pasado		**Árbol de transmisión**	Flecha de transmisión
Ahogador	Mariposa Estrangulador		**Armar**	Ensamblar
Alambre de cierre	Puente eléctrico (hilo)		**Armazón del motor**	Bastidor del motor
Alambre	Hilo eléctrico de conexión Cable		**Aro de pistón**	Anillo de pistón Segmento
Alicates de puntas	Pinzas de puntas		**Arosello**	Anillo de sellado Anillo en "O" Anillo tórico Junta tórica
Aliviar presión	Eliminar presión Descargar presión			
Amortiguador de vibraciones	Amortiguador torsional Balanceador del cigüeñal Equilibrador armónico Equilibrador del cigüeñal Equilibrador torsional		**Articulación**	Eslabonamiento Reenvío Varillaje
Amortiguador torsional	Amortiguador de vibraciones Balanceador del cigüeñal Equilibrador armónico Equilibrador del cigüeñal Equilibrador torsional		**Articulación de la dirección**	Mangueta Mango
			Arrastre de freno	Roce de freno

USOS DEL CASTELLANO

Aspiración	Captación	**Birlo**	Espárrago roscado
	Succión		Perno
Aspiración de aire	Inducción de aire	**Bloque del motor**	Monoblock del motor
			Bloque de cilindros
Avance (en rueda)	Cáster (en rueda)		
		Bloque de cilindros	Monoblock del motor
Balanceador del cigüeñal	Amortiguador torsional		Bloque del motor
	Amortiguador de vibraciones		
	Equilibrador armónico	**Bloqueo**	Cierre
	Equilibrador del cigüeñal		Seguro
	Equilibrador torsional		
		Bobina sensora	
Balatas de freno	Zapatas de freno	**del distribuidor**	Captador del distribuidor
Balero	Cojinete de bolas	**Boca de llenado**	Garganta del rellenador
	Rodamiento de bolas		
		Boca del retén de aceite (sello)	Labio del retén (sello)
Ballesta	Muelle de ballesta		Reborde del sello
	Muelle de hojas		
		Bocina de aire	Trompa de aire
Bancada derecha			
(izquierda)	Banco derecho (izquierdo)	**Bola (semi-bola) de balancín**	Pivote de balancín
Banco derecho	Bancada derecha	**Bomba de la dirección**	
		hidráulica	Bomba del servo de la dirección
Banda	Correa		
		Bomba del servo	
Bandeja del cenicero	Charola del cenicero	**de la dirección**	Bomba de la dirección hidráulica
Barra de acoplamiento	Tirante	**Botador de aceite**	Engrasador de aceite
	Barra de conexión		Esparcidor de aceite
			Lanzador de aceite
Barra de conexión	Tirante		Salpicador de aceite
	Barra de acoplamiento		
		Bote de carbón	Cartucho de vapor
Barra antibalanceo	Barra contraladeo		Lata de carbón
			Recipiente de carbón vegetal activo
Barra contraladeo	Barra antibalanceo		
		Boya	Cubeta (cuba)
Barra estabilizadora	Barra antideslizamiento		Flotador
			Tazón
Barra de palanca pequeña	Barreta de palanca		Vaso
Barra de pivoteo	Eje del brazo de control inferior	**Brazo de control inferior**	
		(superior)	Brazo oscilante inferior (superior)
Barreno	Orificio taladrado		
		Brazo intermedio	Brazo loco
Barreta de palanca	Barra de palanca pequeña		
		Brazo loco	Brazo intermedio
Bastidor del motor	Armazón del motor		
		Brazo oscilante inferior	Brazo de control inferior
Batería	Acumulador		
		Bujía de encendido	
Bypass	Desviadero	**por chispa**	Tapón encendedor
	Desviación		
		Bujía incandescente	Tapón incandescente

Caballete de seguridad	Soporte fijo Soporte de piso	**Captador del distribuidor**	Bobina sensora del distribuidor
Cabeza de cilindros	Culata de cilindros	**Capuchón de retén de grasa**	Sello de globo
Cable alambres	Cables	**Carril del bastidor**	Larguero del bastidor Viga del bastidor
Cabrestante	Polipasto de elevación	**Cartela**	Ménsula Repisa Soporte
Caja del cigüeñal	Cárter del cigüeñal		
Cajuela de guantes	Guantera	**Cárter de aceite**	Charola Depósito de aceite
Calcomanía	Etiqueta adhesiva	**Cárter del cigüeñal**	Caja del cigüeñal
Calentador (de aire)	Estufa (de aire)	**Cartucho de vapor**	Bote del carbón Recipiente de carbón vegetal activo Lata de carbón
Calibrador del freno	Mordaza del freno Pinza del freno		
Calibrador de hojas	Calibrador de láminas Galga de huelgos (holguras)	**Cáster (en rueda)**	Avance (en rueda)
		Catarina	Engranaje Engrane Rueda dentada
Calibrador de láminas	Calibrador de hojas Galga de huelgos (holguras)		
		Ceja de la almohadilla	Saliente de la almohadilla
Cámara de sobrepresión	Plenum	**Chaqueta de la columna**	Cubierta de la columna
Cámara impelente	Cámara impelente de ventilación forzada	**Charola**	Cárter de aceite Depósito de aceite
Cambio abajo	Cambio descendente (Reducción)	**Charola del cenicero**	Bandeja del cenicero
Canalización longitudinal de aceite	Galería de aceite	**Chaveta**	Candado de tuerca almenada Cuña Pasador de aletas Pasador de seguridad Pasador partido
Candado de anillo	Anillo elástico de seguridad		
Candado en "C"	Anillo en "C" Arandela en "C" Cierre en "C" Seguro en "C"	**Chavetero**	Cuñero
		Chicote (de embrague o velocímetro)	Cable (de embrague o velocímetro)
Candado de tuerca almenada	Chaveta de bloqueo Pasador de aletas Pasador de seguridad Pasador partido	**Chorro de aire**	Surtidor de aire
		Chumacera (de la biela)	Gorrón de la biela
Capó fijo	Cubretablero	**Cierre**	Bloqueo Seguro
Captación	Aspiración Succión	**Cierre en "C"**	Anillo en "C" Arandela en "C" Candado en "C" Seguro en "C"
Captador	Sensor Transductor		

Cilindrada	Cubicaje
	Desplazamiento
Cilindro maestro	Cilindro principal
Clavija de centrado	Pasador de alineación
Clutch	Acoplamiento
	Cople
	Embrague
CMS (Centro Muerto Superior)	PMS (Punto Muerto Superior)
Cocas (hacerse)	Retorcerse
Cofre	Compartimiento de equipajes
Cojincillo	Meseta
Cojinete de bolas	Balero
	Rodamiento de bolas
Colador de aspiración	Rejilla de aspiración
	Rejilla captora
Colector	Múltiple
Colgante (de ballesta)	Suspensor
Comparador de esfera	Indicador de carátula
	Indicador de esfera
Compartimiento de equipajes	Cofre
Compuerta	Ventila
Conducto (de aire)	Ducto (de aire)
Conducto (de vacío)	Línea (de vacío)
Contraexplosiones	Retroexplosiones
Controlar	Monitorear
Convertidor de par (de torsión)	Convertidor de torque
	Convertidor de torsión
Convertidor de torque	Convertidor de par
	Convertidor de torsión
Convertidor de torsión	Convertidor de par
	Convertidor de torque
Copa (en cilindro hidráulico)	Arandela de vaso
	Vaso de cierre

Cople	Acoplamiento
	Clutch
	Embrague
Cortar a paño	Cortar a ras
Cortar a ras	Cortar a paño
Correa	Banda
Cuña	Chaveta
Cuñero	Chavetero
Cubeta (cuba) de carburador	Tazón
	Vaso
Cubicaje	Cilindrada
	Desplazamiento
Cubierta de la columna	Chaqueta de la columna
Cubierta de válvulas	Tapa de válvulas
Cubo	Maza
	Mazo
Cubretablero	Capó fijo
Cuerpos (de carburador)	Barriles
	Gargantas
Culata	Cabeza de cilindros
Depósito de rebose	Tanque de derrame
Desarmador	Destornillador
Desarmar	Desensamblar
Descargar presión	Aliviar presión
	Eliminar presión
Descongelador	Deshielador
	Desempañador
Desempañador	Descongelador
	Deshielador
Desensamblar	Desarmar
Deshielador	Descongelador
	Desempañador
Desmontable	Removible
Desmontador (de rótula)	Separador (de rótula)

Desplazamiento	Cilindrada		**Eje de torsión**	Eje de torque
	Cubicaje		**Elementos componentes**	Aditamentos
Destornillador	Desarmador		**Elementos giratorios**	Eslabones giratorios
				Osciladores ajustables
Desviación	Derivación			
	Bypass		**Émbolo (de solenoide)**	Núcleo móvil
Diente de retenida			**Embona**	Acopla
(trinquete)	Retén (trinquete)			Encaja
				Engraba
Dirección asistida por servo	Dirección automática			Engrana
	Dirección hidráulica			
	Dirección de potencia		**Embrague**	Acoplamiento
				Clutch
Dirección automática	Dirección asistida por servo			Cople
	Dirección hidráulica			
	Dirección de potencia		**Empacar (con grasa)**	Rellenar (con grasa)
Dirección hidráulica	Dirrección asistida por servo		**Empaque sellador**	Junta de cierre
	Dirección automática			Junta de estanqueidad
	Dirección de potencia			
			Empujador	Empujaválvulas
Dirección de potencia	Dirección asistida por servo			Levantaválvulas
	Dirección automática			
	Dirección hidráulica		**Empujaválvulas**	Empujador
				Levantaválvulas
Disolvente	Solvente			
			Encaja	Acopla
Distancia	Abertura			Embona
	Entrehierro			Engraba
	Separación			Engrana
Distanciador	Distancial		**Enfriador**	Refrigerador
	Espaciador			
			Enfriamiento	Refrigeración
Distancial	Distanciador			
	Espaciador		**Enfriante**	Refrigerante
Distribución	Sincronía		**Engraba**	Acopla
	Sincronización			Embona
				Encaja
Ducto (de aire)	Conducto (de aire)			Engrana
Eje del brazo			**Engrana**	Acopla
de control inferior	Barra de pivoteo			Embona
				Encaja
Eje fileteado	Eje roscado			Engraba
Eje del interruptor	Flecha del interruptor		**Engranaje**	Catarina
				Engrane
Eje de propulsión	Flecha motriz			Rueda dentada
Eje roscado	Eje fileteado		**Engrane**	Catarina
				Engranaje
Eje de torque	Eje de torsión			Rueda dentada

Engrasador de aceite (anillo)	Botador Esparcidor (anillo) Lanzador Salpicador	**Estribo (ballestas)**	Grillete (muelle de hojas)
		Estufa (de aire)	Calentador (de aire)
Engrasador	Grasera	**Etiqueta adhesiva**	Calcomanía
Ensamblar	Armar	**Extensión del alojamiento de transmisión**	Prolongación del alojamiento de transmisión
Entrehierro	Abertura Distancia Separación	**Extraer (la cadena)**	Zafar (la cadena)
Equilibrador armónico	Amortiguador torsional Amortiguador de vibraciones Balanceador del cigüeñal Equilibrador del cigüeñal Equilibrador torsional	**Extremo (barra de conexión, acoplamiento o tirante)**	Remate (barra conectora)
		Fanales	Faros delanteros
		Faros delanteros	Fanales
Equilibrador del cigüeñal	Amortiguador torsional Amortiguador de vibraciones Balanceador del cigüeñal Equilibrador armónico Equilibrador torsional	**Flecha A-460 (caja de transmisión)**	Transmisión A-460
		Flecha de transmisión	Árbol de transmisión
Equilibrador torsional	Amortiguador torsional Amortiguador de vibraciones Balanceador del cigüeñal Equilibrador armónico	**Flecha del interruptor**	Eje del interruptor
		Flecha motriz	Eje de propulsión
Eslabón fusible	Fusible de cinta	**Flotador (carburador)**	Boya (carburador) Cubeta (cuba) Tazón Vaso
Eslabón giratorio	Elemento giratorio Oscilador ajustable		
Eslabonamiento	Articulación Reenvío Varillaje	**Freno de estacionar**	Freno de mano
		Freno de mano	Freno de estacionar
		Frenos de potencia	Frenos asistidos por servo
Espaciador	Distanciador Distancial	**Fusibles de cinta**	Eslabones fusibles
Esparcidor de aceite (anillo)	Botador Engrasador de aceite (anillo) Lanzador Salpicador	**Galería de aceite**	Canalización longitudinal de aceite
		Garganta (carburador)	Barril Cuerpo
Espárrago de rótula	Espiga de esfera Poste de rótula	**Garganta del rellenador**	Boca de llenado
Espiga de esfera	Espárrago de rótula Poste de rótula	**Gelatina de petróleo**	Petrolato Vaselina
Espiga del cigüeñal	Muñequilla del cigüeñal	**Goma de escobilla (limpiaparabrisas)**	Inserto de pluma (limpiaparabrisas)
Estrangulador	Mariposa Ahogador	**Gorrón de biela**	Chumacera de biela
		Grapa de retención de presión	Rondana de presión

Grasera	Engrasador	Interruptor de luz de cruce	Interruptor de atenuación
Grillete de ballesta	Estribo de ballesta	Interruptor de luz de techo	Interruptor de luz de toldo
Guantera	Cajuela de guantes	Interruptor de luz de toldo	Interruptor de luz de techo
Guarda	Placa de cierre	Jalar	Tirar
Hilo de conexión eléctrica	Alambre	Juego axial	Juego al extremo
Hilo puente eléctrico	Alambre de cierre	Juego al extremo	Juego axial
Holgura de ajuste	Tolerancia de ajuste	Juego de válvulas	Huelgo de válvulas
Hoja de segueta	Hoja de sierra para metales	Junta de cierre	Empaque sellador
Hoja de sierra para metales	Hoja de segueta		Junta de estanqueidad
Hojas del ventilador	Palas de la hélice del ventilador	Junta de esfera	Rótula
Horquilla del árbol	Yugo de la flecha	Junta de estanqueidad	Empaque sellador
			Junta de cierre
Horquilla de desacoplo	Horquilla de desembrague	Labio de retén de aceite	Boca de retén de aceite
	Horquilla de liberación		Reborde de sello
	Horquilla soltadora	Lámpara de sincronización	Lámpara de tiempo
Horquilla de desembrague	Horquilla de desacoplo	Lámpara de tiempo	Lámpara de sincronización
	Horquilla de liberación		
	Horquilla soltadora	Lanzador de aceite (anillo)	Botador de aceite (anillo)
			Engrasador
Horquilla de liberación	Horquilla de desacoplo		Esparcidor
	Horquilla de desembrague		Salpicador
	Horquilla soltadora		
		Larguero del bastidor	Carril del bastidor
Horquilla soltadora	Horquilla de desacoplo		Viga del bastidor
	Horquilla de desembrague		
	Horquilla de liberación	Levantaválvulas	Empujador
Huelgo de las válvulas	Juego de las válvulas		Empujaválvulas
Hule	Goma	Línea de vacío	Conducto de vacío
Humo (de evaporación de combustible)	Vapor (de combustible)	Llave española	Llave fija de extremo abierto
Impulsor de abanico	Ventilador de palas (hélice)	Llave de apriete dinamométrica	Torquímetro
Indicador de carátula	Comparador de esfera	Llave de caja	Llave de cubo
	Indicador de esfera		Llave de vaso
Indicador de esfera	Comparador de esfera	Llave de cubo	Llave de caja
	Indicador de carátula		Llave de vaso
Inserto de pluma (limpiaparabrisas)	Goma de escobilla (limpiaparabrisas)	Llave de vaso	Llave de caja
			Llave de cubo
Interruptor de atenuación	Interruptor de luz de cruce	Llave fija de extremo abierto	Llave española

Luces de indicación de giro	Luces direccionales
Luces direccionales	Luces de indicación de giro
Mamelón	Tetón
Manivela de campana	Palanca angular
Manga roscada	Manguito roscado
Manguito	Manguera
Manguito roscado	Manga roscada
Marcas de sincronización	Marcas de tiempo
Marcha atrás	Reversa
Mariposa	Estrangulador Ahogador
Martillo de goma	Martillo de hule
Martillo de hule	Martillo de goma
Masa (eléctrica)	Tierra (eléctrica)
Maza (de la rueda, del volante)	Cubo (de la rueda, del volante) Mazo
Mazo	Maza Cubo (de la rueda, del volante)
Ménsula	Cartela Repisa Soporte
Meseta	Cojincillo
Monitorear	Controlar
Monoblock del motor	Bloque del motor Bloque de cilindros
Montador de retenes	Aplicador de sellos
Montaje pegado	Montaje remachado o soldado
Montaje remachado o soldado	Montaje pegado
Montante	Poste Puntal
Mordaza de freno	Calibrador de freno Pinza de freno
Muelle de ballesta	Ballesta Muelle de hojas
Muelle de hojas	Ballesta Muelle de ballesta
Múltiple	Colector
Muñequilla del cigüeñal	Espiga del cigüeñal Muñón del cigüeñal
Muñón del cigüeñal	Espiga Muñequilla
Niple	Rácor
Núcleo móvil del solenoide	Émbolo del solenoide
Orificio taladrado	Barreno
Oscilador ajustable	Elemento giratorio Eslabón giratorio
Palanca angular	Manivela de campana
Palas del ventilador (hélice)	Hojas del ventilador
Palpador	Punta sensora
Pantalla captadora	Colador Rejilla de aspiración
Par de apriete	Par de torsión Torque
Par de torsión	Par de apriete Torque
Pared caliente	Tabique cortafuegos
Pasador cilíndrico elástico	Perno de rollo (enrollado)
Pasador de aletas	Candado de tuerca almenada Chaveta Pasador de seguridad Pasador partido
Pasador de alineación	Clavija de centrado
Pasador de seguridad	Candado de tuerca almenada Chaveta Pasador de aletas
Paso cruzado	Paso transversal Tubo transversal
Paso transversal	Paso cruzado Tubo transversal

Pasador partido	Pasador de seguridad	Reborde del sello	Boca del retén
	Candado de tuerca almenada		Labio del retén
	Chaveta	Recinto impelente	
	Pasador de aletas	de ventilación forzada	Plenum
			Cámara de sobrepresión
Placa base	Solera		
		Recipiente	
Placa de bloqueo	Plato de seguridad	de carbón vegetal activo	Bote del carbón
			Cartucho de vapor
Plato de impulsión	Plato de mando		Lata de carbón
Plato de mando	Plato de impulsión	Reensamblar	Rearmar
Plato opresor	Plato de presión	Reenvío	Articulación
			Eslabonamiento
Plato de presión	Plato opresor		Varillaje
Plato de seguridad	Placa de bloqueo	Reforzador del freno	Servofreno
Plenum	Recinto impelente de ventilación forzada	Refrigeración	Enfriamiento
	Cámara de sobrepresión	Refrigerante	Enfriante
PMS (Punto Muerto Superior)	CMS (Centro Muerto Superior)	Relé	Relevador
Polipasto de elevación	Cabrestante	Relevador	Relé
Pluma (limpiaparabrisas)	Escobilla limpiadora	Rellenar con grasa	Empacar con grasa
Pomo	Perilla	Remate	
Poste	Puntal	(barra conectora)	Extremo (barra conexión o tirante)
Poste de la rótula	Espárrago de rótula	Removible	Desmontable
	Espiga de esfera	Retén de aceite	Sello
Presilla	Retención	Retén (trinquete)	Diente de retenida (trinquete)
Prolongación		Retención	Presilla
de la transmisión	Extensión de la transmisión	Retroexplosiones	Contraexplosiones
Puente eléctrico (hilo)	Alambre de cierre	Reversa	Marcha atrás
Puerta levadiza	Puerta trasera elevable	Roce de freno	Arrastre de freno
Puerta trasera elevable	Puerta levadiza	Rodamiento de bolas	Balero
Punta sensora	Palpador		Cojinete de bolas
Puntal	Poste	Rondana de presión	Grapa de retención de presión
Rácor	Niple	Rosca barrida	Rosca pasada
Ralentí	Velocidad en vacío	Rosca pasada	Rosca barrida
Rearmar	Reensamblar	Rótula	Junta de esfera

USOS DEL CASTELLANO

Rueda dentada	Catarina
	Engranaje
	Engrane
Saliente de la almohadilla	Ceja de la almohadilla
Salpicadera	Protección de caucho contra salpicaduras
Salpicador de aceite (anillo)	Botador de aceite (anillo)
	Engrasador
	Esparcidor
	Lanzador
Seguro	Bloqueo
	Cierre
Seguro de válvula	Semiconos de bloqueo
Sello	Empaque
	Junta de hermeticidad
	Retén de aceite
Sello de globo	Capuchón retén de grasa
Semiconos de bloqueo	Seguro de válvula
Sensor	Captador
	Transductor
Separación	Abertura
	Distancia
	Entrehierro
Separador de rótulas (útil)	Desmontador de rótulas (útil)
Servofreno	Reforzador del freno
Sincronía	Distribución
	Sincronización
Sincronización	Distribución
	Sincronía
Sobrelapado (de levas)	Traslape (de levas)
Solvente	Disolvente
Soporte	Cartela
	Ménsula
	Repisa
Soporte fijo	Caballete de seguridad
	Soporte de piso
Soporte de piso	Caballete de seguridad
	Soporte fijo

Succión	Aspiración
	Captación
Superdirecta	Supermarcha
Superficies de contacto de junta	Superficies de sellado de empaque
Superficies de sellado de empaque	Superficies de contacto de junta
Supermarcha	Superdirecta
Surtidor de aire	Chorro de aire
Suspensor (de ballesta)	Colgante (de ballesta)
Tabique cortafuegos	Pared caliente
Tapa de válvulas	Cubierta de válvulas
Tapa de la maza	Tapa del cubo
Tanque de derrame	Depósito de rebose
Tapón encendedor	Bujía de encendido por chispa
Tazón (carburador)	Boya
	Cubeta (cuba) del carburador
	Flotador
	Vaso
Templador	Tensador
	Tensor
Tensor	Templador
	Tensador
Tensador	Templador
	Tensor
Tetón	Mamelón
Tierra (eléctrica)	Masa (eléctrica)
Tirar	Jalar
Tolerancia	Huelgo
Tornillo con remate/pestaña	Tornillo con valona/arandela
Tornillo con valona/arandela	Tornillo con remate/pestaña
Tornillo para lámina	Tornillo para plancha metálica
Tornillo para plancha metálica	Tornillo para lámina

Torque	Par de apriete Par de torsión	**Válvula auxiliar (culata)**	Válvula de chorro (culata)
Torque (eje de)	Torsión (eje de)	**Válvula checadora**	Válvula antirretorno Válvula unidireccional
Torquímetro	Llave de apriete dinamométrica	**Válvula de alivio**	Válvula de descarga
Transductor	Captador Sensor	**Válvula de chorro**	Válvula auxiliar
Transmisión (A-460)	Cambio de marcha Flecha (A-460)	**Válvula de descarga**	Válvula de alivio
Traslape (de levas)	Sobrelapado (de levas)	**Válvula unidireccional**	Válvula antirretorno Válvula checadora
Trompa de aire (carburador)	Bocina de aire (carburador)	**Vapor (de combustible)**	Humo (de evaporación de combustible)
Tubo de cruce/cruzado	Tubo transversal Paso cruzado Paso transversal	**Varillaje**	Articulación Eslabonamiento Reenvío
Tubo transversal	Tubo de cruce/cruzado Paso cruzado Paso transversal	**Vaselina**	Gelatina de petróleo Petrolato
Tuerca autoasegurada	Tuerca autobloqueante	**Vaso de cierre (cilindro hidráulico)**	Arandela de vaso Copa
Tuerca autobloqueante	Tuerca autoasegurada	**Vaso (del carburador)**	Boya Cubeta Flotador Tazón
Tuerca con remate/pestaña	Tuerca con valona/pestaña		
Tuerca con valona/pestaña	Tuerca con remate/pestaña	**Vaso (del cojinete)**	Cono Pista
Tuerca de aseguramiento	Tuerca de seguridad	**Velocidad en vacío**	Ralentí
Tuerca de bloqueo	Tuerca de choque	**Ventila**	Compuerta
Tuerca de choque	Tuerca de bloqueo	**Ventilador de palas**	Impulsor de abanico
Tuerca de seguridad	Tuerca de aseguramiento	**Viga del bastidor**	Carril del bastidor Larguero del bastidor
Turboalimentador	Turbocargador Turbocompresor	**Yugo de la flecha**	Horquilla del árbol
Turbocargador	Turboalimentador Turbocompresor	**Zafar (la cadena)**	Extraer (la cadena)
Turbocompresor	Turboalimentador Turbocargador	**Zapatas de freno**	Balatas de freno
Válvula antirretorno	Válvula checadora Válvula unidireccional		

ACRÓNIMOS

A/A	Aire Acondicionado	DRL's	Daytime Running Light's
A/C	Air Conditioning	DSL	Diesel
ABS	Anti-Block System	DTC's	Diagnostic Trouble Code's
ARC	Automatic Ride Control	DVOM	Digital Volt-Ohmmeter
B-TDC	Before-Top Dead Crankshaft	ECM	Electronic Control Module
BJ	Birfield Joint	ECT	Engine Coolant Temperature
BSPT	British Standard Pipe Taper	EDC	Electronic Diesel Control
CCA	Cold Cranking Amper	EDIS	Electronic Distributorless Ignition System
CCRM	Constant Control Relay Module	EDS	Electronic Diesel System
CCV	Crankcase Ventilation	EFI	Electronic Fuel Injection
CFI	Control Fuel Injection	EGO	Exhaust Gases Oxigen
CIS-E	Continuous Injection System w/Electronic Control	EGR	Exhaust Gases Recirculation
CKF	Crankshaft Fluctuation	EGR(DPFE)	EGR (Diferential Pressure Sensor)
CKP	Crankshaft Position	EGR(PFE)	EGR (Pressure Feedback Sensor)
CMP	Camshaft Position	EPA	Oficina Medioambiental
CPA	Connector Position Assurance	EZL/ARK	Electronic Injection w/Anti-Knock Retard
CPP	Clutch Pedal Position	4WD	Four Wheels Drive
CV Joint	Constant Velocity Joint	4WS	Four Wheels Steering
DI	Direct Injection	HFM	Hot Film Management
DIS	Distributorless Ignition System	HGND	Heating Ground terminal
DLC	Diagnostic Link Connector	HO	High Output
DME	Control Module-Pulse Sender	HO$_2$S	Heated Oxigen Sensor
DMM	Digital Multi-Meter	HPWR	Heating Power terminal
DOHC	Double Over Head Camshaft	HSC	High Swirl Combustion
DOJ	Double Ofsset Joint	HSIA	High Speed Inlet Air

ACRÓNIMOS

HSO	High Specific Output		PTO	Power Take-Off
IAC	Idle Air Control		REF/CKP	Sensor de REFERENCIA de Posición del Cigüeñal CPK
IAT	Intake Air Temperature			
IDI	Indirect Diesel Injection		RTV sealant	Junta líquida
IMRC	Intake Maniflod Runner Control		Schrader valve	Válvula Schrader (en ABS)
Knock sensor	Sensor Detonación		SFI	Sensor Fuel Injected
LEV	Low Emission Vehicle		SGND	Sensor Ground Terminal
LH	Bosch Hot Wire Fuel System		SIR	Supplemented Inflatable Restraint (Air Bag)
LSPV	Load Sensing Proportional Valve		SIR coil	Bobina del SIR
M-HO	Metanol-High Output		SMFI	Secuential Multi-Port Fuel Injection
MAF	Mass Air Flow		SOHC	Single Over Head Camshaft
MAP	Maniflod Absolute Pressure		SOUT	Sensor Output Terminal
ME	Motronic Engine Management		SPI	Split Port Injection
MFI	Multi-Port Fuel Injection		SRS	Supplemental Restraint System
ML	Gestión del motor Motronic		TDC	Top Dead Crankshaft
MLP	Manual Lever Position		TFE	Teflon Seal
O/D	Over/Drive Direct Clutch Speed		TFI	Throttle Fuel Injection
OHC	Over Head Camshaft		TJ	Tripod Joint
OHV	Over Head Valve		TJ	Tulip Joint
OBD-I	On Board Diagnostics First Generation		TP	Throttle Position
OBD-II	On Board Diagnostics Second Generation		TR	Transmision Range
PAIR	Pulsed Secondary Air Injection		TSS	Turbine Shaft Speed
PCM	Powertrain Control Module		TV	Throttle Valve
PCV	Positive Crankcase Ventilation		TWC	Two Way Catalizer
PDC	Power Distributor Center		VECI	Vehicle Emission Control Information Label
PGM-FI	Programmed Fuel Injection		VMV	Vapor Management Valve
PHASE	Camshaft Position Sensor		VSS	Vehicle Speed Sensor
POS/CPK	Sensor de POSICIÓN de Posición del Cigüeñal		IF	Water In Filter
P/S	Power Steering			